CUESTIONES ACTUALES DE DERECHO URBANÍSTICO

JOSÉ ANTONIO CERDEIRA PÉREZ
JOSÉ MARÍA DOMÍNGUEZ BLANCO

Directores

MARCOS ALMEIDA CERREDA

Coordinador

CUESTIONES ACTUALES DE DERECHO URBANÍSTICO

THOMSON REUTERS
ARANZADI

Primera edición, 2018

THOMSON REUTERS PROVIEW™ eBOOKS
Incluye versión en digital

Editorial Aranzadi, S.A.U.
Camino de Galar, 15
31190 Cizur Menor (Navarra)
ISBN: 978-84-9152-195-2
DL NA 709-2018
Printed in Spain. Impreso en España
Fotocomposición: Editorial Aranzadi, S.A.U.
Impresión: Rodona Industria Gráfica, SL
Polígono Agustinos, Calle A, Nave D-11
31013 – Pamplona

Índice General

Página

CAPÍTULO IV

INICIATIVA PRIVADA EMPRESARIAL Y PROPIEDAD DEL SUELO EN LAS ACTUACIONES URBANÍSTICAS: SU ESPECIAL CONSIDERACIÓN EN EL MEDIO URBANO 79

MARTÍN BASSOLS COMA

Página

10

Introducción

BEATRIZ MATO OTERO

Consejera de Medio Ambiente y Ordenación del Territorio

Con la finalidad última de velar por la utilización racional del suelo, respetando el ordenamiento jurídico urbanístico vigente en cada momento, nace en 2007[1] la Agencia de Protección de la Legalidad Urbanística (APLU). Desde entonces, este ente consorcial ha desarrollado una tarea encomiable, tanto en el ejercicio de las estrictas competencias de disciplina atribuidas por ley como en el desempeño de una labor pedagógica enfocada a la concienciación de la ciudadanía.

En este último ámbito de actuación es donde la APLU se propuso –ya desde su creación– convertirse en un referente. Y los resultados confirman que se ha cumplido ese objetivo. Una clara manifestación de esta vocación pedagógica es la realización –desde 2015[2]– de congresos anuales, cuya trascendencia ha ido más allá del ámbito de nuestra Comunidad Autónoma y ha alcanzado todo el territorio nacional. La Xunta ha buscado siempre la cooperación con otras administraciones, partiendo de la convicción de que esa labor educativa de la sociedad es una tarea de todos, y que en ella juega un papel fundamental el conjunto de las administraciones. En este sentido, resaltaré la cooperación con la Universidad de Santiago de Compostela – comprometida siempre con nuestros fines– y, particularmente, con el Ob-

---

1. En noviembre de 2007, el Diario Oficial de Galicia publica el Decreto 213/2007, de 31 de octubre, por el que se aprobaban los estatutos de la Agencia de Protección de la Legalidad Urbanística.

2. El primer congreso tuvo lugar en Santiago de Compostela los días 30 de noviembre y 1 de diciembre de 2015, abordando cuestiones de actualidad sobre «Administración, Empresa y Urbanismo Sostenible». El segundo fue realizado los días 6 y 7 de junio de 2016 en Santiago de Compostela, bajo el título «Estado actual y futuro del Urbanismo español». Finalmente, los días 15 y 16 de junio en 2017, se desarrolló el tercer congreso, «Disciplina urbanística: una perspectiva global».

servatorio Internacional de la Regulación de las Entidades del Sector Público (OIRESP), que también colabora en la edición de esta obra colectiva.

Fruto significativo de ese trabajo común y armonizado es el libro que tengo el honor de presentarles: una obra que emana de la amable colaboración de los prestigios profesionales que han intervenido en estos congresos.

En estos foros se han analizado cuestiones de máxima actualidad.

Lo es la incidencia de la legislación en materia de transparencia sobre el ámbito urbanístico, un asunto que entronca con la siempre tan demandada participación pública real –y no meramente formal– en este campo.

También es tema de actualidad la anulación de los planes urbanísticos y sus consecuencias. Así, en esta obra se analiza pormenorizadamente una de las causas que ha estado presente en la declaración de nulidad de muchos planes, como es la ausencia de disponibilidad de los recursos hídricos; también una de las múltiples consecuencias de dicha declaración, que es la exigencia de responsabilidad patrimonial a las administraciones que han aprobado ese documento. Por la propia naturaleza de la APLU, la disciplina siempre ha estado presente en nuestros foros de debate. Durante mucho tiempo –demasiado– se ha hablado de indisciplina urbanística. Creemos que desterrar esa idea de nuestra sociedad es también una tarea común.

También está muy vivo el debate sobre la ejecución de órdenes de demolición, y, por extensión, de toda la conflictividad que genera la siempre invocada imposibilidad legal o material de ejecución de sentencias o la aplicación del novedoso artículo 108 de la Ley de la Jurisdicción Contencioso-Administrativa. Para un análisis completo de este tema se ha incluido la experiencia del Tribunal Superior de Justicia de Galicia, así como, en otra escala, la visión constitucional de esta cuestión.

En busca de un estudio completo, no podíamos olvidarnos de un análisis del urbanismo comparado en países de nuestro entorno, asunto que también ha sido objeto de debate en los congresos realizados.

Todos estos temas que hemos mencionado son, como apuntaba antes, de máxima vigencia en el ámbito urbanístico, por lo que no hay duda de que el lector hallará en este libro una actualizada y eficaz obra de consulta. Publicaciones como la que nos ocupa –que incluye reflexiones, debates y opiniones de los profesionales más autorizados en la doctrina– son las que contribuyen a mejorar nuestro sistema y a concienciar a la ciudadanía de la necesidad de respetar y cuidar nuestro territorio, que es la herencia de las generaciones futuras. Desde la Xunta de Galicia seguiremos trabajando para preservar ese legado.

Capítulo I

Nuevas fórmulas organizativas en materia urbanística: La APLU

José Antonio Cerdeira Pérez

Director de la Agencia de Protección de la Legalidad Urbanística de Galicia

SUMARIO: I. LA AGENCIA DE PROTECCIÓN DE LA LEGALIDAD URBANÍS-
TICA. RÉGIMEN JURÍDICO Y COMPETENCIAS. 1. La inspección
urbanística. 2. Ámbito de actuación de la APLU. 3. Competencias
en la zona de servidumbre de protección del dominio público marítimo-terrestre. 4. Anulación de licencias. II. LOS CONVENIOS DE
ADHESIÓN. III. HACIA LA CULTURA DEL RESPETO A NUES-
TRO TERRITORIO.

I. LA AGENCIA DE PROTECCIÓN DE LA LEGALIDAD URBA-NÍSTICA. RÉGIMEN JURÍDICO Y COMPETENCIAS

La Agencia de Protección de la Legalidad Urbanística (APLU) comenzó su andadura hace ya más de diez años. Fue en 2007 cuando se aprobaron los Estatutos de la Agencia, a través del Decreto 213/2007, de 31
de octubre, materializando de esta forma el mandato contenido ya en la
Ley 9/2002, de 30 de diciembre, de ordenación urbanística y protección
del medio rural de Galicia (LOUG). La LOUG dispuso su creación y la
configuró como un ente público de naturaleza consorcial, dotado de personalidad jurídica propia y plena autonomía en el cumplimiento de sus
funciones, para el desarrollo en común por la Administración autonómica
y los municipios que voluntariamente se integren en ella de las funciones
de inspección, restauración de la legalidad y sanción en materia de urbanismo y el desempeño de cuantas otras competencias le asignen sus estatutos. La Ley 2/2016, de 10 de febrero, del Suelo de Galicia (LSG/2016)

mantuvo una posición continuista en relación con la configuración de la Agencia[1].

Dentro del marco legal proporcionado por la LOUG, sus Estatutos definieron como finalidad esencial de la APLU velar por la utilización racional del suelo conforme a lo dispuesto en la normativa reguladora del urbanismo, la ordenación del territorio y del litoral, especialmente en el medio rural y en la zona de servidumbre de protección del dominio público marítimo-terrestre.

Tanto la LOUG en su momento[2], como en la actualidad los Estatutos de la Agencia[3], recogen un elenco de funciones atribuidas a este ente, en las

---

1. Art. 10 LSG.
2. Art. 226 LOUG.
3. Dispone el art. 3 de los Estatutos de la APLU, en su redacción dada por el Decreto 450/2009, de 23 de diciembre, que son funciones de la misma las siguientes: a) La inspección y vigilancia urbanística sobre los actos de edificación y uso del suelo. b) La adopción de las medidas cautelares previstas en la Ley 9/2002, de ordenación urbanística y protección del medio rural de Galicia, en especial las de suspensión de los actos de edificación y uso del suelo que se realicen en suelo rústico sin la preceptiva autorización autonómica o incumpliendo las condiciones de la autorización otorgada. c) La instrucción de los expedientes de reposición de la legalidad urbanística y de los expedientes sancionadores por infracciones urbanísticas, cuando la competencia para su resolución le corresponda a la Comunidad Autónoma. d) La formulación a las distintas administraciones de toda clase de solicitudes que considere pertinentes para asegurar el mejor cumplimiento de la legalidad urbanística. e) La denuncia ante el Ministerio Fiscal y los órganos del orden jurisdiccional penal de los hechos que, a resultas de las actuaciones practicadas, se consideren constitutivos de delito. f) Las competencias que los artículos 213, 214, 215 y 222.1.° de la Ley 9/2002, de ordenación urbanística y protección del medio rural de Galicia asignan a la comunidad autónoma para restaurar la legalidad urbanística y para imponer sanciones por infracciones urbanísticas graves o muy graves hasta 600.000 euros. g) La potestad sancionadora y de restitución y reposición de la legalidad en la zona de servidumbre de protección del dominio público marítimo-terrestre, según lo establecido en la Ley 22/1988, de 28 de julio, de costas, sin perjuicio de las competencias atribuidas al Consello de la Xunta de Galicia. h) El requerimiento para la anulación de licencias urbanísticas contrarias a la normativa reguladora del urbanismo, la ordenación del territorio y del litoral. i) El asesoramiento y asistencia a las administraciones públicas integradas en la Agencia, en las materias de su competencia, así como, la propuesta a la consellería competente en materia de urbanismo de modificación o adopción de normas legales o reglamentarias necesarias para el mejor cumplimiento de la legalidad urbanística. j) Las competencias de inspección, supervisión, sanción y restablecimiento de la legalidad urbanística que los municipios integrados voluntariamente en la Agencia deleguen en la misma, en las condiciones que se determinen en los correspondientes convenios de adhesión. k) El ejercicio de las competencias que le deleguen los órganos urbanísticos de la Xunta de Galicia, de conformidad con lo previsto en el artículo 225.3.° de la Ley 9/2002, de ordenación urbanística y protección del medio rural de Galicia. l) El ejercicio de cualquier otra competencia que en materia de disciplina urbanística corresponda a la comunidad autónoma, según la Ley 9/2002, de ordenación

que se materializa la actividad de la Agencia para la consecución de ese fin primordial. Esa relación de funciones debe entenderse modificada por el nuevo marco jurídico del urbanismo gallego, esto es, el marco diseñado principalmente por la LSG/2016 y su Reglamento de desarrollo.

Todas estas funciones reflejan el conjunto de competencias atribuidas a la APLU y a través de las cuales, se materializan las potestades de la Agencia en materia de disciplina urbanística.

Sin ánimo de exhaustividad, vamos a proceder a realizar un breve análisis de algunas de las funciones más relevantes.

1. LA INSPECCIÓN URBANÍSTICA

La inspección urbanística, en palabras del propio Tribunal Constitucional[4], se define como aquella potestad administrativa dirigida a verificar que los actos de uso del suelo y edificación se ajustan a la legalidad urbanística y a las especificaciones del planeamiento urbanístico, y en el caso de constatar alguna irregularidad, proceder a activar los debidos mecanismos de corrección.

La LSG/2016 atribuye al personal funcionario adscrito a la inspección y vigilancia urbanística, en el ejercicio de sus funciones, la condición de agente de la autoridad[5]. El resultado de cada actuación inspectora de vigilancia y comprobación de hechos se recogerá en la correspondiente acta de inspección.

El RLSG contempla en su art. 371, la posibilidad de las Administraciones de organizar la actividad inspectora elaborando planes de inspección que fijen las prioridades de actuación. Estos planes son definidos como el documento que establece las líneas genéricas de la actividad inspectora, y tienen por finalidad determinar los objetivos principales y las actuaciones prioritarias para mejorar la calidad y la eficacia de la disciplina urbanística al servicio de la ciudadanía, y garantizar la objetividad y la imparcialidad en la actuación de las entidades y organismos que la ejercen.

La APLU, lleva desde el año 2009 aprobando anualmente su plan de inspección, lo que le ha permitido establecer de forma clara y precisa un orden de prioridades que ha contribuido a su buen funcionamiento.

---

urbanística y protección del medio rural de Galicia, sin perjuicio de las reservadas al Consello de la Xunta de Galicia.

4. STC 5/2016, de 21 de enero.
5. Art. 151 LSG/2016.

Actualmente se encuentra vigente el Plan de inspección urbanística para los años 2016/2017 (DOG núm. 154, de 17 de agosto de 2016). En este Plan se establece que en materia de inspección se prestará especial atención al territorio de los municipios integrados en la Agencia, al territorio de los municipios que no hubieran sido inspeccionados en los últimos tres años, al territorio de los municipios por donde transcurran las rutas de los Caminos de Santiago normativamente delimitados, al territorio de los municipios costeros, y al territorio de los municipios con espacios naturales. La razón de esto criterios obedece a prestar especial atención a la parte del territorio más sensible y que demanda una mayor protección.

2.   ÁMBITO DE ACTUACIÓN DE LA APLU

El art. 10 de la LSG/2016, en idéntico sentido que su predecesora la LOUG, atribuye a la Agencia las funciones de inspección, restauración de la legalidad y sanción en materia de urbanismo, así como el desempeño de las restantes competencias que le asignen las leyes o sus estatutos.

Ahora bien, la pregunta obligada es sobre qué ámbito territorial puede, o mejor dicho debe, la APLU ejercer estas funciones. Para ello debemos acudir a los arts. 155 y 156 de la LSG/2016, en cuanto a las funciones de restauración de la legalidad urbanística, y al art. 163 del mismo texto legal, en relación el ejercicio de la potestad sancionadora, así como a los concordantes artículos del RLSG.

En materia de reposición de la legalidad urbanística vulnerada corresponde a la APLU la competencia respecto de obras y usos realizados en suelo rústico, en cualquiera de sus categorías, sin el preceptivo plan especial, sin autorización autonómica o sin ajustarse a las condiciones de la autorización otorgada, así como en los supuestos de usos prohibidos.

De esta forma, quedan fuera del ámbito de actuación de la APLU las obras y usos realizados en suelo rústico que estén sujetos únicamente a título habilitante municipal, ya sea licencia urbanística o comunicación previa.

Un supuesto de hecho bastante común en relación con las competencias de la APLU en suelo rústico es la pérdida sobrevenida de competencia, la cual se puede producir durante la instrucción del propio procedimiento de reposición de la legalidad urbanística o bien en fase de ejecución de la resolución final del procedimiento dictada por esta Administración. Una de las causas principales de esta pérdida sobrevenida de competencia es la modificación del régimen urbanístico del suelo por aprobación de un nuevo planeamiento que otorga a los terrenos sobre los que se sitúa la construcción o edificación una clasificación distinta a la del suelo rústico. La APLU carece de competencia para adoptar medidas de restauración de la legalidad urbanística en otras clases de suelo, motivo por el que, ante ese cambio de clasificación urbanística, debe trasladar las actuaciones al Ayuntamiento para que éste adopte las medidas que sean procedentes. Y como señalábamos, es irrelevante el momento procedimental en el que esta alteración de la clasificación del suelo tenga lugar. Así, aun encontrándonos ante órdenes de demolición pendientes de ejecutar, la APLU pierde la competencia para proceder a su ejecución forzosa, pues ha desaparecido la circunstancia que le atribuía competencia para ello, cual es la clasificación del suelo como rústico[6].

En la práctica también se han dado supuestos de pérdida sobrevenida de competencia como consecuencia de la entrada en vigor de la LSG/2016. Esta nueva norma ha definido la posibilidad de implantar determinados usos, que con anterioridad exigían autorización autonómica previa al título habilitante municipal, tan sólo a través de la correspondiente licencia urbanística municipal o, en su caso, comunicación previa[7]. La APLU carece de competencia en relación con los usos que, aun implantándose en suelo rústico, son admisibles con sujeción exclusivamente al título habilitante de naturaleza urbanística municipal que proceda, por lo que también en estos supuestos debe trasladar las actuaciones a la Administración municipal, para que ésta ejerza las competencias que le corresponden.

En definitiva, el ámbito de actuación de la APLU en suelo rústico se define tanto por la clasificación de suelo como por el hecho de que el objeto sean obras y usos prohibidos, o bien sujetos a plan especial sin contar

---

6. En este sentido, puede citarse la sentencia del TSJG 792/2014, de 16 de octubre de 2014 (recurso de apelación 4248/2014) en la que el Tribunal afirma que la Administración que dictó la orden de demolición no puede ejecutarla, aun tratándose de resoluciones ratificadas judicialmente y declara «Por eso es correcto que no ejecute sus resoluciones y remita lo actuado a la Administración municipal, que es la que tiene competencia respecto a las edificaciones realizadas en suelo de núcleo rural, no para que lleve a efecto las demoliciones acordadas, sino para que compruebe su ajuste a la normativa urbanística que rige en suelo de núcleo rural; comprobación que podrá concluir que sí se da esa correspondencia entre construcción y normativa, y que al contar ya con licencia municipal no hay que adoptar medida alguna de reposición de la legalidad urbanística».
    En la misma línea, la sentencia del Juzgado de lo Contencioso-Administrativo núm. 2 de Orense, de 17 de febrero de 2014, o la del Juzgado de lo Contencioso-Administrativo núm. 2 de Lugo, de 26 de julio de 2016.
7. Un claro ejemplo de este supuesto es la rehabilitación y reconstrucción de edificaciones tradicionales, respecto de las cuales el art. 40 de la LOUG exigía autorización autonómica urbanística y el nuevo art. 40 de la LSG exige para esa misma actuación tan sólo el correspondiente título habilitante municipal.

con el mismo, o sujetos a autorización autonómica, cuando esta última no haya sido otorgada o la actuación ejecutada no se haya ajustado a las condiciones de dicha autorización.

Pero además de las competencias en suelo rústico, la APLU ostenta también competencias respecto de los actos de edificación y uso del suelo que se realicen sin el título habilitante exigible sobre terrenos calificados por el planeamiento urbanístico como zonas verdes, espacios libres públicos, dotaciones o equipamientos públicos, viarios o en la zona de protección de las vías de circulación fijada legalmente[8].

El legislador autonómico otorga a todos estos espacios una protección especial, de tal suerte que son los únicos espacios respecto de los cuales la protección de la legalidad urbanística por la Administración competente –esto es, por la APLU– puede realizarse sin que resulte de aplicación el límite de plazo de 6 años previsto en todos los restantes supuestos[9]. Pero no es tan sólo en la inaplicación de límite temporal alguno en el ejercicio de la potestad sancionadora en dónde se manifiesta su especial protección. El legislador de 2016 ha reducido el plazo de prescripción de las infracciones urbanísticas muy graves de 15 a 6 años, con la excepción de las acciones u omisiones que constituyan incumplimiento de las normas relativas al uso y edificación que afecten a estos terrenos calificados por el planeamiento zonas verdes, espacios libres públicos, dotaciones o equipamientos públicos, viarios o en la zona de protección de las vías de circulación fijada legalmente.

3. COMPETENCIAS EN LA ZONA DE SERVIDUMBRE DE PROTECCIÓN DEL DOMINIO PÚBLICO MARÍTIMO-TERRESTRE

Resulta incuestionable hoy en día, como ya dejó sentado el Tribunal Constitucional[10], la competencia de la Comunidad Autónoma, tanto en el

---

8. El art. 155 de la LSG en el que se regula esta competencia se refiere a la zona de protección establecida en el art. 92 de la propia LSG, cuyo tenor literal es el siguiente «Las construcciones y cierres que se construyan con obra de fábrica, vegetación ornamental u otros elementos permanentes en zonas no consolidadas por la edificación tendrán que desplazarse un mínimo de 4 metros del eje de la vía pública a la que den frente, salvo que el instrumento de ordenación urbanística establezca una distancia superior».

9. A través de la Ley 2/2010, de 25 de marzo, de medidas urgentes de modificación de la LOUG, se modificó la ilimitación de plazo para el ejercicio de las potestades de reposición de la legalidad urbanística respecto de las obras y usos del suelo en suelo rústico, aplicándose desde entonces a este supuesto también el límite de plazo genérico de seis años.

10. Por todas, STC 149/1991, de 4 de julio.

ejercicio de la disciplina como su potestad autorizatoria, sobre las franjas de terreno delimitadas como servidumbre de protección del dominio público marítimo-terrestre.

No pudiendo extendernos en el estudio de esta apasionante temática, ni tan siquiera en la tan controvertida discusión sobre la anchura de la servidumbre en virtud del régimen transitorio establecido en la Ley de Costas, recientemente también modificado por la Ley 2/2013, de 29 de mayo, de protección y uso sostenible del litoral[11], vamos a referirnos brevemente a la atribución de competencias efectuada a la APLU.

En un momento inicial, los Estatutos de la APLU aprobados mediante Decreto 213/2007, de 31 de octubre, atribuyeron a la Agencia la potestad sancionadora y de restitución y reposición de la legalidad, así como la competencia para otorgar las autorizaciones administrativas en la zona de servidumbre de protección del dominio público marítimo-terrestre, según lo establecido en la Ley de Costas, sin perjuicio de las competencias atribuidas al Consello de la Xunta de Galicia.

No obstante, a través del Decreto 450/2009, de 23 de diciembre, de modificación de los Estatutos de la APLU, se eliminó la competencia de la APLU en materia de autorizaciones en la zona de servidumbre, competencia que fue asumida por la entonces Secretaría General de Ordenación del Territorio y Urbanismo[12]. De esta forma, en relación con la servidumbre de protección del dominio público marítimo-terrestre, la APLU ostenta las competencias en materia de disciplina urbanística.

4.   ANULACIÓN DE LICENCIAS

El requerimiento para la anulación de licencias urbanísticas contrarias a la normativa reguladora del urbanismo, la ordenación del territorio y del litoral constituye otra de las funciones atribuidas a la APLU.

---

11. Un estudio sobre estas cuestiones puede encontrarse en CHINCHILLA PEINADO, J.A. (2010): «La aplicación ponderada del régimen transitorio de la servidumbre de protección y la reducción de su superficie derivada de la clasificación urbanística previa de los terrenos», en SÁNCHEZ GOYANES, E. (coord.), *El derecho de costas en España*, La Ley Actualidad, pp. 1087-1149; o en VV.AA. (2013): *Costas y urbanismo: el litoral tras la Ley 2/2013, de protección y uso sostenible del litoral y de modificación de la Ley de Costas*, PÉREZ GÁLVEZ, J.F., y ALEMÁN MONTERREAL, A. (coords.), Wolters Kluwer.

12. La Secretaría General de Ordenación del Territorio y Urbanismo asumió esa competencia en virtud del Decreto 449/2009, de 23 de diciembre, por el que se modifica el Decreto 316/2009, de 4 de junio, por el que se establece la estructura orgánica de la Consellería de Medio Ambiente, Territorio e Infraestructuras. Actualmente, esta competencia se mantiene en el mismo órgano, si bien se ha modificado su denominación, siendo hoy la Dirección General de Ordenación del Territorio y Urbanismo.

El art. 154 de la LSG/2016, siguiendo la línea de su predecesora la LOUG, regula la suspensión y revisión de licencias, disponiendo que las licencias u órdenes de ejecución contrarias al ordenamiento urbanístico deberán ser revisadas a través de alguno de los procedimientos de revisión de oficio previstos en los entonces vigentes artículos 102 y 103 de la LRJPAC –que ahora deben entenderse referidos a los artículos 106 y 107 de la LPAC– o por el procedimiento del art. 127 de la LJCA.

Se han dado supuestos en la práctica en los que los ayuntamientos han concedido licencias para usos sujetos a autorización urbanística de la Comunidad Autónoma, bajo la denominación de usos admisibles por la legislación (almacenes agrícolas, galpones, etc.), pero amparados en proyectos de los cuales ya se desprende un claro uso residencial. En estos casos, si bien en puridad parece que lo coherente sería proceder a la impugnación del título habilitante municipal, el TSJG ha admitido la tramitación por la Comunidad Autónoma del correspondiente procedimiento de reposición de la legalidad urbanística aún sin impugnar la licencia que ampara la edificación. La argumentación del Tribunal se apoya en que en la competencia concurrente de la Administración municipal y de la Administración autonómica para la concesión de licencias y autorizaciones, lo que haga una no puede determinar las facultades de la otra para reaccionar ante una actuación que no obtuvo la autorización que ésta tenía que conceder. La competencia de la Consellería, en particular de la APLU, para la incoación de los expedientes de reposición de la legalidad urbanística en suelo rústico no puede resultar condicionada por la circunstancia de que el Ayuntamiento otorgase una licencia, pues ello vaciaría de contenido la previsión legal de la asunción de competencias de la APLU en materia de disciplina en suelo rústico efectuada con anterioridad por el art. 214 de la LOUG y ahora por el art. 156 de la LSG/2016[13].

Una de las cuestiones problemáticas que surge en relación con las licencias urbanísticas municipales que adolecen de un vicio de nulidad es la ausencia de límite temporal para proceder a su impugnación frente a aquellas edificaciones ilegales que se han erigido sin cobertura legal alguna. No podemos detenernos en el estudio de esta controversia[14], tan sólo reflejar que es una problemática a la que nuestro ordenamiento jurídico no ha dado respuesta.

---

13. Entre otras, STJG núm. 810/2012, de 13 de septiembre.
14. Un estudio detallado de esta problemática puede encontrarse en DOMÍNGUEZ BLANCO, J.M. (2016): «Los límites a la acción de nulidad de títulos habilitantes», *Revista de Derecho Urbanístico y Medio Ambiente*, n.º 305, pp. 17-77.

II. LOS CONVENIOS DE ADHESIÓN

La APLU se define como un ente público de naturaleza consorcial. Son miembros de este ente la Administración autonómica y los municipios que voluntariamente se integren en ella, a través del correspondiente convenio de adhesión, que deberá ser aprobado por el pleno de la corporación local y por el titular de la consejería competente en materia de urbanismo y ordenación del territorio. Estos convenios son objeto de publicación en el Diario Oficial de Galicia.

En la actualidad, son 66 los ayuntamientos adheridos, cifra que poco a poco va incrementándose.

La adhesión conlleva la atribución a la APLU de las competencias de inspección, supervisión, sanción y restablecimiento de la legalidad urbanística que correspondan al municipio integrado voluntariamente en la Agencia, según se establezca en el propio convenio. Con carácter general, los ayuntamientos adheridos delegan estas competencias a la Agencia respecto de los terrenos clasificados como suelo de núcleo rural y suelo urbanizable, así como en relación con las obras y usos del suelo que se ejecuten sin licencia urbanística o sin ajustarse a sus condiciones en cualquier categoría de suelo rústico.

La Administración local y, en particular, los ayuntamientos, se caracterizan por ser la Administración más próxima al ciudadano. De ahí que su colaboración y coordinación con la Administración autonómica en materia de disciplina urbanística, tanto desde el punto de vista de la reposición de la legalidad urbanística como desde la perspectiva de la concienciación a los vecinos de ese término municipal, sea fundamental.

En ocasiones los municipios no cuentan con recursos suficientes para llevar a cabo las funciones de disciplina urbanística legalmente encomendadas. A través de la APLU la Administración autonómica pone a su disposición los medios de los que dispone para que la coordinación y cooperación de ambas Administraciones facilite la consecución de un fin común, la protección del territorio.

III. HACIA LA CULTURA DEL RESPETO A NUESTRO TERRITORIO

Nos referíamos al principio de este capítulo al inicio del funcionamiento de la APLU. Desde aquel entonces, hasta nuestros días, hemos recorrido paso a paso un camino que nos ha permitido consolidarnos en nuestra Comunidad Autónoma como garantes de la protección de nuestro territorio.

Nuestra actividad avala la actuación perseverante en la defensa y protección de nuestro territorio.

No obstante, debe tenerse en cuenta que la APLU tiene presente en todo momento cuál es su finalidad última, velar por la utilización racional del suelo. Para la consecución de este fin, además de las ineludibles competencias en materia de reposición de la legalidad urbanística y el ejercicio de la potestad sancionadora, la Agencia ha apostado decididamente por la formación como instrumento esencial para impulsar la cultura del respeto por el territorio. Es una prioridad en la actuación de la APLU la concienciación de la población, trabajando en la formación continua de los profesionales, de la ciudadanía, de los diversos sectores de la población, porque todos y cada uno de ellos puede contribuir a alcanzar ese objetivo de la utilización racional del suelo. La Agencia colabora continuamente con la Escuela Gallega de Administración Pública, con las entidades locales, con las universidades y colegios profesionales, etc. En definitiva, con toda aquella organización que persiga, a través de la formación, la contribución a ese fin común.

La formación, sin duda, constituye siempre el motor del cambio de la sociedad. Conscientes de ello, la APLU dedica importantes recursos a trabajar en esa cultura de respeto por la diversidad de nuestro territorio, por el paisaje y, en definitiva, por nuestra Tierra.

BIBLIOGRAFÍA

CHINCHILLA PEINADO, J.A. (2010): «La aplicación ponderada del régimen transitorio de la servidumbre de protección y la reducción de su superficie derivada de la clasificación urbanística previa de los terrenos», en SÁNCHEZ GOYANES, E. (coord.), *El derecho de costas en España*, La Ley Actualidad.

DOMÍNGUEZ BLANCO, J.M. (2016): «Los límites a la acción de nulidad de títulos habilitantes», *Revista de Derecho Urbanístico y Medio Ambiente*, n.º 305.

VV.AA. (2013): *Costas y urbanismo: el litoral tras la Ley 2/2013, de protección y uso sostenible del litoral y de modificación de la Ley de Costas*, PÉREZ GÁLVEZ, J.F., y ALEMÁN MONTERREAL, A. (coords.), Wolters Kluwer.

ABREVIATURAS

APLU: Agencia de Protección de la Legalidad Urbanística.

LOUG: Ley 9/2002, de 30 de diciembre, de ordenación urbanística y protección del medio rural de Galicia.

RLSG: Decreto 143/2016, de 22 de septiembre, por el que se aprueba el Reglamento de la Ley del Suelo de Galicia.

Capítulo II
La nueva regulación estatal de suelo

Gerardo Roger Fernández

Arquitecto y Urbanista
Técnico en Ordenación del Territorio

SUMARIO: I. INTRODUCCIÓN GENERAL. EVOLUCIÓN DEL NUEVO MAR-CO ESTATAL VIGENTE. II. ORIGEN DEL NUEVO MARCO ESTA-TAL VIGENTE. III. CARACTERÍSTICAS BÁSICAS DEL MARCO LEGISLATIVO ESTATAL VIGENTE. 1. Aspectos conceptuales básicos. 2. Aspectos relativos a la Gestión. 2.1. *Las Memorias de Viabilidad Económica (en lo sucesivo, MVE).* 2.2. *Los Informes de Sostenibilidad Económica (en lo sucesivo, ISE).* 2.3. *Las Actuaciones de Dotación (en lo sucesivo, AD).* 2.4. *Los Complejos Inmobiliarios (en lo sucesivo, CI).* 2.5. *La Ejecución Sustitutoria en los procesos de Rehabilitación y Edificación.* 2.6. *La Ejecución Urbanizadora en los procesos de creación de nuevo suelo.* 2.7. *El nuevo régimen de Valoración del Suelo.* A) Consideraciones previas. B) Valoración según la LS/98. C) Valoración según la nueva legislación estatal. IV. CONCLUSIONES AL MARCO LEGISLATIVO ESTATAL Y A LA LEGISLACIÓN GALLEGA VIGENTES.

I. INTRODUCCIÓN GENERAL. EVOLUCIÓN DEL NUEVO MAR-CO ESTATAL VIGENTE

Ciertamente, la nueva regulación estatal que vio su nacimiento en mayo de 2007 supuso (y sigue suponiendo) un cambio copernicano en la tradicional concepción y en los principios básicos que caracterizaban al viejo urbanismo español y que hasta entonces se venían aplicando, cambio que se aprecia, más aún, con relación a los criterios y disposiciones normativas recogidas en la inmediata y anteriormente vigente *Ley 6/98 del Suelo y Valoraciones* (en lo sucesivo, *LS/98*).

En concreto, el nuevo marco legislativo estatal nació con la *Ley 8/2007 de Suelo*, de 28 de mayo (en lo sucesivo, *LS/07*), ley que se vio complementada posteriormente por el *Texto Refundido 2/2008*, aprobado por RDL de 20 de junio (en lo sucesivo, *TRLS/08*, texto que refundía la LS/07 y la regulación sobrevivida del Texto Refundido del 92), el Capítulo IV del Título III («Rehabilitación y Vivienda») de la *Ley 2/2011 de Economía Sostenible*, de 4 de marzo (en lo sucesivo, *LES/11*) y su compleción con el *RDL 8/2011* de «Fomento de la Actividad Empresarial e Impulso a la Rehabilitación» (en lo sucesivo, *RDL 8/11*), la *Ley 8/2013*, de 26 de junio, *de Rehabilitación, Regeneración y Renovación Urbanas* (en lo sucesivo, *L3R*) que reordena y modifica parcialmente la LES/11, el RDL 8/11 y el TRLS/08 y, finalmente, el *Texto Refundido 7/2015*, aprobado por RDL de 30 de Octubre (en lo sucesivo, *TRLS/15*), texto que viene a refundir el TRLS/08 con la L3R, refundición un tanto forzada al intentar refundir una legislación integral-omnicomprensiva (TRLS/08) con una ley sectorial que afecta exclusivamente al suelo Urbano (L3R).

Por último, señalar el *Reglamento de Valoraciones* aprobado por RD 1492/11 (en lo sucesivo, *RVLS*), por cierto, el primer reglamento de valoraciones que se aprueba en la larga historia del urbanismo español.

Asimismo, en razón de las modificaciones, si bien puntuales, que han sobrevenido en el vigente marco legislativo de suelo señalado, debemos hacer referencia a las *STC 141/2014* (que anula el límite del duplo en la determinación de los coeficientes de localización aplicables a la valoración del suelo en situación básica de Rural) y la *Sentencia 18/2015* (que anula la metodología aplicable a la determinación de la indemnización por la pérdida de la facultad de participar en la valoración del suelo Rural sometido a actuaciones de nueva urbanización), así como también a la *Ley 37/2015 de Carreteras*, en cuya Disposición Final Tercera modifica el tipo de capitalización de las rentas agrarias aplicable a la determinación del valor del suelo Rural.

La mera lectura del elevado número de disposiciones y modificaciones legales que han acontecido en la legislación estatal y sólo en una década, pone de manifiesto uno de los graves defectos que caracterizan al urbanismo patrio, que no es otro que la «diarrea legislativa» (¡¡con perdón!!) que caracteriza al sistema urbanístico español. Si a esta panoplia de leyes estatales le añadimos la correspondiente retahíla de legislaciones autonómicas, termina de configurarse el escenario de inseguridad jurídica y desconfianza social que presenta y sufre nuestro urbanismo.

II. ORIGEN DEL NUEVO MARCO ESTATAL VIGENTE

En el *desaforado desarrollo inmobiliario* llevado a cabo durante la «*década prodigiosa*» *1998-2007* se encuentra el origen de la primera ley, la LS/07 que produjo el sustancial cambio jurídico-urbanístico señalado. Téngase en cuenta que en aquellos años *se llegaron a construir* más de 700.000 viviendas anuales, *el doble de la demanda endógena española* (300-350.000 viviendas/año, ratio de 7-8 viviendas/1.000 habitantes/año), con la sorprendente consecuencia para los contumaces defensores del paradigma del «todo urbanizable», de un disparado incremento en el precio de la vivienda del 150% anual y del suelo en un 500% anual.

El escenario jurídico y socio-urbanístico se encontraba tan comprometido en la espiral especulativa generada, en la ocupación depredadora del territorio y se mostraba tan gravemente vulnerable, que el Gobierno que accedió al poder en 2004 se planteó la formulación de una *legislación estatal de suelo que recondujera dicha situación desde la prevalencia de explícitos criterios de sostenibilidad* que acotaran los nuevos crecimientos urbanos y primara la intervención en la mejora y recuperación de la Ciudad Consolidada desde la prevalencia del interés general.

Con esa finalidad se formuló *la LS/07*, que tras un amplio proceso de negociación política que permitió su concertación con todos los partidos parlamentarios salvo el Popular, *entró en vigor* en julio del 2007, precisamente *en práctica coincidencia con la explosión de la «burbuja»* que fue iniciada con la quiebra de la Lehmann Brothers y trasladada, a continuación, al sector inmobiliario español, ocasionando la crisis económica y urbanística de mayor calado de la reciente historia española.

Esta lamentable coincidencia viene a explicar, por un lado, el desconocimiento generalizado que los operadores urbanos muestran de las disposiciones que la LS/07 contiene y, por otro lado, la muy escasa aplicación de esta en un escenario de recesión y quiebra del sector inmobiliario que para nada fomentaba su utilización.

Igualmente, ese escenario de depresión socioeconómica y sociológica también explica el escaso e insuficiente traslado de las determinaciones básicas estatales a las leyes autonómicas que son, al fin y al cabo, los códigos normativos que de manera pormenorizada se utilizan con mayor profusión en los procesos de desarrollo urbanístico y territorial.

Estas razones aconsejan, obviamente, hacer el mayor esfuerzo posible en la explicación de las positivas virtualidades que las innovaciones instrumentales que la nueva legislación estatal conlleva, con la *finalidad de extender su conocimiento entre los políticos, profesionales y empresarios inmobiliarios y fomentar su aplicación en unos tiempos en que ya se empieza a vislumbrar la salida a la crisis* y, por lo tanto, en la disposición de un terreno propicio para la intervención urbana, sobre todo en la ciudad preexistente, y en la recuperación de la actividad económica y generación de empleo con criterios sostenibles.

Pasemos entonces a analizar, aun someramente, las características básicas correspondientes al nuevo y vigente marco legal estatal.

III. CARACTERÍSTICAS BÁSICAS DEL MARCO LEGISLATIVO ESTATAL VIGENTE

1. ASPECTOS CONCEPTUALES BÁSICOS

Como *criterios conceptuales básicos adoptados por la LS/07* y siguientes disposiciones legales, podrían señalarse los siguientes:

A) Exquisito respeto al marco competencial autonómico, contemplando como regulación básica del suelo su situación fáctica, distinguiendo exclusivamente sus dos realidades físicas: el «suelo en situación básica de Rural» y el situado «en situación básica de Urbanizado». En términos coloquiales, «campo» y «ciudad», lo que permite no entrar en las competencias exclusivas de las Comunidades Autónomas en materia de urbanismo y territorio como son la clasificación y calificación de suelo evitándose, así, eventuales conflictos competenciales.

B) Reconocimiento explícito de la ordenación territorial y urbanística como función pública y del régimen estatutario de la propiedad en relación a sus derechos y deberes constitucionales, tanto en el desarrollo de las actuaciones de transformación urbanística (actuaciones de nueva urbanización, renovación y reforma urbanas y las actuaciones de dotación), como en las actuaciones edificatorias y rehabilitadoras, sobre la base aplicativa del principio de equidistribución de reparto de cargas y beneficios.

C) Respeto y desarrollo de los mandatos constitucionales básicos siguientes:

1. a garantizar el *derecho a la vivienda* mediante la disposición de una reserva de suelo en los instrumentos de planeamiento para vivienda protegida por un mínimo del 30% de la edificabilidad residencial prevista,

2. del *derecho a la participación pública de las plusvalías* generadas por el planeamiento mediante la disposición de una horquilla del 0-20% del aprovechamiento a determinar en función de la rentabilidad económica de las actuaciones y

3. a *impedir la especulación* mediante el establecimiento de un régimen de valoraciones basado en la realidad fáctica del suelo sin considerar

expectativas urbanísticas no derivadas de la inversión fehaciente del propietario.

D) Adopción de los principios de sostenibilidad económica, urbanística y ambiental mediante la disposición de nuevos instrumentos básicos de intervención en la ciudad consolidada (como son los Informes de Sostenibilidad Económica y las Memorias de Viabilidad Económica que desarrollamos más detalladamente en el siguiente apartado), primando explícitamente los procesos de rehabilitación, renovación y regeneración urbana en la ciudad preexistente frente a los desarrollos expansivos de nueva ocupación del rústico.

2. ASPECTOS RELATIVOS A LA GESTIÓN

Como *criterios básicos relativos a la gestión*, la LS/07 y siguientes disposiciones legales ofrecen un *conjunto de novedosos instrumentos jurídico-urbanísticos* que conforman una *solvente «caja de herramientas»* que vienen a garantizar, razonablemente, los procesos de desarrollo, gestión y ejecución de las previsiones urbanísticas establecidas por el planeamiento.

En este sentido, los nuevos instrumentos de gestión disponibles por la legislación estatal se pueden sintetizar en las siete regulaciones siguientes:

2.1. Las Memorias de Viabilidad Económica (en lo sucesivo, MVE)

Son instrumentos básicos de contenido jurídico-económico que permiten *desvelar las plusvalías* que generan las actuaciones de transformación urbanística *derivadas de la atribución de nuevos aprovechamientos* a situaciones establecidas en el planeamiento vigente (alteración de esa situación mediante revisión o modificación puntual del Plan) al plantear la obligación de realizar un *balance del valor residual del suelo derivado de las situación originaria y final* (art. 22.5 del TRLS/15), debiendo acreditarse los valores de repercusión aplicables mediante la formulación de un riguroso estudio de mercado acreditado los más objetivamente posible.

De su aplicación rigurosa se deducen las virtualidades que presenta este instrumento: *la lucidez que ofrece a la hora de atribuir los diferentes aprovechamientos* a las diversas actuaciones al apoyarse en los resultados económicos que su desarrollo genera, así como la transcendente *transparencia que incorpora en los procedimientos de información pública* al exponerse los resultados económicos de las actuaciones, lo que posibilitará controlar desde la ciudadanía y responsables oficiales del urbanismo, los siempre procelosos procedimientos de reclasificación y recalificación de suelo, base de las malas prácticas especulativas y de corrupción que tan mala reputación han conferido al urbanismo patrio.

En este sentido, la vigente *Ley 2/2016 de Suelo de Galicia* (en lo sucesivo, *LSUG*) presenta algunas *insuficiencias* importantes. De hecho, no recoge la formulación de las MVEs en el planeamiento general (art. 58) ni en el planeamiento de desarrollo (art. 69 y concurrentes). En cualquier caso, su formulación es obligatoria al constituirse como una determinación básica estatal, por lo que su cumplimentación no deberá obviarse, a riesgo de la anulación del Plan.

2.2. Los Informes de Sostenibilidad Económica (en lo sucesivo, ISE)

Son instrumentos básicos de contenido jurídico-económico que permiten garantizar un *equilibrio entre los costes de mantenimiento y conservación de las infraestructuras y dotaciones* que el Ayuntamiento recibe en los desarrollos de las actuaciones de transformación urbanística *y los ingresos derivados de los tributos* que deben asumir los propietarios de las edificaciones privadas que se construyan en los suelos edificables establecidos en la ordenación urbanística aprobada (art. 22.4 del TRLS/15). Con ello se evitarán eventuales graves desequilibrios en las haciendas locales, tal como ha ocurrido lamentablemente tras la explosión de la «burbuja» inmobiliaria.

De la finalidad económica expresada se deriva una segunda virtualidad que ofrecen los ISEs de gran trascendencia para el desarrollo de las actuaciones urbanizadoras.

Obviamente, para poder garantizar que los ingresos tributarios de las edificaciones financien los costes de mantenimiento y conservación de las infraestructuras y dotaciones resultantes de la ordenación, resulta necesario que *la dimensión y capacidad edificatoria de las actuaciones esté acomodada a la capacidad de absorción de los productos edificables por el mercado inmobiliario*.

Por tanto, el ISE permitirá delimitar, en su caso, en los ámbitos de ordenación de la trama urbana (planes parciales, planes de reforma interior, etc.) «unidades de ejecución» como fases de su desarrollo, en dimensión y edificabilidad de producto acordes al estudio de mercado que deberá realizarse previamente. Tras ello, una vez urbanizada y edificada la eventual primera fase (la primera unidad de ejecución) procederá iniciar la segunda y, así, las siguientes consecutivamente. De esta manera se evitará la aparición de las lamentables «ciudades fantasmas», ámbitos urbanizados y no edificados que implacablemente propician la generación de inasumibles costes de mantenimiento y conservación para las sufridas Haciendas locales.

Asimismo, la LSUG, análogamente a las MVEs, tampoco regula con la compleción deseable (en su art. 58) la regulación procedimental de los ISEs en su aplicación tanto a los planes generales como a los de desarrollo.

2.3. Las Actuaciones de Dotación (en lo sucesivo, AD)

Son instrumentos básicos de contenido jurídico-urbanístico que permiten *garantizar*, al fin, el *desarrollo urbanístico en la Ciudad Consolidada sin generar déficits* dotacionales y recuperando el porcentaje de aprovechamiento público derivado de la participación en las plusvalías que los nuevos desarrollos producen [art. 7.1.b) del TRLS/15].

Hasta entonces, sobre la base de una aplicación que en todo caso y como mínimo podríamos valorar errónea del art. 14 de la anterior LS/98, se venía considerando que en el suelo Urbano-Urbanizado, entendiéndolo como «Urbano consolidado por la urbanización», ya no cabía la previsión de la disposición como carga de las nuevas dotaciones públicas que eventuales incrementos de aprovechamiento generan, aun en el caso de atribución de incrementos de aprovechamiento que eventualmente pudieran otorgarse a parcelas concretas en los procesos de revisión o de modificación puntual del planeamiento general.

Obviamente, esta consideración resulta ser un «desafuero» urbanístico y jurídico, pues comportaría la transgresión frontal del principio básico del sistema urbanístico español de reparto de cargas y beneficios. Es decir, de acuerdo con esa sorprendente interpretación, el propietario de una parcela de suelo Urbano que recibiera un incremento de aprovechamiento (el «beneficio») lo patrimonializaría íntegra y «gratuitamente», mientras que los suelos dotacionales que el incremento de aprovechamiento genera (la «carga») deberían ser obtenidos para el dominio público por expropiación. En otras palabras, «se privatiza el beneficio y se socializa la carga» lo que social y jurídicamente es inadmisible.

Por tanto, bienvenida sea la nueva regulación de las ADs establecida específicamente en la legislación estatal vigente.

En este caso, *la LSUG sí presenta una correcta regulación general* del procedimiento aplicable a la tramitación de las ADs, *si bien prevé unas disposiciones que podrán generar importantes disfunciones* en el desarrollo de estas.

Se trata, en primer lugar, de la referencia a adoptar para los incrementos de aprovechamiento la *«edificabilidad existente»*, cuando debería aclararse que la «existente» debe entenderse como la *«atribuida por el planeamiento anteriormente vigente»* [en aplicación del art. 37.1.a) del TRLS/15] y considerando como «planeamiento vigente» el que se revisa o modifica por causa de la atribución del aprovechamiento. Téngase en cuenta que la consideración como referente de la «edificabilidad existente» conllevará, con toda seguridad, agravios comparativos muy difícilmente resolubles sobre la base del principio de igualdad aplicable a Zonas de Ordenación Urbanística concretas, pues unas parcelas dispondrán de edificabilidades totalmente diferenciadas a las de otras próximas, incluso a las situadas en fuera o disconformes con la ordenación o solares vacantes de edificación.

En segundo lugar, la regulación establecida en su art. 17.3 relativa a la *exención de reservar suelo para dotaciones* para los casos en que el *incremento de aprovechamiento no supere el 30% sobre el existente.* Sin perjuicio sobre lo señalado con relación a la «edificabilidad existente», procede señalar que la exención planteada comporta que su aplicación producirá la generación de un déficit de un tercio en el nivel de dotaciones requerible, proporción que normalmente será superior a la propuesta de incremento que se realice en los procesos y actuaciones de Rehabilitación Edificatoria, lo que «desactivaría» la disposición de la «carga dotacional» correspondiente a estas actuaciones rehabilitación-edificación.

2.4. Los Complejos Inmobiliarios (en lo sucesivo, CI)

Son instrumentos básicos de contenido jurídico-urbanístico que permiten la disposición en *coexistencia en un mismo edificio, de usos de dominio público con usos privados lucrativos compatibles* con aquellos y gestionables en régimen de propiedad horizontal (art. 26.5 del TRLS/15).

Obviamente, este instrumento presenta *virtualidades de gran trascendencia* para facilitar el desarrollo urbanístico en la Ciudad Consolidada.

En primer lugar, para los casos de incrementos atribuidos a una parcela (constituyéndose, en consecuencia, una Actuación de Dotación) en la que no exista posibilidad física de satisfacer la cesión dotacional en la propia parcela [art. 18.2.b) del TRLS/15], la regulación del ISE permite la posibilidad de que *la reserva dotacional derivada del incremento de aprovechamiento atribuido se obtenga ya construida,* total o parcialmente, ubicándose en la misma edificación y coexistiendo con la edificabilidad lucrativa que tenga atribuida la parcela, incluido el incremento que genera la dotación.

Asimismo, los CIs facilitan, a su vez, el *desarrollo y la ejecución* de parte de los *suelos Dotacionales así calificados en el suelo Urbano del Plan como actuaciones aisladas,* al existir la posibilidad de *constitución de un Complejo mediante la atribución* ex novo *de un aprovechamiento lucrativo adicional y compatible* con el uso correspondiente a la Dotación, lo que posibilitará la *obtención gratuita del suelo* Dotacional y la *financiación, total o parcial de su edificación* en función del resultado de la preceptiva formulación de la Memoria de Viabilidad Económica.

En este caso, la *LESUG no añade nada nuevo* con relación a lo establecido en *la legislación estatal.*

2.5. La Ejecución Sustitutoria en los procesos de Rehabilitación y Edificación

La Ejecución Sustitutoria se conforma como una técnica básica de contenido jurídico-urbanístico específico que permite la ejecución de las *actuaciones de Rehabilitación o de nueva Edificación de manera concertada entre la propiedad del inmueble y un promotor-constructor inmobiliario*, siempre bajo el control de la Administración actuante, normalmente el Ayuntamiento.

Esta técnica se implantó por primera vez en la legislación valenciana de 1994, siendo recogida posteriormente por otras leyes autonómicas e incorporándose finalmente como determinación básica para todo España en los arts. 49 y 50 del TRLS/15.

El origen de la técnica tiene su razón en la disposición de una *modalidad alternativa a la expropiación-sanción del inmueble por incumplimiento del deber de edificar-rehabilitar en el plazo establecido*, modalidad que como es sobradamente conocido ha resultado absolutamente ineficaz y prácticamente inaplicada.

En sí consiste en *sustituir la aplicación de la «expropiación del bien inmueble» por la «expropiación de la facultad de edificarlo»* («quien puede lo más, puede lo menos»). Téngase en cuenta que *la finalidad pública que persigue la reacción administrativa es que el inmueble se edifique o se rehabilite* (que se cumpla el deber de edificar-rehabilitar), *y para ello no resulta imprescindible el cambio de titular* de este mediante la expropiación forzosa.

De hecho, tras la declaración administrativa del incumplimiento del deber por el particular, el Ayuntamiento procederá a la convocatoria de un *Concurso público basado en un intencionado Pliego de Condiciones* que regule las condiciones de interés general que deberá cumplir la edificación-rehabilitación y los aspirantes al mismo, concurso abierto a los promotores-constructores que deseen presentarse, y cuya adjudicación se realizará al que mejor cumpla las condiciones del Pliego y, en concreto, el que ofrezca *menor oferta de superficie edificable («pisos») que plantee como compensación a los costes de ejecución que él asume y en consecuencia y a sensu contrario, al que más edificabilidad («pisos») ofrezca al propietario* del inmueble, lo que comportará un proceso de edificación-rehabilitación en *régimen de propiedad horizontal* entre el propietario y el «edificador-rehabilitador», procedimiento equivalente y totalmente análogo al denominado «*modalidad de aportación*» *o «pago en especie»* que cotidianamente se produce en el tráfico inmobiliario en régimen de derecho privado.

La virtualidad del procedimiento resulta claramente explícita, y más aún resulta aplicable en épocas de crisis como la que estamos viviendo. De hecho, posibilita la *aplicación de la mayor rentabilidad posible a los siempre escasos recursos económicos disponibles,* al plantear que cada operador aporta «lo que tiene», es decir, el propietario ofrece su finca y el promotor su capacidad empresarial aportando, exclusivamente, los costes de ejecución sin asumir coste alguno en la obtención del suelo, costes de ejecución que se encuentran respaldados (y avalados para el caso de acudir al crédito en el mercado financiero) por los «pisos» que recibe, cuyo valor, obviamente, resultará equivalente a dichos costes.

También en estos casos de Ejecución Sustitutoria, *la LSUG se muestra un tanto insuficiente* al no regular el procedimiento concursal para la selección del «edificador-rehabilitador» (art. 136.5 LSUG), regulación que resulta ser absolutamente necesaria para poder garantizar la limpieza y transparencia del proceso.

2.6. La Ejecución Urbanizadora en los procesos de creación de nuevo suelo

Para el desarrollo, gestión y ejecución de la urbanización en las actuaciones integradas constituidas por Sectores de suelo Urbanizable o Unidades de Actuación-Ejecución en suelo Urbano, la nueva legislación estatal ha introducido, como nueva determinación básica, una *modalidad instrumental adicional a las tradicionales de la gestión por iniciativa pública* (Sistemas de Actuación por Expropiación o por Cooperación) *y por la iniciativa privada delegada en la propiedad mayoritaria del suelo* (Sistema de Compensación).

En concreto, la legislación estatal incorpora a la vieja panoplia instrumental la ejecución por tercero no propietario, seleccionado a manera de un *concesionario atípico del servicio público de urbanizar, seleccionable en régimen de libre empresa y en condiciones de transparencia publicidad y concurrencia* (art. 9.2 del TRLS/15).

Ciertamente, esta disposición no resulta una novedad en el acervo legislativo urbanístico, pues ya la legislación valenciana de 1994 (Ley 6/94 Reguladora de la Actividad Urbanística) diseñó e incorporó, por primera vez, la aplicación del régimen de libre empresa en el proceso de producir ciudad introduciendo la figura del «*agente urbanizador*» y *terminando,* por fin, *con el viejo monopolio que tenía atribuida la propiedad del suelo en el proceso*

42

urbanizador, característica no sólo obsoleta históricamente, sino también *confrontadora con los principios de libertad de iniciativa propios de una economía social de mercado* (art. 38 de la CE), pero además y sobre todo desde el punto de vista práctico, resulta ser una medida absolutamente ineficaz en el proceso productivo de suelo urbano.

De hecho, la *ineficacia del viejo sistema monopolista* se demuestra si consideramos que la práctica totalidad de las actuaciones llevadas a cabo por el Sistema de Compensación se gestionaron (y se gestionan) no por sus propietarios originarios, sino por empresarios que debían «transmutarse» en propietarios mediante la compra del suelo en un mercado esencialmente especulativo.

Es decir, las propietarios, *per se,* no entendían, ni entienden, la obligación de transformarse en expertos *brokers* inmobiliarios para poder llevar a cabo el deber de urbanizar sus terrenos, debiendo aplicar una regulación jurídico-urbanística muy compleja, teniendo que disponer de importantes recursos financieros y, finalmente, hacerlo en régimen de comunidad con el resto de propietarios afectados por la actuación urbanizadora, y todo ello bajo amenaza de expropiación si no se incorporan al órgano gestor denominado Junta de Compensación.

Por otro lado, los empresarios inmobiliarios, para poder desarrollar su actividad profesional deben convertirse en propietarios obteniendo el suelo mediante compra a sus titulares en un mercado cautivo, como es el comprendido en la delimitación geométrica y jurídica de la actuación urbanizadora, quienes se lo venderán a los precios que les parezca oportuno, obviamente siempre elevados, lo que implica, ya desde su origen, un escenario especulativo que dificulta no sólo la disposición suficiente de suelo urbanizado, sino también la trasladada inflación de los elevados costes a los precios de la vivienda y, consecuentemente, la dificultad de satisfacer el derecho constitucional a la misma (art. 47 CE).

Es en esta *«esquizofrenia» en la que el propietario tiene que «transmutarse» en empresario para poder cumplir el deber legal de urbanizar sus terrenos, y el empresario tiene que «transformarse» en propietario para poder desarrollar su actividad profesional* es donde se explica, sin mayores argumentos, la ineficacia del sistema.

Por tanto, sea bienvenida la *«restauración» de una modalidad, el régimen de libre empresa,* cuyo origen hunde sus raíces en la economía de mercado y liberal europea de mediados del XIX y que en España, aunque se encontraba presente en el resto de actividades económicas, en la urbanística «estaba desaparecida» desde la primigenia Ley de Ensanche de las Pobla-

43

ciones de 1864 [en este aspecto ver el libro «Para Comprender el Urbanismo Español (de una vez por todas)» escrito por quien suscribe y reeditado y actualizado por IUSTEL en 2017].

Pues bien, en este aspecto *la LSUG no regula expresamente el procedimiento* de selección de un particular no propietario como agente Urbanizador. No obstante, nada impide su aplicación mediante la disposición del *Sistema de Cooperación (art. 116 de la LSUG) por Gestión Indirecta, a través de la selección de un Concesionario privado del servicio público de urbanizar de acuerdo con lo regulado en la Ley de Contratos del Sector Público*. Obviamente, la aplicabilidad de esta modalidad no necesita mayor regulación, por resultar disponible directamente en aplicación del Sistema de Cooperación y de la legislación de contratos, pero siempre resulta conveniente, con la finalidad de su mayor divulgación, que esta modalidad se expresara en la LSUG de manera análoga a como lo recoge, por ejemplo, la legislación urbanística andaluza.

2.7. El nuevo régimen de Valoración del Suelo

A) Consideraciones previas

Finalmente, la legislación estatal ofrece como séptima «herramienta» entre las sintetizadas en este Artículo, el nuevo régimen de Valoración del suelo, verdadero «motor» de la gestión tanto en el Urbano como en el Urbanizable.

«Los poderes públicos regularán la utilización del suelo de acuerdo con el interés general para impedir la especulación»: con esta rotundidad el art. 47 de la CE prescribe la prohibición a especular con el suelo. Sin embargo, tal como hemos apuntado, el escenario señalado se encuentra a «años luz» de ese mandato constitucional. De hecho, tal como expresamos en el Apartado 2 anterior, en los últimos años de la década de los 90 y hasta el verano del 2007 en que el ciclo terminó abruptamente, el suelo ha venido incrementando su valor llegando a quintuplicar, en términos reales, la inflación y el IPC en la misma etapa.

En este sentido, una de las razones del escenario especulativo vendría derivada del régimen de Valoraciones que, a efectos expropiatorios, preveía el viejo SUE *y la LS/98, tasándose el suelo a efectos expropiatorios por el valor residual del suelo, es decir, por el beneficio anticipado del negocio inmobiliario, regalía que se entregaba al propietario sin realizar actividad jurídico-urbanística ni inversión económica alguna* (al menos de manera «confesable»).

Obviamente, no podía seguir manteniéndose desde la óptica constitucional un sistema legal de valoraciones que atribuyera expectativas especulativas a los propietarios de suelo sin contraprestación alguna por su parte. Por ello, debe ser bienvenida la regulación que viene a establecer un *nuevo régimen de valoraciones que, en todo caso, reconoce aquellas plusvalías derivadas del esfuerzo inversor de la propiedad, pero nunca regalías espurias que solo contribuyen a «sangrar» las haciendas públicas y a inflacionar legalmente el valor del suelo desde el planeamiento urbanístico.* De hecho, el escenario actual de profunda crisis inmobiliaria viene a poner de manifiesto lo erróneo del sistema anterior.

En este sentido, algunos defensores de la ortodoxia academicista han venido y vienen manifestando que la especulación, entendida en términos económicos, es consustancial al mercado y que, si no hay especulación *stricto sensu*, no hay mercado, por lo que el art. 47 de la CE debería «relativizarse» ampliamente. Sin embargo, debemos señalar que la citada apreciación es totalmente errónea. Con un ejemplo analógico se entenderá mejor el argumento. Podría considerarse que *la especulación vendría a ser como el colesterol: hay un «colesterol bueno» y un «colesterol malo», hay una «especulación buena» y una «mala». La «buena» sería la que se deriva (como beneficio o plusvalor) de la inversión fehaciente del propietario en el proceso urbanizador, mientras que la «mala» sería la generada exclusivamente por la mera reclasificación administrativa del suelo.*

De acuerdo con el ejemplo expuesto, las plusvalías derivadas de la inversión del propietario sí deben ser reconocidas, mientras que las ocasionadas por la mera reclasificación, no deben ser apreciadas, pues serían las que proscribe el art. 47 CE.

Por ello, resulta absolutamente necesario (y la lamentable experiencia acaecida lo demuestra) que *la valoración legal del suelo* a efectos de determinar el justiprecio expropiatorio sobre la base del mandato constitucional a impedir la especulación, *se lleve a cabo «por lo que es» y no «por lo que pueda ser». Que reconozca, legalmente el valor «fáctico» del suelo,* valorando, asimismo, el «lucro cesante» cuando se coarta una actuación empresarial transformadora que se encuentra en marcha en el momento de la tasación expropiatoria (el «colesterol bueno»), pero nunca considerar valores expectantes no derivados del esfuerzo inversor de su titular («el colesterol malo»).

Para comprender mejor el nuevo régimen de valoraciones con relación al anterior de la LS/98, *apliquemos un Ejemplo* (ver gráfico adjunto).

Valoración del suelo en transformación urbanística en la nueva legislación urbanística estatal con relación a la valoración anterior según la LS/98

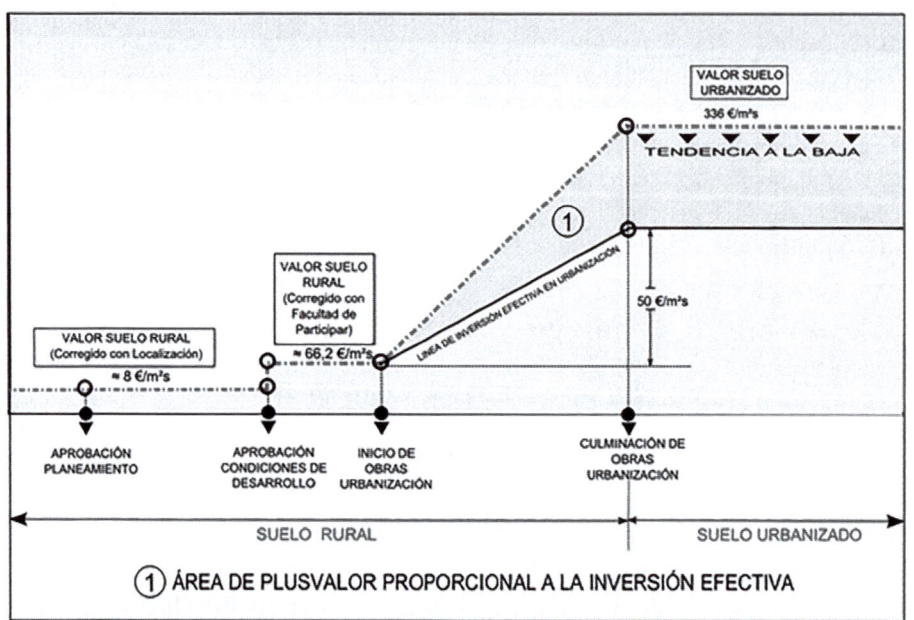

Fuente: Elaboración propia. Gerardo Roger Fernández.

B) Valoración según la LS/98

Consideremos una *Actuación Urbanizadora* (v. gr., un Sector de Urbanizable) de uso Residencial dotada de una densidad normal de *50-60 viviendas/hectárea* e *Índice de Edificabilidad de 0,60 m²t/m²s*) y cuyos *Costes de Producción Urbanística* (de transformación del Rústico en Urbano) ascienden a *50 €/m²s* (500.000 €/Ha, 350.000 € de urbanización más un 30% de gastos generales, financieros y beneficio empresarial). Asimismo, mediante un Estudio de Mercado se constata que *el Valor en Venta de las Viviendas asciende a 2.000 €/m²t y que el Valor de Repercusión del Suelo asciende al 33% del Valor en Venta de la Vivienda* y que el *porcentaje de plusvalías* que le correspondieran a la Administración, ascendieran en este caso, al *15% del aprovechamiento*.

De acuerdo a ello, *según la LS/98 el valor del Suelo como justiprecio expropiatorio* a entregar al propietario expropiado, al tener que valorarse por la metodología Residual (por el valor que considera todas las expectativas especulativas posibles) resultaría ser de 336 €/m²s (2.000 €/m²t × 0,33 × 0,60 m²t/m²s × 0,85), del que deberían restarse los Costes de Producción para obtener el *Valor Residual del Suelo sin Urbanizar*, lo que finalmente comporta el *justiprecio a abonar al propietario de*: 336 €/m²s – 50 €/m²s = 286 €/m²s.

Si consideramos que el valor del suelo Rústico-No Urbanizable, sin expectativas urbanísticas asciende razonablemente (ver la siguiente aplicación del ejemplo con la nueva legislación) a *8 €/m^2s, la valoración de la LS/98 comportaba una hipervaloración del justiprecio expropiatorio que multiplica por 35 el valor real del suelo.* Esta mera conclusión exime de cualquier argumento adicional con respecto a la necesidad de su modificación legal.

C) Valoración según la nueva legislación estatal

Pasemos a analizar, ahora, el resultado con el *nuevo régimen de Valoración.* En este sentido, la nueva regulación procede a valorar el suelo en situación Básica de Rural en los tres posibles estadios en que puede encontrarse.

En primer lugar, para valorar el *suelo en situación Básica de Rural sin atribución de aprovechamiento por el planeamiento (el tradicional Rústico o No Urbanizable),* se procede a suprimir la impropia aplicación del método de Comparación que preveía la LS/98 y se recupera la tasación por capitalización de la Renta derivada de su explotación natural agraria, real o potencial, (la que sea mayor), incorporando como factor de corrección un Coeficiente de Localización (factor clásico en las técnicas de economía regional y urbana como conformador del valor de la tierra) en función de su cercanía a núcleos urbanos y productivos o a su ubicación en espacios territoriales de demanda social intensa limitándose en un multiplicador que alcanzase como máximo el duplo de la renta, límite que fue anulado por Sentencia 141/2014 del Tribunal Constitucional, sin que hasta la fecha de redacción de este Artículo el Gobierno haya procedido a reajustar en el Reglamento de Valoraciones el algoritmo que permita determinar el coeficiente de localización en función de las consecuencias que comporta la citada Sentencia del Tribunal Constitucional.

En cualquier caso, volviendo al régimen de Valoración, debe tenerse en cuenta que la aplicabilidad del *método de Comparación al Rústico-No Urbanizable que establecía la anterior LS/98,* además de ofrecer resultados especulativos impropios, tal como hemos visto anteriormente, *no resulta conceptualmente correcta* sino más bien al contrario, pues éste ocupa el 95% de la superficie de España y en él solo se practican el 2-3% de las transacciones inmobiliarias. De hecho, existen más de 50 millones de parcelas rústicas y las transacciones anuales no superan la horquilla de 15-20.000 operaciones. Sin embargo, donde sí debe aplicarse el método de Comparación es en el suelo Urbano, que alcanzando el 3-5% de la superficie total de España, acumula el 97% de las transacciones. Por ello, no solo es rigurosa esta disposición normativa, sino que también lo es la introducción, por primera vez en la normativa urbanística de aplicar la «renta de posición», medida tradicional en las prácticas de la economía regional y urbana desde el siglo XIX, tal como hemos señalado.

En el segundo estadio, es decir, para los casos *de suelos en situación de Rural sometidos a «actuaciones de nueva urbanización», es decir, suelos Urbanizables en términos jurídico-urbanísticos*, la nueva legislación Estatal establece que, en caso de expropiación, además de «perder el suelo» por razones de interés general, los propietarios perderían la *Facultad de Participar* en el proceso (facultad que la nueva Ley atribuye a los propietarios de suelo Urbanizable, de la que disponen tanto en la gestión privada como en la pública por el Sistema de Cooperación), pérdida que, obviamente, debe ser indemnizada y que se cuantificaba hasta la promulgación de una reciente Sentencia del Tribunal Constitucional, de manera análoga y «simétrica» en el valor económico del porcentaje que la Administración recibe (5-15%) en el caso de gestión privada.

Es decir y en otras palabras, *la nueva legislación establecía un procedimiento de «justa participación»* tanto para la Administración como para los particulares: cuando actúan estos *mediante la ejecución urbanizadora por iniciativa privada, la Administración recibía una parte de las plusvalías* generadas en el proceso urbanizador cuantificada en un porcentaje del aprovechamiento urbanístico que la legislación autonómica concreta haya fijado en función de la rentabilidad económica de la misma, *y cuando actúa la Administración por expropiación los propietarios recibían el mismo valor por la pérdida de la Facultad de Participar* que hasta entonces disponían, pérdida que trae causa de la enajenación forzosa de sus terrenos, expropiación justificada en razones de interés general.

Sin embargo, como hemos señalado *la aplicación de este porcentaje como indemnización por la pérdida de la Facultad de Participar fue anulada por Sentencia 218/2015 del Tribunal Constitucional* sobre la base de ausencia de justificación concreta por tratarse, fundamentalmente, de un porcentaje pensado para la participación pública en las plusvalías por la Administración y no para fijar los derechos de la propiedad privada (???), regulación que *a la fecha de formulación de este Artículo el Gobierno aún no ha procedido a su sustitución por otra disposición que viniera a «rellenar la laguna legislativa»* producida, lo que viene generando una indeseable inseguridad jurídica, en absoluto justificada.

En cualquier caso, aplicados los criterios anulados al ejemplo que nos ocupa, teniendo en cuenta que el suelo Rústico-No Urbanizable, corregido por el Factor de Localización, puede estimarse en 8 €/m²s, que el valor del suelo Urbanizado Total (es decir, el Aprovechamiento Objetivo) ascendería a 396 €/m²s (2.000 €/m²t × 0,33 × 0,60 m²t/m²s) y teniendo en cuenta que la participación pública en las plusvalías, sin perjuicio de la referida Sentencia del Constitucional, se ha cuantificado en el 15%, el valor de la Facultad de Participar ascendería a 58,2 €/m²s [(396 €/m²s − 8 €/m²s) × 0,15], lo que comporta un *Valor total del Justiprecio expropiatorio de acuerdo al nuevo régimen de Valoraciones* de (8 + 58,2) €/m²s = 66,2 €/m²s, *frente a los 286 €/m²s del sistema inflacionista derivado de la LS/98* (tres cuartas veces menor que el «valor especulativo» derivado de la LS/98, pero comporta una valoración «más que generosa» con respecto al valor real como suelo rústico).

De nuevo no hacen falta más argumentos para validar el nuevo régimen de valoraciones.

Procede analizar, ahora, los procedimientos de valoración para las Actuaciones en proceso de ejecución urbanística.

Tal como se desprende *la metodología de la LS/98*, la situación en que se encuentre la ejecución de la Actuación resulta indiferente para fijar el justiprecio: *el propietario recibe siempre el Valor Residual final*, sea cual fuere el estadio en que se encuentre la urbanización. Es decir, recibe siempre «el lucro cesante» total sin considerar si la Actuación estuviera a medias, terminada o ni siquiera iniciada su ejecución.

Sin embargo, *la nueva legislación* estatal establece la *determinación del «lucro cesante»* en proporción directa entre el valor del Rústico y del Urbanizado, tal como se aprecia en el Gráfico, en función del estadio de ejecución y, consecuentemente, *en proporción a la inversión realizada* (a mayor inversión realizada, mayor plusvalía reconocida, el «colesterol bueno»), suprimiéndose, al fin, la incoherencia de atribuir la totalidad de la plusvalía al momento de la reclasificación.

Por último, para el *suelo Urbanizado* (suelo Urbano tradicional), se valora de manera acorde a la realidad, tal como establece el principio rector de la nueva regulación, determinada por el aprovechamiento adquirido tras la satisfacción de todas las cargas y deberes que la legislación establece para poder patrimonializar la facultad de edificar los solares ya urbanizados. Así, los *solares no edificados se valoran por su valor Residual* (en este caso, según la metodología Residual Estática, al tratarse de una expropiación sin ánimo de lucro y remisible a fecha concreta) al haber asumido ya la totalidad de las cargas (se da el «beneficio» cuando ya se ha asumido la totalidad de la «carga» y no se anticipa como hacía la LS/98) y *en caso de estar edificado, se valorará la edificación existente por el método de Comparación* (en este caso, sí es correcta la aplicabilidad de esta metodología) sin considerar el Valor Residual del suelo, salvo que éste fuera superior, en cuyo caso, sería el que prevaleciera. Es decir, o lo uno o lo otro, pero no la opción aditiva como prescribía la LS/98.

Una *última consideración* sobre el régimen de Valoraciones, tal como hace inteligentemente la nueva regulación, es la disposición de un *régimen transitorio que conforma un sistema de «aterrizaje blando»* que no genere conflictos indeseables con las actuaciones que se vinieran desarrollando con respeto a la legislación vigente en su momento, compatibilizando desde el interés general el modelo anterior con las innovaciones instrumentales previstas. De hecho, aquellos suelos urbanizables que se encuentren dentro de los plazos establecidos para su ejecución, o de unos supletorios de tres años (prorrogables) en caso de que no se hubieran establecido (Disposición Transitoria 3.ª), mantendrán el régimen valorativo de la Ley del Suelo 6/98 anterior, lo que ofrece una deseable seguridad jurídica y estabilidad empresarial y económica sobre la base de la aplicabilidad del principio de confianza legítima.

IV. CONCLUSIONES AL MARCO LEGISLATIVO ESTATAL Y A LA LEGISLACIÓN GALLEGA VIGENTES

De todo lo expuesto a lo largo de este Artículo, cabe concluir que *la legislación Estatal vigente* se constituye en un *marco legislativo de carácter básico y suficientemente solvente* para posibilitar la vertebración de políticas urbanísticas públicas y acordes a los mandatos constitucionales, y más en concreto en la intervención de la Ciudad Consolida. De hecho, en mi opinión, su «caja de herramientas» está capacitada para reactivar la tan paralizada producción inmobiliaria desde explícitos criterios de sostenibilidad y recuperación de la función pública del Urbanismo, que nunca debió perder.

En cualquier caso, debemos señalar que dicho marco legislativo (salvo, obviamente, el régimen de Valoraciones por ser de competencia exclusiva Estatal) *resulta necesario que sea complementado intencionadamente y de manera experta por las legislaciones autonómicas* para poder disponer de un corpus jurídico-normativo completo y detallado que permita garantizar, razonablemente, la seguridad jurídica y la creación urbanística requeridas en los siempre complejos procesos de desarrollo urbano, y más aún en aquellos que se ubican en la ciudad consolidada.

En este sentido, *la LSUG no es una excepción* a la situación de tantas leyes autonómicas vigentes, tal como hemos venido señalando a lo largo de los diferentes Apartados que conforman este Artículo. Por ello entiendo y manifiesto, humildemente, mi opinión sobre la conveniencia de llevar a cabo un paquete complementario de *sencillos reajustes puntuales al articulado, no sólo en la propia Ley sino también en su desarrollo Reglamentario*, con la finalidad de incardinar y coordinar la regulación básica vigente en el vigente TRLS/15 que hemos expuesto en este Artículo con la actual legislación gallega.

Téngase en cuenta que, si esa labor de coordinación no se llevara a cabo, subsistirá un escenario de inseguridad jurídico-urbanística nada favorable al desarrollo sostenible y sosegado que deberá presidir la gestión urbanística, escenario imprescindible para lograr una salida «ágil y sensata» a la larga crisis que venimos padeciendo.

BIBLIOGRAFÍA

FERNÁNDEZ, G.R. (2011): *Para Comprender el Urbanismo Español (de una vez por todas)*, Iustel, Valencia. (Reeditado y actualizado en 2017.)

– (2014): *Gestionar la Ciudad Consolidada*, Tirant lo Blanch, Madrid.

PAREJO ALFONSO, L., y FERNÁNDEZ, G.R. (2014): *Comentarios a la Ley de Suelo*, Tirant lo Blanch, Madrid.

Capítulo III

La prevalencia del Derecho estatal en materia urbanística[1]

Juan Antonio Hernández Corchete

Profesor Titular de Derecho Administrativo
Universidad de Vigo
Letrado del Tribunal Constitucional

SUMARIO: I. ESTADO DE LA CUESTIÓN (SSTC 187/2012, 177/2013 y 195/2015). II. LA STC 102/2016, DE 25 DE MAYO. 1. Circunstancias de la sentencia. 2. El caso concreto justifica el apartamiento. ¿Caben otros supuestos? 3. Elementos que definen el supuesto de hecho. *3.1. Componente sobrevenido. 3.2. Contradicción con legislación básica estatal. 3.3. El legislador autonómico reproduce la ley estatal vigente en aquel tiempo. 3.4. No se ponga en duda la constitucionalidad de la legislación básica modificada.* 4. El voto particular. III. El ATC 167/2016, DE 4 DE OCTUBRE. IV. LA STC 204/2016, DE 1 DE DICIEMBRE. 1. Circunstancias de la sentencia. 2. Argumentación de la sentencia. 3. Análisis de la argumentación de la sentencia. 4. Los dos votos particulares. *4.1. Voto particular de la Excma. Sra. Asua Batarrita. 4.2. Voto particular del Excmo. Sr. Martínez-Vares García.* V. PROYECCIÓN EN MATERIA URBANÍSTICA DE LA NUEVA DOCTRINA CONSTITUCIONAL. VI. *QUID* DE LA APLICACIÓN ADMINISTRATIVA DE LA CLÁUSULA DE PREVALENCIA EX ART. 149.3 CE.

---

1. Agradezco los acertados comentarios que Francisco De Cominges amablemente hizo a un primer borrador de este trabajo. Los desaciertos que permanezcan en este texto final son, obviamente, completamente de mi sola responsabilidad.

I. ESTADO DE LA CUESTIÓN (SSTC 187/2012, 177/2013 Y 195/2015)

Cuestión recurrente en el Derecho urbanístico, más precisamente en su aplicación judicial, es la convivencia entre la ley urbanística autonómica y la ley estatal que, dictada al amparo de competencias horizontales, como las previstas en los arts. 149.1.1 (condiciones que garanticen la igualdad básica en el ejercicio del derecho de propiedad) y 149.1.18 CE (procedimiento administrativo común), incide en la materia urbanística. Un ejemplo reciente fue la STC 195/2015, de 21 de septiembre, que resuelve un RA deducido contra la STS 27 de febrero de 2014 (recurso de casación núm. 207-2011). El TS en esta sentencia confirmaba la anulación del planeamiento urbanístico de Toledo porque, a pesar de que se habían introducido cambios sustanciales en el proyecto sometido a información pública, no hubo segunda información pública. La jurisprudencia del TS, como es sabido, venía exigiendo en estos casos una segunda información pública como derivación del principio de participación pública en las figuras de planeamiento *ex* art. 6.1 LRSV 1998, norma que el Estado dispone en virtud de su competencia para establecer un procedimiento administrativo común. La primera información pública no supondría una real y verdadera participación pública si, después de ella, se alteran sustancialmente las opciones básicas del proyecto de plan, pues entonces el planificador no habría tenido a la vista los criterios del público al tiempo de configurar su decisión. Las alegaciones que habría tenido presentes, que son las procedentes de la primera información pública, nada dicen de las determinaciones sustancialmente distintas que de nuevas han aparecido en el proyecto. En conclusión, según el TS se hace necesario, para cumplir con el principio de participación pública *ex* art. 6.1 LRSV 1998, una segunda información pública si las modificaciones en el proyecto de planeamiento fuesen sustanciales[2].

En todo ello hay un aspecto lateral que adquiere centralidad en relación con el tema que quiere enfocar este trabajo. El TS, al pronunciar ese fallo, necesariamente estaba inaplicando la ley urbanística castellano-manchega vigente al tiempo de los hechos y que ordenaba que no hubiera segunda información pública, aunque se hubieren introducido cambios sustanciales en el planeamiento [art. 36.2 A) párrafo tercero LOTAU 2004][3]. El Tribunal Supremo, ante la colisión entre el art. 6.1 LRSV 1998 y el citado

---

2. Cfr. SSTS 9 de diciembre de 2008 (casación 7459/2004) y 27 de febrero de 2014 (casación n.° 207-2011).

3. La norma autonómica establecía que «no será preceptivo reiterar este trámite [el de información pública] en un mismo procedimiento si se introdujesen modificaciones sustanciales en el Plan a causa, bien de las alegaciones formuladas en la información pública, bien de los informes emitidos por otras Administraciones Públicas, bastando

precepto autonómico, aplica el primero atendiendo a la prevalencia del Derecho estatal *ex* art. 149.3 CE y deja inaplicado el precepto autonómico, porque éste sería contrario al art. 6.1 LRSV 1998 y mediatamente a la Constitución en la medida que ésta otorgaba competencia al Estado *ex* art. 149.1.18 CE para prever la exigencia de procedimiento administrativo recogida en dicha disposición estatal.

Pues bien, la STC 195/2015[4] afirma que el TS, al decidir así, está postergando en virtud de un juicio de inconstitucionalidad mediata una ley autonómica, y lo está haciendo por su propia autoridad, es decir, sin plantear la cuestión de inconstitucionalidad, lo que le prohíbe el art. 163 CE. El TC aprecia, por tanto, que el TS, al hacer esto, vulnera el derecho del recurrente (la Administración autonómica que aprobó definitivamente el plan cuya anulación se confirma) a una resolución fundada en Derecho (art. 24.1 CE) y el derecho a un proceso con todas las garantías (art. 24.2 CE).

Esta doctrina constitucional, constante desde la STC 163/1995, implica que la cláusula de prevalencia *ex* art. 149.3 CE no tiene proyección alguna en la aplicación judicial del ordenamiento jurídico. Los Jueces y Tribunales cuando duden que una ley autonómica (por ejemplo, urbanística) sea acorde a la Constitución, aun por la mediación de contradecir una ley estatal aprobada a su amparo, no están capacitados para inaplicarla y resolver conforme a una ley estatal considerada prevalente. En otras palabras, el órgano judicial no puede invocar en estos casos dicha cláusula de prevalencia, sino que, en cumplimiento del art. 163 CE, debe elevar CI respecto de la norma urbanística autonómica. El art. 149.3 CE, en cuanto a esta cláusula, podrá tener otros destinatarios, pero no los Jueces y Tribunales porque lo excluye el art. 163 CE.

Obviamente, la STC 195/2015 no es la primera vez que el TC traduce esta consolidada construcción de su doctrina al ámbito urbanístico. Lo hizo, no hace tanto, la STC 187/2012, de 29 de octubre. El trasfondo consistía en que, como es sabido, la norma urbanística catalana consideraba suficiente la publicación en el diario oficial del acuerdo de aprobación de las figuras de planeamiento urbanístico y entraba en conflicto con la normativa estatal que requería la publicación del contenido de las normas (art. 149.1.8 CE sobre las «reglas relativas a la aplicación y eficacia de las normas jurídicas»). Todo ello aderezado con un precepto legal catalán

---

que el órgano que otorgue la aprobación inicial la publique en la forma establecida en el párrafo anterior y notifique ésta a los interesados personados en las actuaciones».

4. Las SSTC 92, 93, 98, 113, 114 y 115 de 2016 (adviértase de que estas últimas son de 20 de junio de 2016, cuando la STC 102/2016, que se examinará más adelante, ya se había dictado) resuelven el mismo supuesto que la STC 195/2015 y en el mismo sentido de otorgar el amparo por lesión de los arts. 24.1 CE y 24.2 CE.

posterior a esta pugna que pretendía que la publicación posterior del contenido de tales planes tuviera efecto convalidatorio. Ante esta situación el TS [i.e. SSTS 14 de octubre de 2009 (casación 5988-2005) y de 13 de julio de 2012] anulaba los planes concretos que se acogían a la publicación prevista por la norma catalana, inaplicando por su propia autoridad, y sin elevar cuestión de inconstitucionalidad como le exigía el art. 163 CE, esta norma legal autonómica. El TS invocaba para ello la prevalencia del Derecho estatal prevista en el art. 149.3 CE. El TC, manteniendo el criterio constante de que dicha cláusula constitucional no rige la aplicación judicial del Derecho debido al art. 163 CE, otorgó el amparo por vulneración de los arts. 24.1 CE y 24.2 CE y anuló las resoluciones judiciales que habían postergado la ley urbanística autonómica en virtud de dicha cláusula. Además, la STC 177/2013, de 21 de octubre, se pronuncia en parecidos términos a la STC 187/2012.

Ahora bien, la STC 102/2016, aun no referida al ámbito urbanístico, abre camino a una lectura parcialmente nueva del ámbito de aplicación de la cláusula de prevalencia del Derecho estatal *ex* art. 149.3 CE. Se admitiría que, en algunos supuestos, y siempre que se cumplan las condiciones que señala el TC, los Jueces y Tribunales fundaran sus resoluciones en esta cláusula constitucional. El ATC 167/2016 y la STC 204/2016 han confirmado esta apertura en la doctrina constitucional, precisando las condiciones de su aplicación. Aproximarse a cuáles sean estas condiciones y en qué medida puedan proyectarse sobre el ámbito urbanístico es el objeto de este trabajo.

II. LA STC 102/2016, DE 25 DE MAYO[5]

1. CIRCUNSTANCIAS DE LA SENTENCIA

Se trata de la fusión voluntaria de Cesuras y Oza de los Rios, iniciada por sendos acuerdos municipales y acordada por Decreto de la Xunta de Galicia. La controversia radica en la mayoría de aprobación del acuerdo municipal de Cesuras, adoptado por 7 votos a 4. La Xunta de Galicia la

---

5. Sobre esta sentencia TRIANA REYES, B. (2016): «Posible aplicación por los Tribunales de leyes autonómicas en caso de contradicción con legislación básica estatal posterior», *Actualidad Administrativa*», n.° 10, pp. 1 a 6; REQUEJO PAGÉS, J.L., DUQUE VILLANUEVA, J.C., ORTEGA CARBALLO, C. y AHUMADA RUIZ, M. (2016): «Doctrina del Tribunal Constitucional durante el segundo cuatrimestre de 2016», *Revista Española de Documentación Científica*, n.° 108, en especial REQUEJO (237-238), DUQUE (239-240) y AHUMADA (250-252); y QUADRA-SALCEDO JANINI, T. (2017): «La reanimación de la prevalencia ¿una grieta abierta en nuestro modelo centralizado de Justicia Constitucional», *Revista Española de Documentación Científica*, en prensa.

creyó suficiente dado que el art. 47.2.a) LBRL, en la redacción que le dio la Ley 57/2003, exigía para la alteración de términos municipales el voto favorable de la mayoría absoluta del número legal de miembros de las corporaciones». Un concejal de Cesuras, por contra, impugnó el Decreto autonómico dado que, según el art. 32.1 de la Ley 5/1997, de 22 de julio, de Administración Local de Galicia (LALG), «el expediente [de alteración de términos municipales] será iniciado por los acuerdos de los respectivos Ayuntamientos, adoptados con el voto favorable de las dos terceras partes del número de hecho», siendo evidente que 7 votos no alcanzan a los 2/3 de 11 (que fue en aquella ocasión el número de hecho).

Hay otros elementos fácticos que caracterizan este caso. El art. 32.1 LALG reproducía literalmente la redacción originaria del art. 47.2.a) LBRL, de modo que la discordancia entre ellos es sobrevenida y se produce por el cambio de la base estatal. De otro lado, el TC se había pronunciado acerca de un caso análogo en las SSTC 66/2011 y 159/2012, entonces respecto de la compatibilidad de una ley canaria que señalaba la mayoría para alterar la capitalidad municipal con el art. 47.2.d) LBRL, que había tenido la misma evolución que el art. 47.2.a) LBRL. El TC precisó allí que el art. 47.2.d) LBRL era básico *ex* art. 149.1.18 CE porque «la regulación de los "aspectos esenciales del modelo de autonomía local garantizado en todo el Estado atañe al funcionamiento democrático de los órganos de gobierno de las Corporaciones locales y, dentro de él, en concreto, a lo que afecta al *quorum* y mayorías necesarias para la adopción de los acuerdos de los órganos colegiados superiores, ya que los preceptos relativos a estas cuestiones definen precisamente un modelo de democracia local" (STC 331/1993, de 12 de noviembre, FJ 4; con cita de la STC 33/1993, de 1 de febrero, FJ 3)».

El TSJ Galicia, ante la tesitura de verse vinculado a resolver el litigio que pendía ante él con arreglo al art. 32.1 LALG cuando lo consideraba inconstitucional por contradecir el art. 47.2.a) LBRL que era básico *ex* art. 149.1.18 CE, decidió plantear CI en relación el precepto autonómico (CI 1619-2015). La STC 102/2016, por las razones que se dirá más adelante, entendió que la cláusula de prevalencia del Derecho estatal prevista en el art. 149.3 CE habilitaba en este caso al juez ordinario para seleccionar como norma aplicable el art. 47.2.a) LBRL, que postergaría así al precepto autonómico, de suerte que al no depender la decisión del pleito *a quo* del art. 32.1 LALG procedía inadmitir la CI. Consta de un voto particular que suscribe la Excma. Sra. Asua Batarrita[6].

---

6. La Excma. Sra. Asua Batarrita firma además un voto particular sustancialmente idéntico al que mencionamos aquí en relación con la STC 127/2016. A ese voto particular se sumaron otros cuatro magistrados. La STC 127/2016 decide la misma cuestión

2. EL CASO CONCRETO JUSTIFICA EL APARTAMIENTO. ¿CABEN OTROS SUPUESTOS?

La STC 102/2016, si nos atenemos a su argumentación, no elabora una nueva doctrina acerca de la cláusula de prevalencia *ex* art. 149.3 CE que sustituya con carácter general a la anterior. Al contrario, aplica esta cláusula constitucional a un supuesto concreto.

En el FJ 2 recapitula la doctrina constitucional constante sobre la cláusula de prevalencia y luego afirma que

> «este Tribunal considera, sin embargo, que según los argumentos que se exponen a continuación, debe apartarse de la doctrina antes indicada *en un caso como el que da origen a la presente cuestión de inconstitucionalidad* en que la legislación autonómica no ha hecho sino reproducir la legislación básica, y ésta se modifica después en un sentido incompatible con aquella legislación autonómica».

El Tribunal reitera en el FJ 3 en que

> «el reproche que nuestra doctrina constitucional ... viene haciendo a los órganos de la jurisdicción ordinaria, la de enjuiciar por sí mismos un supuesto de inconstitucionalidad mediata de una ley autonómica, si bien se trate de una inconstitucionalidad sobrevenida, *no procede en este caso*, en que la inaplicación de la legislación autonómica se ha llevado a cabo por la propia Administración, que no puede promover cuestión de inconstitucionalidad (art. 163 CE y 35 de la Ley Orgánica del Tribunal Constitucional). Pero ello no altera la esencia del problema planteado, si acaso pone de manifiesto de un modo más patente las consecuencias inconvenientes a que conduce la aplicación de nuestra doctrina. En definitiva, se trata de la calificación jurídica que merece una ley autonómica que después de su promulgación resulta contraria a la legislación básica estatal posterior a aquélla. Se trata de una ley autonómica que en el momento de su aprobación no contradecía legislación básica alguna porque se limitaba a reproducir su texto, cuando la legislación básica se modifica en términos incompatibles con aquella legislación autonómica».

Por último, en el FJ 6 leemos que:

> «en los supuestos en que con apoyo en títulos competenciales distintos, Comunidad Autónoma y Estado aprueban productos normativos incompatibles, el conflicto planteado se resuelve sin traer a colación el art. 149.3 CE, en favor del título competencial considerado más específico (SSTC 87/1987, de 2 de junio, FJ 2; 190/2000, de 13 de julio, FJ 4; 188/2001 de 20

---

que dio lugar a la STC 102/2016 con la sola diferencia de que era otro concejal quien promovió el recurso contencioso-administrativo.

58

de septiembre, FJ 6, y 214/2015, de 22 de octubre, FJ 3; así como las citadas en este mismo fundamento jurídico). La cuestión que se plantea *en este caso* es diferente, pues la CA de Galicia, al incluir en la Ley 5/1997, de 22 de julio, su art. 32.1 no lo hizo reclamando una competencia propia, sino por puro mimetismo con la regulación contenida en la legislación básica que aquella ley pretendía desarrollar. *Este es uno de los casos* en los que la aplicación del principio de prevalencia del derecho estatal no determina la derogación de la norma autonómica ni ha de conducir a su nulidad por inconstitucionalidad sobrevenida, sino que puede resolverse, como ha hecho la Xunta de Galicia, inaplicando la ley autonómica por considerar prevalente la posterior legislación básica estatal».

La argumentación del TC se refiere, por tanto, a un supuesto concreto, que se delimitará en el siguiente subepígrafe. Al mismo tiempo, sin embargo, la sentencia, como hacía el voto particular a la STC 1/2003, no descarta que se determinen más casos en los que también juegue la cláusula de prevalencia *ex* art. 149.3 CE.

3. ELEMENTOS QUE DEFINEN EL SUPUESTO DE HECHO

3.1. Componente sobrevenido

STC 102/2016, en los dos primeros extractos transcritos anteriormente y además en la totalidad de su FJ 4, requiere para que actúe la cláusula de prevalencia que se trate, por decirlo con su terminología, de una «inconstitucionalidad sobrevenida». Se coloca así en la línea del voto particular a la STC 1/2003, en el que se lee que «esta colisión entre la ley de la Comunidad Autónoma y la posterior ley básica del Estado, que hace que una norma que fue aprobada válidamente resulte sobrevenidamente contraria a la normativa básica estatal, no puede ser confundida con una situación completamente distinta: la que resulta de una ley autonómica que, en el momento mismo en que es aprobada, contradice directamente la Constitución. Este último es el supuesto que da lugar sin más a la declaración de inconstitucionalidad, y consiguiente nulidad de una ley».

3.2. Contradicción con legislación básica estatal

La STC 102/2016 llega a calificar en ocasiones al 32.1 LALG de norma de desarrollo (sobre todo para decir que al no añadir nada a la redacción originaria del 47.2.a) LBRL no presenta en realidad un desarrollo), pero no afirma en ningún caso de modo abierto que nos hallemos ante el ejercicio de una competencia de desarrollo de bases estatales. En todo caso, adviértase que la competencia gallega en materia de régimen local, que es la que ampara el dictado del art. 32.1 LALG, no es de desarrollo de bases estatales sino de carácter exclusivo, según el art. 27.2 de su Estatuto de Autonomía. Estaríamos, por tanto, aunque la sentencia no lo deja claro e inclusive parece optar, por lo contrario, ante la colisión de una ley autonómica dictada en virtud de una competencia exclusiva (régimen local) y una ley estatal apoyada en una competencia básica (régimen jurídico de las Administraciones públicas). De otro lado, lo que sí queda claro es que la norma estatal con la que se produce la contradicción es legislación básica.

3.3. El legislador autonómico reproduce la ley estatal vigente en aquel tiempo

La STC 102/2016 en el FJ 5 resalta «la práctica frecuente del legislador autonómico de introducir en su normativa de desarrollo preceptos que corresponden a la legislación básica que se pretendía desarrollar». Lo más importante, no obstante, es lo que el TC entiende que esa circunstancia implica. Dice la STC 102/2016, en el FJ 6, que «otorgar preferencia a la legislación básica estatal es la solución lógica a una situación provocada por la propia Comunidad Autónoma que ha incumplido su deber de inmediata acomodación de su legislación de desarrollo a la nueva legislación básica. Es la solución que deriva *del carácter superfluo de la legislación reproductora, que no añade nada a la legislación básica para que aquélla pueda ser considerada realmente normativa de desarrollo*». Y en la misma línea, también como parte del FJ 6, destaca que «la Comunidad Autónoma de Galicia, al incluir en la Ley 5/1997, de 22 de julio, su artículo 32.1, *no lo hizo reclamando una competencia propia, sino por puro mimetismo con la regulación contenida en la legislación básica que aquella ley pretendía desarrollar*»[7].

3.4. No se ponga en duda la constitucionalidad de la legislación básica modificada

El FJ 6 de la STC 102/2016 finaliza afirmando:

«esa prevalencia del Derecho estatal debe jugar en tanto no haya sido puesta en duda la constitucionalidad de la legislación básica modificada, pues en tal caso el Juez sí debería plantear cuestión de inconstitucionalidad, pero no sobre la legislación autonómica sino sobre la propia legislación básica posterior, si considerase que efectivamente concurrían las condiciones para ello. Algo que no sucede en el presente caso, en que este Tribunal ya se ha pronunciado en favor del carácter básico de la regulación

---

7. La cursiva es añadida por el autor.

contenida en el art. 47.2 LBRL en las SSTC 66/2011, de 16 de marzo, FJ 3 y 159/2012, de 17 de septiembre, FJ 3».

Este último elemento es susceptible de varias interpretaciones. ¿Será necesario que el Tribunal Constitucional se haya pronunciado a favor de la constitucionalidad del Derecho estatal sobrevenido para que el juez a quo pueda no tener duda sobre su constitucionalidad y así proceder a aplicar la cláusula de prevalencia? ¿O, por el contrario, el juez a quo podrá apreciarlo así aun en ausencia de tal pronunciamiento? Y en el primer caso, ¿el pronunciamiento deberá versar precisamente sobre el precepto estatal básico sobrevenido o es suficiente con que se haya referido a otro que sea análogo, o incluso con que haya una doctrina constitucional consolidada respecto de la materia en que se encuadra dicho precepto estatal?

4. EL VOTO PARTICULAR DE LA EXCMA. SRA. ASUA BATARRITA

El voto particular afirma que «el primer problema que suscita la Sentencia de la que discrepo proviene de la escasa argumentación que se ofrece para fundamentar la envergadura del cambio de la doctrina jurisprudencial que se acomete. Limitación argumentativa de la que derivan serias incertidumbres en cuanto al alcance de la aplicabilidad de la cláusula de prevalencia del art. 149.3 CE en el futuro» (apartado 1).

El apartado 2 recoge algunas reflexiones muy destacables respecto la virtualidad de la cláusula de prevalencia del Derecho estatal cuando se trata de la actuación de la Administración pública, sobre las que volveré en un epígrafe posterior de este trabajo para explicar mis dudas sobre ellas. Añade en el apartado 3 que, a pesar de haberse explayado en tal cuestión, en realidad en este caso el debate no era el qué puede y debe hacer en este tipo de supuestos de contradicción entre ley autonómica y ley estatal la Administración pública, sino qué puede hacer en esos casos un tribunal, que es algo distinto constitucionalmente hablando.

En fin, dice en el apartado 7 que «el punto central de mi discrepancia con la Sentencia reside en la interpretación que se ofrece de la cláusula de prevalencia». Allí se afirman fundamentalmente cinco ideas. La primera, que es en realidad un criterio compartido, es que «entiendo, con la doctrina hasta ahora mantenida por este Tribunal, que la regla de prevalencia del art. 149.3 CE ... excluye de su cometido la solución de controversias normativas en las que intervenga el criterio de la competencia».

La segunda, que entraña la discrepancia más sensible, es que las discordancias en el «binomio legislación estatal básica/legislación autonómica de desarrollo» siempre se reconducen a una controversia normativa en la que interviene el criterio de competencia, pues éste configura de un modo absoluto dos ámbitos de atribución, de modo que o una o la otra norma supone una extralimitación competencial.

La tercera consiste en que lo dicho anteriormente es igualmente aplicable cuando la pugna normativa deriva de «la alteración posterior de la norma básica».

La cuarta, que es una consecuencia de las discrepancias anteriores, resalta que «determinar en qué punto se produce el exceso y el vicio de incompetencia, lo que implica un juicio acerca del carácter formal y materialmente básico de la nueva norma estatal, ... sólo puede llevar[lo] a cabo este Tribunal Constitucional conforme a los arts. 153.a), 161 y 163 CE. Considerar que esa tarea puede realizarse por cualquier aplicador del derecho, en virtud de la regla de la prevalencia de la legislación estatal del art. 149.3 CE, conlleva un riesgo cierto de inseguridad jurídica y de pérdida de uniformidad en la interpretación y aplicación de las normas del bloque de la constitucionalidad, hurtando a este Tribunal su conocimiento por la vía del art. 163 CE».

La quinta y última, que también representa una discrepancia directa con el argumento de la mayoría, resalta que no se puede deducir de que el 32.1 LALG sea reproducción literal del texto entonces vigente de la legislación básica que pretendía desarrollar que la Comunidad Autónoma de Galicia no lo adoptó «reclamando una competencia propia». Constituye, por el contrario, según este voto particular, ejercicio de «la competencia exclusiva que le atribuye el art. 27.2 de su Estatuto de Autonomía en materia de régimen local», que «debe ser respetado en todo caso por el órgano judicial, cualquiera que fuera el propósito de establecer una norma autonómica coincidente con la estatal».

III. EL ATC 167/2016, DE 4 DE OCTUBRE

El pleito *a quo* en cuyo contexto se eleva la CI inadmitida por el ATC 167/2016 versa acerca de si es legal que el reglamento de mercados de abastos de un municipio madrileño prevea el arrendamiento como técnica de gestión indirecta del servicio público. El art. 100.3 de ley local madrileña vigente al tiempo de aprobación de dicho reglamento municipal[8] lo permitía, pero el art. 85.2 LBRL, en la redacción dada por la Ley 57/2003, de 16 de diciembre, que se ha mantenido con las reformas posteriores, se limitaba a remitir a la normativa de contratación pública, que

---

8.   Ley 2/2003, de 11 de marzo, de Administración local de la Comunidad de Madrid.

no reconoce el arrendamiento como modalidad del contrato de gestión de servicios públicos.

El TC inadmitió la CI porque, concurriendo a su juicio las mismas notas que en la STC 102/2016, el tribunal *a quo* debería haber resuelto la colisión entre la norma autonómica y la estatal en virtud de la cláusula de prevalencia del Derecho estatal *ex* art. 149.3 CE. El TC resuelve que la norma autonómica, al quedar desplazada por este motivo, no es aplicable al caso concreto y que, en consecuencia, no cabe elevar CI respecto de ella.

Los elementos a que atiende el ATC 167/2016 son el carácter sobrevenido de la contradicción y la certeza de la inconstitucionalidad. Destaca, en cuanto a lo primero, que el art. 100.3 de ley local madrileña reproducía la redacción del art. 85.2 LBRL vigente hasta la modificación operada por la Ley 57/2003. De este modo, cuando el precepto madrileño se dictó era conforme con la base; es el cambio en la base estatal lo que genera de un modo sobrevenido la contradicción. Apunta, respecto de lo segundo, que el art. 85.2 LBRL en su redacción modificada por la Ley 57/2003, que es materialmente idéntica en lo que aquí interesa a la que, por estar vigente al tiempo de aprobación del reglamento municipal, debe tomar el tribunal a quo como parámetro de contraste, había sido declarado ya básico por la STC 161/2013, de 26 de septiembre.

IV. LA STC 204/2016, DE 1 DE DICIEMBRE[9]

1. CIRCUNSTANCIAS DE LA SENTENCIA

El Alcalde-Presidente de Bilbao sancionó a un funcionario por cometer una falta disciplinaria leve, que aquél recurrió al juzgarla prescrita. La controversia radica en el plazo de prescripción de las faltas leves, que es de 1 mes en el art. 89.2 de la Ley 6/1989, de 6 de julio, de la función pública vasca (LFPV), y de 6 meses en el art. 97 de la Ley 7/2007, del estatuto básico del empleado público (LEEP). La otra circunstancia que connota el caso es que el art. 89.2 LFPV reproduce, en lo que interesa, el art. 87.2 LFCE (Decreto 315/1964). La Ley 30/1984, de medidas para la reforma de la función pública, no reguló este extremo, con lo que el precepto preconstitucional continuó vigente, siendo mas tarde derogado por el apartado a) de la disposición derogatoria única LEEP, ley esta última que en su art. 97.1, con el carácter de básico, aumentó el plazo de prescripción de las faltas leves a 6 meses (ahora art. 97.1 del RDLeg. 5/2015, por el que se aprueba el TRLEEP). El juzgado a quo, al verse vinculado a resolver el litigio que pendía ante él con arreglo al art. 89.2 LFPV cuando lo creía

---

9. QUADRA-SALCEDO JANINI, T. (2017): *op. cit.*

inconstitucional por contradecir el art. 97.1 LEEP que a su juicio era básico *ex* art. 149.1.18 CE, decidió plantear CI en relación el precepto autonómico (CI 6036-2015). La STC 204/2016, de 1 de diciembre, por las razones que se dirá más adelante, entendió que la cláusula de prevalencia del Derecho estatal prevista en el art. 149.3 CE habilitaba en este caso al juez ordinario para seleccionar como norma aplicable el art. 97.1 LEEP, que postergaría así al precepto autonómico, de suerte que al no depender la decisión del pleito *a quo* del art. 89.2 LFPV procedía inadmitir la CI suscitada respecto de él.

Constan dos votos particulares, que luego se detallarán.

2. ARGUMENTACIÓN DE LA SENTENCIA

La fundamentación jurídica de esta STC 204/2016 se hace por remisión a la STC 102/2016, transcribiendo gran parte del FJ 6 de ésta. Sin embargo, el supuesto de hecho presenta alguna similitud, pero muchas diferencias. La STC 204/2016 aborda esta cuestión en el FJ 3 del siguiente modo:

> «Aunque, a diferencia del supuesto resuelto por la STC 102/2016, en el presente caso la norma de cuya constitucionalidad duda el Juzgado de lo Contencioso-Administrativo núm. 4 de Bilbao no reproduce precepto alguno estatal de carácter básico, sino que se trata de un precepto *dictado en ausencia de legislación básica estatal*[10], la razón de decidir de aquella Sentencia sirve para resolver también el presente proceso constitucional. En ambos casos se trata de una ley autonómica a la que, en el momento en que se dictó, no podía imputarse vicio alguno de inconstitucionalidad, y que, sin embargo, deviene incompatible con una ley básica del Estado aprobada con posterioridad».

Resulta también sumamente ilustrativo, por lo que se dirá en el siguiente subepígrafe, que la STC 204/2016 expone en su FJ 2 que «el órgano judicial, *que no duda del carácter básico de la norma estatal*[11], plantea la presente cuestión de inconstitucionalidad respecto del art. 89.2 de la Ley vasca».

3. ANÁLISIS DE LA ARGUMENTACIÓN DE LA SENTENCIA

Para la STC 204/2016 la cláusula de prevalencia del Derecho estatal resulta también operativa en este otro supuesto de hecho. A pesar de las diferencias con el resuelto en la 102/2016, los dos se asemejan en que la

---

10. Cursiva añadida por el autor. La razón de por qué la normativa preconstitucional en este caso no se entiende como básica se halla en la STC 37/2002, de 14 de febrero.
11. Cursiva añadida por el autor.

contradicción entre ley autonómica y estatal es sobrevenida. En ambos casos la ley autonómica, por ser conforme con el Derecho estatal vigente al tiempo de ser aprobada, se configura como originariamente válida y es el cambio en el Derecho estatal lo que genera la divergencia con el parámetro de constitucionalidad, discordancia que, en su imagen de la cláusula de prevalencia ex 149.3 CE, según ya se apuntó en el apartado 2.3 de este trabajo, no afectaría a la validez de la norma autonómica, tratándose de un supuesto de colisión de normas válidas.

En la STC 204/2016 desaparece la necesidad de que la ley autonómica, por reproducir literalmente el texto de la ley estatal vigente al tiempo de su dictado, no constituya en realidad el ejercicio por la Comunidad Autónoma de una competencia propia. Dicho de otro modo, que quede claro que el precepto autonómico es ejercicio de una competencia autonómica no es obstáculo para que opere esta cláusula, con lo que decae que solo en supuestos de *lex repetita* pueda recurrirse a ella.

En esta sentencia tampoco se puede afirmar que el carácter básico del precepto estatal resulte evidente porque el TC se haya pronunciado previamente sobre un precepto idéntico, o inmensamente análogo como ocurría en verdad en la STC 102/2016.

El dato que sí aparece en los supuestos de hecho de una y otra sentencia es que la ley autonómica contradice una ley estatal dictada en virtud de una competencia básica, respectivamente bases del régimen jurídico de las Administraciones públicas (STC 102/2016) y bases del régimen estatutario de los funcionarios públicos (STC 204/2016).

En fin, la STC 204/2016 olvida las demás exigencias de la STC 102/2016 y vincula la virtualidad de la cláusula de prevalencia *ex* art. 149.3 CE en la aplicación judicial del Derecho a una sola nota, al carácter sobrevenido de la colisión. Deja abierto aun si el tipo de competencia al amparo de la que se dictó la ley estatal contradicha puede tener alguna transcendencia a este efecto, lo que importa en materia urbanística, en tanto que, como es sabido, las normas estatales que pueden reducir el ámbito competencial autonómico suelen ser expresión de competencias exclusivas y no legislación básica.

4.   LOS DOS VOTOS PARTICULARES

4.1. Voto particular de la Excma. Sra. Asua Batarrita

Tiene dos partes. Primero, reitera, por remisión a su vp a la STC 102/2016, las razones por las que discrepa de la nueva doctrina de la prevalencia inaugurada en tal sentencia y «su disconformidad con la ausencia de justificación de tan fundamental alteración de los principios que han regulado las relaciones entre los ordenamientos estatal y autonómico durante treinta y seis años». Apunta, más tarde, que «mi decisión de formular un nuevo voto particular se debe a... [que] la actual Sentencia aplica ahora la doctrina de la prevalencia a un supuesto de hecho que no presenta ninguna de las tres circunstancias que este mismo Tribunal consideró relevantes en la STC 102/2016 para apartarse de la doctrina canónica». Dice así que la norma autonómica cuestionada en este caso no es (a) *lex repetita*[12], (b) ni fue dictada sin pretender ejercer una competencia propia[13] ni, en fin, (c) el precepto estatal de contraste ha sido confirmado en su carácter básico por el Alto Tribunal[14]. Ello le lleva a concluir que «la ausencia de las tres mencionadas circunstancias en el presente caso debía haber impedido la traslación mecánica de la doctrina de la STC 102/2016 ... y como mínimo, al optar por tal ampliación, era inexcusable exponer de forma precisa las razones que pudieran justificar tal extensión».

Afirma, en fin, que «la doctrina especial de la prevalencia, formulada inicialmente como excepción a la doctrina general de la obligación judicial de plantear CI ... se convierte en una doctrina con vocación de generalidad, ... ayuna de una explicación acorde a su trascendencia». Y lamenta «tal generalización incondicionada de la doctrina de la prevalencia en relación con las inconstitucionalidades sobrevenidas en el ámbito de las competencias compartidas», pues:

---

12. Dice el vp: «en el presente caso la norma autonómica que se quiere desplazar no es una *lex repetita* en sentido técnico pues, cuando fue aprobada, no existía norma básica alguna sobre la materia. Cuando en 1989 el legislador vasco optó por un plazo de prescripción de un mes para las infracciones disciplinarias leves, ciertamente se pudo inspirar en el plazo vigente para la prescripción de las infracciones leves en el ámbito de la Administración general del Estado de acuerdo con el art. 87.2 LFCE, aprobada mediante Decreto 315/1964, de 7 de febrero, y que se mantuvo vigente tras la Ley 30/1984, de 2 de agosto, de medidas para la reforma de la función pública. Ahora bien, esa norma no era básica: la STC 37/2002, de 14 de febrero, FFJJ 9 y 11, descartó que el art. 87.2 LFCE tuviera carácter básico».

13. Afirma el vp: «a diferencia de lo que se afirmaba en la STC 102/2016, el Parlamento Vasco aprobó la norma aquí controvertida ejerciendo en su día una competencia propia: la competencia de legislar en materia de función pública en relación con sus propios empleados, que se concretó en el art. 89.2 LFPV. Así pues, hasta la entrada en vigor del estatuto básico del empleado público (aprobado por la Ley 7/2007, de 12 de abril), primera norma estatal que regula el plazo de prescripción de las infracciones disciplinarias leves y que se afirma básica, la Comunidad Autónoma del País Vasco estaba ejerciendo una competencia propia derivada de su Estatuto de Autonomía».

14. Apunta el vp: «a diferencia de lo que se afirmaba en la STC 102/2016, en este caso la norma estatal que sirve de contraste y que se afirma que debe prevalecer sobre la norma autonómica no había sido examinada y calificada previamente como básica por el TC».

«debilita nuestro modelo de jurisdicción constitucional concentrada, por lo que respecta tanto a la determinación del carácter básico de las normas estatales, como a la apreciación de si se da o no una contradicción insalvable de la norma autonómica. Asimismo se menoscaba la dignidad del legislador autonómico, que es un legislador tan democrático como el estatal, permitiendo que sus normas puedan ser desplazadas por la propia autoridad de cualquier órgano judicial que las considere incompatibles con una norma estatal sobrevenida. Todo ello, sin conceder oportunidad alguna al autor de la norma o a la Administración de la Comunidad Autónoma correspondiente para personarse en el proceso jurisdiccional en el que se produce esa inaplicación y poder de esta forma defender su conformidad constitucional, o articular un pertinente recurso contra la decisión del órgano judicial; a diferencia precisamente de lo establecido para la cuestión de inconstitucionalidad, proceso constitucional que permite, como así ha acontecido en el presente caso, que tanto la representación del Parlamento autonómico autor de la norma cuestionada como la representación de la Administración de la Comunidad Autónoma correspondiente se personen en este proceso y realicen las alegaciones que estimen oportunas».

4.2. Voto particular del Excmo. Sr. Martínez-Vares García

Expone que «la STC 102/2016 … vinculaba el apartamiento [de la doctrina tradicional] a las circunstancias del caso», las cuales no se atisban en este, pues «el art. 89.2 de la Ley vasca se aprobó reclamando una competencia propia» (no había en 1989 ley básica estatal que la excluyera) y «el art. 97 del RDLeg. 5/2015 no ha sido declarado básico por este Tribunal» (no es constitucional de modo indiscutible). Apunta, teniendo en mente estos datos, que «es… la ausencia de argumentación que acomode la respuesta a las significativas diferencias existentes entre los casos resueltos en la referida Sentencia y en la actual … la que suscita la incertidumbre sobre el alcance del giro jurisprudencial advertido en el anterior VP y que ahora se evidencia como real».

Afirma, por otra parte, que «no parece que la Sentencia vislumbre la intensidad de las consecuencias que un cambio de semejante envergadura puede ocasionar en nuestro modelo concentrado de justicia constitucional, al abrir una vía de entrada al modelo de control difuso[15] de

---

15. Dice el voto particular: «la Sentencia viene a atribuir el control mediato de la constitucionalidad de la Ley vasca a la jurisdicción ordinaria, que será la facultada para encuadrar la materia en un título competencial, determinar, en su caso, si ha existido o no un exceso en el ejercicio de las competencias por parte del Estado y si concluye que el Estado ha ejercido, sin exceso, la competencia para el establecimiento

constitucionalidad de las leyes sin los reajustes necesarios para evitar la inseguridad jurídica[16] y preservar la posición de los Parlamentos autonómicos»[17].

---

de las bases, deberá verificar si la legislación básica y la autonómica de desarrollo son incompatibles, desplazando la legislación autonómica en caso de que sea incompatible con la legislación básica estatal y ello sin intervención alguna de este Tribunal, que ni tan siquiera habrá declarado el carácter básico del precepto estatal aplicado».

16. Afirma el voto particular: «Será posible que el precepto estatal, formalmente básico, esté recurrido ante este Tribunal por una Comunidad Autónoma o cuestionado por otro órgano judicial, pese a lo cual la aplicación de la doctrina expuesta facultará –más bien impondrá– al Juez o Tribunal, ante quien se plantee el conflicto, que no dude del carácter básico del precepto estatal, a desplazar la norma autonómica incompatible con aquél, pudiendo adoptar dicha decisión incluso sin posibilidad de recurso alguno ante la jurisdicción ordinaria. Dicha decisión ni tan siquiera será controlable por este Tribunal a través del recurso de amparo (arts. 53.2 CE, 41.1 y 44.1 LOTC), al no ser éste un instrumento apto para el control de la correcta distribución de competencias entre el Estado y las CCAA, sin que, por otra parte, el derecho a la tutela judicial efectiva incluya, salvo que se modifique su contenido, un pretendido derecho al acierto judicial en la selección, interpretación y aplicación de las disposiciones legales (por todas, STC 169/2015). Tal pérdida del monopolio en la fiscalización de la constitucionalidad traerá consigo la lógica inseguridad jurídica por la disparidad de criterios existentes. No será tampoco inusual que el Parlamento autonómico o la Comunidad Autónoma que haya impugnado una norma estatal por no considerarla básica o por considerar que el Estado se ha excedido en la regulación de lo básico, no pueda oponerse en modo alguno a que se inaplique la norma autonómica por los órganos judiciales –al no ser parte en el procedimiento–, sin que exista mecanismo alguno que lo remedie para el caso de que se estime el recurso de inconstitucionalidad o el conflicto de competencias planteado por la Comunidad Autónoma o por su Parlamento. A la merma de las posibilidades de defensa se le sumará, como hemos adelantado, la inseguridad constitucional derivada de las distintas apreciaciones entre órganos judiciales sobre la compatibilidad entre la norma básica y la autonómica de desarrollo, con la consecuencia de que unos órganos apliquen la Ley autonómica y otros la dejen inaplicada».

17. Razona el voto particular: «la imposibilidad de que el órgano judicial plantee CI de la norma autonómica que colisione con una ley formalmente básica y la obligación del mismo de inaplicar la Ley autonómica, se tomará sin oír al Parlamento autonómico y a la Comunidad Autónoma –que frecuentemente no serán parte en el procedimiento judicial–, viéndose de este modo privados –a resultas del cambio de doctrina constitucional–, del cauce previsto en la LOTC para defender la constitucionalidad de la Ley autonómica, su compatibilidad con la Ley estatal formalmente básica, o el exceso de competencia del Estado en la delimitación de lo básico. Tal desajuste, ocasionado por la modificación de la doctrina, privará al Parlamento o al Gobierno autonómico de la posibilidad de defender la dignidad de una ley aprobada por un Parlamento autonómico que representa la voluntad del pueblo, que en otro caso podría».

V. PROYECCIÓN EN MATERIA URBANÍSTICA (CI 2544-2016) DE LA NUEVA DOCTRINA CONSTITUCIONAL

A. Para el TC, a juzgar por las resoluciones examinadas, los órganos judiciales deben decidir los supuestos de inconstitucionalidad sobrevenida con arreglo a la cláusula de prevalencia del Derecho estatal *ex* art. 149.3 CE. Ello supone dictar sentencia de fondo atendiendo a la ley estatal y, correlativamente, inaplicar la ley autonómica contrastante, todo ello sin plantear cuestión de inconstitucionalidad sobre esta última porque, de acuerdo con ese planteamiento, no sería aplicable a la resolución del pleito *a quo*.

Esta modulación en la tradicional doctrina del TC no se presenta exenta de objeciones, tanto las que hemos visto que destacan los votos particulares en materia de seguridad jurídica y de indefensión de las instancias autonómicas, como las que pudieran oponerse por desconocer el privilegio jurisdiccional del legislador democrático. Ahora bien, dejando a un lado estas cuestiones, lo que también parece relevante analizar ahora es si la nueva doctrina constitucional tiene alguna proyección en la materia urbanística.

B. Antes que nada no está de más recordar que la materia urbanística ha tenido un importante protagonismo en las accidentadas vicisitudes que ha atravesado la cláusula de prevalencia *ex* art. 149.3 CE. Jueces y Tribunales, con el Tribunal Supremo a la cabeza, han optado en ocasiones por inaplicar preceptos de leyes urbanísticas autonómicas por contrariar preceptos legales estatales que eran parámetro de su constitucionalidad, decisiones que han ido seguidas de recursos de amparo estimados por el Tribunal Constitucional con el argumento tradicional de que dicha cláusula está fuera del alcance de la jurisdicción de los órganos judiciales debido al control concentrado de constitucionalidad que rige en nuestro sistema constitucional (art. 163 CE). Así aconteció, como se recordó al inicio de este trabajo, en las SSTC 187/2012 y 195/2015. El otorgamiento del amparo y correlativa anulación de los fallos judiciales en esta última sentencia han sido seguidos por la CI 2544-2016 planteada en relación con la ley autonómica cuya inaplicación por los órganos judiciales justificó la estimación del recurso de amparo. Este asunto está pendiente de sentencia del TC[18].

---

18. Posteriormente a concluir este trabajo la STC 28/2017, de 16 de febrero, resolvió la CI 2544-2016. Aun así, las consideraciones que se formulan en el texto siguen sirviendo para ilustrar la posible aplicación de la nueva doctrina constitucional sobre la cláusula de prevalencia al urbanismo y los problemas que pueden seguirse de ello.

C. Dirimir si la nueva doctrina constitucional adquiere relevancia en materia urbanística debe partir de que la pugna ley autonómica-ley estatal en esta materia reviste (o así fue hasta ahora) la forma de conflicto entre una ley autonómica dictada en virtud de una competencia exclusiva (urbanismo) y una ley estatal también manifestación de una competencia exclusiva [sobre las «reglas relativas a la aplicación y eficacia de las normas jurídicas» *ex* art. 149.1.8 CE (STC 187/2012), o sobre procedimiento administrativo común *ex* art. 149.1.18 CE (STC 195/2015); o incluso sobre condiciones básicas de ejercicio del derecho constitucional de propiedad][19].

La primera parte del conflicto normativo no suscita novedad alguna en el marco de los nuevos pronunciamientos constitucionales, pues se ha admitido la operatividad de la cláusula de prevalencia tanto cuando la ley autonómica está amparada en una competencia de desarrollo de las bases del Estado como cuando se apoya en una competencia exclusiva. Lo primero sucedió en la STC 204/2016, donde la ley vasca es desarrollo de las bases del régimen estatutario, y lo segundo en la STC 102/2016, pues en aquel caso la ley gallega se apoyaba en la competencia en materia de régimen local, que en rigor es una competencia autonómica exclusiva según su Estatuto de Autonomía.

El segundo término de la relación, por el contrario, sí conlleva una cuestión nueva. Hasta el momento, todas las veces que el Tribunal Constitucional ha declarado que la cláusula de prevalencia del Derecho estatal rige la aplicación judicial del ordenamiento jurídico (SSTC 102 y 204 de 2016, y ATC 167/2016) la ley estatal contradicha por la ley autonómica inaplicada se había dictado en ejercicio de una competencia estatal de legislación básica, concretamente, y por este orden, las relativas al régimen jurídico de las Administraciones Públicas (locales en aquel supuesto), al régimen estatutario de los funcionarios públicos y a la legislación de contratación pública (todas *ex* art. 149.1.18 CE). En el ámbito que ahora nos ocupa, por el contrario, la ley estatal posterior, que pueda resultar contradicha sobrevenidamente por una ley autonómica urbanística, será muy probablemente (o quizá siempre) fruto de una competencia estatal exclusiva como son las tres que ya hemos mencionado *ut supra* en este mismo epígrafe.

El Tribunal Constitucional podría, si así lo decide, destacar esta diferencia para excluir del nuevo espacio asignado a la cláusula de prevalencia a la eventual pugna entre ley autonómica urbanística y ley estatal que sea canon de constitucionalidad de aquélla por obedecer a una competen-

---

19. En este sentido, *inter alia*, STC 94/2014, de 12 de junio.

70

cia estatal que enmarca el uso autonómico de su competencia urbanística. También podría, por el contrario, razonar que esa diferencia no es más que una mera coincidencia sin ningún significado, pues, en la imagen de la cláusula de prevalencia *ex* art. 149.3 CE esbozada en los nuevos pronunciamientos, lo relevante es, por las razones que venimos exponiendo, el carácter sobrevenido de la colisión y no la clase de atribución estatal invadida. No se halla *prima facie* en la argumentación del Alto Tribunal, ni es posible deducir del contexto, ninguna razón que vincule el juego que ahora se reconoce a la cláusula de prevalencia en la aplicación judicial del Derecho a que la ley estatal contradicha de un modo sobrevenido haya de ser derivación de una competencia para dictar legislación básica. En este sentido tan sobrevenida es la discordancia con una ley estatal posterior que señale bases no respetadas por la ley autonómica como con una ley estatal posterior que establezca un régimen completo o una medida concreta respecto de los que interfiera una ley autonómica preexistente[20].

D. Está pendiente ante el Alto Tribunal, como se adelantó, la CI 2544-2016. Podría en ella aclararse este dilema, pues se suscita en ella si la ley urbanística castellano-manchega, al disponer que no haya segunda información pública ni siquiera cuando el proyecto de plan haya sido modificado sustancialmente, desconoce la exigencia de participación pública en el planeamiento impuesta por el Estado *ex* art. 6.1 LRSV 1998 en virtud de su competencia exclusiva en materia de procedimiento administrativo común *ex* art. 149.1.18 CE. Cabría, no obstante, que el Tribunal Constitucional no abordase el punto porque, al ser la ley autonómica posterior a la ley estatal[21], le bastaría afirmar que la colisión no es sobrevenida y, por ello, que la ley autonómica no era originariamente

---

20. Alguna doctrina, QUADRA-SALCEDO JANINI, T. (2008): *Mercado Nacional Único y Constitución*, CEPC, Madrid, pp. 201-219; asocia diferencias en cuanto a la virtualidad de la cláusula de prevalencia en la aplicación judicial del Derecho al tipo de competencia estatal de la que surge la ley contradicha, pero en un sentido que nada tiene que ver con lo que aquí se plantea. T. QUADRA-SALCEDO JANINI propugna que la eficacia de esta cláusula en la aplicación judicial del Derecho estaría en la colisión con normas estatales dictadas en ejercicio de la competencia transversal del 149.1.1 CE, propuesta asumida enérgicamente por DE CARRERAS SERRA, F. (2016): «Una posible reforma constitucional del sistema de distribución de competencias», *La Constitución política de España: estudios en homenaje a Manuel Aragón Reyes*, CEPC, Madrid, pp. 470-472. QUADRA-SALCEDO JANINI, T. (2017): *op. cit.*, que escribe a la vista de los nuevos pronunciamientos del Tribunal Constitucional, vuelve a sostener que cabe la aplicación judicial de esta cláusula cuando la ley estatal en conflicto se ampara en una competencia «horizontal».

21. El acto impugnado en el proceso *a quo* es la Orden autonómica de 26 de marzo de 2007, por la que se aprueba definitivamente el planeamiento urbanístico de Toledo, por lo que resultan aplicables el art. 6.1 LRSV 1998 y el art. 36.2.A del Decreto Legislativo 1/2004. De este modo, la ley estatal existía ya cuando se aprobó la autonómica. La contradicción entre ellas, en caso de haberla, sería originaria y no sobrevenida.

válida, lo que es suficiente, según los pronunciamientos constitucionales que estamos examinando, para excluir la virtualidad de la cláusula de prevalencia del Derecho estatal en la aplicación judicial del ordenamiento jurídico.

Hipotéticamente podría resolver, afrontando el fondo del asunto, que no hay contradicción entre la ley autonómica y la ley estatal, pues ésta solo requiere garantizar el principio de participación pública. El Tribunal Supremo viene considerando que ese principio conlleva necesariamente la doble información pública cuando se modifica sustancialmente el proyecto de planeamiento. El TC puede compartir este criterio o no hacerlo. Podría sostener, separándose del criterio del TS, que la participación pública exigida por el art. 6.1 LRSV no es más que un principio que puede concretarse de distintas maneras y no necesariamente asegurando un segundo trámite de información pública cuando el proyecto de planeamiento ha cambiado sustancialmente. La posibilidad de esta divergencia de criterios, entre el órgano judicial aplicador y el TC, sobre el sentido normativo del parámetro de constitucionalidad siembra dudas sobre la conveniencia de reconocer virtualidad alguna a la cláusula de prevalencia del Derecho estatal en el ámbito de la aplicación judicial del Derecho, pues puede conducir a que se inapliquen leyes formales a partir del sentido normativo que el órgano judicial confiere a un precepto legal estatal que es parámetro de constitucionalidad, cuando pudiera ser interpretado de otro modo por otro órgano judicial o por el Tribunal Constitucional. De este modo, se estaría sometiendo al legislador, que en nuestro sistema constitucional está revestido de una especial dignidad como expresión de la voluntad popular, al criterio de un órgano judicial, por muy Tribunal Supremo que sea, máxime cuando hay un precepto constitucional expreso que así lo prohíbe y que es el art. 163 CE.

E. Cabe que el Tribunal Constitucional, por considerar que su nueva doctrina acerca de la cláusula de prevalencia del Derecho estatal se contrae a los casos de contradicción sobrevenida, no aborde el indicado dilema en la CI 2544-2016, pues ya se ha dicho que en ese caso la colisión era originaria. Hay, no obstante, otras situaciones en el Derecho urbanístico que deben aplicar hoy los tribunales para dilucidar los litigios pendientes que sí responden al esquema a que se ciñe dicha doctrina constitucional y, por tanto, que reclamarán de Jueces y Tribunales ordinarios, y eventualmente del Alto Tribunal, la adopción de una postura. Pondré un ejemplo ligado a Galicia, pero en el que se ven reflejados otros muchos supuestos de la legislación urbanística de otras Autonomías.

La Ley gallega 9/2002, que rige *ratione temporis* un buen número de pleitos urbanísticos vivos, aunque en la actualidad ya no esté vigente[22],

---

22. La Ley 9/2002, de 30 de diciembre, Ordenación Urbanística e Protección do Medio Rural de Galicia, derogada por la Ley 2/2016, de 10 de febrero, del suelo de Galicia,

72

prevé en su art. 195.5 que el silencio administrativo en los procedimientos de otorgamiento de licencias tendrá sentido positivo[23]. En el momento en que se dictó esta ley autonómica no había una norma estatal específica sobre este extremo, por lo que regía la regla general del art. 43 Ley 30/1992, con la que, en su texto originario y también en sus modificaciones, la ley gallega era compatible. Más adelante, el legislador estatal adopta un régimen especial del sentido del silencio administrativo en los procedimientos de otorgamiento de licencias urbanísticas, en concreto mediante la Ley 8/2013[24], que da nueva redacción al art. 9 del RDLeg. 2/2008, disponiendo el apartado 8 de dicho precepto que la concesión de ciertas licencias urbanísticas estará sujeta a silencio administrativo de sentido negativo, régimen que se incorpora al art. 11 del RDLeg. 7/2015[25] actualmente en vigor. Es patente, por tanto, que el art. 195.5 de la Ley gallega 9/2002 pugna, aunque sea de un modo sobrevenido, con el régimen estatal previsto primero por la Ley 8/2013 y ahora por el RDLeg. 7/2015.

---

publicada en el DOGA de 19 de febrero de 2016, que está vigente desde que concluyó la *vacatio legis* de un mes que prevé.

23. El art. 195.5 dice que «Las peticiones de licencia se resolverán en el plazo de tres meses, a contar desde la presentación de la solicitud con la documentación completa en el registro del ayuntamiento. En caso de obras menores, el plazo será de un mes. Transcurrido dicho plazo sin haberse comunicado ningún acto, se entenderá otorgada por silencio administrativo, de conformidad con lo dispuesto en los arts. 43 y 44 de la Ley 30/1992, de 26 de noviembre, de Régimen Jurídico de las Administraciones Públicas y del Procedimiento Administrativo Común».

24. Ley 8/2013, de 26 de junio, de rehabilitación, regeneración y renovación urbanas, modifica el RDleg. 2/2008 en su DA 12.ª, cuyo apartado cinco da nueva redacción a su art. 9. El art. 9.8 dispone que: «8. Con independencia de lo establecido en el apartado anterior, serán expresos, con silencio administrativo negativo, los actos que autoricen: a) Movimientos de tierras, explanaciones, parcelaciones, segregaciones u otros actos de división de fincas en cualquier clase de suelo, cuando no formen parte de un proyecto de reparcelación; b) Las obras de edificación, construcción e implantación de instalaciones de nueva planta; c) La ubicación de casas prefabricadas e instalaciones similares, ya sean provisionales o permanentes; d) La tala de masas arbóreas o de vegetación arbustiva en terrenos incorporados a procesos de transformación urbanística y, en todo caso, cuando dicha tala se derive de la legislación de protección del dominio público». Este precepto ha estado en vigor desde el 28 de junio de 2013 (DF 20 Ley 8/2013) y, aunque sea como art. 11 del RDleg. 7/2015 a partir del 31 de octubre de 2015, ha mantenido su vigencia hasta la actualidad.
Este régimen estatal especial surge primero en el art. 23 del RD-Ley 8/2011, pero la STC 29/2015 lo declaró inconstitucional por inadecuación de la fuente normativa (desconocimiento de los presupuestos del RD-Ley *ex* art. 86 CE). Eso sí la STC 29/2015 nada dijo acerca de si dicho precepto estatal tenía cobertura competencial en el art. 149.1.18 CE. Esta cuestión competencial sigue sin resolverse.

25. Real Decreto Legislativo 7/2015, de 30 de octubre, por el que se aprueba el texto refundido de la Ley de Suelo y Rehabilitación Urbana.

El Tribunal Constitucional, en caso de que se eleve alguna cuestión de inconstitucionalidad con este contenido, podría considerar oportuno proyectar en el ámbito urbanístico su nueva doctrina sobre la cláusula de prevalencia del Derecho estatal, pues pareciera, a partir del análisis que se ha hecho de las resoluciones del Alto Tribunal, que el requisito central es el carácter sobrevenido de la discrepancia normativa. La consecuencia sería que los jueces ordinarios deberían resolver los litigios que suscitarán esta pugna aplicando la ley estatal e inaplicando la ley autonómica.

Esta solución, aparte de las objeciones jurídicas que ya se ha apuntado que se le pueden oponer, plantearía un problema pragmático con reflejos jurídicos evidentes. El Tribunal Constitucional, al imponer la aplicación judicial del régimen estatal del silencio administrativo simplemente por el hecho de la contradicción ley autonómica-ley estatal es sobrevenida, estaría dejando de dirimir el conflicto competencial subyacente, estaría dejando de realizar una acción que –no lo olvidemos– integra su función de garante de la Constitución, en este caso del reparto constitucional de competencias. Es el Tribunal Constitucional el llamado a decidir, pues con ello se posterga necesariamente a uno o al otro legislador, si la competencia estatal *ex* art. 149.1.18 CE ampara la aprobación de un régimen especial del sentido del silencio administrativo en procedimientos urbanísticos o, por el contrario, esa atribución alcanza exclusivamente a prever, como hacía el art. 43 de la Ley 30/1992 y ahora hace el art. 24 de la Ley 39/2015, que si se quiere imponer en un supuesto concreto el silencio negativo ha de hacerse por ley formal (estatal o autonómica, según quien sea el competente por razón de la materia).

Este es un dilema no resuelto, al menos no resuelto para este ámbito material[26]. Desentrañarlo coadyuvaría a la delimitación recíproca de la competencia autonómica en materia de urbanismo y de la estatal *ex* art. 149.1.18 CE (muy posiblemente procedimiento administrativo común, pero sin olvidar que el silencio es una regla que produce efectos externos de la máxima entidad, lo que debiera tenerse en cuenta bien para precisar el canon de enjuiciamiento o, quizá, para encuadrar el sentido del silencio en un procedimiento concreto en la competencia de régimen jurídico de las Administraciones Públicas). ¿Por qué si la divergencia normativa fuera originaria el Tribunal Constitucional debería resolver ese conflicto

---

26. Con posterioridad a este trabajo la STC 143/2017 ha decidido esta cuestión. Las reflexiones que contiene el texto, aunque no reflejan la decisión que el TC ha alcanzado, conservan su utilidad para ilustrar por qué los conflictos entre ley autonómica y ley estatal no son cuestiones de mera legalidad ordinaria, debiendo atribuirse en exclusiva al TC cuando ello suponga considerar inconstitucional una u otra ley.

sobre el reparto constitucional de competencias y, sin embargo, no ha de hacerlo cuando ésta es sobrevenida?

También los Jueces y Tribunales ordinarios, en su preocupación, elogiable y a veces no bien ponderada, por decidir los litigios sin dilaciones que impidan la ágil administración de justicia y la posición de los litigantes, pueden contemplar que la nueva doctrina constitucional sobre la cláusula de prevalencia del Derecho estatal, a pesar de que el Tribunal Constitucional no ha precisado que se proyecte sobre las pugnas ley autonómica-ley estatal en el ámbito urbanístico, como un medio que les permita fallar los eventuales pleitos con apoyo en la normativa estatal que prevé el silencio negativo e inaplicar correlativamente el art. 195.5 Ley 9/2002 que establece el silencio positivo, todo ello sin necesidad de plantear cuestión de inconstitucionalidad.

Tengo para mí, como diré en el epígrafe siguiente, que la cláusula de prevalencia del Derecho estatal no se proyecta en el ámbito de la aplicación judicial del Derecho. Pero no se trata ahora de mi convicción jurídica. Lo relevante aquí es razonar a partir de la nueva doctrina constitucional sobre la cláusula de prevalencia *ex* art. 149.3 CE. ¿Permitiría esta nueva jurisprudencia del Alto Tribunal que un órgano judicial adoptase la actuación mencionada? A mi juicio, ante la falta de confirmación por el Tribunal Constitucional de que esa nueva doctrina constitucional sea predicable de las pugnas ley autonómica-ley estatal en el ámbito urbanístico, que ya hemos visto que presentan ciertas especialidades, lo más conveniente para la aplicación de la Constitución sería que el órgano judicial, absteniéndose de realizar esa proyección extensiva, elevase la correspondiente cuestión de inconstitucionalidad, dando así opción al Tribunal Constitucional de ir delimitando el ámbito de aplicación de su nueva doctrina. En eso estriba la muy importante función colaborativa de los Jueces y Tribunales ordinarios en la tarea de depuración del ordenamiento jurídico que incumbe el TC.

No hacerlo supondría, sobre todo en casos como este en que es incierto a qué legislador incumbe la regulación, que el órgano judicial dejaría de cumplir su función constitucional de facilitar que el Tribunal Constitucional, con eficacia general, arroje luz respecto de la delimitación recíproca de la competencia autonómica sobre urbanismo y de las varias atribuciones estatales que pueden tener incidencia puntual en esa materia. Quizá también implicase, al menos en cierto modo, que vendría a colocarse por encima de las opciones realizadas por legislador autonómico. El órgano judicial está plenamente habilitado para interpretar la Constitución, pero halla un límite constitucional cuando ello conlleve un juicio *negativo* de constitucionalidad de un producto del legislador, también del autonómico, que es tan democrático como el estatal.

VI. *QUID* DE LA APLICACIÓN ADMINISTRATIVA DE LA CLÁUSULA DE PREVALENCIA EX ART. 149.3 CE

La STC 102/2016 tiene en cuenta expresamente que en el caso que resuelve el órgano administrativo había aplicado la ley estatal en lugar de la ley autonómica. A pesar de ello, el criterio sentado en dicha sentencia no apunta a la aplicación administrativa de la referida cláusula[27], sino a su aplicabilidad judicial. Basta con atender a su FJ 3, donde afirma el Alto Tribunal que «ello [la actuación del órgano administrativo] no altera la esencia del problema planteado, si acaso pone de manifiesto de un modo más patente las consecuencias inconvenientes a que conduce la aplicación de nuestra doctrina», y al fallo que pronuncia, que se limita a reprobar el juicio de aplicabilidad que hizo el juez ordinario y, en consecuencia, a inadmitir la cuestión de inconstitucionalidad, sin incluir en el fallo ningún pronunciamiento respecto de la Administración.

Dejando a un lado que no es esto lo que declara la STC102/2016, a mi juicio no hay ningún problema jurídico en sostener que la cláusula de prevalencia del Derecho estatal rige la aplicación administrativa del ordenamiento jurídico. Dicha cláusula está excluida de la aplicación judicial porque, en aras de garantizar al legislador formal un cierto privilegio jurisdiccional, el art. 163 CE prevé el mecanismo de la cuestión de inconstitucionalidad para resolver los problemas de doble vinculación. Como el art. 163 CE no se extiende a la actuación administrativa, de suerte que en este estadio aplicativo no se puede elevar cuestión de inconstitucionalidad[28], puede sostenerse que la cláusula de prevalencia del Derecho estatal *ex* art. 149.3 CE conlleva que los órganos administrativos deban dirimir la doble vinculación a la ley autonómica y a la ley estatal, cuando ambas sean aplicables, a favor de esta última. De este modo, el verdadero espacio de la cláusula que nos ocupa sería la aplicación administrativa del Derecho.

Permítaseme insistir. A mi juicio, cuando una Administración aprecie que tanto una ley autonómica como una ley estatal son aplicables a un supuesto de hecho planteado ante ella, por ejemplo, el art. 23 Ley gallega 9/2002 y el art. 9.8 del RDLeg. 2/2008 en la redacción ofrecida por la Ley 8/2003 a la hora de atribuir sentido al silencio administrativo en los procedimientos de otorgamiento de ciertas licencias urbanísticas, deberá aplicar la ley estatal e inaplicar la ley autonómica. La razón es que el art. 149.3 CE ordena que en esos supuestos de conflicto prevalecerá el Derecho estatal

---

27. REQUEJO PAGÉS, J.L., DUQUE VILLANUEVA, J.C., ORTEGA CARBALLO, C. y AHUMADA RUIZ, M. (2016): *op. cit.*, p. 238, sin embargo, da a estas manifestaciones mayor peso.

28. Lo apunta la 102/2016, FJ 3, pero no extrae las consecuencias que aquí se proponen.

y que, como vengo sosteniendo, esa cláusula tiene por destinatario a las Administraciones públicas como aplicador del Derecho, dado que ellas no están concernidas, a diferencia de los Jueces y Tribunales, por la posibilidad/necesidad recogida en el art. 163 CE de elevar cuestión de inconstitucionalidad respecto de una de las leyes aplicables como mecanismo de resolver esa doble vinculación.

Una decisión administrativa adoptada utilizando esta cláusula puede ser recurrida[29] judicialmente por cualquier sujeto legitimado que entienda que es la ley autonómica la que rige el supuesto concreto dado que la ley estatal no tiene cobertura competencial. El órgano judicial, a diferencia de la Administración, no puede decidir conforme a la cláusula de prevalencia que nos ocupa y, en caso de apreciar que ambas leyes son aplicables al caso, deberá plantear cuestión de inconstitucionalidad respecto de una de ellas, de la que considere que no tiene cobertura competencial. El Tribunal Constitucional tendrá que dilucidar la cuestión que se le plantea conforme al reparto constitucional de competencias. No podrá cerrar el asunto declarando que la Administración actuó correctamente al otorgar prevalencia al Derecho estatal en atención a la cláusula recogida en el art. 149.3 CE, pues esa cláusula solo funciona para la actuación administrativa y es un modo provisional de dirimir la doble vinculación a la ley autonómica y a la ley estatal mientras no se plantee la cuestión ante otros órganos del Estado, que deberán pronunciarse sobre ella con arreglo a sus reglas propias.

En fin, como adelanté al tratar su desacuerdo con la STC 102/2016, la Excma. Sra. Asúa rechaza lo que denomina «figura de prevalencia de aplicación administrativa». Razona que en tanto «que esta operación requiere un previo juicio sobre la incompatibilidad entre las dos normas, y, por lo tanto, sobre las competencias estatales y autonómicas, nos encontramos ante una valoración sobre delimitación de las competencias que no puede quedar en manos de la Administración, ni en manos de ningún otro aplicador jurídico que no sea este Tribunal Constitucional». Y también apunta que «si tal desbordamiento se predica de los órganos jurisdiccionales, resulta chocante que se conceda al inicial operador jurídico lo que no se permite al órgano judicial, que es precisamente el llamado a controlar los actos de la Administración (art. 106.1 CE)». No comparto su criterio porque un sistema constitucional puede perfectamente atribuir facultades a un poder público y no a otro[30]. En este caso nuestra Constitución, mediante el art.

---

29. REQUEJO PAGÉS, J.L., DUQUE VILLANUEVA, J.C., ORTEGA CARBALLO, C. y AHUMADA RUIZ, M. (2016): *op. cit.*, p. 251, se preocupa de este punto, llamando la atención que la aplicación administrativa de la cláusula de prevalencia del Derecho estatal nunca podría justificar la exclusión de la vía de recurso jurisdiccional.

30. DOMÉNECH PASCUAL, G. (2001): «La inaplicación administrativa de reglamentos ilegales y leyes inconstitucionales», *Revista de Administración Pública*, n.º 155,

163 CE, ha excluido la cláusula de prevalencia del Derecho estatal de la actuación judicial, pero no ha privado a los órganos administrativos de su uso, seguramente porque ha rodeado ese uso de otras garantías, como por ejemplo la posibilidad de recurrir judicialmente la decisión administrativa, ámbito judicial donde a su vez surgen otras salvaguardas, como la necesidad de elevar la cuestión de inconstitucionalidad.

BIBLIOGRAFÍA

DE CARRERAS SERRA, F. (2016): «Una posible reforma constitucional del sistema de distribución de competencias», *La Constitución política de España: estudios en homenaje a Manuel Aragón Reyes*, CEPC, Madrid.

DOMÉNECH PASCUAL, G. (2001): «La inaplicación administrativa de reglamentos ilegales y leyes inconstitucionales», *Revista de Administración Pública*, n.° 155.

QUADRA-SALCEDO JANINI, T. (2008): *Mercado Nacional Único y Constitución*, CEPC, Madrid.

– (2017): «La reanimación de la prevalencia ¿una grieta abierta en nuestro modelo centralizado de Justicia Constitucional?», *Revista Española de Documentación Científica*, en prensa.

REQUEJO PAGÉS, J.L., DUQUE VILLANUEVA, J.C., ORTEGA CARBALLO, C. y AHUMADA RUIZ, M. (2016): «Doctrina del Tribunal Constitucional durante el segundo cuatrimestre de 2016», *Revista Española de Documentación Científica*, n.° 108.

TRIANA REYES, B. (2016): «Posible aplicación por los Tribunales de leyes autonómicas en caso de contradicción con legislación básica estatal posterior», *Actualidad Administrativa*», n.° 10.

---

pp. 95-97, sostiene, si bien respecto del conflicto directo entre ley y Constitución, que la Administración pública puede inaplicar la ley que considere inconstitucional. Afirma, en cuanto a los argumentos analógico («tampoco los Juzgados y Tribunales ordinarios tienen atribuida esta facultad») y *a fortiori* («si inaplicar una ley les está prohibido a los Tribunales ordinarios, con mayor razón a la Administración»), que «tales objeciones no convencen». A mi juicio, este criterio es extensible a los supuestos de inconstitucionalidad mediata.

Capítulo IV

Iniciativa privada empresarial y propiedad del suelo en las actuaciones urbanísticas: su especial consideración en el medio urbano[1]

Martín Bassols Coma

Catedrático de Derecho Administrativo
Universidad de Alcalá de Henares
Presidente de la Asociación Española de Derecho Urbanístico

SUMARIO: I. INTRODUCCIÓN. II. PANORAMA DE LA EVOLUCIÓN DE LAS RELACIONES ENTRE LA INICIATIVA PRIVADA EMPRESARIAL Y LOS PROPIETARIOS DEL SUELO EN LA GESTIÓN URBANÍSTICA. 1. Etapa preconstitucional. 2. El reconocimiento de la libertad de empresa en la Constitución y su progresiva influencia en la transformación de la gestión Urbanística. III. LA CALIFICACIÓN DE LA GESTIÓN URBANÍSTICA COMO ACTIVIDAD ECONÓMICA DE INTERÉS GENERAL EN LA LEY DEL SUELO DE 2007: REVISIONES POSTERIORES DE ESTA CALIFICACIÓN. IV. LOS NUEVOS PLANTEAMIENTOS EN EL TEXTO REFUNDIDO DE LA LEY DE SUELO Y REHABILITACIÓN URBANA DE 2015. ACTUACIONES DE TRANSFORMACIÓN Y SOBRE EL MEDIO URBANO. 1. Iniciativa pública y privada para la proposición de la Ordenación de Actuaciones de transformación urbanística y edificatoria. 2. Participación de la iniciativa pública y privada en la ejecución de las Actuaciones de transformación urbanística. V. ACTUACIONES DE REGENERACIÓN Y RENOVACIÓN EN EL MEDIO URBANO. 1. Régimen de planeamiento y medidas especiales de ejecución en las actuaciones sobre el medio urbano. 2. Iniciativa pública en las actuaciones en el

---

1. El presente estudio está destinado al Libro Homenaje al Profesor LUCIANO PAREJO ALFONSO.

Medio Urbano. 3. Iniciativa privada en las Actuaciones en el Medio Urbano. *3.1. Propietarios, Empresas y otras entidades: las Asociaciones Administrativas. 3.2. Nuevos instrumentos y Técnicas urbanísticas para facilitar la participación d ella iniciativa privada.* 4. La iniciativa privada y la posición de los propietarios ante los Deberes urbanísticos: la propiedad como garantía ultimas de las Actuaciones en el Medio Urbano. VI. EQUIDISTRIBUCIÓN Y FINANCIACIÓN DE LAS ACTUACIONES EN EL MEDIO URBANO. 1. La cooperación económica estatal. 2. Los llamados Convenios de financiación de las Actuaciones. 3. La Memoria Económica. VII. AMBIGÜEDADES Y DISTORSIONES CONCEPTUALES EN LAS ACTUACIONES SOBRE EL MEDIO URBANO EN EL TEXTO REFUNDIDO DE 2015 Y SU INCIDENCIA EN LA INICIATIVA PRIVADA. HACIA UNA SIMPLIFICACIÓN DE LA REGULACIÓN URBANÍSTICA.

I. INTRODUCCIÓN

Es evidente que, si por ejecución del planeamiento urbanístico se entendiera solamente la realización de las operaciones necesarias para la división del suelo y fijación de ámbitos de actuación a efectos de su conversión en solares mediante la realización de las obras de urbanización y su posterior afectación al dominio público, el Derecho Urbanístico no hubiese adquirido la dificultad y complejidad que presenta en la actualidad en la mayoría de los Ordenamientos jurídicos. Lo cierto es que el producto final de la ejecución del planeamiento no puede contemplarse como una operación aséptica y lineal de deslinde formal entre la propiedad privada del suelo y el dominio público, sino como un complejísimo proceso en el que intervienen múltiples factores que habrá de conciliar, pues, los recursos financieros que requiere son cuantiosos; tendrá que dirimir tensiones que afectan a la propia disponibilidad u oferta de suelo (absorción de plusvalías y lucha contra la especulación); deberá prever el recurso a las inversiones públicas o privadas; la articulación de los intereses de los propios agentes que participan en el proceso urbanizador a título de ciudadanos, propietarios del suelo, empresarios inmobiliarios (constructores o urbanizadores), al tiempo que las Administraciones públicas se sirven de este proceso para canalizar objetivos o políticas públicas como la satisfacción del Derecho a la Vivienda, la provisión de suelos para fines industriales, comerciales o turísticos, la implantación de equipamientos al servicio de políticas sociales, la estructuración de infraestructuras y sistemas generales, la calidad urbana y ambiental, la rehabilitación, regeneración o renovación urbanas, y un largo y creciente etcétera de nuevos objetivos. No pudiendo perderse de vista que, todas estas políticas públicas suelen venir acompañadas de nuevas limitaciones y cargas adicionales.

Obviamente para ordenar este proceso se hace precisa la intervención de la Administración pública con el despliegue de sus distintas potestades públicas y lógicamente un reconocimiento del protagonismo de un sujeto privado ineludible como es el propietario del suelo y, en su caso, la iniciativa privada o empresarial. La definitiva ordenación de estos intereses públicos y privados –con independencia del reconocimiento participativo de los ciudadanos en la planificación y ejecución, cuestión que merece un tratamiento específico que no puede abordarse en este estudio– dependerá del peculiar sistema legislativo a implantar en cada momento y en última instancia al modelo constitucional imperante. El objetivo de este estudio es trazar un breve panorama regulatorio del tríptico Administración pública, propietarios e iniciativa privada que se ha dado en nuestro Derecho Urbanístico para finalmente interpretar –la que seguramente no será la última regulación de esta cuestión– el Texto Refundido de la Ley de Suelo y Rehabilitación Urbanística.

II. PANORAMA DE LA EVOLUCIÓN DE LAS RELACIONES ENTRE LA INICIATIVA PRIVADA EMPRESARIAL Y LOS PROPIETARIOS DEL SUELO EN LA GESTIÓN URBANÍSTICA

1. ETAPA PRECONSTITUCIONAL

La primera Ley del Suelo y de Ordenación Urbana de 12 de mayo de1956 no se proponía regular íntegramente el mercado inmobiliario respecto al suelo y a la edificación, lo que pretendía realmente era superar las limitaciones de la antigua legislación de Ensanche del siglo XIX (retención del suelo por los propietarios en los centros urbanos dificultando su realización y el abandono de la ordenación del extrarradio o nuevas periferias). Para superar estos defectos se apoyaría en la Gestión pública (directa o por concesión y con apoyo principal en la expropiación forzosa) y en los propietarios del suelo a los que correspondía el aseguramiento pasivo de la gestión urbanística de las correspondientes unidades de ejecución (cesiones de suelo, costea miento de las obras de urbanización y el deber de edificación forzosa, bajo amenaza de expropiación o de venta forzosa). El resto de los agentes económicos que fácticamente intervenían en el mercado inmobiliario, un mercado dirigido especialmente a la edificación residencial, constituido por las empresas urbanizadoras, constructoras y promotores que podían aportar inversiones, capacitación y experiencia técnica no eran propiamente objeto de la Ley, salvo, como veremos, mínimas excepciones. Se consideraba que las relaciones de dichos agentes con los propietarios de suelo debían resolverse y discurrir libremente en el mercado por las vías convencionales, al punto que el empresario podía convertirse en empresario o permanecer en una simple actitud pasiva o

81

expectante. La inactividad o pasividad de los propietarios forzó todavía más la intervención de la Administración Pública motivo que dificultaría o alejaría todavía más la participación de la iniciativa privada.

A este respecto hay que destacar que los pronunciamientos de la Ley de 1956 resultaban muy ambiguos. A nivel de principios, el art. 4 de la Ley del Suelo de 1956 anunciaba que «la gestión urbanística podrá encomendarse a órganos de carácter público, a la iniciativa privada y a entidades mixtas», pero advirtiendo que «la gestión pública suscitará en la medida más amplia posible, la iniciativa privada y la sustituirá, cuando ésta no alcanzare a cumplir los objetivos necesarios, con las compensaciones que esta ley establece». Y el art. 102 advertía que «el Estado, las Entidades locales y los particulares ejecutarán en sus respectivas esferas de actuación, los Planes de Urbanismo»; pero ¿cuáles serían estas esferas propias para los particulares?, no quedaban precisadas con claridad, y, en todo caso, se remitían a los llamados sistemas de Actuación, que haciendo un uso polisémico del término Gestión, distinguía entre pública o privada, distinción que, a su vez, generaba nuevos problemas interpretativos. Sin entrar en los meandros de esta regulación, lo cierto es que con ocasión de estos aparecen en la Ley las primeras y sumarias referencias a las Empresas Urbanizadoras. La primera referencia se contiene en el art. 120 que con ocasión de regular el sistema de Cooperación, extiende su contenido regulatorio a las Empresas que se dediquen a la urbanización y edificación «en las mismas condiciones establecidas para los propietarios», especificando que «unos y otros podrán cumplir los deberes a través de Empresas urbanizadoras que sufraguen y, en su caso, ejecuten las obras, mediante las compensaciones que convengan con los propietarios que podrán consistir en la cesión de terrenos o del todo o parte de los beneficios económicos que les correspondieren». Análogamente, el sistema de Compensación (art. 124) permitía que a la gestión común de los propietarios pudieran incorporarse «las empresas urbanizadoras que aporten total o parcialmente los fondos necesarios para urbanizar en las condiciones que se determinen». En resumen, las participaciones de las Empresas urbanizadoras podían intervenir en el urbanismo, pero sobre la base de concertar o convenir con los propietarios, pero no en un marco competitivo, sino a través de encuadramientos de estructura colectiva previamente definidos administrativamente.

El mismo esquema anterior se mantuvo en el Texto Refundido de 1976. El principio general del art. 4 se reprodujo, con la sola adición de que «en la formulación, tramitación y gestión, los Órganos competentes deberán asegurar la mayor participación de los interesados y en particular los derechos de iniciativa e información por parte de Corporaciones, Asociaciones y particulares». De nuevo el art. 4 del Texto Refundido de 1992 –a pesar de ser una Ley postconstitucional– sigue manteniendo el mismo esquema, aun cuando introdujo algunos matices de interés, partiendo de la afirmación de que «la dirección y control de la gestión urbanística corresponde en todo caso a la Administración urbanística» si bien distinguiendo que dicha gestión podrá ser asumida directamente por la Administración o encomendada a la iniciativa privada a entidades mixtas, y como cláusula general estableció que «cuando el mejor cumplimiento de los fines y objetivos del planeamiento urbanístico así lo aconseje, se suscitara la iniciativa privada en la medida más amplia posible», pero matizando que esta participación lo será «a través de los sistemas de actuación o en su caso, mediante concesión».

Ahora bien, con independencia de estas declaraciones genéricas, la novedad que incorporan los Textos Refundidos de 1976 (arts. 146 a 153) y 1992 (arts. 177 a 184) sería para el Suelo urbanizable no programado, la ejecución por la vía de los Programas de Actuación Urbanística mediante la adjudicación, Concursos convocados por Entidades Locales de oficio o incluso, a instancia de parte. En las bases del concurso debían señalarse «los usos generales a que se destine la actuación, la obligación de los promotores de construir un porcentaje de edificación en plazos determinados» lo que revelaba que el porcentaje de edificación o, en su caso, la formación de polígonos industriales incorporaban políticas públicas nuevas que desplazaban o superaban los deberes de los propios propietarios del suelo y requerían la participación de agentes de iniciativa privada empresarial, a la que se denominaba genéricamente adjudicatario del concurso. Con esta innovación se inauguraba un nuevo modelo denominado Urbanismo Concertado de base concurrencia, pero que seguía todavía subordinado en gran medida a los esquemas clásicos, al especificarse que su ejecución material debía llevarse a cabo «por el sistema de compensación si el adjudicatario ostentara la titularidad de los terrenos, por cooperación o por expropiación, correspondiendo al adjudicatario la condición jurídica de beneficiario». Pese a estas limitaciones, supondría el primer intento de superación del sistema inaugurado en 1956, al que se uniría durante la transición política la apelación a los Convenios urbanísticos.

2. EL RECONOCIMIENTO DE LA LIBERTAD DE EMPRESA EN LA CONSTITUCIÓN Y SU PROGRESIVA INFLUENCIA EN LA TRANSFORMACIÓN DE LA GESTIÓN URBANÍSTICA

La promulgación de la Constitución de 1978 con el reconocimiento del derecho a la propiedad privada (art. 33), a la par que la libertad de empresa en una economía de mercado (art. 38), y al mismo tiempo los principios

83

que el art. 47 proclama: el derecho a una vivienda, regulación del suelo conforme al interés general para impedir la especulación y la participación de la comunidad en las plusvalías que genere la acción urbanística para impedir la especulación, van a tener una gran repercusión, –junto con los requerimientos posteriores de la Unión Europea–, en orden al replanteamiento de las cuestiones que nos ocupan en el orden legislativo y en el de la jurisprudencia constitucional. A partir de este momento se van a suceder una serie de intentos de encuadrar y caracterizar la participación y el protagonismo de la iniciativa privada empresarial en nuestro Derecho Urbanístico, frente al tradicional lugar central reservado al propietario del suelo, sin que a pesar de este esfuerzo se haya llegado a una situación satisfactoria o ampliamente compartida.

A) El primer aldabonazo lo propició la Ley autonómica valenciana 6/1994, de 15 de noviembre, con la creación de la figura del Agente Urbanizador, que alteró radicalmente las relaciones entre la iniciativa privada empresarial y la situación jurídica de los propietarios. En el Preámbulo de la Ley se afirma que «al propietario de terrenos, en cuanto tal, no le es exigible razonablemente que asuma el papel protagonista que le atribuyó la legislación histórica. La actividad urbanística es una función pública cuya responsabilidad debe reclamarse de los poderes públicos y no de los propietarios de terrenos. Esta función pública requiere una inversión económica importante y una actividad gestora de dicha inversión. Por tanto, sin perjuicio de su carácter público es también una típica función empresarial». Esta proclamación, constituye el fundamento de la nueva regulación fruto de un constructivismo apriorístico normativo discutible como tal pero que acierta al desvelar que en el proceso urbanizador coexisten intereses económico-empresariales que merecen reconocimiento en el orden de una gestión empresarial y no meramente obligaciones y cargas urbanísticas de los propietarios, por lo que en base a este reconocimiento debe priorizarse el protagonismo de la iniciativa gestora empresarial frente a la posición meramente pasiva u obligacional de las cargas urbanísticas de los propietarios que no garantiza una iniciativa o movilización gestora. Esquemáticamente, el nuevo sistema se basa en «*publicatio*» previa de toda gestión de las Actuaciones Integradas que podrá ser ejercida por la Administración o indirectamente «cuando la Administración delega la condición de Agente Urbanizador adjudicándola a favor de una iniciativa empresarial seleccionada en pública competencia». A partir de la adjudicación se generan una serie de relaciones entre el Urbanizador y los propietarios, entre las que destaca que la gestión del Urbanizador deberá ser financiada o compensada por los propietarios con terrenos edificables o en metálico, al punto que, y esta era la relación más onerosa, si el propietario considerarse imprudente o inconveniente el desarrollo urbanístico de sus terrenos podían declinar su cooperación pero solicitando previamente la expropiación forzosa de sus terrenos según su valor inicial (art. 29 C).

La figura del Agente urbanizador fue inmediatamente adoptada en exclusiva por las Leyes Urbanísticas de Castilla-La Mancha (Ley 2/1998, de 4 de junio) y de Extremadura (Ley 15/2001, de 14 de diciembre), esta última con una calificación jurídica específica, pues, «La nueva sistemática se basa en la concepción de la urbanización como servicio público». El resto de Las Comunidades Autónomas también asumieron, en distintas modalidades, la figura del Agente Urbanizador, aun cuando no como forma exclusiva de ejecución. No obstante, no faltaría alguna recepción que anticipara reservas y cierto distanciamiento respecto a esta nueva institución, como pudo leerse en la Exposición de Motivos de la Ley Urbanística de Aragón (Ley 5/1999, de 25 de marzo) que sostenía que «El propietario no ha de configurarse como institución enfrentada al empresario de cara *al desarrollo de la urbanización*. Las teorizaciones doctrinales que pretenden disociar, incluso en términos constitucionales, propiedad y empresa, llevan a consecuencias difícilmente admisibles. En efecto, el propietario al que no correspondiera el deber de urbanizar se convertiría en un especulador legal, y, paralelamente, el empresario que pudiera imponer la urbanización al propietario pasaría a *ser un usurpador legal*».

B) La figura del Agente urbanizador encontraría cierto eco incluso en la legislación estatal urbanística al calor del proceso de liberalización del suelo. Así, la Ley 6/1998, de 13 de abril, sobre Régimen del Suelo y Valoraciones en su artículo 4, bajo la rúbrica «Acción urbanística e *Iniciativa privada*», proclamaba que «Los propietarios deberán contribuir, en los términos establecidos en las leyes, a la acción urbanística de los entes públicos a los que corresponderá, en todo caso, la dirección del proceso, sin perjuicio de *respetar la iniciativa de aquéllos*». La gestión pública a través de su acción urbanizadora y de las políticas de suelo suscitará, *en la medida más amplia posible la participación privada*. Precisando que «En los supuestos de actuación pública, la Administración actuante promoverá, en el marco de la legislación urbanística, *la participación de la iniciativa privada aunque ésta no ostente la propiedad del suelo*».

Al hilo de estas reformas estatales y autonómicas, las Sentencias del Tribunal Constitucional 61/1997 (sobre el Texto Refundido de 1992) y 164/2001 (sobre la Ley estatal del Suelo de 1998) se pronunciaron sobre la participación de la iniciativa privada y los propietarios, aunque en términos no excesivamente definitorios. La primera de las Sentencias citadas proclama que «la dirección y control de la gestión urbanística queda sustraída al mecanismo de mercado y corresponde en todo caso a la Administración competente. La dirección y el control de la ejecución es siempre pues una actividad pública, dado que la transformación del suelo a través de la urbanización se configura como una obra pública, sin perjuicio que como establece el art. 4.2 dicha gestión sea asumida directamente por la Administración o encomendada a la iniciativa privada o a entidades mixtas». En la segunda de las Sentencias citadas, se afirma la competencia autonómica en relación a las opciones normativas del art. 4, relativas a la sustracción del control y dirección de las actuaciones urbanísticas a los mecanismos de mercado (y por tanto a las decisiones de los propietarios o empresarios), y la participación de los particulares (propietarios o no) en la acción urbanística pública, aun entendiendo que supone actuar sobre las condiciones básicas del ejercicio del derecho de propiedad y libertad de empresa, por cuanto señala que «es precisamente en el marco de la legislación autonómica donde han de quedar delimitados los ámbitos de participación e iniciativa propios del propietario y, en su caso, del empresario urbanizador» y en relación al mandato de promoción de la participación privada, «En el precepto no se impone sistema alguno de ejecución, tampoco se predetermina quién, cómo, o cuándo puede o debe participar. Estas operaciones normativas corresponden al legislador autonómico».

C) El modelo del Agente Urbanizador en la Comunidad Valenciana entró en crisis por las tensiones originadas con los propietarios afectados, especialmente con los propietarios extranjeros residentes, quienes apelaron al Defensor del Pueblo Europeo por considerar que se incurría en abusos urbanísticos. De esta suerte, el Parlamento Europeo, en 2005 y 2007, emitió informes específicos sobre esta figura e, incluso, ante las denuncias en otras Comunidades Autónomas se desplazaría una Comisión específica a nuestro país para evaluar la situación urbanística general que concluiría con un nuevo Informe y resoluciones sobre «el impacto de la urbanización extensiva en España en los derechos individuales europeos, el medio ambiente y la aplicación del derecho Comunitario» (Informe Auken de febrero de 2009).

A la vista de la extensión de las críticas al modelo del Agente Urbanizador, la propia Comunidad valenciana modifico su primitiva normativa mediante la Ley 16/2005, de 30 de diciembre, en cuya Exposición de Motivos se afirmaba «La Ley refuerza la posición de los propietarios del suelo garantizando sus intereses legítimos en el desarrollo de las actuaciones urbanísticas, sin perjuicio del mantenimiento del principio en que se fundamenta el sistema relativo a considerar la producción de solares edificables como una típica función empresarial». Esta reafirmación en la prevalencia de la función empresarial va a inaugurar un nuevo frente entre el Derecho urbanístico y la normativa europea de contratación administrativa. La

Ley valenciana 16/2005 intentó sortear hábilmente estas posibles objeciones de incompatibilidad, disociando a la figura del Agente Urbanizador del empresario constructor de las obras de urbanización, obligando al primero a seleccionar al constructor en libre concurrencia de acuerdo con la legislación de contratos de las Administraciones públicas. Finalmente, la polémica entre la posible incompatibilidad entre la figura del Urbanizador y la contratación administrativa fue resuelta por el Tribunal de Justicia de la Unión Europea en su Sentencia de 26 de mayo de 2011, que rechazó la pretensión de la Comisión al no haberse podido probar que el objeto principal del contrato sea un contrato de obras en el sentido de las Directivas de contratación, y que al tratarse de un procedimiento de incumplimiento (art. 226 de los Tratados) no puede basarse en presunciones. Como hemos apuntado en los últimos años, las distintas leyes urbanísticas autonómicas han venido introduciendo la figura del Agente urbanizador como fórmula no exclusiva de ejecución del planeamiento e introduciendo peculiaridades en su régimen jurídico. En el propio sistema urbanístico valenciano, en la última ley, la Ley 5/2014, de 25 de julio, sobre Ordenación del Territorio, Urbanismo y Paisaje, se ha optado por un nuevo modelo urbanístico dando prioridad al principio de la sostenibilidad e iniciando un proceso calificado gráficamente por FORQUET ALMELA como modelo urbanístico «desempresarilazado» que tiene su máxima expresión en el art. 113.2 al declarar que la gestión de «un programa de actuación integrada podrá ser asignada por la administración actuante a los propietarios del suelo del ámbito de la actuación. En ausencia de gestión directa por la administración y de gestión por los propietarios, la condición de urbanizador podrá atribuirse, en régimen de gestión indirecta, a un particular o empresa mixta».

III. **LA CALIFICACIÓN DE LA GESTIÓN URBANÍSTICA COMO ACTIVIDAD ECONÓMICA DE INTERÉS GENERAL EN LA LEY DE SUELO DE 2007: REVISIONES POSTERIORES DE ESTA CALIFICACIÓN**

El art 6.1 de la Ley de Suelo 8/2007, de 28 de mayo, declaraba que, en el marco de la legislación sobre ordenación territorial y urbanística, regulará «el derecho de iniciativa de los particulares, sean o no propietarios de los terrenos, en ejercicio de la libre empresa, para la actividad de ejecución de la urbanización, cuando ésta no deba o no vaya a realizarse por la propia Administración competente. La habilitación a particulares, para el desarrollo de esta actividad deberá atribuirse mediante procedimiento con publicidad y concurrencia y con criterios de adjudicación que salvaguarden una adecuada participación de la comunidad en las plusvalías derivadas de las actuaciones urbanísticas, en las condiciones dispuestas por la legislación aplicable, sin perjuicio de las peculiaridades o excepciones que ésta prevea a favor de la iniciativa de los propietarios del suelo». El Texto Refundido (Real Decreto Legislativo 2/2008, de 20 de junio, reproduce el mismo contenido en su art. 6.1).

Conviene recordar a estos efectos que el Preámbulo tanto de la Ley como del Texto Refundido, contienen unos pronunciamientos justificativos de este reconocimiento de la iniciativa privada de marcado carácter doctrinal, en el sentido que «el régimen de la iniciativa privada para la actividad urbanística, (…) es una actividad económica de interés general que afecta tanto al derecho de propiedad como a la libertad de empresa», y a continuación precisa, «En este sentido, si bien la edificación tiene lugar sobre una finca y accede a su propiedad –de acuerdo con nuestra concepción histórica de este instituto–, por lo que puede asimismo ser considerada como una facultad del correspondiente derecho, la urbanización es un servicio público, cuya gestión puede reservarse la Administración o encomendar a privados, y que suele afectar a una pluralidad de fincas, por lo que excede tanto lógica como físicamente de los límites de la propia propiedad. Luego, allí donde se confíe su ejecución a la iniciativa privada, ha de poder ser abierta a la competencia de terceros, lo que está llamado además a redundar en la agilidad y la eficiencia de la actuación».

El transcrito precepto (art. 6.1.) del Texto Refundido de 2008 fue radicalmente modificado por la Disposición Final 12.3 de la Ley 8/2013, de 28 de junio, bajo una nueva rubrica significativa, sustituyendo la inicial de «iniciativa privada en la urbanización y la construcción o edificación» por la de «iniciativa pública y privada en las actuaciones de transformación urbanística y en las edificatorias». A tal efecto, conviene retener los siguientes elementos configuradores de este reparto de iniciativas en el art. 6:

– Los particulares, sean o no propietarios, deberán contribuir a la acción urbanística de los entes públicos «a los que corresponderá en todo caso la dirección del proceso, tanto en los supuestos de iniciativa pública como privada» (aptdo. 1).

– En los supuestos de ejecución de actuaciones de transformación urbanística y edificatoria mediante procedimiento de iniciativa pública «podrán participar, tanto los propietarios de los terrenos, como los particulares que no ostenten dicha propiedad, (…). Dicha legislación garantizara que el ejercicio de la libre empresa se sujete a los principios de transparencia, publicidad y concurrencia» (aptdo. 2).

– La iniciativa privada podrá ejercerse, por los propietarios, en las condiciones dispuestas por la Ley aplicable (aptdo. 4). Asimismo, se establece que los promotores de la actuación en sus Convenios o negocios jurídicos «no podrán establecer obligaciones o prestaciones adicionales, ni más gravosas que las que procedan legalmente en perjuicio de los propietarios afectados. La cláusula que contravenga estas reglas será nula de pleno derecho» (aptdo. 3).

— «Tanto los propietarios, en los casos de reconocimiento de la iniciativa privada para la transformación urbanística o la actuación edificatoria del ámbito de que se trate, como los particulares, sean o no propietarios, en los casos de iniciativa pública en los que se haya adjudicado formalmente la participación privada, podrán redactar y presentar a tramitación los instrumentos de ordenación y gestión precisos, según la legislación aplicable» (aptdo. 5).

IV. LOS NUEVOS PLANTEAMIENTOS EN EL TEXTO REFUNDIDO DE LA LEY DE SUELO Y RENOVACIÓN URBANA DE 2015. LAS ACTUACIONES DE TRANSFORMACIÓN URBANÍSTICA Y SOBRE EL MEDIO URBANO

Finalmente, el Texto Refundido de la Ley de Suelo y Rehabilitación Urbana (Real Decreto-Legislativo 7/2015, de 30 de octubre) configura una sistemática nueva, proclamando como principios de la Ordenación territorial y Urbanística que «La legislación en esta materia "garantizará": a) la dirección y el control por las AAPP competentes del proceso urbanístico en sus fases de ocupación, urbanización, construcción o edificación y utilización del suelo por cualesquiera sujetos, públicos y privados (art. 4.2)», al tiempo que sigue considerando como las leyes anteriores que «La gestión pública urbanística y de las políticas de suelo fomentará la participación privada» (art. 4.3).

1. INICIATIVA PÚBLICA Y PRIVADA PARA LA PROPOSICIÓN DE LA ORDENACIÓN DE ACTUACIONES DE TRANSFORMACIÓN URBANÍSTICA Y EDIFICATORIA

El Texto Refundido de 2015 establece, en materia de iniciativas, una clara distinción entre la fase de Ordenación y la de Ejecución de actuaciones, si bien estas actuaciones pueden ser las genéricas de Transformación Urbanística o bien las específicas sobre el Medio Urbano. En cualquier caso, esta distinción no deja de ser un tanto artificial por cuanto, a excepción de las actuaciones de «nueva urbanización» que parten del suelo rural para ser objeto de urbanización, el resto de las actuaciones de reforma, renovación y dotación solo pueden operar en el suelo ya urbanizado y, en particular en el Medio Urbano. Esto es producto de la confusión o falta de claridad en que incurre el Texto Refundido, por una parte, entre

Regeneración y Renovación y, por otra, entre «reforma o renovación de la urbanización» y Actuación de Dotación (art. 7). De dicha regulación podría derivarse que toda actuación en el Medio Urbano es una actuación de transformación urbanística, al menos desde el punto de vista de la aplicación, según el art. 2.1 del régimen estatutario básico de deberes y cargas que le correspondan. Ahora bien, el art. 22.5 del Texto Refundido parece desmentir esta equivalencia al exigir la elaboración de una Memoria para «la ordenación y ejecución de actuaciones en el medio urbano sean o no de transformación».

El art. 8.1 establece los sujetos legitimados para la Proposición de la Ordenación de las Actuaciones de Transformación Urbanística (de urbanización –nueva urbanización, reforma o renovación de un ámbito de suelo urbanizado– y de dotación) y de Actuaciones Edificatorias (nueva edificación y sustitución de la existente) y de Rehabilitación Edificatoria. Por «proponer la Ordenación» habrá que entender en la lógica impuesta por el sistema de distribución de competencias urbanísticas entre el Estado y las Comunidades Autónomas, el planeamiento urbanístico en el nivel que la legislación autonómica haya articulado en cada caso, presumiéndose que estas actuaciones precisamente requieren el nivel de ordenación propia de un Plan parcial. El art. 10.7 de la misma Ley, al que más adelante nos referiremos, viene a reconocer esta asimilación, al precisar que los propietarios en casos de reconocimiento de la iniciativa privada «podrán redactar y presentar a tramitación los instrumentos de ordenación y gestión precisos según la legislación aplicable». Análogamente, el art. 13 de la misma Ley reconoce a los propietarios el derecho a elaborar y presentar los instrumentos de ordenación que corresponda, cuando la Administración no se haya reservado la iniciativa pública, en el paso del suelo rural a urbanizado.

Dentro de este marco se reconoce iniciativa a las Administraciones públicas (las Entidades públicas adscritas o dependientes de las mismas) y a los propietarios. Vuelve, por lo tanto, a reafirmarse la prioridad de los propietarios frente a la simple iniciativa privada. Y ello todavía es más significativo, si se tiene en cuenta que cuando las actuaciones se proyectan sobre el Medio Urbano, –concepto que no se define, pero que por la estructura del sistema de la Ley comprenderá preferentemente las operaciones de reforma, renovación y dotación–, se amplía la legitimación sobre la Propuesta de Ordenación a Comunidades y Agrupaciones de Comunidades de propietarios, cooperativas de viviendas constituidas al efecto, propietarios de construcciones, edificaciones y fincas urbanas, titulares de derechos reales o de aprovechamiento y empresas, entidades o sociedades que intervengan en nombre de cualesquiera de los sujetos anteriores, se especifica expresamente que «todos ellos serán considerados propietarios a los efectos de ejercer dicha iniciativa». Obviamente, este nuevo protagonismo de los propietarios hay que interpretarlo apelando a la trayectoria histórica de nuestro Urbanismo que toma como punto de referencia la afectación real del régimen urbanístico al derecho de propiedad para garantizar el cumplimiento de los deberes.

Ahora bien, el nominalismo del que parte el Texto Refundido le hace incurrir en manifiestos embrollos y confusiones conceptuales, por cuanto en el apartado 2 del artículo que estamos comentando, finalmente tiene que admitir, por una parte que «los particulares sean o no propietarios», –si, como hemos visto, los no propietarios en sentido pleno se equiparan a efectos urbanísticos a propietarios, carece de sentido esta distinción–, deberán «contribuir en los términos establecidos en las leyes a la acción urbanística de los entes públicos a los que corresponderá en todo caso la dirección del proceso, tanto en los supuestos de iniciativa pública como privada». Al final se vuelve a recaer en la disyuntiva entre iniciativa pública o privada, con una redacción muy deficiente por que la Dirección del proceso urbanístico es de las Administraciones públicas, no de los simples «entes públicos».

2. PARTICIPACIÓN DE LA INICIATIVA PÚBLICA Y PRIVADA EN LA EJECUCIÓN DE LAS ACTUACIONES DE TRANSFORMACIÓN URBANÍSTICA

El art. 9.2, al regular el protagonismo de las actuaciones de ejecución de transformación urbanística previstas en la Ley, ofrece una redacción de nuevo muy confusa en términos conceptuales. Por una parte, declara que, en los procedimientos de iniciativa pública, «podrán participar, tanto los propietarios de los terrenos, como los particulares que no ostenten dicha propiedad, en las condiciones dispuestas por la legislación aplicable», añadiendo a continuación que «Dicha legislación garantizará que el ejercicio de la libre empresa se sujete a los principios de transparencia, publicidad y concurrencia». La duda que inmediatamente se suscita a la vista de esta redacción es si este reconocimiento de la libre empresa está vinculado solo al ámbito participativo en los procedimientos de iniciativa pública; o bien es un reconocimiento autónomo de dicha libre empresa en paralelo con la iniciativa pública o en sustitución de esta cuando ésta no actúe o no deba actuar. Si nos atenemos a los antecedentes anteriormente referidos de la Ley 8/2007, la conclusión debería inclinarse a considerar que esta apelación a la libre empresa contempla su funcionalidad en el marco más amplio de la iniciativa privada autónomamente considerada; pero a pesar de tratarse de un Texto Refundido como el de 2015, que debería respetar esta directriz, el giro operado por la Disposición Final 12.3 de la Ley 8/2013 nos inclina a concluir que se está contemplando el juego de la libre empresa en aquellos supuestos de ejecución indirecta de una iniciativa pública articulada a través de técnicas de adjudicación concurrencia. Y ello es congruente precisamente con el primer apartado del art. 9 que comentamos cuando proclama que «Las Administraciones públicas podrán utilizar para el desarrollo de la actividad de ejecución de las actuaciones, todas las modalidades de gestión directa e indirecta admitidas por la legislación de régimen jurídico de la contratación de las Administraciones públicas, de régimen local y de ordenación territorial y urbanística».

V. ACTUACIONES DE REGENERACIÓN Y RENOVACIÓN EN EL MEDIO URBANO

El Urbanismo, tal como surgió, configurado como competencia autonómica por la Sentencia del Tribunal Constitucional 61/1997, de 20 de marzo, y delimitado estrictamente como políticas de ordenación de la ciudad, «en tanto en cuanto mediante ellas se viene a determinar el cómo, cuándo y dónde deben surgir o desarrollarse los asentamientos humanos, y a cuyo servicio se disponen las técnicas e instrumentos urbanísticos precisos para lograr tal objetivo», comportaría una restricción muy importante de las competencias estatales sobre el urbanismo y de modo especial en el marco de la ciudad consolidada. De ahí que, con inspiración en las políticas europeas medioambientales, se haya acuñado a partir de la Ley de Suelo de 2007, una nueva terminología de Medio Urbano y Medio Rural, que paradójicamente no han sido objeto de definición o precisión en ningún texto legal posterior pero que, a modo de supra conceptos, han permitido a las competencias del Estado penetrar de nuevo en el ámbito urbanístico. El Texto Refundido de 2015 ha apelado hasta sus últimas consecuencias al término de Medio Urbano para justificar su propósito regulatorio sobre la ciudad consolidada desde el punto de vista ambiental, −«un desarrollo sostenible, competitivo y eficiente»−, y especialmente en el urbanístico, −«fomento de las actuaciones que conducen a la rehabilitación de los edificios y a la regeneración y renovación de los tejidos urbanos existentes, cuando sean necesarios para asegurar a los ciudadanos una adecuada calidad de vida y la efectividad del Derecho a la Vivienda» [art. 1.b)]−.

De esta suerte, por una parte, la edificación existente (aunque susceptible de demolición y nueva edificación) y sus elementos comunes (ámbitos privados) y los tejidos urbanos consolidados (elemento públicos) se convierten en los dos soportes de las políticas de rehabilitación, regeneración y renovación urbanísticas, es decir, en dos ámbitos de actuación propios del urbanismo en sentido tradicional, al punto que pueden incluso configurarse con carácter integrado cuando articulen «medidas sociales, ambientales y económicas enmarcadas en una estrategia administrativa global y unitaria» (art. 2.1.1). Es, precisamente, en el carácter integrado de las Actuaciones donde se refleja más claramente la huella de la influencia de la Unión europea (Carta de LEIPZIG de 2007 y la Declaración de Toledo de 2010 de la UE) en la medida que los apoyos económicos a estas operaciones, –en las que las plusvalías urbanísticas no pueden predeterminarse como en los casos de expansión y nueva urbanización–, pretenden recuperarse indirectamente a través de la creación de empleo en el sector inmobiliario, el ahorro energético derivado de la mejora o rehabilitación del parque de viviendas y eficiencia de sus edificios. En línea con este planteamiento, hay que anotar que el 30 de mayo de 2016 los Ministros de los Gobiernos europeos encargados de las cuestiones Urbanas acordaron en el Pacto de Ámsterdam crear la Agenda Urbana para la Unión Europea para apoyar a las ciudades y centros urbanos europeos con nuevas ayudas, combinando una serie de programas con posibilidades de financiación con Fondos Estructurales y de Inversión Europeos, e incluso con reconocimiento de la colaboración del Banco Europeo de Inversiones.

Desde la perspectiva descrita, el Texto Refundido en este orden de consideraciones se presenta como una norma de fomento económico al sector inmobiliario, a la vez que requiere el soporte operativo de técnicas urbanísticas de planeamiento y de gestión urbanística con el acoplamiento del régimen estatutario de los deberes y cargas y urbanísticas. Lógicamente, este carácter mixto del Texto Refundido de 2015 implica una redefinición del protagonismo de las Administraciones públicas y de la participación de los propietarios y de la iniciativa empresarial en relación con el sistema tradicional del urbanismo expansivo. Más que deslindar campos o apelar a principios de subsidiaridad, se imponen vías de coparticipación ya que las Administraciones públicas no se pueden limitar a dirigir el proceso de regeneración y renovación urbanas, sino que se ven implicadas directamente en la gestión, al ser titulares de la mayoría de los elementos de los tejidos urbanos existentes; al tiempo que la iniciativa privada o empresarial interesada por las ayudas económicas y potenciales plusvalías, a medio o a largo plazo, precisa de la participación de los propietarios de los edificios y solares vacantes en unas posiciones proactivas de transformación de la propiedad edificada muy distintas de los posicionamientos neutrales o pasivos propios de las actuaciones de transformación del suelo rustico en urbanizado.

En principio, ante este nuevo panorama, cabría esperar del Texto Refundido de 2015 unas declaraciones de principios informadores clarificadores de las relaciones entre las iniciativas públicas y privadas en el medio Urbano, sin embargo, en dicho texto no se logra una adecuada clarificación, por lo que se hace necesario analizar las sucesivas secuencias para vislumbrar el protagonismo que a cada uno de estos sectores se les reserva, aisladamente o en régimen de participación.

1. RÉGIMEN DE PLANEAMIENTO Y MEDIDAS ESPECIALES DE EJECUCIÓN EN LAS ACTUACIONES SOBRE EL MEDIO URBANO

Con carácter previo a todas las actuaciones en el Medio Urbano se distinguen dos situaciones respecto al planeamiento preexistente.

a) Si no requieren la alteración de la ordenación urbanística vigente será necesario delimitar y aprobar un Ámbito de Actuación Conjunta (continua o discontinua), o bien una Actuación Aislada, a propuesta de los sujetos mencionados en el art. 8 de la Ley, esto es las Administraciones Publicas, entidades públicas adscritas o dependientes de las mismas y a los propietarios, pero además, según el art. 8.2, «tendrán la consideración de propietarios a los efectos de ejercer dicha iniciativa» las Comunidades y agrupaciones de Comunidades de Propietarios; Cooperativas de viviendas, los propietarios de construcciones, edificaciones y fincas urbanas, titulares de derechos reales o aprovechamientos; empresas, entidades o sociedades que intervengan en nombre de cualesquiera de los sujetos anteriores. En el último inciso del art. 24.1 se especifica que la propuesta de todos estos sujetos con iniciativa, lo será a «elección del Ayuntamiento», formulación que parece amparar una discrecionalidad que deberá ser matizada y regulada por la legislación autonómica.

El acuerdo de delimitación de Actuación conjunta o aislada deberá garantizar la realización de las notificaciones requeridas por la legislación aplicable, y el trámite de información pública, conteniendo, además y como mínimo, un Avance de equidistribución (distribución entre todos los afectados de los costes derivados de la ejecución, beneficios imputables, ayudas públicas y todos los que permitan generar algún tipo de ingreso vinculado a la operación), y el plan de realojo temporal y definitivo y de retorno a que dé lugar, en su caso. Una vez adquiera firmeza el acto de delimitación del ámbito de Actuación, se considerará iniciado la actuación, de «conformidad con la forma de gestión por la que haya optado la Administración actuante».

b) Si la actuación proyectada en el Medio Urbano, por sus características, implicara la necesidad de alterar la ordenación urbanística vigente (modificación o revisión del planeamiento) se observarán los trámites requeridos por a la correspondiente legislación aplicable. A este respecto habrá que tener en cuenta lo dispuesto en el art. 22.7, que impone a la legislación sobre ordenación territorial y urbanística la determinación de los casos en que el impacto de cualquier actuación de urbanización (y en consecuencia las que se refieran al Medio Urbano) obliga a ejercer de forma plena la potestad de ordenación del municipio o del ámbito territorial superior en que se integre (es decir su revisión o modificación), por trascender de dicho ámbito «los efectos significativos que genera la misma en el Medio ambiente».

Ahora bien, el art. 24.1 contiene una de las innovaciones más radicales del Texto Refundido pues permite que para determinados «programas u otros instrumentos de ordenación», se aprueben simultáneamente con la alteración del planeamiento o bien independientemente del mismo «por los procedimientos de aprobación de normas reglamentarias con los mismos efectos que tendrían los propios planes de ordenación urbanística». Estas normas reglamentarias, obviamente, no podrán ser otras que las Ordenanzas municipales; ahora bien, su equiparación a los instrumentos de planeamiento urbanístico derivado convencionales, no deja de sorprender especialmente ante la ambigüedad de la formula «determinados programas». Fruto de esta equiparación, es la exigencia de la elaboración de una Memoria de Viabilidad Económica prevista en el art. 22.5 del Texto Refundido.

c) Como medidas específicas para garantizar en todo caso la ejecución de estas actuaciones, aisladas o conjuntas, el Texto Refundido incorpora una serie de medidas de nuevo cuño típicamente urbanísticas como son: i) se facilita la ocupación de superficies de espacios libres o de dominio público indispensables para instalaciones de ascensores u otros elementos que garanticen la accesibilidad universal, así como las superficies comunes de uso privativo, tanto si se ubican en el suelo, subsuelo o vuelo, especificándose que la normativa aplicable garantizará la aplicación de esta regla, permitiendo que no computen a efectos de volumen edificable, ni de distancias mínimas a linderos, a otras edificaciones o a la vía pública, bien aplicando cualquier otra técnica que consiga la misma finalidad; ii) la declaración de utilidad pública o interés social a efectos de aplicación de regímenes de expropiación, venta y sustitución forzosa de bienes y derechos necesarios para su sujeción; derechos de tanteo y retracto a favor de la Administración actuante (art. 42.3); iii) cuando se aplique la expropiación para la gestión de actuaciones sobre el Medio Urbano no «será preciso el consentimiento del propietario para pagar el justiprecio expropiatorio en especie, siempre que se efectúe dentro del propio ámbito de gestión y dentro del plazo temporal establecido para la terminación de las obras correspondientes» (art. 43.2); iv) legitimación para la ocupación de las superficies de espacios libres o de dominio público de titularidad municipal; cesión de vuelo por el tiempo que se mantenga la edificación o en su caso su reclasificación y desafectación con posterior enajenación a la comunidad o agrupación de comunidades), con la posibilidad de extensión de estas autorizaciones a espacios que requieran la reducción de al menos un 30% de demanda energética anual (art. 24.5); v) habilitación para adaptación de las anteriores medidas a inmuebles declarados de interés cultural o sujetos a cualquier régimen de protección.

2. INICIATIVA PÚBLICA EN LAS ACTUACIONES EN EL MEDIO URBANO

El apartado 3 del artículo 9 reserva para las actuaciones en el Medio Urbano, en primer lugar, el protagonismo a la Iniciativa pública a los efectos de decidir si ejecuta directamente las obras o si procede a su adjudicación por medio de la convocatoria de un Concurso Público. En una interpretación congruente con los apartados 1 y 2 del mismo artículo, se prevé que la Administración podrá utilizar las modalidades de gestión directa e indirecta de la normativa sobre régimen local, contratación pública y legislación urbanística y que en el Concurso público también deberá garantizarse los principios de publicidad y concurrencia conforme al principio de libre empresa.

Las características específicas de este Concurso pueden sintetizarse del siguiente modo:

a) Convocatoria pública, pudiendo presentar ofertas cualesquiera personas físicas o jurídicas interesadas en asumir la gestión de la actuación, incluyendo los propietarios que formen parte del correspondiente ámbito, indicando a continuación a tales afectos, éstos (parece referirse exclusivamente a los propietarios) deberán constituir previamente una Asociación administrativa que se regirá por lo dispuesto en la legislación de ordenación territorial y urbanística en relación con las Entidades Urbanísticas de Conservación.

b) La Convocatoria deberá determinar los criterios aplicables para la adjudicación; entre estos criterios se determina que tendrá carácter preferente aquellas alternativas u ofertas que propongan términos adecuadamente ventajosos para los propietarios afectados (salvo en el caso de incumplimiento de la función social de la propiedad o de los plazos establecidos para su ejecución). A tal efecto se señala que la Convocatoria deberá prever «el porcentaje mínimo de techo edificable que se atribuya a los propietarios de inmuebles objeto de sustitución forzosa en régimen de propiedad horizontal».

c) Entre las propuestas «ventajosas para los propietarios» se enumeran especialmente: «incentivos atrayendo inversión y ofreciendo garantías o posibilidades de colaboración con los mismos», «aquellas que produzcan un mayor beneficio para la colectividad en su conjunto y propongan obras de eliminación de las situaciones de infraviviendas, de cumplimiento del deber legal de conservación, de garantía de la accesibilidad universal o de mejora eficiencia energética».

Como alternativa al Concurso en la adjudicación directa, se prevé la posibilidad de acudir a Convenios interadministrativos entre Administraciones públicas y Entidades públicas adscritas o dependientes de las mismas que tengan como objetivo «conceder la adjudicación a un Consorcio previamente creado o a una Sociedad de Capital Mixto de duración limitada o por tiempo indefinido» en las que las Administraciones públicas ostenten la participación mayoritaria y ejerzan en todo caso el control efectivo o la posición decisiva de su funcionamiento.

Con carácter general habrá que tener en cuenta lo dispuesto en el art. 4.4 del Texto Refundido, que atribuye a las Administraciones públicas una competencia subsidiaria de actuación directa «cuando existan situaciones de insuficiencia o degradación de los requisitos básicos de funcionalidad, seguridad y habitabilidad de las edificaciones, obsolescencia o vulnerabilidad de barrios, de ámbitos o conjuntos urbanos homogéneos o situaciones graves de pobreza energética». A tal efecto, podrán: i) adoptar medidas que aseguren la realización de las obras de conservación, y la ejecución de actuaciones de rehabilitación edificatoria, de regeneración y renovación urbanas que sean precisas y, en su caso, formularán y ejecutarán los instrumentos que las establezcan; ii) dichas medidas tendrán carácter prioritario cuando tiendan a eliminar situaciones de infravivienda a fin de garantizar la seguridad, salubridad, habitabilidad y accesibilidad universal y uso racional de la energía, así como aquellas que, con tales objetivos, partan bien de la iniciativa de los propios particulares incluidos en el ámbito, bien de una amplia participación de los mismos en ella.

3. INICIATIVA PRIVADA EN LAS ACTUACIONES EN EL MEDIO URBANO

3.1. Propietarios, Empresas y otras entidades: las Asociaciones Administrativas

Además de las a las Administraciones públicas, el art. 9.4 reconoce legitimación para participar en este tipo de actuaciones a título de iniciativa privada, no genérica, sino específica, a los siguientes sujetos que podemos agrupar de la siguiente forma: a) a entidades de estructura colectiva:

Comunidades y agrupaciones de Comunidades de propietarios; Cooperativas de Viviendas, y Asociaciones Administrativas que se constituyan de acuerdo con la legislación autonómica de ordenación territorial y urbanística; b) los propietarios de construcciones, edificaciones y fincas urbanas y los titulares de derechos reales o de aprovechamiento; c) las empresas, entidades o sociedades que intervengan por cualquier título en dichas operaciones. En definitiva, reconocer legitimación genéricamente a la iniciativa privada que no ostenta la titularidad de la propiedad de los terrenos; en puridad no habría que haber hecho referencia a los anteriores sujetos, pues su intervención no derivaba tanto de ostentar una iniciativa privada que la de ser sujetos imprescindibles en una transformación de la realidad urbanística dominical preexistente.

De esta enumeración, merece destacarse, en primer lugar, a las Asociaciones Administrativas. De la serie de supuestos contemplados en el art. 9.3 y 4.e) y 5.b) y artículo 10 del Texto Refundido procede deslindar diferentes tipos de Asociaciones Administrativas:

a) Las que cabe constituir únicamente por propietarios y con carácter obligatorio para participar en los Concursos públicos que la Administración convoque en la que presenten ofertas cualquier persona física o jurídica para asumir la gestión de la actuación de iniciativa pública. En estos supuestos, si participan los propietarios afectados deberán previamente constituir la Asociación que se regirá o asimilará a lo dispuesto en la legislación de la ordenación territorial y urbanística en relación con las Entidades Urbanísticas de Conservación. Esta previsión está referida, lógicamente, al resultado final de la actuación en el sentido de que corresponda o asuman los propietarios de las fincas resultantes la obligación de la conservación de las obras (art. 25 de del Reglamento de Gestión Urbanísticas, Decreto 3288/1978).

b) Un segundo tipo de Asociaciones constituidas para participar también en los concursos públicos que la Administración convoque, pero en la que puedan participar en su constitución y con carácter voluntario otros sujetos referidos en el art. 9.4 (comunidades de propietarios, cooperativas de vivienda, propietarios de construcciones y edificaciones, empresas, entidades y sociedades, etc.). En este tipo de Asociaciones, se prevé que se configuren como «fiduciarias», no solo de la titularidad de los terrenos, a modo de las Juntas de Compensación, sino como «fiduciarias con pleno poder dispositivo sobre los elementos comunes del correspondiente edificio o complejo inmobiliario y las fincas» (se presupone edificadas conforme al concepto de finca del art. 26 del Texto Refundido) pertenecientes a los propietarios miembros de aquellas. Obviamente, este poder fiduciario sobre elementos comunes de edificios o complejos está orientado a facilitar la gestión interna de estas Asociaciones y permitirles presentar una oferta más atractiva en los Concursos.

c) Una tercera modalidad de Asociaciones Administrativas para participar en las actuaciones sobre el Medio Urbano, con independencia de los Concursos convocados por las Administraciones públicas, es decir, en régimen de iniciativa privada, podrán constituirse, tanto por propietarios y titulares de derechos reales o de aprovechamiento como empresas, entidades o sociedades que intervengan en las operaciones. Habrá que admitir, por coherencia con las anteriores modalidades de Asociaciones, que en éstas los propietarios podrán participar también con facultades fiduciarias con pleno poder dispositivo sobre elementos comunes del edificio o complejo inmobiliario y sobre sus fincas, e, incluso, con el compromiso de constituirse o transformarse posteriormente en una Entidad de Conservación.

Dichas Asociaciones se constituirán conforme a lo previsto en la legislación sobre ordenación territorial y urbanística, y sólo en defecto de esta legislación autonómica se aplicarán las disposiciones del art. 10 del Texto Refundido, que establece que se regirán por los Estatutos aprobados por la Administración actuante; y es a partir de la aprobación de los estatutos que adquieren personalidad jurídica propia y naturaleza administrativa, sin necesidad de inscripción en un Registro, como establecía el art. 26.1 del Reglamento de Gestión Urbanística de 1978, y pasaran a depender de dicha Administración actuante. En relación con el régimen interior de dichas Asociaciones, el art. 10 del Texto Refundido de 2015 se limita a reproducir los arts. 29 y 30 del Reglamento estatal de Gestión Urbanística (Decreto 3288/1978). Sus regímenes de acuerdos se adoptarán por mayoría simple de «cuotas de participación», salvo que los Estatutos u otras normas exijan para determinados acuerdos un quórum especial. La disolución de las Asociaciones se producirá por el cumplimiento de los fines para las que fueren creadas y requerirá aprobación de la Administración actuante, disolución que no podrá ser aprobada «mientras no conste el cumplimiento de las obligaciones que queden pendientes».

3.2. Nuevos instrumentos y Técnicas urbanísticas para facilitar la participación de la iniciativa privada

El art. 9.5 del Texto Refundido establece una serie de medios o instrumentos, unos genéricos y otros específicamente urbanísticos, al servicio de los sujetos privados enumerados en las letras a), b), c), d), y e) del art. 9.4. para el desarrollo de los objetivos previstos en el texto Refundido. Estos medios constituyen una transcripción prácticamente literal del art. 31.3 del Real Decreto 233/2013, de 5 de abril, por el que se aprobó el Plan estatal 2013-2016 y que, a su vez, fue incorporado al art. 15 de la Ley 8/2013, de 24 de junio, y que, como consecuencia de la operación de refundición sin ulterior matización, ha sido transcrito en el Texto Refundido de 2015.

La terminología empleada en esta enumeración es muy defectuosa en términos de técnica-jurídica, cuyos defectos e imprecisiones podrían disculparse en una norma coyuntural como fue la del Plan de Vivienda, pero absolutamente criticable su trasposición literal en normas con rango de Ley. A tal efecto, conviene hacer una sistematización de estos instrumentos y técnicas del art. 9.5 del Texto Refundido:

a) Como principio general se proclama que podrán «Actuar en el mercado inmobiliario con plena capacidad jurídica para todas operaciones, incluidas las crediticias, relacionadas con el cumplimiento del deber de conservación, así como con la participación en la ejecución de actuaciones de rehabilitación y en las de regeneración y renovación urbanas que correspondan». Por Mercado inmobiliario habrá que entender el marco de referencia o proceso y sus sucesivas fases de producción, gestión, intermediación y comercialización de los bienes inmobiliarios (el suelo, la vivienda y demás productos inmobiliarios); así como aquellas que se relacionan con los instrumentos de crédito y como consecuencia lógica con el mercado hipotecario. Se trata por lo tanto de un subsector de la economía de gran trascendencia, pero un reconocimiento de su capacidad jurídica de intervención en el mismo es completamente innecesario ya que está implícita en el artículo 38 de la CE (libertad de empresa) y en la legislación civil y mercantil.

La única utilidad que podría tener esta proclamación sería, que se pretendiera en realidad reconocer un arsenal de medidas que potenciaran o acreditaran la relevancia del protagonismo de la iniciativa privada en dicho mercado en parangón o en equiparación a la iniciativa pública en el marco de las actuaciones relacionadas sobre el Medio Urbano (definido en el art. 2.1). Solo desde esta interpretación cobra sentido que se reconozca a la iniciativa privada la facultad de redactar y presentar a tramitación los instrumentos de ordenación y gestión precisos según la legislación aplicable (art. 9.7), elaborar por propia iniciativa o por encargo del Órgano responsable los planes o proyectos de gestión de la actuación, asumir por sí mismos o en asociación con otros sujetos públicos o privados la gestión de las obras [art. 5 a)], constituir Asociaciones como fiduciarias con pleno poder dispositivo sobre elementos comunes del edificio, complejo inmobiliario o fincas de los propietarios [art. 5 b)], otorgar escrituras públicas de modificación del régimen de propiedad horizontal respecto a elementos comunes o fincas de uso privativo a fin acomodarlas a los resultados de las obras de rehabilitación edificatoria y regeneración y renovación urbanas [art. 5 f)], o bien, como más adelante se examinara, la posibilidad de solicitar ayudas públicas o concertar créditos.

b) Especial importancia, por su funcionalidad, reviste la posibilidad de los sujetos privados de ser beneficiarios de la expropiación forzosa de partes de pisos o locales de edificios destinados predominantemente a usos de vivienda en régimen de propiedad horizontal que sean indispensables para instalar los servicios comunes, siempre que se haya previsto en planes de delimitación de ámbitos y órdenes de ejecución por parte de la Administración «por resultar inviable, técnica o económicamente cualquier otra solución y siempre que quede garantizado el respeto de la superficie mínima y los estándares exigidos para locales, viviendas y espacios comunes de los edificios» [art. 5 g)].

4. LA INICIATIVA PRIVADA Y LA POSICIÓN DE LOS PROPIETARIOS ANTE LOS DEBERES URBANÍSTICOS: LA PROPIEDAD COMO GARANTÍA ULTIMAS DE LAS ACTUACIONES EN EL MEDIO URBANO

Si bien en la legitimación para afrontar las actuaciones en el Medio Urbano, el Texto Refundido se equipara a la iniciativa privada o empresarial (en sus diversas modalidades), con la condición del propietario del suelo y de los edificios, como enfáticamente hemos tenido la ocasión de subrayar al dar cuenta del contenido del art. 8.1 y 9.4, lo cierto es que la posición de los propietarios es mucho más onerosa y compleja. A tal efecto, basta atender al art. 17.2 del Texto Refundido, que proclama que cuando la Administración imponga la realización de actuaciones sobre el medio urbano, el propietario tendrá el deber de participar en su ejecución en el régimen de distribución de beneficios y cargas que corresponda en los términos establecidos en el art. 14.1.c). Mientras que, en los demás casos, dicha participación se configura como una simple facultad del propietario [art. 14. c)] a la que podrá o no renunciar. Solo a los propietarios de los edificios corresponde el deber legal general de soportar la conservación de los edificios (art. 17.3 y 4) y, además, los propios de conservación impuestos por la Administración por motivos turísticos y culturales; asumir los costes específicos previstos en el art. 17.4; garantizar en todo caso el deber legal de realojamiento y, en su caso, retorno (art. 19. E); y demás deberes legales de entrega a la Administración de suelos (art. 18.1), y específicos en caso de Actuaciones de Dotación Edificatorias (art. 18.2). En las actuaciones en el medio urbano, si bien los partícipes privados deben constituir un Fondo de Conservación y Rehabilitación, dicho fondo se nutrirá con «aportaciones específicas de los propietarios a tal fin y con el que podrán cubrirse impagos de las cuotas de contribución a las obras correspondientes». El art. 17.5 matiza en alguna medida el reparto de las cargas en las actuaciones en el medio urbano entre las distintas modalidades que puede ofrecer la propiedad y los titulares de derechos de uso, así como en régimen de uso o en el de comunidad horizontal o complejo inmobiliario.

En definitiva, lo relevante a este respecto es que sobre el propietario de los terrenos y edificios (en régimen de propiedad horizontal o de complejo inmobiliario) recaen una serie especifica de obligaciones y unas consecuencias más onerosas que al resto de los agentes privados intervinientes que no tienen la condición de propietarios. A este respecto es suficiente tener en cuenta que es que conforme al art. 27 «la transmisión de las fincas no modifica la situación del titular respecto de los deberes del propietario conforme a esta ley y los establecidos por la legislación de la ordenación territorial y urbanística aplicable o exigible por los actos de ejecución de la misma», y en particular, el art. 18.6 señala que «los terrenos incluidos en el ámbito de las actuaciones y los adscritos a ellas están afectados con carácter de garantía real al cumplimiento de los deberes». Finalmente, el art. 49 impone que «el incumplimiento de los deberes establecidos en esta Ley habilitará a la Administración actuante para decretar de oficio o a instancia del interesado y en todo caso, previa audiencia del obligado, la ejecución subsidiaria, la expropiación por incumplimiento de la función social de la propiedad, la aplicación del régimen de venta o sustitución forzosa o cualesquiera otras consecuencias derivadas de la legislación sobre ordenación territorial y urbanística».

En definitiva, esta garantía y responsabilidad que recae en los propietarios de terrenos y edificaciones en las actuaciones de regeneración y renovación en el Medio urbano responden al principio anunciado en el art. 2.1 de aplicación a las mismas del régimen estatutario básico de deberes y cargas que les corresponden de conformidad con la actuación de transformación urbanística o edificatoria que en cada caso corresponda según la descripción del art. 7 (nueva urbanización; reformas o renovación, y actuaciones de Dotación). Este régimen de afección real de las obligaciones urbanísticas y sus garantías por vía de la subrogación son de una gran eficacia en su realización administrativa y gozan de una protección en el Registro de la Propiedad, pero durante el periodo de la crisis inmobiliaria se han generado importantes conflictos jurídicos al tener que aplicarse en los procesos concursales sobre los bienes del concursado por incumplimientos de deberes en el proceso urbanizador. Esta complejidad, en su caso, alcanzará todavía una mayor intensidad en las operaciones de renovación y regeneración por cuanto en los procesos concursales están implicados no solo propietarios de solares, sino propietarios de inmuebles edificados y titulares de aprovechamientos urbanísticos objeto de cesiones y transformaciones, Comunidades de propietarios o complejos inmobiliarios y otros particulares empresarios o en régimen de cooperativas. Todas estas cuestiones hubieran exigido la previsión de un tratamiento adecuado, máxime cuando la competencia para la regulación de estas materias es estrictamente estatal.

VI. EQUIDISTRIBUCIÓN Y FINANCIACIÓN DE LAS ACTUACIONES EN EL MEDIO URBANO

La cuestión de la financiación de la operación de Regeneración y Renovación urbanas es un tema testigo de lo que venimos afirmando. Se ha podido sugerir por EMBUENA MANUEL que la Ley 8/2013, de 28 junio, obedecería simplemente a la necesidad de obtener fondos de financiación especialmente europeos que con la simple formulación de los Planes Urbanísticos, de Reforma interior o Mejora previstos en las leyes estatales y autonómicas hubiese sido imposible o de muy difícil consecución, máxime cuando su configuración urbanística tradicional los hacían dependientes casi exclusivamente de la demolición, expropiación forzosa y mera reordenación viaria. Al tratarse en gran medida de una Ley que pretende articular medidas de fomento económico y social con rígidas operaciones y tipologías urbanistas, se ha hecho necesario reformular los fundamentos y esquemas económicos en que tradicionalmente descansaban estas últimas.

Por lo de pronto, hay que destacar que el art. 9.5 del Texto Refundido de 2015 impone a los propietarios y demás sujetos privados referidos en el apartado 4 del mismo artículo, «la participación en la ejecución de las actuaciones sobre el Medio urbano se producirá, siempre que sea posible, en régimen de equidistribución de cargas y beneficios». El mismo precepto prácticamente se reiteran en el art. 14 aunque referido a actuaciones de reforma o renovación de la urbanización o de dotación, –conceptos que, como hemos denunciado, no son siempre coincidentes–, al especificar que se desarrollarán «en un régimen de justa distribución de beneficios y cargas, cuando proceda, o de distribución, entre todos los afectados, de los costes derivados de la ejecución y de los beneficios imputables a la misma, incluyendo entre ellos las ayudas públicas y todos los que permitan generar algún tipo de ingreso vinculado a la operación». Precisamente, el principio de equidistribución de beneficios y cargas, –trasunto del principio de igualdad entre los propietarios en los beneficios y cargas que permite sortear las indemnizaciones de origen público, y por lo tanto pueden contemplarse también como un medio de financiación dada su vinculación en última instancia a las plusvalías urbanísticas–, constituye uno de los procedimientos más complejos y retardatarios de la gestión urbanística en las nuevas urbanizaciones con referencia prácticamente exclusiva al suelo sin edificación, por lo que su traslado al ámbito del suelo ya urbanizado con edificación o aprovechamientos edificatorios se aventura como uno de los obstáculos de mayor entidad con que se va a encontrar la aplicación de la nueva Ley. Al punto que un estudioso del tema, CERVERA PASCUAL, considera que «ha agotado su virtualidad»; y ello a pesar de las mejoras introducidas por la Ley en materia de subrogación real o valoración de parcelas y edificaciones previstas en el artículo 23 y en las vías de acceso al Registro de la propiedad del Expediente de distribución de beneficios y cargas (art. 68).

Con independencia del reparto de los aprovechamientos edificatorios y urbanísticos, el justo reparto deberá extenderse a otros negocios jurídicos relacionados con derechos de carácter personal, pues el Texto Refundido posibilita a propietarios y a otros actores privados, convertirse en beneficiarios directos de cualesquiera medidas de fomento establecidos por los poderes públicos, así como perceptores y gestores de las ayudas otorgadas a los propietarios [art. 5.e)]; al propio tiempo, se apunta a la posibilidad de «constituir un fondo de Conservación y Rehabilitación que se nutrirá con aportaciones específicas de los propietarios con el que podrán cubrirse impagos de las cuotas de contribución a las obras correspondientes», o «solicitar créditos con el objeto de obtener financiación para las obras de conservación y actuaciones reguladas en esta Ley (art 5. 6)». En el referido Real Decreto 233/2013, de 5 de abril (Plan 2013-2016) se calificaba a estos créditos de «refaccionarios», que podrían ser garantizados mediante anotación preventiva en el Registro de la Propiedad, matización que ha desaparecido del Texto Refundido.

El Texto Refundido de 2015 abre, efectivamente, nuevas vías de obtención de financiación y apoyos que pueden facilitar la realización de las operaciones de Rehabilitación, Regeneración y renovación urbanas que pueden, en su caso, superar o aliviar las limitaciones o escollos de un régimen de equidistribución exclusivamente articulado en términos de situaciones jurídicas-dominicales.

1.   LA COOPERACIÓN ECONÓMICA ESTATAL

El artículo 31 del Texto Refundido enuncia la cooperación económica que puede prestar la Administración General del Estado a las operaciones previstas en el Texto Refundido y especialmente a las que se desarrollan en el Medio Urbano, al tiempo que contribuye a definir las políticas públicas que en la materia se dispone a fomentar dicha Administración a través de sus planes. No contiene este artículo una concreción de beneficios económicos, sino simplemente el compromiso de otorgar «prioridad en las ayudas estatales vigentes», previstas en los correspondientes planes estatales vigentes en cada momento. En la actualidad está vigente el Plan estatal de Fomento del Alquiler de Vivienda, la Rehabilitación Edificatoria y la Regeneración y Renovación Urbanas 2013-2016, aprobado por Real Decreto 233/2013, de 5 de abril, que al expirar el plazo previsto ha tenido que ser prorrogado por el periodo de un año en virtud del Real Decreto 637/2016, de 9 de diciembre. Hay que anotar que muchos de los preceptos del Real Decreto 233/2013 han sido incorporados textualmente en la Ley 8/2013 y, como consecuencia de todo ello, en el Texto Refundido de 2015.

Estas ayudas podrán referirse a las siguientes políticas: conservación, rehabilitación edificatoria y renovación urbana; ámbitos de gestión aislada o conjunta con la finalidad de eliminar la infravivienda, garantizar la accesibilidad universal o mejorar la eficacia energética de los edificios. Así mismo, se prevé la posibilidad de contribuir a la elaboración y aprobación de los Instrumentos de ordenación y gestión que tengan por finalidad actuar sobre ámbitos urbanos degradados, desfavorecidos y vulnerables o problemas de análoga naturaleza, siempre que dichos instrumentos combinen «variables económicas, ambientales y sociales». Al propio tiempo hay que indicar que el Plan estatal vigente 2013-2016 (prorrogado a 2017) contemplaba un programa más ambicioso sobre «el fomento de ciudades sostenibles y competitivas» (art. 37) con objetivos como mejora de barrios, Centros y Cascos históricos, Eco Barrios; áreas de sustitución de infravivienda, y en particular, «actuaciones de regeneración, esponjamiento y renovación urbana en zonas turísticas con síntomas de obsolescencia, degradación, sobrecarga urbanística y ambiental o sobreexplotación de recursos y que planteen una mejora y reconversión de las mismas hacia un modelo turístico más sostenible, competitivo y de mayor calidad». Estos interesantes objetivos no han sido explicitados, sin embargo, en el Texto Refundido, como cláusula general, el apartado 2 del art. 31 apela a que «las Administraciones públicas fomentarán de manera conjunta la actividad económica, la sostenibilidad ambiental y la cohesión social y territorial» y a tal efecto podrán suscribir convenios interadministrativos de asignación de fondos.

Complementariamente, aunque no se traduzca en ayudas directas, pero que pueden contribuir a una gestión más económica de las actuaciones, el art. 32 asigna a las Administraciones públicas, por vía de convenio entre

105

las mismas, y los propietarios y demás agentes socioeconómicos reconocidos, la posibilidad de articular órganos para organizar la gestión de las actuaciones, bien a través de la constitución de Consorcios o Sociedades mercantiles mixtas o bien, en su caso, nombrar un Gestor directamente responsable de la ejecución. Los Convenios a realizar entre las distintas partes intervinientes, –que en todo caso tendrán naturaleza jurídico-administrativa y su conocimiento corresponderá a la jurisdicción contencioso-administrativa–, establecerán las condiciones de la gestión, incluidas las ayudas e incentivos públicos concedidos al efecto.

2. LOS LLAMADOS CONVENIOS DE FINANCIACIÓN DE LAS ACTUACIONES

El art. 33 del Texto Refundido, bajo el equívoco termino de Convenios para la financiación de Actuaciones, habilita tanto a las Administraciones públicas como a la iniciativa privada (enumerados en el art. 9.4 del Texto Refundido) a celebrar entre sí una serie de contratos a efectos de facilitar la gestión y ejecución de actuaciones de rehabilitación edificatoria y de regeneración y renovación. El Texto Refundido establece una serie de figuras contractuales atípicas, aun cuando hay que interpretar que se está ante una enunciación no cerrada, con la finalidad de financiar o aliviar las cargas que pesan sobre los propietarios afectados por las actuaciones en el Medio Urbano. La figura más conocida de las contempladas es la de la «permuta o cesión de terrenos o parte de edificio sujeta a rehabilitación por determinada edificación futura» o bien la celebración de un convenio de explotación conjunta del inmueble o partes de este.

Pudiendo destacar, asimismo, el contrato de arrendamiento o cesión de uso de local, vivienda o cualquier otro elemento de un edificio por plazo determinado a cambio de pago por el arrendatario o cesionario del pago de todos o de alguno de los siguientes conceptos: impuestos, tasas, cuotas a la comunidad o agrupación de comunidades de propietarios o de la cooperativa, gastos de conservación y obras de rehabilitación y regeneración y renovación urbanas. Señalando el art. 33.2 que, para las Cooperativas, estos contratos sólo podrán afectar a los locales comerciales y a las instalaciones y edificaciones complementarias. Lógicamente la regulación de las condiciones y estipulaciones de estas figuras contractuales corresponderá a la competencia estatal sobre legislación civil (art. 149.1.8), como efectivamente se deduce de la Disposición final Segunda del Texto Refundido. Hay que anotar que el texto del art. 33 es una mera transcripción literal del art. 31 del Real Decreto 233/2013, de 5 de abril, por el que se aprueba el vigente Plan estatal de Fomento del Alquiler, la Rehabilitación edificatoria y la Regeneración y Renovación Urbana 2013-2016, pero con la particularidad que dicho art. 31 tenía como rúbrica «Colaboración público-privada», sustituida ahora por «Convenios para la financiación de las Actuaciones». Con esta sustitución se pierde el auténtico sentido original a que respondía la tipificación de las aludidas figuras contractuales, si tenemos en cuenta que el art. 4.2 del Real Decreto 233/2013 contenía una directriz relevante «en los programas de rehabilitación edificatorias y de regeneración y renovación urbanas se valorara especialmente la participación del sector empresarial con fondos propios que garantice su mayor viabilidad económica». Con ellos parecía articular una mayor participación de la economía empresarial para el éxito de estas operaciones.

3. LA MEMORIA ECONÓMICA

La importancia que se concede a la financiación de las operaciones a realizar en el Medio Urbano se acredita con la exigencia documental a efectos de su Ordenación y Ejecución de una Memoria Económica (art. 22.5) que «asegure su viabilidad económica, en términos de rentabilidad, de adecuación a límites del deber legal de conservación y de un adecuado equilibrio entre los beneficios y las cargas derivadas de la misma, para los propietarios incluidos en su ámbito de actuación». En el contenido de esta Memoria Económica cabe distinguir los siguientes aspectos:

– Los relativos a los parámetros urbanísticos existentes y su relación con los propuestos, especialmente en relación con la edificabilidad, usos y tipologías y redes públicas que habrán de modificarse. La memoria analizará, en concreto, las modificaciones sobre incremento de edificabilidad o densidad, o introducción de nuevos usos, así como la posible utilización del suelo, vuelo y subsuelo de forma diferenciada, para lograr un mayor acercamiento al equilibrio económico, a la rentabilidad de la operación y a la no superación de los límites del deber legal de conservación. En definitiva, viene a detectarse el alcance estrictamente urbanístico de las operaciones en el Medio Urbano de regeneración y renovación, referencias que el Texto Refundido no podría contemplar en atención a las competencias urbanísticas autonómicas si se llegaran a desarrollar y regular.

– El segundo bloque de materias se refiere a la preocupación por las inversiones, su capacidad de atracción y de generar ingresos suficientes para financiar la mayor parte del coste de la transformación física propuesta, e incluso con el objetivo de garantizar «el menor impacto posible en el patrimonio personal de los particulares, medido en cualquier caso, dentro de los límites del deber de conservación».

Y a tal efecto, se apunta a la posibilidad de participación de empresas de rehabilitación o prestadoras de servicios energéticos, de abastecimiento de agua o de telecomunicaciones cuando asuman el compromiso de integrarse en la gestión mediante la financiación de parte de esta o de la red de infraestructuras que les compete, así como financiación de la operación por medio de ahorros amortizables en el tiempo. Inclusive se exige la fijación de un horizonte temporal que, en su caso, sea preciso para garantizar la amortización de las inversiones y la financiación de la operación.

– Finalmente, una referencia a la capacidad publica necesaria para asegurar la financiación y el mantenimiento de las redes públicas que deban ser financiadas por las Administraciones públicas, así como su impacto en las Hacienda públicas. Esta apelación en cuanto se refiera a las Haciendas locales está destinada a tener un protagonismo relevante a la vista de los próximos proyectos de ley que anuncian su reforma.

– Todas estas previsiones formuladas en un lenguaje jurídico impreciso, ambiguo y acumulativo, que pretende superar las limitaciones de las competencias urbanísticas estatales se pretende que no queden en el vacío y a tal efecto se requiere a los Municipios para que lleven a cabo una labor de seguimiento de estos paramentos e informen periódicamente cuando lo disponga la legislación en la materia, y al menos cuando deba reunirse la Junta de Gobierno Local. Dichos informes deberán evaluar y considerar la sostenibilidad ambiental y económica.

VII. AMBIGÜEDADES Y DISTORSIONES CONCEPTUALES EN LAS ACTUACIONES SOBRE EL MEDIO URBANO EN EL TEXTO REFUNDIDO DE 2015 Y SU INCIDENCIA EN LA INICIATIVA PRIVADA. HACIA UNA SIMPLIFICACIÓN DE LA REGULACIÓN URBANÍSTICA

A la vista de lo anteriormente expuesto hay que concluir que la obra de refundición de la Ley 8/2013 con el Texto Refundido de la Ley de Suelo de 2008 impulsada por la Ley 20/2014, de 29 de octubre, y que finalmente se ha plasmado en el Texto Refundido de 2015, no ha contribuido a la consecución de estos objetivos iniciales «de un lado aclarar, regularizar y armonizar la terminología y el contenido dispositivo de ambos textos legales, y de otro, estructurar y ordenar en una única disposición general los preceptos de diferentes naturaleza y alcance». Hay que reconocer, sin embargo, que no resulta fácil una operación de refundición sobre preceptos que competencialmente tiene la consideración principal de básicos y, algunos de ellos de tan débil alcance en esta materia como el art. 149.1.13 CE, cuya justificación última responde meramente a un intento de superar la crisis del sector inmobiliario sorteando las competencias exclusivas de las Comunidades Autónomas en materia de ordenación del territorio, vivienda y urbanismo (art. 148.3 CE). Tener que acudir a marcos de referencia y a conceptos como Actuaciones en el Medio Urbano por oposición al Medio Rural sin poder definir el contenido material de lo que se entiende por dichos Medios, a fin de evitar el termino ciudad existente o consolidada o apelar al termino de tejidos urbanos existentes [art. 1.b)] para justificar las actuaciones de Regeneración y Renovación sin tampoco precisar su contenido sustantivo pone de relieve la dificultad de esta empresa.

A pesar de esta dificultad, ello no debería impedir que la refundición se llevara a cabo con rigor terminológico y conceptual a fin de no generar confusión que pueda afectar a la seguridad jurídica ni ambigüedades o distorsiones en el conjunto del articulado. Si bien se mantiene en el articulado con cierta uniformidad las referencias a Regeneración y Renovación Urbanas, a lo largo del articulado se conexionan, o entrelazan con remisiones a otras políticas públicas derivadas o vinculadas a dichos conceptos como tejidos urbanos, barrios con obsolescencia o vulnerabilidad, pobreza energética, mallas urbanas, paisajes urbanos, etc.; no obstante, no se da pie a una distinción clara y precisa en términos de técnica jurídica urbanística. En la misma línea con relación al sector privado no aporta el Texto Refundido una terminología uniforme, ya que se alude indistintamente a: ciudadano, particular, promotor empresas, propietarios (individual o participe en una Comunidad horizontal), titulares de derechos reales o de aprovechamiento; imprecisiones todas ellas que dificultan la comprensión del Texto Refundido.

Con independencia de estas importantes cuestiones conceptuales de técnica jurídica, lo que subyace en el Texto Refundido de 2015 es el propósito de acoplar el sistema tradicional urbanístico de expansión urbanística o de nueva urbanización con los nuevos postulados de matriz ambiental de Regeneración y Renovación de la ciudad consolidada. Y este encaje o articulación es de muy difícil acoplamiento, a pesar de las puntuales modificaciones introducidas en el Texto Refundido de 2008, puesto que ambas políticas parten de fundamentos institucionales, sino antagónicos, si diferentes. Más que una refundición de textos legales, en gran medida antagónicos, hubiese sido mucho más útil y clarificador complementar o desarrollar la Ley 8/2013, de 26 de junio, con instrumento urbanísticos propios y de nuevo cuño más allá de las razones de coyuntura económica, al modo como se han incorporado avances meritorios en el ámbito de la propiedad horizontal, Conjuntos inmobiliarios o el informe de Evaluación Ambiental de los Edificios al disponer el Estado de competencias exclusivas o básicas sobre estas materias.

Estas consideraciones nos invitan a reflexionar en un momento en el que asistimos a un intenso proceso de declaraciones judiciales de los planes de urbanismo de las principales ciudades españolas por incurrir múltiples defectos de técnica jurídica. Esta preocupación no es privativa de nuestro Derecho Urbanístico, sino de otros muchos países. Sirva por ejemplo paradigmático el derecho urbanístico en Francia, que, a pesar de su sistema de centralización legislativa, en el período de diez años ha promulgado 64 leyes de contenido urbanístico. Como reacción ante esta inestabilidad, el Senado constituyó un Grupo de Trabajo sobre la «Simplificación en el Urbanismo con el propósito de elaborado un Proyecto de Ley antes del mes de junio de 2016». Este anuncio ha concitado tanto interés que en el Senado se habían ya recibido más de 10.470 sugerencias procedentes de cargos electos locales, funcionarios, sectores de la construcción y del urbanismo y ciudadanos, lo que prueba la amplia sensibilidad y preocupación social y no solamente de los expertos por la simplificación y estabilidad del Derecho urbanístico. En noviembre de 2016 se aprobó por unanimidad en el Senado la *Proposition de Loi portant accélération des procedures et stabilisation du Droit de l'Urbanisme, de la construction et de l'amégement*; que en la actualidad se está tramitando ya en la Asamblea Nacional. Sería de interés que este ejemplo pudiera encontrar eco en nuestro Ordenamiento jurídico urbanístico.

BIBLIOGRAFÍA

BASSOLS COMA, M. (2002): «Iniciativa privada y gestión urbanística: sistemas de Actuación; Agente Urbanizador y Convenios Urbanísticos», *Revista Aranzadi Urbanismo y Edificación*, n.° 5.

– (2005): «La participación de los Propietarios en la Gestión Urbanística», *Hacia un nuevo urbanismo*, vol. II, Fundación de Estudios Inmobiliarios, Madrid.

– (2013): «El Derecho Urbanístico español y el derecho de la Unión Europea», *Revista de Derecho Urbanístico y Medio Ambiente*, n.° 285.

– (2017): «La asimilación de los Planes de Urbanismo a Normas Reglamentarias y problemática jurídica de la Anulación judicial», *Efectos de la Nulidad de los Planes de Urbanismo*, Aranzadi, Madrid.

CERVERA PASCUAL, G. (2013): *La Renovación Urbana y su Régimen Jurídico*, Reus, Madrid.

EMBUENA MANUEL, G.D. (2016): «El pretérito perfecto y el futuro imperfecto de los Planes Especiales de Reforma Interior», *Revista de Derecho Urbanístico y Medio Ambiente*, n.º 303.

FORQUET ALMELA, H. (2014): «El nuevo modelo urbanístico de la Comunitat Valenciana: La LOTP», *Práctica Urbanística*, n.º 131.

LASO MARTÍNEZ, J.L. (2011): *Gastos de urbanización, procesos concursales y derivaciones Patrimoniales*, Cuadernos de Derecho Registral, Madrid.

RASTROLLO SUÁREZ, J.J. (2013): *Poder Público y Propiedad privada en el Urbanismo: la Junta de Compensación*, Reus, Madrid.

VÁZQUEZ PITA, (2014): *La actividad urbanizadora como servicio de interés económico general*, INAP, Madrid.

Capítulo V

La incidencia de las leyes de transparencia en el urbanismo[1]

Juan Antonio Chinchilla Peinado

Profesor Contratado Doctor de Derecho Administrativo
Universidad Autónoma de Madrid

SUMARIO: I. LA TRANSPARENCIA COMO PRESUPUESTO DE UNA SOCIE-
DAD DEMOCRÁTICA PARTICIPATIVA. 1. La exigencia de transparencia en la actuación administrativa. Principio de actuación
administrativa y derecho subjetivo del ciudadano. 2. Transparencia y
protección de datos personales. La resolución del conflicto a través de
la ponderación de los intereses en presencia. 3. Competencias estatales, autonómicas y locales. II. LA PUBLICIDAD ACTIVA. ¿ESTÁ
SOMETIDO EL URBANISMO A LAS EXIGENCIAS DE LA LEGIS-
LACIÓN DE TRANSPARENCIA? 1. La previsión sobre transparencia en la legislación urbanística. La aplicación supletoria de la
legislación sobre transparencia. 2. Las entidades locales como sujetos obligados a la publicidad activa en materia urbanística. ¿Extensión a otros sujetos? 3. Alcance de la publicidad activa en materia
de planeamiento. Incorporación de las alegaciones realizadas en la
fase de información pública y la evaluación ambiental. 4. Publicidad activa de los convenios urbanísticos de planeamiento y gestión.
5. ¿Publicidad en materia de gestión urbanística? Instrumentos de
equidistribución. 6. ¿Publicidad activa de los actos de control del
uso del suelo? 7. ¿Publicidad activa de las resoluciones en materia
de disciplina urbanística y procedimientos de restablecimiento de

---

1.   Aquí se recoge el material previo utilizado en mi intervención en el Curso «Estado
     actual y futuro del urbanismo», organizado por la Agencia de Protección de la Lega-
     lidad Urbanística los días 6 y 7 de junio de 2016.

la legalidad urbanística infringida? 8. La instrumentación técnica de la publicidad activa. III. DERECHO DE ACCESO A LA INFORMACIÓN. 1. El objeto del derecho de acceso a la información. 2. La relación entre publicidad activa y publicidad pasiva. 3. Titular del derecho de acceso a la información. Diferenciación con el interesado y el denunciante en un procedimiento administrativo. 4. El procedimiento de acceso a la información. 5. Control de las resoluciones sobre acceso a la información. 6. Aplicación de los límites al ejercicio del derecho de acceso a la información. *6.1. Licencias urbanísticas. 6.2. Actos de gestión. 6.3. Sanciones urbanísticas.*

I. LA TRANSPARENCIA COMO PRESUPUESTO DE UNA SOCIEDAD DEMOCRÁTICA PARTICIPATIVA

1. LA EXIGENCIA DE TRANSPARENCIA EN LA ACTUACIÓN ADMINISTRATIVA. PRINCIPIO DE ACTUACIÓN ADMINISTRATIVA Y DERECHO SUBJETIVO DEL CIUDADANO

1. La noción de transparencia aparece vinculada directamente al principio democrático, a sus déficits actuales, donde la regeneración democrática[2] es demandada por la actual sociedad horizontal participativa[3]. En efecto, la transparencia de la actuación administrativa permite su control social (democrático), garantizando una efectiva redención de cuentas, lo que permite una más efectiva participación ciudadana en la gobernanza de los asuntos públicos[4]. Por ello igualmente aparece como un elemento clave para luchar frente a la corrupción y garantizar una adecuada calidad democrática de la actuación administrativa[5], máxime cuando la

---

2. Cfr. CAMPOS ACUÑA, M.ªC. (2016): «El Derecho de acceso a la información. Dificultades en su ejercicio y propuestas de mejora», *El Consultor de Los Ayuntamientos*, n.° 4, p. 1.

3. PIÑAR MAÑAS, J.L. (2014): «Transparencia y derecho de acceso a la información pública. Algunas reflexiones en torno al derecho de acceso en la ley 19/2013, de transparencia, acceso a la información y buen gobierno», *Revista catalana de dret públic*, n.° 49, p. 3.

4. TEJEDOR BIELSA, J.C. (2014): «A la búsqueda del equilibrio entre transparencia administrativa y protección de datos. Primeros desarrollos en el ámbito municipal», *Gestión y Análisis de Políticas Públicas*, n.° 12, p. 2.

5. En el Índice Percepción de la Corrupción 2015 de Transparency International España aparece en el puesto n.° 36 (http://transparencia.org.es/wp-content/uploads/2016/01/tabla_sintetica_ipc-2015.pdf), con una puntuación de 58/100, lo que permite afirmar al Informe que «en su conjunto, España no tiene corrupción sistémica, como ocurre en un gran número de países, sino múltiples escándalos de corrupción política en los niveles superiores de los partidos y de los gobiernos». En este contexto, no resulta significativo en el ámbito concreto del urbanismo, el Índice

corrupción sigue ocupando un puesto destacado en la percepción de la sociedad española[6].

Ahora bien, la efectividad de la transparencia (carácter instrumental) requiere una sociedad políticamente madura, donde la información sea recibida por un amplio número de ciudadanos con la finalidad de controlar qué se hace en el sector público, cómo se hace y con qué recursos[7]. No se trata de crear una «democracia de espectadores», sino de cambiar la cultura y formas de actuación de la Administración hacia el gobierno abierto y la «democracia de confianza».

2. Esta doble noción de transparencia se incorpora en la Ley 19/2013, de 9 de diciembre, de transparencia, acceso a la información pública y buen gobierno (BOE n.º 295, de 10 de diciembre) –en adelante LTAIPBG–. La misma se articula, primero como el instrumento idóneo para lograr una efectiva redención de cuentas[8] a través de las posibilidades que posibilita la administración electrónica. La finalidad última de la regulación es permitir a las personas conocer los mecanismos que intervienen en los procesos de toma de decisión por parte de los poderes públicos, así como la utilización que aquéllos hacen de los fondos presupuestarios. Con ello se garantiza la participación de los ciudadanos en los asuntos públicos mediante un mejor conocimiento de la acción del Estado[9]. La segunda

---

de Transparencia de los Ayuntamientos de 2014, puesto que ahí sólo se contempla la publicación en la web o no de los instrumentos de planeamiento y sus actualizaciones.

6. *Vid.*, p. e., el Barómetro del CIS de abril de 2016 precisa que el 2.º problema existente en España es la corrupción y el fraude, con un porcentaje del 47,8 (http://www.cis.es/cis/export/sites/default/-Archivos/Marginales/3120_3139/3134/es3134mar.pdf).

7. Cfr. JIMÉNEZ ASENSIO, R. (2016): *Mentiras de la transparencia*. (https://rafaeljimenezasensio.com/2016/05), p. 1, quien denuncia que se está produciendo un consumo de «circuito cerrado» de la transparencia, que no traspasa las paredes de la sociedad civil y apenas sale del espacio, especializado o «escandalizado», de las redes sociales.

8. La Exposición de Motivos LTAIBG precisa que «Sólo cuando la acción de los responsables públicos se somete a escrutinio, cuando los ciudadanos pueden conocer cómo se toman las decisiones que les afectan, cómo se manejan los fondos públicos o bajo qué criterios actúan nuestras instituciones podremos hablar del inicio de un proceso en el que los poderes públicos comienzan a responder a una sociedad que es crítica, exigente y que demanda participación de los poderes públicos… Permitiendo una mejor fiscalización de la actividad pública se contribuye a la necesaria regeneración democrática, se promueve la eficiencia y eficacia del Estado y se favorece el crecimiento económico».

9. Esta finalidad coincide con la fijada por el Tribunal Europeo de derechos Humanos en sus Sentencias de 2 noviembre 2010 (Caso Gillberg contra Suecia). En los mismos términos se pronuncia el Tribunal de Justicia de la Unión Europea en sus Sentencias de 20 de mayo de 2003 (Asunto C-465/00, Rechnungshof); 9 de noviembre de 2010

funcionalidad, elemento de control difuso frente a la corrupción, es la que hoy cobra mayor relevancia.

La transparencia se articula a través de dos vías de obtención de información por parte de los ciudadanos. De una parte, mediante la denominada publicidad activa o «difusión por propia iniciativa de la información que obra en poder de los poderes públicos». De otra parte, a través del reconocimiento de un derecho de acceso a la información pública, denominada impropiamente «publicidad pasiva», donde «es la ciudadanía la que toma la iniciativa, recabando de los poderes públicos información que obra en su poder».

3. En la LTAIPBG, la transparencia en su dimensión de publicidad activa se construye jurídicamente como un principio de actuación de la Administración. Ello es hoy confirmado por el artículo 3.1.c) de la Ley 40/2015, de 1 de octubre, de Régimen Jurídico del Sector Público, donde se exige a todas las Administraciones Públicas respetar en su actuación los principios de «Participación, objetividad y transparencia de la actuación administrativa». Principio que se traduce en la obligación de la Administración de publicar «de forma periódica y actualizada la información cuyo conocimiento sea relevante para garantizar la transparencia de su actividad relacionada con el funcionamiento y control de la actuación pública», art. 5.1 LTAIPBG.

En algún caso, la legislación autonómica con diversas formulaciones técnicas configura la publicidad activa también como un derecho subjetivo de cualquier sujeto[10]. Aquí no hay un verdadero derecho público subjetivo, sino el reconocimiento de una competencia de ejercicio obligatorio por parte de la Administración. Ante el incumplimiento de la obligación de realizar la publicidad activa por una Administración Local, el ciudadano no podrá en su caso cuestionar tal inactividad por la vía del art. 29

(Asunto C-92/09, Volker und Markus Schecke GbR), y 29 de junio de 2010 (Asunto C-28/08, The Bavarian Lager Co. Ltd.).

10. Así, el art. 7.a) Ley 1/2014, de 24 de junio, de Transparencia Pública de Andalucía, reconoce el derecho «a que los poderes públicos publiquen... de forma periódica y actualizada, la información veraz cuyo conocimiento sea relevante para garantizar la transparencia de su actividad relacionada con el funcionamiento y control de la actuación pública». El art. 5.a) Ley 8/2015, de 25 de marzo, de Transparencia de la Actividad Pública y Participación Ciudadana de Aragón, reconoce el derecho a Acceder a la información pública que, en cumplimiento de las obligaciones establecidas en el presente título, deba estar o ponerse a disposición de los ciudadanos y las ciudadanas. En una línea similar, art. 8.1.a) Ley 12/2014, de 26 de diciembre, de transparencia y de acceso a la información pública de Canarias; art. 4.1.a) Ley 12/2014, de 16 de diciembre, de Transparencia y Participación Ciudadana de la Comunidad Autónoma de la Región de Murcia.

LJCA. Tal incumplimiento genera, en su caso, la responsabilidad disciplinaria, art. 9.3 LTAIPBG. Ante la falta de determinación del responsable (infractor) es la legislación autonómica quien debe identificar a tal sujeto. Así se identifica como responsables a las unidades responsables de la información pública[11] o, más específicamente, a los representantes locales y los titulares de los órganos superiores y directivos[12].

Por el contrario, el derecho de acceso se configura como un verdadero derecho subjetivo reconocido a todo persona, art. 12 LTAIPBG. ¿Debe configurarse como una manifestación del derecho fundamental de libertad de expresión e información[13]? Esta no es una pregunta banal, ya que el derecho fundamental a la protección de datos personales se configura como uno de los límites a la transparencia. Lo cierto es que para el legislador básico se trata de un derecho de configuración legal, al anclarlo a la previsión del artículo 105.b) de la Constitución, siendo una concreción del derecho de acceso a la información contenida en los registros públicos, art. 13.d) Ley 39/2015, de 1 de octubre, del Procedimiento Administrativo Común de las Administraciones Públicas.

4. Desde estas premisas resulta falsa la idea de que una institución es más transparente conforme más información (publicidad activa) ofrezca, adecuadamente accesible, en su Portal de Transparencia. La mayor transparencia requiere igualmente garantizar una adecuada, rápida y efectiva respuesta ante el ejercicio del derecho de acceso a la información (publicidad pasiva).

2. TRANSPARENCIA Y PROTECCIÓN DE DATOS PERSONALES. LA RESOLUCIÓN DEL CONFLICTO A TRAVÉS DE LA PONDERACIÓN DE LOS INTERESES EN PRESENCIA

5. La obligación de transparencia impuesta a la Administración, en sus dos facetas de publicidad activa y publicidad pasiva, conforme al artículo 5.3 LTAIBG, está sometida a un juicio ponderativo con los límites legales fijados en los artículos 14 y 15 de la LTAIBG. La Administración no tiene

---

11. Cfr. art. 10.1 Ley 12/2014, de 26 de diciembre, de transparencia y de acceso a la información pública de Canarias.

12. Cfr. art. 4.2.b) y 80.1.a) Ley 19/2014, de 29 de diciembre, de transparencia, acceso a la información pública y buen gobierno de Cataluña. Una indefinición mayor se contiene en el art. 51.2.a) de la Ley 1/2014, de 24 de junio, de Transparencia Pública de Andalucía, que configura como responsables a las autoridades, directivos y el personal al servicio de la Entidad Local.

13. Apoyándose en la doctrina del Tribunal Europeo de Derechos Humanos –entre otras, *Sentencia Youth Initiative for Human Rights v. Serbia*, de 25 de junio de 2013– se pronuncia en este sentido PIÑAR MAÑAS, J.L. (2014): *op. cit.*, p. 6.

atribuida una facultad discrecional en su apreciación, por lo que toda decisión de no proceder a la publicación activa o a la denegación del derecho de acceso debe estar suficientemente motivada y no resultar arbitraria[14]. *Prima facie* se declara la prevalencia del principio de transparencia, correspondiendo a la Administración la carga argumentativa que acredite la existencia de otra regla de precedencia condicionada en el caso concreto[15].

La ponderación debe realizarse como sigue. En un primer nivel debe comprobarse si existen obstáculos a la publicidad relacionados con el contenido material de la información. ¿Cuáles de esos límites presentan una relevancia material en el ámbito urbanístico?[16]:

- La prevención, investigación y sanción de los ilícitos penales, administrativos o disciplinarios [art. 14.1.e) LTAIBG].

- La igualdad de las partes en los procesos judiciales y la tutela judicial efectiva [art. 14.1.f) LTAIBG].

- Las funciones administrativas de vigilancia, inspección y control [art. 14.1.g) LTAIBG].

- El secreto profesional y la propiedad intelectual e industrial [art. 14.1.j) LTAIBG].

- La protección del medio ambiente. [art. 14.1.l) LTAIBG].

¿Cuál es el interés privado –o en su caso público– que se encuentra presente ante la publicidad en materia de urbanismo y respecto del que debe realizarse el juicio ponderativo? La participación pública y la redención de cuentas en el ámbito urbanístico se ve en este punto reforzada desde la perspectiva procesal mediante el reconocimiento de la acción pública, tanto en vía administrativa como en vía contencioso-administrativa, por el artículo 62 TRLSRU.

6. En un segundo nivel, si no concurren límites referidos al contenido material de la información o el juicio ponderativo se decanta por la publicidad frente a los límites materiales, debe analizarse si la misma incide de

---

14. Cfr. art. 20.3 Ley 19/2014, de 29 de diciembre, de transparencia, acceso a la información pública y buen gobierno de Cataluña.

15. Cfr. art. 6.a) Ley 1/2014, de 24 de junio, de Transparencia Pública de Andalucía; 10.2 Ley 8/2015, de 25 de marzo, de Transparencia de la Actividad Pública y Participación Ciudadana de Aragón; art. 2.a) Ley 1/2016, de 18 de enero, de transparencia y buen gobierno de Galicia; art. 3.a) Ley 12/2014, de 16 de diciembre, de Transparencia y Participación Ciudadana de la Comunidad Autónoma de la Región de Murcia.

16. Límites reiterados por el art. 37 Ley 12/2014, de 26 de diciembre, de transparencia y de acceso a la información pública de Canarias; art. 21.1 Ley 19/2014, de 29 de diciembre, de transparencia, acceso a la información pública y buen gobierno de Cataluña; art. 16.1 Ley 4/2013, de 21 de mayo, de Gobierno Abierto de Extremadura.

forma excesiva sobre los elementos subjetivos de la información; esto es si afecta a datos de carácter personal merecedores de protección[17], ya que su publicación constituye una cesión de datos de carácter personal en los términos de los artículos 3, apartados a) e i) LOPD[18]. Los elementos para articular las reglas de precedencia condicional establecidos por el legislador son las siguientes:

– Los datos personales de carácter identificativo relacionados con la organización, funcionamiento o actividad pública del órgano están sometidos plenamente a la publicidad activa o pasiva, art. 15.2 LTAIBG[19]. En este sentido habrá que entender que, en cuanto el acceso a la información contribuya a un mejor conocimiento de los criterios de organización y funcionamiento de las instituciones o a la asignación de los recursos, cabrá considerar la existencia de un interés público prevalente sobre los derechos a la protección de datos y a la intimidad. Por el contrario, cuando la información no contribuya a un mayor conocimiento de la organización y funcionamiento de las instituciones o de la asignación de los recursos públicos, prevalecerá el respeto a los derechos a la protección de datos o la intimidad[20].

– La publicidad de datos relativos a la comisión de infracciones penales o administrativas que no conllevasen la amonestación pública

---

17. Y respecto de los que el art. 6.1 LOPD precisa que el tratamiento de los datos de carácter personal requerirá el consentimiento inequívoco del afectado, salvo que la ley disponga otra cosa. No será preciso el consentimiento cuando los datos de carácter personal se recojan para el ejercicio de las funciones propias de las Administraciones públicas en el ámbito de sus competencias; cuando se refieran a las partes de un contrato o precontrato de una relación administrativa y sean necesarios para su mantenimiento o cumplimiento; o cuando los datos figuren en fuentes accesibles al público y su tratamiento sea necesario para la satisfacción del interés legítimo perseguido por la Administración o por el del tercero a quien se comuniquen los datos, siempre que no se vulneren los derechos y libertades fundamentales del interesado.

18. Que prevén que tiene la consideración de datos de carácter personal «cualquier información concerniente a personas físicas identificadas o identificables», mientras que constituye cesión o comunicación de datos «toda revelación de datos realizada a una persona distinta del interesado».

19. Reitera este límite el art. 38.2 Ley 12/2014, de 26 de diciembre, de transparencia y de acceso a la información pública de Canarias; art. 24.1 Ley 19/2014, de 29 de diciembre, de transparencia, acceso a la información pública y buen gobierno de Cataluña; art. 16.3 Ley 4/2013, de 21 de mayo, de Gobierno Abierto de Extremadura; art. 12.2 Ley 3/2014, de 11 de septiembre, de Transparencia y Buen Gobierno de La Rioja.

20. Cfr. Criterio de Aplicación de la LTAIPBG adoptado por el Consejo de Transparencia y Buen Gobierno y la Agencia de Protección de Datos de 23 de marzo de 2015. Reitera este límite el art. 12.1 Ley 3/2014, de 11 de septiembre, de Transparencia y Buen Gobierno de La Rioja.

al infractor requieren el consentimiento expreso del afectado, salvo que su publicidad está autorizada por una norma con rango de ley, art. 15.1 LTAIBG[21].

- La publicidad de los datos personales no especialmente protegidos[22] requiere efectuar una ponderación entre el derecho a la protección de datos y el interés público en la cesión de tales datos, art. 15.3 LTAIBG[23]. El artículo 4.1 LOPD dispone que «los datos de carácter personal sólo se podrán recoger para su tratamiento, así como someterlos a dicho tratamiento, cuando sean adecuados, pertinentes y no excesivos en relación con el ámbito y las finalidades determinadas, explícitas y legítimas para las que se hayan obtenido». Los límites previstos se aplicarán atendiendo a un test de daño (del interés que se salvaguarda con el límite) y de interés público en la divulgación (que en el caso concreto no prevalezca el interés público en la divulgación de la información) y de forma proporcionada y limitada por su objeto y finalidad.

Como elementos que deben tomarse en cuenta en la ponderación se encuentran:

- El transcurso o no del plazo de 25 años desde la muerte del sujeto cuyos datos vayan a ser objeto de publicidad.

- Si la publicidad cumple fines históricos, científicos o estadísticos.

- El menor perjuicio derivado de la simple publicación de datos meramente identificativos, frente al mayor perjuicio cuando se afecte a su intimidad o seguridad, o se refieran a menores.

7. Ante la concurrencia de alguno de los límites, generales o referidos a la protección de datos, si el límite no afecta a la totalidad del documento debe facilitarse un acceso parcial, salvo que esto distorsione o deje sin sentido la información final, debiendo el órgano indicar qué tipo de información ha sido omitida, art. 16 LTAIBG. La competencia para decidir si tal información parcial es distorsionada o carente de sentido corresponde, no

---

21. Reitera este límite el art. 23 Ley 19/2014, de 29 de diciembre, de transparencia, acceso a la información pública y buen gobierno de Cataluña.

22. Los datos especialmente protegidos, conforme al artículo 15.1 LTAIBG, son aquellos relativos a la ideología, la afiliación sindical, religión y creencias, cuya publicidad requiere el consentimiento escrito del afectado. En este caso, para proceder a su publicidad será necesaria la previa disociación de los mismos, conforme al artículo 5.3 LTAIBG.

23. Reitera este límite el art. 24.2 Ley 19/2014, de 29 de diciembre, de transparencia, acceso a la información pública y buen gobierno de Cataluña; art. 12.3 Ley 3/2014, de 11 de septiembre, de Transparencia y Buen Gobierno de La Rioja.

al sujeto que en su caso solicita la información, sino a la Administración. La misma no otorga un cheque en blanco, estando sometida en todo caso a un control de racionalidad.

Es más, cuando existan datos personales que deban ser protegidos no resulta necesario realizar ponderación alguna, sino que se debe proceder a efectuar la publicidad cuando tales datos personales puedan ser disociados, art. 15.4 LTAIBG[24].

En todo caso, debe tenerse presente que las personas jurídicas no están protegidas por la LOPD[25].

8. Por el contrario, la posición mantenida por el Consejo de Transparencia y Buen Gobierno y la Agencia Española de Protección de Datos no es la aquí defendida. El Consejo mantiene una interpretación de la LTAIBG en la que se coloca en primer plano la protección de los datos personales y sólo si se no se produce tal afectación, se procede a confrontar la publicidad con los límites propios de la LTAIBG[26].

---

24. Cfr. arts. 14.2, 38.4 y 39 Ley 12/2014, de 26 de diciembre, de transparencia y de acceso a la información pública de Canarias; art. 18 Ley 4/2013, de 21 de mayo, de Gobierno Abierto de Extremadura; art. 6.3 Ley 1/2016, de 18 de enero, de transparencia y buen gobierno de Galicia; arts. 6.1 y 12, ap. 5 y 6, Ley 3/2014, de 11 de septiembre, de Transparencia y Buen Gobierno de La Rioja; arts. 9.4 y 25.3 Ley 12/2014, de 16 de diciembre, de Transparencia y Participación Ciudadana de la Comunidad Autónoma de la Región de Murcia; art. 14 Ley 2/2015, de 2 de abril, de la Generalitat, de Transparencia, Buen Gobierno y Participación Ciudadana de la Comunidad Valenciana.

25. Como precisa, p. e., el Informe 299/2011 de la Agencia Española de Protección de Datos. Todo ello sin perjuicio de sin perjuicio de que los Tribunales puedan atender las reclamaciones de responsabilidad que pudieran exigirse en el caso de que el uso de información relativa a las mismas les cause algún perjuicio.

26. El Criterio Interpretativo CI/002/2015, de 24 de junio de 2015, del Consejo de Transparencia y Buen Gobierno y de la Agencia de Protección de Datos precisa que «El proceso de aplicación de estas normas comprende las siguientes etapas o fases sucesivas: I. Valorar si la información solicitada o sometida a publicidad activa contiene o no datos de carácter personal, entendiéndose por éstos los definidos en el artículo 3 de la LOPD. II. En caso afirmativo, valorar si los datos son o no datos especialmente protegidos en los términos del artículo 7 de la LOPD, esto es: a) Datos reveladores de la ideología, afiliación sindical, religión y creencias; b) Datos de carácter personal que hagan referencia al origen racial, a la salud y a la vida sexual, y c) Datos de carácter personal relativos a la comisión de infracciones penales o administrativas. Si contuviera datos de carácter personal especialmente protegidos, la información solo se podrá publicar o facilitar: a) En el supuesto de los datos de la letra a) anterior, cuando se cuente con el consentimiento expreso y por escrito del afectado, a menos que dicho afectado hubiese hecho manifiestamente públicos los datos con anterioridad a que se solicitase el acceso. b) En el supuesto de los datos de la letra b) anterior, cuando se cuente con el consentimiento expreso del afectado o estuviera amparado por una norma con rango de Ley, y c) En el supuesto de los datos de la letra c) anterior, y siempre que las correspondientes infracciones penales o administrativas no conlleven la

3. COMPETENCIAS ESTATALES, AUTONÓMICAS Y LOCALES

9. Del juego de la Disposición Final 8.ª LTAIBG (la Ley se dicta bajo los títulos competenciales de los apartados 1.ª, 13.ª y 18.ª del artículo 149.1 de la Constitución) y del párrafo 2 del artículo 12 LTAIBG, se deriva la posibilidad del desarrollo de la legislación estatal por la normativa autonómica. Los preceptos de la LTAIPBG tienen carácter básico por lo que respecta a las materias que conforman la publicidad activa y la articulación de su publicidad, así como la regulación del derecho de acceso, por lo que pueden ser complementados por la legislación autonómica, pero nunca desplazados[27].

En ese sentido debe entenderse la caracterización de mínimos de la obligación de publicidad activa contenida en el art. 5.2 LTAIBG, suscepti-

---

amonestación pública al infractor, cuando se cuente con el consentimiento expreso del afectado o estuviera amparado por una norma con rango de Ley. III. Si los datos de carácter personal contenidos en la información no fueran datos especialmente protegidos, valorar si son o no exclusivamente datos meramente identificativos relacionados con la organización, el funcionamiento o la actividad pública del órgano o entidad correspondiente. Si los datos contendidos son exclusivamente identificativos relacionados con la organización, el funcionamiento o la actividad pública del órgano o entidad, la información se publicará o facilitará con carácter general, salvo que en el caso concreto prevalezca la protección de datos personales y otros derechos constitucionalmente protegidos sobre el interés público en la divulgación. IV. Si los datos de carácter personal no fueran meramente identificativos y relacionados con la organización, el funcionamiento o la actividad pública del órgano o no lo fueran exclusivamente, efectuar la ponderación prevista en el artículo 15 número 3 de la LTAIBG. V. Finalmente, una vez realizados los pasos anteriores, valorar si resultan de aplicación los límites previstos en el artículo 14. Los límites a que se refiere el artículo 14 de la LTAIBG, a diferencia de los relativos a la protección de los datos de carácter personal, no se aplican directamente, sino que de acuerdo con la literalidad del texto del número 1 del mismo, «podrán» ser aplicados. De esta manera, los límites no operan ni automáticamente a favor de la denegación ni absolutamente en relación a los contenidos. La invocación de motivos de interés público para limitar el acceso a la información deberá estar ligada con la protección concreta de un interés racional y legítimo. En este sentido su aplicación no será en ningún caso automática: antes al contrario deberá analizarse si la estimación de la petición de información supone un perjuicio (test del daño) concreto, definido y evaluable. Este, además no podrá afectar o ser relevante para un determinado ámbito material, porque de lo contrario se estaría excluyendo un bloque completo de información. Del mismo modo, es necesaria una aplicación justificada y proporcional atendiendo a la circunstancia del caso concreto y siempre que no exista un interés que justifique la publicidad o el acceso (test del interés público)».

27. Por ello, como precisa ENÉRIZ OLAECHEA, F.J. (2014): «El nuevo derecho de acceso a la información pública», *Revista Aranzadi Doctrinal*, n.º 20, p. 2, el artículo 12 no puede entenderse como una regla de prevalencia de la legislación autonómica. La regulación estatal se configura aquí como «bases del régimen jurídico de las Administraciones públicas» y garantizan a los administrados «un tratamiento común» ante ellas, en los términos del artículo 149.1.18.ª de la Constitución.

ble de desarrollo por las leyes autonómicas en ejercicio de su competencia de desarrollo legislativo sobre el régimen jurídico de la actividad de las Administraciones Públicas. La normativa autonómica desarrollan tales previsiones en materia de publicidad activa, bien precisando y concretando los ámbitos materiales establecidos por la legislación estatal, bien incorporando nuevos ámbitos materiales. Lo relevante es que el legislador autonómico establece el mismo carácter de mínimo de su regulación, por lo que resultarán de aplicación aquellas otras disposiciones específicas que prevean un régimen más amplio en materia de publicidad[28]. En materia de publicidad pasiva, la legislación autonómica desarrolla las previsiones procedimentales de la legislación básica.

10. ¿Cuál es el papel de la Ordenanzas Locales en materia de transparencia? La obligación legal de publicidad activa fijada tanto en la legislación básica estatal como en la legislación autonómica cuando resulte de aplicación a las entidades locales, es una obligación de mínimos, permitiendo a las Entidades locales ampliar voluntariamente el ámbito material sometido a publicidad activa y su extensión[29].

---

28. Así, art. 9.2 Ley 1/2014, de 24 de junio, de Transparencia Pública de Andalucía; art. 11.2 Ley 8/2015, de 25 de marzo, de Transparencia de la Actividad Pública y Participación Ciudadana de Aragón; art. 6.2 Ley 19/2014, de 29 de diciembre, de transparencia, acceso a la información pública y buen gobierno de Cataluña; arts. 6.2 y 20 Ley 1/2016, de 18 de enero, de transparencia y buen gobierno de Galicia; art. 8.2 Ley 12/2014, de 16 de diciembre, de Transparencia y Participación Ciudadana de la Comunidad Autónoma de la Región de Murcia; art. 8.5 Ley 2/2015, de 2 de abril, de la Generalitat, de Transparencia, Buen Gobierno y Participación Ciudadana de la Comunidad Valenciana.

29. El preámbulo de la Ordenanza de Transparencia del Ayuntamiento de Madrid precisa al respecto que «La habilitación competencial para la aprobación de esta ordenanza viene dada directamente por las normas básicas reguladoras de la transparencia y la reutilización de la información del sector público, con expreso reconocimiento en ámbitos concretos como el que efectúa el artículo 5.2 de la Ley 19/2013, de 9 de diciembre, cuando consiente la existencia de otras disposiciones específicas diferentes a las autonómicas, que prevean un régimen más amplio en materia de publicidad activa, o el mandato general de adaptación a las obligaciones derivadas de la norma que contempla la disposición final novena. En otros casos, la regulación que efectúa la ordenanza tiene un claro encaje en la potestad reglamentaria y de auto organización que corresponde a la Ciudad. Unos y otros, no obstante, encuentran su fundamento y legitimación últimos en la capacidad para regular aquellas materias que afectan al círculo de los intereses locales, de acuerdo con los principios de la Carta Europea de Autonomía Local y dentro del marco jurídico estatal y autonómico, y los de sus ciudadanos, para satisfacción de sus necesidades y aspiraciones».

II. PUBLICIDAD ACTIVA. ¿ESTÁ SOMETIDO EL URBANISMO A LAS EXIGENCIAS DE LA LEGISLACIÓN DE TRANSPAREN-CIA?

1. LA PREVISIÓN SOBRE TRANSPARENCIA EN LA LEGISLACIÓN URBANÍSTICA. LA APLICACIÓN SUPLETORIA DE LA LEGISLA-CIÓN SOBRE TRANSPARENCIA

11. Durante la tramitación parlamentaria de la LTAIPBG diversas voces, tanto desde la política[30] como desde el tercer sector[31], afirmaron que el urbanismo había quedado fuera del ámbito de aplicación de la transparencia. Obviamente esta es una interpretación errónea. Diversos autores[32] reconducen el acceso a la información en materia de ordenación del territorio y urbanismo, conforme a la Disposición Adicional Primera LTAIPBG[33], a su propia normativa sectorial, aplicándose la LTAIPBG sólo

---

30. La enmienda n.º 465, del Grupo Parlamentario Socialista, planteaba la adicción de un nuevo apartado 5.º al artículo 7, con la siguiente redacción: «5. Se entenderán incluidas en todo caso en el objeto del deber de publicidad activa de las Administraciones públicas competentes en la materia: a) Las respuestas a las consultas a las que se refiere la letra a) del apartado 3 del artículo 8 del Texto Refundido de la Ley del Suelo, aprobado por Real Decreto Legislativo 2/2008, de 20 de junio. b) Todas las iniciativas, sean públicas o privadas, de planes y demás instrumentos de ordenación urbanística, al menos desde el anuncio de su sometimiento al trámite de información pública». Como justificación se señaló que «Dada la singularidad de los planes urbanísticos como fuente del ordenamiento y la tradicional opacidad que ha rodeado históricamente a la gestión urbanística, es importante aclarar y garantizar la aplicación de la nueva Ley en este sector. Con ello se conseguirá no sólo aumentar la transparencia de las Administraciones públicas competentes en la materia, sino también favorecer la publicidad y la concurrencia en los casos en que la ordenación se abre a la iniciativa privada». La misma enmienda se presenta en el Senado, enmienda 134, por el grupo parlamentario Entesa pel Progres de Catalunya; y enmienda 215 por el Grupo Socialista en el Senado.

31. Jesús Lizcaino, Presidente de ONG Transparencia Internacional España, en la información aparecida en El País, 19/09/2013, afirmaba como deficiencia de la norma que «en el apartado de publicidad activa, no se incluyen los instrumentos de planeamiento urbanístico y las resoluciones relacionadas con esta materia».

32. Así, ENÉRIZ OLAECHEA, F.J. (2014): *op. cit.*, p. 3.

33. La Disposición adicional primera, rotulada «Regulaciones especiales del derecho de acceso a la información pública», dispone: «1. La normativa reguladora del correspondiente procedimiento administrativo será la aplicable al acceso por parte de quienes tengan la condición de interesados en un procedimiento administrativo en curso a los documentos que se integren en el mismo. 2. Se regirán por su normativa específica, y por esta Ley con carácter supletorio, aquellas materias que tengan previsto un régimen jurídico específico de acceso a la información. 3. En este sentido, esta Ley será de aplicación, en lo no previsto en sus respectivas normas reguladoras, al acceso a la información ambiental y a la destinada a la reutilización».

con carácter supletorio y para colmar las respectivas lagunas[34]. En otros términos, deberá aplicarse aquella normativa, la sectorial o la LTAIPBG, que otorgue una mayor amplitud de publicidad.

12. ¿Qué dispone la legislación estatal sobre urbanismo? El TRLSRU prescribe, de una parte, que la ordenación territorial y urbanística deberá garantizar (principio de ordenación y actuación de la Administración) «El derecho a la información de los ciudadanos y de las entidades representativas de los intereses afectados por los procesos urbanísticos, así como la participación ciudadana en la ordenación y gestión urbanísticas», art. 4.2.c) TRLSRU. De otra parte, se reconoce expresamente el derecho (subjetivo) de los ciudadanos a «acceder a la información de que dispongan las Administraciones Públicas sobre la ordenación del territorio, la ordenación urbanística y su evaluación ambiental, así como obtener copia o certificación de las disposiciones o actos administrativos adoptados, en los términos dispuestos por su legislación reguladora» y a «ser informados por la Administración competente, de forma completa, por escrito y en plazo razonable, del régimen y las condiciones urbanísticas aplicables a una finca determinada», apartados c) y d) del art. 5 TRLSRU.

Se exige el trámite de información pública respecto de todos los instrumentos de ordenación territorial y de ordenación y ejecución urbanísticas, incluidos los de distribución de beneficios y cargas, así como los convenios que con dicho objeto vayan a ser suscritos por la Administración, art. 25.1 TRLSRU. A su vez, se somete a publicación en el Diario Oficial correspondiente sólo los acuerdos de aprobación definitiva de todos los instrumentos de ordenación territorial y urbanística, art. 25.2 TRLSRU. A su vez, la LDAIMPPAJMA, en su art. 7, exige otorgar publicidad a las autorizaciones con efectos significativos sobre el medio ambiente, y las evaluaciones ambientales de planes.

La legislación autonómica sobre urbanismo, somete a un trámite de información pública el procedimiento de aprobación de los instrumentos de planeamiento urbanístico, tanto en la fase previa de evaluación ambiental como tras la aprobación inicial, exigiendo la publicidad y posibilidad de

---

34. El Criterio Interpretativo CI/008/2015, de 12 de noviembre de 2015, del Consejo de Transparencia y Buen Gobierno precisa, sobre el alcance de esta previsión, que sólo en el caso de que una norma concreta establezca un régimen específico de acceso a la información pública en una determinada materia o área de actuación administrativa, puede entenderse que las normas de la LTAIBG no son de aplicación directa y operan como normas supletorias. Para el Consejo, esta regulación pretende preservar otros regímenes de acceso a la información que hayan sido o puedan ser aprobados y que tengan en cuenta las características de la información que se solicita, delimite los legitimados a acceder a la misma, prevea condiciones de acceso.

consulta en cualquier momento de todos ellos (disponibilidad telemática), junto con su publicación oficial en el Boletín correspondiente (siendo objeto de publicación tanto el plan como la declaración ambiental estratégica)[35]. Igualmente somete a un trámite de información pública la aprobación de los instrumentos de equidistribución[36]. También se instaura una fase de información pública en los procedimientos de otorgamiento de actos de control del uso del suelo rústico[37], no así en el procedimiento de otorgamiento de licencias de edificación en suelo urbano o urbanizable. Finalmente, en los procedimientos sancionadores y de restablecimiento de la legalidad urbanística no se prevé trámite de información pública o publicación de las resoluciones.

13. Al margen de estas previsiones de la legislación sectorial urbanística, lo cierto es que la LTAIPBG contiene una serie de exigencias de publicidad activa que resultan plenamente aplicables al ámbito urbanístico, ya se entiendan de aplicación directa ya se entiendan de aplicación supletoria para cubrir las lagunas de la legislación sectorial en materia de urbanismo. En efecto, el art. 7 LTAIPBG exige dotar de publicidad, en cuanto información de relevancia jurídica, apartados c) y e):

– Los proyectos de Reglamentos cuya iniciativa les corresponda. Cuando sea preceptiva la solicitud de dictámenes, la publicación se producirá una vez que estos hayan sido solicitados a los órganos consultivos correspondientes sin que ello suponga, necesariamente, la apertura de un trámite de audiencia pública.

– Los documentos que, conforme a la legislación sectorial vigente, deban ser sometidos a un período de información pública durante su tramitación.

A su vez, el art. 8, apartado 1.b), LTAIPBG exige proceder a publicar, en cuanto información de relevancia económica, la relación de los convenios suscritos, con mención de las partes firmantes, su objeto, plazo de duración, modificaciones realizadas, obligados a la realización de las prestaciones y, en su caso, las obligaciones económicas convenidas. El apartado 8.3 LTAIPBG requiere publicar la relación de los bienes inmuebles que sean de titularidad de la Administración o sobre los que ostenten algún derecho real.

14. Partiendo de estas premisas (LTAIPBG y legislación sectorial en materia de urbanismo) la mayoría de las Leyes autonómicas en materia de

---

35.   Cfr. arts. 50, 60, 64, 75, 78, 80, 87 y 80 Ley 2/2016, de 10 de febrero, de Suelo de Galicia.
36.   Cfr. art. 106 Ley 2/2016, de 10 de febrero, de Suelo de Galicia.
37.   Cfr. art. 38.b) Ley 2/2016, de 10 de febrero, de Suelo de Galicia.

transparencia[38] incorporan expresamente, si bien con distinto alcance, la obligación de realizar una publicidad activa en materia de urbanismo. La LTAIPBG resulta de aplicación a la Entidades Locales, art. 2.1.a). Un grupo de normas autonómicas incorporan en su ámbito de aplicación a las Entidades Locales[39]. Otras, por el contrario, determinan que la regulación autonómica no se aplica directamente a las entidades locales, aunque sí presenta una incidencia indirecta en algunos aspectos, al exigirse la publicidad de los instrumentos de planificación territorial, medioambiental y urbanística, con independencia del órgano que haya realizado la aprobación definitiva del mismo[40] –ciertamente otras leyes autonómicas sólo se aplican a la actividad autonómica[41]–. Un análisis de conjunto arroja los siguientes resultados sobre la publicidad activa que debe efectuarse en materia urbanística:

- Se exige en todo caso la publicidad de los instrumentos de ordenación territorial y urbanística, así como sus alteraciones[42].

- Debe entenderse que se exige la public idad de los convenios urbanísticos, de planeamiento o de gestión, con mención de los terrenos

---

38. Como excepción, reiteran con mayor o menor precisión la regulación de la LTAIPBG la Ley 1/2014, de 24 de junio, de Transparencia Pública de Andalucía; la Ley 3/2015, de 4 de marzo, de Transparencia y Participación Ciudadana de Castilla y León, no contiene referencia.

39. Así, art. 3.1.d) Ley 1/2014, de 24 de junio, de Transparencia Pública de Andalucía; art. 4.1.c) Ley 8/2015, de 25 de marzo, de Transparencia de la Actividad Pública y Participación Ciudadana de Aragón; art. 2.1.b) Ley 12/2014, de 26 de diciembre, de transparencia y de acceso a la información pública de Canarias; art. 3.1.a) Ley 19/2014, de 29 de diciembre, de transparencia, acceso a la información pública y buen gobierno de Cataluña; art. 2.c) Ley 4/2013, de 21 de mayo, de Gobierno Abierto de Extremadura; art. 2.1.d) Ley 2/2015, de 2 de abril, de la Generalitat, de Transparencia, Buen Gobierno y Participación Ciudadana de la Comunidad Valenciana.

40. Cfr. art. 18 Ley 1/2016, de 18 de enero, de transparencia y buen gobierno de Galicia; art. 19.2 Ley 12/2014, de 16 de diciembre, de Transparencia y Participación Ciudadana de la Comunidad Autónoma de la Región de Murcia; art. 9.j) Ley 3/2014, de 11 de septiembre, de Transparencia y Buen Gobierno de La Rioja.

41. Así, la Ley 3/2015, de 4 de marzo, de Transparencia y Participación Ciudadana de Castilla y León.

42. Cfr. art. 22 Ley 8/2015, de 25 de marzo, de Transparencia de la Actividad Pública y Participación Ciudadana de Aragón; art. 30.1 Ley 12/2014, de 26 de diciembre, de transparencia y de acceso a la información pública de Canarias; art. 12 Ley 19/2014, de 29 de diciembre, de transparencia, acceso a la información pública y buen gobierno de Cataluña; art. 12 Ley 4/2013, de 21 de mayo, de Gobierno Abierto de Extremadura; art. 18.1 Ley 1/2016, de 18 de enero, de transparencia y buen gobierno de Galicia; art. 19.2 Ley 12/2014, de 16 de diciembre, de Transparencia y Participación Ciudadana de la Comunidad Autónoma de la Región de Murcia; art. 9.j) Ley 3/2014, de 11 de septiembre, de Transparencia y Buen Gobierno de La Rioja; art. 9.5 Ley 2/2015, de 2 de abril, de la Generalitat, de Transparencia, Buen Gobierno y Participación Ciudadana de la Comunidad Valenciana.

127

afectados, de las personas titulares de dichos terrenos, del objeto del convenio y de las contraprestaciones que se establezcan en el mismo[43].

– Debe entenderse exigible la publicidad del registro de bienes que integran el Patrimonio Municipal de Suelo, ya que existe una norma de rango legal que obligue a la creación y mantenimiento del Inventario de bienes municipales[44].

– Sólo en determinados casos se exige la publicidad de los actos de control urbanístico (licencias, comunicaciones y declaraciones; orden de ejecución)[45]. La legislación autonómica no prevé la publicidad activa ni de los procedimientos de equidistribución ni de las sanciones urbanísticas y acuerdos de restablecimiento de la legalidad urbanística.

15. Por lo que respecta a la regulación de las ordenanzas municipales (o reglamentos de transparencia y participación), todas aquellas elaboradas sobre la base de la Ordenanza Tipo elaborada por la FEMP[46], que realiza una lectura restrictiva de la LTAIPBG, incorporan una exigencia mínima publicidad respecto de una relación de los bienes inmuebles titularidad de la Entidad Local, art. 18.e); la relación de los convenios suscritos con mención de las partes firmantes, objeto, duración, obligados a realizar las prestaciones y obligaciones económicas asumidas, art. 19.e); el texto completo y la planimetría de los instrumentos de planeamiento y los convenios urbanísticos, así como los estudios de impacto ambiental, paisajísticos y de evaluación de riesgos, art. 22.d) y e).

---

43. En unos casos se individualizan expresamente y en otros se comprenden en la mención general a los convenios. Cfr. art. 15.b) Ley 1/2014, de 24 de junio, de Transparencia Pública de Andalucía; art. 17.1 Ley 8/2015, de 25 de marzo, de Transparencia de la Actividad Pública y Participación Ciudadana de Aragón; art. 30.2 Ley 12/2014, de 26 de diciembre, de transparencia y de acceso a la información pública de Canarias; art. 18.2.c) Ley 1/2016, de 18 de enero, de transparencia y buen gobierno de Galicia; 17.5 Ley 12/2014, de 16 de diciembre, de Transparencia y Participación Ciudadana de la Comunidad Autónoma de la Región de Murcia; 10.b) Ley 3/2014, de 11 de septiembre, de Transparencia y Buen Gobierno de La Rioja; 9.1.c) Ley 2/2015, de 2 de abril, de la Generalitat, de Transparencia, Buen Gobierno y Participación Ciudadana de la Comunidad Valenciana.

44. Cfr. art. 12.3.e) y 19.2 Ley 8/2015, de 25 de marzo, de Transparencia de la Actividad Pública y Participación Ciudadana de Aragón.

45. Cfr. art. 20.2 Ley 1/2016, de 18 de enero, de transparencia y buen gobierno de Galicia.

46. P. e., Ordenanza de Transparencia, Acceso a la información y Reutilización de datos del Ayuntamiento de Ferrol (BOP Coruña 9 de mayo de 2016); Ordenanza de Transparencia y Acceso a la Información del Ayuntamiento de Sevilla (BOP Sevilla 19 de diciembre de 2015); Reglamento de Transparencia y participación ciudadana de Valencia (BOP Valencia 1 de diciembre de 2015).

La Ordenanza de Transparencia y Libre Acceso a la Información de Zaragoza (BOP de 1 de abril de 2014) exige publicar, por lo que respecta al Patrimonio Municipal, art. 21, el inventario de bienes y derechos municipales, especificando los inmuebles propios, arrendados, ocupados y/o adscritos al Ayuntamiento, indicando la función a la que está destinado cada uno de ellos, con señalamiento de su ubicación. Por lo que respecta al ámbito urbanístico, art. 23, debe publicar:

a. El texto completo y la planimetría de los instrumentos de planeamiento urbanístico y de sus modificaciones, incluidos el Plan General de Ordenación Urbana, los planes parciales y especiales y los convenios urbanísticos. Todos los instrumentos citados deberán ir acompañados de un resumen del alcance de sus disposiciones y, en el caso de las revisiones y modificaciones, de un plano de identificación de los ámbitos en los que la ordenación propuesta altera la vigente y un resumen del alcance de esta alteración.

b. El estado del desarrollo de los instrumentos de planeamiento urbanístico, incluyendo las fechas de aprobación e inicio de obras de urbanización.

c. Los actos adoptados en materia de reclasificación y recalificación de terrenos e inmuebles y las enajenaciones de inmuebles pertenecientes al patrimonio municipal.

d. Las licencias de obras mayores y las de actividad, tanto otorgadas como denegadas, así como las sanciones y las medidas de restablecimiento de la legalidad impuestas en materia de disciplina urbanística.

e. La identificación y ubicación de los solares incluidos en el Registro de solares.

Igualmente debe publicar las evaluaciones ambientales de los planes y los títulos habilitantes con efectos significativos sobre el medio ambiente, art. 24.

Finalmente, el Borrador de la Ordenanza de Transparencia de la Ciudad de Madrid resulta sumamente ambiciosa. De una parte, exige dar publicidad, art. 10.3, a la relación de los bienes inmuebles que sean de su propiedad y sobre los que se ostente algún derecho real, con su localización, destino, cargas y gravámenes en su caso, naturaleza patrimonial o demanial y valor de inventario. De otra parte, y por lo que respecta al ámbito urbanístico específicamente requiere dar publicidad, art. 14:

«a) La normativa urbanística actualizada.

b) Los instrumentos de planeamiento urbanístico aprobados.

c) Los instrumentos de planeamiento urbanístico en tramitación, a partir de su aprobación inicial. La publicación incluirá la memoria, anexos, normas urbanísticas, fichas, documentación gráfica, los informes preceptivos, así como cuanta documentación ofrezca información con relevancia urbanística, y un resumen del alcance de sus disposiciones. En el caso de las revisiones y modificaciones del planeamiento, se incorporará un plano de identificación de los ámbitos en los que la ordenación propuesta altera la vigente y un resumen del alcance de esta alteración.

A efectos de facilitar su localización, se publicarán en un apartado independiente, sin perjuicio de lo dispuesto en el artículo 9.2 c), los planes urbanísticos que se encuentren en periodo de información pública, añadiendo a la información referida en el párrafo anterior el anuncio publicado en el Boletín Oficial de la Comunidad de Madrid.

d) El estado del desarrollo de los instrumentos de planeamiento urbanístico, incluyendo las fechas de aprobación e inicio de obras de urbanización.

e) La información relevante del Patrimonio Municipal de Suelo, como mínimo, su localización y cargas y gravámenes, en su caso. Asimismo, se publicará información sobre su gestión y, en caso de enajenación, el adjudicatario, la finalidad y el precio de enajenación.

f) Las resoluciones de otorgamiento o denegación de licencias urbanísticas y, en su caso, de las declaraciones responsables y comunicaciones previas, indicando el emplazamiento y un extracto de su contenido, previa disociación de datos personales en el caso de que no sea pertinente su publicación.

g) Las comunicaciones en las que se indica a los interesados que su actuación urbanística es conforme a Derecho, en el contexto de las declaraciones responsables y comunicaciones previas, previa disociación de datos personales en el caso de que no sea pertinente su publicación.

h) Las autorizaciones administrativas que permitan el ejercicio de actuaciones urbanísticas sujetas a licencia, declaración responsable o comunicación previa, en suelo de dominio público, previa disociación de datos personales en el caso de que no sea pertinente su publicación.

i) Las sanciones firmes, así como las medidas de restablecimiento de la legalidad impuestas en materia de disciplina urbanística en lo referente a las cuestiones que recaigan sobre el inmueble o la parte del mismo afectado, previa disociación de datos personales.

j) La información relativa a los procesos de ejecución del planeamiento a través de actuaciones de transformación urbanística y actuaciones edificatorias, incluyendo, al menos:

1. Planos de delimitación del ámbito de las Unidades de Ejecución aprobadas inicial y definitivamente, con indicación de la superficie afectada por la actuación.

2. Bases y Estatutos, aprobados inicial y definitivamente, por los que se vayan a regir las Juntas de Compensación o entidades que se constituyan para la ejecución de las actuaciones urbanísticas o, en su caso, propuesta de Convenios urbanísticos que se sometan a información pública.

3. Planos del proyecto de reparcelación, así como relación de las fincas inicialmente aportadas a la actuación y de las nuevas parcelas resultantes ajustadas al planeamiento.

k) Los proyectos de expropiación iniciados de oficio por el Ayuntamiento de Madrid y los proyectos de delimitación de unidades de ejecución por el sistema de expropiación.

l) Las resoluciones de solicitudes de expropiación al amparo del artículo 94 de la Ley 9/2001, de 17 de julio, del Suelo de la Comunidad de Madrid, o por denuncia de ocupación.

m) Las resoluciones de las consultas urbanísticas, tanto comunes como especiales.

n) El Registro de convenios urbanísticos, con el contenido referido en el artículo 10.1 b).

ñ) El Registro de Entidades de inspección técnica.

o) Las resoluciones de otorgamiento o denegación de licencias de obras en vía pública correspondientes a canalizaciones, previa disociación de datos personales en el caso de que no sea pertinente su publicación.

p) Las sanciones firmes y las medidas de restablecimiento de la legalidad impuestas en relación con los supuestos del apartado anterior, previa disociación de datos personales».

2. LAS ENTIDADES LOCALES COMO SUJETOS OBLIGADOS A LA PUBLICIDAD ACTIVA EN MATERIA URBANÍSTICA. ¿EXTENSIÓN A OTROS SUJETOS?

16. La obligación de realizar una publicidad activa se predica de las Administraciones locales y de sus entes instrumentales, estén éstos sometidos al Derecho público, art. 2.1.d) LTAIPBG, o al Derecho Privado, art. 2.1.g) LTAIPBG cuando la participación pública directa o indirecta en el capital social sea superior al 50%[47]. Pero también de las formulas asociativas (mancomunidades, consorcios, asociaciones) de las entidades locales están sometidas a la obligación de transparencia, art. 2.1.k) LTAIPBG.

17. ¿Quedan obligadas a realizar la publicidad activa las asociaciones de propietarios a las que la legislación urbanística autonómica atribuye la colaboración en la gestión urbanística, implicando en su caso el ejercicio de funciones públicas[48]? ¿Cómo deben calificarse estas entidades de naturaleza administrativa? ¿Pueden considerarse corporaciones de derecho público a los efectos del art. 2.1.e) LTAIPBG, y por tanto sometidas al régimen de transparencia en lo que respecta al ejercicio de funciones públicas? ¿Son, por el contrario, entidades de Derecho Público con personalidad jurídica propia, vinculadas o dependientes de la Administración Local, art. 2.1.d) LTAIPBG? ¿O bien se trata de personas jurídicas distintas que ejercen potestades administrativas y por tanto están obligadas a suministrar a la Administración Local a la que se encuentren vinculadas, previo requerimiento, de toda la información necesaria para el cumplimiento por la Entidad Local de su obligación de transparencia, conforme al art. 4 LTAIPBG? Esta es la perspectiva correcta, ya que

---

47. Crítica con esta opción BARRERO RODRÍGUEZ, C. (2014): «La Ley de Transparencia de Andalucía: sus aportaciones al régimen establecido en el ordenamiento del Estado», *Revista Andaluza de Administración Pública*, n.° 89, p. 45, partidaria de una inclusión total de estas sociedades.

48. P. e., en la regulación gallega, en el sistema cooperación, art. 123.4 LSUG, la gestión se atribuye a la Junta de Compensación, configurada como una entidad de «naturaleza administrativa, personalidad jurídica propia y plena capacidad para el cumplimiento de sus fines». En el sistema de concierto, art. 121 LSUG, la gestión se atribuye bien a la entidad urbanística de gestión, que tiene «naturaleza administrativa y duración limitada a la de la actuación», bien a una «sociedad mercantil constituida a tal efecto, siempre que en su capital participen todos los propietarios» (o al propietario único en su caso). En el sistema de cooperación, los propietarios pueden constituir una asociación que colabora con el Ayuntamiento en la ejecución de las obras de urbanización. A su vez, las entidades de conservación son calificadas legalmente como «entidades de derecho público, de adscripción obligatoria y con personalidad y capacidad jurídica propias para el cumplimiento de sus fines», art. 96.6 LSUG.

tales entidades de propietarios se califican como sujetos privados de base asociativa en el que se delegan determinadas funciones públicas[49].

3. ALCANCE DE LA PUBLICIDAD ACTIVA EN MATERIA DE PLANEAMIENTO. INCORPORACIÓN DE LAS ALEGACIONES REALIZADAS EN LA FASE DE INFORMACIÓN PÚBLICA Y LA EVALUACIÓN AMBIENTAL

18. La publicidad activa de los instrumentos de planeamiento y medioambiental es una obligación legal en todas las Comunidades Autónomas. ¿Cuál es el alcance de la misma? Resulta incuestionable que el grado mínimo de publicidad consiste en la puesta a disposición de los ciudadanos del contenido íntegro del Plan. No sólo de su normativa, sino también de su planimetría y las correspondientes fichas urbanísticas, a tenor del art. 70.ter LRBRL. ¿Resulta suficiente para cumplir la finalidad de permitir un control de la sociedad, permitiendo en su caso una eficiente posibilidad de utilización de la acción pública en materia de urbanismo o medioambiental? La respuesta es negativa. Resulta razonable exigir también que la publicidad incorpore también los elementos más relevantes del expediente de aprobación del instrumento de planeamiento. Así deben incorporarse los informes sectoriales emitidos por las diferentes Administraciones[50]. También las alegaciones realizadas por los ciudadanos y la respuesta recibida, así como los informes

---

49. En este sentido, el Informe 21/2011, de la Junta Consultiva de Contratación Administrativa de Aragón, precisa que «las juntas de compensación obedecen al denominado "fenómeno de autoadministración", en el que son los propios interesados los que desarrollan la función pública de la ejecución del planeamiento, en virtud de una delegación que hace de la junta un agente descentralizado de la Administración, de suerte que aquélla tiene naturaleza administrativa. Por estas funciones públicas desarrolladas, responde directamente frente a la Administración urbanística de la urbanización completa de la unidad de ejecución y, en su caso, de la edificación de los solares resultantes, cuando así se hubiera establecido. Y sólo cuando actúan en lugar de la propia Administración Pública, merecen la consideración semejante a los entes públicos. Es decir, son sujetos privados (salvo participación mayoritaria pública, claro está) en los que se delegan funciones públicas. Y esto significa que no toda la actuación de la junta de compensación esté sometida al Derecho administrativo: en la medida en que aquélla gestiona intereses propios de sus miembros, sin ejercicio directo de funciones públicas, estará sujeta al derecho privado... Y esa relación jurídica en modo alguno puede ser calificada como de contrato público, al no concurrir las notas típicas de éstos. De hecho, lo que realiza la Administración es una función de dirección y control...».

50. Cfr. art. 22.1.f) Ley 8/2015, de 25 de marzo, de Transparencia de la Actividad Pública y Participación Ciudadana de Aragón; art. 18.1.e) Ley 1/2016, de 18 de enero, de transparencia y buen gobierno de Galicia.

jurídicos y técnicos emitidos[51]. Los documentos en donde se incorpore la evaluación ambiental del instrumento de planeamiento deben ser objeto de publicidad íntegra. Por último, debe darse cumplimiento a la exigencia del art. 70.ter, apartado 3, LRBRL, que exige identificar a todos los propietarios o titulares de otros derechos reales de fincas, incluidos en un expediente de modificación puntual que incremente la edificabilidad o la densidad o modifique los usos del suelo. La exigencia de la cesión de tales datos personales viene exigida por una norma con rango de Ley.

19. La pregunta que surge es si la publicidad activa de las alegaciones formuladas por los ciudadanos en los trámites de información pública puede incorporar sus datos personales (el nombre y apellidos, número de DNI o direcciones, así como otros datos que por sí mismos o conjuntamente con los aportados en otros documentos puedan conducir a la identificación de la persona que formula las alegaciones). En principio podría pensarse que la incorporación de tales datos en la publicidad activa del trámite de alegaciones estaría amparada por el artículo 16 de la Ley 27/2006, de 18 de julio, por la que se regulan los derechos de acceso a la información, de participación pública y de acceso a la justicia en materia de medio ambiente, donde se exige que «una vez examinadas las observaciones y opiniones expresadas por el público, se informará al público de las decisiones adoptadas y de los motivos y consideraciones en los que se basen dichas decisiones, incluyendo la información relativa al proceso de participación pública». No obstante, parece razonable exigir aquí un tratamiento disociado de los datos que impidan la identificación del sujeto alegante[52] para proceder a la publicidad activa de las alegaciones formuladas y la respuesta adoptada por la Administración. Dada la finalidad que cumple este trámite en la estructura del procedimiento de aprobación de los instrumentos de planeamiento urbanístico, no resulta proporcionado sino excesiva la cesión de tales datos para el cumplimiento de la finalidad de «participación en los asuntos de carácter medioambiental»[53].

---

51. Cfr. art. 32.2 Ley 12/2014, de 26 de diciembre, de transparencia y de acceso a la información pública de Canarias.
52. Salvo que medie su consentimiento expreso, por lo que sería recomendable que se planteara esta posibilidad a los participantes en tal trámite.
53. Esta es la posición mantenida por el Informe 299/2011 de la Agencia Española de Protección de Datos.

4. PUBLICIDAD ACTIVA DE LOS CONVENIOS URBANÍSTICOS DE PLANEAMIENTO Y GESTIÓN

20. La publicidad activa de los convenios urbanísticos, sean de planeamiento o de gestión, es igualmente una obligación legal derivada de la legislación sectorial autonómica en materia urbanística, que exige incorporar el texto íntegro en la documentación sometida a información pública de aprobación de los instrumentos de planeamiento. Supletoriamente debe aplicarse la normativa básica estatal sobre transparencia, reiterada en todas las Comunidades Autónomas (bien por referencia expresa a los convenios urbanísticos bien por referencia a los convenios en general). Publicidad que exige la publicación íntegra del convenio, sin que resulte procedente la disociación de los datos personales de los sujetos que hayan suscrito el convenio, al estar prevista la identificación de tales datos personales tanto en el art. 70.ter LRBRL como en la normativa autonómica. En el ámbito urbanístico quedan desplazadas las previsiones de la normativa autonómica sobre transparencia que permiten una publicidad limitada de los convenios circunscrita a la identificación de las partes y a la referencia del objeto, plazo de vigencia y obligaciones económicas asumidas[54] o si concurren razones de confidencialidad[55]. Debe realizarse una publicidad de la totalidad del convenio, incorporados en los correspondientes registros. La justificación es clara: el convenio de planeamiento si bien no condiciona el ejercicio de la potestad de planeamiento sí orienta su contenido. El convenio de gestión incide sobre bienes públicos o sobre la programación de la ejecución.

En este sentido, p. e., el art. 23.1.a) de la Ordenanza sobre Transparencia y Libre Acceso a la Información del Ayuntamiento de Zaragoza exige la publicidad de los convenios urbanísticos, incluyendo su texto íntegro y su planimetría. Idéntica obligación exige el art. 24.e) del Reglamento de Transparencia y Participación Ciudadana de Valencia, o el art. 22.e) de la Ordenanza reguladora de Trasparencia, Acceso a la Información y Reutilización del Ayuntamiento de Santoña; art. 12.g) y Anexo I de la Ordenanza de transparencia, acceso a la información pública, reutilización de datos

---

54. Publicidad limitada prevista por el art. 15.b) Ley 1/2014, de 24 de junio, de Transparencia Pública de Andalucía; art. 17.1 Ley 8/2015, de 25 de marzo, de Transparencia de la Actividad Pública y Participación Ciudadana de Aragón; art. 29.2 Ley 12/2014, de 26 de diciembre, de transparencia y de acceso a la información pública de Canarias; art. 18.2.c) Ley 1/2016, de 18 de enero, de transparencia y buen gobierno de Galicia; 17.5 Ley 12/2014, de 16 de diciembre, de Transparencia y Participación Ciudadana de la Comunidad Autónoma de la Región de Murcia; 10.b) Ley 3/2014, de 11 de septiembre, de Transparencia y Buen Gobierno de La Rioja.

55. Cfr. art. 9.1.c) Ley 2/2015, de 2 de abril, de la Generalitat, de Transparencia, Buen Gobierno y Participación Ciudadana de la Comunidad Valenciana.

y buen gobierno del Concello de Narón. A su vez, el art. 21.d) de la Ordenanza de Transparencia y Acceso a la Información del Ayuntamiento de Sevilla exige proceder a la publicación de la información precisa sobre los convenios urbanísticos suscritos por el Ayuntamiento.

Por el contrario, y de forma ambigua, el art. 14.n) de la Ordenanza de Transparencia de la Ciudad de Madrid exige proceder a la publicidad del Registro de Convenios urbanísticos, si bien incorporando únicamente una publicidad limitada. En el mismo sentido, el art. 21.f) de la Ordenanza reguladora de la Transparencia, de Acceso a la Información, Reutilización de Datos y Buen Gobierno del Ayuntamiento de Logroño.

21. La cuestión es si esa publicación íntegra del convenio debe incorporar, además de la identificación de los sujetos que suscriben el convenio, su DNI y la firma manuscrita. Aquí parece razonable disociar tales datos[56], ya que los mismos no son un elemento necesario de la información necesaria para identificar a las partes firmantes. Ello se consigue con la mención de sus nombres y apellidos y, en su caso, con el acto que otorga las correspondientes facultades, legales o voluntarias, para actuar en representación de un sujeto jurídico-privado o jurídico-público. En este caso resulta procedente indicar que el convenio ha sido debidamente suscrito por las partes.

22. Es más, para el Tribunal Supremo resulta procedente la publicidad de los datos personales no sólo de los sujetos que suscriben el convenio, sino también de aquellos otros propietarios que resulten afectados por el convenio, ya que es imprescindible que todas las partes interesadas y afectadas por el procedimiento urbanístico conozcan «los datos identificativos de los demás titulares de derechos afectados, por ejemplo, para poder comprobar que ha habido igualdad de trato y que un determinado titular no ha obtenido una valoración superior por sus terrenos, sin que existan circunstancias personales que lo justifiquen en su caso». No se produce con ello una utilización desproporcionada de tales datos en los términos del art. 4 LOPD, al resultar tratamiento de datos pertinente, adecuado y no excesivo en relación con la finalidad legitima para la que dichos datos personales fueron obtenidos, sin que se requiera el consentimiento de los afectados. El argumento del Tribunal Supremo es rotundo: «Y ello porque son parte interesada en un Convenio urbanístico no solo

---

56. En los términos expuestos en el Criterio Interpretativo CI/004/2015, de 23 de julio de 2015, del Consejo de Transparencia y Buen Gobierno, al afirmar que su conocimiento por terceros podría generar riesgos de suplantación de identidad, especialmente en el ámbito de las transacciones electrónicas.

quienes firman el mismo, sino todos los ciudadanos, al ser una pluralidad indeterminadas de personas los destinatarios de la acción urbanística»[57].

23. ¿Puede procederse a la publicidad de los datos catastrales de las fincas incluidas en los convenios o este un dato que debe disociarse? La referencia catastral no es un dato protegido en los términos del art. 51 del Real Decreto Legislativo 1/2004, de 5 de marzo, por el que se aprueba el texto refundido de la Ley del Catastro Inmobiliario, por lo que puede procederse a su difusión, no así la identidad del titular o el valor catastral, por ejemplo. Ciertamente se trata de una normativa que establece una sistema específico y completo de acceso a la información, por lo que resulta de aplicación la Disposición Adicional Primera LTAIPBG[58]. Pero tal aplicación preferente sólo se produce cuando se trate de obtener la publicidad de la Dirección General del Catastro. Por el contrario, cuando tales datos se incorporan a documentos urbanísticos, resulta de aplicación la normativa sobre publicidad urbanística y la LTAIPBG.

5. ¿PUBLICIDAD EN MATERIA DE GESTIÓN URBANÍSTICA? INSTRUMENTOS DE EQUIDISTRIBUCIÓN

24. La formulación de mínimos de las leyes autonómicas sobre transparencia ponen su foco de atención en los instrumentos de planeamiento. No hay previsión alguna respecto de los instrumentos de gestión (al margen de los convenios de gestión) en tales leyes. Con carácter general las diversas ordenanzas municipales sobre transparencia no exigen su publicidad. No obstante, sí exige su publicidad la Ordenanza de Transparencia de la Ciudad de Madrid, art. 14, en los siguientes términos:

«j) La información relativa a los procesos de ejecución del planeamiento a través de actuaciones de transformación urbanística y actuaciones edificatorias, incluyendo, al menos:

1.° Planos de Delimitación del ámbito de Unidades de Ejecución aprobadas inicial y definitivamente, con indicación de la superficie afectada por la actuación.

2.° Bases y Estatutos, aprobados inicial y definitivamente, por los que se vayan a regir las Juntas de Compensación o entidades que se constituyan para la ejecución de las actuaciones urbanísticas o, en su caso, propuesta de Convenios urbanísticos que se sometan a información pública.

---

57. Cfr. Sentencia del Tribunal Supremo de 12 de marzo de 2012 (RJ 2012, 4915).
58. Cfr. Resoluciones R/043/2016, de 17 de marzo; R/0417/2015, de 2 de febrero de 2016, del Consejo de Transparencia y Buen Gobierno.

3.º Planos del proyecto de reparcelación, así como relación de las fincas inicialmente aportadas a la actuación y de las nuevas parcelas resultantes ajustadas al planeamiento.

k) Los proyectos de expropiación iniciados de oficio por el Ayuntamiento de Madrid y los proyectos de delimitación de unidades de ejecución por el sistema de expropiación.

l) La relación de solicitudes de expropiación al amparo del artículo 94 de la Ley 9/2001, de 17 de julio, del Suelo de la Comunidad de Madrid, o por denuncia de ocupación».

A su vez, el art. 26.b) de la Ordenanza de Transparencia, Acceso a la Información y Reutilización del Ayuntamiento de Huelva; el art. 12.g) y Anexo I de la Ordenanza de transparencia, acceso a la información pública, reutilización de datos y buen gobierno del Concello de Narón; o el art. 21.e) de la Ordenanza reguladora de la Transparencia, de Acceso a la Información, Reutilización de Datos y Buen Gobierno del Ayuntamiento de Logroño, establecen de forma imprecisa que debe procederse a la publicidad activa de las actuaciones urbanísticas en ejecución.

25. ¿Hay aquí una decisión propia de un municipio concreto que extiende el ámbito de la publicidad activa, dentro de los márgenes permitidos por la normativa estatal y autonómica en materia de transparencia? La respuesta es negativa. La regulación de la publicidad activa legalmente exigida, tanto por la normativa estatal como por la normativa autonómica en materia de transparencia, permite entender como obligatoria su publicidad, en tanto que deben calificarse como documentos con relevancia jurídica a los que su normativa sectorial somete a un trámite de información pública, en los términos previstos por el art. 7.e) LTAIPBG.

¿Es proporcionado exigir la publicidad del documento en su integridad? Aunque una primera aproximación pudiera hacer pensar que sólo resultaría procedente la publicidad de aquellos elementos con incidencia en los intereses generales, pero no los elementos puramente privados. No obstante, el reconocimiento de la acción pública conduce a reclamar su íntegra publicación. Ahora bien, aquí sí resulta procedente la disociación de los datos personales de los afectados por las operaciones de equidistribución. Por el contrario, la planimetría y los planos de las fincas de origen y finales sí deben ser publicados, ya que permite ubicar la locación de las dotaciones de entrega a la Administración urbanística y de las parcelas donde se materializa el porcentaje de aprovechamiento de entrega obligatoria.

26. La legislación autonómica[59] y las ordenanzas municipales[60] exigen informar sobre los bienes que integran el patrimonio municipal del suelo, debiendo indicar al menos, su ubicación, superficie, características principales, referencia catastral y uso al que están adscritos.

Diversas ordenanzas configuran como obligación municipal no sólo la identificación de tales bienes, sino también a los actos de gestión de los mismos, identificando su disposición, la identidad del adquirente y la cuantía. Así, art. 23.1 Ordenanza sobre Transparencia y Libre Acceso a la Información del Ayuntamiento de Zaragoza; art. 14.e) Ordenanza de Transparencia de la Ciudad de Madrid; o el art. 21.i) Ordenanza reguladora de la Transparencia, de Acceso a la Información, Reutilización de Datos y Buen Gobierno del Ayuntamiento de Logroño. Esta decisión de publicidad activa es el medio adecuado para controlar la correcta gestión del Patrimonio Municipal de Suelo en cuanto patrimonio separado afecto a unos concretos usos de intervención en el mercado de suelo.

6. ¿PUBLICIDAD ACTIVA DE LOS ACTOS DE CONTROL DEL USO DEL SUELO?

27. Sólo dos leyes autonómicas, Navarra[61] y Aragón[62], exigen de forma expresa la publicidad de los actos de control sobre uso del suelo. El resto de normas autonómicas no contempla tal posibilidad. La Ordenanza tipo de la FEMP tampoco.

---

59. Cfr. art. 12.3.e) y 19.2 Ley 8/2015, de 25 de marzo, de Transparencia de la Actividad Pública y Participación Ciudadana de Aragón.

60. Cfr. art. 18.e) Ordenanza reguladora de Trasparencia, Acceso a la Información y Reutilización del Ayuntamiento de Santoña; art. 12.d) y Anexo I Ordenanza de transparencia, acceso a la información pública, reutilización de datos y buen gobierno del Concello de Narón; art. 19.u) Ordenanza de Transparencia y Acceso a la Información del Ayuntamiento de Sevilla; art. 20.e) Reglamento Transparencia y Participación Ciudadana del Ayuntamiento de Valencia.

61. Cfr. art. 13.p) Ley Foral 11/2012, de 21 de junio, de la Transparencia y del Gobierno Abierto de Navarra, que exige proceder a la publicidad actividad de «Las autorizaciones administrativas, licencias, declaraciones responsables, y cualesquiera actos administrativos que permitan el ejercicio de funciones o actos sujetos a la autorización, control o fiscalización de las Administraciones Públicas, que incidan directamente en la gestión del dominio público o en la prestación de servicios públicos o que por otros motivos tengan especial relevancia».

62. Cfr. art. 20.2 Ley 8/2015, de 25 de marzo, de Transparencia de la Actividad Pública y Participación Ciudadana de Aragón, que precisa que «deberán hacer pública la información relativa a las autorizaciones administrativas, licencias, concesiones y cualquier acto administrativo que sea expresión del ejercicio de funciones de control administrativo, que incidan directamente en la gestión del dominio público o en la prestación de servicios públicos».

La Ordenanza sobre Transparencia y Libre Acceso a la Información del Ayuntamiento de Zaragoza, art. 23.d), circunscribe tal publicidad a las licencias de obras mayores y las de actividad, tanto otorgadas como denegadas. La publicidad se concreta en la identificación del expediente municipal, tipo de acto de control, objeto de la misma, referencia catastral, presupuesto de ejecución, tipo de proyecto y fecha de resolución. Los datos personales se disocian[63]. A su vez, el Portal de Transparencia del Ayuntamiento de Pamplona (que carece de Ordenanza sobre Transparencia) permite acceder al listado de los actos de control identificando el número de expediente municipal, tipo de acto de control, ubicación de la parcela, presupuesto de ejecución y fecha de resolución. Aquí los datos personales se disocian igualmente[64]. Igualmente el Borrador de la Ordenanza de Transparencia de la Ciudad de Madrid, art. 14, apartados f), g) y h), precisa que serán objeto de publicidad activa (i) las resoluciones de otorgamiento o denegación de licencias urbanísticas y, en su caso, de las declaraciones responsables y comunicaciones previas, indicando el emplazamiento y un extracto de su contenido, previa disociación de datos personales en el caso de que no sea pertinente su publicación; (ii) las comunicaciones en las que se indica a los interesados que su actuación urbanística es conforme a Derecho, en el contexto de las declaraciones responsables y comunicaciones previas, previa disociación de datos personales en el caso de que no sea pertinente su publicación, y (iii) las autorizaciones administrativas que permitan el ejercicio de actuaciones urbanísticas sujetas a licencia, declaración responsable o comunicación previa, en suelo de dominio público, previa disociación de datos personales en el caso de que no sea pertinente su publicación.

28. ¿Resulta pertinente que las Entidades Locales procedan a dar publicidad a los actos de control de uso del suelo? Evidentemente el control social del urbanismo no se agota en la fase de planificación sino que sería aconsejable extenderlo también al control del uso del suelo adecuado a la normativa aplicable, permitiéndose así efectiva redención de cuentas en este ámbito. En tal caso, la disociación de los datos personales es necesaria, máxime cuando la legislación urbanística con carácter general no exige la acreditación de la titularidad sobre el suelo al solicitante de la licencia.

---

63. El acceso se realiza a través del Portal de Transparencia sobre un plano de la ciudad: https://www.zaragoza.es/ciudad/urbanismo/licencias/obras.htm.

64. El acceso se realiza en el Portal de Transparencia http://www.pamplona.es/srv/OpenData/verPagina.aspx?txtPalabras=licencias&btnBuscador=Buscar&idioma=1&paginaOpenData=2.

7. ¿PUBLICIDAD ACTIVA DE LAS RESOLUCIONES EN MATERIA DE DISCIPLINA URBANÍSTICA Y PROCEDIMIENTOS DE RESTABLECIMIENTO DE LA LEGALIDAD URBANÍSTICA INFRINGIDA?

29. El art. 5.3, en relación con el art. 14.1.e), LTAIPBG establece como límite a la publicidad activa la posible causación de un perjuicio para «la prevención, investigación y sanción de los ilícitos administrativos». Las leyes autonómicas en materia de transparencia no prevén la publicidad activa respecto de las sanciones en materia de disciplina urbanística y de los actos dictados para el restablecimiento de la legalidad urbanística infringida. Tampoco con carácter general la legislación autonómica en materia de urbanismo. Esto es, no está contemplada legalmente la figura de la amonestación pública en esta materia.

No obstante, existen diversas normas con incidencia urbanística que sí prevén la publicidad de las sanciones impuestas[65]. En esta línea el art. 226 Ley 2/2001, de 25 de junio, de Ordenación Territorial y Régimen Urbanístico del Suelo de Cantabria prevé que una vez que hayan adquirido firmeza las sanciones por infracciones muy graves o graves la autoridad que resolvió podrá acordar motivadamente su publicación en el «Boletín Oficial de Cantabria». En la publicación se indicará la índole de la infracción y la identificación del sancionado, incluyendo su nombre y apellidos cuando se trate de personas físicas y la denominación o razón social en el caso de las personas jurídicas. A su vez, el art. 100 del Decreto 34/2011, de 26 de abril, por el que se aprueba el Reglamento de Disciplina Urbanística del Texto Refundido de la Ley de Ordenación del Territorio y de la Actividad Urbanística de Castilla-La Mancha reitera es publicidad de las sanciones, con el mismo alcance, incorporando la publicidad de las medidas de legalización y restauración del orden territorial y urbanístico.

A nivel local, la Ordenanza sobre Transparencia y Libre Acceso a la Información del Ayuntamiento de Zaragoza, art. 23.d), exige la publicidad de las sanciones y las medidas de restablecimiento de la legalidad impuestas en materia de disciplina urbanística. Ahora bien, su concreción práctica está limitada a la publicidad de las decisiones judiciales firmes sobre esta materia donde el Ayuntamiento ha sido parte[66]. A su vez, el art. 14.i) del Borrador de la Ordenanza de Transparencia de la Ciudad de Madrid exige

---

65. En la misma línea se posiciona el art. 78 Ley Foral 4/2005, de 22 de marzo, de Intervención para la protección ambiental de Navarra.

66. *Vid.* al respecto la información contenida en el Portal de Transparencia: https://www.zaragoza.es/ciudad/urbanismo/oficina/consulta_Jurisprudencia?tema=2&-Submit=Buscar+Subtema+Espec%EDfico.

dotar de publicidad a las sanciones firmes, así como las medidas de restablecimiento de la legalidad impuestas en materia de disciplina urbanística en lo referente a las cuestiones que recaigan sobre el inmueble o la parte del mismo afectado, previa disociación de datos personales. De forma similar, la Ordenanza reguladora de las condiciones de protección frente a incendios de los edificios del Ayuntamiento de Barcelona, art. 14, y la Ordenanza de protección contra incendios y autoprotección ciudadana del Ayuntamiento de Badajoz, art. 61, prevén la publicidad de las sanciones muy graves y graves por razones de ejemplaridad, así como el nombre y los apellidos, la denominación comercial y/o la razón social de las personas físicas o jurídicas responsables, y la índole de las infracciones cometidas. La publicación de las sanciones impuestas no podrá hacerse efectiva hasta que estas sean firmes en vía administrativa.

30. ¿Resulta legalmente admisible la publicidad de las sanciones, una vez firmes en vía administrativa, o de los actos de restablecimiento de la legalidad urbanística, con la correspondiente disociación de datos personales, aún con no exista una previsión legal o reglamentaria expresa? Ciertamente hasta el momento, para la Agencia Española de Protección de Datos la publicidad de las resoluciones recaídas en expedientes sancionadores constituyen indudablemente una cesión de datos de carácter personal en los términos de los artículos 3, apartados a) e i) LOPD[67], que requería la existencia de una Ley que permitiese expresamente la cesión de tales datos personales, salvo que el sujeto infractor se haya colocado en una relación jurídica cuyo desarrollo requiera tal tratamiento[68].

Ahora bien, la LTAIPBG posibilita un cambio en esta concepción. En efecto, partiendo del principio general de acceso a la información pública (sea en su modalidad «activa» o «pasiva»), se posibilita su limitación, art. 14.1e), cuando la publicidad ocasione un perjuicio para la prevención, investigación y sanción de los ilícitos administrativo, y ello venga exigido

---

67. Que prevén que tiene la consideración de datos de carácter personal «cualquier información concerniente a personas físicas identificadas o identificables», mientras que constituye cesión o comunicación de datos «toda revelación de datos realizada a una persona distinta del interesado».

68. Como podría ser el caso de la notificación en el tablón de edictos de un colegio profesional de las resoluciones sancionadoras a los Colegiados, admitida por el Informe 137/2014 de la Agencia Española de Protección de Datos, ya que existiendo la obligación del profesional de adscripción al Colegio Profesional para el ejercicio de la profesión colegiada y quedando la actividad colegial y la relación del colegiado sometida a lo dispuesto en los estatutos, la adscripción del colegiado implicaría la aceptación de una relación jurídica sometida al régimen estatutario que aquél debe respetar. De este modo, las cesiones establecidas en los Estatutos, con independencia de la aprobación de los mismos a través de Real Decreto, resultarían amparada por lo dispuesto en el artículo 11.2.c) LOPD.

de forma proporcional por el interés público ínsito en el ejercicio de la potestad sancionadora y el interés público en el posible ejercicio de la acción pública en materia de urbanismo, art. 14.2. Resulta evidente que no se produce tal perjuicio si resulta factible proceder a publicar un listado de las infracciones firmes impuestas, así como las medidas de restablecimiento de la legalidad urbanística adoptadas. Pero aquí si juega el límite a la protección de los datos personales, por lo que salvo que exista una norma con rango legal que permita la publicación de tales datos, debe procederse a la disociación de los mismos, evitando la incorporación de elementos que permitan su identificación. En consecuencia, resulta factible que se proceda a la publicidad activa de tal información sobre la base del carácter de mínimo de la LTAIPBG y las leyes autonómicas sobre transparencia, incluso sin previsión expresa de la correspondiente Ordenanza.

31. En todo caso, cabe incorporar una publicidad activa indirecta de tales sanciones y actos sobre restablecimiento de la legalidad urbanística a través de la publicación en el Portal de Transparencia de las Actas de los Plenos municipales o de las Juntas de Gobierno Local, donde se incorporan datos (p. e., el DNI y el nombre de un sujeto, localización del inmueble, aprovechamientos urbanísticos, etc., bien en actos de control, en actos sancionadores o en la resolución de recursos) que se refieran a actos debatidos en las respectivas sesiones, en la medida en que su publicidad está cubierta por las previsiones del artículo 70 LBRL[69].

8. LA INSTRUMENTACIÓN TÉCNICA DE LA PUBLICIDAD ACTIVA

32. ¿Dónde debe contenerse la publicidad activa de las Administraciones Locales? ¿En la página web de la Entidad Local, en su dimensión de Portal de Transparencia, o en la Sede Electrónica de la Entidad? Conforme a la Ley 40/2015, de Régimen Jurídico del Sector Público, art. 40, el acceso a la información publicada por una Administración Pública se realizará a través del Portal de Internet (punto de acceso electrónico), desde donde también podrá el ciudadano acceder a la sede electrónica de la citada Administración (dirección electrónica). El elemento técnico clave aquí es la incorporación de una herramienta que posibilite que el ciudadano reciba alertas sobre la publicación referidas a materias concretas.

33. Los datos personales que queden recogidos el Portal de Trasparencia (en las grabaciones de las sesiones y en las actas de los órganos de gobierno del Ayuntamiento; o en los documentos que lo conformen) constituyen a los efectos de la LOPD un fichero, con independencia del

---

69. Cfr. Informe 12/2014 Agencia Española de Protección de Datos.

formato y lugar en que queden almacenados los datos, destinado a los usos legales y archivo de tales documentos, de manera que la Corporación Local debe proceder a la creación del correspondiente fichero del que tales datos formen parte, art. 20 LOPD[70].

34. Ante las exigencias técnicas que implica el portal de transparencia, las Entidades Locales pueden cumplir las obligaciones de transparencia (y también las que derivan del derecho de acceso a la información pública), de forma asociada o mediante fórmulas de cooperación (incluida la interoperabilidad) establecidas con las Diputaciones Provinciales o la Comunidad Autónoma, si por razones de capacidad o eficacia no pueden cumplirlas directamente[71].

III. DERECHO DE ACCESO A LA INFORMACIÓN

1. EL OBJETO DEL DERECHO DE ACCESO A LA INFORMACIÓN

35. El derecho de acceso a la información pública, art. 13 LTAIPBG, se proyecta sobre cualquier contenido o documento, con independencia de su formato o soporte, que esté en poder de la Administración y haya sido elaborado u obtenida en ejercicio de sus funciones públicas[72]. Es información no solo el soporte (el documento en términos tradicionales) sino el contenido del mismo. ¿Qué ocurre con la información que esté en poder del sujeto obligado pero que ni ha sido elaborado ni ha sido adquirido por él? Parece razonable entender que también está sometida al derecho de acceso la información que el sujeto obligado haya recibido y esté en su po-

---

70. Informe 43/2014 de la Agencia Española de Protección de Datos.
71. Así, art. 18.2 Ley 1/2014, de 24 de junio, de Transparencia Pública de Andalucía; art. 39.3 Ley 8/2015, de 25 de marzo, de Transparencia de la Actividad Pública y Participación Ciudadana de Aragón; art. 3.3 Ley 19/2014, de 29 de diciembre, de transparencia, acceso a la información pública y buen gobierno de Cataluña.
72. En el mismo sentido, cfr. art. 7.b) Ley 1/2014, de 24 de junio, de Transparencia Pública de Andalucía; art. 3.h) Ley 8/2015, de 25 de marzo, de Transparencia de la Actividad Pública y Participación Ciudadana de Aragón; art. 5.b) Ley 12/2014, de 26 de diciembre, de transparencia y de acceso a la información pública de Canarias; art. 2.b) Ley 19/2014, de 29 de diciembre, de transparencia, acceso a la información pública y buen gobierno de Cataluña; art. 15.2 Ley 4/2013, de 21 de mayo, de Gobierno Abierto de Extremadura; art. 24.1 Ley 1/2016, de 18 de enero, de transparencia y buen gobierno de Galicia; art. 2.a) Ley 12/2014, de 16 de diciembre, de Transparencia y Participación Ciudadana de la Comunidad Autónoma de la Región de Murcia; art. 3.d) Ley Foral 11/2012, de 21 de junio, de la Transparencia y del Gobierno Abierto de Navarra; art. 3.c) Ley 3/2014, de 11 de septiembre, de Transparencia y Buen Gobierno de La Rioja; art. 11 Ley 2/2015, de 2 de abril, de la Generalitat, de Transparencia, Buen Gobierno y Participación Ciudadana de la Comunidad Valenciana.

der[73]. Por tanto, su objeto es cualquier tipo de información elaborada, generada, obtenida o poseída por un sujeto público que tenga o pueda tener relevancia o trascendencia pública, haya sido o no objeto de publicación[74].

36. El elemento clave aquí es el carácter elaborado, culminado y con relevancia externa de la información. Si la información no está elaborada y culminada, siendo todavía una información de uso interno, o tiene simplemente un carácter preparatorio, no existe un derecho a su acceso a la información, pudiendo inadmitirse la solicitud, art. 18 LTAIPBG. Esto implica que, se trate de un procedimiento en tramitación aún no concluido o de un procedimiento ya concluido, no son objeto del derecho de acceso a la información pública toda aquella documentación que merezca el calificativo de notas, opiniones, resúmenes, comunicaciones e informes internos o entre administraciones[75]. En algunos casos se excluye expresamente como objeto de este derecho las consultas jurídicas o peticiones de informes o dictámenes[76]. Por el contrario, los informes preceptivos no podrán ser considerados como información de carácter auxiliar o de apoyo[77]. Esta noción resulta coincidente con la ahora establecida por el artículo 70 de la Ley 39/2015, de 1 de octubre, del Procedimiento Administrativo Común de las Administraciones Públicas. que excluye asimismo los juicios de valor realizados por la Administración. La restricción tiene su razón de ser en que, a juicio del legislador estatal y autonómico, se trata de documentos internos sin relevancia o interés público.

---

73. Cfr. PIÑAR MAÑAS, J.L. (2014): *op. cit.*, p. 10, que precisa que debe rechazarse la denominada «regla de autor».

74. Cfr. ENÉRIZ OLAECHEA, F.J. (2014): *op. cit.*, p. 4.

75. Cfr. art. 30, apartados a) y b) art. 3.h) Ley 8/2015, de 25 de marzo, de Transparencia de la Actividad Pública y Participación Ciudadana de Aragón; art. 43.1.b) Ley 12/2014, de 26 de diciembre, de transparencia y de acceso a la información pública de Canarias; art. 29.1.a) Ley 19/2014, de 29 de diciembre, de transparencia, acceso a la información pública y buen gobierno de Cataluña; art. 15.4 Ley 4/2013, de 21 de mayo, de Gobierno Abierto de Extremadura; art. 28.e) y f), Ley Foral 11/2012, de 21 de junio, de la Transparencia y del Gobierno Abierto.

76. Cfr. art. 29.2 Ley 19/2014, de 29 de diciembre, de transparencia, acceso a la información pública y buen gobierno de Cataluña; art. 28.a) Ley Foral 11/2012, de 21 de junio, de la Transparencia y del Gobierno Abierto de Navarra.

77. Cfr. art. 30.b) Ley 1/2014, de 24 de junio, de Transparencia Pública de Andalucía; art. 30.1.b) Ley 8/2015, de 25 de marzo, de Transparencia de la Actividad Pública y Participación Ciudadana de Aragón; art. 43.2.b) Ley 12/2014, de 26 de diciembre, de transparencia y de acceso a la información pública de Canarias; art. 26.4.b) Ley 12/2014, de 16 de diciembre, de Transparencia y Participación Ciudadana de la Comunidad Autónoma de la Región de Murcia; art. 16.2.c) Ley 2/2015, de 2 de abril, de la Generalitat, de Transparencia, Buen Gobierno y Participación Ciudadana de la Comunidad Valenciana.

Con razón esta previsión ha sido criticada[78], al reducir sustancialmente la posibilidad de realizar un efectivo control democrático de la actuación administrativa y su redención de cuentas. Toda la información preparatoria, así como los informes jurídicos y técnicos junto con las peticiones de los mismos, incorporan elementos clave para comprender y valorar, en su caso, la corrección de la decisión final adoptada (o de la falta de decisión en su caso).

37. Igualmente, puede restringirse (denegarse) el derecho de acceso cuando la Administración deba realizar una previa acción de reelaboración para poder suministrar la concreta información solicitada. ¿Cuándo se requiere una reelaboración? La respuesta legal es que no se precisa tal reelaboración cuando la concreta información pueda obtenerse mediante un tratamiento informatizado de uso corriente[79]. El concepto de reelaboración implica volver a hacer algo distinto a lo existente para poder dar una respuesta a la solicitud de información, de tal manera que, por razones organizativas, funcionales o de coste presupuestario no resulte posible suministrarla[80]. En consecuencia, una solicitud no puede inadmitirse por el hecho de afectar a una pluralidad muy importante de asuntos o expedientes, salvo que su atención suponga una grave afectación organizativa; o porque se proyecte sobre asuntos complejos. En todo caso, el principio de proporcionalidad exige facilitar la información de forma desglosada, previa audiencia del solicitante[81].

38. No resulta admisible una solicitud genérica e indeterminada de información, comprensiva de la totalidad de la actividad de la Administración, por resultar abusiva conforme a los artículos 13 y 18.3 LTAIPBG. Esto es, un ejercicio abusivo y antisocial[82] del derecho de acceso a la in-

---

78. Crítico ENÉRIZ OLAECHEA, F.J. (2014): *op. cit.*, p. 6.

79. Cfr. art. 30.c) Ley 1/2014, de 24 de junio, de Transparencia Pública de Andalucía; art. 30.1.c) Ley 8/2015, de 25 de marzo, de Transparencia de la Actividad Pública y Participación Ciudadana de Aragón; art. 43.2.c) Ley 12/2014, de 26 de diciembre, de transparencia y de acceso a la información pública de Canarias; art. 26.4.c) Ley 12/2014, de 16 de diciembre, de Transparencia y Participación Ciudadana de la Comunidad Autónoma de la Región de Murcia; art. 16.2.b) Ley 2/2015, de 2 de abril, de la Generalitat, de Transparencia, Buen Gobierno y Participación Ciudadana de la Comunidad Valenciana.

80. Cfr. Criterio Interpretativo CI/007/2015, de 12 de noviembre, del Consejo de Transparencia y Buen Gobierno.

81. Cfr. art. 29.1.b) Ley 19/2014, de 29 de diciembre, de transparencia, acceso a la información pública y buen gobierno de Cataluña.

82. Cfr. STSJ Madrid de 19 de mayo de 2015 (Recurso contencioso-administrativo n.° 430/2014).

formación legitima la desestimación de la solicitud[83]. En esta línea, deben considerarse abusiva las solicitudes repetitivas[84]. Aquí no se persigue la transparencia de la Administración, sino entorpecer su funcionamiento.

En todo caso, la Administración debe motivar la inadmisión (denegación) del derecho de acceso.

2. LA RELACIÓN ENTRE PUBLICIDAD ACTIVA Y PUBLICIDAD PASIVA

39. En una primera aproximación debe afirmarse que cuanto mayor sea la publicidad actividad puesta a disposición de los ciudadanos por parte de las Administraciones deberían producirse un menor número de solicitudes de acceso a la información. El art. 22.3 LTAIPBG precisa que la solicitud de acceso a la información podrá ser respondida, si la información ya está publicada, limitándose a indicar al solicitante cómo puede acceder a ella. Tal precepto no puede ser entendido en el sentido de que debe limitarse o restringirse el ámbito del derecho de acceso de los ciudadanos exclusivamente a las informaciones o datos que no estén sometidos a publicidad activa. Por el contrario, si ya se ha efectuado una publicidad activa y el sujeto solicita la información por vía presencial o no telemática, deberá suministrarse la información en esos términos[85].

La relación entre la publicidad activa y el derecho de acceso a la información determina que aquella información que deba ser objeto de publicidad activa, pero aún no lo haya sido, pueda ser objeto del derecho de acceso a la información pública.

---

83. En este sentido, la legislación autonómica exige que el acceso el acceso a la información se realice de forma que no se vea afectada la eficacia del funcionamiento de los servicios públicos, concretándose lo más precisamente posible la petición, y que tal derecho se ejercite conforme a los principios de buena fe e interdicción del abuso de derecho. En este sentido, cfr. art. 8.2. Ley 12/2014, de 26 de diciembre, de transparencia y de acceso a la información pública de Canarias; art. 21.c) Ley 4/2013, de 21 de mayo, de Gobierno Abierto de Extremadura.

84. Cfr. art. 21.c) Ley 4/2013, de 21 de mayo, de Gobierno Abierto de Extremadura.

85. Como precisa el Criterio Interpretativo CI/009/2015 del Consejo de Transparencia y Buen Gobierno de 12 de noviembre de 2015, que señala al respecto que si el solicitante de información no indica el medio de respuesta o especifica que esta debe ser por cauces electrónicos, en ningún caso será suficiente la remisión genérica al portal o a la sede o página web correspondiente. Se exige que se concrete la respuesta mediante el redireccionamiento específico. Para ello deberá señalarse expresamente el link que accede a la información y, dentro de este, los epígrafes, capítulos, datos e informaciones exactas que se refieran a lo solicitado, siendo requisito que la remisión sea precisa y concreta y lleve, de forma inequívoca, rápida y directa a la información sin necesidad de requisitos previos, ni de sucesivas búsquedas.

3. TITULAR DEL DERECHO DE ACCESO A LA INFORMACIÓN. DIFERENCIACIÓN CON EL INTERESADO Y EL DENUNCIANTE EN UN PROCEDIMIENTO ADMINISTRATIVO

40. Cualquier ciudadano, ya sea a título individual y en su propio nombre, ya sea en representación y en el nombre de las organizaciones legalmente constituidas en las que se agrupen o que los representen[86], tiene reconocido el derecho de acceso a la información, sin necesidad de acreditar interés alguno, art. 17.3 LTAIPBG[87].

41. Ahora bien, si quien solicita la información tiene la condición de interesado, en los términos del art. 4 Ley 39/2015 (antiguo art. 31 LRJPAC), conforme a la Disposición Adicional 1.ª LTAIPBG, se la aplica la normativa reguladora del procedimiento administrativo para el acceso en un procedimiento administrativo en curso respecto de los documentos que se integren en el mismo[88]; esto es, su acceso como interesado está regulada en el art. 53.1.a) Ley 39/2015, pudiendo obtener copia de los actos de trámite dictados, así como de todos los documentos contenidos en el expediente administrativo, lo que en su caso podrá realizar a través del portal de acceso de la Administración (Punto de Acceso General electrónico de la Administración).

42. ¿Qué ocurre con la figura del denunciante en el ámbito urbanístico, donde se reconoce la acción pública tanto en vía administrativa como en vía contencioso-administrativa?

Como ha precisado la jurisprudencia[89] con carácter general la atribución o no de la condición de interesado al denunciante no puede realizarse de forma abstracta. Debe constatarse si existe un claro beneficio, ventaja o utilidad concreta que podría obtener el denunciante de incoarse el procedimiento y culminar con una sanción, que exceda del mero interés en la legalidad, ya que en tal caso sí ostenta la condición de interesado pudiendo recurrir en su caso el acuerdo de archivo de las actuaciones.

---

86. Cfr. art. 23.1 Ley 12/2014, de 16 de diciembre, de Transparencia y Participación Ciudadana de la Comunidad Autónoma de la Región de Murcia; art. 11.2 Ley 3/2014, de 11 de septiembre, de Transparencia y Buen Gobierno de La Rioja.

87. Cfr. ENÉRIZ OLAECHEA, F.J. (2014): *op. cit.*, p. 5.

88. Cfr. STSJ de Madrid de 1 diciembre 2015 (Recurso contencioso-administrativo n.º 902/2014), que reconoce a el derecho a acceder a la información sobre la situación actual en relación con la expropiación o desafectación de diversas fincas expropiadas y sus expedientes a tenor del art. 37 de la Ley 30/1992, ya que se trata de expedientes finalizados. O STSJ de Galicia de 16 de julio de 2015 (Recurso de Apelación n.º 4218/2015).

89. Cfr. STS de 21 de septiembre de 2015 (Recurso de Casación n.º Recurso de Casación n.º 4179/2012); 20 de abril de 2015 (Recurso de Casación n.º 1523/2012).

Pero tal legitimación sólo alcanza a reconocer legitimación al denunciante para demandar el desarrollo de la actividad investigadora que resulte conveniente para la debida averiguación de los hechos que hayan sido denunciados, pero no para que esa actividad necesariamente finalice en una resolución sancionadora. Y ello porque la imposición de una sanción a la persona denunciada, al no producir efecto positivo alguno en la esfera jurídica del denunciante, ni eliminar carga o gravamen de clase alguna en dicha esfera, no encarna el interés real que resulta necesario para que pueda ser apreciada la legitimación que, como inexcusable presupuesto del proceso contencioso-administrativo, exige el artículo 19 de la Ley 39/1998[90].

Pero en el ámbito urbanístico, en la medida en que se reconoce el ejercicio de la acción pública debe afirmarse la legitimación del denunciante no sólo para la incoación y tramitación de las actuaciones de restablecimiento de la legalidad urbanística, sino también para la incoación y tramitación de los procedimientos sancionadores[91]. Así como para la obtención de toda la documentación existente en el procedimiento que debe incoarse como consecuencia de su denuncia, al tener ahí la condición de interesado[92].

En consecuencia, debe afirmarse que el denunciante no es titular del derecho de acceso a la información pública previsto en la LTAIPBG[93], sin perjuicio de que pueda acceder a los documentos que integren el expediente administrativo al tener la condición de interesado, como derivación del ejercicio de la acción pública.

43. ¿Debe procederse a la publicidad (activa o pasiva) de la identidad de un denunciante? La respuesta debe ser negativa, procediéndose en su caso a la disociación de datos[94] cuando el procedimiento está aún en

---

90. Cfr. STS 18 de mayo 2015 (Recurso de Casación n.° 277/2013). En el mismo sentido, la STC 48/2009, precisa que, si el denunciante no ostenta ningún interés legítimo, sólo resulta lícita la intervención del sujeto pasivo de la infracción tanto en el procedimiento administrativo como en el procedimiento contencioso-administrativo.

91. Cfr. STSJ del País Vasco de 20 de febrero de 2014 (Recurso de Apelación n.° 778/2012); STSJ de Castilla y León (Sala de Burgos) de 8 de febrero de 2103 (Recurso de Apelación n.° 259/2012); STSJ del Tribunal Superior de Cataluña de 20 de abril de 2010 (Recurso contencioso-administrativo n.° 276/2007).

92. Cfr. STJS de Madrid de 13 de mayo de 2015 (Recurso de Apelación n.° 408/2013), que reconoce el derecho de una farmacéutica a obtener copia del expediente de la licencia de obras otorgada a una nueva farmacia que se ubica en las proximidades.

93. Cfr. ENÉRIZ OLAECHEA, F.J. (2014): *op. cit.*, p. 5.

94. En el Procedimiento AP/00043/2013 contra el Ayuntamiento de Zaorejas (Guadalajara), se plantea denuncia por la colocación en un tablón de anuncios de una asociación, de un escrito de la Dirección de Calidad de la Consejería de Agricultura de

fase administrativa. Ahí debe protegerse tanto la eficacia de la actuación sancionadora como los derechos del denunciante. Pero una vez en sede judicial y concluida la misma, la publicidad de las sesiones del Pleno o la Junta de Gobierno Local en las que se da cuenta puede incorporar la identidad del sujeto que formuló el recurso en vía contencioso-administrativo[95].

Cuestión distinta es si un sujeto denunciado, respecto del que se ha incoado un procedimiento sancionador, tiene derecho a conocer la identidad del sujeto denunciante. Acceso a tal información que se produce, no vía Ley de Transparencia, sino en su calidad de interesado en un procedimiento sancionador. El elemento clave aquí es si el conocimiento de la identidad del denunciante, en el caso concreto, resulta decisivo para el ejercicio de su derecho de defensa[96]. Sólo si la respuesta es positiva deberá facilitarse acceso a la denuncia sin disociar la identidad del denunciante, ya que en caso contrario obligatoriamente deberá realizarse tal disociación[97].

4. EL PROCEDIMIENTO DE ACCESO A LA INFORMACIÓN

44. De forma sintética, el procedimiento de acceso se inicia mediante la correspondiente solicitud del ciudadano, presentada a través de cualquier medio (incluido el simple correo electrónico), donde el elemento clave es la identificación de la información solicitada. Si tal identificación no es precisa, la Administración debe requerir al solicitante que identifique de forma suficiente la información que solicita. Ante la solicitud dirigida a un órgano que no es titular de la misma, se le impone la carga de remitirlo al órgano competente.

Castilla-La Mancha en el que consta el nombre y apellidos del denunciante en relación con un vertido ilegal de amianto. Tras constatarse, que fue el Alcalde pedáneo, el que colocó el escrito, la AEPD resuelve entendiendo que el Ayuntamiento de Zaorejas vulneró el artículo 10 de la LOPD, debido a que aun existiendo un interés público que posibilitaría su publicidad de acuerdo con lo establecido en el artículo 60 de la Ley 30/1992, debido a que el amianto es especialmente canceroso, «debería haber procedido a la anonimización del documento eliminando los datos personales del denunciante, antes de hacerlos públicos en el tablón de anuncios del Ayuntamiento». En la misma línea, Resolución de 16 de diciembre de 2015 (PS 8/2015) de la Autoridad Catalana de Protección de Datos.

95. Cfr. Sentencia del Juzgado de lo Contencioso-Administrativo n.º 14 de Barcelona de 31 de enero de 2012 (JUR 2015, 115854).

96. Cfr. Informe 342/3212 de la Agencia Española de Protección de Datos.

97. Cfr. STS de 26 de enero de 2011 (Recurso de Casación 302/2010).

Para garantizar el derecho de sujetos a los que la transmisión de la información pueda afectar directamente, la Administración debe otorgarles un plazo de 15 días para formular alegaciones sobre la procedencia de facilitar la información y su alcance. No resulta ajustada a la legislación estatal la previsión de alguna ley autonómica que permite inadmitir la solicitud cuando la información afecte a una pluralidad de personas cuyos datos personales pudieran revelarse con el acceso a la petición, en número tal que no sea posible darles traslado de la solicitud en el tiempo establecido para su resolución[98]. Lo procedente aquí es disociar tal información personal.

45. La información debe otorgarse o denegarse en el plazo de 1 mes (ampliable de forma expresa por un plazo adicional de 1 mes en atención al volumen o complejidad de la información). La falta de respuesta tiene sentido desestimatorio en el art. 20.4 LTAIPBG. Las leyes autonómicas divergen en el sentido otorgado al silencio. En unos casos se mantiene el silencio negativo[99], mientras que en otros se otorga sentido positivo al silencio[100], si bien con matices, ya que se excluye para aquellas informaciones respecto de las que una norma con rango de ley establezca expresamente un efecto desestimatorio; así como en aquellos supuestos donde concurra alguno de los límites establecidos legalmente para el acceso a la información pública. En todo caso, cuando el silencio es positivo, simplemente se señala que la Administración está obligada a entregar la documentación, pudiendo generarse responsabilidad administrativa en caso contrario.

¿Qué efectos tiene un sentido positivo del silencio? En otros términos, ¿existe algún mecanismo para obligar a la Administración a entregar la información requerida? ¿Cabe acudir al recurso contencioso-administrativo ejerciendo la pretensión prevista en el art. 29 Ley 29/1998? La respuesta debe ser afirmativa, al no precisarse aquí de actos (resoluciones administrativas) de aplicación. La cuestión es si la legislación autonómica puede aquí establecer un sentido del silencio distinto al fijado en la legislación básica estatal.

---

98. Cfr. art. 21.d) Ley 4/2013, de 21 de mayo, de Gobierno Abierto de Extremadura.

99. Cfr. art. 46.3 Ley 12/2014, de 26 de diciembre, de transparencia y de acceso a la información pública de Canarias; art. 27.5 Ley 1/2016, de 18 de enero, de transparencia y buen gobierno de Galicia.

100. Cfr. art. 31.2 Ley 8/2015, de 25 de marzo, de Transparencia de la Actividad Pública y Participación Ciudadana de Aragón; art. 36 Ley 19/2014, de 29 de diciembre, de transparencia, acceso a la información pública y buen gobierno de Cataluña; art. 30.2 Ley Foral 11/2012, de 21 de junio, de la Transparencia y del Gobierno Abierto de Navarra; art. 17.3 Ley 2/2015, de 2 de abril, de la Generalitat, de Transparencia, Buen Gobierno y Participación Ciudadana de la Comunidad Valenciana.

46. El órgano competente para resolver la solicitud de información en el ámbito local es el Alcalde[101], sin perjuicio de posibles traslados competenciales.

47. El acceso tiene carácter gratuito, al realizarse con carácter preferente en formato electrónico. No obstante, si la solicitud de obtención de la información requiere que ésta se entregue en papel o en otro formato que el disponible en el Portal de Transparencia genere, se generará la correspondiente tasa, art. 21.3 LTAIPBG.

5. CONTROL DE LAS RESOLUCIONES SOBRE ACCESO A LA INFORMACIÓN

48. Conforme a la Disposición Adicional 4.ª LTAIPBG, la determinación del órgano independiente competente para resolver las reclamaciones administrativas frente a las resoluciones expresas o presuntas adoptadas por las Entidades Locales corresponde a cada Comunidad Autónoma. Éstas, en ejercicio de su competencia de autoorganización podrán optar bien por crear un órgano independiente, bien por atribuir dicha competencia a un órgano ya existente[102] o, finalmente, bien por atribuir dicha competencia mediante la suscripción del correspondiente convenio de colaboración al Consejo de Transparencia y Buen Gobierno.

49. La reclamación administrativa tiene carácter potestativo, ya que el solicitante puede en su caso interponer directamente el recurso contencioso-administrativo que, dado el carácter no fundamental del derecho de acceso, no podrá articularse por la vía de los artículos 114 y siguientes Ley 29/1998[103].

6. APLICACIÓN DE LOS LÍMITES AL EJERCICIO DEL DERECHO DE ACCESO A LA INFORMACIÓN

50. El acceso del público a la información constituye el principio jurídico y la posibilidad de denegación es la excepción. Por ello, las excepciones deben interpretarse y aplicarse de forma estricta y siempre sobre la base del principio de proporcionalidad, atendiendo a las circunstancias del caso concreto y, especialmente, a la concurrencia de un interés

---

101. Cfr. art. 22.2 Ley 7/2015, de 1 de abril, de los municipios de Canarias.
102. La Ley 1/2016, de 18 de enero, de transparencia y buen gobierno de Galicia (art. 28) atribuye al Valedor do Pueblo la condición de Comisionado de Transparencia (art. 32), asignando la resolución de los recursos a la Comisión de la Transparencia.
103. Cfr. STSJ Madrid de 19 de mayo de 2015 (Recurso contencioso-administrativo n.º 430/2014).

público o privado superior que justifique el acceso, art. 14 LTAIPBG. Dado el carácter básico de tal precepto, no resulta constitucionalmente admisible que las normas autonómicas o las ordenanzas locales amplíen los ámbitos materiales en los que pudiera restringirse la publicación, el acceso o la reutilización de la información[104].

Toda denegación de información debe estar justificada en alguno de los límites legales; debe ser proporcionada, lo que exige el correspondiente juicio ponderativo por parte de la Administración, de una parte, entre el interés público protegido y los derechos privados afectados; y de otra parte el interés del solicitante. Cuando este último resulte prevalente debe procederse a la disociación de la información cuando el interés privado en acceder a la información resulte prevalente, debiendo eliminar previamente de ella los datos de carácter personal que se contengan, de modo que se impida la identificación de las personas afectadas; así como fragmentando la información para facilitar el acceso a todos aquellos aspectos que no estén afectados por las limitaciones de acceso, debiendo eliminar previamente de ella los datos de carácter personal que contengan, de modo que se impida la identificación de las personas afectadas, art. 16 LTAIPBG.

6.1. Licencias urbanísticas

51. En el supuesto de que la información sobre licencias, comunicaciones previas o declaraciones responsables no estuviera disponible como publicidad activa, ante su solicitud a través del derecho de acceso a la información pública, debe procederse por el órgano que ha otorgado la misma (o que dispone de tal información) a facilitar dicha información. Aquí prevalece, frente al derecho a la protección de datos del titular de la licencia, el posible ejercicio de la acción pública por parte del solicitante de la información, con el fin de poder ejercer un derecho en juicio, en los términos del artículo 15.3.b) LTAIPBG[105].

6.2. Actos de gestión

52. Otra de las frecuentes peticiones de acceso a la información se da en aquellos municipios, que crean un Punto de Información Catastral, a

---

104. TEJEDOR BIELSA, J.C. (2014): *op. cit.*, p. 8, precisa que la excepción a norma básica ha de considerarse igualmente básica.

105. La posibilidad de la cesión ya se admitía bajo la vigencia de la Ley 30/1992, en la redacción originaria del artículo 37, por el Informe 390/2013 de la Agencia Española de Protección de Datos.

la que acuden interesados que tratan de evitar la tasa del Registro de la Propiedad (público y con condición de fuente accesible al público en los términos previstos en la LOPD). Atendiendo a lo dispuesto en los artículos 51 a 53 del Real Decreto Legislativo 1/2004, de 5 de marzo, por el que se aprueba el texto refundido de la Ley del Catastro Inmobiliario, son datos catastrales protegidos el nombre y apellidos, razón social, código de identificación y el domicilio de quienes figuren inscritos como titulares, así como el valor catastral y en su caso, la construcción de bienes inmuebles individualizados. El acceso a los datos catastrales protegidos sólo puede realizarse por los propios titulares o con el consentimiento expreso, específico y por escrito del afectado, salvo que una ley excluya dicho consentimiento o exista un interés legítimo al cumplirse alguno de los supuestos tasados que eximen la exigencia de su obtención, como puede ser, que soliciten acceso los herederos o sucesores, titulares de derechos de arrendamiento o aparcería o los titulares de parcelas colindantes (con la excepción del valor catastral para estos últimos)[106].

6.3. Sanciones urbanísticas

53. La Ley 19/2013, de 9 de diciembre, de transparencia, acceso a la información pública y buen gobierno, en cuyo art. 14 se limita el derecho de acceso a la información pública cuando acceder a la información suponga un peligro para: «e) La prevención, investigación y sanción de los ilícitos penales, administrativos o disciplinarios». Tal precepto no permite denegar el trámite de audiencia, sobre la base de los artículos 84 Ley 30/1992, sin que se razone y justifique en qué medida podía afectar a las investigaciones que se estaban realizando poner en conocimiento del interesado –no de cualquier ciudadano a que se refiere el art. 37 de la Ley 30/1992– los datos concretos de la investigación[107].

Ahora bien, dicha publicación sólo puede tener lugar en el momento en que la sanción sea firme en vía administrativa, a fin de garantizar los derechos del infractor[108]. El principio de proporcionalidad exige que sólo se proceda a publicar un extracto del acto administrativo sancionador que contenga los elementos mínimos para garantizar que dicha publicación cumple con la finalidad que la justifica (datos del infractor, norma infringida y la

---

106. Cfr. GONZÁLEZ-CALERO MANZANARES, F.R.: «Cómo conciliar la Ley de transparencia y la LOPD en entidades locales», *ElDerecho.com* (http://tecnologia.elderecho.com/tecnologia/privacidad/Ley-transparencia-LOPD-entidades-locales_11_759430003.html), p. 1.

107. Cfr. STSJ de Castilla y León (Valladolid) de 1 de febrero de 2016 (Recurso contencioso-administrativo n.° 506/2014).

108. Cfr. Informe 455/2010 de la Agencia Española de Protección de Datos.

sanción finalmente impuesta). Aquí debe tenerse presente que el artículo 4, apartados 2 y 5, LOPD exige que los datos únicamente deberán ser públicos durante el tiempo necesario para el cumplimiento de dicha finalidad, de modo que, una vez cumplida la sanción, el dato deberá ser objeto de cancelación[109]. Además, será necesario que se adopten medidas que garanticen que quienes tuvieran acceso a la información publicada sean conscientes de la prohibición legal de utilizar tales datos para otros fines distintos[110].

Una adecuada garantía del principio de finalidad exige que en el sitio web en que se publiquen los datos relativos a las sanciones se implanten los mecanismos necesarios para evitar esa posible indexación, rechazándose la captación de los datos por los prestadores de servicios de la Sociedad de la Información que presten el servicio de búsqueda, sin perjuicio de que el sitio web donde se publiquen las sanciones pueda establecer un sistema de búsquedas específico para el sitio.

BIBLIOGRAFÍA

BARRERO RODRÍGUEZ, C. (2014): «La Ley de Transparencia de Andalucía: sus aportaciones al régimen establecido en el ordenamiento del Estado», *Revista Andaluza de Administración Pública*, n.° 89.

CAMPOS ACUÑA, M.ªC. (2016): «El Derecho de acceso a la información. Dificultades en su ejercicio y propuestas de mejora», *El Consultor de Los Ayuntamientos*, n.° 4.

ENÉRIZ OLAECHEA, F.J. (2014): «El nuevo derecho de acceso a la información pública», *Revista Aranzadi Doctrinal*, n.° 20.

GONZÁLEZ-CALERO MANZANARES, F.R.: «Cómo conciliar la Ley de transparencia y la LOPD en entidades locales», *ElDerecho.com* (http:// tecnologia.elderecho.com/tecnologia/privacidad/Ley-transparencia-LOPD-entidades-locales_11_759430003.html).

JIMÉNEZ ASENSIO, R. (2016): *Mentiras de la transparencia.* (https://rafaeljimenezasensio.com/2016/05).

PIÑAR MAÑAS, J.L. (2014): «Transparencia y derecho de acceso a la información pública. Algunas reflexiones en torno al derecho de acceso

---

109. Cfr. Informe 455/2010 de la Agencia Española de Protección de Datos.
110. El artículo 7.5 LOPD determina que «los datos de carácter personal relativos a la comisión de infracciones penales o administrativas sólo podrán ser incluidos en ficheros de las Administraciones Públicas competentes en los supuestos previstos en las respectivas normas reguladoras».

en la ley 19/2013, de transparencia, acceso a la información y buen gobierno», *Revista catalana de dret públic*, n.º 49.

TEJEDOR BIELSA, J.C. (2014): «A la búsqueda del equilibrio entre transparencia administrativa y protección de datos. Primeros desarrollos en el ámbito municipal», *Gestión y Análisis de Políticas Públicas*, n.º 12.

Capítulo VI

Cuestiones urbanísticas planteadas ante el Tribunal de Justicia de Galicia

MARÍA AZUCENA RECIO GONZÁLEZ

Magistrada de la Sala de lo Contencioso-Administrativo
Tribunal Superior de Justicia de Galicia. Sección Segunda. Urbanismo

SUMARIO: I. SUSPENSIÓN DEL PLANEAMIENTO Y EL TRÁMITE DE IN-FORMACIÓN PÚBLICA. II. EL RÉGIMEN DE FUERA DE ORDE-NACIÓN. 1. Cómo se regula en la normativa autonómica gallega. 2. El primer supuesto anteriormente referido es el de nacimiento de la situación de fuera de ordenación como resultado de la alteración del planeamiento. 3. Nacimiento como consecuencia de la no reacción por la Administración en plazo contra las edificaciones ilegales, actuando en la forma dispuesta en el artículo 210 de la LOUGA. 4. El caso de las zonas verdes, sin plazo. 5. El cambio de usos. III. LA DEGRADACIÓN DEL SUELO URBANO CONSOLIDADO (SUC) EN SUELO URBA-NO NO CONSOLIDADO (SUNC) COMO CONSECUENCIA DE LA APROBACIÓN DE UN NUEVO PLANEAMIENTO.

I. SUSPENSIÓN DEL PLANEAMIENTO Y EL TRÁMITE DE IN-FORMACIÓN PÚBLICA

Se trata de examinar la manera en que ha venido tratado el tema en la normativa vigente, para a continuación determinar cómo se ha tratado por el TSJ de Galicia la cuestión y la Jurisprudencia generada por el Tri-bunal Supremo, para terminar haciendo referencia a la forma en que se regula en la Ley del Suelo de 2016.

Dispone el artículo 96 de la LOUGA –que no se modificó en 2010–, que «*1. El Consello de la Xunta, a instancias del conselleiro competente en materia de urbanismo y ordenación del territorio, y previa audiencia del ayuntamiento afectado, podrá suspender para su revisión, en todo o en parte del ámbito a que se refieran, la vigencia de los instrumentos de ordenación urbanística.*

2. El acuerdo de iniciación del expediente corresponde al conselleiro y determina por sí solo la suspensión automática del procedimiento de otorgamiento de licencias hasta la entrada en vigor de la ordenación provisional.

3. Con el acuerdo de suspensión, que habrá de ser adoptado por el Consello de la Xunta en el plazo de tres meses desde el acuerdo de iniciación, se aprobará la ordenación provisional, que se publicará en el Diario Oficial de Galicia y estará vigente con carácter transitorio hasta la entrada en vigor del nuevo planeamiento».

Determinadas circunstancias pueden aconsejar la revisión del planeamiento, el inicio del procedimiento conlleva la suspensión automática del otorgamiento de licencias, y el acuerdo de suspensión del planeamiento va acompañado de la aprobación de la ordenación provisional que haya de regir.

No vamos a tratar aquí de la suspensión de licencias que se regula en el artículo 77 de la LOUGA, y que en todo caso se produce con el inicio del procedimiento de elaboración de los instrumentos de ordenación.

El problema que se ha planteado en la Sala viene motivado por la alegación referente a la necesidad del trámite de información pública en el caso de suspensión del planeamiento.

Partimos de la STS, Contencioso sección 5 del 05 de febrero de 2014, recurso 2916/2011, Ponente D. Jesús Ernesto Peces Morate, que trata sobre la suspensión del planeamiento y aprobación de ordenación provisional hasta la entrada en vigor del nuevo plan, en el Concello de Barreiros, del derecho al trámite de información pública y concluye considerando que los artículos 33, 45, 46, 47 y 103.1 CE no desapoderan a la Administración de su potestad de planeamiento como genuina manifestación de su deber de velar con objetividad por los intereses generales, entre los que tiene singular relevancia la acción urbanística, concluyendo que en la aprobación de la ordenación provisional es preceptiva la información pública al ser una disposición. Ordenación provisional: aun con este carácter es preceptivo el trámite de información pública por tratarse de una disposición general (artículos 9.2 y 105 CE, 86 de la Ley 30/1992, 6.1 Ley 6/1998 y 11 del TRLS 2008). El objeto del recurso lo constituía el Decreto de la Xunta de Galicia 15/2007, de 1 de febrero, por el que se suspende la vigencia de las Normas de Planeamiento Municipal de Barreiros y se aprueba la Ordenación Urbanística Provisional hasta la entrada en vigor de nuevo planeamiento.

Habíamos dictado la sentencia de la Sección Segunda de la Sala de lo Contencioso-Administrativo del Tribunal Superior de Justicia de Galicia, de fecha 20 de enero de 2011, en que se desestimaba recurso contra Decreto 15/2007, de 1 de febrero, por el que se suspende la vigencia de las normas subsidiarias de planeamiento municipal de Barreiros y se aprueba la ordenación urbanística provisional hasta la entrada en vigor del nuevo planeamiento.

Lo que alegaba la parte demandante era que si bien el artículo 96 de la Ley 9/2002, de 30 de diciembre, de ordenación urbanística y protección del medio rural de Galicia, no lo prevé, el trámite de información pública, de forma simultánea y con la misma duración que el de audiencia concedido al Ayuntamiento afectado, debió observarse por ser un requisito general de elaboración de todas las disposiciones generales que ha de cumplirse por aplicación directa de los principios generales del procedimiento administrativo común y de las determinaciones de la Ley 9/1992, de 30 de diciembre, de ordenación urbanística y protección del medio rural de Galicia, que lo exige para todos los instrumentos de ordenación urbanística. Sin embargo la parte actora reconoce que la doctrina que postula dicho trámite como necesario exige que el trámite sea posible, que la naturaleza de la disposición lo aconseje y que no se opongan a ello razones de interés público. Se trata de la suspensión, y simultánea aprobación de la ordenación provisional, para su revisión de la vigencia del instrumento de ordenación, que estará vigente «con carácter transitorio» hasta la entrada en vigor del nuevo planeamiento –artículo 96.3 de la Ley 30/1992, de 30 de diciembre, de ordenación urbanística y protección del medio rural de Galicia–; se trata de «una medida cautelar, aplicable únicamente en supuestos excepcionales en los que se impone necesariamente la revisión del Plan por las consecuencias indeseables que se producen con su conservación» –sentencia de 25/3/1992 de la Sala Tercera del Tribunal Supremo dictada en el recurso 5081/1990–; naturaleza esta que no concuerda con el trámite de información.

El segundo motivo del recurso, el que nos importa, se refiere a la vulneración por el Tribunal a quo lo dispuesto en los artículos 9.2 y 105.a) de la Constitución, así como los artículos 62.2 y 86.1 de la Ley 30/1992, y el 6.1 de la Ley 6/1998, de 13 de abril, sobre Régimen del Suelo y Valoraciones, ya que no se ha cumplido el trámite de información pública en el procedimiento de aprobación de la Ordenación Urbanística Provisional del municipio mediante el indicado Decreto 15/2007, de 1 de febrero, pese a ser este un trámite ineludible en la aprobación de las disposiciones de carácter general y concretamente en el procedimiento para la aprobación de los instrumentos de ordenación urbanística, aunque se trate de una ordenación urbanística con vocación de provisionalidad y no lo contemple expresamente la Ley 9/1992, de ordenación urbanística y protección del medio rural de Galicia, pues viene impuesta la exigencia de dicha información por los preceptos invocados como infringidos en este motivo de casación y así lo ha declarado la doctrina jurisprudencial en las sentencias que se citan y transcriben, como lo respetó la Administración autonómica demandada en la instancia, y ahora recurrida en casación, en el procedimiento para la aprobación de las Normas Subsidiarias de Planeamiento de O Grove, lo que se declara ajustado a Derecho en la sentencia de esta Sala de fecha 16 de noviembre de 2010 (recurso de casación 1457/2006), defecto de información pública que lógicamente ha incidido en los derechos de la entidad mercantil recurrente al impedirle formular alegaciones relativas a su personal situación con un Plan de Sectorización aprobado inicialmente.

La parte demandada consideraba que el trámite de información pública no es exigible en el ordenamiento jurídico autonómico aplicable, que es la referida Ley gallega 9/2002, que solo contempla la audiencia del Ayuntamiento afectado y su tramitación en el breve plazo de tres meses, lo que se cumplió, de manera que este ordenamiento urbanístico provisional, que responde a necesidades perentorias, cautelares y urgentes no se armoniza con la exigencia de un trámite de información pública, que se cumplirá, en su día, al tramitarse la ordenación urbanística definitiva, sin que la doctrina jurisprudencial invocada de contrario sea aplicable a los supuestos en que, como el enjuiciado, se está ante un ordenamiento urbanístico provisional y urgente para evitar que se consoliden situaciones indeseables.

Mientras que en la STS se dice que distinta suerte ha de correr al segundo motivo de casación esgrimido, en el que se reprocha a la Sala de instancia haber infringido lo establecido en los artículos 9.2 y 105.a) de la Constitución, 62.2 y 86.1 de la Ley 30/1992, de Régimen Jurídico de las Administraciones Públicas y del Procedimiento Administrativo Común, y 6.1 de la Ley 6/1998, de 13 abril, de Régimen del Suelo y Valoraciones, por haber declarado ajustado a Derecho el Decreto autonómico 15/2007, de 1 de enero, impugnado, a pesar de que se omitió en el procedimiento para su aprobación el trámite de información pública, privando así a los ciudadanos de su participación en la elaboración de las disposiciones de carácter general, que les reconocen los preceptos invocados como infringidos en este segundo motivo de casación.

Los preceptos citados son los siguientes:

Constitución Española, 1978. Artículo 9: «2. *Corresponde a los poderes públicos promover las condiciones para que la libertad y la igualdad del individuo y de los grupos en que se integra sean reales y efectivas; remover los obstáculos*

160

que impidan o dificulten su plenitud y facilitar la participación de todos los ciudadanos en la vida política, económica, cultural y social».

Artículo 105: «*La ley regulará:*

a) La audiencia de los ciudadanos, directamente o a través de las organizaciones y asociaciones reconocidas por la ley, en el procedimiento de elaboración de las disposiciones administrativas que les afecten».

Ley 30/1992, de Régimen Jurídico de las Administraciones Públicas y del Procedimiento Administrativo Común:

Artículo 62: «*2. También serán nulas de pleno derecho las disposiciones administrativas que vulneren la Constitución, las leyes u otras disposiciones administrativas de rango superior, las que regulen materias reservadas a la Ley, y las que establezcan la retroactividad de disposiciones sancionadoras no favorables o restrictivas de derechos individuales».*

Artículo 86, información pública en el procedimiento administrativo general: «*1. El órgano al que corresponda la resolución del procedimiento, cuando la naturaleza de este lo requiera, podrá acordar un período de información pública».*

Ley 6/1998, de 13 de abril, sobre régimen del suelo y valoraciones (vigente hasta el 01 de julio de 2007).

Artículo 6, información y participación pública en el planeamiento y la gestión: «*1. La legislación urbanística garantizará la participación pública en los procesos de planeamiento y gestión, así como el derecho a la información de las entidades representativas de los intereses afectados por cada actuación y de los particulares».*

LOUGA: en su artículo 85, que regula el procedimiento de aprobación del plan general, sí que prevé la información pública: «*El ayuntamiento que lo formuló procederá a su aprobación inicial y, a continuación, el plan aprobado inicialmente con todos los documentos integrantes del expediente tramitado, incluido el informe de sostenibilidad ambiental, será sometido simultáneamente a las consultas previstas en el documento de referencia y al trámite de información pública durante un plazo de dos meses, mediante anuncio que se publicará en el Diario Oficial de Galicia y en dos de los periódicos de mayor difusión en la provincia. Simultáneamente y durante el mismo plazo, se dará audiencia a los municipios limítrofes. No será necesaria la notificación del trámite de información pública a las personas propietarias de terrenos afectados».*

Sigue diciendo la referida STS: «*Tanto el Tribunal a quo en la sentencia recurrida como la Administración autonómica demandada consideran que, dado el carácter cautelar y urgente del instrumento de ordenación impugnado, cuya finalidad es establecer el régimen urbanístico provisional del suelo en el municipio hasta que se aprueba la ordenación definitiva, no se precisa cumplir un trámite de información pública, que, dado el plazo de tres meses fijado por el artículo 96.3 de la Ley 9/2002, de 30 de diciembre, de Ordenación Urbanística y Protección del Medio Rural de Galicia, resultaría de imposible cumplimiento».*

«Antes de entrar al examen de los preceptos que requieren y exigen un trámite de información pública para garantizar la participación de los ciudadanos en la elaboración de las disposiciones administrativas que les afecten, es significativo resaltar el diferente modo de operar la propia Administración autonómica demandada, y ahora recurrida en casación, al tiempo de elaborar y aprobar el Decreto de suspensión del planeamiento y el establecimiento de normas urbanísticas provisionales para el municipio de O Grove, en que se cumplió el trámite de información pública, que tuvimos ocasión de enjuiciar en nuestra Sentencia de fecha 16 de noviembre de 2010 (recurso de casación 1457/2006)» –será objeto de examen más adelante–.

«Igualmente es destacable que tal ordenamiento urbanístico puede llegar a tener vigencia, como en el caso enjuiciado (más de cuatro años), durante un prolongado periodo, lo que pone en entredicho su carácter provisional».

«En contra del parecer de la Sala de instancia, ninguna trascendencia tiene para enjuiciar el defecto o carencia del trámite de información pública la Sentencia de esta Sala y Sección del Tribunal Supremo de fecha 25 de marzo de 1992 (recurso de apelación 5081/1990), que para nada aborda, aunque se trate de unas Normas Subsidiarias aprobadas como consecuencia de la suspensión de la vigencia de un Plan General, la cuestión relativa al trámite de información pública.

Por lo contrario, guardan relación con la cuestión ahora examinada las Sentencias de esta Sala y Sección del Tribunal Supremo de fechas 16 de diciembre de 1999 (recurso de casación 1402/1994) y 7 de febrero de 2000 (recurso de casación 1423/1994), en las que expresamos que el artículo 70.3 del Texto Refundido de la Ley del Suelo de 1976 exime en la declaración de urgencia de la tramitación establecida en el artículo 41 del mismo texto legal, para insistir en que, según aquel precepto, en casos de urgencia no es necesaria la audiencia prevista en este artículo».

«De ese criterio jurisprudencial cabría deducir que en casos de urgencia, cual es la suspensión de la vigencia del planeamiento vigente para aprobar en un plazo perentorio (en este caso tres meses según el ordenamiento autonómico) unas normas provisionales hasta tanto se aprueba la ordenación urbanística definitiva, no es necesario respetar el trámite de información pública.

De tal tesis nos separamos ahora abiertamente, porque el trámite de información pública, como medio para la participación ciudadana en el procedimiento de

162

elaboración de las disposiciones administrativas, es inexcusable por imperativo de lo establecido en los artículos 9.2 y 105 a) de la Constitución, 86 de la Ley 30/1992, de 26 de noviembre, y 6.1 de la Ley 6/1998, de 13 de abril, de Régimen del Suelo y Valoraciones, que, en la actualidad, reitera el artículo 11 de la Ley 8/2007, de 28 de mayo, de Suelo, y el artículo 11 de su Texto Refundido, aprobado por Real Decreto Legislativo 2/2008, de 20 de junio, cualquiera que sea la naturaleza, provisional o definitiva, de las disposiciones urbanísticas y el plazo en que hayan de ser aprobadas, al que deberá ajustarse la información pública.

Ese carácter ineludible del trámite de información pública en la aprobación de las disposiciones administrativas ha sido remarcado por la doctrina jurisprudencial más reciente, recogida, entre otras, en nuestras Sentencias de fechas 4 de mayo de 2007 (recurso de casación 7450/2007), 10 de diciembre de 2009 (recurso de casación 4384/2005), 28 de junio de 2012 (recurso de casación 3013/2010), 13 de mayo de 2013 (recurso de casación 3400/2009) y 25 de septiembre de 2013 (recurso de casación 6557/2011), habiendo declarado en las dos primeras que el que una Ley, en este caso la Ley autonómica gallega 9/2002, de 30 de diciembre, no establezca expresamente el trámite de información pública, no es razón para no exigirlo inexcusablemente al venir impuesto por otras disposiciones con rango de Ley, que lo hacen obligatorio para una mejor protección de los intereses generales, constitucionalmente amparados en los artículos 9.2 y 105 a) de la Constitución, 3.5 y 86 de la Ley 30/1992, de 26 de noviembre, y 24.1 c) de la Ley 50/1997, del Gobierno».

Con respecto a la cita de la Ley 50/1997, de 27 de noviembre, del Gobierno (vigente hasta el 02 de octubre de 2016), regula en su artículo 24 el procedimiento de elaboración de los reglamentos, y en lo que aquí interesa establece que «1. *La elaboración de los reglamentos se ajustará al siguiente procedimiento: e) El trámite de audiencia a los ciudadanos, en sus diversas formas, reguladas en la letra c), no se aplicará a las disposiciones que regulan los órganos, cargos y autoridades de la presente Ley, así como a las disposiciones orgánicas de la Administración General del Estado o de las organizaciones dependientes o adscritas a ella...».*

Siguiendo con la STS, estimó el segundo motivó de casación invocado y anuló el Decreto recurrido por aplicación del artículo 62.2 de la Ley 30/1992, al ser defectos procedimentales cometidos en la aprobación de las disposiciones de carácter general, cual es el Decreto autonómico impugnado, con trascendencia sustancial.

Ello dio lugar al planteamiento de la cuestión de inconstitucionalidad por el TSJ de Galicia, al considerar la posibilidad de que la normativa autonómica fuera contraria a los referidos preceptos constitucionales, al no prever ese trámite de audiencia para este tipo de supuestos. Se planteó en

163

varios procedimientos cuyo objeto era el Decreto 187/2011, de 29 de septiembre de 2011, por el que la Consellería de Medio ambiente, Territorio e Infraestructuras de la Xunta de Galicia acordó la suspensión parcial de la vigencia del Plan General de Ordenación Urbana del Concello de Ourense de 1986, así como la aprobación de la ordenación urbanística provisional hasta la entrada en vigor del nuevo planeamiento, puesto que se interesa por la parte demandante la anulación de este decreto.

En concreto en el PO 4521-2011 se dice, en el auto de planteamiento de la cuestión de inconstitucionalidad, lo siguiente: «*Decíamos que de la ausencia de previsión de dicho trámite pudiera deducirse una inconstitucionalidad sobrevenida, por infracción de lo establecido en el artículo 149.1.1.ª, 13.ª, 18.ª y 23.ª de la Constitución, conforme al cual el Estado tiene competencia exclusiva sobre las materias que enumera a continuación: 1.ª La regulación de las condiciones básicas que garanticen la igualdad de todos los españoles en el ejercicio de los derechos y en el cumplimiento de los deberes constitucionales; 13.ª Bases y coordinación de la planificación general de la actividad económica; 18.ª Las bases del régimen jurídico de las Administraciones públicas y del régimen estatutario de los funcionarios que, en todo caso, garantizarán a los administrados un tratamiento común ante ellas; el procedimiento administrativo común, sin perjuicio de las especialidades derivadas de la organización propia de las Comunidades Autónomas; legislación sobre expropiación forzosa; legislación básica sobre contratos y concesiones administrativas y el sistema de responsabilidad de todas las Administraciones públicas; y 23.ª Legislación básica sobre protección del medio ambiente, sin perjuicio de las facultades de las Comunidades Autónomas de establecer normas adicionales de protección. La legislación básica sobre montes, aprovechamientos forestales y vías pecuarias. Y ello como consecuencia de la naturaleza de legislación básica de la referida normativa estatal, puesto ello en relación con el objeto del presente recurso, el Decreto 187/2011, de 29 de septiembre de 2011, por el que la Consellería de Medio ambiente, Territorio e Infraestructuras de la Xunta de Galicia acordó la suspensión parcial de la vigencia del Plan General de Ordenación Urbana del Concello de Ourense de 1986, así como la aprobación de la ordenación urbanística provisional hasta la entrada en vigor del nuevo planeamiento, puesto que se interesa por la parte demandante la anulación de este decreto. Y partiendo del criterio contenido en la STS de 5 de febrero de 2014, estimatoria del recurso de casación contra la sentencia de esta Sala y Sección, de 20 de enero de 2011, en autos de PO 4175/2007, al considerar que a pesar del carácter de la ordenación provisional, es preceptivo el trámite de información pública por tratarse de una disposición general (artículos 9.2 y 105 CE, 86 de la Ley 30/1992, 6.1 Ley 6/1998 y 11 del TRLS 2008); es lo que lleva a considerar que existe una norma con rango de ley, el artículo 96 de la LOUGA, aplicable al caso, que pudiera ser contrario a la normativa constitucional más arriba referida, y de cuya*

164

validez depende el fallo. Considerábamos también que el procedimiento no estaba regulado. Decíamos también que la decisión del presente recurso depende de que se deje de aplicar el artículo 96 de la Ley 9/2002 y se considere nulo el decreto contra el que se dirige por haberse omitido el trámite de información pública, por lo que se estima que concurren los requisitos del artículo 35.2 de la LOTC y procede plantear al Tribunal Constitucional la posible inconstitucionalidad del artículo 96, por lo que procede actuar en la forma dispuesta en el artículo 36 de la misma ley orgánica». Y se decide plantear al Tribunal Constitucional la posible inconstitucionalidad del artículo 96 de la Ley 9/2012, de 30 de diciembre, de ordenación urbanística y protección del medio rural de Galicia, siendo inadmitidas tales cuestiones, pero entrando en el análisis del fondo, para terminar considerando que sin plantear la cuestión de inconstitucionalidad, podríamos aplicar el artículo 86 de la Ley 30/1992, el artículo 85 de la LOUGA o el artículo 11 del TRLS.

Así como también por aplicación del Real Decreto Legislativo 2/2008, de 20 de junio, por el que se aprueba el texto refundido de la Ley de suelo, artículo 11, podemos llegar a la misma conclusión, puesto que, conforme al mismo, «1. *Todos los instrumentos de ordenación territorial y de ordenación y ejecución urbanísticas, incluidos los de distribución de beneficios y cargas, así como los convenios que con dicho objeto vayan a ser suscritos por la Administración competente, deben ser sometidos al trámite de información pública en los términos y por el plazo que establezca la legislación en la materia, que nunca podrá ser inferior al mínimo exigido en la legislación sobre procedimiento administrativo común, y deben publicarse en la forma y con el contenido que determinen las leyes».*

Se refiere la STC a la STS de 5 de febrero de 2014, que considera que es aplicable el artículo 11.1 sin necesidad de acudir al principio de prevalencia, entendiendo que no hay contradicción entre este precepto y el artículo 96 de la LOUGA. E incluso la Ley 1/1997, Ley 1/1997, de 24 de marzo, del Suelo de Galicia (vigente hasta el 1 de enero de 2003), tampoco preveía el trámite de información pública en su artículo 52, que regulaba la suspensión del planeamiento.

Sigue diciendo el Tribunal Constitucional que no se aprecia la contradicción porque el artículo 96 de la LOUGA no dice que se excluya la aplicación del artículo 11 del TRLS, y que el artículo 96 en realidad no contiene regulación alguna de la tramitación de la elaboración de la ordenación urbanística provisional, de forma que si no lo prevé, se podrá acudir a la legislación estatal puesto que no hay contradicción.

En síntesis, la STC considera que no hay contradicción y que en el artículo 96 de la LOUGA se regulan dos cosas:

1. Una medida cautelar, regula su procedimiento y se trata de evitar los perjuicios que se derivarían de ese planeamiento que está en vigor y que se considera perjudicial, de forma que se trata de una suspensión de la ordenación urbanística que se pretende cambiar.

2. Una disposición general, que establece una nueva ordenación urbanística hasta que se cambie, es una ordenación provisional hasta que se apruebe y entre en vigor el nuevo planeamiento, y no contiene plazo temporal de aplicación, pero no se regula su procedimiento.

Con respecto a la STS, Contencioso sección 5 del 16 de noviembre de 2010, cuyo objeto lo constituía el Decreto de la Xunta de Galicia de suspensión de las Normas Subsidiarias de Planeamiento Municipal de O Grove (Pontevedra), a que antes se hizo referencia, se decía lo siguiente:

La Xunta de Galicia, tras detectar que en el municipio de O Grove (Pontevedra) se estaba produciendo un desarrollo urbanístico irregular, insostenible e incompatible con los principios básicos de la más reciente legislación urbanística, procedió mediante el Decreto 208/2002, de 20 de junio –impugnado en este litigio– a suspender la aplicación de sus Normas Subsidiarias de Planeamiento Municipal, estableciendo directamente una ordenación transitoria pendiente de la aprobación de un Plan General que diese cumplimiento a los nuevos criterios de clasificación, estándares y límites de edificabilidad establecidos en la Ley del Suelo de Galicia. El Tribunal Superior de Justicia de Galicia desestimó –en la sentencia impugnada– el recurso contencioso administrativo interpuesto por una entidad mercantil contra el referido Decreto. El Tribunal Supremo confirmó en casación la referida sentencia.

b) A continuación, la sentencia de instancia analiza el sentido del artículo 52 de la Ley del Parlamento de Galicia 1/1997, de 24 de marzo, del Suelo de Galicia (LSG), exponiendo al respecto que «la facultad prevista en el artículo 52 Ley 1/1997, de 24 de marzo, del suelo de Galicia, tiene carácter excepcional, está vinculada a la necesidad de proceder a la revisión del planeamiento y puede ejercitarse cuando las determinaciones del planeamiento afecten a intereses supramunicipales, incidan sobre ámbitos propios de las competencias de la Administración autonómica o incluso cuando se constaten vulneraciones de elementos reglados de las que sean susceptibles de derivar por su naturaleza y alcance consecuencias perjudiciales que proyecten sus efectos mas allá de un interés estrictamente local».

Este artículo 52 de la LSG –hasta su derogación por la Ley 9/2002, de 30 de diciembre, del Suelo y Urbanismo de Galicia, que regula la suspensión del planeamiento en el actualmente vigente artículo 96– decía:

«El Consello de la Xunta, a instancia del conselleiro de Política Territorial, Obras Públicas y Vivienda y previa audiencia de las entidades locales interesadas,

podrá suspender para su revisión, en todo o en parte del ámbito a que se refieran, la vigencia de los instrumentos de ordenación urbanística, en la forma, en los plazos y con los efectos señalados para la suspensión de licencias. El acuerdo de suspensión determinará la entrada en vigor de la ordenación provisional elaborada y propuesta por el conselleiro, sin necesidad de seguirse la tramitación ordinaria.

Dicha ordenación tendrá un carácter transitorio hasta la entrada en vigor de un nuevo planeamiento y su duración no podrá ser superior a los nueve meses».

Con respecto a la Ley 1/1997, de 24 de marzo, del Suelo de Galicia (vigente hasta el 1 de enero de 2003), en su artículo 52 señalaba que «*El Consejo de la Junta, a instancia del Consejero de Política Territorial, Obras Públicas y Vivienda y previa audiencia de las entidades locales interesadas, podrá suspender para su revisión, en todo o en parte del ámbito a que se refieran, la vigencia de los instrumentos de ordenación urbanística, en la forma, en los plazos y con los efectos señalados para la suspensión de licencias. El acuerdo de suspensión determinará la entrada en vigor de la ordenación provisional elaborada y propuesta por el Consejero, sin necesidad de seguirse la tramitación ordinaria.*

Dicha ordenación tendrá un carácter transitorio hasta la entrada en vigor de un nuevo planeamiento y su duración no podrá ser superior a los nueve meses».

Tampoco preveía el trámite de información pública. Y sigue considerando la Jurisprudencia que los planes de ordenación tienen vigencia indefinida, sin perjuicio de su revisión o modificación cuando proceda. La revisión puede tener lugar por la adopción de un modelo territorial distinto o por agotamiento de sus previsiones, pero también para defender intereses de ámbito supramunicipal, para lo que está prevista la intervención autonómica ordenando al Municipio proceder a la misma, y el órgano colegiado superior de la Comunidad Autónoma puede suspender motivadamente, total o parcialmente, la vigencia de los planes urbanísticos a efectos de su modificación o revisión para salvaguardar la eficacia de las competencias autonómicas o por razones justificadas de interés público.

En la nueva Ley del Suelo de Galicia, 2/2016, no se regula esta posibilidad, pero la Ley 3/2016, do 1 de marzo, de medidas en materia de proyectos públicos de urgencia o de excepcional interés, en su exposición de motivos hace referencia a la orden de inicio del procedimiento de modificación de la ordenación urbanística correspondiente de forma simultánea a la aprobación del proyecto declarado urgente o de excepcional interés público por el Consello de la Xunta, considerando la oportunidad de esta nueva regulación como consecuencia de los más recientes pronunciamientos judiciales firmes de declaración de nulidad de planeamientos urbanísticos y la consecuente reviviscencia de los planes de ordenación urbana inmediatamente anteriores en el tiempo, con la consiguiente existencia de un modelo de ciudad no coincidente en numerosos casos con el planeamiento en vigor, y sigue diciendo que se muestra la necesidad de dar respuesta rápida e eficaz a aquellos proyectos que no pueden ser paralizados en el tiempo hasta la aprobación de un nuevo plan, por las consecuencias que tal paralización implicaría. Contiene un artículo único, que regula los «*Actos promovidos polas administracións públicas para a aprobación de proxectos públicos de urxencia ou de excepcional interese*», en el sentido siguiente:

«*1. Os actos que promovan órganos das administracións públicas ou de dereito público estarán suxeitos á intervención municipal previa nos termos previstos pola lexislación aplicable.*

2. Malia o establecido no punto anterior, os proxectos promovidos por órganos das administracións públicas ou de dereito público que sexan desconformes co planeamento urbanístico aplicable poderán executarse se se aprecian razóns de urxencia ou excepcional interese público de acordo co previsto neste artigo. Sen prexuízo do disposto na lexislación estatal aplicable en canto aos actos promovidos pola Administración xeral do Estado e das súas entidades de dereito público, a Administración da Comunidade Autónoma será competente para apreciar as razóns expresadas respecto dos proxectos promovidos por calquera dos suxeitos indicados, cando as súas finalidades se consideren de interese público para a Comunidade Autónoma por estaren vinculadas a materias da súa competencia»; y señala que el concello, para los efectos de la emisión de informe, someterá el proyecto a información pública. Ley que entró en vigor el 20 de marzo de 2016.

II.   EL RÉGIMEN DE FUERA DE ORDENACIÓN

Es una situación urbanística provocada por la total o parcial inacomodación de una edificación o instalación con el planeamiento vigente, como consecuencia de ser conforme con el que estaba vigente en el momento de su construcción, pero no con el nuevo –en todo caso tiene que tratarse de edificación terminada–, pasando a ser ilegal (en fuera de ordenación). Pero puede tratarse de edificaciones o instalaciones ilegales desde el momento mismo de su construcción pero contra las que no llegó a actuar la Administración dentro del plazo legal, lo que motiva la prescripción de la acción de reposición de la legalidad.

Primer caso:

STSJ, Contencioso sección 2 del 18 de febrero de 2016. Sentencia: 101/2016, recurso 4661/2013. Se pretendía una declaración de SUC y se hablaba de consolidación de un tramo de una avenida, pero en este caso había solares vacantes, sin edificar, además de una edificación de seis alturas Y otra de siete fuera de ordenación. Se dice lo siguiente: «*Frente a lo expuesto, de la lectura de los escritos de contestación, informes y prueba practicada, incluido el contenido de la memoria del plan, resulta que en la calle en que se encuentra el solar no hay un tramo consolidado de seis alturas, aunque sí dos en las dos esquinas de la calle, e incluso al lado del solar litigioso hay una edificación que con la anterior normativa ya superaba las alturas permitidas, pero que según manifestaciones de la parte demandada, está fuera de ordenación*».

Segundo caso: STSJ, Contencioso sección 2 del 14 de abril de 2016. Sentencia: 245/2016. Recurso: 4061/2016. Se considera que ha prescrito la acción para la reposición de la legalidad con respecto a las dos primeras edificaciones, de forma que quedan en la situación de fuera de ordenación.

Los motivos más comunes de disconformidad con el Plan: declaración de fuera de ordenación por no respetar las alineaciones. En Melide, con respecto a la situación de fuera de ordenación, que deriva del hecho de que la vivienda ocupa suelo destinado a vías de comunicación según establecen las alineaciones de los planos de las NSPM. STSJ, Contencioso sección 2 del 16 de julio de 2015. Sentencia: 501/2015. Recurso: 4521/2014. Declaración de fuera de ordenación por exceso de volumen u ocupación. Declaración de fuera de ordenación por exceso o defecto de alturas. Por no cumplir con los requisitos de parcela mínima para edificar. Por encontrarse en suelo no urbanizable. Por no justificar, en el caso concreto y conforme a la norma urbanística local 1.1.2, que se trate de una vivienda que se encuentre vinculada al uso característico de la zona –agrario–. Por encontrarse en zona especificada para otros usos.

1. CÓMO SE REGULA EN LA NORMATIVA AUTONÓMICA GALLEGA

Ley 9/2002 antes de 2010:

Artículo 103. Edificios fuera de ordenación.

«*1. Los edificios e instalaciones erigidos con anterioridad a la aprobación definitiva del planeamiento urbanístico que resultasen disconformes con el mismo quedarán sometidos al régimen de fuera de ordenación.*

2. En las construcciones y edificaciones que queden en situación de fuera de ordenación por total incompatibilidad con las determinaciones del nuevo planeamiento sólo se podrán autorizar obras de mera conservación y las necesarias para el mantenimiento del uso preexistente.

3. En las construcciones solo parcialmente incompatibles con el nuevo planeamiento se podrán autorizar las obras de mejora, ampliación o reforma que se determinen en el plan.

4. El Ayuntamiento comunicará al Registro de la Propiedad, a efectos de su constancia, las limitaciones y condiciones especiales en la concesión de licencias en edificaciones fuera de ordenación».

La Ley 2/2010 de modificación de la Ley 9/2002, de Ordenación Urbanística de Galicia (LOUGA), flexibiliza las obras a realizar en edificaciones en situación de fuera de ordenación. Artículo 103:

«1. Los edificios e instalaciones erigidos con anterioridad a la aprobación definitiva del planeamiento urbanístico que resultaran disconformes con el mismo quedarán sometidos al régimen de fuera de ordenación.

2. En las construcciones y edificaciones que queden en situación de fuera de ordenación por total incompatibilidad con las determinaciones del nuevo planeamiento solo se podrán autorizar obras de mera conservación y las necesarias para el mantenimiento del uso preexistente. Salvo que en el planeamiento se disponga justificadamente lo contrario, en ningún caso se entenderán incluidas en la situación prevista en este apartado las edificaciones o instalaciones en suelo rústico que hubieran obtenido legalmente la preceptiva licencia urbanística y que se hubieran ejecutado de conformidad con la misma.

3. En las construcciones solo parcialmente incompatibles con el nuevo planeamiento se podrán autorizar, asimismo, obras parciales y circunstanciales de consolidación, así como las de mejora, reforma y, en casos justificados, ampliación de la superficie construida que se determinen por el plan general respectivo».

Novedades en 2010: distingue entre la situación de fuera de ordenación total y parcial. Para las primeras se mantiene el régimen tradicional y para las segundas, se autoriza la realización de obras que hasta el año 2010 no se permitían, de mejora y reforma y obras parciales y circunstanciales de consolidación estructural y previa habilitación del planeamiento municipal, la ampliación de la edificación. Nunca se permiten obras que supongan un aumento de su valor de expropiación –tanto antes como después de la reforma–; y respecto de las edificaciones en suelo rústico que hubieran obtenido legalmente la preceptiva licencia urbanística y que se hubieran ejecutado de conformidad con la misma. Además se permite la ampliación de obras permitidas en edificaciones calificadas como fuera de ordenación parcial, y a diferencia de la regulación anterior no se exige que no estuviera prevista la expropiación ni la demolición del inmueble en el plazo de 15 años.

Un caso especial es el previsto en la Ley 2/2010, de 25 de marzo, de medidas urgentes de modificación de la Ley 9/2002, de 30 de diciembre, de ordenación urbanística y protección del medio rural de Galicia, Disposición transitoria tercera. Edificaciones sin licencia:

«Sin perjuicio de lo dispuesto en el artículo 213.1 de la presente ley, las edificaciones y construcciones realizadas sin licencia o sin la autorización autonómica preceptiva, existentes con anterioridad al 1 de enero de 2003, y respecto de las cuales en el momento de entrada en vigor de la presente ley hubiera transcurrido el plazo legalmente establecido en su artículo 210.2 sin que la administración haya adoptado ninguna medida dirigida a la restauración de la legalidad urbanística o medioambiental, quedarán incorporadas al patrimonio de su titular y sujetas al régimen previsto en el artículo 103.2 de la misma, con la particularidad de que las obras de mera conservación solo podrán autorizarse cuando se acredite la preexistencia de un uso continuado.

A esos efectos, en el plazo máximo de dos años desde la entrada en vigor de la presente ley de modificación, el propietario o propietaria habrá de solicitar del ayuntamiento correspondiente la declaración de incursión en la situación legal de fuera de ordenación total adjuntando anexo que defina, como mínimo, la situación de la edificación sobre el planeamiento vigente, parcela, uso, superficie construida, número de plantas y volumen, así como certificación técnica de solidez y seguridad.

Cuando la edificación esté ubicada en suelo rústico de protección de costas, de aguas o de espacios naturales, segundo la presente ley, será necesario obtener el previo informe favorable de la Comisión Superior de Urbanismo».

Y en la Ley 2/2016:

Artículo 90. Edificios fuera de ordenación.

«1. Los edificios, construcciones e instalaciones erigidos con anterioridad a la aprobación definitiva del planeamiento urbanístico que resultasen incompatibles con sus determinaciones por estar afectados por viales, zonas verdes, espacios libres, dotaciones y equipamientos públicos quedarán incursos en el régimen de fuera de ordenación.

En estas construcciones solo podrán realizarse obras de conservación y las necesarias para el mantenimiento del uso preexistente, debiendo renunciar expresamente los propietarios al incremento del valor expropiatorio.

2. El planeamiento urbanístico determinará el régimen a que hayan de someterse las edificaciones, construcciones e instalaciones preexistentes a su aprobación definitiva que no sean plenamente compatibles con sus determinaciones, pero que no estén incursas en la situación de fuera de ordenación, con arreglo a lo señalado en el apartado anterior, pudiendo realizarse, como mínimo, las obras señaladas en el apartado anterior».

De forma que cuando es parcial es el PGOM el que dice el régimen, obras y usos autorizables. Al igual que antes, el fuera de ordenación nunca puede ser de parte de un edificio, es un todo, ha de ser de todo el edificio. Puede derivar de un plan general, un plan parcial, de las NNSS. Pero no por un estudio de detalle, ni proyectos, ni ordenanzas fiscales.

Supuesto especial: en suelo rústico, edificio no adecuado a la licencia, la DT 4.ª de la Ley 2/2016 dispone que «1. *Las construcciones e instalaciones ubicadas en suelo rústico que, estando destinadas a actividades vinculadas con la explotación y el apoyo a la actividad agropecuaria y de primera transformación de productos agroganaderos y forestales, existían en el momento de la entrada en vigor de la Ley 9/2002, de 30 de diciembre, de ordenación urbanística y protección del medio rural de Galicia, podrán mantener su actividad.*

2. En estas construcciones podrán permitirse, previa obtención de licencia urbanística municipal, las obras de conservación y reforma, así como las ampliaciones sin superar el 50% del volumen originario de la edificación, y sin necesidad de cumplir los parámetros contemplados en el artículo 39 de la presente ley, excepto el límite de altura, siempre que mantengan la actividad de explotación o apoyo a la actividad agropecuaria o forestal y que se adopten las medidas correctoras necesarias para garantizar las condiciones sanitarias, para minimizar la incidencia sobre el territorio y para la mejor protección del paisaje».

Se trata de ello en la STSJ, Contencioso sección 2 del 15 de noviembre de 2012, recurso 4456/2012: «*A ello ha de añadirse que sí que era además procedente el requerimiento para aportar el escrito, por parte de la propiedad, de renuncia al incremento de valor de la posible expropiación futura por aplicación del Decreto 28/1999, en concreto de su artículo 48, puesto que no se discute que se trata de un edificio fuera de ordenación, y dada la envergadura de las obras se aumentaba el valor de expropiación. El Decreto 28/1999, de 21 de enero, por el que se aprueba el Reglamento de disciplina urbanística para el desarrollo y aplicación de la Ley del suelo de Galicia, lo que dispone en el citado artículo 48 es que los edificios e instalaciones erigidos con anterioridad a la aprobación definitiva del planeamiento urbanístico que resultasen disconformes con este serán calificados como fuera de ordenación, y excepto que en el propio planeamiento se dispusiera otro régimen, no podrán realizarse en ellos obras de consolidación, aumento de volumen, modernización o incremento de su valor de expropiación, pero sí las pequeñas reparaciones que exigiesen la higiene, ornato y conservación del inmueble –en casos excepcionales pueden autorizarse obras parciales y circunstanciales de consolidación, cuando no estuviese prevista la expropiación o demolición de la finca en el plazo de quince años, a contar desde la fecha en que se pretendiese su realización–. La parte apelante tampoco aportó este documento, a pesar del requerimiento*».

2. EL PRIMER SUPUESTO ANTERIORMENTE REFERIDO ES EL DE NACIMIENTO DE LA SITUACIÓN DE FUERA DE ORDENACIÓN COMO RESULTADO DE LA ALTERACIÓN DEL PLANEAMIENTO

Es como consecuencia de su revisión o modificación, que se regula en el artículo 93 de la LOUGA, que regula la revisión del planeamiento y la modificación. En concreto, la alteración del contenido de los instrumentos de planeamiento urbanístico podrá llevarse a cabo mediante la revisión de los mismos o la modificación de alguno o algunos de los elementos que los constituyan. Se entiende por revisión del planeamiento general la adopción de nuevos criterios respecto a la estructura general y orgánica del territorio o a la clasificación del suelo, motivada por la elección de un modelo territorial distinto o por la aparición de circunstancias sobrevenidas, de carácter demográfico o económico, que incidan sustancialmente sobre la ordenación, o por el agotamiento de su capacidad. La revisión podrá determinar la sustitución del instrumento de planeamiento existente y se observarán las mismas disposiciones enunciadas para su tramitación y aprobación. Y en los demás supuestos, la alteración de las determinaciones del plan se considerará como modificación del mismo, aun cuando dicha alteración conlleve cambios aislados en la clasificación, calificación del suelo o delimitación del ámbito de los polígonos. La revisión del planeamiento y las modificaciones de cualquiera de los elementos de los planes, proyectos, normas y ordenanzas se sujetarán a las mismas disposiciones enunciadas para su tramitación y aprobación. En la Ley 2/2016, de 10 de febrero, del suelo de Galicia, dispone su artículo 82 que los instrumentos de planeamiento urbanístico tendrán vigencia indefinida, y se prevé la modificación por razones de razones de interés público debidamente justificadas, diferenciando igualmente entre revisión –la adopción de nuevos criterios respecto a la estructura general y orgánica del territorio o la clasificación del suelo, motivada por la elección de un modelo territorial distinto, por la aparición de circunstancias sobrevenidas, de carácter demográfico o económico, que incidan sustancialmente sobre la ordenación o el agotamiento de su capacidad–, y los demás supuestos de alteración de las determinaciones del plan, en que se considerará como modificación del mismo, aun cuando dicha alteración implicase cambios en la clasificación, la calificación del suelo o la delimitación del ámbito de los polígonos, sujetándose la revisión del planeamiento y las modificaciones de cualquiera de sus elementos a las mismas disposiciones para su tramitación y aprobación.

3. NACIMIENTO COMO CONSECUENCIA DE LA NO REACCIÓN POR LA ADMINISTRACIÓN EN PLAZO CONTRA LAS EDIFICA-CIONES ILEGALES, ACTUANDO EN LA FORMA DISPUESTA EN EL ARTÍCULO 210 DE LA LOUGA

Artículo 210. Obras terminadas sin licencia

«1. Si se hubiesen finalizado las obras sin licencia o sin comunicación previa, o incumpliendo las condiciones señaladas en ellas o en la orden de ejecución, la persona titular de la alcaldía, dentro del plazo de seis años, a contar desde la total terminación de las obras, incoará expediente de reposición de la legalidad, procediendo según lo dispuesto en los números 3, 4, 5, 6 y 7 del artículo anterior. Se tomará como fecha de finalización de las obras la que resulte de su efectiva comprobación por la Administración actuante, sin perjuicio de su acreditación por cualquier otro medio de prueba válido en derecho.

2. Transcurrido el plazo de caducidad de seis años sin que se hubieran adoptado las medidas de restauración de la legalidad urbanística, quedarán incursas en la situación de fuera de ordenación y sujetas al régimen previsto en el artículo 103 de la presente ley».

Ley 2/2016:

Artículo 153. Obras terminadas sin título habilitante

«1. Si estuvieran acabadas las obras sin licencia, comunicación previa u orden de ejecución, o incumpliendo las condiciones señaladas en las mismas, la persona titular de la alcaldía, dentro del plazo de seis años, a contar desde la total terminación de las obras, incoará expediente de reposición de la legalidad, procediendo según lo dispuesto en el artículo anterior. Se tomará como fecha de terminación de las obras la que resulte de su efectiva comprobación por la administración actuante, sin perjuicio de su acreditación por cualquier otro medio de prueba válido en derecho.

2. Transcurrido el plazo de caducidad de seis años sin que se hayan adoptado las medidas de restauración de la legalidad urbanística, quedarán sujetas al régimen previsto en el artículo 90».

4. EL CASO DE LAS ZONAS VERDES, SIN PLAZO

Es importante que para las construcciones ilegales situadas en zonas verdes, espacios libres, dotaciones y equipamientos públicos, no será aplicable el plazo de caducidad de 6 años, del artículo 210 de la LOUGA, de forma que en estas situaciones no habrá limitación de plazo alguno para la reposición de la legalidad, de forma que no se puede demoler, pero tampoco se puede legalizar, por lo que se mantienen durante lo que podría considerarse el plazo normal de vida de la construcción, pudiendo mantener su uso siempre y cuando el mismo no se oponga al permitido por el plan para la zona de que se trata y en este caso la edificación queda en la situación de fuera de ordenación y sometida al régimen del artículo 103. Así lo dispone el artículo 213 de la LOUGA: «*1. Los actos de edificación y uso del suelo relacionados en el artículo 194 que se realicen sin licencia u orden de ejecución sobre terrenos calificados por el planeamiento como zonas verdes, espacios libres, dotaciones o equipamientos públicos quedarán sujetos al régimen establecido en el artículo 209 mientras estuviesen en curso de ejecución, y al régimen previsto en el artículo 210 cuando hubieran finalizado sin que tenga aplicación la limitación del plazo que establece dicho artículo. En estos supuestos, la competencia corresponderá al conselleiro competente en materia de urbanismo.*

2. Las licencias u órdenes de ejecución que se otorgasen con infracción de la zonificación o uso urbanístico de las zonas verdes, espacios libres, dotaciones o equipamientos públicos previstos en el planeamiento serán nulas de pleno derecho. En estos casos, el conselleiro competente en materia de urbanismo requerirá al alcalde para que proceda según lo dispuesto en el artículo anterior».

Mientras que en la Ley 2/2016 se dispone, en su artículo 155, que «*1. A los actos de edificación y uso del suelo relacionados en el artículo 142 que se realicen sin el título habilitante exigible sobre terrenos calificados por el planeamiento urbanístico como zonas verdes, espacios libres públicos, viarios o en la zona de protección establecida en el artículo 92.1, dotaciones o equipamientos públicos no les será de aplicación la limitación de plazo que establece el artículo 153...*».

Con respecto al fuera de ordenación por falta de reacción de la Administración dentro del plazo legal, es el de 6 años. Pero en la Ley 1/1997 era de 4 años. Qué ocurre con los casos de transición. Se trata del tema en la STSJ, Contencioso sección 2 del 24 de octubre de 2013, recurso 4681/2007, en que se dice: «*En el folio 51 del expediente administrativo figura la certificación de ejecución de la obra expedida por el Arquitecto D. Pablo Jesús, de 26 de octubre de 1999, conforme a la cual la nave industrial de 825 m² se encuentra construida. Y en los folios 43 y siguientes del expediente consta la escritura pública de obra nueva de 3 de noviembre de 1999, que se refiere a la misma nave. Partiendo de estas fechas, el 1 de enero de 2003, cuando entra en vigor la Ley 9/2002, no se había cumplido el plazo de 4 años. En todo caso, la certificación y la escritura pública no se refieren a las obras complementarias. Pero de la certificación catastral del inmueble, de 3.156 m², con dos naves de uso industrial y dos almacenes, resultaría que el año de la construcción es 1998. En la consulta de datos catastrales se dice, además, que la construcción local principal es de 1998 y que es una parcela con un único inmueble, se refiere a que es una unidad, de 3.156 m², es decir, que en el año 1998 figuran tanto la primera nave como la segunda como construidas en el Catastro, si bien no tiene ni declaración de obra nueva ni certificado de fin de obra».* No transcurrido el plazo de 4 años cuando entra en vigor la LOUGA, pasamos a aplicar el plazo de 6 años. En todo caso partiendo de que ha de tratarse de una edificación terminada, en el sentido de que se encuentre en condiciones de servir para los fines que le son propios.

5. EL CAMBIO DE USOS

Es un tema tratado en la STSJ, Contencioso sección 2 del 29 de junio de 2006, recurso 4154/2003, en que se decía lo siguiente: *«Permitido en el Plan General de 1998 el uso vividero y debiendo computarse a efectos de edificabilidad los espacios bajo cubierta de uso vividero pero también los locales que con arreglo al anterior Plan no computaban, no hay razón para la denegación de la licencia de cambio de usos y, en consecuencia, con la estimación del recurso de apelación, procede entender como conforme a derecho la licencia de 14 de mayo de 1999.*

Significar al respecto que nos encontramos ante un edificio fuera de ordenación relativa según el artículo 2.3.2 del Plan General de 1998, en el que, de conformidad con el artículo 2.3.3, apartado 2.c, "Salvo determinación en contra de la norma zonal u ordenanza particular de las áreas de planeamiento incorporado, específico o del planeamiento de desarrollo, se admite la nueva implantación y cambio de usos o actividades". En el Concello de A Coruña».

Y en la STSJ, Contencioso sección 2 del 22 de diciembre de 2011, recurso 4458/2011: *«TERCERO. La primera cuestión a la que debemos hacer referencia se puede delimitar como el régimen jurídico aplicable a los usos que se llevan a cabo en edificios en situación de fuera de ordenación. Cuestión sobre la que ya se ha pronunciado en reiteradas ocasiones el Tribunal Supremo. "Sería contrario a toda lógica jurídica –dice el Tribunal Supremo– que, mientras el inmueble fuera de ordenación subsista, no desenvuelva su aptitud como bien económico-social que es y, absurdamente, haya de estar condenado de modo irremisible a no prestar utilidad alguna" (sentencia de 13 de junio de 1980). Por eso, que un edificio esté fuera de ordenación no es obstáculo a que siga utilizándose: "no es obstáculo para otorgar una licencia de apertura el hecho de que el edificio o el local en el que la actividad haya de establecerse esté fuera de ordenación... pues una cosa es que el edificio esté fuera de ordenación... y otra muy diferente que el inmueble no pueda utilizarse" (sentencias de 22 de junio de 1972, 17 de diciembre de 1974, 13 de junio de 1980, 24 de enero de 1986, 2 de junio de 1987, 12 de diciembre de 1988, 7 de marzo de 1989 y 3 de mayo de 1990, entre otras).*

Ahora bien, lo dicho hasta ahora no introduce el elemento litigioso que se ha planteado por las partes apelantes: la posibilidad o imposibilidad jurídica de que los usos llevados a cabo en un edificio en situación de fuera de ordenación no estén contemplados o incluso sean contrarios al planeamiento vigente, pero conformes al planeamiento en vigor cuando se realizaron las construcciones.

El obstáculo legal que debe ser superado de aceptar la posibilidad planteada se recoge, con carácter general, en la exigencia de conformidad de las licencias con el ordenamiento urbanístico vigente, al que se refiere los artículos 194.1 y 195.1 de la LOUGA. Sin embargo, en escasas pero contundentes ocasiones, la jurisprudencia se pronuncia de modo favorable a que puedan llevarse a cabo los usos autorizados al tiempo en que se construyó el edificio y aun en el caso de que dichos usos se materialicen con posterioridad a la modificación de la normativa urbanística. Así, en la sentencia de 12 de diciembre de 1988, el Tribunal Supremo declaró que las limitaciones recogidas en el entonces vigente artículo 60 del Texto Refundido de la Ley del Suelo de 1976 para las construcciones fuera de ordenación "no afectan al uso del inmueble determinado en las Ordenanzas vigentes en el tiempo en que fue autorizada la construcción... sin que sea óbice a ello el que la afectación a un determinado inmueble se materialice en actos posteriores a la modificación de la Ordenanza, como es el caso del presente proceso, ya que el derecho a un aprove-chamiento específico de un edificio según la norma vigente en el tiempo en que se autorizó su construcción constituye un derecho adquirido inherente a su titular que es inherente a su situación jurídica urbanística que se integra en los derechos y limitaciones que dimanan de las edificaciones e instalaciones fuera de ordenación".

El Tribunal Supremo admite usos amparados en la anterior normativa y no contemplados en la vigente, con la limitación de que con el uso autorizado no se impida o dificulte la ejecución del planeamiento (sentencias de 11 de febrero de 1989 y 14 de junio de 1994), asimilando los usos en fuera de ordenación a los que se autorizan, a pesar de su disconformidad con el ordenamiento jurídico, mediante licencias provisionales: "Los edificios e inmuebles construidos y decla-rados fuera de ordenación como consecuencia de la modificación del planeamiento urbanístico mantienen en tanto no se ejecute o impida el desarrollo de las nuevas previsiones potencialmente el uso autorizable según la normativa anterior por aplicación analógica del artículo 60 de la Ley del Suelo... La imperatividad de los planes de urbanismo... debe interpretarse en sentido acorde con la finalidad del ordenamiento, sin restringir el uso de las construcciones preexistentes acordes con la normativa anterior que no impida o dificulte la ejecución del planeamiento; ya que de entender inadecuado el uso permitido por la anterior ordenación se infe-riría una lesión al derecho de propiedad no justificado por las exigencias dimanan-tes de la modificación introducida por el nuevo planeamiento" (sentencia de 11 de febrero de 1989). Con la referida doctrina jurisprudencial se pretende "evitar los perjuicios económicos que supondría para el propietario de un terreno mantenerlo sin rendir utilidad durante el tiempo, en ocasiones dilatado, que media entre la aprobación de un Plan y su ejecución, sin causar detrimento alguno a la obra urbanizadora proyectada" (sentencia de 14 de junio de 1994). Así, "cuando está prevista una transformación de la realidad urbanística que impediría cierto uso, pero, no obstante aquella transformación no se va a llevar a cabo inmediatamente, el uso mencionado puede autorizarse; con la salvedad, en atención al interés público, de que cuando haya de eliminarse, se procederá a hacerlo sin indemnización. Esta es la solución de equilibrio que el Derecho Administrativo significa dentro del ordenamiento jurídico… La jurisprudencia… viene enlazando estas licencias con el principio de la proporcionalidad que debe existir entre los medios utilizados –contenido del acto administrativo– y la finalidad perseguida… En esta dirección, también las licencias provisionales… constituyen en sí mismas una manifestación de este principio de proporcionalidad en un sentido eminentemente temporal: si a la vista del ritmo de ejecución del planeamiento, una obra o uso provisional, no va a dificultar dicha ejecución, no sería proporcionado impedirlos; siempre, claro está, sin derecho a indemnización cuando ya no sea posible su continuación. Puede afirmarse, también, que ambos tipos de licencias son un último esfuerzo de nuestro ordenamiento jurídico para evitar restricciones no justificadas al ejercicio de los derechos y se fundan en la necesidad de no impedir obras o usos, que resulten inocuos para el interés público".

De la jurisprudencia expuesta se deduce con claridad que no es un obstáculo insalvable la contrariedad de los usos autorizables en un edificio fuera de ordenación con el nuevo planeamiento urbanístico, siempre y cuando resulten inocuos para el interés público y teniendo en cuenta que, en el momento en que dichos usos obstaculicen el desarrollo del planeamiento, los usos serán eliminados sin derecho a indemnización.

A todas las consideraciones anteriores, debe añadirse una última: los usos pretendidos no pueden requerir o conllevar la realización de obras que excedan de las estrictamente autorizables en los edificios en régimen de fuera de ordenación.

CUARTO. Bajo esta perspectiva, y entrando en el análisis del caso concreto, el dato determinante no es si el uso solicitado (restaurante-cafetería-bar) se estaba llevando a cabo efectivamente cuando se aprobó la modificación del planeamiento, ni tampoco si el uso se mantuvo sin solución de continuidad hasta la fecha de la nueva solicitud (preexistencia del uso). Lo relevante es que existía, conforme a la normativa anterior, un uso potencialmente autorizable, que puede realizarse mientras la edificación permanezca en situación de fuera de ordenación, siempre y cuando concurran todas las circunstancias ya aludidas respecto a la inocuidad de los mismos respecto al interés público y la innecesariedad de obras que excedan de las permitidas en edificios en régimen de fuera de ordenación.

Del análisis del expediente se desprende, por un lado, que del propio contenido del proyecto técnico presentado junto con la solicitud se desprende el cumplimiento de una de las condiciones antes enunciadas para poder llevar a cabo el uso pretendido: expresamente se señala que "el proyecto no recoge ningún tipo de obra de acondicionamiento, dadas las condiciones ya existentes en el local" (folio 3 del Proyecto adjunto al expediente), "el proyecto de actividad presentado no contempla ningún tipo de obra dadas las condiciones anteriores en cuanto a uso del local, ni supone ningún tipo de ampliación del volumen sobre el que ya existía" (folio 3), "el proyecto de actividad presentado no contempla ningún tipo de obras dadas las condiciones anteriores existentes en cuanto al uso del local, que es el mismo que se pretende en la actualidad" (folio 4). Es decir, el uso pretendido no requiere ningún tipo de obra que suponga consolidación ni aumento de volumen, vetadas a la luz del ordenamiento vigente en edificios de fuera de ordenación.

Superado el obstáculo antes referido y considerando que el uso pretendido puede ser efectivamente autorizado, la Sala no puede declarar el otorgamiento de la licencia. Debemos limitar nuestro pronunciamiento a declarar contraria a derecho la desestimación presunta de la solicitud de la licencia y a condenar a la Administración a resolver expresamente tras valorar si se cumplen las restantes condiciones para el ejercicio de la actividad».

Conclusión: es posible desarrollar en edificios fuera de ordenación usos no autorizables con arreglo al planeamiento en vigor siempre que el uso fuese autorizable cuando la edificación fue construida, sea inocuo para el interés público y no obstaculice el desarrollo del nuevo planeamiento, la futura eliminación del uso no dé derecho a indemnización y el uso no requiera la realización de obras prohibidas en las edificaciones en situación de fuera de ordenación.

Procedimiento de declaración de fuera de ordenación: no está legalmente establecido el procedimiento, sino que se produce «*ope legis*», desde la aprobación definitiva del correspondiente Plan, y se puede poner de manifiesto con la denegación de la concesión de licencia de obra, por considerar la Administración competente que la edificación que solicita tal licencia se encuentra en la situación urbanística de fuera de ordenación, por ser la misma disconforme con las determinaciones del Plan.

Por otra parte, la no obligatoriedad de demolición de la edificación por la calificación como fuera de ordenación por el planeamiento sobrevenido se debe a que se trata de un bien con un valor económico-social que podría ser expropiado y así se prevé en la Ley 2/2016. También puede desaparecer por la declaración de ruina urbanística, sin indemnización, puesto que sigue disfrutando del bien mientras subsista. Y en el artículo 35.a) párrafo 2, de la Ley del Suelo de 2008 se prevé que las situaciones de fuera de ordenación producidas por los cambios en la ordenación territorial o urbanística no serán indemnizables, sin perjuicio de que pueda serlo la imposibilidad de usar y disfrutar lícitamente de la construcción o edificación incursa en dicha situación durante su vida útil.

Finalmente, la ruina urbanística no es lo mismo que el fuera de ordenación pero es uno de los supuestos de ruina, en la LOUGA, en concreto, en su artículo 201.1.c), se dispone que se declarará el estado de ruina cuando en una edificación o construcción se requiera la realización de obras no permitidas por encontrarse el edificio en situación de fuera de ordenación. Obras no permitidas: obras de reforma estructurales, seguridad, salubridad, ornato público o habitabilidad, no permitidas, estas, deberán ser declaradas en estado de ruina. Por lo tanto son precisos dos requisitos: que el edificio esté en situación de fuera de ordenación y el deterioro suficiente, sin que puedan llevarse a cabo esas obras por estar en fuera de ordenación.

III. LA DEGRADACIÓN DEL SUELO URBANO CONSOLIDADO (SUC) EN SUELO URBANO NO CONSOLIDADO (SUNC) COMO CONSECUENCIA DE LA APROBACIÓN DE UN NUEVO PLANEAMIENTO

En todo momento nos vamos a referir al suelo urbano, a la ciudad, dentro del cual existe el SUC y el SUNC, con diferentes derechos y deberes de sus propietarios. La ley nos da la diferenciación. Comenzando por la LOUGA, Ley 9/2002, de 30 de diciembre, de ordenación urbanística y protección del medio rural de Galicia (vigente hasta el 19 de Marzo de 2016), lo regula en los siguientes preceptos:

Artículo 10. Clasificación del suelo

«Los planes generales de ordenación municipal deberán clasificar el territorio municipal en todos o algunos de los siguientes tipos de suelo: urbano, de núcleo rural, urbanizable y rústico».

Artículo 11. Suelo urbano

«1. Los planes generales clasificarán como suelo urbano, incluyéndolos en la delimitación que a tal efecto establezcan, los terrenos que estén integrados en la malla urbana existente siempre que reúnan alguno de los siguientes requisitos:

a) Que cuenten con acceso rodado público y con los servicios de abastecimiento de agua, evacuación de aguas residuales y suministro de energía eléctrica, proporcionados mediante las correspondientes redes públicas con características adecuadas para servir a la edificación existente y a la permitida por el plan.

A estos efectos, los servicios construidos para la conexión de un sector de suelo urbanizable, las carreteras y las vías de la concentración parcelaria no servirán de soporte para la clasificación como urbanos de los terrenos adyacentes, salvo cuando estén integrados en la malla urbana.

b) Que, aún careciendo de algunos de los servicios citados en al apartado anterior, estén comprendidos en áreas ocupadas por la edificación, al menos en las dos terceras partes de los espacios aptos para la misma, según la ordenación que el plan general establezca.

2. A los efectos de la presente ley, se consideran incluidos en la malla urbana los terrenos que dispongan de una urbanización básica constituida por unas vías de acceso y comunicación y unas redes de servicios de las que puedan servirse los terrenos y que estos, por su situación, no estén desligados del urdido urbanístico ya existente».

Es la redacción dada en 2010.

Y pasa posteriormente a diferenciar:

Artículo 12. Categorías de suelo urbano

«Los planes generales diferenciarán en el suelo urbano las siguientes categorías: SUC a) Suelo urbano consolidado, integrado por los solares así como por las parcelas que, por su grado de urbanización efectiva y asumida por el planeamiento urbanístico, puedan adquirir la condición de solar mediante obras accesorias y de escasa entidad que pueden ejecutarse simultáneamente con las de edificación o construcción.

b) Suelo urbano no consolidado, integrado por la restante superficie de suelo urbano y, en todo caso, por los terrenos en los que sean necesarios procesos de urbanización, reforma interior, renovación urbana u obtención de dotaciones urbanísticas con distribución equitativa de beneficios y cargas, por aquellos sobre los que el planeamiento urbanístico prevea una ordenación sustancialmente diferente de la realmente existente, así como por las áreas de reciente urbanización surgida al margen del planeamiento».

Cómo se regula en la nueva ley, 2/2016, de 10 de febrero, del Suelo de Galicia.

Sigue clasificando como en 2002: suelo urbano, rústico, urbanizable y de núcleo rural.

Artículo 16. Suelo urbano

«1. Los planes generales y los planes básicos clasificarán como suelo urbano los terrenos que estén integrados en la malla urbana existente, siempre que reúnan alguno de los siguientes requisitos:

a) Que cuenten con acceso rodado público y con los servicios de abastecimiento de agua, evacuación de aguas residuales y suministro de energía eléctrica, proporcionados mediante las correspondientes redes públicas o pertenecientes a las comunidades de usuarios reguladas por la legislación sectorial de aguas, y con características adecuadas para servir a la edificación existente y a la permitida por el plan.

A estos efectos, los servicios construidos para la conexión de un sector de suelo urbanizable, las carreteras y las vías de la concentración parcelaria no servirán de soporte para la clasificación como urbanos de los terrenos adyacentes, salvo cuando estén integrados en la malla urbana.

b) Que, aun careciendo de algunos de los servicios citados en el apartado anterior, estén comprendidos en áreas ocupadas por la edificación, al menos en las dos terceras partes de los espacios aptos para ella, según la ordenación que el plan general o el plan básico establezcan.

2. A los efectos de la presente ley, se consideran incluidos en la malla urbana los terrenos que dispongan de una urbanización básica constituida por unas vías de acceso y comunicación y unas redes de servicios de las que puedan servirse los terrenos y que estos, por su situación, no estén desligados del entramado urbanístico ya existente».

Artículo 17. Categorías de suelo urbano

«Los planes generales diferenciarán en el suelo urbano las siguientes categorías, sin perjuicio de lo dispuesto para los planes especiales en el artículo 71.2:

a) Suelo urbano consolidado, integrado por los terrenos que reúnan la condición de solar o que, por su grado de urbanización efectiva y asumida por el planeamiento urbanístico, puedan adquirir dicha condición mediante obras accesorias y de escasa entidad que puedan ejecutarse de forma simultánea con las de edificación.

b) Suelo urbano no consolidado, integrado por la restante superficie de suelo urbano y, en todo caso, por los terrenos que reúnan alguna de las siguientes condiciones:

1. Terrenos en los que sean necesarios procesos de urbanización.

2. Terrenos en los que sean necesarios procesos de reforma interior o renovación urbana.

3. Terrenos en los que se desarrollen actuaciones de dotación, entendiendo como tales aquellos en los que sea necesario incrementar las dotaciones públicas para reajustar su proporción con la mayor edificabilidad o con los nuevos usos asignados en la ordenación urbanística, sin requerir la reforma o renovación de la urbanización.

Se entiende que ese aumento de edificabilidad o cambio de uso requerirá el incremento de las dotaciones públicas cuando conlleve un aumento del aprovechamiento superior al 30% del existente».

Lo que desaparece de la LOUGA es lo siguiente: aquellos sobre los que el planeamiento urbanístico prevea una ordenación sustancialmente diferente de la realmente existente, así como por las áreas de reciente urbanización surgida al margen del planeamiento.

De la clasificación como SUC o SUNC, derivan los derechos y obligaciones de los propietarios, más gravosas para este segundo.

Artículo 19. Deberes de los propietarios de suelo urbano consolidado en la LOUGA: completar por su cuenta la urbanización necesaria para que los mismos alcancen, si aún no la tuvieran, la condición de solar; ceder gratuitamente al municipio los terrenos destinados a viales fuera de las alineaciones establecidas en el planeamiento; regularizar las fincas para adaptar su configuración a las exigencias del planeamiento; edificar; conservar y rehabilitar la edificación.

Artículo 20. Deberes de los propietarios de suelo urbano no consolidado: ceder obligatoria y gratuitamente a la Administración municipal todo el suelo necesario para los viales, espacios libres, zonas verdes y dotaciones públicas de carácter local al servicio predominantemente del polígono en el que sus terrenos resulten incluidos; ceder el suelo necesario para la ejecución de los sistemas generales; ceder el suelo correspondiente al aprovechamiento urbanístico del ayuntamiento; proceder a la distribución equitativa de los beneficios y cargas del planeamiento –proyecto de equidistribución–; costear, ejecutar o completar las obras de urbanización del polígono, así como las conexiones con los sistemas generales existentes; edificar. Solo una vez cumplidas estas obligaciones, podrá construir.

Por consecuencia, los deberes son mayores en este segundo caso.

En la Ley 2/2016: se regula en el mismo sentido a los efectos que aquí interesan.

El Tribunal Supremo viene estableciendo que esta clasificación es reglada. La cuestión a estudiar es la referente a la posibilidad o no de que los ayuntamientos puedan descategorizar el suelo, es decir, convertir un suelo urbano consolidado en un suelo urbano no consolidado, (para que vuelva a ceder y pagar), imponiendo esas obligaciones de los propietarios del SUNC.

La STSJ, Galicia, Contencioso sección 2 del 03 de marzo de 2016, Sentencia: 151/2016. Recurso: 4363/2013. Ponente: José María Arrojo Martínez, trata la cuestión de la siguiente manera:

> «CUARTO: Los terrenos a los que se refiere el presente litigio estaban clasificados en el P.G.O.M. de 1998 como suelo urbano no consolidado, si bien con previsión de su desarrollo mediante un Estudio de detalle.
>
> los terrenos de la parte actora reúnen las condiciones de urbanización efectiva propias del suelo urbano consolidado, siendo obligado recordar la doctrina jurisprudencial

plasmada, entre otras, en Sentencia del Tribunal Supremo, de ocho de mayo de 2012, armonizando la legislación básica estatal –Ley 6/1998, de 13 de abril– y la autonómica –aquí la Ley 9/2002, de 30 de diciembre, de ordenación urbanística y protección del medio rural de Galicia– indicándose en dicha sentencia lo siguiente: "… De acuerdo con la doctrina contenida en dicha sentencia de 23 de septiembre de 2008, que luego hemos reiterado en ocasiones posteriores –pueden verse, entre otras, las sentencias de 17 de diciembre de 2009 (casación 3992/2005), 25 de marzo de 2011 (casación 2827/2007), 29 de abril de 2011 (casación 1590/2007) 19 de mayo de 2011 (casación 3830/07) y 14 de julio de 2011 (casación 1543/08)–, no resulta admisible"… que unos terrenos que indubitadamente cuentan, no solo con los servicios exigibles para su consideración como suelo urbano, sino también con los de pavimentación de calzada, encintado de aceras y alumbrado público, y que están plenamente consolidados por la edificación pierdan la consideración de suelo urbano consolidado, pasando a tener la de suelo urbano no consolidado, por la sola circunstancia de que el nuevo planeamiento contemple para ellos una determinada transformación urbanística…».

Por el Concello se invocaba el nuevo marco de la normativa estatal constituido por la situación básica de suelo urbanizado sometido a transformación urbanística de reforma de la urbanización –artículos 12.3 y 14.1.a).2. Texto refundido de la Ley del suelo aprobado por Real Decreto Legislativo 2/2008, de 20 de junio– y al respecto señala que está plenamente justificada la clasificación otorgada por el PGOM 2012 (suelo urbano no consolidado) de aquellas parcelas sometidas a una transformación como la aquí prevista.

Lo que dispone el Real Decreto Legislativo 2/2008, de 20 de junio, por el que se aprueba el texto refundido de la ley de suelo (vigente hasta el 31 de octubre de 2015), en su artículo 12, es lo siguiente: «*b) El suelo para el que los instrumentos de ordenación territorial y urbanística prevean o permitan su paso a la situación de suelo urbanizado, hasta que termine la correspondiente actuación de urbanización, y cualquier otro que no reúna los requisitos a que se refiere el apartado siguiente.*

3. Se encuentra en la situación de suelo urbanizado el que, estando legalmente integrado en una malla urbana conformada por una red de viales, dotaciones y parcelas propia del núcleo o asentamiento de población del que forme parte, cumpla alguna de las siguientes condiciones:

a) Haber sido urbanizado en ejecución del correspondiente instrumento de ordenación.

b) Tener instaladas y operativas, conforme a lo establecido en la legislación urbanística aplicable, las infraestructuras y los servicios necesarios, mediante su conexión en red, para satisfacer la demanda de los usos y edificaciones existentes o previstos por la ordenación urbanística o poder llegar a contar con ellos sin otras obras que las de conexión con las instalaciones preexistentes. El hecho de que el suelo sea colindante con carreteras de circunvalación o con vías de comunicación interurbanas no comportará, por sí mismo, su consideración como suelo urbanizado.

c) Estar ocupado por la edificación, en el porcentaje de los espacios aptos para ella que determine la legislación de ordenación territorial o urbanística, según la ordenación propuesta por el instrumento de planificación correspondiente...».

Artículo 14. Actuaciones de transformación urbanística y actuaciones edificatorias

«1. A efectos de esta Ley, se entiende por actuaciones de transformación urbanística:

a) Las actuaciones de urbanización, que incluyen:

1) Las de nueva urbanización, que suponen el paso de un ámbito de suelo de la situación de suelo rural a la de urbanizado para crear, junto con las correspondientes infraestructuras y dotaciones públicas, una o más parcelas aptas para la edificación o uso independiente y conectadas funcionalmente con la red de los servicios exigidos por la ordenación territorial y urbanística.

2) Las que tengan por objeto reformar o renovar la urbanización de un ámbito de suelo urbanizado, en los mismos términos establecidos en el párrafo anterior...». La Administración demandada lo relacionaba con el artículo 12.b) de la LOUGA, que nos define el SUNC, terrenos que necesitan procesos de urbanización, etc.

Sigue diciendo la STS: *«a lo hasta aquí expuesto cabe añadir que la sentencia del Tribunal Constitucional 94/2014, parece abrir la posibilidad de una reinterpretación del alcance de las "condiciones básicas" en cuanto al estatuto de los propietarios de determinado suelo urbanizado sometido a operaciones de reurbanización integral o regeneración. Ahora bien, en el concreto caso aquí estudiado el examen de la documentación obrante en autos revela que los terrenos de la parte actora, indiscutidamente reconocidos como suelo urbano, merecen también entenderse como suelo urbano consolidado dado su grado de urbanización y nivel de interconexión con el suelo urbano consolidado inmediato, sin que sea aceptable una degradación de la clasificación en atención a una pretendida modificación del uso o destino de los terrenos, cuando no consta suficientemente acreditado que la transformación urbanística relativa a tal modificación suponga para la aquí recurrente un nivel o grado de mejora desde la perspectiva urbanística, que pudiera llegar a considerarse como base justificativa de una alteración de la clasificación que en principio merecen los terrenos por sus características en la fecha de aprobación del P.G.O.M. Así, sin que se ponga en cuestión el criterio de la Administración relativo a la transformación urbanística pretendida, lo que por el contrario no cabe aceptar, es una degradación de clasificación que no se ve acompañada de justificación explicativa en cuanto a la incidencia que para los afectados por tal degradación, derive en términos de mejora, desde la perspectiva del aprovechamiento o utilidad urbanística».* Y se estima por el TSJ de Galicia el recurso en lo referente a la categorización del suelo en esa parcela.

En la STSJ de Galicia, Contencioso sección 2 del 08 de octubre de 2015, recurso 4623/2013, se dice que la condición de suelo urbano consolidado no puede verse eliminada, siquiera parcialmente, por la circunstancia de que una reducida porción de tales fincas se vea afectada por el nuevo vial. O en la de 17 de septiembre de 2015, recurso 4632/2013, la demandada sostenía que la doctrina jurisprudencial que invoca la parte actora ya no resulta de aplicación tras la entrada en vigor de la básica Ley del Suelo estatal (TRLS 2008), ya que su artículo 14 prevé actuaciones de transformación urbanística en suelo urbanizado, bien de reforma o renovación de la urbanización, bien de dotación con el objeto de incrementar las dotaciones públicas de un determinado ámbito de dicho suelo, en ambos casos con los deberes legales que enumera su artículo 16 –son los deberes propios del SUNC–. En la sentencia, sin embargo, se considera que *«La dotación de servicios con la que cuenta la finca de la parte actora permite decir que puede alcanzar la condición de solar con la cesión de suelo para viales, ya llevada a cabo y tras la cual se le concedieron por el Ayuntamiento las licencias de obra y de apertura anteriormente referidas. La obligación de realizar esa cesión, a fin de ajustarse a las alineaciones establecidas por el planeamiento, no impide su calificación como suelo urbano consolidado, ya que tal deber lo tienen, según dispone el artículo 19.a) de la LOUGA, los propietarios de esa clase de suelo, y por lo tanto, atendiendo exclusivamente a tales circunstancias, la calificación que le corresponde es la de suelo urbano consolidado».*

Frente a ello venía entendiendo la parte demandada que la ley estatal del Suelo permite en el suelo urbanizado actuaciones de transformación urbanística, tanto de reforma o renovación de la urbanización como de dotación, con los deberes indicados en su artículo 16. Como ha declarado el Tribunal Constitucional (SSTC 61/1997 y 94/2014), el régimen estatutario de la propiedad, esto es, los derechos y deberes de los propietarios del suelo, forma parte de las condiciones básicas que garantizan la igualdad de los españoles en el ejercicio de sus derechos y deberes, y por lo tanto de la competencia que al Estado atribuye el art. 149.1.1 de la Constitución.

Se sigue diciendo: *«La última de las citadas sentencias del Tribunal Constitucional, aunque se refiere a la Ley 6/1998, dice lo siguiente: "Además, la Ley sobre régimen del suelo y valoraciones incluye, dentro del suelo urbano (art. 28 LRSV), aunque no precisa a cuál de los dos tipos (consolidado o no consolidado) los que, a pesar de contar con todos los servicios del suelo urbano, requieren de*

186

una operación de reforma o renovación interior. Son suelos urbanos consolidados por la urbanización para los que, por diferentes causas (obsolescencia de los servicios, degradación del barrio, modificación del uso característico –eliminación de polígonos industriales en el centro de la ciudad– etc.), el planeamiento impone su reurbanización integral. Su inclusión en un tipo u otro de suelo urbano, depende de lo que establezcan las legislaciones autonómicas..."».

«*No es necesario plantearse si se produce un conflicto entre la Ley estatal del Suelo y la LOUGA respecto a la regulación del suelo urbano, o si lo establecido en la primera hace inaplicable la doctrina jurisprudencial citada en la demanda sobre la degradación en la categorización del suelo urbano consolidado. Y ello es así porque se estima que no puede ser aplicado en el presente caso lo que dispone el apartado b) del artículo 12 de la LOUGA*». De los tres supuestos a los que se refiere, el último carece aquí de interés. Respecto de los otros dos «*hay que entender que los procesos de urbanización, reforma, renovación, etc., o de ordenación sustancialmente diferente de la realmente existente, se llevan a cabo para lograr una mejora de las condiciones urbanísticas de un determinado ámbito, pues lo contrario sería absurdo; mejora que ha de traducirse necesariamente en un mayor aprovechamiento urbanístico, o en un aumento de su valor por cambios de uso o mejora de las condiciones ambientales, que compense las cargas que esos procesos llevan consigo, pues a la distribución equitativa de beneficios y cargas se refiere tanto ese precepto como el artículo 8.1.c) de la Ley estatal del Suelo, que enumera entre las facultades de los propietarios la "de participar en la ejecución de las actuaciones de urbanización a que se refiere la letra a) del apartado 1 del artículo 14, en un régimen de equitativa distribución de beneficios y cargas entre todos los propietarios afectados en proporción a su aportación". Y si se compara la norma zonal 6.2 del plan litigioso y la norma zonal 9. Grado 2.° del anterior plan general de 1998, se observa que ambas atribuyen al ámbito en el que se encuentra la finca de la parte actora el mismo uso (industrial-comercial) y el mismo aprovechamiento (2,1 m^2/m^2 sobre parcela neta), por lo que la recurrente no obtiene ningún beneficio y, por el contrario, tiene que participar en las cesiones de aprovechamiento y de terrenos para sistemas locales y contribuir a los gastos de urbanización del polígono. Por ello la calificación de la finca de la actora como suelo urbano no consolidado hay que considerarla contraria a derecho al basarse en un precepto de la LOUGA que no resulta aplicable*».

En el mismo sentido, STSJ de Galicia, Contencioso sección 2 del 27 de marzo de 2014, recurso 4761/2007 y STSJ, Contencioso sección 2 del 01 de octubre de 2015, recurso 4359/2013. Se considera así que, por virtud del cambio de planeamiento, al régimen de deberes y cesiones previsto en el artículo 14 de la LRSV para los titulares de suelo urbano no consolidado, consecuencia ésta que, como decimos, no resulta respetuosa con la exigencia de que la distribución de derechos y deberes resulte equitativa

187

–sentencia de la Sala Tercera del Tribunal Supremo de 04/02/2014 dictada en el recurso 2553/2011–.

Finalmente, citamos la STS, Contencioso sección 5 del 18 de abril de 2016, recurso 3177/2014, en que se cuestionaba si era contraria a derecho la determinación del PGOU de clasificar como suelo urbano no consolidado la parcela de la recurrente, toda vez que sobre la misma se había producido una ordenación sustancialmente diferente a la existente al pasar de un suelo con uso industrial a otro con uso residencial, de forma que si por el cambio de uso en los terrenos ya urbanizados, de industrial a residencial, propiciado a iniciativa de los propios recurrentes, cabía ahora la categorización de dicho suelo como urbano no consolidado, su consiguiente inclusión en una actuación integrada y la pertinencia de proceder a la realización de nuevas cesiones obligatorias. La Administración demandada venía considerando que la revisión del plan había venido a propiciar una «ordenación sustancialmente diferente» de la zona.

La STS se remite a lo afirmado en la de 4 de febrero de 2014: «*Los criterios de categorización que establezca el legislador autonómico han de ser interpretados no solo en los límites de la realidad sino también en términos compatibles con la normativa básica estatal, sin impedir la aplicación inmediata en estos aspectos de los preceptos de la Ley 6/1998, de 13 de abril (LRSV), que establecen las "condiciones básicas" que garantizan la igualdad de todos los españoles en el ejercicio de derechos y el cumplimiento de deberes (149.1.1 de la Constitución), para lo cual se establece la división del suelo en urbano no consolidado y consolidado, con un régimen de deberes bien distinto en uno y otro caso, lo que impide devaluar la categoría ya adquirida por los terrenos.*

En concreto, en la sentencia de 23 de septiembre de 2008, (casación 4731/2004), hemos declarado (Asunto Guanarteme), a propósito del artículo 51.1.a) de la Ley 9/1999, de Ordenación del Territorio de Canarias, que el artículo 14.1.a) de la LRSV "incluye en el concepto de suelo urbano los terrenos que cuenten con los servicios que allí se enumeran o que estén consolidados por la edificación" "en la forma y con las características que establezca la legislación urbanística"».

«*Pues ello equivaldría a admitir que unos terrenos que indubitadamente cuentan, no solo con los servicios exigibles para su consideración como suelo urbano, sino también con los de pavimentación de calzada, encintado de aceras y alumbrado público, y que están plenamente consolidados por la edificación –sobre ninguno de estos aspectos se ha suscitado controversia– habrían de perder la consideración de suelo urbano consolidado, pasando a tener la de suelo urbano no consolidado, por la sola circunstancia de que el nuevo planeamiento contemple para ellos una determinada transformación urbanística*».

Y como explica la STS de 14 de julio de 2011, «*lo anterior significa, en el plano de la gestión urbanística, la imposibilidad de someter al régimen de cargas de las actuaciones sistemáticas, que son propias del suelo urbano no consolidado, a terrenos que merecían la categorización de urbano consolidado conforme a la realidad física preexistente al planeamiento que prevé la nueva ordenación, la mejora o la reurbanización; y ello porque no procede devaluar el estatuto jurídico de los propietarios de esta clase de suelo exigiéndoles el cumplimiento de las cargas y obligaciones establecidas para los propietarios del suelo no consolidado*».

«*Y la realidad indubitada en el caso que nos ocupa es que se trata de unos terrenos que han sido completamente transformados y urbanizados conforme a la ordenación preexistente y que han adquirido la condición de solar.*

Lo que realmente se plantea –porque en el fondo tampoco cuanto llevamos dicho es lo que se discute– es si pueden perder dicha condición, en la medida en que se altera su calificación de industrial a residencial. Y también hemos afirmado reiteradamente a este respecto que no cabe la degradación del suelo urbano consolidado, una vez obtenida dicha consideración».

Finalmente se remite a la Sentencia de 7 de marzo de 2014, y en las que ellas se mencionan:

«*Aunque los criterios de distinción entre las categorías primarias del suelo urbano es un cometido que corresponde detallar a la legislación autonómica y así se declara en el FJ 20.° de la STC 164/200, ello lo es siempre dentro de los límites de la realidad con la que ha de operarse y sin impedir la aplicación inmediata en estos aspectos de los preceptos de la Ley 6/1998, de 13 de abril, que establecen las "condiciones básicas" que garantizan la igualdad de todos los españoles en el ejercicio de derechos y el cumplimiento de deberes (149.1.1 de la Constitución), para lo cual se establece la división del suelo en urbano no consolidado y consolidado, excluyendo a los propietarios de estos últimos de los deberes de cesión. Y es precisamente la realidad física existente, que evidencia que en las parcelas objeto de controversia existen los servicios urbanísticos ejecutados en su día según el planeamiento, aunque se prevea su reforma, unida a la necesidad de que la interpretación de la legislación autonómica sea respetuosa con la distinción establecida en la normativa estatal de carácter básico entre suelo urbano "consolidado" y suelo no urbano "no consolidado", con un régimen de deberes bien distinto en uno y otro caso, la que impide devaluar la categoría ya adquirida por los terrenos, con las consecuencias que ello comporta de ser improcedente integrarlos en unidades de actuación sistemáticas y someterlos a un régimen de obligaciones sustancialmente más gravoso.*

Si los propietarios ya cedieron y costearon la urbanización, porque se opone incluso a un elemental principio de equidad que los propietarios deban volver y costear una y otra vez una urbanización, en una suerte de proceso interminable, en el que en cada ocasión deban ajustarse al nuevo régimen de las cargas y cesiones que resulten de aplicación a medida en que se introducen alteraciones de la normativa vigente (según añadíamos también, como tenemos dicho de manera reiterada; así, por todas, en nuestra Sentencia de 3 de julio de 2007 RC 7738/2003).

Lo que no resulta procedente es la alteración de la realidad, esto es, la consideración como suelo urbano no consolidado cuando, como dice la Sala de instancia, "lo real, cierto y averiguado en este caso es que el suelo litigioso es urbano y aunque su calificación pase de urbano industrial a urbano residencial y sea preciso completar o mejorar la urbanización no por ello deja de serlo y no por ello deja de ser suelo urbano consolidado".

La normativa estatal básica, en consecuencia, no impone ciertamente una determinada categorización dentro del suelo urbano, como dice con acierto el Ayuntamiento...; pero sí delimita los contornos de las respectivas categorías de suelo urbano consolidado y no consolidado y, al restringir de este modo las opciones legítimas, condiciona también los supuestos en que procede acudir a una u otra».

Capítulo VII

Agua y Urbanismo. La Disponibilidad de Recursos Hídricos

César Tolosa Tribiño

Magistrado de la Sala Tercera del Tribunal Supremo

SUMARIO: I. INTRODUCCIÓN. II. LA SUFICIENCIA DE RECURSOS HÍDRI-COS: EL INFORME ART. 25 LEY DE AGUAS. 1. El carácter y naturaleza del informe. 2. Tipología de planes a los que les resulta exigible el informe. 3. Determinación del órgano que debe emitir el informe. 4. Sobre las consecuencias derivadas de la ausencia del informe. 5. Concepto de suficiencia y de disponibilidad de los recursos hídricos.

I. INTRODUCCIÓN

El usualmente utilizado concepto de «desarrollo sostenible» que puede considerarse implícito en el contenido de su artículo 45 CE, ha sido recogido en la legislación urbanística, al regularse el principio de desarrollo territorial y urbano sostenible.

En efecto, tanto en la Ley estatal 8/2007 de Suelo, como en el posterior Texto refundido, aprobado por Real Decreto Legislativo 2/2008, de 20 de junio, como el vigente Real Decreto Legislativo 7/2015, de 30 de octubre, por el que se aprueba el texto refundido de la Ley de Suelo y Rehabilitación Urbana, tratan de implantar un modelo de desarrollo que desplace la tradicional concepción desarrollista impulsora de un crecimiento urbano ilimitado, por otra que lo controle, insistiendo en la regeneración de la ciudad existente, frente a las nuevas transformaciones de suelo.

El preámbulo de estas Leyes se apoya expresamente en la Estrategia Territorial Europea y en la Comunicación de la Comisión sobre una estrategia temática para el medio ambiente urbano, que «propone un modelo de ciudad compacta y advierte de los graves inconvenientes de la urbanización dispersa y desordenada».

La recepción de estos principios supone un cambio sustancial de perspectiva frente a la Ley 6/1998, que estableció una presunción favorable al carácter urbanizable del suelo. En este sentido, el art. 3 del Texto Refundido de 2015 establece con absoluta claridad que «Las políticas públicas relativas a la regulación, ordenación, ocupación, transformación y uso del suelo tienen como fin común la utilización de este recurso conforme al interés general y según el principio de desarrollo sostenible, sin perjuicio de los fines específicos que les atribuyan las Leyes», añadiendo que «En virtud del principio de desarrollo sostenible, las políticas a que se refiere el apartado anterior deben propiciar el uso racional de los recursos naturales armonizando los requerimientos de la economía, el empleo, la cohesión social, la igualdad de trato y de oportunidades, la salud y la seguridad de las personas y la protección del medio ambiente, contribuyendo en particular a...», procediendo a la cita de una serie de objetivos, entre los que debe destacarse, en lo que aquí nos interesa, la contribución «a un uso racional del agua, fomentando una cultura de eficiencia en el uso de los recursos hídricos, basada en el ahorro y en la reutilización».

Desde una perspectiva internacional, resulta muy explícita la Estrategia Territorial Europea aprobada en Potsdam en 1999, en la reunión informal de ministros responsables de la ordenación del territorio. Bajo el título «Gestión de los recursos hídricos: un reto particular para el desarrollo territorial» se formulan una serie de consideraciones sobre la necesidad de coordinar ambas políticas (y sus respectivos instrumentos), llamando la atención sobre el incremento de la demanda «debido al consumo creciente del uso doméstico, la agricultura y el turismo», que constituye un problema «especialmente grave en las regiones mediterráneas». Se afirma así que la ordenación del territorio «puede contribuir desde el inicio del proceso de planificación a favorecer los usos que consumen menos agua». El documento destaca que «una política integrada de desarrollo territorial puede aportar una notable contribución a la prevención de las inundaciones y la lucha contra la escasez de agua».

Nuestra legislación urbanística, se ha encargado de introducir previsiones en la búsqueda de una necesaria coordinación en materia de aguas. Así, el art. 18 del Texto Refundido al regular los deberes vinculados a la promoción de las actuaciones de transformación urbanística y a las actuaciones edificatorias, incluye la obligación de costear y, en su caso, ejecutar todas las obras de urbanización previstas en la actuación correspondiente, destacando que, entre tales obras, «se entenderán incluidas las de potabilización, suministro y depuración de agua que se requieran conforme a su legislación reguladora...».

El art. 20 al recoger los criterios básicos de utilización del suelo, se refiere a la necesidad de «Atender, en la ordenación que hagan de los usos del suelo, a los principios de accesibilidad universal, de igualdad de trato y de oportunidades entre mujeres y hombres, de movilidad, de eficiencia energética, de garantía de suministro de agua, de prevención de riesgos naturales y de accidentes graves, de prevención y protección contra la contaminación y limitación de sus consecuencias para la salud o el medio ambiente».

Por su parte, el artículo 22, al regular la evaluación y seguimiento de la sostenibilidad del desarrollo urbano, y garantía de la viabilidad técnica y económica de las actuaciones sobre el medio urbano, establece que, en la fase de consultas sobre los instrumentos de ordenación de actuaciones de urbanización, deberán recabarse al menos los siguientes informes, cuando sean preceptivos y no hubieran sido ya emitidos e incorporados al expediente ni deban emitirse en una fase posterior del procedimiento, de conformidad con su legislación reguladora y concretamente «El de la Administración hidrológica sobre la existencia de recursos hídricos necesarios para satisfacer las nuevas demandas y sobre la protección del dominio público hidráulico».

La preocupación por garantizar una gestión eficiente de los recursos hidráulicos, evitando cualquier desarrollo que no cuente con suficientes disponibilidades de agua, no sólo se concentra en la regulación de los nuevos desarrollos urbanos, sino que se manifiesta también en la Ley 45/2007, de 13 de diciembre, de desarrollo sostenible del medio rural. En ella se prevé que para el fomento de la eficiencia, el ahorro y el buen uso de los recursos hídricos en el medio rural, en el marco de la planificación hidráulica correspondiente, el Programa de Desarrollo Rural Sostenible podrá contener medidas orientadas a la implantación y ejecución de planes de gestión integral de recursos hídricos por zonas rurales o mancomunidades de municipios, que contemplen la gestión conjunta del ciclo integral del agua, las medidas necesarias para las situaciones de escasez y sequía y las acciones de protección contra posibles avenidas e inundaciones. Estos planes constituirán un límite para las actuaciones de urbanización en el medio rural y deberán ser tenidos en cuenta en los programas de mejora y modernización de regadíos (art. 25).

Consecuentemente, dentro de las prioridades de lo que puede considerarse un desarrollo urbanístico sostenible, alcanza una singular relevancia el problema del agua.

Como, en un trabajado e interesante informe del Defensor del Pueblo sobre Agua y Ordenación del territorio, se pone de relieve, lo que podemos considerar la «necesidad urbanística de agua suficiente», no exige una remisión en exclusiva a la legislación sectorial, porque, como en el referido informe se afirma: «La necesidad de recursos hídricos no es una "cuestión sectorial" ni sólo hidrológica sino una exigencia interna al propio plan urbanístico, es una cuestión urbanística», añadiendo que «la acreditación de suficiencia de recursos hídricos no es una exigencia que derive inicial ni primordialmente de la ley de aguas, sino que es una exigencia interna del urbanismo, de la legislación del suelo».

Habrá que convenir, sin embargo, que los problemas derivados, esencialmente pero no exclusivamente, de la disponibilidad de agua es un semillero de cuestiones prácticas, que han dado lugar a una ingente producción jurisprudencial. En primer lugar, juega un papel fundamental la previsión de inundaciones como elemento de ordenación del territorio. En segundo término, cuando se trata de transformar suelo no urbanizable en suelo urbanizable, o cuando se acometen desarrollos en suelo urbano o urbanizable que requieren de nuevas necesidades de recursos hídricos, ha de garantizarse el suministro de agua.

II. LA SUFICIENCIA DE RECURSOS HÍDRICOS: EL INFORME ART. 25 LEY DE AGUAS

El informe al que vamos a hacer referencia, verdadera «estrella» de los litigios urbanísticos relacionados con el agua, responde a la técnica de coordinación y cooperación a que se refirió la importante Sentencia del Tribunal Constitucional 149/1998, de 2 de julio.

Sentado lo anterior, lo primero que debemos señalar es que no podemos olvidar cómo dentro de la Ley de Aguas conviven diversos tipos de informes, cada uno de ellos respondiendo a distinta finalidad y teniendo un contenido diferente. Esta diversidad ha provocado en algunas ocasiones un cierto confusionismo en el planificador, como ocurrió en el caso examinado por la Sentencia de 13 de septiembre de 2012, que enjuiciaba la legalidad del PGOU de Teulada (Alicante).

Una vez aclarada esta cuestión, podemos realizar una muy sintética caracterización de dicho informe a la luz de la más reciente jurisprudencia para pasar, a continuación, a examinar pronunciamientos recientes en algún aspecto que continúa resultando problemático.

1. EL CARÁCTER Y NATURALEZA DEL INFORME

Probablemente el mayor debate se haya suscitado, en el momento de establecer el carácter o naturaleza del referido informe, si bien habrá de aceptar qué criterio jurisprudencial está hoy plenamente consolidado.

La STS de 20 de julio de 2015 relativa a la aprobación definitiva parcial del Plan General Municipal de Ordenación de Puerto Lumbreras es clara en este sentido, al afirmar que «No ignoramos que el artículo 15.3 del Texto Refundido de la Ley del Suelo, aprobado por Real Decreto Legislativo 2/2008, de 20 de junio (que recoge el artículo 15.3.a) de la Ley 8/2007, de 28 de mayo, de suelo estatal) –en este particular no modificado por la Ley 8/2013, de 26 de junio, de Rehabilitación, regeneración y renovación urbanas–, no caracteriza el informe sobre suficiencia de recursos hídricos como "vinculante", sino como "determinante", admitiendo la posibilidad de disentir del mismo por más que de forma expresamente motivada…». Añadiendo a continuación que: «De cualquier forma, en relación con ese carácter "determinante", que no formal y explícitamente vinculante, del informe al que se refiere este precepto, hemos de decir: 1.°) Que partiendo de la base de que determinar es "fijar los términos de algo", si el legislador atribuye a un informe el carácter de determinante, es porque le quiere atribuir un valor reforzado.

2.°) Más aún, la posibilidad de apartarse motivadamente de esos informes no es absoluta ni incondicionada, sino que ha de moverse dentro de los límites marcados por el ámbito de competencia de la Autoridad que resuelve el expediente en cuyo seno ese informe estatal se ha evacuado. Esto es, que un hipotético apartamiento del informe sobre suficiencia de recursos hídricos sólo puede sustentarse en consideraciones propias del legítimo ámbito de actuación y competencia del órgano decisor (autonómico en este caso), y no puede basarse en consideraciones que excedan de ese ámbito e invadan lo que sólo a la Administración del Estado y los órganos que en ella se insertan corresponde valorar, pues no está en manos de las Comunidades Autónomas disponer de la competencia exclusiva estatal.

Por eso, el informe estatal sobre suficiencia de recursos hídricos, en cuanto se basa en valoraciones que se mueven en el ámbito de la competencia exclusiva estatal, es, sin ambages, vinculante.

Desde esta perspectiva, el artículo 15.3 del TRLS08 concuerda con la precitada Disposición Adicional 2.ª, 4, de la Ley estatal 13/2003, pues lo que uno y otro precepto vienen a sentar, en definitiva y en cuanto ahora interesa, es el carácter no ya determinante sino incluso vinculante del informe estatal, por más que no en todos sus extremos y consideraciones (es decir, de forma omnicomprensiva), sino en lo que se refiere a la preservación de las competencias del Estado».

2. TIPOLOGÍA DE PLANES A LOS QUE LES RESULTA EXIGIBLE EL INFORME

Una segunda afirmación de carácter general es que el referido informe confederal es preceptivo respecto de cualesquiera planes urbanísticos, esto es, el referido informe es obligatorio para todo tipo de planes, tanto generales, como de desarrollo y también cuando estemos ante supuestos de modificación o revisión.

El Tribunal Supremo ha acuñado la idea del concepto dinámico de la suficiencia de recursos hídricos para exigir la obligatoriedad del informe de la confederación hidrográfica no solo a la hora de la elaboración de un plan general sino también en los casos de planeamiento de desarrollo, no siendo suficiente la alegación de que ya existía un informe favorable del planeamiento superior y el plan de desarrollo no supone un mayor consumo de agua.

Como establece la STS de 15 marzo 2013 (Polop, Alicante) «la suficiencia de recursos hídricos es un concepto dinámico que debe ser evaluado (por supuesto, de forma motivada y circunstanciada) al tiempo en que se suscita la aprobación del concreto instrumento de planeamiento concernido, pues bien puede ocurrir que desde que se aprueba el Plan General hasta que se aprueba el planeamiento secundario de desarrollo transcurran varios años, y entre tanto cambien significativamente las circunstancias de la disponibilidad de agua». En el mismo sentido, la STS 12 junio 2015 (Málaga) señala claramente «Es dudoso sostener, ya de entrada, que el plan parcial no pueda comportar respecto del plan general que desarrolla un incremento en la demanda de los recursos hídricos; porque, a falta de la ordenación pormenorizada que comporta el plan parcial, las determinaciones del plan general distan de ser suficientes por sí solas. Pero, aun así, aun en el caso de que no hubiera un incremento en la demanda de recursos hídricos, la exigencia de incorporar a la ordenación el correspondiente informe de la administración hidrológica competente no puede soslayarse. Dicho informe resulta en todo caso exigible y ha de satisfacer las exigencias sustantivas que le son requeridas legalmente, por lo que ha de formular el correspondiente pronunciamiento…».

En la referida sentencia del Plan de Puerto Lumbreras, señalamos además que frente a la tesis de que el referido informe no resulta exigible en el momento de la aprobación del plan general, sino con ocasión de los planes de desarrollo, se ha señalado que el art. 25. 4 de la Ley de Aguas hace referencia a los Planes en general, sin limitarse a los planes de desarrollo, por lo que hay que concluir que sería contrario a la lógica planificadora la aprobación de un plan cuyo posterior desarrollo devendría imposible, dada la insuficiencia de recursos hídricos para su posterior ejecución y plasmación en la realidad, lo que exige que la constatación de su existencia se acredite ya desde la aprobación del plan general.

Desde otro punto de vista, hay que señalar que resulta indiferente a efectos de la exigibilidad del informe que el Plan, según la legislación urbanística haya de ser aprobado por la administración autonómica o la local. En este sentido se ha señalado que «No cabe aducir que el informe que nos ocupa sólo resulta de aplicación para las actuaciones provenientes de la Comunidad Autónoma, como se pretende de adverso. Ciertamente, el artículo 25.4 comienza resaltando en su apartado primero que el informe previsto en el indicado precepto sería exigible "en el plazo y supuestos que reglamentariamente se determinen" y el mismo apartado parece después acotar más el supuesto "sobre los actos y planes que las Comunidades Autónomas hayan de aprobar en el ejercicio de sus competencias". Sin embargo, no puede desconocerse la previsión incorporada también al último apartado: "Lo dispuesto en este apartado será también de aplicación a los actos y ordenanzas que aprueben las entidades locales en el ámbito de sus competencias, salvo que se trate de actos dictados en aplicación de instrumentos de planeamiento que hayan sido objeto del correspondiente informe previo de la Confederación Hidrográfica". En cualquier modo, todo asomo de duda queda disipado conforme al apartado segundo de este artículo 25.4, que ya antes hemos reproducido: "Cuando los actos o planes de las Comunidades Autónomas o de las entidades locales comporten nuevas demandas de recursos hídricos, el informe de la Confederación Hidrográfica se pronunciará expresamente sobre la existencia o inexistencia de recursos suficientes para satisfacer tales demandas".

No obstante, la anterior doctrina, la reciente sentencia de 11 de octubre de 2016, en relación con el proyecto del Plan Especial PM-MC-2 "Ordenación residencial del entorno de la Senda de Granada al oeste de Juan Carlos I. Murcia ciudad".

En el supuesto enjuiciado, aparecían dos peculiaridades:

a) Que se estaba en presencia de un Plan Especial, no de un Plan General o Plan Parcial; y,

b) Que el Acuerdo impugnado procede de una Administración local, esto es, se trata de un Plan Especial –previsto en el PGOU de Murcia– aprobado por el Acuerdo del Pleno del Ayuntamiento de precedente cita.

Según la sentencia "Es cierto que el artículo 25.4 del TRLA, que se dice infringido requiere, en su párrafo 1.º, la emisión por parte de las Confederaciones Hidrográficas de informe previo, «sobre los actos y planes que las Comunidades Autónomas hayan de aprobar en el ejercicio de sus competencias, entre otras, en materia de … ordenación del territorio y urbanismo …, siempre que tales actos y planes afecten al régimen y aprovechamiento de las aguas continentales...". Sin embargo, tal regla general aparece modulada en los párrafos siguientes del mismo precepto:

1. Por una parte, en el párrafo segundo del precepto se impone la obligación expresa de tal informe previo en relación "la existencia o inexistencia de recursos suficientes para satisfacer tales demandas", y, obvio es, que "tales demandas" sólo son aquellas "nuevas demandas" a las que se refiere el precepto como presupuesto fáctico para la imposición de tal concreta obligación: "Cuando los actos o planes de las Comunidades autónomas o de las entidades locales comporten nuevas demandas de recursos hídricos...".

2. Por otra parte, el párrafo cuarto también resulta especialmente significativo, pues extiende tal obligación de informe "a los actos y ordenanzas que aprueben las entidades locales en el ámbito de sus competencias", si bien, con una importante salvedad: "salvo que se trate de actos dictados en aplicación de instrumentos de planeamiento que hayan sido objeto del correspondiente informe previo de la Confederación Hidrográfica".

Una interpretación sistemática del precepto nos lleva a considerar las expresadas modulaciones legales como excepciones a la obligación del informe preceptivo sobre la existencia de recursos hídricos suficientes, en el sentido de que el mismo no será exigible (1) ni cuando el acto o plan no contempla nuevas demandas de recursos hídricos, (2) ni cuando, en el ámbito local, el mismo acto u ordenanza sea un acto de aplicación de un previo instrumento de planeamiento que haya sido objeto de informe previo al respecto por parte de la Confederación Hidrográfica».

A la vista de tal interpretación, la sentencia concluye que: «Pues bien, en el supuesto de autos, nos encontramos ante un acuerdo municipal, que aprueba un Plan Especial, que desarrolla un PGOU, que contó con informe favorable de la Confederación Hidrográfica del Segura en materia de recursos hídricos, y sin haya resultado acreditado que el citado Plan Especial vaya a requerir más recursos hídricos que los previstos en el PGOU que desarrolla.

El artículo 11.7 del TRLS08 debe de ser interpretado en relación con el 15.3 del mismo Texto, en coherencia con lo que acabamos de exponer, esto es, en el sentido de que el informe de la Confederación Hidrográfica sobre la existencia de recursos hídricos sólo será necesario cuando concurra un presupuesto fáctico que debemos calificar de determinante: cuando resulte necesario "satisfacer nuevas demandas". Y ello es de perfecta aplicación a un supuesto como el de autos –en el que los recurrentes señalan que tendría que haber sido la Confederación la que debiera haber informado sobre la concurrencia, o no, de las "nuevas demandas"–, pues nada al respecto se alegó por los recurrentes –no existe ni siquiera un mero principio de prueba respecto de nuevas necesidades hídricas–, nada se dijo al respecto por la Región de Murcia cuando se le dio audiencia del previo proyecto de acuerdo municipal sobre el Plan Especial, y, sobre todo, existiendo, por el contrario, informes técnicos acreditados en sentido contrario a la existencia de nuevas demandas, tal y como han sido valorados por la Sala de instancia».

3. DETERMINACIÓN DEL ÓRGANO QUE DEBE EMITIR EL INFORME

Respecto a la posibilidad de que la legislación autonómica establezca la emisión del informe por otros organismos, tal cuestión ha sido abordada en la Sentencia del Tribunal Supremo de 18 de marzo de 2014, que resuelve el recurso de casación frente a la aprobación definitiva de la Homologación y Plan Parcial del Sector «Pinares del Meclí» del municipio de Tibi.

Según la citada sentencia, en relación con la posibilidad de que sean entidades colaboradoras autorizadas las que puedan emitir el informe sobre disponibilidad de recursos hídricos en lugar del organismo de cuenca, «si esa hubiese sido la intención del legislador autonómico (y, desde luego, ello podría sostenerse a tenor de la dicción del precepto), estaríamos ante una regulación claramente inconstitucional en cuanto que, con menoscabo de la competencia estatal, pretende soslayar la clara y tajante dicción del artículo 25.4 de la Ley de Aguas, en relación con la disposición adicional 2 a, 4, de la también estatal Ley 13/2003, que no ha contemplado la posibilidad de que el informe de la Confederación Hidrográfica pueda verse sustituido por el de esas "entidades colaboradoras", que no tienen la posición institucional ni la competencia técnica, la objetividad, los conocimientos y la visión panorámica de los intereses implicados que tienen las Confederaciones. Obvio es, a juicio de esta Sala, que el legislador autonómico carece de competencia para regular, en contraposición con la normativa estatal, aspectos sustantivos estrechamente relacionados con la gestión del dominio público hidráulico en las cuencas que excedan del ámbito territorial de una sola Comunidad autónoma (art. 149.1.22 CE)».

4. SOBRE LAS CONSECUENCIAS DERIVADAS DE LA AUSENCIA DEL INFORME

Hemos de empezar por poner de relieve que, frente a una postura reticente a la adopción de medidas cautelares en materia de suspensión del planeamiento urbanístico y ante peticiones formuladas por la Abogacía del Estado, el Tribunal Supremo ha admitido la suspensión interesada, haciendo uso del criterio de la ponderación de intereses.

En la sentencia de 17 de mayo de 2010, relativa a la impugnación del plan parcial Jumilla Golf, la suspensión cautelar fue solicitada por un particular. El TSJ de Murcia no admitió la suspensión cautelar, en la medida en que el posible perjuicio podría ser indemnizado por la administración en caso de que el plan fuera declarado nulo. Frente a esta argumentación el TS sostiene que: «el planeamiento, cual disposición de carácter general, conlleva, implica y supone un interés general, como tradicionalmente ha expuesto la jurisprudencia, mas ello lo será tan solo en el marco del cumplimiento de la legislación sectorial afectante, como en el supuesto de autos ocurre con la de aguas.

Dicho de otra forma, en la confrontación, en el limitado ámbito procesal en el que nos encontramos, entre el interés general que el desarrollo urbanístico representa, tomado en consideración por la Sala de instancia, y el interés general derivado del cumplimiento de la normativa sectorial de aguas, obvio es que este debe primar, en un supuesto como el de autos, en el que de los propios términos de los Autos impugnados no puede deducirse el cumplimiento de la misma legalidad».

El TS ha reiterado el criterio de la admisión de la medida cautelar de suspensión del planeamiento en los supuestos de impugnación de planes aprobados sin el preceptivo informe del organismo de cuenca sobre disponibilidad de recursos hídricos en sentencias de 25 de febrero de 2009 (Plan General de Enguera, Valencia y 1 de febrero de 2010 (PP «Segaria», en el municipio alicantino de Benimeli).

Desde la perspectiva de su impugnación jurisdiccional, frente a una primera tendencia que admitía que se pudieran aprobar planes de urbanismo a pesar de que no tuvieran garantizados los recursos hídricos necesarios, condicionando la aprobación definitiva del plan a que se consiguieran en un momento futuro esos recursos hídricos, entendiendo además que tal aprobación condicionada era un acto de trámite no impugnable, el Tribunal Supremo estableció la imposibilidad de aprobar el plan sin el informe favorable del organismo de cuenca, criterio que surge tanto de la sentencia de 24 de abril de 2012, relativo a la impugnación de un plan parcial del municipio valenciano de Carcaixent y la de 25 de septiembre de 2012, relativa a un plan de reforma interior del municipio de Locnou de San Jeroni.

En este sentido, la STS de 2 de septiembre de 2015 señala que «En definitiva, de forma reiterada hemos establecido, en relación con el informe que ha de emitir el Organismo de cuenca, con carácter previo a la aprobación de los correspondientes instrumentos de planeamiento, la improcedencia de aprobar un instrumento de planeamiento sin el informe correspondiente del Organismo de cuenca» (STS de 13 de septiembre de 2012 – casación 3971/2009).

Igualmente, hemos concluido que la falta del informe de la Confederación Hidrográfica determina la nulidad del instrumento de planeamiento en su conjunto, debido al carácter preceptivo y vinculante del mismo (STS 4 de julio de 2014 – recurso de casación n.° 915/2012).

Es importante destacar, en este sentido, que la referida nulidad va a acarrear la necesidad de iniciación *ex novo* de la totalidad de la tramitación del plan, no resultando suficiente con la mera subsanación de la omisión de informe en materia de aguas.

En este sentido, la muy reciente sentencia de 28 de septiembre de 2016 confirma la tesis según la cual, «los actos administrativos pueden ser ilegales por nulidad (art. 62.1 de la Ley 30/92) o por simple anulabilidad (art. 63), pero las disposiciones generales no son nunca anulables sino nulas de pleno derecho, ya que el artículo 62.2 de la Ley 30/92 dispone la nulidad de pleno derecho de las disposiciones administrativas que vulneren las leyes u otras disposiciones de rango superior, sin distinción de valoración formal o material», añadiendo que «los planes de urbanismo son disposiciones de carácter general, esto es, son normas con rango reglamentario, de modo que no puede resultar de aplicación el artículo 67 de la Ley 30/1992 y b) los vicios de los que adolecen las disposiciones generales son vicios de nulidad plena, respecto de los cuales carece de fundamento la convalidación, pues no se trata de un simple supuesto de anulación sino de nulidad con efectos *ex tunc*».

A mayor abundamiento, en STS de 10 de abril de 2014, hemos declarado que la falta de informe o su insuficiencia constituye no sólo un defecto formal del plan, sino una deficiencia sustancial, en cuanto se razona en dicha sentencia que «A falta de pronunciamiento sobre lo que constituye el contenido nuclear que resulta exigible a dicho informe, lisa y llanamente, ha de concluirse que es como si dicho informe no existiera, esto es como decíamos en nuestra Sentencia de 25 de febrero de 2009: sin informe de la Confederación, no puede decirse que exista agua; es decir, no se trata del defecto formal de falta de un informe, sino del problema material de existencia o no existencia de agua».

Pues bien, el incumplimiento de este requisito, de carácter necesario, determina la anulación del plan y el vicio resulta insubsanable, como también decíamos en la sentencia de 25 de febrero de 2009 antes mencionada: «la aprobación del Plan se supedita a que exista agua, cosa que debe

201

acreditarse en todo caso antes de otorgarse la aprobación definitiva. Esta puede supeditarse a la concurrencia de aspectos accesorios o complementarios, pero no a la vital e imprescindible de la existencia de agua».

5. CONCEPTO DE SUFICIENCIA Y DE DISPONIBILIDAD DE LOS RECURSOS HÍDRICOS

Lo primero que cabe aclarar, cuando nos enfrentamos al concepto de disponibilidad y suficiencia de recursos hídricos, es que las actuaciones previstas en un futuro no integran tal concepto.

En efecto, frente a la previsión del legislador valenciano en la Ley 4/2004, (Disposición Adicional Octava de la Ley 16/2005, de 30 de diciembre) de que «la suficiente disponibilidad a la que se refiere el párrafo primero podrá ser justificada mediante el compromiso de ejecución de infraestructuras generadoras de recursos hídricos a través de la aplicación de nuevas tecnologías, como la desalación de agua de mar o aguas subterráneas salobres, aprovechamiento de aguas depuradas, potabilización o alternativas similares...», el Tribunal Supremo ha establecido en sentencia de 17 noviembre 2010 que «en este punto, también es muy frecuente la alegación de actuaciones proyectadas para satisfacer necesidades hídricas en un futuro, más tales actuaciones a futuro no integran el concepto de suficiencia al que se refiere el art. 25,4 de la Ley de Aguas, en tanto que este requisito ha de darse en el momento en que se aprueba el Plan».

En segundo lugar, conviene aclarar que el tribunal Supremo, no solo ha exigido la suficiencia sino también disponibilidad jurídica de los recursos hídricos.

Como dice la STS de 12 de abril de 2013 (Paterna): «El bloque normativo antes trascrito establece que el informe de la Confederación Hidrográfica ha de versar sobre el aprovechamiento y disponibilidad de los recursos hídricos, y esa disponibilidad no puede verse circunscrita a la mera existencia física del recurso, sino también a su disponibilidad jurídica, pues, cuando se trata de verificar si existe o no agua para el desarrollo urbanístico pretendido, de nada sirve constatar que la hay si luego resulta que no es jurídicamente viable su obtención y aprovechamiento para el fin propuesto. En definitiva, el ámbito competencial de las Confederaciones Hidrográficas se extiende con toda legitimidad no sólo a la constatación técnica de la existencia del agua sino también a la ordenación jurídica de los títulos de aprovechamiento (de su obtención, disponibilidad y compatibilidad), y ambas cuestiones pueden y deben ser contempladas de forma inescindible, conjunta y armónica, cuando se trata de formar criterio sobre la disponibilidad de agua para la ordenación urbanística proyectada, de manera que no cabe atribuir carácter vinculante a una pero no a la otra».

En la sentencia del Tribunal Supremo de diez de marzo de dos mil quince, sobre el Plan Parcial de ordenación del sector «Los Merinos Norte», en Ronda (Málaga), se afirma que «Una cuestión que viene planteándose de forma reiterada en la práctica es la relativa a la distinción entre suficiencia y disponibilidad de recursos hídricos. Se trata de conceptos que se ubican en dos planos distintos: la suficiencia hace referencia a la existencia de recursos hídricos bastantes, en tanto que la disponibilidad se concreta en la posibilidad de aplicar los recursos hídricos existentes a la actuación urbanística en cuestión, lo cual requiere del correspondiente título administrativo concesional. Por tanto, la disponibilidad es un concepto que se ubica en un plano de valoración cronológicamente posterior al de la suficiencia, de tal manera que la existencia de recursos hídricos es condición necesaria para que pueda disponerse sobre dichos recursos, pero no es condición suficiente, en tanto que la disponibilidad requiere de un título concesional para la utilización del recurso. El Art. 25.4 de la Ley de Aguas establece que "el informe de la Confederación Hidrográfica se pronunciará expresamente sobre la existencia o inexistencia de recursos suficientes para satisfacer demandas", lo cual plantea si sólo ha de estarse a la suficiencia de recursos hídricos o, por el contrario, también se engloba en el concepto la disponibilidad sobre los mismos. La cuestión es de gran relevancia práctica, puesto que muchas de las controversias se presentan en momentos donde se están tramitando expedientes de concesión de aguas en ámbitos donde en principio hay recursos hídricos suficientes, pero de los que se carece del correspondiente título concesional. En una primera aproximación, la acotación temporal de los conceptos suficiencia y disponibilidad se refieren al momento de aprobación del acto o plan, de tal manera que tales conceptos no pueden integrarse por recursos hídricos no existentes en dicho momento, aunque estén proyectados o previstos para un futuro más o menos próximo. En este punto, también es muy frecuente la alegación de actuaciones proyectadas para satisfacer necesidades hídricas en un futuro, más tales actuaciones a futuro no integran el concepto de suficiencia al que se refiere el Art. 25,4 de la Ley de Aguas, en tanto que este requisito ha de darse en el momento en que se aprueba el Plan (*vid.* en este sentido STS de 17 noviembre 2010, rec. 5206/2008; Pte.: Sr. Rafael Fernández Valverde) en relación a un plan que se suspende pese a que existía un expediente de concesión en trámite, la previsión de construir una planta desaladora y potabilizadora y un proyecto de conexión con otra red de distribución). Centrado el concepto de la suficiencia en el ámbito de los recursos existentes en el momento de la aprobación de la actuación urbanística, la cuestión que se plantea es si ha de existir disponibilidad del recurso hídrico para llevar a cabo la actuación en cuestión. En este punto, y aunque tanto la Ley de Aguas como la Ley del Suelo de 2008 se refieren al concepto de "suficiencia", parece que el mismo se utiliza en forma amplia, de forma equivalente al de disponibilidad, puesto que se exige que los recursos sean suficientes "para satisfacer demandas", lo que implica que ha de existir el recurso y ha de tenerse disponibilidad sobre el mismo».

Muy recientemente, en un recurso judicial en Galicia en que un particular alegaba que a pesar de que había un informe favorable de la Confederación Hidrográfica este informe no debía ser admitido por contradecir la postura jurisprudencial de que es necesaria una concesión administrativa, el Tribunal Supremo en su sentencia de 17 de febrero de 2017 rechazando la postura del TSG de Galicia ha anulado el plan general de Verín (Orense) que contaba con el informe favorable de la Confederación Hidrográfica del Duero entendiendo que no es suficiente con el informe favorable sino que es necesario también, –aunque no lo diga la ley–, contar con la concesión de aguas, tal y como viene señalando con reiteración la jurisprudencia cuando indica que «la disponibilidad requiere de un título concesional para la utilización del recurso».

En atención a la ausencia de disponibilidad de recursos hídricos y atendiendo al carácter dinámico del requisito al que antes me referí, la sentencia del Tribunal Supremo de 8 de noviembre de 2016 ha anulado el Plan General de Ordenación Urbana (PGOU) de Santander porque considera que los recursos hídricos necesarios para abastecer a la población no están garantizados sin el agua procedente del bitrasvase del Ebro, una infraestructura declarada nula en 2013.

La Sala basa su decisión en una sentencia dictada por el propio Tribunal Supremo, aún pendiente de ejecución, que anuló el proyecto y la obra de abastecimiento de agua a Santander a través del bitrasvase del Ebro en diciembre de 2013, un año después de la aprobación y entrada en vigor del Plan General de Ordenación Urbana.

La sentencia reconoce que la anulación está provocada por una circunstancia «externa» al propio plan urbanístico y señala que todos los informes y todos los peritos concluyen que la existencia de agua suficiente para la ciudad de Santander, sobre todos en los meses de verano, requiere del suministro del bitrasvase de agua desde el Ebro y de la Autovía del Agua desde cuencas excedentarias, aceptándose que, sin tales fuentes de suministro, el caudal ecológico del Río Pas se vería afectado y que no existiría agua suficiente para la ciudad de Santander.

Según la sentencia, en el momento de la aprobación del planeamiento (17 de diciembre de 2012) «existía plena suficiencia y disponibilidad de recursos hídricos para el abastecimiento de agua a Santander», pero, con posterioridad, la STS de 18 de diciembre de 2013 ha anulado la obra del abastecimiento de agua a través del bitrasvase, por lo que el mismo «no estaría operativo y, por ende, no podría garantizarse el suministro de aguas».

La tesis de la Sala de instancia era que se trataba de una cuestión sobrevenida, que no fue planteada en la demanda, y que no resultaba posible plantear en el momento de la resolución del recurso.

Según la Sentencia dictada en casación, «Discrepamos, sin embargo, en la consideración que la Sala realiza, con una indebida extralimitación, en el sentido de entender que la razón de decidir de la STS de 18 de diciembre de 2013 –según se dice, motivación de la evaluación de impacto ambiental del proyecto de Bitrasvase– "es susceptible de ser subsanada y corregida, sin considerarlo una mera formalidad". Obvio es que será en la ejecución de aquella STS, el órgano competente de su ejecución –a la sazón, la Sala de la Audiencia Nacional– el que tendrá, en su caso, que pronunciarse sobre la ejecución de la STS de 18 de septiembre de 2013.

Más, con independencia de ello, lo cierto es –aunque por una circunstancia "externa" al PGOU– que este debe de ser anulado, así como Resolución aprobatoria del mismo. Anulados el proyecto y la obra del Bitrasvase por el Tribunal Supremo, la existencia de recursos hídricos para la ciudad de Santander queda en entredicho, y, su suficiencia, en modo alguno acreditada, con vulneración del artículo 25.4 del TRLA. No sirve la voluntariosa argumentación de la Sala de instancia, desde un lógico planteamiento estrictamente procesal, con fundamento de que la nulidad jurisdiccional del Bitrasvase es una cuestión nueva no planteada en el momento procesal oportuno de la demanda, pues la insuficiencia de los recursos hídricos, como la misma Sala reconoce, siempre fue esgrimida por la recurrente, bien desde la perspectiva de la insuficiencia, bien desde la perspectiva de la afectación a los LICs de los que procede el agua».

«Con apoyo en el anterior criterio, procede estimar este motivo, porque la cuestión –sin duda– planteada, y, en concreto, la suficiencia de los recursos hídricos, ha sido una cuestión suficientemente debatida, y su insuficiencia, como consecuencia de un previa pronunciamiento jurisdiccional –que en modo alguno puede ser obviado–, claramente acreditada; incluso, como la sentencia reconoce, las partes tuvieron la oportunidad de pronunciarse sobre la incidencia del pronunciamiento jurisdiccional de referencia por cuanto el mismo afectaba a la nulidad de pleno derecho de un proyecto y una obra, directamente vinculada el tema de fondo debatido en el recurso contencioso-administrativo relativo a la suficiencia de los recursos hídricos de Santander».

Capítulo VIII

La responsabilidad patrimonial de las Administraciones urbanísticas por la declaración de nulidad de un Plan General

FRANCISCO DE COMINGES CÁCERES

Magistrado del Juzgado Contencioso-Administrativo 1 de Ourense

SUMARIO: I. INTRODUCCIÓN. II. NATURALEZA JURÍDICA DE LA RESPON-SABILIDAD Y NORMATIVA APLICABLE. 1. Punto de partida. 2. Aplicación analógica (cuestionable) del régimen indemnizatorio establecido para las modificaciones del planeamiento. 3. Aplicación de principios del Derecho de la Unión Europea. Vulneración suficientemente caracterizada. Juicio de razonabilidad. III. EFECTIVIDAD DEL DAÑO. IV. NEXO CAUSAL – ANTIJURIDICIDAD – CULPA DE LA VÍCTIMA. V. LEGITIMACIÓN PASIVA. REPARTO DE RESPONSABILIDADES ENTRE LA ADMINISTRACIÓN MUNICIPAL Y LA AUTONÓMICA. VI. CONCEPTOS INDEMNIZABLES.

I.   INTRODUCCIÓN

El Plan General de Ordenación Urbana es la pieza angular de nuestro sistema urbanístico a nivel local. En su función de clasificación y calificación del suelo le corresponde, con carácter primario, la concreción del contenido del derecho de propiedad en cada predio o parcela del término municipal. Traduce sobre la realidad física de su territorio el régimen estatutario del derecho de propiedad del suelo configurado en la legislación estatal y autonómica. Se sitúa así mismo en el vértice de toda una estructura de planes de desarrollo, instrumentos de gestión y licencias que posibilitarán la adición gradual a ese derecho de una serie de facultades urbanísticas hasta alcanzar la patrimonialización de la edificabilidad por su titular.

El plan general constituye el presupuesto mínimo necesario para el desarrollo urbanístico del municipio, sobre todo de los ámbitos de suelo rural que se pretenda transformar, urbanizar e incorporar a la trama urbana de la ciudad.

Se comprenderá por ello la trascendencia y repercusión económica del plan en el mercado inmobiliario y en los sectores de la promoción y construcción, a los que dota de seguridad jurídica. Al amparo de la clasificación del suelo establecida en él se realizarán importantes transacciones económicas, así como inversiones dirigidas a su ejecución mediante operaciones de transformación, reforma o dotación, que se rentabilizarán con la explotación de nuevas o renovadas edificaciones, infraestructuras o equipamientos con las que habría de concluir finalmente el proceso urbanístico.

En los últimos años, por distintas causas (cuyo análisis excede del objeto de este trabajo), se ha producido la declaración de nulidad total de numerosos planes generales mediante sentencias firmes de la jurisdicción contencioso-administrativa. Sólo en Galicia se han anulado por sentencia doce planes generales (incluyendo los de municipios de gran población como Vigo u Ourense[1]). En el resto de España son ya muchas las ciudades que se han visto súbitamente privadas de su plan general por esta misma causa: Santander, Cartagena, Gijón, Zamora, Castellón, Ibiza, Ávila, etc.[2]

Los efectos de dichas sentencias son muy graves. Al atribuírsele a los planes urbanísticos la naturaleza jurídica de las disposiciones reglamentarias, cualquier irregularidad en la que hayan incurrido constituirá un vicio de nulidad de pleno derecho. No será posible por ello convalidar, ni conservar trámites. La nulidad tendrá un efecto retroactivo «ex tunc», contaminando y haciendo vulnerables «en cascada» a todos los planes de desarrollo y actos de ejecución del plan general[3].

Es evidente que puede generar importantes perjuicios patrimoniales a propietarios y promotores que realizaron inversiones para ejecutar su

---

1. Sentencias de la Sala de lo Contencioso-Administrativo del Tribunal Supremo (SS TS) de 10/11/2015 (rec. 1658/2014 –Vigo–) y 09/03/2011 (rec. 3640/2008 –Ourense–).

2. SS TS de 08/11/2016, recurso casación 2628/2015 (Santander); 15/06/2016, rec. 2676/2015 (Cartagena); 06/05/2015, rec. 1710/2013 (Gijón); 11/05/2009, rec. 4816/2016 (Zamora); 09/12/2008, rec. 7459/2004 (Castellón de la Plana); 10/12/2015, rec. 3358/2014 (Ibiza); etc.

3. COMINGES CÁCERES, F.D. (2017): «Los efectos de la anulación judicial de un plan general. La necesaria modulación de la equiparación de planes urbanísticos y disposiciones reglamentarias. Propuestas de mejora del sistema», *Revista de Derecho Urbanístico y Medio Ambiente*, n.º 314, pp. 45 y ss.

ordenación. En la práctica forense se promueven cada vez con mayor frecuencia reclamaciones indemnizatorias por este motivo frente a las Administraciones urbanísticas. Al carecer de una regulación específica se están suscitando para su resolución numerosas dudas de carácter jurídico, que las administraciones y tribunales van resolviendo casuísticamente, con soluciones dispares. Los estudios doctrinales publicados sobre esta específica materia son todavía escasos y con conclusiones también divergentes. Se analizarán a continuación, críticamente, algunas de las cuestiones más polémicas.

II. NATURALEZA JURÍDICA DE LA RESPONSABILIDAD Y NORMATIVA APLICABLE

1. PUNTO DE PARTIDA

La primera controversia se suscita ya para determinar la naturaleza jurídica de este tipo de indemnizaciones y su consiguiente normativa rectora.

No cabe duda de que se debe tomar como punto de partida lo dispuesto en la regulación general de la *responsabilidad patrimonial de las Administraciones públicas* (artículo 106.2 de la Constitución; artículos 32 y ss. Ley 40/2015, de 1 de octubre, de Régimen Jurídico del Sector Público –LRJSP–; artículos 65, 67, 91 y ss. Ley 39/2015, de 1 de octubre, de Procedimiento Administrativo Común de las Administraciones Públicas –LPAC–). La mera declaración de nulidad del Plan no genera por sí sola un derecho indemnizatorio (artículo 32 LRJSP). El reclamante habrá de acreditar, en primer término, el cumplimiento de los requisitos típicos de la responsabilidad patrimonial: a) hecho imputable a la Administración; b) lesión o perjuicio antijurídico, efectivo, económicamente evaluable e individualizado en relación con una persona o grupo de personas; c) relación de causalidad entre hecho y lesión, y d) que no concurra fuerza mayor.

Pero el problema surge a la hora de ensamblar estas reglas generales con el régimen estatutario de la propiedad del suelo. Concretamente con sus dos principios cardinales consagrados en la legislación básica estatal. El de que: «*La previsión de edificabilidad por la ordenación territorial y urbanística, por sí misma, no la integra en el contenido del derecho de propiedad del suelo. La patrimonialización de la edificabilidad se produce únicamente con su realización efectiva y está condicionada en todo caso al cumplimiento de los deberes y el levantamiento de las cargas propias del régimen que corresponda, en los términos dispuestos por la legislación sobre ordenación territorial y urbanística*» (artículo 11 del Real Decreto Legislativo 7/2015, de 30 de octubre, aprobatorio del texto refundido de la Ley de Suelo y Rehabilitación Urbana –TRLS/15–).

Y, en segundo lugar, el principio del «*ius variandi*», conforme al cual la Administración puede modificar los planes urbanísticos para la mejor satisfacción del interés general, sin hallarse condicionada por «derechos adquiridos» de los propietarios y sin generar «*derecho a exigir indemnización, salvo en los casos expresamente establecidos en las leyes*» (artículo 4.1 TRLS-15). Razón por la cual, por ejemplo: «*Las situaciones de fuera de ordenación producidas por los cambios en la ordenación territorial o urbanística no serán indemnizables*» (artículo 48.a/p.° 2.° TRLS-15).

En el artículo 48 TRLS-15 se establecieron cinco «*supuestos indemnizatorios*» concretos, para compensar determinadas «*lesiones de los bienes y derechos*» generadas por la actividad urbanística. Pero en ninguno de ellos se prevé una indemnización por la declaración de nulidad de planes de ordenación. Sólo por la anulación de licencias urbanísticas, sin «*dolo, culpa o negligencia graves imputables al perjudicado*».

2. APLICACIÓN ANALÓGICA (CUESTIONABLE) DEL RÉGIMEN INDEMNIZATORIO ESTABLECIDO PARA LAS MODIFICACIONES DEL PLANEAMIENTO

Un sector de la doctrina le atribuye a este supuesto de daños por la declaración de nulidad del plan, analógicamente, el sistema indemnizatorio previsto para las modificaciones anticipadas del planeamiento en el apartado «a)» del referido artículo 48 TRLS-15[4]. En él se reconoce el derecho a percibir una indemnización para compensar los perjuicios generados por: «*La alteración de las condiciones de ejercicio de la ejecución de la urbanización, o de las condiciones de participación de los propietarios en ella, por cambio de la ordenación territorial o urbanística*». Indemnización cuyos requisitos y contenido se especifican en los artículos 38 y 39 del mismo Texto Refundido[5] y en los artículos 28 y 29 del Real Decreto 1492/2011, de 24 de octubre, aprobatorio del Reglamento de valoraciones, atendiendo a la situación del suelo y la fase de transformación o edificación en que se hallare en el momento de modificación adelantada o imprevisible del plan.

---

4. *Ad. ex.*: IGLESIAS GONZÁLEZ, F. (2017): «Responsabilidad patrimonial por nulidad del planeamiento», en SORIA MARTÍNEZ, G. y BASSOLS COMA, M. (coords.), *Los efectos de la nulidad de los instrumentos de planeamiento urbanístico*, Aranzadi, Cizur Menor, pp. 347 y ss.

5. El artículo 38.2.a) TRLS-15 (indemnización por impedir el ejercicio de la facultad de participar en la actuación o alterar sus condiciones) ha de considerarse nulo, en tanto en cuanto reproduce la disposición idéntica contenida en el artículo 25.2.a) del Real Decreto Legislativo 2/2008, de 20 de junio (TRLS-08) declarada nula por Sentencia del Tribunal Constitucional n.° 218/2015, de 22 de octubre.

Dicha regulación, desde luego, ofrece varios parámetros hermenéuticos útiles a la hora de aplicar las reglas generales de la responsabilidad patrimonial a este tipo concreto de reclamaciones. Como, por ejemplo, en lo que se refiere a la definición de la actuación generadora del derecho indemnizatorio y al nexo causal: una alteración de los usos del suelo o disminución de la edificabilidad antes del vencimiento de los plazos establecidos para la ejecución del planeamiento, o después si la ejecución no se hubiera podido realizar por causas imputables a la Administración; que el perjuicio «*no traiga causa del incumplimiento de los deberes del propietario o del promotor*», etc. (artículos 48.a/p.° 1.° *in fine* y 38.1 TRLS-15).

No obstante, esa aplicación analógica no resulta adecuada para la determinación y cálculo de los conceptos indemnizables. Sobre todo, para lo que comúnmente constituye la pretensión de mayor cuantía en este tipo de reclamaciones: El pago de una compensación por la edificabilidad que no se ha podido llegar a materializar, es decir por el «lucro cesante» o pérdida de los beneficios que su actuación urbanística le habría podido generar de no haberse producido la declaración de nulidad del Plan General.

Existe en este punto una diferencia sustancial, esencial, que impide equiparar los dos supuestos comparados. El regulado en los artículos 48.a), 38 y 39 TRLS-15 se refiere propiamente a la modificación anticipada de un plan válido en el que se había establecido una determinada edificabilidad conforme a lo dispuesto en la legislación aplicable. Con la entrada en vigor del plan el reclamante adquirió determinadas facultades urbanísticas con la expectativa de llegar a patrimonializar dicha edificabilidad, en los plazos establecidos al efecto en el propio Plan. Sin embargo, la Administración, en ejercicio de su potestad discrecional de planeamiento (*ius variandi*), procede a modificarlo anticipadamente, en contra de su programa o «plan de etapas», frustrando las lícitas expectativas del propietario o promotor y afectando al principio de confianza legítima. Por eso se le reconoce un derecho indemnizatorio, de naturaleza cuasi-expropiatoria, que comprende además del «daño emergente» una compensación por una parte del «lucro cesante», es decir de la edificabilidad que no llegó a patrimonializar.

Pero en el supuesto de la declaración de nulidad del Plan General la situación es muy diferente. La nulidad, con su efecto retroactivo «*ex tunc*», significa que la expectativa del propietario/promotor no era válida, desde un principio. La expectativa era falsa en origen, pues se apoyaba en un plan nulo. No puede pretender que se le reconozca una indemnización por la pérdida de un beneficio, de una edificabilidad, a la que en realidad nunca tuvo legítimo derecho, al ser nulo el Plan que se la reconocía. La indemnización ya no tendrá una causa cuasi-expropiatoria, sino sólo «reparadora» de un daño emergente[6].

Por razones similares tampoco se le puede asignar a estas reclamaciones el régimen indemnizatorio establecido en el artículo 48.c) TRLS-15 para: «*La modificación o extinción de la eficacia de los títulos administrativos habilitantes de obras y actividades, determinadas por el cambio sobrevenido de la ordenación territorial o urbanística*». Dicho precepto se refiere a otra situación muy excepcional, de naturaleza expropiatoria, en la que la Administración urbanística decide discrecionalmente «extinguir» o modificar una licencia de obras válidamente concedida y no incursa en causa de caducidad, para facilitar la ejecución del nuevo plan sobrevenido tras el otorgamiento de dicha licencia[7].

Finalmente, debe también descartarse en principio la aplicación analógica de lo dispuesto en la normativa y jurisprudencia sobre la indemnización de perjuicios generados por la promulgación de leyes singulares que modifican la ordenación de instrumentos de planeamiento urbanístico o de ordenación del territorio. La responsabilidad patrimonial derivada de disposiciones legislativas ostenta una naturaleza y características muy especiales, con sus propios principios rectores, procedimiento, etc., que la distancian de las reclamaciones aquí analizadas, no tratándose de supuestos comparables.

3. APLICACIÓN DE PRINCIPIOS DEL DERECHO DE LA UNIÓN EUROPEA. VULNERACIÓN SUFICIENTEMENTE CARACTERIZADA. JUICIO DE RAZONABILIDAD

Algún autor defiende la aplicabilidad en esta materia de los principios del Derecho de la Unión Europea (UE) sobre la responsabilidad de las instituciones comunitarias derivada de la declaración de nulidad de sus disposiciones normativas[8]. Principios conforme a los cuales, como señaló el Tribunal de Justicia de la UE entre otras en su sentencia de 9 de septiembre de 2008 (asuntos C-120/06 y C-121/06 FIAMM): «*La Comunidad sólo incurre en responsabilidad por un acto normativo que suponga una elección de política económica si se ha producido una violación suficientemente caracterizada de una*

---

6. SS TS de 02/10/1999 (rec. 2294/1994, ponente: Jesús Peces Morate) y del TSJ Galicia de 31/03/2014 (rec. 4841/2000, ponente: Almudena Fernández Carballal, FD 5.°).

7. Artículo 16.1 «*in fine*» del Reglamento de Servicios de las Corporaciones Locales aprobado por Decreto de 17 de junio de 1955.

8. ORDÓÑEZ SOLÍS, D. (2016): «La responsabilidad patrimonial por la nulidad de los planes urbanísticos en clave judicial», *Revista de Derecho Urbanístico y Medio Ambiente*, n.° 309, pp. 51 y ss.

norma superior de Derecho que proteja a los particulares (...). La Comunidad sólo incurre en responsabilidad si la institución de que se trata se ha extralimitado de manera manifiesta y grave, en el ejercicio de sus facultades». Se han positivizado en el artículo 32.5 LRJSP. De manera que sólo se generaría el derecho indemnizatorio si la nulidad del Plan General se hubiese declarado por la comisión de una infracción grave, grosera, evidente del ordenamiento jurídico por la Administración urbanística.

Esta tesis engarza con la jurisprudencia consolidada del Tribunal Supremo (S.ª Contencioso-Administrativo) que en las reclamaciones de responsabilidad patrimonial motivadas en la anulación de actos administrativos excluye la «antijuridicidad» del daño, por existir el deber jurídico de soportarlo, cuando la Administración haya actuado al dictar la resolución anulada dentro de *«unos márgenes de apreciación no sólo razonables sino razonados en el ejercicio de facultades discrecionales o integración de conceptos jurídicos indeterminados»*[9].

Lo cierto es que en la realidad resultará infrecuente (y dudosa) la adopción de este criterio como causa de exención de responsabilidad derivada de la anulación judicial de planes urbanísticos, sin perjuicio de que podría tomarse tal vez en consideración para atemperar prudencialmente el importe de la indemnización final. Al equipararse el plan a las disposiciones de carácter general, sus defectos formales o sustantivos constituirán siempre vicios de nulidad de pleno derecho, «suficientemente caracterizados». Además, la nulidad se producirá generalmente por la infracción de elementos reglados claros, no discrecionales, desvinculados de «conceptos jurídicos indeterminados» abiertos e imprecisos.

III. EFECTIVIDAD DEL DAÑO

El reclamante ha de acreditar que la actividad ilícita de la Administración urbanística le ha generado una lesión efectiva. Ello obliga a de-

---

9. Sentencias del Tribunal Supremo (S.ª 3.ª) de 27 de septiembre de 2017 (rec. 1777/2016), 17 de febrero de 2015 (rec. 2335/2012) y 1 de abril de 2011 (casación 5187/2006), entre otras muchas.
   BOIX MAÑÓ, P. (2012): «Responsabilidad patrimonial por anulación de actos administrativos (doctrina del margen de tolerancia), y por la adopción de medidas cautelares», *Revista Española de la Función Consultiva*, n.º 18, pp. 14 y ss.; DOMÉNECH PASCUAL, G. (2010): «Responsabilidad patrimonial de la Administración por actos jurídicos ilegales ¿Responsabilidad objetiva o por culpa?», *Revista de Administración Pública*, n.º 183, pp. 179 y ss.; MUÑOZ GUIJOSA, M.A. (2015): «Sobre el requisito de la antijuridicidad en la responsabilidad patrimonial por anulación de acto administrativo», *Revista Española de Derecho Administrativo*, n.º 168, pp. 145 y ss.

terminar las consecuencias exactas de la declaración de nulidad del plan respecto de su concreta finca.

En primer lugar, si el anterior planeamiento general (derogado) que ahora «resucita» conlleva o no realmente una restricción insalvable en sus facultades urbanísticas, haciendo inútiles los gastos en los que incurrió al amparo del plan anulado.

En segundo lugar, si tras la declaración de nulidad se inicia la tramitación de un nuevo plan general con una clasificación y calificación similar a la del declarado nulo para el ámbito de referencia. En tal caso podría dudarse de la «efectividad» del daño, pues no se conocerá su alcance exacto hasta el momento –futuro– de aprobación definitiva del nuevo plan. Puede producirse el «enriquecimiento injusto» del propietario/promotor si se le indemniza por unas restricciones edificatorias que desaparecerán tras la aprobación del plan en trámite, deviniendo finalmente útiles los gastos en los que incurrió. Ésta ha sido la conclusión alcanzada por el Consejo Consultivo de Galicia y por la secc. 2.ª de la S.ª de lo Contencioso-Administrativo del Tribunal Superior de Justicia de Galicia ante las acciones de responsabilidad patrimonial presentadas por la declaración de nulidad del plan general de ordenación municipal de Ourense. El Consejo Consultivo informó desfavorablemente y el Tribunal Superior (Secc. 2.ª) desestimó las reclamaciones al entender que la entidad del daño no se podría determinar hasta la aprobación definitiva del nuevo plan general en trámite[10]. Solución también adoptada por el Tribunal Supremo en su sentencia de 4 de junio de 2010[11].

No obstante, esta tesis plantea varias incógnitas. El inicio del plazo de un año de *prescripción* de la acción ya no se computaría desde la notificación de la sentencia definitiva, conforme dispone el artículo 67.1 Ley 39/2015 (LPAC), sino desde la fecha de aprobación definitiva de ese futuro plan general, debiendo acudirse a la teoría doctrinal y jurisprudencial de la *«actio nata»*. Por otra parte, si la aprobación del nuevo plan se demora en el tiempo, se le generaría grave indefensión al demandante, pues padeciendo un perjuicio inmediato (paralización de su actuación urbanística tras la asunción de cuantiosos gastos) se ve privado de su derecho a reclamar durante un plazo indefinido, subordinado a un futurible incierto. Sirva como ejemplo lo acaecido en la ciudad de Ourense: La declaración de nulidad de su plan general se hizo efectiva en marzo

---

10. SS TSJ Galicia (S.ª Contencioso-Administrativo, Secc. 2.ª) de 12/05/2016 (rec. 4057/2015) y 21/04/2016 (rec. 4142/2015). Dictámenes del Consejo Consultivo de Galicia n.º 594/2012, 36/2013 y 671/2013, de libre acceso en http://ccgalicia.es/.

11. Recurso de casación 3237/2008, ponente: Santiago Martínez-Varas García.

de 2011, poco después se inició la tramitación de un nuevo plan. Han transcurrido ya más de seis años y todavía no se ha producido su aprobación definitiva, existiendo una total incertidumbre sobre la fecha en la que se podría efectuar. Lógicamente habrá de establecerse (normativa o jurisprudencialmente) un plazo razonable tras la sentencia firme a partir del cual si no se ha aprobado definitivamente el plan general en trámite pueda hacerse efectivo, en todo o en parte, el derecho indemnizatorio del afectado, tomando como base la ordenación en realidad vigente, que es la precedente al plan declarado nulo.

En tercer y último lugar, con independencia y al margen de lo referido, resultará también relevante examinar el estado de ejecución de la actuación urbanística de que se trate. Si ya ha culminado con actos administrativos firmes (*ad. ex.*, proyectos de compensación y urbanización, licencias urbanísticas), en principio se conservan y devienen inatacables, aunque las edificaciones queden en situación de fuera de ordenación[12], con lo que desaparecería o minoraría sensiblemente el derecho indemnizatorio[13].

IV. NEXO CAUSAL – ANTIJURIDICIDAD – CULPA DE LA VÍCTIMA

Para determinar si el interesado tiene o no el «deber de soportar el daño» debe comprobarse el tiempo de vigencia efectiva del plan anulado. Y, muy especialmente, si ha incumplido o no los plazos establecidos para completar su deber de urbanizar y edificar.

Constituye un principio general de nuestro ordenamiento urbanístico[14] el de que los perjudicados por una alteración de la calificación establecida en un plan sólo podrían ostentar el derecho a reclamar una indemnización si la modificación de la ordenación se produce de manera sorpresiva y anticipada al período normal de vigencia de dicho plan. Si por el contrario el plan se modifica tras un período suficiente para haber sido ejecutado en el ámbito de que se trate, se considerará que el propietario/promotor al superar los plazos de urbanización y edificación habrá incurrido en «culpa» eximente de la responsabilidad patrimonial de la Administración[15]. Si hubiese edificado en plazo, antes por tanto de la sentencia anulatoria,

---

12. Artículo 73 Ley 29/1998, de 13 de julio –LJCA–; artículo 106.4 «*in fine*» LRJSP; y sentencias del Tribunal Supremo (S.ª de lo Contencioso-Administrativo, Secc. 5.ª) de 19/06/2009 (rec. 5491/2007), 16/12/2016 (rec. 1944/2015), 12/03/2015 (rec. 1881/2014) y 19/12/2011 (rec. 2884/2010).
13. STS 24/05/2005 (rec. 276/2004).
14. Derivado a su vez del principio del «*ius variandi*» y de la potestad discrecional de planeamiento, así como del concepto estatutario de la propiedad del suelo.
15. Artículos 38.1.c/ y 48.a/ TRLS-2015.

habría podido evitar el perjuicio. Su ánimo «especulador» le habrá llevado a la pérdida del aprovechamiento urbanístico. Principio aplicado por el Tribunal Supremo (S.ª 3.ª) en una reiterada jurisprudencia[16]. Como por lo común la sentencia anulatoria de un plan general adquiere firmeza tras un largo proceso judicial de unos siete u ocho años de media de duración, y su programa o plan de etapas para el suelo urbano y el urbanizable delimitado se consuma habitualmente en un período máximo de dos cuatrienios, va a ser habitual que se manifieste esta «eximente» en buena parte de las reclamaciones.

En la experiencia reciente del plan general de Ourense, la secc. 3.ª TSJ de Galicia ha adoptado esta tesis como causa exoneradora de responsabilidad, en todas las sentencias dictadas hasta el momento, anudándola al axioma de que la edificabilidad no se «patrimonializa» hasta el momento de su realización efectiva[17].

Otro factor interesante que aplica la jurisprudencia, con el resultado de atenuar el grado de responsabilidad de la Administración, es el de apreciar que el afectado ha asumido una situación de riesgo al realizar sus inversiones conociendo que el plan general se hallaba impugnado en un proceso contencioso-administrativo en trámite, o incluso que se había dictado ya una primera sentencia anulatoria (recurrida en casación)[18].

V. LEGITIMACIÓN PASIVA. REPARTO DE RESPONSABILIDADES ENTRE LA ADMINISTRACIÓN MUNICIPAL Y LA AUTONÓMICA

El protagonismo de la elaboración y aprobación de un Plan General recae en el Ayuntamiento y en la Administración autonómica. Intervienen, de manera independiente y separada, en un procedimiento bifásico, con distinto grado de participación en el marco de sus respectivos ámbitos competenciales.

En esta tesitura ¿hacia cual de dichas Administraciones debe dirigir el afectado su reclamación? La respuesta más prudente recomendaría presentar paralela y simultáneamente dos solicitudes indemnizatorias, una en la corporación municipal y otra en el departamento de urbanismo de la comunidad autónoma. Y, tras su desestimación expresa o presunta, de-

---

16. Ad. ex: SS TS 09/07/2012 y 16/05/2012 (Recs. 6433/2010 y 5718/2008).

17. SS TSJ Galicia (Secc. 3.ª) de 28/06/2017 –rec. 7373/2014–, 15/03/2017 –rec. 7157/2013–, 01/02/2017 –rec.7261/2013–, 25/01/2017 –rec. 7248/2013–, 28/09/2016 –rec. 7249/2013–, 25/05/2016 –rec. 7521/2013– y 19/01/2016 –rec. 7274/2012–.

18. SS TS (S.ª 3.ª) de 06/11/2015 –rec. 1782/2014– y del TSJ Galicia de 19/01/2016 –rec. 7274/2012–.

mandar conjuntamente a ambas Administraciones en un mismo proceso contencioso-administrativo.

En principio la atribución de responsabilidades ha de ser «*mancomunada*» y no «*solidaria*» (artículo 1.138 del Código Civil). Es decir, cada una de ellas responderá de manera individualizada y diferenciada en función de su tanto de culpa o implicación en la nulidad del plan. Conforme disponía el artículo 140 de la Ley 30/1992, de 26 de noviembre (LRJPAC) y mantiene el artículo 33 de la vigente LRJSP la mancomunidad (y no la solidaridad) ha de ser la regla general cuando concurren «*varias Administraciones en la producción del daño*», debiendo repartirse la responsabilidad «*para cada Administración atendiendo a los criterios de competencia, interés público tutelado e intensidad de la intervención*»[19]. La solidaridad es la excepción. Sólo se podrá establecer, en primer lugar, en supuestos muy concretos de «*gestión dimanante de fórmulas conjuntas de actuación entre varias Administraciones Públicas*» instrumentadas con «estatutos» o «reglas de organización colegiada» (artículos 33.1 y 33.3 LRJSP), como los «consorcios», «mancomunidades», «encomiendas de gestión» y «convenios de colaboración». O, en segundo lugar, «*cuando no sea posible*» determinar el grado de responsabilidad de cada Administración (artículo 33.2 LRJSP).

La culpa concurrente de ayuntamiento y comunidad autónoma por la aprobación de un plan urbanístico anulado no se corresponde con el primer supuesto de solidaridad[20]. Y tampoco con el segundo, pues por regla general siempre será posible discernir el grado de responsabilidad de cada Administración en la generación del defecto determinativo de la nulidad del plan. Así, por ejemplo, cuando la nulidad se deriva de un error formal cometido en la fase en la que el proyecto de plan, tras su aprobación provisional por el ayuntamiento, obraba ya en la Administración autonómica para su aprobación definitiva, será fácil atribuirle la práctica totalidad de la responsabilidad a esta última. Si por el contrario el vicio se produjo en la fase de información pública, en la sede municipal, sin que la Administración autonómica pudiese haberlo detectado antes de la aprobación definitiva y del proceso judicial, la responsabilidad le corresponderá al ayuntamiento. En el supuesto típico de anulación por omi-

---

19. S TS de 10/07/2014 –rec. 3311/2012, FD 6.°–.

20. BALLESTEROS FERNÁNDEZ, A. (2007): «Manual de responsabilidad de los entes locales», *El Consultor de los Ayuntamientos y de los Juzgados*, p. 62. El TS en varios precedentes ha señalado que en estos casos la responsabilidad de ambas Administraciones es «solidaria» (*ad. ex.*, S TS 24/09/2013 –rec. 3703/2012–), pero lo cierto es que lo ha hecho de manera apodíctica, sin mayores razonamientos, por lo que en principio ha de regir lo establecido en las referidas disposiciones legales, que prevalecen claramente la mancomunidad frente a la solidaridad.

sión de un informe preceptivo que se debió recabar antes de la aprobación provisional, el tanto de culpa entre las dos Administraciones será del 50% a cada una. Del ayuntamiento, por no haberlo requerido en el momento procedimental oportuno; y de la consejería competente en urbanismo, por no haber comprobado ese vicio del expediente, fácilmente detectable, tratándose de uno de los aspectos reglados principales que debe supervisar para autorizar la aprobación definitiva del plan.

Es por ello recomendable demandar a ambas Administraciones en el mismo proceso, para que, en caso de concurrir responsabilidad patrimonial, el Tribunal resuelva en una misma sentencia el tanto de culpa de cada una de ellas, repartiendo proporcionalmente la condena indemnizatoria. Se garantizará así una coherencia en el proceder judicial, evitándose otro pleito. Y se cumplirá la norma que prima la condena mancomunada frente a la solidaria.

Por el mismo motivo, cuando un ayuntamiento recibe en exclusiva la reclamación indemnizatoria, debe remitir una copia a la Administración autonómica, conforme dispone el artículo 33.4 LRJSP. Y si el proceso judicial se dirige solo frente a él, habrá de emplazar a la otra, para que se persone como codemandada.

En la vía judicial, como se acumulan en un mismo proceso pretensiones dirigidas frente al ayuntamiento y la Administración autonómica con idéntica causa de pedir, resultará competente para conocer el asunto en primera o única instancia el órgano judicial de mayor rango, de entre los dos distintos a los que les pudiese corresponder cada acción por separado[21]. Así sucedió en la mayor parte de las reclamaciones de responsabilidad patrimonial motivadas en la declaración de nulidad del plan general de Ourense. Se dirigieron simultáneamente frente al ayuntamiento y la Xunta de Galicia, se acumularon en un único proceso, resolviéndose en primera y única instancia por la Sala de lo Contencioso-Administrativo del Tribunal Superior de Justicia.

VI. CONCEPTOS INDEMNIZABLES

Tal y como se indicó en el epígrafe «II.2», la institución de la responsabilidad patrimonial se aplica en esta materia con un efecto «reparador»,

---

21. El TS (S.ª 3.ª), en reiterados pronunciamientos [*ad. ex.*, S de 16/12/2010 –rec. 101/2010– y Auto de 08/03/2012 –rec. 71/2011–] ha fijado el criterio conforme al cual: «*la competencia objetiva en los casos en que hayan de fiscalizarse decisiones adoptadas por diferentes Administraciones, pero fundadas en igual causa de pedir, entendida esta causa como el dato fáctico determinante de la reclamación, ha de corresponder al órgano jurisdiccional competente para fiscalizar el acto dictado por la Administración de mayor ámbito territorial*».

de compensación de los desembolsos inútiles que con buena fe y cumplimiento de sus deberes urbanísticos hubo de asumir el propietario/promotor para la ejecución del plan general declarado nulo. Más allá de dichos gastos no se pueden incluir en esta indemnización los conceptos adicionales previstos en los artículos 48.a), 38 y 39 TRLS-2015 (artículos 28 y 29 del Reglamento de Valoraciones aprobado por Real Decreto 1492/2011, de 24 de octubre), porque no nos hallamos ante una modificación anticipada de un plan válido, sino ante la pérdida de vigencia de un plan que fue nulo desde un principio. La expectativa del propietario/promotor de patrimonializar una edificabilidad determinada era ilegítima, se hallaba contaminada por la nulidad del plan. La sentencia se limita a declarar tal nulidad. Por el contrario, en el otro supuesto de modificación del plan se restringe antes de tiempo una expectativa que era válida y legítima.

La responsabilidad es aquí equiparable a la generada por «*informaciones urbanísticas erróneas*». El afectado no puede exigir la edificabilidad ficticia comunicada erróneamente en la información, ni tampoco una compensación por su «*pérdida*», pues realmente nunca existió. Sí podrá reclamar los gastos inútiles realizados fiándose de esa información incorrecta.

Entre éstos el más polémico es el relativo al perjuicio resultante de la compra de fincas bajo la vigencia del plan en cuestión, con un precio calculado conforme a una edificabilidad que luego desaparece con la declaración de nulidad. Determinada jurisprudencia reconoce el derecho del adquirente a percibir una indemnización por la parte del precio correspondiente a esa expectativa frustrada[22]. No se trata de una solución pacífica, porque ese «precio» (pactado libremente entre comprador y vendedor) contiene un componente especulativo, de riesgo, ajeno a los criterios objetivos conforme a los cuales se ha de valorar el suelo en estos casos –mayormente si la compra se realizó antes de la crisis inmobiliaria de 2007–. Es decir, si el plan no se hubiese declarado nulo el propietario habría padecido igualmente un grave perjuicio por la explosión de la burbuja inmobiliaria, con la devaluación del precio del suelo que produjo. Por esta vía de la responsabilidad pretendería soslayar la pérdida «natural» del valor de su finca producida por la dinámica del mercado inmobiliario. Se generaría así a costa de la Administración un enriquecimiento injusto para el demandante (que además sigue reteniendo la propiedad de la finca, con la expectativa de su reclasificación de nuevo como urbanizable o urbano en un futuro).

---

22. SS TS 17/10/1988 (RJ 1988, 7760) y 12/05/1987 (RJ 1987, 5255).

BIBLIOGRAFÍA

ÁLVAREZ MONTOTO, J. (2015): «Apuntes sobre la responsabilidad patrimonial de la Administración Local en el caso de la anulación de actos o disposiciones en materia urbanística», *Revista El Consultor de los Ayuntamientos y de los Juzgados*, n.° 6.

BALLESTEROS FERNÁNDEZ, A. (2007): «Manual de responsabilidad de los entes locales», *El Consultor de los Ayuntamientos y de los Juzgados*.

BOIX MAÑÓ, P. (2012): «Responsabilidad patrimonial por anulación de actos administrativos (doctrina del margen de tolerancia), y por la adopción de medidas cautelares», *Revista Española de la Función Consultiva*, n.° 18.

COMINGES CÁCERES, F. de (2017): «Los efectos de la anulación judicial de un plan general. La necesaria modulación de la equiparación de planes urbanísticos y disposiciones reglamentarias. Propuestas de mejora del sistema», *Revista de Derecho Urbanístico y Medio Ambiente*, n.° 314.

DOMÉNECH PASCUAL, G. (2003): «Responsabilidad patrimonial de la Administración derivada de la anulación de un reglamento», *Revista Aragonesa de Administración Pública*, n.° 22.

– (2010): «Responsabilidad patrimonial de la Administración por actos jurídicos ilegales. ¿Responsabilidad objetiva o por culpa?», *Revista de Administración Pública*, n.° 183.

FONTANA I PUIG, A. (2012): «Responsabilidad patrimonial en materia urbanística», *Revista Española de la Función Consultiva*, n.° 18.

GALÁN VIOQUE, R. (2002): «La anulación de un plan urbanístico como fuente de responsabilidad patrimonial de las Administraciones Públicas», *Revista Andaluza de Administración Pública*, n.° 46.

IGLESIAS GONZÁLEZ, F. (2017): «Responsabilidad patrimonial por nulidad del planeamiento», en SORIA MARTÍNEZ, G. y BASSOLS COMA, M. (coords.), *Los efectos de la nulidad de los instrumentos de planeamiento urbanístico*, Aranzadi, Cizur Menor.

MUNAR FULLANA, J. (2012): «Imputabilidad administrativa y solidaridad en el ámbito de la responsabilidad patrimonial por alteración del planeamiento urbanístico», *Revista Aranzadi de Urbanismo y Edificación*, n.° 25.

MUÑOZ GUIJOSA, M.A. (2015): «Sobre el requisito de la antijuridicidad en la responsabilidad patrimonial por anulación de acto administrativo», *Revista Española de Derecho Administrativo*, n.° 168.

ORDÓÑEZ SOLÍS, D. (2016): «La responsabilidad patrimonial por la nulidad de los planes urbanísticos en clave judicial», *Revista de Derecho Urbanístico y Medio Ambiente*, n.° 309.

ROMERO REY, C. (2011): «Dies a quo para el cómputo del plazo de prescripción de las acciones de responsabilidad patrimonial derivadas de la anulación jurisdiccional de un acto o disposición administrativa», *Revista Actualidad Administrativa*, n.° 8.

SUAY RINCÓN, J. (2007): «Responsabilidad patrimonial de la Administración y urbanismo: Determinación de los supuestos indemnizatorios y régimen jurídico aplicable (un intento de reinterpretación de la normativa urbanística a la luz de la normativa general sobre responsabilidad patrimonial de la Administración)», *Revista de Derecho Urbanístico y Medio Ambiente*, n.° 232.

Capítulo IX

El régimen de la comunicación previa como título habilitante de naturaleza urbanística: el caso de Galicia

Francisco Antonio Cholbi Cachá

Doctor en Derecho Administrativo
Tesorero del Ayuntamiento de Benidorm

SUMARIO: I. INTRODUCCIÓN. II. EVOLUCIÓN DE LA INSTITUCIÓN. 1. El contenido de la Directiva de Servicios. *1.1. Alcance, ámbito de aplicación y trasposición de la Directiva de Servicios. 1.2. El régimen de la Comunicación Previa o de la Declaración responsable en nuestro actual estado de las autonomías.* III. ESPECIAL REFERENCIA AL RÉGIMEN AUTORIZATORIO URBANÍSTICO EN GALICIA A TRAVÉS DE LA PRESENTACIÓN DE UNA COMUNICACIÓN PREVIA. 1. Evolución normativa en la Comunidad Autónoma de Galicia. 2. Los actos sujetos al régimen la comunicación previa en Galicia y su procedimiento autorizatorio. *2.1. Los actos sujetos al régimen de la comunicación previa. 2.2. El procedimiento de autorización para los actos y usos sujetos a la presentación de una comunicación previa.* A) Inicio del procedimiento: la presentación de la comunicación previa y de la documentación que la acompaña. B) La tramitación de la comunicación previa presentada ante la Administración. C) Efectos de la presentación de la comunicación previa. D) Otras consideraciones relacionadas con la comunicación previa. *2.3. La interrelación de las obras sujetas a la presentación de una comunicación cuando son destinadas al ejercicio de actividades.* A) Actividades sometidas a una autorización ambiental integrada. B) Actividades con incidencia ambiental que requieren de la ejecución de obras. C) Actividades que no tienen incidencia ambiental y que requieren de la ejecución de obras. D) Actividades a realizar en establecimientos públicos sujetos al capítulo III del Título III de la Ley 9/2013. E) Las actividades promovidas por las Administraciones Públicas. *2.4. Aspectos de la restauración de la legalidad urbanística de los actos y usos sujetos a la presentación de una comunicación previa.* IV. ASPECTOS A TENER EN CUENTA QUE REQUIEREN DE UN DESARROLLO REGLAMENTARIO LOCAL. V. A MODO DE CONCLUSIÓN.

I. INTRODUCCIÓN

El objeto del presente artículo es analizar el régimen jurídico existente en la Comunidad Autónoma de Galicia respecto del régimen de la comunicación previa como título habilitante de naturaleza urbanística a fin de controlar la legalidad de los actos de edificación y uso del suelo, sujetos a esta técnica autorizatoria.

Para ello realizaremos una pequeña evolución histórica de los regímenes comunicados, cuando nacieron y como ser fueron extendiendo, preferentemente en el ámbito urbanístico, para terminar con una panorámica resumida del régimen vigente en nuestro país.

De manera más concreta, en el presente trabajo analizaremos la evolución llevada a cabo por el legislador gallego de esta técnica autorizatoria para centrarnos en su actual regulación legal y reglamentaria, exponiendo sus rasgos característicos y los principales problemas que en dicha regulación nos podemos encontrar, con ánimo de exponer soluciones a través de un desarrollo reglamentario local, si fuera el caso.

Finalmente, prestaremos atención al régimen de interrelación de esta técnica autorizatoria con las distintas autorizaciones para el ejercicio de actividades y el orden en la tramitación de unas y otras.

II. EVOLUCIÓN DE LA INSTITUCIÓN

El régimen de la comunicación previa o de la declaración responsable en materia urbanística hunde sus raíces desde hace ya varios años, especialmente con la regulación contenida por la normativa de algunas Comunidades Autónomas, antes incluso de la promulgación de la Directiva de Servicios; es el caso de las siguientes CC.AA.: Castilla-La Mancha (art. 157 del TRLOTUCastilla-La Mancha, en su redacción originaria), Cataluña (arts. 89, 96 y 97 del ROASCataluña y 179 del derogado Decreto-Legislativo 1/2005), Extremadura (art. 172 LSOTExtremadura), Madrid (art. 156 LSMadrid) y País Vasco (art. 207 LSPaís Vasco).

1. EL CONTENIDO DE LA DIRECTIVA DE SERVICIOS

1.1. Alcance, ámbito de aplicación y trasposición de la Directiva de Servicios

La justificación de la Directiva de Servicios es clara y razonable, evitar, entre otras razones, un exceso de trámites administrativos, inseguridad jurídica que rodea a las actividades transfronterizas y en la falta de confianza recíproca entre los Estados miembros.

Para ello como establece la propia exposición de motivos de la Directiva, se parte de un marco jurídico general basado en un enfoque dinámico y selectivo que consista en suprimir de forma prioritaria las barreras que se puedan eliminar rápidamente y, respecto a las demás, iniciar un proceso de evaluación, consulta y armonización complementaria de cuestiones específicas para permitir modernizar de forma progresiva y coordinada los sistemas nacionales de regulación de las actividades de servicios.

La forma de llevar a cabo esa supresión se realiza, entre otras medidas, con la simplificación de trámites en los procedimientos, con una declaración general cuando no universal de sustitución de la autorización administrativa previa por una declaración responsable o comunicación previa de la actividad que se vaya a realizar.

Ahora bien, la propia Directiva de Servicios establece una serie de exclusiones en su aplicación entre las que se encuentran normas de tráfico rodado; normas relativas a la ordenación del territorio, urbanismo y ordenación rural, normas de construcción, sanciones administrativas, servicios financieros, servicios de transporte, servicios sanitarios y farmacéuticos, servicios audiovisuales y las actividades públicas que se realizan sin contrapartida económica, en los términos de la jurisprudencia del Tribunal de Justicia.

El régimen de la autorización previa queda con claro carácter residual, salvo en los supuestos en que pueda existir una serie de riesgos o peligros por la falta de intervención a priori o, cuando entren en juego razones imperiosas de interés general, en los términos fijados por la jurisprudencia del Tribunal Superior de Justicia de las Comunidades Europeas, es decir, cuando afecte al orden público; seguridad pública y salud pública, protección del consumidor, protección de los trabajadores, incluida su protección social, protección del medio ambiente y del entorno urbano incluida la planificación urbana y rural, protección de los acreedores, etc.

De igual forma, es necesario resaltar como la propia Directiva y en particular las disposiciones referentes a los regímenes de autorización y al ámbito territorial de una autorización, no deben interferir en el reparto de competencias regionales o locales en los Estados miembros, incluidos los gobiernos autónomos regionales y locales y el uso de lenguas oficiales.

Como ya señalamos Merino y yo[1], si perseguimos un régimen rápido de intervención, con declaraciones previas y controles posteriores, pero permitiendo que las actividades que se ejerzan respeten el reparto de competencias en los distintos territorios nacionales, es en sí mismo un contrasentido, dado que cada gobierno local, autonómico o nacional, dentro de cada Estado miembro, puede llevar a cabo una interpretación diferente de los ámbitos y conceptos manejados en la Directiva, lo que puede introducir en el sistema elementos de inseguridad jurídica, justamente uno de los problemas que se pretendían resolver.

En cierta medida es lo que ha sucedido no ya sólo entre los distintos estados miembros, sino como es el caso de España con diferentes criterios de unas Comunidades Autónomas a otras, por lo que quizá hubiera sido mejor acudir a procedimientos de armonización.

La trasposición de la Directiva de Servicios fue llevada a cabo por el legislador estatal por las Leyes 17 y 25/2009, y en el ámbito local se modificó el artículo 84 de la Ley de Bases de Régimen Local de 1985, en varias ocasiones. En el ámbito de las actividades comerciales la trasposición se llevó a cabo por la Ley 12/2012 (previo Real Decreto 19/2012) lo que supuso un régimen unificado para todo el territorio nacional respecto de los regímenes autorizatorio para las actividades comerciales y de servicios.

El problema radica cuando los títulos competenciales de otras materias corresponden al legislador autonómico, como es el caso del régimen jurídico del resto de actividades no contempladas en la Ley 12/2012 y en el ámbito urbanístico, competencia exclusiva del legislador autonómico.

Ello ha provocado distintas regulaciones en las distintas partes del territorio nacional con las consecuencias que ello conlleva. En el ámbito urbanístico que es lo que ahora nos interesa ha sido objeto de diferente regulación y técnica autorizatoria en las diferentes Comunidades Autónomas.

En el ámbito urbanístico la mayor parte de las Comunidades Autónomas, a pesar de no aplicarse directamente la Directiva de Servicios a este ámbito, como ya hemos comentado anteriormente, han flexibilizado sus regímenes autorizatorios en mayor o menor medida, salvo algunas excepciones.

---

1. CHOLBI CACHÁ, F.A. y MERINO MOLINS, V. (2010): «Comentario crítico sobre la Directiva de Servicios y de las Leyes 17 y 25/2009 en aplicación de la misma: especial incidencia en el ámbito de las licencias urbanísticas y de actividad», *El Consultor de los Ayuntamientos y de los Juzgados*, n.º 7, quincena 15-29 abr. 2010, La Ley, Madrid.

1.2. El régimen de la Comunicación Previa o de la Declaración responsable en nuestro actual estado de las autonomías

A pesar de que algunas Comunidades Autónomas habían instaurado este régimen autorizatorio para los actos y usos de menor importancia en sus procedimientos desde hace varios años, no ha sido hasta la promulgación de la Directiva de Servicios y su trasposición al ordenamiento interno español en el 2009 cuando dicho régimen se ha extendido de manera más decidida al campo de las autorizaciones urbanísticas.

En la actualidad nos encontramos con tres situaciones que nos podemos encontrar. Aquellas Comunidades Autónomas que sujetan todos sus actos al régimen tradicional de licencia urbanística (que son ya las menos), otro grupo de Comunidades Autónomas que utilizan el régimen de la comunicación previa para los actos de edificación y uso del suelo de menor importancia, y otro grupo que utilizan la presentación de una declaración responsable, en ocasiones, para actos de edificación de importancia[2].

El tema de utilizar una comunicación previa o una declaración responsable para la ocupación o utilización de edificaciones merece un comentario aparte.

La problemática de la declaración responsable o comunicación previa para la ocupación o utilización de construcciones o edificaciones se pone de manifiesto con mayor énfasis en la primera ocupación de la edificación. En este sentido, aunque el régimen sea más flexible para permitir la ocupación o utilización de la edificación tenemos que ser conscientes de una serie de problemas que se pueden producir.

La falta de comprobación previa por los técnicos municipales respecto de la ejecución adecuada de las obras autorizadas, incluidos los casos de edificación y urbanización simultánea, puede provocar una ejecución inadecuada de las obras con el evidente perjuicio que se puede producir respecto de terceros adquirentes de buena fe, en los casos de impedimento posterior de uso de la edificación, amén de la problemática que se puede generar en estos casos a las empresas suministradoras de servicios que proceden a la puesta en funcionamiento de los mismos con la mera presentación de una comunicación previa o declaración responsable sellada por el Ayuntamiento, sin ningún tipo de verificación hasta ese momento, y sin perjuicio de la responsabilidad patrimonial en que pudiera incurrir

---

2. Es el caso de la Comunidad Valenciana que utiliza esta técnica incluso para actos de edificación que requieran de proyecto técnico, siempre que no se trate de obras de nueva planta o ampliación de las existentes. Ver los artículos 213 y 214 de la Ley 5/2014, de Ordenación del Territorio, Urbanismo y Paisaje de la Comunidad Valenciana.

la Administración por mor de lo dispuesto en el artículo 11.5 del Real Decreto Legislativo 7/2015, por el que se aprueba el Texto Refundido de la Ley del Suelo y Regeneración Urbana.

III. ESPECIAL REFERENCIA AL RÉGIMEN AUTORIZATORIO URBANÍSTICO EN GALICIA A TRAVÉS DE LA PRESENTACIÓN DE UNA COMUNICACIÓN PREVIA

1. EVOLUCIÓN NORMATIVA EN LA COMUNIDAD AUTÓNOMA DE GALICIA

La Comunidad Autónoma de Galicia ha seguido la estela de otras CC.AA., en relación con la promulgación de normativa sobre régimen local, en parecido sentido a lo establecido en la legislación básica de régimen local, como no podía ser de otra forma, a través de lo establecido en el artículo 286 de la Ley 5/1997, de Administración Local para dicha CC.AA. Dicha disposición ha sido objeto, entre otras, de modificación por la Ley 1/2010, de 11 de febrero, de modificación de diversas leyes para su adaptación a la Directiva de Servicios.

Dicho precepto sufrió nueva redacción para adaptarse al contenido de la legislación básica de régimen local conformada en este caso por el artículo 84, bis y ter de la LRBRL, al que antes nos hemos referido, en el sentido de contener en la enumeración tradicional de los modos de intervención en la actividad de los ciudadanos el sometimiento a comunicación previa o, a declaración responsable, así como el sometimiento a control posterior al inicio de la actividad, a efectos de verificar el cumplimiento de la normativa reguladora de la misma.

Ha tenido que ser la reforma legal operada por la disposición final tercera de la Ley 9/2013, de 19 de diciembre, del emprendimiento y de la competitividad económica en Galicia, sobre el artículo 194 de la Ley 9/2002, de 30 de diciembre, de ordenación urbanística y protección del medio rural de Galicia (vigente hasta el 19 de marzo de 2016) la que introdujera de manera clara y decidida el régimen de la comunicación previa como técnica de intervención administrativa para la ejecución de determinados actos y usos de naturaleza urbanística.

La precitada disposición legal ha sido derogada por la Ley 2/2016, de 10 de febrero, del Suelo de Galicia (en adelante LSGalicia), reconociendo este régimen de intervención municipal de comunicación previa en el artículo 142.3 de la LSGalicia, desarrollando su procedimiento, como a continuación comentaremos, en el artículo 146 de la precitada disposición legal.

La disposición final quinta de la susodicha disposición legal habilitaba al Consello de la Xunta para que en el plazo de un año llevase a cabo el desarrollo reglamentario de la precitada disposición, cosa que ha hecho con inusitada diligencia al promulgar en poco más de 7 meses y publicar en menos de 9 el citado desarrollo reglamentario a través del Decreto 143/2016, de 22 de septiembre.

También merece la pena mencionar, porque también se citará en el presente artículo, el Decreto 144/2016, de 22 de septiembre, por el que se aprueba el Reglamento único de regulación integrada de actividades económicas y de apertura de establecimientos, sobre todo en lo que se refiere al régimen de interrelación de las autorizaciones urbanísticas para la ejecución de obras cuando van a destinarse al ejercicio de actividades.

2. LOS ACTOS SUJETOS AL RÉGIMEN LA COMUNICACIÓN PREVIA EN GALICIA Y SU PROCEDIMIENTO AUTORIZATORIO

2.1. Los actos sujetos al régimen de la comunicación previa

En la enumeración legal llevada a cabo por el artículo 142 de la LS-Galicia, el apartado segundo de dicho precepto establece la enumeración de los actos que quedan sujetos a licencia, y por defecto en su apartado tercero señala que los actos que no se encuentren sujetos a licencia se encontrarán sujetos a la presentación de una comunicación previa.

Aunque resulte un poco repetitivo creo conveniente hacer una enumeración de los actos que quedan sujetos a licencia para poder entender de forma más clara el régimen de los actos comunicados: los actos de edificación y uso del suelo y del subsuelo que, con arreglo a la normativa general de ordenación de la edificación, precisen de proyecto de obras de edificación; las intervenciones en inmuebles declarados bienes de interés cultural o catalogados por sus singulares características o valores culturales, históricos, artísticos, arquitectónicos o paisajísticos, las demoliciones, salvo las derivadas de resoluciones de expedientes de restauración de la legalidad urbanística, los muros de contención de tierras, según se establezca reglamentariamente, los grandes movimientos de tierras y las explanaciones, las parcelaciones, segregaciones u otros actos de división de terrenos en cualquier clase de suelo, cuando no formasen parte de un proyecto de reparcelación, la primera ocupación de los edificios, la implantación de cualquier instalación de uso residencial, ya sea provisional o permanente y la tala de masas arbóreas o de vegetación arbustiva en terrenos incorporados a procesos de transformación urbanística y, en todo caso, cuando dicha tala se derivase de la legislación de protección del dominio público.

El artículo 360 del Decreto 143/2016 señala que quedan sujetos al régimen de presentación de una comunicación previa los actos de edificación y uso del suelo y subsuelo que no requieran de proyecto técnico de obras de edificación y la ejecución de obras o instalaciones menores.

Echo en falta una mayor concreción en el desarrollo reglamentario respecto de los actos sujetos a una comunicación previa[3], porque hace una descripción negativa de lo que no se entiende por obra o instalación menor que, básicamente, coincide con los actos para los que la Ley exige la presentación de una solicitud de licencia urbanística, pero quedando, de manera bastante evidente toda una zona gris respecto de otros actos o usos que deberían haberse clarificado con motivo del desarrollo reglamentario a que están sujetos, y no debiendo acudir a cláusulas residuales o de excepción.

Los muros de contención de tierras cuando superen el metro y medio están sujetos a licencia urbanística, por debajo de dicha altura bastará con la presentación de una comunicación previa, en este caso el legislador en desarrollo de la previsión legal ha determinado en que casos procede una u otra técnica autorizatoria.

También hubiera sido conveniente aclarar que se entiende por grandes movimientos de tierras, a fin de establecer un criterio o límite, al igual que se ha hecho con los muros de contención, para entender cuando se requiere licencia urbanística o basta la presentación de una comunicación previa.

Bien es cierto que el artículo 351.1, letra e) del Decreto 143/2016 señala que no se consideran grandes movimientos de tierra los que tengan como finalidad el movimiento superficial de las tierras para llevar a cabo actuaciones directamente vinculadas con la explotación agraria, pero lo hace, una vez más, con carácter negativo sin caracterizar, claramente, la figura de los movimientos de tierra.

El uso del vuelo sobre edificaciones o instalaciones de cualquier clase se sujetan al régimen de la presentación de una comunicación previa, aunque debería haberse matizado para los casos en que hubiera cualquier tipo de afección sobre bienes catalogados o protegidos.

---

3. El artículo 360.1 del Decreto 143/2016 señala que se encuentran sujetos al régimen de comunicación previa todos los actos de transformación, construcción, edificación y uso del suelo o subsuelo que no esté sujeto a licencia municipal, aunque bien es cierto que luego realiza una enumeración particular de actos y usos sujetos a comunicación previa.

La modificación del uso de parte de los edificios o instalaciones cuando no tengan por objeto cambiar los usos característicos del edificio ni implantar un uso residencial, con una clara limitación respecto de la regulación legal contenida en el artículo 142.2 respecto de los actos sujetos a licencia, en la que no se contiene ninguna determinación respecto a la sujeción a licencia de ningún tipo de modificaciones de uso.

En otras palabras, el desarrollo reglamentario parece que haya querido corregir lo que a mi juicio era un defecto en la regulación legal, como es permitir la modificación de usos de las construcciones o instalaciones a través de la presentación de una comunicación previa, lo que no obsta para señalar si se ha producido, a lo mejor, un exceso de jurisdicción por parte del legislador reglamentario al establecer estas importantes limitaciones al régimen de la comunicación previa, o dicho de otra forma, hubiera sido mejor modificar el contenido de la regulación legal en lugar de introducir estas limitaciones en el desarrollo reglamentario.

También quedan sujetos al régimen de la presentación de una comunicación previa la instalación de invernaderos; la colocación de carteles y paneles de propaganda visibles desde la vía pública, siempre que no estén en locales cerrados, los cierres y vallados de fincas y las instalaciones y construcciones de carácter temporal destinadas a espectáculos y actividades recreativas.

El artículo 360 del Decreto 143/2016 señala que también quedan sujetos a la presentación de una comunicación previa la utilización del suelo para el desarrollo de actividades mercantiles, industriales, profesionales o de servicios, sin que quede totalmente claro a que tipo de actividades se refiere, es decir, a instalaciones temporales, mercadillos, etc.

El ejercicio de estas actividades en locales ya se regula por la normativa ambiental correspondiente en dicha Comunidad Autónoma, o por la legislación básica del Estado, en su caso.

Finalmente, también señala el desarrollo reglamentario un aspecto que no logro a entender bien, cuando señala que se encuentran sujetos a la presentación de una comunicación previa la extracción de áridos para la construcción y la explotación de canteras, aunque se produzca en terrenos de dominio público y las actividades extractivas de minerales, líquidos y de cualquier otra materia, así como las de vertidos en el subsuelo, cuando dichos actos se encuentran, normalmente, regulados por la normativa ambiental que es la que establece el distinto régimen jurídico autorizatorio, sin perjuicio de la necesidad de acometer obras en cuyo caso se sujetarán, dependiendo de su envergadura, a una licencia o comunicación previa.

Mi sorpresa radica cuando el propio desarrollo reglamentario se refiere a actividades extractivas, extracción de áridos y explotación de canteras, que son actividades que se encontrarán sujetas al régimen ambiental que corresponda en función de lo que determine la normativa básica estatal, en su caso, y autonómica sectorial de aplicación, pero no parece que la normativa urbanística sea la adecuada para regular estos temas.

El desarrollo reglamentario guarda un significativo silencio sobre el tema de las ocupaciones de edificios y otras construcciones o instalaciones. Me estoy refiriendo a los supuestos de segunda y posteriores ocupaciones, sin que se determine documentación de ninguna índole en estos casos, como posteriormente veremos.

2.2. El procedimiento de autorización para los actos y usos sujetos a la presentación de una comunicación previa

En el presente apartado vamos a analizar las distintas fases procedimentales o vicisitudes que pueden suceder como consecuencia de la presentación de una comunicación previa ante la Administración.

A) *Inicio del procedimiento: la presentación de la comunicación previa y de la documentación que la acompaña*

El promotor de los actos de uso del suelo y del subsuelo comunicará al Ayuntamiento el acto o uso pretendido con una antelación mínima de 15 días hábiles a la fecha en que pretenda comenzar con su ejecución, como plazo de preaviso a la Administración actuante.

En mi opinión es un acierto del legislador autonómico gallego establecer dicho plazo, no estableciendo los efectos inmediatos de la comunicación previa o declaración responsable, como sucede con otras normativas urbanísticas de Comunidades Autónomas.

La comunicación previa deberá ir acompañada de una serie de documentación, entre la que se encuentra una memoria o escrito con la descripción técnica suficiente de las características del acto que se pretenda ejecutar o, en su defecto, si fuera necesario con arreglo a lo establecido en la legislación de ordenación de la edificación, el correspondiente proyecto técnico, aunque en estos casos lo normal es que el acto se encuentre sujeto a licencia urbanística.

También deberá indicar en la memoria o escrito que se presente, de manera expresa, que la comunicación previa presentada cumple en todos sus extremos con la ordenación urbanística de aplicación. Entiendo que

232

también sería suficiente con que se hiciera constar en la propia comunicación previa.

De igual forma se debe acompañar copia de las autorizaciones, concesiones administrativas o informes sectoriales cuando los mismos fueran legalmente exigibles al solicitante, de conformidad con lo dispuesto en las distintas normativas sectoriales.

Permite el apartado primero del artículo 146 de la LSGalicia la acreditación de que se ha solicitado su otorgamiento, pero ello supone, en mi opinión, una cierta contradicción con la operatividad o eficacia de la comunicación previa presentada.

En los regímenes comunicados en los que no existe, en principio, ningún tipo de resolución expresa, salvo para negarles los efectos a la propia comunicación como consecuencia de no haber utilizado el cauce adecuado o por otras razones, no es posible que la misma se presente con la solicitud de las autorizaciones o informes sectoriales, por una llana y simple razón, dichos informes o autorizaciones sectoriales son preceptivas y vinculantes con carácter previo al título habilitante urbanístico.

Por esta razón no es posible, en mi opinión, presentar la solicitud de informes sectoriales sino se acreditan las propias autorizaciones o informes favorables, porque la Administración en el mismo instante de recibir la comunicación previa acompañada de la documentación correspondiente tendría que enervar los efectos que surten con motivo de la presentación de la comunicación al faltar los elementos de juicio necesarios para que la misma surta efectos, lo que nos llevaría a una contradicción *in terminis* y a un callejón sin salida.

Además, a diferencia de lo que sucedería con las solicitudes de licencias urbanísticas, en cuyo caso podríamos debatir que tipo de informes o autorizaciones sectoriales son necesarias como condición de eficacia para poder iniciar la tramitación de la licencia y cuáles otros informes sectoriales se pueden tramitar en el seno del procedimiento de otorgamiento[4]; con

---

4. En este sentido el artículo 353.2, letra i) del Decreto 143/2016 señala que la solicitud de licencia contendrá los siguientes datos y documentos: copia de la autorización o dictamen ambiental, así como de las restantes autorizaciones, concesiones o informes sectoriales cuando sean legalmente exigibles. Y por su parte, el artículo 354 del precitado Decreto 143/2016 que se encarga de regular la tramitación del procedimiento, señala en su apartado segundo que el Ayuntamiento remitirá la documentación presentada a las autoridades competentes para que emitan las autorizaciones, concesiones o informes sectoriales que sean legalmente exigibles y que no tuvieran que ser presentados con la solicitud, no pudiendo otorgarse licencias condicionadas a la futura obtención de estos. Queda claro como en el procedimiento de otorgamiento de licencias hay dos tipos de informes que deben obrar en el expediente, en todo

la presentación de una comunicación previa, en principio la labor de la Administración es de comprobación tanto de la documentación como de la ejecución de los actos de que se ajustan al régimen legal y reglamentario de la comunicación previa, pero no a la tramitación de procedimiento administrativo de ninguna índole, propiamente dicho.

Por todo ello, vuelvo a insistir en la necesidad de contar con todos los informes sectoriales para que la comunicación previa pueda surtir efectos ante la Administración, incluido el transcurso de los plazos de preaviso de quince días con los que cuenta la Administración para verificar, precisamente, la suficiencia y corrección de la documentación presentada. ¿Y cómo lo va a hacer sino cuenta con los informes o autorizaciones sectoriales previas y vinculantes al propio título autorizatorio urbanístico?

El artículo 361 del Decreto 143/2016 añade la necesidad de hacer constar en la comunicación previa los datos identificativos de la persona física o jurídica promotora o de quién los represente, con indicación de una dirección a efectos de notificaciones, acompañándose del justificante de pago de los tributos municipales que resulten preceptivos, y certificado emitido por las entidades de certificación de conformidad municipal previstas en el Decreto 144/2013[5].

De igual forma, junto con la comunicación previa se deberán presentar, cuando fuera preceptivo, documento de evaluación ambiental. Cuando la obra tenga por objeto el desarrollo de una actividad se consignará expresamente esta circunstancia en la comunicación previa y se acompañará de la documentación a que se refiere el artículo 364 del Decreto 143/2016, coincidente con la documentación señalada en el artículo 11, en relación con el artículo 13 del Decreto 144/2016.

Básicamente, la documentación administrativa es la misma que la señalada hasta ahora por lo que evito inútiles reiteraciones, a lo que habrá que añadir una memoria explicativa de la actividad que se pretenda realizar suscrito por técnico competente que detalle los aspectos básicos de la misma, su localización y el establecimiento o establecimientos de que se cumplen todos los requisitos para el ejercicio de la actividad y de que

---

caso antes de proceder a dictar la resolución, pero unos informes o autorizaciones se pueden presentar con la solicitud y otros solicitarse en el seno de la tramitación del propio procedimiento, a diferencia de lo que a mi juicio debe suceder con motivo de la presentación de una comunicación previa que, en todo caso, deben aportarse junto con la propia comunicación.

5. Ver los artículos 35 y ss. del Decreto 144/2016, de 22 de septiembre, por el que se aprueba el Reglamento único de regulación integrada de actividades económicas y apertura de establecimientos, en desarrollo de la Ley 9/2013.

reúne las condiciones de seguridad, salubridad y las demás previstas en el planeamiento urbanístico.

También será indispensable contar con la autorización o declaración ambiental, cuando en función de la naturaleza de la actividad a ejercer dicha declaración sea necesaria. Sin la aportación de la declaración ambiental la comunicación previa de obras no surtiría efecto de ninguna índole, en la misma línea que la comentada con los informes o autorizaciones sectoriales que sean precisos tanto por la naturaleza urbanística de las obras como por la naturaleza ambiental que exijan informes o autorizaciones sectoriales.

B) *La tramitación de la comunicación previa presentada ante la Administración*

En el plazo de preaviso de que dispone la Administración actuante, ésta deberá proceder a la comprobación y análisis de la documentación presentada, para que, en caso de no encontrarse completa, proceda a requerir de subsanación de deficiencias los vicios de que adoleciese la comunicación previa presentada.

En estos casos, parece lógico pensar que el cómputo de los 15 días de preaviso queda interrumpido no reiniciándose hasta que no se cuente con toda la documentación que sea preceptiva aportar. En tal sentido se pronuncia el artículo 364.3 del Decreto 143/2016 cuando se refiere a la forma de operar ante la documentación aportada junto con la comunicación previa cuando las obras vayan a ser destinadas al desarrollo de una actividad.

El tipo de requerimiento de subsanación de deficiencias adecuado sería al que se refiere el artículo 68 de la Ley 39/2015, del procedimiento administrativo común de las Administraciones Públicas (en adelante LPACA) para la subsanación y mejora de la solicitud, en este caso, de la comunicación previa y documentación adjunta.

Mientras que se procede a completar la documentación requerida, la Administración municipal deberá adoptar de manera motivada las medidas provisionales que considere adecuadas, con el ánimo de evitar ningún tipo de vulneración de la ordenación urbanística en vigor, comunicándole dicho extremo al interesado por cualquier medio que permita acreditar su recepción.

Parece lógico pensar que estos extremos se pueden o deben hacer constar en el propio requerimiento de subsanación de deficiencias, a fin de evitar trámites inútiles y por razones de economía procesal.

En caso de que el particular comunicante hiciera caso omiso de estas advertencias e intentará realizar los actos o usos pretendidos al amparo de la comunicación previa, deberá la Administración dictar resolución expresa suspendiendo dichos actos hasta que se disponga por el particular del título autorizatorio urbanístico que le faculte para llevar a cabo dichos actos.

Completada la documentación necesaria para que pueda surtir efecto la comunicación previa presentada, se procederá a un análisis de fondo de esta, a fin de que por parte de los servicios técnicos se determine la viabilidad técnica y jurídica de la misma, siempre dentro del plazo de preaviso, con suspensión o no de dicho plazo por el tiempo que haya mediado en realizar el particular la aportación de la documentación preceptiva.

Cabe la posibilidad, una vez que la documentación está completada, si fuera necesario realizar algún trámite como la aportación de documentación complementaria o alguna aclaración, se podría utilizar el trámite establecido en el artículo 73 de la LPACA de requerimiento para cumplimiento de trámites que, entiendo, produciría igualmente la paralización del tantas veces reiterado plazo de preaviso.

Entiendo que no procedería el requerimiento de subsanación de deficiencias del artículo 95 de la LPACA por la propia naturaleza del procedimiento de un régimen comunicado a través de la presentación de una comunicación previa, estando pensando para procedimientos que requieren de una resolución final del mismo, es decir, de una autorización previa.

En los casos de inatención del requerimiento de subsanación de deficiencias de la naturaleza que sea, tal y como en los mismos se debe hacer constar expresamente, la comunicación previa presentada no surtirá efecto de ninguna índole, negándole virtualidad a la misma, procediendo al archivo de la comunicación a través de la pertinente resolución debidamente notificada al particular comunicante con expresión de recursos.

Analizado el contenido técnico y jurídico de la comunicación previa y de la documentación que la acompaña, previos los requerimientos de subsanación que, en su caso, pudieran proceder, procederán los servicios técnicos competentes de la Administración a expedir diligencia de comprobación y verificación en el sentido de entender conforme la comunicación previa presentada y la viabilidad de lo comunicado por el promotor de los actos correspondientes.

En caso contrario, es decir, de improcedencia de la comunicación previa por encontrarse los actos sujetos a licencia urbanística o por cualquier otra motivada razón técnica o jurídica, habrá que dictar acto administrativo expreso en este sentido debidamente notificado al particular, a los efectos oportunos de modificación del contenido de la comunicación previa presentada y de la documentación que la acompaña, o, en su caso, a la presentación de una solicitud de licencia urbanística.

En definitiva, la Administración procederá a dictar resolución expresa sólo en los supuestos en que la comunicación previa no surta efectos (bien se suspenda temporalmente su eficacia o se archive definitivamente la misma), a fin de evitar situaciones indeseadas que pudieran derivar, posteriormente, en acciones de restauración de la legalidad urbanística, situación que igualmente se producirá cuando el particular haya desoído las advertencias formuladas por la Administración y haya actuado al margen de la legalidad urbanística vigente.

En esta línea, el artículo 194.5 de la derogada Ley 9/2002, señalaba que el acto administrativo expreso que se dictase poniendo de manifiesto la improcedencia de la comunicación previa presentada o, en su caso, de la documentación que la acompaña o de las omisiones de la misma, comportaría el inicio de las correspondientes actuaciones y la exigencia de responsabilidades y podría determinar, entre otras, la obligación del interesado de restituir la situación jurídica al momento previo al reconocimiento o al ejercicio del derecho o al inicio de la actividad correspondiente.

Sin embargo, la regulación legal contenida en el artículo 146 de la LS-Galicia y del propio desarrollo reglamentario en el Decreto 143/2016 es mucho más liviana y menos concreta, quedándose en declaraciones de intenciones respecto de la falta de eficacia en los supuestos de inexactitud, falsedad u omisión de la comunicación previa o de la documentación que la acompaña, pero sin entrar a valorar las distintas situaciones que se pueden producir en el seno del propio procedimiento de comunicación previa.

En estos casos, entiendo que sería conveniente antes de la adopción de la pertinente resolución administrativa declarando la ineficacia de la comunicación previa conceder el trámite de audiencia previa al interesado por el plazo que se establezca en la ordenanza municipal correspondiente, o, en su defecto, el plazo general establecido en la legislación de procedimiento administrativo común, tal y como establece el artículo 362 del Decreto 143/2016.

En definitiva, creo que es oportuno dejar claro las distintas situaciones que se pueden producir, debiendo distinguir las actuaciones en el seno del procedimiento de tramitación de la propia comunicación previa, respecto de las actuaciones indebidas que haya podido realizar el interesado como consecuencia de las labores de comprobación que debe llevar a cabo la Administración actuante, y que pudieran dar lugar a la instrucción de un expediente de restauración de la legalidad urbanística[6].

Aunque en ambos casos el resultado final va a ser el mismo: la ineficacia de la comunicación previa. La forma de llegar a dicha declaración de ineficacia puede ser por diferentes caminos. En el caso de falsedad, inexactitud u omisión esencial de datos de la comunicación o de la documentación que la acompaña, parece lógico pensar que le demos audiencia al interesado. Ahora bien, dicha audiencia ya se ha producido en el seno del procedimiento cuando nos referimos a requerimientos de subsanación de deficiencias inatendidos que desembocan o pueden desembocar en el archivo de la comunicación.

C) Efectos de la presentación de la comunicación previa

Como primer efecto fundamental que forma parte de la propia esencia de los regímenes comunicados lo tenemos en que la comunicación previa se configura como el título habilitante suficiente para el inicio de los actos de uso del suelo y subsuelo, una vez que ha transcurrido del plazo de quince días hábiles desde la presentación de la comunicación previa sin manifestación expresa en contrario por parte de la Administración actuante, siempre y cuando se hayan cumplido con todos los requisitos exigidos legal y reglamentariamente[7].

La anterior afirmación sin que ello suponga limitación de ninguna índole respecto de las facultades de comprobación, control e inspección, in situ, con que cuenta la Administración actuante. Me atrevería a decir lo contrario, la necesaria intervención a posteriori de la Administración, a través de la comprobación material de lo comunicado, con ánimo de verificar el ajuste de la actuación ejecutada al contenido de los actos y usos comunicados.

D) Otras consideraciones relacionadas con la comunicación previa

Cuando hayan de realizarse diversas actuaciones relacionadas con la misma edificación o inmueble que se encuentren, todas ellas, sujetas al

---

6. Sobre este particular en una primera «Aproximación al Decreto 143/2016, de 22 de septiembre, que aprueba el Reglamento de la Ley 2/2016, de 10 de febrero, del Suelo de Galicia», cuyos autores María José FERNÁNDEZ FERNÁNDEZ y Breogán HERMIDA CABRERO, *La Ley*, n.º 8676, 2016, señalan una diferencia entre el concreto procedimiento de aplicación para la realización de la comunicación previa de las labores de control material a posteriori por la Corporación municipal.
7. Se hayan practicado o no los distintos tipos de requerimiento de subsanación de deficiencias que pudieran proceder, con arreglo a lo expuesto en el presente artículo.

régimen de la comunicación previa, se presentará una única comunicación previa, de conformidad con lo establecido en los artículos 146.3 de la LSGalicia y 360.4 del Decreto 143/2016.

El artículo 363 del Decreto 143/2016 por el que se aprueba el Reglamento de la LSGalicia, establece los plazos para la ejecución de obras amparadas en una comunicación previa. Las comunicaciones previas relativas a la ejecución de obras deberán señalar el plazo para el inicio y final de estas, en proporción a su entidad y de conformidad con lo que establezcan las ordenanzas municipales sobre uso del suelo y la edificación.

Permite el desarrollo reglamentario la posibilidad de prorrogar los plazos señalados en la comunicación previa por la mitad del plazo establecido por el propio comunicante, siempre que lo haga antes de haber transcurrido el plazo inicialmente comunicado. Dichos plazos de inicio y final de obras no podrán exceder de tres meses y un año, respectivamente.

Transcurridos los plazos de inicio y final de las obras, incluidas sus prórrogas, sin que se hayan iniciado o ejecutado las mismas, la persona interesada quedará inhabilitada para empezarlas o continuarlas, sin perjuicio de que por el interesado se pueda presentar una nueva comunicación previa, debiendo ajustarse a la normativa vigente existente en el momento de presentación de la nueva comunicación.

En estos casos, el problema surgirá cuando las obras no se hayan ejecutado totalmente, pero se encuentren en curso de ejecución. Para ello la administración urbanística municipal deberá contar con los correspondientes medios de inspección, caso contrario estaríamos haciendo un brindis al sol.

Para ir terminando, el artículo 360.5 del Decreto 143/2016 señala la necesidad de contar con una copia sellada de la comunicación previa en poder del interesado, en todas las obras, al pie de las mismas; en parecidos términos a la obligación de contar con una copia autorizada de la licencia municipal cuando los actos y usos se encuentren sujetos a esta técnica autorizatoria, amén de la colocación del preceptivo cartel que no es necesario en las obras sujetas a la presentación de una comunicación previa.

Me parecía adecuada la desaparición que se contenía en la anterior regulación legal (Ley 9/2002) de la imposibilidad de instar un nuevo procedimiento durante el período de tiempo determinado por la ordenanza municipal, que podría oscilar entre tres meses y un año, en función de la gravedad de la conducta realizada por el promotor, regulación que se vuelve a instaurar en el Decreto 143/2016, concretamente en su artículo 362.

Si ya consideraba desafortunada la regulación legal que de manera indirecta permitía sancionar con la imposibilidad de instar un nuevo procedimiento con el mismo objeto durante un determinado período de tiempo, como consecuencia de haber incurrido en alguna inexactitud, falsedad u omisión en el régimen de actos comunicados, mucho mas me lo parece ahora con su incorporación en el desarrollo reglamentario, atreviéndome a afirmar que se ha cometido un exceso por el legislador reglamentario, debiendo contenerse dicha prevención en una norma con rango de ley (LSGalicia).

Finalmente, los Ayuntamientos podrán establecer en sus correspondientes ordenanzas municipales reguladoras de las técnicas de intervención administrativa en el control de los actos y usos del suelo, subsuelo y vuelo, los procedimientos de comunicación necesarios, con arreglo a las reglas establecidas legal y reglamentariamente, así como los procedimientos de control y verificación a posteriori del cumplimiento real de lo comunicado, tal y como prevén los artículos 142.3 de la LSGalicia y 360.6 del Decreto 143/2016.

2.3. La interrelación de las obras sujetas a la presentación de una comunicación cuando son destinadas al ejercicio de actividades

En la Comunidad Autónoma de Galicia se ha llevado a cabo una regulación integrada del ejercicio de actividades, en la Ley 9/2013, de 19 de diciembre, del emprendimiento y de la competitividad económica para dicha Comunidad Autónoma, en coherencia con la promulgación de la Ley 20/2013, de 9 de diciembre, para la garantía de la unidad de mercado.

En desarrollo de dicha norma legal se ha promulgado el Decreto 144/2016 que regula el régimen integrado de actividades económicas y de apertura de establecimientos, al que también antes nos hemos referido.

En ambas disposiciones legales autonómicas se pretende suprimir trámites, en la medida de lo posible, para el ejercicio de actividades económicas, empresariales, profesionales o comerciales (artículo 23 de la Ley 9/2013), así como permitir la entrada en juego de las Entidades de certificación de conformidad municipal[8].

Ya tuvimos, igualmente, ocasión de comentar cuando las obras sujetas a la presentación de una comunicación previa se destinan al desarrollo de una actividad, la necesidad de informar expresamente sobre este extremo y de acompañar un determinado tipo de documentación específica, con

---

8. Ver los comentarios realizados sobre las mismas realizados por Alberto PENSADO SEIJAS, en su artículo «Comentario de urgencia sobre las novedades establecidas por el Decreto 144/2016, de 22 de septiembre, por el que se aprueba el Reglamento único de regulación integrada de actividades económicas y apertura de establecimientos», *El Consultor*, La Ley, n.° 8703, 2016.

el ánimo de simultanear procedimientos y agilizar la autorización para el ejercicio de actividades.

Por ello, deberíamos distinguir en función de la envergadura de las actividades que se quieran ejercer tres grandes grupos o bloques: el primero estaría conformado por las actividades que se encuentren sujetas a una autorización ambiental integrada, el segundo bloque por las actividades que tienen incidencia ambiental y requieren de una declaración ambiental autonómica, y el tercer grupo vendría conformado por aquellas actividades que son inocuas y no requieren de declaración ambiental de ninguna índole.

A)   Actividades sometidas a una autorización ambiental integrada

En el presente apartado nos referimos a todas aquellas actividades que se encuentran sometidas a autorización ambiental integrada, que, al no contar con normativa autonómica, debemos acudir a la normativa estatal, concretamente, la Ley 16/2002, de Prevención y Control Integrado de la Contaminación.

También es notorio señalar el contenido de lo que establecía la derogada Ley 9/2002, cuando establecía en su artículo 196.5 que en los supuestos en que el ordenamiento jurídico exigiera para la ejecución de cualquier actividad, autorización de otra Administración pública en materia medioambiental, la licencia municipal urbanística sólo podría solicitarse con posterioridad a que haya sido otorgada la referida autorización.

Aunque la LSGalicia deroga a la Ley 9/2002 y no contiene prevención expresa sobre el particular, el anterior criterio es perfectamente sostenible por una lógica procedimental.

En el caso de tratarse de obras sujetas al régimen de la comunicación previa, la misma no podrá presentarse hasta que no se cuente con la preceptiva autorización ambiental integrada, momento en el cual cobra virtualidad la posibilidad legal de presentarse una comunicación previa para la ejecución de las obras sujetas a este tipo de régimen autorizatorio.

En los mismos términos actuaríamos si las obras estuviesen sujetas a licencia, presentado su solicitud en este momento. Ejecutadas las obras, se presentará la correspondiente comunicación previa de inicio a que se refiere el artículo 24 de la Ley 9/2013, y los artículos 9 y siguientes del Decreto 144/2016, para la puesta en funcionamiento de la actividad sujeta a autorización ambiental integrada.

241

B) *Actividades con incidencia ambiental que requieren de la ejecución de obras*

Estamos en presencia de actividades que conforme a lo dispuesto en el anexo de la Ley 9/2013, de 19 de diciembre, del emprendimiento y de la competitividad económica de Galicia, tengan incidencia ambiental, lo que requerirá de una declaración ambiental previa.

La petición de declaración de incidencia ambiental se presentará ante el órgano competente en materia de medio ambiente (órgano ambiental). Su tramitación se regirá por lo dispuesto en los artículos 34 y siguientes de la precitada Ley 9/2013 y artículos 24 y siguientes del Decreto 144/2016.

Sin perjuicio del necesario informe municipal favorable sobre la compatibilidad urbanística del proyecto, condición *sine qua non* para poder otorgar la declaración de incidencia ambiental, a tenor de lo que establece el artículo 35.4 de la Ley 9/2013, dicha declaración ambiental tiene carácter previo a los títulos autorizatorios urbanísticos que correspondan, en cada caso.

Siendo necesaria la ejecución de obras, una vez que se haya obtenido la declaración ambiental favorable, se procederá por el particular peticionario a presentar la comunicación previa de obras acompañada de la documentación a que se refiere el artículo 364.1 del Decreto 143/2016; entre dicha documentación se encuentra, precisamente, la preceptiva aportación de la declaración ambiental para que la comunicación previa de obras pueda cobrar virtualidad jurídica.

Ejecutadas las obras se presentará comunicación previa para el inicio de la actividad de conformidad con lo dispuesto en los artículos 24 de la Ley 9/2013, 11 y 13 del Decreto 144/2016 y 364.2 del Decreto 143/2016.

C) *Actividades que no tienen incidencia ambiental y que requieren de la ejecución de obras*

Por exclusión de las anteriores actividades, éstas no requieren de una autorización previa a través de una declaración ambiental, y mucho menos de autorización ambiental integrada. En estos casos bastará con la presentación de la comunicación previa de obras, acompañada de la documentación señalada en los apartados anteriores, y una vez que se hayan ejecutado las obras se presentará comunicación previa para el inicio del ejercicio de la actividad pretendida, a tenor de lo establecido, también, anteriormente.

D)   *Actividades a realizar en establecimientos públicos sujetos al capítulo III del Título III de la Ley 9/2013*

En estos casos, estamos en presencia de espectáculos públicos, actividades recreativas y establecimientos públicos que pueden sujetarse a comunicación previa o a licencia.

Para los establecimientos públicos sujetos a la presentación de una comunicación previa la regulación legal contenida en la Ley 9/2013 no contiene prevención respecto a su tramitación conjunta cuando se requiere ejecución de las obras.

El artículo 33 del Decreto 144/2016 señala para los espectáculos públicos, actividades recreativas y para la apertura de los establecimientos públicos sujetos al régimen de comunicación previa se ajustarán a lo establecido en el título II de este reglamento. Dicho título es el que regula el régimen de la comunicación previa para el ejercicio de las actividades económicas, empresariales, profesionales o comerciales.

Por tanto, a tenor de la regulación comentada anteriormente para este tipo de actividades, las obras se tienen que realizar con carácter previo a la presentación de la comunicación de inicio de la actividad, indicándose en la comunicación previa de obras que las mismas se van a destinar para el desarrollo de la actividad de que se trate acompañándose los documentos a que se refiere el artículo 11 del Decreto 144/2016, con los mismos requisitos y condiciones que las señaladas en los apartados precedentes.

Ejecutadas las obras se procederá a presentar la correspondiente comunicación de inicio de la actividad de espectáculos públicos, actividades recreativas o de apertura del correspondiente establecimiento público.

Por lo que hace referencia a los establecimientos públicos sujetos a licencia o autorización previa, el artículo 34 del Decreto 144/2016 que desarrolla la Ley 9/2013 no contiene desarrollo reglamentario sobre el particular y se remite a la propia Ley 9/2013, cuya regulación se encuentra contenida en los artículos 41 y siguientes de la Ley 9/2013.

En dicha regulación, con evidente ambigüedad cuando se precise la ejecución de obras, la única referencia que se contiene a las mismas cuando son necesarias éstas la encontramos en el artículo 42.2, letra f), al señalar entre la documentación a aportar junto con la solicitud de licencia de apertura para este tipo de establecimientos, la solicitud de licencia urbanística acompañada, en su caso, por la documentación requerida por la normativa urbanística.

El problema radica en que no establece que procedimiento se debe seguir, a diferencia de lo que sucede con el régimen ambiental, y el desarrollo reglamentario establecido en el Decreto 144/2016 no nos soluciona el problema, antes, al contrario, nos reenvía de nuevo a la Ley 9/2013.

Cohonestando con otras normativas autonómicas que regula esta materia de los espectáculos públicos, actividades recreativas y establecimientos públicos, hemos llegado a la conclusión de que cómo pueden imponerse condicionantes técnicos a los locales en los que se vayan a ejercer este tipo de actividades, no podemos otorgar la autorización urbanística hasta que no contemos con esos condicionantes técnicos o transcurra el plazo de los 3 meses a que se refiere el artículo 42.6 de la Ley 9/2013 para entender que el proyecto presentado es correcto y válido a todos los efectos.

Transcurrido dicho plazo o fijados los condicionantes técnicos que pudieran modificar las condiciones de las instalaciones para el ejercicio de la actividad, se otorgará la licencia urbanística o se dará viabilidad a la comunicación previa de las obras (o se presentará ésta), a fin de que por el particular se puedan ejecutar las obras.

Ejecutadas las obras, entiendo que se debe presentar una comunicación de terminación de las obras y de inicio o puesta en marcha de la actividad, a los efectos de conocimiento por la administración municipal y comprobación de las instalaciones, en su caso.

E) Las actividades promovidas por las Administraciones Públicas

Dichas actividades se recogen en los artículos 30 de la Ley 9/2013 y 22 del Decreto 144/2016, estableciendo la sujeción a control municipal, salvo los supuestos exceptuados por la legislación aplicable y en los términos establecidos reglamentariamente.

Las actividades municipales y las obras necesarias para su ejercicio se entenderán autorizadas por el acuerdo de aprobación del órgano competente del Ayuntamiento, previa acreditación en el expediente de cumplimiento de la normativa. Entiendo que se está refiriendo al cumplimiento de toda la normativa de aplicación, entre la que se encuentre cualquier normativa sectorial que sea de aplicación.

2.4. Aspectos de la restauración de la legalidad urbanística de los actos y usos sujetos a la presentación de una comunicación previa

En caso de llevarse a cabo una conducta diferente de la comunicada, como antes ya hemos avanzado, comportaría la obligación para el Ayuntamiento de la adopción de las medidas correspondientes de restauración de la legalidad urbanística, con arreglo a los procedimientos de restauración de la legalidad urbanística y, procedimiento sancionador, en su caso, establecidos en la normativa urbanística de aplicación.

A la misma conclusión llegaríamos cuando la comunicación incurra en inexactitud, falsedad u omisión, de carácter esencial, en cualquier dato, manifestación o documento que se acompañe o incorpore a la misma, de conformidad con lo establecido en la legislación básica de procedimiento administrativo común y del propio artículo 362 del Decreto 143/2016, antes mencionado, y en función de la naturaleza de las conductas realizadas por el particular comunicante.

Concretamente, habría que aplicar los procedimientos previstos en los artículos 152 y 153 de la LSGalicia, para el caso de las obras y usos en curso de ejecución sin título habilitante o de obras terminadas sin título habilitante, respectivamente., en función de la conducta practicada por el particular comunicante.

En ambos preceptos se establecen los procedimientos a seguir para la legalización de las obras o usos llevados a cabo sin los preceptivos títulos urbanísticos exigibles en cada caso, por lo que me remito al contenido de sendos preceptos.

Por otra parte, en los artículos 157 a 164 de la LSGalicia se establece el régimen sancionador urbanístico, en el que se hacen constar las infracciones; sanciones, procedimiento y otros.

La falsedad, inexactitud u omisión de la comunicación previa o de la documentación relacionada con la misma se configura como una infracción grave a tenor del artículo 158.3 de la LSGalicia, mientras que la ejecución de obras que no cuentan con el respectivo título urbanístico, si son conformes con la ordenación urbanística es una infracción leve. Si fueran disconformes dependiendo del supuesto de hecho concreto podría ser una infracción grave o muy grave.

Dichas infracciones darán lugar a la incoación del correspondiente procedimiento sancionador con la imposición de las sanciones que legalmente procedan, en su caso.

Finalmente, desaparece de la actual regulación legal contenida en el artículo 146 de la LSGalicia y en el desarrollo reglamentario llevado a cabo en el Decreto 143/2016, la responsabilidad solidaria no sólo del promotor de los actos, sino también del propietario, en caso de ser diferente del promotor, así como de los empresarios de las obras, técnicos redactores del proyecto y directores facultativos encargados de dirigir la ejecución de las mismas, en términos de la adecuada conformidad con la ordenación urbanística de aplicación, así como de ajuste el proyecto que, en su caso, se hubiera podido presentar.

La exigencia de dicha responsabilidad se exigirá en los términos establecidos en la normativa urbanística para quienes resultaren responsables, en los procedimientos de restauración de la legalidad urbanística, y, sancionadores, en su caso, de cometer cualquier tipo de infracción urbanística.

En este sentido, el artículo 160 de la LSGalicia señala que en las obras que se hayan ejecutado sin título habilitante o con inobservancia de sus condiciones serán sancionadas por infracción urbanística las personas físicas o jurídicas responsables de estas en calidad de promotor de las obras, propietario de los terrenos o empresario de las obras, los técnicos redactores del proyecto y los directores de las obras.

Por último, es notorio señalar como el artículo 17.4 del Decreto 143/2016, en desarrollo de lo establecido en el artículo 10.5 de la LSGalicia establece que corresponden, en todo caso, a la Agencia de Protección de la Legalidad Urbanística, además de las competencias que en materia de disciplina urbanística le sean atribuidas por sus estatutos, las competencias inicialmente asignadas a los órganos autonómicos para restaurar la legalidad urbanística y para imponer las sanciones por infracciones urbanísticas graves y muy graves en los términos de los artículos 163 de la Ley 2/2016, de 10 de febrero, y 395 de este reglamento.

IV. ASPECTOS A TENER EN CUENTA QUE REQUIEREN DE UN DESARROLLO REGLAMENTARIO LOCAL

La conveniencia de una desarrollo reglamentario municipal para solucionar diversos aspectos: modelos declaración responsable; documentación a acompañar, la tramitación de la declaración responsable, la subsanación de la falta de documentación, la comprobación por parte de los servicios técnicos municipales, la forma de actuar de las Compañías suministradoras, los efectos de la declaración responsable y otros aspectos que el propio desarrollo reglamentario contenido en el Decreto 143/2016 no ha previsto.

Buena prueba de ello es como el propio artículo 142.3 –in fine– de la LSGalicia prevé, sin perjuicio del desarrollo reglamentario, que los ayuntamientos podrán establecer los procedimientos de comunicación necesarios, así como los de verificación posterior del cumplimiento de los requisitos precisos[9].

---

9. El artículo 360.6 repite la prevención legal precitada sobre la posibilidad de que por parte de los Ayuntamientos se establezcan procedimientos de comunicación y control posterior.

Entre los aspectos a tener en cuenta en las Ordenanzas locales que expresamente se aprueben por los respectivos Ayuntamientos, me gustaría comentar los siguientes:

La ordenanza debe contener la regulación de los distintos procedimientos autorizatorios, en lo que ahora nos interesa los procedimientos de comunicación tanto para la ejecución de obras u otros actos, como cuando dichas obras son destinadas al desarrollo de una actividad, de la índole que sea.

Los actos y usos sujetos al régimen de comunicación previa con una enumeración de estos que, aunque nunca podrá ser cerrada, si se establecerá el número de casos que habitualmente se presentarán bajo esta técnica autorizatoria, fijando criterios claros para el resto de los supuestos nos enumerados que delimiten cuando se encuentra un acto o uso sujeto a comunicación o a licencia. Consideración especial a los supuestos de segunda ocupación y posteriores de edificaciones y construcciones mediante la presentación de una comunicación previa.

Para ello es muy conveniente acompañar al texto de la ordenanza los distintos modelos de comunicación previa, con la documentación a acompañar a cada uno de ellos en cada caso, dado que en el desarrollo reglamentario se contienen una documentación base muy general que tiene que ser adaptada, en función de la naturaleza del acto o uso comunicado.

En los procedimientos de regímenes comunicados establecer el procedimiento integral a seguir por la Administración (informes, diligencias o cualquier otra actuación) y las distintas situaciones que el mismo puede atravesar, comenzando con la documentación a acompañar, con especial referencia a los informes sectoriales que deben presentarse junto con la comunicación previa, los diferentes tipos de requerimientos de subsanación de deficiencias que se pueden producir, y las consecuencias de la inatención en cada uno de ellos, efectos sobre el cómputo de plazos, etc.

Los supuestos en que procede dictar actos administrativos expresos en el seno del procedimiento de autorización mediante la presentación de una comunicación previa, consecuencias jurídicas de dichos actos tanto para la Administración como para los interesados, exposición de recursos...

Actuaciones de comprobación a llevar a cabo por la Administración, forma, trámites y requisitos de esta, y como consecuencia de dicha labor de comprobación, la advertencia al particular interesado sobre los posibles efectos de actos administrativos dictados que suspendan la eficacia de la comunicación previa y que puedan dar origen al inicio de procedimientos de restauración de la legalidad urbanística.

Distintos supuestos y forma de actuar por parte de la Administración ante dichas conductas irregulares, incluida la posibilidad de que la comunicación previa y/o la documentación que la acompaña incurra en inexactitud, falsedad o defecto esencial.

Forma de actuar en la coordinación de los distintos procedimientos cuando las obras sujetas a comunicación previa vayan a ser destinadas al ejercicio de actividades, con regulación de los distintos procedimientos en función de la envergadura de las obras y del tipo de actividad que se vaya a ejecutar.

V. A MODO DE CONCLUSIÓN

Para no hacerme reiterativo y pesado con respecto a las distintas consideraciones señaladas en el presente artículo, si que me gustaría terminar haciendo una reflexión general.

Como hemos visto en el apartado precedente hay determinados aspectos que no han sido objeto de regulación ni en la LSGalicia ni en su norma de desarrollo conformada por el Decreto 143/2016, y cuando se produce la interrelación con las autorizaciones para el ejercicio de los distintos tipos de actividad, algo parecido sucede con la Ley 9/2013 y su reglamento de desarrollo contenido en el Decreto 144/2016, como hemos tenido ocasión de comentar y comprobar.

Por todo ello, considero que una buena fórmula para cohonestar tanto el régimen jurídico legal y reglamentario existente en las normas precitadas y evitar ningún vacío o laguna legal, es la aprobación de una ordenanza por los distintos Ayuntamientos que establezca una regulación integral para cada una de las autorizaciones, ya sean regímenes comunicados o de autorización previa, junto con los diferentes modelos que acompañen a dicha ordenanza, con la finalidad de contar con un régimen integral de las susodichas autorizaciones.

Por experiencia, dicha norma reglamentaria municipal y sus modelos ayudan a reducir la confusión y desorientación no sólo del ciudadano que debe proceder a su tramitación, sino para la propia Administración que cuenta con un régimen jurídico uniforme que lo deseable sería extender de manera homogénea a los distintos municipios gallegos[10].

---

10. Para ello puede servir de botón de muestra la experiencia llevada a cabo en la Diputación Provincial de Alicante, a través de la formación de un grupo de trabajo que yo coordino, formado por una veintena de profesionales, tanto de la rama técnica como jurídica, de los distintos Ayuntamientos de la Provincia a través de comunidades de aprendizaje, en una plataforma moodle a través de wikis, como herramienta

BIBLIOGRAFÍA

CHOLBI CACHÁ, F.A. y MERINO MOLINS, V. (2010): «Comentario crítico sobre la Directiva de Servicios y de las Leyes 17 y 25/2009 en aplicación de la misma: especial incidencia en el ámbito de las licencias urbanísticas y de actividad», *El Consultor de los Ayuntamientos y de los Juzgados*, n.° 7, quincena 15-29 abr. 2010, La Ley, Madrid.

FERNÁNDEZ FERNÁNDEZ, M.J. y HERMIDA CABRERO, B. (2016): «Aproximación al Decreto 143/2016, de 22 de septiembre, que aprueba el Reglamento de la Ley 2/2016, de 10 de febrero, del Suelo de Galicia», *La Ley*, n.° 8676.

PENSADO SEIJAS, A. (2016): «Comentario de urgencia sobre las novedades establecidas por el Decreto 144/2016, de 22 de septiembre, por el que se aprueba el Reglamento único de regulación integrada de actividades económicas y apertura de establecimientos», *El Consultor, La Ley*, n.° 8703.

---

colaborativa que permite trabajar *online*. Ello ha dado lugar, como fundamento de la COP, a emitir un documento que ha consistido en la elaboración de una ordenanza con todos sus formularios respecto a la tramitación de las autorizaciones en materia de urbanismo para los actos y usos del suelo, y para el ejercicio de cualquier tipo de actividad, y la interrelación existente entre ambos tipos de autorizaciones, al amparo de la normativa urbanística, ambiental y de espectáculos autonómica, teniendo en cuenta, por supuesto, el contenido de la legislación básica del estado, incluida la de ámbito comercial.

Capítulo X

Doctrina de la Dirección General de los Registros y del Notariado sobre parcelaciones urbanísticas (2014-2016)

Francisco Javier Ruiz Bursón

Inspector de Ordenación del Territorio, Urbanismo y Vivienda
Junta de Andalucía
Doctor en Derecho

SUMARIO: I. INTRODUCCIÓN. II. CONCEPTO DE PARCELACIÓN URBANÍSTICA. III. DISTRIBUCIÓN DE COMPETENCIAS ENTRE EL ESTADO Y LAS COMUNIDADES AUTÓNOMAS. IV. ENAJENACIONES POR CUOTAS. V. INSCRIPCIÓN DE PARCELACIONES PRESCRITAS. VI. PARCELACIONES Y UNIDADES MÍNIMAS DE CULTIVO. VII. DERECHO INTERTEMPORAL. VIII. CONCLUSIONES.

I. INTRODUCCIÓN

Las resoluciones de la Dirección General de los Registros y del Notariado en materia urbanística, en general, y respecto a las parcelaciones, en particular, ofrecen una creciente importancia. La formalización de las divisiones inmobiliarias en documentos públicos, así como su posterior inscripción de estas en el Registro de la Propiedad, constituyen un instrumento esencial no sólo para la tutela de la seguridad jurídica privada sino también para el adecuado ejercicio de las potestades de disciplina respecto al territorio, singularmente la de reposición de la realidad física alterada.

La doctrina que es objeto de análisis en el presente artículo se estructura en torno a una serie de elementos de esencial interés. El mismo concepto de parcelación urbanística y su relación con el fraccionamiento de fincas registrales, el reparto constitucional de competencias entre las Administraciones estatal y autonómica, la enajenación por cuotas como acto revelador de nuevos asentamientos, la prescripción de las parcelaciones, el respeto a las unidades mínimas de cultivo previstas por la legislación agraria y los problemas de derecho intertemporal generados por los incesantes cambios normativos en urbanismo y ordenación del territorio, constituyen un conjunto de cuestiones que suscitan un indudable interés en este punto de intersección entre el Derecho público y el privado.

El esquema que seguiremos en cada uno de estos puntos no se limita a la mera descripción de las distintas soluciones adoptadas por el Centro Directivo en estas cuestiones, sino que se completa con los pronunciamientos judiciales que han abordado estos temas. Asimismo, se intenta aportar una reflexión crítica acerca de cada uno de los puntos candentes, en los que la controversia doctrinal y jurisprudencial resulta imprescindible para avanzar en el adecuado discernimiento de las soluciones más conformes a Derecho.

También se añade, al final, un apartado dedicado a las conclusiones donde se expondrán los aspectos en que se ha alcanzado un pacífico consenso, así como aquellos otros que continúan siendo objeto de permanente debate.

Quisiera finalizar este apartado con un expreso reconocimiento de la meritoria labor que desarrolla la Dirección General de los Registros y del Notariado mediante la elaboración de sus resoluciones. El prometeico esfuerzo de dar a cada uno lo suyo, situado en el corazón mismo de la noción de justicia, implica la osadía de asumir el riesgo de no acertar siempre dada la natural falibilidad humana. Quienes a ello se dedican, desde distintas instancias, merecen nuestro respeto y agradecimiento por la imprescindible –y, en muchas ocasiones, incomprendida– labor que desarrollan. Por esta razón, desearía que cuantas expresiones de disconformidad se viertan en el presente trabajo respecto a la doctrina de este Centro Directivo no se interpreten como crítica negativa, sino más bien como un modesto esfuerzo constructivo hecho con la única intención de colaborar en la apasionante tarea de buscar y defender la justicia en cada caso concreto.

II. CONCEPTO DE PARCELACIÓN URBANÍSTICA

Si bien es cierto que el concepto de parcelación urbanística forma parte de la materia regulada en las legislaciones urbanísticas autonómicas, no lo es menos que su origen se encuentra íntimamente ligado a la división o segregación de fincas que encuentra su sede natural en el ámbito del Derecho registral estatal.

En efecto, el *ius disponendi* es una de las facultades que tradicionalmente han integrado el derecho de propiedad privada, juntamente con las de gozar del bien y reivindicarlo frente a intromisiones ajenas (art. 348 del Código Civil).

Desde esta perspectiva iusprivatista, tiene una especial trascendencia la constancia tabular de tales fraccionamientos de la propiedad, para así beneficiarse de los efectos tuitivos del Registro de la Propiedad. Precisamente, las primeras definiciones de los actos de división y segregación los encontramos en la normativa hipotecaria[1].

Sin embargo, esta visión de los actos de disposición sobre los propios bienes, que en principio quedaría restringida a la tutela de los intereses particulares que sólo atañen al comprador y vendedor del inmueble, sufre una esencial mutación cuando se pasa al ámbito de las parcelaciones urbanísticas.

Evidentemente, cuando la división territorial implica el punto de partida de asentamientos poblacionales en el suelo no urbanizable, entendido éste último como un bien colectivo susceptible de tutela constitucional a través del derecho a un medio ambiente saludable (art. 47 de la CE), o implica la creación de parcelas ínfimas inservibles para los usos que el planificador urbanístico les atribuye, de acuerdo con la concepción estatutaria de la propiedad privada modulada por la función social que la misma está llamada a cumplir (art. 33.2 de la CE), adquiere una especial relevancia los intereses públicos –más bien comunitarios[2]– que se ponen en juego.

En relación con esta perspectiva, debemos hacer especial hincapié en un desliz interpretativo jurisprudencial –a juicio de quien escribe estas líneas– que, a su vez, fue asumido por el Centro Directivo de forma acrítica[3]. Se

---

1. Artículos 46 y 47 del Reglamento Hipotecario.
2. Sobre la comprensión de la defensa del medio ambiente como valor comunitario y no exclusivamente estatal o público, resulta extraordinariamente sugerente la obra del filósofo británico SCRUTTON, R. (2012): *Green Philosophy. How to think seriously about the planet*, Atlantic Books, Londres. En la misma, el autor ofrece un nuevo planteamiento acerca de la tutela del territorio que fomenta el sentimiento de la comunidad local de defensa de su legado natural; con ello se quiere ofrecer una alternativa a la visión pretendidamente progresista de políticas medioambientales hechas «desde arriba», mediante agendas impuestas por las élites gubernamentales a través de aparatos burocráticos nacionales e internacionales, que ignora el potencial de la sociedad civil para valorar su entorno y protegerlo.
3. Resolución de la DGRN de 7 de julio de 2016, FJ 3.

afirma por el Tribunal Superior de Justicia de Andalucía que «*el derecho a segregar dimana directamente del poder de disposición propio del derecho de propiedad, reconocido en el artículo 33 de la Constitución, sin otras limitaciones que las previstas por las leyes...*»[4].

En esta sentencia se procede a mezclar, de forma incongruente, dos preceptos que se encuentran en cuerpos legales distintos y obedecen a principios diferentes. Por un lado, el artículo 33.1 de la CE reconoce el derecho a la propiedad privada y, del otro, el 348.1 del Código civil establece que la misma no tendrá más limitaciones que las expresamente previstas en las leyes. Sin embargo, éste último precepto –aprobado en 1889– debe ser interpretado a la luz del párrafo segundo del citado artículo de nuestra Carta Magna, según el cual la función social de la propiedad delimitará su contenido de acuerdo con las leyes[5]. Por tanto, el derecho a la propiedad y las facultades inherentes a ella no son poderes omnímodos o absolutos sin más limitaciones que las expresamente fijadas por las normas legales, sino que, antes, al contrario, el alcance de dichas potestades será el que expresamente prevea la legislación vigente, la cual «delimitará» estatutariamente –desde dentro– el contenido del derecho de propiedad del suelo[6].

Como consecuencia de esta visión constitucional de la propiedad – salvando siempre el límite del respeto a su contenido esencial[7] (art. 53.1

4. Sentencia del Tribunal Superior de Justicia de Andalucía, Sala de lo Contencioso-administrativo de Málaga, de 24 de noviembre de 2014 (JUR 2015, 74526), FJ 2.

5. Sentencia del Tribunal Constitucional 37/1987, de 26 de marzo (RTC 1987, 37), FD 8: «Pero este argumento no es convincente. En el fondo del mismo subyace una vez más una concepción de la propiedad privada como institución unitaria, regulada en el Código civil, que sólo admite limitaciones externas a su libre ejercicio en virtud de Leyes especiales. Por el contrario, como se ha expuesto, el derecho a la propiedad privada que la Constitución reconoce y protege tiene una vertiente institucional, precisamente derivada de la función social que cada categoría o tipo de bienes sobre los que ejerce el señorío dominical está llamado a cumplir». La superación de esta visión exclusivamente «civilista» del derecho de propiedad también ha sido expresamente asumida por la Resolución de la DGRN de 21 de enero de 2014, FJ 11: «En la nueva redacción del precepto se aprecia como el legislador vincula, no sólo los aspectos civiles e hipotecarios, sino también los derivados de la ordenación del territorio y del planeamiento para la formación de nuevas fincas y parcelas, cumpliendo con las exigencias del principio de legalidad y superando el tradicional planteamiento *iusprivatista* que había prevalecido hasta ahora en materia de parcelaciones».

6. DÍEZ-PICAZO, L. y GULLÓN BALLESTEROS, A. (1985): *Sistema de Derecho civil*, Vol. III, Tecnos, Madrid, p. 156: «Los límites al derecho de la propiedad, por tanto, no son para la Constitución únicamente comprensiones exteriores del derecho, sino que se puede actuar internamente, en su mismo núcleo de facultades, o si se quiere expresar de otra manera, no son excepciones a un principio de pleno señorío».

7. La Sentencia del Tribunal Constitucional 11/1981, de 8 de abril (RTC 1981, 11), nos ofrece una alambicada y tautológica definición de este concepto: «Constituyen el contenido esencial de un derecho subjetivo aquellas facultades o posibilidades de actuación

de la CE), para evitar que quede desfigurado e irreconocible–, las facultades dominicales tendrán el alcance que expresamente se prevea por la legislación urbanística[8], por lo que, al contrario de lo mantenido en la sentencia citada por la Dirección General, la presunción de validez de los actos dispositivos no será admisible en el caso de que concurra alguna de las presunciones legales de actos parcelatorios cuya finalidad es, precisamente, la de invertir la carga de la prueba como presunciones «*iuris tantum*».

Atendiendo a lo expuesto, resulta evidente que nos encontramos ante una figura fronteriza entre lo público y lo privado, el Derecho urbanístico y el civil, el legislador autonómico y el estatal. De ahí los problemas que suelen surgir respecto a su adecuada definición.

La Dirección General de los Registros y del Notariado no ha sido ajena a este problema. De hecho, en sus resoluciones ha aludido frecuentemente a la necesidad de establecer una adecuada distinción entre los conceptos de parcelación y segregación o división registral, que no deben confundirse, aunque se encuentren estrechamente relacionados entre sí.

---

necesarias para que el derecho sea recognoscible como pertinente al tipo descrito y sin las cuales deja de pertenecer a ese tipo y tiene que pasar a quedar comprendido en otro desnaturalizándose, por decirlo así. Todo ello referido al momento histórico de que en cada caso se trata y a las condiciones inherentes en las sociedades democráticas, cuando se trate de derechos constitucionales. El segundo posible camino para definir el contenido esencial de un derecho consiste en tratar de buscar lo que una importante tradición ha llamado los intereses jurídicamente protegidos como núcleo y médula de los derechos subjetivos. Se puede entonces hablar de una esencialidad del contenido del derecho para hacer referencia a aquella parte del contenido del derecho que es absolutamente necesaria para que los intereses jurídicamente protegibles, que dan vida al derecho, resulten reales, concreta y efectivamente protegidos» (FJ 10). En nuestra humilde opinión, este párrafo ininteligible es el resultado de aplicar una hermenéutica positivista a un concepto netamente iusnaturalista.

8. Sentencias del Tribunal Constitucional 37/1987, de 26 de marzo (RTC 1987, 37), FD 8: «Así ocurre en el caso de la propiedad urbana, cuyas Leyes de ordenación están muy lejos de establecer sólo, como los recurrentes pretenden, medidas de policía concretas, respetando, como regulación ajena, la imposición de obligaciones y limitaciones al ejercicio de los derechos dominicales, sino que, muy al contrario, establecen por sí mismas o por remisión a los instrumentos normativos del planeamiento, los deberes y límites intrínsecos que configuran la función social de la propiedad del suelo, desde el punto de vista de la ordenación del territorio» y 61/1997, de 20 de marzo (RTC 1997, 61), FD 16 b): «Desde la perspectiva del dominio, el art. 16.1 T.R.L.S. [de 1992] supone una limitación general sobre la facultad de disposición de la propiedad del suelo congruente con su destino y un complemento necesario y coherente con el principio general de la no edificabilidad en el suelo no urbanizable (…) En otras palabras, la facultad de disposición puede quedar delimitada en aras de la función social (arts. 33.2 C.E. y 149.1.8.° C.E.), impidiendo que se produzcan actos contrarios a la legislación sectorial».

En primer lugar, el Centro Directivo, como no podía ser de otra manera, se remite en cuanto al concepto de parcelación a la normativa urbanística aplicable, que es la competente para regularla. Pero aprovecha dicho concepto para afirmar, a renglón seguido, que el mismo no debe identificarse sin más con el acto jurídico de dividir o segregar fincas. Al respecto, la Dirección General aprecia varias diferencias entre ambos[9]:

– El concepto de parcelación viene determinado por una circunstancia esencial, cual es la posibilidad de generar nuevos asentamientos de población[10]. El fraccionamiento registral prescinde de estos datos al tratarse de la mera constancia tabular de una transmisión parcial de un inmueble por parte de su legítimo propietario.

– Mientras que la segregación o división registral de las fincas inscritas tiene un carácter eminentemente jurídico, en las parcelaciones urbanísticas cobran especial relevancia los datos fácticos[11].

– Además, fruto de la utilización fraudulenta de las instituciones del Derecho privado, las parcelaciones urbanísticas –especialmente en suelo no urbanizable– se han configurado legalmente como un concepto amplio, complejo y finalista[12], el cual trasciende la mera división material al incluir también las enajenaciones de porciones ideales de la finca de origen[13].

---

9. Resoluciones de la DGRN de 10 de septiembre de 2015, FJ 4 y de 7 de julio de 2016, FJ 3.

10. ROMERO GÓMEZ, F. (2007): «Comentarios a los artículos 66 a 68», en GUTIÉRREZ, V. y CABRAL, A. (dirs.), *Comentarios a la Ley de Ordenación Urbanística de Andalucía (Ley 7/2002, de 17 de diciembre)*, Thomson-Civitas, Cizur Menor, p. 675: «El concepto de parcelación urbanística hace referencia a la división de fincas, pero se distingue netamente de la mera división con efectos jurídico-civiles por su *"propósito urbanizador"*. Es, por tanto, la finalidad de la actividad desarrollada, su intencionalidad –expresa o presunta– lo que constituye el elemento esencial del concepto».

11. Como fundamento para ello, se menciona que la jurisprudencia del Tribunal Supremo aprecia la constitución de un núcleo de población de forma casuística. Distintas legislaciones autonómicas han procedido a regular dicho concepto, pero estos intentos han sido criticados por ARNÁIZ EGUREN, R. (2010): *Terreno y edificación, propiedad horizontal y prehorizontalidad*, Aranzadi, Cizur Menor, p. 99, al entender que se trata de definiciones meramente instrumentales que se limitan a identificarlo como un simple fenómeno generador de necesidades asistenciales o servicios urbanísticos.

12. En apoyo de esta afirmación, la Dirección General apela a las sentencias del Tribunal Supremo de 9 de mayo de 2013 (RJ 2013, 4458), dictado en relación con la transformación de un edificio destinado a apartahotel turístico en cincuenta y dos apartamentos particulares integrantes de un complejo inmobiliario en suelo no urbanizable (Galicia), y del Tribunal Superior de Justicia de Andalucía de 17 de marzo de 2011 (JUR 2011, 228586), en un supuesto de enajenación por cuotas, con aprovechamientos individualizados, de una parcela rústica.

13. Resolución de la DGRN de 5 de octubre de 2016, FJ 5: «Partiendo de tal normativa, esta Dirección General –cfr. Resoluciones de 14 de julio de 2009, 12 de julio de 2010,

Por tanto, nos encontramos ante dos conceptos que no se relacionan como círculos concéntricos, sino secantes. De esta forma, si bien parcelación urbanística y la división o segregación registral de fincas presentan un amplio campo común, también hay zonas donde no convergen. En efecto, cabe que existan parcelaciones sin fraccionamiento material de la propiedad –como tendremos ocasión de analizar detenidamente en el apartado de este trabajo dedicado a la enajenación de la propiedad por cuotas como acto revelador–, del mismo modo que cabe segregaciones de fincas rústicas que no impliquen parcelación urbanística al no generar peligro de formación de nuevos asentamientos.

Por último, la Dirección General llega incluso a hacer suya una definición de parcelación urbanística, en suelo no urbanizable, que aparece recogida en la Sentencia de 17 de marzo de 2011, de la Sala de lo Contencioso-administrativo del Tribunal Superior de Justicia de Andalucía:

> «... la parcelación ilegal constituye un proceso en el que se suceden los actos materiales y jurídicos con clara intención fraudulenta de parcelar un terreno no urbanizable, pretendiendo la creación de una situación irreversible, demostrativa de que con los actos realizados no se pretende destinar el terreno a su uso y destino natural y obligado, rústico y agrícola; actuación que se lleva a cabo con vocación urbanística que posibilita la formación de un núcleo de población»[14].

De la misma podemos destacar los siguientes caracteres:

a) Se trata de un proceso dinámico que se desarrolla en el tiempo, no de una actuación aislada y concreta. Nos encontramos, utilizando un símil cinematográfico, ante una película completa y no ante un fotograma fijo restringido al mero acto divisorio.

b) Tiene carácter complejo al estar constituido por actos materiales y jurídicos. Comprende tanto las divisiones y segregaciones físicas de fincas, como las asignaciones porciones ideales a diferentes propietarios para su aprovechamiento exclusivo. También incluye, junto a actuaciones de carácter material –colocación de vallados, apertura de caminos, establecimiento de suministros de agua y energía eléctrica, construcción de edificios, etc.–, otras que pertenecen al mundo de lo jurídico –compraventa de porciones de la finca previo loteo de estas, formalización en documento público, inscripción en el Registro de la Propiedad–.

---

2 de marzo y 24 de mayo de 2012 y 2 de enero y 15 de abril de 2013– acorde con los pronunciamientos jurisprudenciales, ha ido desarrollando una doctrina, asumiendo tal concepto de parcelación urbanística, siguiendo el proceso que han seguido las actuaciones para soslayar su prohibición y precisamente para protegerse de ellas, trascendiendo la estricta división material de fincas, la tradicional segregación, división o parcelación, para alcanzar la división ideal del derecho y del aprovechamiento».

14. Esta definición, a su vez, se encuentra tomada de otra sentencia de la misma Sala y Sección de dicho Tribunal, fechada el 18 de noviembre de 2005, FJ 1 (JUR 2006, 58001).

c) Su finalidad es la de crear una situación irreversible de núcleo de población en el mundo rural. Este dato, eminentemente fáctico, debe prevalecer sobre cualquier otra apariencia de posible legalidad jurídica de las operaciones sujetas a inscripción[15].

Conviene recordar que esta amplia definición implica un «*cierto margen de indeterminación*» que, si bien puede ser apreciado en toda su amplitud por las Administraciones con competencias en materia de disciplina urbanística, resulta bastante más dificultoso dentro del ámbito de la calificación registral, al menos en los primeros momentos de la actividad parcelatoria[16].

III. DISTRIBUCIÓN DE COMPETENCIAS ENTRE EL ESTADO Y LAS COMUNIDADES AUTÓNOMAS

La Dirección General de los Registros y del Notariado, en relación con la titularidad de competencias en materia registral y urbanística, siempre toma como base la doctrina sentada por la Sentencia del Tribunal Constitucional 61/1997, de 20 de marzo, en la que se ventilaba la constitucionalidad de numerosos preceptos de Real Decreto Legislativo 1/1992, de 28 de junio, por el que se aprueba el Texto Refundido de la Ley sobre el Régimen del Suelo y Ordenación Urbana[17].

---

15. Resoluciones de la DGRN de 6 de octubre de 2016, FJ 5: «... una parcelación urbanística es un proceso dinámico que se manifiesta mediante hechos externos y objetivos fácilmente constatables (...) el elemento decisorio es la posible aparición de tales asentamientos, como cuestión de hecho, con independencia de que el amparo formal y legal de la titularidad individual esté más o menos garantizado, se realice en documento público o privado o se haga de forma expresa o incluso tácita» y de 12 de enero de 2015, FJ 6: «Sobre la cuestión planteada, este Centro Directivo se ha pronunciado en reiteradas ocasiones fijando sistemáticamente la doctrina en la materia según la cual, no es el número de titulares de la finca lo que determina los indicios de parcelación sino el uso individualizado de una o varias partes de la finca, bien porque se atribuya el uso exclusivo de un espacio determinado susceptible de constituir finca independiente, bien porque exista algún otro elemento de juicio que pueda llevar a la conclusión de la existencia de la repetida parcelación (...) en concreto cuando se especifica que tiene acceso directo desde el camino que recae situado al oeste de la parcela y a través del paso común del total conjunto urbanístico, constituyen indicios suficientes de la existencia de una parcelación».

16. Resolución de la DGRN de 6 de octubre de 2016, FJ 6: «Es evidente entonces que la apreciación de existencia de estos actos materiales o jurídicos, reveladores de parcelación ilegal es cuestión controvertida, difícilmente conciliable, en su calificación definitiva, con el reducido marco probatorio que habilita el procedimiento registral».

17. Sentencia del Tribunal Constitucional 61/1997, de 20 de marzo (RTC 1997, 61), FJ 6 b): «El orden constitucional de distribución de competencias ha diseccionado ciertamente la concepción amplia del urbanismo que descansaba en la legislación anterior a la Constitución de 1978 (...) ha de afirmarse que la competencia autonómica exclusiva sobre

Según dicha sentencia, existe una competencia autonómica nuclear en materia urbanística, sobre la base del artículo 148.1.3 de la Carta Magna, que residencia en dichas Administraciones la competencia exclusiva sobre ordenación del territorio, urbanismo y vivienda[18]. Asimismo, cabe la confluencia tangencial, en una materia tan amplia, con ciertas competencias exclusivas estatales como resulta de la prevista en el artículo 149.1.8 sobre ordenación de los registros e instrumentos públicos[19].

En relación con la disciplina urbanística, partiendo de estas premisas constitucionales, las resoluciones del Centro Directivo han marcado las siguientes pautas[20]:

– Competencia autonómica: Actos de naturaleza urbanística sujetos a licencia o autorización administrativa, limitaciones que las mismas pueden imponer, sanciones por realizar tales actos sin licencia o con extralimitación de lo permitido en ellas, plazo para el ejercicio de las potestades sancionadoras y de reposición de la realidad física alterada y enumeración de las actuaciones reveladoras de parcelaciones urbanísticas o asimiladas a la misma.

– Competencia estatal: Regular los supuestos en que debe acreditarse el otorgamiento de la oportuna licencia –siempre que lo exija la normativa autonómica sustantiva[21]– para que un acto de naturaleza

urbanismo ha de integrarse sistemáticamente con aquellas otras estatales que, si bien en modo alguno podrán legitimar una regulación general del entero régimen jurídico del suelo, pueden propiciar, sin embargo, que se afecte puntualmente a la materia urbanística (establecimiento de las condiciones básicas que garanticen la igualdad en el ejercicio del derecho de propiedad urbana, determinados aspectos de la expropiación forzosa o de la responsabilidad administrativa)».

18. Sentencias del Tribunal Constitucional 61/1997, de 20 de marzo (RTC 1997, 61), FJ 6 b): «Pero ha de añadirse, a renglón seguido, que no debe perderse de vista que en el reparto competencial efectuado por la C.E. es a las Comunidades Autónomas a las que se ha atribuido la competencia exclusiva sobre el urbanismo, y por ende es a tales entes públicos a los que compete emanar normas que afecten a la ordenación urbanística, en el sentido anteriormente expuesto» y 170/2016, de 6 de octubre (RTC 2016, 170), FJ 2: «... corresponde a las Comunidades Autónomas, en el ejercicio de su competencia legislativa en la materia, diseñar su propia estrategia territorial y urbanística, configurando el modelo de creación de ciudad y los procesos de transformación del suelo».

19. Sentencia del Tribunal Constitucional 61/1997, de 20 de marzo (RTC 1997, 61), FJ 29 a) *in fine*: «Ciertamente, corresponde al Estado en exclusiva, por virtud del precepto constitucional últimamente mencionado, determinar los actos inscribibles en el Registro de la Propiedad, los efectos y las operaciones registrales».

20. Resoluciones de la DGRN de 21 de enero de 2014, FJ 9; 28 de enero de 2014, FJ 2; 12 de enero de 2015, FJ 4; 10 de septiembre de 2015, FJ 3 y 5 de octubre de 2016, FJ 5.

21. Resolución de la DGRN de 10 de septiembre de 2015, FJ 3: «La exigencia de licencia para inscribir las operaciones a que se refieren los artículos 53 y 78 del Real Decreto

urbanística pueda acceder al Registro, así como determinar la titulación exigible al efecto.

De acuerdo con este esquema, resulta evidente que la relación entre las legislaciones estatal y autonómica, en materia urbanística, revisten los siguientes rasgos:

a) No se articulan en un marco de estricta igualdad. La normativa autonómica tendrá siempre un carácter sustantivo al que deberá adaptarse la regulación registral, dado el carácter formal o adjetivo de esta última[22]. Por tanto, más bien tendríamos que hablar de complementariedad subordinada, con pleno respeto a la esfera constitucionalmente fijada para cada una de ellas[23].

b) El principio que debe prevalecer es el de competencia y no el de jerarquía[24]. Cada uno de los poderes legislativos, resulta soberano en su propio ámbito, de acuerdo con el juego de distribución competencial que señala los artículos 148 y 149 de nuestra Carta Magna.

Una cuestión que se ha planteado al respecto es la relativa al plazo del Ayuntamiento para responder a las comunicaciones remitidas por los Registradores de la Propiedad sobre la existencia de posibles parcelaciones urbanísticas en suelo no urbanizable, al concurrir alguno de los supuestos legalmente previstos[25].

1093/1997, de 4 de julio, no puede considerarse absoluta o genérica pues dependerá de la normativa sustantiva a que esté sujeto el concreto acto jurídico».

22. Resolución de la DGRN de 5 de octubre de 2016, FJ 5: «Recuérdese aquí el Preámbulo del Real Decreto 1093/1997: (…) La regulación de la inscripción de los actos de parcelación se hace en el capítulo X. Al respecto, se ha tenido en cuenta la existencia de distintas normas urbanísticas materiales en diferentes Comunidades Autónomas, por lo que los artículos son estrictamente tabulares dejando a aquellas normas las cuestiones de fondo; ello significa que la aplicación de las soluciones hipotecarias –únicas y uniformes– dependerán, en gran medida, de la previa aplicación de las diversas regulaciones sustantivas autonómicas, sobre todo en lo que se refiere a sus propios criterios en materia de parcelación». Este criterio ya se había afirmado previamente en la Resolución del mismo Centro Directivo, ante una consulta del Consejo Notarial de Andalucía, fechada el 14 de julio de 2009, FJ 3: «Finalmente, como ya se ha declarado reiteradamente esta Dirección General, la legislación hipotecaria, de carácter instrumental, debe interpretarse y aplicarse a la luz de la legislación substantiva a la que aquélla sirve y, en el ámbito registral, complementa».

23. Según ARNÁIZ EGUREN, R. (2001): *La inscripción registral de actos urbanísticos*, Marcial Pons, Madrid, p. 571, nos encontramos ante una distribución vertical y no horizontal de competencias, en la que existen diversas competencias concurrentes.

24. PÉREZ ROYO, J. (2008): *Las fuentes del Derecho*, Tecnos, Madrid, p. 198.

25. ARNÁIZ RAMOS, R. (2011): «El control de la legalidad urbanística a través de la calificación registral. Alcance sobre la determinación de su extensión de la doctrina resultante de la DGRN de fecha 19 de mayo de 2010», *Revista Crítica de Derecho*

El artículo 230.5 de la Ley 5/2014, de 25 de julio, de Ordenación del Territorio, Urbanismo y Paisaje de la Comunidad Valenciana, señala un plazo de tres meses desde la recepción de dichas comunicaciones, transcurrido el cual se procederá, si la Corporación local guarda silencio, a la práctica de la oportuna inscripción de segregación o división de la finca. Por contra, el art. 79 del RHU señala un lapso temporal de cuatro meses para que se produzcan tales efectos. La Resolución de 5 de octubre de 2016, en su Fundamento Jurídico Quinto, mantiene que debe prevalecer ésta última norma en tanto que, tratándose de una materia estrictamente registral como es procedimiento regulador de la práctica de asientos tabulares, prevalece la competencia del Estado conforme al art. 149.1.8 de nuestra Carta Magna[26].

Conviene no confundir este plazo con otro diferente que se establece en alguna norma autonómica para presentar la escritura de parcelación, con la licencia municipal o declaración de innecesariedad testimoniada en el documento público, ante el Ayuntamiento correspondiente[27]. En este supuesto nos encontramos ante una obligación estrictamente urbanística cuya consecuencia jurídica, caso de incumplimiento, no implica efectos registrales ni notariales, pues se limita a establecer la

---

Inmobiliario, n.º 728, pp. 3308-3316, enumera tres sistemas de comunicación registral a las Administraciones competentes en materia de parcelaciones: a) notificación los Ayuntamientos en los casos de segregaciones de fincas en suelo no urbanizable, cuando surgieran dudas fundadas de peligro de creación de un núcleo de población conforme a la ordenación urbanística aplicable (art. 79 del RHU); b) consulta a la Administración municipal en el supuesto de licencias presuntas, para que se pronuncie acerca de las mismas (art. 250.3 del Decreto 305/2006, por el que se aprueba el Reglamento de la Ley de Urbanismo de Cataluña), y c) comunicación de las licencias o declaraciones de innecesariedad a la Consejería con competencias en urbanismo cuando las mismas pudieran ser contrarias a la ordenación urbanística o territorial (art. 28.3 del RDUA). Este autor propuso extender el sistema establecido por la normativa andaluza al resto del territorio español, lo cual tuvo lugar posteriormente mediante la adición, por el art. 25.2 del Real Decreto-Ley 8/2011, de 1 de julio, de un segundo apartado al art. 53 del texto refundido de la Ley de Suelo de 2008 –cuya redacción se ha respetado íntegramente en el vigente art. 65.3 del TRLSRU–, que imponía a los Registradores de la Propiedad la obligación de comunicar todas las parcelaciones inscritas a la Administración autonómica.

26. ARNÁIZ EGUREN, R. (1999): *La inscripción registral de actos urbanísticos*, Marcial Pons, Madrid, p. 563: «En tal sentido, partiendo de la base de que los artículos 78 y siguientes de las Normas Complementarias se refieren directamente a la actuación de los Registradores, su normativa sería directamente aplicable, con independencia de que una Ley formal autonómica haya regulado la materia en forma contradictoria, pues en este caso no prevalecería dicha ley, sino la norma reglamentaria dictada en [la] materia, cuyo título competencial corresponde exclusivamente al Estado».

27. Artículos 66, apdos. 5 y 6, de la Ley 7/2002, de 17 de diciembre, de Ordenación Urbanística de Andalucía y 39, apdos. 2 y 3, de la Ley 2/2006, de 30 de junio, de Suelo y Urbanismo de la Comunidad Autónoma Vasca. Sin embargo, la normativa gallega no contiene un precepto equivalente.

caducidad de la correspondiente autorización administrativa. Debido a ello, se encuentra plenamente incardinada en la competencia que el art. 148.3 de la CE confiere a las Comunidades Autónomas.

No obstante, existe un punto en el que cabe entender que la doctrina de la Dirección General no resulta ajustada a esta distribución competencial: los complejos inmobiliarios privados.

Según el artículo 26.6 del TRLSRU, la constitución y modificación de los complejos inmobiliarios privados requieren autorización administrativa, con las excepciones que en dicho precepto se prevén.

De acuerdo con las reglas de titularidad de competencias que hemos examinado con anterioridad, la determinación de qué actos requieren la oportuna licencia o autorización administrativa urbanística corresponde en exclusiva a la Administración autonómica. En este sentido, estamos ante un exceso legislativo de la norma estatal que vulnera el artículo 148.1.3 de nuestra Constitución, ya que sólo compete al legislador autonómico declarara si los complejos inmobiliarios están o no sujetos a la pertinente licencia. Sólo cabría salvar la constitucionalidad del artículo estatal si la propia normativa de la Comunidad Autónoma se remitiera en este punto a la legislación del Estado, como hace el artículo 368.8 del Decreto 143/2016, de 22 de septiembre, por el que se aprueba el Reglamento de la Ley 2/2016, de 10 de febrero, del Suelo de Galicia.

A tenor de lo arriba expuesto, la Resolución de 21 de enero de 2014, en su Fundamento Jurídico Quinto, pretende salvar la adecuación constitucional del citado precepto –en su redacción anterior contenida en el artículo 17.6 del Texto Refundido de 2008– mediante dos afirmaciones: por un lado, el hecho de que el mismo se basa en el art. 149.1.8 de la CE (Disposición final primera, apartado 3 de la ley estatal) y, del otro, que «*ello se justifica por las múltiples implicaciones que pueden producir los complejos inmobiliarios y la necesidad de extremar su control administrativo y registral*».

Sin embargo, ninguno de estos argumentos puede prevalecer. El primero de ellos porque el otorgamiento de licencias urbanísticas se residencia en el artículo 148.1.3 de la Constitución y no en el 149.1.8, ya que este último, a lo máximo, podrá fundamentar la acreditación de dicha autorización a los efectos de posibilitar su inscripción registral, pero siempre que la normativa autonómica sustantiva prevea expresamente la necesidad de licencia. En segundo lugar, aunque sea plenamente asumible la exigencia de previa intervención administrativa en los complejos inmobiliarios privados a los efectos de comprobar su adecuación a la normativa urbanística y territorial vigente, no se puede obviar que esta tarea debe llevarse a cabo por el legislador competente, es decir, por el autonómico[28]. Resulta en este punto muy difícil compartir la afirmación de que «*siendo la finalidad de la reforma estatal sujetar al control de la propia Comunidad Autónoma los complejos inmobiliarios y las autorizaciones que hayan concedido los Ayuntamientos respectivos*», puesto que la atribución de tal facultad a las legislaciones autonómicas no se debe realizar por la normativa del Estado sino por la Constitución.

Hemos de añadir, en descargo de la Dirección General, que no le corresponde al mismo el control de constitucionalidad de las normas de rango legal, monopolio del Tribunal Constitucional[29]. Ante la imposibilidad de cuestionar el artículo, el Centro Directivo optó por realizar una interpretación del precepto lo más acomodada posible a nuestra norma fundamental, aunque dicha doctrina, a nuestro humilde entender, no supera los parámetros de constitucionalidad.

IV. ENAJENACIONES POR CUOTAS

Uno de los casos previstos por el legislador estatal, dentro de la prohibición genérica de divisiones o segregaciones que incumplan la ordenación territorial o urbanística, es la enajenación de cuotas indivisas a las que se asigne la utilización exclusiva de una o varias porciones concretas de la finca (art. 26.2 TRLSRU)[30]. Dicho supuesto se reitera, con idéntica

---

28. De hecho, el artículo 187.1.k) del Decreto Legislativo 1/2012, de 3 de agosto, por el que se aprueba el Texto Refundido de la Ley de Urbanismo de Cataluña, sujeta a licencia urbanística previa la constitución o modificación de la propiedad horizontal, simple o compleja, y el 218.1, del mismo cuerpo legal, tipifica como infracción grave la constitución de complejos inmobiliarios sin licencia, contrario al planeamiento vigente o cuyo número de elementos susceptibles de aprovechamiento independiente superior al previsto en la licencia otorgada. Por su parte, la presunción de parcelación urbanística que establece para los supuestos de división horizontal que den lugar a usos individualizados de partes de la finca, previstas en los arts. 66.2 de la Ley 7/2002, de 17 de diciembre, de Ordenación Urbanística de Andalucía y 230.3.b) de la Ley 5/2014, de 25 de julio, de Ordenación del Territorio, Urbanismo y Paisaje de la Comunidad Valenciana, comprende también a los complejos inmobiliarios privados.

29. Artículo 1.2 de la Ley Orgánica 2/1979, de 3 de octubre, del Tribunal Constitucional: «[El Tribunal Constitucional] Es único en su orden y extiende su jurisdicción a todo el territorio nacional».

30. GONZALEZ PÉREZ, J. (2015): «Artículo 17», en GONZÁLEZ PÉREZ, J. (dir.), *Comentarios a la Ley del Suelo: texto refundido aprobado por Real Decreto Legislativo 2/2008, de 20 de junio*, Thomson-Civitas, Cizur Menor, p. 780, considera que este precepto estatal permite utilizar dichas presunciones en caso de silencio de la legislación autonómica. Sin embargo, estimamos que ello podría entrar en contradicción con la doctrina establecida por nuestro Tribunal Constitucional en su Sentencia 61/1997, de 20 de marzo, en la que declaró inconstitucionales varios preceptos de la ley estatal de suelo de 1992 que se pretendían aplicar supletoriamente en defecto de normativa urbanística de las Comunidades Autónomas.

interdicción, en diversas legislaciones autonómicas. Con ello se pretende evitar el fraude de ley, consistente en utilizar una figura de Derecho privado –el condominio– con la finalidad espuria de crear fraccionamientos de la propiedad contrarios a la legislación urbanística en vigor[31].

Esta concepción amplia de parcelación urbanística, que supera la idea del simple fraccionamiento físico de los terrenos, resulta claramente expresada en el Fundamento Jurídico Cuarto de la Resolución de 10 de septiembre de 2015:

> «Esta Dirección General –cfr. Resoluciones de 14 de julio de 2009, 12 de julio de 2010, 2 de marzo y 24 de mayo de 2012 y 2 de enero y 15 de abril de 2013– acorde con los pronunciamientos jurisprudenciales, ha asumido tal concepto de parcelación urbanística, siguiendo el proceso que han seguido las actuaciones para soslayar su prohibición y precisamente para protegerse de ellas, trascendiendo la estricta división material de fincas, la tradicional segregación, división o parcelación, para alcanzar la división ideal del derecho y del aprovechamiento, y en general todos aquellos supuestos en que manteniéndose formalmente la unidad del inmueble, se produce una división en la titularidad o goce».

En líneas generales, la doctrina del Centro Directivo en materia de enajenación de cuotas indivisas se condensa en tres puntos:

a) Con carácter general, la simple venta de cuotas de una finca, siempre que no se den algunos de los supuestos que se enumeran en el párrafo siguiente, se entiende como un acto neutro desde el punto de vista urbanístico y, por tanto, conforme a Derecho. Ello se fundamenta en el principio general de libertad de contratación respecto de los bienes propios[32].

b) Se exceptúan de la regla precedente, en tanto incurren en el supuesto de parcelación urbanística ilegal, los que a continuación se enumeran:

– Que en la cuota indivisa transmitida atribuyera expresamente el uso exclusivo de una porción de la finca a su nuevo titular.

– Que concurra otro elemento fáctico o jurídico del que pueda deducirse la concurrencia del fenómeno parcelatorio. Dentro de los

---

31. Resolución de la DGRN de 21 de enero de 2014, FJ 11: «… el concepto de parcelación urbanística, siguiendo el proceso que han seguido las actuaciones en fraude a su prohibición y precisamente para protegerse de ellas, ha trascendido la estricta división material de fincas, la tradicional segregación, división o parcelación, para alcanzarla división ideal del derecho y del aprovechamiento, y en general todos aquellos supuestos en que manteniéndose formalmente la unidad del inmueble, se produce una división en la titularidad o goce, ya sea en régimen de indivisión… o de cualquier otro modo en que se pretenda alcanzar los mismos objetivos».

32. Resolución de la DGRN de 5 de octubre de 2016, FJ 5.

mismos se comprende la existencia de construcciones y perímetros vallados reflejados en las certificaciones catastrales descriptivas y gráficas[33], la anotación preventiva de expedientes de disciplina urbanística tramitados por el Ayuntamiento[34], la declaración en la escritura de que la vivienda construida se destinan a uso propio o una descripción de la misma de la que resulta su acceso a un camino público que da paso a todo el conjunto urbanístico[35], así como la identificación del porcentaje de cuota con su equivalente en metros cuadrados, hasta comprender toda la superficie de la finca, unido al posterior cerramiento perimetral de su respectiva porción por cada comunero[36].

c) Los indicios reseñados no pueden ser desvirtuados ni por la ausencia de asignación expresa de uso individualizado de las cuotas sobre una o varias partes de la finca, ni por las declaraciones en contrario formuladas por los interesados en escritura pública. En estos casos, la fuerza de lo fáctico se impone sobre las manifestaciones formales de los individuos, sin perjuicio de la responsabilidad en que por ellas se pudiera incurrir[37].

Otra cuestión que se plantea es la de dilucidar si las presunciones de parcelación, previstas tanto por la legislación estatal como por las autonómicas, quedan desvirtuadas por el hecho de que ya se hubiera practicado la primera inscripción de la cuota en el Registro de la Propiedad, razón por la cual no cabría denegar las segundas y posteriores transmisiones de derechos ya inscritos. Así lo defiende la Resolución de 10 de septiembre de 2015, en su Fundamento Jurídico Quinto, sobre la base del principio de legitimación registral que establece una presunción «*iuris tantum*» de legalidad de todos los actos inscritos (art. 38 de la Ley Hipotecaria).

No obstante, entendemos que los indicios anteriormente señalados podrían oponerse a la inscripción de ulteriores enajenaciones de cuotas ya inscritas. Y ello en base a los siguientes argumentos:

---

33. Resolución de la DGRN de 5 de octubre de 2016, FJ 6.
34. Resolución de la DGRN de 25 de abril de 2014, por su remisión a otras de 5 y 14 de noviembre de 2013.
35. Resolución de la DGRN de 12 de enero de 2015, FJ 6.
36. Resolución de la DGRN de 10 de septiembre de 2015, FJ 4.
37. Resoluciones de la DGRN de 12 de enero de 2015, FJ 6: «… el elemento decisorio es la existencia de indicios suficientes, que desvirtúen dichas afirmaciones [formuladas por los interesados sobre la inexistencia de usos individualizados en la finca]», 10 de septiembre de 2015, FJ 4: «… el elemento decisorio es la posible aparición de tales asentamientos, como cuestión de hecho, con independencia de que el amparo formal y legal de la titularidad individual esté más o menos garantizado, se realice en documento público o privado o se haga de forma expresa o incluso tácita».

- La presunción prevista por los arts. 1 y 38 de la Ley Hipotecaria hace referencia a la existencia y titularidad civil del derecho inscrito a favor del comunero, cuestión que no se discute. Sin embargo, dichos preceptos no garantizan la extensión y forma de ejercicio de las potestades dominicales, las cuales dependerán de lo previsto en las normas administrativas que configuran el estatuto jurídico de la propiedad[38]. Por tanto, la inscripción de las cuotas no impide restricciones del *ius disponendi* de las mismas en cuanto vulneren la prohibición legal de fraccionamiento, prevista en las leyes estatales y autonómicas sobre la materia.

- De acuerdo con los nuevos elementos fácticos que hayan podido conocerse –e incluso reflejarse registralmente– con posterioridad a la inscripción de la cuota, cabe plantearse la denegación de una futura transmisión si el fenómeno parcelatorio se pone de manifiesto en el momento de interesarse la nueva calificación al Registrador[39]. Nuestra opinión es afirmativa ya que la presunción de legalidad sólo vincula a los asientos practicados, pero no a los verificables en el futuro, los cuales requerirán un nuevo control de legalidad. Sostener lo contrario implicaría fosilizar situaciones ilegales en los libros del Registro, con los indudables perjuicios que ello acarrearía a la seguridad del tráfico jurídico inmobiliario.

- La presunción del artículo 38 de la Ley Hipotecaria es *iuris tantum* y, por tanto, de la misma naturaleza que la prevista en el artículo 26.2 del TRLSRU o por otros legisladores autonómicos respecto de la concurrencia de actos reveladores de la parcelación. Ante dicha

---

38. Como apoyo a este argumento, cabe citar la jurisprudencia relativa a la aplicación del principio de subrogación real en materia urbanística. En las sentencias del Tribunal Supremo de 4 de febrero (RJ 2009, 3306) y 29 de abril de 2009 (RJ 2009, 5143), se confirma que la protección del principio de fe pública registral se extiende al derecho del titular sobre la finca pero no al ejercicio del *ius aedificandi*, es decir, a la subsistencia física de las edificaciones ilegales realizadas sobre la misma.

39. Como posibles nuevos indicios, sin ánimo exhaustivo, podemos enumerar los siguientes: que en una de las sucesivas enajenaciones se interesa la inscripción de una obra en la que se pretende la exclusión del seguro decenal por destinarse a vivienda habitual, o que se ponga de manifiesto un valor de venta excesivo en relación con el carácter agrícola de la finca, o que se aprecie que la superficie ideal de la cuota sea inferior a la unidad mínima de cultivo sin que se haya contemplado en las anteriores trasmisiones por error humano, o que se pretenda inscribir junto a la enajenación el establecimiento de alguna infraestructura propia de núcleo de población, o que, con posterioridad a las enajenaciones ya inscritas, se haya dejado constancia registral del inicio del expediente de disciplina urbanística en la finca matriz.

concurrencia de presunciones parece razonable admitir que deben prevalecer los datos fácticos sobre el mero formalismo jurídico.

– De acuerdo con la distribución competencial que hemos examinado en el apartado precedente, a quien corresponde regular la existencia de actos reveladores de las parcelaciones urbanísticas es al legislador autonómico. Según ello, y dado el carácter adjetivo de la norma hipotecaria en relación con la urbanística, el Registrador deberá atenerse en su calificación, a los efectos de determinar la legalidad o no de las segundas y posteriores transmisiones de cuotas, a lo previsto por la normativa de la Comunidad Autónoma[40].

V. INSCRIPCIÓN DE PARCELACIONES PRESCRITAS

Probablemente, la innovación más importante que se ha introducido por la Dirección General es la posibilidad de inscribir en el Registro de la Propiedad las parcelaciones ya prescritas utilizando el mecanismo previsto para las denominadas «obras antiguas».

La Resolución de 17 de octubre de 2014 planteó la cuestión en los términos de si cabe dar acceso tabular a aquellas segregaciones, realizadas sin licencia urbanística, para las que ya hubiera transcurrido el plazo para el ejercicio de las potestades sancionadora y de protección de la legalidad urbanística.

El Centro Directivo estima que ello es posible aplicando analógicamente el artículo 20.4 del Texto Refundido de la Ley de Suelo de 2008 –actualmente el 28.4 del TRLSRU–, que prevé la inscripción de aquellas obras para las que haya prescrito el plazo legalmente fijado para su demolición[41], entendiendo que el si se permite el ingreso registral de este tipo de

---

40. Se da la circunstancia de que el art. 8.a) del Decreto 60/2010, de 16 de marzo, por el que se aprueba el Reglamento de Disciplina Urbanística de la Comunidad Autónoma de Andalucía, se establece como un acto revelador parcelación urbanística la transmisión *inter vivos* –sin distinguir si se trata de la primera u otra ulterior– de cuotas en suelo no urbanizable a las que corresponde teóricamente una superficie inferior a la fijada por la ordenación territorial o urbanística como parcela mínima. Aun sin referirse expresamente a las divisiones ideales en cuotas, el artículo 150.2 de la Ley 2/2016, de Suelo de Galicia, prohíbe las parcelaciones que den lugar a lotes de extensión inferior a la señalada como mínima por el planeamiento en vigor.

41. A pesar de la terminología empleada por el legislador estatal, la jurisprudencia se decanta mayoritariamente por considerar que el plazo para reponer la realidad física alterada por ilegalidades urbanísticas es de caducidad. Así se puede comprobar en las sentencias del Tribunal Supremo de 29 de abril de 1985 (RJ 1985, 2880), 2 de septiembre de 1988 (RJ 1988, 7224), 5 de junio de 1991 (RJ 1991, 4865), 2 de noviembre de 1994 (RJ 1994, 8490) y 9 de diciembre de 1999 (RJ 1999, 8560), y del Tribunal Superior

edificaciones también deben permitirse otras menos invasivas, como es el caso de las divisiones o segregaciones de fincas. El único límite que se establece al efecto es el respeto a la unidad mínima de cultivo, cuya transgresión implica una nulidad de pleno derecho según el art. 24.2 de la Ley 19/1995, de 4 de julio, de Modernización de las Explotaciones Agrarias.

Este criterio ha sido mantenido por otros pronunciamientos posteriores, como las resoluciones de 17 de abril (FJ 3), 5 de mayo (FJ 3) y 26 de mayo de 2015 (FJ 3), 15 de febrero (FJ 5), 4 de marzo (FJ 3) y 13 de mayo de 2016 (FF JJ3 y 4). En ellas se menciona, como apoyo jurisprudencial a dicha solución, las sentencias del Tribunal Supremo de 23 de noviembre de 2000 (RJ 2000, 9063), del Tribunal Superior de Justicia de las Islas Baleares de 16 de septiembre de 2005 (JUR 2005, 228699) y del Tribunal Superior de Justicia de Valencia de 28 de junio de 2013 (JUR 2013, 281084), así como el argumento legal fundado en el artículo 238.1.c) de la Ley 5/2014, de 25 de julio, de Ordenación del territorio, Urbanismo y Paisaje de la Comunidad Valenciana.

Sin embargo, esta doctrina muestra los siguientes inconvenientes:

a) Improcedente aplicación del instituto de la analogía

Del estudio del vigente artículo 28 del TRLSRU resultan en el mismo dos tratamientos jurídicos respecto a la inscripción de las obras nuevas en el Registro. El apartado primero se configura como regla general, según el cual el ingreso tabular de dichas edificaciones requiere la obtención de las correspondientes autorizaciones administrativas. Sin embargo, el punto cuarto del precepto, que es donde se hace referencia al acceso registral de aquellas edificaciones para las que haya transcurrido el plazo el restablecimiento de la legalidad urbanística por carecer de las pertinentes licencias o, en su caso, declaraciones responsables, se constituye como una excepción a la regla anterior[42].

---

de Justicia de Madrid de 17 de diciembre de 2013 (JUR 2014, 30582), 16 de marzo de 2016 (JUR 2016, 87133) y 18 de marzo de 2016 (RJCA 2016, 597).

42. Este carácter excepcional resulta claramente deducible de la frase con que se inicia el apartado cuarto del artículo 28 TRLSRU: «*No obstante lo dispuesto en el apartado anterior...*», aunque hubiera sido más correcta la redacción: «*No obstante lo dispuesto en el apartado primero...*». También lo confirma la Resolución de la Dirección General de los Registros y del Notariado de 13 de mayo de 2016, FJ 3: «En el caso de la inscripción de escrituras de declaración de obra nueva, resulta con claridad la existencia en nuestra legislación de dos vías para su lograr su registración, la ordinaria del apartado primero del artículo 28 de la actual Ley de Suelo y la prevista con carácter excepcional en el apartado cuarto, que trata de adecuarse a la realidad de edificaciones consolidadas

Y, llegados a este punto, hay que acudir al régimen legal de la aplicación analógica de las normas, previsto en el art. 4.2 del Código civil: «*Las leyes penales, las excepcionales y las de ámbito temporal no se aplicarán a supuestos ni en momentos distintos de los comprendidos expresamente en ellas*». Dicho precepto parte de un criterio de racionalidad: las excepciones deben interpretarse restrictivamente, sin posibilidad de ampliar su aplicación por analogía, para así evitar el indeseable e ilógico resultado de que se conviertan por esta vía en reglas generales.

En consecuencia, si el apartado cuarto del artículo 28 TRLSRU constituye una norma excepcional, no cabe la aplicación analógica del mismo a supuestos de hecho distintos del expresamente previsto en dicha disposición. Por tanto, implica un abuso normativo trasladar su regulación, propia de las obras y edificaciones, a las parcelaciones.

b)   *Inadecuación del régimen de asimilación o fuera de ordenación a las divisiones o segregaciones de fincas*

La regulación contenida en relación con las denominadas «obras antiguas» en la legislación adjetiva registral responde al correlato sustantivo de las edificaciones o instalaciones declaradas en régimen de fuera de ordenación o en situación de asimilado a fuera de ordenación[43]. La normativa urbanística incluye dentro de este concepto aquellas obras y construcciones que, habiendo nacido al margen de la legalidad y sin las debidas autorizaciones exigidas por la Administración urbanística, no pueden demolerse por haber transcurrido el plazo legalmente establecido para la reposición de la realidad física alterada, aunque continúen siendo disconformes con la ordenación territorial y urbanística en vigor.

Pues bien, el régimen jurídico del fuera de ordenación –así como el de asimilado al fuera de ordenación– se encuentra previsto para las edificaciones y construcciones, pero no para la superficie terrestre sobre la que

_____

de hecho por el transcurso de los plazos legales para reaccionar, por parte de la Administración, en restauración de la legalidad urbanística infringida».

43.   El régimen de fuera de ordenación, en la casi totalidad de las legislaciones autonómicas, comprende dos situaciones diferentes: en primer término, las edificaciones que, habiendo sido realizadas conforme a Derecho, devienen ilegales por un cambio posterior en el planeamiento y, en segundo lugar, aquéllas que nacieron ilegales y continúan siéndolo, pero respecto de las que no cabe su demolición por haber caducado el plazo previsto para ello. La legislación autonómica andaluza regula, de forma original, la situación de asimilado al régimen de fuera de ordenación, que sólo comprende el segundo de los supuestos [artículo 34.1.b) *in fine* de la LOUA], como figura distinta del fuera de ordenación, que se limita a la primera de las hipótesis descritas (Disposición final primera de la LOUA).

se asientan. Ello resulta no sólo de el origen jurisprudencial de esta figura[44], sino también de las restricciones que su régimen jurídico impone a la autorización de nuevas obras de ampliación, reforma y consolidación, operaciones que sólo son materializables sobre los edificios ya realizados y no en relación con una superficie terrestre la cual, por definición, ya no se puede ampliar, reformar o consolidar.

Nos encontramos, pues, ante un auténtico «boom» del fuera de ordenación que conlleva a una indudable desnaturalización de la figura, al desconocer el origen, objeto y fines que le son propios[45]. En cierto modo, se pretende incluir dentro de este «cajón de sastre» todas aquellas actuaciones en las que la disciplina no ha podido intervenir para evitar la ilegalidad, pero dicha opción no resulta admisible a costa de desfigurar los rasgos esenciales de su regulación.

c) Debilidad del apoyo jurisprudencial y legislativo

En defensa de su posición, el Centro Directivo alude de forma expresa, como hemos adelantado, al 238.1.c) de la ley urbanística valenciana. Sin embargo, dicho precepto no hace mención alguna respecto a la prescriptibilidad de las divisiones o su acceso al Registro – materia en la que, por otro lado, el legislador autonómico es incompetente –, sino que se limita a exponer las operaciones de restauración de la legalidad de las parcelaciones ilegales en suelo no urbanizable: reagrupación de fincas y, en el caso de que fuera necesario, según el estado de desarrollo de la actuación ilícita, roturación de caminos, desmantelamiento de servicios, demolición de

---

44. Pidiendo disculpas por la autocita, un estudio sobre el nacimiento y evolución jurisprudencial del régimen de fuera de ordenación en nuestro Derecho se puede consultar en RUIZ BURSÓN, F.J. (2016): «La declaración en situación de asimilación al régimen de fuera de ordenación: Pasado, presente y futuro», *Revista General de Derecho Administrativo*, n.° 43.

45. Un fenómeno semejante se ha producido con la institución del matrimonio regulada en el Código civil, que ha pasado de considerarse como la unión estable entre hombre y mujer ordenada al establecimiento de una plena comunidad de vida y abierta a la procreación de la prole, según LACRUZ BERDEJO, J.L. y SANCHO REBULLIDA, F. (1984): *Elementos de Derecho civil*, IV, Bosch, Barcelona, p. 129, a responder a otra definición, avalada por el Tribunal Constitucional en su Sentencia 198/2012, de 6 de noviembre (BOE n.° 286, de 28 de noviembre de 2012), mucho más vaporosa que desdibuja sus fines específicos: «… comunidad de afecto que genera un vínculo, o sociedad de ayuda mutua entre dos personas que poseen idéntica posición en el seno de esta institución, y que voluntariamente deciden unirse en un proyecto de vida familiar común» (FJ 9). Como acertadamente señala el Magistrado Rodríguez Arribas, en su Voto particular, esta redefinición del matrimonio lo mismo puede englobar la relación entre un tío y un sobrino interesados en compartir un mismo domicilio que la que la que se da entre los esposos.

vallados y cualesquiera otras que fueran necesarias con el fin de reponer la realidad física alterada a su estado originario.

Por otro lado, la resolución del Tribunal Supremo que se cita resulta aislada, sin que existan otros pronunciamientos en el mismo sentido de dicho órgano, por lo que no puede ser invocado como fuente complementaria de nuestro ordenamiento conforme al art. 1.6 del Código civil que habla de «doctrina reiterada». Por otro lado, no se tiene en cuenta que la sentencia alegada excluye a las parcelaciones prescritas del ámbito de aplicación de la Disposición transitoria quinta del Texto Refundido de la Ley de Suelo de 1992, precedente normativo del art. 28.4 del TRLSRU.

En cuanto a las sentencias de los Tribunales Superiores de Justicia, además de no implicar la consideración de fuente del Derecho, se encuentran indisolublemente vinculadas a la normativa autonómica que en su caso resultara de aplicación. Por tanto, resulta contraproducente fundar la doctrina de la Dirección General, de obligado cumplimiento para funcionarios del Estado en todo el territorio nacional, sobre pronunciamientos judiciales relativos a disposiciones autonómicas cuya aplicación, en última instancia, se encuentra restringida a un limitado ámbito territorial dentro de nuestra patria. Buen ejemplo de ello es la imposibilidad de seguir el criterio del Centro Directivo en aquellas Comunidades cuya normativa territorial y urbanística establezcan, como regla general, la inexistencia de plazo temporal para la persecución de las parcelaciones urbanísticas en suelo no urbanizable, en espacios verdes o en dotaciones públicas.

VI. PARCELACIONES Y UNIDADES MÍNIMAS DE CULTIVO

Las resoluciones de la Dirección General parten de una neta distinción entre los supuestos de unidad mínima de cultivo y parcelaciones. Si bien es cierto que ambas inciden, de forma importante, en la figura de la división y segregación registral de fincas, no lo es menos que responden a legislaciones sectoriales diferentes: el derecho urbanístico y el derecho agrario, lo cual tiene especial trascendencia respecto a las Administraciones Públicas competentes para intervenir.

El respeto a la unidad mínima de cultivo, como expresión de las dimensiones geográficas técnica y económica eficientes para que las explotaciones agrícolas alcancen un aceptable grado de viabilidad, se encuentran reguladas en una disposición tan netamente agraria como la Ley 9/1995, de 19 de junio, de Modernización de las Explotaciones Agrarias. El artículo 23 contiene la definición de estas unidades, el 24 se señala la nulidad de pleno derecho de aquellos fraccionamientos que no respeten la superficie fijada como mínima y, en el 25, las excepciones a dicha regla general[46].

El Centro Directivo señala, en los supuestos planteados por los interesados, que el otorgamiento de la licencia de segregación o declaración municipal de innecesariedad, autorizaciones administrativas de carácter urbanístico, no resuelven cuestión alguna acerca de la legalidad de un fraccionamiento que no respete la unidad mínima de cultivo, en tanto que ésta última constituye un actuación agrícola, sujeta a la legislación agraria y, además, autorizable por una Administración distinta ya que no constituye una competencia local sino autonómica[47].

Esta solución jurídica, plenamente aceptable, requiere, no obstante, una puntualización complementaria. Es cierto que nos encontramos ante figuras diferente que proceden de diversas legislaciones sectoriales y, por tanto, no deben ser confundidas, pero tampoco pueden ser disociadas de forma absoluta. Como bien se ha encargado de señalar la jurisprudencia, el hecho de respetarse la extensión de la unidad mínima en las fincas resultantes de una división o segregación registral en la división de fincas no implica de suyo la inexistencia de parcelación urbanística, la cual depende también de otras circunstancias que pueden favorecer el establecimiento de asentamientos poblacionales; sin embargo, las segregaciones por debajo de la mencionada unidad mínima implican un indicio en favor de la existencia del fenómeno parcelatorio con la correspondiente inversión de la carga de la prueba[48].

---

46. Estas normas, según la Disposición adicional Segunda de la Ley 19/1995, constituyen legislación plena estatal de acuerdo con los artículos 149.1.13, sobre ordenación general de la economía –art. 23 de la LMEA–, y 149.1.8 de la CE, relativo a legislación civil –arts. 24 y 25 de la LMEA–. Sin embargo, la fijación de dichas superficies mínimas son competencia de cada Comunidad Autónoma, según el art. 23.2 de la LMEA, lo cual tiene cobertura en el art. 148.1.7 de la CE, que atribuye al poder autonómico competencias sobre agricultura y ganadería, de acuerdo con la ordenación general de la economía.

47. Resoluciones de la DGRN de 25 de abril de 2014, FJ 4, 7 de agosto de 2014, FJ 3 y 1 de diciembre de 2014, FJ 4. Esta distinción entre los efectos de la normativa agraria y la urbanística tiene su apoyo legal en los artículos 26.2 del TRLSRU: «La división o segregación de una finca para dar lugar a dos o más diferentes sólo es posible si cada una de las resultantes reúne las características exigidas por la legislación aplicable y por la ordenación territorial y urbanística» y 66.1.b) de la Ley 7/2002, de 17 de diciembre, de Ordenación Urbanística de Andalucía: «Se considera parcelación urbanística (…) En terrenos que tengan el régimen de suelo no urbanizable, la división simultánea o sucesiva de terrenos, fincas o parcelas en dos o más lotes que, con independencia de lo establecido en la legislación agraria, forestal o de similar naturaleza, pueda inducir a la formación de nuevos asentamientos».

48. Sentencia del Tribunal Superior de Justicia de Andalucía de 27 de mayo de 2010, FJ 5 (JUR 2010, 329887).

Respecto a las excepciones que deben ser tenidas en cuenta a la nulidad de pleno derecho de los fraccionamientos por debajo de estas unidades, el Centro Directivo ha interpretado las mismas en relación con distintas cuestiones.

La primera de ellas hace referencia a la existencia de segregaciones rústicas en cuyo terreno se realizan construcciones destinadas a fines no agrícolas (art. 25, letra b de la LMEA)[49]. Al respecto, además de exponer que no resulta suficientemente acreditado en el título inscribible ni en los asientos registrales la existencia de dicha edificación, se hace especial hincapié en que, además, se exige que la misma resulte conforme con la legislación urbanística y territorial vigente. Como prueba del incumplimiento de este último extremo, se hace mención de las resoluciones administrativas, testimoniadas en los títulos inscribibles, que afirman la ilegalidad de la segregación practicada o, en otros casos, la incorporación de licencias de segregación que declaran expresamente la prohibición legal de edificar sobre la finca.

Con ello se reafirma la doctrina de la Dirección General sobre la necesidad, para aplicar esta excepción, de que las edificaciones en cuestión sean compatibles con la legalidad urbanística. De esta afirmación se deriva la imposibilidad de aplicar la excepción del artículo 25.b) de la Ley 19/1995 a las situaciones fuera de ordenación, cuando las mismas declaren el transcurso del plazo legalmente previsto para demoler, al tratarse de obras que nacieron y continúan siendo ilegales por su disconformidad con la ordenación territorial[50].

Otro supuesto atañe a la excepción prevista en la letra d) del varias veces mencionado artículo 25 de la LMEA. En ella se establece que no será afectada por la nulidad de pleno derecho aquellas segregaciones que tengan su origen en un expediente de expropiación forzosa. La misma se justifica por la circunstancia de que la enajenación no se produce de forma voluntaria sino forzosa, obedeciendo a razones de utilidad pública o interés social (art. 33.3 de la CE).

---

49. Resoluciones de la DGRN de 7 de agosto (FJ 3) y 1 de diciembre de 2014 (FJ 4).

50. Como acertadamente señala CAMY ESCOBAR, J., *Calificación registral de los Actos de Parcelación Urbanística en Andalucía*, http://www.notariosyregistradores.com/doctrina/ARTICULOS/2011-%20JESUS%20CAMY-%20LA%20CALIFICACION%20REGISTRAL%20DE%20LOS%20ACTOS%20DE%20PARCELACION%20URBANIS-TICA%20Ver1.pdf., pp. 50-54, última visita el 12 de noviembre de 2016, la primera interpretación que de dicha excepción se hizo por la DGRN, recogida en varias resoluciones dictadas entre los años 2004 y 2006, fue mucho más permisiva llegando incluso a vulnerar la letra y finalidad de la norma. Sin embargo, dicha posición se ha rectificado en el sentido expuesto.

Asimismo, el Centro Directivo mantiene que el art. 25.d) de la Ley 19/1995 no puede ser aplicado a la inscripción de segregaciones de distintas porciones de una finca registral discontinua con superficie inferior a la unidad mínima de cultivo, aun cuando de hecho estén físicamente separadas[51]. Ello se funda en que las excepciones, dada su propia naturaleza, deben ser interpretadas de forma estricta y sin posibilidad de ampliación a otros supuestos similares, próximos o parecidos. Por tanto, no cabe comprender dentro de dicho precepto porciones segregadas distintas de las directamente expropiadas, aunque las mismas se integren en una finca discontinua dividida *de facto*.

Finalmente, la Dirección General insiste, a los efectos de resolver las dudas que puedan suscitarse sobre si nos encontramos ante supuestos de segregación que incurran o no en nulidad de pleno derecho por resultar inferiores a las unidades mínimas, en el valor decisivo de las resoluciones que se dicten por las autoridades administrativas competentes.

En efecto, el artículo 80 del RHU articula un sistema de comunicación, entre los Registros de la Propiedad y los órganos autonómicos con competencias en materia de agricultura, en caso de segregaciones o divisiones de fincas registrables por debajo de las unidades mínimas de cultivo. Si la Administración contesta en el plazo de cuatro meses, indicando la nulidad del fraccionamiento que se pretende al interesado, no cabe al Registrador más que denegar la práctica del asiento.

Este precepto ha sido aplicado de forma impecable por el Centro Directivo, bajo la consideración de que corresponde a las Comunidades Autónomas, a través de sus órganos competentes, determinar si procede o no apreciar la nulidad prevista en el art. 24 de la LMEA[52]. Lo anterior se entiende sin perjuicio de que el interesado, si estima vulnerado sus legítimos derechos, pueda acudir a la vía jurisdiccional en contra de la decisión administrativa e interesar la oportuna anotación preventiva de interposición de recurso

---

51. Resolución de la DGRN de 25 de abril de 2014, FJ 6. Esta resolución cita, como apoyo a su decisión, la Sentencia n.º 1244/2011, de 30 de mayo, de la Sala de lo Contencioso-administrativo del Tribunal Superior de Justicia de Andalucía en Granada (Rec. 1759/2007), en cuyo Fundamento Jurídico Segundo afirma: «Por tanto, una cosa es que la porción segregada de la matriz por causa de expropiación pueda acogerse a la excepción de la reiterada letra d) del artículo 25 de la Ley 19/1995 e inscribirse aun siendo inferior a la unidad mínima de cultivo, y otra distinta es que dicha excepción se pretenda ampliar a la nueva segregación, de derecho y no de hecho, que ahora se pretende inscribir».
52. Resoluciones de la DGRN de 25 de abril, FJ 6, 7 de agosto, FJ 4, y 1 de diciembre de 2014, FJ 4 y 5, y 28 de octubre de 2015, FJ 2.

contencioso-administrativo[53], pero sin que sea procedente actuar contra la decisión del Registrador en vía gubernativa puesto que, en este caso, se ha limitado a aplicar de forma correcta la normativa vigente dentro de su función calificadora. Y es que una cosa es si realmente se da o no el supuesto de hecho de la nulidad radical de la segregación, lo que se hace depender de la resolución autonómica, y otra muy distinta es que la calificación registral, que se desenvuelve en un ámbito estrictamente formal y adjetivo, se limite a aplicar tabularmente las consecuencias de dicha decisión de fondo[54].

Por último, y en conexión con lo adelantado en el apartado sobre inscripción de parcelaciones prescritas, demos añadir que estas últimas deberán respetar la extensión de las unidades mínimas de cultivo para su acceso a los libros registrales[55].

VII. DERECHO INTERTEMPORAL

La proliferación de leyes urbanísticas que se suceden en el tiempo es un hecho que, en nuestra patria, resulta evidente. Sólo en el ámbito es-

---

53. ¿De qué anotación preventiva se trata? Parece que no es la prevista en el artículo 67 del RHU, cuyo objeto se limita a las acciones en vía judicial contra acuerdos administrativos sobre aprobación definitiva de instrumentos de planeamiento, ejecución de estos o licencias urbanísticas, los cuales pertenecen a un ámbito sectorial distinto al de la resolución que estamos analizando. A nuestro humilde entender, se trataría de un supuesto incluido en la cláusula residual del art. 42.10 de la Ley Hipotecaria, que, a su vez, habría que conectar, respecto a los recursos en vía administrativa contra la resolución autonómica, con las medidas provisionales reguladas en al art. 56 de la Ley 39/2015, de 1 de octubre, del Procedimiento Administrativo Común de las Administraciones Públicas, y en el caso de impugnación judicial, posterior, como una de las medidas cautelares que se puede interesar de los tribunales *ex* art. 129.1 de la Ley 29/1998, de 13 de julio, reguladora de la Jurisdicción Contencioso-administrativa.

54. ARNÁIZ EGUREN, R. (1999), *op. cit.*, pp. 584-585, señala que la decisión acerca de la validez o nulidad de segregaciones rústicas, en relación con las unidades mínimas de cultivo, corresponde a la Administración con competencias en materia de agricultura por las siguientes razones: el Registrador no es el encargado de velar por el cumplimiento de la normativa agrícola, la fijación de la unidad mínima de cultivo depende de datos fácticos –fincas de secano o de regadío tienen una extensión mínima diferente– no apreciables dentro del ámbito de la función calificadora y, por último, la decisión del Registrador de no practicar el asiento puede causar indefensión al interesado al no pronunciarse expresamente acerca de la validez o nulidad de la segregación o división.

55. Por todas, la Resolución de la DGRN de 17 de octubre de 2014, FJ 5: «... y todo ello (la inscripción de las parcelaciones prescritas), lógicamente, sin perjuicio de lo dispuesto en materia de régimen de unidades mínimas de cultivo por el Título II de la Ley 19/1995, de 4 de julio, de Modernización de las Explotaciones Agrarias, que habrá de ser observado en cualquier caso, en especial el contenido de los artículos 24 y 25, sobre nulidad de determinados actos de segregación o división de terrenos y sus excepciones».

tatal, desde 1990 hasta la actualidad se han sucedido tres leyes y otros tantos decretos legislativos, sin perjuicio de numerosas reformas parciales introducidas mediante la legislación ordinaria o por reales decretos leyes. Todo ello plantea enjundiosos problemas de Derecho transitorio, algunos de los cuales han sido afrontados por la Dirección General de los Registros y del Notariado.

El más relevante, sin duda, es el de determinar la normativa aplicable a una escritura pública que se redactó bajo una ley en vigor y que es presentada en el Registro en una fecha posterior, con sujeción a una nueva normativa que derogó la precedente. ¿Cuál de las dos ha de ser tenida en cuenta por el Registrador en su calificación: la anterior, correspondiente a la fecha del otorgamiento del documento notarial, o la posterior, con vigencia en el instante de practicar el asiento de presentación? Dicha cuestión dista de ser baladí, máxime cuando los requisitos que se interesan para la inscripción del acto urbanístico en cuestión –pensemos especialmente en las obras nuevas y en las ya prescritas[56]– han experimentado importantes cambios a través de las distintas reformas legislativas.

Ante esta cuestión, de singular importancia en relación con el carácter estatutario del derecho a la propiedad del suelo, se establecen las siguientes líneas maestras[57]:

a) La división o segregación de fincas es una materia propiamente registral, por lo que su acceso tabular deberá tener en cuenta las exigencias que para su inscripción se establezcan en la normativa vigente a la fecha de presentación del título público en el Registro, y ello con independencia de que las leyes que resultaran aplicables en el momento de formalizar la escritura pública fueran otras diferentes que prescindieran de dichos requisitos.

---

56. Respecto a la inscripción de las obras prescritas, su regulación se incluyó originariamente en el art. 52 del RHU, precepto que, según DELGADO RAMOS, J., *La inscripción registral de las obras antiguas prescritas*, http://www.notariosyregistradores.com/PERSONAL/PROPIEDAD/ARTICULOS/2011-obras-viejas.htm, última visita el 12 de noviembre de 2016, rayaba en una posible vulneración del precepto legal en que se pretendía apoyar (Disposición transitoria quinta del Texto Refundido de la Ley de Suelo de 1992), constituyendo una puerta falsa del sistema de la que se abusó en detrimento de la seguridad jurídica. Posteriormente, se añadieron nuevos requisitos para su acceso registral mediante la incorporación del nuevo apartado cuarto del artículo 20 del Texto refundido de 2008 por el art. 24 del Real Decreto Ley 8/2011, de 1 de julio. Finalmente, tras establecerse una nueva modificación en cuanto a las exigencias para su inscripción mediante la Disposición final duodécima, Doce, de la Ley 8/2013, de 26 de junio, de Rehabilitación, Renovación y Regeneración Urbanas, esta materia se encuentra recogida, en la actualidad, en el art. 28.4 del TRLSRU.

57. Resoluciones de la DGRN de 1 de diciembre de 2014, FJ 2, 17 de abril de 2015, FJ 4, 15 de febrero, FJ 5, 5 de mayo, FJ 2 y 13 de mayo de 2016, FJ 3.

b) La regla anterior debe conciliarse con la circunstancia de que los efectos propios de los actos jurídicos de fraccionamiento no se encuentren agotados o consumados a la fecha de su ingreso en el Registro de la Propiedad, pues ello es un presupuesto imprescindible para el reconocimiento de los efectos retroactivos de las leyes. En esta afirmación late la necesidad de no perjudicar los derechos consolidados o situaciones beneficiosas para los particulares.

c) Sin embargo, los principios anteriores sólo serán de aplicación en defecto de reglas transitorias expresamente previstas en la nueva ley. En este último caso, deberá estarse a lo previsto en ellas como, por ejemplo, ha sucedido con la Disposición transitoria décima de la actualmente derogada Ley 9/2002, de 30 de diciembre, del Suelo de Galicia[58].

Reiterando la doctrina precedente de la Dirección General, se apoya estos criterios en jurisprudencia consolidada del Tribunal Supremo y del Constitucional[59]. De acuerdo con la misma, resulta imprescindible distinguir entre la retroactividad en grado máximo –la ley nueva se aplica a situaciones jurídicas básicas surgidas bajo la normativa anterior y a todos sus efectos–, grado medio –la legislación nueva sólo afecta a aquellos efectos no consolidados de situaciones jurídicas nacidas bajo la ley antigua– y grado mínimo –la nueva normativa sólo afecta al futuro, aunque la relación básica haya nacido bajo la anterior–. Siguiendo esta clasificación, se afirma que la retroactividad en grado mínimo no debe entenderse como retroactividad en sentido estricto, puesto que en el procedimiento registral se aplica la normativa en vigor desde su momento inicial de presentación del título inscribible.

Especial relevancia para dicha doctrina tiene la observancia de las normas intertemporales del Código civil. En su Disposición transitoria cuarta se expone que los derechos nacidos y no ejercitados antes de entrar en vigor la nueva ley –en el presente caso, los no inscritos– subsisten con la extensión y términos previstos en la legislación precedente, pero se sujetarán en cuanto a su ejercicio, duración y procedimiento para hacerlos valer –entre los que se incluyen su acceso a los libros registrales– a lo previsto a la normativa vigente en el momento en que se hagan efectivos –lo que coincide con su entrada en el Registro–.

---

58. *Vid.* Sentencia del Tribunal Supremo de 5 de julio de 2013.
59. En concreto, son citadas las sentencias del Tribunal Constitucional 6/1983, de 4 de febrero (RTC 1983, 6), y del Tribunal Supremo de 14 de junio de 1994, 18 de marzo, y 22 de junio de 1995, 5 de febrero de 1996, 15 de abril de 1997, 17 de mayo de 1999, 15 de diciembre de 2010 y 6 de junio de 2013, entre otras muchas.

Asimismo, se añade la necesidad de realizar una adecuada distinción entre la diferente naturaleza de los expedientes de disciplina urbanística. El ejercicio retroactivo de la potestad sancionadores se encuentra expresamente prohibido por el art. 9.3 de la CE. Sin embargo, la reposición de la realidad física alterada no vulnera dicho mandato constitucional en cuanto a los derechos aún no consolidados, y ello por dos razones: la primera, porque carecen de carácter punitivo y, por tanto, no participa de la naturaleza sancionadora[60]; la segunda se basa en que no existe retroactividad de la ley nueva, sino efecto inmediato, cuando la misma afecta a la proyección futura de situaciones jurídicas anteriores[61].

En consecuencia, el Registrador deberá aplicar la normativa en vigor cuando se presente el título siempre que los derechos traten de acceder a los libros del Registro de la Propiedad no se encuentren consolidados o consumados por el transcurso del tiempo. En caso contrario, se deberá estar a la ley anterior bajo la que se realizó el acto jurídico. Con esta doctrina se establece un adecuado equilibrio entre la defensa de los principios de seguridad jurídica y de confianza legítima de los administrados[62], conjugándolos con la eficacia temporal de las normas vigentes y el alcance de la función registral de calificación.

---

60. Resolución de la DGRN de 5 de mayo de 2016, FJ 2, cita expresamente la Sentencia del Tribunal Supremo de 21 de julio de 2011, FJ 8: «… en estos dos tipos de procedimiento, únicamente en el primero [el sancionador] son de aplicación, y con ciertas reservas, los principios propios de la potestad punitiva del Estado, entre ellos el de irretroactividad, pero no en el caso de la potestad ejercida e impugnada para la restauración de la realidad física alterada ilegalmente por las obras…».

61. Así lo confirma la Sentencia del Tribunal Constitucional 154/2015, de 9 de julio (RTC 2015, 154), FJ 5: «Como ya señalábamos desde nuestros primeros pronunciamientos (SSTC 42/1986, de 10 de abril, FJ 3, y 65/1987, de 21 de mayo, FJ 19), lo que se prohíbe en ese artículo es la retroactividad entendida como incidencia de la nueva ley en los efectos jurídicos ya producidos de situaciones anteriores, de suerte que la incidencia en los derechos, en cuanto a su proyección hacia el futuro, no pertenece al campo estricto de la irretroactividad, sino al de la protección que tales derechos, en el supuesto de que experimenten alguna vulneración, hayan de recibir».

62. Este principio, surgido en el ámbito del Derecho alemán y consagrado como un principio general del Derecho comunitario por las sentencias del Tribunal Superior de Justicia de la Unión Europea de 22 de marzo de 1961 y 13 de julio de 1965, se encuentra positivado en nuestro ordenamiento patrio en el art. 3.1 e) de la Ley 40/2015, de 1 de octubre, de Régimen Jurídico del Sector Público. Puede ser definido como la seguridad que tiene el ciudadano de que la Administración seguirá las pautas y directrices que la misma ha establecido sin que pueda modificarlas arbitrariamente, pero en ningún caso puede ser invocado con el fin de justificar actuaciones al margen de la ley en el ámbito del derecho público al encontrase subordinado al principio de legalidad.

VIII. CONCLUSIONES

- La parcelación urbanística es un concepto complejo, finalista y continuado, con un fuerte componente fáctico, en el que coexisten actos de carácter material y jurídico.

- Los conceptos de parcelación urbanística y división o segregación de fincas no son idénticos, aunque se encuentren relacionados entre sí. De hecho, hay segregaciones que no implican parcelaciones urbanísticas, al no dar lugar a la posible formación de un núcleo de población, y parcelaciones urbanísticas que no requieren segregaciones registrales, como las que tienen lugar a través de las enajenaciones de cuotas de las fincas.

- En virtud de la distribución constitucional de competencias, a las Comunidades Autónomas corresponde regular la exigencia o no de autorización administrativa de las parcelaciones, los actos reveladores de las mismas y el régimen de disciplina aplicable a las que se verifiquen ilegalmente, y al Estado la acreditación de los requisitos urbanísticos –siempre que los mismos se prevean en la legislación sustantiva autonómica– para su acceso al Registro de la Propiedad, así como la determinación del título requerido para su inscripción.

- Por tanto, en el reflejo tabular de las parcelaciones urbanísticas se da lugar a una concurrencia asimétrica de competencias estatales y autonómicas. Ello se debe a la prevalencia de la normativa sustantiva urbanística sobre la adjetiva registral, con el límite infranqueable del pleno respeto al ámbito propio de cada una de ellas.

- Las enajenaciones de cuotas indivisas sólo constituyen parcelaciones urbanísticas si se dan alguno de los siguientes supuestos: que las participaciones atribuyan el uso exclusivo de una porción de la finca al comunero, o bien concurran otros datos físicos o jurídicos que acrediten el fraccionamiento ilegal del terreno.

- La doctrina del Centro Directivo, acerca de la tutela registral de las segundas o posteriores transmisiones de las cuotas ya inscritas, debe ser modulada. El principio de legitimación sólo abarca la existencia y titularidad del derecho inscrito, pero la no extensión y ejercicio de las facultades inherentes al dominio, las cuales están sujetas a la legislación administrativa dado el carácter estatutario de la propiedad del suelo.

– La Dirección General admite que las parcelaciones para las que haya transcurrido el plazo legal para la reposición de la realidad física alterada puedan tener acceso al Registro, aplicando analógicamente las normas para la inscripción de las obras antiguas prescritas. Esta doctrina resulta censurable ya que no cabe la analogía en las normas excepcionales, como lo es la que permite el ingreso tabular de edificaciones que no cuenten con las preceptivas autorizaciones administrativas.

– Se establece una clara distinción entre las unidades mínimas de cultivo y las parcelaciones, dado el carácter agrario de las primeras y el netamente urbanístico de las segundas, sin perjuicio de que las divisiones por debajo de dicha superficie puedan valorarse como un indicio de parcelación ilegal. Asimismo, se opta por una interpretación estricta de las excepciones previstas en el art. 25 de la Ley 19/1995 a la nulidad de pleno derecho de las segregaciones por debajo de las unidades mínimas.

– Para calificar los documentos autorizados por fedatario bajo la vigencia de una ley antigua, pero presentados en el Registro bajo la vigencia de otra ley posterior, el Registrador tendrá en cuenta la ley nueva, salvo que los efectos del derecho cuya inscripción se interesa se encuentren consolidados o agotados por el transcurso del tiempo.

ÍNDICE DE ABREVIATURAS EMPLEADAS

– CE: Constitución española.

– DGRN: Dirección General de los Registros y del Notariado.

– LOUA: Ley 7/2002, de 17 de diciembre, de Ordenación Urbanística de Andalucía.

– RDUA: Decreto 6/2010, de 16 de marzo, por el que aprueba el Reglamento de Disciplina Urbanística de la Comunidad Autónoma de Andalucía.

– RHU: Real Decreto 1093/1997, de 4 de julio, por el que se aprueba el Reglamento sobre Inscripción en el Registro de la Propiedad de Actos de Naturaleza Urbanística.

– TRLSRU: Real Decreto Legislativo 7/2015, de 1 de octubre, por el que se aprueba el Texto Refundido de la Ley de Suelo y Rehabilitación Urbana.

RELACIÓN DE RESOLUCIONES COMENTADAS

Resolución de 21 de enero de 2014 (BOE n.° 38, de 13 de febrero de 2014).

Resolución de 28 de enero de 2014 (BOE n.° 43, de 19 de febrero de 2014).

Resolución de 25 de abril de 2014 (BOE n.° 152, de 23 de junio de 2014).

Resolución de 7 de agosto de 2014 (BOE n.° 242, de 6 de octubre de 2014).

Resolución de 17 de octubre de 2014 (BOE n.° 274, de 12 de noviembre de 2014).

Resolución de 1 de diciembre de 2014 (BOE n.° 306, de 19 de diciembre de 2014).

Resolución de 12 de enero de 2015 (BOE n.° 43, de 19 de febrero de 2015).

Resolución de 17 de abril de 2015 (BOE n.° 119, de 19 de mayo de 2015).

Resolución de 5 de mayo de 2015 (BOE n.° 136, de 8 de junio de 2015).

Resolución de 26 de mayo de 2015 (BOE n.° 158, de 3 de julio de 2015).

Resolución de 10 de septiembre de 2015 (BOE n.° 235, de 1 de octubre de 2015).

Resolución de 28 de octubre de 2015 (BOE n.° 280, de 23 de noviembre de 2015).

Resolución de 15 de febrero de 2016 (BOE n.° 61, de 11 de marzo de 2016).

Resolución de 4 de marzo de 2016 (BOE n.° 83, de 6 de abril de 2016).

Resolución de 5 de mayo de 2016 (BOE n.° 136, de 6 de junio de 2016).

Resolución de 13 de mayo de 2016 (BOE n.° 136, de 6 de junio de 2016).

Resolución de 7 de julio de 2016 (BOE n.° 191, de 9 de agosto de 2016).

Resolución de 5 de octubre de 2016 (BOE n.° 255, de 21 de octubre de 2016).

BIBLIOGRAFÍA

ARNÁIZ EGUREN, R. (1999): *La inscripción registral de actos urbanísticos*, Marcial Pons, Madrid.

– (2001): *La inscripción registral de actos urbanísticos*, Marcial Pons, Madrid.

– (2010): *Terreno y edificación, propiedad horizontal y prehorizontalidad*, Aranzadi, Cizur Menor.

ARNÁIZ RAMOS, R. (2011): «El control de la legalidad urbanística a través de la calificación registral. Alcance sobre la determinación de su extensión de la doctrina resultante de la DGRN de fecha 19 de mayo de 2010», *Revista Crítica de Derecho Inmobiliario*, n.° 728.

CAMY ESCOBAR, J.: *Calificación registral de los Actos de Parcelación Urbanística en Andalucía*, http://www.notariosyregistradores.com/doctrina/ARTICULOS/2011-%20JESUS%20CAMY-%20LA%20CALIFICACION%20REGISTRAL%20DE%20LOS%20ACTOS%20DE%20PARCELACION%20URBANISTICA%20Ver1.pdf. Última visita el 12 de noviembre de 2016.

DELGADO RAMOS, J.: *La inscripción registral de las obras antiguas prescritas*, http://www.notariosyregistradores.com/PERSONAL/PROPIEDAD/ARTICULOS/2011-obras-viejas.htm. Última visita el 12 de noviembre de 2016.

DÍEZ-PICAZO, L. y GULLÓN BALLESTEROS, A. (1985): *Sistema de Derecho civil*, Vol. III, Tecnos, Madrid.

GONZALEZ PÉREZ, J. (2015): «Artículo 17», en GONZÁLEZ PÉREZ, J. (dir.), *Comentarios a la Ley del Suelo: texto refundido aprobado por Real Decreto Legislativo 2/2008, de 20 de junio*, Thomson-Civitas, Cizur Menor.

LACRUZ BERDEJO, J.L. y SANCHO REBULLIDA, F. (1984): *Elementos de Derecho civil*, IV, Bosch, Barcelona.

PÉREZ ROYO, J. (2008): *Las fuentes del Derecho*, Tecnos, Madrid.

ROMERO GÓMEZ, F. (2007): «Comentarios a los artículos 66 a 68», en GUTIÉRREZ, V. y CABRAL, A. (dirs.), *Comentarios a la Ley de Ordenación Urbanística de Andalucía (Ley 7/2002, de 17 de diciembre)*, Thomson-Civitas, Cizur Menor.

RUIZ BURSÓN, F.J. (2016): «La declaración en situación de asimilación al régimen de fuera de ordenación: Pasado, presente y futuro», *Revista General de Derecho Administrativo*, n.° 43.

SCRUTTON, R. (2012): *Green Philosophy. How to think seriously about the planet*, Atlantic Books, Londres.

Capítulo XI

El cumplimiento por equivalencia como forma de ejecución de resoluciones judiciales y administrativas en instrumentos de planeamiento general

Antonio Jesús Amador Blanco

Presidente de la Asociación de Inspectores de Ordenación del Territorio, Urbanismo y Vivienda Junta de Andalucía Inspector de Ordenación del Territorio y Urbanismo de la provincia de Málaga

SUMARIO: I. INTRODUCCIÓN. II. EL CARÁCTER REGLADO DEL SUELO URBANO Y LAS POSIBILIDADES LEGALES DE DESCATEGORIZACIÓN DEL MISMO DESDE LA ENTRADA EN VIGOR DE LA LEY 8/2007, DE 28 DE MAYO, DE SUELO Y SU TEXTO REFUNDIDO APROBADO POR REAL DECRETO 2/2008, DE 20 DE JUNIO. III. LA CONSECUENCIA JURISPRUDENCIALMENTE DENOMINADA «INDEFECTIBLE» DE LA DECLARACIÓN DE NULIDAD DE UNA LICENCIA URBANÍSTICA O DE UN TÍTULO JURÍDICO QUE AMPARE UNA ACTUACIÓN EDIFICATORIA, QUE NO SERÁ OTRA QUE LA DEMOLICIÓN DE LO CONSTRUIDO A SU AMPARO. IV. LA EXISTENCIA DE UN NUEVO INSTRUMENTO DE PLANEAMIENTO QUE PUEDA SERVIR COMO ELEMENTO OBJETIVO PARA QUE EL JUEZ ENCARGADO DE «HACER CUMPLIR» LA SENTENCIA, CONSIDERE QUE CONCURREN LOS ELEMENTOS NECESARIOS PARA QUE LA MISMA PUEDA CUMPLIRSE POR EQUIVALENCIA. V. NORMAS ADMINISTRATIVAS AUTONÓMICAS QUE HAN RECOGIDO LA JURISPRUDENCIA EXISTENTE SOBRE EL CUMPLIMIENTO POR EQUIVALENCIA Y HAN APLICADO DICHA TÉCNICA PARA EL CUMPLIMIENTO

DE RESOLUCIONES ADMINISTRATIVAS FIRMES QUE ORDE-
NEN LA REPOSICIÓN DE LA REALIDAD FÍSICA MEDIANTE DE-
MOLICIÓN. VI. CASOS REALES EN LOS QUE HA PARTICIPADO
LA INSPECCIÓN URBANÍSTICA ANDALUZA EN LA EMISIÓN
DE INFORMES RELATIVOS AL CUMPLIMIENTO POR EQUIVA-
LENCIA. 1. Provincia de Granada. 2. Provincia de Almería. 6.3. Pro-
vincia de Málaga: Marbella. VII. CONCLUSIÓN FINAL.

I. INTRODUCCIÓN

La ponencia que me corresponde impartir durante esta mañana del día
6 de junio voy a estructurarla, con vuestro permiso, en tres elementos o
pilares fundamentales que a mi juicio, confluyen en esta figura del cumplimiento por equivalencia, que a pesar de no ser novedosa –ya se preveía
en la Ley de la Jurisdicción Contenciosa de 27/12/1956 en su art. 107 causas de imposibilidad material o legal de llevar a efectivo cumplimiento
las sentencias y asimismo en Sentencias del Tribunal Constitucional de
comienzos de los años 80– hoy en día, después de más de cincuenta años
de existencia sigue siendo denominada por la Jurisprudencia de la Sala
del Tribunal Superior de Justicia de Andalucía como «una habilitación
legal escasamente explorada» (Auto de fecha 15 de Enero de 2015 dictado
por la Sala de lo CA del TSJ de Andalucía, en incidente de ejecución promovido en el recurso contencioso-administrativo n.° 1934/03)

Se trata de estructurar mi exposición en torno a estos tres elementos;

1. El carácter reglado del suelo urbano y las posibilidades legales de
descategorización del mismo desde la entrada en vigor de la Ley 8/2007,
de 28 de mayo, de Suelo y su Texto Refundido aprobado por Real Decreto
2/2008, de 20 de junio (hoy TR 7/2015, 30 octubre)

2. La consecuencia, en principio inexorable, de la declaración judicial
de nulidad de una licencia urbanística o de un título jurídico que ampare
una actuación edificatoria, que no será otra que la demolición de lo construido a su amparo.

3. La existencia de un nuevo instrumento de planeamiento que pueda
servir como elemento objetivo para que los Jueces y Tribunales, a quienes
corresponde en exclusiva la ejecución de lo juzgado, pueda valorar que
concurren los elementos necesarios para que la Resolución judicial anulatoria del título urbanístico pueda cumplirse por equivalencia, esto es,
de forma alternativa a la demolición, asimilando este concepto al cumplimiento de forma efectiva y en plazo determinado de una serie de cargas urbanísticas o prestaciones económicas que el mismo instrumento de

planeamiento prevea en el ámbito en el que ubique la edificación cuyo título ha sido declarado nulo.

En este marco, en el que confluyen por un lado, la potestad del *ius variandi* del planificador, de la que no está privado pese a la existencia de resolución judicial anulatoria de títulos urbanísticos y, por otro, la potestad de hacer ejecutar lo juzgado que corresponde en exclusiva al Poder Judicial, personalizado en el órgano que ha dictado la sentencia cuya ejecución se pretenda, intentaré hacer mi exposición de la manera que resulte lo más gráfica y práctica para los aquí presentes, teniendo en cuenta el tiempo del que disponemos.

Abordaremos también dos supuestos concretos, que se alejan un poco del estricto ámbito del cumplimiento por equivalencia de resoluciones judiciales, me refiero a aquellos casos en los que han sido Leyes Autonómicas de urbanismo, vivienda o de ordenación del territorio las que han introducido condicionantes a la ejecución de sentencias firmes de demolición y, por último, a la previsión contenida en el art. 51 del Reglamento de Disciplina Urbanístico Andaluz que bajo la denominación de «cumplimiento por equivalencia» ha recogido toda la práctica jurisprudencial consolidada y ha previsto dicho cumplimiento alternativo pero para el caso de resoluciones administrativas firmes en las que se ordena la demolición de edificaciones y dejando siempre a salvo la potestad jurisdiccional de hacer ejecutar lo juzgado, en los casos en que haya recaído resolución judicial firme.

II. EL CARÁCTER REGLADO DEL SUELO URBANO Y LAS POSIBILIDADES LEGALES DE DESCATEGORIZACIÓN DEL MISMO DESDE LA ENTRADA EN VIGOR DE LA LEY 8/2007, DE 28 DE MAYO, DE SUELO Y SU TEXTO REFUNDIDO APROBADO POR REAL DECRETO 2/2008, DE 20 DE JUNIO

Los aquí presentes tenemos más o menos claro, que el suelo urbano al igual que el suelo no urbanizable de especial protección son ambos de naturaleza reglada; el segundo y conforme a la Legislación Estatal de suelo siempre y cuando concurran en el mismo una serie de valores ecológicos, agrícolas, ganaderos, forestales o paisajísticos que exijan dicho régimen de especial protección [*deberán quedar sujetos a tal protección* dice el legislador estatal en el art. 21.2.a) TRLS/2015].

Respecto al suelo urbano su naturaleza reglada le viene impuesta tanto por arriba como por abajo, me explico; el autor del plan no pueda clasificar como suelo urbano el que carezca de unos determinados servicios urbanísticos básicos o de un determinado porcentaje de consolidación por

285

la edificación y, por otro lado, si tendrá el deber de clasificarlo como tal cuando concurran tales requisitos urbanísticos, siempre y cuando y con los matices que veremos, esos servicios resulten de dimensiones adecuadas para las edificaciones y usos previstos en el planeamiento.

Respecto a los servicios urbanísticos básicos necesarios para tal clasificación, el art. 21.3 del TRLS/2015 establece que se encuentra en la situación de suelo urbanizado el que se encuentre legalmente integrado en una malla urbana conformada por una red de viales, dotaciones y parcelas propias del núcleo o asentamiento de población del que forme parte y cumpla «alguna de las siguientes condiciones». A continuación el legislador estatal remite a la legislación urbanística aplicable de cada Comunidad Autónoma el concepto de consolidación por su grado de urbanización y por estar dotados de una serie de servicios urbanísticos básicos (acceso rodado por vía urbana, abastecimiento de agua, saneamiento y suministro de energía eléctrica); y por otro lado al concepto de consolidación por la edificación, es decir, que aun careciendo de algunos de los servicios señalados estén comprendido en áreas ocupadas por la edificación en el porcentaje que disponga dicha legislación autonómica según la ordenación propuesta por el instrumento de planificación correspondiente.

Son estos los conceptos que recoge el art. 21 del TRLS/2015 y el art. 16 de la Ley 2/2016, de 10 de febrero de suelo de Galicia, concretándose en éste que la consolidación por la edificación deberá ser al menos correspondiente a 2/3 partes de los espacios aptos para ella.

En su aspecto positivo, es decir, en la necesidad de clasificarlo con tal carácter es en el que me quiero detener, por cuanto que aquí confluye el principio jurisprudencial denominado «la fuerza normativa de lo fáctico» o «prevalente realidad de los hechos» a cuyo socaire el suelo urbano debe ser definido en función de la realidad de los hechos, consecuentemente, su definición constituye un límite a la potestad de planeamiento.

Así pues, por imperativo legal la clasificación de un terreno depende del hecho físico de la urbanización o consolidación de lo edificación, de suerte que la Administración queda vinculada por una realidad que ha de reflejar en sus determinaciones clasificatorias. Sobre esta base, de no ajustarse a estos parámetros entrañaría desconocer circunstancias fácticas que pueden, por tanto, determinar la nulidad de ese aspecto del plan. En este sentido, entre otras muchas, SSTS de 27 de noviembre de 2003 (RJ 2003, 807 4), 20 de julio de 2010 (RJ 2010, 6517), 1 de febrero de 2011 (RJ 2011, 511), 8 de noviembre de 2011 (RJ 2012, 1081), 9 diciembre 2015 (RJ 2016, 47), o la STS, Sala 3.ª, Sección 5, de 20/11/2000 rec. 7648/1995 en la que se declara la corrección de una licencia urbanística en un suelo indebidamente excluido del perímetro definido por un Proyecto de Delimitación de suelo urbano.

A los anteriores elementos, la jurisprudencia contenida en las Sentencias anteriores y otras muchas han adicionado otros requisitos, algunos de los cuales han sido ya recogidos en el TRLS/2015, como el de la necesaria integración en la «malla o trama urbana» de la ciudad a fin de evitar el crecimiento incontrolado del suelo urbano. Lo expone con claridad la STS de 17 de julio de 2007 (2007/4784) en términos expresivos: «La jurisprudencia de este Tribunal Supremo ha insistido en la idea de que el suelo urbano sólo llega hasta donde lo hagan los servicios urbanísticos que se han realizado para la atención de una zona urbanizada, y ni un metro más allá [(así, en sentencias de 1 de junio de 2000 (RJ 2000, 4375) o 14 de diciembre de 2001 (RJ 2001, 1796)]; también, en la de que el suelo urbano no puede expandirse necesariamente como si fuera una mancha de aceite mediante el simple juego de la colindancia de los terrenos con zonas urbanizadas [(así, en la última de las citadas o en la de 12 de noviembre de 1999 (RJ 1999, 8490)]; o, en fin, en la de que la mera existencia en una parcela de los servicios urbanísticos exigidos no es suficiente para su clasificación como suelo urbano si la misma no se halla enclavada en la malla urbana [(sentencias, entre otras muchas, de 3 de febrero y 15 de noviembre de 2003 (RJ 2003, 8159)]; se trata así –añaden estas sentencias– de evitar el crecimiento del suelo urbano por la sola circunstancia de su proximidad al que ya lo es, pero con exoneración a los propietarios de las cargas que impone el proceso de transformación de los suelos urbanizables».

Y otros dos requisitos incorporados por la Jurisprudencia uno de ellos ya recogido en el Texto Refundido del año 2015 de una manera clarísima, «el que legalmente se encuentra integrado...» es decir, la fuerza normativa de lo fáctico vinculará al planificador en desarrollos urbanísticos legales, no cuando las actuaciones edificatorias o urbanizadoras se hayan llevado a cabo al margen de la legalidad. STS de 2 de octubre de 2013 (RC 3970/2010) «Quizá resulte aconsejable recordar también que, aun en el caso de existencia de los servicios urbanísticos que denotan la pertenencia al urbano, cuando éstos proceden de ejecuciones irregulares, esto es, al margen del planeamiento, no se impone su clasificación como urbanos, ya que se llegaría al resultado, jurídicamente inadmisible, de que las ilegalidades urbanísticas se impondrían por la fuerza de los hechos».

Y un último requisito no recogido en el Texto Estatal del año 2015 pero que se infiere de la exclusión del criterio de la colindancia para considerar un suelo como urbanizado, hablamos del requisito incorporado por la Jurisprudencia del Tribunal Supremo de que los servicios con los que cuentan resulten de dimensiones adecuadas para las edificaciones y usos previstos en el planeamiento (art. 21.3.b TRLS/2015).

Pero… ¿hasta dónde llega la obligación del planificador en el suelo urbano? ¿Hasta qué categorización de suelo puede verse compelido el planificador urbanístico por la fuerza normativa de lo fáctico? Sobra recordar que el uso urbano con la categoría de consolidado tiene ya la condición de solar [o está necesitado de pequeñas obras accesorias y de escasa entidad que pueden simultanearse con la edificación, según prevé el art. 17.a) de la Ley 2/2016, de suelo de Galicia] y se encuentra por tanto exento de las cargas urbanísticas que dicha Ley prevé en su art. 21, para el suelo urbano no consolidado.

Por zanjar esta pregunta de una manera rápida vamos a trasladar esta misma pregunta al Tribunal Supremo, y vamos a citar la respuesta que por parte de dicho Tribunal se le da al Ayuntamiento de Marbella en los Autos de aclaración dictados en fecha 1 de diciembre de 2015, tras el dictado de las tres Sentencias de fechas 27 y 28 de octubre de 2015 en los que se declara la nulidad de su Planeamiento General.

«Segundo. Se considera confusa para el Ayuntamiento de Marbella la conclusión de si el concepto de suelo urbano consolidado es o no disponible para el planificador –como así se establecía en la Memoria del PGOU de Marbella– cuando la consolidación de los servicios urbanísticos que denotan la pertenencia al suelo urbano procede de actuaciones irregulares.

Respuesta: En relación con la segunda cuestión que se plantea, baste con señalar que la Jurisprudencia que se aporta lo es en relación con la clasificación del suelo urbano, no con la calificación o categorización del suelo urbano consolidado».

Es decir, se aclara por parte del Tribunal Supremo que la invocación de la «realidad de lo fáctico» tantas veces repetida en estas Sentencias, llega exclusivamente hasta la consideración de un suelo como urbano, pero no hasta su categorización como suelo urbano consolidado, confirmándose pues las posibilidades legales con las que cuenta el planificador urbanístico para hacer uso de las «actuaciones de dotación» previstas en la Legislación Estatal de suelo desde la entrada en vigor de la Ley 8/2007, de 28 de mayo, y que con este mismo nombre se han recogido en el art. 17.3 de la Ley Gallega.

Y siendo crítico, si se me permite, con estas tres sentencias del Tribunal Supremo por las que se declara nulo el PGOU de Marbella; se agradece desde mi punto de vista esta aclaración, pues no estaba tan claro, o al menos yo no le veía tan claro, del contenido de las afirmaciones que se contienen en los FJ 3, 10 y 20 de las Sentencias de 27 y 28 de octubre, respectivamente.

Tal aclaración, como no podía ser de otra forma, pues así se deriva de la propia Legislación Urbanística incorporada al Texto Refundido de la Ley del suelo de 2008, nos llevan a la posibilidad legal de las conocidas como actuaciones de dotación, como técnica urbanística que permite «descategorizar» un suelo de urbano consolidado a urbano no consolidado cuando el nuevo planeamiento urbanístico aplicable, ex novo en su totalidad o resultante de una innovación, le atribuya una mayor edificabilidad o una mayor densidad respecto al aprovechamiento preexistente.

Y esa posibilidad legal que se encuentra recogida por primera vez en la Ley estatal de suelo de 2007, y actualmente recogido en el art. 7 del RDLeg. 7/2015, de 30 de octubre, la cual pretende desplazar la tradicional concepción desarrollista impulsora de un crecimiento urbano ilimitado por otra que lo controle, insistiendo en la regeneración de la ciudad existente, frente a las nuevas transformaciones de suelo.

La Exposición de Motivos de la Ley de Suelo de 2007 apela a que «el urbanismo debe responder a los requerimientos de un desarrollo sostenible, minimizando el impacto de aquel crecimiento y apostando por la regeneración de la ciudad existente». La Unión Europea insiste claramente en ello. Un ejemplo lo constituye la Estrategia Territorial Europea aprobada por la Comisión Europea en fecha 11 de enero de 2006, en la que se «propone un modelo de ciudad compacta y advierte de los graves inconvenientes de la urbanización dispersa o desordenada».

Existen Sentencias del propio Tribunal Supremo exponentes de esta doctrina que rechazan crecimientos difusos por resultar contrarios a un desarrollo equilibrado, sostenible y respetuoso con los valores ambientales, lo constituyen las SSTS de 17 julio 2015 (RJ 2015, 3497), 29 de julio de 2015 (RJ 2015, 3710), 7 mayo de 2015 (RJ 2015, 2414), y 21 de abril de 2015 (RJ 2015, 2175).

Clarificadora es la STS de 18 junio 2015 (RJ 2015, 3412) que en este punto sostiene:

«(...) la Sala considera que del contenido de dicha motivación resulta que esta no justifica ni es suficiente para acreditar la necesidad ni el interés público de la presente modificación, y ello por lo siguiente: primero, porque pese a lo dicho en la Memoria con el contenido de la misma no se pretende resolver verdaderas y reales necesidades de suelo residencial o comercial por cuanto que no se ha acreditado que concurran en el momento de la modificación y en un periodo de corto o medio plazo durante el cual se pretende llevar a efectos tales determinaciones urbanísticas esas necesidades de suelo residencial o comercial; y segundo, porque como resulta de no haber respetado los criterios de colindancia con el suelo urbano se comprueba que el planeamiento que se pretende introducir con dicha modificación no va dirigido a completar las tramas urbanas existentes, a solucionar problemas urbanísticos de las áreas degradadas ni a regenerar la ciudad existente sino que con la nueva clasificación de suelo urbanizable contenida en dicha modificación y con la forma en que contempla esa ampliación de suelo urbanizable, apenas colindante con el suelo urbano y mediante un verdadero desarrollo lineal, aumenta el impacto del crecimiento y atenta contra el principio de "modelo de ciudad compacta" que se reivindica tanto en el TRLS de 2008 como en la Ley de Urbanismo de Castilla y León con los mayores costes que ello supone desde el punto de vista del impacto ambiental como por los mayores costes deconstrucción y mantenimiento de infraestructuras y de prestación de los servicios públicos. Por lo tanto, de dichos argumentos igualmente resulta que la modificación aprobada y la clasificación de suelo urbanizable que se contiene en la misma no se ha acreditado que responda al interés general y a la finalidad que en el art. 4 de la LUCyL se reconoce a la actividad urbanística pública».

Desde esta óptica, cada vez más los órganos jurisdiccionales están anulando las determinaciones contenidas en los planes urbanísticos que acogen crecimientos desorbitados y contrarios por tanto a los criterios de regeneración de la ciudad existente.

Estos criterios contenidos en la Legislación Estatal ven su reflejo en las legislaciones urbanísticas de las diferentes Comunidades Autónomas; en Andalucía si bien la LOUA del año 2002 ya contenía esta posibilidad de considerar suelos urbanos no consolidados aquellos suelos a los cuales era necesario implementar en dotaciones por existir un nuevo instrumento de planeamiento que le atribuye un mayor aprovechamiento objetivo, su regulación detallada viene de la mano de la Ley 2/2012, de 30 de enero, que da una nueva redacción al art. 45.2.B.c) y, asimismo, en Galicia, de manera novedosa se introduce por primera vez en su art. 17.3 «actuaciones de dotación» de su vigente Ley 2/2016.

Observamos diferencias importantes en ambas legislaciones autonómicas en cuanto a la exigibilidad de mayores dotaciones en cambios de planeamiento, pues la Legislación Andaluza las exigirá cuando el aprovechamiento objetivo del nuevo plan incremente el anterior en más del 10 por 100 del preexistente y, sin embargo, la Legislación Gallega considera que este aumento proporcional de dotaciones sólo será exigible cuando el incremento de edificabilidad respecto al preexistente supere el 30%. Sólo lo dejo apuntado.

Durante esta primera parte de la Exposición he querido dejar clarificada la legislación y la Jurisprudencia del propio Tribunal Supremo actualmente existente en cuanto a priorizar las actuaciones de recualificación de suelos urbanos que, o bien carecen o bien no tienen dotaciones en la proporción que les sería exigible, respecto a anteriores criterios de expansión urbana y ocupación de suelo que se contenían en las legislaciones urbanísticas ya derogadas, nos referimos, fundamentalmente a la Ley 6/1998, de 13 de abril, sobre régimen del suelo y valoraciones.

Dejo apuntada sólo la cobertura legal que tanto en la legislación estatal como autonómica tendría el juez de lo contencioso-administrativo como *posibilidad* de utilización en el incidente de ejecución para hacer cumplir una sentencia anulatoria de licencia, satisfaciendo las cargas urbanísticas en plazo y forma siempre bajo su control y tutela y hacer cumplir, con ello, la justa distribución de beneficios y cargas que en última sede es la finalidad del urbanismo.

III. LA CONSECUENCIA JURISPRUDENCIALMENTE DENOMINADA «INDEFECTIBLE» DE LA DECLARACIÓN DE NULIDAD DE UNA LICENCIA URBANÍSTICA O DE UN TÍTULO JURÍDICO QUE AMPARE UNA ACTUACIÓN EDIFICATORIA, QUE NO SERÁ OTRA QUE LA DEMOLICIÓN DE LO CONSTRUIDO A SU AMPARO

Partimos de una cuestión inicial; ¿es posible regularizar una actuación urbanística aun cuando exista sentencia firme declarando nula la licencia o el título jurídico que permitió dicha actuación? De comienzo podríamos citar el artículo 103 de la LJCA/1998 y cerrar el asunto en negativo.

Este artículo, a resaltar el apartado 4, recoge:

«Artículo 103

1. La potestad de hacer ejecutar las sentencias y demás resoluciones judiciales corresponde exclusivamente a los Juzgados y Tribunales de este orden jurisdiccional, y su ejercicio compete al que haya conocido del asunto en primera o única instancia.

2. Las partes están obligadas a cumplir las sentencias en la forma y términos que en éstas se consignen.

3. Todas las personas y entidades públicas y privadas están obligadas a prestar la colaboración requerida por los Jueces y Tribunales de lo Contencioso-administrativo para la debida y completa ejecución de lo resuelto.

4. Serán nulos de pleno derecho los actos y disposiciones contrarios a los pronunciamientos de las sentencias, que se dicten con la finalidad de eludir su cumplimiento.

5. El órgano jurisdiccional a quien corresponda la ejecución de la sentencia declarará, a instancia de parte, la nulidad de los actos y disposiciones a que se refiere el apartado anterior, por los trámites previstos en los apartados 2 y 3 del artículo 109, salvo que careciese de competencia para ello conforme a lo dispuesto en esta Ley».

Pero la cuestión no es tan simple, pues no podemos olvidar que aún a pesar de la obligación general de personas y entidades públicas de prestar la colaboración requerida por Jueces y Tribunales para que estos puedan hacer ejecutar lo juzgado, la potestad municipal de ordenar urbanísticamente un territorio, e incluso de variar lo ordenado, *ius variandi*, dicha potestad, no queda en modo alguno suspendida o retirada del ámbito de la autonomía municipal por el hecho de la existencia de una sentencia judicial firme.

Partimos del dato básico de que la imperiosa obligación de cumplir las sentencias constituye una manifestación del derecho a la tutela judicial efectiva consagrado en el art. 24 CE, lo que determina a priori que este derecho tiene como presupuesto constitucional la intangibilidad de las resoluciones judiciales firmes y de las situaciones jurídicas por ellas declaradas. En este sentido, es ilustrativa la Exposición de Motivos de la LJCA:

«El punto de partida reside en la imperiosa obligación de cumplir las resoluciones judiciales y colaborar en la ejecución de lo resuelto, que la Constitución prescribe, y en la potestad de los órganos judiciales de hacer ejecutar lo juzgado, que la propia Constitución les atribuye. Prescripciones que entroncan directamente con el derecho a la tutela judicial efectiva, (…). La negativa, expresa o implícita, a cumplir una resolución judicial constituye un atentado a la Constitución frente al que no caben excusas».

Sobre este particular, es reseñable que el art. 117 de la Constitución, así como los arts. 2.1 de la Ley Orgánica 6/1985, de 1 de julio, del Poder Judicial, y 103 LJCA, consagran la plena judicialización que ha de presidir la ejecución de las sentencias, de manera que no es sólo que los Jueces y Tribunales deben ejecutar sus resoluciones, sino que es la Administración condenada la que ha de cumplir voluntariamente el fallo y, en caso de incumplimiento, pueden los órganos judiciales emplear medios coactivos para conseguir la ejecución de lo resuelto.

Y no perdamos de vista, que la consecuencia natural de la nulidad de las licencias es la demolición de lo construido a su amparo como medida precisa y adecuada para la restauración del orden jurídico vulnerado, demolición que se considera como «consecuencia indefectible» de la declaración de nulidad del título, aunque ésta no hubiera sido pedida en la inicial pretensión anulatoria. Así se afirma, entre otras, en las SSTS de 16 de mayo de 2002 (RJ 2002, 4182), 28 de marzo de 2006 (RJ 2006, 3255), 4 de julio de 2006 (RJ 2006, 5990), y 17 de noviembre de 2010 (RJ 2011, 1).

Así las cosas, desde la perspectiva del derecho a la tutela judicial efectiva no resulta aceptable pretender privar en un momento posterior de efecto, los pronunciamientos judiciales ya emitidos. No obstante, es admisible este proceder únicamente cuando concurren elementos que impiden física o jurídicamente su ejecución o que la dificulten por concurrir circunstancias sobrevenidas impeditivas (por todas, la STC 285/2006, de 9 de octubre). Así, ha sido el propio legislador, en el art. 105.2 LJCA, el que ha previsto mecanismos para atender a los supuestos de imposibilidad legal o material de cumplimiento de las resoluciones judiciales en sus propios términos.

A pesar de tan contundente afirmación, la práctica urbanística revela numerosos ejemplos de inejecución de resoluciones judiciales firmes como consecuencia de posteriores innovaciones de planeamiento urbanístico cuyo único propósito es encontrar acomodo a situaciones ilegales reconocidas como tales judicialmente, pues no podemos olvidar que, en la práctica, la alteración sobrevenida del planeamiento aplicable fruto de una modificación *ex proceso* supone el supuesto más frecuente de invocación del supuesto de imposibilidad legal de ejecutar una sentencia firme anulatoria de una licencia urbanística.

Sobre este particular, hay mucho escrito, es más, es el casuismo el que con mayor fuerza se nos presenta, pero vamos si quiera a esbozar la experiencia recogida de la Jurisprudencia de aquellas modificaciones de planeamiento cuyo único y exclusivo objeto ha sido eludir el cumplimiento de una sentencia judicial anulatoria.

IV. LA EXISTENCIA DE UN NUEVO INSTRUMENTO DE PLANEAMIENTO QUE PUEDA SERVIR COMO ELEMENTO OBJETIVO PARA QUE EL JUEZ ENCARGADO DE «HACER CUMPLIR» LA SENTENCIA, CONSIDERE QUE CONCURREN LOS ELEMENTOS NECESARIOS PARA QUE LA MISMA PUEDA CUMPLIRSE POR EQUIVALENCIA

Tenemos clara la regla general, que no es otra que, una vez firme la sentencia, a su ejecución solo puede oponerse un cambio del marco jurídico de referencia, marco jurídico que puede venir de la entrada en vigor de un nuevo instrumento de planeamiento general o de una innovación del anterior, por cuanto ambos participan del carácter normativo de auténticas disposiciones generales.

Así lo mantiene el Tribunal Supremo en su Sentencia de 5 de abril de 2013, (EDJ 2013/43488) en cuyo fundamento jurídico 10 se mantiene que:

> «Con ser rigurosamente exacto que las sentencias firmes han de ser cumplidas en sus propios términos, pues así lo exige el artículo 118 de la Constitución; no obstante esta exigencia admite excepciones. Así, tanto el artículo 18.2 de la Ley Orgánica 6/1985, del Poder Judicial, como el 105.2 de la Ley de la Jurisdicción Contencioso-Administrativa (RCL 1998, 1741) permiten declarar inejecutable una sentencia por causa de imposibilidad legal o material, con la transformación del fallo, ordinariamente, en una indemnización de daños y perjuicios, y de que precisamente una de las causas de imposibilidad legal, por la propia naturaleza normativa de los planes urbanísticos, es la que tiene lugar como consecuencia de un cambio de planeamiento derivado de la *potestas variandi* de la Administración Urbanística (Sentencia de esta Sala del Tribunal Supremo de 21 de enero de 1999 (RJ 1999, 351), y las que en ella se citan)».

Recordemos en este punto que no estamos inventado nada, pues no solo el art. 105.4 LJCA 29/1998, ya prevé la imposibilidad legal como causa obstativa de cumplir la sentencia en sus estrictos términos, sino que, asimismo, dichos supuestos legales ya se recogían en la doctrina constitucional sobre las diferentes modalidades que puede revestir la ejecución de la sentencia STC 67/1984, de 7 de junio (FJ 4); 109/1984 (FJ 2); 190/1990 (FJ 2); STC 149/1989 (FJ 2); STC 58/1993 (FJ 2), Sentencias en las que se mantenía que el derecho a la tutela judicial efectiva «no alcanza a cubrir las diferentes modalidades que puede revestir la ejecución de la sentencia pues (...); Tan constitucional es una ejecución en la que se cumple el principio de identidad total entre lo ejecutado y lo estatuido en el fallo, como una ejecución en la que, por razones atendibles, la condena es sustituida por su equivalente pecuniario u otro tipo de prestación. De acuerdo con lo anterior, el legislador puede establecer, sin afectar al contenido esencial del derecho, los supuestos en que no puede aplicarse el principio de identidad y sustituirse por una indemnización».

La doctrina del TC sobre el derecho a la ejecución de las sentencias no se vincula por tanto a obtener del Tribunal sentenciador un pronunciamiento identificado con el estricto cumplimiento del fallo.

En el mismo sentido la STC 73/2000, de 14 de marzo, «No se vulnera el derecho a la tutela judicial efectiva cuando una sentencia no se cumple en sus estrictos términos si ello se hace para preservar o proteger otros valores o bienes constitucionalmente protegidos y dignos de tutela, previo el correspondiente juicio de proporcionalidad».

Pero... ¿cualquier modificación del planeamiento puede entenderse que constituye un nuevo marco jurídico en el que tenga amparo una causa de imposibilidad legal de cumplimiento de la sentencia? ¿Bastaría la mera existencia del Plan o la licencia declarada nula tiene que recorrer todo el proceso de legalización en el nuevo plan previsto?

Estos y otros condicionantes los podemos encontrar en dos Autos (no olvidemos que el incidente de ejecución finaliza mediante el dictado de un Auto y no de una Sentencia) ambos dictados por la Sala de lo Contencioso-Administrativo del Tribunal Superior de Justicia de Andalucía, Sala de Málaga, resolviendo diversos incidentes de ejecución promovidos por promotores inmobiliarios de la Ciudad de Marbella los cuales entendían, erróneamente, que la mera existencia del nuevo Plan General de la Ciudad (hoy declarado nulo de pleno derecho) bastaba y era por sí suficiente para la completa legalización de las promociones cuyos títulos jurídicos habían sido declarados nulos.

El primero fue dictado en fecha 16 de enero de 2008, anterior por tanto a la aprobación definitiva de su PGOU, y el segundo de fecha 16 de diciembre de 2010, posterior a la entrada en vigor de dicho instrumento de planeamiento general.

He encontrado en ellos una recopilación interesante de todos los condicionantes que ha ido acuñando la jurisprudencia para aplicar una norma excepcional que no es otra que alterar la identidad inicial del fallo judicial de su demolición indefectible, por llamémosla, otras formas de cumplimiento...

Estos son los condicionantes que se extraen de ambos Autos, cuya premisa inicial es la siguiente, «Es posible que la entrada en vigor de un nuevo instrumento de planeamiento general suponga una causa de imposibilidad legal de ejecutar una sentencia», pero...

1. Corresponde siempre en última instancia al juzgado la potestad de «hacer ejecutar lo juzgado». «Los acuerdos legalizadores han de ser controlados en el propio proceso de ejecución por el órgano sentenciador, lo cual significa que el ente de la Administración, cuando ejecuta, lo hace siempre bajo la vigilancia y control del órgano jurisdiccional».

2. El nuevo instrumento de planeamiento general recogerá las cargas urbanísticas que tenga que soportar, para su regularización, la actuación urbanística que ha sido objeto de Sentencia. No basta la mera entrada en vigor del nuevo instrumento del planeamiento.

«En el fondo, pues, lo que se discute es si basta con la exclusiva circunstancia de la aprobación de un nuevo planeamiento posterior, conforme al cual ya no concurriría la infracción urbanística determinante de la nulidad declarada por la sentencia cuya ejecución se pretende para de forma automática y sin más trámites, poder obtener un pronunciamiento jurisdiccional de inejecución legal de la sentencia. La respuesta no puede ser positiva».

3. «La mera declaración de legalización es insuficiente para que la sentencia se tenga por cumplida, siendo necesario que se adopten los acuerdos efectivos para que tal declaración legalizadora sea real».

En el mismo sentido lo mantienen las Sentencias del Tribunal Supremo de 6 de febrero de 2007 (RJ 2007, 4587) y de 29 de abril de 2009, «es imprescindible que la Administración competente haya resuelto acerca de la legalización de la obra y de la actividad, de manera que, una vez tramitados los oportunos expedientes a tal fin y dictada la resolución otorgando las oportunas licencias por ser conforme a derecho su concesión, podrá el órgano obligado al cumplimiento de la sentencia promover eficazmente el incidente de imposibilidad material o legal de ejecutarla».

4. «La existencia pues de un instrumento de planeamiento posterior que pueda dar cobertura legal a la licencia anulada en su día por la Sala no implica su imposibilidad de ejecución, sino la posibilidad de legalización siguiendo el procedimiento legalmente establecido a tal fin, bajo el debido control judicial en salvaguarda del interés público de las partes en litigio».

Sobre este condicionante encontramos algunos pronunciamientos del Tribunal Supremo como el contenido en la STS de 5 de abril de 2013, (EDJ 2013/43488) «El planteamiento que hace el recurrente defendiendo una pérdida sobrevenida de objeto por causa de un nuevo planeamiento es inatendible y olvida que ese nuevo planeamiento en ningún caso supone legalización alguna de lo indebidamente autorizado, pues el nuevo planeamiento sólo puede conducir, en su caso y con estrictas matizaciones, a un supuesto de imposibilidad legal de ejecución (si se ha ejecutado la obra conforme a la licencia nula), y todo ello, también, dejando a salvo los supuestos en que la nueva ordenación se haya producido con la finalidad de eludir la ejecución de la sentencia».

5. «La modificación del planeamiento no será causa de inejecución de una sentencia si ha sido realizada con la intención de incumplir la sentencia, o mejor, con la intención de que esta no se ejecute».

Es ilustrativa la Sentencia del Tribunal Supremo de 5 de abril de 2001 (RJ 2001, 3030) que resume esta doctrina consolida:

«Sobre el problema más concreto de si una modificación del planeamiento origina la imposibilidad jurídica de ejecución de una sentencia, cuando pretende legalizar aquello que la sentencia anuló, del examen de la jurisprudencia de este Tribunal Supremo sólo puede concluirse lo siguiente: esa modificación no será causa de inejecución de la sentencia si ha sido realizada con la intención de incumplir la sentencia, o mejor, con la intención de que ésta no se ejecute».

6. La carga de la prueba corresponde a la Administración que invoca un cumplimiento alternativo de la Sentencia en el incidente de ejecución;

Sobre este particular, la STS de Justicia de Andalucía, dictada en fecha 21/06/2012, pronunciándose a favor del PGOU de la ciudad de Marbella, mantiene en su FJ 5, citando a su vez diversa Jurisprudencia que «... La Administración sigue disponiendo de sus facultades de ordenación urbanística y, por tanto, de modificación de las determinaciones aplicables, y debe, si ello incide sobre actuaciones ya declaradas ilegales en sentencia firme, demostrar que la modificación no tiene la finalidad de convertir lo ilegal en legal, sino la de atender racionalmente al interés público urbanístico».

7. «Los terceros adquirentes del edificio cuyo derribo se ordena, o de sus elementos independientes, ni están protegidos por el art. 34 de la Ley Hipotecaria, ni están exentos de soportar las actuaciones materiales que lícitamente sean necesarias para ejecutar la sentencia; su protección jurídica se mueve por otros cauces».

Pero no están protegidos por el art. 34 de la LH porque éste protege el derecho real, que pervive, aunque después se anule o resuelva el del otorgante o transmitente. Y no están exentos de soportar aquellas actuaciones materiales porque el nuevo titular queda subrogado en el lugar y puesto del anterior propietario en sus derechos y deberes urbanísticos, siendo tales deberes urbanísticos los que vengan concretados en el instrumento de planeamiento general cuya aplicación supone causa de imposibilidad legal de ejecutar una sentencia de demolición.

Sobre este último condicionante que nos recuerda la Jurisprudencia, derivado de la naturaleza *ob rem* y no personal de las cargas urbanísticas, sólo citar de pasada la previsión contenida en la Disposición Final Cuarta de la Ley Orgánica 7/2015, de 21 de julio, que introduce un nuevo número 3 al art. 108 de la LJCA según el cual «El Juez o Tribunal, en los casos en que, además de declarar contraria a la normativa la construcción de un inmueble, ordene motivadamente la demolición del mismo y la reposición a su estado originario de la realidad física alterada, exigirá, como condición previa a la demolición, y salvo que una situación de peligro inminente lo impidiera, la prestación de garantías suficientes para responder del pago de las indemnizaciones debidas a terceros de buena fe».

Pero frente a tales condicionantes, e incluso a pesar de que en instancias judiciales inferiores se hayan valorado los mismos y se haya reconocido la validez de Planes Generales posteriormente declarados nulos, corresponde en última instancia al Tribunal Supremo resolver en casación los recursos que sobre dichos Planes Urbanísticos lleguen a su sede. En este punto destaco las tres Sentencias dictadas por el Tribunal Supremo en fechas 27 y 28 de octubre de 2015, (RJ 2015, 5582), (RJ 2015, 75581), y (JUR 2015, 253118), resolviendo tres recursos de casación promovidos por distintas promotoras de Marbella en las que se declara la nulidad del PGOU de la ciudad de Marbella «por razones que afectan al núcleo mismo del instrumento de planeamiento, esto es, a la naturaleza y finalidad del citado Plan General, y que resume el Alto Tribunal en la carencia de amparo en la potestad de planeamiento ejercitada para llevar a cabo una regulación como la que se efectúa, presidida por la consideración de que el Plan se proyecta más sobre el pasado que sobre el futuro, dado el designio de normalización o regularización de situaciones urbanísticas ya consumadas que se reconoce como objetivo primordial en la Memoria de información».

Las tres sentencias del Tribunal Supremo son coincidentes –con algunos matices– en sus fundamentos jurídicos y se mantiene en todas que:

1. «No resulta posible, pues, compatibilizar la normalización (vía obtención dotacional) sin tomar en consideración, con toda su potencialidad y eficacia, las nulidades jurisdiccionalmente declaradas, pues, se insiste, no resulta posible legalización alguna, en función –sin más– del nuevo planeamiento, por cuanto, de forma individualizada, ha de recorrer el proceso de legalización por la vía de la imposibilidad legal de ejecución de la sentencia. Las ilegalidades, pues, no admiten ejecución por la vía de las alternativas del planeamiento. El cometido de todo plan consiste en la consecución de una ordenación racional del espacio físico comprendido dentro de su respectivo ámbito».

2. «Se desnaturaliza la auténtica finalidad de los planes si se apartan de la finalidad que les es propia y buscan satisfacer otra en su lugar o junto a ella. En definitiva, sólo en la medida en que sirvan a su finalidad típica vendrá a estar justificado el ejercicio de la potestad de planeamiento por parte de la Administración».

3. Será, por tanto, el órgano jurisdiccional el que, valorando las observaciones efectuadas y, atendiendo a la existencia de acreditados terceros registrales, decidirá lo procedente en cada caso concreto, pues no resulta de recibo pretender aislar o blindar jurídicamente situaciones de infracción judicialmente declaradas al socaire de un nuevo –e incluso integral y completo– planeamiento frente a la potencialidad jurídica de una resolución judicial fruto de un procedimiento contradictorio que ha decidido sobre los derechos de los particulares y sobre la legalidad de la actuación administrativa.

4. Este tipo de planeamiento, pues, no cuenta con respaldo legislativo, pues el mismo no contempla «hacer ciudad» sino «rehacer ciudad», pero rehacerla, no porque se pretenda su rehabilitación, regeneración o renovación, sino porque la hecha en el pasado lo ha sido de forma ilegal. Por ello, su destino, su razón de ser, no es el futuro de Marbella, sino su pasado. Da la sensación de que exigencias de nuevas dotaciones no vienen impuestas por el nuevo Plan, sino que se imponen como consecuencia de las ilegalidades derivadas del incumplimiento del Plan anterior.

5. En el caso que nos ocupa la normalización viene a erigirse en una de las directrices básicas del PGOU de Marbella, y de este modo, puede colegirse, el PGOU se aparta de la finalidad típica que le es propia y que tiene asignada por el ordenamiento jurídico.

Este Plan General de Ordenación Urbanística de Marbella ha sido también declarado nulo por Sentencia del mismo Tribunal Supremo STS de 19 abril 2016 (JUR 2016, 86757).

Quisiera hacer mención a una última cuestión que también puede resultar interesante y lo constituye la actuación de Leyes urbanísticas autonómicas legítimamente aprobadas pero que también de manera directa o indirecta pueden suspender o condicionar la ejecución judicial de sentencias firmes.

Sobre este particular, citar sólo cuatro Sentencias del Tribunal Constitucional en relación con esta materia:

Primera. La STC de 73/2000, de 14 de marzo, dictada en la controvertida presa de Itoiz (Navarra), la cual declaró ajustada a Derecho la Ley Foral de 17/06/1996 de Navarra, desestimando el argumento de que se trataba de una Ley dictada para incumplir una sentencia judicial (la dictada por el T. Supremo en Casación con fecha 14/07/1997). La STC 73/2000 sienta las bases de los supuestos en los que una ley dictada por un Parlamento Autonómico resulte impeditiva del cumplimiento de una sentencia pueda ser inconstitucional;

El TC aclara que «(...) esta potestad de mediación legislativa de los derechos que se integran en el de la tutela judicial no es absoluta, ni dependiente del arbitrio del legislador, pues, dentro del respeto debido al contenido esencial de los derechos fundamentales, resulta indiscutible que el art. 24.1 C.E. exige, según la STC 158/1987, ausencia de condicionamientos que dificulten o entorpezcan, en lo que aquí interesa, la posibilidad de que lo resuelto por los órganos judiciales sea cumplido en sus propios términos...».

> «Se desprende con claridad que nos encontramos ante una regulación que es no solo *formalmente* sino intrínsecamente general, y no ante una regulación *ad casum* del legislador de la Comunidad Foral de Navarra, por lo que en definitiva no hay quebranto constitucional por parte de dicha Ley de 1996, no se puede ejecutar la Sentencia del Tribunal Supremo y el embalse es legal».

Segunda. El caso de la Comunidad Autónoma de Cantabria, en el que se suscita la polémica de una norma autonómica (Disposición adicional sexta de la Ley de Cantabria 2/2011, de 4 de abril, por la que se modifica la Ley 2/2001, de 25 de junio, de ordenación territorial y del régimen urbanístico del suelo de Cantabria) que condiciona la demolición de obras declaradas ilegales a la finalización del procedimiento de determinación de la responsabilidad patrimonial de la Administración, al establecimiento del importe de indemnización y a su efectiva puesta a disposición del perjudicado.

La Sentencia 92/2013, de 22 de abril de 2013, del Tribunal Constitucional, declara la inconstitucional y su nulidad, afirmando rotundamente en el FJ sexto:

> «La conclusión de lo anteriormente expuesto es que la norma cuestionada incide en la regulación de la ejecución de Sentencias mediante la introducción de un trámite (el de determinación de la eventual responsabilidad patrimonial en que pudiera haber incurrido la Administración urbanística) ajeno a la propia ejecución de la Sentencia y que tiene el efecto de paralizar la misma mientras sustancia, decide y, en su caso, ejecuta mediante el pago. Tal regulación, como acabamos de ver, no tiene cobertura competencial en los títulos aducidos por los órganos de la Comunidad Autónoma, de modo que se invade la competencia exclusiva del Estado en materia de legislación procesal prevista en el art. 149.1 6 CE, sin que, tal como admiten todos los que han intervenido en este proceso constitucional, concurra especialidad alguna en el derecho sustantivo autonómico que lo justifique en términos constitucionalmente admisibles conforme al indicado precepto constitucional».

Tercero. El caso de esta Comunidad Autónoma de Galicia, en relación con la Disposición adicional sexta de la Ley 8/2012, de 29 de junio, de vivienda de Galicia respecto a la cual se dictó la STC 82/2014, de 28 de mayo de 2014, que igualmente aborda la problemática de suspensión en la ejecución de las sentencias que lleven aparejado el derribo de edificaciones condicionando la materialización del derribo a que se tramite y resuelva el procedimiento de responsabilidad patrimonial, así como, en su caso, a que se pague la indemnización que se pudiera acordar en él. El pronunciamiento vuelve a ser el mismo que el caso anterior, y en virtud de la STC se suprime el inciso «o sentencia» del punto segundo de la Disposición Adicional Sexta, quedando reducido este a los supuestos en que exista acto administrativo que conlleve la reposición de la legalidad urbanística, pero nunca la supeditación de dicha reposición cuando exista una sentencia judicial.

Cuarto. También respecto a la Comunidad Autónoma Cántabra, se ha dictado la STC 254/2015, de 30 de noviembre de 2015, en relación con el artículo 65 bis.1 de la Ley 2/2001, de 25 de junio, de ordenación territorial y de régimen urbanístico del suelo de Cantabria, introducido por la Ley 4/2013, de 20 de junio, que regula una figura denominada «autorización provisional» como instrumento para evitar, sobre la fase de un planeamiento futuro, el cumplimiento de órdenes de demolición administrativas o judiciales.

Sobre la misma, mantiene el TC que

«Pues bien, el precepto cuestionado regula, como se ha explicado más arriba, la ejecución de las sentencias en el proceso contencioso-administrativo creando una causa de suspensión específica en relación con las sentencias que ordenan la demolición de edificios ilegales, procediendo, por tanto, la aplicación de la doctrina que hemos establecido recientemente en nuestras Sentencias 92/2013, de 22 de abril; 82/2014, de 28 de mayo, y 149/2014, de 22 de septiembre, de acuerdo con la cual resulta incompatible con la reserva estatal en materia de legislación procesal –art. 149.1.6 CE– que el legislador autonómico establezca una causa de suspensión o aplazamiento de la ejecución de las sentencias que implican el derribo de las edificaciones, determinando que la ejecución de la Sentencia –como es aquí el caso por lo anteriormente expuesto– termina por escapar del control judicial, único competente para hacer ejecutar lo juzgado a tenor de lo dispuesto en el art. 117.3 CE».

Quinto. En la Comunidad Autónoma de Navarra se ha dictado la Ley Foral 5/2015, de 5 de marzo, que ha modificado la Ley Foral 35/2002, de 20 de diciembre, de Ordenación del Territorio y Urbanismo de Navarra, a cuyo efecto ha introducido un nuevo punto 6 en el art. 204 en el que se regulan las «autorizaciones provisionales» en términos similares a la disposición cántabra declarada inconstitucional, es decir, pese a la existencia de órdenes de demolición administrativas o judiciales el órgano administrativo competente para la aprobación inicial de un nuevo instrumento de planeamiento general podrá conceder dichas autorizaciones «de supervivencia» provisionales, si las mismas pueden resultar conformes con la nueva ordenación prevista.

No me consta ningún pronunciamiento del Tribunal Constitucional sobre esta Ley Foral, ni quiero ser pájaro de mal agüero...

V. NORMAS ADMINISTRATIVAS AUTONÓMICAS QUE HAN RECOGIDO LA JURISPRUDENCIA EXISTENTE SOBRE EL CUMPLIMIENTO POR EQUIVALENCIA Y HAN APLICADO DICHA TÉCNICA PARA EL CUMPLIMIENTO DE RESOLUCIONES ADMINISTRATIVAS FIRMES QUE ORDENEN LA REPOSICIÓN DE LA REALIDAD FÍSICA MEDIANTE DEMOLICIÓN

Me gustaría sólo dejar apuntado que teniendo en cuenta la Jurisprudencia consolidada que hemos citado respecto al cumplimiento por equivalencia, algunas Comunidades Autónomas, como la Andaluza, han previsto en su normativa urbanística, en este caso en el Reglamento de Disciplina Urbanística, aprobado por Decreto 60/2010, preceptos con análoga finalidad al cumplimiento por equivalencia pero para los casos en los que no existe ningún pronunciamiento judicial por resultar de expedientes de restablecimiento de la legalidad urbanístico dictados y resueltos exclusivamente en el plano administrativo.

Esta posibilidad se recoge en el art. 51 Reglamento de Disciplina Urbanística de Andalucía bajo el título «cumplimiento por equivalencia». Se prevé en el mismo el supuesto específico de imposibilidad legal o material para ejecutar, no ya sentencias, sino resoluciones administrativas dictadas en el seno de procedimientos de protección de la legalidad urbanística que ordenan la reposición de la realidad física alterada. Prevé el artículo citado los dos tipos de causas de imposibilidad:

– Imposibilidad sobrevenida por causa legal (modificación del planeamiento «sobrevenida y no traída» con aprobación definitiva y cuyas determinaciones entran en contradicción con una/varias resoluciones firmes dictadas en procedimientos de restablecimiento de la legalidad).

– Imposibilidad sobrevenida por causa material. Obstáculo físico que impide el cumplimiento de la resolución en sus propios términos (el inmueble ya se ha derribado, bien sea por causas naturales, de fuerza mayor, demolición voluntaria del particular, etc.).

Este procedimiento posibilita dar salida a situaciones reales que, a falta de esta regulación, quedarían perpetuamente inejecutadas sin contraprestación alguna. El precepto impone ciertas garantías para su aplicación:

1. Respeto al poder judicial. «Sin perjuicio de la potestad jurisdiccional de hacer ejecutar lo juzgado» para los casos en los que exista una resolución judicial firme acordando la demolición o declarando nula una licencia urbanística, pues en este caso la forma de ejecutar la misma corresponderá siempre al órgano judicial que conoció en primera instancia.

2. Objetividad en la Resolución. La resolución de inejecución deberá emitirse previos los informes técnicos y jurídicos pertinentes.

3. Tales informes han de fijar la indemnización por equivalencia en la parte que no pueda ser objeto de cumplimiento pleno, pudiendo consistir en una cantidad en metálico, o en la cesión de una porción de terreno o edificación equivalente al aprovechamiento materializado sin título.

4. La indemnización por equivalencia deberá abonarse con independencia de las sanciones por infracciones urbanísticas que, en su caso procedan, sin que pueda reportar a las personas infractoras de la legalidad urbanística la posibilidad de beneficiarse de la reducción de la sanción.

VI. CASOS REALES EN LOS QUE HA PARTICIPADO LA INSPECCIÓN URBANÍSTICA ANDALUZA EN LA EMISIÓN DE INFORMES RELATIVOS AL CUMPLIMIENTO POR EQUIVALENCIA

1. PROVINCIA DE GRANADA

Situación procesal:

Incidente de ejecución promovido para la ejecución de la Sentencia n.° del TSJA que estima el recurso contencioso administrativo interpuesto por la Junta de Andalucía contra la resolución desestimatoria por silencio administrativo del recurso de alzada interpuesto contra el Acuerdo Plenario del Ayuntamiento de … de 1998, por el que desestima revisar de oficio la licencia concedida por el Pleno del ayuntamiento con fecha de 1994 a Don … para la ampliación de dos viviendas y planta primera sobre edificio existente en C/Ermita.

El fallo de la citada Sentencia dispone literalmente que dicha resolución desestimatoria presunta se anula al considerarla contraria al ordenamiento jurídico, debiendo proceder el Ilmo. Ayuntamiento de … (Granada) a la revisión de oficio de la licencia objeto de este recurso.

El recurso contencioso-administrativo de referencia se interpuso por la Junta de Andalucía, y por don ... (interesado en la demolición de la vivienda) contra el Ayuntamiento de ...

Motivo del incidente de ejecución:

Según informe emitido por el técnico del Consorcio Urbanístico del ..., referente a la adaptación a la normativa de las edificaciones existentes en la C/Ermita, donde se sitúa la vivienda objeto del presente expediente, dicha revisión ha declarado fuera de ordenación algunas de las edificaciones, declarando esa zona del municipio como Suelo urbano consolidado, con tipología de edificación tradicional.

Consideraciones contenidas en la propuesta de Inspección:

Una vez que el Ayuntamiento de ... ha revisado de oficio la licencia, y pueda justificar la imposibilidad legal de demolición ante el Tribunal Superior de Justicia de Andalucía, la Junta de Andalucía puede, no sólo no oponerse a ello, sino que puede adherirse por entender que dicha falta de demolición no se opone al interés público.

Propuesta de la Inspección en el Incidente de Ejecución:

- Solicitar de la Oficina de Planificación informe técnico sobre la situación en que queda la vivienda afectada por la licencia impugnada tras la Revisión de las Normas aplicables.

- A la vista del citado informe técnico, instar del Ayuntamiento de ... a la regularización de su situación, de forma que inste judicialmente en el incidente de ejecución la imposibilidad legal de demolición, y la situación de fuera de ordenación en que quedan las obras que amparaban la licencia revisada.

- Solicitar del Gabinete Jurídico de la Junta de Andalucía, en el caso de que por el Tribunal Superior de Justicia de Andalucía se acceda a la petición del Ayuntamiento de ..., que defienda esta resolución judicial.

Situación procesal:

Expediente PLU autonómico confirmado por resolución judicial.

Cumplimiento del fallo de la sentencia judicial 2005, dictada por la Sala de lo contencioso-administrativo del Tribunal Superior de Justicia de Andalucía con sede en Granada, sección 2.ª Incidente en fase de ejecución, Ejecutoria 2008.

El fallo de la sentencia judicial citada «desestima el recurso contencioso-administrativo interpuesto por la representación procesal de la entidad mercantil Gesuelo, S.L. contra el acuerdo de la Directora General de Ordenación del Territorio y Urbanismo de fecha 10 de septiembre de 1998, que ordena la demolición de las obras llevadas a cabo por la mercantil citada, consistentes en la construcción de varias viviendas adosadas en el lugar denominado Paraje de La Solana de la Mora, clasificado como suelo no urbanizable, perteneciente al término municipal de ... (Granada)».

Cuestión planteada:

Con anterioridad al pronunciamiento judicial concurre uno de los supuestos que la jurisprudencia admite como causa legal de cumplimiento por equivalencia: un nuevo instrumento de planeamiento urbanístico general aprobado con carácter definitivo habilita la realización de los actos que al tiempo de dictarse la resolución finalizadora del procedimiento de legalidad urbanística no eran autorizables, vinculando los terrenos, construcciones y edificaciones erigidas con anterioridad al destino que resulte de su clasificación y calificación, y al régimen urbanístico que consecuentemente le sea de aplicación.

Propuesta de Inspección en el Incidente de Ejecución planteado:

1. Cumplimiento por equivalencia de la resolución de fecha de 1998 en los siguientes términos: en el plazo de dos meses deberá acreditarse ante este Centro Directivo la aprobación del Proyecto de Urbanización y del Proyecto de Reparcelación, su inscripción registral, así como el efectivo cumplimiento de la equidistribución de cargas y beneficios legalmente establecidos.

2. Transcurrido dicho plazo sin acreditar el cumplimiento por equivalencia, deberá procederse sin demora al cumplimiento de la resolución de fecha 24 de octubre de 1998 en sus justos términos, compeliendo a los propietarios de las seis viviendas objeto de la resolución a demoler voluntariamente las mismas, bajo el apercibimiento de la sucesiva imposición de multas coercitivas en los términos que establezca la legislación vigente.

2.   PROVINCIA DE ALMERÍA

Situación procesal:

Incidente de Ejecución promovido por la representación procesal del Ayuntamiento de ... alegando imposibilidad legal de ejecutar la S. firme número..., dictada por la Sala de lo Contencioso del TSJA con sede en Granada, en la que se acuerda estimar el recurso de apelación interpuesto por la Junta de Andalucía y anular el Acuerdo de concesión de licencia otorgado por la referida Corporación Local con fecha 16 de abril de 2007 para la construcción de 13 viviendas, locales, garajes y trasteros (expediente municipal n.°...) a la mercantil «... S.L.».

Invocación del Ayuntamiento en el seno del Incidente:

En el análisis de los requisitos exigidos por la jurisprudencia en relación con el supuesto excepcional de imposibilidad legal de ejecutar las Sentencias en sus propios términos para el caso concreto planteado por la representación procesal del Ayuntamiento de ..., aparecen acreditados los requisitos relativos al planeamiento sobrevenido (el PGOU de ... que clasifica los terrenos como suelo urbano consolidado ha sido objeto de aprobación definitiva el 26/02/2008; y publicado en el BOJA el 30/07/2008).

Propuesta de la Inspección en el seno del Incidente:

«Sin perjuicio de la decisión judicial al respecto, y tal y como informa el propio Secretario del Ayuntamiento, la legalización efectiva del edificio (la licencia que lo amparaba se ha declarado nula por resolución judicial firme) precisa el otorgamiento de nueva licencia, no bastando la comunicación de este hecho a los interesados, momento en el que se ha de comprobar por los servicios municipales:

– que efectivamente la urbanización fue correctamente ejecutada, y en todo caso, en las condiciones de seguridad, salubridad, accesibilidad universal y ornato legalmente exigibles en el momento de otorgamiento de la nueva licencia (art. 9.1 TRLS 2008) y

– que, en garantía del principio de equidistribución, constan inscritas en el Registro de la propiedad a favor de la Administración las dotaciones y espacios libres de cesión obligatoria en cumplimiento de los deberes y cargas urbanísticas, no bastando, como se afirma en los informes técnicos remitidos por el Ayuntamiento «que el Ayuntamiento haya tomado posesión de las cesiones de equipamientos y espacios libres, haciendo uso continuado de ellas».

Y, en cualquier caso, constituye el deber del propietario del suelo en situación de urbano consolidado la de edificarlo y de completar la urbanización, cediendo o entregando a la administración el terreno exterior a la alineación, a pesar de no tener obligación de cesión de aprovechamiento, al corresponderle el 100% de la edificabilidad.

Situación procesal:

Informe solicitado por el Servicio Jurídico Provincial de Almería en relación con la concurrencia de causa de imposibilidad legal de ejecutar Sentencia firme número 3616 de 16 de diciembre de 2013, anulatoria de licencia para la construcción de vivienda unifamiliar aislada en suelo no urbanizable, en vista a incidente de inejecución de Sentencia presentado por representación procesal del Ayuntamiento de ... con base a PGOU en tramitación.

Invocación del Ayuntamiento:

«La vivienda ejecutada (...) se encontraría en suelo ajustado a derecho con arreglo a la nueva ordenación urbanística configurada por el planeamiento urbanístico del Ayuntamiento de ..., consistente en informe de clasificación del suelo como urbano no consolidado, emitido por el equipo técnico redactor del PGOU del Ayuntamiento de ...». Acompaña, a este respecto, documentación del técnico redactor del PGOU sobre la clasificación urbanística del paraje Retamar como suelo urbano no consolidado.

Propuesta de la Inspección en el seno del Incidente:

En relación al motivo concreto esgrimido por el Ayuntamiento de ... en apoyo del incidente de inejecución planteado, esto es, la aprobación municipal de un PGOU que incorpora al proceso urbanístico la actuación declarada ilegal, atribuyendo al Paraje Retamar la clasificación de suelo urbano no consolidado, resulta fundamental comprobar la vigencia del PGOU al que alude el técnico municipal, pues en la documentación que se acompaña no consta alusión alguna al estado procedimental de dicho trámite.

Consultado el planeamiento urbanístico vigente en el municipio de ..., dicha consideración ha de ser rechazada, pues en la actualidad continúa vigente el Proyecto de Delimitación de Suelo Urbano de 2009, manteniendo por tanto el suelo sobre el que se otorgó la licencia anulada su condición de no urbanizable.

Si bien es cierto que el documento en tramitación prevé la clasificación del ámbito en el que se desarrollan las actuaciones como suelo urbano no consolidado, la aprobación definitiva del instrumento de planeamiento que dé cobertura a la actuación y la vigencia de este por su publicación en los boletines oficiales correspondientes se torna en el primero de los presupuestos exigidos por la jurisprudencia en relación con la imposibilidad legal de ejecutar la sentencia en sus propios términos.

Por tanto, no procede pronunciamiento sobre la concurrencia de causa de imposibilidad legal de ejecutar la sentencia en sus propios términos en tanto no se acredite el cumplimiento de éste y de los restantes requisitos ya expuestos en el presente informe.

3.   PROVINCIA DE MÁLAGA: MARBELLA

Situación Procesal:

Sentencia firme dictada por la Sala de lo Contencioso-Administrativo del Tribunal Superior de Justicia de Andalucía, por la que se anula la licencia urbanística concedida por la Comisión de Gobierno del Ayuntamiento el día 15/05/2002 a «Nuevos Aires 2002, S.L.» para la construcción de 34 viviendas, locales y aparcamientos sobre el actual ámbito de incremento de aprovechamiento AIA-MB-10.

Incidente de Ejecución promovido por el Ayuntamiento de Marbella en relación con el recurso contencioso-administrativo n.° 1934/03 en el que se declara nula, de manera firme, la licencia urbanística concedida por el propio Ayuntamiento para la construcción de 34 viviendas plurifamiliares y aparcamiento entre las calles en C/Alonso Bazán y C/Luis Oliver de Marbella.

Situación urbanística:

Edificio de 7 plantas y ático situado en SUNC, A.I.A-MB-10 del PGOU de Marbella.

A.I.A.: significa Área de Incremento de Aprovechamiento en las cuales el Ayuntamiento de Marbella siguiendo la técnica de las actuaciones de dotación ha previsto la ejecución asistemática de actuaciones de implementación de dotaciones y de equipamientos, en proporción a los excesos de aprovechamientos materializados por edificaciones ilegales.

AR: Significan áreas de regularización que se corresponden con vacíos urbanísticos en los cuales se han materializado actuaciones irregulares de ocupación del suelo. Se delimitan para asegurar la ejecución sistemática de los deberes urbanísticos pendientes para conseguir la normalización mediante su conversión en un área urbana con los equipamientos y urbanización adecuados a la edificación existente que resultan asumidas por el Plan. La diferencia con la anterior es que las actuaciones previstas en las áreas de regularización se corresponden con actuaciones sistemáticas previa delimitación de Unidades de Ejecución.

Contenido de la ficha urbanística:

El Plan posibilita la normalización a través de la definición de un ámbito de ejecución asistemática, siendo el objetivo que el irregular incremento de aprovechamiento se resuelva con la obtención dotacional en suelos vacantes lo más próximo posible. La gestión de estas áreas de incremento de aprovechamiento y la del suelo público vinculado será a través de la técnica de TAU (art. 10.3.15 ss. Normas Urbanísticas). En este ámbito de actuación, se impone su obligación de ceder un equipamiento construido en el interior del edificio de 1380 m^2t. La edificabilidad total del edificio es de 3.541 m^2t, de los cuales, 1.380 m^2t se destinan a equipamiento público y el resto mantiene su aprovechamiento lucrativo.

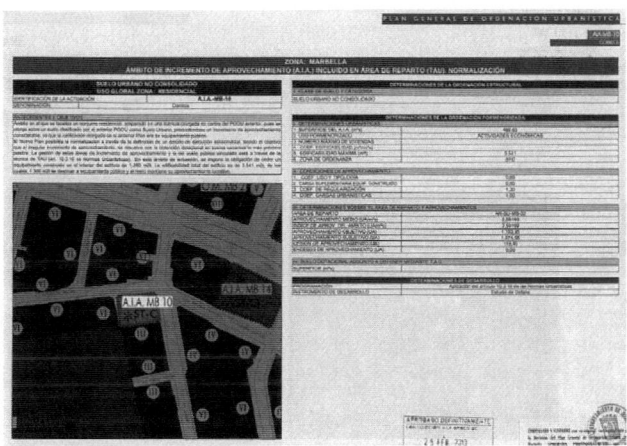

Este Incidente de Ejecución finaliza mediante Auto de fecha 15 de enero de 2015 dictado por la Sala de lo CA del TSJ de Andalucía, el cual en su FJ Cuarto, entiende cumplida por equivalencia la sentencia anulatoria que había sido dictada y considera por ello, inejecutable la sentencia en su consecuencia inmediata inicial, que es la demolición, por considerar que se han cumplido las cargas urbanísticas que en la correspondiente ficha urbanística se contienen en el Planeamiento en vigor en la localidad.

Merecen la atención algunas manifestaciones contenidas en el Auto.

Primera. Se parte de la regla o principio general que comporta la anulación de una licencia urbanística, y esta no es otra que la demolición de lo construido a su amparo, pues se trata de una consecuencia implícita al pronunciamiento de nulidad. Y dicha consecuencia «... aunque la Sentencia no se haya pronunciado sobre la demolición, porque es una consecuencia necesaria de la inadecuación de lo autorizado respecto de la legalidad urbanística» cita literalmente el Auto.

Segunda. Se matiza la consecuencia anterior en el caso en que tras el dictado de la sentencia se apruebe de manera definitiva una modificación de planeamiento. «La importancia de una modificación posterior del planeamiento viene dada por la propia posición esencial del Plan como configurador del derecho de la propiedad inmobiliaria común, un derecho estatutario donde el contenido del mismo no lo impone el titular sino el ordenamiento jurídico que es manifestación del sentir de la comunidad».

Tercera. El contenido de la Resolución Jurisdiccional sobre la concurrencia de una causa de imposibilidad de ejecución de la sentencia deberá abarcar tres aspectos diferentes:

- La concurrencia o no de la causa material o legal de imposibilidad de ejecución de la sentencia, teniendo en cuenta que las excepciones a su íntegra o natural ejecutabilidad han de ser siempre interpretadas y aplicadas con los máximos criterios restrictivos en el reconocimiento de esa imposibilidad.

- El Juez o Tribunal, si apreciare la concurrencia de esa causa deberá pronunciarse sobre la posibilidad de adoptar las medidas necesarias que aseguren la mayor efectividad de la ejecución. Mantiene el propio Auto que se trata de una habilitación legal «escasamente explorada». Por otra parte, la colaboración material o económica de los causantes o responsables de la infracción o de los beneficiados por la misma, podría resultar un adecuado mecanismo que socialmente paliare o rehabilitare la situación de hecho producida en el marco del esencial principio de equidistribución de beneficios y cargas, como en el del ámbito de la adecuada gestión urbanística materializada en el marco de algún convenio de esta índole.

- En tercer lugar, habrá de proceder incluso a la fijación, en su caso, de la indemnización que proceda por la parte que no pueda ser objeto de cumplimiento pleno la sentencia dictada. Dicha indemnización, que la LOPJ en su art. 18.2 establecía «en todo caso», sin embargo, el actual art. 105.2 de la LJCA señala su procedencia solo «en su caso».

Argumentadas tras las tres premisas anteriores, se concluye finalmente en el FJ Cuarto que;

FJ 4. «El nuevo planeamiento posibilita la legalización de la construcción ejecutada al amparo de la licencia declarada ilegal, incluyendo los terrenos en el "AIA-MB-10, Correos" y habiéndose imputado lo satisfecho por la entidad Nuevos Aires 2002, S.L. por el convenio urbanístico suscrito en fecha 23 de Mayo de 2001 al pago de la compensación económica sustitutiva del deber de cesión a la Administración de parcelas edificables en concepto de recuperación de plusvalías y habiéndose dado cumplimiento a las obligaciones urbanísticas vinculadas al ámbito de incremento de aprovechamiento, fue declarada, conforme a lo previsto en el art. 10.3.18.5.2.° de las NN.SS. la compatibilidad con el PGOU vigente de la edificación realizada en dicho ámbito». No se fija indemnización adicional alguna.

«En su virtud, la Sala acuerda inejecutable la sentencia *in natura*, por el cumplimiento de las cargas urbanísticas anteriormente citadas así como la improcedencia de fijar por ello indemnización a favor de la Administración actora».

Por parte del Personal Inspector de esta Secretaría General se comprueba el efectivo cumplimiento de tales cargas urbanísticas vinculadas al ámbito de incremento de aprovechamiento, levantándose el correspondiente Acta de Inspección en fecha 28 de septiembre de 2015 en la que se constata la efectiva cesión de 1380 m^2 de techo destinados a equipamiento público, en los cuales el Ayuntamiento de Marbella ha ubicado los Servicios Urbanísticos Municipales.

VII. CONCLUSIÓN FINAL

Frente a muchas de las afirmaciones que leemos en la prensa o incluso en medios más autorizados, las tres Sentencias del Tribunal Supremo dictadas en fechas 27 y 28 de octubre de 2015 por las que se declaró nulo el PGOU de la Ciudad de Marbella, no han declarado nulo, ni inexistente, ni han invalidado el cumplimiento por equivalencia.

Dicha figura jurídica existe y se encuentra recogida en el ordenamiento jurídico como un modo anormal, pero perfectamente legal, del cumplimiento de un fallo judicial cuya consecuencia inicial es la demolición de lo construido al amparo de una licencia declarada nula, cuando se produce –fundamentalmente– un cambio en la figura de planeamiento urbanístico que, con los requisitos exigidos jurisprudencialmente de contar con aprobación definitiva y no obedecer a la intención de eludir el cumplimiento del fallo judicial, permite que este nuevo planeamiento general no opere como automática legalización de lo construido pero sí como posibilidad de instarse del órgano administrativo competente la oportuna legalización, cuya resolución al respecto, será susceptible de control judicial en fase de ejecución de sentencia (por todas, STS de 26 de septiembre de 2006), ejecución que compete en exclusiva al poder judicial.

Las «actuaciones de dotación» a las que me refería en la primera parte de la exposición suponen una cobertura legal prevista tanto por el legislador estatal de suelo como por el legislador autonómico para su utilización por parte del juez de lo contencioso-administrativo, en suelos urbanos no consolidados, como posibilidad de efectivo cumplimiento de una sentencia anulatoria de licencia, siempre que se satisfagan las cargas urbanísticas en plazo y forma y siempre –se subraya bajo el control y tutela del juez encargado de hacer cumplir dicha sentencia.

Las innovaciones de planeamiento que cumplan los condicionantes a los que nos hemos referido, pueden contribuir a la recualificación de la ciudad compacta, a la regeneración y obtención de dotaciones incluso en suelos en los que se hayan edificado actuaciones irregulares, mediante el cumplimiento por equivalencia de resoluciones judiciales firmes.

Capítulo XII

Situación actual del urbanismo y el medio ambiente: Especial referencia a la ejecución de sentencias

RAFAEL FERNÁNDEZ VALVERDE

Magistrado del Tribunal Supremo
Vocal del Consejo General del Poder Judicial
Profesor de CUNEF

SUMARIO: I. LA ACTUAL SITUACIÓN DEL URBANISMO. II. LAS NO-TAS ESENCIALES DEL URBANISMO ACTUAL: EN ESPECIAL SU CONSIDERACIÓN DE TÉCNICA PARA LA PROTECCIÓN DEL MEDIO AMBIENTE. III. EL URBANISMO SOSTENIBLE Y MEDIOAMBIENTAL. IV. LA JURISPRUDENCIA URBANÍSTICA. 1. La configuración de los conceptos de suelo urbano consolidado y suelo urbano no consolidado. 2. El nuevo planteamiento de la cuestión: superación de los anteriores conceptos de suelo urbano consolidado y suelo urbano no consolidado. 3. La especial motivación en la desclasificación de suelos no urbanizables de especial protección y en la descalificación de zonas verdes: Principio de no regresión. 4. La acción pública en ejecución de sentencia. 5. Igualmente debemos destacar otros aspectos significativos en la actual jurisprudencia urbanística del Tribunal Supremo. V. LA EJECUCIÓN DE SENTENCIAS: PRINCIPIOS Y PROCEDIMIENTO. 1. La potestad jurisdiccional de ejecución de las sentencias: sus principios inspiradores. 2. La forma de ejecución de las sentencias. VI. LA EJECUCIÓN DE SENTENCIAS: SUPUESTOS DE IMPOSIBILIDAD LEGAL. VII. LA CULMINACIÓN DE LAS DIFICULTADES LEGALES PARA LA EJECUCIÓN DE SENTENCIAS.

I.   LA ACTUAL SITUACIÓN DEL URBANISMO

1. Contemplando, desde la perspectiva histórica de futuro, el actual momento urbanístico y medioambiental español, sin duda, llegaríamos, entonces, a la conclusión de que deambulamos, en estos instantes, por uno de esos momentos que, dentro de algunos años, consideraremos como uno de los hitos históricos de nuestro urbanismo y nuestra consideración del medio ambiente.

Así ocurrió con los años 1956, 1975/6, 1990/2 –en los que ven la luz las normas estatales, de todos conocidas, reguladoras de esta materia urbanística–, así como el año 1997 (cuando el Tribunal Constitucional dicta la STC 61/1997, de 20 de marzo –a la que luego se añadirían las SSTC 164/2001, de 11 de julio y 54/2002, de 27 de febrero–), o el siguiente año 1998, cuando se aprueba, de conformidad con la doctrina constitucional, la Ley 6/1998, de 13 de abril, sobre Régimen del Suelo y Valoraciones (LRSV), continuándose, desde entonces, con plena garantía constitucional, la producción normativa urbanística autonómica, iniciada con anterioridad, ya desde el principio de los años noventa.

2. La aprobación de la Ley 8/2007, de 28 de mayo, y, con posterioridad, del Texto Refundido de la citada Ley de Suelo, aprobado por Real Decreto 2/2008, de 20 de junio (TRLS08), sería, sin duda, como decíamos, otro de esos que calificábamos de momentos históricos del urbanismo español reciente, debiendo destacarse de la citada normativa las siguientes características esenciales:

1.º Se trató de una profunda renovación –plenamente inspirada en los valores y principios constitucionales– que pretendió sentar unas bases comunes en las que la autonomía pueda coexistir con la igualdad.

2.º No se trató de una ley urbanística, sino de una ley referida al régimen del suelo y a la igualdad en el ejercicio de los derechos constitucionales a él asociados. Por ello la ley prescindió, por primera vez, de regular técnicas específicamente urbanísticas, tales como los tipos de planes o las clases de suelo.

3.º Apuntó hacia un urbanismo que debe atender a los requerimientos de un desarrollo sostenible, minimizando el impacto del crecimiento y apostando por la regeneración de la ciudad existente, de conformidad con las recomendaciones de la Unión Europea en su Estrategia Territorial Europea o en la Comunicación de la Comisión sobre una Estrategia Temática para el Medio Ambiente Urbano.

4.º Entre sus aspectos concretos más significativos –tratando de contribuir al problema de la vivienda– debe destacarse (artículo 10 y DT 1.ª

TRLS08) la obligación de reserva de suelo adecuado y suficiente para usos productivos y uso residencial, con reserva de una parte proporcionada a vivienda sujeta a un régimen de protección pública.

5.° Igualmente debe destacarse, entre los deberes de la promoción de las actuaciones de transformación urbanística, tanto el de la entrega del suelo reservado para viales, espacios libres, zonas verdes y restantes dotaciones públicas, así como, con destino a integrar los Patrimonios Públicos del Suelo; junto a ello, se estableció la entrega del suelo libre de cargas de urbanización correspondiente al porcentaje de edificabilidad media ponderada de la actuación, que no podía ser inferior al 5% ni superior al 15%, aunque, excepcionalmente, la legislación sobre ordenación del territorio y urbanismo podía permitir reducir o aumentar este porcentaje hasta el 20% en determinadas circunstancias.

6.° Especial significación tuvo la configuración de las denominadas nuevas situaciones básicas del suelo, distinguiendo exclusivamente entre suelo rural y suelo urbanizado.

7.° Por último debe destacarse un régimen de valoraciones del suelo, basado en los principios de sencillez, claridad y justicia, que pretendió desvincular clasificación y valoración. En concreto, la Exposición de Motivos señalaba que «*debe valorarse lo que hay, no lo que el plan dice que puede llegar a haber en un futuro incierto*». Y partiendo de las dos situaciones básicas descritas se añade que ambos suelos –rural y urbanizado– «*se valoran conforme a su naturaleza, siendo así que solo en el segundo dicha naturaleza integra su destino urbanístico, porque dicho destino ya se ha hecho realidad*».

Sometidos, Ley de 2007 y Texto Refundido de 2008, a diversos recursos de inconstitucionalidad, fueron resueltos por STC 141/2014, de 11 de septiembre, que sólo declaró inconstitucional un breve inciso («*hasta un máximo del doble*») del artículo 22.1.a).3.° de la Ley, y 23.1.a).3.° del Texto Refundido.

3. El siguiente hito normativo, a nivel estatal, ha sido la Ley 8/2013, de 26 de junio, de Rehabilitación, regeneración y renovación urbanas con entrada en vigor el 28 de junio de 2013, y que toma en consideración, como punto de partida, la situación de crisis económico-financiera pretendiendo contribuir a resolver los problemas que se estaban produciendo en torno al mercado del suelo y de la vivienda en España; en síntesis, se situaba, como otras normas del momento, en el camino de la contribución a la recuperación económica, intentando una reconversión del sector inmobiliario y de la construcción, en el marco de un modelo sostenible e integrador (ambiental, social y económico), y centrando todos sus esfuerzos en las actuaciones que constituyen el objeto esencial de la Ley:

La rehabilitación de los edificios, y la regeneración y renovación de los tejidos urbanos existentes.

A diferencia de la normativa anterior, esta Ley sitúa en el centro regulatorio no las determinaciones urbanísticas, sino la vivienda, tanto desde la perspectiva del derecho constitucional a una vivienda digna y adecuada, como desde su consideración de mecanismo con incidencia esencial en la actividad económica del país. Esto es, en la situación de crisis económica el Estado interviene en el que denomina «sector inmobiliario español», sin afectar a las competencias autonómicas urbanísticas en materia de urbanismo y vivienda, y, en la línea marcada por la Unión Europea hacia un medio urbano sostenible, pretendiendo alcanzar los siguientes objetivos:

a) Potenciar la rehabilitación edificatoria y la regeneración y renovación urbanas, eliminando trabas actualmente existentes y creando mecanismos específicos que la hagan viable y posible.

b) Ofrecer un marco normativo idóneo para permitir la reconversión y reactivación del sector de la construcción, encontrando nuevos ámbitos de actuación, en concreto, en la rehabilitación edificatoria y en la regeneración y renovación urbanas. Y,

c) Fomentar la calidad, la sostenibilidad y la competitividad, tanto en la edificación, como en el suelo, acercando nuestro marco normativo al marco europeo, sobre todo en relación con los objetivos de eficiencia, ahorro energético y lucha contra la pobreza energética.

4. Previa la correspondiente habilitación legal (llevada a cabo por la Ley 20/2014, de 29 de octubre, por la que se delegó en el Gobierno la potestad de dictar textos refundidos), fue aprobado el Texto Refundido de la Ley de Suelo y Rehabilitación Urbana, aprobado por Real Decreto Legislativo 7/2015, de 30 de octubre (TRLS15), en el que se integraban el anterior Texto Refundido de 2008, así como las disposiciones relacionadas con el suelo contenida en la Ley 8/2013, de 26 de junio, de Rehabilitación, regeneración y renovación urbanas.

Dos aspectos se deben destacar del vigente Texto Refundido de 2015, lo cual hacemos por su especial incidencia en la evolución jurisprudencial actual a la que luego nos referiremos:

A) Las situaciones básicas del suelo, reguladas en el artículo 21 del TRLS15:

«1. Todo el suelo se encuentra, a los efectos de esta ley, en una de las situaciones básicas de suelo rural o de suelo urbanizado.

2. Está en la situación de suelo rural:

a) En todo caso, el suelo preservado por la ordenación territorial y urbanística de su transformación mediante la urbanización, que deberá incluir, como mínimo, los terrenos excluidos de dicha transformación por la legislación de protección o policía del dominio público, de la naturaleza o del patrimonio cultural, los que deban quedar sujetos a tal protección conforme a la ordenación territorial y urbanística por los valores en ellos concurrentes, incluso los ecológicos, agrícolas, ganaderos, forestales y paisajísticos, así como aquéllos con riesgos naturales o tecnológicos, incluidos los de inundación o de otros accidentes graves, y cuantos otros prevea la legislación de ordenación territorial o urbanística.

b) El suelo para el que los instrumentos de ordenación territorial y urbanística prevean o permitan su paso a la situación de suelo urbanizado, hasta que termine la correspondiente actuación de urbanización, y cualquier otro que no reúna los requisitos a que se refiere el apartado siguiente.

3. Se encuentra en la situación de suelo urbanizado el que, estando legalmente integrado en una malla urbana conformada por una red de viales, dotaciones y parcelas propia del núcleo o asentamiento de población del que forme parte, cumpla alguna de las siguientes condiciones:

a) Haber sido urbanizado en ejecución del correspondiente instrumento de ordenación.

b) Tener instaladas y operativas, conforme a lo establecido en la legislación urbanística aplicable, las infraestructuras y los servicios necesarios, mediante su conexión en red, para satisfacer la demanda de los usos y edificaciones existentes o previstos por la ordenación urbanística o poder llegar a contar con ellos sin otras obras que las de conexión con las instalaciones preexistentes. El hecho de que el suelo sea colindante con carreteras de circunvalación o con vías de comunicación interurbanas no comportará, por sí mismo, su consideración como suelo urbanizado.

c) Estar ocupado por la edificación, en el porcentaje de los espacios aptos para ella que determine la legislación de ordenación territorial o urbanística, según la ordenación propuesta por el instrumento de planificación correspondiente.

4. También se encuentra en la situación de suelo urbanizado, el incluido en los núcleos rurales tradicionales legalmente asentados en el medio rural, siempre que la legislación de ordenación territorial y urbanística les atribuya la condición de suelo urbano o asimilada y cuando, de conformidad con ella, cuenten con las dotaciones, infraestructuras y servicios requeridos al efecto».

B) Las actuaciones de transformación urbanística (de urbanización y de dotación) y actuaciones edificatorias (de nueva edificación y de sustitución, o de rehabilitación edificatoria), reguladas en el artículo 7 del TRLS15:

«1. A efectos de esta ley, se entiende por actuaciones de transformación urbanística:

a) Las actuaciones de urbanización, que incluyen:

1) Las de nueva urbanización, que suponen el paso de un ámbito de suelo de la situación de suelo rural a la de urbanizado para crear, junto con las correspondientes infraestructuras y dotaciones públicas, una o más parcelas aptas para la edificación o uso independiente y conectadas funcionalmente con la red de los servicios exigidos por la ordenación territorial y urbanística.

2) Las que tengan por objeto reformar o renovar la urbanización de un ámbito de suelo urbanizado, en los mismos términos establecidos en el párrafo anterior.

b) Las actuaciones de dotación, considerando como tales las que tengan por objeto incrementar las dotaciones públicas de un ámbito de suelo urbanizado para reajustar su proporción con la mayor edificabilidad o densidad o con los nuevos usos asignados en la ordenación urbanística a una o más parcelas del ámbito y no requieran la reforma o renovación de la urbanización de éste.

2. Siempre que no concurran las condiciones establecidas en el apartado anterior, y a los solos efectos de lo dispuesto por esta ley, se entiende por actuaciones edificatorias, incluso cuando requieran obras complementarias de urbanización:

a) Las de nueva edificación y de sustitución de la edificación existente.

b) Las de rehabilitación edificatoria, entendiendo por tales la realización de las obras y trabajos de mantenimiento o intervención en los edificios existentes, sus instalaciones y espacios comunes, en los términos dispuestos por la Ley 38/1999, de 5 de noviembre, de Ordenación de la Edificación».

5. Algo parecido ha acontecido en el ámbito medioambiental, pues, de forma prácticamente simultánea –y al margen de la muy variada normativa autonómica– el Estado, constitucionalmente limitado en el ámbito urbanístico, ha potenciado, de forma incesante, la normativa medioambiental, apuntalada, en gran medida, por la, también constante, proliferación normativa de la Unión Europea en la materia.

En síntesis, en el momento actual, urbanismo y medio ambiente –Comunidades Autónomas, Estado y Unión Europea– funden sus competencias sobre un mismo territorio al que, desde sus diversas perspectivas, tratan de proteger y ordenar.

II. LAS NOTAS ESENCIALES DEL URBANISMO ACTUAL: EN ESPECIAL SU CONSIDERACIÓN DE TÉCNICA PARA LA PROTECCIÓN DEL MEDIO AMBIENTE

Quizá pudiéramos destacar, a la vista de la anterior evolución normativa urbanística estatal, cerrada en los textos estatales que acabamos de citar, así como en las normas que se vienen produciendo en el ámbito de las Comunidades Autónomas, y, de otras normas recientes y coetáneas dictadas en los variados ámbitos de la legislación sectorial cercanos al urbanismo, con evidente incidencia sobre el mismo –normas que, con profusión, surgen a nivel internacional, europeo, estatal y autonómico–, una serie de conclusiones con las que pudiéramos caracterizar la situación urbanística y medioambiental actual:

1.º Parece existir una clara tendencia hacia la reducción y mayor control del que se ha venido denominando Urbanismo concertado en el que ha contado con especial incidencia el convenio urbanístico de planeamiento. Frente a ello, resplandece en la normativa de referencia la idea de urbanismo como función pública. En concreto el artículo 4.1 del TRLS15 comienza señalando que «*La ordenación territorial y el urbanismo son funciones públicas no susceptibles de transacción…*».

Conscientes los legisladores estatal y autonómico de que los convenios urbanísticos –fundamentalmente los de planeamiento– han sido el origen de innumerables conflictos, y el germen de casos de corrupción urbanística, parecen decididos a su regulación en los ámbitos autonómicos (con competencia para ello), y así viene ocurriendo en los sucesivos textos que se van aprobando en dichos ámbitos. En todo caso –y en el ámbito básico que le corresponde– el legislador estatal, en el TRLS15 vigente, al que acabamos de referirnos, parece apuntarse a dicha línea de exigencia y control en relación con los citados convenios urbanísticos. En concreto, el artículo 25.1 del citado TRLS15 somete a los convenios urbanísticos que vayan a suscribirse «*al trámite de información pública en los términos y plazos que establezca la legislación en la materia*».

En esta línea debe destacarse la detallada regulación que de los convenios se contiene hoy –con carácter general– en los artículos 47 y siguientes de la Ley 40/2015, de 1 de octubre, de Régimen Jurídico del Sector Público (LSP); preceptos en los que se establece su definición y tipos (47), sus requisitos de validez y eficacia (48), su contenido (49), sus trámites preceptivos (50), su forma de extinción (51), los efectos de su resolución (52), y, en fin, la obligación de remisión al Tribunal de Cuentas (53).

Por otra parte, la Ley 19/2013, de 9 de diciembre, de Transparencia, acceso a la información y buen gobierno (LT), dispone, en su artículo 8.1.b), la obligación de hacer pública la información relativa a los actos de gestión administrativa con repercusión económica o presupuestaria, y dentro de ella, «*[l]a relación de los convenios suscritos, con mención de las partes firmantes, su objeto, plazo de duración, modificaciones realizadas, obligados a la realización de prestaciones y, en su caso, las obligaciones económicas convenidas*».

2.° Puede igualmente percibirse, de conformidad con lo expuesto, una tendencia hacia un Urbanismo Transparente, con más información y participación.

Esta línea es bien evidente, al margen de lo que acabamos de decir en relación con la LT, en el ámbito de la información pública y la publicidad, que ya en la Exposición de Motivos de la Ley de Suelo (Apartado IV) se expuso que «[l]os procedimientos de aprobación de instrumentos de ordenación y de ejecución urbanística tienen una trascendencia capital, que desborda con mucho el plano estrictamente sectorial, por su incidencia en el crecimiento económico, en la protección del medio ambiente y en la calidad de vida. Por ello la Ley asegura unos estándares mínimos de transparencia, de participación ciudadana real y no meramente formal, y de evaluación y seguimiento de los efectos que tienen los planes sobre la economía y el medio ambiente».

Se pone así de manifiesto que en el ámbito del urbanismo y de la ordenación del territorio –al igual que en otros sectores de la actuación pública– es necesario un incremento de la transparencia y la seguridad jurídica, concretando unas reglas claras desde el inicio de cualquier procedimiento urbanístico, debiendo, pues, todos los interesados, conocer los criterios ambientales y territoriales, los requisitos funcionales y las variables económicas a tener en cuenta en la elaboración del planeamiento urbanístico; convirtiéndose la transparencia en un poderoso instrumentos para la prevención y la lucha contra la corrupción que exige impulsar decididamente un cambio institucional que favorezca un sistema de controles y equilibrios basados en una mayor información de las Administraciones Públicas a los ciudadanos, pues, ha sido el urbanismo, junto con la contratación pública, uno de los ámbitos administrativos en los que tradicionalmente se ha producido una mayor corrupción.

En tal sentido debe citarse la Ley 39/2015, de 1 de octubre, del Procedimiento Administrativo Común de las Administraciones Públicas (LPAC), que sistematiza toda la regulación relativa al procedimiento administrativo, profundizando en la agilización de los mismos con la pretensión de un pleno funcionamiento electrónico; por otra parte la ya citada Ley 40/2015, de 1 de octubre, de Régimen Jurídico del Sector Público consagra en su artículo 3.1.c) el principio de transparencia, que las Administraciones Públicas deberán respetar en su actuación y en las relaciones que establezcan.

3.° En tercer lugar, debemos destacar en el actual urbanismo una cierta tendencia a la superación de los tradicionales conflictos competenciales a través de la cooperación administrativa, esto es, que estaríamos ante un Urbanismo Coordinado en el que se apela al principio de cooperación en las relaciones interadministrativas en la materia.

Sobre estos conceptos y relaciones se ha ido conformando un cuerpo de doctrina que, partiendo de aspectos sectoriales concretos, se ha ido generalizando. Otra cosa será que, con posterioridad, el legislador haya seguido manteniendo los principios establecidos en dicha doctrina jurisprudencial. Ante tal situación en la distribución del poder urbanístico – reflejo de la invocada «*distribución territorial del poder*»–, ya antes incluso de la STC 61/1997, de 20 de marzo, la doctrina apelaba a mecanismos de cooperación entre las diversas Administraciones implicadas; refiriéndose, en concreto, a las relaciones entre el Estado y las Comunidades Autónomas, se señalaba que se trataba de una situación de competencias compartidas «*que obliga en cualquier caso a ambos órdenes de poderes a adoptar una actitud extremadamente prudente y a intensificar los mecanismos de comunicación, información y colaboración recíprocas*», añadiéndose que «*la coordinación efectiva de todas las acciones con incidencia en el territorio constituye a partir de ahora el gran reto que todos los poderes públicos deben afrontar, ya que ninguno de ellos aisladamente dispone de todos los resortes de la acción territorial*». Conviene retener esta característica, por cuanto nos servirá para proyectar las futuras relaciones, en la materia, entre los Estados Miembros y la Unión Europea.

En todo caso, los supuestos de discrepancias en defensa de la autonomía local, como consecuencia de las actuaciones llevadas a cabo por el Estado o las Comunidades Autónomas siguen a la orden del día, debiendo ser resueltos jurisdiccionalmente; así, pueden citarse los conflictos suscitados por diversos municipios catalanes en relación con los denominados Planes Costeros aprobados por la Generalidad de Cataluña (que delimitaban suelos no urbanizables de protección ambiental en dichos municipios); o el conflicto suscitado entre la ciudad de Logroño y la Comunidad Autónoma de La Rioja como consecuencia de la denominada Ecociudad programada, por esta, en el término municipal, con un criterio distinto del municipal (STS de 5 de julio de 2012); o las revisiones de oficio instadas por la Junta de Andalucía ante ilegalidades municipales no recurridas en plazo; o, en fin, todos los conflictos surgidos como consecuencia de la aprobación autonómica de Planes de Incidencia Supramunicipal.

Este tipo de conflictos también se ha producido a nivel legislativo; en tal sentido debemos citar la STC 240/2006 (dictada en recurso de inconstitucionalidad seguido a instancia de la ciudad de Ceuta en defensa de su autonomía local) o las SSTC dictadas en relación con leyes «urbanísticas» singulares, «ad hoc», o de artículo único, a las que luego nos referiremos.

4.° Pero quizás el aspecto más significativo del Urbanismo actual es aquel que lo califica como un Urbanismo Sostenible.

III. EL URBANISMO SOSTENIBLE Y MEDIOAMBIENTAL

El carácter sostenible de nuestro actual urbanismo es algo palpable y visible, y que podemos comprobar –sin necedad de elevarnos al ámbito europeo, de gran influencia en esta materia– con un mero examen del contenido del vigente TRLS15, y de la reciente y abundante normativa sectorial en relación con diversas materias relacionadas con el urbanismo.

1.º La normativa estatal:

a) En la Exposición de Motivos (último párrafo de su apartado I) del hoy derogado TRLS08 –el vigente carece de la misma– se expresaba que *«sin duda, el crecimiento urbano sigue siendo necesario, pero hoy parece asimismo claro que el urbanismo debe responder a los requerimientos de un desarrollo sostenible, minimizando el impacto de aquel crecimiento y apostando por la regeneración de la ciudad existente».*

b) Al describir su objeto, en su artículo 1.º, el vigente TRLS15 señala que el mismo garantiza «*[u]n desarrollo sostenible, competitivo y eficiente del medio urbano».*

c) Significativa es la denominación del artículo 3.º («Principio de desarrollo territorial y urbano sostenible»), exigiendo el precepto el «uso racional de los recursos naturales armonizando los requerimientos de la economía, el empleo, la cohesión social… y la protección del medio ambiente».

d) En su artículo 5.a), al regular los derechos del ciudadano, se reitera el reconocimiento constitucional a una vivienda digna, adecuada y accesible, que constituya un domicilio *«libre de ruido y de otras inmisiones contaminantes de cualquier tipo… y en un medio ambiente y un paisaje adecuado».*

e) Por su parte, entre los deberes de los ciudadanos, el artículo 6.a) impone «respetar y contribuir a preservar el medio ambiente y el paisaje natural absteniéndose de realizar actuaciones que contaminen el aire, el agua, el suelo y el subsuelo o no permitidas por la legislación en la materia».

f) En el artículo 16, al describir el contenido del derecho de propiedad del suelo en situación de rural o vacante, se señala que *«el deber de conservarlo supone costear y ejecutar las obras necesarias para mantener los terrenos y su masa vegetal en condiciones de evitar riesgos de erosión, incendio, inundación, así como daños o perjuicios a terceros o al interés general, incluidos los medioambientales».*

g) Debemos destacar el intento del legislador estatal (artículo 13.3) de establecer una serie de exigencias a la normativa autonómica que pretenda una alteración de la delimitación de espacios naturales protegidos;

alteraciones que quedarían limitadas a los supuestos de «*cambios provocados en ellos por su evolución natural, científicamente demostrada*».

h) Por último, debemos hacer referencia (artículo 22) a la necesidad de evaluación ambiental de los instrumentos de ordenación territorial y urbanística (de conformidad con lo establecido en la legislación sobre evaluación de los efectos de determinados planes y programas en el medio ambiente), sin perjuicio de la evaluación de impacto ambiental de los proyectos, señalando el precepto que «*[e]l informe de sostenibilidad ambiental de los instrumentos de ordenación de actuaciones de urbanización deberá incluir un mapa de riesgos naturales del ámbito objeto de ordenación*». Informe de sostenibilidad ambiental (ISA), hoy, regulado en la Ley 21/2013, de 9 de diciembre, de Evaluación ambiental, que en su artículo 5.2.c) define el denominado Estudio Ambiental Estratégico (en relación con la Evaluación Ambiental Estratégica) como el «*estudio elaborado por el promotor que, siendo parte integrante del plan o programa, identifica, describe y evalúa los posibles efectos significativos sobre el medio ambiente que puedan derivarse de la aplicación del plan o programa, así como unas alternativas razonables, técnica y ambientalmente viables, que tengan en cuenta los objetivos y el ámbito territorial de aplicación del plan o programa, con el fin de prevenir o minimizar los efectos adversos sobre el medio ambiente de la aplicación del plan o programa*».

Por su parte el mismo artículo en el apartado 3.c) define el denominado Estudio de Impacto Ambiental (en relación con la Evaluación de Impacto Ambiental) como el «*documento elaborado por el promotor que contiene la información necesaria para evaluar los posibles efectos significativos sobre el medio ambiente y permite adoptar las decisiones adecuadas para prevenir o minimizar dichos efectos*».

2.° Son varios los aspectos que debemos destacar en la configuración comunitaria del medio ambiente, en el Tratado de Lisboa, cuyo contenido, si bien se observa, es una continuidad de lo ya establecido en los anteriores textos convencionales europeos:

Situándonos en el ámbito normativo europeo debemos reparar, en el terreno de los principios, en como toda una ya larga trayectoria medioambiental se ha consolidado en el denominado Tratado de Lisboa, por el que se modifican el Tratado de la Unión Europea y el Tratado Constitutivo de la Comunidad Europea, que fue firmado por los representantes de los veintisiete Estados Miembros en la capital portuguesa el 13 de diciembre de 2007, y que entró en vigor el 1 de diciembre de 2009, una vez ratificado por todos los Estados Miembros.

El citado Tratado de Lisboa es el último de los Tratados que, en el pasado, han modificado los Tratados sobre los que se han fundamentado las Comunidades y la Unión Europea, tales como el Acta Única Europea (1986), el Tratado de la Unión Europea (Maastricht, 1992), el Tratado de Ámsterdam (1997) y el Tratado de Niza (2001).

En el Tratado de la Unión Europea (consolidado tras el Tratado de Lisboa), y en su Preámbulo se expresa que los Estados miembros están «*DECIDIDOS a promover el progreso social y económico de sus pueblos, teniendo en cuenta el principio de desarrollo sostenible, dentro de la realización del mercado interior y del fortalecimiento de la cohesión y de la protección del medio ambiente, y a desarrollar políticas que garanticen que los avances en la integración económica vayan acompañados de progresos paralelos en otros ámbitos*».

Por su parte, en el artículo 3.3 se señala que «*La Unión establecerá un mercado interior. Obrará en pro del desarrollo sostenible de Europa basado en un crecimiento económico equilibrado y en la estabilidad de los precios, en una economía social de mercado altamente competitiva, tendente al pleno empleo y al progreso social, y en un nivel elevado de protección y mejora de la calidad del medio ambiente. Asimismo, promoverá el progreso científico y técnico*», añadiéndose, en el apartado 5 del mismo artículo 3, que «*En sus relaciones con el resto del mundo, la Unión afirmará y promoverá sus valores e intereses y contribuirá a la protección de sus ciudadanos. Contribuirá a la paz, la seguridad, el desarrollo sostenible del planeta, la solidaridad y el respeto mutuo entre los pueblos, el comercio libre y justo, la erradicación de la pobreza y la protección de los derechos humanos, especialmente los derechos del niño, así como al estricto respeto y al desarrollo del Derecho internacional, en particular el respeto de los principios de la Carta de las Naciones Unidas*».

En su artículo 21.d), al establecer las Disposiciones generales relativas a la acción exterior de la Unión, se señala que esta «*definirá y ejecutará políticas comunes y acciones y se esforzará por lograr un alto grado de cooperación en todos los ámbitos de las relaciones internacionales con el fin de …*» –entre otros extremos– «*… d) apoyar el desarrollo sostenible en los planos económico, social y medioambiental de los países en desarrollo, con el objetivo fundamental de erradicar la pobreza*».

Por otra parte, en el Tratado sobre el Funcionamiento de la Unión Europea (consolidado tras el Tratado de Lisboa), se señala como el Medio Ambiente (artículo 4.e) es una competencia compartida con los Estados Miembros, imponiéndose en el artículo 11 del mismo Tratado que «*[l]as exigencias de la protección del medio ambiente deberán integrarse en la definición y en la realización de las políticas y acciones de la Unión, en particular con objeto de fomentar un desarrollo sostenible*».

IV.   LA JURISPRUDENCIA URBANÍSTICA

1.   LA CONFIGURACIÓN DE LOS CONCEPTOS DE SUELO URBANO CONSOLIDADO Y SUELO URBANO NO CONSOLIDADO

A) En la STS de 23 de septiembre de 2008 (RC 4731/2004, Asunto Guanarteme) se señaló, en relación con esta cuestión, modulando la anterior línea de la propia Sala, lo siguiente:

«La legislación estatal no define los conceptos de suelo urbano consolidado y no consolidado, habiendo reconocido el Tribunal Constitucional la competencia de las Comunidades Autónomas a la hora de trazar los criterios de diferenciación entre una y otra categoría de suelo urbano –sentencias del Pleno del Tribunal Constitucional STC 164/2001, de 11 de julio, y 54/2002, de 27 de febrero–, si bien esa misma doctrina constitucional se encarga de precisar que esa atribución habrá de ejercerse "en los límites de la realidad", y, por tanto, sin que pueda ignorarse la realidad existente.

En ocasiones anteriores hemos señalado que, dado que la diferenciación entre las dos categorías de suelo urbano, consolidado y no consolidado, está prevista en la legislación estatal, que además impone a los propietarios de una y otra un distinto régimen de deberes, la efectividad de esas previsiones contenidas en la normativa básica no puede quedar obstaculizada ni impedida por el hecho de que la legislación autonómica no haya fijado los criterios de diferenciación entre una y otra categoría –pueden verse en este sentido nuestras sentencias de 28 de enero de 2008 (casación 996/04), 12 de mayo de 2008 (casación 2152/04) y 19 de mayo de 2008 (casación 4137/04), así como otras anteriores que en ellas se citan–. Pues bien, en esta misma línea de razonamiento, los criterios de diferenciación que en el ejercicio de sus competencias establezca el legislador autonómico habrán de ser interpretados en términos compatibles con aquella normativa básica y teniendo en todo momento presente que la delimitación entre una y otra categoría de suelo urbano, con el correspondiente régimen de deberes, habrá de hacerse siempre en los límites de la realidad.

Así las cosas, la interpretación que propugnan los recurrentes de lo dispuesto en el artículo 51.1.a/de la Ley 9/1999, de Ordenación del Territorio de Canarias, no resulta conciliable con los postulados que acabamos de formular. Por lo pronto, la norma estatal básica (artículo 14.1.a/de la Ley 6/1998) incluye en el concepto de suelo urbano los terrenos que cuenten con los servicios que allí se enumeran o que estén consolidados por la edificación "en la forma y con las características que establezca la legislación urbanística", inciso este último que no sólo alude a un determinado rango normativo sino también a una vocación de fijeza o estabilidad, de manera que el enunciado de las características exigibles para la consideración del terreno como suelo urbano no quede entregada a lo que en cada momento establezca el planeamiento urbanístico. ... pues ello equivaldría a admitir que unos terrenos que indubitadamente cuentan, no sólo con los

327

servicios exigibles para su consideración como suelo urbano, sino también con los de pavimentación de calzada, encintado de aceras y alumbrado público, y que están plenamente consolidados por la edificación –sobre ninguno de estos aspectos se ha suscitado controversia– habrían de perder la consideración de suelo urbano consolidado, pasando a tener la de suelo urbano no consolidado, por la sola circunstancia de que el nuevo planeamiento contemple para ellos una determinada transformación urbanística.

Tal degradación en la categorización del terreno por la sola alteración del planeamiento, además de resultar ajena a la realidad de las cosas, produciría consecuencias difícilmente compatibles con el principio de equidistribución de beneficios y cargas derivados del planeamiento, principio éste que, según la normativa básica (artículo 5 de la Ley 6/1998), las leyes deben garantizar. En efecto, de aceptarse la solución que propugnan los recurrentes –que es la plasmada en el planeamiento anulado en la sentencia recurrida– los propietarios de los terrenos cuya consideración como urbanos había sido hasta entonces indubitada según el planeamiento anterior, lo que permite suponer que ya en su día habían cumplido con los deberes necesarios para que el suelo alcanzase esa condición, quedarían nuevamente sujetos, por virtud del cambio de planeamiento, al régimen de deberes y cesiones previsto en el artículo 14 de la Ley 6/98 para los titulares de suelo urbano no consolidado, consecuencia ésta que, como decimos, no resulta respetuosa con la exigencia de que la distribución de derechos y deberes resulte justa y equitativa».

B) Entre otras muchas, en la STS de 10 de mayo de 2012 (RC 6585/2009) se ha seguido la anterior doctrina:

«No son atendibles las razones que alegan las Administraciones recurrentes, especialmente el Ayuntamiento de Sevilla, quien hace recaer la categorización del suelo urbano consolidado, o no, en las determinaciones del planeamiento, considerando ajustado a derecho que el Plan delimite ámbitos de actuación –en los que resulta aplicable el régimen de deberes y cargas previsto en el artículo 14.2 de la LRSV–, cuando se trata de realizar actuaciones de reforma interior y, lo que es más importante, haciendo abstracción de las características de los terrenos, siendo legalmente posible –y habitual– que en tales ámbitos se incluyan terrenos "históricamente consolidados".

(…) Por tanto, el artículo 45.2.B).a).1) de la LOUA ha de ser interpretado de forma armonizada con la legislación básica estatal que determina los deberes de los propietarios del suelo urbano distinguiendo según se trate de suelo urbano consolidado o no consolidado (artículo 14 de la LRSV).

En nuestra STS de 23 de septiembre de 2008 (RC 4731/2004, Caso Guanarteme) resolvimos la controversia que allí se planteaba sobre la distinción de las categorías de suelo urbano consolidado y no consolidado, haciendo armónica y coherente la legislación básica estatal –LRSV– con la autonómica –en aquél caso la Ley 9/1999, de 13 de mayo, de Ordenación del Territorio de Canarias– en el sentido de dar preferencia a "la realidad existente" sobre las previsiones futuras de reurbanización o reforma interior contempladas en el planeamiento urbanístico. De acuerdo con la doctrina contenida en dicha STS de 23 de septiembre de 2008, que luego hemos reiterado en ocasiones posteriores –entre otras, las SSTS de 17 de diciembre de 2009, RC 3992/2005; 25 de marzo de 2011, RC 2827/2007; 29 de abril de 2011, RC 1590/2007; 19 de mayo de 2011, RC 3830/07); 14 de julio de 2011, RC 1543/08 y 8 de septiembre de 2011, RC 2510/08–, no resulta admisible "… que unos terrenos que indubitadamente cuentan, no sólo con los servicios exigibles para su consideración como suelo urbano, sino también con los de pavimentación de calzada, encintado de aceras y alumbrado público, y que están plenamente consolidados por la edificación pierdan la consideración de suelo urbano consolidado, pasando a tener la de suelo urbano no consolidado, por la sola circunstancia de que el nuevo planeamiento contemple para ellos una determinada transformación urbanística…".

Como explica la STS de 14 de julio de 2011, RC 1543/08, lo anterior significa, en el plano de la gestión urbanística, la imposibilidad de someter al régimen de cargas de las actuaciones sistemáticas, que son propias del suelo urbano no consolidado, a terrenos que merecían la categorización de urbano consolidado conforme a la realidad física preexistente al planeamiento que prevé la nueva ordenación, la mejora o la reurbanización; y ello porque no procede devaluar el estatuto jurídico de los propietarios de esta clase de suelo exigiéndoles el cumplimiento de las cargas y obligaciones establecidas para los propietarios del suelo no consolidado. Como indica la misma STS antes citada de 23 de septiembre de 2008 (RC 4731/04)…».

C) En la misma línea se pueden citar las SSTS de 17 de diciembre de 2009 (RC 3992/2005), 26 de marzo de 2010 (RC 1328/2006), 25 de marzo de 2011 (RC 2827/2007) y STS de 21 de julio de 2011 (RC 201/2008), en la que se realizó una síntesis completa de la doctrina evolutiva de la Sala.

Como exponentes finales de toda la anterior doctrina pueden citarse las SSTS de 27 y 28 de octubre de 2015 (RC 313/2014), cabeceras de todas las dictadas en relación con el PGOU de Marbella.

No obstante, toda la anterior línea jurisprudencial fue seguida en relación con la LRSV de 1998, existiendo datos en la citada jurisprudencia expresivos de la posible incidencia que, en la misma, podría tener el TRLS08, pudiendo citarse, en tal sentido las SSTS de 16 de abril de 2014 (en la que el Tribunal Supremo no pudo pronunciarse por tratarse de una cuestión nueva suscitada en casación), así como la de 4 de mayo de 2016 (RC 39/2013). En la STS 2971/2017, de 20 de julio (RC 2168/2016), que reproduciremos en el siguiente apartado, hemos sintetizado esta evolución jurisprudencial.

2. EL NUEVO PLANTEAMIENTO DE LA CUESTIÓN: SUPERACIÓN DE LOS ANTERIORES CONCEPTOS DE SUELO URBANO CONSOLIDADO Y SUELO URBANO NO CONSOLIDADO

A) En la STS 2971/2017, de 20 de julio (RC 2168/2016) el Tribunal Supremo, ha interpretado los conceptos de «Actuaciones de urbanización» y «Actuaciones de dotación», expresándose en los siguientes términos:

«Esto es, la sentencia ha llegado a la conclusión de que lo que se va a realizar es una reforma o renovación de la urbanización de un ámbito de suelo urbanizado (artículo 14.1.a.2 TRLS08), y, por el contrario, que tal actuación (que la sentencia describe) no tenía –solo– por objeto incrementar las dotaciones públicas en un ámbito de suelo urbanizado para reajustar su proporción con la mayor edificabilidad o densidad o con los nuevos usos, actuación que, por otra parte, no hubiera requerido la reforma o renovación de la urbanización (artículo 14.1.b TRLS08).

Las partes, sin embargo, no han desvirtuado la conclusión alcanzada por la sentencia en el sentido de que la actuación –de urbanización y no de dotación– implicaba una reforma o renovación de la urbanización de un ámbito de suelo urbanizado, por cuanto, en síntesis, se han limitado a intentar contrastar nuestra clásica jurisprudencia –producida al calor de la LRSV– con los nuevos conceptos contemplado en el TRLS08 (y hoy en el TRLS15).

Los antiguos –y autonómicos– conceptos de SUC y SUNC no cuentan ya con el papel de elementos determinantes de las nuevas exigencias derivadas de una actuación de transformación urbanística, ya que estas miran al futuro, juegan a transformar la ciudad con mayor o menor intensidad –quizá sin romperla como ciudad compacta–, y se presentan como mecanismos de transformación urbana, sin anclajes ni condicionamientos derivados de la clase de suelo de que se trate. Esto es, el nivel de la actuación –y sus correspondientes consecuencias– no viene determinada por el nivel o grado de pormenorización del suelo a transformar, sino por el grado o nivel de la transformación que se realice sobre un determinado suelo, y que, en función de su intensidad, podrá consistir en una reforma o renovación de la urbanización, o, simplemente, en una mejora de la misma mediante el incremento de las dotaciones, en un marco de proporcionalidad, y sin llegar a la reforma o renovación; la reforma o renovación (Actuación de urbanización) es "hacer ciudad" –cuenta con un plus cualitativo–, y el incremento de dotaciones (Actuación de dotación) es "mejorar ciudad", con un componente más bien cuantitativo. La primera se mueve en un ámbito de creatividad urbanística en el marco de la discrecionalidad pudiendo llegar a una "ciudad diferente", mientras que la actuación de dotación consigue una "ciudad mejor" que no pierde su idiosincrasia.

Por último, si bien se observa, el TRLS08 no identifica o anuda la clase de actuación urbanística con la tradicional pormenorización del suelo como SUC o como SUNC, pues, contempla la posibilidad de tales transformaciones sobre suelo urbanizable (Actuaciones de nueva urbanización, 14.1.a.1), sobre suelo urbano *consolidado (Actuaciones de reforma de urbanización, 14.1.a.2), y, posiblemente, sobre suelo urbano no consolidado (Actuaciones de dotación) aunque este supuesto es difícil de caracterizar.*

Insistimos, pues, en que las recurrentes no han desvirtuado la valoración y conclusión –ampliamente motivada de la sentencia de instancia–, sin que, por otra parte, la jurisprudencia de esta Sala que se pretende contraponer, se ajuste –hoy– a los nuevos parámetros o conceptos que hemos examinado, estando construida, más bien, sobre otros conceptos que hoy carecen de relevancia».

B) La anterior doctrina fue reiterada en la STS 1492/2017, de 3 de octubre (RC 3147/2016).

3. LA ESPECIAL MOTIVACIÓN EN LA DESCLASIFICACIÓN DE SUELOS NO URBANIZABLES DE ESPECIAL PROTECCIÓN Y EN LA DESCALIFICACIÓN DE ZONAS VERDES: PRINCIPIO DE NO REGRESIÓN

Pueden destacarse en representación de esta línea jurisprudencia las siguientes dos sentencias:

A) La STS de 13 de junio de 2011, Recurso de casación 4045/2009 (Asunto Biblioteca Universitaria de Sevilla).

«Con carácter general, la discrecionalidad del planificador, el conocido "ius variandi", no es más que la especie dentro del género de la discrecionalidad administrativa, que se proyecta también sobre otros ámbitos materiales de la actuación administrativa, que no viene al caso especificar.

El ejercicio de esta potestad discrecional en el ámbito urbanístico se concreta en la libertad de elección que corresponde al planificador, legalmente atribuida, para establecer, reformar o cambiar la planificación urbanística. Discrecionalidad, por tanto, que nace de la ley y resulta amparada por la misma. Y esto es así porque legalmente ni se anticipa ni se determina el contenido de la decisión urbanística, sino que se confía en el planificador para que adopte la decisión que resulte acorde con el interés general.

En el bien entendido que no estamos sólo ante el ejercicio de una potestad sino también ante un deber administrativo de inexorable cumplimiento cuando las circunstancias del caso, encarnadas por el interés público, así lo demandan. En definitiva, la potestad de planeamiento incluye la de su reforma o sustitución, realizando los ajustes necesarios al ritmo que marcan las exigencias cambiantes del interés público.

La doctrina tradicional sobre el ejercicio del "ius variandi" reconoce, por tanto, una amplia libertad de elección al planificador urbanístico entre las diversas opciones igualmente adecuadas y, por supuesto, permitidas por la Ley. Ahora bien, como

331

sucede con la discrecionalidad en general, el ejercicio de tal potestad se encuentra sujeto a una serie de límites, que no pueden ser sobrepasados.

Así es, entre los contornos en los que se ha de mover la decisión del planificador están, quizás el más significativo, la proscripción de la arbitrariedad, pues la decisión ha de ser discrecional, no arbitraria (artículo 9.3 de la CE) y estar al servicio del interés general. Ambos conceptos jurídicos, discrecionalidad y arbitrariedad, resultan incompatibles e irreconciliables. Además de este límite general, también resultan de aplicación las técnicas tradicionales del control de los actos discrecionales, como la regularidad en el ejercicio de la potestad, el control de los hechos determinantes, la aplicación de los principios generales, la justificación y motivación de la decisión, y, en fin, la prohibición de la desviación de poder (artículo 70. 2 de la LJCA).

(…) Ahora bien esta amplia discrecionalidad se torna más estrecha cuando se trata de actuar sobre zonas verdes, como es el caso.

Y decimos que se reduce el "ius variandi" porque las zonas verdes siempre han tenido un régimen jurídico propio y peculiar, que introducía una serie de garantías tendentes al mantenimiento e intangibilidad de estas zonas, e impidiendo que fueran borradas del dibujo urbanístico de ciudad, sin la concurrencia de poderosas razones de interés general.

(…) Ahora bien, cuando se trata de hacer desaparecer en todo, o en parte, una zona verde, no basta con explicar por qué se ubicará tal edificación en los jardines de El Prado, es decir, para promover, o extender, un "campus" universitario, sino que han de expresarse las razones por las que no puede ser construida en otros terrenos para cumplir sustancialmente esa misma finalidad de permitir el uso cualificado por el entorno universitario. Debió explicarse, en definitiva, por qué dicha finalidad no podía ser razonablemente alcanzada mediante la elección de otro emplazamiento que no recortara una zona verde.

El cambio de la calificación de unos terrenos para poder edificar sobre lo que era una zona verde, aunque se mantenga el uso público de la misma porque la construcción sea una biblioteca, sólo puede hacerse exponiendo las razones por las que ningún otro emplazamiento, que no liquide una zona verde, es posible. Y en este caso, la Administración reconoce que había otras ubicaciones adecuadas, por lo que debía haberse razonado en qué medida tal ubicación impedía cumplir los objetivos que se alcanzan con su emplazamiento sobre esa zona verde.

(…) En todo caso, tampoco consideramos que la decisión de cambio de calificación se ajuste a los contornos propios en los que ha de moverse una decisión discrecional y a las exigencias que demanda el interés público, a cuyo servicio se encomienda toda la actuación administrativa, ex artículo 103.1 de la CE.

Así es, lo propio de una decisión discrecional es la elección del planificador entre diversas opciones igualmente válidas. Pues bien, el sacrificio de una zona verde *no es un indiferente jurídico cuando el planificador realiza la elección de esa decisión discrecional. No constituyen opciones igualmente válidas para el planificador el emplazamiento de un edificio sobre una zona verde que sobre otros terrenos que no tienen tal cualidad. De modo que no estamos ante indiferentes jurídicos entre los que escoger.*

(…) Ciertamente la libertad del planificador urbanístico no desaparece ante las zonas verdes, pero si se reduce considerablemente. Esa libertad queda limitada únicamente a los casos en los que se advierta una potente presencia de los intereses generales que demanden la reducción de la zona verde, que no es el caso. Los intereses universitarios no resultan incompatibles, ni se ven perjudicados, con el mantenimiento de la zona verde y el emplazamiento de la biblioteca en otro lugar. El interés público presente en dichas zonas verdes, concebidas para el uso y esparcimiento general de todos los vecinos, resulta no imposible pero sí difícil de abatir.

En definitiva, una vez establecida una zona verde ésta constituye un mínimo sin retorno, una suerte de cláusula "stand still" propia del derecho comunitario, que debe ser respetado, salvo la concurrencia de un interés público prevalente, como viene declarando la doctrina del Consejo de Estado, por todas, Dictamen n.° 3297/2002».

B) Como continuación de la anterior STS, debe dejarse constancia de la posterior STS de 30 de septiembre de 2011 (RC 1294/2008, Asunto Jabalquinto), que viene exigiendo una especial motivación en los supuestos de desclasificación de suelos protegidos y zonas verdes, conectando con el anterior principio de no regresión. En la misma línea,

«Muy recientemente en nuestra STS de 13 de junio de 2011, Recurso de casación 4045/2009, Fundamento de Derecho Décimo –a propósito de la motivación del cambio de uso de una parte de zona verde pública a dotacional educativo para la construcción de una nueva Biblioteca Central en Sevilla–, y a la que siguieron otras SSTS respecto del mismo objeto, señalamos (…)

(…) Este plus de protección se nos presenta hoy –en el marco de la amplia, reciente y variada normativa sobre la materia, en gran medida fruto de la transposición de las normas de la Unión Europea– como un reto ciertamente significativo y como uno de los aspectos más sensibles y prioritarios de la expresada y novedosa normativa medioambiental. Ya en el Apartado I de la Exposición de Motivos de la Ley 8/2007, de 28 de mayo, de Suelo (hoy Texto Refundido de la misma aprobado por Real Decreto Legislativo 2/2008, de 20 de junio –TRLS08–) se apela en el marco de la Constitución Española –para justificar el nuevo contenido y dimensión legal – al "bloque normativo ambiental formado por sus artículos 45 a 47", de donde deduce "que las diversas competencias concurrentes en la materia deben contribuir de manera leal a la política de utilización racional de los recursos naturales y culturales, en particular el territorio, el suelo y el patrimonio urbano y arquitectónico, que son el soporte, objeto y escenario de aquellas al servicio de la calidad de vida".

Igualmente, en el mismo Apartado I, último párrafo, el reciente legislador apela a que "el crecimiento urbano sigue siendo necesario, pero hoy parece asimismo claro que el urbanismo debe responder a los requerimientos de un desarrollo sostenible, minimizando el impacto de aquel crecimiento y apostando por la regeneración de la ciudad existente", y se remite, a continuación, a los mandatos de la Unión Europea sobre la materia advirtiendo "de los graves inconvenientes de la urbanización dispersa o desordenada: impacto ambiental, segregación social e ineficiencia económica por los elevados costes energéticos, de construcción y mantenimiento de infraestructuras y de prestación de servicios públicos"; y, todo ello, porque, según expresa la propia Exposición de Motivos "el suelo, además de un recurso económico, es también un recurso natural, escaso y no renovable", añadiendo que "desde esta perspectiva, todo el suelo rural tiene un valor ambiental digno de ser ponderado y la liberalización del suelo no puede fundarse en una clasificación indiscriminada...". Como ha puesto de manifiesto la buena doctrina española, el TRLS08 lo que, en realidad, aporta "es una mayor imbricación entre urbanismo y protección del medio ambiente; una especie, digámoslo, de interiorización más profunda de los valores ambientales en la ordenación territorial y urbanística, hasta hacerlos inescindibles".

(...) Ello nos sitúa en el ámbito, propio del Derecho Medioambiental, del principio de no regresión, que, en supuestos como el de autos, implicaría la imposibilidad de no regresar de –o, de no poder alterar– una clasificación o calificación urbanística –como podría ser la de las zonas verdes– directamente dirigida a la protección y conservación, frente a las propias potestades del planificador urbanístico, de un suelo urbano frágil y escaso. En el Fundamento Jurídico anterior ya lo hemos mencionado, como principio "standstill", y que, en otros países, ha sido entendido como "efecto trinquete", como "intangibilidad de derechos fundamentales" o "de derechos adquiridos legislativos", o, incluso como principio de "carácter irreversible de derechos humanos". También, este principio de no regresión, ha sido considerado como una "cláusula de statu quo" o "de no regresión", con la finalidad, siempre, de proteger los avances de protección alcanzados en el contenido de las normas medioambientales, con base en razones vinculadas al carácter finalista del citado derecho medioambiental.

Pues bien, la viabilidad de este principio puede contar con apoyo en nuestro derecho positivo, tanto interno estatal como propio de la Unión Europea. Ya nos hemos referido, en concreto, al denominado "Principio de desarrollo territorial y urbano sostenible", del que se ocupa el citado artículo 2.° del vigente TRLS08, que impone a las diversas políticas públicas "relativas a la regulación, ordenación, ocupación, transformación o uso del suelo" la obligación de proceder a la utilización del mismo "conforme al interés general y según el principio de desarrollo sostenible"; por tanto, este principio, ha de estar presente en supuestos como el de autos, en el que se procede a la supresión de unas zonas verdes previstas en un planeamiento anterior, y, en consecuencia, este principio ha de actuar como límite y como contrapeso de dicha actuación, dadas las consecuencias irreversibles de la misma.

334

En consecuencia, y sin perjuicio de su particular influencia en el marco de los principios, obvio es que, con apoyo en los citados preceptos constitucional (artículo 45 Constitución Española) y legales (artículo 2 y concordantes del TRLS08), el citado principio de no regresión calificadora de los suelos especialmente protegidos –como serían las zonas verdes junto a los terrenos rústicos especialmente protegidos–, implica, exige e impone un plus de motivación exigente, pormenorizada y particularizada en el marco de la potestad discrecionalidad de planificación urbanística de la que –por supuesto– se encuentra investido el planificador».

C) Línea consolidada en la posterior STS de 29 de marzo de 2012 (RC 3425/2009, Asunto Alahurín el Grande).

4. LA ACCIÓN PÚBLICA EN EJECUCIÓN DE SENTENCIA

A) La STS de 23 de abril de 2010 (RC 3648/2008) –resolviendo el recurso de casación formulado por la entidad ecologista recurrente, contra anteriores autos dictados en ejecución de sentencia por el Tribunal Superior de Justicia de Madrid– reconoció la acción pública para la ejecución de las sentencias, en continuación con la doctrina establecida en la STS (Pleno) de 7 de junio de 2005 (RC 2492/2003), expresándose en los siguientes términos:

«La cuestión que se somete a nuestra consideración en este único motivo de casación radica en determinar, por tanto, si la asociación ecologista recurrente aun cuando no ha sido parte en el recurso contencioso administrativo en el que se anuló en parte el plan general de Madrid, puede, o no, personarse en fase de ejecución.

(…) Con carácter general, el artículo 72.2, inciso primero, de nuestra Ley Jurisdiccional dispone que la anulación de una disposición producirá efectos para todas las personas afectadas. Esta expresión "personas afectadas" se reitera, por lo que hace al caso, en los artículos 104.2 y 109.1 para distinguir, en este último, a tales personas de las partes procesales. Sobre el alcance de esta expresión resulta obligada la cita de la Sentencia del Pleno de esta Sala Tercera de 7 de junio de 2001 (recurso de casación n.° 2492/2003).

Ahora bien, este marco general ha de ser inmediatamente completado y matizado, atendido el ámbito sectorial en el que nos movemos: el urbanismo, en el que concurre la singularidad derivada del reconocimiento de la acción pública prevista en el artículo 304 del TR de la Ley del Suelo de 1992. Teniendo en cuenta que la Sentencia de 7 de junio de 2001 citada no se refiere a la citada cuestión de la acción pública más que en el fundamento decimocuarto para señalar que no se trataba de analizar el ejercicio de la acción pública, pues al parecer las partes esgrimieron su condición de personas afectadas.

(…) Pues bien, una vez que esta Sala viene reconociendo a las personas afectadas la posibilidad de personarse en la ejecución cuando no han sido parte en el

recurso contencioso administrativo (sentencia de 7 de junio de 2005 citada y dictada en el recurso de casación n.° 2492/2003), y reconocida también la acción pública en nuestro ordenamiento jurídico urbanístico para la protección de la legalidad tanto como legitimación para interponer el recurso contencioso administrativo (sentencia de 7 de febrero de 2000 dictada en el recurso de casación n.° 5187/1994), como para personarse en la ejecución (sentencia de 26 de enero de 2005 dictada en el recurso de casación n.° 6867/2001), resulta forzoso concluir que la asociación recurrente puede personarse en la ejecución para ejercitar las acciones tendentes únicamente al exacto cumplimiento de la sentencia.

(…) En consecuencia, la asociación recurrente puede personarse en la ejecución para ejercitar las acciones tendentes únicamente al exacto cumplimiento de la sentencia. En el bien entendido que la ejecución para promover el exacto cumplimiento de la sentencia, que no podemos entender consumada con la mera publicación del plan general, como señala la resolución recurrida, pero que tampoco nos hemos de pronunciar ahora sobre el resultado de un incidente que no se ha sustanciado. Y ello es así porque sólo cuando se tramite, en su caso, el incidente previsto en el artículo 104.2 de la LJCA, se podrá decidir si procede, o no, la ejecución forzosa. Repárese que mediante los autos impugnados se ha cercenado al comienzo la personación a la recurrente de modo que no ha podido ni iniciarse ni sustanciarse incidente alguno. Quiere ello decir que procede estimar el motivo invocado y, por tanto, debemos declarar que ha lugar al recurso de casación porque la asociación recurrente está legitimada para personarse en la ejecución. Sin que, por tanto, proceda hacer ningún otro pronunciamiento al respecto».

B) Por otra parte, en la STS de 18 de noviembre de 2015 (RC 3194/2014) ha sido reconocida tal acción pública urbanística a los ciudadanos extranjeros; STS en la que, con cita de la STC 107/1984, de 23 de noviembre, así como de los artículos 125 de la Constitución y 19 de la Ley Orgánica 6/1985, de 1 de julio, del Poder Judicial, y con apoyo de la Ley Orgánica 4/2000, de 11 de enero, Reguladora de los derechos y deberes de los extranjeros en España y su integración social (artículo 3.1) llega a la conclusión de que *«puede concluirse que ningún límite se deriva de nuestra legislación a la posibilidad de ejercicio de la acción pública en materia de urbanismo, de los extranjeros que, como la Sra. …, es titular de un permiso indefinido de residencia y trabajo».*

C) Por último, y no obstante lo anterior, debe dejarse constancia de la reciente STS 14 de diciembre de 2017 (RC 3105/2016, Asunto Biblioteca de Las Palmas) dictada en relación autos recaídos en el Incidente de ejecución de la sentencia dictada en el Recurso Contencioso-administrativo 814/1998, de la Sala de Las Palmas, en fecha de 10 de octubre de 2002:

«Esto, sin embargo, no acontece en el supuesto de autos, en el que, en relación con los posibles datos o elementos determinantes de la "afectación", lo

único expuesto por quienes pretendían personarse en el Incidente de ejecución de sentencia, fue su condición de propietarios de pisos en un edificio colindante a la parcela (según se expresa en el Auto de 14 de febrero de 2013), y, ante la insuficiencia de dicha circunstancia la Sala de instancia los requiere, como hemos expuesto para que "acrediten su situación de persona afectada por el fallo".

Es entonces cuando, quienes pretendían su personación en el Incidente (según se desprende del escrito presentado, en respuesta al anterior requerimiento, en fecha de 7 de marzo de 2013) aportan las certificaciones del Registro de la Propiedad (que expresan, en su descripción, que lindan por el naciente con zona verde que la separaba de la Avenida Marítima del Norte) y plantean la privación del derecho (servidumbre) de luces y vistas, con remisión al artículo 585 del Código Civil, que parcialmente reproducen, así como las SSTS de 4 de julio de 2006 y 17 de noviembre de 2010, considerando que el perjuicio que se les había causado con la construcción de la Biblioteca «es idéntico que el perjuicio producido a la Comunidad de Propietarios del Edificio San Telmo». A tal efecto, proponían las pruebas de reconocimiento judicial y pericial con la finalidad de acreditar la "privación del derecho de luces y vistas en más de un 74% del total de la fachada al mar".

Esto es, a diferencia del supuesto contemplado en la STS de 7 de junio de 2005, en el caso de autos, los "derechos o sus intereses legítimos" que –únicamente– podrían verse "menoscabados o perjudicados ... por efecto de la ejecución o de la inejecución de la sentencia", son los de luces y vistas, según se expresa en el escrito.

Pues bien, en la conclusión que el primero de los autos impugnados alcanza, en el antepenúltimo párrafo del Razonamiento Jurídico Primero, la concurrencia de tal perjuicio es negada por la Sala de instancia no obstante –en clara contradicción– mantener la Sala "estar afectados":

"Desde este punto de vista resulta de todo punto procedente la admisión de la personación de quienes manifiestan 'estar afectados', –concepto distinto y más amplio que el de ostentar un interés legítimo–, y que no se ha de relacionar directamente con probar que se prive de vistas o luces a las viviendas de su propiedad".

Contradicción, la del primero de los autos impugnados que, igualmente, se acredita con lo expresado en los dos primeros párrafos del Razonamiento Tercero:

"Finalmente y saliendo al paso de alguna de las alegaciones que han formulado las partes que se oponen a que admitamos la personación, debemos recordar que ello no supone, en modo alguno, que estemos declarando la existencia de derechos a favor de quienes se personan en fase de ejecución de sentencia, ni mucho menos que reconozcamos un eventual derecho a ser indemnizados.

Ni quienes promovieron el recurso que concluyó en la sentencia de cuya ejecución se trata, –Comunidad de Propietarios del Edificio San Telmo–, ni menos aún aquellos que puedan sentirse afectados por la misma y personarse en fase de ejecución, son titulares de derecho alguno".

Dicho de otra forma, la única razón de afectación de perjuicios –que posibilitaría la legitimación para la personación en el Incidente de ejecución de sentencia–, según se expresa, es la pérdida de luces y vistas, la cual (1) es negada por la Sala de instancia en el primero de los autos impugnados, y, además, (2) resultaría contradictoria con lo dispuesto en el artículo 585 del Código Civil, que concreta la distancia exigible a los tres metros».

5. IGUALMENTE DEBEMOS DESTACAR OTROS ASPECTOS SIGNIFICATIVOS EN LA ACTUAL JURISPRUDENCIA URBANÍSTICA DEL TRIBUNAL SUPREMO

a) Las reiteradas declaraciones de nulidad de los Planes Generales, considerados como disposiciones generales, lo que implica la imposibilidad de subsanación o convalidación *a posteriori* de estos, por carecer las actuaciones posteriores de efectos retroactivos, y tratándose de una declaración que no se ve afectada por la circunstancia de que la nulidad decretada no sea de todo el PGOU.

En dos SSTS de 28 de septiembre de 2012 (RRCC 2092/2011 y 1099/2011) la Sala del Tribunal Supremo se pronunció sobre estos efectos, en relación con la ejecución de la sentencia de la Sala de lo Contencioso Administrativo del Tribunal Superior de Justicia de Madrid que en parte había anulado su Plan General de Ordenación Urbana.

Entre otras muchas, en la ya citada STS de 18 de noviembre de 2015 (RC 3194/2014), el Tribunal Supremo ha insistido en esta doctrina –pese a las reiteradas críticas doctrinales–, en la que se citan la STS de 8 de abril de 2010 (RC 1325/2006) y la ya citada de 28 de septiembre de 2012 (RC 2092/2011):

«*Pues bien, nuestro ordenamiento jurídico reserva para las disposiciones generales que hayan vulnerado la Constitución, las leyes u otras disposiciones administrativas de superior rango, la consecuencia más severa: la nulidad plena, ex artículo 62.2 de la Ley 30/1992. Y en el caso examinado basta la lectura de la Sentencia del Tribunal Superior y luego de este Tribunal Supremo para constatar que la nulidad se deriva de una flagrante infracción legal.*

Este grado máximo de invalidez al que se somete a las disposiciones generales comporta que los efectos de la nulidad se producen "ex tunc", desde el momento inicial y, por ello, no pueden ser posteriormente enmendados. Tampoco advertimos razones para perfilar o ajustar tales efectos, pues la naturaleza del vicio de nulidad apreciado –la desclasificación de terrenos no urbanizables de especial protección que pasan a urbanizables sin justificación en la memoria–, el menoscabo para los derechos de los ciudadanos ante la imposibilidad de cuestionar ese contenido durante la sustanciación del procedimiento de elaboración de la norma, y fundamentalmente los siempre sensibles bienes ambientales concernidos en ese cambio de la clase de suelo, avalan la improcedencia de modular el evidente y contundente alcance de la nulidad plena.

Es cierto que la sentencia no declara la nulidad de todo el plan general, sino sólo de algunas determinaciones urbanísticas, de algunas de sus normas, pero esta circunstancia, a que se refiere el auto recurrido, no altera ni priva del carácter de nulidad plena de aquellas que han resultado afectadas por dicho pronunciamiento judicial. La nulidad es de una parte del plan, pero esa parte es nula de pleno derecho, con los efectos propios de esta categoría de invalidez. De modo que no puede sostenerse con éxito que cuando se declara nula una parte de un texto normativo, y no en su integridad, se diluyan o mermen los efectos de esa nulidad plena».

b) La jurisprudencia recaída en relación con aspectos económicos de los Planes Generales: Estudio económico financiero (EEF) e Informe de sostenibilidad económica (ISE).

En la STS 30 de marzo de 2015 (RC 1587/2013) se analiza la evolución que ha tenido el art. 15.4 del TRLS08 que incorporó a nuestro ordenamiento jurídico el denominado Informe de sostenibilidad económica, *«documento complementario, pero no sustitutivo del Estudio Económico de la legislación autonómica».* En la citada STS se expresa que: *«El referido Informe responde a un mandato con la finalidad de lograr un equilibrio entre las necesidades de implantación de infraestructuras y servicios y la suficiencia de recursos públicos y privados para su efectiva implantación y puesta en uso, funcionamiento y conservación. Se trata, en definitiva, de asegurar en la medida de lo posible y mediante una planificación adecuada, la suficiencia de recursos para hacer frente a los costes que la actuación ha de conllevar en orden a proporcionar un adecuado nivel de prestación de servicios a los ciudadanos».*

En su Fundamento Jurídico Décimo la STS señala:

«Conviene aclarar que el concepto de sostenibilidad económica a que se refiere el legislador estatal en el artículo 15.4 del Texto Refundido de la Ley de Suelo no debe confundirse con el de viabilidad económica, más ligado al sentido y finalidad del estudio económico-financiero, sino que va relacionado con dos aspectos distintos como son, por un lado, la justificación de la suficiencia del suelo productivo previsto y, por otro, el análisis del impacto de las actuaciones previstas en las Haciendas de las Administraciones Públicas intervinientes y receptoras de las nuevas infraestructuras y responsables de los servicios resultantes.

Por otra parte, desde una perspectiva temporal el informe de sostenibilidad económica ha de considerar el coste público del mantenimiento y conservación de los nuevos ámbitos resultantes en función de los ingresos que la puesta en carga

339

de la actuación vaya a generar para las arcas de la Administración de que se trate. Es decir, mientras el estudio económico-financiero preverá el coste de ejecución de la actuación y las fuentes de financiación de la misma, el análisis de sostenibilidad económica no se ha de limitar a un momento o período temporal limitado, sino que ha de justificar la sostenibilidad de la actuación para las arcas públicas desde el momento de su puesta en marcha y en tanto siga generando responsabilidad para la Administración competente respecto de las nuevas infraestructuras y servicios necesarios.

En definitiva, el Estudio Económico debe demostrar la viabilidad económica de una intervención de ordenación detallada en un Sector o ámbito concreto y el informe o memoria de sostenibilidad económica debe garantizar analíticamente que los gastos de gestión y mantenimiento de las infraestructuras y servicios en ese Sector o ámbito espacial pueden ser sustentados por las Administraciones públicas, en especial la Administración local competente en la actividad urbanística».

Doctrina seguida, entre otras en la STS de 18 de abril de 2016 (RC 3235/2015).

c) Debe también destacarse la incidencia de las Evaluaciones ambientales en las declaraciones de nulidad de los Planes Generales –con la obligatoriedad del estudio de alternativa, incluida la alternativa 0–, así como la necesidad de respuesta a las alegaciones formuladas por los particulares (STS de 6 de octubre de 2015, RC 2676/2012), en la que el Tribunal Supremo, además de por el anterior motivo, procedió a anular un Plan de Ordenación Territorial –también– por la ausencia de Informe de impacto de género:

«Es cierto, como hemos apuntado anteriormente, que la representación procesal de la entidad mercantil demandante no ha expresado a lo largo del pleito la incidencia que las determinaciones del Plan de Ordenación Territorial combatido puedan tener para esa igualdad propugnada entre hombres y mujeres, mientras que la representación de menos cierto que, como esta misma reconoce, el informe a emitir así lo debería haber expresado, lo que se ignora al no haberse cumplido ese trámite.

El propio Decreto 17/2012, de 7 de febrero, aprobado por el Consejo de Gobierno de la Junta de Andalucía para regular la elaboración del Informe de Evaluación de Impacto de Género, prevé, en su artículo 5.2, esa eventualidad, y así establece que "En el caso en que la disposición no produzca efectos, ni positivos ni negativos, sobre la igualdad de oportunidades entre hombres y mujeres, se reflejará esta circunstancia en el informe de impacto de género, siendo en todo caso necesario revisar el lenguaje del proyecto para evitar sesgos sexistas".

Aunque este precepto careciese de vigencia al tiempo de aprobarse el Plan de Ordenación, es revelador de la lógica inherente a la exigibilidad de cualquier informe preceptivo, por lo que esta Sala no comparte la tesis de la Administración autonómica demandada relativa a que, como no existen en dicho Plan determinaciones con inciden-cia en materia de género, resultaba innecesario el informe de evaluación de impacto de género, ya que sería en el informe a emitir donde se debería explicar tal circunstancia, lo que, además, podría ser objeto de controversia, que no se ha podido suscitar al faltar el preceptivo informe atendido el carácter reglamentario o de disposición de carácter general del Plan de Ordenación impugnado, lo que implica, por las razones ya expresa-das al examinar el otro vicio procedimental denunciado, la nulidad radical de la norma recurrida conforme a lo dispuesto concordadamente en los artículos 62.2 de la Ley 30/1992, de Régimen Jurídico de las Administraciones Públicas y del Procedimiento Administrativo Común, 68.1.b), 70.2, 71.1.a) y 72.2 de la Ley de la Jurisdicción Con-tencioso-Administrativa, como, además, ha venido a declarar esta Sala del Tribunal Supremo en supuestos de falta del indicado informe (Sentencias de fechas 16 de abril de 2013 –recurso de casación 6470/2011– y 8 de enero de 2014 –recurso de casación 2651/2012–)».

d) Por último, debe destacare una línea jurisprudencial que refuerza la necesidad y exigencia de la motivación en el planeamiento con apoyo en el principio europeo del «derecho a una buena administración»:

1. Así, en la STS 1683/2017, de 7 de noviembre (RC 2228/2016) se ha expresado:

«Hoy, en mismo el ámbito europeo, la Carta de los Derechos Fundamentales de la Unión Europea, proclamada por el Consejo Europeo de Niza de 8/10 de diciem-bre de 2000 dedica su artículo 41 al denominado "Derecho a una buena Adminis-tración". Tal precepto se integra hoy en el Tratado de la Unión Europea (Tratado de Lisboa), de 13 de diciembre de 2007, ratificado por Instrumento de 26 de diciembre de 2008, que en su artículo 6 señala que, en su artículo 6 dispone que "La Unión reconoce los derechos, libertades y principios enunciados en la Carta de los Dere-chos Fundamentales de la Unión Europea de 7 de diciembre de 2000, tal como fue adaptada el 12 de diciembre de 2007 en Estrasburgo, la cual tendrá el mismo valor jurídico que los Tratados". Se trata, dicho sea en síntesis, de la tradicional idea del "buen gobierno" en la gestión pública, adelantándose a los hechos, ante la duda de que de una determinada actividad puedan deducirse ciertos riesgos, siendo prefe-rible el error en la previsión de futuro a la pérdida de seguridad; obviamente, como en el supuesto de autos, aun no se ha producido un daño –lo cual, sin duda alguna, condicionaría la libertad discrecional propia del planeamiento urbanístico–, pero existen datos que acreditan que no existe certeza científica absoluta, sino por el contario evidencias de que el mismo puede llegar a producirse; ante tales situacio-nes la Administración pública no puede permanecer impasible y debe actuar con la diligencia debida propia del derecho a una buena administración».

2. Por su parte la STS 1101/2017, de 21 de junio (RC 1421/2016), expuso:

«Entre otras muchas, en las SSTS 20 de septiembre y 15 de noviembre de 2012 hemos expuesto: "La exigencia de motivación de los actos administrativos constituye

una constante de nuestro ordenamiento jurídico y así lo proclama el artículo 54 de la Ley 30/1992, de 26 de noviembre, de Régimen Jurídico de las Administraciones Públicas y del Procedimiento Administrativo Común (antes, artículo 43 de la Ley de Procedimiento Administrativo de 17 de julio de 1958 –hoy 35 de la Ley 39/2015, de 1 de octubre, del Procedimiento administrativo común de las Administración Públicas (LPAC)–, teniendo por finalidad la de que el interesado conozca los motivos que conducen a la resolución de la Administración, con el fin, en su caso, de poder rebatirlos en la forma procedimental regulada al efecto. Motivación que, a su vez, es consecuencia de los principios de seguridad jurídica y de interdicción de la arbitrariedad enunciados por el apartado 3 del artículo 9 Constitución Española (CE) y que también, desde otra perspectiva, puede considerarse como una exigencia constitucional impuesta no sólo por el artículo 24.2 CE, sino también por el artículo 103 (principio de legalidad en la actuación administrativa). Por su parte, la Carta de los Derechos Fundamentales de la Unión Europea, proclamada por el Consejo Europeo de Niza de 8/10 de diciembre de 2000 incluye dentro de su artículo 41, dedicado al 'Derecho a una buena Administración', entre otros particulares, 'la obligación que incumbe a la Administración de motivar sus decisiones'. Tal precepto se integra hoy en el Tratado de la Unión Europea (Tratado de Lisboa), de 13 de diciembre de 2007, ratificado por Instrumento de 26 de diciembre de 2008, que en su artículo 6 señala que, en su artículo 6 dispone que La Unión reconoce los derechos, libertades y principios enunciados en la Carta de los Derechos Fundamentales de la Unión Europea de 7 de diciembre de 2000, tal como fue adaptada el 12 de diciembre de 2007 en Estrasburgo, la cual tendrá el mismo valor jurídico que los Tratados"».

e) Pero debemos profundizar en las novedades surgidas en relación con la ejecución de sentencias en el ámbito urbanístico que nos ocupa.

V. LA EJECUCIÓN DE SENTENCIAS: PRINCIPIOS Y PROCEDIMIENTO

1. LA POTESTAD JURISDICCIONAL DE EJECUCIÓN DE LAS SENTENCIAS: SUS PRINCIPIOS INSPIRADORES

A diferencia del sistema tradicional, que se contenía en el artículo 103 de la Ley Reguladora de la Jurisdicción Contencioso-administrativa de 27 de diciembre de 1956 (LRJCA56), conforme al cual «*la ejecución de las sentencias corresponderá al órgano que hubiere dictado el acto o la disposición objeto del recurso*», la vigente Ley 28/1998, de 13 de julio, Reguladora de la Jurisdicción Contencioso-administrativa (LRJCA), dando un giro trascendental, proclama, en el artículo 103.1 que «*la potestad de hacer ejecutar las sentencias y demás resoluciones judiciales corresponde exclusivamente a los Juzgados y Tribunales de éste orden jurisdiccional*».

Tal planteamiento constituye una clara consecuencia del mandato, más genérico, pero de superior rango, contenido en el artículo 117.3 de la Constitución de 1978 (CE), que señala que «*el ejercicio de la potestad jurisdiccional en todo tipo de procesos, juzgando y haciendo ejecutar lo juzgado, corresponde exclusivamente a los Juzgados y Tribunales determinados por las leyes, según las normas de competencia y procedimiento que las mismas establezcan*»; mandato que se reproduce en el artículo 2.1 de la Ley Orgánica 6/1985, de 1.º de julio, del Poder Judicial (LOPJ).

En consecuencia, del anterior respaldo constitucional y legal se pueden deducir las siguientes consecuencias:

a) La ejecución de las sentencia constituye una obligación constitucional y legal, habiendo señalado la propia Constitución de 1978, en el artículo 118, que «*es obligado cumplir las sentencias y demás resoluciones firmes de los Jueces y Tribunales*»; mandato que es desarrollado en términos subjetivos de gran amplitud en el artículo 17.2 de la citada Ley Orgánica 6/1985, de 1.º de julio, del Poder Judicial (LOPJ) al señalar que «*las Administraciones Públicas, las Autoridades y funcionarios, las Corporaciones y todas las entidades públicas y privadas, y los particulares, respetarán y, en su caso, cumplirán las sentencias y las demás resoluciones judiciales que hayan ganado firmeza o sean ejecutables de acuerdo con las leyes*».

b) Del anterior mandato constitucional, el mismo artículo 118 impone, como complementaria, la obligación de «*prestar la colaboración requerida* –por los Jueces y Tribunales– *en el curso del proceso y en ejecución de lo resuelto*» –que luego reiterará el artículo 17.1 de la LOPJ–, obligación que aparece igualmente recogido en el artículo 103.3 de la LRJCA, al señalarse que «*todas las personas y entidades públicas y privadas están obligadas a prestar la colaboración requerida por los Jueces y Tribunales Contencioso-administrativos para la debida y completa ejecución de lo resuelto*».

c) La jurisprudencia, además de lo anterior, ha establecido el respaldo de la ejecución en el derecho a la tutela judicial efectiva. En tal sentido deben destacarse las clásicas SSTC 32/1982, de 7 de junio, 67/1984, de 7 de junio, 125/1987, de 15 de julio, 167/1987, de 28 de octubre y 148/1989, de 21 de septiembre. Por su parte del Tribunal Supremo destacamos la STS de 27 de octubre de 2004.

2. LA FORMA DE EJECUCIÓN DE LAS SENTENCIAS

La sentencias pueden ejecutarse de forma voluntaria por los obligados a ello (artículo 104 de la LRJCA) en el plazo legalmente establecido, pero de no ser así, la propia LRJCA contempla el mecanismo para proceder a su ejecución forzosa, que incluye la posibilidad de proceder a la declaración de nulidad, a través del procedimiento establecido en el artículo 109 de la LRJCA cuando «[l]a *Administración realizare alguna actividad que contraviniere los pronunciamientos del fallo»*, esto es, cuando la ejecución resultare fraudulenta, distinguiendo la ley los supuestos de nulidad de pleno derecho de los actos o disposiciones contrarios a los pronunciamientos de las sentencias, de conformidad con el artículo 103.4 de la LRJCA (esto es, en concreto, si los mismos, realmente, han sido dictados para eludir los mencionados pronunciamientos), y los supuestos (artículo 108.2 LRJCA) de actuaciones administrativas de carácter material, posteriores a la sentencia, que contravinieran los pronunciamientos del fallo de la misma.

VI. LA EJECUCIÓN DE SENTENCIAS: SUPUESTOS DE IMPOSIBILIDAD LEGAL

En el artículo 105.2 de la LRJCA, se señala que «*si concurriesen causas de imposibilidad material o legal de ejecutar una sentencia, el órgano obligado a su cumplimiento lo manifestará a la autoridad judicial, a través del representante procesal de la Administración, dentro del plazo previsto en el apartado segundo del artículo anterior»*.

Aunque el precepto se refiere exclusivamente a las causas de imposibilidad material y la imposibilidad legal de ejecutar una sentencia, dentro de esta segunda posibilidad tendríamos que distinguir entre causas de imposibilidad reglamentaria y causas de imposibilidad legal, propiamente dichas. Siendo el supuesto habitual, en el primer caso, el de aprobación de un nuevo planeamiento o la concesión de una nueva licencia que viene a adaptarse a, o «legalizar», la actuación previamente anulada.

Debemos centrarnos, sin embargo, en las que hemos denominado causas de imposibilidad legal de ejecutar la sentencia, también conocidas como supuestos de validación legislativa; esto es, de aquellos supuestos en los que una intervención del legislador –estatal o autonómico–, posterior a una sentencia firme en fase de ejecución, incide en la actuación jurisdiccional, impidiendo o dificultado la ejecución propiamente dicha.

Al tratarse de normas con rango de ley, obviamente, ha sido la jurisprudencia del Tribunal Constitucional la que –normalmente– ha enjuiciado estos supuestos legales que han dificultado, o impedido, la ejecución jurisdiccional. En realidad, la cuestión que se ha venido suscitando es la relativa a la posibilidad de «blindar», con una actuación legislativa, una actuación urbanística, típicamente administrativa, con la finalidad de evitar las decisiones anulatorias de los Tribunales ordinarios, bien a través de un Recurso Contencioso-administrativo ordinario contra la posterior actuación normativa reglamentaria, bien a través del procedimiento establecido en el artículo 103.4 de la LRJCA, por entender que la posterior actuación tenía como finalidad eludir el cumplimiento de la sentencia.

De tal jurisprudencia debemos destacar los siguientes supuestos, en los que, sin duda, lo que ha estado en juego ha sido el derecho constitucional a la tutela judicial efectiva que incluye en su ámbito –como reiteradamente han señalado el Tribunal Constitucional y el Tribunal Supremo– el derecho a la ejecución de las sentencias. En síntesis, esta jurisprudencia ha sido el reflejo de una tensión permanente entre el citado derecho a la tutela judicial efectiva que está obligado a cumplir el Poder Judicial y la posibilidad de evolución normativa con que cuenta el Poder Legislativo. Así lo reconoció el Tribunal Supremo en la STS de 6 de junio de 2003, con cita de la STC 73/2000, de 12 de marzo, en STS que se sintetiza la tensión expresada entre el ámbito de actuación de ambos poderes. La citada STS señaló:

«No puede negarse al legislador la potestad de innovar el ordenamiento jurídico, modificando las disposiciones anteriores para adaptarlas a las circunstancias de cada momento. Esta potestad se extiende incluso a dar efecto retroactivo a una disposición, con el único límite impuesto por el artículo 9 de la Constitución –normas sancionadoras o restrictivas de derechos individuales– y ello aunque como consecuencia de ese efecto se afecte a la ejecución de una sentencia firme.

Conviene recordar lo dicho por el Tribunal Constitucional en su sentencia 73/2000, de 12 de marzo, a este respecto: "el derecho a la ejecución de la Sentencia en sus propios términos no impide que en determinados supuestos ésta devenga legal o materialmente imposible, lo cual habrá de apreciarse por el órgano judicial en resolución motivada, pues el cumplimiento o ejecución de las Sentencias depende de las características de cada proceso y del contenido del fallo. Y uno de estos supuestos es, precisamente, la modificación sobrevenida de la normativa aplicable a la ejecución de que se trate, o, si se quiere, una alteración 'de los términos en los que la disputa procesal fue planteada y resuelta' ya que, como regla general, 'una vez firme la Sentencia, a su ejecución sólo puede oponerse una alteración del marco jurídico de referencia para la cuestión debatida en el momento de su resolución por el legislador'. Siendo de recordar al respecto que el legislador ha previsto mecanismos para atender a los supuestos de imposibilidad legal o material de cumplimiento de las Sentencias en sus propios términos, como el del art. 107 LJCA, vigente en el momento de iniciarse el trámite de ejecución en el seno del cual se originó la presente cuestión y, en la actualidad, el del art. 105.2 LJCA de 1998". Y añade: "El derecho constitucional a la ejecución de las resoluciones judiciales firmes "participa de la naturaleza de derecho de prestación que caracteriza a aquel en que viene integrado y, en tal sentido, sus concretas condiciones de ejercicio corresponde establecerlas al legislador, y ello hace indudable que el derecho a que se ejecuten las resoluciones judiciales firmes viene sometido a los requisitos y limitaciones formales y materiales que disponga la legislación". Aunque a continuación

345

hemos declarado que "Sin embargo, esta potestad de mediación legislativa de los derechos que se integran en el de la tutela judicial no es absoluta, ni dependiente del arbitrio del legislador, pues, dentro del respeto debido al contenido esencial de los derechos fundamentales, resulta indiscutible que el art. 24.1 CE exige, ausencia de condicionamientos que dificulten o entorpezcan, en lo que aquí interesa, la posibilidad de que lo resuelto por los órganos judiciales sea cumplido en sus propios términos, de manera que, cuando el legislador imponga requisitos o limitaciones al ejercicio del derecho fundamental, su legitimidad constitucional habrá de ser examinada para comprobar si responden a razonables finalidades de protección de valores, bienes o intereses constitucionalmente protegidos y guardan debida proporcionalidad con dichas finalidades, lo cual significa que serán inconstitucionales, por vulneración del derecho fundamental, aquellos requisitos, formalidades y limitaciones que comprometen su ejercicio de tal forma que no resulten comprensibles a la luz de una ponderación razonable y proporcionada de los valores acogidos en la Constitución"».

Pues bien, numerosos han sido los supuestos en los que el Tribunal Constitucional se ha enfrentado, de una u otra forma, y con conclusiones diferentes, a este problema clave en el mantenimiento de la esencia del Estado de Derecho que proclama la Constitución:

1. En la STC 166/1986, de 19 de diciembre (Asunto Rumasa), se enjuiciaba la posibilidad de utilización de una ley expropiatoria singular frente al planteamiento de un interdicto formulado por la expropiada ante la jurisdicción civil. El Decreto Ley expropiatorio no fue considerado contrario al derecho a la tutela judicial efectiva previsto en el artículo 24 de la Constitución –al que se califica de «*instrumental*»–, pese al ser el contenido de la norma legal impugnada estrictamente administrativo, por cuanto el mismo, según se expresaba, «*traspasaba las fronteras de los acotados límites de una crisis empresarial para convertirse en factor determinante de inestabilidad de la situación financiera nacional*». Esto es, que el Tribunal Constitucional se fundamentaba en el carácter excepcional de la medida adoptada, en forma de norma con rango de ley, por la vía del principio de proporcionalidad:

«... *la adopción de Leyes singulares debe estar circunscrita a aquellos casos excepcionales que, por su extraordinaria trascendencia y complejidad, no son remediables por los instrumentos normales de que dispone la Administración, constreñida a actuar con sujeción al principio de legalidad, ni por los instrumentos normativos ordinarios, haciéndose por ello necesario que el legislador intervenga singularmente, al objeto exclusivo de arbitrar solución adecuada, a una situación singular. De aquí se obtiene un segundo límite a las Leyes singulares, que es, en cierta medida, comunicable con el fundamentado en el principio de igualdad, en cuanto que esa excepcionalidad exorbitante a la potestad ejecutiva resulta válida para ser utilizada como criterio justificador de la singularidad de la medida legislativa*».

2. Especialmente significativa es la STC 73/2000, de 12 de marzo, (Asunto Presa de Itoiz), a la que ya hemos hecho referencia en la cita inicial. En la misma se enjuiciaba, por la vía de la cuestión planteada por la Sala de la Audiencia Nacional, la Ley Foral del Parlamento de Navarra 6/1987, de 10 de abril, sobre Protección y uso de suelo no urbanizable (en la modificación llevada a cabo por la Ley 9/1996, de 17 de junio, de Espacios naturales protegidos), por cuanto tal modificación, según se planteaba, podía interferir en la ejecución de la STS de 14 de julio de 1997, que había anulado parcialmente el proyecto de construcción del embalse de Itoiz. En síntesis, la nueva norma cuestionada modificaba el régimen de las bandas de protección de las reservas naturales, dando, por otra parte, a tal régimen protector rango de ley, lo cual fue considerado por la Audiencia Nacional como forma de impedir la ejecución de la STS de precedente cita. Al margen de lo antes expuesto, la STC señaló:

«... resulta difícil admitir que la Ley cuestionada incurra en arbitrariedad, pues es claro que lo contrario supondría constreñir indebidamente la legítima opción del legislador de modificar, en todo o en parte, la regulación jurídica de una determinada materia o de un concreto sector del Ordenamiento; y conduciría, en última instancia, a la petrificación de cualquier régimen normativo tan pronto se hubiera dictado una Sentencia aplicando el régimen jurídico precedente. De lo que resultaría, en suma, que el ordenamiento perdería el carácter evolutivo y dinámico que es propio de los sistemas normativos modernos».

Con posterioridad, la STEDH de 27 de abril de 2004 del Tribunal Europeo de Derechos Humanos (*Gorraiz Lizarraga y otros c. España*) realizó el correspondiente juicio de convencionalidad, por parte el Tribunal Europeo, en relación con la citada STC 73/2000, de 12 de marzo. Y debemos destacar como la materia sobre la que el Tribunal se pronuncia consiste, según el mismo la califica, de una «*materia de urbanismo u ordenación del territorio*». En concreto, el TEDH señala en la citada STEDH de 27 de abril de 2004 (párrafo 70) que

«... en el caso que nos ocupa, el litigio que enfrentaba a los demandantes con la Comunidad Foral de Navarra trataba sobre un proyecto de ordenación del territorio, ámbito en el que la modificación o el cambio de reglamentación tras una resolución judicial es frecuentemente admitido y practicado. En efecto, si los titulares de derechos económicos pueden, por lo general, aprovecharse de derechos firmes e intangibles, no sucede lo mismo en materia de urbanismo o de ordenación del territorio, ámbitos que tratan sobre derechos de naturaleza distinta y que, por definición son esencialmente evolutivos. Las políticas de urbanismo y de ordenación del territorio dependen por excelencia de los ámbitos de intervención estatales por medio, concretamente, de la reglamentación de los bienes con una finalidad de interés general o de utilidad pública. En tales casos en los que el interés general*

347

ocupa un lugar preeminente, el Tribunal considera que el margen de apreciación del Estado es mayor que cuando están en juego unos derechos exclusivamente civiles (ver, "mutatis mutandis", Sentencias James y otros contra Reino Unido de 21 febrero 1986; Mellacher y otros contra Austria de 19 diciembre 1989; Chapman contra Reino Unido de 18 enero 2001)».

Partiendo, pues, de tales diferencias el TEDH concluye señalando que, en el supuesto de autos (párrafo 73)

«... por las razones que anteceden, el Tribunal concluye que la interferencia del poder legislativo en el resultado del litigio alegada por los demandantes no vulneró el carácter equitativo del procedimiento. En consecuencia, no hubo violación del artículo 6.1 del Convenio».

La STEDH dedica el párrafo anterior (72) a establecer las concretas y determinantes circunstancias que diferencian el supuesto. En tal sentido, se expone:

«... el Tribunal señala que la situación denunciada por los demandantes no puede considerarse similar a la constatada en la Sentencia Refinerías griegas Stran y Stratis Andreadis, en la que el Estado intervino de forma decisiva para orientar a su favor el resultado de una instancia en la que era parte. En el presente caso, la promulgación de la Ley Foral 9/1996 no trataba ciertamente de descartar la competencia de los tribunales españoles llamados a conocer de la legalidad del proyecto de embalse. La Exposición de Motivos hacía mención expresa a las bandas periféricas de protección de las reservas y espacios naturales protegidos de Navarra, y no únicamente a la zona afectada por la construcción de la presa. Su vocación general no deja lugar a dudas. Asimismo, el Parlamento de Navarra no legisló con carácter retroactivo como prueba el hecho de que, pese a la promulgación de la Ley Foral de 17 de junio de 1996, el Tribunal Supremo, algunas semanas después de la promulgación de dicha Ley, dictara una sentencia anulando parcial, pero definitivamente, el proyecto de construcción tal y como había sido concebido. Aun siendo innegable que la promulgación por el Parlamento de Navarra de la Ley en cuestión resultara, en último lugar, desfavorable para las tesis sostenidas por los demandantes, no puede decirse que fuese aprobada con el fin de eludir el principio de la preeminencia del derecho. A fin de cuentas, una vez promulgada la Ley foral, los demandantes obtuvieron la remisión prejudicial de constitucionalidad de ciertas disposiciones de la misma ante el Tribunal Constitucional, que se pronunció a fondo sobre sus pretensiones. Éste examinó la tesis de los demandantes de igual forma que las sometidas por el Gobierno y el Parlamento de Navarra. En definitiva, el litigio que les oponía al Estado fue examinado por los tribunales españoles de acuerdo con el proceso justo garantizado por el artículo 6.1».

3. Por su parte, en la STC 273/2000, de 15 de noviembre (Asunto Administración Hidráulica de Cataluña) se declaró –a instancia de la Sala de lo Contencioso-Administrativo del Tribunal Supremo– la constitucionalidad

del apartado primero de la Disposición adicional segunda de la Ley 17/1987, de 13 de julio, de la Administración Hidráulica de Cataluña, habiéndose considerado en el planteamiento de la cuestión que el mismo era contrario al artículo 9.3 de la Constitución (principio de irretroactividad de las normas restrictivas de derechos individuales y el de seguridad jurídica). La norma impugnada decía:

> *«Quedarán integradas en el texto de la Ley las normas de carácter sustantivo reguladoras del incremento de la tarifa y del canon de saneamiento aprobadas con anterioridad, que tendrán carácter supletorio de las reglas de los artículos 29 al 33 y serán aplicables con rango de Ley formal a los supuestos producidos antes de la entrada en vigor de la presente Ley».*

La inconstitucionalidad de norma impugnada fue rechazada en los siguientes términos:

> *«A la vista de las circunstancias del caso, interesa destacar el hecho de que la anulación de las normas reglamentarias mencionadas tuvo por causa exclusiva la concurrencia de un defecto de procedimiento, sin que en ningún momento las resoluciones judiciales apreciaran la existencia de un vicio de carácter sustantivo.*

> *(...) Ciertamente, de los principios de seguridad jurídica e interdicción de la arbitrariedad de los poderes públicos, puede deducirse un deber de los poderes públicos de observar los trámites esenciales para la elaboración de las normas jurídicas, como correlato del interés legítimo de los ciudadanos en que la Administración Pública observe dichos trámites. Ahora bien, tales principios constitucionales, no cubren una eventual expectativa de que los poderes públicos permanezcan pasivos ante la concurrencia de un vicio procedimental que afecte a una norma cuya aplicación pueda favorecer la consecución de un interés general.*

> *Pues bien, en el presente caso resulta indudable la concurrencia de claras exigencias de interés público que fundamentan la medida adoptada por la Ley 17/1987, en los términos de la STC 182/1997, FJ 13. Concretamente, el legislador autonómico, ha tratado de garantizar la efectiva consecución de un interés de relevancia constitucional, como es la mejora de la calidad ambiental de las aguas (art. 45 CE), que podría verse seriamente quebrantado en la hipótesis de que no se hubiesen podido realizar las obras de saneamiento y depuración necesarias, sin que quepa apreciar en la solución finalmente adoptada vulneración alguna del principio de seguridad jurídica en su vertiente de previsibilidad del actuar acomodado a Derecho de los poderes públicos».*

Por todo ello la STC concluía señalando que:

> *«... la decisión del legislador autonómico no merece reproche alguno desde la óptica del sistema de fuentes. Como hemos señalado reiteradamente, no resulta contrario a la Constitución que el legislador asuma una tarea que anteriormente había encomendado al poder reglamentario, pues nuestro sistema constitucional*

desconoce algo parecido a una reserva reglamentaria inaccesible al legislativo (SSTC 5/1981, de 13 de febrero –FJ 21.b–; y 18/1982, de 4 de mayo –FJ 3–). De tal suerte que, dentro del marco de la Constitución y respetando sus específicas limitaciones, la ley puede tener en nuestro ordenamiento jurídico cualquier contenido, no estándole en modo alguno vedada la regulación de materias antes atribuidas al poder reglamentario».

4. En la STC 48/2005, de 3 de marzo (Asunto Parlamento de Canarias), se enjuiciaba la constitucionalidad de la Ley del Parlamento de Canarias 2/1992, de 26 de junio, por la que se declaró de utilidad pública la expropiación de ciertos edificios de las calles Teobaldo Power y Castillo, colindantes con el edificio del Parlamento de Canarias, en la ciudad de Santa Cruz de Tenerife, para proceder a su ampliación, y ello, a través de la cuestión planteada por la Sala de lo Contencioso administrativo; a diferencia del supuesto anterior, en el presente el Tribunal Constitucional no consideró que se trataba de una situación excepcional, sino de una expropiación común y ordinaria en la que solo existían diferencias de valoración entre los propietarios y la expropiante, esto es, de una expropiación *«nada fuera de lo corriente»*, declarando, sin embargo, el Tribunal Constitucional parcialmente la inconstitucionalidad de la Ley impugnada al exigir la presencia de una tutela judicial efectiva, bien ante los Tribunales ordinarios, bien ante el propio Tribunal Constitucional, que no concurría en el supuesto enjuiciado, por no poder pronunciarse dicho Tribunal sobre la cuestión relativa a la necesidad de ocupación.

5. En la STC 92/2013, de 22 de abril (Asunto Ley urbanística del Parlamento de Cantabria 1) –doctrinalmente muy comentada–, se respondía al planteamiento de constitucionalidad de la Ley 2/2011, de 4 de abril, del Parlamento de Cantabria, por la que se modificaba la anterior Ley 2/2001, de 25 de junio, de Ordenación territorial y régimen urbanístico del suelo de Cantabria, en el particular relativo a la Disposición Adicional Sexta introducida mediante la modificación, y que regulaba la *«Tramitación de los expedientes en materia de responsabilidad patrimonial derivada de actuaciones en materia urbanística»*. Su párrafo quinto, del apartado n.° 4 de la Disposición era del siguiente tenor literal:

«Sólo se podrá proceder a la demolición cuando haya finalizado el procedimiento de determinación de la responsabilidad patrimonial, se haya establecido en su caso el importe de indemnización y se haya puesto éste a disposición del perjudicado».

Pues bien, la STC declaró inconstitucionalidad del párrafo trascrito –en cuanto se refiere a los procesos de ejecución de resoluciones judiciales–, así como del siguiente apartado 5, razonando al respecto en los siguientes términos:

«De lo anterior se deduce que en el sistema constitucional que deriva de los arts. 117.3 y 118 CE, corresponde a los Juzgados y Tribunales, con carácter exclusivo, la función de ejecutar lo juzgado "en todo tipo de procesos", esto es, también en los procesos contencioso-administrativos, rompiéndose así con situaciones precedentes en las que la Administración retenía la potestad de ejecución. De este modo, mientras que, cuando de la ejecución de un acto administrativo se trata, la Administración ejercita potestades propias de autotutela administrativa que le permiten llevar a efecto sus propias determinaciones, cuando se encuentra dando cumplimiento a una resolución judicial, su actuación se justifica en la obligación de cumplir las Sentencias y demás resoluciones judiciales (art. 118 CE), así como en el auxilio, debido y jurídicamente ordenado, a los órganos judiciales para el ejercicio de su potestad exclusiva de hacer ejecutar lo juzgado (art. 117.3 CE).

6. La conclusión de lo anteriormente expuesto es que la norma cuestionada incide en la regulación de la ejecución de Sentencias mediante la introducción de un trámite (el de determinación de la eventual responsabilidad patrimonial en que pudiera haber incurrido la Administración urbanística) ajeno a la propia ejecución de la Sentencia y que tiene el efecto de paralizar la misma mientras sustancia, decide y, en su caso, ejecuta mediante el pago. Tal regulación, como acabamos de ver, no tiene cobertura competencial en los títulos aducidos por los órganos de la Comunidad Autónoma, de modo que se invade la competencia exclusiva del Estado en materia de legislación procesal prevista en el art. 149.1 6 CE, sin que, tal como admiten todos los que han intervenido en este proceso constitucional, concurra especialidad alguna en el derecho sustantivo autonómico que lo justifique en términos constitucionalmente admisibles conforme al indicado precepto constitucional.

Qué duda cabe de que los órganos judiciales deberán ponderar la totalidad de los intereses en conflicto a la hora de hacer ejecutar sus resoluciones y que no cabe descartar que tal ponderación pudiera llevar al órgano judicial a acomodar el ritmo de la ejecución material de las demoliciones que hayan de tener lugar a las circunstancias concretas de cada caso. Pero lo que resulta incompatible con la reserva estatal en materia de legislación procesal –art. 149.1.6 CE– es que el legislador autonómico establezca una causa de suspensión o aplazamiento de la ejecución de las Sentencias que han de ejecutarse mediante el derribo de edificaciones, máxime cuando el precepto legal no condiciona la efectividad de la demolición judicialmente acordada al transcurso de los plazos para resolver el expediente de responsabilidad patrimonial, sino a su efectiva resolución y al pago de la indemnización acordada, de suerte que la ejecución de la Sentencia termina por escapar del control judicial, único competente para hacer ejecutar lo juzgado a tenor de lo dispuesto en el art. 117.3 CE que resulta igualmente vulnerado».

Debemos destacar que, al margen de la ausencia competencial autonómica del Parlamento de Cantabria, la STC, en su inciso final destaca que la ejecución de las sentencias no puede «*escapar del control judicial, único competente para hacer ejecutar lo juzgado a tenor de lo dispuesto en el art. 117.3 CE*».

6. Igualmente significativa, por la doctrina que contiene, es la STC 129/2013, de 4 de junio (Asunto Santovenia de Pisuerga) mediante la que fue resuelto, en sentido parcialmente estimatorio, el recurso de inconstitucionalidad formulado contra la Disposición Adicional de la Ley 9/2002, de 10 de julio, de Castilla y León, de Declaración de proyectos regionales de infraestructura de residuos de singular interés para la Comunidad, por afectar al derecho a la tutela judicial efectiva el establecimiento de la reserva de ley formal que se realiza. La STC se expresa en los siguientes términos:

«*5. Para abordar el análisis de los motivos de inconstitucionalidad que los recurrentes hacen depender de la naturaleza singular de la Ley impugnada, habremos de tener en cuenta que, como se expuso en fundamentos jurídicos anteriores, y en contra de lo que alegan los recurrentes, estamos en presencia de dos tipos de leyes comprendidas dentro un mismo acto legislativo, una general y otra singular autoaplicativa.*

El artículo único de la Ley impugnada contiene una regulación general de los proyectos regionales de infraestructuras de residuos dentro de la cual se atribuye al legislador la competencia para su aprobación (apartado primero). Si el tipo de ley singular y autoaplicativa a la que llama este precepto fuera incompatible con la Constitución o con el Estatuto de Autonomía y, por tanto, inconstitucional, necesariamente lo sería también la reserva formal de ley que este apartado contiene, pues la habilitación para el dictado de leyes singulares que exceden de los límites establecidos por la Constitución incumpliría, a su vez, los límites constitucionales. Así pues, la reserva formal de ley sería, también, inconstitucional. La inconstitucionalidad declarada por esta causa no se extendería, sin embargo, a aquellos otros aspectos de la regulación legal ajenos a la competencia para la aprobación de los citados proyectos.

Al igual que la Constitución, el Estatuto de Autonomía de Castilla y León, tanto en la redacción que estaba vigente cuando se interpuso este recurso, como en la redacción que le dio la Ley Orgánica 14/2007, de 30 de noviembre, atribuye a las Cortes autonómicas la potestad legislativa y encomienda a la Junta de Castilla y León la función ejecutiva y la potestad reglamentaria (arts. 24.1 y 28.1), pero no contiene precepto alguno que imponga a las leyes una determinada estructura. En consecuencia, resulta de plena aplicación nuestra doctrina sobre la inicial fungibilidad de las funciones normativa y ejecutiva (STC 166/1986, de 19 de diciembre,

FJ 11), según la cual no existe, en principio, una reserva a la Administración autonómica del ejercicio de la función reglamentaria y administrativa.

Pero, además, como este Tribunal ha requerido, las leyes singulares, aun cuando sean autonómicas, deben respetar los límites relativos a los derechos fundamentales, y por ello, el art. 24.1 CE. En otras palabras, las leyes de aprobación de los proyectos regionales de infraestructuras de residuos deben respetar el derecho a la tutela judicial efectiva de los titulares de derechos e intereses legítimos que se ven afectados por la aprobación de un concreto proyecto de infraestructura de residuos, lo cual, como se señaló anteriormente, es requisito necesario y suficiente para realizar las obras y poner en marcha la actividad (apartado 5 del artículo único).

No cabe afirmar, en modo alguno, que la satisfacción del derecho a la tutela judicial efectiva de los titulares de derechos e intereses legítimos afectados por la aprobación del proyecto regional de infraestructuras de residuos requiera, necesariamente, de un pronunciamiento de los Tribunales de la jurisdicción contencioso-administrativa. Como señalamos en las ya citadas SSTC 166/1986, de 19 de diciembre, FJ 11, y 48/2005, de 3 de marzo, FJ 6, el derecho a la tutela judicial efectiva de los derechos e intereses afectados puede llevarse a cabo por el Tribunal Constitucional. Pero ello exige, en primer lugar, que sus titulares puedan acceder a este Tribunal reclamando el control de constitucionalidad de la norma legal autoaplicativa y, en segundo lugar, que el control que realice el Tribunal Constitucional sea suficiente para brindar una tutela materialmente equivalente a la que puede otorgar, frente a un acto administrativo, la jurisdicción contencioso-administrativa (STC 48/2005, de 3 de marzo, FJ 6), pues en modo alguna la reserva de ley puede servir como instrumento dirigido a evitar o disminuir la protección de los derechos e intereses legítimos amparados por la legalidad ordinaria.

Así pues, la ley singular autoaplicativa a la que remite el apartado primero del artículo único de la Ley impugnada solo será constitucional si supera los dos requisitos enunciados Y ello determinará necesariamente la constitucionalidad o inconstitucionalidad de la reserva formal de ley que contiene este precepto.

6. Se va a examinar a continuación si concurren o no los dos requisitos enunciados la Ley impugnada.

a) Los titulares de derechos e intereses legítimos carecen de un recurso directo contra las leyes autoaplicativas, es decir, aquellas que no requieren del dictado de un acto administrativo de aplicación. A diferencia de las leyes no autoaplicativas que requieren de una posterior actividad administrativa de aplicación que permite al titular de derechos e intereses legítimos acceder a la jurisdicción contencioso-administrativa en su defensa, en este tipo de leyes dichos interesados sólo pueden solicitar del Juez el planteamiento de la correspondiente cuestión de inconstitucionalidad ante el Tribunal Constitucional. A esta cuestión se refirió de manera puramente incidental la STC 166/1986, de 19 de diciembre, FJ 11, en la medida en que estaba resolviendo una cuestión de inconstitucionalidad que el Juez había decidido

353

plantear ante el Tribunal Constitucional. Después, este Tribunal ha acuñado una doctrina de acuerdo con la cual suscitar la cuestión de inconstitucionalidad es una prerrogativa exclusiva e irrevisable del órgano judicial, el cual, por el mero hecho de no plantearla y de aplicar la ley que no estima inconstitucional, no lesiona, en principio, derecho fundamental alguno; de ahí que no sea posible, mediante la alegación del art. 24 CE, el control de la decisión adoptada por el Juez de no ejercer la facultad que le atribuye el art. 163 CE (por todas, STC 119/1998, de 4 de junio, FJ 6). Debemos por ello concluir que el art. 24.1 CE exige que su titular pueda instar la tutela que el precepto consagra, requisito éste que no se cumple en el caso de las leyes autoaplicativas en las que el planteamiento de la cuestión es una prerrogativa exclusiva del Juez, pero no un derecho del justiciable.

b) En lo que se refiere al segundo de los requisitos, es decir, la intensidad del control que puede realizar este Tribunal sobre la Ley de aprobación del proyecto regional de infraestructuras de residuos sin desnaturalizar los límites de su jurisdicción, no cabe sino concluir que las leyes autoaplicativas, a las que remite el apartado primero del artículo único de la Ley impugnada no satisfacen este requisito. La reserva al legislador de la aplicación de la legalidad existente al caso concreto, con exclusión de la actividad que ordinariamente realiza la Administración, impide un control de la misma intensidad que el que correspondería realizar a los Tribunales de la jurisdicción contencioso-administrativa, si la actividad de ejecución se hubiera llevado a cabo por la Administración. Y es que, en modo alguno, corresponde al Tribunal Constitucional el control fáctico y de legalidad ordinaria –control de los elementos reglados de los actos de aplicación–, que, en todo caso, exige la función de aplicación de la norma al caso concreto, ello con independencia de quién la lleve a cabo».

7. También debemos destacar la STC 203/2013, de 5 de diciembre junio (Asunto Ciudad del Medio Ambiente de Soria), mediante la que fue declarada la inconstitucionalidad de la Ley de Castilla y León 6/2007, de 28 de marzo, de aprobación del proyecto regional Ciudad del Medio Ambiente. La STC describe el contenido de la Ley, en los siguientes términos:

«Aunque la ley impugnada afirma aprobar un «proyecto regional» de los contemplados en el art. 20.1 c) de la Ley 10/1998, de ordenación del territorio de Castilla y León, lo cierto es que el proyecto regional "Ciudad del Medio Ambiente" contiene la ordenación urbanística completa del ámbito territorial delimitado por el art. 1 de sus normas, lo que le aproxima a la figura del plan regional, que tiene por objeto planificar la ejecución de actuaciones industriales, residenciales, terciarias y dotacionales [art. 20.1 b) de la Ley de ordenación del territorio de Castilla y León].

De la simple lectura del anexo se desprende, inequívocamente, que el proyecto regional no autoriza una obra o infraestructura más o menos compleja como era el caso analizado en la STC 129/2013, de 4 de junio, sino que planifica la ejecución de una actuación urbanística, pues contiene las determinaciones de los planes urbanísticos, y requiere, como cualquier otro desarrollo urbanístico, del posterior proceso de gestión por los sistemas de actuación contemplados en la legislación urbanística a la que se remite el art. 61 de las normas del proyecto regional "Ciudad del Medio Ambiente", lo que hace imposible la inmediata ejecución a la que se refiere el antes citado art. 20.1 c) Ley de ordenación del territorio de Castilla y León».

En concreto, la STC expone que el proyecto regional incluye determinaciones de ordenación general (clasifica suelos) y pormenorizada (delimita dos sectores de suelo urbanizable en los que localiza el aprovechamiento lucrativo, establece los sistemas generales), regula el régimen general del suelo rústico y contiene determinaciones de ordenación pormenorizada propias de los planes parciales en suelo urbanizable, esto es, que «*contiene la ordenación urbanística del ámbito territorial por él delimitado*».

En síntesis –sistematizando los conceptos de «leyes autoaplicativas», «leyes de destinatario único», y «leyes de supuesto de hecho concreto y singular»– se sigue la doctrina establecida en las SSTC 166/1986 y 129/2013, a las que antes nos hemos referido, en relación con la excepcionalidad de la norma, concluyendo en los siguientes términos:

«7. Como señalamos en el fundamento jurídico anterior, este primer límite que impone la Constitución a las leyes singulares no sólo exige que la apreciación de la excepcionalidad no sea arbitraria, sino que las medidas adoptadas sean razonables y proporcionadas a la situación excepcional a la que se pretende dar respuesta con su aprobación, que no es otra que la especial importancia del plan para el desarrollo económico y social de la Comunidad Autónoma.

El legislador no ha explicitado las razones por las que entiende que la utilización de la ley es una medida razonable y proporcionada, aún a sabiendas de que, tal y como se puso de manifiesto en el debate legislativo, la utilización de la ley eliminaba el control de la jurisdicción contencioso-administrativa. Por otra parte, la regulación material de la Ley impugnada no presenta peculiaridad alguna –sin perjuicio de las necesarias diferencias entre planeamientos derivadas de las diferentes necesidades que con ellos se pretenden satisfacer– con respecto a cualquier otra ordenación urbanística regional aprobada por el Consejo de Gobierno.

(…) En otras palabras, no consta en modo alguno en el proyecto la inaplicación de norma legal o reglamentaria alguna, por lo que la misma ordenación podría haberse abordado mediante una norma aprobada por el Consejo de Gobierno.

(…) La aprobación por ley de este planeamiento urbanístico ha impedido que los Tribunales de la jurisdicción contencioso-administrativa, puedan controlar la legalidad de la nueva clasificación del suelo, la adecuación del proyecto a la evaluación de impacto ambiental y la legalidad misma de la evaluación ambiental, control jurisdiccional al que se hubiera tenido acceso si la norma hubiera sido aprobada por el Consejo de Gobierno.

8. Con base en lo expuesto cabe concluir que la utilización de la ley no es una medida razonable ni proporcionada a la situación excepcional que ha justificado su aprobación, y por las mismas razones no satisface el segundo de los límites que la STC 166/1986, de 19 de diciembre, predica de las leyes singulares: …

(…) Además, como consecuencia directa de la desproporción en que ha incurrido el legislador, la Ley impugnada ha vulnerado el art. 24.1 CE, al impedir el acceso al control judicial de derechos e intereses legítimos afectados y eliminar la posibilidad de un control judicial de la misma intensidad que hubieran podido realizar los Tribunales de la jurisdicción contencioso-administrativa, si el proyecto se hubiera aprobado por reglamento. Tal y como señalamos en la STC 248/2000, de 19 de octubre, FJ 5, aunque el art. 24.1 CE "no queda vulnerado por el sólo hecho de que una materia sea regulada por norma de rango legal y, por lo tanto, resulte jurisdiccionalmente inmune", puede ocurrir que la ley resulte inconstitucional por otros motivos y se produzca, como consecuencia de ello, una vulneración del derecho reconocido en el art. 24.1 CE: "En otras palabras: o la ley es inconstitucional por otros motivos y cierra, por serlo, ilegítimamente el paso a pretensiones que hubieran de acceder a los jueces y tribunales, y, en este caso, puede vulnerar de forma derivada el derecho reconocido en el art. 24.1 CE (STC 181/2000, FJ 20); o la ley es conforme a la Constitución y, en tal supuesto, pertenece a su propia naturaleza de ley el no poder ser enjuiciada por los jueces y tribunales ordinarios"».

8. También debe dejarse constancia de la STC 162/2014, de 7 de octubre (Asunto Complejo de Ocio y Aventura Meseta-Ski), en la que fue resuelto el recurso de inconstitucionalidad formulado por el Presidente del Gobierno contra la Ley de Castilla y León 6/2010, de 28 de mayo, de declaración del proyecto regional del Complejo de Ocio y Aventura Meseta-Ski, expresándose en los siguientes términos:

«En este supuesto concreto la Comunidad Autónoma ha ejercido su competencia en materia de ordenación del territorio sobre unos terrenos que se vieron afectados por un incendio en 1999. Así, se confirma en la Sentencia del Juzgado de lo Contencioso-Administrativo núm. 1 de Valladolid, de 14 de diciembre de 2009, donde se reafirma la anulación del cambio de uso forestal de los terrenos de la pista de esquí de Tordesillas. En esta Sentencia se destaca la existencia sobre el proyecto litigioso de diversas resoluciones judiciales, entre ellas, la Sentencia del Juzgado de lo Contencioso-Administrativo núm. 2 de Valladolid, de 22 de febrero de 2008, que había estimado anteriormente que dicho cambio de uso no era posible a tenor del art. 50 de la Ley de montes, y había anulado el acuerdo de la Junta de gobierno local del Ayuntamiento de Tordesillas, de 4 de octubre de 2006, por el que se resolvía conceder la autorización de uso excepcional en suelo rústico para la construcción de la pista de esquí seco en la entidad local menor de Villavieja del Cerro, por desconocimiento del art. 50 de la Ley de montes. La Sentencia del Tribunal Superior de Justicia de Castilla y León, de 28 de mayo de 2009, vino a confirmar la de 22 de febrero de 2008, desestimando el recurso de

apelación interpuesto contra la misma, relacionando hasta cuatro motivos para apoyar la afirmación de la Sentencia apelada sobre el desconocimiento que el acto impugnado entraña del art. 50 de la Ley de montes.

Es claro, entonces que la Ley 6/2010, objeto del presente recurso de inconstitucionalidad, pretende desarrollar el proyecto regional "Complejo de ocio y aventura Meseta-Ski" sobre unos terrenos sujetos a las prohibiciones de cambio de uso forestal y de realización de actividades incompatibles con la regeneración de la cubierta forestal establecidas por el art. 50.1 de la Ley 43/2003, de 21 de abril, de montes, sin que nos encontremos, en este caso, en alguna de las excepciones previstas en el inciso segundo del art. 50.1 de aquella Ley, lo que determina la consiguiente vulneración de la legislación básica del Estado».

9. En la STC 50/2015, de 5 de marzo (Asunto Parque Natural de Fuentes Carrionas) se resolvió la cuestión de inconstitucionalidad formulada por el Tribunal Superior de Justicia de Castilla y León en relación con la Ley 5/2010, de 28 de mayo, de Modificación de la Ley 4/2000, de 27 de junio, de Declaración del Parque Natural de Fuentes Carrionas y Fuente Cobre-Montaña Palentina, declarando su inconstitucionalidad.

En síntesis se planteaba que la Ley 5/2010 hacía imposible legalmente la ejecución de STSJ de Castilla y León de 8 de enero de 2008 (que la posterior STS de 25 de enero de 2012 había declaro correcta), por la que se había anulado el Decreto 13/2006, de 9 de marzo, por el que se modifica el anexo I del Decreto 140/1998, de 16 de julio, por el que se aprueba el plan de ordenación de los recursos naturales de Fuentes Carrionas y Fuente Cobre-Montaña Palentina (Palencia); ley con un contenido idéntico al mencionado Decreto anulado. La STC, reiterando la doctrina contenida en la STC 203/2013 (que, a su vez, reiteraba la contenida en las SSTC 48/2005 y 129/2003) –que distinguía entre «leyes autoaplicativas», «leyes de destinatario único», y «leyes de supuesto de hecho concreto y singular»– rechazaba que la Ley de autos tuviera la consideración de las dos primeras, llegando, como en el caso de la STC 203/2013, a la conclusión de que se trataba de una ley singular que modificaba el Decreto anulado y que vulneraba el artículo 24 de la Constitución:

a) «*Por tanto, como en el caso del último de los supuestos examinados en la STC 203/2013, FJ 3, debemos concluir que se trata de una ley singular, en tanto que dictada en atención al supuesto de hecho excepcional que la justifica. Basta constatar que no todos los usos, ni todas las modificaciones de los planes de ordenación de los recursos naturales requieren norma legal, sino solamente este uso y la modificación del plan de ordenación de los recursos de este parque natural. La consecuencia es que "el canon de constitucionalidad que habremos de aplicar es el establecido en la doctrina constitucional para las leyes de esta naturaleza, con*

357

las particularidades que derivan de las especiales características de este género de leyes singulares, que no son ni de destinatario único ni autoaplicativas", canon al que aludimos en la STC 129/2003, FJ 4 cuando concluimos que "el canon de constitucionalidad que debe utilizar este Tribunal al ejercer su función de control de este tipo de leyes es el de la razonabilidad, proporcionalidad y adecuación". Así pues, dada la naturaleza de ley singular de la norma cuestionada hemos de comprobar, en primer lugar, si el supuesto de hecho que contempla tiene una justificación objetiva y, de ser así, si la utilización de la ley es proporcionada a la excepcionalidad que se trata de atender y que ha justificado su aprobación (STC 203/2013, FJ 4)».

b) *«Por tanto, atendiendo a la prudencia con la que ha de atenderse para calificar una ley como arbitraria y al control negativo que nos es propio en relación con dicho principio de interdicción de la arbitrariedad de los poderes públicos, no cabe excluir que la modificación cuestionada carezca de justificación objetiva en la medida en que, dentro del margen de discrecionalidad del legislador, responde a la necesidad de promover el desarrollo socioeconómico de la zona, objetivo que, si bien no con el carácter de prioritario, es posible también hallar entre los perseguidos por la declaración del parque natural de Fuentes Carrionas y Fuente Cobre-Montaña Palentina (art. 2.4 de la Ley 4/2000).*

(…) Ahora bien, aun pudiendo estimarse que la modificación propuesta pudiera tener una justificación razonable, resulta que, al igual que en el caso examinado en la STC 203/2013, lo que en ningún caso se ha explicado es la necesidad de que tal modificación se lleve a cabo mediante ley».

c) *«Asimismo, atendiendo a las circunstancias del caso, es posible apreciar que la norma impugnada, en la medida en que reproduce casi miméticamente una regulación reglamentaria previamente declarada nula, vulnera el art. 24.1 CE. Este Tribunal ha afirmado reiteradamente que una de las proyecciones del derecho reconocido en el art. 24.1 CE es el derecho a que las resoluciones judiciales alcancen la efectividad otorgada por el Ordenamiento, lo que implica, de un lado, el derecho a que las resoluciones judiciales firmes se ejecuten en sus propios términos y, de otro, el respeto a su firmeza y a la intangibilidad de las situaciones jurídicas en ellas declaradas (SSTC 171/1991, de 16 de septiembre, FJ 3; 198/1994, de 4 de julio, FJ 3; 197/2000, de 24 de julio, FJ 2; 83/2001, de 26 de marzo, FJ 4, entre otras muchas). Así, en la STC 312/2006, de 8 de noviembre, ya señalamos "que podría producirse una lesión del art. 24.1 CE en aquellos supuestos en los que los efectos obstativos de una ley o del régimen jurídico en ella establecido para una concreta materia fuesen precisamente hacer imposible de forma desproporcionada que un determinado fallo judicial se cumpla, pues siendo indudable que la Constitución reconoce al legislador un amplio margen de libertad al configurar sus opciones, no es menos cierto que también le somete a determinados límites, entre ellos el que se deriva del art. 24.1 CE". Por tanto, señalamos en la misma Sentencia y fundamento jurídico que "no tiene cabida en nuestra Constitución aquella ley o el concreto régimen jurídico en ella establecido cuyo efecto sea el de sacrificar, de forma desproporcionada, el pronunciamiento contenido en el fallo de una resolución judicial firme. Si se quiere, dicho en otros términos, cuando de forma patente o manifiesta no exista la debida proporción entre el interés encarnado en la Ley y el concreto interés tutelado por el fallo a ejecutar. Pues en este caso, atendidas las características del proceso y el contenido del fallo de la Sentencia (SSTC 153/1992, de 3 de mayo, FJ 4, y 91/1993, de 15 de marzo, FJ 3), cabría estimar que tal Ley sería contraria al art. 24.1 en relación con los arts. 117.3 y 118 CE, al faltar la debida proporción entre la finalidad perseguida y el sacrificio impuesto (STC 4/1998, de 21 de enero, FJ 5)" (STC 73/2000, de 14 de marzo, FJ 11).*

Ya hemos constatado que, aun cuando la Ley 5/2010 pueda encontrar justificación en una razón atendible, impone un sacrificio desproporcionado de los intereses en juego expresados en el pronunciamiento judicial que hace que el legislador haya superado los límites constitucionales que debe siempre respetar. En particular porque tales supuestos han de ser objeto de un escrutinio especialmente riguroso asentado sobre la interpretación más favorable al derecho a la ejecución de las resoluciones judiciales firmes como parte integrante del derecho fundamental a la tutela judicial efectiva (art. 24.1 CE), que se traduce en la "garantía de que el fallo se cumpla, impidiendo que las Sentencias y los derechos en ellas reconocidos se conviertan en meras declaraciones de intenciones sin alcance práctico ni efectividad alguna" (por todas, STC 223/2004, de 29 de noviembre, FJ 6, y las numerosas resoluciones allí citadas)».

10. La STC 231/2015, de 5 de noviembre (Asunto Ley de residuos y suelos contaminados) –a diferencia del supuesto anterior– rechazó la inconstitucionalidad de la Disposición Adicional Decimoquinta de la Ley 22/2011, de 28 de julio, de Residuos y suelos contaminados, denominada «*Convalidación de actuaciones realizadas al amparo del Real Decreto 1419, de 25 de noviembre*», planteada mediante cuestión de inconstitucionalidad formulada por la Sala Tercera del Tribunal Supremo que, en anterior STS de 24 de noviembre de 2009, había declarado la nulidad del citado Real Decreto. En su Fundamento Jurídico 12 la STC concluye:

> «*En consideración a cuanto antecede, el Tribunal no puede compartir que el precepto de Ley que se cuestiona haya deparado la infracción del derecho fundamental a la ejecución –en sus propios términos, como nuestra jurisprudencia subraya– de la Sentencia de 24 de noviembre de 2009, anulatoria del Real Decreto 1419/2005 (art. 24.1, en relación, según se dice en el Auto de planteamiento, con el art. 117.3, ambos de la Constitución).*
>
> *(…) No cabe, así las cosas, sino rechazar que la disposición cuestionada haya menoscabado el derecho fundamental a la ejecución de las resoluciones judiciales*

359

firmes, derecho no afectado siquiera, reiteramos, por este precepto legal. Ni la disposición adicional decimoquinta, en efecto, contradice abierta o frontalmente el fallo de la Sentencia de 24 de noviembre de 2009, ni cabría argüir, en consecuencia, que los ejecutantes hayan visto malograda, en su virtud, una certeza o expectativa de buen derecho en orden a que las actuaciones administrativas cuya pervivencia controvierten sean removidas. Tales certezas o expectativas, de abrigarse, no provendrían inmediatamente del fallo de aquella Sentencia, por más que hayan podido ser inicialmente acogidas por el juzgador a quo en el ejercicio, ahora infiscalizable, de la jurisdicción que ejerce y sobre la base de su interpretación, igualmente ajena a nuestro control, de aquel pronunciamiento, no desvirtuado ni contradicho de manera directa –esto es lo que aquí importa– por la regla legal. La disposición adicional decimoquinta, por lo demás, ha confirmado unas consecuencias jurídicas que, aunque dispuestas en el reglamento anulado, estaban previstas por la propia Ley (en concreto, por los arts. 58 del texto refundido de la Ley de aguas y 72 del texto refundido de la Ley de contratos de las Administraciones públicas) y que la Constitución no le impide volver a ordenar (por todas, STC 203/2013, FJ 3, y jurisprudencia allí citada); y, junto a ello, ha convalidado y preservado actuaciones realizadas en ejecución de un Real Decreto no suspendido durante su enjuiciamiento –como observa con pertinencia el Abogado del Estado–, aunque sí anulado, al cabo, por no haberse observado en su elaboración unos trámites que sobre el legislador no pesan, por más que sí deban ser satisfechos, como es obvio, en el ejercicio de la potestad reglamentaria y ello tanto por lo que la legalidad impone como en virtud de lo que cabe deducir de los principios de seguridad jurídica e interdicción de la arbitrariedad (art. 9.3 CE), según dejamos dicho en la STC 273/2000, de 15 de noviembre. Aunque tales principios constitucionales –añadimos en esa Sentencia y así es procedente reiterarlo– no cubren una eventual expectativa de que los poderes públicos permanezcan pasivos ante la concurrencia de un vicio procedimental que afecte a una norma cuya aplicación pueda favorecer la consecución de un interés general (FJ 12). El artículo 24.1 CE, en la vertiente que aquí interesa, no le impide al legislador regular ni estabilizar, en su caso, las situaciones jurídicas surgidas en aplicación de una norma reglamentaria declarada nula sobre las que no se pronunció con firmeza, al dictar aquella anulación, el Poder judicial. Tanto menos si tal declaración lo fue por vicios de procedimiento.

El derecho a la ejecución de las resoluciones judiciales firmes no ha sido menoscabado, en definitiva, por la disposición cuestionada».

11. Por último debemos hacer referencia a la STC 254/2015, de 30 de noviembre (Asunto Ley urbanística del Parlamento de Cantabria 2), en la que se respondía al planteamiento de constitucionalidad, formulado por la Sala de lo Contencioso-administrativo del Tribunal Superior de Justicia de Cantabria, en relación con el artículo 65 bis 1 (cuando se refiere a la suspensión de las «órdenes de demolición … judiciales») de la Ley 2/2001, de 25 de junio, del Parlamento de Cantabria, de Ordenación territorial y

régimen urbanístico del suelo de Cantabria, precepto introducido por la Ley 4/2013, de 20 de junio. La STC anula el citado inciso con base en los siguientes términos con los que concluye la STS:

> «En definitiva, nos encontramos con una norma de contenido procesal, por lo que hay que atender a la distribución de competencias establecida en el art. 149.1.6 CE conforme a la cual la legislación procesal es competencia exclusiva del Estado, si bien las Comunidades Autónomas pueden establecer las especialidades procesales necesarias que se deriven de las particularidades del derecho sustantivo de las Comunidades Autónomas. Una competencia que, no obstante, tal y como ha señalado la Fiscal General del Estado, no ha sido asumida por la Comunidad Autónoma de Cantabria en su Estatuto de Autonomía, por lo que carece de ella.

> Pues bien, el precepto cuestionado regula, como se ha explicado más arriba, la ejecución de las sentencias en el proceso contencioso-administrativo creando una causa de suspensión específica en relación con las sentencias que ordenan la demolición de edificios ilegales, procediendo, por tanto, la aplicación de la doctrina que hemos establecido recientemente en nuestras Sentencias 92/2013, de 22 de abril; 82/2014, de 28 de mayo, y 149/2014, de 22 de septiembre, de acuerdo con la cual resulta incompatible con la reserva estatal en materia de legislación procesal –art. 149.1.6 CE– que el legislador autonómico establezca una causa de suspensión o aplazamiento de la ejecución de las sentencias que implican el derribo de las edificaciones, determinando que la ejecución de la Sentencia –como es aquí el caso por lo anteriormente expuesto– termina por escapar del control judicial, único competente para hacer ejecutar lo juzgado a tenor de lo dispuesto en el art. 117.3 CE.

> Por todo lo anteriormente expuesto, procede declarar la inconstitucionalidad del inciso "o judiciales" del art. 65 bis.1 de la Ley cántabra 2/2001».

VII. LA CULMINACIÓN DE LAS DIFICULTADES LEGALES PARA LA EJECUCIÓN DE SENTENCIAS

Sólo en el marco de la anterior jurisprudencia constitucional (que podemos considerar zigzagueante, según hemos podido comprobar) son comprensibles los «avances» del legislador estatal, a partir de 2015, representados, en primer término, por la Ley Orgánica 1/2015, de 30 de marzo, por la que se modifica la Ley Orgánica 10/1995, de 23 de noviembre del Código Penal, en cuyo artículo 319.3 se permite a los jueces y tribunales penales condicionar «temporalmente la demolición –previamente ordenada de obras declaradas ilegales– a la constitución de garantías que aseguren el pago» de las indemnizaciones «debidas a terceros de buena fe».

Quizá como compensación de tal actuación legislativa –y de la que vendría a continuación– la Ley Orgánica 6/2015, de 12 de junio, de Modificación de la Ley Orgánica 8/1980, de 22 de septiembre, de Financiación de las Comunidades Autónomas, y de la Ley Orgánica 2/2012, de 27 de abril, de Estabilidad Presupuestaria y sostenibilidad financiera, contempló en su Disposición Adicional Primera una normas específicas para la «Financiación de la ejecución de las sentencias firmes por parte de las Entidades locales», con posibilidad de incluir las necesidades financiera precisas en los compartimentos Fondo de Ordenación, Fondo de Impulso Económico o Fondo de Financiación a las Entidades Locales, en los términos que se establecían.

Con tal precedente, el «avance» más cualificado ha sido la introducción de un nuevo número 3 en el artículo 108 de la LRJCA, mediante la Ley Orgánica 7/2015, de 21 de junio, por la que se Modifica la Ley Orgánica 6/1985, de 1.° de julio, del Poder Judicial, conforme al cual:

> «El Juez o Tribunal, en los casos en que, además de declarar contraria a la normativa la construcción de un inmueble, ordene motivadamente la demolición del mismo y la reposición a su estado originario de la realidad física alterada, exigirá, como condición previa a la demolición, y salvo que una situación de peligro inminente lo impidiera, la prestación de garantías suficientes para responder del pago de las indemnizaciones debidas a terceros de buena fe».

De su análisis podemos deducir, en ausencia de pronunciamientos judiciales del Tribunal Supremo en relación con las cuestiones de fondo que el precepto suscita, las siguientes consideraciones:

1.° En relación con la naturaleza del mandato contenido en el citado precepto, debe señalarse que se trata de una obligación legal («exigirá»), que se impone a los órganos jurisdiccionales de la Jurisdicción Contencioso Administrativa, y no una mera posibilidad, como es la contemplada en el artículo 319.3 del Código Penal («podrán ordenar»), para los Jueces y Tribunales de la Jurisdicción Penal.

2.° No obstante tal carácter de obligación legal, no parece que se trate de una actuación jurisdiccional que los Jueces y Tribunales de lo Contencioso administrativo –obligados y competentes para la ejecución de las sentencias firmes– puedan llevar a cabo de oficio, ya que, de conformidad con el principio dispositivo, los órganos judiciales han de ser instados al cumplimiento de tal obligación legal de referencia en el marco procedimental de la ejecución que desarrollan. Desde la perspectiva de la legitimación, obviamente, será la Administración obligada al cumplimiento de la decisión jurisdiccional de demolición de las obras, la que deberá solicitar de los órganos jurisdiccionales la imposición de la obligación de cumplimiento de la condición prevista para poder proceder a la demolición de lo indebidamente construido. Por otra parte, habrá que entender que la pasividad administrativa posibilita que las «personas afectadas» por la demolición –concepto que habrá de interpretarse en los términos realizados por la jurisprudencia en relación con la expresión contenida en el artículo 104.2 de la LRJCA– puedan instar de la Administración la formulación de solicitud de referencia, y que, ante el silencio de esta, puedan acceder a la vía jurisdiccional, como se ha contemplado para el supuesto previsto en el artículo 105.2 de la misma ley, ante la pasividad del «órgano obligado» al cumplimiento de la sentencia de plantear la concurrencias de causas de imposibilidad de ejecución de la sentencia.

3.° El requisito previo que el precepto establece para la imposición de la obligación, si bien se observa, es doble y acumulativo pudiendo llevar a dudas razonables en su interpretación. El precepto exige de forma acumulativa –utiliza la expresión «además»– los siguientes requisitos:

a) Que la decisión jurisdiccional previa –la que se ejecuta– haya declarado contraria al Ordenamiento jurídico la actuación impugnada; esto es que haya declarado «contraria a la normativa la construcción de un inmueble».

b) Y que –«además»– la decisión judicial haya ordenado «motivadamente la demolición del mismo y la reposición a su estado originario de la realidad física alterada».

1. Tal decisión legal no deja de ser contradictoria con la jurisprudencia de la Sala Tercera que ha considerado que la segunda decisión (demolición) está implícita en la primera (nulidad); así se había dicho en las STS de 7 de febrero de 2000 y de 15 de octubre de 2001, el Tribunal Supremo, siguiendo una reiterada doctrina de la Sala:

«... la demolición de lo construido es la consecuencia impuesta legalmente en el caso de anulación de una licencia concedida con infracción de la normativa urbanística».

Y así se ratificó en la STS del Pleno de la Sala de 7 de junio de 2005:

«... tratándose de obras realizadas al amparo de una licencia que contraviene normas urbanísticas, la anulación de ésta comporta la obligación de demolición de aquéllas; de suerte que, ni la sentencia que acuerda ésta, aunque no hubiera sido pedida, es incongruente, ni se rebasa el sentido del título ejecutivo cuando se ordena tal demolición en la fase de ejecución pese a que el título sólo contuviera explícitamente el pronunciamiento anulatorio de la licencia (por todas, pueden verse las sentencias de 3 de julio de 2000, 19 de noviembre de 2001 y 26 de julio de 2002, dictadas, respectivamente, en los recursos de casación números 2061/1995, 4060/1999 y 3303/2000)».

2. Otro aspecto que puede resultar problemático, en relación con la anterior jurisprudencia, es que –como hemos expuesto el precepto impone que–, además de la declaración de nulidad, se haya ordenado la expresa

363

demolición de lo construido y la reposición de la realidad física alterada, exigiendo que esta orden se haya dictado «motivadamente», dando, pues, la sensación de que el legislador haya querido dejar sin efecto la línea jurisprudencial de precedente cita. En todo caso se puede olvidarse que en relación con el ámbito de las ejecuciones de sentencias el Tribunal Constitucional ha reconocido, de forma expresa (STC 92/2013, de 22 de abril), que la ejecución de las sentencias no puede «escapar del control judicial, único competente para hacer ejecutar lo juzgado a tenor de lo dispuesto en el art. 117.3 CE». Y que, además –como se expuso al principio–, la ejecución de las sentencias se enmarca en el ámbito del derecho a la tutela judicial efectiva (SSTC 58/1983, de 29 de junio y 109/1984, de 26 de noviembre).

4.° Desde la perspectiva temporal del precepto deben destacarse dos pronunciamientos ya realizados por el Tribunal Supremo (STS 1409/2017, de 21 de septiembre, RC 477/2016) relación con el mismo:

a) Que la presente normativa es de aplicación a las sentencias dictadas con anterioridad a la entrada en vigor de la Ley Orgánica 7/2015, de 21 de junio (que introdujo el precepto en la LRJCA), sin norma alguna específica de derecho transitorio (Disposición Final Décima):

> «En consecuencia, puede afirmarse que nos encontramos ante una norma procesal, incluida en legislación procesal y además sobre incidente procesal de ejecución, por lo que resulta de aplicación a todos los supuestos o incidentes en que se plantee el momento, alcance o modo de demolición de una construcción ilegal, al margen de cuando se haya iniciado el pleito o incidente de ejecución».

Con tal pronunciamiento se deja sin efecto el anterior criterio que pudiera haberse mantenido en el ATS de 30 de septiembre de 2013 (RC 577/2001).

b) Por otra parte, la misma STS 1409/2017 sitúa el incidente que nos ocupa como distinto y diferente del Incidente de concurrencia de causas de imposibilidad de ejecución de las sentencias previsto en el artículo 105.2 de la LRJCA, además de compatible con él, pero con diferente cometido:

> «Con independencia de lo anterior, debemos señalar que el art. 108.3 ni reforma el art. 109, ni el 105, sino que introduce dentro de las medidas coercitivas o ejecutivas que puede adoptar el juez, en el seno de la ejecución forzosa (es decir, cuando el ejecutado no cumple voluntariamente, posibilidad que nadie excluye, incluida la prestación de garantías) de un fallo que impone una obligación de hacer, concretamente, cuando ese hacer es la demolición de inmuebles por declarar contraria a la normativa su construcción.
>
> Es decir, el legislador no ha modificado el art. 105.1 LJCA cuya prohibición de suspender sigue vigente sin matiz alguno, sino que ha incorporado dicha medida

dentro del art. 108 LJCA, precepto que tanto desde una perspectiva temporal como sistemática permite afirmar que el legislador no ha pretendido dispensar a los propietarios y a la administración de una medida genérica e indiscriminada de suspensión o paralización temporal de las ejecuciones de las sentencias de demolición de inmuebles, sino de dotar al juez, una vez acreditada la necesidad, adecuación y proporcionalidad de la demolición, de determinados poderes en orden a que dicha demolición no haya de causar efectos irreparables en los terceros adquirentes de buena fe. Esto es, mientras el art. 105 lo que prevé son supuestos de inejecución de sentencias por causas legales o materiales, el art. 108.3 se sitúa en un momento posterior del proceso de ejecución, en cuanto se incluye en un precepto que recoge los poderes del juez para que la ejecución se lleve a efecto, con lo cual se convierte en una fase más de la ejecución, pero nunca en un impedimento, ni siquiera temporal para la ejecución de la sentencia.

Consecuentemente se ha de entender que lo que hace la norma no es regular un obstáculo a la ejecución, sino añadir un deber de hacer en la ejecución de estos fallos. Al deber de demoler, se une el de garantizar los perjuicios que puedan derivarse para los adquirentes de buena fe. En caso de no hacerlo, el juez debe ocuparse de que así sea, adoptando medidas de coerción y exigiendo responsabilidades de todo tipo, hasta que se haya constituido la garantía, voluntariamente o de forma forzosa, esto es el juez deberá, dentro del mismo proceso de ejecución de la sentencia de demolición, ir resolviendo paralelamente sobre estas cuestiones, teniendo como objetivo final conseguir la restauración del orden jurídico alterado, finalidad conforme al interés público que el proceso demanda, sin perjuicio de la tutela de los intereses privados que puedan verse concernidos.

(…) A mayor abundamiento, debemos concluir que el supuesto contemplado en el art. 108.3, no constituye ninguno de los dos supuestos regulados en el art. 105, esto es, no estamos ante imposibilidad ni material ni legal de ejecutar la sentencia.

Ha de insistirse en que la ejecución de la sentencia forma parte del contenido del derecho a la tutela judicial efectiva, art. 24. CE, por lo que la inejecución por su imposibilidad jurídica o material, art. 105 LJCA, hace necesario una motivación especialmente exigente.

Es cierto que la LJCA, art. 105.2, no define ni concreta en qué consiste la imposibilidad material de ejecución de una sentencia, habiendo sido este Tribunal, el que ha ido delimitando aquella con una concepción restrictiva de los supuestos de imposibilidad (SSTS 17 de noviembre de 2008, recurso casación 4285/2005, 14 de febrero de 2013, recurso casación 4311/2011).

En definitiva, hemos reiterado que, mientras exista una sentencia firme no ejecutada, la imposibilidad de ejecución es una excepción que sólo de manera rigurosa y plenamente acreditada se puede declarar, de manera que el órgano judicial debe determinar de manera detallada y rigurosa esa imposibilidad, y en último extremo, si fuera preciso, establecer la correspondiente indemnización (STS de 18 de septiembre de 2009).

365

En definitiva, como ya afirmara el Auto de este Tribunal de 16 julio 1991, la "imposibilidad debe entenderse en el sentido más restrictivo y estricto, y en términos de imposibilidad absoluta; esto es, absoluta imposibilidad física o clara imposibilidad jurídica de cumplir el fallo. Después de la Constitución no cabe otra interpretación, por ser un básico fundamento del Estado de Derecho instaurado por la misma, el cumplimiento escrupuloso, íntegro y estrecho de las sentencias judiciales en sus propios términos".

Como ya hemos señalado, dos son los supuestos que justifican la inejecución o la suspensión de la ejecución de una sentencia. De una parte la imposibilidad legal, que supone un cambio en el régimen jurídico urbanístico aplicable al objeto de la sentencia, y motiva su inejecución, de otro la imposibilidad material que ha sido definida como "aquel impedimento de carácter físico que no permite ejecutar la sentencia porque el objeto de la misma ha desaparecido o se ha destruido", o que "concurre si físicamente no resulta posible llevar la sentencia a efecto en sus términos estrictos".

Basta con un mero examen literal de la previsión incorporada al art. 108.3 LJCA, para concluir que ninguno de tales supuestos se recoge o regula en tal precepto, dado que ni se ha producido un cambio en la normativa tenida en consideración para acordar la demolición de lo ilícitamente construido, ni tal demolición aparece como materialmente imposible.

En definitiva el legislador, junto con la finalidad de preservación del interés público que protege la ejecución de sentencias urbanísticas en cuanto instrumento dirigido al restablecimiento de la realidad física alterada, ha tratado de introducir la defensa y protección por parte del órgano judicial de los intereses privados de aquellos que habiendo adquirido de buena fe, pueden resultar perjudicados por tal ejecución, si bien, consideramos, que dicha protección no puede alzarse ni considerarse preeminente al interés público que en el proceso se trata de proteger y restaurar».

c) En este ámbito temporal debe señalarse que la obligación de prestación de la garantía es susceptible de ser sometida a término, y trascurrido el mismo sin su materialización debe procederse a la demolición; se trata de una condición sometida a término preclusivo.

5.º Pues bien, la obligación legal que el Juez o Tribunal debe imponer, con carácter previo («*como condición previa a la demolición*», dice el precepto), a la demolición de lo indebidamente construido y a la reposición a su estado original de la realidad física alterada, cuando concurran –en principio– los dos requisitos expresados, consiste en la «*prestación de garantías suficientes para responder del pago de las indemnizaciones debidas a terceros de buena fe*». El contenido de tal expresión conlleva varios aspectos de difícil interpretación que girarían sobre los siguientes aspectos:

A. Obligados a la prestación de la garantía

En principio la garantía deberá ser prestada por la Administración local obligada a la ejecución de la sentencia, si el derribo es consecuencia de la nulidad de licencia, o de la extralimitación de ámbito de esta, o de la nulidad del planeamiento de desarrollo. La misma podrá ser compartida –en los términos y cuantía que se establezcan, pero solidariamente– con la Administración autonómica, en el caso de que la demolición fuera consecuencia de nulidad del planeamiento general, o en el supuesto de tratarse de construcciones en terrenos de especial protección. No procede excluir la prestación de garantía por parte de la Administración del Estado si el objeto de la demolición y restitución se encontraren en zonas de dominio público.

La garantía podría imponerse igualmente, al menos parcialmente, al promotor del objeto de la demolición, pudiendo hacerse cargo de esta la Administración obligada a la ejecución, sin perjuicio de lo que resulte, en su caso, de la fijación de la indemnización y del responsable o responsables de la misma.

No parece razonable la exigencia de la garantía al titular del objeto de ejecución por cuanto lo que la garantía asegura es la posible indemnización que al mismo pudiera corresponder como consecuencia de la demolición.

B. Formas de prestación de la garantía

La garantía puede prestarse en cualquiera de las formas admitidas en derecho, sin que la Administración pueda excusarse en la existencia de exclusión alguna derivada de su propia personalidad, o de la presunción de esta, al tratarse del cumplimiento de una concreta obligación jurisdiccional de la que, en su caso, pudiera derivarse su responsabilidad patrimonial. El precepto, de forma genérica se refiere, en plural a *«garantías suficientes»*.

C. Determinación de los afectados por la garantía exigida: terceros de buena fe

El objeto de la garantía es el aseguramiento de la satisfacción de los perjuicios que puedan sufrir –exclusivamente– los terceros de buena fe, como consecuencia de la demolición, lo que, obviamente, excluye el supuesto en el que ellos mismos hubieran sido los exclusivos causantes de la ilegalidad de lo acordado demoler.

El incidente no puede extenderse a la determinación, búsqueda o localización de los citados terceros de buena, ni tampoco a dilucidar las diferencias que pudieran existir entre los actuales o sucesivos titulares o poseedores, pudiendo, pues, a los efectos de determinación de la garantía para proceder a la demolición tomarse en consideración, única y exclusivamente, a los de los titulares registrales, lo que excluiría, entre otros, los posibles perjuicios que, tras la demolición, pudieran surgir para arrendatarios, usuarios o usufructuarios.

D.   Cuantificación de la garantía

Para la determinación de la cuantía, y de conformidad con lo anterior, habrá de tenerse en cuenta el valor registral, incrementado en el porcentaje que se considere en función de las circunstancias concretas del caso, sin necesidad de convertir el Incidente en un expediente de cuantificación exacta de los perjuicios sobre la base de periciales o similares, por cuanto, entre otros extremos, los perjuicios sólo surgirían tras la producción del daño causante de la indemnización, cual es la demolición.

Ello nos lleva a no poder deducir de la expresión «*indemnizaciones debidas*», que en el precepto se contiene, la afirmación de que la indemnización sólo podría ser exigible cuando la misma hubiera sido cuantificada y subjetivizada, considerando que, sólo entonces, sería una «*indemnización debida*». Debe insistirse en que el posible perjuicio que pretende garantizarse cautelarmente, sólo se produce con la materialización de la demolición, haciendo, pues, la misma inviable; interpretación que acercaría al precepto a su inconstitucionalidad.

6.° Por último, debe dejarse constancia que tal obligación de prestación previa de garantía para proceder a la demolición de lo indebidamente construido, cuanta con una excepción que el precepto expresamente reconoce, cual es que se esté en presencia de «*una situación de peligro inminente (que) lo impidiera*».

Capítulo XIII

La lucha contra los espacios procesales de discrecionalidad urbanística

José Ramón Chaves García

Magistrado

SUMARIO: I. EL DERECHO URBANÍSTICO: MODELO PARA ARMAR. II. ORDENACIÓN. III. EL TERRENO DE JUEGO: LA EXTENSIÓN DE LA POTESTAD JURISDICCIONAL. IV. LA APERTURA DEL LITIGIO URBANÍSTICO. V. MEDIDAS CAUTELARES. VI. SINGULARIDADES PROCESALES DE LOS PLANES. VII. FASE PROBATORIA. VIII. LAS SENTENCIAS REBELDES.

I. EL DERECHO URBANÍSTICO: MODELO PARA ARMAR

El Derecho urbanístico, hijo del Derecho civil y del Derecho administrativo, se ha emancipado como disciplina autónoma si bien está en fase de construcción dogmática y jurisprudencial.

De un lado, es una disciplina que está llamada a anudar, armonizar y ordenar la confluencia de intereses de variada naturaleza (públicos, privados, sociales y globales). De otro lado, sus decisiones tienen efecto reflejo en otros institutos: justiprecio expropiatorio, hecho imponible de tributos reales, tráfico de influencias en el campo penal, resultados de actividades mercantiles, etc.

Con razón se ha dicho juiciosamente que «La ordenación territorial y urbanística es una función pública que persigue dar una respuesta homogénea a los múltiples problemas que suscita la utilización del medio físico» (STS 22-3-2012, rec. 6214/2008). Y si se trata de una función pública la consecuencia es, por un lado, que se sustrae el modelo en sus líneas

369

maestras a la transacción por particulares y de otro lado, que existirán normas de orden público procesal infranqueables.

II. ORDENACIÓN

A) El eje del Derecho urbanístico es la «ordenación», recordando la primaria función del «ordenamiento jurídico» siendo la pieza estelar los planes de ordenación que tras las leyes del Suelo de 1956 y 1976 han aflorado con suerte desigual en las distintas leyes autonómicas.

Se trata de ordenar espacios e intereses hacia metas nobles (racionalidad, equilibrio y proporción, justicia, estética, salubridad y seguridad), y ello impone adaptación de los moldes clásicos.

De entrada, el territorio de ordenación urbanística está aquejado de «discrecionalidad dispersa», toda vez que las competencias de planeamiento, gestión y disciplina se han confiado a la discrecionalidad política de cada Comunidad Autónoma tras la STC 67/97. El resultado es la dispersión de modelos urbanísticos, así como instrumentos de planeamiento, criterios de ordenación y como no, del lenguaje jurídico del sector.

Así y todo, existen principios que dan unidad a la disciplina: el desarrollo territorial y urbano sostenible (STS 18-5-2016, rec. 1174/2015), la prevalencia de la planificación ambiental sobre la urbanística (STS 19-11-2010, rec. 5535/2006) o el principio de no regresión planificadora en relación con la calificación de zonas verdes (STS 19-11-2010, rec. 5535/2006).

B) Además, la disciplina cuenta con unos reglamentos atípicos, *los instrumentos de planeamiento*, que cuentan con perfiles propios y son el buque que cobija usos, intensidades y diseños. Junto a ello, otras figuras de cuño propio, como son *los convenios urbanísticos*.

Además, los sectores clásicos de intervención administrativa han experimentado su reconversión en el campo urbanístico, como las licencias (silencio negativo contra plan), el valor vinculante o justificativo de los informes técnicos y dictámenes (con el singular papel de las Memorias como motivación exigible) o la difícil articulación de las relaciones interadministrativas en las zonas de concurrencia competencial.

III. EL TERRENO DE JUEGO: LA EXTENSIÓN DE LA POTESTAD JURISDICCIONAL

A) La relevancia de las cuestiones procesales en el campo urbanístico resulta patente si se tiene en cuenta que al menos un tercio de los litigios urbanísticos contencioso-administrativos se zanjan por cuestiones procesales (inadmisiones, legitimación, pérdida de objeto, etc.).

De ellos, buena parte son cuestiones de hecho, sometidas a reglas probatorias. De ahí que una solución urbanística justa, equitativa y respetuosa con el medio ambiente, puede verse excluida por un hábil escollo procesal, y a la inversa, un modelo desastroso puede sobrevivir impune gracias a artimañas procesales.

La paradoja radica en que la mayor parte de la competencia sustantiva urbanística recae en cada Comunidad Autónoma y en cambio la competencia procesal corresponde al Estado.

B) Así, y todo el punto de partida optimista es la amplia extensión del enjuiciamiento jurisdiccional, lejos de la anacrónica jurisdicción revisora:

- «No cabe escudarse en el carácter revisor de la jurisdicción contenciosa para poner límites o trabas al control» (STS 20-7-2016, rec. 2006/2015).

- Tampoco es discrecional todo lo que se pretende, puesto que es un campo plagado de la llamada «La discrecionalidad impropia: se sirve de conceptos jurídicos indeterminados» (STS 2-2-2016, rec. 3152/2014).

- El control se detiene en el núcleo mismo de la discrecionalidad (STS 18-5-2016, rec. 1763/2015).

Por tanto, estamos ante una jurisdicción contencioso-administrativa, que se califica de *jurisdicción protectora* al servicio de la tutela judicial efectiva, bien pertrechada de amplias potestades para adoptar medidas cautelares, adoptar pruebas de iniciativa propia (art. 61.2 LJCA) o plantear tesis (art. 33.2 LJCA) e incluso someter hechos o documentos a reconocimiento (art. 77.1 LJCA).

IV. LA APERTURA DEL LITIGIO URBANÍSTICO

A) En el ámbito urbanístico rige la *acción pública* lo que permite tener ojos vigilantes del urbanismo en toda la ciudadanía y en la sociedad civil. Además, tal legitimación es inescindible de manera que se extiende para todos los aspectos que incorpora el plan (STS 15-7-2015, rec. 3492/2013).

El papel vigilante y tutelar de la acción pública es indudable, aunque también deben los tribunales controlar los abusos que puede esconder su ejercicio indiscriminado o al servicio de fines particulares inconfesables.

B) Además cabe *la impugnación directa e indirecta de los planes*. Cuando se trata de impugnación directa la misma debe articularse en plazo y podrá extenderse a vicios de forma o fondo. En cambio, cuando se trata de la impugnación indirecta, con ocasión de actos de aplicación, no cabe aducir vicios en el curso de elaboración del plan (STS 26-12-2011, rec. 2124/2008). A cambio, tal impugnación indirecta puede formularse de manera flexible sin necesidad de incluirlo necesariamente en el suplico de la demanda (STS 16-3-2016, rec. 3650/2014).

Y lo que se excluye son las pretensiones procesales de futuro o conjeturas como anudar a pretensiones de invalidez de planeamiento, el derecho a licencia de actividad, por ejemplo (STS 29/5/2017, rec. 172/2016).

V. MEDIDAS CAUTELARES

A) El incidente de medidas cautelares en urbanismo es crucial por la tremenda *fuerza de lo fáctico*, de por los hechos consumados que tienden a perpetuarse contra vientos y mareas judiciales. Se impone la ponderación judicial de los intereses en presencia, normalmente saldándose en favor de la administración por aquello de que el perjuicio económico siempre es resarcible.

Cuando se trata de ponderar intereses públicos enfrentados, se otorga prevalencia a los intereses generales sobre los locales, y, por ejemplo, al interés hídrico sobre el local (STS 1-2-2010, rec. 5018/2008).

B) La buena noticia es que se puede suspender cautelarmente un plan, pese al carácter restrictivo de la suspensión de reglamentos, y ello, aunque precise de actos de ejecución y desarrollo (STS 17-5-2013, rec. 645/2012).

La mala noticia es que si existen pendientes varias impugnaciones de planes encadenados e íntimamente vinculados puede que la invalidez por sentencia firme del plan original acarrea la pérdida de objeto de los recursos pendientes frente a los restantes instrumentos, de igual modo que si está pendiente la resolución de una medida cautelar (o la apelación frente a la misma) la misma pierde objeto si se resuelve por sentencia definitiva el pleito principal.

VI. SINGULARIDADES PROCESALES DE LOS PLANES

A) El precio de considerar reglamentos a los planes es una tramitación procesal singular que se aparta de la propia de los actos administrativos. Diríase que el ordenamiento jurídico tutela especialmente a los reglamentos por su tremenda carga de ordenar vidas y haciendas. Entre otras especialidades procesales señalaremos:

- La improcedencia de recursos en vía administrativa, aunque los indique la administración (STS 20-6-2013, rec. 2352/2011).

- El emplazamiento de interesados será mediante boletines (STS 28-6-2011, rec. 3239/2007). Excepcionalmente tendrá lugar el llamamiento singular para evitar la indefensión (STS 2-10-14, rec. 1338/2011).

- El transcurso de plazo de aprobación comporta abrir su impugnación por inactividad o silencio, pero no provoca la caducidad y archivo de lo actuado (STS 8-3-12, rec. 2305/2008).

B) Una vez son afectados los planes por sentencia estimatoria invalidante, su eficacia se ve modulada por el impacto de tal declaración judicial. Eso sí, habrá que estar a los pronunciamientos del fallo, y a lo que resulte de las eventuales aclaraciones o complementos al amparo del art. 215 LEC.

Así, cuando un Plan está «herido» por sentencia definitiva pero no firme puede esgrimirse para invalidar un instrumento de desarrollo con el mismo vicio de nulidad (STS 20-9-2012, rec. 4813/2009).

Y cuando el Plan está «muerto» por sentencia firme su eficacia se desvanece:

- No puede refundirse o reciclarse (STS 15-1-2010, rec. 6825/2005).

- No admite conservación o convalidación.

- No puede fijar su contenido o forma de redacción en sentencia por impedirlo el art. 71.2 LJCA (STS 16-5-2017, rec. 3192/2016).

- Produce efecto-dominó hacia otros instrumentos de planeamiento de desarrollo e incluso frente a actos de ejecución generales, como las Bases y Estatutos de la Junta Compensación, o la consecuente nulidad del Proyecto de Expropiación amparado en la declaración de utilidad pública inherente a aquellos (STS 12-9-2010, rec. 6045/2009).

VII. FASE PROBATORIA

A) En materia probatoria urbanística, las singularidades urbanísticas también afloran:

- La prueba del planeamiento, existencia y vigencia queda fuera del *novit curia*, por lo que debe ser aportado por la parte que lo invoque (STS 12-4-1985).

- La prueba de los informes que debieran obrar en el expediente incumbe a la administración (STS 31-1-2012, rec. 1019/2009).

- La prueba de la motivación del acto o solución planificadora (existencia, exteriorización y calidad) corresponde a la administración (STS 4-12-2014, rec. 1527/2012).

- La carga de la prueba de las decisiones discrecionales y de su contexto de legalidad incumbe a la administración actuante (STS 14-10-2014, rec. 2173/2012).

B) La carga y forma de probar los distintos hechos determinantes de situaciones urbanísticas es distinta.

B.1.) La prueba de *los fundamentos de los conceptos jurídico-indeterminados* ha de efectuarse mediante pericias técnicas, que debe aportar el demandante o la administración, aunque los informes técnicos de ésta incorporados al expediente tienen tal valor pericial y además gozarán de la fuerza inherente a la presunción de imparcialidad y especialización.

Es el caso de la prueba de la situación jurídica del suelo (rural o urbanizado) y que frecuentemente remite a la demostración de la existencia o no de malla urbana mediante las dotaciones de servicios urbanísticos (concepto de apreciación restrictiva (STS 6-7-2017), y que ha de situarse en expresión gráfica del Supremo «en los límites de la realidad» (STS 6-7-2012, rec. 1531/2009). En línea con la STC 365/2006 y 164/2001: «los criterios de distinción entre suelo urbano consolidado y no consolidado los establece –en los límites de la realidad– cada Comunidad Autónoma».

También es frecuente la intervención de dictámenes técnicos para determinar si una obra se ajusta al plan, o si un proyecto cumple con las exigencias técnicas, o si una edificación merece o no la calificación ruinosa. E igualmente para determinar la proporcionalidad e idoneidad de las órdenes de ejecución.

Tales informes caen bajo la sana crítica del órgano judicial.

B.2) La prueba de *la desviación de poder* es dificultosa porque no deja huellas, aunque se ha comprobado en casos en que se patentiza un torcido ejercicio de potestades urbanísticas, como, por ejemplo, para convertir en vía privada lo que es de uso público (STS 28-7-2015, rec. 7/2014). O la invalidez de los Convenios urbanísticos que confiesan su pura finalidad de financiación local (STS 13-7-2004).

B.3) La prueba de *la discriminación* sobre los criterios de edificabilidad o usos permitidos es útil para sentar precedentes que encarecen la motivación actual o para acreditar la desviación de poder. En cambio, es inútil para reivindicar idéntico trato ilegítimo pues el Supremo ha sentado que solo cabe esgrimir la igualdad dentro de la ilegalidad (STS 13-12-2013, rec. 5561/2010).

VIII. LAS SENTENCIAS REBELDES

A) La sentencia que *invalida* un plan urbanístico comportan su expulsión del ordenamiento jurídico.

La invalidez del plan comporta la resurrección precedente, como el tristemente célebre caso de Marbella (STS 17-12-2015, rec. 1681/2014).

La mera falta de publicación del plan comporta ineficacia, pero no invalidez, o sea, solamente la nulidad de los aprobados hasta la publicación final (STS 19-10-2011, rec. 5586/2007).

B) En cuanto a *la ejecución* de la sentencia urbanística se dan numerosas singularidades:

– Personación *ex novo* de los afectados por la ejecución, aunque no hayan sido parte en el procedimiento (STS 7-6-2005).

– Indisponibilidad. No basta la conformidad del ejecutante para considerar ejecutada la sentencia (STS 2-3-2015, rec. 3160/2013).

– La incorporación tras dictarse la sentencia, de la motivación o justificación documentada del PGOU no es ejecución de sentencia (STS 13-12-2013, rec. 1003/2011).

– La anulación de plan no cierra el paso a reintentarlo (STS 22 de mayo de 2017), pero siempre que se persiga una finalidad legítima y no la burla del fallo.

– La ejecución de sentencias desestimatorias será posible ante codemandados perdonados (requerimientos de legalización).

– La ejecución de demoliciones bajo la nueva redacción del art.108 LJCA se presenta problemática, habiéndose considerado de interés casacional determinar su alcance y trámites.

– La regularización con blindaje legal respecto de urbanizaciones en suelo rural ha sido truncada por el Tribunal Constitucional si persigue burlar sentencias firmes (STC 22/2013 y 254/2015 recordando que la legislación procesal es monopolio estatal).

Capítulo XIV

La ejecución de las órdenes de restitución urbanísticas

José María Domínguez Blanco

Subdirector General Agencia de Protección de la Legalidad Urbanística Galicia
Cuerpo Superior de la Xunta de Galicia
Técnico de Administración General de la Administración Local

SUMARIO: I. INTRODUCCIÓN. II. PLAZOS A CONSIDERAR. III. PLAZO PARA EJECUTAR LAS ÓRDENES DE RESTITUCIÓN URBANÍSTICAS: ¿PRESCRIPCIÓN O CADUCIDAD? IV. ESPECIALIDAD EN MATERIA DE COSTAS. V. CONCLUSIONES.

I. INTRODUCCIÓN

En el presente artículo se pretende analizar la tan difícil tarea de ejecutar las resoluciones administrativas, si bien por motivos de extensión, nos ceñiremos únicamente a los plazos ejecutivos.

Como bien es sabido, el procedimiento administrativo está rodeado de derechos, garantías, trámites y plazos que se deben cumplir en aras del buen funcionamiento de los servicios públicos y del respeto al principio de seguridad jurídica. Se erige como garantía del ciudadano y de la administración, al estar dibujado el camino a seguir para la consecución de sus fines, que no son otros que el cumplimiento de la legalidad, sirviendo con objetividad a los intereses generales.

En lo que al ámbito urbanístico se refiere, y dentro de éste, a la ejecución de las medidas de reposición de la legalidad en lo que al presente artículo interesa, debe la administración reaccionar en tiempo y forma contra las actuaciones que no tengan amparo en un título habilitante.

La transgresión del ordenamiento urbanístico tiene dos consecuencias, dos procedimientos administrativos cuya tramitación es obligatoria[1] .Por lo tanto, ante la comisión, por acción u omisión, de una conducta antijurídica, la normativa urbanística prevé dos procedimientos administrativos; el de reposición de la legalidad urbanística y el procedimiento sancionador[2].

Ciñéndonos al expediente de reposición de la legalidad urbanística, tres son los plazos principales que deben tomarse como referencia. En primer lugar, de qué plazo dispone la administración para reaccionar contra la actuación ilegal iniciando el correspondiente expediente de reposición

---

1. En lo que a Galicia se refiere, dispone el artículo 369 del Decreto 143/2016, de 22 de septiembre, por el que se aprueba el Reglamento de la Ley 2/2016, de 10 de febrero, de suelo de Galicia (RLSG, en adelante) que constituye la protección de la legalidad urbanística la actuación derivada del conjunto de normas legales y reglamentarias, incluidas las normas del planeamiento urbanístico y las ordenanzas municipales, a través de la cual las administraciones públicas competentes ejercen una potestad reglada que las faculta para intervenir en la actividad de los particulares con la finalidad de preservar la legalidad urbanística y restablecerla cuando se vulnera, y de sancionar las conductas tipificadas como infracciones urbanísticas.

2. STS 12 de julio de 2012, dictada en el recurso de casación n.° 3324/2010: «Es de sobra conocida que la ejecución de obras o instalaciones clandestinas por no estar amparadas por el preceptivo título habilitante, da lugar a la tramitación de, al menos, dos tipos de procedimientos: 1) el tendente a la restauración de los bienes afectados y 2) la imposición de sanciones por infracción urbanística, como se indica en el artículo 51 del Real Decreto 2187/1978, de 23 de junio, que aprueba el Reglamento de Disciplina Urbanística (RDU), siendo, los mismos, independientes y compatibles entre sí, como enfatiza el artículo 52 del RDU al indicar que "En ningún caso podrá la Administración dejar de adoptar las medidas tendentes a reponer los bienes afectados al estado anterior a la producción de la situación ilegal. Las sanciones por las infracciones urbanísticas que se aprecien se impondrán con independencia de dichas medidas" (…). Tal compatibilidad ha sido declara en jurisprudencia consolidada de esta Sala, como es el caso, entre otras, de las SSTS de 26 de septiembre de 1995, 26 de octubre de 1998, 5 de julio de 1999, 19 de mayo de 2000, y de 22 de febrero de 2002, y en la más reciente de 10 de noviembre de 2005. En concreto, en la STS de 19 de mayo de 2000 declaramos que: "Tampoco puede admitirse, en segundo y decisivo lugar, que se califique como sanción una orden de demolición de obras ilegalizables construidas sin licencia, ya que la misma no ostenta naturaleza sancionadora, sino la de una medida de simple reparación del ordenamiento urbanístico vulnerado. (…), Es claro que este procedimiento es compatible y distinto de la imposición de sanciones a los responsables, previa tramitación del correspondiente procedimiento sancionador, como resulta de lo establecido en el artículo 51.1, apartados 1 y 3, del Reglamento de Disciplina Urbanística de 23 de junio de 1978. La coercibilidad de la norma urbanística se disocia así en estos dos mecanismos de protección conectados entre sí y compatibles entre ellos, sin que su dualidad infrinja, como es obvio, el principio *non bis in idem* (sentencias de 15 de diciembre de 1983, 3 de noviembre de 1992 y 24 de mayo de 1995)". También desde el punto de vista de la legislación de procedimiento administrativo general, el artículo 130.2 de la LRJPA establece la compatibilidad de la potestad sancionadora con las medidas de reposición. Con tal punto de partida, el motivo carece de fundamento. Primeramente, porque la recurrente no se queja de la imposición».

de la legalidad vulnerada. En segundo lugar, cuál es el plazo en el que se debe tramitar y, por tanto, resolver y notificar la resolución; y, por último, ya en el ámbito de la ejecución forzosa, de qué plazo dispone la administración para ejecutar forzosamente la resolución administrativa.

II. PLAZOS A CONSIDERAR

El primer plazo que debe considerarse es aquel del que dispone la administración para iniciar el expediente de reposición de la legalidad urbanística desde la total terminación de las obras o cese del uso. Con carácter general, el plazo establecido será el consignado en la normativa autonómica, por ser de su competencia exclusiva al amparo del artículo 148.1.3 CE. Para ello Galicia, ha fijado, con carácter general, un plazo de seis años, computado desde la total terminación de las obras, para que la administración competente pueda iniciar el expediente de reposición de la legalidad urbanística. A los efectos de cómputo de este plazo, las actuaciones previas, inspecciones urbanísticas o denuncias presentadas no suspenden el plazo de reacción[3]. Únicamente el acuerdo de incoación es causa de suspensión del plazo establecido para la caducidad de la acción cuyo objeto es exigir la restitución de la legalidad[4].

Iniciado el expediente, procede ya analizar el plazo de caducidad del expediente administrativo. En aplicación de la normativa básica de procedimiento administrativo, el plazo para resolver y notificar la resolución será el establecido en la normativa reguladora de cada concreto procedimiento. En defecto de normativa propia, el plazo será el de tres meses

---

3.   STS de 21 de diciembre de 2011 –recurso de casación 4796/2010– y STS de 13 de octubre de 2011 –recurso de casación 3987/2008–: ese período de «información previa» no constituye un procedimiento en sentido estricto, sometido a un plazo de duración determinado y a la subsiguiente caducidad, sino unas meras diligencias informativas que podrán dar lugar, en su caso, a la apertura del verdadero procedimiento. Por lo que la demora de la Administración en la tramitación de esas diligencias informativas previas a la incoación formal del expediente podrá entrar en el cómputo del plazo de «prescripción» de la infracción, pero no incide en su «caducidad». La Sala de lo Contencioso-Administrativo del Tribunal Superior de Justicia de Galicia viene aplicando ya desde el año 2012 este mismo criterio, pudiendo citarse a modo de ejemplo la sentencia de 8 de mayo de 2014 (rec. 4046/2014), o las más recientes de 19 de marzo del 2015 (rec. 167/15) y de 28 de mayo del 2015 (rec. 4080/2015).
      Así mismo, la interposición de denuncias no interrumpe el plazo de caducidad de la acción. STS de 24 junio 1991, dictada en el recurso n.° 2376/1989 y STSJ-Islas Canarias, (Las Palmas) n.° 1040/1998, de 2 octubre, dictada en recurso contencioso-administrativo n.° 2336/1995.
4.   De entre los distintos plazos de reacción autonómicos destacar la previsión del artículo 236 de La Ley 5/2015, de 25 de julio, de Ordenación del Territorio, Urbanismo y Paisaje de la Comunitat Valenciana, que establece un plazo general de reacción de 15 años.

contemplado en el artículo 21 LPAC. En Galicia, en los expedientes de reposición de la legalidad urbanística, este plazo se ha fijado en un año contado desde el acuerdo de inicio[5].

Por último, una vez firme y ejecutiva la resolución administrativa por la que se ordena la restitución de la legalidad vulnerada, ¿en qué plazo debe cumplirse?, sino se ejecuta de forma voluntaria, ¿de qué plazo dispone la administración para exigir su cumplimiento?, y por último ¿prescribe o caduca la acción de restitución?

III. PLAZO PARA EJECUTAR LAS ÓRDENES DE RESTITUCIÓN URBANÍSTICAS: ¿PRESCRIPCIÓN O CADUCIDAD?

En primer lugar, la persona obligada debe cumplir con lo ordenado en el plazo establecido en la resolución. La normativa gallega ha fijado que este plazo, con carácter general, no será superior a tres meses, si bien podrá ampliarse hasta nueve meses cuando la restitución presente especiales dificultades técnicas[6].

Pasado el plazo de cumplimiento voluntario sin que la persona obligada cumpliera con lo ordenado, se inicia la fase del procedimiento tendente a la ejecución forzosa del acto administrativo. Es preciso destacar que, aunque el acto administrativo se haya confirmado por sentencia, se está ante la ejecución de un acto y no de una sentencia, por lo que no es de aplicación los principios que rigen las ejecuciones judiciales. El acto

---

5. Las actuaciones previas, las inspecciones e investigaciones que se realicen con carácter previo al acuerdo de inicio del expediente no computan en el plazo establecido para tramitar el expediente administrativo. Además, el *dies ad quem* es la notificación, o intento de notificación válidamente efectuado. Así lo ha manifestado la STS de 3 de julio de 2014, dictada en recurso de casación n.° 441/2012.
Por otra parte, los plazos concedidos para legalizar, recurrir y resolver los recursos administrativos tampoco tienen incidencia sobre la posible caducidad del expediente administrativo como se ha establecido en STSJ-Galicia n.° 607/2011, de 23 de junio de 2011.

6. Art. 383 RLSG: «Las órdenes de restitución deberán cumplirse en el plazo que se determine en la resolución del expediente administrativo que, con carácter general, no será superior a tres meses.
No obstante, canto la restitución de la legalidad urbanística presente una especial dificultad técnica, apreciada por el órgano competente, el plazo anterior podrá ampliarse hasta nueve meses. Asimismo, y en estos mismos supuestos de especial dificultad técnica, el órgano administrativo está facultado para solicitar la aportación de un proyecto técnico en el que se reflejen las medidas de restauración que se proponen realizar, así como las autorizaciones sectoriales que sean exigibles.
Se presume que concurre especial dificultad técnica para la restitución de la legalidad en los grandes movimientos de tierra, en las explanaciones de grandes dimensiones, en la extracción de áridos y en la clausura de explotaciones mineras».

administrativo confirmado por resolución judicial tiene la misma fuerza ejecutiva que el acto convertido en firme por falta de interposición del correspondiente recurso contencioso-administrativo[7].

Por lo tanto, siendo ejecutiva la orden de reposición y no cumplida ésta de forma voluntaria: ¿De qué plazo dispone la administración pública para exigir el cumplimiento de sus resoluciones?, ¿Durante cuánto tiempo puede la administración realizar actuaciones tendentes a lograr el efectivo cumplimiento de sus mandatos?

Ahora, ya no procede hablar de caducidad del expediente administrativo sino de prescripción de la acción ejecutiva. En primer lugar, la consideración del plazo como de caducidad o de prescripción comporta consecuencias bien distintas. La prescripción se interrumpe y el tiempo transcurrido antes de la interrupción se entiende por no pasado, iniciándose el contador desde cero. Por el contrario, los plazos de caducidad se suspenden, continuándose el plazo restante tras la suspensión, sin que se reinicie su cómputo[8].

En palabras de MONSERRAT MOLINA, las principales diferencias entre prescripción y caducidad se podrían resumir destacando que con la suspensión se reanuda el plazo, en la interrupción se reinicia. La segunda característica es la apreciación de oficio de la caducidad, mientras que la prescripción hay que alegarla, admitiéndose incluso la renuncia a la prescripción por parte del deudor[9]. Para GONZÁLEZ-VARAS IBÁÑEZ, la prescripción en el ámbito del derecho administrativo es una cuestión de orden público procesal que debe aplicarse por el tribunal haya sido o no suscitada por las partes puesto que está extra muros de la voluntad o poder dispositivo no solo de las partes, sino del mismo tribunal[10].

---

7.   STSJ-Galicia n.° 1147/2012, de 20 de diciembre, dictada en el recurso n.° 4536/2012.

8.   El Tribunal Supremo ya en su sentencia de 31 enero 1986, establece: «el acto interruptivo tiene como efecto capital la necesidad de que el tiempo de prescripción haya de contarse de nuevo por entero, pues a diferencia del instituto de la suspensión, que simplemente paraliza el plazo concediendo eficacia al tiempo ya transcurrido para sumarlo al posterior a la cesación del fenómeno suspensivo, la interrupción elimina ese recurso de manera que el lapso legal de prescripción ha de ser iniciado en su cuenta una vez desaparecida la causa que tal interrupción produjo». Posteriormente en la Sentencia del Tribunal Supremo n.° 233/2003, de 6 de marzo de 2003, se establece con total rotundidad que en los plazos prescriptivos la interrupción de la prescripción «implica la amortización del tiempo pasado, que se tiene por no transcurrido. A partir de la interrupción hay que comenzar a computar el nuevo plazo para que se cumpla el tiempo de la prescripción».

9.   MONSERRAT MOLINA, P.E. (2015): «La reforma de la prescripción en el Código Civil. Una visión crítica», *Actualidad Civil*, La Ley, Madrid.

10. GONZÁLEZ-VARAS IBÁÑEZ, S. (2014): «Los plazos de prescripción y la Administración Pública», *Asamblea, Revista Parlamentaria de la Asamblea de Madrid*, n.° 31. STSJ-Madrid de 6 de noviembre de 2013.

La normativa de suelo estatal no ha regulado los plazos para ejecutar las órdenes de ejecución. Ni siquiera con carácter básico o supletorio se ha regulado en la ley de procedimiento administrativo común, lo que puede ser objeto de cierta crítica. La Ley de procedimiento administrativo, dibuja un procedimiento administrativo común y básico, regulando los plazos de tramitación, incluso los medios para proceder a la ejecución del acto administrativo, entre otras cuestiones. Sin embargo, guarda silencio en cuanto al plazo para ejecutar forzosamente el acto administrativo, ni siquiera con carácter supletorio.

Ante tal silencio, dos son las consideraciones a tener en cuenta. En primer lugar, si la normativa autonómica específica por razón de la materia ha regulado la cuestión. Y, en segundo lugar, si en defecto de normativa autonómica habrá que entender que no existe plazo alguno, o bien si concurre algún plazo supletorio.

En cuanto a la regulación autonómica, podemos adelantar la existencia de regulación específica en ciertas Comunidades Autónomas como Aragón, Cataluña, Murcia y Canarias. De estas, llama la atención la concreta, positiva y acertada regulación que ha hecho la reciente Ley 4/2017, de 13 de julio, del Suelo y de los Espacios Naturales Protegidos de Canarias[11].

---

11. Artículo 361 de la Ley 4/2017, de 13 de julio, del Suelo y de los Espacios Naturales Protegidos de Canarias: «2. La Administración podrá proceder a la ejecución de las órdenes de restablecimiento de la legalidad urbanística adoptadas:
a) En cualquier momento, en el caso de usos en ejecución no consolidados.
b) En cualquier momento, en los casos de edificaciones, construcciones e instalaciones que no se encuentren terminadas al tiempo de dictar la orden de restablecimiento.
c) En el plazo de diez años contados desde que la orden de restablecimiento goce de ejecutividad, en los casos de construcciones, edificaciones e instalaciones terminadas antes de la adopción de dicha orden.
(…)
5. Las limitaciones temporales establecidas en los apartados anteriores no regirán para el ejercicio de la potestad de restablecimiento de la legalidad urbanística respecto de las siguientes actuaciones:
a) Las de parcelación ilegal en suelo rústico protegido o comprendido en un espacio natural protegido.
b) Las de construcción o edificación cuando hayan sido ejecutadas o realizadas:
1.°) Sobre suelo rústico de protección ambiental calificado como tal con carácter previo al inicio de la actuación.
2.°) En dominio público o en las zonas de protección o servidumbre del mismo.
3.°) Afectando a bienes catalogados o declarados de interés cultural en los términos de la legislación sobre patrimonio histórico.
4.°) Afectando a viales, espacios libres o zonas verdes públicas.
5.°) Afectando a áreas no edificables privadas, que sean computables a efectos de la capacidad alojativa en los centros turísticos.
c) Las construcciones, edificaciones o instalaciones autorizadas para albergar los usos complementarios previstos en el artículo 61 de la presente ley, una vez cesada la actividad principal.

Por el contrario, otras CCAA como Galicia, Asturias y Valencia, no han regulado plazo alguno para ejecutar las órdenes de restitución. Por lo tanto, ante la ausencia de plazo concreto, ¿cómo se debe actuar? Se debe acudir a algún plazo supletorio, o por el contario se debe entender que la ausencia de regulación equivale a la no limitación en el tiempo de la ejecución forzosa.

TOLEDO PICAZO, considera que la resolución firme de demolición no debe tener un plazo máximo de prescripción. Además, debería ser instada por cualquier persona, en el ejercicio de la acción pública, mientras no se ejecute, considerando inaplicable cualquier plazo supletorio[12].

En sentido contrario, GARCÍA GARRO, hace primar el principio de seguridad jurídica abogando por la existencia de un plazo supletorio. Entre sus argumentos, enuncia la Sentencia del Tribunal Europeo de Derecho Humanos de 1 de abril de 2008, caso Stukus, por la cual se pone de manifiesto la vulneración del artículo 6 del Convenio Europeo para la Protección de los Derechos Humanos y Libertades Fundamentales por la duración excesiva en la ejecución de una orden de demolición[13].

La jurisprudencia más consolidada del Tribunal Supremo ha considerado que una vez ejecutiva la orden de restitución, debe aplicarse, en defecto de plazo específico, el establecido en el art. 1964 del Código Civil[14].

---

d) Las obras y usos provisionales habilitados al amparo del artículo 32 de la presente ley, una vez revocado el título habilitante».

También se regula el concreto plazo de prescripción de 6 años para ejecutar los actos administrativos en el 207.2 del Texto Refundido de la Ley de Urbanismo de Cataluña, aprobado por Decreto Legislativo 1/2010, de 3 de agosto, y a los diez años en el artículo 278 Ley 13/2015, de 30 de marzo, de ordenación territorial y urbanística de la Región de Murcia: «El plazo máximo para el cumplimiento de las medidas de restablecimiento de la legalidad urbanística será de diez años contados a partir de que adquiera firmeza el acto administrativo que las acuerde. Transcurrido este plazo, se aplicará a las instalaciones, construcciones o edificaciones lo dispuesto en esta ley para la situación de fuera de ordenación».

12. TOLEDO PICAZO, A. (2013): *Licencias y Disciplina Urbanística*, Bosch, Madrid, p. 324.

13. GARCÍA GARRO, A. (2010): «El plazo para la ejecución subsidiaria de una orden de demolición», *Revista de Aranzadi de Urbanismo y Edificación*, n.º 21, p. 168.

14. Sobre ello la STS de 17 de febrero 2000, recaída en el recurso de casación 5038/1994, al enfrentarse a debate sobre la prescripción de la facultad de ejecutar una orden, en ese caso de derribo, razonó como sigue: «(...)La cuestión debe analizarse desde los principios generales que regulan la ejecución de los actos administrativos y en este sentido es de ver que conforme a los artículos 44 y 101 de la LPA los actos dela Administración son inmediatamente ejecutivos, lo que significa que deben llevarse a efecto de manera inmediata, pues toda demora irrazonable pudiera ir contra lo dispuesto en el artículo 102 de la Constitución Española y en concreto contra el principio de eficacia impidiendo cumplir el fin de servir con objetividad los intereses generales que constituyen el soporte de la actuación de la Administración pública. Por ello, aunque

Línea seguida por los Tribunales Superiores de Justicia al establecer que la ejecución forzosa de un acto administrativo que no tenga plazo espe-

---

ni la legislación específica urbanística ni la general de procedimiento administrativo prevean plazos de prescripción para ejecutar lo acordado, el principio expuesto, junto a los de seguridad jurídica y de interdicción de la arbitrariedad de los poderes públicos (artículo 9.3 de la Constitución) fuerzan a entender que la ejecución forzosa se halla sujeta a plazos de prescripción. En la medida en que el acto administrativo ordenó al constructor el derribo de un edificio, aquél contiene una obligación de hacer, la exigencia de cuya efectividad no puede quedar indefinidamente pendiente en el tiempo sino que por tratarse, en definitiva, de una obligación personal está sujeta al plazo de prescripción de quince años del artículo 1964 del Código Civil, que es el plazo de que la Administración disponía para acudir al mecanismo de ejecución subsidiaria y que fue largamente sobrepasado en el presente caso».

Pero esta cuestión no ha sido pacífica. Una de las primeras discrepancias giraba en torno a la aplicabilidad del plazo establecido en el Código Civil frente al consignado en la Ley de Enjuiciamiento Civil, tanto en lo relativo al plazo para ejecutar un acto administrativo como en lo concerniente a la ejecución de sentencias. Sobre esto, es de especial relevancia la Sentencia del Tribunal Supremo de 29 de diciembre de 2010, dictada en Recurso de Casación n.° 500/2008, que aboga por la aplicación del Código Civil sobre la Ley de Enjuiciamiento Civil, estableciendo: «esta Sala entiende que el instituto de la caducidad quinquenal de la acción para instar la ejecución de una sentencia, no es de aplicación en la jurisdicción contencioso-administrativa, en la que al ejecutarse una sentencia condenatoria a la administración se parte de la premisa de la existencia de un acto administrativo disconforme a derecho y en estos casos el interés público exige que se rectifique –y no se mantenga– la actuación disconforme al ordenamiento jurídico ya que la administración –a diferencia de la conducta del condenado en un pleito civil– debe servir con objetividad a los intereses generales y debe actuar de acuerdo con los principios de eficacia, con sometimiento pleno a la Constitución, a la Ley y al Derecho (art. 103.1.° de la CE y 3.1.° de la LRJ y PAC), por lo que repugnaría a tales principios el que la inactividad de la Administración en cumplir una sentencia durante cinco años quedase premiada con el mantenimiento de la eficacia de un acto declarado ilegal por sentencia firme. (…) En conclusión, esta Sala entiende que el breve plazo de 5 años del art. 518 Ley 1/2000, de 7 de enero, de Enjuiciamiento Civil (LEC) no es de aplicación supletoria en una jurisdicción en que no sólo está en juego el interés del ejecutante, sino primordialmente el cumplimiento pleno del art. 118 y 103 de la Constitución, lo que queda demostrado con el hecho de que la ejecución se inicie de oficio (art. 104.1.° LRJCA) de modo que sólo ante la falta de cumplimiento voluntario por parte de la Administración condenada, se permite al interesado promover el debido cumplimiento. Lo anterior se manifiesta con más claridad en el caso de ejecución de sentencias condenatorias por infracción urbanística, en la que de aplicarse supletoriamente el art. 518 Ley 1/2000, de 7 de enero, de Enjuiciamiento Civil (LEC) se llegaría a la incoherente solución de que es más largo el plazo de prescripción de la infracción urbanística (8 años en la Ley Balear 10/1990) que el plazo para instar la ejecución de una sentencia que ha declarado la existencia de infracción y que ha condenado a la administración a reponer la legalidad urbanística».
En el mismo sentido Sentencia de la Audiencia Nacional de 19 de diciembre de 2013, dictada en recurso n.° 54/2011.

cífico señalado se encuentra sujeto al plazo prescriptivo establecido en el artículo 1964 CC[15].

La reciente modificación del artículo 1964 CC, llevada a efecto por la disposición final 1.ª de la Ley 42/2015, de 5 de octubre, de reforma de la Ley 1/2000, de 7 de enero, de Enjuiciamiento Civil, reduce el plazo general supletorio de quince a cinco años, por lo que a las obligaciones que nazcan a partir de la entrada en vigor de esta modificación, le será de aplicación el nuevo plazo prescriptivo de 5 años.

En cuanto a las obligaciones nacidas antes del 7 de octubre de 2015, la disposición transitoria quinta de la Ley 42/2015, de 5 de octubre, establece que el tiempo de prescripción de las acciones personales que no tengan señalado término especial de prescripción, se regirá por lo dispuesto en el artículo 1939 del Código Civil[16].

La redacción del artículo 1939 CC parece dar a entender que una vez entre en vigor la modificación, lo que sucedió a 7 de octubre de 2015, y transcurrido el nuevo plazo –esto es 5 años– las obligaciones nacidas con anterioridad empezarán a prescribir, aunque su plazo fuera de quince años y vencieran más allá del año 2020. Es decir, las obligaciones nacidas antes del 7 de octubre de 2015 prescribirán a los 15 años y como máximo en el año 2020, lo que antes suceda.

Otra determinación importante, es que este plazo, sea quince o cinco años, es de prescripción como así lo establece el propio Código Civil, por lo que se le aplicaran los principios rectores del instituto de la prescripción y no los de la caducidad, destacando la posible concurrencia de causas interruptivas y la consecuente reanudación. Es decir, si el órgano ejecutante realiza actuaciones tendentes a hacer cumplir las obligaciones, interrumpe el plazo prescriptivo, volviéndose a reiniciar ante una nueva paralización administrativa[17].

---

15. SSTSJ-Madrid de 20 de febrero de 2013, de 16 de abril de 2014 y 19 de marzo de 2014. En el mismo sentido, STSJ-Islas Canarias de 10 de enero de 2013, STSJ-Galicia de 14 de diciembre de 2000 y STSJ-Galicia n.° 661/2013, de 12 de septiembre, y STSJ-País Vasco de 20 de febrero de 2014 número 102/2014 dictada en recurso de apelación número 778/2014.

16. Art. 1939 CC: «La prescripción comenzada antes de la publicación de este código se regirá por las leyes anteriores al mismo; pero si desde que fuere puesto en observancia transcurriese todo el tiempo en él exigido para la prescripción, surtirá ésta su efecto, aunque por dichas leyes anteriores se requiriese mayor lapso de tiempo». La reciente STSJ-Madrid número 676/2017, de 5 de octubre, así lo confirma.

17. La línea de la STS n.° 233/2003, antes citada, se sigue manteniendo en los más actuales pronunciamientos judiciales. Así, la Sentencia JDO Pontevedra n.° 159/2017, de 17 de octubre de 2017, dictada en procedimiento abreviado 65/2017, manifiesta:

El tiempo para la prescripción de toda clase de acciones, cuando no haya disposición especial que otra cosa determine, se contará desde el día en que pudieron ejercitarse. Por lo tanto, el *«dies a quo»* será el momento en que el acto administrativo es ejecutivo, momento a partir del cual el interesado está obligado a cumplir y la administración está facultada para exigir su cumplimiento. Es importante destacar, que la interposición de recursos administrativos y/o contencioso administrativos en los que no se haya pedido la suspensión de la ejecución del acto impugnado no interrumpe el plazo prescriptivo de ejecución, toda vez que el acto administrativo es plenamente ejecutivo[18].

«Teniendo en cuenta las fechas de las resoluciones en que se impuso esa obligación (resoluciones de 21 de febrero de 1990 y de 24 de marzo de 1999), y dado que el requerimiento para la ejecución se dirige a la actora en octubre de 2015), podría hablarse, en efecto, del transcurso de 15 años, *pero dado que puede ser interrumpido ese plazo por requerimientos a los obligados,* resulta del expediente que con anterioridad al requerimiento efectuado a D.ª María, se había efectuado ya el mismo requerimiento a D.ª Susana (obligada anterior), a quien, de hecho, se le impusieron también multas coercitivas en fechas 25 de agosto y 27 de octubre de 2003, 19 de enero y 23 de abril de 2004, 5 de diciembre de 2006, 28 de junio y 27 de diciembre de 2007 (tal y como se recoge en la resolución en que se hace el requerimiento a la demandante), *de forma que no puede hablarse de inactividad de la Administración en la ejecución de que se trata, no existiendo ningún plazo que llegue a los 15 años sin actividad ejecutiva dirigida contra quien en cada momento figuraba como responsable.*

Por tanto, sin perjuicio de que, en efecto, por el transcurso de 15 años podría darse por prescrita la acción ejecutiva de que se trata contra la demandante, sin embargo, *consta que ha habido interrupciones del plazo prescriptivo, que afectan a la adquirente posterior (…)».*

18. Prácticamente las mismas reglas que rigen cuando se trata de la ejecución forzosa de sentencias. Sin embargo, de tratarse de obligaciones impuestas por sentencias, el artículo 1971 CC, establece el tiempo de la prescripción de las acciones para exigir el cumplimiento de obligaciones declaradas por sentencia, comienza desde que la sentencia quedó firme.

En definitiva, establecía la jurisprudencia más unánime del Tribunal Supremo «ante el régimen especial de la ejecución de las sentencias en la Jurisdicción Contencioso-administrativa, y en el que el obligado al cumplimiento de las sentencias no es un particular, sino una Administración Pública, que sirve con objetividad los intereses generales con sometimiento a la Ley, resulta obligado seguir manteniendo la clásica doctrina de esta Sala de que la acción para ejercitar las acciones y derechos reconocidos en una sentencia está sujeta al plazo general de prescripción de 15 años establecido en el artículo 1964 del Código Civil, a contar desde la firmeza de la sentencia, tal como previene el art. 1971 del mismo, sin que pueda afectar al orden jurisdiccional contencioso-administrativo, por tanto, el plazo quinquenal de caducidad que para interponer la demanda ejecutiva prevé el art. 518 de la vigente Ley de Enjuiciamiento Civil, aunque sea computado desde la entrada en vigor de esta Ley. Acudir al mayor plazo prescriptivo posible para que una sentencia contencioso-administrativa se ejecute es contribuir al cumplimiento pleno del art. 118 de la CE, máxime cuando el derecho a la ejecución de la sentencia contencioso-administrativo no puede concebirse solo como un derecho del particular interesado en la ejecución, al estar implicado el

Por último, y para concluir este apartado, cabe analizar la situación en la que quedarían las edificaciones, construcciones, obras e instalaciones una vez prescrita la orden de derribo, por su no ejecución en el plazo legalmente establecido. ¿Se equipararían al régimen de incompatibilidad regulado en la normativa autonómica?

Parecería razonable entender que una vez prescrita la orden de restitución, la construcción o instalación ilegal se equipararía al régimen de fuera de ordenación o de incompatibilidad definido en la normativa autonómica[19]. Cuando contra una obra, por ilegal que sea, ya no se puede reaccionar, tiene que tener un régimen de aplicación. Este régimen es el de fuera de ordenación, que se podrá llamar así o de otra manera, pero el concepto es el que es, esto es, el de incompatible con la actual normativa. Por lo tanto, no se podrá reaccionar contra ella, bien porque tiene título que la ampara, bien porque la administración no ha ejecutado en el tiempo establecido la orden de restitución.

Cualquier actuación de ejecución que se lleve a cabo más allá del plazo prescriptivo implica su nulidad. Actuación considerada ilegal, que provocaría una lesión ilegítima en el patrimonio del particular, dando lugar a una responsabilidad patrimonial por un funcionamiento anormal del servicio público. Indicativo de ello es la STS de 17 de febrero de 2000[20],

---

interés público». Por todas STS de 29 de diciembre de 2010, dictada en el recurso de casación n.° 500/2008.

19. La normativa autonómica, antes citada, que ha regulado el plazo para ejecutar forzosamente la orden de restitución, ha establecido que transcurrido este plazo la construcción o instalación quedará en régimen similar al de fuera de ordenación.

20. STS de 17 de febrero de 2000, dictada en recurso de casación n.° 5038/1994: «Por ello, aunque ni la legislación específica urbanística ni la general de procedimiento administrativo prevean plazos de prescripción para ejecutar lo acordado, el principio expuesto, junto a los de seguridad jurídica y de interdicción de la arbitrariedad de los poderes públicos (artículo 9.3 de la Constitución) fuerzan a entender que la ejecución forzosa se halla sujeta a plazos de prescripción. En la medida en que el acto administrativo ordenó al constructor el derribo de un edificio, aquél contiene una obligación de hacer, la exigencia de cuya efectividad no puede quedar indefinidamente pendiente en el tiempo sino que por tratarse, en definitiva, de una obligación personal está sujeta al plazo de prescripción de quince años del artículo 1964 del Código Civil, que es el plazo de que la Administración disponía para acudir al mecanismo de ejecución subsidiaria y que fue largamente sobrepasado en el presente caso.
(...) Respecto de la petición de indemnización, que se formula con base en el artículo 40 de la Ley de Régimen Jurídico de la Administración del Estado, debemos comenzar diciendo que, aunque a primera vista pudiera parecer que a los propietarios del edificio no les habría de corresponder indemnización alguna por haberse erigido sin licencia, no ser legalizable y haber estado sometido largo tiempo (veinticuatro años) a una orden de demolición, las cosas no son tan simples.
Lo que la sentencia de instancia ha hecho (y eso no está sometido a impugnación en esta casación) ha sido declarar ilegal el derribo del edificio, por prescripción de las

que declara ilegal un derribo efectuado más allá del plazo de quince años, al tiempo que reconoce el derecho a la indemnización por la privación ilícita de un bien. Como afirma el Alto Tribunal, un edificio, legal o ilegal, con licencia o sin ella, en régimen de fuera de ordenación implica el derecho a usarlo y disponer de el en los términos establecidos en la legislación urbanística, sin que su titular pueda ser privado de él.

En todo caso, el hecho de que la orden de demolición no llegara a ejecutarse, e incluso la eventual prescripción de dicha orden por el transcurso del plazo legalmente establecido para llevarla a efecto, no convierte la obra ilegal en legal, sino simplemente impediría la efectividad de la orden de derribo en su día adoptada, pero no convalida la ilegalidad inicialmente declarada por una resolución administrativa firme[21].

IV. ESPECIALIDAD EN MATERIA DE COSTAS

En cuanto a la protección del dominio público marítimo terrestre y sus áreas o servidumbres de influencia debemos considerar lo regulado en su propia normativa, constituida por la Ley 22/1988, 28 julio, de Costas, modificada por Ley 2/2013, de 29 de mayo, de protección y uso sostenible del litoral; y por su reglamento de desarrollo aprobado por el Real Decreto 876/2014, de 10 de octubre, por el que se aprueba el Reglamento General de Costas.

---

facultades administrativas, ya que la demolición se decretó en el año 1964 y no se efectuó hasta el año 1989. Al declararse ilegal la demolición se está reconociendo que (con licencia o sin ella, legalizable o no) el edificio debió seguir en pie, o mejor, que los propietarios tenían derecho a que el edificio no se derribara, y consiguientemente, a usar de él en la forma (ya veremos que limitada) que el ordenamiento jurídico prescribe.

Existe, pues, el derecho a una indemnización (artículo 40 de la L.R.J.A.E.), en cuanto al acto ilegal ha producido una lesión indemnizable.

Ahora bien, lo que no puede olvidarse es que este edificio no se convierte en legal por el mero hecho de haber sido anulado el acto que ordenó derribarlo, o, lo que es lo mismo, que la mera caducidad de las facultades administrativas de derribo no producen la legalización de la obra. Para un supuesto semejante (artículos 184 y 185 del Texto Refundido de la Ley del Suelo de 9 de abril de 1976), la jurisprudencia de este Tribunal Supremo lo tiene así declarado (sentencias de 8 de marzo de 1986, 25 de marzo de 1985 y 3 de mayo de 1985, entre otras). El edificio queda en situación parecida a la de "fuera de ordenación", (artículo 60 del T.R.L.S.), es decir, con limitación de ciertas facultades dominicales y, consecuentemente, con una devaluación en su valor de mercado (…)».

21. STS de 12 de febrero de 2014, dictada en el recurso n.° 2490/2011.

La reforma operada en 2013, en lo que al plazo ejecutivo interesa, ha introducido importantes novedades. Mejorando la técnica legislativa, regula en preceptos distintos el régimen de la infracción y sanción, separándolo, de la reposición de la legalidad.

Sin perjuicio de la sanción penal o administrativa que se imponga, el infractor estará obligado a la restitución de las cosas y reposición a su estado anterior, con la indemnización de daños irreparables y perjuicios causados, en el plazo que en cada caso se fije en la resolución correspondiente.

Esta obligación prescribirá a los quince años desde que la Administración acuerde su imposición[22].

---

22. Art. 95 LC. En desarrollo del precepto básico estatal citar el artículo 39 de la Ley 2/2017, de 8 de febrero, de medidas fiscales, administrativas y de ordenación, (DOG n.° 28 de 09 de febrero de 2017 y BOE n.° 83 de 07 de abril de 2017), que dispone: «Artículo 39. Recursos interpuestos contra resoluciones de expedientes sancionadores y de reposición de la legalidad por infracciones reguladas en la normativa en materia de costas cometidas en la zona de servidumbre de protección del dominio público marítimo-terrestre pendientes de resolución a la entrada en vigor de la Ley 39/2015, de 1 de octubre, del procedimiento administrativo común de las administraciones públicas, y de la Ley 40/2015, de 1 de octubre, de régimen jurídico del sector público. Uno. En consonancia con la legislación básica estatal, en los recursos interpuestos contra resoluciones de expedientes sancionadores y de reposición de la legalidad por infracciones reguladas en la normativa en materia de costas cometidas en la zona de servidumbre de protección del dominio público marítimo-terrestre, el plazo previsto para la prescripción de la sanción comenzará a contarse desde el día siguiente a aquel en que finalice el plazo legalmente previsto para la resolución del recurso, aunque el plazo en cuestión hubiese finalizado con anterioridad a la entrada en vigor de la Ley 39/2015, de 1 de octubre, del procedimiento administrativo común de las administraciones públicas, y de la Ley 40/2015, de 1 de octubre, de régimen jurídico del sector público.
Dos. En los supuestos señalados en el apartado anterior, en los recursos pendientes de resolución, el plazo de prescripción de quince años, en consonancia con lo dispuesto en la Ley 2/2013, de 29 de mayo, de protección y uso sostenible del litoral, que modifica el artículo 95 de la Ley estatal 22/1988, de 28 de julio, de costas, en cuanto a la reposición o restitución de la legalidad, comenzará a computarse desde que la Administración haya dictado el acto en el que se haya acordado la obligación de restitución.
Tres. La resolución administrativa que resuelva los recursos en los supuestos previstos en el presente artículo acordará de oficio la prescripción de la sanción impuesta, en su caso, y deberá pronunciarse expresamente sobre la prescripción de la obligación de restitución de la legalidad según lo indicado en el apartado anterior.
Cuatro. En las obras, edificios, construcciones o instalaciones afectados situados dentro de la servidumbre de protección indicada en el apartado anterior, y siempre que resulte compatible con la legislación básica estatal, solo se podrán realizar, previa solicitud de autorización del órgano autonómico competente en materia de zona de servidumbre de protección, obras imprescindibles para la conservación y el mantenimiento del uso preexistente, sin que puedan incrementar el valor expropiatorio.

En el ámbito de aplicación de la LC el plazo para ejecutar el acto administrativo por el que se imponga la restitución es de quince años, y, además, es un plazo de prescripción como expresamente dispone la ley.

La redacción anterior a la reforma de 2013 no regulaba el plazo para la ejecución forzosa, existiendo discrepancia sobre la concurrencia del plazo supletorio del CC o por el contrario la inexistencia de plazo debido a la carencia, también, de plazo para iniciar el expediente de reposición. No debemos olvidar que la LC, en su redacción anterior a la modificación de 2013, disponía «El plazo de prescripción de las infracciones será de cuatro años para las graves y un año para las leves, a partir de su total consumación. *No obstante, se exigirá la restitución de las cosas y su reposición a su estado anterior, cualquiera que sea el tiempo transcurrido*».

La nueva redacción ha despejado esta incógnita. Ahora de forma clara, el plazo para ejecutar forzosamente un acto de restitución en el ámbito de aplicación de la LC es de quince años. Pero plantea dos nuevos problemas. Primero, qué plazo hay para iniciar el procedimiento, en su vertiente de restitución, desde la total finalización de las obras, y segundo, si prescribe la obligación a los quince años, como se conjuga esto con el carácter imprescriptible del dominio público y sus servidumbres de protección.

En cuanto al primer problema. La redacción actual de la LC ha suprimido la referencia a que se exigirá la restitución de las cosas y su reposición a su estado anterior, cualquiera que sea el tiempo transcurrido. Ante ello se han constituido tres líneas judiciales interpretativas.

Una primera, aboga por entender que la ausencia de plazo implica la no existencia del mismo, manteniendo la misma interpretación que se venía haciendo antes de la modificación del año 2013. Consideran, que si el legislador hubiera querido limitar la acción de restitución lo regularía expresamente. Aunque también es verdad que expresamente ha suprimido la referencia a «en cualquier momento». Por otra parte, afirman, que, tras la modificación operada en 2013, se ha mantenido el carácter imprescriptible de las servidumbres[23].

Los pronunciamientos judiciales que abogan por esta primera interpretación valoran a la hora de afirmar la no caducidad de la acción de restitución, qué es lo que se trata de proteger con la norma, y, establece una de

---

En la resolución que declare la prescripción se recogerá expresamente la sujeción al régimen específico establecido en este artículo».

23. Artículo 21 LC: «Los terrenos colindantes con el dominio público marítimo-terrestre estarán sujetos a las limitaciones y servidumbres que se determinan en el presente título, prevaleciendo sobre la interposición de cualquier acción. Las servidumbres serán imprescriptibles en todo caso».

estas sentencias: «tratándose de la Ley de Costas ese objeto de protección es el dominio público marítimo-terrestre, pues la actuación que aquí se enjuicia consiste en la realización de instalaciones o construcciones dentro de la zona de servidumbre de protección sin la autorización preceptiva. En esa línea, la Ley de Costas de 1988 configuró una nueva situación sobre la concepción y naturaleza del dominio público marítimo-terrestre y de la ribera del mar (artículo 1), persiguiendo la protección, conservación y uso público del mismo (artículo 2), definiendo estos bienes demaniales como inalienables, imprescriptibles e inembargables (artículo 7), lo que explica que el uso y ocupación privativa de tal dominio público deba ser realizada con carácter restrictivo y con estricta sujeción al ordenamiento jurídico, al margen y sin perjuicio de las competencias y acciones que pudieran corresponder a las Administraciones Locales en defensa de la legalidad urbanística.

En sentencias como la del TSJ de Cantabria de 16 de abril de 2015, se dispone *"En conclusión se debe admitir la prescripción alegada por la demandante, que afecta directamente a la sanción de multa. Pero hay que recordar el contenido del artículo 95 de la Ley de Costas en el sentido de la obligación de restitución de las cosas y reposición a su estado anterior. En este caso, las construcción y explotación del edificio preexistente como hotel, está prohibida en el artículo 25 de la Ley del Suelo, y pase el tiempo que pase, estas circunstancias no varían y no se puede legalizar de modo alguno, por lo que esta obligación de restitución es incontestable y la administración debe velar por su cumplimiento con la mayor prontitud posible"*. Hemos de destacar que el fin y el objeto de la servidumbre es «La protección del dominio público marítimo-terrestre comprende la defensa de su integridad y de los fines de uso general a que está destinado; la preservación de sus características y elementos naturales y la prevención de las perjudiciales consecuencias de obras e instalaciones, en los términos de la presente ley» por ello se han limitado los derechos de propietarios de "terrenos colindantes con el dominio público marítimo-terrestre" y esta servidumbre es "imprescriptible".

Es decir, que aún en el caso de que hubiera transcurrido el plazo de prescripción de las infracciones, lo cual acarrearía la imposibilidad de sancionar por estos hechos, sin embargo, podría subsistir la obligación de restitución o reposición del orden vulnerado, en cuanto afecta a bien de dominio público imprescriptible. Y, en esta línea ha de entenderse lo que se recoge en el vigente artículo 95 de la Ley de Costas, al disponer *"Sin perjuicio de la sanción penal o administrativa que se imponga, el infractor estará obligado a la restitución de las cosas y reposición a su estado anterior, con la indemnización de daños irreparables y perjuicios causados, en el plazo que en cada caso se fije en la resolución correspondiente"*, y en igual sentido el artículo 197 del Reglamento de costas aprobado por RD 876/14, de 10 de octubre.

Ahora bien, tanto uno como otro precepto, en su redacción tras Ley 2/2013 añaden *"Esta obligación prescribirá a los quince años desde que la Administración acuerde su imposición, sin perjuicio de lo establecido en el art. 10.2 de esta Ley"*, lo cual está en relación con la ejecución de la obligación de restitución de legalidad en la materia, señalando expresamente el plazo de 15 años de prescripción (en la línea que ya jurisprudencialmente se venía admitiendo), y que ha de interpretarse en el sentido de que la acción para obligar a la reposición o restitución de cosas al estado anterior sigue siendo imprescriptible (remisión al artículo 10.2.°), pero, impuesta ya la obligación por la Administración, ésta no pueda exigir la ejecución del acto obligacional más allá de los quince años, y ello aunque pueda incoar nuevo expediente para valorar y resolver nuevamente sobre la obligación de restitución, por tratarse de protección del dominio público marítimo-terrestre»[24].

Confirmando este criterio, de no sometimiento a plazo de la acción de restitución, la STSJ-Galicia n.° 797/2015, de 17 de diciembre de 2015: «Por consecuencia de su ubicación y de la carencia de autorización y licencia, la normativa de costas exige, sin límite temporal y con independencia de cualquier posible prescripción de la infracción, la restitución de las cosas y su reposición a su estado anterior». En esta línea interpretativa se están manifestando la mayoría de los Juzgados de lo Contencioso Administrativo de Galicia[25].

Otro sector intermedio, defiende que en defecto de plazo este será el de quince años, interpretando que si la obligación, una vez impuesta, no puede exigirse más allá de los quince años, del mismo modo el expediente no podrá iniciarse una vez transcurrido este plazo. Así lo ha manifestado el TSJ-Galicia en su sentencia número 712/2016, de 1 de diciembre: «La eliminación de la referencia que contenía la anterior redacción del artículo 92 a la facultad de reposición de la legalidad supone, según la parte apelante, que el plazo de prescripción de esa facultad es actualmente el mismo que el de las infracciones. Frente a esta interpretación, la Administración sostiene que al no existir un precepto específico que establezca

---

24. Sentencia n.° 159/2017, de 17 de octubre del JDO Contencioso-Administrativo número Dos de Pontevedra. En otra sentencia del mismo Juzgado y año, n.° 72/2017, de 12 de abril, ha afirmado que además de no existir plazo para el ejercicio de la acción, prescrita la orden de restitución por el transcurso del plazo de quince años podría iniciarse un nuevo expediente por no estar sujeta a plazo la acción de restitución, primando la protección del dominio público y sus zonas de servidumbre.

25. Sentencia n.° 228/2017, de 15 de noviembre de 2017 del JDO Contencioso-Administrativo número Uno de Pontevedra. En idéntico sentido Sentencias n.° 220/2017 y n.° 221/2017, de 8 de noviembre de 2017 del JDO de lo Contencioso-Administrativo número Dos de Vigo.

el plazo de prescripción de esa facultad la consecuencia es que no se produce y puede ser ejercitada en cualquier momento. Este argumento no puede ser compartido, pues la Ley 2/2013 también modificó el artículo 95 de la Ley de Costas y estableció un plazo de 15 años para la prescripción de la obligación, impuesta en resolución administrativa, de restituir y reponer las cosas a su estado anterior e indemnizar los daños irreparables y perjuicios causados, y sería ilógico que pese a existir una resolución se produjese la prescripción, y no se produjese, en cambio, en el caso de no existir procedimiento administrativo. Pero tampoco puede serlo el de la parte apelante, puesto que equiparar prescripción de la infracción y prescripción de la obligación de reposición de la legalidad tropezaría con el obstáculo de la diferencia de plazos de prescripción según la gravedad de la infracción, diferencia que es irrelevante para la reposición de la legalidad; y además los plazos para ejercitar la facultad de reposición de la legalidad suelen ser más amplios, al no ser una actuación sancionadora, que los establecidos para la facultad de sancionar, y así lo muestran otras normativas en materia de protección del dominio público, como la Ley de Aguas».

Por último, un tercer sector minoritario en cuanto pronunciamientos judiciales se refiere, aboga por entender que, prescrita la infracción, prescribe en su vertiente sancionadora y de reposición, de tal manera que a los dos años para las infracciones graves y a los seis meses para las leves, ya no podrá iniciarse expediente alguno[26].

---

26. En esta línea se encuentra la Sentencia del JDO de Pontevedra n.º 29/2017, de 8 de febrero de 2017: «La conclusión que se alcanzaría de asumir la tesis hasta aquí descrita, que parece la más lógica de la lectura literal de la norma (arts. 92-95 LC), sería la de que con posterioridad a 2013, la orden de demolición se debería dictar, en el caso de infracciones graves, dentro del plazo de 2 años desde la comisión de la infracción (porque se le aplicaría idéntico plazo prescriptivo); y que, una vez dictada esa orden de demolición, la Administración dispone de un plazo de 15 años para hacerla ejecutar de acuerdo con el art. 95.1.LC. Como se puede concluir, esa respuesta, que parecería la más lógica si nos atenemos al contenido literal de la reforma, no es la que se propugna aquí ni por la Administración demandada y la parte codemandada (quienes mantienen la "imprescriptibilidad" hasta ahora reconocida por la jurisprudencia, de acuerdo con la LC-88, de la orden de restitución) ni tampoco la que propugna la parte actora, que parece asumir como plazo prescriptivo de la acción para imponer (no para ejecutar) la orden restitutoria el que el art. 95.1. LC fija en 15 años. A entender de esta juzgadora, ese plazo de 15 años está previsto para que se pueda "ejercitar" la acción ejecutiva de la orden restitutoria, pero para que se pueda aplicar es necesario que la orden de demolición se haya dictado ya, antes de la entrada en vigor de la norma (en mayo de 2013).
En cualquier caso, sobre la cuestión ya ha mostrado su parecer la Sala de lo contencioso administrativo del Tribunal Superior de Justicia de Galicia en una de sus sentencias más recientes, de 1 de diciembre de 2016, donde parece acoger la teoría que mantiene aquí, en estos autos, la parte actora, de que el plazo de 15 años reco-

En relación con esta cuestión se ha admitido a trámite, por Auto de 10 de abril de 2017, recurso n.° 953/2017, recurso de casación contra la STSJ-Galicia n.° 712/2016, de 1 de diciembre. Entiende el Tribunal Supremo, la concurrencia de interés casacional objetivo para la formación de jurisprudencia en el sentido de interpretar si el plazo previsto en el artículo 95.1 LC es de aplicación exclusivamente a partir de la imposición de las medidas de reposición de la legalidad, y si, por otro lado, los plazos de prescripción establecidos por el artículo 92 de la misma Ley, además de resultar de aplicación a las sanciones correspondientes, se aplican también a las medidas de reposición de la legalidad[27].

En cuanto a la segunda cuestión que se adelantaba, la pregunta es qué ocurre con las órdenes de restitución que no se hayan ejecutado en el plazo de quince años. ¿Se sitúa la edificación, construcción o instalación en un régimen asimilable al fuera de ordenación? ¿Prima, por tanto, el principio de conservación de la edificación sobre la imprescriptibilidad del demanio y sus servidumbres? En la Sentencia del JDO Pontevedra 72/2017, de 7 de abril, se afirma que, incluso prescrita la obligación de ejecutar un acto administrativo concreto, primando la protección de la costa, se podría iniciar un nuevo expediente al no estar sometido a plazo la reacción administrativa.

Sin embargo, parece interesante la tesis abordada en la Sentencia número 107/2017, del JDO número 4 de Santa Cruz de Tenerife, al afirmar que pasados quince años prescribe la obligación personalísima a cargo del propietario de ejecutar la orden de reposición, pero no obstante, subsiste sin límite de plazo, la obligación de la Administración de ejecutar esa orden por su cuenta, conjugando así, lo afirma el Juzgado, la prescripción de la orden de restitución y el carácter imprescriptible de las servidumbres[28].

---

gido en el art. 95 LC no lo es solo para llevar a ejecución una orden de demolición ya dictada antes de la entrada en vigor de la nueva normativa, es decir, antes de mayo de 2013, sino que también se debe considerar aplicable a la acción pública de que dispone la Administración frente al infractor urbanístico de que se trate para exigirle, en expediente sustantivo, no ejecutivo de una orden previo, que restituya las cosas a su estado anterior».

27. ¿Volverá a interpretar el Tribunal supremo que ante la falta de plazo concreto será de aplicación el artículo 1964 del código civil?.

28. Fundamento de Derecho Cuarto de la Sentencia n.° 107/2017, de 7 de abril, del JDO n.° 4 de Santa Cruz de Tenerife: «3. Las servidumbres de protección y de tránsito constituyen limitaciones legales de las propiedades existentes tierra adentro desde el límite interior de la ribera del mar, que son imprescriptibles en todo caso, según establece al art. 21 de la Ley de Costas.
Entonces la cuestión jurídica que queda consiste en entender la Ley de Costas, cuando por un lazo reza que son imprescriptibles las servidumbres legales de costas (art. 21), mientras que por otro lado dice que prescribirá a los quince años la obligación del

Por último, sólo destacar que la doctrina científica más experta critica la modificación operada en 2013 por alejarse del espíritu protector de la costa española, cuándo se trata de la parte del territorio más frágil y sensible a la actuación urbanizadora[29].

V. CONCLUSIONES

Primera. El plazo para ejecutar los actos administrativos por los que se ordena la restitución de la legalidad serán los consignados en la normativa sectorial de referencia. Ésta será la autonómica en materia de urbanismo y la estatal en lo referente al dominio público marítimo terrestre y sus zonas de servidumbre.

Segunda. En defecto de plazo específico, será de aplicación lo establecido en el artículo 1964 del Código Civil. Este plazo se ha reducido de quince a cinco años para las obligaciones nacidas a partir del 7 de octubre de 2015.

Las obligaciones nacidas con anterioridad al 7 de octubre de 2015, en defecto de plazo propio, prescribirán a los quince años y como máximo en el año 2020 en aplicación del artículo 1939 CC.

---

infractor a la restitución de las cosas y reposición a su estado anterior, con la indemnización de daños irreparables y perjuicios causados (art. 95).

4. el único entendimiento posible es centrar cada prescripción en su concreto ámbito jurídico de aplicación. Lo que el art. 95 de la Ley de Costas prescribe es la obligación personalísima del titular de la obra ilegal sobre las servidumbres legales de protección y tránsito de reponerlas a su estado originario. Ello es conciliable con el carácter imprescriptible de las servidumbres legales de costas que siguen manteniendo una sujeción legal al terreno sometido a dichas servidumbre, de tal manera que no prescribe o se extingue si dicha servidumbre, ni caduca la potestad de ejecución de oficio de la reposición a su estado originario de la servidumbre.

Entonces lo único que reconoce el art. 95 es un reconocimiento individual al particular que construye ilegalmente sobre las servidumbres legales de costas, que consiste en que, al prescribir su obligación de reponer el estado originario y de indemnizar daños y perjuicios, no puede ser obligado personalmente a ello.

Sin embargo, ello no es impedimento legal para que la Administración pueda de oficio ejecutar dicha reposición del estado originario de las servidumbres legales alterado por la obra legal.

(…)

En consecuencia, el razonamiento expuesto lleva a realizar los siguientes pronunciamientos: declarar no conforme a derecho la diligencia de archivo; declarar prescrita la obligación personalísima de la demandante de demoler la obra ilegal ejecutada sobre suelo de servidumbre legal de protección y tránsito, sin perjuicio del ejercicio de oficio de la potestad de reposición por la Administración competente, para hacer valer el carácter imprescriptible de la servidumbre legal».

29. MENÉNDEZ REXACH, A. (2017): «La protección de la costa: experiencias tras la modificación operada por la Ley 2/2013, de 29 de mayo, de protección y uso sostenible del litoral», *Conferencia impartida en el III Congreso de la Agencia de Protección de la Legalidad Urbanística de Galicia.*

Tercera. Salvo norma específica, el plazo de ejecución del acto administrativo es de prescripción y no de caducidad, por lo que admite interrupción. Interrumpido el plazo, éste se reinicia, como si el tiempo pasado nunca hubiera transcurrido.

Cuarta. En el ámbito de aplicación de la Ley de Costas, el plazo para ejecutar el acto por el que se ordena la restitución prescribe a los quince años desde que la administración acuerde su imposición.

Quinta. Desde la modificación de la LC en 2013, no hay jurisprudencia del TS en relación con el plazo para iniciar el expediente de restitución desde la consumación de la actuación ilegal. Al respecto, existen tres criterios antes expuestos, estando pendiente Sentencia del Tribunal Supremo sobre la cuestión.

BIBLIOGRAFÍA

GARCÍA GARRO, A. (2010): «El plazo para la ejecución subsidiaria de una orden de demolición», *Revista de Aranzadi de Urbanismo y Edificación*, n.º 21.

GONZÁLEZ-VARAS IBÁÑEZ, S. (2014): «Los plazos de prescripción y la Administración Pública», *Asamblea, Revista Parlamentaria de la Asamblea de Madrid*, n.º 31.

HERNÁNDEZ JIMÉNEZ, H.M. (2015): «La restauración del orden jurídico perturbado: prescripción de su ejecución forzosa», *Actualidad Administrativa*, n.º 7-8.

MARTÍN PASTOR, J. (2014): «La caducidad de la acción ejecutiva», *Práctica de Tribunales*, n.º 110.

MENÉNDEZ REXACH, A. (2017): «La protección de la costa: experiencias tras la modificación operada por la Ley 2/2013, de 29 de mayo, de protección y uso sostenible del litoral», *Conferencia impartida en el III Congreso de la Agencia de Protección de la Legalidad Urbanística de Galicia*.

MONSERRAT MOLINA, P.E. (2015): «La reforma de la prescripción en el Código Civil. Una visión crítica», *Actualidad Civil*, La Ley, Madrid.

TOLEDO PICAZO, A. (2013): *Licencias y Disciplina Urbanística*, Bosch, Madrid.

VV.AA. (2013): «Costas y Urbanismo. El litoral tras la Ley 2/2013, de protección y uso sostenible del litoral y de modificación de la Ley de Costas», *El Consultor de los Ayuntamientos*, La Ley, Madrid.

Capítulo XV

Algunas reflexiones sobre la disciplina urbanística en general y el derecho gallego en particular[1]

Luciano Parejo Alfonso

Catedrático de Derecho Administrativo
Universidad Carlos III de Madrid

SUMARIO: I. CONSIDERACIONES PREVIAS SOBRE EL CONTENIDO Y AL-CANCE DE LA DISCIPLINA URBANÍSTICA. 1. En el ordenamiento general. 2. En el ordenamiento gallego. II. ALGUNOS DE LOS PRINCIPALES RETOS DE LA DISCIPLINA URBANÍSTICA. 1. La relación con el Derecho penal del Derecho administrativo en general y del urbanístico en particular. 1.1. Las dificultades derivadas de la proyección al Derecho sancionador administrativo de las garantías propias del Derecho penal. 1.2. El fenómeno, más grave, de la irrupción de lo penal en lo administrativo, con perturbación seria de éste. 2. La cuestión de la sujeción o no del poder público administrativo a la vigilancia, la supervisión y el control propios de la policía administrativa de actividades y, por tanto, a la disciplina urbanística. III. EL MARCO LEGAL ESTATAL CON RELEVANCIA URBANÍSTICA Y SUS REPERCUSIONES EN LA DISCIPLINA URBANÍSTICA. IV. LA DISCIPLINA URBANÍSTICA EN GALICIA. 1. La inspección. 2. La organización y sus competencias. 3. Las técnicas. 4. Los procedimientos. 5. Los institutos de la prescripción y la caducidad.

---

1. Texto de la intervención en el Congreso anual organizado por la Axencia de Protección da Legalidade Urbanística y celebrado en Santiago de Compostela los días 15 y 16 de junio de 2017.

I. CONSIDERACIONES PREVIAS SOBRE EL CONTENIDO Y ALCANCE DE LA DISCIPLINA URBANÍSTICA

1. EN EL ORDENAMIENTO GENERAL

La pluralidad de Leyes urbanísticas, en la actualidad tantas como Comunidades Autónomas, a las que se añade aún –principalmente y a título supletorio– la legislación estatal de 1976-78, produce una impresión de heterogeneidad y, por tanto, complejidad, solo insuficientemente compensadas por la legislación básica que pretende dotarla de un marco coherente (hoy el texto refundido aprobado por Real Decreto legislativo 7/2015, de 30 de octubre). Un análisis más profundo revela, sin embargo, la persistencia de elementos portantes comunes (J.M.ª Baño León ha hablado, por ello, de un *ius commune* urbanístico) que proceden nada menos que de la Ley de 12 de mayo de 1956, calificable de fundacional de nuestro actual sistema urbanístico; elementos comunes que han resistido la actualización periódica del riesgo regulatorio (la recurrencia del cambio normativo en un ciclo repetido, desde luego en el escalón de la legislación estatal, de modificación o reforma-refundición) que igualmente parece ser un estigma de aquel sistema. Una de las piezas clave y tenaces de éste es sin duda la disciplina, es decir, la respuesta (tanto preventiva como reaccional) al fenómeno patológico (posible o actual) de vulneración o conculcación.

En la solución «integrada», que es la que –en clara continuidad con el ordenamiento urbanístico estatal preconstitucional– se ha impuesto en la práctica totalidad de los ordenamientos autonómicos (también el gallego), la transgresión de la ordenación territorial y urbanística determina la siguiente triple reacción:

a) El *aseguramiento de la efectividad* (control) y la *reintegración del orden transgredido*, a fin de hacer *desaparecer del mundo real y jurídico* los actos ilegalmente realizados y de *reponer las cosas al ser y estado, anteriores* a la transgresión.

b) La *sanción de la conducta ilícita*, cuando la transgresión esté tipificada como infracción administrativa.

c) La *exigencia de responsabilidad patrimonial* extracontractual por los daños o los perjuicios ocasionados.

Esta triple consecuencia procede nada menos que de la Ley de 12 de mayo de 1956, en la que, sin embargo, cada una de ellas aparecía perfectamente diferenciada de las demás, produciéndose según su régimen y lógica propios. Por esta razón, la infracción urbanística era un concepto preciso, que operaba exclusivamente en el ámbito del Derecho sancionador como concepto definitorio del ilícito urbanístico, es decir, de las conductas típicas transgresoras –por acción u omisión– de la ordenación territorial-urbanística y desencadenante, así, de la consecuencia represiva consistente en la sanción administrativa: la multa. El alcance de la infracción urbanística era, pues, una categoría de radio de acción más reducido que el de la transgresión de la legalidad urbanística; categoría ésta más amplia que remitía simplemente al juicio de invalidez e ineficacia de los actos en función de su disconformidad con aquella legalidad y que, consecuentemente, englobaba el de infracción urbanística.

La reforma legislativa estatal de 1975 introdujo en este punto una notable confusión, de la que naturalmente se resintió el texto refundido a que dio lugar (así como el posterior, hoy ya no vigente, texto refundido de 1992) y se sigue resintiendo aún hoy hasta cierto punto la legislación autonómica (la gallega, no obstante, solo en pequeña medida). Esta confusión deriva de la involucración en la figura de la infracción urbanística de elementos ajenos a su concepto estricto y, más concretamente, de los correspondientes a la categoría genérica de transgresión de la legalidad urbanística. En otras palabras, la infracción urbanística no siempre se mantiene, en el régimen legal vigente, en el marco del Derecho sancionador y, por tanto, en los límites de su función definitoria del ilícito urbanístico a efectos de su represión a través de la potestad sancionadora, ocupando en algunas normas, aunque solo aparentemente, una posición central en el juego de todos los mecanismos legales de reacción frente a la conculcación del orden territorial-urbanístico y, singularmente, de los dirigidos a la mera restitución de su integridad. Cuando así sucede, se produce una dilución de los límites conceptuales y técnicos entre la categoría genérica de transgresión o infracción en sentido amplio o impropio (que sirve sólo para fundamentar un juicio de legalidad sobre los actos materiales o jurídicos a efectos de su remoción y la de sus efectos) y la de infracción urbanística en sentido estricto o propio (cuya funcionalidad se despliega en otro terreno, en el de la tipificación de conductas reprimibles a través de la potestad sancionadora).

La «contaminación» de la legislación autonómica por la apuntada confusión era apreciable, por ejemplo, en el artículo 25 de la derogada Ley balear de disciplina urbanística, habiendo desaparecido ya afortunadamente en la Ley urbanística general de 2014 vigente en dicha Comunidad Autónoma. Y es constatable, de forma mas clara aún, en la legislación urbanística madrileña.

La más reciente legislación autonómica opera, sin embargo, de manera más correcta ciñendo la noción de infracción al ilícito urbanístico en sentido estricto. En este sentido, por ejemplo, la Ley andaluza de ordenación urbanística de 2002, para la que son infracciones urbanísticas las acciones u omisiones tipificadas y sancionadas como tales en ella (art. 191) o la Ley de ordenación del territorio y espacios naturales de Canarias de 2000, conforme a la cual son infracciones las acciones y omisiones, dolosas o imprudentes, que vulnerando o contraviniendo la ordenación de los recursos naturales, territorial y urbanística, estén tipificadas y sancionadas como tales (art. 187) [recientemente, la Ley de 2017 que ha derogado la anterior, mejora, si cabe, la diferenciación de la sancionadora en el seno de las medidas propias de la protección de la legalidad urbanística]. En el mismo sentido: La Ley catalana de 2010 (art. 211); la Ley riojana de ordenación del territorio y urbanismo de 1998 (art. 217); y la Ley valenciana de ordenación del territorio, urbanismo y paisaje de 2014 (art. 232) y, por supuesto, la gallega de 2016.

La importancia de la cuestión no reside, evidentemente, en su aspecto de imprecisión técnica o terminológica, sino en los riesgos que tal imprecisión comporta en orden a la confusión de los regímenes propios e independientes (basados, además, en principios distintos y, a veces, contradictorios, como sucede con los institutos de la prescripción y de la caducidad presentes en uno y otro de ellos) de la reintegración del orden alterado y de la represión sancionadora, con las consecuencias negativas de todo orden que ello comporta.

La reglamentación de desarrollo del texto refundido de la Ley sobre régimen del suelo y ordenación urbana de 1976 y, concretamente, el Reglamento de Disciplina Urbanística de 1978, es consciente de la problemática expuesta e intenta corregir, en la medida de lo posible (aunque sin lograrlo enteramente), la imprecisión técnica legal.

Conforme a la más sistemática regulación contenida en el citado Reglamento, la disciplina urbanística comprende:

1. La *intervención administrativa previa* (lo que quiere decir: la precisión de obtención de licencia previa; hoy habría de añadirse: cuando sea legalmente preceptiva) *de la edificación y uso del suelo* (así como el régimen de los actos promovidos por –según debe entenderse hoy– las Administraciones territoriales superiores y sus organismos públicos) y las *órdenes de ejecución* (esencialmente las referidas a edificaciones mal conservadas o en estado ruinoso).

Respecto de la intervención administrativa previa no puede dejar de llamarse la atención, sin embargo y como acaba de apuntarse, sobre: i) la incidencia del cambio que en su lógica ha supuesto la Directiva Bolkestein y su trasposición; y ii) la insistencia en la intervención administrativa previa mediante licencia, con *sorprendente* (en el contexto actual del clima propicio al sentido positivo del silencio) *inversión de la regla tradicional en tal materia* establecida primero por el artículo 23 del Real Decreto-Ley 8/2011, de 1 de julio, y luego, hasta hoy, por el artículo 11.3 y 4 del texto refundido estatal de 201 (lo que puede reconducirse a la generalizada situación de indisciplina con incidencia en el mercado inmobiliario con fuerte componente de comprador extranjero).

2. La *protección de la legalidad urbanística*, comprensiva, a su vez, de la reacción frente a i) obras sin licencia u orden de ejecución o sin ajustarse a las condiciones de uno u otra; ii) obras con licencia u orden de ejecución (suspensión y revisión de una u otra); iii) obras y licencias en zonas verdes o espacios libres; iv) otros actos o acuerdos municipales en materia urbanística; y v) otras medidas tendentes a la protección de la legalidad en matera de licencias.

3. Las *infracciones y su sanción*, es decir, el derecho sancionador urbanístico.

No obstante su desplazamiento en todas las Comunidades Autónomas (no así en las Ciudades Autónomas de Ceuta y Melilla) por la correspondiente legislación urbanística y el desarrollo de la, también autonómica, de ordenación del territorio, la expuesta concepción de la disciplina administrativa de la transformación y uso del suelo –hoy, en lo fundamental, supletoria en la mayor parte del territorio nacional, pero aún enteramente de aplicación plena y directa en Ceuta y Melilla– continúa presente en la aludida legislación, proporcionando a ésta, no obstante la apariencia de diversificación territorial de las soluciones normativas, un notable fondo común. Las principales novedades se reducen, de un lado, a la emergencia –no generalizada (solo en algunas, pocas, Comunidades Autónomas)– de una diferenciada (competencial, que no tanto institucionalmente) disciplina de ordenación del territorio, y, de otro lado, a la ampliación de las medidas administrativas de reacción y la introducción, en algún caso (como en Canarias, Islas Baleares y también Galicia) de soluciones organizativas para la mejora de la eficacia de la reacción administrativa.

No es apreciable, por tanto, una sustancial renovación de las técnicas, por lo que tampoco se ha llegado a una situación de significativa heterogeneidad de los sistemas de disciplina territorial y urbanística. Todo lo más es constatable alguna diferencia en la acotación del campo propio de ésta en unas y otras Comunidades Autónomas y una mayor desagregación de las técnicas de respuesta a las transgresiones de la ordenación.

2. EN EL ORDENAMIENTO GALLEGO

La Ley gallega 2/2016, de 10 de febrero, en vigor, responde (como resulta de su título VI, relativo a la intervención en la edificación y uso del

401

suelo y disciplina urbanística) al modelo integrado correcto, comprensivo de la intervención previa (incluyendo la relativa no solo a la nueva edificación o uso del suelo, sino de la conservación y la rehabilitación. Pero:

– Su perspectiva muestra cierta insuficiencia en punto a la intervención en la edificación y el uso del suelo al no contemplar las consecuencias del nuevo régimen legal básico de la intervención administrativa de las actividades (en particular, en lo que respecta a las técnicas de la comunicación previa, pero también de la orden de ejecución) en el ulterior régimen sobre todo de la inspección y protección de la legalidad.

Esa insuficiencia es más acusada en el medio urbano porque el planteamiento legal: i) aparece limitado a la perspectiva tradicional de incumplimiento de los deberes de conservación y rehabilitación sin incorporar la dimensión relativa a la adecuación (a efectos de incremento de la calidad, incluyendo la eficiencia energética, importante en la lucha contra el cambio climático) a las exigencias del Código Técnico de la Edificación [art. 15.1.c) del texto refundido estatal de 2015]; ii) no completa el régimen de la orden de ejecución. Deja si respuesta, por ejemplo, la pregunta: ¿la orden habilita directamente el o los actos correspondientes o es precisa al efecto una licencia o, en su caso, comunicación previa? Pues debe tenerse en cuenta que el artículo 15.4 del citado texto refundido estatal dispone que el acto firme de aprobación de la orden administrativa de ejecución que corresponda determina la afección real directa e inmediata, por determinación legal, del inmueble, al cumplimiento de la obligación del deber de conservación (haciendo surgir el deber legal de constancia, mediante nota marginal, en el Registro de la Propiedad, con referencia expresa a su carácter de garantía real –con el mismo régimen de preferencia y prioridad establecido para la afección real– al pago de cargas de urbanización en las actuaciones de transformación urbanística; y iii) no regula la relación ni entre la técnica del registro de solares/venta forzosa y la de los programas de edificación forzosa y expropiación, ni entre la ruina (asume una concepción muy clásica y estricta de la misma) y la conservación (la técnica de las evaluaciones e informes).

Más aún y en un plano más general: el texto legal introduce ciertamente, entre las técnicas de intervención, la comunicación previa, pero se centra en la licencia, presentando así un claro déficit regulatorio de la comunicación (en especial: conversión de ésta, transcurridos 15 días, en título habilitante, es decir, en una especie bien de otorgamiento de valor y eficacia administrativos a un acto privado, bien de conversión de la comunicación –con el transcurso del indicado plazo– en un singular acto administrativo presunto (salvo declaración administrativa expresa de la compleción de la documentación presentada, que puede conceptuarse como singular acto expreso habilitante).

- Por lo que hace a la inspección (tan esencial en materia de disciplina), su regulación –a la que dedica tan solo el art. 151– es notoriamente escueta y, por tanto, radicalmente insuficiente.

- En punto a la protección de la legalidad, la norma legal sigue el esquema clásico de actuación administrativa diferenciada en relación con la realización de actos de transformación o uso del suelo (desagregándola según éstos estén aún en curso o hayan finalizado), las licencias ya otorgadas y los actos realizados en dominio público. Pero, de un lado, se olvida de los actos sujetos solo a comunicación previa (¿qué actuación administrativa procede en este caso?) y, de otro lado, plantea problemas en razón al empleo de la expresión genérica de «título habilitante» (a título de ejemplo: ¿comprende o no esta expresión la orden de ejecución que, sin embargo, se emplea expresamente luego al tratar de la revisión de actos administrativos: art. 154 sobre suspensión y revisión de licencias?). Y, además, no resuelve satisfactoriamente el problema del plazo para el ejercicio de la pertinente potestad en el caso de obras terminadas sin título habilitante: el artículo 153.2 califica el plazo como de caducidad, pero tal calificación es cuestionable a la luz de la jurisprudencia contencioso-administrativa plantea problemas jurisprudenciales; en realidad el plazo determina solo el límite temporal del válido ejercicio de la competencia, siendo la de la situación en que –transcurrido dicho plazo– quede la obra realizada.

- En lo que respecta, finalmente, a la potestad sancionadora, es resaltable, en sentido claramente positivo, la neta diferenciación por el texto legal de los supuestos determinantes de su ejercicio respecto de la reacción dirigida exclusivamente a la protección efectiva de la ordenación urbanística, si bien subsiste algún desliz terminológico (empleo, en su significación amplia, de «infracción» a este último propósito en el art. 155.2).

II. ALGUNOS DE LOS PRINCIPALES RETOS DE LA DISCIPLINA URBANÍSTICA

1. LA RELACIÓN CON EL DERECHO PENAL DEL DERECHO ADMINISTRATIVO EN GENERAL Y DEL URBANÍSTICO EN PARTICULAR

Los problemas a los que se enfrenta el Derecho sancionador administrativo en general y, consecuentemente y en lo que aquí importa, la disciplina urbanística (en su dimensión sancionadora, pero –por repercusión– no solo en ella) tienen su origen en buena medida, de un lado, en el alcance de la extensión al mismo de las garantías penales típicas sobre la base de lo dispuesto en el artículo 25 de la Constitución; extremo éste que dista de estar claro, y, de otro lado, en el reciente y progresivo desequilibrio de la relación entre el Derecho administrativo y el Derecho penal.

1.1. Las dificultades derivadas de la proyección al Derecho sancionador administrativo de las garantías propias del Derecho penal

Como tengo dicho ya en otro lugar, la aplicación rígida de la exigencia de la previa determinación de las infracciones por disposición con rango de Ley formal y del requisito de la tipificación sustantiva concreta de tales infracciones lleva de suyo, por de pronto y de aplicarse estrictamente, a la imposibilidad práctica de la debida construcción de la potestad sancionadora administrativa (pero también de la punitiva penal, como demuestra el recurso en el Derecho penal a las normas imperfectas y en blanco). La necesidad de la utilización, en el urbanismo, de la técnica de la planificación y la pertenencia de lo territorial-urbanístico al círculo de intereses de las Comunidades Autónomas (dotadas de la potestad normativa plena, legislativa y reglamentaria) y las Entidades Locales (dotadas en nuestro Derecho de potestad normativa de valor reglamentario) exige aquí en cualquier caso – incluso con independencia del cuestionamiento de la concepción establecida de la reserva de Ley– interpretar esta última reserva en términos restrictivos, de suerte que, agotadas las posibilidades de regulación o normación por el legislador formal –en el plano de abstracción y generalidad que le es propio– se entienda cumplido el principio de legalidad. Del mismo modo flexible hay que operar tratándose del principio de tipicidad, puesto que la complejidad y casuística de la ordenación territorial y urbanística (fragmentada en múltiples planes aprobados por diferentes Administraciones sin conexión entre sí) impide de hecho una tipificación muy concreta y pormenorizada. Ciertamente han de rechazarse las fórmulas consistentes en simples cláusulas abiertas, pero ha de darse por buena aquella tipificación que opere en lo razonablemente posible la categorización de infracciones y, por tanto, la utilización de remisiones, cuando sean estrictamente necesarias, a la ordenación territorial-urbanística establecida por el planeamiento. Esta «adaptación» de los principios comentados es tanto más plausible cuanto usual es en el Derecho penal la remisión a simples normas reglamentarias para integrar la norma legal y concretar el ilícito penal.

En todo caso, la a todas luces insuficiente tipificación legal de las infracciones y sanciones administrativas por el preconstitucional texto refundido de la Ley sobre régimen del suelo y ordenación urbana, aprobado en 1976, debe entenderse legitimada desde su consagración por la STC 61/1997, de 20 de marzo, como legislación urbanística general intangible (por el propio legislador general estatal y desde luego por los de las Comunidades Autónomas) de aplicación supletoria, toda vez que, en virtud de la doctrina del propio Tribunal Constitucional relativa a la irretroactividad del sistema de fuentes establecido por la norma fundamental (STC 15/1981, de 7 de mayo), no puede considerarse aquella tipificación como derogada por la norma fundamental, ni siquiera como sobrevenidamente inconstitucional.

Aún cabe aducir algunos otros problemas desde la misma perspectiva de la identidad de principios entre ambas potestades –administrativa y penal– punitivas. Así, el de la responsabilidad, pues si en lo criminal la regla es la de la responsabilidad de las personas físicas, no tiene por qué suceder lo mismo en el ámbito sancionador urbanístico (en el que cabe con carácter general imputar responsabilidad a las personas jurídicas por las acciones y omisiones de sus órganos o agentes). O el de la compatibilidad o no, en relación con unos mismos hechos de las sanciones penal y administrativa, si bien esta cuestión (como, de otro lado, también la anterior) no es específica, ni presenta perfiles particulares en el campo territorial-urbanístico y se plantea en iguales términos que para el resto de las potestades sancionadoras administrativas, por lo que no procede ocuparse aquí de ella con mayor detalle.

Para finalizar, no puede dejar de hacerse referencia a otro principio común con el Derecho penal: la acción pública para pedir la sanción de las infracciones. Obedeciendo la respuesta sancionadora administrativa (no así la penal) a razones no sustantivas y de principio, sino meramente pragmáticas o de conveniencia (el aseguramiento de la efectividad de las políticas públicas; aquí la de ordenación urbanística), y tratándose en todo caso materialmente de la reacción ante conductas infractoras de la ordenación establecida para la racionalidad de la utilización del suelo y, en definitiva, el bienestar de la población y la calidad de vida, la puesta en marcha del mecanismo sancionador no puede sustraerse a la colectividad, que es la directamente afectada por la transgresión de la legalidad. Esto es así sin duda, pero al mismo tiempo no cabe desconocer el peligro –que en modo alguno es meramente hipotético– de empleo instrumental y espurio de la acción pública al servicio de intereses particulares (por emplear una calificación benévola). Desde este punto de vista se hace precisa una reacción jurisprudencial enérgica que, cuidando de no dificultar el correcto ejercicio de dicha acción, precise su radio de acción, por ejemplo, exigiendo cuando menos la invocación de una razonable, aunque no sea directa, conexión de la esfera de intereses del accionante con el asunto de que se trate.

1.2. El fenómeno, más grave, de la irrupción de lo penal en lo administrativo, con perturbación seria de este

El fenómeno aludido alude, en definitiva, a la perturbación –especialmente acusada en el ámbito urbanístico– de la posición y función del Derecho administrativo en el juego combinado de ramas del Derecho que integran el ordenamiento jurídico.

El punto de partida en su análisis puede resumirse en las dos siguientes afirmaciones:

Primera: el Derecho Administrativo se caracteriza –y en ello radica la principal razón de su singularización respecto de las demás ramas del Derecho– por su construcción en función de y para la ejecución –y de la ejecución sistemática, en términos específicos y precisamente por un sujeto diseñado a tal fin– de las normas que, por su carácter y objeto, precisan de una tal ejecución para cumplir su cometido y, justamente por ello, la presuponen y «programan» o, dicho de otro modo, por serle constitutiva –estructural y funcionalmente– una radical dependencia entre normación (programación de la actuación) y ejecución (actuación programada). Característica que concurre con especial claridad e intensidad en la ordenación territorial y urbanística. Y

Segunda: la elección por el legislador, en el marco de la Constitución, de la «administrativización» de una materia o sector de la realidad (cual sucede paradigmáticamente con la urbanística) implica de suyo, por ello, una responsabilidad y cualificación específicas del aludido sujeto, que no es otro que el complejo orgánico-funcional «gobierno-administración», para la determinación de lo que deba ser Derecho en el caso concreto.

Medido por el criterio que proporciona la tesis así formulada, nuestro Derecho Administrativo (y, por tanto, también, dentro de él, el urbanístico) dista, en su estado real actual, de poder calificarse como maduro y consistente. Pues carece de la capacidad para asegurar, en la realización del Derecho, las consecuencias que son corolario natural de la «administrativización» legislativa de las materias por él ocupadas. Más aún –y quizás no en último término por tal razón–: en la evolución más reciente son perceptibles procesos que contribuyen a minar su posición y función con grave deterioro de principios estructurales del Estado-ordenamiento.

En este contexto concreto no puede dejar de señalarse el sufrimiento por la relación recíproca del Derecho Administrativo y el Derecho Penal de apreciables alteraciones; alteraciones que, por su proporción, alcance y repercusiones no sólo han alertado ya a la doctrina más sensible al respecto, sino que están siendo capaces de despertar preocupación incluso en la opinión pública general.

En la doctrina jurídico-administrativa alemana se ha calificado como característico de este momento el empleo instrumental del Derecho penal para la consecución del éxito en el control social o para la evitación del completo fracaso en el control administrativo. Aunque se trate de una forma de operar tradicional que, en sí misma considerada, no supone propiamente novedad, si lo son, sin embargo, tanto sus términos, como su extensión (que la pueden transmutar cualitativamente).

Entre nosotros y en tono de mayor alarma, S. Muñoz Machado ha advertido, invocando la imagen, acuñada por F. Thiriez, de la «irrupción del Juez penal en el paisaje administrativo», sobre el reciente fenómeno de la valoración penal de la actuación de la Administración pública, es decir, sobre el avance del Derecho penal –gracias a la desaparición de las técnicas al servicio del equilibrio entre poderes– sobre el campo dominado en exclusiva por el Derecho Administrativo (en lo que se refiere a autoridades y funcionarios como consecuencia de la supresión de las relativas a la separación de autoridades judiciales y administrativas –autorización para procesar– propia del primer constitucionalismo). Fenómeno, que llega al punto de justificar la advertencia del riesgo de que el Derecho Administrativo sea desplazado por el Derecho penal en su función de disciplinar el comportamiento de la Administración, convirtiéndose en un nuevo instrumento de gestión administrativa (sustitutivo en todo caso de las sanciones administrativas). Por lo que en modo alguno puede sorprender que A. Jiménez Blanco, señalando la porosidad y movilidad de las fronteras entre el Derecho Administrativo y el Derecho penal, haya advertido al orden contencioso-administrativo, ante la situación actual, la necesidad de ocuparse en restablecer siquiera sea un poco de orden.

La gravedad del problema:

a) Descansa en la combinación de la autosuficiencia universal que postula de sí misma la valoración penal de las relaciones sociales con el avance de la técnica de la criminalización de la infracción *lato sensu* de las normas administrativas (con abandono del principio de intervención mínima o ultima ratio). Y

b) Radica en la quiebra de la lógica de las relaciones e interacciones entre las ramas del Derecho (en la medida en que desconoce e impide el despliegue por cada una de ellas de su función propia y específica) y, en definitiva, la del ordenamiento como sistema (unidad, compleción y coherencia, es decir ausencia de contradicciones internas), arrastrando con ella la de los principios últimos que lo sostienen: seguridad jurídica y, a su través, Estado de Derecho.

407

Como es notorio, el problema es especialmente acusado en el ámbito urbanístico y, más concretamente, aunque no sólo, de la disciplina urbanística. La reacción de la jurisprudencia contencioso-administrativa ha consistido hasta ahora, lamentablemente, en un endurecimiento de los criterios de apreciación de los vicios de legalidad en el planeamiento y los actos de gestión y ejecución urbanísticos, así como de los efectos derivados de los pronunciamientos judiciales de nulidad o anulación. De ahí que, teniendo en cuenta la naturaleza normativa predicada del planeamiento y la posición y función claves de éste en el proceso urbanístico en su conjunto tales efectos sean devastadores (al producirse «en cascada» y afectar así a toda la cadena de actuaciones ulteriores en el proceso urbanístico), al punto de que la doctrina sentada haya podido ser calificada de «radioactiva».

A modo de conclusión puede decirse que:

– El Derecho Administrativo no está actualmente en disposición de ofrecer un sistema trabado de técnicas a la altura de los retos del tiempo y, por tanto, idóneas, por útiles y efectivas, para el control colectivo de los riesgos y peligros que se ciernen sobre la compleja sociedad actual.

– Bajo la apariencia de experimentar expansión, el Derecho administrativo padece así, en realidad, una cierta impotencia para, abandonado a sus solas fuerzas, evitar el deterioro estructural y cualitativo de su posición y función en la dirección y el control sociales (de forma acusada en el ámbito urbanístico).

– Ante tal situación debe postularse la procedencia de la deferencia para con la impronta administrativa e, incluso, las normas administrativas concurrentes (en caso de que no hayan dado lugar a improntas específicas), pues su justificación es de orden superior, residiendo en la unidad y, por tanto, coherencia del ordenamiento como un todo, la cual descansa, a su vez, en la superioridad de la Constitución (y su propia unidad como sistema). Las ramas del Derecho u ordenamientos particulares no son autosuficientes, son partes de un todo y de un todo del que se predica el principio de Estado de Derecho en el que impera la seguridad jurídica (principio del que forma parte la certeza y la previsibilidad de las soluciones jurídicas).

– La justificación de tal deferencia no significa de suyo resolución de los problemas que plantea el fenómeno analizado. Pues ocurre que la coherencia del ordenamiento debe convivir con el principio de la diferenciación interna de éste por razón de la necesaria diversificación de las perspectivas de valoración de los bienes jurídicos merecedores de protección en atención a la de los fines a alcanzar (de donde deriva la especificidad de la función ordinamental de cada rama del Derecho). Necesidad de diversificación, que es también virtud del Estado de Derecho en tanto que preocupado por la justicia del caso concreto. La coherencia del ordenamiento, así pues, ni es oponible a la fragmentación interna del ordenamiento, ni sirve por si sola –por su excesiva abstracción y, por tanto, escasa densidad– para la reconducción a unidad de soluciones no coincidentes de diversas ramas del Derecho.

– Aunque más específico, el principio de ausencia de contradicciones internas en el ordenamiento (derivable del de coherencia de éste y que autoriza el rechazo del absurdo jurídico) se queda igualmente corto, toda vez que –dada la diversidad funcional de los ordenamientos particulares– no proporciona por sí mismo criterio suficiente para determinar cuándo, en el caso concreto, tiene lugar una situación inaceptable (fundamentalmente para el ciudadano) por razón de normas o aplicaciones de normas contradictorias entre sí.

– Los principios superiores considerados nada dicen, pues, acerca de cuándo y cómo debe i) producirse la articulación de los ordenamientos particulares y, en lo que aquí interesa, ii) manejarse la impronta administrativa (en lo que aquí interesa: urbanística) del Derecho penal. Pero sí permiten la conclusión de la existencia, en el Estado de Derecho, de la prescripción general e incondicionada de un resultado: la ausencia de contradicciones injustificadas y, por tanto, de un mandato igualmente incondicionado a todos los poderes públicos constituidos de procurar tal resultado.

En esta situación, la dogmática alemana recurre al mandato de «conformidad con el sistema», que deduce del artículo 3 de la Ley fundamental de Bonn, es decir, de la igualdad ante la Ley (nuestro artículo 14 CE), al ver consagrado en él el deber tanto del legislador como del aplicador del Derecho de consecuente «continuación» del orden legal estatuido. El juego de este mandato no sólo «dentro» de cada ordenamiento particular (para evitar contradicciones injustificables), sino también en el campo de las interacciones entre dichos ordenamientos, se explica por el hecho de que la situación de arbitrariedad en la normación y aplicación puede darse también en el caso de valoración diferente, por sistemas regulatorios distintos y sin motivo suficiente, de unos mismos supuestos. Pero se reconoce que esta operatividad del mandato es mucho menos fuerte en este último campo que en el seno de un mismo ordenamiento particular.

409

La perspectiva sistémica así alcanzada es más fructífera, sin embargo, si se la pone en conexión con la tesis de partida ya expuesta y, por tanto, con las características esenciales del Derecho administrativo. Pues aquella tesis apela ya al respeto de la posición y función específicas, en el seno del ordenamiento general, de cada ordenamiento particular. Lo que para la relación entre Derecho administrativo y Derecho penal significa: respeto por el segundo (en cuanto rama universal con función de ultima ratio) de las del primero. Dicho en otros términos:

- Por de pronto y en el plano organizativo: respeto por la competencia del complejo orgánico-funcional «gobierno-administración» en los ámbitos administrativizados por el legislador (lo que conduce, en último término, al principio de división de poderes).

Desde este punto de vista, el mandato debe entenderse que postula la obligada deferencia penal para con respecto a la impronta administrativa (es decir, aquí urbanística) cuando la interpretación consecuente de las normas aplicables determine la prevalencia de la valoración normativa o la decisión administrativas sobre la penal. En función de las circunstancias, la prevalencia, en particular, de la decisión normativa (orden, prohibición, autorización, concesión, etc.) parece procedente, en términos de preferencia de la ejecución administrativa de normas administrativas (y, por tanto, protección sistémica de la competencia de la Administración), cuando de las normas pertinentes se deduzca dicha preferencia respecto de una valoración divergente por parte de los órganos de los órdenes jurisdiccionales ordinarios. Y ello, porque la prevalencia de la decisión administrativa no viene a ser, entonces, sino el reflejo de una responsabilidad y cualificación específicas (en virtud de su asignación legal) de la Administración pública competente para la determinación de lo necesario para la concreción de la Ley y, en definitiva, lo que deba ser Derecho para el ciudadano en el caso concreto. Y ello, como ya se ha apuntado, en directa relación con el principio de división de poderes y el consecuente imperativo del Estado de Derecho de claridad en la delimitación de competencias.

- Y en términos de la tutela jurídica del ciudadano: respeto por la protección de la confianza legítima generada por la observancia del Derecho administrativo (aquí: el urbanístico), es decir, de todos cuantos deben poder confiar en el efecto legalizador de las pertinentes decisiones administrativas.

El Derecho administrativo, como también pone de manifiesto la doctrina alemana, opera aquí –desde el punto de vista del orden de los derechos fundamentales– como límite al procedimiento y la decisión punitivos de naturaleza penal. Pues si el orden constitucional entero descansa en el valor superior de la libertad (art. 10.1 CE), es clara la preferencia constitucional por los poderes y las técnicas de menor incidencia en aquélla. De donde resultan muchas consecuencias (como, por ejemplo y para el Derecho administrativo, la preferencia de la Administración civil sobre la militar, la intervención sin coacción sobre la coactiva, etc.), pero, muy particularmente y en lo que aquí interesa, la condición de *ultima ratio* del poder punitivo penal (principio de intervención mínima), es decir, último medio en la disposición del Estado, puesto que, por definición, supone la incidencia más enérgica posible de éste. Cuando en la valoración penal de un supuesto con impronta administrativa se trate, de lo dicho deriva la procedencia de una ponderación de las posibilidades de reacción represiva frente a la infracción *lato sensu* de la norma administrativa determinante de la impronta; ponderación, cuyo resultado puede ser, en su caso, la innecesariedad de la de carácter penal o, en todo caso, su carácter desproporcionado en función de las circunstancias del caso.

La importancia de esta conclusión se revela sobre todo en el plano procedimental. Pues postula que el Juez penal, aun siendo incluso competente para resolver –a efectos penales– las cuestiones administrativas (conformidad o no a Derecho de determinada actuación o comportamiento) que el supuesto plantee, debe determinar –siempre que sea posible suspender el procedimiento penal– si procede otorgar preferencia a la resolución de aquellas cuestiones en su sede propia; solución ésta que, al existir la figura de la cuestión prejudicial administrativa, en modo alguno representa una lesión del principio del Juez predeterminado por la Ley. Ocurre que, lamentablemente, la jurisdicción penal interpreta pro *domo sua* el régimen legal de la cuestión previa (sobre la base de una inteligencia cuestionable de lo dispuesto al efecto en las Leyes orgánica del poder judicial y enjuiciamiento criminal), desconociendo pura y simplemente la doctrina constitucional (SSTC 30/1996, de 26 de febrero; 50/1996, de 26 de marzo; 91/1996, de 27 de mayo; 102/1996, de 11 de junio; 255/2000, de 30 de octubre).

Ante esta situación y la no previsibilidad de su alteración en un horizonte razonable, la única opción que se ofrece como efectiva es la de acabar con la tipificación en blanco conducente a la «aplicación penal» de la ordenación urbanística. Y la mejor fórmula para ello sería seguir el ejemplo del Reino Unido: la tipificación penal no por relación a normas urbanísticas, sino a conductas precisas, tales como la obstrucción a la inspección y la desobediencia o el incumplimiento de resoluciones administrativas de disciplina firmes.

2. LA CUESTIÓN DE LA SUJECIÓN O NO DEL PODER PÚBLICO ADMINISTRATIVO A LA VIGILANCIA, LA SUPERVISIÓN Y EL CONTROL PROPIOS DE LA POLICÍA ADMINISTRATIVA DE ACTIVIDADES Y, POR TANTO, A LA DISCIPLINA URBANÍSTICA

El juego entre sí de las potestades y competencias administrativas, especialmente cuando su ejercicio se produce en régimen de autonomía (incluso garantizada constitucionalmente) plantea la cuestión de primerísimo orden (especialmente aguda en la disciplina urbanística) relativa a si el desarrollo de una función o tarea administrativas y, por tanto, el ejercicio de una competencia de este orden, además de ser objeto desde luego de la supervisión orgánica (por parte del órgano o la organización que tenga atribuida tal competencia), puede serlo también de la vigilancia o, en su caso, supervisión y control de actos y actividades (tales como las de carácter urbanística y a efectos de la protección de la legalidad de este carácter) atribuida asimismo a otros órganos u organizaciones administrativos.

El análisis de esta fundamental cuestión, aunque escasamente cultivado entre nosotros, cuenta con una larga trayectoria en Derecho alemán, en el que se desagrega en los dos siguientes interrogantes:

1.º El de la vinculación material o no por las correspondientes normas de policía administrativa: ¿está sometido un órgano o una organización administrativos (con independencia de la instancia territorial en la que se inserte) a las normas administrativas de policía y orden en el ejercicio de sus competencias propias?

La respuesta hoy admitida con carácter general en Alemania es positiva, pues la pregunta remite al principio constitucional de legalidad de la actuación administrativa, es decir, sometimiento pleno al Derecho de la misma, lo que incluye desde luego las normas de policía administrativa (aquí: las urbanísticas). Aunque ciertamente se ha llegado a: i) discutir si cabe alguna excepción al principio (p. e., en caso de que la aplicación de la norma de policía pueda llegar a impedir el efectivo ejercicio de la competencia de que se trate y, por tanto, la consecución del concreto interés público por ella servido y proceder –en la pertinente ponderación– hacer prevalecer aquel ejercicio); y ii) plantear el supuesto como colisión entre el Derecho regulador de la materia objeto de la competencia sectorial de que se trate y el Derecho de policía (resoluble a favor del primero), lo cierto es que, como se ha avanzado, la opinión predominante es la de improcedencia tanto de aquella excepción (salvo expresa previsión legal, pues en tal hipótesis lo que hay es aplicación de tal previsión moduladora de los términos del sometimiento a la norma de policía y en modo alguno una inexistente competencia implícita de ponderación[2]), como de la posibilidad de cualquier verdadera colisión normativa (pues de darse ésta, habría que suponer la invalidez de la norma que eximiera del cumplimiento de la norma de policía). De lo que resulta la afirmación incondicionada de la vinculación sustantiva general de la Administración, en el ejercicio de sus competencias, por las normas de policía administrativa que resulten aplicables (lo que, desde el punto de vista de la organización territorial del Estado, quiere decir: las normas de policía federales (en nuestro caso: generales) deben ser observadas por los Länder (en nuestro caso: las Comunidades Autónomas) y los entes locales y la Federación –en nuestro caso el complejo Gobierno-Administración General del Estado– está sujeta igualmente a la normas de policía de los Länder –en nuestro caso las Comunidades Autónomas–).

2.° El interrogante atinente a la llamada vinculación formal por las normas de policía: ¿Pueden los órganos de policía administrativa (aquí: urbanística), proceder directamente, empleando los medios jurídico-públicos que les otorgue la correspondiente potestad de vigilancia o supervisión?

La respuesta generalmente admitida es aquí negativa, en virtud de una jurisprudencia que se hace remontar a la Sentencia del Tribunal Superior de Prusia conocida como «Kreuzberg-Urteil» de 1882[3], conforme a la cual, una Administración no puede incidir mediante actos propios (órdenes y, menos aún, medidas coercitivas) en la actividad jurídico-administrativa de otra Administración (sea ésta de la misma o de diferente instancia territorial del Estado). El fundamento para ello no es otro que el orden estatal de distribución de competencias, según el cual solo el titular de

---

2. En esta hipótesis la solución es, pues, distinta, pero para ello es precisa una determinación legal expresa de sujeción al poder de policía administrativa correspondiente. Es importante señalar que se entiende que así es en los llamados sectores económicos, pues en ellos el fin regulatorio (la efectividad de la libre competencia en el sector de que se trate) produce el desplazamiento de la supervisión orgánica por la supervisión regulatoria.

3. En Alemania a esta Sentencia (referida a asunto en que se había denegado una autorización de construcción por razón de que ésta comportaría una desfiguración de la vista sobre el monumento conmemorativo de guerra existente en el Kreuzberg) se atribuye la inflexión en el desarrollo del concepto de policía propio del Estado de Derecho (superador del concepto propio del antiguo régimen). Pues declaró el carácter y la aplicabilidad generales del artículo 10.II.17 del Derecho General del Land conforme al cual las instituciones precisas para el mantenimiento de la tranquilidad, seguridad y orden públicos y para la defensa frente a peligros que amenacen al público o a los individuos integran el cometido de la policía. Y afirmó la reserva de Ley para la adopción de cualesquiera órdenes, considerando que el aludido precepto constituía una regla completa y omnicomprensiva en la materia de la intervención de policía administrativa.

la correspondiente competencia tiene la responsabilidad sobre la adecuación de su actuación al ordenamiento jurídico, el cual es único e incluye por ello también las normas sectoriales la efectividad de cuya observancia sea de la competencia de otras Administraciones. Con el añadido de que un principio general prohíbe la adopción de medidas ejecutivas contra titulares de poder público administrativo. De donde se sigue que ninguna Administración está habilitada para obligar a otra Administración al cumplimiento de la normativa que sea pertinente en el caso (pues ello supondría una interferencia indebida en el ejercicio pleno de la competencia propia de la Administración afectada, que es cuestión de orden público). La única posibilidad con la que cuenta, por tanto, la Administración competente en materia de policía administrativa es la de poner en marcha el pertinente mecanismo de supervisión orgánica por parte del órgano en cada caso facultado para ello[4].

Debe aclararse que la anterior solución es discutida por un sector de la doctrina, que niega, en primer lugar, que el supuesto sea de conflicto

---

4. El razonamiento que está en la base de la posición crecientemente mayoritaria en la doctrina alemana es que la transformación y diversificación de la organización y las tareas administrativas requieren que el órgano competente en la materia sustantiva pueda hacer efectivo el programa normativo al que se debe de forma independiente y, por tanto, sin interferencia de otros órganos (concretamente los competentes en materia de policía administrativa). Se entiende que cualquier otra solución contribuiría a acentuar la difuminación de la diferencia entre Estado y sociedad y, con ello, a erosionar los fundamentos que en el Derecho administrativo garantizan la libertad de los sujetos ordinarios. Si bien todos los órganos administrativos deben observar en el ejercicio de sus competencias el conjunto del ordenamiento (vinculación material o sustantiva a la policía administrativa), la distribución territorial y legal de competencias impiden empero que los encargados de la vigilancia de dicha policía intervengan en el ejercicio de competencias de otros sin una específica cobertura legal, con transformación indebida de su competencia, así en una suerte de supervigilancia.
Es importante destacar que la tesis mayoritaria se aplica también en el ámbito de los que los alemanes denominan negocios fiscales auxiliares, es decir, de la actividad pública empresarial y de los contratos públicos. El hecho de que una empresa pública o controlada por el poder público pueda ser objeto –al margen y además del control de suyo ejercido por dicho poder– también de vigilancia o supervisión de su actividad es, así y cuando menos, dudoso. Pues en la medida en que es controlada por un poder público no es otra cosa que instrumento de éste y de su actuación administrativa, por lo que su actividad ni responde al principio de libertad de empresa (y sí de la iniciativa pública económica), ni a ella cuadran los principios informantes de la vigilancia-supervisión (justificación de la necesidad y proporcionalidad de ésta). De esta suerte sólo cuando el papel del poder público se limite a la participación en el capital social (careciendo de influencia en la gestión y, por tanto, de capacidad de instrumentalización de la empresa al servicio del cumplimiento de las propias tareas administrativas) cabe afirmar la viabilidad del juego de la potestad administrativa de vigilancia o supervisión de su actividad de forma indiferenciada respecto de las empresas privadas.

entre competencias e implique algo más que un ejercicio lícito por el órgano sectorial de policía de su propia competencia (es decir, negación de una incidencia indebida en la competencia de la Administración afectada); en segundo lugar, que exista principio alguno que obste a la adopción de medidas ejecutivas frente a sujetos del poder público administrativo, pues lo único que prohíbe verdaderamente el ordenamiento jurídico-administrativo es la adopción respecto de aquéllos de medidas de ejecución forzosa; y, en tercer lugar, que, por lo que hace al supuesto más problemático, es decir, el de la autonomía garantizada a los entes locales mediante un sistema de supervisión orgánica específico, este sistema no puede aducirse como obstáculo para el juego expedito de las competencias sectoriales de policía.

Entre nosotros el problema nunca se ha teorizado debidamente, admitiéndose sin mayor interrogación y en la práctica el sometimiento de la actuación de una Administración pública (incluso dotada de autonomía) dentro de su competencia propia a la policía administrativa sectorial atribuida a otra Administración. Así, por ejemplo, la posibilidad de instrucción de procedimiento por infracción *lato sensu* de la legislación de costas por obras de mantenimiento de una vía municipal aprobadas por acuerdo válido al margen del sistema de relaciones interadministrativas (de conflicto) establecido en la legislación básica de régimen local en garantía de la autonomía de la correspondiente entidad (lo que quiere decir: directamente y al margen de la impugnación y destrucción, por tanto, de la cobertura conferida a las obras por el acuerdo municipal). Para su tratamiento adecuado es sin duda de utilidad la respuesta diferenciada que, según lo expuesto, se da a la misma en el Derecho alemán. Pues los fundamentos de la misma son trasladables sin más a nuestro ordenamiento tanto en el plano organizativo, como en el sustantivo.

III. EL MARCO LEGAL ESTATAL CON RELEVANCIA URBANÍSTICA Y SUS REPERCUSIONES EN LA DISCIPLINA URBANÍSTICA

Al margen de los retos que acaban de ser expuestos, la evolución socio-económica y, con ella, la legislación administrativa en general y de la estatal definitoria del marco de las políticas de ordenación territorial y urbanística en particular ha desbordado el enfoque y, por tanto, el ámbito tradicionales de la disciplina urbanística en sus diferentes dimensiones, tanto la de protección de la legalidad, como la de sanción de las infracciones en sentido estricto. Y ello por lo que respecta no sólo a las acciones u omisiones que constituyan su objeto, sino también a los sujetos destinatarios de las correspondientes medidas.

Sin ánimo exhaustivo, del vigente texto refundido de la Ley del suelo y rehabilitación urbana 7/2015, de 30 de octubre, resulta, en efecto:

1.° La previsión (art. 6) de un ciertamente escueto, pero preciso, estatuto de los ciudadanos en general por el mero hecho de tener tal condición, con independencia de que sean o no propietarios de suelo o empresarios promotores de actuaciones urbanísticas, para los cuales dispone, en todo caso y, además, un deber (art. 8.2) de contribución –en los términos establecidos en las Leyes– a la acción urbanística de los entes públicos.

En el aludido estatuto de los ciudadanos se establecen, en efecto, cuatro deberes relevantes para la disciplina urbanística, a saber, los de i) preservación del medio ambiente y del paisaje natural y, en particular, de abstención de cualquier actuación que contamine el aire, el agua, el suelo y el subsuelo o, con carácter general, no permitida por la legislación; ii) cumplimiento de los requisitos y condiciones a que la legislación sujete las actividades molestas, insalubres, nocivas y peligrosas, así como emplear en ellas en cada momento las mejores técnicas disponibles conforme a la normativa aplicable, encaminadas a eliminar o reducir los efectos negativos señalados; iii) respeto y uso racional y adecuado, acorde en todo caso con sus características, función y capacidad de servicio, de los bienes de dominio público y de las infraestructuras y los servicios urbanos, y iv) respeto y contribución a la preservación del paisaje urbano y el patrimonio arquitectónico y cultural, con abstención en todo caso de cualquier acto o actividad no permitidos.

De estos deberes resulta la procedencia de que la disciplina vaya más allá de: a) en su vertiente subjetiva: los propietarios de suelo y los promotores de actuaciones, actos o usos de contenido urbanístico, para incluir a los ciudadanos sin mayor cualificación (cuando, en efecto, incumplan alguno de los deberes básicos aludidos), y b) en su dimensión objetiva: los procesos de transformación y uso del suelo mediante actos de urbanización, edificación y desarrollo de actividades para comprender, en el mundo rural, cuando menos la preservación de las vistas, los paisajes y, en todo caso, las características del espacio de carácter rural, y, en el mundo urbano, la protección de los bienes, instalaciones y servicios comunes, es decir, los culturales (en particular, el patrimonio arquitectónico), los constitutivos del soporte de servicios de interés general y desde luego los demaniales (en particular las zonas verdes y demás espacios, instalaciones y servicios públicos).

De lo que se sigue la procedencia de que la legislación autonómica extraiga del marco estatal las lógicas consecuencias, tanto por lo que hace a la inspección, como en lo que respecta a la reacción ante actos y actividaー

des, especialmente en lo que respecta a las órdenes de ejecución (en punto, por ejemplo, a la reposición al estado anterior perturbado, modificado o lesionado) y, por supuesto, la tipificación y sanción de infracciones.

Esto último lleva de la mano a otro requerimiento de apertura del enfoque de la disciplina urbanística (del que, de atenderse, se beneficiaría, por lo que luego se dirá, el tratamiento eficaz de la ruina, hoy tan dificultoso): el de contemplación adecuada de la conservación. Pues el marco legal estatal comentado potencia el deber tradicional de conservación de terrenos, instalaciones, construcciones y edificaciones (art. 8), facultando a la Administración competente (normalmente la municipal) para imponer, en cualquier momento, la realización de obras mediante la pertinente orden de realización de las que sean procedentes; orden que, una vez firme, determina la afección real directa e inmediata, por determinación legal, del inmueble correspondiente, al cumplimiento de la obligación del deber de conservación. Y, lo que es igualmente importante, añade la procedencia en caso de inejecución injustificada, en plazo, de las obras ordenadas, de la realización subsidiaria de éstas por la Administración, sustituyendo ésta al titular o titulares del inmueble o inmuebles y asumiendo la facultad de edificar o de rehabilitarlos con cargo a aquéllos, o a la aplicación, a su elección, de cualesquiera otras fórmulas de reacción administrativa. Lo que abunda en la pertinencia de una regulación más acabada, en la normativa autonómica de disciplina urbanística, de las órdenes de ejecución y su efectividad (y, con ella, la de la integridad de la ordenación urbanística).

No puede olvidarse, por último y desde la perspectiva de la vertiente sancionadora de la disciplina urbanística, la previsión –en la dimensión temporal de la conservación; art. 29.5 y 6– del deber de recabar y obtener –siquiera sea para inmuebles ubicados en edificaciones con tipología residencial de vivienda colectiva– el pertinente periódico informe de evaluación del estado de conservación y cumplimiento de la normativa sobre acceso universal y eficiencia energética; deber, cuyo incumplimiento en tiempo y forma ha de tener la consideración de infracción urbanística. De lo que deriva la pertinencia, además de la actualización de la tipificación de la infracción de incumplimiento de la inspección técnica de edificios (para su ampliación a la mencionada evaluación), la concreción de sus repercusiones en el régimen de la ruina económica (por ejemplo, prescribiendo la no inclusión del importe de las obras de conservación –prescritas en informes periódicos– dejadas de realizar en su momento en el cálculo conducente a la determinación de la concurrencia de un supuesto de ruina).

2.° La imposición a la Administración urbanística (art. 11.5), en el caso de estar establecido un régimen de comunicación previa de actos y actividades (y no de intervención administrativa previa convencional), del deber de adopción de las medidas necesarias para el cese de la ocupación (de suelo) o utilización (de edificios o instalaciones) comunicada.

Por sí sola esta previsión legal estatal demanda de la legislación autonómica una regulación detenida, hoy por hoy en gran medida inexistente, de la relación jurídico-administrativa de supervisión y control (en aras, aquí, de la protección de la legalidad urbanística) derivada de la declaración responsable o la comunicación previa. Pero es que el texto legal básico incluye, además, una previsión constitutiva de un incentivo para tal regulación: la de incursión de la Administración correspondiente en responsabilidad por los perjuicios que puedan ocasionarse a terceros de buena fe por la omisión de tales medidas (sin perjuicio de la posible repercusión ulterior del importe satisfecho en el sujeto obligado a la presentación de la comunicación previa o declaración responsable).

3.º La precisión (art. 7.4) de los momentos de inicio (por relación al inicio de la ejecución material de los trabajos una vez aprobados eficazmente los instrumentos urbanísticos pertinentes) y finalización (con carácter de presunción legal: la recepción de las obras por la Administración o el término del plazo legal para tal recepción, en otro caso). Es claro, que esta clara regla debería trasladarse desde luego a la regulación autonómica de disciplina urbanística, pero también que aconseja que esta última se esfuerce por una mayor precisión en la determinación de los momentos de inicio y terminación de las restantes obras. En todo caso pone de relieve la procedencia de dicha regulación autonómica dedique mucha mayor atención a la función inspectora, concretando sus facultades y términos de operación y potenciando su dimensión activa de oficio (lo que obviamente impone una adecuada organización y una suficiente dotación de medios).

Finalmente, a todo lo dicho debe añadirse aún, por más que no tenga una directa relación con los mecanismos tradicionales de disciplina urbanística, la imposición a los Municipios (art. 22.6 del texto refundido comentado) –desde luego a los que cuenten con Junta de Gobierno, pero, de resto, a los que precise (¡Sic!) la legislación autonómica– de la elaboración y elevación al órgano que corresponda (normalmente al Pleno del Ayuntamiento) –con la periodicidad que la legislación autonómica (¡Sic!) determine– de un informe de seguimiento de la actividad de ejecución urbanística. No es preciso destacar la relevancia que para la efectividad de la disciplina urbanística podría adquirir este informe periódico de prescribirse por la legislación autonómica su preceptiva inclusión de un examen y evaluación también de la evolución de la gestión.

IV. LA DISCIPLINA URBANÍSTICA EN GALICIA

Siendo impracticable aquí el análisis del estado de la disciplina legal de la ordenación urbanística en el conjunto de las Comunidades Autónomas, procede centrarse en el de su regulación en la Ley gallega en vigor.

1. LA INSPECCIÓN

Es obvia la trascendencia de la función de inspección para la efectividad de todos los mecanismos de disciplina urbanística. Es éste el aspecto de esta última que mayor déficit regulatorio presenta. La Ley le dedica un solo artículo (el art. 151), cuyo contenido no puede ser mas escueto e insuficiente: la simple definición de la inspección como actividad dirigida a comprobar que la edificación y el uso del suelo se ajustan al ordenamiento aplicable, de un lado, y la atribución de la condición de agente de autoridad al personal funcionario adscrito a la inspección.

Esta regulación es, ya en lo que dispone, claramente insuficiente, toda vez que restringe indebidamente la inspección a los actos de edificación y uso, sin mencionar expresamente, como sería recomendable, además de los actos de transformación del suelo con finalidad parcelatoria urbanística y los de urbanización o regeneración urbana, los actos de construcción (expresión que excede de la edificación, toda vez que esta cuenta con una regulación específica que la acota: la Ley 38/1999, de 5 de noviembre, de ordenación de la edificación), los actos de conservación, mejora y rehabilitación de la edificación. Quizás sería recomendable una determinación más abstracta del objeto de la inspección por relación a cualquier acto de transformación o uso del suelo natural o construido para comprobar su conformidad o no con la ordenación urbanística aplicable.

Pero mayor trascendencia tiene lo que la Ley deja sin regular: los términos del cumplimiento de la función, sus agentes, las facultades que comporta (y sus límites) y los correlativos deberes de los destinatarios de la inspección.

La inspección debe ser configurada, en efecto, como una función activa de desarrollo permanente (conforme a programas y objetivos establecidos al efecto). Y, sin perjuicio de quedar encomendada a funcionarios específicamente dedicados a ella, debería complementarse con el establecimiento de un deber general de vigilancia y denuncia por parte de la policía municipal, entendida ésta –como debe ser y además de sus tareas nucleares en materia de tráfico viario y seguridad y orden (incluso de colaboración en la persecución de ilícitos penales)– como policía estrictamente administrativa urbana (en este caso y por su importancia en el seno del círculo de intereses de las colectividades locales, la urbanística).

La vigilancia y, en su caso, subsiguiente inspección, determinan una relación jurídico-administrativa, cuyo contenido fundamental en cuanto a las posiciones de la Administración y la de los sujetos privados precisa ser definido. Lo que es especialmente evidente en el caso de que las acciones u omisiones potencialmente sujetas a tal función administrativa solo requieran legalmente una declaración responsable o comunicación previa. De ese contenido fundamental deberían contemplarse:

– Las comprobaciones in situ (en terrenos, trabajos, obras instalaciones, locales, etc.) y sus límites, considerando el cuerpo de doctrina constitucional y jurisprudencia contencioso-administrativa ya existente. De acuerdo con la doctrina constitucional (SSTC 22/1984, de 17 de febrero; 133/1995, de 25 de septiembre; y 10/2002, de 17 de enero) y la jurisprudencia (SSTS de 18 de mayo de 1979, 12 de julio de 2004 y 11 de febrero de 2009, RJ 1979, 2093; 2004, 4199, y 2009, 447, respectivamente) se considera domicilio (para la entrada en el cual se requiere consentimiento u orden judicial) todo espacio cerrado en el que se vive y ejerce la libertad más íntima y que, por ello, está destinado a excluir a terceros (por razón de privacidad), lo que –por extensión– incluye habitaciones de hotel o pensión, caravanas, barracas, camarotes de embarcaciones o barcos o, incluso, tiendas de campamento. El derecho a este espacio de privacidad se atribuye por extensión a las personas jurídicas (SSTC 137/1985, de 17 de octubre; 144/1987, de 23 de septiembre, y 64/1988, de 12 de abril), si bien en este caso la protección constitucional solo se extiende a los espacios físicos indispensables para el desarrollo de su actividad sin intromisiones ajenas.

Se entiende así que la jurisprudencia contencioso-administrativa (SSTS de 23 abril de 2010, rec. cas. 704/2004; 23 de abril de 201, rec. cas. 5910/2006, 6615/2003, 4572/204, y 4888/2006; 24 de abril de 2010, rec. cas. 3791/2006, y 30 de septiembre de 2010, rec. cas. 364/2007) tenga dicho que estos últimos espacios son aquellos en los que se ejerza la habitual dirección y administración de la entidad correspondiente, bien porque sirvan de custodia de documentos u otros soportes de la vida diaria de la sociedad o de establecimiento; de modo que no gozan de tal condición los establecimientos abiertos al público o en los que se lleve a cabo una actividad laboral o comercial por cuenta de la sociedad mercantil no vinculada con la dirección de la sociedad, ni que custodie su documentación, así como tampoco las oficinas donde sólo se exhiban productos comerciales o los almacenes, tiendas, depósitos o similares.

En el contexto de estas comprobaciones debería dejarse clara la posibilidad de requerimientos, bien sea de información (o exhibición o aportación de documentos), bien sea de suspensión de trabajos u obras o de cese cautelar de actividades o usos.

Sobre esta base, debería clarificarse la posibilidad de la realización de comprobaciones directas (sin consentimiento, ni autorización judicial) en: terrenos abiertos, aún si están cercados; actuaciones constructivas o edificatorias o de realización de instalaciones en parcelas o solares mientras estén en curso de ejecución; locales abiertos al público; depósitos; almacenes o tinglados. Y, de otro lado y en la línea de soluciones de Derecho comparado (como, por ejemplo, en el Reino Unido), debería precisarse la facultad –en las comprobaciones en obras en el interior de construcciones o edificios cuya privacidad deba considerarse protegida constitucionalmente y sin perjuicio de la necesidad de obtención, en su caso, de autorización judicial– de requerimientos de información y de imposición de multas en caso de incumplimiento injustificado (con previsión, quizás, de algún incentivo al cumplimiento: reducción posible de la eventual sanción), incluso de multas coercitivas proporcionadas (con independencia de la tipificación como infracción como obstrucción a la inspección).

– Correlativamente, sería pertinente el establecimiento preciso de un deber del destinatario de la inspección (concretando quién se entiende por tal) de los deberes de facilitar la información y exhibir o aportar los documentos pertinentes (a requerimiento de la inspección) y de las consecuencias de su incumplimiento. Estos deberes tienen especial trascendencia en el caso de previsión legal de actuación sobre la base de declaraciones responsables o comunicaciones previas, con especificación del deber de nuevas declaraciones o comunicaciones cada vez que varíen las circunstancias del acto o la actividad o uso desarrollados.

– Los anteriores deberes deberían ser complementadas con los de publicidad in situ (mediante carteles) de las obras o usos autorizados o comunicados, así como –en orden a la seguridad del tráfico jurídico inmobiliario– de aportación de la licencia o, en su caso, declaración o comunicación legitimadores y, de estar exigida legalmente, de su debida inscripción registral.

2. LA ORGANIZACIÓN Y SUS COMPETENCIAS

La buena organización administrativa depende desde luego, de un lado, de la adecuación al objeto y, por tanto, la suficiente especialización (a fin de conseguir el acopio de información y experiencia y el desarrollo de pericia) y, de otro lado, de una suficiente distancia respecto de la realidad social de que se trate (a los efectos de evitar todo condicionamiento por los intereses implicados; condicionamiento inevitablemente favorecido por la excesiva cercanía a la referida realidad). Estos requerimientos, por más que normalmente descuidados entre nosotros, son decisivos para un satisfactorio (objetivo y eficaz) cumplimiento de las correspondientes tareas administrativas. Lo que por razones obvias es especialmente cierto en el caso de la organización que tenga atribuido el aseguramiento de la disciplina urbanística.

La ley gallega, siguiendo el modelo tradicional en el sistema urbanístico español, lejos de concentrarlas distribuye las competencias en la materia empleando diversos criterios. De este modo, aunque el grueso de las competencias se sitúe en el Municipio, opción que no propicia precisamente la especialización (generadora del conocimiento que proporciona la concentración en la función). El criterio legal principal –el tipo/clase de suelo y la calificación de este: zonas verdes, etc.– no es ya conforme al tiempo actual: hoy –sin perjuicio de la importancia del suelo rústico y de las zonas verdes– ha adquirido relevancia (para la calidad de vida y por razones obvias) el suelo o medio urbanos. El criterio responde sin duda a la consideración de la autonomía municipal, pero no puede perderse de vista que i) la disciplina actual penetra ya –en punto, por ejemplo, a las zonas verdes– en el núcleo (urbano); y ii) la fórmula consorcial establecida obvia cualquier imputación de lesión de la autonomía municipal a la residencia en ella de mayores competencias.

La mayor deficiencia actual de la organización de la disciplina urbanística en Galicia procede, así, de la falta de la indispensable especialidad que proporcionaría una mayor o, incluso, total concentración de dicha disciplina. Pues, con entera independencia de cualesquiera otras consideraciones, ésta no deja de ser en el ámbito municipal una más, y en modo alguno la principal, de las tareas que corresponden al Municipio.

A lo dicho se suma la cuestión de la distancia, que la cercanía de la organización municipal en modo alguno proporciona de modo suficiente (al menos en la abrumadora mayoría de los casos). Como demuestran los ejemplos de, y la experiencia en, otras Comunidades Autónomas (significativamente Canarias e Islas Baleares), además de la experiencia acumulada ya en Galicia, la Agencia de naturaleza consorcial dotada de independencia funcional constituye la fórmula más adecuada para armonizar la objetividad, eficacia y especialización de la función de disciplina urbanística con la autonomía municipal. La única alternativa teórica capaz de una armonización equivalente sería la de la atribución de tal función a las Diputaciones provinciales, en tanto que segundo escalón –por agrupación– de la

Administración local con vocación de cubrir las insuficiencias de gestión del escalón básico municipal. Siendo éste, pues, un aspecto claramente positivo de la Ley gallega vigente, debe postularse solo su potenciación mediante la mayor generalización posible de la competencia de la Agencia de Protección de la Legalidad Urbanística.

3. LAS TÉCNICAS

Dista de estar logrado el encaje por la Ley de la comunicación previa (a la que se dedica el art. 146) en el régimen de la intervención de la edificación y el uso del suelo. Pues, por de pronto, se aborda exclusivamente desde la perspectiva del procedimiento, pero calificándola seguida y erróneamente de «intervención municipal» y nada menos que de «título habilitante» en caso de haber transcurrido sin declaración municipal alguna el plazo de 15 días hábiles desde su presentación.

Es de todo punto clara la necesidad de la clarificación de naturaleza de la comunicación: en tanto que es un acto particular en modo alguno puede ser conceptuada como acto administrativo (a lo que equivale su consideración como título habilitante, si es que se está ante una «intervención administrativa»). El supuesto legal en el que se inserta la comunicación expresa justamente la innecesariedad de intervención administrativa previa y, por tanto, de título (previo) habilitante: en efecto: i) el levantamiento de la carga de la comunicación previa implica de suyo la obtención del beneficio (siquiera sea transcurrido el pertinente plazo y por desaparición *ex lege* de la prohibición legal sin aquella comunicación) de la legítima realización del acto o actividad de que se trate (al igual que en la hipótesis de declaración municipal tempestiva de la compleción de la documentación presentada); de suerte que ii) una vez obtenido el aludido beneficio lo que surge es una relación jurídico-administrativa presidida por la vigilancia-supervisión-control *ex post* en cuyo contexto cabe la posibilidad de la orden de cese provisional y la declaración de incumplimiento para la actualización del deber de legalización y, en su caso, la adopción de las medidas procedentes de restablecimiento legalidad (órdenes); posibilidad que no describe adecuadamente (antes bien: respecto de la cual introduce confusión) el inciso del artículo 146 que, seguidamente a la alusión del «título habilitante», indica que éste se entiende «sin perjuicio de las posteriores facultades de comprobación, control e inspección por parte del ayuntamiento respectivo».

Clarificada así la regulación que verdaderamente se establece en el texto legal, se resuelve por sí mismo el problema que toda interpretación plantea: el de la falsa necesidad de la revocación-revisión del supuesto título habilitante (hipótesis no contemplada, en todo caso, en el artículo 154).

Otra técnica que precisa retoques es la orden de ejecución. Pues su regulación en el artículo 136 es claramente insuficiente hoy dada la importancia adquirida por la rehabilitación en el medio urbano, supuesto no contemplado expresamente en dicho precepto legal. A ello se añade la procedencia –a efectos de reducir la actual completa discrecionalidad de que goza la Administración– de la introducción de criterios para la elección, incumplida una orden, entre la ejecución forzosa mediante la imposición de multas coercitivas y la ejecución subsidiaria (directa o mediante agente edificador). En todo caso, la positiva previsión de la imposición de multas coercitivas para vencer la resistencia al cumplimiento de una orden de ejecución debería mejorarse en punto tanto al método de cálculo y la periodicidad de las multas, pues no siempre es pertinente (así en el supuesto de que el acto a realizar no consista estrictamente en obras, cual sucede con el cese de usos previsto en el artículo 152.6) el criterio del coste de reposición o de nueva construcción de similares características.

Parece, además, conveniente reforzar la regulación de la venta forzosa (arts. 137, 138 y 139) con una mayor potenciación de los programas de rehabilitación y regeneración urbanas y, en todo caso, la articulación de éstos con aquella venta y el registro de solares.

4. LOS PROCEDIMIENTOS

Merece una valoración positiva tanto la configuración independiente de los procedimientos de reintegración de la legalidad y los sancionadores, como la conexión entre ellos (rebaja de la sanción como incentivo para el restablecimiento de la realidad física alterada: art. 161.4), pero se echa de menos la previsión –en esta misma línea– de la posibilidad conforme a las previsiones ya del artículo 88 de la Ley de régimen jurídico de las Administraciones públicas y del procedimiento administrativo común y hoy del artículo 86 de la vigente Ley de procedimiento administrativo común, de la preparación mediante acuerdo de la resolución de los procedimientos e, incluso, su terminación misma en esta forma.

5. LOS INSTITUTOS DE LA PRESCRIPCIÓN Y LA CADUCIDAD

Finalmente, en la Ley se aprecian elementos de confusión entre la prescripción y la caducidad. Así, mientras en el artículo 159 se regula (correctamente) la prescripción de las sanciones, en los artículos 153.2 y 164 se contempla (incorrectamente) la caducidad de las medidas de restauración de la legalidad y del procedimiento sancionador, respectivamente.

La clave del problema radica en que el recurso a la caducidad para acotar temporalmente la ejecución de actos o para tener por concluso un procedimiento deja irresuelta la dimensión temporal de la competencia. Pues ésta debe entenderse que no solo tiene las dimensiones funcional, (la materia) y territorial normalmente consideradas, sino también un decisivo componente temporal. Y el problema que suscita la caducidad aplicada al procedimiento es que despliega sus efectos exclusivamente en el plano de la relación formal o procedimental, dejando subsistente la cuestión de la persistencia de la viabilidad del ejercicio de la correspondiente potestad (sea la de protección de la legalidad, sea la sancionadora). Y la jurisprudencia ya viene poniendo en cuestión esta solución. Así la Sentencia del Tribunal Supremo 3891/2002, de 30 de mayo de 2002, señala que:

> «Esta Sala no puede dejar de apreciar que reiniciar varias veces un procedimiento tras sucesivas declaraciones de caducidad, al provocar una situación de inseguridad jurídica del administrado, puede dar lugar a que se aprecie la existencia de un abuso del derecho por parte de la Administración».

Es, por ello, que el mismo Tribunal, en Sentencia de 5 de noviembre de 2012 referida a un caso de deuda tributaria), ha dejado ya dicho que:

> «Los destinatarios inmediatos de aquel mandato son los órganos de la Administración, quienes *se encuentran abocados a declarar extinta su potestad para liquidar la deuda tributaria aunque nadie se lo haya pedido.* Esta previsión legal alcanza todo su sentido si se tiene en cuenta que los órganos de las Administraciones públicas están estricta y positivamente sometidos al principio de legalidad (artículos 9.1 y 103.1 de la Constitución) y *sólo pueden actuar aquellas potestades que les haya atribuido el legislador y en los términos queridos por él, de modo que si expira el plazo en el que deberían haberlas ejercitado ya no pueden hacerlo y han de abstenerse de intervenir».*

Y, mucho antes y precisamente en materia de disciplina urbanística, la Sentencia igualmente del Tribunal Supremo de 14 noviembre 1985 (RJ 1985, 5556, FJ 3.°), había afirmado que:

> «La anterior consideración reconduce la cuestión litigiosa a examinar *si el Ayuntamiento, una vez acordada en firme y legalmente la demolición, puede o no mantener indefinidamente inejecutada la misma,* siendo por tanto necesario determinar cuáles son las consecuencias que se derivan del hecho de haberse mantenido por el Ayuntamiento completamente paralizado el expediente, sin interposición de trámite alguno durante más de cinco años, desde el 6 de abril de 1974 hasta el 9 de noviembre de 1979; *hecho éste que contemplado desde el aspecto de la caducidad del expediente conduce a una conclusión negativa a la vista de los términos en que se pronuncia el artículo 99 de la Ley de Procedimiento Administrativo; pero que enjuiciado desde la perspectiva de los límites temporales que condicionan la potestad administrativa de control de la ilegalidad urbanística produce un resultado positivo, dado que el principio de seguridad jurídica, garantizado por el artículo 9.3 de la Constitución, impi-*

de concebir que una situación jurídica se mantenga en estado de incertidumbre temporalmente indefinida y por tanto que la actuación administrativa se paralice sin limitación de tiempo alguno y, como quiera que en nuestro ordenamiento jurídico no existe precepto que señale de manera concreta cuál debe ser ese límite temporal, *la obligación judicial de subsanar esa laguna en defensa efectiva de la operatividad de dicho principio debe ejercitarse señalando, para el campo del Derecho Urbanístico, el plazo de cuatro años que establece el artículo 187 de la Ley del Suelo, hoy coincidente con el previsto en el mencionado artículo 9 del Real Decreto-Ley de 16 de octubre, pues ese plazo es el máximo previsto para que la Administración ejerza su potestad de eliminación de la ilegalidad urbanística* y su transcurso sin actividad administrativa dirigida a tal fin produce *el efecto de desapoderar a la Administración de dicha potestad,* consolidando de manera definitiva e inatacable las ilegalidades no combatidas dentro de dicho plazo y dicho sistema legal es, por existir la misma razón, de aplicación analógica a la ejecución de los actos administrativos dictados en ejercicio de la referida potestad, ya que tal plazo además de ser congruente con el espíritu que informa dicho sistema legal, entraña una prudente y racional concreción del repetido principio de seguridad o certeza jurídica y viene reforzado por el respeto a la equidad que contempla el artículo 112 de la Ley de Procedimiento Administrativo, debiendo en atención a todo lo expuesto confirmar, aunque sea con fundamentos distintos, la declaración de la sentencia apelada relativa a haberse producido la legalización de la obra de autos a consecuencia de la inactividad de la Administración durante más de cuatro años, de lo cual se deriva a su vez la legalidad de la licencia de obras menores solicitada por el demandante, puesto que las mismas son incluibles en el artículo 60.2 relativas a obras que están fuera de ordenación, como ocurre con la de autos»

La solución parece clara, pues, en sede jurisprudencial. El único aspecto dudoso es el plazo constitutivo del límite temporal del válido ejercicio de la correspondiente potestad. Pues existe una línea jurisprudencial conforme a la cual, en ausencia de previsión legal de un plazo específico, procede recurrir al Código civil (art. 1964: prescripción de las obligaciones personales; 15 años hasta la Ley 42/2015, de 5 de octubre, que lo ha fijado en 5 años). Pero esta línea jurisprudencial no es realmente pertinente, toda vez que toda ella se refiere a órdenes de demolición adoptadas en sede de ejecución de Sentencias firmes. Es el caso, por ejemplo, de las SSTS de 25 de noviembre de 2009 (RJ 2010, 329) y 29 de diciembre de 2010 (RJ 2011, 10661), cuyo objeto no es propiamente la ejecución de la resolución administrativa, sino la de la Sentencia.

De ahí que si en sede de ejecución de Sentencia parece plausible el recurso al Código civil para fijar el límite temporal pertinente, pues se trata del ejercicio de una acción (la de interesar la ejecución forzosa del pronun-

426

ciamiento judicial) sujeta obviamente a la prescripción (con lo que resulta aplicable, en virtud de la supletoriedad dispuesta por la disposición final 1.ª de la Ley de la jurisdicción contencioso-administrativa, el artículo 518 de la Ley de enjuiciamiento civil), por aplicación de la supletoriedad que le reconoce la disposición final 1.ª LJCA, no sucede lo mismo cuando de lo que se trata es del ejercicio de una potestad administrativa, a saber, la de ejecución forzosa de una resolución, supuesto en que procede aplicar, por analogía, el plazo fijado para reaccionar frente a las infracciones urbanísticas (aquí en su sentido amplio).

Lo que no quiere decir que la Ley, como sucede desde luego en la gallega para determinadas infracciones considerada especialmente graves, no pueda disponer el carácter temporalmente ilimitado del ejercicio de la correspondiente potestad.

BIBLIOGRAFÍA

BAÑO LEÓN, J.M. (2009): *Derecho urbanístico común*, Iustel, Madrid.

JIMÉNEZ-BLANCO Y CARRILLO DE ALBORNOZ, A. (2011): «El juez penal y el control de la Administración: notas sobre la Sentencia de la Sala Segunda del Tribunal Supremo de 27 de noviembre de 2009, asunto *Andratx*», en LÓPEZ MENUDO, F. (coord.), *Derechos y garantías del ciudadano: estudios en homenaje al profesor Alfonso Pérez Moreno*, Iustel, Madrid.

MUÑOZ MACHADO, S. (2011): *Tratado de Derecho Administrativo y Derecho Público General*, T. I, Iustel, Madrid.

THOMSON REUTERS PROVIEW

¡ENHORABUENA!

USTED ACABA DE ADQUIRIR UNA OBRA QUE **YA INCLUYE LA VERSIÓN ELECTRÓNICA.**
DESCÁRGUELA AHORA Y APROVÉCHESE DE TODAS LAS FUNCIONALIDADES

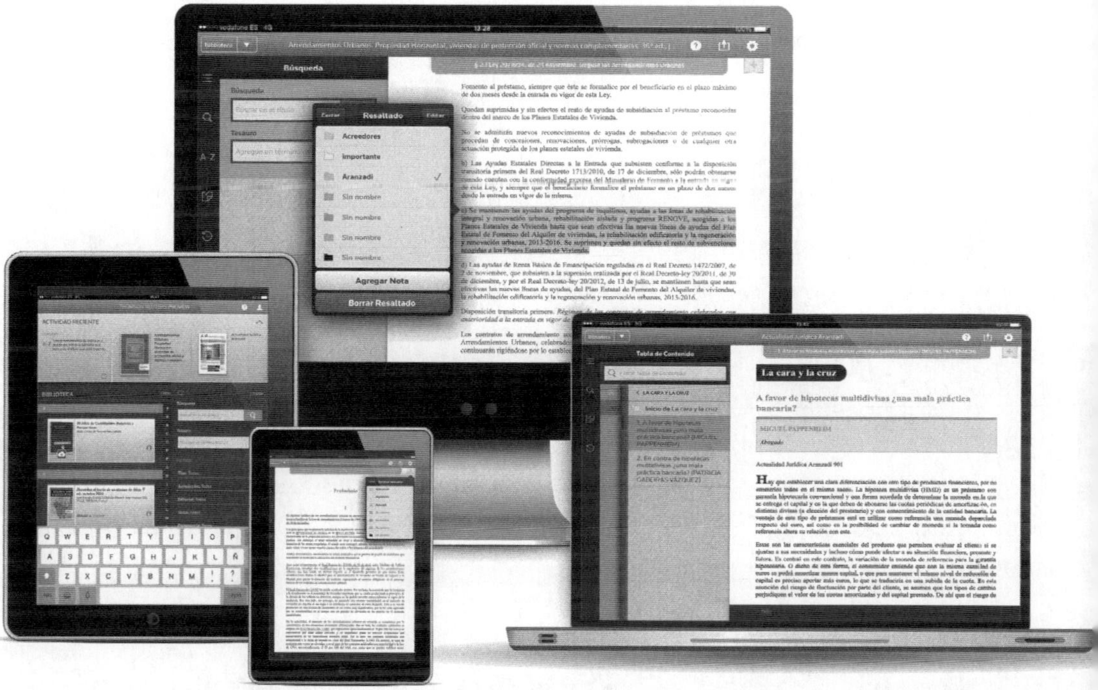

Acceso interactivo a los mejores libros jurídicos desde iPad, Android, Mac, Windows y desde el navegador de internet

FUNCIONALIDADES DE UN LIBRO ELECTRÓNICO EN **PROVIEW**

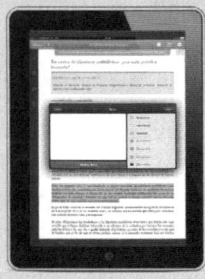

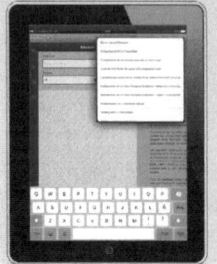

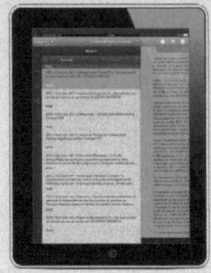

SELECCIONE Y DESTAQUE TEXTOS
Haga anotaciones y escoja los colores
para organizar sus notas y subrayados

**USE EL TESAURO PARA
ENCONTRAR INFORMACIÓN**
Al comenzar a escribir un término,
aparecerán las distintas coincidencias
del índice del Tesauro relacionadas
con el término buscado

HISTÓRICO DE NAVEGACIÓN
Vuelva a las páginas por las
que ya ha navegado

ORDENAR
Ordene su biblioteca por: Título (orden
alfabético), Tipo (libros y revistas),
Editorial, Jurisdicción o área del
derecho, libros leídos recientemente
o los títulos propios

CONFIGURACIÓN Y PREFERENCIAS
Escoja la apariencia de sus libros y
revistas en ProView cambiando la
fuente del texto, el tamaño de los
caracteres, el espaciado entre líneas
o la relación de colores

MARCADORES DE PÁGINA
Cree un marcador de página en el
libro tocando en el icono de Marcador
de página situado en el extremo
superior derecho de la página

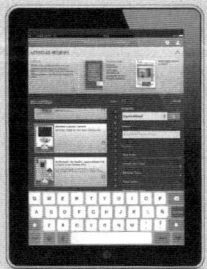

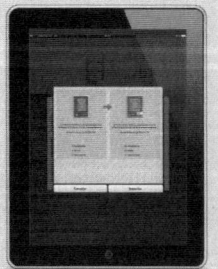

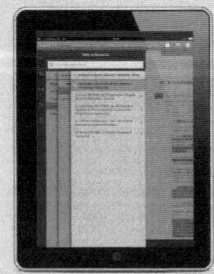

BÚSQUEDA EN LA BIBLIOTECA
Busque en todos sus libros y
obtenga resultados con los libros y
revistas donde los términos fueron
encontrados y las veces que
aparecen en cada obra

**IMPORTACIÓN DE ANOTACIONES
A UNA NUEVA EDICIÓN**
Transfiera todas sus anotaciones y
marcadores de manera automática
a través de esta funcionalidad

SUMARIO NAVEGABLE
Sumario con accesos directos
al contenido

INFORMACIÓN IMPORTANTE: Si ha recibido previamente un correo electrónico con el asunto **"Proview – Confirmación de Acceso"**, para acceder a Thomson Reuters Proview™ deberá seguir los pasos que en él se detallan.

Estimado cliente,

Para acceder a la versión electrónica de este libro, por favor, acceda a **http://onepass.aranzadi.es**

Tras acceder a la página citada, introduzca su dirección de correo electrónico (*) y el código que encontrará en el interior de la cubierta del libro. A continuación pulse enviar.

Si se ha registrado anteriormente en **"One Pass"** (**), en la siguiente pantalla se le pedirá que introduzca la contraseña que usa para acceder a la aplicación **Thomson Reuters ProView™**. Finalmente, le aparecerá un mensaje de confirmación y recibirá un correo electrónico confirmando la disponibilidad de la obra en su biblioteca.

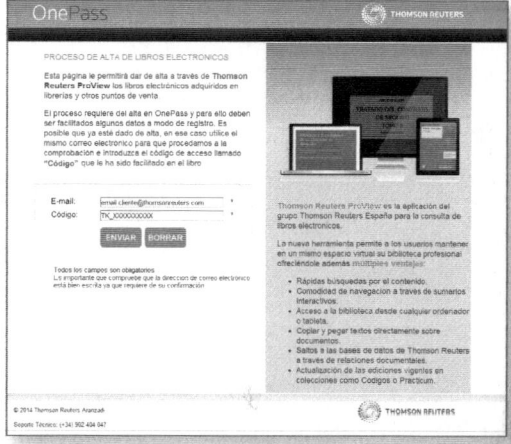

Si es la primera vez que se registra en **"One Pass"** (**), deberá cumplimentar los datos que aparecen en la siguiente imagen para completar el registro y poder acceder a su libro electrónico.

- Los campos **"Nombre de usuario"** y **"Contraseña"** son los datos que utilizará para acceder a las obras que tiene disponibles en **Thomson Reuters Proview™** una vez descargada la aplicación, explicado al final de esta hoja.

Cómo acceder a **Thomson Reuters Proview™:**

- **iPad:** Acceda a AppStore y busque la aplicación **"ProView"** y descárguela en su dispositivo.
- **Android:** acceda a Google Play y busque la aplicación **"ProView"** y descárguela en su dispositivo.
- **Navegador:** acceda a **www.proview.thomsonreuters.com**
- **Aplicación para ordenador:** acceda a **http://thomsonreuters.com/site/proview/download-proview** y en la parte inferior dispondrá de los enlaces necesarios para descargarse la aplicación de escritorio para ordenadores Windows y Mac.

(*) Si ya se ha registrado en **Proview™** o cualquier otro producto de Thomson Reuters (a través de One Pass), deberá introducir el mismo correo electrónico que utilizó la primera vez.

(**) **One Pass:** Sistema de clave común para acceder a Thomson Reuters Proview™ o cualquier otro producto de Thomson Reuters.

ARANZADI | CIVITAS

 **THOMSON REUTERS**

La gestión del documento electrónico

2.ª Edición

Coordinador

Gerardo Bustos Pretel

© **De los autores**, 2020
© **Wolters Kluwer España, S.A.**

Wolters Kluwer
C/ Collado Mediano, 9
28231 Las Rozas (Madrid)
Tel: 902 250 500 – Fax: 902 250 502
e-mail: clientes@wolterskluwer.com
http://www.wolterskluwer.es

Segunda edición: Abril 2020
Primera edición: Junio 2018

Depósito Legal: M-9663-2020
ISBN versión impresa: 978-84-7052-809-5
ISBN versión electrónica: 978-84-7052-810-1

Diseño, Preimpresión e Impresión: Wolters Kluwer España, S.A.
Printed in Spain

Nacho ALAMILLO DOMINGO
Abogado, DEA, CISA, CISM, COBIT 5-f, ITIL V3-f. Director de Astrea La Infopista Jurídica S.L.

Aleida ALCAIDE GARCÍA
Coordinadora de Tecnologías de la Información en el Instituto Nacional de Administración Pública

Miguel A. AMUTIO GÓMEZ
Director de la División de Planificación y Coordinación de Unidades Ciberseguridad. Secretaría General de Administración Digital. Ministerio de Asuntos Económicos y Transformación Digital

Gloria BARCELÓ DEL CAMPO
EJIE. Sociedad Informática del Gobierno Vasco

Carlota BUSTELO RUESTA
Consultora independiente especializada en gestión de la información, los contenidos y los documentos

Gerardo BUSTOS PRETEL
Subdirector general del Ministerio de Hacienda

Pedro CABRERA HERNÁNDEZ
Responsable del Sistema de Gestión Documental y Archivo Electrónico del Ayuntamiento de Tinajo (Lanzarote)

Concepción CAMPOS ACUÑA
Doctora en Derecho y secretaria de Administración Local. Co-directora de Red Localis

Julio CERDÁ DÍAZ
Jefe de Gestión de Información y Transformación Digital en el Ayuntamiento de Arganda del Rey (Madrid)

Borja COLÓN DE CARVAJAL FIBLA
Jefe del Servicio de Administración e Innovación Pública de la Diputación de Castellón

José Ramón CRUZ MUNDET
Profesor titular de Archivística y director del Máster en Archivística de la Universidad Carlos III

Alejandro DELGADO GÓMEZ
Responsable de Administración Electrónica del Ayuntamiento de Cartagena

Alfonso DÍAZ RODRÍGUEZ
Archivero en Gobierno de Asturias. Docente Máster Archivística Universidad Carlos III. Miembro del Consejo Editorial TABULA

Joan Carles FAUS MASCARELL
Técnico de procesos y responsable del Archivo Municipal Administrativo del Ayuntamiento de Gandia. Profesor del Máster de Gestión de la Documentación e Información a las Empresas de la Universidad de Barcelona

Laura FLORES IGLESIAS
Subdirectora general adjunta de Impulso de la Digitalización de la Administración de la Secretaría General de Administración Digital. Ministerio de Asuntos Económicos y Transformación Digital

Beatriz FRANCO ESPIÑO
Jefa de la Unidad Técnica de Planificación y Programación Archivística. Subdirección General de Archivos y Gestión Documental. Comunidad de Madrid. Secretaria del Consejo de Archivos de la Comunidad de Madrid

José Luis GARCÍA MARTÍNEZ
Jefe del Área de Archivo y Documento Electrónico. Ministerio de Hacienda

Antonio GONZÁLEZ QUINTANA
Presidente de la Sección de Archivos y Derechos Humanos del Consejo Internacional de Archivos. Presidente de Archiveros Españoles en la Función Pública. Miembro de Archiveros sin Fronteras

Javier HERNÁNDEZ DÍEZ
Subdirector General de Tecnologías y Servicios de Información del Ministerio de la Presidencia, Relaciones con las Cortes y Memoria Democrática

César HERRERO POMBO
Funcionario de Administración local con habilitación de carácter nacional. Secretario del Ayuntamiento de Tavernes de la Valldigna

Joaquim LLANSÓ SANJUAN
Director del Servicio de Archivos y Patrimonio Documental. Departamento de Cultura, Deporte y Juventud del Gobierno de Navarra

Rosa MARTÍN REY
Gerencia Territorial del Catastro de Lugo

Alejandro MILLARUELO GÓMEZ
Jefe de Servicio de Almacenamiento y Backup, Oficina de Informática Presupuestaria, Intervención General de la Administración del Estado, MINHAC

Elena MUÑOZ SALINERO
Subdirectora general adjunta de la Secretaría General de Administración Digital. Ministerio de Asuntos Económicos y Transformación Digital

Raimón NUALART MERCADÉ
Cap de servei Consorci AOC. Responsable de Gestió Documental i Arxiu. Generalitat de Cataluña

Josefina OTHEO DE TEJADA BARASOAIN
Subdirectora adjunta en el Departamento de Informática Tributaria de la Agencia Estatal de Administración Tributaria

Fernando DE PABLO MARTÍN
Secretario general de Administración Digital, del Ministerio de Asuntos Económicos y Transformación Digital

Andrés PASTOR BERMÚDEZ
Gerente adjunto en la Gerencia de Informática de la Seguridad Social

Andoni PÉREZ DE LEMA SÁNZ DE VIGUERA
Jefe de Área de Desarrollo de Servicios de Interoperabilidad y Gestión Documental, Oficina de Informática Presupuestaria, Intervención General de la Administración del Estado, MINHAC

Sabela PILLADO QUINTÁNS
Departamento de Administración Electrónica de la Agencia para la Modernización Tecnológica de Galicia (AMTEGA)

Luis POMED SÁNCHEZ
Letrado jefe del Servicio de Doctrina Constitucional del Tribunal Constitucional. Profesor de Derecho Administrativo

Gabriel QUIROGA BARRO
Archivo del Reino de Galicia

Fátima RODRÍGUEZ COYA
Archivera del Gobierno del Principado de Asturias, en el Tribunal Superior de Justicia de Asturias. Presidenta de la Asociación de Archiveros y Gestores de Documentos del Principado de Asturias (AAPA)

Manuel RUIZ DEL CORRAL
Subdirector general de Modernización e Innovación de Procesos. Área de Gobierno de Hacienda y Personal del Ayuntamiento de Madrid

Jordi SERRA SERRA
Universidad de Barcelona

Miguel SOLANO GADEA
Investigador especialista en administración electrónica

Joan SOLER JIMÉNEZ
Director del Arxiu Històric de Terrassa. Presidente de l'Associació d'Arxivers - Gestors de Documents de Catalunya. @Diplomaticat

Álvaro TAPIAS SANCHO
Jefe del Servicio de Procedimientos Administrativos en Organismo Autónomo de Informática del Ayuntamiento de Madrid

Mª Isabel VALIENTE FABERO
Coordinadora del Sistema de Información @rchivA. Junta de Andalucía

Irune ZUMALDE IGARTUA
Archivo General del Gobierno Vasco

A mis padres, Victoriano y Teresa.
El origen

[Gerardo Bustos]

SUMARIO

PARTE I.

MARCO NORMATIVO Y ADMINISTRATIVO DEL DOCUMENTO ELECTRÓNICO

PARTE II.

GESTIÓN DEL DOCUMENTO

PARTE III.

PROCESOS DEL DOCUMENTO

PARTE IV.

HERRAMIENTAS DEL DOCUMENTO

PARTE V.

SOLUCIONES DE ARCHIVO Y GESTIÓN DOCUMENTAL

PARTE VI.

COLATERALES DEL DOCUMENTO

PARTE VII.

ORGANIZACIÓN DEL DOCUMENTO

ANEXOS

PRÓLOGO A LA 2ª EDICIÓN

Fernando DE PABLO MARTÍN
Secretario general de Administración Digital, del Ministerio de Asuntos Económicos y Transformación Digital

Ya apuntábamos en la 1ª edición que la gestión completa, a lo largo de todo su ciclo de vida, del documento electrónico es la piedra angular de la **transformación digital en la administración pública**: la desaparición efectiva del papel, el verdadero cambio cultural y organizativo que debe implicar la administración electrónica.

Es bien sabido que la administración electrónica no es mera digitalización, exige lo que en sus orígenes se llamaba *reingeniería*, que no es hacer las mismas cosas y del mismo modo pero por internet. Porque ya nada es igual: el formulario, el documento, la firma, la sede administrativa, el domicilio... Sin embargo así ha venido ocurriendo durante mucho tiempo, copiando la cultura del formulario en papel al formulario en internet. Con la gestión electrónica del expediente cobra su verdadero sentido innovador y *disruptor*, no cabe esta aproximación cuando transformamos el mundo físico del papel al mundo virtual del expediente administrativo electrónico en todo su ciclo de vida, desde la presentación al archivo.

El desarrollo de la Ley 11/2007 supuso un avance definitivo en la tramitación electrónica externa, de cara al ciudadano y la empresa con la importante reducción de cargas administrativas que trajo consigo. La aparición de los Esquemas Nacionales de Interoperabilidad y Seguridad (ENI y el ENS), con las **normas técnicas de interoperabilidad** (una de las primeras NTI publicadas fue la del documento electrónico en julio de 2011, recuerdo perfectamente las discusiones sobre los *metadatos*...) y **guías de seguridad** asociadas, constituyó un avance crítico que ha cobrado su verdadera dimensión e importancia estratégica con el paso del tiempo.

Pues bien, las obligaciones que establece la nueva normativa administrativa derivada de las Leyes 39 y 40/2015 supone afrontar el reto definitivo de la gestión y tramitación interna, quizás el área donde la administración pueda ganar más

15

eficiencia y transparencia. También, no hay que obviarlo, la más compleja desde el punto de vista técnico y de herramientas asociadas (trabajar con documentos es mucho más complicado que trabajar con datos, lo sabemos muy bien los técnicos) y que exige un cambio profundo y una verdadera implicación organizativa. Y la complejidad, por otro lado, no sólo es técnica: la tramitación administrativa es, al fin y al cabo, un reflejo de la normativa administrativa y la simplificación y la innovación deben comenzar precisamente en la producción de las normas. La inestabilidad de los últimos años ha imposibilitado la publicación final del RD de desarrollo de las normas, un elemento que vendrá a completar la estructura jurídica esencial de la administración electrónica, también en lo referente a la gestión del documento y el archivo electrónico.

Este salto sin red del mundo analógico al mundo digital, que se ha dado ya en una parte importante de la sociedad, y que es esencial para la mejora de la competitividad como país, debe darse también en las administraciones públicas y exige la participación entusiasta de todos, haciendo camino al andar. La gestión del expediente administrativo electrónico es uno de los elementos esenciales de la *desmaterialización* de nuestro mundo administrativo, también en permanente cambio.

El trabajo que se presenta en este libro aborda el documento electrónico en todos sus aspectos, y desde diferentes ángulos. Y, además de la calidad técnica de su medio centenar de artículos, éste es uno más de sus méritos: una amplia representación multidisciplinar de excelentes profesionales de diversas áreas (archiveros, técnicos, gestores, juristas, etc.) y estructuras administrativas del país.

La segunda edición incorpora, además, nuevos elementos y artículos especialmente significativos para completar esa visión holística de la obra y que generan un incremento de interés en la misma.

Entre otras novedades, incluye un capítulo sobre diversas soluciones prácticas de gestión de archivo y documental de organizaciones españolas. En mi opinión las soluciones finales no pueden ser estándares porque las organizaciones, como los países, no son estándares y los productos e implantaciones prácticas responden a esas diferentes necesidades, siendo la interoperabilidad y compatibilidad de las soluciones el principal objetivo a preservar (no olvidemos que nuestro contexto es Europa), por ello me parece especialmente relevante este capítulo.

También incluye nuevos artículos sobre la accesibilidad, la gestión documental datificada o la inteligencia artificial aplicada al documento electrónico. La accesibilidad, como concepto especialmente asociado al mundo electrónico, no es sólo una obligación legal (que lo es), sino, sobre todo un deber moral. Una sensibilidad y foco permanente que toda la sociedad debe tener, pero especialmente aquellos que tenemos responsabilidades públicas. La *datificación* no persigue la sustitución de los documentos, sino la mejora de las decisiones de los flujos de gestión sobre los mismos, en su ciclo de vida, en una convergencia cada vez más evidente entre la gestión de datos y documentos, en un tiempo mundos más diferenciados, que las técnicas de Inteligencia Artificial (IA) van a acelerar.

En los próximos años asistiremos, en opinión personal, a una explosión de soluciones basadas en IA que incorporarán enormes posibilidades de mejora en toda la gestión administrativa y especialmente en la gestión documental. Y lo será porque cada vez hay más datos, más capacidad de cálculo, comunicaciones instantáneas y nuevas generaciones de algoritmos para explotar la información multimedia. Con grandes oportunidades, pero también, no lo olvidemos, con nuevos riesgos que habrá que afrontar y legislar. Entre los temas de debate, un equilibrio entre la personalización de servicios y la privacidad (que lo debe dar la trasparencia), la trazabilidad y *explicabilidad* de los actos administrativos basados en decisiones de algoritmos de IA, el posible sesgo en las decisiones si las muestras de datos no son suficientemente representativas, los efectos en el mundo del trabajo o la propia ética sobre lo que se puede-debe hacer (¿el reconocimiento facial indiscriminado?). El debate, que está ya abierto, conducirá a un **desarrollo más humanista de esta sociedad digital** porque, no nos engañemos, será una imprescindible exigencia ciudadana, en todo el mundo, cuando la inteligencia artificial sustituya inexorablemente a parte de las decisiones que en la actualidad toman las personas.

Un futuro apasionante, para el que este libro, de obligada consulta, nos deja mejor preparados.

Enhorabuena a los autores y, en especial, al coordinador, Gerardo, compañero y amigo, a quien agradezco profundamente el honor de participar en esta presentación.

ABREVIATURAS

AENOR	Asociación Española de Normalización y Certificación
AGE	Administración General del Estado
AIP	Paquete de información de archivo
AOC	Consorci Administració Oberta de Catalunya (Consorci AOC)
AA PP	Administraciones públicas
CC AA	Comunidades autónomas
CCD	Cuadro de clasificación de documentos (CCD)
CE	Constitución Española
CENDOJ	Centro de Documentación Judicial
CPD	Centro de proceso de datos
CSCDA	Comisión Superior Calificadora de Documentos Administrativos
CSV	Código Seguro de Verificación
CTBG	Consejo de Transparencia y Buen Gobierno
CTEAJE	Comité Técnico Estatal de la Administración Judicial Electrónica
DF7	Disposición final séptima
e-EMGDE	Esquema de Metadatos para la Gestión del Documento Electrónico (e-EMGDE)
EE LL	Entidades locales
ENI	Real Decreto 4/2010, de 8 de enero, por el que se regula el Esquema Nacional de Interoperabilidad en el ámbito de la Administración Electrónica
ENS	Real Decreto 3/2010, de 8 de enero, por el que se regula el Esquema Nacional de Seguridad en el ámbito de la Administración Electrónica
INSIDE	Infraestructura y Sistemas de Documentación Electrónica
LAE	Ley 11/2007, de 22 de junio, de acceso electrónico de los ciudadanos a los Servicios Públicos
LEC	Ley de Enjuiciamiento Civil
LECrim	Ley de Enjuiciamiento Criminal
LJCA	Ley de la jurisdicción contencioso-administrativa
LOPD	Ley orgánica de protección de datos de carácter personal (derogada)
LOPDGDD	Ley Orgánica 5/2018, de 5 de diciembre, de Protección de Datos Personales y Garantía de los Derechos Digitales
LOPJ	Ley Orgánica del Poder Judicial
LPAC	Ley 39/2015, de 1 octubre, del Procedimiento Administrativo Común de las Administraciones Públicas
LPHE	Ley de Patrimonio Histórico Español
LRJSP	Ley 40/2015, de 1 de octubre, de Régimen Jurídico del Sector Público
LRUTICAJ	Ley 18/2011, reguladora del uso de las tecnologías de la información y la comunicación en la administración de justicia

LTABG   Ley 19/2013, de 9 de diciembre, de transparencia, acceso a la información pública y buen gobierno
MECD   Ministerio de Educación, Cultura y Deporte
MINHAP   Ministerio de Hacienda y Administraciones Públicas
MINHAC   Ministerio de Hacienda
NOJ   Nueva Oficina Judicial
NTI   Norma técnica de interoperabilidad / normas técnicas de interoperabilidad
OAMR   Oficina (s) de asistencia en materia de registros
PGD-e   Política de gestión de documentos electrónicos
PAe   Portal de administración electrónica
              https://administracionelectronica.gob.es/pae_Home/
RDMAJ   Real Decreto 937/2003, de modernización de los archivos judiciales
RGPD   Reglamento General de Protección de Datos
SIP   Paquete de información de transferencia
TIC   Tecnologías de la Información y de las Comunicaciones

INTRODUCCIÓN

El día en que los documentos hablen entre ellos

Gerardo BUSTOS PRETEL
Subdirector general del Ministerio de Hacienda

1. ¿A DÓNDE VAMOS?

Viajemos por un momento al futuro que queremos construir. Estamos en 2050. Tengo 94 años y mi mujer y yo vivimos en un pequeño apartamento, con un robot asistente que nos ayuda en el aseo, lectura, comida, limpieza, cuidados, paseos, deporte, etc. Lo mejor de todo es que nuestra vida está liberada del laberinto burocrático con el que me marean en 2020 las administraciones públicas en la gestión de la dependencia de mis padres, ambos en silla de ruedas (97 y 93). Tres décadas después, la evaluación del grado de dependencia se realiza mediante teleconsulta y con ayuda de la inteligencia artificial. Su aplicación es inmediata y, mejor aún, activa; sin mediar previa solicitud por mi parte.

Esa dinámica impera en todos los terrenos de las relaciones con las administraciones públicas. El más paradigmático se produce cuando nace un niño en el hospital. En ese momento se genera el teleregistro, que se convierte en el punto de partida de una serie de actuaciones administrativas: registro, identidad civil, identidad sanitaria, cheque bebé, guardería, atención médica infantil, conexión pediátrica permanente, asistente robot, etc. Otro caso típico es el de las ayudas al estudio. No es necesario solicitar beca, porque el algoritmo conoce los ingresos del hogar, el lugar de residencia, el expediente académico del alumno y sus aspiraciones académicas. Si tiene derecho a alguna ayuda, le vendrá concedida sin necesidad de solicitarla ni de aporte documental.

No hay ningún misterio en que esto sea así: la administración tiene todos nuestros datos, la inteligencia artificial hace maravillas y la voluntad política del gobernante ha aprendido a servir a un ciudadano que expresa permanentemente su grado de satisfacción.

¿Cree el lector que esto es un sueño? Quizá, pero en todo caso sería un sueño con todos los ingredientes necesarios para convertirse en realidad. Y lo estamos construyendo ahora, en buena medida con la gestión del documento electrónico como eje y con el perfecto maridaje entre el documento y el dato, y la gestión racional de ambos.

2.   ¿DÓNDE ESTAMOS?

Estamos mucho más cerca de 2050 de lo que creemos. Pensemos en cómo se realiza actualmente la declaración del impuesto sobre la renta. Es un modelo hacia dónde vamos. Hace unos años esta cita anual con el fisco suponía tareas tales como comprar el impreso en un estanco, recopilar la documentación necesaria (bancos, nóminas, otros ingresos, préstamos, resguardo del IBI, etc.), visitar a un gestor para entregarle la documentación, recoger la declaración hecha, ir a entregar la declaración, pagarla físicamente, etc. Actualmente, la administración pública gestiona la búsqueda de información, mediante un eficaz intercambio de datos con otras administraciones públicas y entidades privadas y el ciudadano en la mayoría de los casos lo único que hace es mostrar su conformidad.

¿Cuánto tiempo, esfuerzo y disgustos nos hemos ahorrado con este nuevo planteamiento de un trámite administrativo? Es decir, nos encontramos con un síntoma del futuro, con un trámite que evidencia que la gran transformación digital es posible. Como suele decirse, el tiempo pasa volando y las tecnologías actuales avanzan a ritmo vertiginoso, asombrando a una humanidad que durante varios milenios se recreó en el invento de la rueda. Todo depende básicamente de que hagamos bien las cosas ahora.

Estamos viviendo un momento histórico y el documento electrónico está en el centro, como eje de una gran transformación que viene de la mano de la tecnología, pero que no es la tecnología. El gran cambio nos lo va a proporcionar la gestión del documento electrónico, capaz de convertir la densa malla burocrática en un finísimo hilo imperceptible e inocuo, pero tremendamente eficaz y proactivo en el servicio al ciudadano.

3.   LA BUROCRACIA, LA PRODUCTIVIDAD Y LA FELICIDAD CIUDADANA

No hay que perder de vista que el gran objetivo de toda esta transformación no es otro que mejorar nuestras vidas. Si echamos la vista atrás, si pensamos en nuestro funcionamiento diario hoy en día, podemos darnos cuenta de las miles de horas perdidas en el ejercicio burocrático administrativo y las miles de horas perdidas por quienes tienen que cumplir esos requisitos burocráticos. Al final todo esto es un perjuicio para el ciudadano en su vida normal y un alto coste en pérdida de productividad en el proceso de creación de riqueza.

En realidad una buena parte del entramado burocrático obedece en estos momentos más a las resistencias culturales que a un proceso garantista. No hay más que organizar la administración sacando el máximo provecho a los recursos tecnológicos actuales. Empezando por la posibilidad de que las administraciones públicas interactúen entre ellas, evitándonos el absurdo engorro de pasar una buena parte de nuestras vidas trasladando documentos administrativos de unas oficinas a otras.

Hace años que Europa ya le puso nombre al conocido como principio de «una sola vez» («once-only» en inglés). De acuerdo con la Declaración Ministerial de Malmö sobre la administración en línea de 2009, los Estados Miembros de la UE tienen que utilizar el «egovernment» para reducir la carga administrativa, objetivo que debe lograrse en buena parte mediante el rediseño de los procesos administrativos para hacerlos más eficientes. El logro de esta meta se puede facilitar mediante la aplicación del principio de una sola vez. Un principio que tiene por objeto eliminar la carga administrativa innecesaria que se produce cuando los usuarios deben suministrar la misma información más de una vez a las administraciones públicas.

Si nos fijamos, hemos dedicado (y seguimos haciéndolo) muchísimo tiempo de nuestras vidas a buscar, recopilar y trasladar documentos producidos por unas administraciones, para entregarlo a otras. Incluso en estos momentos los primeros pasos de generalización de administración electrónico consisten con frecuencia en un absurdo mimetismo del funcionamiento analógico. Hay casos en los que el envío por sistemas electrónicos de un documento electrónico llega a una central, desde la que se distribuye a las distintas «dependencias» del organismo en las siguientes 24 o 48 horas. No han entendido que el documento electrónico no debe llegar a ninguna central, sino a la dependencia en cuestión. Y si pasa por registro, debe ser sólo eso: pasar, dejar evidencia, y seguir su camino. A veces el absurdo llega al extremo de mimetizar incluso el tiempo de la distancia, a pesar de que electrónicamente no hay distancias.

Aligerar el sobrepeso burocrático consiste en reducir trámites, sustituir cuando sea oportuno documentos por datos, reorganizar procesos de forma racional. Y liberar al ciudadano de trabajar para las administraciones públicas mediante búsqueda y recopilación de documentos. Hay que lograr que sean las administraciones públicas las que busquen e intercambien datos y documentos; es decir, que trabajen las administraciones públicas para el ciudadano, y no al revés.

4. EL DATO HACE UN VIAJE DE IDA Y VUELTA

Realmente siempre hemos querido transmitir datos (información) y cuando hablamos de conservación queremos conservar lo que dicen los datos. Para lograrlo inventamos el documento, soporte duradero y vehículo de transmisión garantista. Tan bueno fue el invento, que ha generado una poderosa dependencia. Cuando la transmisión pasa de oral a escrita, no hay otra manera de hacerlo que usando el documento como verdadero vehículo de esa transmisión. Realmente el átomo de todo este proceso es el dato, no el documento.

El poder cautivador del documento ha sido tal, que para gestionar un documento (vehículo de datos) usamos unos datos (metadatos) que nos ayuden a estructurarlo. La mente humana está tan atrapada por sus cadenas culturales, que rápidamente nos hemos buscado recursos para que todo siga igual pareciendo radicalmente distinto. Es el caso del pdf, absolutamente analógico, porque no es más que un disfraz electrónico del papel. El pdf nos ha mantenido en la zona de confort del funcionamiento analógico y burocrático, cambiando motoristas y ordenanzas por interoperabilidad documental (no de datos).

Una muestra de la irracionalidad del exceso documental la tenemos en la fotocopia del DNI. Se sigue pidiendo por millones, tanto en su versión fotocopia en papel como en su versión en pdf. Sin embargo, cuando pedimos el documento (sea en papel o en pdf), lo que realmente necesitamos es el número del DNI, es decir, el dato. A medida que avance la racionalización de procedimientos, la reingeniería de procesos y la reducción burocrática, el dato impondrá su predominio. Terminará así el viaje del dato al documento, que ha durado siglos, y volverá el dato por sus fueros. Como si recuperáramos la transmisión oral, pero sustituyendo la palabra oral por la interoperabilidad.

Si queremos ver un ejemplo en este sentido, fijémonos en el proceso de una multa de tráfico. Generalmente el agente no pide documentación. Únicamente pide el carnet de conducir, y con ese dato y el de la matrícula del vehículo, tiene acceso a toda la información del conductor. La gestión la realiza mediante intercambio y comprobación de datos.

La pregunta es, ¿necesitamos en el mundo electrónico el documento para gestionar los datos? Es evidente que no, pero nos hemos agarrado al pdf con la misma ansiedad con la que se agarra el borracho a la farola.

5. LA BLOCKCHAIN Y OTROS FUTURIBLES POR VENIR

La realidad camina ya un paso más allá de todo eso. Estamos pasando del documento en plano, sin más información que la plasmada en ese papel, a la administración electrónica, donde los metadatos dotan al documento electrónico de información diferenciada contextualizando ese contenido. Ahí estancados, vemos que lo que asoma ahora en el horizonte con la tecnología blockchain es el documento inteligente, con instrucciones autoejecutables y condicionadas entre sí.

Mediante tecnología blockchain empiezan a verse cada vez más contratos conocidos como «smart contracts», o contratos inteligentes, denominados así porque incluyen una serie de instrucciones condicionadas, de manera que cuando se cumple una se pone en marcha la siguiente de forma automática. Pero en realidad ese carácter autoejecutable de las instrucciones del contrato hay que verlo como una aplicación más del documento inteligente que nos trae la tecnología blockchain. Es decir, los documentos de la era blockchain son altamente disruptivos, contienen instrucciones autoejecutables que van a revolucionar nuestra vida con aplicaciones reduciendo drásticamente la burocracia y haciendo innecesaria la presencia de terceros (bancos, notarios, funcionarios, registros, etc.) en numerosos procesos de la vida diaria. Es fácil ver la proyección de estas posibilidades sobre aplicaciones concretas en el terreno de los seguros, del tipo de la gestión y conservación garantizada en el entorno de los registros: títulos de propiedad, patentes, propiedad intelectual, etc. o en otros campos, como las inspecciones administrativas. Imaginemos, por ejemplo, que un coche no se pondría en marcha si tiene pendiente la inspección técnica ITV, multas, pagos, etc.

Naturalmente, aún no se puede saber el papel real que la tecnología blockchain va a jugar en nuestras vidas a la vuelta de una o dos décadas, pero sí nos permite extraer una clara conclusión: la tecnología avanza muy rápidamente y tenemos que estar abiertos al máximo uso de esos avances. Y nos permite también extraer la lección de cómo la tecnología avanza en el terreno de la automatización, ahorrando al máximo la actividad propiamente humana. El documento inteligente se ha subido a ese carro.

Sea como sea, es necesario ser flexibles y permanecer muy abiertos a las nuevas tecnologías que están por venir.

6. LA OBRA Y SUS AUTORES

Con ese ánimo exploratorio hemos encarado esta obra que tiene el lector en sus manos. Lo primero que se advierte es el elevado número de participantes: 30 en total, autores de 40 artículos, dos anexos, un prólogo y una introducción, en la primera edición. En esta segunda edición la obre comprende 40 artículos (más anexos, prólogo e introducción) realizados por 50 autores. Entre los autores hay juristas, archiveros, gestores, informáticos. La mayor parte son sobradamente conocidos, pero también los hay altamente especializados para quienes estas páginas han permitido poner sus conocimientos y experiencias al alcance público.

Todos tienen una clara experiencia en los temas y principales cuestiones que rodean al mundo del documento electrónico desde diferentes situaciones profesionales: tribunales, administración central, administración local, administración autonómica, entorno comunitario, enseñanza, consultoría, servicios informáticos, archivos, etc. Si algunos términos pueden unir a este magnífico grupo de autores como colectivo, ésos son los de especialización, conocimientos, experiencia y diversidad.

Eso permite abordar cuestiones limítrofes entre sí desde diferentes ópticas profesionales, desde distintas formaciones, con bagajes de conocimientos multidisciplinares. El libro está diseñado como una carrera de relevos, donde cuarenta artículos se van dando paso uno a otro desde áreas comunes.

Está estructurado en siete partes. La primera, dedicada al marco normativo y administrativo. La segunda, a los aspectos fundamentales de la gestión del documento. La tercera, a los procesos que vive el documento electrónico. La cuarta, a las herramientas que nos ayudan a gestionar y usar el documento electrónico. La quinta, a algunas soluciones reales de archivo electrónico y gestión de documentos electrónicos. La sexta, los colaterales del documento, para no dejar en el tintero aspectos cercanos que van a ser imprescindibles en la administración electrónica, como los correos o los soportes. La séptima y última, la organización del documento, en España y en el mundo, una reflexión sobre los modelos. Por último, acentuado el carácter de manual útil del libro, dos anexos con idea de herramienta útil. Uno con más de un centenar de preguntas frecuentes con sus respuestas. El segundo anexo, un glosario de términos y conceptos relativos a documentos, expedientes y archivos.

Aunque no faltan las reflexiones y las inmersiones jurídicas y académicas, en general predomina una vocación práctica a modo de manual. Desde el principio el objetivo ha sido elaborar un libro de cabecera sobre el documento electrónico. En las próximas décadas el documento electrónico va a estar en el centro de nuestros quehaceres administrativos, y esta publicación quiere ayudarnos a gestionar el documento electrónico hoy y a conocer como viene en el futuro.

Por encima de eso, todos los autores han sabido ponerse en el plano de un usuario profesionalmente dispar y ayudarle a buscar respuesta a las numerosas cuestiones que nos hacemos en el día a día sobre el documento electrónico. Al final, la respuesta la vamos construyendo entre todos y el libro quiere ser una herramienta de cabecera para colaborar en el logro de ese objetivo común.

Se han abordado prácticamente todos los aspectos del documento electrónico, e incluso los que le rodean y los que se vislumbran en el horizonte. Es una guía que se plantea seleccionar todos los aspectos del documento dispersos en la normativa, comentarlos y desgranar su aplicación práctica con criterios orientativos. Este tratamiento da una visión de conjunto del documento en sus diferentes aspectos, abordado además desde diferentes ópticas: archivística, documental, jurídica, tecnológica, funcional, etc.

Hay que tener en cuenta, por otra parte, que entrar en el documento electrónico supone ir al mismo corazón de la administración electrónica, porque sin documento electrónico no hay administración electrónica. Implica, además, abrir en canal el salto cualitativo que supone dejar atrás la mera gestión electrónica de documentos (generalmente en papel) a la gestión de documentos electrónicos (exclusivamente electrónicos).

No hay en el mercado ninguna obra de estas características que aborde el documento electrónico como eje de la administración electrónica. Naturalmente, hay obras que abordan la administración electrónica, y consideran el documento electrónico como uno de sus aspectos. Pero en esta obra el documento electrónico es el gran protagonista, el eje que marca los pasos de la nueva administración sin papeles y la puerta abierta hacia la transformación digital.

7. NOVEDADES DE LA 2ª EDICIÓN

Toda la obra ha sido revisada por sus autores de cara a esta nueva edición. Se ha buscado en esta revisión corregir erratas rebeldes que se fueron de rositas en la edición anterior, adaptar a las escasas variaciones normativas que se han producido y reducir el texto cuando ello no ha supuesto merma en el contenido.

Pero, además de eso, hay algunas otras cuestiones dignas de destacar. La primera, la inclusión de una parte 5 nueva, denominada «Soluciones de archivo y gestión documental». Se trata en ella de recoger varias experiencias de éxito en torno a la gestión de los documentos electrónicos y su preservación permanente, contada por sus propios desarrolladores o gestores administrativos. Es el caso de Archive (herramienta de servicio compartido de la AGE), iArxiu (Cataluña), DOKUSI (País Vasco), ARPAD (Galicia), Archiv@ (Andalucía) y el modelo local de archivo en la nueve del Ayuntamiento de Tinajo (Lanzarote).

Otra novedad digna de mención es la inclusión de un artículo sobre la inteligencia artificial y la automatización de la gestión documental. Asimismo, es nuevo el artículo abordando la accesibilidad de los documentos. También se ha dedicado un espacio a los datos, concretamente a la gestión documental datificada. Y, en fin, también se ha abordado en esta segunda edición la relación de los documentos electrónicos y la defensa de los derechos humanos.

8. AGRADECIMIENTOS

Queda, por último, agradecer a los cuarenta autores que me han acompañado en esta aventura, poniendo su rigor, sus conocimientos, sus experiencias y sus sólidas recomendaciones al servicio de este ambicioso proyecto. Entre todos hemos puesto al servicio de la sociedad una obra muy diferente en amplitud y diversidad a todo lo que hemos visto hasta ahora sobre el documento electrónico.

En primer lugar, a Fernando de Pablo, por hacerme el honor de prologar el libro por segunda vez, actualizando y ampliando el prólogo de la primera edición. Un lujo contar con el magnífico profesional, una satisfacción contar con el amigo. Y un valor añadido su presencia en esta segunda edición, donde ya aparece como secretario general de Administración Digital del Gobierno de España; es decir, uno de los principales actores de la transformación digital. Y muy agradecido, por orden alfabético, a todos los autores que han hecho posible construir este gran edificio de reflexiones, teorías, prácticas y conocimiento en torno al documento electrónico. Son los mejores y para mí han sido los mejores en todos los sentidos.

Un millón de gracias a los autores de la primera edición que han actualizado sus artículos: Nacho Alamillo, Aleida Alcaide, Miguel A. Amutio, Carlota Bustelo, Concepción Campos, Julio Cerdá, Borja Colón De Carvajal, José Ramón Cruz Mundet, Alfonso Díaz, Joan Carles Faus, Laura Flores, Beatriz Franco, José Luis García, Javier Hernández, César Herrero, Joaquim Llansó, Rosa Martín, Alejandro Millaruelo, Josefina Otheo, Andrés Pastor, Andoni Pérez De Lema, Luis Pomed, Fátima Rodríguez Coya, Manuel Ruiz, Miguel Solano, Joan Soler, Álvaro Tapias. Y el mismo millón de gracias a los autores que se incorporan con sus magníficos textos en esta segunda edición: Gloria Barceló, Pedro Cabrera, Alejandro Delgado, Antonio González, Elena Muñoz, Raimon Nualart, Sabela Pillado, Gabriel Quiroga, Jordi Serra, Mª Isabel Valiente, Irune Zumalde.

Gracias, también, a la editorial Wolters Kluwer por confiar en mí por segunda vez, a la que se ha empezado a sumar una tercera: el libro tendrá en un par de meses una réplica mexicana, en la que participan algunos de los autores antes mencionados junto a otros mexicanos. Gracias especiales al personal de la editorial por el apoyo y el derroche de paciencia demostrado por su equipo humano en ambas ediciones: Lourdes, Beatriz, Santiago, Isabel, etc. Vuestra profesionalidad me admira como editor.

Finalmente, el agradecimiento a la gente cercana que ha seguido estando cercana a pesar de los períodos de ocupación entusiasta en un gran proyecto, tanto en la preparación de la primera edición como en la actualización y ampliación de la segunda. Mariángeles, Daniel, Hugo, Bea y todos esos amigos poco atendidos, muchas gracias. Seguro que ahora lo entendéis mejor.

PARTE I.

MARCO NORMATIVO Y ADMINISTRATIVO DEL DOCUMENTO ELECTRÓNICO

1.

¿CÓMO APLICAR LA NORMATIVA DISPERSA SOBRE GESTIÓN DEL DOCUMENTO ELECTRÓNICO?

Carlota BUSTELO RUESTA
Consultora independiente especializada en gestión de la información, los contenidos y los documentos

1. CONTEXTO. NECESITAMOS CONVENCIONES PARA LA NUEVA REALIDAD

Casi todos cuando oímos la palabra «documento» tenemos una imagen mental asociada a un documento en papel. Aunque ese documento, que podemos coger en la mano, pueda ser de distinta naturaleza, a nadie se nos ocurre cuestionar que no sea un documento, y difícilmente se nos ocurre otro nombre. En español, además, el concepto documento suele tener implícito el valor de testimonio o prueba de algo, como podemos ver en las distintas definiciones del Diccionario de la Lengua Española, de la Real Academia Española.

Este concepto simple de documento se vio afectado por efecto de la globalización y la influencia de otras lenguas, especialmente del inglés (único idioma que tiene tres términos diferentes para nuestro concepto documento: *document*, que es el equivalente de documento en su significado genérico, como mera información registrada; *records*, que designan de manera específica a aquella información producida como prueba y reflejo de las actividades de una organización; y *archives*, que se reserva los documentos de carácter histórico). El debate generado sobre la terminología y la traducción de los tres conceptos del inglés se circunscribió (o se circunscribe, pues de vez en cuando todavía salta a la luz en español o en otro idioma) a los especialistas de gestión documental, sin afectar especialmente al día a día de nuestras organizaciones. En el sector público y el procedimiento administrativo se seguía manejando el concepto de documento más tradicional, y en el sector privado, especialmente en entornos multinacionales o de influencia de las normas de sistemas de gestión utilizando la traducción de record como «registro» lo que daba lugar a unas extrañas confusiones, pero no a una necesidad de redefinición de conceptos.

Al fin y al cabo, las convenciones, ampliamente aceptadas, de cómo un documento adquiría su condición (estaba firmado con firma manuscrita, tenía una fecha, estaba en un papel especial, y en algunas situaciones específicas con la validación de un tercero como un notario, registrador, etc.) se llevaban practicando tantos años que nadie las cuestionaba. Es curioso volver la vista atrás y ver cuando habíamos tenido necesidad de dejar constancia de unas nuevas condiciones o convenciones en España. El 19 de febrero de 1900, la Gaceta de Madrid publicaba una Real Orden firmada por Francisco Silvela, en la que se mandaba «que en todas las oficinas del Estado, provinciales y municipales se admitan cuantas instancias y documentos se presenten hechos con máquinas de escribir, en los mismos términos y con iguales efectos de los escritos o copiados a mano».

De igual manera que el concepto documento, las buenas prácticas para la gestión de los documentos en papel están bien reconocidas y aceptadas, y si en algunas organizaciones no se llevan completamente a la práctica no es por falta de conocimiento de lo que hay que hacer.

En este contexto, cuando las organizaciones inician el proceso de transformación digital que implica indefectiblemente que los documentos en papel dejen de existir, se empiezan a cuestionar los conceptos, entran los miedos y las dudas y nos vemos obligados a explicitar nuevas convenciones que permitan entender y definir qué es un «documento electrónico» y, por lo tanto, acompañando a estas nuevas convenciones se abren nuevos espacios para establecer las nuevas buenas prácticas para gestionarlos.

Esta necesidad real se materializa fundamentalmente desde la entrada en el siglo XXI en una gran cantidad de legislación de distintos niveles, así como normas o estándares técnicos que abordan distintas cuestiones relacionadas bajo diferentes puntos de vista. El resultado puede parecer, a ojos de quien lo quiere o lo tiene que aplicar, disperso y complejo y, por lo tanto, no siempre fácil de entender.

En los siguientes apartados intentaré arrojar algo de luz a esta dispersión, empezando por una visión general de los distintos tipos de normativa existentes, para después centrarme en las aplicaciones prácticas, especialmente de las normas ISO de gestión documental, entendiendo su influencia en nuestra legislación actual y en cómo nos pueden servir en la práctica en determinadas áreas de actuación.

2. LOS DISTINTOS NIVELES DE NORMATIVA

Cuando se habla de normativa sobre gestión del documento electrónico, se puede referir a un conjunto de normas con diferentes categorías, en el que se mezclan distintos niveles de obligatoriedad de cumplimiento.

En primer lugar, está la **legislación**. En España no se puede decir que exista una legislación específica sobre el documento electrónico o su gestión, pero toda la legislación sobre la administración electrónica y el procedimiento administrativo común, especialmente la LPAC, tiene un porcentaje altísimo de referencias a los documentos electrónicos y como se gestionan. Es lógico, si entendemos que la esencia de las administraciones públicas es la creación de documentos y expedientes donde se recogen las decisiones y actuaciones administrativas. Además, aparte de la legislación sobre firma electrónica no existe una legislación similar sobre el documento electrónico en el sector privado, pero en su ausencia se toma como referencia lo aplicable al sector público. La legislación a nadie le cabe duda de que es de obligatorio cumplimiento.

En la legislación española existe la particularidad de resoluciones publicadas en el Boletín Oficial del Estado, aprobando las **Normas Técnicas de Interoperabilidad (NTI)**[1]. Sin dejar de ser normas técnicas, adquieren una condición de obligatoriedad para las administraciones públicas, lo que sucede con muy pocas normas.

En segundo lugar, tenemos las **normas o estándares** que son especificaciones técnicas de aplicación no obligatoria, establecidas con participación de diferentes partes interesadas y que son aprobadas por un organismo reconocido, a nivel nacional o internacional. En el caso de la gestión del documento electrónico podemos encontrar varios organismos que elaboran normas relacionadas. A nivel internacional destacan:

• ISO. La Organización Internacional de Normalización, que entre su portfolio de más de 20.000 normas ha publicado normas específicas sobre gestión de documentos y otras relacionadas con distintos aspectos tecnológicos. Fundamentalmente hay tres comités técnicos de ISO implicados en la elaboración de normas relacionadas con la gestión de los documentos electrónicos[2].

• DLM-Forum, que a nivel europeo mantiene MoReq, Modular Requirements for Records Systems publicada en 2011[3], de aplicación en la industria proveedora de aplicaciones para la gestión de los documentos electrónicos

---

(1)   Las NTI y sus Guías de aplicación, así como otros recursos complementarios, en sus últimas ediciones, pueden encontrarse en el Portal de la Administración Electrónica.

(2)   El ISO/TC46/SC11. Information and documentation-Archives/records management, cuyas normas más conocidas son la ISO 15489 y la serie de normas alrededor de ISO 30301; El ISO/TC171 Document Management application, cuyas normas se centran en aspectos tecnológicos y cuyas normas más conocidas son las que definen el formato PDF; y el ISO/TC20/SC13 Space data and information transfer systems que, aunque se centra en datos de misiones espaciales, ha publicado el modelo OAIS y sus normas derivadas.

(3)   MoReq forma parte de una serie de normativas que intentan regular las funcionalidades que deben tener los sistemas informáticos que dan soporte a la gestión de los documentos electrónicos. Son normativas destinadas a los desarrolladores de software y que tiene como finalidad poder establecer procesos de homologación o certificado de soluciones. Comenzaron en USA con el DoD5015, cuyo éxito se quiso replicar sin ningún éxito en Europa.

A nivel nacional la Asociación Española de Normalización UNE, se ha encargado de traducir y adoptar las normas ISO aplicables a la gestión de documentos electrónicos.

Las normas ISO de gestión documental han influido en la legislación española, ya que son un conjunto de buenas prácticas de referencia a nivel internacional. Las normas se actualizan para mantenerse al día. Cada cinco años existe una consulta de revisión sistemática de cada norma que puede materializarse en la anulación, la revisión o la confirmación de la norma. Esta actualización es un valor añadido a la hora de buscar la orientación necesaria para implementar los modelos de gestión de documentos electrónicos.

En general, se puede afirmar que las normas ISO son buenos complementos para el cumplimiento de la legislación vigente en España sobre documentos electrónicos, pero sobre todo para encontrar orientación de cómo aplicarla en la práctica.

3. LAS APLICACIONES PRÁCTICAS

3.1. ¿De dónde partimos?

Cuando nos enfrentamos con la necesidad de establecer nuevas convenciones y conceptos para afrontar la gestión del documento electrónico, lo normal es que se haga desde los conocimientos ya existentes que provienen de las buenas prácticas de gestión de los documentos en papel. De esta forma la transformación digital, en lo que respecta a la gestión de documentos, se comienza a construir desde dos modelos distintos que se reflejan en las normativas existentes:

• el modelo del **ciclo vital de los documentos** y de las fases de archivo, fuertemente basado en un modelo de custodia y muy asentado en los países europeos no anglosajones y en Latinoamérica.

• el modelo del **«continuum» o «recordkeeping»**[4] australiano que inicia la gestión documental en la creación de los documentos con responsabilidad y no sólo en su fase de archivo.

En el primer modelo, la gestión documental o del archivo comienza cuando el proceso de trabajo ha terminado y los documentos se «mandan» al archivo. La legislación archivística española, como la de gran parte de otros países, se basa en este modelo que ha funcionado bastante bien para los archivos en papel.

En el segundo, formulado en las universidades australianas en las últimas décadas del siglo pasado, se quiso contraponer al modelo de fases, la idea de

---

(4) La entrada de la Wikipedia «Records Continuum Model» es un estupendo resumen de la teoría.

que la gestión documental es un «continúo» que comenzaba incluso antes de haber creado los documentos y sólo terminaba con su disposición final que podría ser la destrucción o la conservación permanente. Las normativas e instrumentos que tenemos hoy en día para la gestión de los documentos electrónicos tienen sus raíces en uno de estos dos modelos:

- Como ejemplo del primer modelo podemos encontrar toda la normativa asociada al modelo **OAIS (Open Archival Information System),** con el enfoque puesto en la preservación digital. Parte de la base de un modelo custodial en el que los productores de los documentos «mandan» los documentos electrónicos u objetos digitales al archivo para que los conserven y preserven en las mejores condiciones. El archivo pone sus condiciones para la recepción de estos objetos o documentos, pero no interviene en los contextos de creación de los mismos. En esta concepción el terreno de los archiveros sigue estando acotado a la fase de archivo, donde tienen una relativa libertad de actuación y pueden aplicar sus instrumentos documentales sin intervenir en exceso en el día a día de los documentos. Esta concepción está en la base de algunos desarrollos informáticos para la gestión de documentos como i-Arxiu de la Generalitat de Catalunya o Archive del MINHAFP.

- Como ejemplo del segundo, tenemos toda la normativa ISO redactada por el Subcomité especializado en gestión de documentos, TC 46/SC 11 Information and documentation. Archives/Records Management[5], encabezada por su norma fundacional la *ISO 15489. Gestión de documentos. Conceptos y principios*[6], y que actualmente cuenta con cerca de 20 productos vigentes entre normas e informes técnicos. El enfoque de la gestión de los documentos como un aspecto integrado en la gestión de las organizaciones y la inclusión de los denominados «procesos documentales» en los procesos de trabajo huye del ámbito del exclusivo del archivo y lo equipara a otros aspectos estratégicos de la organización. La influencia de este corpus de normas es importante en muchos países de nuestro entorno y se deja ver en el enfoque de las NTI, especialmente la Norma Técnica de Interoperabilidad de Política de gestión de documentos electrónicos.

Aunque hay quien intenta meritoriamente conciliar los dos modelos y acoplar conceptos en principio algo contrapuestos, incluso mencionando el uso de normativa no siempre muy compatible, el posicionamiento en uno u otro modelo

---

(5) Aunque el modelo OAIS, es también la norma *ISO 14721- Sistemas de transferencia de datos e informaciones espaciales. Sistema abierto de información de archivo (OAIS). Modelo de referencia,* al ser promovido por la NASA se trabaja y publica en un comité especializado en Temas aeroespaciales ISO/TC 20/SC13, Space data and information transfer systems.

(6) La primera edición de la norma ISO 15489 se publicó en 2001 en dos partes (Gestión de documentos. Generalidades y Gestión de documentos. Directrices). La segunda edición de 2016 ha cambiado el título a Conceptos y principios, en una única parte.

35

como marco de referencia es un punto de partida muy recomendable para que la aplicación de la normativa sea efectiva y sobre todo útil.

3.2. Las áreas de actuación

3.2.1. El concepto mismo de documento electrónico

Las normas ISO han tenido y tienen un gran papel en el propio concepto y definición de qué es un documento electrónico. En un primer momento, porque uno de los mayores éxitos que tuvo la primera versión de la norma 15489 de 2001 fue establecer las cuatro características de un documento: **integridad, autenticidad, fiabilidad y usabilidad** (o disponibilidad), que desde hace muchos años vemos mencionadas como un mantra en cualquier presentación, escrito o artículo sobre gestión de documentos. Esta influencia incluso llegó a incluirse en la hoy derogada ley española 11/2007[(7)], la primera que aborda la administración electrónica.

Sin embargo, la concepción de documento (record) electrónico en las normas ISO es más amplia que lo que la legislación española vigente nos indica. Las normas ISO conceptúan el documento como información, y aprovechándose de la mayor ambigüedad de la palabra «record», no hay una limitación a formatos documentales siendo aplicable también para cualquier tipo de datos que sean evidencia de una actividad. El legislador español no ha ido tan lejos, y asienta la idea de que los documentos electrónicos tienen un contenido que se puede independizar, es decir, su contenido está en ficheros informáticos con un determinado formato.

Siguiendo esta asunción, lo que nos encontramos en la práctica, es una extendida identificación del documento electrónico con el fichero informático en el que se representa. Es un concepto simple, la idea de que un documento en papel es sustituido por un documento en formato PDF, que cuando se abre en pantalla se ve si no igual, sí muy parecido, y que por lo tanto la gestión documental es poco más que la gestión del almacenamiento de ficheros. En organizaciones con pocos medios está idea de gestionar los documentos en directorios de ficheros o file-systems corporativos bien estructurados ha supuesto al menos un primer paso en la gestión de los documentos electrónicos.

Pero es difícil afirmar que los ficheros informáticos, por bien organizados que estén, puedan cumplir con las cuatro características del documento, así que el concepto de documento electrónico se matiza en la última edición de la norma ISO 15489: 2016. Las cuatro características las tienen nada más que los **documentos fidedignos** (authoritative en inglés) reconociendo implícitamente que puede haber documentos que sean evidencia de una actividad pero que no sean

---

(7)   Ley 11/2007, de 22 de junio, de acceso electrónico de los ciudadanos a los Servicios Públicos.

fidedignos. La condición de fidedigno (y sus cuatro características) sólo puede alcanzarse cuando el documento tiene asociados sus correspondientes metadatos. Independientemente de cómo se gestionen estos metadatos se asocian al documento cuando se hace gestión documental desde la creación del mismo, aplicando lo que se ha denominado los procesos documentales que explico en un siguiente apartado.

Esta visión del documento electrónico, totalmente asociada con su gestión, no ha tenido tiempo de ser reflejada en la legislación española, que sin embargo define el documento electrónico en la NTI de Documento electrónico como un objeto complejo que incluye contenido, firma/s y metadatos.

Observando esta legislación y aplicando al mismo tiempo las buenas prácticas aportadas por las normas ISO, es cuando podemos afirmar que no tiene mucho sentido aplicar los metadatos de los documentos a posteriori de su creación o sólo para crear «paquetes ENI»[8]. La conclusión más importante y definitiva es que la gestión de los documentos electrónicos debe empezar en el momento de su creación para que realmente puedan ser documentos fidedignos.

3.2.2. Las agrupaciones de documentos o expedientes electrónicos

El concepto de expediente electrónico como agrupación de documentos electrónicos es algo muy propio de la legislación española referida al sector público. El legislador traspasa el concepto del expediente en papel, como carpeta que agrupa todos los documentos de un trámite, directamente al mundo electrónico estableciendo la existencia de expedientes electrónicos. Este no es un concepto que aparezca o se regule en las normas ISO, que son mucho más universales y que deben poder ser aplicadas también en otras culturas donde el concepto de expediente no se maneja de la misma forma. Las normas ISO se limitan a reconocer la existencia de distintas **agregaciones o agrupaciones de documentos** sobre las que se pueden aplicar metadatos.

El expediente electrónico, por más que lo asociemos a una carpetita amarilla que se muestra en la pantalla de nuestro ordenador, no tiene un contenido propio más que los metadatos que se le hayan asignado. Aplicando las directrices de las normas ISO esto podría ocurrir con este nivel de agregación de documentos o con cualquier otro.

Sin embargo, la legislación española ha dado un paso más en la definición de un expediente electrónico (en las otras posibles agregaciones no se mete) estableciendo mecanismos de control de la integridad que aplican a la agrupación de documentos. Me refiero a la generación de un índice de expediente que nos permite asegurar que no se han incluido nuevos documentos en la agrupa-

---

(8)   Forma coloquial que se ha ido imponiendo para definir los ficheros XML que se definen para intercambiar documentos y expedientes entre administraciones públicas española al amparo de la legislación del Esquema Nacional de Interoperabilidad (ENI).

ción una vez que se ha finalizado la actividad que representa. Es un mecanismo muy potente si se utiliza correctamente, aunque al haberse definido por primera vez en el contexto del ENI, siempre cabe la interpretación de que sólo es necesario cuando se ha de intercambiar un expediente entre administraciones. Para garantizar que en el intercambio el expediente se ha mantenido integro es, sin duda, muy útil, pero lo es mucho más si lo utilizamos como un mecanismo extra en la gestión diaria de los expedientes generando los índices una vez que se cierran los expedientes, aunque no haya que transferirlos.

3.2.3. El análisis documental

Sólo entendiendo el concepto de documento electrónico, que necesita ser gestionado desde su creación para adquirir las características que lo hacen fidedigno, se puede entender la enorme importancia que tiene dentro del universo de las normas ISO relacionadas con la 15489 el análisis documental. Si bien es cierto que con este tema se ha abierto otro problema terminológico con él que tendremos que aprender a convivir (en las normas se usa la palabra «appraisal» en inglés para definirlo, que siempre se había traducido como valoración aplicada a la fase final en los archivos), es una de las **grandes aportaciones** de las normas que realmente tiene una aplicación práctica y altamente recomendable en el cambio de paradigma que supone la transformación digital.

La idea central es simple, este análisis (independientemente de cómo se llame) se realiza en las organizaciones para dos objetivos principales: el primero, determinar cuáles son los documentos o evidencias que deben crearse de cada proceso de trabajo; el segundo, determinar cuáles son los requisitos de gestión de estos documentos una vez que se creen.

Esto quiere decir que antes de que se empiecen a crear documentos (o evidencias de que una actividad se ha llevado a cabo) ya se han definido cuáles deben crearse. Este análisis debe llevarse a cabo por equipos multidisciplinares donde los responsables de gestión de documentos o archiveros pueden aportar una gran experiencia. En el sector público, la implantación de la administración electrónica es una estupenda excusa para poner en marcha este análisis. De hecho, encaja perfectamente en la idea de tener un catálogo o registro de procedimientos y es una potente herramienta para llevar a la práctica la simplificación documental o administrativa. Este análisis debe encontrar las **sinergias de otros análisis** que se llevan a cabo en las organizaciones, ya que se trata de un complemento perfecto a la definición de procesos y procedimientos.

Además de la propia norma ISO 15489, existen tres informes técnicos que son útiles para definir las directrices de cómo realizar este análisis: uno sobre cómo realizar el análisis documental de los procesos de trabajo (UNE ISO 22126), otro sobre cómo realizar el análisis de riesgos (UNE ISO 18128) para la gestión de documentos, y un tercero que aún no ha sido adoptado cómo UNE y

ISO/TR 21946 «Appraisal for managing records» que detalla el proceso de este análisis.

Como resultado del mismo análisis se definen los requisitos de gestión documental y se construyen los instrumentos documentales que veremos en el siguiente apartado. También se incluye en este análisis el concepto tradicional de valoración documental, en el que se establecen los plazos y calendarios en que debemos conservar los documentos.

Poner en marcha este análisis al ritmo que la organización lo requiere, está siendo el gran desafío de los archiveros y gestores documentales que se han subido al carro de la transformación digital. Ya no se puede dejar el análisis para después como se ha hecho tradicionalmente en los archivos en papel, hay que hacerlo antes e interactuando con todos los actores necesarios.

3.2.4. Los procesos e instrumentos documentales

Los procesos documentales son las actividades que se realizan para la creación, captura y gestión de los documentos. La denominación de procesos documentales o de gestión de documentos ha sido una aportación de la ISO 15489 desde su primera edición del 2001 que se ha extendido muy rápidamente y que ha llegado hasta la NTI de política de gestión de documentos electrónicos.

Sin embargo, esta denominación puede malinterpretarse, y de hecho en algunas aplicaciones prácticas parece haberse hecho. Los procesos documentales no son en absoluto equiparables a los **procesos de trabajo** y difícilmente se pueden pintar en un diagrama de flujos, que es la típica representación de un proceso. En realidad, una buena gestión documental integra estas actividades de gestión en los procesos de trabajo.

Estos «procesos» o actividades sólo pueden explicarse una a una, pero en realidad nunca se producen de manera secuencial y menos en un entorno digital. La mejor forma de poder aplicarlos en la práctica es entender de qué se trata cada uno de ellos y qué objetivos persigue. Es fácil confundir bajo una misma denominación lo que realmente serían los «procesos» que se realizan sobre los documentos, con los instrumentos en los que se apoyan y el análisis al que nos hemos referido en el apartado anterior. En la última edición de la ISO 15489 de 2016 se aclara esta confusión, estableciendo la denominación de procesos sólo para las siguientes actividades: la creación de los documentos, la captura de los documentos, la clasificación y la indización, el control de acceso, el almacenamiento, el uso y la reutilización, la migración y conversión y la disposición. En estos procesos se aplican los requisitos definidos en el análisis documental. Por ejemplo, de esta manera lo que en la NTI mencionada se define como calificación de los documentos no sería un proceso documental, sino parte del análisis. Como resultado de este análisis se habrían obtenido los instrumentos necesarios para gestionar los documentos, en este caso concreto los calendarios de conservación. El proceso sería solamente la aplicación de estos calendarios a los documentos, es decir, la disposición.

Algunos de estos procesos tienen su propio producto ISO, que detalla más en profundidad las directrices para ponerlos en marcha. Es el caso, de una forma de captura de documentos electrónicos: la digitalización (UNE ISO IN 13028: 2011). Este informe técnico es de gran utilidad cuando se trata de implementar el proceso de digitalización de documentos en papel a documentos electrónicos o digitales, que es preceptivo en la implantación de la Ley de Procedimiento administrativo común en las administraciones públicas españolas y que tiene su propia Norma Técnica de Interoperabilidad de Digitalización.

Otra norma ISO profundiza en los procesos de conversión y migración de los documentos electrónicos (UNE ISO 13008:2013), que se deben implementar en el enfoque de la preservación digital que trataremos en otro apartado.

Además de los calendarios de conservación, los otros **instrumentos** que se definen en la norma 15489 2016 son los esquemas de metadatos, los cuadros de clasificación y las reglas y permisos de acceso. La característica de estos instrumentos es precisamente la de ser instrumentales, es decir, medios para conseguir un objetivo y, por lo tanto, pueden ser cambiados, mejorados y transformados en cada aplicación práctica si es necesario.

Otro de los puntos clave en una aplicación práctica de la normativa existente es entender qué son, pero sobre todo cómo aplicar los **esquemas de metadatos** Es un instrumento que no está ligado a ningún proceso concreto sino a todos, y que normalmente se plantea en un ejercicio de máximos, como por ejemplo el e-EMGDE[9] publicado en España para las administraciones públicas en el marco del ENI. Este instrumento está completamente basado y orientado según las normas ISO 23081[10]. Sin embargo, tratar de aplicar estos esquemas directamente en las tecnologías disponibles para la gestión de documentos configurando un amplísimo número de elementos o atributos sin reparar en para qué sirve esta información ni cómo se va a obtener la misma, es un error frecuente que no ayuda a la gestión de los documentos electrónicos, sino todo lo contrario. Por eso, desde una aplicación práctica hay que trabajar en las adaptaciones de los esquemas de metadatos o **«perfiles de aplicación»**, que sirven para una aplica-

---

(9) Esquema de Metadatos para la Gestión del Documento Electrónico (e-EMGDE). Versión 2.0 Documentación complementaria a la Norma Técnica de Política de gestión de documentos electrónicos. 2ª edición electrónica: MINHAP, julio de 2016.

(10) Las normas ISO de metadatos tiene tres partes ISO 23081-1: 2017. Records management processes - Metadata for records - Part 1: Principles; ISO 23081-2:2009. Managing metadata for records - Part 2: Conceptual and implementation issues; UNE-ISO 23081-1:2018. Procesos de gestión de documentos. Metadatos para la gestión de documentos. Parte 1: Principios; UNE ISO 23081-2: 2011 Procesos de gestión de documentos. Metadatos para la gestión de documentos. Parte 2: Elementos de implementación y conceptuales.

ción concreta en una tecnología concreta, y seguramente tendrán que ser cambiados en el futuro, sin necesidad de aplicar otro esquema de metadatos.

La clarificación de estos conceptos ayuda mucho cuando se camina hacia la transformación digital y la gestión de los documentos electrónicos. El objetivo general de cualquier gestión de documentos electrónicos debería ser que estos procesos se realicen de la forma más **automatizada** posible desde la propia creación de los documentos. Cuando el análisis documental está bien hecho y los instrumentos se han definido adecuadamente esto es perfectamente posible con la tecnología disponible en la actualidad.

3.2.5. La conservación y preservación digital

Cómo ser capaces de conservar la información a largo plazo es una preocupación de primer orden, no sólo para los documentos electrónicos, sino para toda la información digital que se produce en el mundo cada día. Después de muchos años de estudios e investigaciones en el tema de la preservación digital, hoy en día hay una conclusión clara: no se puede preservar todo lo que se produce digitalmente, simplemente es inviable[(11)].

Por lo tanto, antes de embarcarse en programas o planes de preservación de documentos electrónicos, lo primero que hay que hacer es gestionarlos bien. Siguiendo el hilo argumental de las normas ISO, conseguir que sean documentos fidedignos. Sólo desde esta perspectiva podemos afirmar que la preservación comienza en el momento de la creación de los documentos, pues podríamos descartar por completo el intentar preservar documentos que no son fidedignos porque no han sido gestionados desde su creación.

Sin embargo, en la aplicación práctica nos encontramos algunas confusiones a este respecto. Probablemente por los puntos de partida diferentes que comentamos con anterioridad. La conservación y la preservación se pueden ver desde un punto vista práctico como la implantación del proceso documental de conversión o migración al que se refiere la última edición de la norma 15489, o como una tarea más amplia de gestión del riesgo de pérdida de documentos a largo plazo, que nos haría depositar nuestros documentos más valiosos (muchas veces en realidad una copia de los mismos) en sistemas o lugares especializados especialmente dedicados a la tarea de preservación. Para esta última visión, tenemos el completísimo modelo de referencia OAIS, que como dijimos ante-

---

(11)   Una buena recopilación del estado de la cuestión se encuentra en Cruz Mundet, José Ramón
        y Diez Carrera, Carmen. Los costes de la preservación digital permanente. Gijón, Ediciones
        Trea: 2015.

riormente también se ha publicado como una norma ISO, con algunas más relacionadas[12].

Al contrario de lo que mucha gente cree, el modelo OAIS no describe una tecnología completa, ni apuesta por una estrategia de preservación concreta (es más, es perfectamente aplicable a objetos físicos también), por lo que cuando se aplica hay mucho que decidir a este respecto.

Tal como se desarrollan en la actualidad los proyectos de preservación digital, lo normal es transferir el subconjunto de documentos de conservación permanente a unas instituciones especializadas (lo que correspondería a la denominación «archivo» en el modelo OAIS) que dan servicio especializados de preservación a varias organizaciones (es la única forma en que los costes económicos de la preservación sean más sostenibles). De hecho, los archivos nacionales de algunos países han asumido esta función, pero también se empiezan a ver algunas iniciativas privadas al respecto, como los cada vez más comunes servicios de preservar las fotos digitales personales para el futuro.

3.3. Próximos retos: los datos y la influencia de la tecnología

En el proceso de transformación digital de las organizaciones, no se puede olvidar que la automatización de muchos procesos de trabajo ha supuesto que la información que es evidencia de las acciones que se han llevado a cabo se quede guardada en bases de datos. Un ejemplo ampliamente extendido es toda la información de gestión de recursos humanos que toda organización pública o privada tiene. Los portales del empleado han sido un éxito enorme y donde se han implantado nadie concibe que para pedir vacaciones haya que hacer un documento escrito, aunque sea electrónico, como hasta hace poco se hacía.

Desde un punto de vista teórico, se puede afirmar que estas evidencias en bases de datos son documentos («records»), pero es difícil que nadie nos crea y sobre todo que se apliquen los mismos criterios de gestión. Si nos circunscribimos a la legislación vigente en España para las administraciones públicas es muy

---

(12) Las normas que pueden considerarse relacionadas son las siguientes: ISO14721: 2012 Space data and information transfer systems - Open archival information system (OAIS) - Reference model; ISO 20104:2015 Space data and information transfer systems - Producer-Archive Interface Specification (PAIS); ISO 20652:2006 Space data and information transfer systems - Producer-archive interface - Methodology abstract standard; ISO 16363:2012 Space data and information transfer systems - Audit and certification of trustworthy digital repositories; ISO 16919:2014 Space data and information transfer systems - Requirements for bodies providing audit and certification of candidate trustworthy digital repositories. Publicadas y adoptadas como normas UNE: UNE-ISO 14721:2015 Sistemas de transferencia de datos e información espaciales. Sistema abierto de información de archivo (OAIS). Modelo de referencia; UNE-ISO 16363:2017.
Sistemas de transferencia de información y datos espaciales. Auditoría y certificación de repositorios digitales de confianza.

difícil que estas evidencias quepan en el concepto de documento y expediente electrónico.

En cuanto a la normativa ISO, existe una norma que intenta con escaso éxito determinar las características que deberían tener los sistemas de negocio (aplicaciones informáticas que gestionan información) que tiene información que es evidencia de actividades de negocio. Es la parte 3 de la norma ISO 16175.

Y mientras, la explosión de los datos y la preocupación por los mismos nos hace estar oyendo continuamente iniciativas sobre el Open Data, el Big Data o similar. Siempre que me ha tocado trabajar en estos terrenos, no he podido por más que comparar el marco donde nos movemos. Para gestionar el documento electrónico nos autodotamos de nuevas convenciones, legislación y normativas que buscan una gran seguridad y una confianza plena en los documentos electrónicos. Sin embargo, en el terreno de los datos parece que todo vale. Publicar datos abiertos de las administraciones públicas españolas no parece que tenga que atenerse a unas reglas o especificaciones muy estrictas. Pero ¿es que las cuatro características de los documentos: integridad, autenticidad, fiabilidad y disponibilidad no sería aplicables a los datos? Yo creo que sí, que el concepto de datos fidedignos se impondrá con el tiempo y que tenemos por delante un gran reto para aplicar los «procesos documentales» a la generación de datos.

De momento en la práctica, parece lógico empezar por aplicar los calendarios de conservación que se aplican a los documentos y expedientes a los datos. Poder eliminar de forma sistemática los datos que ya no sirven para nada, es un gran alivio para los sistemas de datos y no hay ninguna razón para no poder aplicarlos a los datos que han sustituido a los documentos sobre los que si se aplican.

También es importante entender que en el «análisis documental» de la organización se identifican los procesos que sólo se evidencian en datos, y aplicando los mismos criterios que hemos explicado podremos determinar los datos que hay que crear y los requisitos para su gestión.

Seguramente no hace falta inventar la rueda, pero igual que la transformación digital ha trasformado también las buenas prácticas de gestión documental, la extensión a la gestión de los datos y la implantación de tecnologías como el blockchain o la IA supondrán una adaptación de nuestras convenciones y buenas prácticas. De momento, a nivel de normas ISO se ha publicado un interesantísimo informe técnico (ISO/TR 21965:2019) en que se intenta explicar la gestión documental a los arquitectos empresariales (Enterprise Architecture), está a punto de publicarse otro informe técnico sobre gestión de documentos en la nube y se está trabajando en otro informe técnico que se denomina blockchain y gestión documental.

4. BIBLIOGRAFÍA

CRUZ MUNDET, José Ramón y DÍEZ CARRERA, Carmen. Los costes de la preservación digital permanente. Gijón, Ediciones Trea, 2015.

UPWARD, F. (2005). «The Records Continuum». In McKemmish, S.; Piggott, M.; Reed, B.; Upward, F. Archives: Recordkeeping in Society. Wagga, NSW: Centre for Information Studies. Págs. 197–22.

5. REFERENCIAS NORMATIVAS

Ley 39/2015, de 1 de octubre, del Procedimiento Administrativo Común de las Administraciones Públicas.

MoReq2010. Modular requirements for records systems. European Commission, 2011.

Real Orden de 12 de febrero de 1900. Gaceta de Madrid de 19 de febrero de 1900. https://www.BOE.es/datos/pdfs/BOE/1900/050/A00607-00607.pdf.

Resolución de 28 de junio de 2012 (BOE 26 de julio) de la Secretaría de Estado de Administraciones Públicas, por la que se aprueba la Norma Técnica de Interoperabilidad de Política de gestión de documentos electrónicos.

Resolución de 19 de julio de 2011 (BOE de 30 de julio), de la Secretaría de Estado para la Función Pública, por la que se aprueba la Norma Técnica de Interoperabilidad de Documento Electrónico.

Resolución de 19 de julio de 2011 (BOE de 30 de julio), de la Secretaría de Estado para la Función Pública, por la que se aprueba la Norma Técnica de Interoperabilidad de Digitalización de Documentos.

Resolución de 19 de julio de 2011 (BOE de 30 de julio), de la Secretaría de Estado para la Función Pública, por la que se aprueba la Norma Técnica de Interoperabilidad de Expediente Electrónico.

ISO/TR 21946:2018. Information and documentation — Appraisal for managing records

ISO/TR 21965:2019 Information and documentation — Records management in enterprise architecture.

UNE ISO 14721 (2016). Sistemas de transferencia de datos e informaciones espaciales. Sistema abierto de información de archivo (OAIS). Modelo de referencia.

UNE ISO 15489-1:2016. Información y documentación. Gestión de documentos. Principios y conceptos.

UNE-ISO 13008:2013. Información y documentación. Proceso de migración y conversión de documentos electrónicos.

UNE-ISO/TR 13028:2011 IN. Información y documentación. Directrices para la implementación de la digitalización de documentos.

UNE-ISO/TR 17068:2013. Información y documentación. Repositorio de tercero de confianza para documentos electrónicos.

UNE-ISO 16175-1:2012. Información y documentación. Principios y requisitos funcionales para documentos en entornos de oficina electrónica. Parte 1: Generalidades y declaración de principios.

UNE-ISO 16175-2:2012. Información y documentación. Principios y requisitos funcionales para documentos en entornos de oficina electrónica. Parte 2: Directrices y requisitos funcionales para sistemas que gestionan documentos electrónicos.

UNE-ISO 16175-3:2012. Información y documentación. Principios y requisitos funcionales para documentos en entornos de oficina electrónica. Parte 3: Directrices y requisitos funcionales para documentos en los sistemas de la organización.

UNE-ISO/TR 18128:2014 IN. Información y documentación. Apreciación del riesgo en procesos y sistemas de gestión documental.

UNE-ISO 23081-1:2018. Información y documentación. Procesos de gestión de documentos. Metadatos para la gestión de documentos. Parte 1: Principios.

UNE-ISO 23081-2:2011. Información y documentación. Procesos de gestión de documentos. Metadatos para la gestión de documentos. Parte 2: Elementos de implementación y conceptuales.

UNE-ISO/TR 23081-3:2012 IN. Información y documentación. Metadatos para la gestión de documentos. Parte 3: Método de auto-evaluación.

UNE-ISO/TR 26122:2008 IN. Información y documentación. Análisis de los procesos de trabajo para la gestión de documentos.

UNE-ISO 30300:2011. Información y documentación. Sistemas de gestión para los documentos. Fundamentos y vocabulario.

UNE-ISO 30301:2011. Información y documentación. Sistemas de gestión para los documentos. Requisitos.

2.

EL DOCUMENTO ELECTRÓNICO EN EL CENTRO DEL MUNDO DIGITAL

Gerardo BUSTOS PRETEL
Subdirector general del Ministerio de Hacienda

1. DEFINICIÓN. DOCUMENTO PÚBLICO ADMINISTRATIVO

La LPAC señala con claridad en su artículo 26 que «se entiende por documentos administrativos los válidamente emitidos por los órganos de las administraciones públicas», que además serán emitidos «por escrito, a través de medios electrónicos». También aclara cuáles son los requisitos para ser considerados válidos. Estos aspectos forman parte de la clarificación que hace la ley con respecto al documento en los artículos 26, 27 y 28.

1.1. Las definiciones del documento electrónico

Sin embargo, la LPAC no define el documento electrónico, lo que nos lleva a interpretar que da por buenas las definiciones existentes. Tenemos que acudir a normas anteriores para contar con la definición que el legislador parece haber asumido:

• Previo a la administración electrónica, en el artículo 49 de la Ley 16/1985, de 25 de junio, del Patrimonio Histórico Español se entiende por documento, a los efectos de dicha Ley, «toda expresión en lenguaje natural o convencional y cualquier otra expresión gráfica, sonora o en imagen, recogidas en cualquier tipo de soporte material, incluso los soportes informáticos».

• En el artículo 3, apartado 5, la Ley 59/2003, de 19 de diciembre, de firma electrónica, señala que «se considera documento electrónico la información de cualquier naturaleza en forma electrónica, archivada en un soporte electrónico según un formato determinado y susceptible de identificación y tra-

47

tamiento diferenciado». Si además están firmados por funcionario público en el ejercicio de sus funciones, los documentos electrónicos tendrá naturaleza de documento público o de documento administrativo[1].

• En el glosario del ENI, el documento electrónico es «información de cualquier naturaleza en forma electrónica, archivada en un soporte electrónico según un formato determinado y susceptible de identificación y tratamiento diferenciado».

• En el artículo 3 del Reglamento (UE) nº 910/2014 del Parlamento Europeo y del Consejo, de 23 de julio de 2014, relativo a la identificación electrónica y los servicios de confianza para las transacciones electrónicas en el mercado interior (eIDAS) se define documento electrónico como «todo contenido almacenado en formato electrónico, en particular, texto o registro sonoro, visual o audiovisual».

• En la norma UNE-ISO 15489-1:2016 se define como «documentos (records): información creada, recibida y conservada como evidencia y como activo por una organización o individuo, en el desarrollo de sus actividades o en virtud de sus obligaciones legales».

1.2. Requisitos de validez del documento electrónico

Si bien hemos tenido que recurrir a otras normativas para definir el documento electrónico, lo que sí hace la LPAC es establecer las condiciones de validez de los documentos electrónicos administrativos. Tras esa afirmación tan genérica de su artículo 26 señalando que los documentos públicos administrativos «son los válidamente emitidos por los órganos de las administraciones públicas», establece, a continuación, las condiciones para considerarlos válidos. Son las siguientes:

• Contener información en un soporte electrónico con un formato determinado, y que además pueda ser identificado y objeto de tratamiento diferenciado.

• Disponer de datos de identificación que permitan su individualización.

• Contar con referencia temporal del momento de emisión.

• Incorporar al menos los metadatos mínimos obligatorios.

---

(1) La Guía de aplicación de la NTI de documento electrónico adopta la misma definición de documento electrónico que la ley 59/2003. En el caso del documento administrativo electrónico lo define como: «objeto digital administrativo que contiene la información objeto (datos) y los datos asociados a ésta (firma y metadatos). En el marco del ENI, este concepto incluye tanto los documentos electrónicos producidos por las administraciones públicas en el ejercicio de sus competencias como los documentos electrónicos aportados por los ciudadanos en el contexto de un procedimiento dado».

• Incorporar firmas electrónicas.

Cumplidos estos requisitos, se consideran válidos los documentos electrónicos trasladados a un tercero a través de medios electrónicos.

1.3. Documentos con firma, documentos sin firma

Como hemos visto, la incorporación de la firma al documento electrónico es un requisito para ser considerado documento administrativo electrónico. El objetivo de la firma es el de garantizar la integridad y autenticidad del documento, poniendo de manifiesto la identidad de su emisor y su voluntad con respecto a lo firmado. Esta circunstancia traza la línea divisoria entre documento electrónico y documento electrónico administrativo.

Tal diferenciación no siempre ha estado tan clara. Inicialmente la redacción del apartado 3 del art. 5 de la Ley 59/2003 señalaba que «se considera documento electrónico el redactado en soporte electrónico que incorpore datos que estén firmados electrónicamente». Posteriormente la LAE modificó ese apartado de la ley, fijando su actual redacción en el sentido de que «se considera documento electrónico la información de cualquier naturaleza en forma electrónica, archivada en un soporte electrónico según un formato determinado y susceptible de identificación y tratamiento diferenciado».

Nos encontramos de esta manera con la figura de un documento electrónico que no precisa firma electrónica. Pero, como aclara a continuación el apartado mencionado, los documentos electrónicos pueden tener naturaleza de documentos públicos si están «firmados electrónicamente por funcionarios que tengan legalmente atribuida la facultad de dar fe pública, judicial, notarial o administrativa, siempre que actúen en el ámbito de sus competencias». O tener naturaleza administrativa si están «expedidos y firmados electrónicamente por funcionarios o empleados públicos en el ejercicio de sus funciones públicas».

Siguiendo esta misma línea, la LPAC en el apartado 3 del artículo 26 también establece una segunda categoría de documentos electrónicos que no son documentos públicos administrativos válidamente constituidos. Es decir, los documentos que se publican «con carácter meramente informativo» o que «no formen parte de un expediente administrativo». Esta categoría de documentos electrónicos no requerirá de firma electrónica, aunque sí se identificará su origen.

Podemos relacionar esta consideración con el apartado 4 del artículo 70 de la LPAC, donde señala que «no formará parte del expediente administrativo la información que tenga carácter auxiliar o de apoyo, como la contenida en aplicaciones, ficheros y bases de datos informáticas, notas, borradores, opiniones, resúmenes, comunicaciones e informes internos...». Sin duda una buena parte de estos casos serán documentos que no requieren firma al no considerarse documentos electrónicos administrativos[2].

Este acotamiento es positivo. Permite concretar lo que de verdad puede tener interés. Durante el trámite se producen documentos u otros elementos que en principio no tienen valor, o son de apoyo, o han cumplido un objetivo meramente instrumental o relacional a lo largo de la tramitación. No forman parte del expediente de acuerdo con la ley, pero eso no impide que puedan ser documentos de interés y archivables.

Este planteamiento también puede generar algunas dudas sobre el derecho de acceso y acerca de qué debe ser archivado. Como hemos apuntado, el hecho de que estos documentos no requieran firma, no quiere decir que carezcan de interés en todos los casos desde el punto de vista del archivo. Efectivamente, no faltan opiniones que apuntan en el sentido de que esta exclusión de la firma y del expediente recogida en los artículos 26 y 70 se esté vulnerando el derecho de acceso a la información pública por parte de los ciudadanos. Esta situación la ha abordado el Consejo de Transparencia y Buen Gobierno (CTBG), en su criterio interpretativo de 12 de noviembre de 2015, señalando que la solicitud de información de este tipo puede ser declarada inadmitida a trámite cuando contengan opiniones personales, sean textos preliminares, preparatorios, comunicaciones internas, informes no preceptivos, etc.

El art. 21.1 del ENI asocia claramente la recuperación y conservación de documentos al expediente, al establecer la obligación de las administraciones públicas de «la inclusión en los expedientes de un índice electrónico firmado por el órgano o entidad actuante que garantice la integridad del expediente electrónico y permita su recuperación». Sin embargo, la LPAC recoge la obligación de archivo en el art. 17, sin mencionar en ningún caso los expedientes. Se refiere a «documentos electrónicos que correspondan a procedimientos finalizados». Nada impide, por tanto, incluir documentos electrónicos sin firma en el expediente que archivamos.

2. DOCUMENTO COMO DERECHO Y COMO DEBER

2.1. El registro es la puerta de entrada

La LPAC concibe la presentación de datos y documentos como derecho y como deber, según los casos. De acuerdo con el artículo 28.1, los interesados tienen el deber de aportar al procedimiento administrativo los datos y documentos exigidos por las administraciones públicas, según lo dispuesto en la normativa aplicable. Al mismo tiempo, si lo estima necesario, al interesado también

---

(2)   Sobre este aspecto, véase el artículo «III. El expediente administrativo y la idea de grupo», del mismo autor.

le asiste el derecho de poder aportar al procedimiento cualquier documento que crea conveniente.

La vía regular de entrada de documentos es el registro de cualquier administración, independientemente del destino del documento. Si la entrega se realiza presencialmente, en caso de que el documento sea en papel, el registro tiene la obligación de digitalizarlo y realizar una copia auténtica. Se tramitará la copia auténtica y se le devolverá el original en papel al ciudadano.

En la presentación de documentos la LPAC es claramente considerada con el ciudadano, cuando lo contempla como persona física no incluida entre los colectivos obligados a relacionarse electrónicamente con las administraciones públicas, enumerados en el apartado 2 del art. 14 de la propia LPAC. El privilegio que la ley concede al ciudadano consiste esencialmente en proporcionarle el derecho de presentar sus solicitudes o cualquier tipo de documentación en papel. Una vez presentado el papel, será la administración pública en la que se ha presentado la documentación la que se encargará de convertirlo en formato electrónico.

El lugar de presentación de la documentación serán las nuevas oficinas de asistencia en materia de registro, figura creada para tales fines en la propia LPAC. Sus funciones llegan mucho más allá de los antiguos registros, porque según el artículo 12 de la LPAC están también obligadas a asistir en la utilización de los mecanismos electrónicos al ciudadano que lo reclame, asistencia en la firma electrónica, apoderamientos, realización de copias auténticas, etc.

Por lo que respecta al medio soporte en el que se entrega la documentación, digamos que además de la entrega de documentos electrónicos y de la posibilidad (exclusivamente, para personas físicas) de entrega en papel, el apartado 5 del artículo 16 de la LPAC establece que, si una norma determina la obligatoriedad de presentar documentos en un soporte específico no susceptible de digitalización, la oficina de registro tendrá que aceptarlo. Pongamos por caso, a título de ejemplo, un pendrive.

2.2. Digitalización

Como hemos apuntado, la digitalización es la herramienta de la que se vale la LPAC para que, independientemente de la posible entrada de documentación en papel, el procedimiento sea electrónico desde el primer momento. De ahí que la propia LPAC prevea y defina en su artículo 27, en la letra b) del apartado 3, el concepto de digitalización: «el proceso tecnológico que permite convertir un documento en soporte papel o en otro soporte no electrónico en un fichero electrónico que contiene la imagen codificada, fiel e íntegra del documento».

Es una definición de primerísima importancia, porque sin digitalización no hay administración electrónica. Por otro lado, la digitalización entronca con otra herramienta también de primer orden en la administración electrónica: la copia auténtica. El mismo artículo 27 de la LPAC recoge las reglas necesarias para garantizar la identidad y contenido de las copias electrónicas (o en papel), y por tanto su carácter de copias auténticas.

2.3. Derecho a no presentar documentos

También existe el derecho a no presentar determinados documentos. La LPAC regula el derecho del ciudadano a no presentar documentos elaborados por las administraciones públicas. Se trata de un derecho totalmente ligado a la administración electrónica, sin la cual no sería posible. Consiste en que los interesados no están obligados a aportar documentos que hayan sido elaborados por cualquier administración pública, independientemente de que se trate de un documento preceptivo.

Para que esto sea posible, el interesado deberá expresar su consentimiento para que sean consultados o recabados dichos documentos, a través de las redes corporativas o mediante consulta a la plataforma de intermediación de datos u otros sistemas electrónicos habilitados al efecto. Pero en la redacción original de la LPAC, para habilitar la consulta documental entre administraciones, le interesado tenía que haber expresado su consentimiento, si bien éste podía entenderse otorgado si no contaba la oposición expresa del ciudadano. Es decir, la consulta entre administraciones era posible mediante el consentimiento tácito del ciudadano, al no mostrar una oposición expresa a la consulta.

Esta circunstancia ha cambiado al entrar en vigor de la LOPDGDD, que ha modificado los apartados 2 y 3 del artículo 28 de la LPAC. Con dicha modificación se elimina la necesidad de recabar el consentimiento, ya sea expreso o tácito, del ciudadano. El ciudadano podrá oponerse a que las AA PP recaben los documentos, si bien en caso de oponerse expresamente, deberá aportar necesariamente la documentación necesaria para el procedimiento, o se desestimará su solicitud.

Por tanto, las AA PP deberán habilitar un medio un medio que permite la oposición expresa de la consulta de documentación entre administraciones. De esta forma, en caso de no existir oposición por el interesado, se entenderá legitimada la consulta. Eso sí, no estamos ante un consentimiento tácito, como ocurría antes de la reforma mencionada, sino en base al cumplimiento de una misión realizada en interés público o, particularmente, en el ejercicio de poderes públicos.

Cuando se trate de informes preceptivos ya elaborados por un órgano administrativo distinto al que tramita el procedimiento, éstos deberán ser remitidos en el plazo de diez días a contar desde su solicitud. Una vez transcurrido ese plazo, se informará al interesado de que puede aportar el informe o esperar a su remisión por el órgano competente.

Estas aspiraciones de nuestra normativa responden perfectamente al conocido principio europeo de «una sola vez» («once-only» en inglés). Su principal objetivo, enmarcado en la Declaración Ministerial de Malmö sobre la Administración en línea de 2009, no es otro que el de eliminar la carga administrativa innecesaria que se produce cuando los usuarios deben suministrar la misma información más de una vez a las administraciones públicas.

Ese objetivo es tecnológicamente posible gracias a la interoperabilidad y al intercambio documental entre administraciones a través de la plataforma de intermediación. Como apunta la LRJSP en su artículo 155, «cada administración deberá facilitar el acceso de las restantes AA.PP. a los datos relativos a los interesados que obren en su poder, especificando las condiciones, protocolos y criterios funcionales o técnicos necesarios para acceder a dichos datos».

En definitiva, las leyes de la administración electrónica lo que vienen a decir es que las administraciones deben interoperar e interactuar entre ellas, para intentar hacer la vida lo más fácil posible a los ciudadanos. He aquí las circunstancias que pueden darse, de acuerdo con el artículo 28 de la LPAC:

- Si se trata de documentos elaborados por cualquier administración, los ciudadanos no están obligados a presentarlos. Son las administraciones públicas las que tienen que pedirlos a las otras administraciones.

- Si se trata de documentos no exigidos por la normativa aplicable en cada caso, las administraciones no tienen que pedirlos.

- Cuando se trate de documentos ya aportados por el ciudadano, aunque sea un documento privado, no es necesario volver a presentarlo. Bastará para ello indicar en qué momento y ante qué órgano administrativo fueron presentados esos documentos. A nivel operativo, la solución que se está articulando a través de la AGE es la configuración de un espacio en la carpeta ciudadana para conservar las copias de documentos privados ya realizadas, y facilitar su acceso a ellas en lugar de tener que volver a presentarlas.

Estos aspectos centrados en librar al ciudadano de reiteradas peticiones de documentos se refuerzan en el art. 53 de la LPAC, que aborda los derechos de los interesados. En su apartado d) recoge precisamente el derecho a no presentar datos y documentos no exigidos por las normas aplicables al procedimiento de que se trate, que ya se encuentren en poder de las administraciones públicas o que hayan sido elaborados por éstas.

2.4. Lograr por fin un derecho largamente incumplido

El derecho a no aportar documentos que están en poder de las administraciones públicas, bien porque han sido producidas por ellas o bien porque los hemos entregado en otra ocasión, no es nuevo. En el capítulo de los derechos a los ciudadanos, la Ley 30/1992, de 26 de noviembre, de Régimen Jurídico de las Administraciones Públicas y del Procedimiento Administrativo Común ya recogía en su artículo 35.f, el derecho a «no presentar documentos no exigidos por las normas aplicables al procedimiento de que se trate, o que ya se encuentren en poder de la administración actuante».

Sin embargo, la ley 30/1992 quedó derogada en octubre de 2016 sin que viera cumplido ese derecho ciudadano de no entregar en las administraciones públicas una y otra vez sus propios documentos. El mismo derecho fue recogido también en la LAE, con idéntico resultado: no llegó a cumplirse antes de ser derogada.

¿Qué es lo que ha cambiado ahora, para dar por sentado su éxito? En primer lugar, ya no estamos hablando de un derecho aislado, sino de una pieza más de un proyecto global de transformación digital, que va a convertir las administraciones públicas españolas en administraciones de funcionamiento exclusivamente electrónico.

Por otra parte, este derecho es perfectamente posible con la tecnología actual. En 1992 podría parecer un derecho visionario por parte del legislador. Actualmente la evolución de la tecnología nos permite contemplar ese derecho, no ya como posible, sino prácticamente como una realidad inevitable en el imparable camino hacia la administración sin papeles. Y, además, hay herramientas técnicas que permiten cumplir este principio. Especialmente la plataforma de intermediación de datos, una suite de productos relacionados con el intercambio de datos entre administraciones públicas para facilitar la interoperabilidad entre ellas.

3. LA COPIA AUTÉNTICA DEL DOCUMENTO COMO HERRAMIENTA DE LA ADMINISTRACIÓN ELECTRÓNICA

3.1. Compulsas, copias y copias auténticas

Tal como se plantea la implantación de la administración digital, la copia y la copia auténtica de documentos van a constituir generalmente la evidencia documental de tramitación. A pesar de que los artículos 27 y 28 de la LPAC parecen generar cierta dosis de confusión en este aspecto, partimos de tres elementos básicos en este sentido:

• Hay una figura fundamental, que es la copia auténtica y que tiene el mismo valor que un original.

• Hay copias, que sólo tendrán eficacia «exclusivamente en el ámbito de la actividad de las administraciones públicas».

• Desaparece la figura de la compulsa de documentos.

54

La copia auténtica se convierte en un nuevo documento expedido por una organización con capacidad y competencia para hacerlo, con valor probatorio pleno sobre los hechos o actos que documenta, con el mismo valor en todos los sentidos que el documento original. En el momento de la expedición de una copia auténtica se acredita su autenticidad desde la perspectiva de su correspondencia con el original y tiene efectos que garantiza la autenticidad de los datos contenidos.

3.2. Copia auténtica

Un aspecto fundamental es el valor que la LPAC otorga a las copias auténticas en el apartado 2 del artículo 27: «Las copias auténticas tendrán la misma validez y eficacia que los documentos originales». Sin embargo, este aspecto, que es fundamental a la hora de hacer operativo el funcionamiento todo electrónico que establecen las LPAC y LRJSP para las administraciones públicas, adolece de algunos aspectos que pueden resultar confusos.

Podemos pensar que todo lo que se digitaliza en una oficina de asistencia en materia de registro adquiere el estatus de copia auténtica. La propia LPAC ha añadido confusión al tema cuando en su artículo 27.4 señala que «las administraciones públicas estarán obligadas a expedir copia auténtica electrónicas de cualquier documento en papel que presenten los interesados y que se vaya a incorporar a un expediente administrativo».

Lógicamente, hay que entender que implícitamente se refiere a «...cualquier documento 'original' en papel...». Si nos dejamos llevar sólo por la literalidad de la frase, y no por el contexto del artículo, nos encontraríamos con el absurdo de que un ciudadano presentara una fotocopia (dentro del concepto «cualquier documento») y la administración pública estaría obligada a expedir una copia auténtica de esa fotocopia. Dado que en el 27.2 se establece la igualdad de validez y eficacia entre copias auténticas y originales, estaríamos consagrando un procedimiento para convertir meras (foto)copias en copias auténticas con valor de original. Sería una barbaridad.

Aparte de aplicar el sentido común, si analizamos el contexto podemos saber lo que el legislador ha querido decir. Así, si vamos al mismo artículo 27, en el aparto 3.a señala que «las copias electrónicas de un documento electrónico original o de una copia electrónica auténtica...». Es decir, todo indica que la ley concibe que sólo se puede hacer una copia auténtica, con la «validez y eficacia» de los documentos originales, si partimos de un original o de otra copia auténtica.

Si queremos profundizar en esa consideración, volvemos otra vez al artículo 27, que en su apartado 3 remite al ENI y sus normas técnicas de desarrollo para garantizar el carácter de copias auténticas. En este sentido, conviene recoger lo que plantea la NTI de Interoperabilidad de procedimientos de copiado auténtico y conversión entre documentos electrónicos. En su punto III.2 no deja lugar a dudas: «Las copias auténticas se expedirán a partir de documentos con calidad de original o copia auténtica».

3.3. Mera copia

Pero hay otras opciones de copia diferente a la copia auténtica. El artículo 27.3.b de la LPAC establece que «se entiende por digitalización el proceso tecnológico que permite convertir un documento en soporte papel o en otro soporte no electrónico en un fichero electrónico que contiene la imagen codificada, fiel e íntegra del documento». Quiere decir, por tanto, que la normativa prevé la posibilidad de digitalizar un documento no original y, por tanto, el resultado no es una copia auténtica. Para estos casos, en el artículo 28.6 la LPAC señala que «las copias que aporten los interesados al procedimiento administrativo tendrán eficacia, exclusivamente en el ámbito de la actividad de las administraciones públicas».

Esta circunstancia se va a dar, y se está dando, con mucha frecuencia en los registros, cuando el funcionario que digitaliza el documento en papel que ha traído el ciudadano, tiene serias dudas sobre el carácter original del documento presentado. Con los medios de reproducción actuales es fácil no tener la certeza de que un documento es un original.

Si una copia auténtica la realiza el órgano productor del documento o el archivo donde el documento está custodiado, no hay duda. Pero la LPAC abre otra puerta cuando señala en el artículo 27.1 que todas las administraciones públicas «podrán realizar copias auténticas mediante funcionario habilitado o mediante actuación administrativa automatizada».

En los dos primeros casos (órgano productor y archivo) el documento está contextualizado y hay seguridad de que se trata de un original. Pero esas garantías no se dan en el caso del funcionario habilitado del registro, capacitado legalmente para hacer copias auténticas, pero que no ha participado en la producción del documento ni tiene otros elementos de valoración que lo que pone ante él el ciudadano. En tales casos, el habilitado no necesariamente está capacitado para valorar el carácter original de un documento, y puede ocurrir que resulte imposible tener la certeza de su originalidad.

Eso nos hace pensar en la figura de la mera copia, que al ser digitalizada surte su efecto para el trámite, en la medida en que se está convirtiendo una mera copia en papel presentada por el ciudadano en una mera copia electrónica. ¿Qué garantiza aquí la digitalización? Sencillamente, que se ha digitalizado exactamente lo que el ciudadano ha presentado en papel, pero sólo eso. Copia genera copia, no otra cosa.

En tales casos, se trata simplemente de ser conscientes de que estamos ante copias; simples copias o copias simples. Cuando esto ocurre el funcionario habilitado no va a poder realizar la copia auténtica, sino simplemente dar fe de que se digitalizan los mismos documentos presentados por el ciudadano; nada más. Y para este caso, el artículo 28.6 deja claro que «las copias que aporten los interesados al procedimiento administrativo tendrán eficacia, exclusivamente en el ámbito de la actividad de las Administraciones Públicas».

En última instancia, no estaría mal que fuéramos cambiando el chip. El mismo artículo termina asegurando que «los interesados se responsabilizarán de la veracidad de los documentos que presenten». Se trataría, por tanto, de hacer valer esa responsabilidad y penalizar la irresponsabilidad en este terreno.

3.4. ¿Qué hacer con los originales una vez realizada la copia auténtica?

La LPAC libera al ciudadano de la obligatoriedad de actuar en electrónico. Puede optar por entregar la documentación en papel, en cuyo caso esa documentación se digitaliza en el registro. Se realiza una copia auténtica para continuar el procedimiento de forma electrónica. De acuerdo con el artículo 16.5 de la LPAC, los documentos presentados presencialmente ante las administraciones públicas por el ciudadano, «deberán ser digitalizados... devolviéndose los originales al interesado». Pero, ¿qué ocurre cuando las circunstancias no permiten devolver el original al interesado? Como ocurre cuando se envía por correo, por ejemplo.

La equiparación total que hace la normativa entre el original y su copia auténtica supone que, a la hora de garantizar la conservación del patrimonio documental, la copia auténtica puede ser suficiente. Por tanto, si el original no puede ser devuelto al interesado, podría ser destruido, dado que tanto su valor probatorio como su valor patrimonial en cuanto a documento quedan salvaguardados con la conservación de la copia auténtica. Salvo en aquellos casos en los que el soporte, la firma u otro elemento constituyan por sí mismos un valor patrimonial.

Este aspecto es importante, porque va a evitar la acumulación de papel en las oficinas de registro. Y dado que el registro es universal y se puede presentar la documentación en cualquier registro, independientemente de su destino, podríamos encontrarnos con documentación acumulada correspondiente a otras administraciones. Para evitar esta situación, lo aconsejable es abrir una posibilidad legal que permita eliminar estos originales prácticamente de oficio, aunque lo hagamos tras un plazo prudencial de espera.

4. LOS OTROS FORMATOS DEL DOCUMENTO

Por último, El artículo 26 de la LPAC deja también claro un aspecto que es de primer orden en una ley que consagra el funcionamiento electrónico como el único. En ese sentido, si nos preguntamos por la posibilidad de que se produzcan documentos administrativos en formato papel, la respuesta es claramente negativa. Salvo que sea la propia naturaleza del documento la que exija otra forma más adecuada de expresión y constancia, las administraciones públicas emitirán los documentos administrativos por escrito, a través de medios electrónicos.

La LPAC no deja lugar a dudas sobre su claro posicionamiento a favor casi exclusivamente del soporte electrónico. No sólo en el mencionado apartado 2 de este artículo 26. Así, el apartado 1 del artículo 36 especifica, en la misma línea, que «los actos administrativos se producirán por escrito a través de medios electrónicos, a menos que su naturaleza exija otra forma más adecuada de expresión y constancia». No queda lugar a dudas, por tanto, de que la regla general que plantea la LPAC consistente en la utilización preferente y automática del soporte electrónico, aunque deja abierta la puerta a que la naturaleza del acto exija un soporte distinto que haya de resultar más adecuado, atendida la naturaleza del acto.

No obstante, aunque es cierto que hay cierta flexibilidad al no cerrar totalmente la puerta a otros soportes, no lo es menos que aparece en términos muy excepcionales. Esa es la idea que se desprende claramente al plantear la excepcionalidad en ambos arts. sólo cuando «su naturaleza exija otra forma...» No estamos, por tanto, ante el habitual coladero administrativo basado en la discrecionalidad del órgano de turno o de mera oportunidad. Otro tanto ocurre con las notificaciones, recogidas en el artículo 40 y siguientes de la LPAC, aunque aquí la excepcionalidad hacia el ciudadano es algo más flexible.

5. EL DOCUMENTO INTELIGENTE DE LA TECNOLOGÍA BLOCK-CHAIN

El paso desde el documento papel al documento electrónico está suponiendo una verdadera transformación, un cambio de paradigma. Sin embargo, a la vista de la tremenda rapidez con la que avanza la tecnología, ¿podemos afirmar que el documento electrónico es la meta? ¿Cuál es la siguiente etapa?

Para VALCÁRCEL FERNÁNDEZ, Patricia la existencia de archivos electrónicos «plantea numerosos y acuciantes problemas con relación a su tratamiento como fondos documentales, tales como si han de cambiar los esquemas hasta ahora vigentes acerca de su traslado por las distintas fases y centros de archivo o sobre su conservación y posible consulta». Y concluye con rotundidad: «El impacto de la tecnología sobre los sistemas de gestión de archivos está siendo y seguirá siendo enorme y obliga a replantear la manera de crear, gestionar y conservar los documentos»[3].

---

(3)   VALCÁRCEL FERNÁNDEZ, Patricia. «Documentos y archivos electrónicos», en *Administración electrónica y ciudadanos*, obra dirigida por PIÑAR MAÑAS, José Luis. Civitas-Aranzadi, Pamplona, 2011.

58

Estamos prácticamente en los inicios de la transformación digital. Eso obliga a hacerse dos grandes preguntas. La primera, en la línea de Valcárcel Fernández, es si la estrategia que estamos siguiendo hasta ahora es la adecuada. ¿Nos hemos adecuado suficientemente al documento electrónico, o ha pesado en exceso la idea de papel a la hora de mimetizar en el mundo electrónico antiguos procedimientos?

La segunda gran pregunta que tenemos que hacernos en torno al documento es si estamos suficientemente abiertos a aceptar y adaptarnos a los cambios tecnológicos que puedan aparecer. La prueba de esa capacidad de adaptación nos la presenta la tecnología blockchain y un documento diferente a los que hemos conocido hasta ahora, porque incorpora instrucciones autoejecutables. Es un documento inteligente.

5.1. Ante el documento inteligente

Durante siglos el documento en papel ha sido plano, en el sentido de que no incorporaba más información que la plasmada en el propio papel. Con la administración electrónica este aspecto cambia, porque los metadatos dotan al documento electrónico de información diferenciada de ese contenido, simplemente contextualizándolo. Sin embargo, con la tecnología blockchain el salto es mayúsculo, porque, como apuntábamos antes, el documento incorpora instrucciones autoejecutables y condicionadas entre sí. Aunque aún es pronto para saber el alcance que puede tener, todo hace pensar que estamos antes una tecnología disruptiva, muy disruptiva, y que introducirá profundos cambios en todos los órdenes, desde las transacciones hasta la organización laboral de la sociedad.

La blockchain funciona como una gran base de datos protegida criptográficamente y distribuida entre diferentes participantes, que actúan como testigos haciendo innecesaria las figuras fedatarias. Independientemente de su protagonismo con criptomonedas como el bitcoin, la tecnología blockchain ha encontrado en la figura de los «smart contracts» una de sus posibilidades más emblemáticas. Esta funcionalidad nos puede ayudar a entender el documento inteligente. Los «smart contracts», o contratos inteligentes, son denominados así porque incluyen una serie de instrucciones condicionadas, de manera que cuando se cumple una se pone en marcha la siguiente de forma automática.

Ese carácter autoejecutable de las instrucciones del contrato hay que verlo como una aplicación más del documento inteligente que nos trae la tecnología blockchain. Es decir, los documentos de la era blockchain contienen instrucciones autoejecutables que van a revolucionar nuestra vida con aplicaciones desconocidas hasta ahora. Las acciones contractuales se implementan de manera automática a medida que se van alcanzando las condiciones establecidas en él. Gracias a la programación del contrato, todas sus condiciones, incluidas las órdenes de transferencia y pago electrónico, se producen automáticamente mediante interconexiones de los entes que tienen que cumplir los compromisos contractuales.

En este camino la burocracia y la figura de intermediarios se van a ver reducidas a la mínima expresión. Su implantación va a afectar en mayor o menor grado a los esquemas culturales y organizacionales garantistas como notarios, registradores, bancos, etc. Realmente la garantía en estos casos es la propia cadena de bloques y su peculiar funcionamiento. Por ejemplo, el Catastro de Suecia está experimentando con blockchain para almacenar información relacionada a las transacciones de propiedades inmobiliarias y suelos. Los registros digitales de distinto tipo constituyen un uso claro de la tecnología blockchain, que actúa como mecanismo de almacenamiento y custodia de los registros. Una amplia proyección de este uso de registro deriva en la posibilidad de implantar la identidad digital, tal como lo utiliza Estonia.

Pero ésta es sólo la punta de un iceberg, porque otras muchas aplicaciones del documento inteligente nos ayudan a entender su verdadero alcance. Con esta tecnología de cadena de bloques, los activos materiales pueden convertirse en activos digitales, de manera que la documentación relativa a cualquier objeto concreto se puede digitalizar y enviar a la blockchain. Es fácil ver la proyección de estas posibilidades sobre aplicaciones concretas en el terreno de los seguros, del tipo de la gestión y conservación garantizada en el entorno de los registros: títulos de propiedad, patentes, propiedad intelectual, etc. O en otros campos, como las inspecciones administrativas. Un coche no se pondría en marcha si tiene pendiente la inspección técnica ITV, multas, pagos, etc.

Una consecuencia que sin duda se presenta como esperanzadora para la tremenda sobrecarga de causas judiciales en España, viene representada por el hecho de que la figura del documento inteligente con condiciones autoejecutables supone que previamente se ha pactado esa ejecución. Una vez puesta en marcha, se automatizan sus consecuencias encadenadas, evitando la amplia gama de interpretaciones que distorsiona la marcha de los contratos y acuerdos y termina por llevarlos a los juzgados en cantidades de difícil digestión. La blockchain, por el contrario, garantiza acuerdos y transacciones que no se pueden manipular, porque se registran en bloques que se van encadenando de modo descentralizado.

Sin duda queda mucho camino por delante. Cuando aún estamos dando los primeros pasos de la transformación digital, una nueva tecnología pone a nuestro alcance algo tan disruptivo como un documento con hoja de ruta propia, autoejecutable a medida que se producen una serie de condiciones encadenadas. La maraña burocrática que no terminamos de reducir con la administración electrónica, sin duda podría reducirse drásticamente con un documento inteligente que no precisa de la mayoría de recorridos burocráticos que hemos consagrado durante siglos.

5.2. ¿El centro de la estrategia es el archivo o el documento?

Algo que no ha variado nada con la administración electrónica, tal como la LPAC y la LRJSP conciben la conservación de documentos, es el hecho de que la estrategia de conservación está centrada en el archivo, en este caso electrónico, pero archivo al fin y a la postre. En este sentido, podemos afirmar que el planteamiento no cambia con respecto al papel, donde la estrategia de conservación también pasa por el archivo.

Como apuntamos en este mismo libro[4], no es ésta la única posibilidad. La estrategia de conservación centrada en el archivo es propia de la cultura papel, porque con el papel no es posible pensar en otra estrategia. Sin embargo, con la tecnología actual es posible desarrollar mecanismos que contemplen la estrategia de conservación en el propio documento.

Más aún si pensamos en la tecnología Blockchain y en el documento inteligente, entendiendo por tal un documento capaz de «actuar» gracias a que incorpora una serie de instrucciones autoejecutables a medida que se van cumpliendo las condiciones establecidas en esas instrucciones.

El planteamiento con respecto a la preservación ha puesto y sigue poniendo su foco en el archivo. Si pensamos en esta circunstancia, vemos el enorme esfuerzo que se desarrolla para guardar toneladas de documentos que sabemos que vamos a destruir a corto o medio plazo, tras un examen exhaustivo de valoración. Es más, con frecuencia se paga custodia de documentos durante décadas, por la única razón de que no se ha hecho el estudio de valoración por falta de recursos, económicos o humanos. Hay que cuestionarse estos procedimientos de escasa racionalidad. Quizá con el papel no era posible hacerlo de otra manera, pero con el documento electrónico es posible dibujar la trayectoria del documento desde su primer momento. Con la tecnología blockchain, si definitivamente llega a implantarse, la aparición del documento inteligente, con instrucciones encadenadas autoejecutables la conservación podría ser perfectamente uno de los elementos previstos entre las instrucciones incorporadas al documento. Es decir, se trataría de trasladar la estrategia de conservación desde el archivo hasta el documento.

En todo caso, a modo de colofón, parece que hay dos reglas fundamentales a aplicar al documento electrónico en este momento:

• La necesidad de cuestionarse toda la organización, trabajo y principios académicos heredados del mundo analógico. Muchas cosas seguirán siendo

---

(4) Véase en este mismo libro «IV. El archivo electrónico único es una idea digital», del mismo autor.

válidas, pero debe ser tras un análisis de la mejor opción con las nuevas tecnologías encima de la mesa.

• La necesidad de estar abiertos a todos los cambios tecnológicos, aunque no hayamos terminado de digerir el paso anterior. Tal como ocurre ahora, en pleno proceso de transformación digital aparece la tecnología blockchain y el documento inteligente. Sin duda hay que explorar este último, aunque estemos en plena transformación digital hacia la administración electrónica.

6. BIBLIOGRAFÍA

BARRIUSO RUIZ, Carlos. «El "documento electrónico", especial referencia a la ley 11/2007, de acceso electrónico de los ciudadanos a las administraciones públicas», en *Administración electrónica. La ley 11/2007, de 22 de junio, de acceso electrónico de los ciudadanos a los servicios públicos y los retos jurídicos del e-gobierno en España*, COTINO HUESO, L. y VALERO TORRIJOS, J. (Coords.), Tirant lo Blanch, Valencia, 2010.

BUSTOS PRETEL, Gerardo, en el análisis del artículo 46 de la obra colectiva dirigida por CAMPOS ACUÑA, Concepción, *Comentarios a la Ley 40/2015 de Régimen Jurídico del Sector Público*. Wolters Kluwer. Madrid. 2017.

BUSTOS PRETEL, Gerardo, en el análisis del artículo 17 de la obra colectiva dirigida por CAMPOS ACUÑA, Concepción *Comentarios a la Ley 39/2015 de Procedimiento Administrativo Común de las Administraciones Públicas*. Wolters Kluwer. Madrid. 2017.

BUSTOS PRETEL, Gerardo. «Blockchain, o la revolución del documento inteligente». *Legaltaday*, Thomson-Reuters. Consultado el 20 de abril de 2018. Disponible en: goo.gl/QABovw.

—. «En busca de la auténtica copia auténtica». *Legaltoday*, Thompson-Reuters. Consultado el 20 de abril de 2018. Disponible: goo.gl/va5p8B.

—. «¿Qué hacer con el papel una vez que tramitamos la copia auténtica?». Legaltoday, Thomson-Reuters. Consultado el 20 de abril de 2018. Disponible en: www.goo.gl/fyqxWn.

—. «El principio de una sola vez, o cómo dejar de marear al ciudadano», Legaltoday, Thomson-Reuters. Consultado el 20 de abril de 2018. Disponible en: www.goo.gl/ZbflcMRL.

—. «El archivo electrónico es la última etapa del documento electrónico», Portal de Administración Electrónica OBSAE. Nota técnica. Consultado a 18 de enero de 2017. Disponible en: www.goo.gl/9Uvmdb.

—. «Al final de camino, el archivo electrónico», Boletín núm. 76 de ASTIC. Consultado 18 de enero de 2016. Disponible en: www.goo.gl/RdB1dY.

—. «Entre "Archive" y la política de gestión de documentos electrónicos», *Tábula*. Asociación de Archiveros de Castilla y León, núm. 19, 2016.

DAVARA RODRÍGUEZ, Miguel Ángel. *Acceso electrónico de los ciudadanos a los servicios públicos*, El consultor de los Ayuntamientos-Wolters Kluwer, Madrid, 2010.

FAUS MASCARELL, JOAN CARLES. «Archivos y transformación digital. Impacto de la reingeniería documental en la producción administrativa», n.º 19 de la revista *TÁBULA*. Asociación de Archiveros de Castilla y León, ACAL. 2016.

GARCÍA-MORALES, ELISA. *Gestión de documentos en la e-administración*, UOC, Barcelona, 2013.

GONZÁLEZ PEREZ, Jesús y GONZÁLEZ NAVARRO, Francisco. *Comentario a la ley de régimen jurídico de las administraciones públicas y del procedimiento administrativo común (Ley 30/92, de 26 de noviembre)*, tomo I, 4.ª ed., Aranzadi, Pamplona, 2007.

GOBIERNO DEL PRINCIPADO DE ASTURIAS. «El procedimiento electrónico. Las novedades de las nuevas leyes 39 y 40 2015». *Guía para los gestores del Principado de Asturias*, Instituto Asturiano de Administración Pública, Oviedo, 2016.

LEMIEUX, VICTORIA L. «Blockchain Technology for Recordkeeping, ¿Help or Hype?», en *Technical Report*. Octubre 2016. The University of British Columbia, Vancouver. Canadá.

MINISTERIO DE HACIENDA Y ADMINISTRACIONES PÚBLICAS. «Digitaliza-T. Guía para facilitar a las entidades locales el cumplimiento de las obligaciones digitales de las leyes 39 y 40/2015». *Uso de las herramientas tecnológicas de la DTIC*, Centro de Publicaciones del MINHAP, Madrid, 2010.

—. *Documento electrónico. Guía de aplicación de la Norma Técnica de Interoperabilidad*, 2.ª ed. Electrónica, Centro de Publicaciones del MINHAP, Madrid, 2016.

—. *Guía de aplicación de la Norma Técnica de Interoperabilidad de Procedimientos de copiado auténtico y conversión entre documentos electrónicos*, 2.ª ed. Electrónica, Madrid, 2016.

—. *Política de gestión de documentos electrónicos*. Centro de Publicaciones MINHAP, 2.ª ed., Madrid, 2016.

—. *Guías de aplicación de la Política de gestión de documentos electrónicos*. *V.0* . Centro de Publicaciones MINHAC y MPTyFP. Madrid. 2019.

PALOMAR OLMEDA, A. «Régimen Jurídico del procedimiento electrónico», *Revista de Derecho VLex*, núm. 138, noviembre 2015.

PREUKSCHAT, ALEX (coordinador) y otros. *Blockchain: la revolución industrial de internet*. Gestión2000 (Grupo Planeta). 5ª ed. Barcelona. 2017.

RIVERO ORTEGA, Ricardo. *El expediente administrativo. De los legajos a los soportes electrónicos*, Aranzadi, Pamplona, 2007.

SANZ LARRUGA, Francisco Javier. «Documentos y archivos electrónicos», en *La Ley de Administración Electrónica. Comentario sistemático a la Ley 11/2007, de 22 de junio, de acceso electrónico de los ciudadanos a los servicios públicos*, GAMERO CASADO, Eduardo y VALERO TORRIJOS, Julián (Coords.), Aranzadi, Pamplona, 2008.

SERRA, Jordi. «Gestión y conservación de los documentos electrónicos desde la perspectiva archivística: un nuevo escenario de actuación», en *El documento electrónico: aspectos jurídicos, tecnológicos y archivísticos*, BLASCO DÍAZ, José Luis y FABRA VALLS, Modesto J. (Coords.), Publicaciones Universidad Jaume I, Colección estudios jurídicos núm. 16, Castellón de la Plana, 2008.

TAPSCOTT, DON y ALEX. *La revolución blockchain*. Deusto (Grupo Planeta) 3ª ed. Barcelona. 2017.

VALCÁRCEL FERNÁNDEZ, Patricia. «Documentos y archivos electrónicos», en *Administración electrónica y ciudadanos*, PIÑAR MAÑAS, José Luis (Dir.), Civitas-Aranzadi, Pamplona, 2011.

3.

EL EXPEDIENTE ADMINISTRATIVO Y LA IDEA DE GRUPO

Gerardo BUSTOS PRETEL
Subdirector general del Ministerio de Hacienda

1. ¿QUÉ ES EL EXPEDIENTE ADMINISTRATIVO?

La primera idea que se nos viene a la cabeza cuando nos hablan de expediente es la de agrupación de documentos. RIVERO ORTEGA ofrece la definición más simple, y sumamente clarificadora, basada en la esencia documental del expediente: «expediente es el conjunto de documentos ordenados por la administración sobre un asunto determinado»[1].

1.1. El origen de las definiciones

Igual que ha ocurrido con el documento, el expediente generalmente no ha sido abordado en las leyes de procedimiento administrativo. Como ha señalado TOLOSA TRIBIÑO, «pese a la importancia que el expediente tiene en el proceso contencioso-administrativo, no existe en las leyes generales (ley de procedimiento administrativo y ley de la jurisdicción) una definición del mismo, limitándose a referirse a su contenido y a las formalidades para su incorporación al proceso»[2].

La única excepción en este sentido ha sido el Real Decreto 2568/1986, de 28 de noviembre, por el que se aprueba el reglamento de organización, funcionamiento y régimen jurídico de las entidades locales. Dedica dos secciones al expediente, que lo define en el artículo 164:

---

(1) RIVERO ORTEGA, Ricardo. *El expediente administrativo. De los legajos a los soportes electrónicos,* Aranzadi, Pamplona, 2007.

(2) TOLOSA TRIBIÑO, César. «El valor probatorio del expediente administrativo», *Revista Jurídica de Castilla y León* núm. 23, enero 2011.

1. Constituye expediente el conjunto ordenado de documentos y actuaciones que sirven de antecedente y fundamento a la resolución administrativa, así como las diligencias encaminadas a ejecutarla.

2. Los expedientes se formarán mediante la agregación sucesiva de cuantos documentos, pruebas, dictámenes, decretos, acuerdos, notificaciones y demás diligencias deban integrarlos, y sus hojas útiles serán rubricadas y foliadas por los funcionarios encargados de su tramitación.

Sin embargo, a pesar de la aclaración que supone la definición, en el artículo siguiente, cuando apunta que los expedientes se iniciarán de oficio, a instancia de parte, etc. pone así de manifiesto un mal que viene de lejos en la legislación e incluso en el tratamiento administrativo, cual es la confusión entre expediente y procedimiento. RIVERO ORTEGA[3], entre otros, remarca esa errónea «equiparación de expediente con procedimiento», tanto en el Real Decreto 2568/1986, como en la normativa posterior.

También la jurisprudencia se ha ocupado de aclarar la definición de expediente. Así, el mismo TOLOSA TRIBIÑO[4] recoge la sentencia del Tribunal Supremo de 23 de abril de 1996, que define al expediente como una «serie de actuaciones administrativas debidamente documentadas que reflejan el procedimiento de que el acto o disposición trae causa». Y también aquí advertimos la equiparación con el procedimiento, al definir el expediente como «actuaciones».

1.2. La administración electrónica exige precisión

La escasa dedicación que prestan las leyes de procedimiento al expediente parece haber cambiado en los últimos tiempos, especialmente de la mano de la administración electrónica. Y eso es así, porque la propia regulación de la administración electrónica lo ha exigido.

Así lo reconoce la derogada LAE en su exposición de motivos, al apuntar que «el hecho de reconocer el derecho de los ciudadanos a comunicarse electrónicamente con la administración plantea, en primer lugar, la necesidad de definir claramente la 'sede' administrativa electrónica con la que se establecen las relaciones... Exige también abordar la definición a los efectos de la ley de una serie de términos y conceptos cuyo uso habitual obliga en un contexto de comunicaciones electrónicas a efectuar muchas precisiones. Tal sucede con la definición de expediente electrónico y de documento electrónico; de los registros electrónicos y de las notificaciones electrónicas o del alcance y sistemas de sellados de tiempo».

---

(3)   RIVERO ORTEGA. Ibídem.
(4)   TOLOSA TRIBIÑO. Ibídem.

Cabe apuntar, por tanto, que la administración electrónica ha visto unas necesidades que la administración en papel no advirtió. Como veremos enseguida, el origen directo de la definición de la LPAC lo encontramos en la derogada LAE. En su artículo 32, bajo el nombre de «expediente electrónico», definía a éste como «el conjunto de documentos electrónicos correspondientes a un procedimiento administrativo, cualquiera que sea el tipo de información que contengan».

Conviene resaltar que la peculiaridad del expediente electrónico obliga a introducir algunas novedades con respecto al funcionamiento analógico. Uno de ellos, para la garantía de integridad del expediente, es el «foliado»[5] mediante «índice electrónico» firmado por el órgano público actuante. La otra es la posibilidad legal de sustituir la remisión del expediente, por una puesta a disposición del expediente electrónico. Se trata sin duda del aprovechamiento de una posibilidad ofrecida por la administración electrónica: el contenido se pone a disposición del destinatario, que podrá consultar aquellas partes que necesita, sin que para ello tenga que recibir materialmente todo el «paquete» de documentación.

1.3. El foliado es analógico

No deja de ser paradójico la especificación de ambas cuestiones, que parecen significar posturas extremas en polos opuestos. La puesta a disposición es, sin duda, una revolución electrónica, ya que poner a disposición del destinatario todo el expediente, para que tome, descargue o sólo consulte aquello que expresamente necesite consultar o tener.

El foliado es también fruto de la revolución electrónica, pero revestido de evidencia analógica. Hablar de foliado es hablar de hojas y entrar en un jardín sin flores, donde hay que aclarar si foliamos (es decir, paginar la hoja) por páginas o por hojas. Lo realmente electrónico es indizar contenidos, sean estos datos, documentos, evidencias electrónicas, etc.

El índice electrónico y lo que ello supone es realmente el factor a tener en cuenta para ser plenamente operativos en la administración electrónica. Y así podemos comprobarlo en la normativa técnica. Empezando por el ENI, cuyo artículo 21, dedicado a las «condiciones para la recuperación y conservación de documentos», en el apartado b) obliga precisamente a «la inclusión en los expedientes de un índice electrónico firmado por el órgano o entidad actuante que garantice la integridad del expediente electrónico y permita su recuperación».

---

(5) Nótese la grosera influencia de la cultural del papel en el legislador, porque no otra cosa implica denominar «foliado» a la indexación electrónica de los elementos del expediente.

Así nos lo encontramos en el glosario de términos del anexo del ENI. Ahí no aparece el foliado, pero sí el «índice electrónico», definido como la «relación de documentos electrónicos de un expediente electrónico, firmada por la administración, órgano o entidad actuante, según proceda y cuya finalidad es garantizar la integridad del expediente electrónico y permitir su recuperación siempre que sea preciso».

En realidad, la expresión «foliado» no aparece en el ENI, como si el legislador hubiera considerado con acierto que incluir el término en la LAE había sido un error con necesidad de aclaración y enmienda. En esa misma línea, y con total coherencia, la NTI de Expediente no menciona la palabra foliado. Sin embargo, por sorprendente que parezca, y realmente lo parece, donde sí se retoma el término «foliado», sin ningún pudor, es en la Guía de aplicación de la NTI de expediente electrónico. Eso sí, hace un esfuerzo por intentar juntar ambos términos y presentarlos como sinónimo total.

Siguiendo este planteamiento, en el anexo de la Guía de aplicación de la NTI de expediente nos encontramos el término «foliado o indizado», explicado como el «proceso de gestión del expediente electrónico mediante el que se incluye en el índice electrónico del mismo la concatenación ordenada de las referencias a los documentos que lo integran y las huellas digitales de dichos documentos, finalizando el proceso con la firma electrónica del índice».

1.4. La LPAC define el expediente

Así llegamos a la LPAC, donde por primera vez una normativa sobre procedimiento administrativo incluye de forma expresa una definición del expediente administrativo, en su artículo 70. La LPAC ha tenido un efecto unificador, porque en lugar de mantener la dualidad procedimiento y procedimiento electrónico, contempla el funcionamiento como el habitual, único y exclusivo, regulado en una sola ley.

Con estos antecedentes, hay que valorar enormemente el hecho de que la LPAC dedique un capítulo a la «ordenación del procedimiento» y, dentro de él, un artículo completo, el 70, al «expediente administrativo». El primer apartado lo destina, precisamente, a la definición clara y directa: «Se entiende por expediente administrativo el conjunto ordenado de documentos y actuaciones que sirven de antecedente y fundamento a la resolución administrativa, así como las diligencias encaminadas a ejecutarla».

El apartado 2 especifica los componentes que integran esa idea de grupo que recogimos al principio, señalando que «los expedientes tendrán formato electrónico y se formarán mediante la agregación ordenada de cuantos documentos, pruebas, dictámenes, informes, acuerdos, notificaciones y demás diligencias deban integrarlos, así como un índice numerado de todos los documentos que contenga cuando se remita. Asimismo, deberá constar en el expediente copia electrónica certificada de la resolución adoptada».

El apartado 3 puntualiza las normas técnicas para la transferencia de expedientes, especialmente las señaladas en el ENI y las NTI que afectan al expediente. Y dicho envío se hará «completo, foliado, autentificado y acompañado de un índice, asimismo autentificado, de los documentos que contenga». Es decir, de nuevo la LPAC retoma el término analógico «foliado» como elemento de seguridad, integridad y conservación, porque «la autenticación del citado índice garantizará la integridad e inmutabilidad del expediente electrónico generado desde el momento de su firma y permitirá su recuperación siempre que sea preciso, siendo admisible que un mismo documento forme parte de distintos expedientes electrónicos».

1.5. Los componentes del expediente

Para completar los aspectos que definen el expediente, sin duda resulta interesante acudir a la NTI de Expediente Electrónico[6]. Especifica los siguientes componentes:

a) Documentos electrónicos, que cumplirán las características de estructura y formato establecidas en la NTI de Documento electrónico. Los documentos electrónicos podrán incluirse en un expediente electrónico de las siguientes formas:

• Directamente como elementos independientes

• Dentro de una carpeta, entendida ésta como una agrupación de documentos electrónicos creada por un motivo funcional.

• Como parte de otro expediente, anidado en el primero.

b) Índice electrónico, para garantizar la integridad del expediente electrónico y permitir su recuperación siempre que sea preciso. El índice electrónico recogerá el conjunto de documentos electrónicos asociados al expediente en un momento dado y, si es el caso, su disposición en carpetas o expedientes.

c) Firma del índice electrónico por la administración, órgano o entidad actuante, de acuerdo con la normativa aplicable.

d) Metadatos del expediente electrónico.

De forma esquemática, digamos que el expediente lo integran documentos electrónicos, índice, firma y metadatos. En el gráfico de la Guía de aplicación

---

(6) Resolución de 19 de julio de 2011, de la Secretaría de Estado para la Función Pública, por la que se aprueba la Norma Técnica de Interoperabilidad de Expediente Electrónico.

de NTI de expediente electrónico[7] pueden advertirse con facilidad los componentes relacionados:

Componentes del expediente electrónico

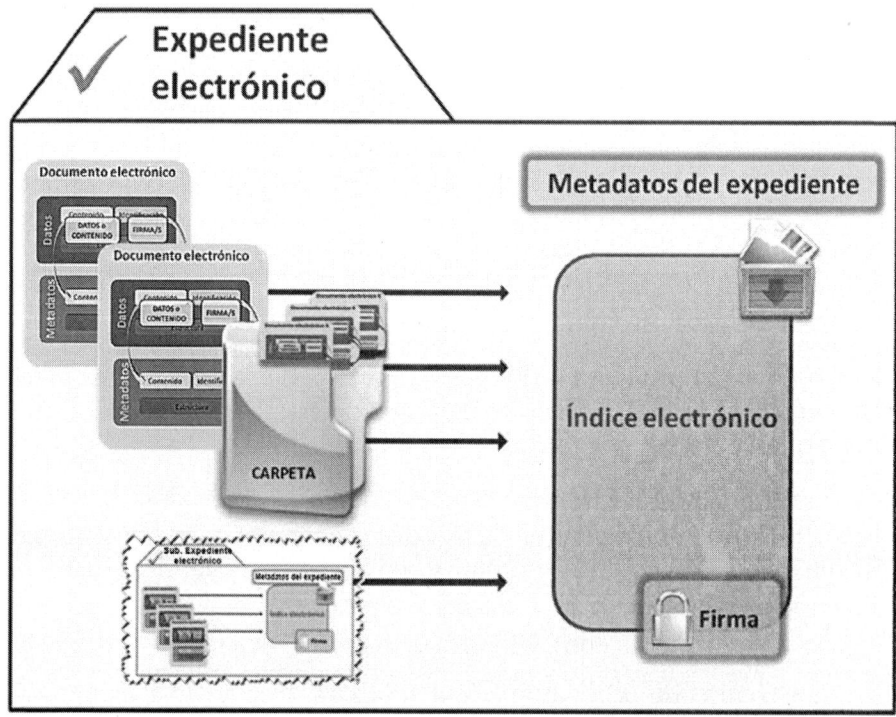

2. CONFUSIÓN ENTRE DOCUMENTO Y EXPEDIENTE

Si antes hemos abordado la confusión que a menudo existe en la normativa entre expediente y procedimiento, no podemos dejar pasar otra confusión menos frecuente, pero más incomprensible y también más problemática. Se trata de la confusión entre documento y expediente, derivada especialmente del hecho de que el artículo 17 de la LPAC habla generalmente de documentos obviando la referencia al expediente electrónico.

Ese confuso empleo de los términos nos lleva a encontrarnos planteamientos como éste de la exposición de motivos: En materia de archivos se introduce como novedad la obligación de cada administración pública de mantener un archivo electrónico único de los documentos que correspondan a procedimientos finalizados, así como la obligación de que estos expedientes sean conserva-

_____
(7) *Guía de aplicación de la Norma Técnica de Interoperabilidad de Expediente Electrónico* (2.ª ed. electrónica), MINHAFP, Madrid.

70

dos en un formato que permita garantizar la autenticidad, integridad y conservación del documento. ¿A qué expedientes se refiere? Realmente alude a los «documentos» de procedimientos finalizados que acaba de mencionar, pero usa indistintamente la palabra documentos y expedientes.

Un uso incorrecto, porque el expediente ni es un documento ni está compuesto sólo por documentos. Ya hemos apuntado más arriba que el propio artículo 70 de la LPAC señala que el expediente es el «conjunto ordenado de documentos y actuaciones» y se forma mediante «la agregación ordenada de cuantos documentos, pruebas, dictámenes, informes, acuerdos, notificaciones y demás diligencias deban integrarlos, así como un índice numerado de todos los documentos...

Como hemos señalado antes, RIVERO ORTEGA[8] se queja precisamente de la confusión del término expediente en el derecho vigente. Una confusión que arranca en el siglo XVI, con la doble significación de procedimiento y resultado documental. La denominación limpia, sencilla y directa que propone el autor de «conjunto de documentos ordenados» es en realidad la que de manera implícita emplea la LPAC.

3. LA INFORMACIÓN AUXILIAR

El apartado 4 y último del artículo 70 de la LPAC introduce otro aspecto de interés, cual es la aclaración de que existen elementos de información que no forman parte del expediente: «No formará parte del expediente administrativo la información que tenga carácter auxiliar o de apoyo, como la contenida en aplicaciones, ficheros y bases de datos informáticas, notas, borradores, opiniones, resúmenes, comunicaciones e informes internos o entre órganos o entidades administrativas, así como los juicios de valor emitidos por las administraciones públicas, salvo que se trate de informes, preceptivos y facultativos, solicitados antes de la resolución administrativa que ponga fin al procedimiento».

Entronca esta matización con el contenido del apartado 3 del artículo 26 de la LPAC, que establece una segunda categoría de documentos electrónicos que no son documentos públicos administrativos válidamente constituidos. Es decir, los documentos que se publican «con carácter meramente informativo» o que «no formen parte de un expediente administrativo». Esta categoría de documentos electrónicos no requerirá de firma electrónica, aunque sí se identificará su origen. Cabe entender que los elementos especificados en el artículo 70.4 son precisamente los documentos referidos en el artículo 26.3; es decir, en ambos casos, los que no requieren firma al no formar parte de un expediente administrativo.

(8)   RIVERO ORTEGA, Ricardo. Ibídem.

Este acotamiento es positivo. Permite concretar lo que de verdad puede tener interés. Durante el trámite se producen documentos u otros elementos que en principio no tienen valor administrativo o jurídico, desde un post-it a un resumen privado, pasando por un borrador de trabajo o unas anotaciones informales. Pero este planteamiento genera algunas dudas, sobre todo si se interpreta a la inversa, asumiendo que está exento de firma lo que no forma parte de un expediente. Por ejemplo, en el caso de documentos simples, aislados, como podría ser en algunos casos el acta de una reunión, comunicaciones aisladas, etc. Claro que nada impediría considerar estos casos expedientes de un solo documento.

Por otra parte, estas cuestiones, vistas bajo este prisma, pueden generar algunas dudas sobre el derecho de acceso y acerca de qué debe ser archivado. Y ello es así porque hay opiniones que apuntan en el sentido de que esta exclusión de la firma y del expediente recogida en los artículos 26 y 70 se esté vulnerando el derecho de acceso a la información pública por parte de los ciudadanos. En definitiva, la transparencia.

Para aclarar este aspecto, conviene recoger el criterio interpretativo de 12 de noviembre de 2015 del Consejo de Transparencia y Buen Gobierno (CTBG). Dicho criterio plantea que el artículo 18.1.b) de la ley 19/2013, de 9 de diciembre, de transparencia, acceso a la información pública y buen gobierno incluye como causa de inadmisión el hecho de que la solicitud se refiera a aquella información que tenga la consideración de auxiliar o de apoyo.

En su nota, el CTGB «entiende que una solicitud de información auxiliar o de apoyo, como la contenida en notas, borradores, opiniones, resúmenes, comunicaciones e informes internos o entre órganos o entidades administrativas, podrá ser declarada inadmitida a trámite cuando se den, entre otras, alguna de las siguientes circunstancias:

1. Cuando contenga opiniones o valoraciones personales del autor que no manifiesten la posición de un órgano o entidad.

2. Cuando lo solicitado sea un texto preliminar o borrador sin la consideración de final.

3. Cuando se trate de información preparatoria de la actividad del órgano o entidad que recibe la solicitud.

4. Cuando la solicitud se refiera a comunicaciones internas que no constituyan trámites del procedimiento.

5. Cuando se trate de informes no preceptivos y que no sean incorporados como motivación de una decisión final».

También puede generar este precepto algunas dudas en torno al archivo de determinados contenidos. Porque el hecho de que estos documentos no requieran firma, no quiere decir que carezcan de interés en todos los casos desde el punto de vista del archivo. Es decir, podría darse el caso de documentos que se archivan porque se valora su interés, generalmente para el futuro investigador.

El artículo 21.1 del ENI asocia claramente la recuperación y conservación de documentos al expediente, al establecer la obligación de las administraciones públicas de «la inclusión en los expedientes de un índice electrónico firmado por el órgano o entidad actuante que garantice la integridad del expediente electrónico y permita su recuperación». Sin embargo, la LPAC recoge la obligación de archivo en el artículo 17, sin mencionar en ningún caso los expedientes. Se refiere a «documentos electrónicos que correspondan a procedimientos finalizados». Nada impide, por tanto, incluir documentos electrónicos sin firma en el expediente que archivamos.

4. BIBLIOGRAFÍA

BLASCO DÍAZ, José Luis y FABRA VALLS, Modesto J., «El documento electrónico: aspectos jurídicos, tecnológicos y archivísticos», *Colección estudios jurídicos* núm. 16, Publicaciones Universidad Jaume I, Castellón de la Plana, 2008.

BUSTOS PRETEL, Gerardo, en el «análisis del artículo 46» de la obra colectiva dirigida por CAMPOS ACUÑA, Concepción, *Comentarios a la Ley 40/2015 de Régimen Jurídico del Sector Público,* Wolters Kluwer, Madrid, 2017.

BUSTOS PRETEL, Gerardo, en el «análisis de los artículos 17, 26, 27 y 28» de la obra colectiva dirigida por CAMPOS ACUÑA, Concepción, *Comentarios a la Ley 39/2015 de Procedimiento Administrativo Común de las Administraciones Públicas,* Wolters Kluwer, Madrid, 2017.

BUSTOS PRETEL, Gerardo, «Blockchain, o la revolución del documento inteligente», Legaltoday, Thomson-Reuters [Consultado el 20 de abril de 2018. Disponible en: goo.gl/QABovw].

—, «El archivo electrónico es la última etapa del documento electrónico», Portal de Administración Electrónica OBSAE. Nota técnica [Consultado el 20 de abril de 2018. Disponible en: www.goo.gl/9Uvmdb].

—, «Al final de camino, el archivo electrónico», *Boletín de ASTIC* núm. 76, abril 2016 [Consultado 22 de abril de 2018. Disponible en: www.goo.gl/RdB1dY].

—, «Entre "Archive" y la política de gestión de documentos electrónicos», *Tábula. Asociación de Archiveros de Castilla y León* núm. 19, 2016.

DAVARA RODRÍGUEZ, Miguel Ángel, «Acceso electrónico de los ciudadanos a los servicios públicos», *El consultor de los Ayuntamientos*, LA LEY, Madrid, 2010.

GAMERO CASADO, Eduardo y VALERO TORRIJOS, Julián (Coords.), *La Ley de Administración Electrónica. Comentario sistemático a la Ley 11/2007, de 22 de junio, de acceso electrónico de los ciudadanos a los servicios públicos*, Aranzadi, Pamplona, 2008.

GONZÁLEZ PÉREZ, Jesús y GONZÁLEZ NAVARRO, Francisco, *Comentarios a la ley de régimen jurídico de las administraciones públicas y del procedimiento administrativo común (Ley 30/92, de 26 de noviembre)*, tomo I, 4.ª ed., Aranzadi, Pamplona, 2007.

COTINO HUESO, Lorenzo y VALERO TORRIJOS, Julián (Coords.), *Administración electrónica. La ley 11/2007, de 22 de junio, de acceso electrónico de los ciudadanos a los servicios públicos y los retos jurídicos del e-gobierno en España*, Tirant lo Blanch, Valencia, 2010.

MINISTERIO DE HACIENDA Y ADMINISTRACIONES PÚBLICAS, *Digitaliza-T. Guía para facilitar a las entidades locales el cumplimiento de las obligaciones digitales de las leyes 39 y 40/2015. Uso de las herramientas tecnológicas de la DTIC*, Centro de Publicaciones del MINHAP, Madrid, 2016.

MINISTERIO DE HACIENDA Y FUNCIÓN PÚBLICA, *Código de interoperabilidad. Recopilación normativa,* Centro de Publicaciones de MINHAFP, Madrid, 2017.

PALOMAR OLMEDA, A., «Régimen Jurídico del procedimiento electrónico», *Revista de Derecho-VLex* núm. 138, noviembre 2015.

PALOMAR OLMEDA, Alberto, *Procedimiento administrativo*, Thomson-Reuters-Aranzadi, Navarra, 2.ª ed., 2017.

PIÑAR MAÑAS, José Luis (Dir.), *Administración electrónica y ciudadanos*, Aranzadi, Pamplona, 2010.

RIVERO ORTEGA, Ricardo, *El expediente administrativo. De los legajos a los soportes electrónicos*, Aranzadi, Pamplona, 2007.

TOLOSA TRIBIÑO, César, «El valor probatorio del expediente administrativo», *Revista Jurídica de Castilla y León* núm. 23, enero 2011.

VELASCO RICO, Clara, «Archivo y conservación de los documentos administrativos electrónicos. Especial referencia a la ley 11/2007, de acceso electrónico de los ciudadanos a las administraciones públicas», en COTINO HUESO, L. y VALERO TORRIJOS, J. (Coords.), *Administración electrónica. La ley 11/2007, de 22 de junio, de acceso electrónico de los ciudadanos a los servicios públicos y los retos jurídicos del e-gobierno en España*, Tirant lo Blanch, Valencia, 2010.

4.

EL ARCHIVO ELECTRÓNICO ÚNICO ES UNA IDEA DIGITAL

Gerardo BUSTOS PRETEL
Subdirector general del Ministerio de Hacienda

Aunque no han faltado intentos centralizadores como el de Napoleón, históricamente los archivos de soporte físico han adolecido de un mayor o menor grado de dispersión. Eso es debido a la necesidad de su proximidad física a los responsables y usuarios de la documentación custodiada. ¿Cuándo se ha planteado un cambio real con posibilidades de éxito con respecto a la dispersión? Con la administración electrónica. El documento electrónico puede ser consultado a cualquier hora y desde cualquier lugar, independientemente de su ubicación.

En el marco de esta nueva realidad tecnológica nace la idea del archivo electrónico único. Y lo hace de la mano de las leyes LPAC y LRJSP, que aportan dos grandes novedades a la regulación jurídica de los archivos. Por un lado, nos encontramos con el ya mencionado nacimiento del concepto de archivo electrónico único, sobre el que volveremos más adelante. Pero, por otra parte, nos encontramos también ante el hecho de que por primera vez las leyes españolas de procedimiento administrativo y de régimen jurídico se ocupan del archivo.

1. EL ARCHIVO EN LA NORMATIVA DE PROCEDIMIENTO ADMINISTRATIVO

La LPAC y la LRJSP no sólo mencionan el archivo, lo que ya supone en sí mismo una gran novedad, sino que definen sus principales trazos e inventan la idea del archivo electrónico único. En todo caso, hay que señalar que la aparición de este concepto ha de entenderse como una evidencia de pensamiento digital del legislador, en la medida en que consagra la idea de que con la electrónica es innecesaria la dispersión de archivos propia del mundo analógico.

Como ponen de manifiesto GONZÁLEZ PÉREZ y GONZÁLEZ NAVARRO[1], la materia de archivos ha adolecido de una carencia de regulación de carácter básico, cuyo lugar adecuado sería la ley de procedimiento. A su juicio, esa regulación debería abordar al menos dos aspectos: la obligación de conservar la documentación producida o recibida en una oficina pública, y el tiempo de conservación de esa documentación en la oficina antes de su envío al archivo.

Si retrocedemos en el tiempo y nos detenemos en la anterior normativa de procedimiento y de régimen jurídico, nos encontramos con que la derogada Ley 30/1992, de 26 de noviembre, de régimen jurídico de las administraciones públicas y del procedimiento administrativo común, se limitaba a mencionar el archivo en relación con el derecho de acceso de los ciudadanos.

Por su parte, la también derogada LAE, a pesar de ser el complemento de administración electrónica al procedimiento administrativo, tampoco perfilaba una idea nueva sobre el archivo electrónico, aunque lo tenía moderadamente en cuenta. En su art. 31 abordaba el «archivo electrónico de documentos», pero más como una idea de mero almacenamiento y conservación de documentos electrónicos. Nada que ver con la idea de archivo electrónico único que introduce la LPAC. Igualmente se limita a una vaga idea de conservación, el parcialmente derogado real decreto 1671/2009, de 6 de noviembre, por el que se desarrolla la Ley 11/2007, de 22 de junio, de acceso electrónico de los ciudadanos a los servicios públicos, aunque incluye un pequeño capítulo V denominado «Archivo electrónico de documentos».

Por último, más sorprendente y digno de mención es el hecho de que tampoco concreta prácticamente nada sobre archivo electrónico una legislación tan específica como el Real Decreto 1708/2011, de 18 de noviembre, por el que se establece el Sistema Español de Archivos y se regula el Sistema de Archivos de la AGE. Prácticamente no se refiere a la idea de archivo electrónico, y más bien planea sobre la tentación de reproducir en el mundo electrónico el analógico. De ahí que remita en numerosas ocasiones a la LAE. Instalado en la mentalidad pre-electrónica, este real decreto parece intentar un trasvase de la realidad papel a la realidad electrónica y para ello no duda, por ejemplo, en mencionar la transferencia de documentos electrónicos al archivo intermedio de la AGE. De la misma manera que reitera que las directrices de valoración y expurgo del papel están vigentes para el documento. Por último, también recuerda a los esquemas analógicos el uso de expresiones del tipo de obligar a los ministerios y sus organismos al «desarrollo de archivos digitales o repositorios de documentos en soporte electrónico...».

---

(1)   GONZÁLEZ PÉREZ, Jesús y GONZÁLEZ NAVARRO, Francisco. *Comentarios a la ley de régimen jurídico de las administraciones públicas y del procedimiento administrativo común (Ley 30/92, de 26 de noviembre)*, tomo I, 4.ª ed., Aranzadi, Pamplona, 2007.

Donde únicamente nos podemos encontrar con un precedente que puede acercarnos al planteamiento del archivo electrónico tal como lo concibe la LPAC, es en el ENI, que es precisamente uno de los reales decretos de desarrollo de la LAE. En su artículo 21, dedicado a las «condiciones para la recuperación y conservación de documentos», en su apartado 1 establece que «las administraciones públicas adoptarán las medidas organizativas y técnicas necesarias con el fin de garantizar la interoperabilidad en relación con la recuperación y conservación de los documentos electrónicos a lo largo de su ciclo de vida». Y más adelante, en el apartado 2, concreta que para cumplir lo que establece el apartado anterior «las administraciones públicas crearán repositorios electrónicos, complementarios y equivalentes en cuanto a su función a los archivos convencionales, destinados a cubrir el conjunto del ciclo de vida de los documentos electrónicos».

Obviamente, sería un problema que no se diese cierta dosis de sintonía entre lo que plantea la LAE y lo que establece el ENI, toda vez que no ha sido derogado y la LRJSP mantiene su vigencia en el artículo 156. Sin embargo, el ENI recurre a una jerga analógica, hasta el extremo de que incluso para la conservación documental está planteando repositorios electrónicos equivalentes a los «archivos convencionales».

Esta circunstancia hace que sea la LPAC la que concreta el contenido del reglamento, en lugar de ser el reglamento el que desarrolla y concreta el contenido de la ley. Es decir, entendemos que estos repositorios para la conservación documental, descritos y definidos técnicamente en el ENI, son el archivo electrónico único por cada administración pública de la LPAC.

2. EL ARCHIVO ELECTRÓNICO ÚNICO Y EL PENSAMIENTO DIGITAL

Como apuntábamos más arriba, la normativa de procedimiento anterior a la LPAC apenas aborda la conservación documental, y cuando lo hace más bien parece pensar en meros almacenes y repositorios electrónicos. El salto realmente significativo en esta materia lo aportan las nuevas leyes LPAC (art. 17) y LRJSP (art. 46). Como señala la LPAC, «cada administración deberá mantener un archivo electrónico único de los documentos electrónicos que correspondan a procedimientos finalizados».

El concepto de archivo electrónico único es una de las principales novedades de la LPAC. El archivo único es posible y se plasma en la ley gracias al pensamiento digital del legislador. La dispersión de archivos pertenece al mundo analógico, porque es una limitación propia del papel. Cuando el legislador concibe un procedimiento exclusivamente electrónico, sin papeles, entiende que es técnicamente posible compartir un archivo único deslocalizado. No sólo es posible, sino que considera además que aporta una mejora indiscutible de gestión. Por eso lo impone como norma obligada.

Por otra parte, cabe pensar que la tecnología podría dibujar otras soluciones, como la de unir el archivo al proceso de gestión documental. Pero esa solución se evita de plano al señalar que el archivo electrónico único alberga documentos de «procedimientos finalizados». Es decir, se trata de un archivo finalista, con clara preocupación por la conservación permanente, muy centrada en la última fase de la gestión documental. Hemos de desechar de esta forma otras opciones, como la de pensar que el archivo es un gestor documental de expedientes en tramitación, o incluso el almacén inmediato de ese gestor documental.

Sin embargo, la LPAC y la LRJSP introducen el concepto de archivo electrónico único, pero ni lo desarrollan ni lo definen como estructura. PALOMAR OLMEDA[2] lo señala muy claramente cuando afirma que el artículo 17 de la LPAC «se limita a establecer una serie de obligaciones para las administraciones públicas y, así, de un lado, determina la necesidad de conservar los expedientes administrativos una vez terminados los procedimientos, de otro, que esa conservación ha de realizarse por medios electrónicos y en un formato que ha de cumplir con unos requisitos que permitan la seguridad en su conservación y acceso».

Esta falta de concreción es la que ha originado y continúa originando no pocas interpretaciones.

Sin duda el espíritu de ambas leyes se mueve en la línea de concebir el archivo electrónico único de cada administración como un repositorio único, de gestión centralizada. Esa estructura única es fácil de articular en la mayor parte del entorno local. Adquiere dificultad compleja en los grandes municipios y en las comunidades autónomas. Y va a ser altamente compleja en la AGE. Este cambio de gestión exige una profunda transformación de la cultura de la organización, como está ocurriendo con todo el proceso de transformación digital de las organizaciones públicas.

Probablemente el peso de la cultura del papel y esta confusión previa a la LPAC, y aún no completamente resuelta, son las principales causas de que con frecuencia los responsables de tramitadores tengan la tentación generalizada de almacenar los expedientes finalizados en su propio servidor, poniendo así en peligro la conservación del patrimonio documental que están gestionando. En tales casos, además, es necesario hacer dos preguntas claves:

• En tales circunstancias, ¿están capacitados esos repositorios para garantizar el derecho de acceso de los ciudadanos?

• En tales circunstancias, ¿están capacitados esos repositorios para garantizar la conservación permanente, a lo largo de un tiempo ilimitado, de los

---

(2)   PALOMAR OLMEDA, Alberto. «Procedimiento administrativo». Thomson Reuters. Aranzadi. Navarra. 2ª ed. 2017.

documentos y expedientes que custodian, superando incluso los cambios tecnológicos?

Por último, si la respuesta ha sido positiva en ambos casos, hay que preguntarse por el coste, porque no tiene el mismo coste asumir esa responsabilidad de forma individual, que hacerlo a través de un servicio compartido.

3. ALGUNAS CARACTERÍSTICAS DEL ARCHIVO

A pesar de las limitaciones legales en la definición del concepto y su estructura organizativa con respecto al archivo electrónico único, sí podemos establecer una serie de características que, de acuerdo con la LPAC, directa o implícitamente, debe cumplir el archivo electrónico único. Seleccionemos algunas de ellas, porque sin duda eso nos ayuda a definir el archivo electrónico único.

3.1. Alcance legal

• Dado que la LPAC es legislación básica[3], sus preceptos obligan a todas las administraciones públicas. Por tanto, la figura del archivo electrónico único es de obligada implantación no sólo en la AGE, sino en todas las administraciones públicas.

• Para reforzar este aspecto, la LPAC en su disposición adicional segunda recoge la obligatoriedad de usar las herramientas compartidas por el Estado. Las comunidades autónomas y las entidades locales podrán adherirse voluntariamente y a través de medios electrónicos a las plataformas y registros establecidos al efecto por la AGE.

3.2. Entre dos mundos

• Para la LPAC el archivo electrónico único es electrónico y único, como dos ideas unidas de manera indisoluble en torno al concepto introducido por estas leyes. De esta manera se acota nítidamente la definición, en el sentido de considerar que único se refiere al archivo electrónico, no a todos los archivos en todos los soportes.

• El archivo electrónico único no tiene una localización física o electrónica. Esta idea es esencial en cuanto al cambio profundo que se produce con la administración electrónica. Como señalábamos antes, al pensar en digital asumimos que la tecnología electrónica nos permite liberarnos de la tiranía del espacio físico en materia de archivos.

---

(3)   El carácter básico se produce al amparo de lo dispuesto en el artículo 149.1.18.ª de la Constitución Española, que atribuye al Estado la competencia para dictar las bases del régimen jurídico de las administraciones públicas y competencia en materia de procedimiento administrativo común y sistema de responsabilidad de todas las administraciones públicas.

• El archivo electrónico único no es un archivo único por organismo, por entidad, etc. Es archivo único para cada administración pública: AGE, comunidades autónomas, entidades locales.

• Tal como lo concibe la LPAC, si bien es cierto que peca de escasa concreción, el archivo electrónico único no debería ser una mera agrupación de archivos electrónicos, o una pantalla única que da paso a diferentes repositorios; lo que podríamos denominar popularmente un "likódromo". Es un servicio único, con un claro concepto de lo único en cuanto a común para todos.

• La LPAC establece claramente un antes y un después. Hay un punto de partida, desde la propia LPAC, que es de administración electrónica. Lo anterior es el mundo del papel, lo analógico. En el mundo del papel prácticamente no entra la ley, se limita a establecer la compatibilidad de todo el nuevo mundo que pone en marcha con el Archivo Histórico y con los sistemas de archivos existentes. En el propio preámbulo de la ley se puede leer:

— «La creación de este archivo electrónico único resultará compatible con los diversos sistemas y redes de archivos en los términos previstos en la legislación vigente, y respetará el reparto de responsabilidades sobre la custodia o traspaso correspondiente. Asimismo, el archivo electrónico único resultará compatible con la continuidad del Archivo Histórico Nacional de acuerdo con lo previsto en la Ley 16/1985, de 25 de junio, del Patrimonio Histórico Español y su normativa de desarrollo».

— De la aclaración se deducen dos mensajes claros. Uno, en materia de archivos, la LPAC es muy respetuosa con la regulación preexistente en papel. Otro, que el archivo preexistente en papel se queda fuera de esta nueva regulación, salvo en lo que afecta al «reparto de responsabilidades sobre la custodia o traspaso correspondiente», así como al Archivo Histórico.

• Llama la atención el hecho de que la disposición transitoria primera de la LPAC hace un brindis al sol, al señalar que cuando sea posible, los documentos en papel asociados a procedimientos administrativos finalizados antes de la entrada en vigor de la Ley deberán digitalizarse de acuerdo con los requisitos legales. Parece ingenuo pensar en la posibilidad de digitalizar millones y millones de documentos en papel previos a la ley. En todo caso, esta disposición se aplicará de una forma puntual y muy selectiva. Probablemente en casos como los ficheros de recursos humanos, expedientes concretos que forme parte de un plan que precisa la digitalización, etc.

• Como hemos apuntado, la LPAC se preocupa exclusivamente de la conservación del documento electrónico, pero eso no quiere decir que se pueda cumplir la ley de la forma más operativa posible para la organización. En este sentido, desde entornos profesionales se plantea la conveniencia de gestionar conjuntamente los archivos en papel y los electrónicos, algo que la ley no establece, pero tampoco prohíbe. Estamos, por tanto, ante una cuestión organizativa y de la posibilidad de contar con el instrumento capaz de dar respuesta a esa necesidad.

• De acuerdo con la LPAC, el archivo electrónico no es una solución total integradora de archivo en papel y archivo electrónico, sino que está planteado para expedientes electrónicos finalizados.

Bien es cierto, sin embargo, que los plazos de implantación del archivo electrónico único difícilmente se van a cumplir en su totalidad. Por tanto, a nivel operativo es posible plantearse una etapa de transición de gestión coordinada o unificada de los archivos de una organización. Pero esa ya es una opción de cada organización, teniendo en cuenta, por otro lado, que hay casos como el de la AGE, donde si establece un archivo electrónico único para toda la AGE, difícilmente se podrá gestionar de forma unificada con unos archivos en papel dispersos.

• Por otro lado, en fin, hay que tener en cuenta que la tecnología permite fácilmente el almacenamiento inmediato de tramitadores, pero, como hemos apuntado antes, ese almacenamiento no garantiza la conservación del documento electrónico, ni mucho menos su recuperación en el futuro. Y no olvidemos que el archivo electrónico debe asegurar la accesibilidad, disponibilidad, integridad y autenticidad de los documentos electrónicos en el futuro, independientemente del medio físico de almacenamiento y del formato del fichero.

3.3. Conservación documental

• La LPAC fija el foco en esta materia en la conservación documental, y el planteamiento que hace del archivo electrónico es el de considerarlo el marco adecuado para la consecución del objetivo de conservación perseguido.

• El primer apartado del artículo 17 de la LPAC obliga a cada administración pública a «mantener un archivo electrónico único de los documentos electrónicos que correspondan a procedimientos finalizados». Es decir, introduce el concepto archivo electrónico y le traslada todo el valor del patrimonio documental del archivo en papel.

• Del apartado anterior deriva también una característica muy importante: al archivo electrónico llegarán los documentos de «procedimientos finalizados». Por tanto, nos centramos en la fase finalista, del archivo electrónico, lejos de cualquier tentación de unirlo a la tramitación o la gestión documental. Ahora bien, no establece la LPAC ningún plazo, ni siquiera orientativo, que permita tener una cierta idea sobre el tiempo transcurrido entre la finalización del procedimiento y su envío al archivo. Por tanto, podría ser legalmente válido una larga permanencia del expediente finalizado en los repositorios propios de las aplicaciones tramitadoras o de gestión documental.

De hecho, este aspecto va a permitir que cada organización establezca unos plazos de transferencia más o menos lejanos en el tiempo de finalización de los trámites, en función sus planteamientos, cultural organizacional, etc. Grandes organismos, con una gestión de documentos electrónicos claramente asentada, como la Agencia Estatal de Administración Tributaria (AEAT) o la Seguridad Social probablemente conserven sus expedientes finalizados durante largo tiempo, quizá hasta el momento de pasar al Archivo Histórico la documentación no destruida tras el estudio de valoración.

• Añade el artículo 17 de la LPAC que «los documentos electrónicos deberán conservarse en un formato que permita garantizar la autenticidad, integridad y conservación del documento, así como su consulta con independencia del tiempo transcurrido desde su emisión». Por tanto, el foco garantista está puesto en el documento y es preciso asegurar que el archivo electrónico del que nos dotemos hará posible la conservación total del documento, independientemente del tiempo que transcurra y de los cambios tecnológicos a los que sin duda irá dando paso ese transcurrir del tiempo. Para ello, la aplicación que se establezca deberá garantizar también el traslado de «los datos a otros formatos y soportes que garanticen el acceso desde diferentes aplicaciones».

• Además de los requisitos que hagan posible la conservación del documento, el archivo electrónico único deberá contar con medidas adecuadas, de acuerdo con el Esquema Nacional de Seguridad (ENS) para garantizar «la integridad, autenticidad, confidencialidad, calidad, protección y conservación de los documentos almacenados».

• Con respecto a la eliminación de documentos, la LPAC se limita a recordar que todo sigue igual. Deberá ser autorizada «de acuerdo a lo dispuesto en la normativa aplicable» en cada caso, en cada administración pública.

• En el plano de la seguridad, el artículo 17 de la LPAC hace hincapié en la necesidad de asegurar «la identificación de los usuarios y el control de accesos, así como el cumplimiento de las garantías previstas en la legislación de protección de datos». Contempla así el derecho de los ciudadanos al acceso a la información pública, archivos y registros, de acuerdo con lo previsto en la Ley 19/2013, de 9 de diciembre, de transparencia, acceso a la información pública y buen gobierno y el resto del ordenamiento jurídico.

3.4. Calendarios de aplicación

• Donde la LPAC se libra en mayor medida de la ambigüedad es en lo relativo al calendario de vigencia, transición y aplicación del archivo electrónico. En aspectos como el registro, ese plazo es válido, pero en el caso del archivo electrónico, el plazo fijado por la ley no garantiza nada. Por la sencilla razón de que, si no se ha implantado la administración electrónica, si no hay expedientes de procedimientos electrónicos finalizados, ¿qué vamos a enviar al archivo electrónico? Es decir, quizá la ley no ha sido realista al poner el foco en el plazo del archivo electrónico, en lugar de poner el foco en la gestión electrónica total.

La LPAC entró en vigor al año de publicarse, y su disposición final séptima (DP7) retrasaba la entrada en vigor hasta el 2 octubre de 2018 del registro electrónico de apoderamientos, registro electrónico, registro de empleados públicos habilitados, punto de acceso general electrónico de la administración y archivo electrónico único. No obstante, tan irreal era el plazo establecido por el legislador, que a pocas semanas de la citada fecha el Gobierno retrasó la fecha dos años a través del Real Decreto-ley 11/2018, de 31 de agosto, de transposición de directivas en materia de protección de los compromisos por pensiones con los trabajadores, prevención del blanqueo de capitales y requisitos de entrada y residencia de nacionales de países terceros y por el que se modifica la Ley 39/2015, de 1 de octubre, del Procedimiento Administrativo Común de las Administraciones Públicas. La famosa DF7 fijó una nueva fecha en el 2 de octubre de 2020.

• Los principales plazos legales relacionados con respecto al archivo electrónico, una vez modificada la DF7, son los siguientes:

— El archivo de los documentos correspondientes a procedimientos administrativos ya iniciados antes de la entrada en vigor de la LPAC, se regirá por lo dispuesto en la normativa anterior. (DT1)

— En el ámbito de la AGE, durante el primer año de entrada en vigor de la LPAC se mantienen los registros y archivos existentes (hasta el 2 de octubre de 2017); pero al segundo año de entrar en vigor (a partir del 2 de octubre de 2017) habrá como máximo un registro y un archivo por ministerio y un registro electrónico por cada organismo público. (DT2)

— Mientras no entren en vigor las previsiones relativas a los registros y al archivo único electrónico (hasta el 2 de octubre de 2020), las administraciones públicas mantendrán los mismos canales, medios y sistemas previamente existentes a la LPAC. (DT4)

— En materia de archivos continúan vigentes las leyes 30/92 y LAE hasta la entrada en vigor (2 de octubre de 2020) del archivo electrónico único. (DDU)

— El archivo único electrónico entra en vigor el 2 de octubre de 2018. (DF7)

Cabe prever, no obstante, que el nuevo plazo se incumplirá nuevamente. El legislador español tiene una larga tradición de desaciertos en materia de plazos, aspecto especialmente notorio en administración electrónica. Recordemos que el ENI preveía nada menos que una adecuación total de todas las administraciones públicas al ENI nada menos que para enero de 2014. Dicha adecuación no se ha producido aún seis años después ni se va a producir al corto plazo. De hecho, la adecuación plena al ENI de las AA PP supondrá de hecho la puerta de entrada a la administración electrónica.

La culminación del cumplimiento de la LPAC prevista en la DF7 para el 2 de octubre de 2020 tampoco se va a cumplir. Téngase en cuenta que cumplirse significaría que todas las administraciones públicas, desde el más pequeño municipio, hasta el más grande ministerio, estarían funcionando sólo en electrónico. Partimos de la ingenuidad de creer que la administración electrónica se implantará con una única velocidad igual para todas las AAPP, y continuamos por lo menos ingenua creencia de que tal milagro se producirá sin un gran plan de inversiones ni dotaciones específicas de medios técnicos, humanos y presupuestarios.

4. ARCHIVO ELECTRÓNICO ÚNICO, MEJOR QUE ARCHIVO ÚNICO ELECTRÓNICO

Lo primero que llama la atención con respecto al nuevo concepto acuñado por la LPAC, es el hecho de que la propia ley usa indistintamente las siguientes expresiones: archivo único electrónico, archivo electrónico, archivo electrónico único y, simplemente, archivo.

Este uso indiscriminado de cuatro expresiones diferentes con un mismo significado en la LPAC, hay quien ha querido interpretarlo asignando funciones diferentes a cada expresión. Sobre todo, se han intentado buscar sentidos conceptuales específicos a las expresiones archivo electrónico único y archivo único electrónico. Sin embargo, si observamos esas expresiones en el articulado de la LPAC entenderemos fácilmente que las cuatro expresiones son usadas a modo de sinónimos en la ley.

Esta situación es meramente coyuntural. En el futuro el término electrónico seguramente dejará de usarse a medio plazo. Hoy lo usamos porque queremos significar que no es papel, que hay un cambio. Cuando todo el procedimiento administrativo hacia dentro y hacia fuera, sea electrónico, tal como establecen la LPAC y la LRJSP, la reiterada expresión «electrónica» no será necesaria. Tal como ocurre en estos momentos, que hablamos de procedimientos, pero no de procedimientos «en papel».

Como señalaba antes, el legislador alude al mismo concepto usando indistintamente en su articulado diferentes expresiones. Esto ha generado cierta dosis de confusión, sobre todo las expresiones archivo electrónico único y archivo único electrónico. Sin embargo, es evidente que el legislador se inclina por la primera, ya que es la que más usa a lo largo del articulado. Y resulta evidente, al mismo tiempo, que en tal caso el término único se refiere al archivo electrónico (sólo al electrónico). Es decir, el archivo electrónico puede ser único gracias a la tecnología actual y la LPAC determina que lo sea.

Lo cierto es que la expresión archivo único electrónico sólo es empleada en la LPAC en tres ocasiones, en las disposiciones transitoria cuarta, derogatoria única y final séptima. Algo anecdótico, por lo que cabe esperar que el futuro desarrollo reglamentario deje claro este aspecto usando una única expresión.

5. PARA TODAS LAS ADMINISTRACIONES PÚBLICAS

Como apuntábamos más arriba, un aspecto importante derivado de la inclusión del archivo en una normativa de procedimiento, es el hecho de que estemos ante legislación básica que obliga a todas las administraciones públicas, al amparo de lo dispuesto en el art. 149.1.18.ª de la CE. Este precepto constitucional atribuye al Estado la competencia para dictar las bases del régimen jurídico de las administraciones públicas y competencia en materia de procedimiento administrativo común y sistema de responsabilidad de todas las administraciones públicas.

Además de eso, la ley extiende en la disposición adicional segunda la obligatoriedad incluso al uso de las herramientas compartidas por el Estado. Las CC.AA. y EE.LL. podrán adherirse voluntariamente y a través de medios electrónicos a las plataformas y registros establecidos al efecto por la AGE. Su no adhesión, deberá justificarse en términos de eficiencia y garantizar el cumplimiento de los requisitos del ENI.

6. EL CAMBIO DE PARADIGMA

6.1. Teletrabajo en los archivos

Ya hemos dicho que el archivo electrónico único no tiene una localización física o electrónica. Esta idea es esencial en cuanto al cambio profundo que se produce con la administración electrónica. Al pensar en digital asumimos que la tecnología electrónica nos permite liberarnos de la tiranía del espacio físico en materia de archivos, y no debemos trasladar esa tiranía a un espacio electrónico concreto. El ejercicio de la gestión archivística y de la custodia puede realizarse desde cualquier parte y a cualquier hora. Incluyendo la opción de que el puesto de trabajo del archivero sea un puesto de teletrabajo, algo absolutamente impensable cuando la ubicación del papel era un factor decisivo.

A modo de colofón, destaquemos que todo este planteamiento al que nos hemos referido supone una nueva forma de trabajar, un nuevo procedimiento, un nuevo servicio al ciudadano. El ciudadano se encuentra con un servicio que le permite relacionarse con las administraciones públicas desde cualquier lugar a cualquier hora. Pero también el empleado público puede trabajar desde cualquier lugar a cualquier hora. Llega el teletrabajo, entre otros cambios sustanciales en la manera de trabajar, que se irán asentado en los próximos años.

En el sector del archivo, con un archivo electrónico deslocalizado, el archivero ejerce su función desde cualquier parte, mientras conserve la custodia. Por otro lado, se trata de un experto en gestión documental que tiene que asesorar a lo largo de todo el procedimiento, con el fin de que el expediente arranque su trayectoria con la calificación y metadatos adecuados.

6.2. ¿La blockchain desplaza el foco de la conservación hacia el documento?

Algo que no ha variado nada con la administración electrónica, tal como conciben la conservación de documentos electrónicos la LPAC y la LRJSP, es el hecho de que la estrategia de conservación está centrada en el archivo, en este caso electrónico, pero archivo al fin y a la postre. En este sentido, podemos afirmar que el planteamiento no cambia con respecto al papel, donde la estrategia de conservación también pasa por el archivo.

Como apuntamos en este mismo libro[4], no es ésta la única posibilidad. La estrategia de conservación centrada en el archivo es propia de la cultura papel Sin embargo, con la tecnología actual es posible desarrollar mecanismos que centren la estrategia de conservación en el propio documento. Por ejemplo, mediante un seguimiento del propio documento desde el minuto uno de su captura.

Más aún si pensamos en la tecnología Blockchain y en el documento inteligente, entendiendo por tal un documento capaz de «actuar» gracias a que incorpora una serie de instrucciones autoejecutables encadenadas y condicionadas entre sí. Dentro de esa cadena de condiciones, ¿no es lógico que el documento inteligente incluya también la instrucción relativa a cuando se elimina o pasa al archivo electrónico? Al menos sería bueno platearse hasta donde pueden y deben llegar los cambios de la mano de una transformación digital real.

7. BIBLIOGRAFÍA

ALMONACID LAMELAS, V. «El archivo electrónico en la Ley de procedimiento (10 preguntas y respuestas)», *Blog Nosoloaytos*, consultado en fecha 20 de abril de 2018, disponible en: goo.gl/fRqVvL.

BUSTOS PRETEL, Gerardo en el análisis del artículo 46 de la obra colectiva dirigida por CAMPOS ACUÑA, Concepción, *Comentarios a la Ley 40/2015 de Régimen Jurídico del Sector Público*. Wolters Kluwer. Madrid. 2017.

BUSTOS PRETEL, Gerardo, en el análisis del artículo 17 de la obra colectiva dirigida por CAMPOS ACUÑA, Concepción, *Comentarios a la Ley 39/2015 de*

---

(4)   Véase en este libro «II. El documento electrónico en el centro del mundo digital», del mismo autor.

Procedimiento Administrativo Común de las Administraciones Públicas. Wolters Kluwer. Madrid. 2017.

BUSTOS PRETEL, Gerardo. «Archivo electrónico único: ¿colmena o tela de araña?». Blog Legaltoday. Abril 2017. Consultado el 20 de abril de 2018. Disponible en: goo.gl/KKemgR.

—. «Blockchain, o la revolución del documento inteligente». *Blog Legaltoday*. Abril 2018. Consultado el 20 de abril de 2018. Disponible en: goo.gl/RjbxHm.

—. «El archivo electrónico es la última etapa del documento electrónico», *Portal de Administración Electrónica OBSAE*, Nota técnica. Julio 2015. Consultado a 20 de abril de 2018. Disponible en: goo.gl/dyW7G4.

—. «Al final de camino, el archivo electrónico», *Boletín de ASTIC*, n.º 76. Abril de 2016. Consultado 22 de abril de 2018. Disponible en: www.goo.gl/RdB1dY.

—. «Entre "Archive" y la política de gestión de documentos electrónicos», *Tábula*. Asociación de Archiveros de Castilla y León, n.º 19, 2016.

DAVARA RODRÍGUEZ, Miguel Ángel. *Acceso electrónico de los ciudadanos a los servicios públicos*, El consultor de los Ayuntamientos, LA LEY, Madrid, 2010.

GAMERO CASADO, Eduardo y VALERO TORRIJOS, Julián (Coords.). *La Ley de Administración Electrónica. Comentario sistemático a la Ley 11/2007, de 22 de junio, de acceso electrónico de los ciudadanos a los servicios públicos*, Aranzadi, Pamplona, 2008.

GONZÁLEZ PÉREZ, Jesús y GONZÁLEZ NAVARRO, Francisco. *Comentario a la ley de régimen jurídico de las administraciones públicas y del procedimiento administrativo común (Ley 30/92, de 26 de noviembre)*, tomo I, 4.ª ed., Aranzadi, Pamplona, 2007.

COTINO HUESO, Lorenzo y VALERO TORRIJOS, Julián (Coords.). *Administración electrónica. La ley 11/2007, de 22 de junio, de acceso electrónico de los ciudadanos a los servicios públicos y los retos jurídicos del e-gobierno en España*, Tirant lo Blanch, Valencia, 2010.

MINISTERIO DE HACIENDA Y ADMINISTRACIONES PÚBLICAS. «Digitaliza-T. Guía para facilitar a las entidades locales el cumplimiento de las obligaciones digitales de las leyes 39 y 40/2015». *Uso de las herramientas tecnológicas de la DTIC*, Centro de Publicaciones del MINHAP, Madrid, 2010.

MINISTERIO DE HACIENDA Y MINISTERIO DE POLÍTICA TERRITORIAL Y FUNCIÓN PÚBLICA. *Guías de aplicación de la Política de gestión de documentos electrónicos. V.0* Centro de Publicaciones MINHAC. Madrid. 2019.

PALOMAR OLMEDA, A. «Régimen Jurídico del procedimiento electrónico», *Revista de Derecho-VLex,* n.º 138, noviembre 2015.

PALOMAR OLMEDA, ALBERTO. *Procedimiento administrativo.* Thomson-Reuters-Aranzadi. Navarra. 2ª edición. 2017.

PIÑAR MAÑAS, José Luis (Dir.). *Administración electrónica y ciudadanos,* Aranzadi, Pamplona, 2010.

RIVERO ORTEGA, Ricardo. *El expediente administrativo. De los legajos a los soportes electrónicos,* Aranzadi, Pamplona, 2007.

VELASCO RICO, Clara. «Archivo y conservación de los documentos administrativos electrónicos. Especial referencia a la ley 11/2007, de acceso electrónico de los ciudadanos a las administraciones públicas», en COTINO HUESO, L. y VALERO TORRIJOS, J. (Coords.), *Administración electrónica. La ley 11/2007, de 22 de junio, de acceso electrónico de los ciudadanos a los servicios públicos y los retos jurídicos del e-gobierno en España,* Tirant lo Blanch, Valencia, 2010.

PARTE II.

GESTIÓN DEL DOCUMENTO

5.

EL MATERIAL HACE AL DOCUMENTO: ENTRE LA ARCILLA Y LA ELECTRÓNICA

José Ramón CRUZ MUNDET
Universidad Carlos III de Madrid. ORCID:
http://orcid.org/0000-0001-6260-8976

1. INTRODUCCIÓN

Es muy probable que el origen de la escritura estuviera en la necesidad de plasmar datos, y no cualquiera, sino los numéricos, y es muy probable que surgiera de la necesidad de cuantificar: personas, cabezas de ganado, frutos... Por lo tanto, es muy plausible que los primeros signos gráficos fueran números, siquiera muescas incisas en un trozo de madera o sobre el propio suelo... cantidades de las que cupiera concluir una certeza: cuánto hay, de qué se dispone. También surgiría la necesidad de saber lo que queda, lo que se da o se debe dar y recibir, conceptos como repartir, añadir... la aritmética en definitiva, por básica e imprecisa que pudiera ser. Después vendría la necesidad de medir: cereales, tierras, distancias, volúmenes... Muy probablemente estos inicios se desarrollaron en un tiempo impreciso de transición entre las sociedades recolectoras y las agricultoras o agropecuarias, en definitiva, urbanas, por lo tanto más allá del cuarto milenio antes de nuestra era que está aceptado como límite máximo para el nacimiento de la escritura (MANGUEL, 1998).

Igualmente, estamos persuadidos de que el salto de la aritmética a la escritura vino de la necesidad de ordenar la vida colectiva en esas comunidades que cambiaron la itinerancia por la estabilidad, en espacios geográficos sobre los que se asentaron por su aptitud para la vida humana. Son las civilizaciones urbanas surgidas en Oriente Próximo, las actuales Turquía, Siria, Líbano, Israel, Egipto, Irak e Irán, fundamentalmente. Asentamientos estables que dejaron de ser mera unidad de agrupamiento para la recolección y la caza, para convertirse en poblados primero, en urbes más tarde, que explotaban el espacio mediante una división social del trabajo, y organizaban la vida de forma crecientemente sofisticada. Será en este entorno donde surja la necesidad de estabilizar, además de las personas, las palabras, y cuanto mayor y más próspera, diversa y compleja fuera una comunidad, tanto más urgente debió de ser la necesidad de fijar no sólo datos, sino también y sobre todo información, todo cuanto se ha constatado y adquirido, para tener certeza y para que no hubiera de repetirse cada vez que fuera necesario; todo aquello que se debía hacer saber y por tanto conocer, o sea, representar y transmitir conocimiento, acerca de cómo se organizaba la vida en comunidad, las relaciones interpersonales, familiares y grupales, las jerarquías o estamentos, las obligaciones y los derechos de individuos y de estamentos… cómo se hacían las cosas y cuáles eran sus efectos, cómo pasaba y se medía el tiempo, cómo se experimentaba y se obtenían conclusiones.

Nomina sunt consecuentia rerum, como diría milenios después Dante citando las Institutiones de Justiniano (TALAMANCA, 1989). Y para fijar las palabras fue necesario establecer una convención de signos que las simbolizaran. Primero se hizo con los significados, las ideas, representados mediante pictogramas o jeroglifos. Más tarde, hacia el IV milenio antes de Cristo, los sonidos pasaron a ser representados con un grado mayor de abstracción, de forma inequívoca, al menos en cuanto toca a su equiparación: un sonido un símbolo o una sucesión de ellos, siempre los mismos y en idéntico orden cuando representen un fonema, en unos casos, un morfema, en otros, o una idea, y así es como surgieron las escrituras fonéticas entre las que la cuneiforme es tenida por la más antigua; y más tarde las alfabéticas, entre las que la fenicia resulta la primera.

Una escritura que, a los efectos de nuestro interés, sirve para evidenciar hechos, actos y situaciones, de modo que adquiera lo dicho por escrito el valor de prueba. Un rasgo innato que le caracteriza y diferencia de otros usos y manifestaciones de la escritura.

Así es como mediante el registro (escritura) en un medio estable (soporte) se llegó al documento, como forma que contiene lo observado, lo dicho, lo acordado, a buen seguro y recaudo, con intención de que sea para siempre jamás o al menos mientras alguien necesite consultarlo, conocerlo o constatarlo, y siempre lo evidencie y conserve como prueba.

El documento representa también un paso adelante como fiador o garante de la memoria de las ciudades-estado, de los reinos, en definitiva de las sociedades, que ya no necesitan de un chamán, mnemón o memorioso al que confiar el relato de las cosas pasadas, pues los documentos en los archivos cumplen esa misión a perpetuidad.

Frente a la palabra dicha, mutable y difícil de constatar para quien no la ha oído y aun en tal caso susceptible de olvidarse o de no ser recordada con exactitud, la palabra escrita permanece y se puede volver a ella siempre que sea necesario, encontrándola tal cual, incólume, cuantas veces se revisite.

Para que tal hecho sea posible, para consultar un documento desde el momento mismo en que concluye su redacción en adelante, es preciso guardarlo, y como ha de hacerse con otros muchos, será imperioso individualizarlo y así distinguirlo de sus demás congéneres que pronto se contarán por cientos y miles. De modo que siendo tantos hace falta organizarlos, y que la búsqueda de uno concreto sea factible. Y así es como surge el archivo, junto con la escritura y el documento. Las excavaciones arqueológicas han evidenciado que en todas la ciudades de la antigüedad más remota: Hatzor, Nippur, Ur, Uruk, Ugarit… existieron archivos, no meros grupos de documentos arrumbados, sino repositorios organizados de acuerdo con un plan que se repite en los archivos de la mayoría de palacios, y templos. Basten un par de ejemplos. El edificio de los archivos reales de Ugarit estaba compuesto por tres depósitos diferentes, que alojaban los documentos según fueran de carácter diplomático, financiero o administrativo. El reparto de los documentos en las salas o depósitos de este archivo, evidencia que los fondos eran escrupulosamente organizados y conservados según una clasificación rigurosa. Un tipo de clasificación que se repite en las excavaciones de la ciudad de Hatzor, patria de los cananeos, llevadas a cabo por un grupo de arqueólogos españoles, que en agosto de 1996 sacaron a la luz los archivos reales de la ciudad, uno de los centros comerciales más importantes de la época. La primera deducción es que se trataba de una actividad consciente, sistemática y basada en un conocimiento y una concepción del orden específicos, y que quien ejercía esta magistratura lo hacía desde la base de un conocimiento que podemos calificar de experto.

Y así como se tiene constancia de la existencia de archivos, en toda la Antigüedad tenemos noticias de personajes encargados de ellos, aunque no cabe pensar en un plano estrictamente profesional, ni siquiera como ocupación única; sino como una función inherente a distintos cargos. Por ejemplo, en los archivos del reino de Ugarit (hititas), a comienzos del s. XII a. C. se tiene constancia de un personaje llamado Urtenu, alto dignatario del reino, posible intendente de la reina, que ejercía importantes funciones políticas administrativas, y habitaba la casa de los archivos. En el imperio persa se cita a los *hamarakara* a un tiempo archiveros y contables. En Egipto la función archivística dependía del personaje más poderoso de la administración, el visir. Y si la arqueología y los estudios de esta época nos lo permitieran, encontraríamos sin lugar a dudas muchas otras evidencias al respecto. Si nos situáramos en las grandes culturas orientales, podríamos comprobar que la situación era equiparable. En China, por ejemplo, en los siglos IV y III a. C. el gran escriba era a un mismo tiempo archivero, además de astrólogo y astrónomo. En Japón y en la India el caso era muy parecido (CRUZ, 2012).

2. LA MATERIA IMPORTA

Desde los orígenes se han venido empleando diferentes soportes, medios y técnicas de registro de la información, y aunque tendemos a identificar grandes períodos por un tipo predominante, el barro en las primeras ciudades estado, el papiro en el antiguo Egipto... lo cierto es que la realidad fue bastante más rica y variada.

Parece lógico que el primer criterio para optar por una materia escriptoria debió de ser su abundancia y disponibilidad, además de su capacidad demostrada para soportar la escritura. Esto debió de llevar a que los pobladores del creciente fértil del Tigris y el Éufrates, que la tenían a mano, a utilizar la arcilla humedecida, y a convertirla en soporte principal de los primeros documentos. Un medio de gran plasticidad al que se le puede dar la forma deseada, habitualmente la de una superficie lisa, no muy gruesa, llamada tablilla, sobre la que resulta fácil realizar incisiones con la ayuda de un tallo vegetal con un corte a bisel o cuña en su extremo, de ahí el nombre de cuneiforme que recibirá la escritura. Una vez redactados los documentos y para evitar el borrado del texto, se cocían en un horno o se dejaban secar al aire, logrando de este modo además evitar la sobreescritura e introducir un elemento de seguridad.

Las tablillas de barro se empleaban sobre todo para la redacción de documentos de gestión, lo que hoy denominaríamos de carácter administrativo, contable, y los borradores de los más importantes; sin embargo, los solemnes, los destinados a la posteridad, las crónicas, las genealogías, se escribían sobre tela, de lino fundamentalmente, con tinta a base de negro de humo. Estos documentos se conservaban enrollados y dentro de protectores como vasijas, cofres de madera, en ocasiones maderas preciosas trabajadas con elegancia; sin embargo, estos soportes no han podido vencer el paso del tiempo y tan sólo nos han llegado vestigios fragmentarios. También se empleó la piedra, además de para hacer inscripciones breves, para la fijación de textos, como el famoso Código de Hammurabi.

Desde el IV milenio a.C. fue sin duda la técnica predominante y tras varios milenios desapareció, como lo hicieron las sociedades que la idearon, sin perpetuarse, ni transmitirse a las posteriores. Lo contrario que le sucedió al soporte característico del antiguo Egipto, el papiro, cuyo uso se extendió a otras culturas. Se trata de una planta característica del delta del Nilo y también presente en otras latitudes de la cuenca mediterránea. El soporte era elaborado a base de cortar el tallo en finas tiras, dispuestas en una capa vertical y otra horizontal, que se unían mediante presión o golpeo gracias al aglutinante de la savia. Después se alisaba y uniformaba por fricción la cara de las tiras horizontales, que era la empleada para escribir. Se trata de un soporte apto para la escritura con tinta, bien mediante pincel (Egipto) o cálamo (Grecia y Roma), empleado en forma de hojas que se recortaban al formato necesario para la redacción de documentos, y que se unían en forma de rollos de unos cinco metros de longitud, para la escritura de textos sagrados y literarios. Por su abundancia y disponibilidad, fue ampliamente utilizado también por griegos y romanos hasta los primeros siglos de nuestra era.

La conservación del papiro, en cambio, es difícil por tratarse de un material sensible tanto a la sequedad, que lo cuartea y deshace por efecto de la deshidratación; como a la humedad, que lo reblandece, separa las tiras de fibras y diluye la escritura. Convivió con otros soportes como el lino y otras telas, que corrieron idéntica suerte, y con la pintura mural y la escritura sobre piedra en sus monumentos, que nos han legado la mayor parte de los vestigios escritos de esa época.

Un soporte alternativo primero, y que lo sustituyó más tarde, es el pergamino, que debe su nombre a Pérgamo, ciudad de la Magna Grecia, donde se cree que comenzó a fabricarse a gran escala. Elaborado a base de tratar la piel de determinados herbívoros jóvenes (bovinos, ovinos y caprinos sobre todo) hasta convertirla en una superficie lisa, con una de sus caras blanquecina y óptima para la escritura, y la otra más rugosa y amarillenta, que también podía ser blanqueada para su uso. Al igual que el papiro, se cortaba a medida para la redacción de documentos sueltos, o doblado en forma de cuadernillos y varios cosidos entre sí, dando lugar al códice, formato favorito para la escritura creativa y los libros sagrados.

Griegos y romanos siguieron empleando el papiro con mayor frecuencia sobre todo para los documentos administrativos, oficiales, hasta el Bajo Imperio, cuando fue definitivamente desplazado por el pergamino. Un soporte escriturario que convivió con otros, en función de su finalidad. Así, la escritura cotidiana se hacía sobre las famosas *tabullae ceratae*, consistentes en una hoja de madera enmarcada y con una capa lisa de cera en ambas caras, sobre la que se escribía con un punzón o estilete, el *stilo*, puntiagudo en un extremo para escribir, y romo en el otro para borrar alisando la blanda superficie. Junto con las tablillas de cera se empleaban popularmente otros soportes de fácil adquisición como la corteza de algunos árboles y la pizarra. En cambio, los documentos solemnes como leyes, decretos, estatutos, convenios… se escribían sobre planchas de metal, habitualmente bronce, de donde tomó su nombre el *Tabularium* o archivo de la antigua Roma. En nuestros museos arqueológicos abundan los ejemplares de este tipo de documentos, extraídos de las excavaciones de la antiguas ciudades hispanorromanas y pertenecientes, por lo tanto, a los primeros archivos municipales.

Lo más notable de la producción documental, por encima del aspecto material, es la evolución que van experimentando las técnicas para mejorarlos desde el punto de vista legal, prestando atención desde pronto a aspectos como la autenticidad, la fiabilidad, la seguridad… Desde los primeros estados, la protección divina era un elemento fundamental en la cadena de custodia de los documentos, por lo que era habitual ubicar los archivos, al menos algunos, en los propios templos, como es el caso del *Metroon* en la Atenas clásica, o el de las Vírgenes Vestales para determinados documentos del emperador romano, o incluso hubo un dios de los archivos, *Baalberit* el archivero, señor de los pactos y secretario de los cielos, en la mitología sumeria (Cruz, 2009). Una protección divina que se perpetuará en el orbe cristiano, sobre todo en la Edad Media.

En el caso mencionado de Atenas, lo que confería autenticidad a los documentos era el hecho de estar en el archivo, bajo la protección de los dioses, y que fueran públicos, es decir consultables, bien que sólo para quienes poseyeran la condición de ciudadanos, y usufructuarios plenos del sistema democrático ateniense. Roma, en cambio, dado su modelo jurídico-político, fiaba la seguridad a la capacidad de las instituciones del Estado, así como a la naturaleza misma de los documentos, de quién emanaban y de quién los refrendaba. Estamos en un momento fundacional del Derecho, en el que los documentos van adquiriendo por sí mismos ciertos caracteres que les confieren autenticidad y protección frente a falsificaciones; pero hasta tanto la seguridad jurídica es satisfactoria, se mantiene la costumbre inveterada de reservar su organización, al menos de los pertenecientes al Estado, a altos funcionarios públicos, y su guarda y custodia encomendada al *Tabularium*, en época republicana, y a los *Scrinia stataria* o *Scrinia palatii* en la imperial.

Lucio Cornelio Sila fue un personaje fundamental en la reforma de las instituciones y del derecho romano, como lo fue para los archivos y los documentos. Durante su dictadura se levantó el edificio del *Tabularium*, y mediante la *Lex testamentaria nummaria* (81 a. C.) estableció todo un régimen de garantías de autenticidad. La tipificación del delito comprende la creación y uso de testamento falso y además toda una serie de operaciones que pueden invalidar uno auténtico: su trueque por uno falso (*subicere*), abrirlo indebidamente o por persona no autorizada (*resignare*), destruirlo (*delere*), sustraerlo (*amovere*) y ocultarlo (*supprimere*).

Arrancando de las últimas voluntades, el delito de falsedad y su persecución se extienden progresivamente a todo tipo de documentos, tanto privados como administrativos. Se castiga con penas diferentes según el momento y el rango social del delincuente, unas veces era la pena de muerte, otras la deportación y confiscación de bienes.

Todo un elenco de procedimientos transmitidos hasta nuestros días y empleados con pocas variaciones. Desde aquellos tiempos, los documentos se estructuran a base de cláusulas, formulas y disposiciones específicas que se repiten, siempre las mismas, y permiten distinguir unos de otros sin que quepa duda sobre su tipología, además de que se especializan de acuerdo con las actividades y tramites que recogen. Una fórmula muy inteligente de conferirles seguridad, a cada categoría de actos le corresponde un tipo documental específico, y diferentes formas de escritura —uncial, cursiva de cancillería, minúscula— según la categoría del documento; y para hacerlo de manera estable se utilizaban formularios con modelos. Se introducen fórmulas —aún hoy utilizadas y fáciles de identificar— para corroborar la autenticidad como: la *suscriptio*, firma autógrafa con el nombre y cargo de los intervinientes, y la *signa* o sello. Procesos y conocimientos que junto con otros como la composición, los tipos de letra y el estilo, se enseñaban en la *schola* de notarios (*tabelioni*) anexa a la cancillería o administración imperial.

También es de origen romano el registro, donde se copian o extractan los documentos expedidos por las autoridades públicas, de modo que en caso de pérdida o necesidad de confirmar el original servía para autentificar su existencia y su tenor. También la certificación y la compulsa son instituciones romanas llamadas *vidimus*, como lo es la costumbre de cancelar los documentos abolidos y anulados, mediante la fórmula de trazar dos gruesas líneas oblicuas de tinta que se cruzan en el centro, conocida como *cancellare*. Otra institución muy unida a la autenticidad y a la fe pública, el notariado, es asimismo de origen romano.

En el siglo XII se produce la recepción o recuperación del Derecho Romano, y los siglos anteriores pueden ser considerados como un período de perpetuación en decadencia de las instituciones imperiales respecto del tema que nos ocupa. Un proceso que coincidió con la introducción del papel en Europa a través de España, donde se ubicó la primera manufactura en la localidad de Játiva hacia el año 1056 (DÍAZ DE MIRANDA y HERRERO, 2009). Se trata de una materia escriptoria rica en celulosa, de gran calidad y resistente al paso del tiempo y los factores exógenos que la degradan, obtenida en un medio acuoso a partir de tejidos usados de algodón, cáñamo y lino fundamentalmente. El resultado es una superficie fina y lisa por ambas caras, apta para la escritura con tinta mediante cálamo, pincel o pluma, y posteriormente también mediante los tipos de imprenta. A medida que su fabricación iba extendiéndose por los reinos cristianos, el papel sustituyó al pergamino rápidamente, quedando este relegado al empastado de códices y libros, y a determinados documentos solemnes, cuya expedición corriera a costa del beneficiario.

A partir del siglo XII con la recuperación de instituciones romanas como el notariado, la diversificación institucional y el crecimiento económico, demográfico y social, la tipología documental experimenta una diversificación paralela, con nuevos tipos y con nuevos procedimientos de validación como la de los notarios, depositarios de la fe pública, o la presencia de sellos dibujados en los documentos, pendientes en otros casos (de cera, de plomo...), las firmas autógrafas, la validación de consejeros y dignatarios... Una evolución que vivirá un momento decisivo durante el reinado de Isabel y Fernando, cuando la tramitación administrativa inicie una singladura que llevará a un período de profunda modernización de las instituciones españolas.

Con el papel como soporte ya exclusivo, será el documento simple el contenedor de todos los trámites desarrollados en la resolución de los asuntos durante los siglos XVI y XVII, con la provisión real como tipo emblemático y con los consejos como responsables de la toma de decisiones, por lo que hace a la administración de la monarquía. Que en el siglo XVIII transmutará en la consulta, precedente del expediente administrativo, en la que desde el memorial o el decreto que la inicia, según el caso, se van añadiendo los documentos a medida que avanza la tramitación hasta su finalización. Un modus operandi que cambiará a lo largo del siglo XIX con la introducción del Derecho Administrativo y del expediente como soporte por antonomasia de los procesos de toma de decisiones (RIVERO, 2008).

Desde el punto de vista del soporte poco cambiaron las cosas durante estos siglos hasta la aparición del papel de fabricación industrial, obtenido de la madera como fuente más abundante y barata de celulosa, aunque también de otros elementos como la lignina, que lo amarillean y tornan quebradizo, o los componentes clorados empleados en el proceso de blanqueado, lo que añade acidez. Un soporte en definitiva barato y que se puede fabricar a la medida de una demanda creciente, pero que lleva implícita su autodestrucción a plazo distinto, en función de sus calidades, pero en todo caso cierta.

Los siglos XIX y XX traerán nuevos soportes y nuevos medios de registro que cambiarán radicalmente la forma, primero, y después también la esencia misma de la acción administrativa, en particular, y del funcionamiento de la humanidad en general. Desde la noche de los tiempos la manuscrita había sido la única forma de escritura, al menos hasta la aparición de la imprenta a finales del siglo XV. Y lo siguió siendo por antonomasia en los siglos posteriores, pues el documento impreso desempeñó un papel marginal en el funcionamiento de individuos y organizaciones. Solo a comienzos del pasado siglo, la mecanográfica empezó a desplazar a la manuscrita a partir de la incorporación masiva de la máquina de escribir primero, y de otros medios mecánicos como el ordenador, después. Y junto al escrito, se van incorporando nuevos procesos de documentar, con soportes y técnicas revolucionarios que fueron enriqueciendo el panorama: la fotografía, la microfotografía, las grabaciones sonoras, la cinematografía, le reprografía… de modo que al papel se le añade el celuloide, el acetato, las tarjetas perforadas, la cinta magnética, la cera, la pizarra, el vidrio, el vinilo, el disco compacto…

Nuevos soportes, nuevos medios de registro, grandes ventajas y, también, nuevos retos. La incorporación de estas innovaciones fue en paralelo con la industrialización y el crecimiento económico de las sociedades desarrolladas, permitiendo así que las administraciones, como las empresas y los individuos, pudieran producir un volumen creciente de documentos al ritmo de sus nuevas y crecientes necesidades. Serán el XIX y el XX los siglos en los que surja y se desarrolle la administración moderna, con la aplicación de las técnicas de la gestión científica (*Management*) a unos procedimientos más ágiles y a unas organizaciones crecientemente profesionales y modernas. Ello introdujo, desde nuestro punto de vista, además de una más rápida caducidad de los soportes y de las tintas industriales, un nuevo elemento hasta entonces no sentido o apenas apuntado, como la hiperinflación documental. Los procedimientos mecánicos de producción administrativa, el creciente volumen de actividades sobre las que interviene el sector público, la incesante incorporación de nuevos servicios públicos, unido al crecimiento demográfico y económico, derivó en la necesidad de tratar ese ingente volumen de documentos mientras fueran necesarios para la gestión de los asuntos. Y cuando dejaran de serlo, la necesidad de disponer de ellos en una forma racional que garantizara la conservación permanente de cuantos poseyeran valor histórico o de prueba a largo plazo.

Y una conclusión, el nacimiento de la archivística como disciplina, y del archivero como profesional especializado en la gestión de los documentos y en la administración de los archivos. Estos procesos correrán en paralelo con la irrupción de una nueva categoría de derecho, nos referimos al de acceso a la información y su posterior, llamémoslo eufemismo, de transparencia y buen gobierno. En resumen, los documentos están al servicio de las organizaciones públicas, de los interesados en los procedimientos, y de cualquier ciudadano que a título individual o de manera organizada ve reconocido su derecho de acceso efectivo a la información.

Un modelo que irá trascendiendo al ámbito privado, tanto de los individuos como de las organizaciones, a través de los nuevos sistemas de gestión materializados en los conceptos de calidad (ISO 9000, ISO 14000 entre otras), de responsabilidad social corporativa (accountability, mal traducida por rendición de cuentas), el habeas data y el entorno que regula la protección de datos de carácter personal.

Y todo esto se producirá, en ocasiones como causa, y siempre en medio, de un proceso de incorporación de las tecnologías de la información y de las comunicaciones a todos los ámbitos de la actividad humana, sea individual o colectiva, pública y privada. Eso que últimamente se ha bautizado bajo la expresión de digitalización (gone digital), donde ahora estamos y que desde la perspectiva archivística y documental nos plantea un cambio de paradigma.

Este repaso vertiginoso a casi 6.000 años de historia del documento nos servirá también para valorar y contextualizar lo que representa ese mundo que nos empeñamos en etiquetar de inmaterial, por mucho que los bits, los dígitos, los electrones y su condensación en nubes, al final son tan materia como la arcilla, el papiro, el pergamino o el papel. Y en tanto materia participa de los límites que impone el paso del tiempo, solo que agudizados y acelerados, además de otros nuevos, que podemos denominar intrínsecos, cuya acción autónoma y en combinación con el factor tiempo parecen abocarnos a eso que se ha dado en conocer como Edad Oscura Digital (Digital Dark Age).

3.   EL DOCUMENTO SE HACE DIGITAL

Desde la aparición de la fotografía en los años treinta del siglo XIX, se han sucedido nuevos medios y soportes documentales como el microfilme, el cine, el disco, la cinta magnética… que han convivido con el papel (manuscrito o impreso) como vehículo de la información. A partir de mediados del siglo pasado se inició un cambio de tendencia con la irrupción, lenta al principio, acelerada en las últimas décadas, de nuevos sistemas que han ido desplazando a los medios analógicos, cuya sustitución se presenta como horizonte ineludible; se trata de las Tecnologías de la Información y de las Comunicaciones (TIC).

El mundo se hace digital, la economía se digitaliza, como lo hacen las organizaciones y los individuos. Salvo el libro y la lectura que persisten en el papel, al menos en parte; las administraciones, las empresas y los ciudadanos avanzamos hacia el cercano horizonte del gobierno electrónico, de la sociedad digital. Como muestra, un botón: el 2 de octubre de 2016 entraban en vigor la LPAC y la LRJSP. Orientadas ambas a ordenar una administración totalmente electrónica, cuyas actividades se basen exclusivamente en documentos digitales. Un panorama armonizado en prácticamente todo el mundo, que avanza hacia una segunda globalización, la digital.

Llegados a este punto procede establecer los elementos caracterizadores del documento electrónico o digital, así como las diferencias que lo separan de sus predecesores analógicos.

De acuerdo con la norma ISO 15489:2016 los documentos se caracterizan por ser auténticos, fiables, íntegros y utilizables:

1. La autenticidad deriva de que un documento puede probar que es lo que pretende ser, ha sido creado o enviado por la persona que se presume, y ha sido creado o enviado en el tiempo presumido.

2. La fiabilidad se refiere a que sus contenidos pueden ser creídos como una representación exacta y completa de las transacciones, actividades o hechos de los cuales dan fe y seguridad, así durante su desarrollo, como en transacciones o acciones futuras. Sus contenidos son fidedignos.

3. La integridad significa que el documento está completo e inalterado, y es posible constatarlo fehacientemente.

4. La usabilidad o disponibilidad hace referencia a que es accesible, que puede ser localizado, recuperado, presentado e interpretado.

…y siendo electrónicos contienen metadatos relativos, al menos, a: la estructura, el contenido y el contexto.

De modo que avanzando en el concepto podemos admitir con el Comité de Documentos Electrónicos del CIA (Committee on Electronic Records, 1997, 22):

«Un documento es información registrada producida o recibida en la iniciación, desarrollo o finalización de una actividad institucional o individual y que consta de contenido, contexto y estructura suficiente para proporcionar prueba de la actividad».

Las dos definiciones manejadas hasta aquí, en torno a las cuales hay consenso y aceptación, dejan fuera un aspecto a nuestro entender relevante, sobre todo en el ámbito de los documentos electrónicos, que muchas veces sólo existen o se perciben como entidades diferenciadas por medio de la presentación; de ahí que propongamos en línea con nuestro Diccionario de Archivística, un concepto de documento más completo, entendiendo por tal: «Entidad de información de carácter único, producida o recibida en la iniciación, desarrollo o finalización de una actividad; cuyo contenido estructurado y contextualizado se presenta como evidencia y soporte de las acciones, decisiones y funciones propias de las organizaciones y de las personas físicas y jurídicas. Los componentes de un documento son: Contenido: el mensaje. Estructura: el uso de encabezamientos y otros dispositivos para identificar y etiquetar partes del documento. Contexto: el entorno y la red de relaciones en los que el documento ha sido creado y utilizado. Presentación: consiste en la combinación de los contenidos, de la estructura y, en el caso de los documentos electrónicos, también del software de presentación utilizado» (CRUZ, 2011, 146).

Y si se trata de definirlo, por adjetivación, electrónico «el documento generado, gestionado, conservado y transmitido por medios electrónicos, informáticos o telemáticos, siempre que incorporen datos firmados electrónicamente» (Cruz Mundet, 2011, 148). También podemos invocar la autoridad normativa que lo define como: «Información de cualquier naturaleza en forma electrónica, archivada en un soporte electrónico según un formato determinado y susceptible de identificación y tratamiento diferenciado» (Ley 56/2007).

El documento electrónico posee diferencias con el analógico, que no por evidentes dejan de ser reseñables (Committee on Electronic Records, 1997, 23-25):

1. Registro y uso de símbolos: mientras que el contenido de un documento tradicional está recogido en un medio y a través de símbolos que lo hacen directamente accesible para el ser humano; en cambio, el documento electrónico está recogido en un medio y a través de símbolos que deben ser decodificados para hacerlo accesible al ser humano. Por ello el medio (hardware) y los símbolos (software) son condiciones de posibilidad del documento electrónico.

2. Conexión entre contenido y medio: mientras que el contenido de un documento tradicional es inseparable del medio (soporte) que lo recoge, el de un documento electrónico puede ser separado del medio original y trans-

ferido a otro u otros soportes. Ello aumenta las posibilidades de corrupción y es un factor crítico para asegurar la autenticidad y la fiabilidad.

3. Características de la estructura física y lógica: mientras que la estructura es una parte integral y aparente del documento tradicional, y uno de los principales criterios para valorar su autenticidad; la del documento electrónico no es tan aparente, sino que depende del hardware y del software, hasta el punto de cambiar cuando se pasa de un medio a otro, por lo que no puede tener el mismo valor que en el tradicional. La estructura lógica, por otra parte, lo identifica y representa los elementos de su estructura interna, la que le ha dado su creador. Para considerarlo completo y auténtico el documento debe conservar esta estructura originaria.

4. Metadatos: el documento electrónico carece de los elementos que en uno tradicional permiten establecer su contexto funcional y administrativo, esa función la cumplen los metadatos, que describen cómo ha sido creado, cómo se ha registrado la información, cuándo y por quién, cómo está estructurada, cuándo se ha utilizado, la vinculación con otros documentos, su descripción para poder recuperarlo, el formato de conservación y cuantos aspectos resulten relevantes para su gestión.

5. Identificación: que no puede hacerse por los medios tradicionales, sino a través de los metadatos.

6. Conservación: que no depende sólo de las condiciones de almacenamiento, sino de la rápida obsolescencia de los sistemas.

A la vista de los cambios introducidos por los entornos tecnológicos, el concepto de documento quedaría incompleto si no lo tratáramos en cierto sentido desde su negación, aunque suene raro. Podemos convenir que en su versión electrónica el documento, tal cual nos lo representamos como entidad física diferenciada, muchas veces no llega a crearse, a individualizarse, y lo que gestionamos son distintas informaciones de cuya integración se pueden producir documentos. Y desde este punto de vista alguien podría pensar que el documento ha desaparecido en cuanto tal, de hecho hay una tendencia a hablar de activos digitales en la literatura sobre seguridad de la información, término omnicomprensivo que incluiría obviamente el que ahora nos ocupa.

A este aspecto queremos referirnos, por cuanto admitiendo incluso esa posibilidad, existe un tipo específico de activo digital al que denominamos documento, y existe un tipo de información correspondiente que es objeto de tratamiento exclusivo de la archivística. Esta información antes siempre contenida y representada en los documentos, y ahora también o al menos susceptible de serlo cuando sea necesario, esta información decíamos se caracteriza porque siempre cumple con tres características definitorias:

1. Es una información interna, producida por personas (físicas o jurídicas) en el desarrollo de sus actividades, de forma necesaria e inevitable.

2. Es una información previsible, por cuanto es fruto de procesos establecidos, sean los procedimientos administrativos (caso de las administraciones públicas), sean los procesos (caso de las organizaciones privadas), sea la gestión de las actividades propias de las personas físicas en las que no interviene la voluntad creativa.

3. Es una información reglada, en su creación, uso y conservación. La creación de dicha información, la forma de recogerse y de ser representada está recogida y regulada por normas legales y/o de procedimiento interno. Su utilización (tramitación, acceso, información, obtención de copias) también está sancionada por normas legales de carácter público —incluidas las de defensa de la privacidad— y/o por normativa interna de las organizaciones privadas. Su conservación, entendida en términos de eliminación o conservación, asimismo está regulada por normas.

Siempre que nos encontremos ante información que cumpla con estas tres condiciones estaremos ate documentos o trasunto de ellos, en cualquier caso ámbito competencial del archivo y del archivero.

4. INMATERIAL: ESCRITO EN LA NUBE

La digitalización se acompaña de un sinfín de ventajas: rapidez, eficiencia, economía, exhaustividad, precisión… en cuantos sectores y actividades se aplique; pero su otra cara, nada oculta, sino todo lo contrario, es que la información, los documentos, desaparecen y en buena medida a corto plazo. Una certeza y al tiempo una preocupación presente desde los inicios de la revolución tecnológica. En 1997, cuando los usuarios de Internet apenas representaban el 2% de la población mundial y las conexiones eran vía modem, Terry Kuny, consultor tecnológico canadiense, acuñó la expresión *Digital Dark Age* (Edad Oscura Digital). En ella sostenía que estábamos —y continuamos— en una era en la que se valoran más el cambio y la velocidad, que la conservación y la longevidad.

Así nos encontramos en una carrera contra el tiempo, y para tratar de ganarla desde el principio se ha establecido una serie de estrategias de preservación, cuya tipología permanece invariable (HENDLEY, 1998, 21-31):

1. *Preservación de la tecnología:* que supone conservar en funcionamiento el hard y el soft con el que se ha creado la información, algo que es difícilmente viable más allá de un plazo corto o medio. Y en cualquier caso imposible para todas las generaciones ya pasadas de tecnologías de las que poco queda disponible.

2. *Emulación de la tecnología:* lo que significa tener la capacidad de imitar el funcionamiento de tecnologías caídas en desuso y no disponibles. Requiere un esfuerzo de ingeniería de sistemas y programación, poseer documentación detallada y una inversión importante. Es recomendable para aquellos casos en los que reproducir la apariencia original de la información sea altamente relevante.

3. *Migración de la información digital:* la mejor manera de asegurar la capacidad futura de decodificar un conjunto de bits en un fichero es que estén codificados en un formato independiente del hard y el soft con los que se originó. De este modo se asegura siempre la disponibilidad de software para decodificarlo. Ello implica la transferencia periódica de la información entre configuraciones y generaciones tecnológicas, de modo que se asegure el acceso. Existen distintas estrategias de migración:

a) Cambio de medio: transfiriendo la información a medios más estables como el papel (impresión) o el microfilm (COM, Computer Outcome Microfilm). Es válida cuando lo que importa es el contenido, no el acceso o su forma original.

b) Compatibilidad retrospectiva: se basa en la capacidad de algunas aplicaciones de usuario para reconocer y convertir información creada con versiones anteriores. Válida para documentos simples creados con programas comerciales y de conservación a corto plazo.

c) Interoperabilidad: deriva de la capacidad de importar recursos digitales creados por aplicaciones distintas, muchas veces rivales, mediante el uso de un formato común de intercambio. Si bien la interoperabilidad es un concepto mucho más amplio y hace referencia a la capacidad de los sistemas para trabajar en red mediante el uso de estándares que venzan la incompatibilidad y las diferencias tecnológicas.

d) Conversión a formatos normalizados: es una estrategia especialmente pensada para reducir una gran variedad de formatos en uno o unos pocos, de modo que se facilite la conservación, gracias a su carácter de estándares como PDF, JPEG...

4. *Replicado:* también conocido como volcado, *backup* o copia de seguridad, donde lo que cambia habitualmente es el soporte y muchas veces la ubicación física de este.

5. *Arqueología digital:* más que una técnica de preservación sería un equivalente a la restauración, por cuanto se ocupa de recuperar datos, documentos... deteriorados por una mala conservación.

Una inquietud que no ha parado de crecer a medida que se ha constatado la pérdida de cantidades difíciles de precisar de documentos y de fuentes de información, como consecuencia de la obsolescencia tecnológica, un factor determinante y convertido en lugar común. Los medios tienen una duración incierta dentro del corto plazo, por ejemplo la garantía de los discos duros comerciales es de un año, y de cinco en los profesionales, coincidiendo con sus expectativas de vida. Las generaciones tecnológicas se suceden en plazos cada vez más cortos, el hardware y los sistemas operativos desaparecen y con ellos los programas ejecutados, junto con los documentos producidos. La seguridad es otro de los puntos débiles que se encuentra a la orden del día, y toca en todas las facetas de la tecnología.

A todo esto hay que añadir otros factores, como el riesgo de fallos que provocan pérdidas de información y se sitúa entre el 1 y el 13%, en función de la tipología, con una media del 3%. Asimismo, la sucesión y superposición sinfín de normas y estándares, de los que dependen las tecnologías, propicia la diversidad y con ello la incompatibilidad entre sistemas (RUUSALEP, 2012). La autenticidad de los documentos es otro de los factores determinantes, teniendo en cuenta que el concepto analógico de original no es aplicable, ni se pueden mantener en el ser y estado en que se crearon; pues la conservación implica el cambio de soporte, de software, de formato... y esto afecta a la integridad, a la fiabilidad y a la accesibilidad de los documentos. Características que es posible preservar, pero con incertidumbre, por los riesgos inherentes a las TIC y porque no hay experiencias de largo plazo. Sin olvidar, entre los riesgos, el de la pervivencia de las propias empresas que dan servicio de alojamiento (nube), de lo que sobran casos de dominio público.

La idea misma de nube resulta engañosa, ya que señala a lo inmaterial, a lo etéreo. Nada más lejos de la realidad. Basta con disipar la apariencia para ver que detrás hay centros de proceso y almacenamiento de datos, con cantidades enormes de servidores informáticos ocupando hectáreas de terreno. Con altos costes de mantenimiento, por la renovación y la sustitución de los elementos tecnológicos, por el consumo de energía eléctrica para su funcionamiento y, sobre todo, para la climatización; pues toda la infraestructura informática debe mantenerse a una temperatura entre los 21 y 23° C.

Lo digital es caro y su preservación es muy costosa, porque trata de conservar bits de forma comprensible y utilizable, garantizando su accesibilidad en el tiempo con independencia de los cambios en la tecnología, de los formatos vigentes y desaparecidos, y de mantener el carácter dinámico de los documentos, con los hiperenlaces actualizados.

Además de costosa, la preservación digital es compleja por la gestión de los derechos de *copyright* de los medios y de la información, incluso cuando esos productos han caducado, y más allá de la existencia de las empresas que los han producido, los derechos siguen vigentes. En este entorno se adquiere el derecho de uso, pero no la propiedad. Y aquí se nos plantea otra interrogante: cómo gestionar y pagar por el contenido y el software en períodos largos de tiempo. Incluso por el propio y confiado a terceros, cuya continuidad depende de numerosos factores y fundamentalmente de la rentabilidad de su actividad, no de la obligada prestación de un servicio.

Y es que, además de costosa y compleja, la conservación digital es inabarcable porque la producción de información crece a un ritmo muy superior al que lo hace la capacidad de almacenamiento, con una ratio mínima que se calculaba de 1 a 4 a comienzos de siglo, y que se ha superado holgadamente. Por ejemplo, el acelerador de hadrones del CERN genera cada segundo un Petabyte de información, lo que representa su capacidad diaria de almacenamiento, lo que supone una ratio de 1 a 86.400 entre las capacidades de conservar y de producir información (BEJERANO, 2017).

5. EL ARCHIVO Y EL ARCHIVERO SON PARTE DE LA SOLUCIÓN

Si en el mundo analógico era posible, y lo fue con demasiada frecuencia, que las organizaciones reservaran al archivo la mera función de guarda y custodia de aquello que ya había concluido y se conservaba por exigencias legales, por valores inherentes de los documentos, como el administrativo, el probatorio... y el histórico. En el mundo digital esto es impensable y cuanto más tarden las organizaciones en ponerse manos a la obra, mayor será el coste, y en materia de conservación ya está siendo presumiblemente mayúsculo.

El éxito de los procedimientos y de los documentos que los soportan, desde un punto de vista siquiera funcional, depende del diseño de los mismos, en eso que se conoce como Gestión de Procesos (*Business Process Management*). Y en ese diseño hay aspectos vitales de orden archivístico: cómo se denominan (tipología), cómo se clasifican, cómo se describen, cuáles son los riesgos que afronta su falta o deterioro, durante cuánto tiempo se conservan, cuál es su régimen de acceso y cómo se gestionan en el tiempo, cuándo y cómo se eliminan, qué rastro deben dejar esas acciones, o cuándo y en qué formato se migran para su conservación permanente... Aspectos que es imperioso definir en la fase de diseño e implementar con el mayor grado de automatización posible, ya que de otro modo el desorden y la pérdida estarán asegurados, y en plazos de tiempo menguantes, al punto de poner en riesgo la propia acción administrativa.

Todos estos aspectos críticos se aseguran con herramientas archivísticas bien definidas, de probada eficacia y adaptadas al entorno digital, nos referimos a los catálogos de series documentales, al cuadro de clasificación, los sistemas de descripción, la gestión de riesgos, el calendario de conservación, la gestión y auditoría de acceso y uso, los procedimientos de destrucción segura, los catálogos de formatos y los procedimientos de conversión y migración... Nada que deba inventarse ahora o encomendarse a profesionales ajenos a este conocimiento experto, hablamos de herramientas y procedimientos de probada utilidad. Amparadas por un largo tiempo de desarrollo científico y profesional, y plasmadas en normas internacionales.

Entre las normas específicas para la gestión de los documentos digitales se ha desarrollado un buen número de ellas, como el Modelo de referencia OAIS (*Open Archive Information System*), METS (*Metadata Encoding and Transmission Standard*) y PREMIS (*Preservation Metadata Implementation Strategies*), por citar las más conocidas entre las que tienen por objeto establecer un conjunto regulado de buenas prácticas.

Incluso hay retos planteados por la tecnología, como la capacidad de almacenamiento, que no siendo nuevo, sí se está agudizando, y para el que la archivística posee solución en la valoración y selección. Por encima de las capacidades tecnológicas, del soporte financiero y de cualquier otra consideración, el entorno digital ha venido a agudizar el valor y la necesidad imperiosa de la selección. No todo vale, no todo sirve por igual, sólo una parte merece la pena... desde el punto de vista de la permanencia en el tiempo, de modo que el eje central de toda política de preservación responsable y sostenible está representado por el proceso de selección. Un aspecto en el que los archivos y, en general, las organizaciones con programas archivísticos tienen bien desarrollado respecto de sus documentos o, si se prefiere, de la información generada en el desarrollo de sus actividades.

Estas soluciones han surgido mayoritariamente de instituciones públicas, responsables de la conservación del patrimonio histórico, y están sostenidas con fondos públicos; pocas son las iniciativas participadas, siquiera, por empresas con intereses comerciales en el sector. Parece que la preservación digital no se percibe, por el momento, como una responsabilidad, ni como un negocio rentable.

Lo que aún resta por alcanzar es lo más difícil, la solución a la caducidad, a la denominada obsolescencia digital, lograr soportes y programas que permanezcan estables y así mantener accesible la información en el tiempo. En laboratorio, se han ensayado y continúan probando diferentes soluciones: el cristal de cuarzo como soporte de alta densidad, estable y legible a través de microscopio electrónico; el ADN, por su capacidad de transmisión demostrada en restos óseos de animales de hace cientos de miles de años, cuyo código genético se ha podido descifrar... soluciones teóricamente impecables, pero que no es posible llevar a efecto, que funcionan en laboratorio, pero no son aplicables en un entorno sostenible, mucho menos rentable y competitivo. Al menos por ahora, la conservación digital permanente tiene más incógnitas que certezas.

Por eso mismo, pensamos que quizá se esté errando el tiro, o al menos que nos empeñamos en lo que nunca dará de sí una escopeta de feria. No nos referimos a la tecnología, por supuesto, sino a las políticas, sobre todo las públicas. Existe en general, tanto a nivel individual como colectivo, una tendencia a la confianza ciega en las tecnologías, por su capacidad de respuesta a cuanto afrontan. Sin embargo, en el caso de los documentos y de su conservación, no ha sido así hasta ahora, ni parece que vaya a serlo a corto plazo. Quizá la salida, al menos hasta tanto la tecnología provea, bien podría venir de la mano de una convención.

Conceptos y realidades como sociedad, política, administración... son convenciones, resultados de pactos sostenidos en el tiempo y construidos sobre la base de reglas que los hacen útiles al fin por el que han sido creados. El documento no deja de ser otra convención, el medio de prueba por excelencia admitido en derecho. Se crea porque permite registrar datos e información estables mientras sean necesarios, porque al ser estables se pueden exhibir, consultar, presentar como prueba siempre que haga falta, al abrigo razonable del paso del tiempo. Este principio sostenido en el transcurso de la historia se ha quebrado en los últimos años a consecuencia de la naturaleza de los soportes y medios de registro empleados en la producción, uso y conservación del documento, con la circunstancia de que su disponibilidad puede llegar a ser menor en el tiempo que su vida útil. Nos referimos a la obsolescencia o caducidad de los soportes y los medios, como también la de las firmas, sellos y certificados.

Llegados a este punto el lector se preguntará ¿pero cuál es, en qué consiste la convención que solucione el tema hasta tanto haya una respuesta tecnológica? Creemos que la salida puede estar en la custodia, en el lugar donde se verifica y en el responsable de llevarla a efecto, es decir, en el archivo y en el archivero. Puesto que hay estándares que llevan años de existencia JPEG, TIFF, PDF, y tantos otros que desde hace décadas permiten guardar y recuperar imagen y texto, y todo indica a que lo serán por mucho tiempo, basta con que deba darse la condición de lugar (archivo) y custodia (archivero) para que los documentos se tengan por auténticos, íntegros, fiables y accesibles... al menos en el ámbito del sector público, donde los funcionarios pueden ser revestidos de esa autoridad. Con independencia de que la validez de las firmas, de los sellos, de los certificados haya caducado, con independencia de que el formato de archivo no sea necesariamente el original, el hecho de que suceda en el archivo y bajo la autoridad del archivero, bien podrían transmitirles el vigor legal, la validez y efectos que tuvieron en el momento de producirse.

Definir esta convención en sus términos y sancionarla legalmente podría ser una buena solución. Y hacerlo mediante una ley de archivos, cuya carencia sitúa a España en una situación comprometida en el concierto de las naciones desarrolladas, posiblemente sería lo más acertado. Ello no nos libraría de la incertidumbre acerca de la conservación permanente, como tampoco se han librado de ella las generaciones precedentes.

Siempre se hace referencia a los soportes estables del pasado, pero olvidamos que junto con la piedra y las tablillas de barro, muchos documentos se hicieron sobre tejidos (lino, seda...), que junto con los jeroglíficos en paredes, se usaba el papiro, que junto con el pergamino se utilizaba la corteza de árboles, la madera, la pizarra y sobre todo la cera para escribir, y de aquello no queda nada, sin olvidar los soportes metálicos (bronce, cobre y metales preciosos) reutilizados. Y que junto con los códices empastados, la mayoría de la producción fue a base de documentos sueltos, mucho más fáciles de perder y destruir.

Tampoco habremos resuelto otras cuestiones importantes como la propiedad intelectual y los derechos económicos a largo plazo de programas, sistemas, aprovisionamiento de información, incluso la resultante de la reutilización de información pública... Nos enfrentamos a retos globales que requieren soluciones globales, y cada paso en esa dirección cuenta, importa.

6. BIBLIOGRAFÍA

BEJERANO, P (2017). «El centro de datos del CERN ya tiene más de 200 petabytes de información», en http://blogthinkbig.com/autor/pablo-g-bejerano/ (Consulta, enero 2018).

COMMITEE ON ELECTRONIC RECORDS (1997). Guide for Managing Electronic Records Form An Archival Perspective. Paris. International Council on Archives.

CRUZ, J R (2009). Qué es un archivero. Gijón. Trea.

— (2011). Diccionario de archivística. Madrid. Alianza editorial.

— (2012). Archivística. Gestión de documentos y administración de archivos. Madrid. Alianza editorial.

DÍAZ DE MIRANDA, M D; HERRERO, A M (2009). El papel en los archivos. Gijón. Trea.

HAENDLEY, T (1998). Comparison of Methods & Costs of Digital Preservation. Londres. JISC.

MANGUEL, A (1998). Una historia de la lectura. Madrid. Alianza editorial.

RIVERO, R (2008). El expediente administrativo: de los legajos a los soportes electrónicos. Cizur Menor. Aranzadi.

RUUSALEP Y OTROS (2012). «Standards Alignment», en: McGovern, N. Y. y Skinner, K. (eds.): Aligning National Approaches to Digital Preservation. Atlanta, GA. Educopia Institute.

TALAMANCA, M (1989). Lineamenti di storia del diritto romano. Milano. Giuffre.

7.   REFERENCIAS NORMATIVAS

UNE-ISO (2016): ISO 15489-1. Información y documentación. Gestión de documentos. Parte 1: Conceptos y principios. Madrid. AENOR.

6.

POLÍTICA DE GESTIÓN DE DOCUMENTOS-E, LOS PLANOS DE LA CASA

Gerardo BUSTOS PRETEL
Subdirector general de Ministerio de Hacienda

La política de gestión de documentos electrónicos (PGD-e) está claramente definida en la normativa vigente. En resumen, contiene las directrices de una organización, con distribución de responsabilidades, para la creación y gestión de documentos auténticos, fiables y disponibles a lo largo del tiempo, en el marco de sus actividades. Un contenido que recuerda mucho al proyecto de una obra arquitectónica, lo que familiarmente se suele denominar «los planos de la casa».

1. EL DIAGNÓSTICO ESTÁ CLARO

El diagnóstico en torno a la situación del documento electrónico está claro y viene avalado por algunos estudios realizados por parte de los máximos responsables administrativos en materia de TIC. La Comisión Permanente del Consejo Superior de Administración Electrónica acordó en octubre de 2012 realizar un seguimiento estrecho de la adecuación en el sector público al ENI y al ENS. Quería de esta forma el Consejo Superior hacer un seguimiento de la adecuación al ENI, en cuya disposición transitoria primera fija la fecha máxima de adecuación al ENI antes del 10 de enero de 2014. Para ello, se realizaron seis encuestas de seguimiento en las diferentes administraciones públicas entre febrero de 2013 y octubre de 2014.

La contundencia de los datos arrojados por las encuestas fue clara y similar para todas las administraciones públicas. Pasados seis años, ya sabemos que la plena adecuación al ENI no se ha cumplido aún, pero lo importante de las encuestas fue constatar que, capítulos como el de firma electrónica, comunicaciones en las administraciones públicas e interoperabilidad técnica desprendían cierto optimismo en su evolución. Otros capítulos habían avanzado menos, pero avanzaban, como es el caso de la reutilización y la interoperabilidad técnica, organizativa y semántica. ¿Dónde apareció el problema más grave? Sin lugar a dudas, en el capítulo de recuperación y conservación del documento electrónico, que no sólo estaba más atrasada que los demás, sino que permanecía bloqueado en su bajo nivel de adecuación al ENI encuesta tras encuesta.

Los gestores de la encuesta analizaron cuáles eran las principales razones para entender por qué el grado de adecuación al ENI por parte del documento electrónico no llegaba ni al 10 por 100[1]:

• Requiere la elaboración y aprobación de la política de gestión de documentos electrónicos que establezca las directrices generales con proyección a toda la organización, más las normas o instrucciones técnicas que traten las cuestiones de detalle.

• Requiere un tratamiento horizontal en la organización que implique a los actores interesados y reúna a responsables y expertos de gestión, de archivos y de tecnologías de la información.

• Requiere por parte de las entidades ordenar el posible escenario de herramientas preexistentes en relación con la gestión documental y la gestión de expedientes, así como la selección de herramientas de gestión de documentos y de archivo, más las integraciones entre herramientas que puedan ser necesarias.

• Es un tema que cabe considerar percibido a menudo como más novedoso.

• Es necesaria la formación del personal.

Nos vamos a referir a algunas de estas conclusiones. La primera, la necesidad de contar con una PGD-e. Y unida estrechamente a esta cuestión, tanto en la elaboración de la política como en su posterior implantación y en el desarrollo de la transformación digital, nos encontramos con otro aspecto de sumo interés que también vamos a tener muy en cuenta: la necesaria colaboración multidisciplinar.

2. OBLIGACIÓN LEGAL FRENTE A NECESIDAD REAL

La obligación de contar con una PGD-e y su contenido aparece en varias normas legales, e incluso tiene su propia normativa específica. Dicho eso, cabe señalar con cierta sorpresa que la LPAC no alude en ningún momento a la gestión documental como elemento básico de la transformación digital, aunque bien es

---

(1)   Para ampliar datos sobre la encuesta y diagnóstico sobre la situación, véase «El archivo electrónico es la última etapa del documento electrónico», del mismo autor, en el Portal de Administración Electrónica (PAE).

cierto que da por supuesto en todo momento que las administraciones públicas españolas dan el salto desde la mera gestión electrónica a la gestión de documentos electrónicos. No se entendería si no es así la consolidación de un funcionamiento administrativo exclusivamente electrónico, aunque explícitamente toda la fe en la preservación parece puesta en la novedosa figura del archivo electrónico único.

En este aspecto, la LPAC parece seguir la estela de su predecesora en materia de administración electrónica, la LAE. Ésta no aborda la obligatoriedad de la gestión documental, pero determina la aprobación del ENI como uno de sus desarrollos reglamentarios. Otro tanto hace la LRJSP, que en su artículo 156 retoma la validez del ENI y lo define de forma idéntica a la LAE: «conjunto de criterios y recomendaciones en materia de seguridad, conservación y normalización de la información, de los formatos y de las aplicaciones que deberán ser tenidos en cuenta por las administraciones públicas para la toma de decisiones tecnológicas que garanticen la interoperabilidad».

De hecho, salvo precedentes aislados, entre los que merece la pena destacar Cataluña, podemos decir que no existe un tratamiento estratégico de la gestión documental hasta la llegada del ENI (2010), como desarrollo de la LAE en materia de interoperabilidad. Es entonces cuando, de la mano de la regulación normativa, irrumpe la gestión documental electrónica como un elemento central de la interoperabilidad.

ElENI sí aborda directamente la gestión documental. Dedica su capítulo X a la «recuperación y conservación del documento electrónico» y establece en el artículo 21 las «condiciones para la recuperación y conservación de documentos». Dicho artículo empieza en su primer apartado por ordenar que «las administraciones públicas adoptarán las medidas organizativas y técnicas necesarias con el fin de garantizar la interoperabilidad en relación con la recuperación y conservación de los documentos electrónicos a lo largo de su ciclo de vida». Pues bien, cuando se pone a enumerar cuáles serán esas medidas, la primera de todas es, precisamente, «la definición de una política de gestión de documentos en cuanto al tratamiento, de acuerdo con las normas y procedimientos específicos que se hayan de utilizar en la formación y gestión de los documentos y expedientes».

En su disposición adicional primera, el ENI establece una relación de las NTI que deberán ponerse en marcha en el desarrollo del ENI. Entre ellas, como no podía ser menos, nos encontramos que en el apartado h) establece la obligatoriedad de una NTI de «Política de gestión de documentos electrónicos», que deberá incluir «directrices para la asignación de responsabilidades, tanto directivas como profesionales, y la definición de los programas, procesos y controles de gestión de documentos y administración de los repositorios electrónicos, y la documentación de los mismos, a desarrollar por las administraciones públicas y por las entidades de derecho Público vinculadas o dependientes de aquéllas».

Señalemos, en fin, que el ENI cuenta con un anexo de glosario de términos, donde define «Política de gestión de documentos electrónicos: Orientaciones o directrices que define una organización para la creación y gestión de documentos auténticos, fiables y disponibles a lo largo del tiempo, de acuerdo con las funciones y actividades que le son propias. La política se aprueba al más alto nivel dentro de la organización, y asigna responsabilidades en cuanto a la coordinación, aplicación, supervisión y gestión del programa de tratamiento de los documentos a través de su ciclo de vida».

En cumplimiento de la disposición adicional primera del ENI, el desarrollo en esta materia se concreta con la Resolución de 28 de junio de 2012, de la Secretaría de Estado de Administraciones Públicas, por la que se aprueba la Norma Técnica de Interoperabilidad de Política de gestión de documentos electrónicos. La abordaremos más adelante con detenimiento especial en sus principales aspectos, pero a modo de aclaración de lo que es la PGD-e, digamos que la NTI establece que será un documento que incluirá:

- Definición del alcance y ámbito de aplicación.

- Roles de los actores involucrados.

- Directrices para la estructuración y desarrollo de los procedimientos de gestión documental.

- Acciones de formación relacionada contempladas.

- Actuaciones de supervisión y auditoría de los procesos de gestión de documentos.

- Proceso de revisión del contenido de la política con el fin de garantizar su adecuación a la evolución de las necesidades de la gestión de documentos.

Nos encontramos, por tanto, con una obligación clara de elaborar la PGD-e. Y partimos también de las normas que desarrollan el real decreto, especialmente, las siguientes:

- Resolución de 28 de junio de 2012, de la Secretaría de Estado de Administraciones Públicas, por la que se aprueba la norma técnica de interoperabilidad de política de gestión de documentos electrónicos.

- Guía de aplicación de la norma técnica de interoperabilidad de política de gestión de documentos electrónicos (julio 2016, 2ª edición).

- Modelo de política de gestión de documentos electrónicos (noviembre 2013).

De esta situación se desprenden dos conclusiones:

• Desde el punto de vista normativo está clara la obligatoriedad de todo organismo o entidad pública de contar con una política de gestión de documentos electrónicos.

• Para cumplir esta obligación legal y darle forma real a ese requisito, contamos con un soporte normativo y técnico eficaz y suficiente, en el que se incluye hasta un modelo marco.

• Se cuenta también con numerosos casos de documentos de PGD-e aprobados en diferentes ámbitos de las distintas administraciones públicas. Eso permite utilizar de modelo o de referente aquéllas que cada organización considere más próximas a sus necesidades en este sentido.

Sin embargo, es muy importante tener en cuenta que la elaboración de una PGD-e en cualquier organización pública no es sólo un requisito legal. Por encima de eso, se trata de una herramienta imprescindible para desarrollar adecuadamente en el marco del ENI la gestión de documentos electrónicos de una organización.

La definición deja claro el carácter de herramienta imprescindible y la necesidad de considerar que la concreción de una política de gestión de documentos-e es el punto de partida. Es ahí donde se determinan las especificaciones técnicas y los criterios y recomendaciones necesarios para garantizar la interoperabilidad y la recuperación y conservación de documentos y expedientes electrónicos. Si no lo hacemos así y comenzamos a desarrollar actuaciones antes de definir estas directrices comunes, estaremos fomentado la aparición de duplicidades, incoherencias y contradicciones. Y también rectificaciones posteriores en búsqueda de la coherencia entre proyectos de la propia organización.

3.   PÉRDIDA PATRIMONIAL Y EXPEDIENTES ZOMBIS

Ya veíamos antes que una de las razones que justifican el estancamiento del documento electrónico alude a la necesidad de «ordenar el posible escenario de herramientas preexistentes en relación con la gestión documental y la gestión de expedientes». Por paradójico que pueda parecer, vemos que con frecuencia lo que ha sido un avance por parte de las organizaciones en materia de administración electrónica, se convierte en un impedimento. Los desarrollos anteriores al establecimiento del ENI, que es el marco estándar que nos va a garantizar la interoperabilidad, no responden a otro patrón que el de solucionar las gestiones, trámites o actuaciones para los que nacen. Es decir, están concebidos de manera aislada, sin ningún enfoque hacia la interoperabilidad.

Responden a una fase inicial de la administración electrónica, donde lo que se planteaba es una mera gestión electrónica. Sin lugar a dudas eran la vanguardia de lo que ha venido después, pero la pregunta es: ¿qué ocurre con los millones de documentos electrónicos generados en las últimas décadas? Todos los

115

programas que han posibilitado tramitaciones electrónicas antes del ENI, el abuso del correo electrónico como sustituto fugaz de numerosos procedimientos y notificaciones, el almacenamiento en soportes caducos, la conservación en bases de datos que se actualizan periódicamente y un largo etcétera han dado lugar a miles de expedientes y documentos electrónicos que un investigador no va a poder consultar en el futuro. Ni siquiera podrá encontrar muestras, porque en muchos casos esos expedientes o bien han desaparecido sin una destrucción reglada y asentada en estudios de valoración, o bien se invalidan, víctimas de la obsolescencia de la tecnología que los soporta.

Es lo que hemos denominado en diferentes foros como «expedientes zombis»: no son compatibles, no se puede interoperar con ellos y no serán recuperables en el futuro. Terminarán borrados o arrinconados en alguno de los numerosos «trasterillos electrónicos», usando la lúcida definición aportada en cierta ocasión por una archivera sevillana. En realidad, de lo que se trata es de una pérdida de patrimonio documental (electrónico), ante un difícilmente comprensible conformismo institucional, sectorial y general.

Lo realmente preocupante es que continúa habiendo aplicaciones de tramitación y gestión documental que terminan con el trámite propiamente dicho, sin plantearse lo más mínimo el archivo final de los expedientes y documentos. Todo lo más, se conforman con «aparcarlos» en repositorios que a medio plazo se convertirán en almacenes ingobernables sin otro fin que el abandono o el formateo para liberar espacio. Este es un problema cultural, institucional y estructural grave, con unos daños al patrimonio electro-documental que en estos momentos no podemos evaluar.

Como apuntábamos antes, en este aspecto la tecnología juega en contra en todos los sentidos. Técnicamente es fácil acumular los expedientes electrónicos que ya han terminado su recorrido administrativo en cualquier repositorio. Su único objetivo suele ser el problema que más acucia a las autoridades, es decir, dar respuesta directa a su función probatoria en el corto plazo. Pero a medio y, sobre todo, largo plazo, su riesgo es enorme, porque resulta tremendamente fácil «formatear el disco» cuando la acumulación sea excesiva o el tiempo transcurrido prescriba la necesidad probatoria. Eso sólo puede combatirse con educación, generando un alto grado de conciencia sobre el valor patrimonial del documento electrónico. Y con implicación institucional.

La entrada en vigor de la LAE, a mediados de 2007, supuso un antes y un después en el camino español hacia la administración electrónica. Pero desde entonces lo que más ha impulsado ha sido la respuesta eficaz a los servicios prioritarios por su implicación directa con la gestión y la relación con el ciudadano, como el registro electrónico, la notificación electrónica, la firma electrónica, procedimientos, facturas, trámites, servicios directos, etc. En ese capítulo puede entrar incluso el repositorio que garantiza ese valor probatorio a corto plazo que comentábamos; pero en ese marco de funcionamiento el archivo electrónico a largo plazo siempre queda relegado al olvido. No se percibe como una necesidad, ni por las autoridades ni por los desarrolladores del proyecto tecnológico.

Hay planteamientos optimistas que consideran que lo importante ahora es capturar cuanto antes la información digital en un sistema de archivo, aunque no pueda ser con el formato correcto o con los metadatos perfectamente cumplimentados. Una vez capturada y controlada la documentación de alguna forma ya se encargaría la tecnología del futuro en ver cómo poder sacarles partido. Pero estos planteamientos son una cuestión de fe rayana en el milagro, porque a medida que la documentación digital se acumule y a medida que las tecnologías evolucionan, muchos de esos fondos serán irrecuperables, por pérdida, por abandono o porque el coste de recuperación es tal que resulta inviable.

Estas y otras muestras de no preservación responden, sin duda, a un problema organizativo. Zoltán Szatucsek, archivero del Archivo Nacional de Hungría (NAH), director del Centro de Coordinación de Archivo y presidente del DLM Forum, participó como miembro del proyecto e-ARK (European Archival Records and Knowledge Preservation) en la Jornada sobre Interoperabilidad y Archivo Electrónico en el Marco Europeo, el 1 de marzo de 2016, organizada por MINHAP. En un momento de su intervención, Szatucsek señaló que «los expertos en TIC pueden resolver prácticamente todo, pero la preservación de manera digital es mucho más un problema de organización que tecnológico... sólo una parte microscópica de los documentos electrónicos de la administración de hoy en día tiene la oportunidad de ser transferidos a los archivos públicos».

4. LOS ELEMENTOS DE LA PGD-E

Como hemos señalado antes, el punto de arranque de la PGD-e lo encontramos en el artículo 21 del ENI, donde se incluye la aprobación de una PGD-e entre las medidas necesarias para garantizar la interoperabilidad con vistas a la recuperación y conservación de los documentos electrónicos a lo largo de su ciclo de vida. Antes de abordar el contenido esencial de la PGD-e, conviene conocer el ciclo de vida del documento, claramente descrito en 2017 con un completo gráfico en la Guía de aplicación de la NTI de PGD-e del entonces MINHAFP[2]:

---

(2)   Véase la Guía de aplicación de la NTI de PGD-e. MINHAFP, Madrid, 2017.

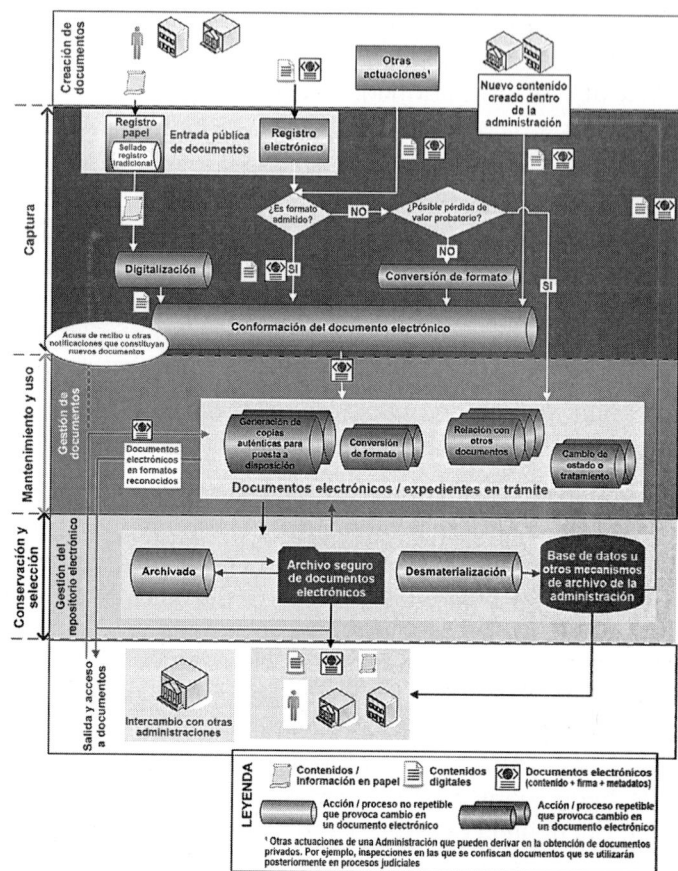

4.1. El contenido de la PGD-e

La estructura y contenido detallado de la PGD-e nos la proporciona en buena medida el propio modelo hecho público por la Secretaría General de Administración Digital. Hagamos un recorrido por su contenido esencial.

4.1.1. Referencias

Las normas y buenas prácticas que se han tenido en cuenta al elaborar la PGD-e.

4.1.2. Alcance de la política

Hace referencia especialmente al marco organizativo al que afecta y que se verá obligado por los criterios comunes establecidos en la PGD-e: ministerio, ayuntamiento, comunidad autónoma, entidad, etc. Es importante determinar en qué medida afecta también a organismos y entidades dependientes del órgano que aprueba la PGD-e. Asimismo, conviene tener en cuenta el peso que va a tener en la organización, junto con el resto de políticas y grandes planes en el marco de sus competencias.

4.1.3. Datos identificativos de la política

Esencialmente son los datos de definición básica, como nombre del documento, versión, identificador, fecha, ámbito de aplicación, etc.

a) **Período de validez**. Entrada en vigor, período de vigencia, vías de modificación o sustitución, etc. Es importante señalar cómo será la transición en caso de sustitución del documento de PGD-e por otro nuevo, teniendo en cuenta que las organizaciones pueden contar con desarrollos en proceso, que han tenido en cuenta la versión anterior de PGD-e y necesitan un período de adaptación.

b) **Identificador del gestor de la política**. Es muy importante que no sólo se elabore un plan, sino que se determine también una vía de seguimiento permanente de su ejecución y un órgano responsable tanto de la ejecución, como del seguimiento.

4.1.4. Roles y responsabilidades

Para que la PGD-e no se quede en un mero documento de laboratorio, es imprescindible determinar los actores y las responsabilidades que adquiere cada cual. Por otro lado, es conveniente que este reparto de responsabilidades no se confunda con la inexistencia de un órgano o unidad responsable de la ejecución y seguimiento.

a) **Actores**. Delimitar los actores a todos los niveles, empezando por la alta dirección y siguiendo por las distintas capas de responsables en la organización, personal responsable de otras áreas de actividad, personal implicado en la PGD-e, etc. En la alta dirección se incluye al máximo responsable de la organización, que debe aprobar la PGD-e.

b) **Responsabilidades.** De acuerdo con la delimitación de actores establecida, fijar las responsabilidades de cada cual en la aprobación, ejecución y seguimiento de la PGD-e. Determinar la unidad con la responsabilidad máxima sobre la PGD-e de la organización.

4.1.5. Procesos de gestión documental

La PGD-e de la organización obliga a todos los procesos de gestión que generen documentos y expedientes electrónicos. Las características y funcionalidades de los sistemas de gestión de documentos son los que se abordan a continuación.

a) **Captura.** La captura supone la incorporación del documento al sistema de gestión de documentos, proporcionándole al mismo tiempo un identificador único. Es importante delimitar en qué momento se considera la captura. Si el documento es externo, se captura a través del registro. Si es interno, se captura al incorporarse al sistema de gestión de documentos. La captura es el momento en el que la organización incorpora un documento para su gestión: empieza a existir, es identificado y lleva aparejados los metadatos que lo dotan de contexto de creación y gestión.

Tal como se indica en la NTI de Expediente electrónico, la captura de un documento electrónico se completa con otros procesos y operaciones de gestión de documentos, tales como el registro, la clasificación o su inclusión en un expediente electrónico.

b) **Registro**. El registro es un proceso de control mediante la correspondiente inscripción registral de los documentos generados o recibidos. De acuerdo con la LPAC (artículo 16 y DF7ª), cada administración dispondrá de un registro electrónico general, en el que se realizará el correspondiente asiento de todo documento que sea presentado o que se reciba en cualquier órgano administrativo o entidad vinculado o dependiente a éstos. El registro de un documento consiste en la introducción de una breve información descriptiva (asiento), con el contenido definido en el artículo 16.3 de la LPAC, así como los metadatos que se estimen necesarios.

De acuerdo con el mencionado artículo 16.3 de la LPAC, «el registro electrónico de cada administración u organismo garantizará la constancia, en cada asiento que se practique, de un número, epígrafe expresivo de su naturaleza, fecha y hora de su presentación, identificación del interesado, órgano administrativo remitente, si procede, y persona u órgano administrativo al que se envía, y, en su caso, referencia al contenido del documento que se registra. Para ello, se emitirá automáticamente un recibo consistente en una copia autenticada del documento de que se trate, incluyendo la fecha y hora de presentación y el número de entrada de registro, así como un recibo acreditativo de otros documentos que, en su caso, lo acompañen, que garantice la integridad y el no repudio de los mismos».

Aunque lo ideal es que registro y captura coincidan, no tienen por qué coincidir. Puede coincidir cuando los tramitadores están integrados con los registros, sincronizándose entonces captura y registro. Pero no siempre es así, sobre todo teniendo en cuenta que el ingreso puede llegar a través de cualquier registro, no del correspondiente a la administración de destino. Sólo si la oficina de registro conoce los valores de los metadatos se puede realizar la captura en registro; en caso contrario, se realizará en la oficina de destino.

c) **Clasificación**. De acuerdo con la NTI de PGD-e, incluirá los criterios de formación de expedientes y agrupaciones de documentos electrónicos según la

NTI de Expediente electrónico, así como la clasificación funcional de acuerdo con el cuadro de clasificación de la organización.

Según la Guía de aplicación de la citada NTI, la clasificación sirve para:

• Establecer vínculos entre diferentes actuaciones representadas en documentos y expedientes electrónicos constituyendo agrupaciones.

• Ayudar a la recuperación de documentos electrónicos referentes a una función o una actividad concreta.

• Definir niveles de seguridad y acceso para documentos, expedientes y otras agrupaciones de documentos, en aplicación de las políticas de acceso y las actuaciones de calificación, lo que le permite atribuir permisos de acceso a los usuarios.

• Asignar a las agrupaciones documentales los plazos de conservación correspondientes en atención a los valores de los documentos y a los calendarios de conservación existentes.

• Facilitar la definición de dictámenes de la autoridad calificadora y realizar acciones de conservación coherentes.

Herramienta fundamental es el cuadro de clasificación funcional de la organización, que debe formar parte de la PGD-e. Sin embargo, hay que tener en cuenta dos aspectos:

• Generalmente no existe un cuadro de clasificación funcional cuando se elabora la PGD-e y su realización a buen seguro va a exceder el tiempo de elaboración de la PGD-e.

• El cuadro de clasificación variará, aunque sea levemente, de acuerdo con los cambios estructurales y funcionales de la organización.

Teniendo en cuenta estas dos circunstancias es aconsejable seguir el criterio puesto en marcha por primera vez por la PGD-e de MINHAP[3], consistente en incorporar este cuadro y otros contenidos similares (sujetos a posibles modificaciones de actualización) no como parte del cuerpo propiamente dicho de la PGD-e, sino como anexo. De esta manera se puede actualizar sistemáticamente cada vez que haya modificaciones normativas, estructurales o funcionales, sin necesidad de modificar el documento de política de gestión de documentos electrónicos.

---

(3) Política de gestión de documentos electrónicos, MINHAP, 2ª ed., Madrid, 2016. Así se plantea también en la 3ª edición de la Política de gestión de documentos electrónicos MINHAC (Madrid, 2020), en la que ya sí se ha realizado el cuadro de clasificación funcional que aparece en el anexo.

d) **Descripción**. La descripción de los documentos y expedientes electrónicos permitirá la recuperación de los mismos y su contexto, y atenderá a la aplicación del esquema institucional de metadatos.

De acuerdo con la NTI de PGD-e, la implementación de los metadatos de gestión de documentos electrónicos para su tratamiento y gestión a nivel interno será diseñada por cada organización en base a sus necesidades, criterios y normativa específica. El e-EMGDE[4], disponible en el Centro de Interoperabilidad Semántica, podrá ser utilizado como referencia para la adecuación a los requisitos de interoperabilidad en materia de gestión documental.

Salvo los metadatos que las NTI de documento y de expediente señalan como obligatorios, todos los demás son complementarios; es decir, no son obligatorios y pueden ser modificados cuando así lo aconsejen las circunstancias. No obstante, es importante que cada organización establezca unos metadatos complementarios mínimos necesarios para la gestión de documentos y expedientes electrónicos durante la parte del ciclo de vida que se desarrolle dentro de la entidad.

Por tanto, uno de los trabajos más importantes a la hora de elaborar la PGD-e de cada organización es la elaboración de un perfil propio de aplicación del sistema de metadatos. Y aquí cabe resaltar que si bien toda la PGD-e es aconsejable que sea fruto del consenso, en el caso del perfil de metadatos lo es aún más. Se trata de llegar a puntos comunes que toda la organización admita como propios y esté dispuesto a aplicarlo. Se trata de establecer el número adecuado de metadatos, que son los legalmente obligatorios más los mínimos imprescindibles para la organización.

Para la descripción de documentos y expedientes se tendrán en cuentas recursos como son los vocabularios controlados, índices de materias y tesauros, destinados a explicitar las definiciones y el uso específico de los términos en la organización o grupo de organizaciones afines. Tal como se ha apuntado más arriba con otros recursos, es aconsejable llevar a los anexos este tipo de herramientas de ayuda en la descripción, ya que se pueden incorporar con posterioridad a la aprobación de la PGD-e y, además, pueden modificarse en cualquier momento, sin modificar por el documento de PGD-e.

e) **Acceso**. El acceso a los documentos y expedientes electrónicos estará sometido a un control de acceso en función de la calificación de la información y de los permisos y responsabilidades del actor en cuestión. Asimismo, contemplará la trazabilidad de las acciones que se realicen sobre cada uno de los documentos y expedientes electrónicos y sus metadatos asociados.

---

(4) El e-EMGDE Incluye los metadatos mínimos obligatorios, definidos en las NTI de Documento electrónico y Expediente electrónico, así como otros metadatos complementarios pertinentes en una política de gestión y conservación de documentos electrónicos. Véase «Esquema de Metadatos para la Gestión del Documento Electrónico (e-EMGDE). Versión 2.0. Documentación complementaria a la Norma Técnica de Política de gestión de documentos electrónicos», MINHAFP, 2016. Recuperable (1/5/2018) en https://goo.gl/MzFkZU.

Deberán tenerse en cuenta las medidas de protección de la información previstas en el anexo II del ENS, especialmente las relativas a datos de carácter personal y a la calificación de la información.

f) **Calificación**. El proceso de calificación de los documentos incluye la valoración, la determinación de los plazos de conservación y transferencia de los documentos que se establezcan en el dictamen que determine las acciones que se les van a aplicar a lo largo de su ciclo de vida.

En este proceso se determinan también los documentos que son esenciales para la organización, en función de su importancia para el desarrollo de sus fines. Entendiendo por esenciales los absolutamente necesarios para la continuidad de la actividad de la organización, ya sea en cuanto a su capacidad de hacer frente a situaciones de emergencia o a catástrofes, ya en relación con la protección de sus intereses financieros y jurídicos. Esta importancia obliga a establecer unas medidas especiales de protección y seguridad, de acuerdo con el ENS.

En algunas organizaciones, el proceso de calificación de los documentos incluye la determinación de los plazos de acceso.

Por lo que respecta a la valoración de los documentos, hay que tener en cuenta que los plazos de conservación de los documentos se determinan de acuerdo con la normativa propia y las necesidades de la organización. Para esos plazos de conservación, cada administración cuenta con sus órganos y procedimientos propios. Esos procedimientos pueden determinar conservación total, conservación parcial (muy habitual, dejando como mínimo muestras representativas) y eliminación.

g) **Conservación**. La velocidad de los cambios tecnológicos hace necesario que los documentos precisen ser convertidos de un formato a otro o movidos de un sistema a otro, para asegurar su uso adecuado y mantener la capacidad de procesamiento. En este marco, las organizaciones precisan adoptar una estrategia de conservación digital, en la que se describan los requisitos y los procedimientos para llevar a cabo los procesos y operaciones orientados a la conservación de sus documentos electrónicos, en función de la importancia otorgada a los documentos y del nivel de riesgo que cada organización pueda asumir en función de sus necesidades y normativa específica.

A título de ejemplo, la «Política de gestión de documentos electrónicos MINHAC»[5] señala que la estrategia de conservación debe incluir, como mínimo:

• Los actores involucrados.

• Los principios de conservación (unidad del documento digital; ciclo de vida; valor de los documentos; independencia de formatos y soportes).

---

(5)   *Ibidem.*

• Los requisitos (el principal, disponer de un cuadro de clasificación; metadatos complementarios; determinación de los soportes y las aplicaciones documentales; calificación).

• La definición de un repositorio o archivo electrónico.

• La determinación de los riesgos, las medidas preventivas, los planes de contingencia y las acciones correctoras correspondientes.

• Los métodos (backup, protección continua de la información).

• Las medidas técnicas (numeración unívoca; índice de expediente electrónico; metadatos; control de acceso, firmas, soportes).

• Los formatos aceptados.

• Los procedimientos (transferencia; eliminación; cambio de formatos).

• Las herramientas (como los calendarios de conservación).

La conservación obliga a abordar también elementos de información que no son documentos propiamente dichos, pero que han sustituido a documentos tradicionales. Dos casos paradigmáticos son las bases de datos y los correos electrónicos. Ambos tienen que tener un tratamiento específico de conservación, reconociendo la funcionalidad que están teniendo actualmente.

h) **Transferencia.** La transferencia de documentos y expedientes electrónicos entre repositorios o archivos electrónicos, así como la transferencia de las responsabilidades en cuanto a su custodia, se realizará teniendo presente las medidas de protección de los soportes de información previstas en el ENS, en particular, los mecanismos de autenticidad, integridad y trazabilidad implementados, y demás normativa que pueda ser de aplicación.

De acuerdo con el apartado V.6 de la NTI de Expediente electrónico y con el apartado VII.5 de la NTI de Documento electrónico, en caso de intercambio de expedientes electrónicos entre administraciones públicas que suponga una transferencia de custodia o traspaso de la responsabilidad de la gestión de expedientes y documentos que deban conservarse permanentemente, el órgano o entidad que transfiere será el responsable de verificar la autenticidad e integridad del expediente en el momento de dicho intercambio, mediante la firma electrónica de los índices de los expedientes y de los documentos electrónicos.

En todo caso, es aconsejable la existencia en la organización de un protocolo de transferencia que garantice su corrección y conservación. Especialmente, es necesario que asegure que toda la organización transfiere con unos criterios y especificaciones homologadas.

i) **Destrucción o eliminación.** Una vez que el órgano competente en cada administración ha dictaminado la eliminación de documentos, ésta debe llevarse a cabo mediante el procedimiento establecido de decisión administrativa y conocimiento público, así como una destrucción garantizada.

La eliminación de documentos deberá realizarse tal como se establece en la medida «Borrado y destrucción» del ENS y conforme a un proceso que debe especificarse en la PGD-e.

4.1.6. Asignación de metadatos

Tal como se ha establecido en el apartado 1.5.d «d. Descripción», a los documentos y expedientes electrónicos se asignarán los metadatos mínimos obligatorios de acuerdo con el ENI. Asimismo, se asignarán también los considerados en el perfil de la organización como metadatos obligatorios para la transferencia. Finalmente, se asignarán también los complementarios no obligatorios que se estime oportuno.

4.1.7. Documentación

Los procesos expuestos en 1.5 deben estar documentados. Se tendrán en cuenta las directrices que puedan establecer las autoridades calificadoras y archivísticas competentes, de acuerdo con la legislación de archivos que sea de aplicación en cada caso.

4.1.8. Formación

La transformación digital necesita de un amplio programa de formación que abarque no sólo la formación, propiamente dicha, sino también la concienciación. Como demuestra la experiencia, más que una formación técnica, que también es necesaria, lo imprescindible es una formación en la esencia y razón de ser de la administración electrónica, encaminada a lo que se ha venido en llamar el cambio de chip, una especie de apostolado de la transformación digital.

4.1.9. Supervisión y auditoría

El desarrollo e implantación de la PGD-e de la organización necesita un seguimiento continuado, que puede recaer sobre la unidad responsable, sobre el mismo grupo de trabajo que haya elaborado la PGD-e o sobre un equipo que se determine.

Asimismo, deberá ser objeto de auditorías con la periodicidad que se determine. Estas auditorías podrán ser internas o externas, y también podrán ser abordadas de forma coordinada con las auditorías del ENS. La organización decidirá en la PGD-e el alcance y forma de esas auditorías, aunque lo recomendable sería llevarlas a cabo de acuerdo con la norma ISO correspondiente.

4.1.10. Gestión de la política

Hay que determinar sobre quien recaerá el mantenimiento, actualización, difusión y publicación electrónica del documento de PGD-e. Lo recomendable sería el mismo gestor identificado en el apartado 3 de este punto 1.

4.1.11. Anexos

Los anexos son un importante complemento que enriquecen la PGD-e y ayudan a su ejecución y buena aplicación. Cada organización decidirá los que estima oportuno, pero desde aquí aconsejamos al menos tres tipos de anexos.

a) **Equipo responsable del proyecto**. Se trata de recoger con nombres y apellidos y ubicación en la organización de todas las personas que han participado en la elaboración de la PGD-e. Por un lado, porque conviene identificar a los responsables. Pero, sobre todo, porque si hemos hecho lo correcto, esa lista de responsables con su encuadre orgánico reflejará que toda la organización ha estado presente en la elaboración de la PGD-e, a través de especialistas en el tema.

b) **Elementos susceptibles de modificación permanente**. Como ya se ha señalado anteriormente, cuestiones como el cuadro de funciones de la organización es conveniente que se recojan en anexo. Por un lado, porque son cuestiones susceptibles de cambios y actualizaciones continuas. En otros casos, también porque hay herramientas de la PGD-e que tardarán en elaborarse más que la redacción de la PGD-e, por lo que conviene retrasar su incorporación mediante recursos fáciles como el anexo, que no precisa aprobación específica como ocurre con el documento de PGD-e.

c) **Guías de aplicación**. Una cosa es la PGD-e y otra bien distinta es su ejecución en el día a día. Para esto último, para llevarla a la práctica, son aconsejables herramientas sencillas de aplicación, a imagen y semejanza simplificada de las propias guías de aplicación de las NTI. En función de la complejidad de la organización y, por ende, de la complejidad de la PGD-e elaborada, puede ser una única guía de aplicación o pueden ser varias, por sectores de contenido de la PGD-e. Como mínimo, en una única guía o desglosada en varias, esas guías prácticas deben contener: captura y registro, firma electrónica, digitalización, clasificación, descripción, aplicación del perfil de metadatos, acceso, calificación, conservación, transferencia y destrucción.

La 3ª edición de la PGD-e cd MINHAC ha incorporado precisamente once guías de aplicación, abordando las cuestiones enumeradas en el párrafo anterior, más un aspecto muy específico como es una Guía de aplicación de tramitadores y gestores documentales, Asimismo, también se ha incorporado una primera guía general de implantación de la PGD-e.[6]

5.   LA HOJA DE RUTA

Ya hemos comentado que la PGD-e no es sólo una obligación legal, sino que constituye una herramienta de primerísima importancia para llevar a cabo la transformación digital de una organización. Pues bien, para que esto sea así, es también de máxima importancia la manera en la que se elabore el documento de PGD-e, teniendo en cuenta la formación diversa de esas personas y la representatividad que tengan en el conjunto de la organización. Naturalmente, la hoja de ruta responde a una organización estándar, de manera que en cada caso, según se trate de una organización más o menos grande, de estructura diversa, etc. simplificará o ampliará el planteamiento tipo que aquí proponemos.

5.1.   Primera fase: el origen

5.1.1.   Orden de salida

El punto de arranque puede ser jerárquico, en cuyo caso hay un primer problema resuelto, porque la necesaria implicación jerárquica se da ya de partida. Si no es así, los promotores de la iniciativa tendrán que buscar apoyo jerárquico antes de poner el proyecto en marcha. Tanto al comienzo, para organizar el equipo que vaya a elaborar la PGD-e, como al final, cuando se haya aprobado la PGD-e y haya que difundirla y aplicarla. A mayor organización y a mayor necesidad de transformación digital, mayor necesidad también de una gran implicación jerárquica.

Si el punto de arranque no proviene de las altas instancias de la organización, lo normal es que provenga o de los responsables de archivo o de los responsables de tecnologías. Sea como sea, estos dos sectores de la organización (archiveros y TIC) tendrán que colaborar desde el principio y trabajar codo con codo durante todo el proceso de elaboración de la PGD-e

5.1.2.   Creación de grupo de trabajo

Sea cual sea el punto de arranque, hay que tener claro que la necesidad de aunar en un mismo entorno de colaboración las disciplinas afectadas y las distintas áreas competenciales, aconsejan la creación de un grupo de trabajo a la hora de diseñar la PGD-e. Los colectivos más afectados son los de archiveros y TIC, que deben constituir el núcleo esencial del proyecto, reforzados con otras

---

(6)   Véase la publicación de las once Guías de aplicación de la PGD-e. Visto en PAe https:// administracionelectronica.gob.es/pae_Home/pae_Actualidad/pae_Noticias/Anio-2019/ Agosto/Noticia-2019-08-02-Publicadas-11-guias-Politica-gestion-documentos-electroni-cos.html (consultado 16/02/2020).

disciplinas cercanas que también contribuyen a tener en cuenta los campos más afectados por la gestión del documento electrónico.

Las tres condiciones básicas que debe reunir ese grupo son las siguientes:

• Amplia representatividad entre los diferentes componentes estructurales y competenciales de la organización, buscando entre esas personas especialmente profesionales con conocimiento real en torno a los documentos y los diferentes aspectos de las tecnologías relacionados con la gestión documental. Especialmente deben estar representados aquellas unidades de la organización con más experiencia en materia de gestión, producción y tratamiento documental.

• Composición multidisciplinar de los componentes del grupo. Especialmente tiene que haber especialistas en gestión documental y archivo, TIC, juristas y gestores.

• Respaldo institucional, no sólo jerárquico, sino también mediante su encuadre como proyecto derivado de los planes y funcionamiento habitual de la organización.

5.1.3. El caso de los ministerios

A título orientativo para el caso de la AGE, digamos que todos o la mayor parte de los ministerios y organismos públicos de la AGE cuenta con unidades TIC más o menos consolidadas y potentes, pero no ocurre igual en el caso de los archivos. Los archivos la AGE no siempre cuentan con la unidad correspondiente dotada de profesionales del sector.

La máxima responsabilidad sobre los archivos de los ministerios no es la misma en todos los casos, y eso debe considerarse a la hora de abordar la PGD-e. Las tres situaciones posibles en los ministerios son las siguientes:

• Existe Comisión Calificadora de Documentos Administrativos, sobre la que recae, la competencia en materia de archivos.

• La responsabilidad directa recae sobre la Secretaría General Técnica, de acuerdo con reales decretos de estructura. En el caso de un organismo o entidad, dicha responsabilidad recae en el responsable del propio organismo o entidad.

• Hay un Grupo de Trabajo de Archivos. El artículo 13 del Real Decreto 1708/2011, de 18 de noviembre, por el que se establece el Sistema Español de Archivos y se regula el Sistema de Archivos de la Administración General del Estado y de sus organismos públicos y su régimen de acceso, otorga la facultad de coordinación de los archivos de los departamentos ministeriales a los grupos de trabajo que en ellos se constituyan. Entre las finalidades de esos grupos de trabajo está la de «promover programas de gestión en los que se establezcan los objetivos que deben cumplir sus archivos mediante los correspondientes proyectos y actuaciones a desarrollar».

En conclusión, en los ministerios la responsabilidad máxima sobre los archivos recae en la Secretaría General Técnica, que debe desarrollar esa responsabilidad a través de los órganos colegiados cuando éstos existan, bien sea la Comisión Calificadora o el Grupo de Trabajo. Obviamente, cuando existe órgano colegiado el proyecto de abordar la PGD-e se ve beneficiado la representatividad del propio órgano. Sin embargo, aunque no exista, la competencia exclusiva de la Secretaría General Técnica permite abordar el proyecto. Es decir, no hay escusa real para no hacerlo.

5.2. Segunda fase: desarrollo de los trabajos

5.2.1. El plan de trabajo

Naturalmente, hay muchas maneras de abordar los trabajos de elaboración de la PGD-e de una organización pública, independientemente de la administración en la que se encuadre. Vamos a ver, por tanto, algunos criterios básicos y aplicables o adaptables a todos los casos.

El primero es considerar como punto de partida el modelo tipo editado por MINHAP[7]. El modelo realmente tiene estructurado el contenido de la PGD-e, de acuerdo con lo que establece al respecto el ENI, la NTI de PGD-e y la guía de aplicación de dicha NTI. Por lo tanto, se convierte en un óptimo guion de trabajo. Por otro lado, en la misma página de PAe encontramos otros modelos sugeridos, la normativa al respecto y ejemplos disponibles de PGD-e correspondientes a las diferentes administraciones públicas, así como a las universidades.

Es necesario abordar y discutir aspecto por aspecto con el tiempo y dedicación que sea necesario. Hay que tener en cuenta dos cosas. Una, la diversidad profesional y orgánica de los participantes en el grupo de trabajo y, por tanto, sus diferentes sensibilidades. Y dos, que se debe buscar en todo momento los puntos comunes para llegar al consenso. En estas circunstancias no se logran planteamientos comunes válidos para todos los implicados si no es a base de debatir abiertamente.

Para avanzar e implicar a los presentes, es bueno encomendarles el desarrollo de aspectos concretos de la PGD-e en los que sean expertos. MINHAP, por ejemplo, en su primera edición, usó el recurso de encargar ponencias sobre las cuestiones más complejas a algunos de los miembros del grupo, en función de

---

(7) Nos referimos a la «Política de gestión de documentos electrónicos. Modelo», MINHAFP, 2013. Accesible en el Portal de Administración Electrónica (PAE), url: https://goo.gl/4kuMMK.

especialidades. Esas ponencias se exponían y debatían, y las conclusiones alcanzadas se trasladaban al apartado correspondiente de la PGD-e. Posteriormente esas ponencias también se publicaron como complemento a la PGD-e, porque el grupo consideró que podrían ser de interés para quienes tuvieron que enfrentarse a la elaboración de una PGD-e[8].

Es interesante buscar las posibles formas de debate e intercambio de criterios entre los diferentes sectores de la organización. Por ejemplo, un foro de comunicación interna al que se lleven las cuestiones más complejas de la PGD-e.

Hay que entender que el grupo lo que elabora es un borrador de PGD-e, que deberá pasar por los órganos colegiados afectados que existan, sobre todo si se trata de órganos colegiados relacionados con el archivo electrónico o con las TIC. Posteriormente, el borrador deberá pasar también por los cauces habituales de la organización para ver proyectos de este tipo, intentando que realice el recorrido más amplio posible. En cuanto más amplio sea el recorrido del borrador recogiendo sugerencias y propuestas, mayor es su difusión, la concienciación sobre el tema y la implicación de la organización.

Después de recibir propuestas, el borrador vuelve de nuevo al grupo de trabajo, para debatir sobre esas propuestas y establecer nuevamente puntos comunes de debate. Se elabora así el proyecto definitivo, listo ya para la firma de la máxima autoridad de la organización.

5.2.2. El consenso como objetivo

Un documento tan sensible y tan necesitado de la implicación general de la organización, no puede aprobarse a base de votaciones. Si un sector de la organización considera que una parte del documento de PGD-e es perjudicial o inviable en el marco de sus responsabilidades dentro de la organización, la PGD-e nacería ya debilitada por mucho que sea producto de una votación mayoritaria. Por eso el consenso es una de las reglas esenciales para elaborar una PGD-e convincente, válida y realmente aplicable.

5.2.3. El resultado

Puede que ningún miembro del grupo de trabajo sienta el documento como plenamente «suyo», pero sí es importante que todos puedan decir que, sin ser a su criterio la PGD-e ideal, les resulta aceptable por ser válida para todos.

El fruto de ese trabajo será algo así como el libro de cabecera de la organización la hora de todos los proyectos y herramientas informáticas que afecten al documento electrónico y la encaminen, directa o indirectamente, hacia la administración electrónica.

---

(8) «Política de gestión de documentos electrónicos. Ponencias complementarias al documento». MINHAP, Madrid, 2014. Consultable en: https://goo.gl/6mQqAP.

5.3. Tercera fase: Implantación

Es necesario pasar de los planteamientos teóricos a los prácticos. Si se ha elaborado una PGD-e sin más objetivo que cumplir con la legislación vigente, el objetivo está cumplido. No hay fase de implantación. Pero, lógicamente, la PGD-e se ha hecho para cumplirla. Es la herramienta necesaria para garantizar un tratamiento adecuado y válido del documento electrónico en el camino hacia la transformación digital.

Las principales tareas de implantación serían las siguientes:

• *Difusión y formación*

El primer paso una vez aprobada la PGD-e es difundirla dentro y fuera de la organización. La difusión externa revaloriza el documento y apoya la credibilidad en el interior. La necesidad de difundirla en el interior es de primer orden, para que se conozca y se comprenda su sentido real y el cambio cultural que comporta.

• *Aplicación práctica*

La PGD-e no es un fin en sí misma, sino una pieza importante de un gran rompecabezas. Es la herramienta imprescindible para abordar adecuadamente el tratamiento del documento electrónico, en el marco de la transformación digital.

La LPAC y la LRJSP plantean un funcionamiento exclusivamente electrónico de unas administraciones públicas que tienen que ser perfectamente interoperables entre sí. En ese proceso el documento electrónico ocupa un lugar de primer orden, porque la verdadera transformación digital no es otra cosa que la gestión del documento electrónico y el cambio organizativo y funcional que debe conllevar.

A partir de la aprobación de la PGD-e, todos los cambios organizativos, todas las reorganizaciones, todos los desarrollos informáticos, etc. deberán tratar el documento electrónico de acuerdo con las directrices y especificaciones técnicas recogidas en la PGD-e.

El arranque de la aplicación de la PGD-e debería ser un análisis de la situación de partida. A tal efecto, la Guía de aplicación de implantación de la política de gestión de documentos electrónicos de la PGD-e de MINHAC plantea para este análisis inicial un «checklist» de actuaciones que incluye tres bloques de información: uno relativo al documento y expediente electrónico, otro a la serie documental y otro al gestor documental. Este checklist podría servir como base a una encuesta que pudiera distribuirse en toda la organización[9].

• *Seguimiento de aplicación*

La PGD-e marca el inicio de un camino, y hay que garantizar que ese camino es continuo. Para asegurar que así sea, se necesita una herramienta de continuidad, que elabore un plan de implantación y haga un seguimiento periódico de su grado de cumplimiento.

La mayor parte de los grupos y equipos encargados de elaborar el documento de PGD-e de su organización consideran finalizada su tarea una vez que se aprueba el documento. Sin embargo, para garantizar realmente su aplicación es necesario que los responsables de elaborar la PGD-e piensen también en su implantación posterior. Con tal fin, debería incluir entre sus trabajos un último capítulo consistente en diseñar un plan de implantación con metas concretas y la creación de un órgano encargado del seguimiento periódico. Salvo que el mismo grupo que ha elaborado la PGD-e prolongue su existencia para asumir el seguimiento.

6.   BIBLIOGRAFÍA

BIA, Alejandro. «La preservación digital. ¿un problema tecnológico u organizativo?». Dentro de la obra colectiva dirigida y editada por BLASCO DÍAZ, José Luis y FABRA VALLS, Modesto J., *El documento electrónico: aspectos jurídicos, tecnológicos y archivísticos*, Publicacions de la Universitat Jaume I, Castelló de la Plana, 2008.

BUSTOS PRETEL, Gerardo. Análisis del artículo 46 de la obra colectiva dirigida por CAMPOS ACUÑA, Concepción, *Comentarios a la Ley 40/2015 de Régimen Jurídico del Sector Público,* Wolters Kluwer, Madrid, 2017.

—. Análisis de los artículos 17, 26, 27 y 28 de la obra colectiva dirigida por CAMPOS ACUÑA, Concepción, *Comentarios a la Ley 39/2015 de Procedimiento Administrativo Común de las Administraciones Públicas,* Wolters Kluwer, Madrid, 2017.

—. «Entre "Archive" y la política de gestión de documentos electrónicos». *Tábula*. Asociación de Archiveros de Castilla y León, núm. 19, 2016.

---

(9)   Política de gestión de documentos electrónicos MINHAC. 1. Guía de aplicación de implantación de la política de gestión de documentos electrónicos. Centro de Publicaciones de MINHAC. Madrid, 2019. http://www.hacienda.gob.es/Documentacion/Publico/SGT/CATALOGO_SEFP/274_1.Guia%20de%20aplicacion%20de%20implantacion%20de%20la%20Politica%20GDE%20(acc).pdf (Consultado 18/02/2020).

—. «El archivo electrónico es la última etapa del documento electrónico», Portal de Administración Electrónica OBSAE. Nota técnica. Consultado a 16/02/2020. Disponible en: https://administracionelectronica.gob.es/pae_Home/pae_OBSAE/pae_NotasTecnicas.html

—. «Al final de camino, el archivo electrónico», Boletín núm. 76 de ASTIC. Consultado 16/02/2020 . Disponible
en: https://www.astic.es/la-asociacion/boletic/boletic-no-76-abril-2016.

—. «¿Cómo elaborar la política de gestión de documentos electrónicos?» Blog de Legaltoday. (Consultado 16/02/2020) http://www.legaltoday.com/blogs/transversal/blog-administracion-publica/como-elaborar-la-politica-de-gestion-de-documentos-electronicos

GARCÍA-MORALES, Elisa. Gestión de documentos en la e-administración, Editorial UOC, Barcelona, 2013.

GONZÁLEZ PEREZ, Jesús y GONZÁLEZ NAVARRO, Francisco. «Comentario a la ley de régimen jurídico de las administraciones públicas y del procedimiento administrativo común (Ley 30/92, de 26 de noviembre), tomo I. Cuarta edición. 2007. Editorial Aranzadi, SA». Pamplona 2007.

MINISTERIO DE HACIENDA

Política de gestión de documentos electrónicos. MINHAC, 3ª ed. Centro de Publicaciones MINHAC. Madrid, 2019.

Política de gestión de documentos electrónicos MINHAC. 1. Guía de aplicación de implantación de la política de gestión de documentos electrónicos. Centro de Publicaciones de MINHAC. Madrid, 2019.

http://www.hacienda.gob.es/Documentacion/Publico/SGT/CATA-LOGO_SEFP/274_1.Guia%20de%20aplicacion%20de%20implantacion%20de%20la%20Politica%20GDE%20(acc).pdf (Consultado 18/02/2020).

MINISTERIO DE HACIENDA Y FUNCIÓN PÚBLICA. Políticas de gestión de documentos electrónicos MINHAP, 2ª ed., Centro de Publicaciones de MIN-HAP, Madrid, 2016.

—. Políticas de gestión de documentos electrónicos MINHAP. Ponencias complementarias al documento, Centro de Publicaciones de MINHAP, Madrid, 2015.

—. Plan de Transformación Digital de la Administración General del Estado y sus organismos públicos (Estrategia TIC 2015 -2020). «Colección administración electrónica», Centro de Publicaciones de MINHAP, Madrid, 2015.

—. «Esquema de Metadatos para la Gestión del Documento Electrónico (e-EMGDE). Versión 2.0. Documentación complementaria a la Norma Técnica de

Política de gestión de documentos electrónicos», MINHAFP 2016. Recuperable (1/5/2018) en https://goo.gl/MzFkZU.

—. «Código de interoperabilidad. Recopilación normativa», Centro de Publicaciones de MINHAFP, Madrid, 2017.

PALOMAR OLMEDA, Alberto. *Procedimiento administrativo*, Thomson-Reuters-Aranzadi, Navarra, 2.ª ed., 2017.

PIÑAR MAÑAS, J.L. y otros (2011). *Administración electrónica y ciudadanos*, Capítulo I, «Revolución tecnológica y nueva administración», Civitas, Pamplona.

RIVERO ORTEGA, R. (2007). *El expediente administrativo, De los legajos a los soportes electrónicos*, Aranzadi, Pamplona.

SERRA, Jordi. «Gestión y conservación de los documentos electrónicos desde la perspectiva archivística: un nuevo escenario de actuación». Dentro de la obra colectiva dirigida y editada por BLASCO DÍAZ, José Luis y FABRA VALLS, Modesto J. *El documento electrónico: aspectos jurídicos, tecnológicos y archivísticos*, Publicacions de la Universitat Jaume I. Castelló de la Plana. 2008, pág. 312.

VALCÁRCEL FERNÁNDEZ, Patricia. «Documentos y archivos electrónicos», incluido en la obra colectiva *Administración Electrónica y Ciudadanos*, dirigida por PIÑAR MAÑAS, José Luis, Thomson-Reuters-Aranzadi, Navarra, 2011, pág. 579.

7.

LOS METADATOS EN LA GESTIÓN DE DOCUMENTOS

José Luis GARCÍA MARTÍNEZ

Jefe de Área de Archivo y Documento Electrónico. Ministerio de Hacienda

1. INTRODUCCIÓN A LOS METADATOS

Los metadatos constituyen una herramienta imprescindible para la gestión del documento electrónico, lo mismo que ocurre en otras materias en las que se trabaja con recursos digitales entendidos como objetos. La definición de metadato es de sobra conocida, una buena parte de los artículos publicados sobre el tema e incluso la información recogida en la mismísima Wikipedia, inician su relato con la definición establecida en 1969 por Jack Myers, que une dos términos, uno de origen griego, $\mu\varepsilon\tau\alpha$, «más allá de», y otro procedente del latín, *datum*, «dato»: más allá de los datos[1].

Desde el punto de vista de la informática, con el empleo de las computadoras en los años sesenta, los metadatos se generalizaron en el entorno de la biblioteconomía pero, ahora se utilizan en cualquier tipo de objetos digitales. Cualquier recurso tiene, cuando está almacenado de forma conjunta con otros, la necesidad de ser descrito para facilitar las búsquedas a partir de sus características distintivas. Esto nos vale tanto para un vídeo o un libro en una biblioteca, como para la pieza de una excavación arqueológica, y por tanto, para una información electrónica. Los sistemas de consulta se valen de los metadatos para lograr mejores prestaciones a la hora de la representación, localización y recuperación de recursos electrónicos[2].

Sin embargo, aunque asociamos desde el primer momento los metadatos con los entornos tecnológicos, lo cierto es que en el mundo de los archivos se han utilizado desde muy antiguo. Los metadatos no son componentes de sistemas

---

(1)   VOUTSSÁS MÁRQUEZ, Juan, 2006, pág. 155.
(2)   SENSO, José Antonio, y ROSA PIÑERO, Antonio de la, 2003.

informáticos de información, sino componentes de sistemas de información[3]. Por ejemplo, un clásico libro de registro de entrada o salida podría ser considerado como un esquema de metadatos «en el punto de captura»[4].

La complejidad de los metadatos obliga a la formación de equipos multidisciplinares para su diseño, tanto profesionales de la información como diseñadores de programas, técnicos de sistemas, etc. En el entorno de los documentos, se puede afirmar, que los archiveros son unos verdaderos profesionales en la materia. Los metadatos son el elemento principal de los instrumentos de descripción de los archivos (guías, inventarios, catálogos, índices, etc.), sin los cuales sería imposible cumplir con el objetivo de mantener los documentos auténticos, fiables, íntegros y disponibles a lo largo del tiempo.

Hasta hace poco, se pensaba que la implementación de los metadatos se realizaría al final del ciclo de vida de los documentos, en el archivo, sin embargo se ha producido un cambio de mentalidad y la creación de metadatos se ha adelantado al mismo inicio del procedimiento donde, el archivero, es necesario para la correcta definición de los datos relativos a los documentos y expedientes que se generan en los procedimientos administrativos[5].

La Norma ISO 23081 entiende por metadatos *los datos para la creación, gestión y uso de documentos*[6]. Por su parte, en el Esquema Nacional de Interoperabilidad, se indica, por un lado, que el **metadato** es el *dato que define y describe otros datos*, y por otro lado, se define lo que es el **metadato de gestión de documentos**: *Información estructurada o semiestructurada que hace posible la creación, gestión y uso de documentos a lo largo del tiempo en el contexto de su creación. Los metadatos de gestión de documentos sirven para identificar, autenticar y contextualizar documentos, y del mismo modo a las personas, los procesos y los sistemas que los crean, gestionan, mantienen y utilizan.*

Como vemos, se incluyen en los metadatos, además de las características tradicionales de contextualizar y recuperar, los conceptos de autenticar, garantizar la integridad y la disponibilidad dentro de las nuevas tecnologías.

La utilidad de los metadatos es indiscutible. Las razones más importantes por las que se han hecho imprescindibles son las siguientes[7]:

• **Incrementan el acceso:** la existencia de un conjunto de metadatos que describa correctamente uno o varios objetos, aumenta la posibilidad de acce-

(3) DELGADO GÓMEZ, Alejandro, y BARBADILLO ALONSO, Javier., 2009, pág. 46.
(4) *Ibidem.*
(5) ABARCA PERIS, Ferrán, 2017, págs. 2 y 3.
(6) International Organization for Standardization. *ISO 23081-1:2006 Information and documentation -- Records management processes - Metadata for records — Part 1: Principles.* Disponible en https://www.iso.org/standard/40832.html [Consulta: 6 de abril de 2018].
(7) SENSO RUIZ, José Antonio, 2002, pág. 17. AGUDELO BENJUMEA, Mónica María, [s.a.].

der a ellos y posibilitan la búsqueda de información en múltiples entornos a la vez.

• **Disminución del tráfico en la red:** al clasificar la representación del objeto, y no el objeto en sí, no se requiere demasiado ancho de banda para hacer las búsquedas o generar los índices.

• **Expanden el uso de la información:** los metadatos facilitan la difusión de versiones digitales de un único objeto.

• **Control de versiones:** se generan diferentes metadatos con distintas cantidades o tipos de información sobre un mismo objeto, con el fin de distribuirlo a un público heterogéneo.

• **Aspectos legales:** los metadatos permiten establecer claramente las restricciones de uso, condiciones de licenciamiento, informan sobre los derechos de autor, control del todo o de una parte del objeto, método de pago si es comercial y control de acceso a información restringida, entre otros.

• **Precisión en los procesos de búsqueda y recuperación:** la correspondencia entre los descriptores usados en la búsqueda y los metadatos del objeto, permite aumentar la precisión en la mayoría de búsquedas en Internet.

Desde el punto de vista de la gestión documental y el archivo electrónico, teniendo en cuenta que los documentos deben ser metadatados desde su mismo nacimiento, nos interesa especialmente establecer una tipología de metadatos por su forma de creación, lo que es fundamental para concebir y diseñar la tramitación de los documentos y expedientes y, posteriormente, la gestión en el archivo. A grandes rasgos, podríamos diferenciar tres tipos de metadatos por su forma de cumplimentación:

• **Metadatos automatizables.** Son los que cumplimenta el sistema. Ejemplos de este tipo de metadatos son la fecha de captura, la resolución y las dimensiones del documento. Si tomamos como ejemplo un documento fotográfico, el metadato con la fecha de captura acompañará de por vida a la imagen, mientras que el software de la cámara tenga sincronizado el reloj. De esta forma, siempre podremos saber en qué momento se realizó la instantánea.

• **Metadatos heredables o deducibles.** En el caso que hemos indicado de un documento fotográfico, el metadato de autor es un buen ejemplo. Puedo programar la cámara para que se haga constar el nombre y apellidos del dueño en cada una de las fotografías que se realicen con una máquina. Estos metadatos heredables son fáciles de automatizar y van a ser muy importantes en la gestión de documentos electrónicos.

• **Metadatos manuales.** No todos los metadatos se pueden automatizar. En el ejemplo de una fotografía, aunque una cámara con GPS pueda hacer constar la geo-referencia del lugar en el que se tomó la imagen, es imposible que la máquina averigüe el motivo fotografiado. Por tanto, es necesario que se incluya, de forma manual el título de la fotografía, por ejemplo: fachada de la catedral de Santiago. Lo mismo ocurre si queremos introducir otras características de la obra fotografiada como el estilo arquitectónico (barroco), o el arquitecto que la diseña (Fernando de Casas Novoa). La información contenida en los metadatos manuales nos servirá en las búsquedas y consultas para recuperar y administrar la información.

Desde el punto de vista técnico, el tercer bloque de metadatos es el más difícil de implementar, lo que ha motivado en un primer momento su rechazo por los técnicos de la información y las comunicaciones. De hecho, no existe ningún metadato de cumplimentación manual y texto libre en las Normas Técnicas de Interoperabilidad (en su primera versión). El metadato más importante por su riqueza descriptiva es el eEMGDE3.1-Nombre natural, que es equivalente al campo título de la norma ISAD (G).

2. EL ESQUEMA DE METADATOS (EEMGDE)

En el ámbito español se ha consolidado el uso del **Esquema de metadatos para la gestión del documento electrónico (eEMGDE).** Es un esquema acordado entre las diferentes administraciones públicas españolas: Administración General del Estado, comunidades autónomas, administración local (a través de la Federación Española de Municipios y Provincias) y las universidades, cuya utilización es recomendada por la Norma Técnica de Interoperabilidad de PGD-e[8].

Esta norma técnica, en su apartado VII.4, indica sobre el **e-EMGDE**, *que incluye los metadatos mínimos obligatorios, definidos en las Normas Técnicas de Interoperabilidad de documento electrónico y expediente electrónico, así como otros metadatos complementarios pertinentes en una política de gestión y conservación de documentos electrónicos, podrá ser utilizado como referencia para la adecuación a los requisitos de interoperabilidad en materia de gestión documental.*

El eEMGDE se inspira en el referente Australian Government Recordkeeping Metadata Standard Version 2.0, adaptado al ámbito español y a los requisitos de nuestra normativa. Se basa en un modelo entidad-relación que reconoce la existencia de diversas entidades: documento, agente, actividad, regulación y relación, y en el uso de relaciones y eventos para dejar constancia del contexto. De esta forma, los metadatos del documento y del expediente electrónico pueden definirse en el marco de un sistema de gestión documental completo desde una perspectiva multi-entidad en la que, además de los propios documentos, parti-

---

(8)   GILLILAND-SWETLAND, Anne J., 1998, págs. 1 a 8.

138

cipan otro tipo de entidades caracterizadas por sus propios metadatos, como pueden ser agentes, regulaciones o actividades.

El Esquema de Metadatos para la Gestión del Documento Electrónico (e-EMGDE), establece:

• El modelo conceptual en el que se apoya el modelo de metadatos, sus propiedades y su lógica subyacente.

• Descripción de cada uno de los elementos y sub-elementos de metadatos, a través de la descripción de cada una de sus características: definición, propósito, obligatoriedad, etc.

• Los esquemas de valores necesarios para cumplimentar los elementos de metadatos pertinentes.

• Las referencias a las normas utilizadas como base, así como a otras normas de posible utilidad.

A partir de la elaboración de la PGD-e del Ministerio de Hacienda y Administraciones Públicas[9] (en la actualidad Hacienda y Función Pública) y de las experiencias detectadas en el desarrollo de la aplicación ARCHIVE, del mismo Ministerio, se han propuesto una serie de mejoras y modificaciones en el esquema, que han sido debatidas y consensuadas a nivel nacional, y han tenido su plasmación en el eEMGDE versión 2.0, publicado en julio de 2016. Entre las novedades que se incluyen debemos destacar su adaptación para un posible uso en entornos mono-entidad, así como la inclusión de los metadatos que faltaban de documento y expediente electrónico recogidos en las Normas Técnicas de Interoperabilidad (no estaban concebidos para un entorno mono-entidad).

3.   LOS METADATOS EN LA NORMATIVA

3.1.   De la Norma UNE-ISO 15489 a las políticas de gestión de documentos electrónicos

Los metadatos constituyen uno de los tres componentes del documento electrónico, junto con el contenido, entendido como el conjunto de datos en que se sustancia la información del documento electrónico, y la firma electrónica.

En nuestro caso, vamos a utilizar los metadatos para gestionar los documentos y expedientes desde que se producen hasta que se eliminan o se transfieren a otro archivo. Gracias a los metadatos podemos automatizar toda una serie de tareas relacionadas con los plazos de acceso a la documentación, la clasificación, la conservación o la transferencia a otro archivo.

---

(9)   DEMPSEY, Lorcan, y HEERY, Rachel, 1997.

En este sentido, en la primera década del siglo XXI surgieron diferentes normas para la gestión de documentos electrónicos. Tenemos que destacar el papel jugado por la norma UNE-ISO 15489 y por MoReq.

Estas normas establecieron las directrices para poner en marcha los sistemas de gestión de documentos electrónicos. A partir de aquí surge la **norma UNE-ISO 23081**, publicada por primera vez en 2004 como una especificación técnica, pasando en 2006 a ser una norma internacional, que fue ratificada en 2010. Se centra en el marco necesario para definir elementos de metadatos y dispone unas directrices genéricas sobre ellos, independientemente de que se trate de documentos físicos, analógicos o digitales. Presenta una aproximación lógica a los metadatos para la gestión de documentos en las organizaciones, modelos conceptuales de metadatos y una visión general del conjunto de los distintos tipos de elementos de metadatos válidos para cualquier entorno de gestión de documentos. No describe un conjunto específico de metadatos pero sí identifica los tipos genéricos de metadatos que se requieren para la gestión de los documentos.

Una vez consolidadas en el marco internacional las experiencias en gestión de documentos electrónicos, a nivel estatal se emitieron diferentes disposiciones que han tenido una gran transcendencia para la introducción de la administración electrónica en España. En lo referente al marco normativo en el que nos movemos, tenemos que decir que nuestro país es uno de los más avanzados en este sector. Esto es debido a que la Ley 11/2007, ya derogada, estableció que las administraciones públicas estaban obligadas a facilitar el acceso electrónico de los ciudadanos a los servicios públicos. A partir de aquí se crearon las sedes electrónicas de los diferentes organismos.

Desde ese momento, integradas con las sedes electrónicas, se crearon aplicaciones para tramitar las solicitudes de los ciudadanos, del mismo modo que se crearon otras aplicaciones como *Note* o *Notifica*, para contestarles, olvidando que los documentos forman parte de expedientes en la mayor parte de los casos.

Está claro que la administración electrónica no puede quedarse solamente en la solicitud o inicio del trámite, debemos procurar que los documentos formen parte de un expediente electrónico, y que ese expediente, una vez finalizado, ingrese en el archivo electrónico (esta concepción sí que viene recogida en las Leyes 39 y 40 del 2015, que son las que actualmente sustentan la administración electrónica en nuestro país).

Después de la Ley 11/2007, se publicó su reglamento de desarrollo, aprobado por Real Decreto 1671/2009, que sirvió para definir lo que son los metadatos, o su obligatoriedad en el documento electrónico. El artículo 42 está dedicado expresamente a la adición de metadatos a los documentos electrónicos. En el punto 2 se indica que los documentos electrónicos susceptibles de ser integrados en un expediente electrónico, *deberán tener asociados metadatos que permitan*

su contextualización en el marco del órgano u organismo, la función y el proce-
dimiento administrativo al que corresponde.

El punto 4 de este artículo indica que *los metadatos mínimos obligatorios*
asociados a los documentos electrónicos, así como la asociación de los datos de
firma o de referencia temporal de los mismos, se especificarán en el Esquema
Nacional de Interoperabilidad.

El Esquema Nacional de Interoperabilidad ha supuesto el verdadero paso
adelante en la normalización de la administración electrónica española. Aprobado por Real Decreto 4/2010, de 8 de enero, de él emanan las diferentes normas
técnicas de interoperabilidad (en adelante NTI). De especial interés para nosotros
son la NTI de Documento electrónico y la NTI de Expediente electrónico, aprobadas en sendas resoluciones de 19 de julio de 2011.

La NTI de Documento electrónico nos indica cuáles son los metadatos obligatorios de los documentos electrónicos, así como la estructura XML que han
tener estos a la hora de su intercambio. La NTI de Expediente electrónico establece que los expedientes deben incluir un índice de los documentos que contiene. Este índice tiene que estar firmado, con lo que se garantiza la autenticidad
e integridad del expediente y de sus documentos. También se establecen los
metadatos obligatorios del expediente y la estructura XML de intercambio.

Es necesario resaltar la importancia del metadato clasificación, que incluye
el código del procedimiento o serie documental a la que pertenece el expediente. Preferentemente ha de utilizarse el código que el procedimiento tiene en
el Sistema de Información Administrativa (SIA). Por tanto, antes de generar expedientes, tendríamos que dar de alta la serie documental en SIA, para conocer el
valor del metadato clasificación que deben llevar los expedientes de ese procedimiento o función. Este código permite clasificar los expedientes de forma
automatizada en el archivo, con lo que se facilita un tratamiento de conservación, seguridad y acceso homogéneo para todos ellos.

También es de gran importancia la NTI de PGD-e, aprobada por resolución
de 28 de junio de 2012, que establece la estructura y directrices que han de tener
las políticas de gestión de documentos electrónicos que aprueben los diferentes
organismos. En este sentido, la primera PGD-e de la Administración General del
Estado es la del Ministerio de Hacienda y Administraciones Públicas, elaborada
en los años 2013-2014, ha contado con la participación de los principales órganos del Ministerio, así como del Ministerio de la Presidencia y de la Subdirección
General de los Archivos Estatales del Ministerio de Educación, Cultura y
Deporte. Su carácter consensuado, especialmente en lo referente a los metadatos, le ha conferido un carácter dogmático, por lo que otras políticas españolas
la han tomado como referente.

Uno de sus principales logros fue la definición del perfil de aplicación de
metadatos, es decir, un conjunto de metadatos seleccionados entre el listado que

recoge el Esquema de Metadatos para la Gestión del Documento Electrónico (eEMGDE), consensuado entre el Estado, las comunidades autónomas, la Federación Española de Municipios y Provincias y las Universidades. En este perfil, tan debatido y consensuado en las catorce reuniones que tuvieron lugar para elaborar la política, se establecieron tres bloques de metadatos:

• El primero era un mapeo entre los metadatos del eEMGDE y los que se han establecido como obligatorios en las NTI de Documento electrónico y Expediente electrónico[10].

• El segundo bloque fue el más debatido, pues se trataba de elegir cuáles eran los metadatos precisos para la gestión documental en un archivo. En este bloque se incluyeron metadatos de clasificación, calificación, seguridad, y acceso, uso y reutilización, además del metadato de fecha fin.

• El tercer bloque está formado por otros metadatos recomendados, dentro del eEMGDE, en base a que tienen una especial relevancia para la gestión documental. En este bloque se incluyen los metadatos relacionados con el registro, la trazabilidad o el nombre natural, equivalente al título del expediente.

Este perfil de aplicación ha servido de modelo a otras políticas que han surgido después como la del Ministerio de Educación, Cultura y Deporte, el Ministerio de Defensa, la Comunidad de Andalucía o la de entidades locales.

No obstante, la redacción de una PGD-e es meramente un planteamiento teórico. Al poco tiempo de iniciarse los trabajos de desarrollo de la aplicación ARCHIVE, que tiene la vocación de ser la aplicación de archivo electrónico de las diferentes administraciones, se hizo evidente que los metadatos relativos a seguridad, acceso y calificación podrían definirse a nivel de serie documental, heredando los expedientes los valores en el momento del ingreso. Se entiende que los expedientes que forman parte de la misma serie documental tienen unas características similares.

En los trabajos de desarrollo de ARCHIVE se verificó que sería suficiente con que las unidades productoras cumplimentasen los metadatos obligatorios definidos en las NTI de Documento y Expediente electrónico así como los complementarios eEMGDE4.2-Fecha fin del expediente, que permite automatizar toda una serie de tareas, y eEMGDE3.1-Nombre natural, que si bien, en un principio había quedado relegado al tercer bloque en el perfil de aplicación, es innegable que es fundamental a la hora de realizar búsquedas y poder recuperar información de una forma ágil y rápida. Este metadato tiene su equivalencia con el campo título de la ISAD(G), en la que se considera obligatorio.

---

(10)   BACA, Murtha, 1998.

En el modelo planteado, cada expediente hereda los metadatos de califica-ción, seguridad y acceso en el momento de cambio de responsabilidad de la custodia. Eso no impide que los organismos que lo precisen puedan cumpli-mentar estos metadatos con anterioridad al ingreso en el archivo, desde el mismo momento de creación de los documentos. En este sentido, cualquier metadato del eEMGDE puede incorporarse al expediente electrónico y agregarse al paquete de transferencia (SIP), como veremos más adelante.

El anexo 11 de la segunda versión de la PGD-e del Ministerio de Hacienda y Administraciones Públicas, publicada en el año 2016, llega un poco más allá que las NTI de Documento y Expediente electrónico, y resuelve la forma de integrar en el paquete de transferencia (SIP) los metadatos complementarios, tanto eEMGDE3.1-Nombre natural y eEMGDE4.2-Fecha fin, como todos aque-llos que las unidades consideren necesarios para la gestión de sus documentos y expedientes electrónicos.

La tercera versión de la PGD-e, publicada en el 2020, consolida este plan-teamiento, y lo define con más precisión. El metadato eEMGDE3.1-Nombre natural debe indicar el asunto del documento o expediente, mientras que para describir nombres y apellidos de personas físicas o jurídicas debe recurrirse al esquema de metadatos comunes (eEMC). Por otro lado, se añade la obligatorie-dad cumplimentar a nivel de documento el subelemento de metadato eEMGDE8.1.1-Nivel de acceso, para cumplir con las normas de Seguridad.

El modelo está definido y funciona, pero ahora queda por delante un largo y difícil camino con un objetivo principal: normalizar y adecuar al ENI todas las aplicaciones de gestión. Si no lo hacemos va a resultar muy difícil ingresar los expedientes en el archivo electrónico y asegurar su conservación.

Para garantizar que los expedientes tengan la estructura concreta que deter-mina el ENI, lo recomendable es que contemos con una aplicación de tramita-ción completa que esté integrada con INSIDE, herramienta para la conformación de documentos y expedientes ENI desarrollada por la Secretaría General de Administración Digital del Ministerio de Hacienda y Función Pública. También es posible utilizar INSIDE para conformar los documentos y expedientes de forma manual, aunque es un proceso mucho más lento y limitado, solo reco-mendable para series poco voluminosas.

Es este sentido, se hace necesario el empleo de estructuras bien definidas, como las que utiliza INSIDE, que llega mucho más allá de lo que concreta el ENI y sus normas. Esta estructura del paquete SIP, realizada a través de INSIDE y reflejada en el Anexo 11 de la PGD-e del Ministerio de Hacienda y Adminis-traciones Públicas (segunda versión), es sin duda clave para que podamos con-seguir una administración plenamente interoperable. De hecho, el Comité Sec-torial de Administración Electrónica ha entendido que se deben definir las estructuras de intercambio y la integración de la firma al detalle para evitar problemas en el futuro.

En este punto, debemos comentar que, aunque INSIDE puede ayudar a estructurar los documentos y expedientes conformándolos según los XML definidos en las NTI, no es sencillo para las aplicaciones existentes disponer de los valores de los metadatos mínimos obligatorios de forma automática para posteriormente poder integrarse con INSIDE. Esto sin duda requerirá algún esfuerzo económico y humano. Sin embargo, está claro que debemos avanzar hacia la interoperabilidad completa de nuestras administraciones, y para lograrlo, la integración con INSIDE es un paso necesario.

3.2. Los metadatos mínimos obligatorios del documento electrónico

Los metadatos mínimos del documento electrónico se definen en su correspondiente NTI. El metadato **versión NTI**, es automatizable, ya que siempre tiene el mismo valor: http://administracionelectronica.gob.es/ENI/XSD/v1.0/documento-e, que hace referencia a la versión 1.0 de la NTI de Documento electrónico. En la actualidad, se está trabajando en una nueva versión.

El metadato **identificador** tiene una cadena de caracteres definida: ES_ <Órgano>_<AAAA>_<ID específico>. El código del órgano que ha emitido el documento es el recogido en el Directorio común de unidades orgánicas y oficinas (DIR3). Para la parte específica se recomienda el acrónimo del órgano que emite el documento y una secuencia numérica que haría referencia a la cantidad de documentos emitidos. Se entiende que no pueden existir dos documentos con el mismo identificador. Por ejemplo, ES_E07040246_2018_SGIDP00000001.

El metadato **órgano** contiene el código del órgano que emite el documento. Este código, como hemos visto en el metadato identificador, se obtiene de DIR3, al que podemos acceder desde el Punto de acceso general en internet. Normalmente, el código que utilicemos dentro del identificador y en el metadato órgano será el mismo.

El metadato **fecha de captura** tiene la siguiente cadena de caracteres AAAAMMDDT HH:MM:SS, en los que se indican el año, mes, día, t de tiempo, horas, minutos y segundos, siguiendo lo establecido en la Norma ISO 8601.

El metadato **origen** tiene dos posibles valores: 0, si el que produce el documento es un ciudadano, y 1, si es la administración quien emite el documento.

El metadato **estado de elaboración** indica la naturaleza del documento, si es un original, una copia electrónica auténtica de documento en papel, una copia electrónica auténtica de documento electrónico o una copia parcial auténtica. En el caso de que no tuviésemos garantías de que la copia se hubiese realizado de un original o de una copia auténtica, tendríamos que indicar el valor *otros*. La selección del metadato es manual en las oficinas de registro.

El metadato **nombre del formato** indica el formato lógico del fichero de contenido, si es un Pdf, un Word, un Excel, etc. Se trata de un metadato automatizable, ya que la aplicación de gestión reconoce el fichero. El formato utilizado debe estar reconocido en la Norma Técnica de Interoperabilidad de Catálogo de estándares.

El metadato **tipo documental** indica el carácter diplomático del documento, si es un acuerdo, un acta, una resolución, un acuse de recibo, etc. Si el tipo documental no se corresponde con los que aparecen en la norma habría que utilizar el valor *otros*.

El metadato **tipo de firma** es automatizable, y en él se indica el tipo de firma utilizado. En el caso de utilizarse el código seguro de verificación (CSV) habría que cumplimentar dos metadatos más: el valor del CSV y la regulación del CSV, que es la referencia al diario oficial o boletín en el que se regula su generación.

Prácticamente todos los metadatos son automatizables, puesto que las aplicaciones reconocen el formato del documento y el tipo de firma, al tiempo que generan la secuencia del identificador, cumplimentan el código de órgano y la fecha de captura, e incluso el tipo documental cuando se haya diseñado un tramitador completo para el procedimiento.

Más dificultades entraña para el empleado público la cumplimentación del metadato *estado de elaboración*, en la que habrá que decidir si estamos hablando de un original, una copia auténtica o una copia simple, para la que utilizaríamos el valor *otros*.

Por otro lado, es conveniente cumplimentar el metadato **eEMGDE3.1-Nombre natural**, que se ha definido como necesario en la PGD-e del Ministerio de Hacienda y Administraciones Públicas. Es muy importante este metadato por dos razones, primero porque el metadato *tipo documental* no incluye una relación de valores extensa, lo que puede generar confusiones; y en segundo lugar, porque si no se cumplimenta, es posible que en el Archivo electrónico necesitemos abrir los diferentes documentos de un expediente para localizar el que buscamos. A diferencia de lo que veremos en los expedientes, el metadato *nombre natural* se puede automatizar a nivel de documento, diseñando su cumplimentación en la aplicación de tramitación. No obstante, en algunas ocasiones, será necesaria la acción manual, por ejemplo, cuando un expediente contenga diferentes documentos semejantes, lo que obligaría a identificarlos. Está claro, que las necesidades de descripción de los documentos varían dependiendo de la serie documental con la que estemos trabajando.

Para la descripción del nombre y apellidos o de la persona jurídica debe utilizarse el esquema de metadatos comunes (eEMC). En este sentido, para personas físicas se utilizarían al menos los metadatos **eEMC_Interesado_PF_Nom-**

bre, **eEMC_Interesado_PF_Apellido1** y **eEMC_Interesado_PF_Apellido2**, y para personas jurídicas **eEMC_Interesado_PJ_NombreCompleto**.

3.3. Los metadatos mínimos obligatorios del expediente electrónico

El expediente está formado por los documentos electrónicos, un índice electrónico que tiene que estar firmado y unos metadatos. La NTI también define la estructura XML del expediente electrónico. En esta estructura se deben incluir la fecha de generación del índice electrónico, unos metadatos mínimos obligatorios, y para cada uno de los documentos que forman parte del expediente: el identificador, la huella, que está compuesta por unos algoritmos que garantizan la integridad del documento, la función resumen utilizada para hallar la huella, la fecha de incorporación al expediente y el orden que ocupa el documento dentro del expediente.

Con la firma del índice garantizamos la autenticidad e integridad del expediente y de cada uno de sus documentos. Cualquier modificación en la estructura rompería su integridad y ya no podríamos garantizar su autenticidad.

De los metadatos que define la NTI como obligatorios el primero es **versión NTI**: http://administracionelectronica.gob.es/ENI/XSD/v1.0/expediente-e, que siempre tiene este valor que equivale a la versión 1.0 de la norma técnica.

El metadato **identificador** tiene una estructura similar a la que hemos visto anteriormente en el documento electrónico, con la diferencia de que es obligatorio que se incluya la expresión EXP, para que se distinga que es un expediente: ES <ÓRGANO><AAAA> EXP <ID especifico>.

En el metadato **órgano** se incluye el código DIR3 del órgano que tramita el expediente. Se entiende que una unidad siempre utilizaría el mismo código en todos los expedientes que tramite, por tanto es automatizable.

Otro metadato es el de **fecha de inicio** del expediente. Si los documentos tienen una sola fecha, la de captura, los expedientes tienen dos, la fecha de inicio, que es obligatoria, y la fecha de finalización, de la que luego hablaremos. La estructura del metadato es similar a la que hemos visto en fecha de captura: AAAAMMDD T HH:MM:SS.

El metadato **clasificación** es muy importante. Aquí utilizamos el código del Sistema de Información Administrativa (SIA). A través de este código, los expedientes se clasifican de forma automática en su correspondiente procedimiento o serie documental dentro del Archivo electrónico.

El metadato **Estado** solamente tiene tres posibles valores, abierto, cerrado o índice para remisión cerrado. Solamente podrán ingresar en el archivo electrónico los expedientes finalizados.

El metadato **interesado** es de especial trascendencia, ya que aquí se incluyen los DNI de los ciudadanos o el NIF de los órganos que son interesados en el expediente. Este metadato permite, en algunos casos, que cada ciudadano pueda visualizar sus expedientes en su carpeta ciudadana.

El metadato **tipo de firma**, automatizable, indica el tipo de firma utilizado para firmar el índice del expediente. De la misma forma que ocurría con el documento electrónico, en el caso de que se utilice el CSV, habría que cumplimentar dos metadatos más: el valor del CSV y la regulación del mismo.

Todos estos metadatos podrían ser automatizables si la aplicación de tramitación está bien diseñada, incluido el metadato interesado, que se implementaría a partir de la firma con el certificado electrónico.

Además de los obligatorios que indica la NTI, existen otros metadatos de vital importancia que habría que cumplimentar: nos referimos a los metadatos **eEMGDE3.1-Nombre natural**, que es equivalente a título del expediente, que nos permitirá recuperar el expediente en las consultas, y **eEMGDE4.2-Fecha fin del expediente**, que permitirá después automatizar una serie de tareas en el archivo electrónico.

Estos dos metadatos son adicionales, no se contemplan en el ENI como obligatorios, pero diferentes políticas de gestión de documentos electrónicos sí los

147

consideran necesarios a la hora de transferir al Archivo. Lo recomendable es que se cumplimenten desde la misma generación del expediente.

El metadato eEMGDE3.1-Nombre natural a nivel de expediente es evidentemente de cumplimentación manual, por lo que se deben establecer unos criterios de descripción homogéneos para cada serie documental. Como norma principal, deberíamos incluir en este metadato el asunto del expediente. Para describir el nombre y apellidos o la persona jurídica de los interesados se debe utilizar el **Esquema de metadatos comunes para documento electrónico (eEMC)**. Es importante que se identifique claramente a los interesados del expediente, aunque ya conste el NIF o NIE en el metadato Interesado. En este sentido, para personas físicas se utilizarían al menos los metadatos **eEMC_Interesado_PF_Nombre**, **eEMC_Interesado_PF_Apellido1** y **eEMC_Interesado_PF_Apellido2**, y para personas jurídicas **eEMC_Interesado_PJ_Nombre-Completo. Aunque no es obligatorio,** para describir la localización geográfica se puede utilizar el metadato **eEMGDE12.1.-Término punto de acceso**[(11)]. 3.4. Los metadatos necesarios para la gestión documental heredables de la serie documental.

Para la correcta generación de expedientes y documentos electrónicos, es necesario definir previamente la serie documental. Algunos de los metadatos que se aplican a la serie pueden ser heredados por sus expedientes en el momento de ingreso en el archivo. Los metadatos heredables son los relativos a la clasificación, seguridad, acceso y calificación.

Aunque hablaremos detenidamente de ellos en el siguiente apartado, los metadatos, elementos y subelementos que se han definido como heredables en la PGD-e desde la serie documental a los expedientes son los siguientes:

eEMGDE8-Seguridad

eEMGDE8.4-Sensibilidad datos de carácter personal

eEMGDE8.6-Nivel de confidencialidad de la información

eEMGDE9-Derechos de acceso, uso y reutilización

eEMGDE9.1-Tipo de acceso

eEMGDE9.2-Código de la causa de limitación

eEMGDE9.3-Causa legal/normativa de limitación

---

(11) En el caso de que no se utilicen metadatos específicos para ello (no es recomendable), se pueden incluir en el metadato **eEMGDE3.1-Nombre natural** el nombre y apellidos de la persona o personas físicas o jurídicas a las que afecta el expediente, así como el asunto y el lugar geográfico del mismo. Esto será habitual en los expedientes de transición al ENI y en algunas series documentales.

eEMGDE9.4-Condiciones de reutilización

eEMGDE13-Calificación

eEMGDE13.1-Valoración
eEMGDE13.1.1-Valor primario
eEMGDE13.1.1.1-Tipo de valor

eEMGDE13.1.1.2-Plazo

eEMGDE13.1.2-Valor secundario

eEMGDE13.2-Dictamen
eEMGDE13.2.1-Tipo de dictamen

eEMGDE13.2.2-Acción dictaminada

eEMGDE13.2.3-Plazo de ejecución de la acción dictaminada

eEMGDE13.3-Transferencia
eEMGDE13.3.1-Fase de archivo

eEMGDE13.3.2-Plazo de transferencia

eEMGDE13.4-Documento esencial

3.5. Los metadatos propios de la serie documental

Además de los metadatos relativos a seguridad, acceso y calificación, la serie documental tiene otros metadatos que le son propios, relativos a su nivel de descripción. Estos metadatos tendremos que implementarlos cuando demos de alta la serie documental en SIA y en la aplicación de archivo electrónico.

El primer metadato es **eEMGDE-2.1 Secuencia de Identificador,** cuyo valor se correspondería con el código que figure en el Sistema de Información Administrativa (SIA), o en el sistema equivalente. Este identificador será clave para ingresar, clasificar y cotejar los expedientes pertenecientes a la serie, que han de llevar en el metadato clasificación el mismo código.

El metadato **eEMGDE22.2-Denominación de clase**, se cumplimenta de forma automática cuando la serie documental se clasifica en la función correspondiente dentro del cuadro de clasificación.

El metadato **eEMGDE22.1-Código de clasificación** se cumplimenta de forma automática con el código del cuadro de clasificación una vez que la serie documental se integra en la función de la que depende.

El metadato **eEMGDE3.1-Nombre natural** de la serie se cumplimenta de forma automática en la aplicación ARCHIVE al cargarse desde el Sistema de Información Administrativa (SIA). Es conveniente, cuando hablamos de series comunes a diferentes organismos, que se otorgue al valor de este metadato una denominación común.

Por otro lado, la serie contempla dos metadatos de carácter cronológico: **eEMGDE4.1-Fecha inicio** de su producción, y **eEMGDE4.2-Fecha fin**, en el caso de que estemos ante una serie cerrada, por ejemplo, los expedientes de ayudas del Plan-E.

De todos los metadatos de este bloque, únicamente es imprescindible el metadato **eEMGDE-2.1 Secuencia de Identificador,** ya que este metadato servirá para clasificar a los expedientes en su serie documental.

3.6. Otros metadatos

Además de los metadatos necesarios para la gestión documental, que son los que hemos analizado, existen otros de gran utilidad, cuyo uso se recomienda.

eEMGDE5.Descripción. Se aplica a todas las entidades (documento, agente, actividad, regulación y relación) y sirve para facilitar la selección de la información por parte de los usuarios. Al mismo tiempo proporciona un contexto adicional a las entidades. Un ejemplo para una entidad documento sería: «La serie de quintas desapareció en el año 2000 con la supresión del servicio militar».

eEMGDE1.Categoría. Se aplica a todas las entidades. Se utiliza para que las búsquedas se restrinjan a categorías particulares de entidades. Ejemplos para entidad documento serían: documento, serie, grupo de fondos; para agente: persona, órgano, dispositivo; para actividad: función, acción; para regulación: normativa, procedimiento; y para relación: relación de procedencia, evento de gestión de documentos.

eEMGDE12.1.PuntosAcceso. Se utiliza para las entidades documento y regulación. Sirve para facilitar la búsqueda y la recuperación. Permite que una búsqueda pueda restringirse a una cierta materia o asunto, ámbito geográfico o temporal, persona, institución, etc. Tiene los subelementos siguientes:

eEMGDE12.1.TerminoPuntoAcceso. Restringirse la búsqueda a una materia, persona, lugar, tiempo, etc. Por ejemplo: Cuenca, Arquitectura, Arte, Geografía.

eEMGDE12.2.PuntosAcceso.IdPuntoAcceso. Es el Identificador asignado a una palabra clave dentro de un esquema. Por ejemplo: 521.3, 72, 636 (si se estuviera usando, por ejemplo, la clasificación decimal universal).

eEMGDE12.3.PuntosAcceso.EsquemaPuntoAcceso. Proporciona información acerca de los esquemas de los que se han tomado los puntos de acceso. Por ejemplo: Listado de materias de la Biblioteca Nacional, Clasifi-cación Decimal Universal, listado de puntos de acceso en la plataforma PARES

Por otro lado, tenemos que hablar de los metadatos de trazabilidad, necesa-rios para garantizar la integridad, autenticidad, fiabilidad y disponibilidad de los documentos. Se trata de metadatos condicionales, no es obligatorio su uso, pero sí recomendable. En la aplicación ARCHIVE se utilizan de forma automática los siguientes subelementos del elemento de metadato **eEMGDE21.1-Acción:**

eEMGDE21.1.1-Descripción Acción. Tipo de acción realizada sobre una determinada entidad en un momento determinado del tiempo.

eEMGDE21.1.2-Fecha de la acción.

eEMGDE21.3-Usuario de la acción.

eEMGDE21.4-Descripción. Puede utilizarse si el usuario quiere introducir consideraciones adicionales para explicar o justificar la acción llevada a cabo.

4. LOS PROCESOS DE GESTIÓN DOCUMENTAL Y LOS METADATOS

Ahora vamos a centrarnos en los procesos de gestión documental. Éstos gestionan los documentos y los expedientes electrónicos desde su creación hasta su elimina-ción o transferencia a la siguiente fase de archivo. Los procesos de gestión docu-mental, según la NTI de PGD-e son nueve: captura, registro, clasificación, descrip-ción, acceso, calificación, conservación, transferencia y eliminación.

4.1. Captura

Es el momento en el que un documento se incorpora a un *sistema de gestión de documentos electrónicos* (SGDE). En ese instante se incluyen los metadatos obligatorios y se firma. En algunas ocasiones, la captura se complementa con el registro del documento y su clasificación en el expediente.

¿Qué ocurre si el documento llega a un registro que no está integrado con la aplicación de tramitación? Pues que no se realiza una captura real del documento, sino que la captura tiene lugar cuando éste ingresa en el sistema de gestión que administra el órgano productor.

Según el artículo 26 de la LPAC, la emisión de los documentos por las administraciones públicas será preferentemente por escrito y por medios electrónicos.

4.2. Registro

El segundo proceso de gestión documental es el **Registro**. Lo ideal a la hora de iniciar un procedimiento es presentar la solicitud en la sede electrónica del organismo correspondiente, seleccionando directamente el procedimiento que queremos abrir. Iniciando el procedimiento en el lugar adecuado de la sede electrónica, el documento se captura y se registra al mismo tiempo. Es fundamental que la aplicación de tramitación esté integrada con el Registro.

Para el registro utilizaremos el metadato **eEMGDE29 — Asiento registral**, que es opcional y consta de los siguientes elementos:

eEMGDE29.1-Tipo de asiento registral.

eEMGDE29.2-Código de la oficina de registro.

eEMGDE29.3-Fecha del asiento registral.

eEMGDE29.4-Número de asiento registral.

En el caso de la aplicación de archivo electrónico ARCHIVE, estos metadatos se utilizan para hacer constar la entrada del expediente en el centro de archivo.

4.3. Clasificación

Al igual que los documentos se insertan en su expediente, los expedientes se clasifican en su procedimiento o serie documental. Hemos dicho que utilizamos el código SIA para cumplimentar el metadato *clasificación* en el expediente. A nivel de serie documental, incorporamos el código SIA al elemento **eEMGDE2.1-Secuencia de identificador**. Con ello, en el momento del ingreso en el archivo electrónico, los expedientes se clasifican de forma automática en su correspondiente serie documental.

Una vez clasificado el expediente, este va a tener el mismo tratamiento que el resto de expedientes que pertenecen a esa serie documental. De esta forma, es muy importante identificar previamente la serie documental y que cada una de ellas se corresponda con un código SIA diferente.

En SIA existe un formulario con los metadatos correspondientes para incluir las características de cada uno de los procedimientos y servicios. De hecho, se ha incluido recientemente un módulo para implementar los aspectos relacionados con la valoración documental, es decir, los metadatos que heredan los expedientes desde la serie documental relativos a la conservación.

¿Es compatible el código SIA con el cuadro de clasificación en un archivo? Sí es compatible; no obstante, SIA es un catálogo plano de procedimientos, mientras que un cuadro de clasificación es una herramienta que jerarquiza funciones dentro de un archivo o un organismo, como puede ser un ministerio. La aplicación ARCHIVE permite construir un cuadro de clasificación jerarquizado en el que podemos administrar y ubicar las distintas series documentales.

Según establece el Esquema Nacional de Interoperabilidad, los cuadros de clasificación deben ser funcionales, con el fin de que los constantes cambios en la estructura orgánica no afecten a la consistencia de los mismos. A nivel de la Administración General del Estado, el Grupo de trabajo de valoración de funciones y series comunes de la Comisión Superior Calificadora de Documentos Administrativos ha elaborado un cuadro de clasificación de las funciones comunes de los distintos ministerios, que ha sido aprobado en la reunión del 13 de diciembre de 2017[12]. Ahora llega el momento de desarrollar las funciones específicas de cada uno de los departamentos.

4.4. Descripción

Ciertamente, todo lo relativo a metadatos es descripción. Hemos dicho que existía un esquema nacional: el eEMGDE. Hemos comentado que había unos metadatos obligatorios para el documento y el expediente electrónico, y por otro lado, unos metadatos adicionales que son necesarios para la gestión de los documentos y expedientes en el archivo electrónico, y que son los establecidos por la PGD-e. Recordemos que tenemos que distinguir entre los que se pueden deducir de la serie documental a la que pertenecen (clasificación, seguridad, acceso y calificación) y los que son unívocos para cada expediente [nombre natural, fecha fin y los del Esquema de metadatos comunes (eEMC)]. Después existe un tercer bloque donde se incluyen los metadatos recomendados, entre los que enco

---

(12)   HEERY, Rachel, 1996.

4.5. Acceso

El problema que tenemos en España es que existen distintas normas que regulan el acceso; incluso se constata la existencia de dos procedimientos diferentes para acceder a la documentación, uno regulado por la Ley de Transparencia y otro por el Real Decreto 1708/2011, que establece el Sistema Español de Archivos. La excesiva normativa, sin duda, complica la toma de decisiones. A grandes rasgos encontramos cinco grandes bloques de disposiciones y normas:

• La Ley 19/2013, de 9 de diciembre, de transparencia, acceso a la información pública y buen gobierno..

• La Ley Orgánica 3/2018, de 5 de diciembre, de Protección de datos personales y garantía de los derechos digitales, y a nivel europeo el Reglamento General de Protección de Datos (RGPD), que se aplica desde el 25 de mayo de 2018[13].

• La Ley 16/1985, de 25 de junio, del Patrimonio Histórico Español, con el Real Decreto 1708/2011, de 18 de noviembre, por el que se establece el Sistema Español de Archivos y se regula el Sistema de Archivos de la Administración General del Estado y de sus Organismos Públicos y su régimen de acceso.

• El Esquema Nacional de Seguridad, aprobado por Real Decreto 3/2010, de 8 de enero, con sus guías de aplicación del Centro Criptográfico Nacional. Para los metadatos de seguridad se utiliza la Guía CCN-STIC-803.

---

(13) Esto es lo que ha sucedido con sistemas como TEI (Text Encoding Initiative) para las humanidades y arte o EAD (Encoded Archival Description) para archivos.

• La Ley 9/1968, de 5 de abril, sobre secretos oficiales, desarrollada mediante el Decreto 242/1969, de 20 de febrero, y modificada por la Ley 48/1978, de 7 de octubre. En virtud de esta normativa, se consideran «materias clasificadas» los asuntos, actos, documentos, informaciones, datos y objetos cuyo conocimiento por personas no autorizadas puedan dañar o poner en riesgo la Seguridad y Defensa del Estado[14].

En lo referente a los metadatos, lo primero que tenemos que tener en cuenta son los niveles de seguridad, que sirven para establecer criterios para la protección de entidades (documento, agente, actividad y regulación), así como para dar privilegios o restringir el acceso, bien de forma física o lógica. En la PGD-e del Ministerio de Hacienda y Administraciones Públicas se han seleccionado como necesarios para la gestión de documentos y expedientes en el archivo tres elementos: eEMGDE8.1 Nivel de Seguridad, eEMGDE8.4 Sensibilidad datos de carácter personal y eMGDE8.6 Nivel de confidencialidad de la información.

eEMGDE8.1 Nivel de seguridad se aplica a nivel de documento a través de su subelemento eEMGDE8.1.1 Nivel de acceso. Se utiliza para facilitar o restringir el acceso a los documentos, alertar sobre restricciones, evitar que la naturaleza de una información o actividad protegida pueda ser revelada y facilitar al sistema el control de documentos que comportan advertencias de seguridad o permisos de acceso particulares[15].

eEMGDE8.4 Sensibilidad datos de carácter personal tiene cuatro valores (datos personales, restringido, uso interno, público) según se indica en la PGD-e[16] para adecuarse a la nueva normativa de protección de datos.

En el elemento **eMGDE8.6 Nivel de confidencialidad de la información** se evalúa la información en cuanto al nivel de la dimensión de seguridad «confidencialidad» de acuerdo con el Esquema Nacional de Seguridad. Para ello se utilizarán los criterios que recoge la Guía CCN-STIC-803. El análisis se podrá efectuar por series documentales, sin necesidad de realizar un estudio individualizado de cada documento o expediente. El nivel de seguridad de una serie documental no tiene por qué coincidir con el nivel atribuido al sistema de información que capture, procese o almacene los documentos.

En líneas generales, los valores de bajo, medio y alto, que se indican en la Guía CCN-STIC-803 se rigen por los siguientes criterios:

• El nivel **bajo** se establece para aquellas series documentales que solamente deban conocerse en el ámbito de la organización, y que su conocimiento suponga un pequeño perjuicio, el incumplimiento leve de una norma,

---

(14)   SENSO RUIZ, José Antonio, 2002, pág. 22.
(15)   AAVV., 2020.
(16)   AAVV., 2020.

pueda causar pérdidas económicas apreciables, un daño reputacional leve, así como múltiples protestas individuales.

• El nivel **medio** se reserva para las personas que necesitan la información de un procedimiento para su trabajo. Su conocimiento puede causar daños importantes pero subsanables, pérdidas económicas de consideración, así como protestas públicas con alteración del orden público.

• El nivel **alto** se destina a la información de una serie documental que debe ser conocida por un número muy reducido de personas. Su conocimiento puede ocasionar graves daños de difícil o imposible reparación, constituyen el incumplimiento grave de una norma, ocasiona pérdidas económicas elevadas o alteraciones financieras significativas, daños reputacionales graves y también protestas masivas con alteración sería del orden público.

Una vez analizados los niveles de seguridad, llega el momento de determinar si el acceso es libre o limitado. La Ley de Transparencia en su artículo 15, nos indica que cuando la información no contenga datos especialmente protegidos (los que tienen valores de alto en seguridad), el órgano al que se dirija la solicitud tendrá que ponderar si se permite o se deniega el acceso a esa documentación. Esta ponderación se materializa en el elemento de metadato **eEMGDE9.1, Tipo de acceso**, con los posibles valores de libre, restringido o parcialmente restringido.

A la hora de ponderar el acceso, la Ley de Transparencia nos remite en primer lugar al cumplimiento de los plazos que estipula la Ley de Patrimonio Histórico Español en el artículo 57[17], al tiempo que tenemos que considerar el posible interés científico de los usuarios que solicitan la información, o el perjuicio grave que se pudiera ocasionar a los afectados.

Los niveles de seguridad analizados anteriormente nos ayudarán a determinar si el acceso debe ser libre o limitado, y debemos indicarlo, como decimos, en el elemento **eEMGDE9.1 Tipo de acceso.** Si se indica que el acceso es libre, entendemos que no existe ningún límite y que los ciudadanos podrían acceder a la información desde un portal en internet.

En el caso de que el acceso sea limitado, habría que cumplimentar el elemento **eEMGDE 9.2 Código de la causa de limitación** con la letra correspondiente de la relación establecida en el artículo 14.1 de la Ley de Transparencia. Según se indica en este artículo, el derecho de acceso podrá ser limitado cuando acceder a la información suponga un perjuicio para:

a) La seguridad nacional.

b) La defensa.

---

(17)   REVENTÓS PAJARES, Pepita, 2009, pág. 14.

c) Las relaciones exteriores.

d) La seguridad pública.

e) La prevención, investigación y sanción de los ilícitos penales, administrativos o disciplinarios.

f) La igualdad de las partes en los procesos judiciales y la tutela judicial efectiva.

g) Las funciones administrativas de vigilancia, inspección y control.

h) Los intereses económicos y comerciales.

i) La política económica y monetaria.

j) El secreto profesional y la propiedad intelectual e industrial.

k) La garantía de la confidencialidad o el secreto requerido en procesos de toma de decisión.

l) La protección del medio ambiente.

A esta relación se suman dos valores:

M) Otros. Cuando se den otras circunstancias por la que se pueda denegar el acceso. En ese caso habría que cumplimentar obligatoriamente el elemento de metadato **eEMGDE9.3 Causa legal/normativa de limitación. E**s un campo de texto libre y lo utilizamos para indicar la norma específica que regula el acceso a la serie documental o procedimiento. Por ejemplo, el artículo 57 de la Ley 16/1985, de 25 de junio, de Patrimonio Histórico Español, o el artículo 61 de la Ley 14/1986, de 25 de abril, General de Sanidad.

N) **Datos personales. Se utiliza este valor en el caso de que los expedientes de la serie documental contengan datos personales.**

En caso de que el acceso sea libre, en vez de los elementos 9.2, y 9.3, tendríamos que cumplimentar el elemento **eEMGDE9.4 Condiciones de reutilización**, indicando cuáles son las condiciones de reutilización de la información. Existe un portal en internet, datos.gob.es, en el que las administraciones publican información reutilizable.

La reutilización de la información es muy importante en el sector público, fomenta el desarrollo económico y la creación de puestos de trabajo, mejora la transparencia y la participación ciudadana. Un ejemplo de reutilización de la información es el Portal de Transparencia, en el que se publican los currículos y sueldos de los altos cargos, los organigramas de los diferentes órganos de la administración, las relaciones de puestos de trabajo de los diferentes ministerios o los contratos firmados por el Estado.

4.6. Calificación

El sexto proceso de gestión documental es la **calificación**. Esta tiene tres fases: establecer los documentos esenciales, analizar los valores primarios y secundarios de las diferentes series documentales, y decidir el destino de cada una de las series documentales, determinando sus plazos de eliminación y transferencia.

Los documentos esenciales son aquellos que contienen información sobre las directrices y estrategias del organismo, sus derechos, sus edificios e instalaciones, los acuerdos y resoluciones de los órganos de gobierno y los documentos que sirven para cumplir con las obligaciones de rendición de cuentas.

En el elemento **eEMGDE13.4-Documento esencial** tendríamos que indicar si la serie documental contiene documentos esenciales o no.

En cuanto a la valoración, la segunda etapa de la calificación, tenemos que diferenciar entre los valores primarios, que son los que constituyen en sí la finalidad de los documentos, y los secundarios, que aparecen con el paso del tiempo[18].

Los valores primarios son el **administrativo**, que sirve como testimonio de los procedimientos y actividades de la administración que los ha producido; el **jurídico o legal**, que es aquel del que se derivan derechos u obligaciones legales regulados por el derecho común y que sirve de testimonio ante la Ley; el **fiscal**, que sirve de testimonio de las obligaciones tributarias; y el **contable**, que sirve para el control presupuestario.

Al dar de alta una serie documental, en SIA o en la aplicación de archivo electrónico, tendríamos que indicar en el subelemento **eEMGDE13.1.1.1-Tipo de valor**: administrativo, fiscal, jurídico/legal, contable u otros, y en el subelemento **eEMGDE13.1.1.2-Plazo** los años que tardan los valores en prescribir. Se trata de un metadato repetible, así que si la serie documental posee varios valores, tendríamos que indicar el plazo de caducidad de cada uno de ellos. Por ejemplo, los expedientes de *autorizaciones de estancia por estudios* tendrían un valor administrativo de un año y un valor jurídico de 10 años.

Los valores secundarios son el **testimonial o informativo**, que sirve de referencia para la elaboración o reconstrucción de cualquier actividad de la administración y el **histórico**, que es el que se utiliza como fuente para la Historia[19].

En el caso del valor secundario, reflejado en el elemento **eEMGDE13.1.2-Valor secundario**, únicamente habría que indicar si tiene valor histórico o no, ya que este valor no prescribe nunca.

---

(18)   DELGADO GÓMEZ, Alejandro, y BARBADILLO ALONSO, Javier, 2009, pág. 55.
(19)   Aprobada por Resolución de 28 de junio de 2012, de la Secretaría de Estado de Administraciones Públicas (*BOE* de 26 de julio).

Una vez que hemos determinado los valores y los plazos de una serie documental, habría que decidir el destino de la misma, si se va a conservar o si se va a eliminar parcial o totalmente. Esta decisión, en el entorno de la Administración General del Estado, corresponde a la Comisión Superior Calificadora de Documentos Administrativos, y se materializaría en el subelemento **eEMGDE13.2.1-Tipo de dictamen**, cuyos posibles valores serían: conservación permanente (CP), eliminación parcial (EP), eliminación total (ET) y pendiente de dictamen (PD), en el caso de que no se haya emitido ningún dictamen de la serie documental por parte de la comisión calificadora competente.

Cuando hablamos de eliminación parcial tenemos dos modalidades. Una en la que, de cada expediente conservamos la documentación más significativa; por ejemplo, de un proceso selectivo conservamos los listados de personas admitidas, las actas del tribunal y los nombramientos, y eliminamos las solicitudes y documentación adjunta. La otra modalidad es en la que se conserva un alto porcentaje de expedientes, eliminando el resto. En el primer caso, dado que no podemos romper la integridad del índice del expediente, habría que tener en cuenta la posibilidad de remitir los expedientes al archivo en dos paquetes SIP diferentes, uno con destino a su conservación, y otro con los documentos que se van a eliminar en el plazo establecido, cada uno con su índice correspondiente.

El subelemento del metadato **eEMGDE13.2.2-Acción dictaminada** es un campo de texto libre. En la Guía de aplicación de descripción[20] de la PGD-e del Ministerio de Hacienda se indica que, este metadato habría que incluir el número de dictamen y la selección muestras a conservar con el fin de no reiterar la información del subelemento anterior. Por ejemplo: 34/2013. Eliminación total. Conservación de un expediente anual.

El subelemento **eEMGDE13.2.3-Plazo de ejecución de la acción dictaminada** sirve para indicar el plazo de eliminación, en el caso de que la serie documental sea de eliminación total o parcial. Este elemento, combinado con la fecha de finalización del expediente, va a automatizar una alerta en el sistema. Los expedientes que vayan cumpliendo el plazo determinado se visualizarán en la bandeja de pendientes de eliminación en la aplicación de archivo electrónico.

4.7. Transferencias

El artículo 70.3 de la LPAC, nos indica que el expediente se remitirá al archivo completo, foliado, autenticado y acompañado de un índice, asimismo autenticado, de los documentos que contenga. Por tanto, el índice garantiza la autenticidad e integridad del expediente y de sus documentos. En el caso de que se produjera cualquier alteración en un documento, se rompería la integridad del expediente.

---

(20)   AAVV., 2019, p. 15.

La unidad de gestión tendría que realizar las siguientes operaciones a la hora de remitir expedientes al archivo: adaptar los formatos, preferiblemente a un formato longevo como PDF/A, completar los metadatos mínimos necesarios para la transferencia (los obligatorios más los de nombre natural y fecha fin); añadir las firmas y los sellos de tiempo que falten y conformar estructuras de transferencia, por ejemplo, la que se establece en el anexo 11 de la PGD-e del Ministerio de Hacienda y Administraciones Públicas[21].

Por su parte, el archivo electrónico tendrá que realizar las siguientes acciones: verificara la autenticidad e integridad del expediente, tendrá constancia de los movimientos a través de los metadatos de trazabilidad, remitirá un acuse de recibo al órgano productor y, una vez cotejado, generará un acta de ingreso de cada expediente que materializa el cambio de responsabilidad en la custodia. Prácticamente, todas estas acciones son automáticas, salvo la orden de ingreso en el archivo. El archivo electrónico podrá rechazar la custodia cuando se constate la existencia de errores.

Una vez materializada la transferencia en un acta de recepción, la unidad remitente podría eliminar los expedientes de su repositorio, ya que la transferencia en electrónico es realmente un duplicado de la información.

Para la transferencia se utiliza el modelo OAIS, que tiene en cuenta una serie de paquetes de información diferentes.

Para el ingreso de expedientes en el archivo se utiliza el **SIP** o paquete de información de transferencia. En este paquete se incluye el expediente con los metadatos obligatorios del ENI, los adicionales de nombre natural y fecha fin y los que las oficinas estimen como necesarios para la gestión de los expedientes.

Una vez que el expediente es ingresado en el archivo electrónico, éste hereda los metadatos de clasificación, seguridad, acceso y calificación, conformándose un paquete de información nuevo: el AIP o paquete de información de Archivo.

Los metadatos de transferencia se materializan en dos subelementos: **eEMGDE13.3.1-Fase de archivo**, para determinar la siguiente fase de archivo a la que debe transferirse el expediente (intermedio o histórico, puesto que el primer ingreso es en la fase de archivo central), y **eEMGDE13.3.2-Plazo de transferencia**. Este subelemento de metadato combinado con la fecha fin del expediente, genera una alerta en el sistema, y los expedientes que superen ese plazo aparecerán en la bandeja de pendientes de transferencia en la aplicación ARCHIVE.

Hasta aquí hemos visto los procesos de gestión documental que tienen incidencia en los metadatos necesarios para el ingreso de expedientes en el archivo. Estos metadatos son los que se han estimado como necesarios para la gestión de los expedientes electrónicos en el archivo en la PGD-e del MINHAP.

---

(21)   En la tercera versión de la PGD-e es el anexo 4.

Ahora vamos a hablar de los dos procesos de gestión documental que faltan, la conservación y la eliminación, que tenemos que conocer, pero cuyos metadatos no se han estimado por el momento como necesarios para el ingreso en el archivo.

4.8. Conservación

En lo relativo a la **conservación**, tenemos que destacar que toda la documentación electrónica generada o recibida por cualquier organismo de la Administración pública forma parte del Patrimonio Documental según la Ley de Patrimonio Histórico Español de 1985. La eliminación debe ser autorizada por la comisión calificadora correspondiente.

El metadato más importante relativo a la conservación es la **ubicación NASH**, que nos indica en qué parte del repositorio se guarda ese expediente.

4.9. Eliminación

El último proceso de gestión documental es la **eliminación**. Ésta consiste en la destrucción física de la documentación que ha sido dictaminada para su eliminación por la comisión calificadora de documentos correspondiente.

En cuanto al proceso de eliminación, tendríamos que volver a hablar de los metadatos de valoración: **eEMGDE13.2.1-Tipo de dictamen, eEMGDE13.2.2-Acción dictaminada** y **eEMGDE13.2.3-Plazo de ejecución de la acción dictaminada**. Este plazo, combinado con la fecha fin del expediente, producirá una alerta en el sistema indicando que el expediente está pendiente de eliminación. Después, el archivero borrará el expediente siguiendo las directrices reflejadas en el metadato acción dictaminada, dejando las muestras correspondientes.

A nivel de metadatos, no se ha profundizado en el tipo de eliminación que se va a aplicar, es decir, si se va a proceder a un borrado nivel básico o más complejo, o si se debe llevar a cabo la propia eliminación del soporte. La PGD-e del Ministerio de Hacienda y Administraciones Públicas recoge una serie de recomendaciones a la hora de elegir el criterio de eliminación adecuado[22]. Recientemente, el Grupo de trabajo de valoración de series y funciones comunes dependiente de la Comisión Superior Calificadora ha aprobado un documento titulado *Recomendaciones para el borrado lógico de documentación electrónica y destrucción física de soportes informáticos de la administración general del Estado*[23]. Tal vez, el eEMGDE debería incorporar metadatos relativos al método de eliminación apropiado para cada serie. Al día de hoy solamente se podría indicar esta información en el metadato de texto libre **eEMGDE13.2.2-Acción dictaminada.**

---

(22)   AAVV, 2014.
(23)   Model Requirements for the Management of Electronic Documents and Records.

5. CONCLUSIONES

A lo largo de las últimas dos décadas los metadatos, sus lenguajes y esquemas, se han ido perfeccionando. Desde la Norma ISO 15489, que marca las directrices para crear un sistema de gestión de documentos, las ISO 23081-1 y 23081-2, que indican cómo diseñar un esquema de metadatos para la gestión de documentos; pasando por proyectos y modelos de requisitos funcionales como INTERpares, SPRIT, VERS o MoReq; hemos llegado a esquemas perfectamente definidos y consensuados como el eEMGDE, y los perfiles de aplicación recogidos en las políticas de gestión de documentos electrónicos.

El concepto de herencia de los metadatos desde la serie documental a los expedientes es de vital importancia para la gestión documental por lo que supone de ahorro de trabajo y automatización de los procesos electrónicos. El acceso, la calificación y la transferencia pueden automatizarse en combinación con el metadato fecha fin de cada uno de los expedientes.

Los metadatos de carácter manual como nombre natural son imprescindibles a la hora de recuperar la información y realizar trabajos de descripción más detallados posteriores en los archivos.

Por otro lado, existen aspectos que deben mejorarse de los perfiles de aplicación de metadatos como los plazos de acceso, o el procedimiento de eliminación que debe aplicarse en cada serie documental, indicando el nivel de borrado o si es necesaria la eliminación del soporte.

Con el ENI y sus normas técnicas, así como con las nuevas LPAC y LRJSP, la administración electrónica ha llegado a un grado de desarrollo y perfección considerable. El problema más importante lo tenemos a la hora de diseñar los procedimientos en las aplicaciones de tramitación, que conlleva una intensa carga de trabajo, así como en la adaptación de las aplicaciones preexistentes al ENI, lo que tiene unas dificultades mayores de las que se habían previsto.

La interoperabilidad y la integración de aplicaciones son imprescindible de cara a un futuro inmediato para garantizar la conservación de nuestro patrimonio documental, patrimonio que tenemos la obligación de preservar. La conservación de la información contenida en bases de datos y en aplicaciones de tramitación anteriores al ENI es todo un reto. Está claro que no podemos permitir la pérdida de información de gran valor, como por ejemplo la contenida en la aplicación que gestionó en su día el famoso plan-E. El camino está trazado, ahora llega el momento de adecuarnos a él.

6. BIBLIOGRAFÍA

AAVV, *Guía de aplicación de descripción. V.0. Política de gestión de documentos electrónicos del Ministerio de Hacienda y Administraciones Públicas (tercera versión)*. Secretaría General Técnica del Ministerio de Hacienda y Administraciones Públicas, Madrid, 2019.

AAVV, *Política de gestión de documentos electrónicos del Ministerio de Hacienda y Administraciones Públicas*. Secretaría General Técnica del Ministerio de Hacienda y Administraciones Públicas, Madrid, 2014.

AAVV, *Política de gestión de documentos electrónicos del Ministerio de Hacienda y Administraciones Públicas (Segunda edición)*. Secretaría General Técnica del Ministerio de Hacienda y Administraciones Públicas, Madrid, 2016.

AAVV, *Política de gestión de documentos electrónicos del Ministerio de Hacienda (Tercera edición)*. Secretaría General Técnica del Ministerio de Hacienda, Madrid, 2020.

AAVV, *Recomendaciones para el borrado lógico de documentación electrónica y destrucción física de soportes informáticos de la Administración General del Estado*, Subgrupo de Trabajo de documentos electrónicos del Grupo de trabajo de valoración de series y funciones comunes de la AGE, Comisión Superior Calificadora de Documentos Administrativos, 2017. https://www.mecd.gob.es/dam/jcr:8a4186d5-73cc-4eb8-b5de-c1272ab8da7c/borrador-recomendaciones-destruccion.pdf [Consulta: 1 de abril de 2018].

ABARCA PERIS, Ferrán, «A vueltas con los metadatos», en *RUIDERAE*, 11 (2017), págs. 2 y 3.

AGUDELO BENJUMEA, Mónica María, «Los metadatos», en *Gestión de contenidos de educación virtual de calidad*, [s.a.] http://aprendeenlinea.udea.edu.co/lms/men/docsoac3/0301_metadatos.pdf [Consulta: 5 de diciembre de 2017].

BACA, Murtha, *Introduction to metadata: pathways to digital information*. Los Ángeles: Getty Information Institute, 1998. Disponible en: http://www.getty.edu/research/institute/standards/intrometadata/ [Consulta: 1 de abril de 2018].

DELGADO GÓMEZ, Alejandro, y BARBADILLO ALONSO, Javier, «Introducción a los metadatos para la gestión de documentos», en *Revista D'Arxius*, 8 (2009), págs. 33 a 86.

DEMPSEY, Lorcan, y HEERY, Rachel, *Specification for resource description methods. Part 1, A review of metadata: a survey of current resource description formats*. Bath, UKOLN, 1997. Disponible en: http://www.ukoln.ac.uk/metadata/desire/overview/ [Consulta: 1 de abril de 2018].

DÍAZ ORTUÑO, Pedro Manuel, «Problemática y tendencias en la arquitectura de metadatos», en *Anales de Documentación*, 6 (2003), págs. 35 a 58. http://www.um.es/fccd/anales/ad06/ad0603.pdf [Consulta: 4 de abril de 2018].

GILLILAND-SWETLAND, Anne J., «Defining metadata», en *Introduction to metadata: pathways to digital information*, Los Angeles, Getty Information Institute, 1998, págs. 1 a 8.

—, «Metadata, Where are We Going?», en *International Yearbook of Library and Information Management 2003/2004: Metadata Applications and Management*. G. E. Gorman, ed. Lanham: Scarecrow Press; Library Association, 2003. Disponible en: http://is.gseis.ucla.edu/courses/Metadata/SwetlandMetadata2003.pdf [Consulta: 1 de abril de 2018].

HEERY, Rachel, *Biblink: LB4034 D1.1 metadata formats*, Bath, 1996.

LA TORRE MERINO, José Luis, y MARTÍN-PALOMINO Y BENITO, Mercedes, *Metodología para la identificación de fondos documentales*, Madrid, Ministerio de Educación, Cultura y Deportes, S.G. Información y Publicaciones, 2000.

REVENTÓS PAJARES, Pepita., «Los metadatos: qué son y para qué sirven», en *Revista D'Arxius*, 8 (2009), págs. 9 a 32.

SENSO RUIZ, José Antonio, *Sistemas de metadatos en recuperación de información: propuesta de modelo de trabajo en el uso de RDF sobre directorios LDAP*. Tesis doctoral, Universidad de Granada, 2002.

— y ROSA PIÑERO, Antonio de la, *El concepto de metadato. Algo más que descripción de recursos electrónicos*, en *SCIELO*, 2003. http://www.scielo.br/pdf/ci/v32n2/17038.pdf [Consulta: 15 de marzo de 2018].

—, «Dublin Core Metadata Initiative: norma internacional para la descripción de recursos electrónicos (ISO 15836)», en *Boletín de Anabad*, octubre-diciembre 2002, LII (4), págs. 25 a 56.

VOUTSSÁS MÁRQUEZ, Juan, *Bibliotecas y publicaciones digitales*, México, Universidad Nacional Autónoma de México, 2006.

8.

EL DOCUMENTO ELECTRÓNICO Y SUS INTERACCIONES NORMATIVAS (I). LA PROTECCIÓN DE DATOS EN EL RGPD

Concepción CAMPOS ACUÑA

Doctora en Derecho y Secretaria de Administración Local

1. INTRODUCCIÓN: EL DOCUMENTO ELECTRÓNICO Y SUS INTERACCIONES NORMATIVAS

El documento electrónico en el marco de la actividad administrativa aparece definido en la Ley 39/2015, de 1 de octubre, del Procedimiento Administrativo Común de las Administraciones Públicas (LPAC). Conforme a dicha norma tendrán la consideración de documento electrónico los válidamente emitidos por los órganos de las administraciones públicas, que a tal fin deberán contar con dos requisitos formales de validez: por escrito y a través de medios electrónicos. Requisitos que podrán excepcionarse cuando su naturaleza exija otra forma más adecuada de expresión y constancia. Excepción cuya utilización deberá en todo caso quedar suficientemente justificada en el expediente respectivo.

Además de estos requisitos de carácter formal, para ser considerados válidos, el artículo 26 LPAC dispone que los documentos electrónicos administrativos deberán:

a) Contener información de cualquier naturaleza archivada en un soporte electrónico según un formato determinado susceptible de identificación y tratamiento diferenciado.

b) Disponer de los datos de identificación que permitan su individualización, sin perjuicio de su posible incorporación a un expediente electrónico.

c) Incorporar una referencia temporal del momento en que han sido emitidos.

d) Incorporar los metadatos mínimos exigidos.

e) Incorporar las firmas electrónicas que correspondan de acuerdo con lo previsto en la normativa aplicable.

Estableciendo que considerarán válidos los documentos electrónicos, que cumpliendo estos requisitos, sean trasladados a un tercero a través de medios electrónicos. No obstante, no requerirán de firma electrónica, los documentos electrónicos emitidos por las administraciones públicas que se publiquen con carácter meramente informativo, así como aquellos que no formen parte de un expediente administrativo, aunque esta circunstancia no le eximirá de la necesidad de identificar el origen de estos documentos.

Esta configuración del documento electrónico resulta fundamental a efectos de determinar su incardinación en el conjunto del ordenamiento jurídico y su interacción con otras normas relevantes, cuyo encaje es preciso determinar para su correcta aplicación y que serán examinados en este capítulo doble. A dichos efectos, a lo largo del presente capítulo abordaremos esa interacción con dos normas vertebrales en el funcionamiento de las administraciones públicas como son la normativa en materia de protección de datos, que en estos momentos se concentra en la aplicación, desde el 25 de mayo de 2018, del Reglamento (UE) 2016/679 del Parlamento Europeo y del Consejo, de 27 de abril de 2016, relativo a la protección de las personas físicas en lo que respecta al tratamiento de sus datos personales y a la libre circulación de estos datos y por el que se deroga la Directiva 95/46/CE (RGPD), publicado en mayo de 2016 y que entró en vigor en dicha fecha (RGPD). Su aplicación tuvo un primer impacto en el ordenamiento jurídico español mediante la aprobación del Real Decreto-ley 5/2018, de 27 de julio, de medidas urgentes para la adaptación del Derecho español a la normativa de la Unión Europea en materia de protección de datos, y que sería derogado por la norma que adaptaría definitivamente la normativa interna al marco europeo, con la Ley Orgánica 5/2018, de 5 de diciembre, de Protección de Datos Personales y Garantía de los Derechos Digitales (LOPDGDD). Con esta norma se incorpora el nuevo catálogo de derechos que se reconoce a los ciudadanos, los principios rectores de la protección, la creación de los registros de tratamiento en sustitución de los ficheros de datos personales, y el refuerzo de las medidas de seguridad, entre otros aspectos que, desde la óptica del documento electrónico habrán de tomarse en consideración.

Para el adecuado encaje del documento electrónico, entendido como información de cualquier naturaleza en forma electrónica, archivada en un soporte electrónico según un formato determinado y susceptible de identificación y tratamiento diferenciado, además del marco general descrito en la LPAC, será también preciso conjugar la aplicación de una serie de Normas Técnicas de Interoperabilidad (NTI):

• La NTI de documento electrónico: tiene por objeto establecer los componentes del documento electrónico, contenido, en su caso, firma electrónica y metadatos, así como la estructura y formato para su intercambio. Aprobada por Resolución de 19 de julio de 2011 de la Secretaría de Estado para la Función Pública.

• La NTI de Digitalización de documentos: tiene por objeto establecer los requisitos a cumplir en la digitalización de documentos en soporte papel o en otro soporte no electrónico susceptible de digitalización a través de medios fotoeléctricos. Aprobada por Resolución de 19 de julio de 2011 de la Secretaría de Estado para la Función Pública.

• NTI de Expediente electrónico: tiene por objeto establecer la estructura y el formato del expediente electrónico, así como las especificaciones de los servicios de remisión y puesta a disposición. Aprobada por Resolución de 19 de julio de 2011 de la Secretaría de Estado para la Función Pública.

• La NTI de Procedimientos de copiado auténtico y conversión entre documentos electrónicos: tiene por objeto establecer las reglas para la generación de copias electrónicas auténticas, copias papel auténticas de documentos públicos administrativos electrónicos y para la conversión de formato de documentos electrónicos. Aprobada por Resolución de 19 de julio de 2011 de la Secretaría de Estado para la Función Pública.

A los mismos debe sumarse el Esquema de Metadatos para la Gestión del Documento Electrónico (e-EMGDE) en el que se incluye los metadatos mínimos obligatorios, definidos en las NTI del documento electrónico y expediente electrónico, así como otros metadatos complementarios pertinentes en una política de gestión y conservación de documentos electrónicos.

Como decíamos, el marco normativo descrito debe encajarse en un complejo ordenamiento jurídico, que en el ámbito administrativo se caracteriza por la proliferación, en los últimos años, de nueva normas que afectan directamente a la organización y funcionamiento de las administraciones públicas en su conjunto, y, en particular, a la tramitación electrónica de los procedimientos. Por ello, el examen de esta cuestión exigirá también, contemplar la interacción normativa con la citada LPAC y la Ley 40/2015, de 1 de octubre, de Régimen Jurídico del Sector Público (LRJSP). La primera, destinada a regular las relaciones ad extra de la administración electrónica en su nuevo formato, el electrónico, prestando especial atención a la articulación del derecho a presentar la documentación una sola vez, recogido de forma expresa en el artículo 28 de la LPAC. Y, en cuanto a la segunda, reguladora de las relaciones *ad intra*, para abordar los aspectos derivados el intercambio de información entre las distintas administraciones públicas, tanto con carácter general, en la LRJSP. Ambas normas son también relevantes en cuanto a la incardinación del archivo electrónico, mediante la definición de una adecuada política de gestión documental, y la preservación, custodia y eliminación de los documentos electrónicos respetando la garantía en la protección de datos.

167

En la segunda parte de este capítulo doble se completarán las interacciones normativas con un escenario de actuación relevante, como es en materia de transparencia. La aprobación en el año 2013 de la Ley 19/2013, de 9 de diciembre, de Transparencia, Acceso a la Información Pública y Buen Gobierno (LTBG), supuso ya un primer impulso a la gestión electrónica de los procedimientos, por cuanto esta norma, en sus orígenes, apostó por la tramitación electrónica, que aún no tenía carácter obligatorio y la publicidad en dicho formato y que se examinará en su doble dimensión, de publicidad activa y de publicidad pasiva, sin perder de vista, también en este caso, las técnicas para resolución, en su caso, del conflicto entre el derecho de acceso a la información púbica y el derecho a la protección de datos personales, la aplicación de los límites en el acceso a la información, que definirán las reglas para establecer su acceso restringido y que será objeto de exposición diferenciada en la segunda parte de este capítulo doble.

2. RÉGIMEN NORMATIVO SOBRE PROTECCIÓN DE DATOS PERSONALES

Desde el punto de vista del marco normativo, y con carácter previo, resulta preciso puntualizar, como hemos avanzado en la parte introductoria, que en el momento de elaboración del presente análisis la normativa vigente en materia de protección de datos personales que resulta de aplicación está constituida por la el RGPD y la LOPDGDD.

A estos efectos, debemos recordar la aplicación del RGPD en virtud del efecto directo y el principio de primacía del derecho comunitario. Y ello es así porque su condición reglamentaria determina su efecto directo, en aplicación de lo dispuesto en el artículo 288 del Tratado de Funcionamiento de la UE que señala que los reglamentos son directamente aplicables en los países de la UE, efecto directo del derecho europeo que fue consagrado por el Tribunal de Justicia en la sentencia Van Gend en Loos del 5 de febrero de 1963, en virtud del cual los particulares pueden alegar los derechos reconocidos por el derecho europeo e invocar directamente normas europeas ante las jurisdicciones nacionales y europeas. En el caso de los reglamentos, este efecto directo fue ratificado por el Tribunal de Justicia en la sentencia Politi del 14 de diciembre de 1971 que se trata de un efecto directo completo.

Principio que debe conjugarse con el principio de primacía del derecho comunitario consagrado por el TJUE en la sentencia costa contra el del 15 de julio de 1964, en la que se declara que el derecho procedente de las instituciones europeas se integra en los sistemas jurídicos de los Estados miembros que están obligados a respetarlo. En consecuencia, si una norma nacional es contraria a una disposición europea, las autoridades de los Estados miembros deben aplicar la disposición europea, ambos principios resultan fundamentales para conjugar las previsiones normativas internas con el RGPD.

En cuanto al ámbito material, desde el punto de vista del formato del tratamiento el RGPD se aplica al tratamiento total o parcialmente automatizado de datos personales, así como al tratamiento no automatizado de datos personales contenidos o destinados a ser incluidos en un fichero. A continuación y a efectos de ofrecer un dibujo de algunas de las principales novedades que en relación con el modelo actual ofrece el RGPD, se analizará el catálogo de derechos reconocido a los interesados, los principios aplicables a la protección y al tratamiento, con especial relevancia del principio de protección desde el diseño por su impacto en la elaboración de los documentos electrónicos, y el sistema de registros de tratamientos que sustituirá al actual sistema de ficheros de datos registrados ante la autoridad de control, la Agencia de Protección de Datos.

2.1. Configuración legal del derecho de a la protección de datos personales

El derecho fundamental a la protección de datos personales deriva directamente de la Constitución y atribuye a los ciudadanos un poder de disposición sobre sus datos, de modo que, en base a su consentimiento, puedan disponer de los mismos. Se configura, pues, como un auténtico derecho fundamental, cuyo contenido el Tribunal Constitucional ha terminado de perfilar en la Sentencia 292/2000, de 30 de noviembre, dándole la denominación de derecho de autodeterminación informativa o de libre disponibilidad de los datos de carácter personal.

El Tribunal recoge en dicha sentencia su finalidad al establecer que «[...] persigue garantizar a esa persona el poder de control sobre sus datos personales, sobre su uso y destino, con el propósito de impedir su tráfico ilícito y lesivo para la dignidad y derecho del afectado, estableciendo, en cuanto a su ámbito, que el objeto de protección del derecho fundamental a la protección de datos no se reduce sólo a los datos íntimos de la persona, sino a cualquier tipo de dato personal, sea o no íntimo, cuyo conocimiento o empleo por tercero pueda afectar a sus derechos sean o no fundamentales, porque su objeto no es sólo la intimidad individual, que para ello está la protección que el artículo 18.1 CE otorga, sino los datos de carácter personal».

Concretando más el contenido del derecho, contempla que el poder de disposición y control sobre los datos personales «se concretan jurídicamente en la facultad de consentir la recogida, la obtención y el acceso a los datos personales, su posterior almacenamiento y tratamiento, así como su uso o usos posibles, por un tercero, sea el Estado o un particular. Y ese derecho a consentir el conocimiento y el tratamiento, informático o no, de los datos personales, requiere como complementos indispensables, por un lado, la facultad de saber en todo momento quién dispone de esos datos personales y a qué uso los está sometiendo, y, por otro lado, el poder oponerse a esa posesión y usos».

Así lo ha señalado la jurisprudencia, por todas, el Tribunal Constitucional en sentencia 17/2013, de 31 de enero, cuando afirma que la normativa en materia de protección de datos no permite la comunicación indiscriminada de datos personales entre administraciones públicas, en tanto en cuanto la posesión de estos datos se establece como afecta a finalidades concretas y determinadas, que son las que justifican su recogida y posterior tratamiento. Esa es la línea seguida por el órgano de control, indicando que la habilitación normativa genérica no sería suficiente para amparar la cesión de datos, si no resulta acorde con el contenido del derecho fundamental.

2.2. Principios aplicables

Otra de las novedades que incorpora el RGPD se produce en relación con los principios aplicables en el tratamiento de datos personales, y el eje vertebral viene significado por el principio de calidad, del que derivan en nuestra normativa interna los de proporcionalidad, finalidad, exactitud y actualidad, cancelación de oficio y licitud, a los que deben sumarse los que el RGPD incorpora a través del artículo 5, los siguientes principios básicos[1]:

1. Licitud, lealtad y transparencia: exigiendo que los datos sean tratados de manera lícita, leal y transparente en relación con el interesado[2].

2. Minimización de datos: conforme al cual, además de adecuados y pertinentes, los datos deben ser limitados a lo necesario en relación con los fines para los que son tratados. Principio de minimización que se correspondería con el principio de proporcionalidad, definido jurisprudencialmente sobre la base de la necesidad de efectuar el tratamiento para alcanzar los fines pretendidos[3].

3. Limitación de la finalidad: será necesario justificar la recogida de los datos con fines determinados, explícitos y legales. El RGPD contempla la posibilidad de realizar tratamientos de datos con finalidades distintas de las recogidas pero compatibles con las mismas siempre que se den una serie de condicionamientos (art. 6.4).

---

(1) Principios Relativos al Tratamiento de Datos Personales en el RGPD. DPO&it law. Consultado el 21.01.2018.
http://www.dpoitlaw.com/principios-relativos-al-tratamiento-datos-personales-rgpd/.

(2) El Considerando 39 establece que «toda información y comunicación relativa al tratamiento de dichos datos sea fácilmente accesible y fácil de entender, y que se utilice un lenguaje sencillo y claro. Dicho principio se refiere en particular a la información de los interesados sobre la identidad del responsable del tratamiento y los fines del mismo y a la información añadida para garantizar un tratamiento leal y transparente con respecto a las personas físicas afectadas y a su derecho a obtener confirmación y comunicación de los datos personales que les conciernan que sean objeto de tratamiento. Las personas físicas deben tener conocimiento de los riesgos, las normas, las salvaguardias y los derechos relativos al tratamiento de datos personales, así como del modo de hacer valer sus derechos en relación con el tratamiento».

(3) Tal y como establece el Considerando 39: «Los datos personales solo deben tratarse si la finalidad del tratamiento no pudiera lograrse razonablemente por otros medios».

4. Exactitud y, si fuera necesario, actualizados; para ello se adoptarán todas las medidas razonables para que se supriman o rectifiquen sin dilación los datos personales que sean inexactos con respecto a los fines para los que se tratan[4].

5. Limitación en el plazo de conservación. En cuanto a los datos serán mantenidos de forma que se permita la identificación de los interesados durante no más tiempo del necesario para los fines del tratamiento de los datos personales. En la actualidad, nuestro ordenamiento jurídico establece ya que deberán ser cancelados cuando los datos dejen de ser útiles para la finalidad en la que fueron recabados, el RGPD además de limitar el plazo de conservación establece la obligación al responsable de incluir plazos para la supresión o revisión periódica[5].

2.3. Especial relevancia del principio de privacidad desde el diseño

Uno de los principios que cobran fuerza y que tienen una traslación obligacional clara en el RGPD es el principio de protección de datos desde el diseño y por defecto, buscando garantizar la protección de datos desde una fase temprana, en este caso de la gestión electrónica, elaborando el documento electrónico teniendo en consideración el deber de protección de datos personales. Su formulación se recoge de modo expreso en el artículo 25 RGPD, que establece que teniendo en cuenta:

— el estado de la técnica

— el coste de la aplicación

— la naturaleza, ámbito, contexto y fines del tratamiento

— los riesgos de diversa probabilidad y gravedad que entraña el tratamiento para los derechos y libertades de las personas físicas,

El responsable del tratamiento aplicará, tanto en el momento de determinar los medios de tratamiento como en el momento del propio tratamiento, medidas técnicas y organizativas apropiadas, como la seudonimización, concebidas para

---

(4) A este respecto señala también el considerando 39 que: «Deben tomarse todas las medidas razonables para garantizar que se rectifiquen o supriman los datos personales que sean inexactos». En este sentido la Recomendación 1/2008 de la Agencia Catalana de Protección de Datos, sobre la difusión de información que contenga datos de carácter personal a través de internet señala la obligación de velar para que los datos difundidos sean correctos y actualizados, pero también el establecimiento de revisiones periódicas de los datos de carácter personal incorporados las sedes electrónicas y en las páginas web, con el fin de corregir los errores que se detecten y cesar la difusión en caso de que se haya convertido en innecesaria o ilegítima.

(5) Considerando 39: «Para garantizar que los datos personales no se conservan más tiempo del necesario, el responsable del tratamiento ha de establecer plazos para su supresión o revisión periódica».

aplicar de forma efectiva los principios de protección de datos, como la minimización de datos, e integrar las garantías necesarias en el tratamiento, a fin de cumplir los requisitos del RGPD y proteger los derechos de los interesados.

Asimismo, el responsable del tratamiento aplicará las medidas técnicas y organizativas apropiadas con miras a garantizar que, por defecto, solo sean objeto de tratamiento los datos personales que sean necesarios para cada uno de los fines específicos del tratamiento. Esta obligación se aplicará a la cantidad de datos personales recogidos, a la extensión de su tratamiento, a su plazo de conservación y a su accesibilidad. Tales medidas garantizarán en particular que, por defecto, los datos personales no sean accesibles, sin la intervención de la persona, a un número indeterminado de personas físicas. Para acreditar el cumplimiento de estas obligaciones podrá utilizarse un mecanismo de certificación aprobado con arreglo al artículo 42 RGPD[6].

Entre las medidas a adoptar pueden aplicarse, se contemplan entre otras:

— reducir al máximo el tratamiento de datos personales,

— seudonimizar lo antes posible los datos personales,

— dar transparencia a las funciones y el tratamiento de datos personales, permitiendo a los interesados supervisar el tratamiento de datos y al responsable del tratamiento crear y mejorar elementos de seguridad.

Medidas y principios que, tal y como señala el Considerando 78 RGPD deben tenerse en cuenta en el contexto de los contratos públicos, regidos en esta materia por lo establecido en la Ley 9/2017, de 8 de noviembre, de Contratos del Sector Público, por la que se transponen al ordenamiento jurídico español las Directivas del Parlamento Europeo y del Consejo 2014/23/UE y 2014/24/UE, de 26 de febrero de 2014 (LCSP). Dicho precepto contempla que al desarrollar, diseñar, seleccionar y usar aplicaciones, servicios y productos que están basados en el tratamiento de datos personales o que tratan datos personales para cumplir su función, ha de alentarse a los productores de los productos, servicios y aplicaciones a que tengan en cuenta el derecho a la protección de datos cuando desarrollan y diseñen estos productos, servicios y aplicaciones, y que se aseguren, con la debida atención al estado de la técnica, de que los responsables y los encargados del tratamiento están en condiciones de cumplir sus obligaciones en materia de protección de datos.

En cuanto al acceso a través de la red a los documentos electrónicos, sobre la base de su consideración como fuente accesible al público, la memoria de la

---

(6)   Dicho precepto contempla que los Estados miembros, las autoridades de control, el Comité y la Comisión promoverán, en particular a nivel de la Unión, la creación de mecanismos de certificación en materia de protección de datos y de sellos y marcas de protección de datos a fin de demostrar el cumplimiento de lo dispuesto en el Reglamento en las operaciones de tratamiento de los responsables y los encargados.

AEPD del año 2000 señala que no se considera que la procedencia de los datos recogidos en Internet sea la de fuente accesible al público, siendo necesario, por lo tanto, la obtención del consentimiento inequívoco, especifico e informado del afectado para realizar tratamientos con sus datos personales publicados en Internet, aunque estos se hayan publicado de forma que cualquier internauta pueda acceder a los mismos[7].

2.4. Nuevos derechos para los interesados

Frente a los conocidos como derechos ARCO (Acceso, Rectificación, Cancelación y Oposición), contenidos en la derogada LOPD el RGPD refuerza el régimen de los mismos, ampliándolo con nuevos derechos, algunos derivados de la propia jurisprudencia comunitaria, como el derecho al olvido, que se incorporan a la LOPDGDD, quedando configurado el nuevo catálogo con los siguientes derechos[8]:

— *Derecho de acceso del interesado* (art. 15)

A través de su ejercicio se reconoce el derecho a conocer qué datos de carácter personal están siendo tratados por parte del responsable, la finalidad de este tratamiento, el origen de los citados datos y si se han comunicado o se van a comunicar a un tercero.

— *Derecho de rectificación* (art. 16)

Consiste en la posibilidad de que mediante su ejercicio ante el responsable que trata los datos personales, se modifiquen aquellos datos que sean inexactos o incompletos, debiendo en la solicitud de rectificación indicar qué datos deben modificarse, acompañando la documentación justificativa correspondiente.

---

(7)   YANGUAS GÓMEZ, R. «El tratamiento invisible de datos de carácter personal en internet». *REDUR* n.º 2, Año 2004.
(8)   Guía para el ciudadano, AGPD.
(9)   A fin de reforzar el «derecho al olvido» en el entorno en línea, el derecho de supresión debe ampliarse de tal forma que el responsable del tratamiento que haya hecho públicos datos personales esté obligado a indicar a los responsables del tratamiento que estén tratando tales datos personales que supriman todo enlace a ellos, o las copias o réplicas de tales datos. Al proceder así, dicho responsable debe tomar medidas razonables, teniendo en cuenta la tecnología y los medios a su disposición, incluidas las medidas técnicas, para informar de la solicitud del interesado a los responsables que estén tratando los datos personales.

— **Derecho de supresión**[9] (art. 17)

Mediante el ejercicio de este derecho el interesado puede oponerse a que no se realice el tratamiento de los datos personales en una serie de supuestos establecidos en el RGPD.

— **Derecho a la limitación del tratamiento** (art. 18)

El afectado tendrá derecho a obtener del responsable una limitación del tratamiento de los datos cuando se cumpla alguna de las condiciones siguientes:

a) el afectado impugne la exactitud de los datos personales, durante un plazo que permita al responsable verificar la exactitud de los mismos;

b) el tratamiento sea ilícito y el interesado se oponga a la supresión de los datos personales y solicite en su lugar la limitación de su uso;

c) el responsable ya no necesite los datos personales para los fines del tratamiento, pero el interesado los necesite para la formulación, el ejercicio o la defensa de reclamaciones;

d) el afectado se haya opuesto al tratamiento en virtud del artículo 21, apartado 1, mientras se verifica si los motivos legítimos del responsable prevalecen sobre los del interesado.

— **Derecho a la portabilidad de los datos** (art. 20)

El afectado tendrá derecho a recibir los datos personales que le incumban, que haya facilitado a un responsable del tratamiento, en un formato estructurado, de uso común y lectura mecánica, y a transmitirlos a otro responsable del tratamiento sin que lo impida el responsable al que se los hubiera facilitado, en los supuestos previstos en el artículo 20 RGPD.

— **Derecho de oposición** (art. 21)

El afectado tendrá derecho a oponerse en cualquier momento, por motivos relacionados con su situación particular, a que datos personales que le conciernan sean objeto de un tratamiento basado en lo dispuesto en el artículo 6, apartado 1, letras e) o f), incluida la elaboración de perfiles sobre la base de dichas disposiciones, con las prescripciones recogidas en el artículo 21 RGPD.

— **Decisiones individuales automatizadas, elaboración de perfiles** (art. 22)

Se reconoce a todo interesado el derecho a no ser objeto de una decisión basada únicamente en el tratamiento automatizado, incluida la elaboración de perfiles, que produzca efectos jurídicos en él o le afecte significativamente de modo similar.

La LOPDGDD impone en su artículo 32 contempla el derecho al bloqueo de los datos, al establecer una obligación adicional al responsable: la de bloquear los datos cuando proceda al ejercicio de sus derechos de rectificación o supresión. El bloqueo de los datos consiste en la identificación y reserva de los mismos, adoptando medidas técnicas y organizativas, para impedir su tratamiento, incluyendo su visualización, excepto para la puesta a disposición de los datos a los jueces y tribunales, el Ministerio Fiscal o las Administraciones Públicas competentes, en particular de las autoridades de protección de datos, para la exigencia de posibles responsabilidades derivadas del tratamiento y solo por el plazo de prescripción de las mismas, sin que los datos bloqueados no podrán ser tratados para ninguna finalidad distinta. Transcurrido ese plazo deberá procederse a la destrucción de los datos.

2.5. El registro de tratamientos como sustituto de los ficheros de datos

En el modelo anterior (LOPD), la arquitectura de protección de datos se articulaba en torno a un sistema de ficheros, que eran objeto de inscripción ante la Autoridad de control, siendo el Registro General de Protección de Datos el órgano de la Agencia Española de Protección de Datos al que correspondía velar por la publicidad de la existencia de los ficheros y tratamientos de datos de carácter personal, a efectos de hacer posible el ejercicio de los derechos ARCO.

Con la aplicación del RGPD este sistema desaparece para dar paso al Registro de Tratamientos como se examinará, que, no obstante, podrá nutrirse de los ficheros ya existentes en cuanto ya se encuentra sistematizada la información en el mismo, opción que facilita directamente la propia autoridad de control. La entrada en vigor de esta nueva obligación exige prever en la gestión electrónica de los procedimientos el trámite correspondiente a la inscripción en el registro del respectivo tratamiento al que sean sometidos los datos, así como la inclusión de este procedimiento en el cuadro de clasificación documental, teniendo en cuenta que cada responsable y, en su caso, su representante llevarán un registro de las actividades de tratamiento efectuadas bajo su responsabilidad.

El registro de tratamiento deberá contener toda la información indicada a continuación:

a) el nombre y los datos de contacto del responsable y, en su caso, del corresponsable, del representante del responsable, y del delegado de protección de datos;

b) los fines del tratamiento;

c) una descripción de las categorías de interesados y de las categorías de datos personales; las categorías de destinatarios a quienes se comunicaron o comunicarán los datos personales, incluidos los destinatarios en terceros países u organizaciones internacionales;

d) en su caso, las transferencias de datos personales a un tercer país o una organización internacional, incluida la identificación de dicho tercer país u organización internacional y, en el caso de las transferencias indicadas en el artículo 49, apartado 1, párrafo segundo, la documentación de garantías adecuadas;

e) cuando sea posible, los plazos previstos para la supresión de las diferentes categorías de datos;

f) cuando sea posible, una descripción general de las medidas técnicas y organizativas de seguridad a que se refiere el artículo 32, apartado 1.

Por su parte, cada encargado y, en su caso, el representante del encargado, llevará un registro de todas las categorías de actividades de tratamiento efectuadas por cuenta de un responsable que contenga:

a) el nombre y los datos de contacto del encargado o encargados y de cada responsable por cuenta del cual actúe el encargado, y, en su caso, del representante del responsable o del encargado, y del delegado de protección de datos;

b) las categorías de tratamientos efectuados por cuenta de cada responsable;

c) en su caso, las transferencias de datos personales a un tercer país u organización internacional, incluida la identificación de dicho tercer país u organización internacional y, en el caso de las transferencias indicadas en el artículo 49, apartado 1, párrafo segundo, la documentación de garantías adecuadas;

d) cuando sea posible, una descripción general de las medidas técnicas y organizativas de seguridad a que se refiere el artículo 30, apartado 1.

Registros que deberán constar por escrito, inclusive en formato electrónico.

Por su parte, la LOPDGDD destina su artículo 31 a regular el registro de las actividades de tratamiento, apuntando que los responsables y encargados del tratamiento o, en su caso, sus representantes deberán mantener el registro de actividades de tratamiento al que se refiere el artículo 30 RGDP, que podrá organizarse en torno a conjuntos estructurados de datos, deberá especificar, según sus finalidades, las actividades de tratamiento llevadas a cabo y las demás circunstancias establecidas en el citado reglamento, cuando el responsable o el encargado del tratamiento hubieran designado un delegado de protección de

176

datos deberán comunicarle cualquier adición, modificación o exclusión en el contenido del registro.

3. TRANSMISIÓN DE INFORMACIÓN ENTRE ADMINISTRACIONES PÚBLICAS Y PROTECCIÓN DE DATOS

Una de las ventajas que ha introducido la reforma de 2015 por la LPAC y la LRJSP es la generalización, con carácter obligatorio, de la tramitación electrónica de los procedimientos administrativos, facilitando el flujo de información entre las diferentes administraciones públicas para reducir las cargas administrativas de los ciudadanos en la presentación de documentación, pero esta transmisión de información se encuentra fuertemente condicionada por el respeto a la protección de datos de carácter personal y a la utilización de los mismos únicamente para la finalidad para la que fueron recabados.

Estas normas vienen a sustituir las prescripciones que, en esta materia, se recogía en la Ley 11/2007, de 22 de junio, de Acceso Electrónico de los Ciudadanos a los Servicios Públicos (LAE), derogada por el nuevo marco normativo, que subsume la regulación del procedimiento administrativo común y del funcionamiento de las administraciones y la regulación electrónica del mismo, frente al modelo dual anterior.

3.1. Intercambio de datos e información en las relaciones ad intra

El derecho fundamental de los interesados a la protección de datos de carácter personal tiene su traducción en el deber que se impone a las administraciones públicas de velar por dicha protección, de ahí que con ocasión de la aprobación de dichas normas, ya en su dictamen al anteproyecto de la LRJSP con ocasión de la emisión de su informe preceptivo, la AEPD señalaba la conveniencia de incorporar los límites establecidos en la normativa sobre protección de datos, incorporación que se lleva a cabo en la redacción final al artículo 3.2 LRJSP, cuando señala que

> Las administraciones públicas se relacionarán entre sí y con sus órganos, organismos públicos y entidades vinculados o dependientes a través de medios electrónicos, que aseguren la interoperabilidad y seguridad de los sistemas y soluciones adoptadas por cada una de ellas, garantizarán la protección de los datos de carácter personal, y facilitarán preferentemente la prestación conjunta de servicios a los interesados.

Si examinamos la normativa ésta distingue intercambio electrónico de datos en entornos cerrados de comunicación, contemplado en el artículo 44 LRJSP, estableciendo que los documentos electrónicos transmitidos en entornos cerrados de comunicaciones establecidos entre administraciones públicas, órganos, organismos públicos y entidades de derecho público, serán considerados válidos a efectos de autenticación e identificación de los emisores y receptores en las condiciones establecidas en este artículo.

En cuanto a cómo se realizará ese intercambio electrónico, hay que diferenciar dos supuestos:

• Los participantes en las comunicaciones pertenecen a una misma administración pública. Corresponde a ésta determinar las condiciones y garantías por las que se regirá, determinación que, al menos, comprenderá la relación de emisiones y receptores autorizados y la naturaleza de los datos a intercambiar

• Los participantes en las comunicaciones pertenecen a distintas administraciones públicas. Las condiciones y garantías se establecen mediante convenio suscrito entre las mismas.

En todo caso deberá garantizarse la seguridad del entorno cerrado de comunicaciones y la protección de los datos que se transmitan.

Este marco normativo ha de completarse con lo dispuesto en el artículo 155 LRJSP[10], relativo a las transmisiones de datos entre administraciones públicas que establece que, con referencia expresa al respeto al RGPD y la LOPDGDD, cada Administración deberá facilitar el acceso de las restantes Administraciones Públicas a los datos relativos a los interesados que obren en su poder, especificando las condiciones, protocolos y criterios funcionales o técnicos necesarios para acceder a dichos datos con las máximas garantías de seguridad, integridad y disponibilidad. En ningún caso podrá procederse a un tratamiento ulterior de los datos para fines incompatibles con el fin para el cual se recogieron inicialmente los datos personales. De acuerdo con lo previsto en el artículo 5.1.b) RGPD, no se considerará incompatible con los fines iniciales el tratamiento ulterior de los datos personales con fines de archivo en interés público, fines de investigación científica e histórica o fines estadísticos.

Fuera de este caso y siempre que las leyes especiales aplicables a los respectivos tratamientos no prohíban expresamente el tratamiento ulterior de los datos para una finalidad distinta, cuando la Administración Pública cesionaria de los datos pretenda el tratamiento ulterior de los mismos para una finalidad que estime compatible con el fin inicial, deberá comunicarlo previamente a la Administración Pública cedente a los efectos de que esta pueda comprobar dicha compatibilidad. La Administración Pública cedente podrá, en el plazo de diez días oponerse motivadamente. Cuando la Administración cedente sea la Administración General del Estado podrá en este supuesto, excepcionalmente y de forma motivada, suspender la transmisión de datos por razones de seguridad

---

(10)   En relación con la regulación anterior, la diferencia se produce en relación con la eliminación de la referencia a los consorcios u otras entidades de cooperación constituidas a tales efectos por esas administraciones.

nacional de forma cautelar por el tiempo estrictamente indispensable para su preservación. En tanto que la Administración Pública cedente no comunique su decisión a la cesionaria esta no podrá emplear los datos para la nueva finalidad pretendida.

Esta última prescripción debe completarse con lo establecido en el artículo 13 ENI, que contempla la regulación de la Red de comunicaciones de las administraciones públicas españolas, la denominada Red SARA, al disponer que a tal fin, dichas administración utilizarán preferentemente la Red de comunicaciones de las administraciones públicas españolas para comunicarse entre sí, para lo cual conectarán a la misma, bien sus respectivas redes, bien sus nodos de interoperabilidad, de forma que se facilite el intercambio de información y de servicios entre las mismas, así como la interconexión con las redes de las Instituciones de la Unión Europea y de otros Estados miembros.

La regulación establecida en este precepto debe conectarse con lo establecido en el artículo 8 del ENI, relativo a los servicios de las administraciones públicas disponibles por medios electrónicos. Dicho precepto contempla, además, la obligación a las administraciones públicas de establecer y publicar las condiciones de acceso y utilización de los servicios, datos y documentos en formato electrónico que pongan a disposición del resto de administraciones especificando las finalidades, las modalidades de consumo, consulta o interacción, los requisitos que deben satisfacer los posibles usuarios de los mismos, los perfiles de los participantes implicados en la utilización de los servicios, los protocolos y criterios funcionales o técnicos necesarios para acceder a dichos servicios, los necesarios mecanismos de gobierno de los sistemas interoperables, así como las condiciones de seguridad aplicables. Condiciones que, en todo caso, deberán resultar conformes a los principios, derechos y obligaciones contenidos en el RGPD y LOPDGDD, así como a lo dispuesto en el ENS, y los instrumentos jurídicos que deberán suscribir las administraciones públicas requeridoras de dichos servicios, datos y documentos. A tal fin se potenciará el establecimiento de convenios entre las administraciones públicas emisoras y receptoras y, en particular, con los nodos de interoperabilidad, con el objetivo de simplificar la complejidad organizativa sin menoscabo de las garantías jurídicas, y se identificarán, catalogarán y priorizarán los servicios de interoperabilidad que deberán prestar las diferentes administraciones públicas.

Por su parte, las administraciones públicas deberán publicar aquellos servicios que pongan a disposición de las demás administraciones a través de la red de comunicaciones de las administraciones públicas españolas, o de cualquier otra red equivalente o conectada a la misma que garantice el acceso seguro al resto de administraciones, pudiendo utilizar nodos de interoperabilidad, entendidos como entidades a las cuales se les encomienda la gestión de apartados globales o parciales de la interoperabilidad organizativa, semántica o técnica.

En dicho sentido, la Resolución de 19 de julio de 2011, de la Secretaría de Estado para la Función Pública, por la que se aprueba la NTI de documento electrónico, en su apartado VII, relativo al intercambio de documentos electrónicos, establece que todo documento electrónico objeto de intercambio tendrá los componentes definidos en el apartado III de la norma. Para ello, distingue el intercambio de documentos electrónicos de aquél que se realice en procesos de actuación automatizada:

• En el primer caso, se realizará mediante su envío según la estructura definida en el anexo II, sin perjuicio de la aplicación de otras reguladas por su normativa específica, aunque excepcionalmente, se podrán aplicar otras estructuras para el intercambio de documentos electrónicos entre administraciones públicas, cuando exista acuerdo previo entre las partes. En cualquier caso, si debe enviarse a un tercero, la estructura utilizada será convertida por el emisor a la estructura definida en el anexo II.

• En el segundo caso, es decir, para el intercambio de documentos electrónicos, entre administraciones públicas, en procesos de actuación automatizada:

a) Se utilizará preferentemente la red de comunicaciones de las administraciones públicas españolas como medio para la transmisión.

b) Si el documento electrónico forma parte de un asiento registral, éste será tratado como documento adjunto al mensaje de datos de intercambio según lo establecido en la NTI de Modelo de datos para el intercambio de asientos entre las entidades registrales.

En caso de intercambio de documentos electrónicos entre administraciones públicas que suponga una transferencia de custodia o traspaso de responsabilidad de gestión de documentos que deban conservarse permanentemente, el órgano o entidad transferidora verificará la autenticidad e integridad del documento en el momento de dicho intercambio.

3.2. El intercambio de información para el ejercicio de un derecho: el principio once-only

El debido cumplimiento del principio once-only (principio de una sola vez) exige revisar la interacción normativa en materia de procedimiento administrativo común y la protección de datos personales, por cuanto la aprobación de la LPAC en el año 2015 vino a alterar la regla general fijada en su predecesora, en cuanto a la denegación del consentimiento salvo actuación expresa de otorgamiento.

En su apartado 2, el artículo 28 LPAC establece que las administraciones públicas no requerirán a los interesados datos o documentos no exigidos por la normativa reguladora aplicable o que hayan sido aportados anteriormente por el interesado a cualquier administración. Para ello, el interesado deberá indicar en qué momento y ante qué órgano administrativo presentó los citados documentos, debiendo las administraciones públicas recabarlos electrónicamente a través de sus redes corporativas o de una consulta a las plataformas de intermediación de datos u otros sistemas electrónicos habilitados al efecto.

Es decir, se producirá una cesión de datos entre las distintas administraciones públicas, y a dichos efectos se establece la presunción de que esta consulta es autorizada por los interesados, al señalar que en ausencia de oposición del interesado, las administraciones públicas deberán recabar los documentos electrónicamente a través de sus redes corporativas o mediante consulta a las plataformas de intermediación de datos u otros sistemas electrónicos habilitados al efecto salvo en aquellos casos en que conste en el procedimiento su oposición expresa o la ley especial aplicable requiera consentimiento expreso, debiendo, en ambos casos, ser informados previamente de sus derechos en materia de protección de datos de carácter personal. Tan sólo de forma excepcional, si las administraciones públicas no pudieran recabar los citados documentos, podrán solicitar nuevamente al interesado su aportación.

Esta regulación podría situarnos ante una eventual contradicción con el refuerzo que, en esta materia, ha efectuado el RGPD, al exigir que el consentimiento sea expreso e inequívoco en su prestación, desechando en cualquier caso la posibilidad de su otorgamiento tácito o implícito, reclamando algunas voces la necesidad de modificar la regulación de este apartado. Frente a ellas, la existencia de un precepto legal habilitando esta consulta de un modo expreso, podría entenderse como una fuente legítima del tratamiento. Así lo refrenda la propia AEPD en su Guía Sectorial «Protección de datos y administración local», vincula este precepto con la legitimación establecida en el artículo 6.1. e) RGPD, es decir, cuando el tratamiento sea necesario para el cumplimiento de una misión realizada en interés público o en el ejercicio de los poderes públicos conferidos al responsable del tratamiento, precisando que, será suficiente que la Ley hubiese determinado quién es la Administración competente.

La técnica más extendida para obtener los respectivos documentos o datos es la de recabar la información a través de la Plataforma de Intermediación de Datos (PID) que permite verificar o consultar los datos de un ciudadano que ha iniciado un trámite con la entidad, facilitando de este modo, que el ciudadano no tenga que aportar documentos acreditativos por ejemplo de identidad ni de residencia, entre muchos otros en los trámites que inicie.

4. CONDICIONES Y REQUISITOS DE SEGURIDAD EN EL DOCUMENTO ELECTRÓNICO CON DATOS PERSONALES

Uno de los ejes vertebrales en la protección de datos personales viene constituida por las medidas de seguridad en el acceso a la información. En dicho sentido, la nueva arquitectura organizativa del RGPD determinará su intervención en la gestión electrónica de los procedimientos, al encomendarse relevantes y diferenciadas funciones al encargado y responsable del tratamiento, así como una nueva figura de control: el delegado de protección de datos.

4.1. Novedades en el modelo organizativo: el delegado de protección de datos

Resulta básico garantizar la seguridad en el tratamiento de los datos, por lo que el artículo 32 RGPD establece que teniendo en cuenta el estado de la técnica, los costes de aplicación, y la naturaleza, el alcance, el contexto y los fines del tratamiento, así como riesgos de probabilidad y gravedad variables para los derechos y libertades de las personas físicas, el responsable y el encargado del tratamiento aplicarán medidas técnicas y organizativas apropiadas para garantizar un nivel de seguridad adecuado al riesgo, que en su caso incluya, entre otros:

- La seudonimización y el cifrado de datos personales;

- La capacidad de garantizar la confidencialidad, integridad, disponibilidad y resiliencia permanentes de los sistemas y servicios de tratamiento;

- La capacidad de restaurar la disponibilidad y el acceso a los datos personales de forma rápida en caso de incidente físico o técnico;

- Un proceso de verificación, evaluación y valoración regulares de la eficacia de las medidas técnicas y organizativas para garantizar la seguridad del tratamiento.

Por ello, al evaluar la adecuación del nivel de seguridad se tendrán especialmente en cuenta los riesgos que presente el tratamiento de datos, en particular, como consecuencia de la destrucción, pérdida o alteración accidental o ilícita de datos personales transmitidos, conservados o tratados de otra forma, o la comunicación o acceso no autorizados a dichos datos.

El responsable y el encargado del tratamiento tomarán medidas para garantizar que cualquier persona que actúe bajo la autoridad del responsable o del encargado y tenga acceso a datos personales solo pueda tratar dichos datos siguiendo instrucciones del responsable, salvo que esté obligada a ello en virtud del Derecho de la Unión o de los Estados miembros.

Para ello, el artículo 37 RGPD establece que el responsable y el encargado del tratamiento designarán un delegado de protección de datos siempre que el tratamiento lo lleve a cabo una autoridad u organismo público, excepto los tribunales que actúen en ejercicio de su función judicial; encomendando al mismo, como mínimo, las siguientes funciones:

• informar y asesorar al responsable o al encargado del tratamiento y a los empleados que se ocupen del tratamiento de las obligaciones que les incumben en virtud del presente reglamento y de otras disposiciones de protección de datos de la Unión o de los Estados miembros;

• supervisar el cumplimiento de lo dispuesto en el presente reglamento, de otras disposiciones de protección de datos de la Unión o de los Estados miembros y de las políticas del responsable o del encargado del tratamiento en materia de protección de datos personales, incluida la asignación de responsabilidades, la concienciación y formación del personal que participa en las operaciones de tratamiento, y las auditorías correspondientes;

• ofrecer el asesoramiento que se le solicite acerca de la evaluación de impacto relativa a la protección de datos y supervisar su aplicación de conformidad con el artículo 35;

• cooperar con la autoridad de control;

• actuar como punto de contacto de la autoridad de control para cuestiones relativas al tratamiento, incluida la consulta previa a que se refiere el artículo 36, y realizar consultas, en su caso, sobre cualquier otro asunto.

El delegado de protección de datos desempeñará sus funciones prestando la debida atención a los riesgos asociados a las operaciones de tratamiento, teniendo en cuenta la naturaleza, el alcance, el contexto y fines del tratamiento, con independencia respecto a la entidad en la que desempeña sus funciones, determinando las adecuaciones y modificaciones que, en su caso, resulte necesario introducir en la gestión documental.

Con algunas modificaciones, la LOPDGDD mantiene la configuración del Delegado de Protección de Datos (DPD) que recoge el RGPD, destacando, especialmente, una novedad en su art. 37, relativo a la *«Intervención del delegado de protección de datos en caso de reclamación ante las autoridades de protección de datos»*, mediante el reconocimiento de su papel como órgano intermedio de control. Habría que determinar si se configura como una autoridad intermedia de control, escenario que plantearía problemas en aquellos casos en los que las administraciones públicas hayan recurrido a la vía de la contratación externa, vía normativa en materia de contratación pública, para el desempeño de estas funciones, dada la reserva del ejercicio de las funciones públicas de autoridad, o como un órgano de intermediación.

4.2. Nuevas obligaciones de seguridad en la gestión de los documentos electrónicos derivadas del RGPD

La normativa actual en materia de protección de datos contiene previsiones específicas sobre medidas de seguridad atendiendo básicamente al tipo de datos que son objeto de tratamiento, pero algunas de ellas quedarán sin efecto tras la aplicación del RGPD, por cuanto exige que las medidas de seguridad se adecúen a las características de los tratamientos, sus riesgos, el contexto en que se desarrollan, el estado de la técnica y los costes. En este ámbito, el de la gestión pública, la aplicación de las medidas de seguridad vendrá determinada por los criterios establecidos en el ENS, razón por la que se llevará a cabo una revisión de esta norma para su adaptación a las exigencias del RGPD, siendo preciso revisar las medidas de seguridad que se aplican a los tratamientos a la luz de los resultados del análisis de riesgo de los mismos.

La normativa europea concede una elevada importancia a la gestión de riesgos, disponiendo la necesidad de hacer un análisis de riesgo para los derechos y libertades de los ciudadanos de todos los tratamientos de datos que se desarrollen, porque hace depender la aplicación de todas las medidas de cumplimiento que prevé para responsables y encargados del nivel y tipo de riesgo que cada tratamiento implique para los derechos y libertades de los afectados. Por ello, todo tratamiento, tanto los ya existentes como los que se pretenda iniciar, deben ser objeto de un análisis de riesgos, siendo necesario, asimismo, verificar la aplicación de medidas de seguridad adecuadas, así como establecer protocolos para gestionar y, en su caso, notificar quiebras de seguridad

A lo ya expuesto en relación con las funciones encomendadas al responsable y encargado de tratamiento, debiendo adaptar los contratos de encargo a la nueva regulación, debe tenerse en consideración que al evaluar la adecuación del nivel de seguridad se tendrán particularmente en cuenta los riesgos que presente el tratamiento de datos, en particular como consecuencia de la destrucción, pérdida o alteración accidental o ilícita de datos personales transmitidos, conservados o tratados de otra forma, o la comunicación o acceso no autorizados a dichos datos.

De especial importancia en este contexto la prescripción legal citada de que el responsable y el encargado del tratamiento tomarán medidas para garantizar que cualquier persona que actúe bajo la autoridad del responsable o del encargado y tenga acceso a datos personales solo pueda tratar dichos datos siguiendo instrucciones del responsable, salvo que esté obligada a ello en virtud del Derecho de la Unión o de los Estados miembros.

Y en aquellos supuestos en los que el tratamiento se configure como de alto riesgo, deberá detallarse e implantar un procedimiento para realizar, una evaluación de impacto de la privacidad y, si fuera necesario, consultar previamente a la autoridad de control, en este caso, la AEPD, tal y como señalan los artículos 35 y 36 RGPD.

5. ASPECTOS DEL TRATAMIENTO EN EL ARCHIVO, CONSERVACIÓN Y RECUPERACIÓN DE LOS DOCUMENTOS ELECTRÓNICOS

Una de la derivadas que se produce en la interacción documento electrónico / protección de datos, se pone de manifiesto en la propia LPAC y en la LRJSP, en la regulación que ambas normas efectúan sobre el archivo electrónico. Desde ese punto de vista, debe tomarse en consideración los servicios de custodia y destrucción documental, y el tratamiento de los datos personales en dichas operaciones, datos que figurarán en los respectivos registros de tratamiento previstos en el RGPD, sustitutivos de los ficheros de datos personales.

La regulación actual se encuentra recogida en ambas normas vertebrales. Por una parte, en el artículo 17 LPAC, que señala que cada Administración deberá mantener un archivo electrónico único de los documentos electrónicos que correspondan a procedimientos finalizados, en los términos establecidos en la normativa reguladora aplicable. A tal fin, los documentos electrónicos deberán conservarse en un formato que permita garantizar la autenticidad, integridad y conservación del documento, así como su consulta con independencia del tiempo transcurrido desde su emisión. Se asegurará en todo caso la posibilidad de trasladar los datos a otros formatos y soportes que garanticen el acceso desde diferentes aplicaciones, sin perjuicio de que la eliminación de dichos documentos deberá ser autorizada de acuerdo a lo dispuesto en la normativa aplicable.

Por supuesto, los medios o soportes en que se almacenen documentos, deberán contar con medidas de seguridad, de acuerdo con lo previsto en el ENS, que garanticen la integridad, autenticidad, confidencialidad, calidad, protección y conservación de los documentos almacenados y, en particular, asegurarán la identificación de los usuarios y el control de accesos, así como el cumplimiento de las garantías previstas en la legislación de protección de datos, referencia explícita en la regulación del archivo.

Esta regulación debe completarse con lo establecido en el artículo 46 LRJSP, que reiterando parcialmente lo dispuesto por su homólogo en la LPAC dispone que todos los documentos utilizados en las actuaciones administrativas se almacenarán por medios electrónicos, salvo cuando no sea posible. Los documentos electrónicos que contengan actos administrativos que afecten a derechos o intereses de los particulares deberán conservarse en soportes de esta naturaleza, ya sea en el mismo formato a partir del que se originó el documento o en otro cualquiera que asegure la identidad e integridad de la información necesaria para reproducirlo. Recoge, asimismo, la obligación establecida en la LPAC de asegurar la identificación de los usuarios y el control de accesos, el cumplimiento de las garantías previstas en la legislación de protección de datos, la recuperación y conservación a largo plazo de los documentos electrónicos producidos por las administraciones públicas que así lo requieran, de acuerdo con las especificaciones sobre el ciclo de vida de los servicios y sistemas utilizados.

En lo que respecta a la custodia y destrucción documental, resultarían de aplicación las medidas de seguridad, criterios de archivo y las relativas a eliminación y almacenamiento fijadas en el marco de aplicación. En particular, la Disposición Adicional primera LOPDGDD establece que el ENS deberá incluir las medidas que deban implantarse en caso de tratamiento de datos personales para evitar su pérdida, alteración o acceso no autorizado, adaptando los criterios de determinación del riesgo en el tratamiento de los datos a lo establecido en el artículo 32 RGPD, al tiempo que señala que los responsables enumerados en el artículo 77.1 de esta LOPDGDD deberán aplicar a los tratamientos de datos personales las medidas de seguridad que correspondan de las previstas en el Esquema Nacional de Seguridad, así como impulsar un grado de implementación de medidas equivalentes en las empresas o fundaciones vinculadas a los mismos sujetas al Derecho privado. En los casos en los que un tercero preste un servicio en régimen de concesión, encomienda de gestión o contrato, las medidas de seguridad se corresponderán con las de la Administración pública de origen y se ajustarán al Esquema Nacional de Seguridad. De este modo, cualquier caso, el sistema de gestión electrónica deberá facilitar las medidas de seguridad en relación con el control de acceso y la identificación y autenticación del personal que gestiona los documentos electrónicos, garantizando que cada usuario del sistema acceda únicamente a aquellos recursos que precisen para el desarrollo de sus funciones, tal y como se examinará en la segunda parte de este capítulo.

En dicho sentido resulta preciso llevar a cabo procedimientos de autenticación a los entornos electrónicos, en relación con su identidad y a qué documentos ha accedido. En cualquier caso, el acceso a los documentos electrónicos, exige asignar los metadatos relativos a la seguridad de los mismos, asignación que deberá realizarse conforme a la política de gestión documental.

Asimismo deberá contemplarse, en ejecución de lo dispuesto en el artículo 21, relativo a las condiciones para la recuperación y conservación de documentos, cuando señala que las administraciones públicas adoptarán las medidas organizativas y técnicas necesarias con el fin de garantizar la interoperabilidad en relación con la recuperación y conservación de los documentos electrónicos a lo largo de su ciclo de vida, garantizando la aplicabilidad de las medidas de seguridad y minimizando los riesgos ante cualquier cambio de formato que, por razones tecnológicas puedan resultar de aplicación.

6. EPÍLOGO: DOCUMENTO ELECTRÓNICO, TRANSPARENCIA Y PROTECCIÓN DE DATOS

Tal y como señalaba al inicio del presente capítulo las interacciones normativas conectan el documento electrónico con la normativa sobre protección de datos personales, sobre procedimiento administrativo común, régimen jurídico del sector público y la transparencia, por lo que en la segunda parte se examinarán estas interacciones.

En particular y por técnica expositiva, se examinarán los aspectos relativos al ejercicio del derecho de acceso a la información pública que contengan datos personales, desde la óptica de la transparencia, tanto en la modalidad de publicidad activa como de publicidad pasiva.

9.

EL DOCUMENTO ELECTRÓNICO Y SUS INTERACCIONES NORMATIVAS (II). ACCESO A LA INFORMACIÓN, TRANSPARENCIA Y GARANTÍAS

Concepción CAMPOS ACUÑA
Doctora en Derecho y Secretaria de Administración Local

1. DOCUMENTO ELECTRÓNICO Y TRANSPARENCIA

La aprobación en el año 2013 de la Ley 19/2013, de 19 de diciembre, de Transparencia, Acceso a la Información Pública y Buen Gobierno (LTBG) suponía cubrir un vacío legal en nuestro ordenamiento jurídico, pues España era uno de los pocos países europeos que carecían de normativa en materia de transparencia. No obstante, como señala en su Exposición de Motivos la propia norma, la ley ni parte de la nada ni colma un vacío absoluto, pues ya existían numerosas obligaciones sectoriales de publicidad, como en materia de contratación, subvenciones, o relativos a la información económico-presupuestaria, sin perjuicio del reconocimiento genérico del derecho de acceso a la información del artículo 105 de la Constitución y su desarrollo en la normativa sobre procedimiento administrativo común.

Tal y como señala Velasco Rico, la conservación de la documentación administrativa está claramente conectada con el derecho de acceso a la información pública en general, y, en concreto, el derecho de acceso a archivos y registros administrativos. La administración electrónica ofrece ventajas al posibilitar el acceso a distancia y la trazabilidad, pero también introduce inseguridades en cuanto a la seguridad de la información y a su conservación, de ahí las exigencias legales de conservación en condiciones de autenticidad, integridad y conservación, así como su consulta con independencia del tiempo transcurrido desde su emisión. En dicha línea, tal y como examinaremos, la LOPDGDD modifica la normativa en materia de transparencia para garantizar la coherencia interna del ordenamiento jurídico en la preservación de ambos derechos, el de transparencia y el de protección de datos personales.

A los efectos de examinar la presente cuestión debemos distinguir, por una parte, entre publicidad pasiva y publicidad activa, esta última referida a la información que, por iniciativa propia, ha de publicar la respectiva entidad, en la sede electrónica o página web, también conocido como portal de transparencia, y cuyo contenido obligacional se recoge, en los artículos 6 a 8 LTBG, incluyendo un novedoso artículo 7 bis, con el contenido que se expondrá. A su lado, la publicidad pasiva viene dada por aquella información que se facilita a los ciudadanos a instancia de su solicitud, en los términos recogidos en los artículos 12 y siguientes LTBG, y sin perjuicio de las especialidades recogidas en materia de procedimiento administrativo común, y otras materias, tal y como señala la Disposición Adicional Primera de la citada norma, que no son excluyentes en cuanto al formato de la información, así como en la normativa sobre la materia aprobada por la mayoría de CCAA.

Interacción que se extiende a lo ya examinado en la primera parte de este capítulo, en relación con la protección de datos personales, como veremos al analizar el procedimiento de acceso a la información, otorgando también, en esta materia, un relevante papel a la autoridad de control en materia de protección de datos, tal y como recoge la propia Disposición Adicional Quinta LTBG, que contempla la colaboración con la Agencia Española de Protección de Datos, al indicar que el Consejo de Transparencia y Buen Gobierno y la Agencia adoptarán conjuntamente los criterios de aplicación, en su ámbito de actuación, de las reglas contenidas en el artículo 15 LTBG, modificado por la LOPDGDD, en particular en lo que respecta a la ponderación del interés público en el acceso a la información y la garantía de los derechos de los interesados cuyos datos se contuviesen en la misma, de conformidad con lo dispuesto en la LTBG y en la normativa en materia de protección de datos personales.

La existencia de inventarios de información administrativa, previstos en el artículo 9 ENI, facilitará el adecuado cumplimiento de las obligaciones en materia de transparencia en su doble dimensión, al imponer a las administraciones públicas la obligación de mantener actualizado un inventario de información administrativa, que incluirá los procedimientos administrativos y servicios que prestan de forma clasificada y estructurados en familias, con indicación del nivel de informatización de los mismos, así como una relación actualizada de sus órganos administrativos y oficinas de registro y atención al ciudadano, y sus relaciones entre ellos[1].

---

(1) Cada Administración pública regulará la forma de creación y mantenimiento de este Inventario, que se enlazará e interoperará con el Inventario de la Administración General del Estado en las condiciones que se determinen por ambas partes y en el marco de lo previsto en el ENI; en su caso, las Administraciones públicas podrán hacer uso del citado Inventario centralizado para la creación y mantenimiento de sus propios inventarios. Para la descripción y modelización de los procedimientos administrativos y de los procesos que los soportan será de aplicación lo previsto sobre estándares en el artículo 11.

2. OBLIGACIONES DE PUBLICIDAD ACTIVA

Las obligaciones de publicidad activa, a diferencia de lo que sucede con el derecho de acceso a la información pública, deben cumplimentarse exclusivamente en formato electrónico, suponiendo, como se verá el manejo y utilización de una gran cantidad de información, sistematizada en los artículos 6 a 8, y que se recoge a continuación, así como la de mayor relevancia y la de mayor acceso, y sin perjuicio de su incremento vía normativa autonómica, local y compromisos expresos de la respectiva entidad.

2.1. Información institucional, organizativa y de planificación (art. 6)

• Información relativa a las funciones que desarrollan, la normativa que les sea de aplicación así como a su estructura organizativa. A estos efectos, incluirán un organigrama actualizado que identifique a los responsables de los diferentes órganos y su perfil y trayectoria profesional.

• Planes y programas anuales y plurianuales en los que se fijen objetivos concretos, así como las actividades, medios y tiempo previsto para su consecución. Su grado de cumplimiento y resultados deberán ser objeto de evaluación y publicación periódica junto con los indicadores de medida y valoración, en la forma en que se determine por cada Administración competente. En el ámbito de la Administración General del Estado corresponde a las inspecciones generales de servicios la evaluación del cumplimiento de estos planes y programas.

2.2. Registro de actividades de tratamiento (art. 6 bis)

Se introduce una nueva obligación para los sujetos enumerados en el artículo 77.1 LOPDGDD estableciendo que harán público un inventario de sus actividades de tratamiento accesible por medios electrónicos en el que constará la información establecida en el artículo 30 RGPD y su base legal. Y para ello, lleva cabo la modificación de la Ley 19/2013, de 9 de diciembre, de Transparencia, Acceso a la Información Pública y Buen Gobierno (LTBG), ampliando las obligaciones de publicidad activa, con la introducción de un nuevo artículo 6 bis relativo al Registro de actividades de tratamiento, vía Disposición final undécima.

Los sujetos enumerados en el artículo 77.1 LOPDGDD son los órganos constitucionales o con relevancia constitucional y las instituciones de las comunidades autónomas análogas a los mismos, los órganos jurisdiccionales, la Administración General del Estado, las Administraciones de las comunidades autónomas y las entidades que integran la Administración Local, los organismos públicos y entidades de Derecho público vinculadas o dependientes de las Administraciones Públicas, las autoridades administrativas independientes, el Banco de España, las corporaciones de Derecho público cuando las finalidades del tratamiento se relacionen con el ejercicio de potestades de derecho público, las fundaciones del sector público, las Universidades Públicas, los consorcios y los grupos parlamentarios de las Cortes Generales y las Asambleas Legislativas autonómicas, así como los grupos políticos de las Corporaciones Locales, publicarán su inventario de actividades de tratamiento.

Por tanto, en aplicación de dicho precepto deberá publicarse en el Portal de Transparencia de la respectiva entidad local un Inventario basado en el registro de actividades, siguiendo la distinción establecida en el mismo, conforme al cual cada responsable y, en su caso, su representante llevarán un registro de las actividades de tratamiento efectuadas bajo su responsabilidad, con el contenido que se recoge en el mismo.

2.3. Información de relevancia jurídica (art. 7)

• Las directrices, instrucciones, acuerdos, circulares o respuestas a consultas planteadas por los particulares u otros órganos en la medida en que supongan una interpretación del Derecho o tengan efectos jurídicos.

• Los anteproyectos de ley y los proyectos de decretos legislativos cuya iniciativa les corresponda, cuando se soliciten los dictámenes a los órganos consultivos correspondientes. En el caso en que no sea preceptivo ningún dictamen la publicación se realizará en el momento de su aprobación.

• Los proyectos de reglamentos cuya iniciativa les corresponda. Cuando sea preceptiva la solicitud de dictámenes, la publicación se producirá una vez que estos hayan sido solicitados a los órganos consultivos correspondientes sin que ello suponga, necesariamente, la apertura de un trámite de audiencia pública.

• Las memorias e informes que conformen los expedientes de elaboración de los textos normativos, en particular la memoria del análisis de impacto normativo regulada por el Real Decreto 1083/2009, de 3 de julio.

• Los documentos que, conforme a la legislación sectorial vigente, deban ser sometidos a un período de información pública durante su tramitación.

2.4. Información económica, presupuestaria y estadística (art. 8)

• Todos los contratos, con indicación del objeto, duración, el importe de licitación y de adjudicación, el procedimiento utilizado para su celebración, los instrumentos a través de los que, en su caso, se ha publicitado, el número de licitadores participantes en el procedimiento y la identidad del adjudicatario, así como las modificaciones del contrato. Igualmente serán objeto de publicación las decisiones de desistimiento y renuncia de los contratos. La publicación de la información relativa a los contratos menores podrá realizarse trimestralmente. Asimismo, se publicarán datos estadísticos sobre el porcentaje en volumen presupuestario de contratos adjudicados a través de cada uno de los procedimientos previstos en la legislación de contratos del sector público.

• La relación de los convenios suscritos, con mención de las partes firmantes, su objeto, plazo de duración, modificaciones realizadas, obligados a la realización de las prestaciones y, en su caso, las obligaciones económicas convenidas. Igualmente, se publicarán las encomiendas de gestión que se firmen, con indicación de su objeto, presupuesto, duración, obligaciones económicas y las subcontrataciones que se realicen con mención de los adjudicatarios, procedimiento seguido para la adjudicación e importe de la misma.

• Las subvenciones y ayudas públicas concedidas con indicación de su importe, objetivo o finalidad y beneficiarios.

• Los presupuestos, con descripción de las principales partidas presupuestarias e información actualizada y comprensible sobre su estado de ejecución y sobre el cumplimiento de los objetivos de estabilidad presupuestaria y sostenibilidad financiera de las administraciones públicas.

• Las cuentas anuales que deban rendirse y los informes de auditoría de cuentas y de fiscalización por parte de los órganos de control externo que sobre ellos se emitan.

• Las retribuciones percibidas anualmente por los altos cargos y máximos responsables de las entidades incluidas en el ámbito de la aplicación de este título. Igualmente, se harán públicas las indemnizaciones percibidas, en su caso, con ocasión del abandono del cargo.

• Las resoluciones de autorización o reconocimiento de compatibilidad que afecten a los empleados públicos así como las que autoricen el ejercicio de actividad privada al cese de los altos cargos de la AGE o asimilados según la normativa autonómica o local.

• Las declaraciones anuales de bienes y actividades de los representantes locales, en los términos previstos en la Ley 7/1985, de 2 de abril, Reguladora de las Bases del Régimen Local. Cuando el reglamento no fije los términos en que han de hacerse públicas estas declaraciones se aplicará lo dispuesto en la normativa de conflictos de intereses en el ámbito de la AGE. En todo caso, se omitirán los datos relativos a la localización concreta de los bienes inmuebles y se garantizará la privacidad y seguridad de sus titulares.

• La información estadística necesaria para valorar el grado de cumplimiento y calidad de los servicios públicos que sean de su competencia, en los términos que defina cada administración competente.

Regulación que debe completarse con la prescripción de que los sujetos mencionados en el artículo 3 deberán publicar la información a la que se refieren las letras a) y b) del apartado primero de este artículo cuando se trate de contratos o convenios celebrados con una administración pública. Asimismo, habrán de publicar la información prevista en la letra c) en relación a las subvenciones que reciban cuando el órgano concedente sea una administración pública.

Y las administraciones públicas publicarán la relación de los bienes inmuebles que sean de su propiedad o sobre los que ostenten algún derecho real.

2.4. Formato de la información objeto de publicidad activa

Una de las características de la información objeto de transparencia es la necesidad de ofrecerla en el formato adecuado para garantizar su objetivo: dar a conocer la actividad que desarrollan los sujetos enumerados en el artículo 2.1, por lo que se establecen una serie de condicionantes para su validez:

• Publicación de forma periódica y actualizada la información cuyo conocimiento sea relevante para garantizar la transparencia de su actividad relacionada con el funcionamiento y control de la actuación pública.

• Serán de aplicación, en su caso, los límites al derecho de acceso a la información pública previstos en el artículo 14 y, especialmente, el derivado de la protección de datos de carácter personal, regulado en el artículo 15[2].

• La información sujeta a las obligaciones de transparencia será publicada en las correspondientes sedes electrónicas o páginas web.

• Se publicará de una manera clara, estructurada y entendible para los interesados y, preferiblemente, en formatos reutilizables.

• Se establecerán los mecanismos adecuados para facilitar la accesibilidad, la interoperabilidad, la calidad y la reutilización de la información publicada así como su identificación y localización.

• Toda la información será comprensible, de acceso fácil y gratuito y estará a disposición de las personas con discapacidad en una modalidad suministrada por medios o en formatos adecuados de manera que resulten accesibles y comprensibles, conforme al principio de accesibilidad universal y diseño para todos.

• Cuando se trate de entidades sin ánimo de lucro que persigan exclusivamente fines de interés social o cultural y cuyo presupuesto sea inferior a 50.000 euros, el cumplimiento de las obligaciones derivadas de la ley podrá realizarse utilizando los medios electrónicos puestos a su disposición por la administración pública de la que provenga la mayor parte de las ayudas o subvenciones públicas percibidas.

---

(2) A este respecto, cuando la información contuviera datos especialmente protegidos, la publicidad sólo se llevará a cabo previa disociación de los mismos.

Por su parte, en el artículo 11 LTBG se recogen los principios técnicos, que regirán los principios a los que habrán de ajustarse las prescripciones técnicas aplicables a la información publicada y que se establecerán reglamentariamente:

• Accesibilidad: se proporcionará información estructurada sobre los documentos y recursos de información con vistas a facilitar la identificación y búsqueda de la información.

• Interoperabilidad: la información publicada será conforme al ENI, aprobado por el Real Decreto 4/2010, de 8 enero, así como a las normas técnicas de interoperabilidad.

• Reutilización: se fomentará que la información sea publicada en formatos que permita su reutilización, de acuerdo con lo previsto en la Ley 37/2007, de 16 de noviembre, sobre reutilización de la información del sector público y en su normativa de desarrollo.

Precepto que carece de carácter básico, debiendo indicar que, al cierre del presente capítulo todavía no se ha aprobado el desarrollo reglamentario de la LTBG, incluido en el Plan Anual Normativo aprobado por el Ejecutivo para el año 2018.

La relación expuesta de información objeto de publicidad activa permite comprender el volumen de información que por vía electrónica deben publicar el conjunto de administraciones públicas. La pregunta sería esta información exige la publicación directa de los documentos electrónicos, o éstos constituyen tan sólo la fuente de información sobre la cual extractar los datos necesarios para cumplimentar las obligaciones legales. Habida cuenta de que las exigencias normativas determinan la publicación de la información de forma estructurada, clara, accesible, comprensible y en formato preferentemente reutilizable, el cumplimiento de la obligación legal exigirá en muchos casos la producción de otros documentos meramente informativos no necesitados de firma electrónica, tal y como contempla el artículo 26.3 LPAC que, en todo caso, requiere identificar el origen de estos documentos.

En este sentido, el propio RGPD en su considerando 58 dispone que el principio de transparencia exige que toda información dirigida al público o al interesado sea concisa, fácilmente accesible y fácil de entender, y que se utilice un lenguaje claro y sencillo, y, además, en su caso, se visualice, proponiendo que esta información podría facilitarse en forma electrónica, por ejemplo, cuando esté dirigida al público, mediante un sitio web.

Respecto a esta cuestión debe abordarse también la regulación establecida en la Ley 37/2007, de 16 de noviembre, sobre reutilización de la información del sector público, que establece que su aplicación se hará sin perjuicio del régimen aplicable al derecho de acceso a los documentos y a las especialidades previstas en su normativa reguladora, esta norma ofrece su propia definición el concepto de documento recogido en el apartado 2 del artículo 3, que comprende toda información cualquiera que sea su soporte material o electrónico así como su forma de expresión gráfica, sonora o en imagen utilizada, incluyendo, en consecuencia, también los datos en sus niveles más desagregados o «en bruto».

3. DERECHO DE ACCESO A LA INFORMACIÓN PÚBLICA

La LTBG reconoce el derecho de acceso a la información en su artículo 12, señalando que todas las personas tienen derecho a acceder a la información pública, en los términos previstos en el artículo 105.b) de la Constitución Española, desarrollados por la LTBG, siendo aplicable en el ámbito de sus respectivas competencias, la correspondiente normativa autonómica. Su objeto se concreta en su artículo 13 que indica que tendrá la consideración de información pública los contenidos o documentos, cualquiera que sea su formato o soporte, que obren en poder de alguno de los sujetos incluidos en el ámbito de aplicación de este título y que hayan sido elaborados o adquiridos en el ejercicio de sus funciones.

Pero la regulación de este derecho en la LTBG, no tiene carácter exclusivo, pues tal y como recoge en su Disposición Adicional Primera, en determinados casos resultarán de aplicación regulaciones especiales del derecho de acceso a la información pública, conforme a las siguientes reglas:

• La normativa reguladora del correspondiente procedimiento administrativo será la aplicable al acceso por parte de quienes tengan la condición de interesados en un procedimiento administrativo en curso a los documentos que se integren en el mismo.

• Se regirán por su normativa específica, y por esta Ley con carácter supletorio, aquellas materias que tengan previsto un régimen jurídico específico de acceso a la información.

• La LTBG será de aplicación, en lo no previsto en sus respectivas normas reguladoras, al acceso a la información ambiental y a la destinada a la reutilización.

A continuación examinaremos el ejercicio del derecho de acceso sujeto a la normativa reguladora en materia de procedimiento administrativo común con su evolución normativa, para abordar, seguidamente, el procedimiento especial de acceso aplicable en materia de transparencia.

3.1. El derecho de acceso a la información en la normativa sobre procedimiento administrativo: la regulación previa en la Ley 30/1992

La carencia de normativa específica en esta materia de transparencia y acceso a la información pública se ha suplido tradicionalmente por la normativa sobre procedimiento administrativo común, en particular, con carácter genérico en la LRJPAC en cuyo artículo 37, se regulaba el derecho de acceso a Archivos y Registros, con el siguiente contenido:

1. Los ciudadanos tienen derecho a acceder a los registros y a los documentos que, formando parte de un expediente, obren en los archivos administrativos, cualquiera que sea la forma de expresión, gráfica, sonora o en imagen o el tipo de soporte material en que figuren, siempre que tales expedientes correspondan a procedimientos terminados en la fecha de la solicitud.

2. El acceso a los documentos que contengan datos referentes a la intimidad de las personas estará reservado a éstas, que, en el supuesto de observar que tales datos figuran incompletos o inexactos, podrán exigir que sean rectificados o completados, salvo que figuren en expedientes caducados por el transcurso del tiempo, conforme a los plazos máximos que determinen los diferentes procedimientos, de los que no pueda derivarse efecto sustantivo alguno.

3. El acceso a los documentos de carácter nominativo que sin incluir otros datos pertenecientes a la intimidad de las personas figuren en los procedimientos de aplicación del derecho, salvo los de carácter sancionador o disciplinario, y que, en consideración a su contenido, puedan hacerse valer para el ejercicio de los derechos de los ciudadanos, podrá ser ejercido, además de por sus titulares, por terceros que acrediten un interés legítimo y directo.

4. El ejercicio de los derechos que establecen los apartados anteriores podrá ser denegado cuando prevalezcan razones de interés público, por intereses de terceros más dignos de protección o cuando así lo disponga una Ley, debiendo, en estos casos, el órgano competente dictar resolución motivada.

5. El derecho de acceso no podrá ser ejercido respecto a los siguientes expedientes:

a) Los que contengan información sobre las actuaciones del Gobierno del Estado o de las comunidades autónomas, en el ejercicio de sus competencias constitucionales no sujetas a derecho administrativo.

b) Los que contengan información sobre la Defensa Nacional o la Seguridad del Estado.

c) Los tramitados para la investigación de los delitos cuando pudiera ponerse en peligro la protección de los derechos y libertades de terceros o las necesidades de las investigaciones que se estén realizando.

d) Los relativos a las materias protegidas por el secreto comercial o industrial.

e) Los relativos a actuaciones administrativas derivadas de la política monetaria.

6. Se regirán por sus disposiciones específicas:

a) El acceso a los archivos sometidos a la normativa sobre materias clasificadas.

b) El acceso a documentos y expedientes que contengan datos sanitarios personales de los pacientes.

c) Los archivos regulados por la legislación del régimen electoral.

d) Los archivos que sirvan a fines exclusivamente estadísticos dentro del ámbito de la función estadística pública.

e) El Registro Civil y el Registro Central de Penados y Rebeldes y los registros de carácter público cuyo uso esté regulado por una Ley.

f) El acceso a los documentos obrantes en los archivos de las administraciones públicas por parte de las personas que ostenten la condición de Diputado de las Cortes Generales, Senador, miembro de una Asamblea legislativa de Comunidad Autónoma o de una Corporación Local.

g) La consulta de fondos documentales existentes en los Archivos Históricos.

7. El derecho de acceso será ejercido por los particulares de forma que no se vea afectada la eficacia del funcionamiento de los servicios públicos debiéndose, a tal fin, formular petición individualizada de los documentos que se desee consultar, sin que quepa, salvo para su consideración con carácter potestativo, formular solicitud genérica sobre una materia o conjunto de materias. No obstante, cuando los solicitantes sean investigadores que acrediten un interés histórico, científico o cultural relevante, se podrá autorizar el acceso directo de aquéllos a la consulta de los expedientes, siempre que quede garantizada debidamente la intimidad de las personas.

8. El derecho de acceso conllevará el de obtener copias o certificados de los documentos cuyo examen sea autorizado por la Administración, previo pago, en su caso, de las exacciones que se hallen legalmente establecidas.

9. Será objeto de periódica publicación la relación de los documentos obrantes en poder de las administraciones públicas sujetos a un régimen de especial publicidad por afectar a la colectividad en su conjunto y cuantos otros puedan ser objeto de consulta por los particulares.

10. Serán objeto de publicación regular las instrucciones y respuestas a consultas planteadas por los particulares u otros órganos administrativos que comporten una interpretación del derecho positivo o de los procedimientos vigentes a efectos de que puedan ser alegadas por los particulares en sus relaciones con la Administración.

Regulación que fue modificada por la Disposición final 1.2 de la LTBG para su adecuación al nuevo marco normativo, pasando a tener la siguiente redacción «Los ciudadanos tienen derecho a acceder a la información pública, archivos y registros en los términos y con las condiciones establecidas en la Constitución, en la Ley de transparencia, acceso a la información pública y buen gobierno y demás leyes que resulten de aplicación».

3.2. Acceso a la información por los interesados en la Ley 39/2015

Siguiendo lo dispuesto en la disposición adicional primera LTBG, la normativa reguladora del correspondiente procedimiento administrativo, es decir, en la actualidad, la LPAC será la aplicable al acceso por parte de quienes tengan la condición de interesados en un procedimiento administrativo en curso a los documentos que se integren en el mismo.

A estos efectos, la LPAC distingue en su configuración entre el derecho de acceso a la información pública para las personas en sus relaciones con las administraciones públicas, del derecho de acceso por parte de aquellos que ostenten la condición de interesado en el procedimiento administrativo. El primero se encuentra reconocido en el artículo 13.d) estableciendo que quienes de conformidad con el artículo 3, tienen capacidad de obrar ante las administraciones públicas, son titulares, en sus relaciones con ellas, de los siguientes derechos:

> d) Al acceso a la información pública, archivos y registros, de acuerdo con lo previsto en la >Ley 19/2013, de 9 de diciembre, de transparencia, acceso a la información pública y buen gobierno y el resto del Ordenamiento Jurídico.

Y, por otra parte, y ya específicamente en su artículo 53, el derecho cualificado para los interesados en el procedimiento administrativo, a conocer, en cualquier momento:

- el estado de la tramitación de los procedimientos en los que tengan la condición de interesados;

- el sentido del silencio administrativo que corresponda, en caso de que la Administración no dicte ni notifique resolución expresa en plazo;

- el órgano competente para su instrucción, en su caso, y resolución; y,

- los actos de trámite dictados.

Derecho de acceso a la información que se completa con el derecho a acceder y a obtener copia de los documentos contenidos en los citados procedimientos.

Al igual que sucede en materia de transparencia, en la que la utilización del formato electrónico no tiene carácter obligatorio, los interesados podrán solicitar el acceso a la información en formato no electrónico, habida cuenta de la dualidad en las relaciones electrónicas que contempla la LPAC, cuando configura el derecho-deber a relacionarse electrónicamente con las administraciones públicas en los términos recogidos en el artículo 14.

Esta conversión de los documentos electrónicos a otro formato nos sitúa ante la regulación del procedimiento para la emisión de copias, que resulta también de aplicación por el reconocimiento expreso del derecho a copia en el artículo 53, recogido en el artículo 27 LPAC, que nos permite definir copia auténtica como «nuevo documento, expedido por una organización con capacidad y competencia para hacerlo, con valor probatorio pleno sobre los hechos o actos que documenta, con el mismo valor en todos los sentidos que el documento original».

En relación con la cuestión de si la administración que realiza la copia debe tener a su disposición el documento electrónico original, la LPAC marca la diferencia en relación a la LAE, que condicionaba en su art. 30 la eficacia de las copias auténticas a que el documento electrónico original se encontrase en poder de la administración, y que la información de firma electrónica y, en su caso, de sellado de tiempo permitan comprobar la coincidencia con dicho documento. Nada de eso se exige en la actualidad en la LPAC, que permite, incluso, la realización copias auténticas a partir de otras copias auténticas.

Para garantizar la identidad y contenido de las copias electrónicas o en papel, y por tanto su carácter de copias auténticas, las administraciones públicas deberán ajustarse a lo previsto en el ENI, el ENS y sus normas técnicas de desarrollo, así como a las siguientes reglas:

• Las copias electrónicas de un documento electrónico original o de una copia electrónica auténtica, con o sin cambio de formato, deberán incluir los metadatos que acrediten su condición de copia y que se visualicen al consultar el documento.

• Las copias electrónicas de documentos en soporte papel o en otro soporte no electrónico susceptible de digitalización, requerirán que el documento haya sido digitalizado y deberán incluir los metadatos que acrediten su condición de copia y que se visualicen al consultar el documento. Se entiende por digitalización, el proceso tecnológico que permite convertir un documento en soporte papel o en otro soporte no electrónico en un fichero electrónico que contiene la imagen codificada, fiel e íntegra del documento.

• Las copias en soporte papel de documentos electrónicos requerirán que en las mismas figure la condición de copia y contendrán un código generado electrónicamente u otro sistema de verificación, que permitirá contrastar la autenticidad de la copia mediante el acceso a los archivos electrónicos del órgano u organismo público emisor.

• Las copias en soporte papel de documentos originales emitidos en dicho soporte se proporcionarán mediante una copia auténtica en papel del documento electrónico que se encuentre en poder de la administración o bien mediante una puesta de manifiesto electrónica conteniendo copia auténtica del documento original.

A estos efectos, las administraciones harán públicos, a través de la sede electrónica correspondiente, los códigos seguros de verificación u otro sistema de verificación utilizado.

Los interesados podrán solicitar, en cualquier momento, la expedición de copias auténticas de los documentos públicos administrativos que hayan sido válidamente emitidos por las administraciones públicas. La solicitud se dirigirá al órgano que emitió el documento original, debiendo expedirse, salvo las excepciones derivadas de la aplicación de la LTBG, en el plazo de quince días a contar desde la recepción de la solicitud en el registro electrónico de la administración u organismo competente.

Asimismo, las administraciones públicas estarán obligadas a expedir copias auténticas electrónicas de cualquier documento en papel que presenten los interesados y que se vaya a incorporar a un expediente administrativo.

Este marco debe completarse con lo dispuesto en la NTI de Digitalización de documentos, aprobada por Resolución de 19 de julio de 2011, de la Secretaría de Estado de Función Pública, que tiene por objeto establecer los requisitos a cumplir en la digitalización de documentos en soporte papel o en otro soporte no electrónico susceptible de digitalización a través de medios fotoeléctricos.

En cuanto a cómo se formalizará el acceso, los interesados se relacionen con las administraciones públicas a través de medios electrónicos, tendrán derecho a consultar la información en el Punto de Acceso General electrónico de la administración que funcionará como un portal de acceso. Se entenderá cumplida la obligación de la administración de facilitar copias de los documentos contenidos en los procedimientos mediante la puesta a disposición de las mismas en el Punto de Acceso General electrónico de la administración competente o en las sedes electrónicas que correspondan.

3.3. Procedimiento de acceso en la Ley 19/2013

Expuesto ya el ámbito objetivo del derecho de acceso a la información pública en los artículos 12 y 13 LTBG, debe puntualizarse que el ejercicio de este derecho no exige la utilización del formato electrónico, aunque sí se contempla de forma preferente a través del Portal de la Transparencia. En cualquier caso, la solicitud podrá presentarse por cualquier medio que permita tener constancia de: la identidad del solicitante, la información que se solicita, una dirección de contacto, preferentemente electrónica, a efectos de comunicaciones y, en su caso, la modalidad que se prefiera para acceder a la información solicitada Identificación electrónica que debe ofrecer al ciudadano las máximas garantías de seguridad en cuanto a la protección de la información intercambiada con la administración[3].

En cuanto a cómo se formaliza el acceso a la información debe distinguirse entre el acceso en términos de procedimiento, establecido en la LTBG, con los matices que, en cada caso se establezcan en la normativa autonómica sobre la materia o en las propias entidades locales. Y, por otra parte, el acceso en términos de diseño electrónico del procedimiento de acceso en cuanto a cómo establecer los filtros y límites que garanticen la seguridad en dicho acceso.

---

(3)   La Recomendación del Defensor del Pueblo de 22/09/2015, propone estudiar la posibilidad de contemplar como vía de presentación por los ciudadanos para el ejercicio del derecho de acceso a la información pública, la solicitud por correo electrónico en la que queden reflejados los datos de identidad del solicitante con la indicación del nombre, apellidos y el número del DNI.

Aunque la LTBG no establece una obligación de acceso a la información por vía electrónica, sí se establece la utilización de esta vía como medio preferente, salvo en dos supuestos, cuando no sea posible o el solicitante haya señalado expresamente otro medio. Con independencia del medio, se contempla también la casuística de que no pueda darse el acceso en el momento de la notificación de la resolución deberá otorgarse, en cualquier caso, en un plazo no superior a diez días, plazo que tendrá su justificación en circunstancias objetivas.

No obstante, se producen una serie de situaciones que alteran la regla general en materia de acceso:

• Si ha existido oposición de tercero, el acceso sólo tendrá lugar cuando, habiéndose concedido dicho acceso, haya transcurrido el plazo para interponer recurso contencioso administrativo sin que se haya formalizado o haya sido resuelto confirmando el derecho a recibir la información.

• Si la información ya ha sido publicada, la resolución podrá limitarse a indicar al solicitante cómo puede acceder a ella.

Dicho acceso a la información será gratuito, sin perjuicio de que la expedición de copias o la trasposición de la información a un formato diferente al original podrá dar lugar a la exigencia de exacciones en los términos previstos en la Ley 8/1989, de 13 de abril, de Tasas y Precios Públicos, o, en su caso, conforme a la normativa autonómica o local que resulte aplicable. En dicho supuesto deberá valorarse, al amparo de lo establecido en el artículo 27 LPAC y NTI de Digitalización y Copias auténticas el coste añadido de dicha transformación.

En relación con el acceso a la información en formato electrónico solicitado expresamente por el interesado en Resolución 87/2017, de 21 de junio, el Consejo de Transparencia y Protección de Datos de Andalucía, considera que en estos casos es indubitada la modalidad elegida por el solicitante, cuando se refiere a que remitan la información a un correo electrónico consignado en la solicitud, por lo que la información ha de ponerse a disposición del reclamante a través de esa vía.

En este punto, la LTBG también ha sido objeto de modificación por la LOPDGDD, vía Disposición final undécima, para ajustar las reglas a seguir en caso de conflicto entre el derecho de acceso a la información y el derecho a la protección de datos personales.

4. DISEÑO DEL PROCEDIMIENTO DE ACCESO. POLÍTICA DE GESTIÓN DOCUMENTAL

La política de gestión de documentos electrónicos de la respectiva entidad debe ser el instrumento que establezca el conjunto de criterios comunes aplicables, así como la necesidad documentar los mismos, en relación con la gestión de los documentos y expedientes producidos o custodiados por éste, para garantizar la disponibilidad e integridad de los metadatos mínimos obligatorios y, en su caso, los complementarios o necesarios (metadatos de contenido, contexto y estructura) para asegurar la gestión, recuperación y conservación de los documentos y expedientes electrónicos de la entidad manteniendo permanentemente su relación.

En particular, tal y como recoge la PGD-E en relación con el acceso, a los documentos y expedientes electrónicos le resultará de aplicación las medidas de protección de la información previstas en el anexo II del Esquema Nacional de Seguridad; en particular,

- «Datos de carácter personal [mp.info.1]» y
- «Calificación de la información [mp.info.2]»,

sin perjuicio de otras medidas de ese capítulo que puedan ser de aplicación a la luz de la categorización del sistema y de la calificación de la información, y de las medidas relativas al control de acceso. Es decir, el acceso a los documentos y expedientes electrónicos estará sometido a un control de acceso en función de la calificación de la información y de los permisos y responsabilidades del actor en cuestión y debe contemplar la trazabilidad de las acciones que se realicen sobre cada uno de los documentos y expedientes electrónicos y sus metadatos asociados.

En este caso resulta de aplicación lo dispuesto en el apartado VII de la Resolución «Acceso a documentos electrónicos», conforme al cual cuando las administraciones públicas faciliten el acceso a los documentos electrónicos a través de sus sedes electrónicas o de los canales de comunicación que correspondan en cada caso, se mostrará:

El contenido del documento electrónico cuando éste sea representable conforme a lo recogido sobre formatos en el apartado VI de esta norma.
La información básica de cada una de las firmas del documento definida en el anexo III.
Descripción y valor de los metadatos mínimos obligatorios.

Desde el punto de vista de la gestión electrónica del acceso al documento, el E-MDGD, contempla que el acceso a los documentos y expedientes electrónicos, sus índices y metadatos asociados deben ser sometidos a un control de acceso en función de los datos contenidos en los documentos almacenados. Para ello el SGDE/SGDEA debe asegurar:

• La identificación de los usuarios y el control de acceso, sus permisos y responsabilidades, así como el cumplimiento de las garantías previstas en la legislación relativa a restricciones en materia de acceso.

• Que quede traza de todas las acciones que se realicen sobre cada uno de los documentos y expedientes electrónicos y sus metadatos asociados, siguiendo lo establecido en la política de seguridad adoptada por parte de la organización.

Como medida de seguridad el sistema debe ser capaz de resistir, con un determinado nivel de confianza, los accidentes y las acciones ilícitas o malintencionadas que comprometan la disponibilidad, autenticidad, integridad y confidencialidad de los datos almacenados o transmitidos y de los servicios ofrecidos, o a través de los cuales se realiza el acceso.

En cuanto a los requisitos de seguridad y acceso tienen una doble afectación:

• Por una parte, a los propios documentos donde habrá que implementar metadatos que informen sobre las restricciones de acceso incluyendo, además, mecanismos que permitan ofrecer un acceso parcial a los mismos, ocultando los datos y contenidos objeto de protección.

• Por otra, al SGDE/SGDEA en su conjunto con el fin de evitar el acceso a usuarios no autorizados a los documentos y expedientes, según lo establecido en la norma ISO 15489.

Conforme al E-MDGD las tablas de acceso y seguridad serán el instrumento formal que contempla la norma ISO 15489, en su apartado 4.2.5, para la identificación de los derechos de acceso y el régimen de restricciones aplicables a los documentos[4].

Será necesario establecer los criterios que determinen los privilegios y las restricciones de acceso a las distintas entidades relacionadas con los documentos, de manera que se garantice la protección lógica y física de las mismas y desde el punto de vista operativo, la implementación de la seguridad deberá realizarse estableciendo los correspondientes perfiles, roles y derechos de los usuarios en las aplicaciones de gestión documental.

De acuerdo con la política de seguridad aprobada por la respectiva organización, cada uno de los documentos almacenados en el SGDE/SGDEA tendrá asignado un nivel de acceso, nivel de acceso que determinará el grado de confidencialidad de la información que contiene y, como consecuencia, qué personas están autorizadas para consultar y modificar el documento.

---

(4)   Se conforman como una clasificación de categorías de documentos en función de sus restricciones de acceso y condiciones de seguridad.

Previamente, y con el fin de definir dichos niveles y posteriormente poder establecer las bases para elaborar tablas de acceso y seguridad, sería recomendable:

• Recopilar las fuentes jurídicas y políticas que han de gobernar el acceso y la seguridad de la información presente en los documentos de la organización.

• Definir las categorías de información susceptibles de protección y los plazos de acceso a cada una de ellas a tenor de las fuentes recopiladas, así como los requisitos de seguridad de la información que afectan a la organización.

• Identificar las categorías de información susceptibles de protección que contiene cada serie documental y asignar a cada una de ellas los controles de acceso y uso acordes al nivel de seguridad correspondiente a dichas categorias.

• Aprobar la tabla de acceso y seguridad y plasmar sus requisitos en las herramientas del sistema.

5. CONFIGURACIÓN DEL ACCESO A LA INFORMACIÓN: CATEGORÍAS DE ACCESO

Para la configuración del acceso en cuanto a su tratamiento interno según el elemento 9.1 del e-EMGDE, podemos distinguir las siguientes categorías de acceso: «Libre acceso» y «Acceso restringido», en aplicación de la normativa examinada en este capítulo. Categorías que deben completarse con la de «Parcialmente restringido», aunque dicho valor no figure como tal en el elemento mencionado, se recomendaría su inclusión para dar respuesta a la necesidad de reflejar aquellos casos en los que un expediente de libre acceso puede contener uno o más documentos de acceso restringido, supuesto expresamente previsto en la normativa por la aplicación, entre otras razones, de los límites vigentes en el acceso a la información. La categoría tipo de acceso se definiría, con carácter general, al nivel más bajo posible: el de documento simple, tal y como se refleja en las categorías del e-EMGDE para la entidad documento.

5.1. Libre acceso

Esta categoría resultaría de aplicación cuando nos encontremos ante información de libre acceso y particularmente relevante cuando la información contenida esté sujeta a un régimen de especial publicidad, siendo de aplicación el elemento 9.1 del e-EMGDE. Con independencia de los regímenes especiales de publicidad, se debe incluir información sobre los contenidos afectados y la referencia normativa correspondiente, especialmente a la LTBG, o normativa autonómica en materia de transparencia. En particular, se utilizará el elemento 9.2 del e-EMGDE cuando la información contenida sea objeto de transparencia activa o reutilización.

5.2. Acceso restringido y Acceso parcial

En este caso, la inclusión de los metadatos relativos a acceso es necesaria para todos los documentos inscritos en esta categoría. Para garantizar adecuadamente los derechos en presencia y la correcta tramitación es necesario incluir información sobre los contenidos susceptibles de protección y la referencia normativa correspondiente.

A tal fin, se incluirán los límites previstos en la LTBG, que en su artículo 14 contempla una serie de ámbitos materiales de información que operan como límites en el acceso, por cuanto el acceso a la aplicación pueda suponer un perjuicio. En todo caso, la aplicación de los límites será justificada y proporcionada a su objeto y finalidad de protección y atenderá a las circunstancias del caso concreto, especialmente a la concurrencia de un interés público o privado superior que justifique el acceso, estableciendo la obligación de publicar las resoluciones que se dicten en aplicación de estos límites previa disociación de los datos de carácter personal que contuvieran, una vez hayan sido notificadas a los interesados.

Los límites en el acceso a la información tal y como se definen en la LTBG y excluyendo la información con datos de carácter personal, se pueden utilizar para codificar los contenidos afectados el esquema de valores definido para el metadato e-EMGDE 9.1.1 (código de la causa de limitación), incluido en la siguiente tabla:

Código y contenidos de información con acceso restringido	Art. LTBG
A. Seguridad nacional	14.1.a
B. Defensa	14.1.b
C. Relaciones exteriores	14.1.c
D. Seguridad pública	14.1.d
E. Prevención, investigación y sanción de los ilícitos penales, administrativos o disciplinarios	14.1.e
F. Igualdad de las partes en los procesos judiciales y tutela judicial efectiva	14.1.f
G. Funciones administrativas de vigilancia, inspección y control	14.1.g
H. Intereses económicos y comerciales	14.1.h

Código y contenidos de información con acceso restringido	Art. LTBG
I. Política económica y monetaria	14.1.i
J. Secreto profesional. Propiedad intelectual e industrial	14.1.j
K. Garantía de la confidencialidad o secreto requerido en procesos de toma de decisión	14.1.k
L. Protección del medio ambiente	14.1.l
M. Otros intereses públicos susceptibles de protección	
N. Otros intereses privados susceptibles de protección	

El e-EMGDE recoge en el apéndice 11 valores específicos para la información especialmente reservada, que podrán ser aplicados sobre la tabla anteriormente mencionada. Para la entidad documento se aplicarán los elementos 9.1. 1 (Código de la causa de limitación) y 9.1.2 (Causa legal/normativa de limitación) del e-EMGDE.

Desde el punto de vista procedimental, el acceso restringido a la información se contempla en la LTBG, artículo 16 como acceso parcial, al establecer que en los casos en que la aplicación de alguno de los límites previstos en el artículo 14 no afecte a la totalidad de la información, se concederá el acceso parcial previa omisión de la información afectada por el límite salvo que de ello resulte una información distorsionada o que carezca de sentido. En este caso, deberá indicarse al solicitante que parte de la información ha sido omitida.

En aquellos supuestos en que las materias tratadas en la serie documental tengan previsto un régimen jurídico específico de acceso a la información, se debe especificar la norma reguladora. En otros supuestos resultará de aplicación la normativa específica en los términos establecidos en la disposición adicional primera de la LTBG, se regirán por su normativa específica, y por la LTBG Ley con carácter supletorio.

A continuación y sin ánimo de exhaustividad pueden relacionarse una serie de materias que tienen previsto un régimen jurídico específico de acceso a la información y la normativa de aplicación.

Régimen	Normativa reguladora
Información ambiental	Ley 27/2006, de 18 de julio, por la que se regulan los derechos de acceso a la información, de participación pública y de acceso a la justicia en materia de medio ambiente

Régimen	Normativa reguladora
Información catastral	Ley del Catastro Inmobiliario (texto refundido aprobado por Real Decreto Legislativo 1/2004, de 5 de marzo)
Secreto censal	Ley Orgánica 5/1985, de 19 junio, del Régimen Electoral General
Secreto fiscal o tributario	Ley 58/2003, de 17 de diciembre, General Tributaria
Secreto estadístico	Ley 12/1989, de 9 de mayo, de la función estadística pública
Secreto sanitario	Ley 14/1986, de 25 de abril, General de Sanidad Ley 41/2002, de 14 noviembre, básica reguladora de la autonomía del paciente y de derechos y obligaciones en materia de información y documentación clínica
Materias clasificadas	Ley 9/1968, de 5 de abril, sobre secretos oficiales
Datos de Carácter Personal	Ley Orgánica 15/1999, de 13 de diciembre, de protección de datos de carácter personal Real Decreto 1720/2007, de 21 de diciembre, por el que se desarrolla la LOPD
Intimidad y honor	Ley Orgánica 1/1982, de 5 de mayo sobre protección civil del derecho al honor, intimidad personal y familiar y a la propia imagen

5.3. Acceso a la información y protección de datos de carácter personal

En materia de límites al acceso a la información debemos distinguir aquellos supuestos en los que la restricción proceda de la existencia de datos de carácter personal, regulados de un modo diferenciado en el artículo 15 LTBG para ofrecer las claves de resolución del conflicto en aquellos casos en los que se produzca con las obligaciones en materia de transparencia según su clasificación en relación con la existencia de datos protegidos o no, según el siguiente esquema.

Información solicitada	Régimen de acceso
Contiene datos personales que revelen la ideología, afiliación sindical, religión o creencias	El acceso sólo se podrá autorizar si se contase con el consentimiento expreso y por escrito del afectado, a menos que dicho afectado hubiese hecho manifiestamente públicos los datos con anterioridad a que se solicitase el acceso
Contiene datos personales que hagan referencia al origen racial, a la salud o a la vida	El acceso sólo se podrá autorizar en caso de que se cuente con el consentimiento expreso

208

Información solicitada	Régimen de acceso
sexual, incluyese datos genéticos o biométricos	del afectado o si aquél estuviera amparado por una norma con rango de Ley
Contiene datos relativos a la comisión de infracciones penales o administrativas que no conllevasen la amonestación pública al infractor	El acceso sólo se podrá autorizar en caso de que se cuente con el consentimiento expreso del afectado o si aquél estuviera amparado por una norma con rango de Ley
Contiene datos meramente identificativos relacionados con la organización, funcionamiento o actividad pública del órgano	Con carácter general, se concederá el acceso, salvo que en el caso concreto prevalezca la protección de datos personales u otros derechos constitucionalmente o protegidos sobre el interés público en la divulgación que lo impida
No contiene datos especialmente protegidos	Se concederá acceso previa ponderación suficientemente razonada del interés público en la divulgación de la información y los derechos de los afectados cuyos datos aparezcan en la información solicitada, en particular su derecho fundamental a la protección de datos de carácter personal

Con independencia del régimen de acceso que se conceda, y, en su caso, de la aplicación de las técnicas de disociación o anonimización que se practiquen, La normativa de protección de datos personales será de aplicación al tratamiento posterior de los obtenidos a través del ejercicio del derecho de acceso[5].

Cuando un documento contenga datos de carácter personal protegidos por la LOPD que no tengan la consideración de «fuentes accesibles al público», es decir, ficheros cuya consulta puede ser realizada, por cualquier persona, no impedida por una norma limitativa o sin más exigencia que, en su caso, el abono de una contraprestación. A estos efectos, tienen la consideración de fuentes de acceso público, exclusivamente, el censo promocional, los repertorios telefónicos en los términos previstos por su normativa específica y las listas de personas pertenecientes a grupos de profesionales que contengan únicamente los datos de nombre, título, profesión, actividad, grado académico, dirección e indicación de su pertenencia al grupo. Asimismo, tienen el carácter de fuentes de acceso público los diarios y boletines oficiales y los medios de comunicación.

En los demás casos, deberá tener asignado un nivel de sensibilidad de datos de carácter personal, niveles de sensibilidad en la clasificación del documento según la LOPD se estructuran del siguiente modo:

(5) Sobre esta cuestión resulta de interés la consulta de la Guía práctica de anonimización y cómo proceder al tratamiento de los mismos para evitar futuras reidentificaciones, elaborada por la AGPD.

Datos de carácter personal	Disposición
DP1. Datos especialmente protegidos/sensibles/núcleo duro	15.1 LTABG/ LOPD
DP2. Otros datos de carácter personal susceptibles de protección	15.3 LTABG/LOPD
DP3. Otros datos de carácter personal	LOPD

Para asociar a cada documento el nivel que corresponda, se utilizará el metadato e-EMGDE «Sensibilidad de datos de carácter personal», cuyos valores se recogen en la tabla que se muestra a continuación, en consonancia con la clasificación anteriormente recogida en la LOPD, el apéndice 12 del e-EMGDE (clasificación de sensibilidad) y el metadato del e-EMGDE.

En cuanto al nivel de confidencialidad de la información:

Nivel	Datos de carácter personal
Alto	Datos especialmente protegidos/sensibles/núcleo duro
Medio	Otros datos de carácter personal susceptibles de protección
Básico	Otros datos de carácter personal

Teniendo en cuenta que el cumplimiento de la normativa en materia de protección de datos y el acceso a la información contenida en el documento electrónico son elementos independientes entre sí, por lo que, en caso de duda, se impondrá siempre el más restrictivo.

5.4. Mecanismos para el acceso parcial a información restringida

A efectos de favorecer el acceso a la información contenida en la entidad documento de acceso restringido, en los casos en que exista la posibilidad y modalidad de disociación de datos o acceso parcial, se deben incluir aquellas medidas propuestas para favorecer el acceso a la información de acceso restringido.

Información solicitada	Régimen de acceso
Contiene datos personales que revelen la ideología, afiliación sindical, religión o creencias	El acceso sólo se podrá autorizar si se contase con el consentimiento expreso y por escrito del afectado, a menos que dicho afectado hubiese hecho manifiestamente públicos los datos con anterioridad a que se solicitase el acceso.
Contiene datos personales que hagan referencia al origen racial, a la salud o a la vida	El acceso sólo se podrá autorizar en caso de que se cuente con el consentimiento expreso

Información solicitada	Régimen de acceso
sexual, incluyese datos genéticos o biométri-cos	del afectado o si aquél estuviera amparado por una norma con rango de Ley.
Contiene datos relativos a la comisión de infracciones penales o administrativas que no conllevasen la amonestación pública al infractor	El acceso sólo se podrá autorizar en caso de que se cuente con el consentimiento expreso del afectado o si aquél estuviera amparado por una norma con rango de Ley
Contiene datos meramente identificativos relacionados con la organización, funciona-miento o actividad pública del órgano	Con carácter general, se concederá el acceso, salvo que en el caso concreto prevalezca la protección de datos personales u otros dere-chos constitucionalmente protegidos sobre el interés público en la divulgación que lo impida
No contiene datos especialmente protegidos	Se concederá acceso previa ponderación sufi-cientemente razonada del interés público en la divulgación de la información y los dere-chos de los afectados cuyos datos aparezcan en la información solicitada, en particular su derecho fundamental a la protección de datos de carácter personal

En estos casos, a la hora de la consulta, se proporcionará el documento al destinatario con carácter de copia electrónica parcial auténtica, tal y como se define en el apartado 2.3 Copiado auténtico de documentos.

5.5. Acceso a los expedientes y documentos electrónicos

En cuanto al acceso a los expedientes y documentos electrónicos, la consulta del contenido del documento se realizará una vez cotejado el permiso efectivo del usuario en relación al mismo. Se registrará, si es posible, el acceso de cada uno de los usuarios a los documentos de aquellas categorías que impliquen un acceso limi-tado, pero no necesariamente cada una de las operaciones de consulta que realice. Se recomienda, además, el registro de las denegaciones de lectura, de cara a permitir realizar labores de auditoría de intentos de acceso no permitidos.

Para garantizar la integridad y seguridad, si es factible, esta información se registrará mediante los metadatos opcionales e-EMGDE, registrando la acción («Accede a», «Cambia», «Borra», etc., tal y como figuran en el apéndice 7 del e-EMGDE), la fecha, la entidad afectada, etc.

La consulta del contenido del documento se realizará una vez cotejado el permiso efectivo del usuario en relación al mismo. Se registrará, si es posible, el acceso de cada uno de los usuarios a los documentos de aquellas categorías que impliquen un acceso limitado, pero no necesariamente cada una de las opera-

211

ciones de consulta que realice. Se recomienda, además, el registro de las denegaciones de lectura, de cara a permitir realizar labores de auditoría de intentos de acceso no permitidos.

Si es factible, esta información se registrará mediante los metadatos opcionales e-EMGDE, registrando la acción («Accede a», «Cambia», «Borra», etc., tal y como figuran en el apéndice 7 del e-EMGDE), la fecha, la entidad afectada, etc.

6.   CONCLUSIONES

El documento electrónico como soporte material de la información constituye, sin duda, una pieza clave en su gestión para garantizar la transparencia en el funcionamiento de las instituciones públicas, y el acceso a la información, de vital importancia en cuanto a su correlación con los niveles más adecuados de democracia. Desde la aplicación del principio de libre acceso la existencia de diversos límites, tal y como hemos examinado a lo largo de este capítulo doble, no debe suponer un obstáculo para acceder a la información. Para garantizar dicho acceso será necesario adoptar las medidas organizativas en la gestión documental que permitan su más amplia configuración.

Pero, precisamente, la gestión electrónica, y la evolución de la tecnología exige, por otra parte, reforzar las medidas de seguridad y evitar los riesgos derivados de un tratamiento masivo de datos mediante técnicas de big-data y open-data, así como las infinitas posibilidades que se abren gracias a la inteligencia artificial. De ahí que la debida garantía de la protección de datos personales constituya uno de los ejes sobre los que pivotar las medidas de seguridad. A estos efectos, las previsiones normativas del RGPD, y en particular, el principio de privacidad desde el diseño representa, sin duda, una herramienta de gran utilidad para asegurar el debido equilibrio entre los distintos elementos en presencia.

7.   GUÍAS Y DOCUMENTOS DE INTERÉS

• Recomendación 2/2008, de 25 de abril, de la Agencia de Protección de Datos de la Comunidad de Madrid, sobre publicación de datos personales en boletines y diarios oficiales en Internet, en sitios webs institucionales y en otros medios electrónicos y telemáticos. (Resumen de las recomendaciones relacionadas con el tratamiento y puesta a disposición de la información de carácter personal en medios electrónicos.

• Recomendación 3/2008, de 30 de abril, de la Agencia de Protección de Datos de la Comunidad de Madrid, sobre tratamiento de datos de carácter personal en servicios de Administración electrónica.

• Recomendación 1/2008 sobre la difusión de información que contenga datos de carácter personal a través de Internet elaborada por la Agencia Catalana de Protección de Datos.

• Guía del Reglamento General de Protección de Datos para Responsables del Tratamiento, AGPD.

https://www.agpd.es/portalwebAGPD/temas/reglamento/common/pdf/guia_rgpd.pdf

• Adaptación al RGPD para administraciones públicas, AGPD.

http://www.agpd.es/portalwebAGPD/canaldocumentacion/publicaciones/common/infografias/Adaptacion_RGPD_AAPP.pdf.

• Guía Protección de Datos y Administración Local.

https://www.agpd.es/portalwebAGPD/canaldocumentacion/publicaciones/common/Guias/2018/Guia_Proteccion_Datos_Administracion_Local.pdf.

• Orientaciones y Garantías en los procedimientos de anonimización de datos personales.

http://www.agpd.es/portalwebAGPD/canaldocumentacion/publicaciones/common/Guias/2016/Orientaciones_y_garantias_Anonimizacion.pdf.

8. BIBLIOGRAFÍA

CAMPOS ACUÑA, Mª. C. *Comentarios Ley 39/2015, de 1 de octubre, de Procedimiento Administrativo Común de las administraciones públicas*. El Consultor de los Ayuntamientos, WKE, 2018.

—. *Comentarios Ley 40, de 1 de octubre, de Régimen Jurídico del Sector Público. El Consultor de los Ayuntamientos*, WKE, 2018.

—. «Impacto de la nueva Ley Orgánica de Protección de Datos Personales y garantía de los derechos digitales en el ámbito local». *Revista digital CEMCI*, núm. 40, 2018.

VELASCO RICO, C. «Archivo y conservación de los documentos administrativos electrónicos. Especial referencia a la ley 11/2007, de acceso electrónico de los ciudadanos a las administraciones públicas», en *Administración electrónica. La ley 11/2007, de 22 de junio, de acceso electrónico de los ciudadanos a los servicios públicos y los retos jurídicos del e-gobierno en España*, COTINO HUESO, L. y VALERO TORRIJOS, J. Tirant lo Blanch, Valencia, 2010.

YANGUAS GÓMEZ, R. «El tratamiento invisible de datos de carácter personal en internet». *REDUR* n.º 2, 2004.

«Principios Relativos al Tratamiento de Datos Personales en el RGPD». *DPO&it law*. Consultado el 21.01.2018.

http://www.dpoitlaw.com/principios-relativos-al-tratamiento-datos-personales-rgpd/.

10.

LA SEGURIDAD DEL DOCUMENTO

Miguel A. AMUTIO GÓMEZ

*Director de la División de Planificación y Coordinación de Ciberseguridad.
Secretaría General de Administración Digital. Ministerio de Asuntos Económicos
y Transformación Digital*

1. EL DOCUMENTO ELECTRÓNICO, POR QUÉ HAY QUE PROTE-GERLO

La transformación digital, que conduce a unas administraciones públicas sin papel basadas en un funcionamiento íntegramente electrónico y en las que se contempla que los documentos administrativos se emiten por escrito, a través de medios electrónicos (salvo que su naturaleza aconseje otra forma de expresión y constancia), agudiza la dependencia de las tecnologías y acrecienta el riesgo por la exposición a las ciberamenazas.

Las administraciones públicas, y las entidades del Sector Público en general, por la naturaleza de la información que manejan y de los servicios que prestan, están expuestas a ciberataques, crecientes de año en año en número, sofisticación, alcance y severidad del impacto; especialmente, a aquellos orientados a la información, con sustracción (con o sin revelación), alteración (incluyendo el fraude por inserción de documentos falsos), destrucción (incluyendo el cifrado irrecuperable de datos y documentos), o quiebra de la disponibilidad que afectaría al derecho de acceso a la información. De ahí que la transformación digital haya de ir acompañada de medidas organizativas y técnicas de seguridad proporcionadas a los riesgos.

El documento electrónico constituye un activo, particularmente si sustenta un documento administrativo, pues como explica el «Manual de Documentos Administrativos», o bien produce efectos frente a terceros o en la propia administración, o bien tiene carácter informativo o comunicativo, a la vez que responde a la función de constancia de las actuaciones administrativas. El documento electrónico es un bien susceptible de ser objeto de un daño potencial, deliberado o accidental, que ha de protegerse, con independencia del soporte o de la tecnología subyacente.

De hecho, el documento electrónico existe en un entorno complejo, no exento de amenazas y, por tanto, expuesto a riesgos provenientes de acciones malintencionadas o ilícitas, errores o fallos y accidentes o desastres; por ejemplo, la revelación o difusión no autorizada o incontrolada, la manipulación no autorizada (que puede incluir acceso, alteración, o destrucción), la destrucción accidental o incontrolada de documentos, o incluso la presencia de factores agresivos que faciliten el deterioro de los soportes de información que los sustentan o la degradación de los materiales de los mismos.

Por ejemplo, entre los grupos de riesgos que afectan al documento electrónico apuntados por la «Política de gestión de documentos electrónicos del MINHAP» y que tienen en cuenta diversos aspectos relativos a la conservación en general y a la seguridad, figuran dos grandes grupos: *los que son consecuencia de un mal funcionamiento o de un uso erróneo de la tecnología, y que pueden ocasionar la pérdida o degradación de los documentos electrónicos, total o parcialmente; y los que forman parte del ámbito de la seguridad de las TIC y que pueden suponer una alteración intencionada de los documentos electrónicos o su misma desaparición (accesos no permitidos, ataques, robo de soportes, etc.).*

Interesa, en consecuencia, la protección del documento electrónico, como elemento u objeto singularizado, a la vez que como parte de un sistema en el que se puedan estar almacenando conjuntos de documentos electrónicos, sea un sistema de gestión de documentos o un archivo electrónico, desde una perspectiva global y que asegure su pervivencia en el tiempo.

Como explicaban en su día los «Criterios de Seguridad, Normalización y Conservación de las aplicaciones utilizadas para el ejercicio de potestades», *la conservación de la información no debe considerarse de forma aislada; junto con la utilización y acceso a la información, es una etapa más del ciclo de vida de la misma en soporte electrónico. La gestión de dispositivos, soportes electrónicos y formatos debe ponerse en práctica aplicando procedimientos orientados a la manipulación de datos sensibles, especialmente si son de carácter personal; a la salvaguarda frente a deterioro, daño, robo o acceso no autorizado; a la eliminación o destrucción de soportes; a la gestión de los soportes removibles, etc. Estas medidas para la conservación de la información deben adoptarse de acuerdo con los especialistas en la gestión de archivos para diseñar soluciones prácticas a la medida de sus necesidades.*

En este capítulo, en consecuencia, veremos, en primer lugar, el documento electrónico, por qué hay que protegerlo y qué cualidades y requisitos señalados en el marco legal hay que asegurar; seguidamente, la seguridad en la recuperación y conservación del documento electrónico; después, la protección del documento electrónico y qué medidas son de interés; posteriormente, la seguridad en los procesos de gestión documental; a continuación, las consecuencias prácticas para los diversos actores de la organización; y, finalmente, destacaremos unas conclusiones.

2. REQUISITOS DE SEGURIDAD DEL DOCUMENTO ELECTRÓNICO EN EL MARCO LEGAL

2.1. Cualidades y requisitos de seguridad del documento electrónico

Recordemos que se entiende por seguridad la capacidad de las redes o de los sistemas de información para resistir, con un determinado nivel de confianza, los accidentes, acciones ilícitas o malintencionadas, que comprometan la disponibilidad, autenticidad, integridad, y confidencialidad de los datos almacenados o transmitidos y de los servicios que dichas redes y sistemas ofrecen o hacen accesibles, según la definición recogida en el Esquema Nacional de Seguridad, ENS.

El marco legal se ocupa de la seguridad del documento electrónico atendiendo a dos grandes cuestiones. Primero, la necesidad garantizar las cualidades que le afectan. Y segundo, la necesidad de adoptar medidas organizativas y técnicas para su protección, bien como elemento individual o bien en el contexto de su manipulación en un sistema, como, por ejemplo, un archivo electrónico. Encontramos, así, referencia a la seguridad del documento electrónico principalmente en la legislación en materia de administración electrónica y en sus desarrollos, en materia de archivos, así como en materia de identidad electrónica y servicios de confianza.

El artículo 26 de la LPAC adelanta elementos de interés para la seguridad del documento electrónico en relación con el contenido, los datos de identificación, la referencia temporal, los metadatos y las firmas electrónicas al establecer que los documentos públicos administrativos son aquellos válidamente emitidos por los órganos de las administraciones públicas y que satisfacen las siguientes cinco condiciones siguientes: *a) Contener información de cualquier naturaleza archivada en un soporte electrónico según un formato determinado susceptible de identificación y tratamiento diferenciado; b) Disponer de los datos de identificación que permitan su individualización, sin perjuicio de su posible incorporación a un expediente electrónico; c) Incorporar una referencia temporal del momento en que han sido emitidos; d) Incorporar los metadatos mínimos exigidos; e) Incorporar las firmas electrónicas que correspondan de acuerdo con lo previsto en la normativa aplicable.*

La LPAC, en su artículo 17 y la LRJSP en su artículo 46 se refieren a garantizar cualidades tales como la autenticidad, la integridad y la confidencialidad del documento; a la identificación de los usuarios y el control de accesos, en el contexto de la recuperación y visualización de los documentos en un sistema; al cumplimiento de las garantías previstas en la legislación de protección de datos; junto con aspectos de alguna forma ligados en sentido amplio a la disponibilidad de los documentos, como la conservación de los documentos almacenados y la calidad, que supone una alusión a la protección frente a la degradación de medios y soportes o a la obsolescencia tecnológica en general, todo ello de forma que pueda ser posible, con independencia del tiempo transcurrido, su visualización con todo el detalle de su contenido, recuperación, copia o descarga en línea e impresión a papel, según proceda. Y sin olvidar que es necesario proteger también aquellos documentos que se encuentren en tránsito. La LPAC también insiste en la noción de la seguridad al tratar en su artículo 27, sobre validez y eficacia de las copias realizadas por las administraciones públicas, la cuestión de la garantía de la identidad y contenido de las copias electrónicas o en papel, y, por tanto, su carácter de copias auténticas.

El Real Decreto 1708/2011, de 18 de noviembre, por el que se establece el Sistema Español de Archivos y se regula el Sistema de Archivos de la Administración General del Estado y de sus Organismos Públicos y su régimen de acceso, recoge en su artículo 14, sobre el ciclo vital de los documentos, aquellas cualidades del documento a preservar, en términos de garantizar la integridad, autenticidad, fiabilidad, disponibilidad, confidencialidad y conservación de los documentos y expedientes electrónicos recibidos o almacenados, igualmente según lo establecido en el ENS y el Esquema Nacional de Interoperabilidad, ENI, y demás normativa de desarrollo.

Su artículo 20 sobre condiciones para la recuperación y conservación del documento electrónico también recoge el mandato de adoptar *las decisiones organizativas y las medidas técnicas necesarias con el fin de garantizar la recuperación y conservación de los documentos electrónicos a lo largo de su ciclo de vida.* Entre éstas figuran *e) La adopción de medidas para garantizar la conservación de la memoria e identificación de los órganos que ejercen la competencia sobre el documento o expediente para que el ciudadano de hoy y del futuro pueda comprender el contexto en el que se creó; f) El mantenimiento del valor probatorio de los documentos y expedientes y de las evidencias electrónicas como prueba de las actividades y procedimientos,... Y h) El borrado de la información, en su caso, o si procede la destrucción física de los soportes, de acuerdo con un procedimiento regulado y dejando registro de su eliminación.*

El mismo Real Decreto 1708/2011, en su artículo 21 sobre aplicación de las tecnologías de la información y comunicaciones en la gestión y tratamiento de los documentos, es muy directo en la cuestión al expresarse en términos de *la aplicación de los principios básicos y los requisitos mínimos requeridos para una protección adecuada de la información con el fin de asegurar el acceso, integridad, disponibilidad, autenticidad, confidencialidad, trazabilidad y conservación de los datos, informaciones y servicios utilizados en medios electrónicos que gestionen en el ejercicio de sus competencias*, en alusión, como la LPAC y la LRJSP al ENS.

De forma que es necesario identificar cuáles y qué son las cualidades del documento a proteger, para lo cual encontramos orientación en la «Guía de aplicación de la NTI de Política de gestión de documentos electrónicos».

La **autenticidad** es la propiedad que puede atribuírsele al documento como consecuencia de que puede probarse que es lo que afirma ser, que ha sido creado o enviado por la persona de la cual se afirma que lo ha creado o enviado, y que ha sido creado o enviado en el momento en que se afirma, sin que haya sufrido ningún tipo de modificación.

La **integridad** es la propiedad o característica del documento que indica su carácter de completo, sin alteración de ningún aspecto esencial.

La **confidencialidad** es la característica consistente en que la información, es decir, el documento, ni se pone a disposición, ni se revela a individuos, entidades o procesos no autorizados.

La **disponibilidad** es aquella característica que permite que el documento pueda ser localizado, recuperado, presentado o interpretado.

La **trazabilidad** es la característica consistente en que las actuaciones de una entidad pueden ser imputadas exclusivamente a dicha entidad, de manera que en el ámbito de la gestión de documentos se trataría del seguimiento de la creación, incorporación, movimiento, uso y eventual modificación de los documentos dentro de un sistema.

Además de estas propiedades, específicamente en relación con el documento, se suscitan los requisitos de conservación, calidad y fiabilidad.

La **calidad** es una característica ligada, en su caso, a los procesos de digitalización de soportes no electrónicos, así como a la conservación y a la respuesta frente cuestiones tales como la posible degradación material u obsolescencia de los soportes que sustentan los documentos y relacionada, por tanto, con la durabilidad de los soportes en consonancia con los plazos que la legislación haya determinado; con las prácticas de protección física de los diversos soportes; y con el tiempo medio de funcionamiento entre fallos, vida útil de las unidades grabadas, etc.

La **fiabilidad** como una característica que indica que el contenido del documento puede ser considerado una representación completa y precisa de las actuaciones, las actividades o los hechos de los que da testimonio y al que se puede recurrir en el curso de posteriores actuaciones o actividades.

Y, finalmente, la **conservación** se entiende como el conjunto de procesos y operaciones dedicados a asegurar la permanencia intelectual y técnica de los documentos a lo largo del tiempo, de forma que sea posible su recuperación, impresión y visualización con independencia del tiempo transcurrido desde su emisión.

Todas estas cualidades o requisitos acompañan al documento electrónico a lo largo de todo su ciclo de vida, como elemento singularizado a la vez que como parte de un conjunto más amplio ubicado en un sistema, y requieren de las correspondientes medidas de seguridad, entendidas como el *conjunto de disposiciones encaminadas a protegerse de los riesgos posibles sobre el sistema de información, con el fin de asegurar sus objetivos de seguridad*.

En cualquier caso, la noción de la gestión de riesgos presidirá tanto la articulación de la conservación a largo plazo, como de la seguridad, siendo común a ambas un enfoque que contemple la identificación de los actores interesados, los activos a proteger y su importancia para la organización, el análisis de riesgos, y las medidas a aplicar, incluyendo las que van dirigidas a la conservación, así como las que van específicamente dirigidas hacia la seguridad.

Conviene así que la política de gestión de documentos electrónicos esté integrada en el contexto de la entidad, junto con las demás políticas aplicables a sus actividades, en particular, con la política de seguridad, puesto que los documentos electrónicos se van a manejar mediante sistemas a los que les son aplicables ambas políticas.

2.2 Garantía de la autenticidad e integridad del documento electrónico

Las previsiones cuya finalidad es permitir la comprobación de la autenticidad de la procedencia e integridad del documento requieren una atención particular.

El Reglamento (UE) Nº 910/2014 del Parlamento Europeo y del Consejo, de 23 de julio de 2014, relativo a la identificación electrónica y los servicios de confianza para las transacciones electrónicas en el mercado interior y por el que se deroga la Directiva 1999/93/CE, conocido como Reglamento eIDAS, establece, entre otros aspectos, un marco jurídico para una colección de elementos que interesan para la seguridad del documento electrónico, incluyendo a los propios documentos electrónicos junto con las firmas electrónicas, los sellos electrónicos, los sellos de tiempo electrónicos, los servicios de entrega electrónica certificada y los servicios de certificados para la autenticación de sitios web. Trata también los requisitos que requieren la firma electrónica avanzada y la firma electrónica cualificada; e igualmente los requisitos que requieren el sello electrónico avanzado y el sello electrónico cualificado; así como el sello cualificado de tiempo electrónico.

La LPAC, en su artículo 10 sobre sistemas de firma admitidos por las administraciones públicas establece que los interesados podrán firmar a través de cualquier medio que permita acreditar la autenticidad de la expresión de su voluntad y consentimiento, así como la integridad e inalterabilidad del documento y se indican los sistemas considerados válidos para relacionarse con las administraciones públicas. En primer lugar, sistemas de firma electrónica reconocida o cualificada y avanzada basados en certificados electrónicos cualificados de firma electrónica expedidos por prestadores incluidos en la «Lista de confianza de prestadores de servicios de certificación». En segundo lugar, los sistemas de sello electrónico cualificado y de sello electrónico avanzado basados en certificados electrónicos cualificados de sello electrónico expedidos por prestadores incluidos en la citada «Lista de confianza de prestadores de servicios de certificación». Y, en tercer lugar, cualquier otro sistema que las administraciones públicas consideren válido, en los términos y condiciones que se establezcan.

La LRJSP, en el contexto del ejercicio de la competencia en la actuación administrativa automatizada, señala en su artículo 42 los sistemas que interesan para permitir la comprobación de la autenticidad de la procedencia e integridad del documento.

En primer lugar, el sello electrónico de administración pública, órgano, organismo público o entidad de derecho público, basado en certificado electrónico cualificado que reúna los requisitos exigidos por la legislación de firma electrónica. Y, en segundo lugar, el código seguro de verificación, conocido abreviadamente como CSV, código de carácter único generado para cada documento que vincula el mismo con el firmante de manera que una modificación del documento generado resulte en un código seguro de verificación diferente, vinculado a la administración pública, órgano, organismo público o entidad de derecho público, orientado a permitir la comprobación de la integridad del documento mediante el acceso a la sede electrónica correspondiente. No obstante, las limitaciones de este CSV en materia de interoperabilidad conducen a que, para posibilitar la verificación automática del origen e integridad de los documentos electrónicos, sea necesario superponerle el sellado mediante sello electrónico de la entidad titular.

Finalmente, su artículo 43 sobre firma electrónica del personal al servicio de las administraciones públicas establece que, sin perjuicio de lo previsto en los artículos relativos a la sede electrónica, a la actuación administrativa automatizada y los sistemas de firma para la actuación administrativa automatizada, *la actuación de una administración pública, órgano, organismo público o entidad de derecho público, cuando utilice medios electrónicos, se realizará mediante firma electrónica del titular del órgano o empleado público.*

3. LA SEGURIDAD EN LA RECUPERACIÓN Y CONSERVACIÓN DEL DOCUMENTO ELECTRÓNICO

La inquietud por el documento electrónico, y por las problemáticas de interoperabilidad que suscita su producción, flujo y conservación, justifica un capítulo específicamente para esta cuestión en el Esquema Nacional de Interoperabilidad, ENI, el X, sobre recuperación y conservación del documento electrónico, con los artículos 21 a 24.

El ENI comprende el conjunto de criterios y recomendaciones en materia de seguridad, conservación y normalización de la información, de los formatos y de las aplicaciones que deberán ser tenidos en cuenta por las administraciones públicas para la toma de decisiones tecnológicas que garanticen la interoperabilidad. Atiende a todos aquellos aspectos que conforman de manera global la interoperabilidad, de manera que la recuperación y conservación del documento electrónico figura junto con aspectos tales como los principios específicos de la interoperabilidad y sus dimensiones, los estándares, las infraestructuras y servicios comunes, la reutilización, la interoperabilidad de la firma electrónica y los certificados y las normas técnicas de interoperabilidad.

Las Normas Técnicas de Interoperabilidad (NTI), previstas en la disposición adicional primera del ENI, desarrollan una serie de aspectos técnicos para establecer condiciones concretas, específicas, con un nivel de detalle y extensión adecuados. Esta serie incluye las normas relativas a Política de gestión de documentos electrónicos, Documento electrónico, Expediente electrónico, Digitalización de documentos, y de Procedimientos de copiado auténtico y conversión entre documentos electrónicos.

El **artículo 21 sobre condiciones para la recuperación y conservación de documentos** establece que las administraciones públicas adoptarán medidas organizativas y técnicas con el fin de garantizar la interoperabilidad en relación con la recuperación y conservación de los documentos electrónicos a lo largo de su ciclo de vida. Medidas que suponen un recorrido completo desde la definición de una política de gestión de documentos electrónicos, hasta la transferencia o en su caso borrado o destrucción física, pasando por medidas tales como la identificación única e inequívoca del documento, la asociación de metadatos, la clasificación, la conservación y recuperación de documentos electrónicos, la coordinación horizontal entre los responsables de gestión de documentos y los demás servicios interesados, la formación del personal y la documentación de los procedimientos, sin ánimo de exhaustividad.

Así, en este artículo 21 del ENI, se habla de que *el sistema permitirá la consulta durante todo el período de conservación al menos de la firma electrónica, incluido, en su caso, el sello de tiempo, y de los metadatos asociados al documento* y también de *la adopción de medidas para asegurar la conservación de los documentos electrónicos a lo largo de su ciclo de vida, de acuerdo con lo previsto en el artículo 22, de forma que se pueda asegurar su recuperación de acuerdo con el plazo mínimo de conservación determinado por las normas administrativas y obligaciones jurídicas, se garantice su conservación a largo plazo, se asegure su valor probatorio y su fiabilidad.*

El **artículo 22 sobre seguridad**, en primer lugar, se remite a la aplicación de lo previsto en el ENS en relación con el cumplimento de los principios básicos y de los requisitos mínimos de seguridad, mediante la aplicación de las medidas de protección adecuadas a los medios y soportes en los que se almacenen documentos, de acuerdo con la categorización de los sistemas, ejercicio este último que pone en relación la importancia de la información y servicios que se manejan, los riesgos a los que están expuestos y el esfuerzo de protección proporcionado que merecen.

En segundo lugar, dicho artículo 22 recuerda la aplicación de la legislación de protección de datos cuando suceda que los documentos electrónicos contengan datos de carácter personal.

En tercer lugar, condiciona la determinación de las medidas necesarias para garantizar la integridad, autenticidad, confidencialidad, disponibilidad, trazabilidad, calidad, protección, recuperación y conservación física y lógica de los documentos electrónicos, sus soportes y medios, a los riesgos a los que puedan estar expuestos y a los plazos durante los cuales deban conservarse los documentos.

Y, en cuarto y último lugar, trata los aspectos relativos a la firma electrónica en la conservación del documento electrónico, con mención, por un lado, al uso de formatos de firma longeva que preserven la conservación de las firmas a lo largo del tiempo; y, por otro, a las pautas a seguir en los posibles escenarios en los que la firma y los certificados no puedan garantizar la autenticidad y la evidencia de los documentos electrónicos a lo largo del tiempo, garantía que se deberá satisfacer mediante la conservación y custodia de los documentos en los repositorios y archivos electrónicos, así como de los metadatos de gestión de documentos y otros metadatos vinculados, según lo que se defina en la Política de gestión de documentos aplicable.

Siguiendo con el ENI, el artículo **23 sobre formatos de los documentos** señala la importancia de los formatos correspondientes a estándares abiertos que ayuden a preservar a lo largo del tiempo la integridad del contenido del documento, de la firma electrónica y de los metadatos que lo acompañan, de que sean normalizados y perdurables para asegurar la independencia de los datos de sus soportes (y deseablemente de la aplicaciones para manipularlos); y apunta la utilización de procedimientos normalizados de copiado auténtico de los documentos con cambio de formato, de etiquetado con información del formato utilizado y, en su caso, de las migraciones o conversiones de formatos, aplicando procedimientos normalizados de copiado auténtico de los documentos, cuando exista riesgo de obsolescencia del formato o bien deje de figurar entre los admitidos en el ENI. En este sentido, la Norma técnica de interoperabilidad, NTI, de Procedimientos de copiado auténtico y conversión entre documentos electrónicos tiene por objeto establecer las reglas para la generación de copias electrónicas auténticas, copias papel auténticas de documentos públicos administrativos electrónicos y para la conversión de formato de documentos electrónicos.

Sobre este tema conviene explicar aquí que, dado que los documentos electrónicos se materializan en un formato, sobre algún soporte, más el medio tecnológico que permite manejar ambos, los formatos utilizados han de facilitar igualmente las condiciones de integridad, autenticidad, conservación, a la vez que la posibilidad de trasladar la información a otros formatos y soportes que garanticen el acceso desde diferentes aplicaciones; posibilidad imprescindible por razón de la evolución tecnológica y de la posible degradación física de los materiales que constituyen los soportes. Sin olvidar que los propios medios y soportes en los que se almacenen los documentos, según un formato determinado, han de ser protegidos, es decir, que requieren medidas de seguridad adecuadas a su naturaleza y a la calidad exigida por el nivel de seguridad requerido. Además, se recuerda que la eliminación de dichos documentos deberá ser autorizada de acuerdo a lo dispuesto en la normativa aplicable, para evitar la destrucción incontrolada de documentos.

El último artículo del capítulo X del ENI, el **24, trata la digitalización de documentos** en soporte papel, siendo de interés las referencias a los formatos, los metadatos mínimos obligatorios y complementarios asociados al proceso de digitalización y al hecho de que la gestión y conservación del documento electrónico digitalizado atenderá a la posible existencia del mismo en otro soporte. En particular, la NTI de Digitalización de Documentos establece las reglas para la digitalización de documentos en soporte papel.

4. LA PROTECCIÓN DEL DOCUMENTO ELECTRÓNICO, MEDIDAS DE SEGURIDAD

El Esquema Nacional de Seguridad, ENS, se ocupa de la protección de la información y los servicios manejados por el Sector Público. Su objeto es establecer la política de seguridad en la utilización de medios electrónicos y está constituido por los principios básicos y requisitos mínimos que garanticen adecuadamente la seguridad de la información tratada. Su mandato principal es que las entidades del Sector Público cuenten con una política de seguridad formalmente aprobada. Vamos a ver que el ENS recoge la conservación en los principios básicos y los requisitos mínimos, a la vez que contempla mecanismos para poder determinar medidas proporcionadas a los riesgos, los medios y soportes en los que se almacenen los documentos y los plazos durante los cuales deban conservarse.

El ENS establece los principios básicos a considerar en las decisiones en materia de seguridad; los requisitos mínimos que permitan una protección adecuada de la información, así como el mecanismo para lograr el cumplimiento de los principios básicos y de los requisitos mínimos mediante la adopción de medidas de seguridad proporcionadas a la naturaleza de la información y los servicios a proteger y de los riesgos a los que están expuestos, mecanismo conocido como categorización.

Pues bien, ciertos principios básicos, requisitos mínimos y medidas de protección del ENS se ocupan particularmente de la seguridad del documento electrónico.

En primer lugar, el principio básico de «**prevención, reacción y recuperación**» recoge que, *sin merma de los demás principios básicos y requisitos mínimos establecidos, el sistema garantizará la conservación de los datos e informaciones en soporte electrónico.*

En segundo lugar, los requisitos mínimos, que son exigencias necesarias para asegurar la información y los servicios, incluyen el relativo a la «**protección de la información almacenada y en tránsito**», según el cual *forman parte de la seguridad los procedimientos que aseguren la recuperación y conservación a largo plazo de los documentos electrónicos producidos por las administraciones públicas en el ámbito de sus competencias.* En este principio se añade una referencia a la información en soporte no electrónico *que haya sido causa o consecuencia directa de la información electrónica a la que se refiere el Esquema Nacional de Seguridad,* y *que deberá estar protegida con el mismo grado de seguridad que ésta; para ello se aplicarán las medidas que correspondan a la naturaleza del soporte en que se encuentren, de conformidad con las normas de aplicación a la seguridad de los mismos.*

En tercer lugar, las medidas de seguridad, recogidas en el Anexo II del ENS, se estructuran en tres grupos. El primero, «**marco organizativo**», está constituido por el conjunto de medidas relacionadas con la organización global de la seguridad; particularmente, la política de seguridad, la normativa de seguridad y los procedimientos de seguridad. El segundo, el «**marco operacional**» está formado por las medidas para proteger la operación del sistema como conjunto integral de componentes para un fin (por ejemplo, medidas relativas a planificación, control de acceso, explotación, servicios externos, continuación del servicio y monitorización del sistema). Y, el tercero, las «**medidas de protección**» abarcan las medidas destinadas a proteger activos concretos, según su naturaleza y la calidad exigida por el nivel de seguridad de las dimensiones afectadas; dichos activos corresponden a instalaciones e infraestructuras, personal, equipos, comunicaciones, soportes de información, aplicaciones informáticas, información y servicios.

Sin perder de vista que la seguridad es una cualidad de carácter global, en la que no caben actuaciones puntuales o tratamientos coyunturales, en la medida en la que el documento se ubica en un sistema, como un sistema de gestión de documentos electrónicos o un archivo electrónico, le serán de aplicación todas aquellas medidas previstas en el ENS que correspondan con la categoría del sistema y nivel de seguridad de las dimensiones a garantizar según la **política de seguridad** aplicable. Además, la **política de gestión de documentos electrónicos** de la entidad señalará las medidas de seguridad aplicables en relación con los procesos de gestión de documentos electrónicos: captura de documentos, registro, clasificación, descripción, acceso a los documentos, calificación de los documentos, conservación, transferencia y destrucción o eliminación de los documentos.

No obstante, algunas medidas pueden ser particularmente interesantes para la seguridad del documento, como son las relativas a la **protección de la información** y a la **protección de los soportes de información**, junto con **la identificación de usuarios** y el **control de los accesos**.

Aunque algunas de las medidas que se citan a continuación puedan ir particularmente dirigidas a proteger ciertas dimensiones como, por ejemplo, la confidencialidad, la autenticidad o la integridad, se advierte que su aplicación eficaz tendrá lugar en un contexto más general en el que puedan concurrir otras medidas de seguridad. Es habitual que la protección de una dimensión de seguridad no descanse exclusivamente en una medida, sino que requiera de la participación de varias medidas que se complementen.

Dicho lo anterior, en el apartado de medidas de protección del anexo II del ENS se incluyen varios grupos de medidas de especial interés para la protección del documento, particularmente, los grupos de medidas de protección de la información, protección de los soportes y control de acceso.

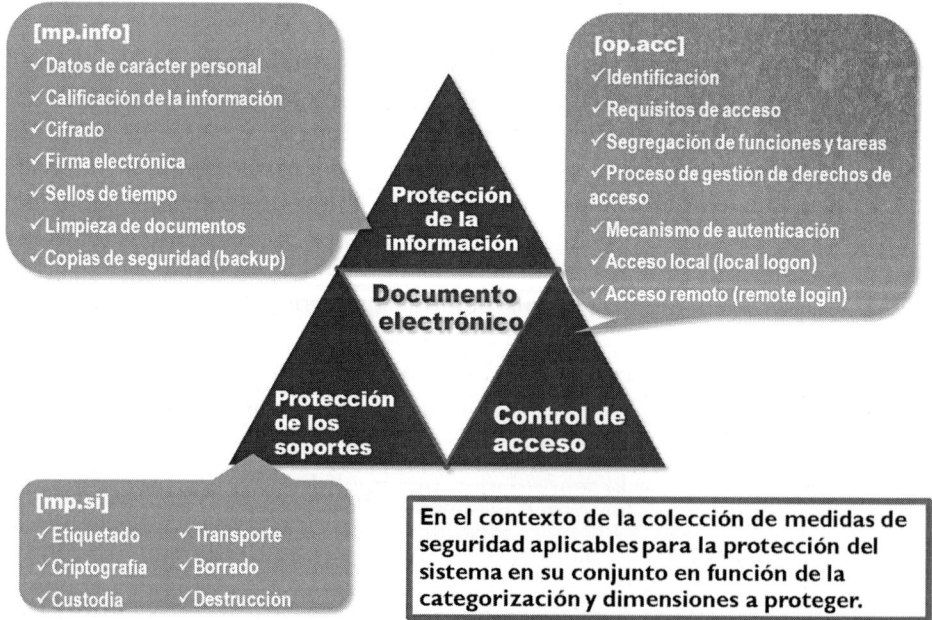

Figura 1. Panorámica de medidas de protección para el documento electrónico

Las medidas de «**protección de la información**» incluyen las siguientes: Datos de carácter personal, Calificación de la información, Cifrado, Firma electrónica, Sellos de tiempo, Limpieza de documentos, Copias de seguridad (*backup*).

Datos de carácter personal [mp.info.1]: se remite al cumplimiento de la legislación en la materia. Apuntamos aquí, que la Ley Orgánica 3/2018, de 5 de diciembre, de Protección de Datos Personales y garantía de los derechos digitales, en su Disposición adicional primera sobre Medidas de seguridad en el ámbito del sector público se remite al ENS en relación con las medidas para evitar la pérdida, alteración o acceso no autorizado de datos de carácter personal, adaptando los criterios de determinación del riesgo en el tratamiento de los datos a lo establecido en el artículo 32 del Reglamento (UE) 2016/679.

Calificación de la información [mp.info.2]: se refiere a los procedimientos necesarios para determinar el nivel de seguridad requerido por la información, según lo establecido legalmente sobre la naturaleza de la misma. Se trata de una medida que interesa sincronizar con el subelemento eEMGDE8.1 – Clasificación de seguridad del «Esquema de Metadatos de Gestión del Documento Electrónico (e-EMGDE)». Se advierte, por otra parte, de la diferencia de esta medida con el proceso de gestión documental de mismo nombre «calificación» orientado a la valoración, la determinación de los plazos de conservación y transferencia de los documentos, etc.

Cifrado [mp.info.3]: es un mecanismo de seguridad que permite modificar un mensaje de modo que su contenido sea ilegible, salvo para su destinatario. Esta medida del ENS indica pautas para su utilización para la protección de la confidencialidad cuando el nivel requerido es alto en almacenamiento o en transmisión y en relación con el uso de criptografía.

Firma electrónica [mp.info.4]: aplicada al documento electrónico es capaz de permitir la comprobación de la autenticidad de su procedencia y su integridad. El ENS trata los condicionantes proporcionados a los niveles de seguridad requeridos; nivel bajo para el cual se empleará cualquier tipo de firma electrónica de los previstos en la legislación vigente; nivel medio, de forma que cuando se empleen sistemas de firma electrónica avanzada basados en certificados, estos serán cualificados; y nivel alto, que requiere firma electrónica cualificada, incorporando certificados cualificados y dispositivos cualificados de creación de firma. Todos estos conceptos se definen y tratan en el Reglamento eIDAS. Por otra parte, hay que incluir aquí la precisión apuntada en esta medida en cuanto a que *en el caso de que se utilicen otros mecanismos de firma electrónica sujetos a derecho, el sistema debe incorporar medidas compensatorias suficientes que ofrezcan garantías equivalentes o superiores en lo relativo a prevención del repudio*; un ejemplo de mecanismo de este tipo sería el código seguro de verificación, CSV, citado anteriormente.

Interesa mencionar aquí que la NTI de Documento electrónico recoge la firma electrónica entre los componentes del documento electrónico, que en cualquier caso habrá de figurar en un documento administrativo. Por otra parte, la NTI Expediente electrónico contempla la firma del índice electrónico del expediente administrativo por la administración, órgano o entidad actuante de acuerdo con la normativa aplicable, índice que está orientado a garantizar la integridad del expediente electrónico y a permitir su recuperación siempre que sea preciso.

Sellos de tiempo [mp.info.5]: el sello de tiempo son unos datos en formato electrónico que vinculan otros datos en formato electrónico con un instante concreto, aportando la prueba de que estos últimos datos existían en ese instante, y destinado, por tanto, a prevenir la posibilidad del repudio posterior. Su aplicación interesa a aquella información, en nuestro caso documento, que sea susceptible de ser utilizada como evidencia electrónica en el futuro.

Limpieza de documentos [mp.info.6]: se refiere a la retirada de los documentos de toda la información adicional contenida en campos ocultos, metadatos, comentarios o revisiones anteriores, salvo cuando dicha información sea pertinente para el receptor del documento.

Como explica la «Guía CCN-STIC-835 Borrado de metadatos en el marco del ENS», hay que tener en cuenta que no aplicar la medida de limpieza de documentos puede perjudicar al mantenimiento de la confidencialidad de información que no debería haberse revelado al receptor del documento; al mantenimiento de la confidencialidad de las fuentes y orígenes de la información, que no debe conocer el receptor del documento y a la buena imagen de la organización que difunde el documento, por cuanto demuestra un descuido en su buen hacer. Es especialmente relevante cuando el documento se difunde ampliamente, como ocurre cuando se ofrece al público en un servidor web u otro tipo de repositorio de información.

Copias de seguridad (backup) [mp.info.9]: permiten recuperar datos perdidos, accidental o intencionadamente con una antigüedad determinada. Las copias poseerán el mismo nivel de seguridad que los datos originales en lo que se refiere a integridad, confidencialidad, autenticidad y trazabilidad. En particular, se considerará la conveniencia o necesidad, según proceda, de que las copias de seguridad estén cifradas para garantizar la confidencialidad.

Las medidas de «**protección de los soportes de información**» van dirigidas a la protección de soportes tales como los discos duros (internos y externos), las cintas y discos de copias de seguridad, las unidades USB, las tarjetas de memoria (por ejemplo, las utilizadas en cámaras fotográficas y móviles) y los discos ópticos (por ejemplo, CD, DVD). Estos soportes pueden ser objeto de pérdida, robo o rotura y o bien avería. Dichas medidas incluyen las siguientes: Etiquetado, Criptografía, Custodia, Transporte, Borrado y destrucción.

Etiquetado [mp.si.1]: los soportes de información se etiquetarán de forma que, sin revelar su contenido, se indique el nivel de seguridad de la información contenida de mayor calificación.

Criptografía [mp.si.2]: es una medida de aplicación particularmente a los soportes de información que tengan el carácter de removibles, como, por ejemplo, los dispositivos USB y los discos CD o DVD, u otros de naturaleza análoga.

Custodia [mp.si.3]: se refiere a la aplicación de la debida diligencia y control a los soportes de información que permanecen bajo la responsabilidad de la organización, mediante actuaciones tales como el control de acceso con medidas físicas o lógicas, o ambas y respetando las exigencias de mantenimiento del fabricante, en especial, en lo referente a temperatura, humedad y otros agresores medioambientales que pueden afectar a los soportes de información.

Transporte [mp.si.4]: se refiere a que se garantizará que los soportes de información o dispositivos permanecen bajo control y que satisfacen sus requisitos de seguridad mientras están siendo desplazados de un lugar a otro.

Borrado y destrucción [mp.si.5]: es de aplicación a todo tipo de elementos susceptibles de almacenar información, incluyendo medios electrónicos y no electrónicos.

Además, la legislación se refiere de forma explícita a la identificación de usuarios y al control de los accesos. En el apartado del anexo II del ENS de medidas de «**control de acceso**» se incluyen aquellas orientadas a que una determinada entidad, usuario o proceso, pueda, o no, acceder a un recurso del sistema para realizar una determinada acción.

Se trata de las siguientes medidas: *Identificación [op.acc.1]*, *Requisitos de acceso [op.acc.2]*, *Segregación de funciones y tareas [op.acc.3]*, *Proceso de gestión de derechos de acceso [op.acc.4]*, *Mecanismo de autenticación [op.acc.5]*, *Acceso local (local logon) [op.acc.6]*, *Acceso remoto (remote login) [op.acc.7]*.

De forma resumida, se contempla que el control de acceso requiera: que todo acceso esté prohibido, salvo concesión expresa; que la entidad quede identificada singularmente; que la utilización de los recursos esté protegida; que se definan para cada entidad a qué se necesita acceder, con qué derechos y bajo qué autorización; que serán diferentes las personas que autorizan, usan y controlan el uso; que la identidad de la entidad quede suficientemente autenticada; que se controle tanto el acceso local como el acceso remoto. Con todo ello se persigue garantizar que nadie accederá a recursos sin autorización; además, quedará registrado el uso del sistema para poder detectar y reaccionar a cualquier fallo accidental o deliberado.

Más allá del ENS, para la finalidad más específica de la conservación se habrán de aplicar medidas como las apuntadas en la norma UNE-ISO/TR

18492:2008 IN «Conservación a largo plazo de la información basada en documentos».

Sirvan de ejemplo las medidas apuntadas en la «Política de gestión de documentos electrónicos del MINHAP»: *refresco o renovación (copia entre dos mismos tipos de soportes, sin cambio en los datos); migración (copia a otro tipo de soporte, sistema o formato); replicación (creación de un duplicado de los datos, como medio de protección ante la pérdida o degradación de los mismos); emulación (reproducir las funcionalidades de un sistema o soporte obsoletos); encapsulación (los documentos contienen en sí mismos todos los elementos que forman un objeto digital, por ejemplo, los metadatos, las firmas asociadas y el propio documento); empleo de estándares abiertos no propietarios.*

5. LA SEGURIDAD EN LOS PROCESOS DE GESTIÓN DOCUMENTAL

Todas las medidas que resulten de aplicación, en particular, las medidas de protección de la información, protección de los soportes y control de acceso, habrán de aplicarse en el contexto configurado de forma conjunta por la política de seguridad y por la política de gestión de documentos electrónicos de la entidad.

El «Modelo de Política de gestión de documentos electrónicos» indica que ésta *se integrará con la política de seguridad que establece el Esquema Nacional de Seguridad, puesto que los documentos electrónicos se van a manejar mediante sistemas a los que les es aplicable lo previsto en dicho esquema.* Posteriormente, al tratar los procesos de gestión documental se realizan llamadas específicas, donde corresponde, a la aplicación de medidas de protección relevantes en cada proceso en cuestión. Veamos a continuación estas referencias concretas en los procesos de gestión documental afectados.

Captura: se indica que la política de gestión de documentos electrónicos recogerá los supuestos en los que los documentos electrónicos deberán ser firmados conforme a la Política de Firma y sistema de firma aplicables en el momento de su captura.

Acceso: se indica que les son aplicables a los documentos y expedientes electrónicos las medidas de protección de la información previstas en el anexo II del ENS; en particular, las medidas «Datos de carácter personal [mp.info.1]» y «Calificación de la información [mp.info.2]», sin perjuicio de otras medidas que puedan ser de aplicación a la luz de la categorización del sistema y de la calificación de la información, y de las medidas relativas al control de acceso [op.acc]. Se contempla que el acceso a los documentos y expedientes electrónicos estará sometido a un control de acceso en función de la calificación de la información y de los permisos y responsabilidades del actor en cuestión y contemplará la trazabilidad de las acciones que se realicen sobre cada uno de los documentos y expedientes electrónicos y sus metadatos asociados.

Clasificación - Documentos esenciales: se indica que la categorización del sistema (ENS, Anexo I), el «Análisis de riesgos [op.pl.1]» y la «Calificación de la información [mp.info.2]» aportarán criterios para identificar documentos esenciales y las medidas de seguridad y nivel requerido aplicables. También se indica que la gestión de los documentos calificados como esenciales pasará por la obtención de una copia electrónica auténtica y el tratamiento y conservación, en su caso de original y copia, según lo establecido en el procedimiento los procedimientos correspondientes.

Conservación: se indica que atendiendo a lo dispuesto en el ENS, y proporcionalmente a los riesgos a los que estén expuestos los documentos, la entidad cuenta con un plan de continuidad para preservar los documentos y expedientes electrónicos conservados, así como sus metadatos asociados, que incluirá lo previsto sobre «Copias de seguridad (*backup*) [mp.info.9]»; junto con las medidas de protección de la información [mp.info], de protección de los soportes de información [mp.si], y, en cualquier caso, de protección de datos de carácter personal.

Transferencia: se indica que la transferencia de documentos y expedientes electrónicos entre repositorios o archivos electrónicos y o bien analógicos, así como la transferencia de las responsabilidades en cuanto a su custodia, se realizará teniendo presente las medidas de «Protección de los soportes de información [mp.si]» previstas en el ENS, en particular, los mecanismos de autenticidad, integridad y trazabilidad implementados, y demás normativa que pueda ser de aplicación. La descripción del proceso de transferencia de documentos, incluirá las responsabilidades de cada entidad implicada y los mecanismos de trazabilidad implementados y, en su caso, referencia a la norma de seguridad que trate cuestiones relativas a los soportes de información.

Destrucción o eliminación: se indica que la eliminación de documentos se realizará, según lo previsto en la medida «Borrado y destrucción [mp.si.5]» del ENS y que se describirá el proceso de eliminación de documentación, teniendo en cuenta las medidas de seguridad, incluyendo todas sus copias auténticas y copias de seguridad y, en su caso, referencia a la norma de seguridad que pueda tratar la cuestión del «Borrado y destrucción de soportes de información [mp.si. 5]», teniendo en cuenta las recomendaciones de la norma UNE-EN 15713:2010. «Destrucción segura del material confidencial. Código de buenas prácticas».

Supervisión y auditoría: se apunta que los procesos de gestión de documentos electrónicos, el programa de tratamiento de documentos electrónicos y la presente política serán objeto de auditorías y que estas auditorías podrán ser abordadas en el contexto de las auditorías del ENS.

Dicho lo anterior, **los metadatos** ayudan, entre otras cuestiones, a señalar ciertos atributos de seguridad o protección de datos necesarios para controlar el acceso a los documentos, y reducir el riesgo de acceso y uso no autorizado.

El «Esquema de Metadatos de Gestión del Documento Electrónico (e-EMGDE)» establece esencialmente el modelo conceptual de los metadatos y la descripción de los elementos y sub-elementos con los correspondientes esquemas de valores.

En particular, su elemento 8 «**eEMGDE.Seguridad**» se define como el *conjunto de valores que, una vez articulados, ayudan a determinar las medidas adoptadas para proteger los documentos, la información y los datos de un acceso, cambio, destrucción no autorizados, así como de otras amenazas.* Consta de los siguientes subelementos:

- eEMGDE8.1 - Clasificación de seguridad
- eEMGDE8.2 - Advertencia
- eEMGDE8.3 - Permisos
- eEMGDE8.4 - Sensibilidad datos de carácter personal
- eEMGDE8.5 - Clasificación ENS
- eEMGDE8.6 - Nivel de confidencialidad de la información

eEMGDE8 - SEGURIDAD			
Nombre formal	eEMGDE.Seguridad		
Sub-elemento de	No aplica.		
Definición	Conjunto de valores que, una vez articulados, ayudan a determinar las medidas adoptadas para proteger los documentos, la información y los datos de un acceso, cambio, destrucción no autorizados, así como de otras amenazas.		
Aplicabilidad	Todas las entidades excepto Relación.		
Obligación	Condicional: Debe utilizarse si es necesario según lo dispuesto en la normativa y atendiendo a las necesidades específicas de la organización.		
Automatizable	–	Repetible	✓
Sub-elementos	eEMGDE8.1 - Clasificación de seguridad eEMGDE8.2 - Advertencia eEMGDE8.3 - Permisos eEMGDE8.4 - Sensibilidad datos de carácter personal eEMGDE8.5 - Clasificación ENS eEMGDE8.6 - Nivel de confidencialidad de la información		
Valores	Esquema	No aplica.	
	Valor por defecto	No aplica.	
Compatibilidad	ISO 23081	Uso.	
Finalidad	La finalidad de este elemento es establecer un conjunto de criterios que determinen, de conformidad con la legislación vigente, los privilegios y restricciones de acceso a las diferentes entidades con el objeto de facilitar la protección de las mismas, ya sea de manera física, ya de manera lógica.		
Comentarios	-		
Ejemplos	-		

Tabla 25. Descripción Metadato eEMGDE8 - Seguridad.

Figura 2. Metadato eEMGDE8 – SEGURIDAD

Los subelementos de **'eEMGDE.Seguridad'** constituyen un puente con la política de seguridad, en particular con medidas concretas tales como *Datos de carácter personal [mp.info.1]* y *Calificación de la información [mp.info.2]*, y se orientan a que puedan consignarse precisiones que han de ayudar a que, de forma automatizada, se puedan aplicar las políticas de control de acceso y uso de los documentos.

6. CONSECUENCIAS PRÁCTICAS PARA LOS DIVERSOS ACTORES DE LA ORGANIZACIÓN

Hay que advertir, antes de profundizar en detalles, que la seguridad no es una cuestión exclusivamente técnica, sino que afecta a todas las personas que utilizan los medios electrónicos que las entidades ponen a su disposición para el desarrollo de su actividad profesional y a sus responsables jerárquicos, responsables, a la postre, de la información manejada y de los servicios prestados, usuarios también de los medios electrónicos.

Las consecuencias prácticas de lo expuesto sobre la seguridad del documento electrónico para los actores de la organización dependerán de su papel en la misma, particularmente, en relación con la definición, aprobación, implantación y ejecución, por un lado, de la política de seguridad de la información y, por otro lado, de la política de gestión de documentos electrónicos. Veamos a continuación dichas implicaciones combinando roles identificados en ambas políticas.

A la **alta dirección** le corresponde aprobar e impulsará ambas políticas, de seguridad y de documentos electrónicos, velando por su armonización, de forma que estén integradas entre sí y con el resto de las políticas implantadas para el desempeño de sus actividades.

Al **responsable de la información**, habitualmente una persona que ocupa un alto cargo en la dirección de la organización, con la responsabilidad última del uso que se haga de una cierta información y, por tanto, de su protección, le corresponde la potestad de establecer los requisitos de la información en materia de seguridad.

A los **responsables de procesos de gestión** de la organización les corresponde aplicar las políticas en el marco de los procesos de gestión a su cargo.

Al personal **responsable de la planificación, implantación y administración del programa de tratamiento de documentos** y sus operaciones, cualificado, dedicado e instruido en gestión y conservación documental le corresponde participar en el diseño, implementación y actualización de los sistemas de gestión y conservación documental.

En relación con los servicios de archivo electrónico y gestión de documentos de la entidad, incluyendo los servicios informáticos para el tratamiento de los documentos, tendrá también opinión el **responsable del sistema** que se ocupa, fundamentalmente, de desarrollar, operar y mantener el sistema de información durante todo su ciclo de vida, de sus especificaciones, instalación y verificación de su correcto funcionamiento.

Al **responsable de seguridad** le corresponden en general velar por la aplicación de la política de seguridad y las decisiones para satisfacer los requisitos de seguridad de la información y de los servicios, particularmente, las que puedan afectar a la seguridad del documento electrónico y los sistemas y servicios que lo manejan.

Al **personal implicado en tareas de gestión de documentos electrónicos**, que crea, recibe y mantiene documentos como parte de su labor diaria, le corresponde aplicar lo establecido en la política de gestión de documentos electrónicos a través del programa de tratamiento implantado, y en la política de seguridad de la información a través de las normas y procedimientos aplicables; así como en ambos casos, hacer uso de los servicios o herramientas que la organización disponga en relación con ambas cuestiones.

7. CONCLUSIONES

En conclusión, cabe destacar lo que sigue a continuación en relación con la seguridad del documento electrónico.

El documento electrónico existe en un entorno complejo, no exento de amenazas y, por tanto, expuesto a riesgos provenientes de acciones malintencionadas o ilícitas, errores o fallos y accidentes o desastres y requiere protección para garantizar su seguridad, con independencia del soporte o de la tecnología subyacente.

Interesa la protección del documento electrónico, como elemento u objeto singularizado, a la vez que como parte de un sistema en el que se puedan estar almacenando los documentos electrónicos, particularmente, un sistema de gestión de documentos o un archivo electrónico.

Nuestro marco legal se ocupa de la seguridad del documento electrónico atendiendo a la necesidad garantizar las cualidades y requisitos que le afectan, principalmente en la legislación en materia de procedimiento administrativo y régimen jurídico y en sus desarrollos, en materia de archivos, así como en materia de identidad electrónica y servicios de confianza, según lo previsto en el Reglamento eIDAS.

Las cualidades o propiedades del documento a proteger son su autenticidad, integridad, confidencialidad, disponibilidad y trazabilidad, más su conservación, calidad y fiabilidad, a la vez que se asegura la identificación de los usuarios, el control de accesos, y el cumplimiento de las garantías previstas en la legislación de protección de datos.

Tanto el Esquema Nacional de Interoperabilidad, como el Real Decreto 1708/2011 se refieren a la adopción de medidas organizativas y técnicas para la recuperación y conservación del documento electrónico y se remiten al Esquema Nacional de Seguridad para la protección adecuada del documento.

El Esquema Nacional de Seguridad contempla la protección del documento electrónico en sus principios básicos, requisitos mínimos y medidas de seguridad, atendiendo a los medios y soportes en los que se almacene, a los riesgos a los que esté sometido y a los plazos durante los cuales deba conservarse, e incluso añade una referencia a la información en soporte no electrónico que haya sido causa o consecuencia directa de la información electrónica.

Todas las medidas que resulten de aplicación, en particular, las medidas de protección de la información, protección de los soportes y control de acceso, habrán de aplicarse en el contexto configurado de forma conjunta por la política de seguridad y por la política de gestión de documentos electrónicos de la entidad, y se aplicarán las medidas de seguridad que correspondan en los procesos de gestión documental.

Finalmente, las consecuencias prácticas para los actores de la organización dependerán de su papel en la misma, particularmente en relación con la definición, aprobación, implantación y aplicación, por un lado, de la política de seguridad de la información y, por otro lado, de la política de gestión de documentos electrónicos, que habrán de articularse conjuntamente para la mejor seguridad del documento electrónico.

8. BIBLIOGRAFÍA

BOLETÍN OFICIAL DEL ESTADO. Código de Administración Electrónica. Disponible en: https://www.boe.es/legislacion/codigos/codigo.php?id=029_Codigo_de_Administracion_Electronica

MINISTERIO PARA LAS ADMINISTRACIONES PÚBLICAS. *Manual de Documentos Administrativos*. Editorial Tecnos.

MINISTERIO DE HACIENDA Y ADMINISTRACIONES PÚBLICAS. *Política de gestión de documentos electrónicos del MINAHP*. 2ª Edición. 2016. Disponible en: http://www.minhafp.gob.es/Documentacion/Publico/SGT/POLITICA %20DE%20GESTION%20DE%20DOCUMENTOS%20MINHAP/politica %20de%20gestion%20de%20documentos%20electronicos%20MINHAP.pdf

MINISTERIO DE ADMINISTRACIONES PÚBLICAS. *Criterios de Seguridad, Normalización y Conservación de las aplicaciones utilizadas para el ejercicio de potestades*. 2004. 212 páginas. Disponible en: https://administracionelectronica.gob.es/pae_Home/dam/jcr: 56967857-2b54-40a5-8c67-99104dfd9e23/2004-Criterios-de-seguridad-normalizacion-NIPO-326-04-044-9.pdf

MINISTERIO DE HACIENDA Y FUNCIÓN PÚBLICA. *Política de gestión de documentos electrónicos. Guía de aplicación de la Norma Técnica de Interoperabilidad*. 2ª edición electrónica. 2016. Disponible en: https://administracionelectronica.gob.es/pae_Home/dam/jcr:34e78339-de2e-4fe5-b576-3107e9d3a54c/Guia_NTI_Politica_Gestion_DocE-lect_PDF_2ed_2016.pdf

MINISTERIO DE HACIENDA Y ADMINISTRACIONES PÚBLICAS. *Modelo de política de gestión de documentos electrónicos*. 1ª edición electrónica. 2013. Disponible en: https://administracionelectronica.gob.es/pae_Home/dam/jcr:b829d11d-09a8-4a91-adc5-4472ddf116fc/20131128_Modelo_de_politica_de_gestion_de_documentos_electronicos_NIPO_630-13-166-8.pdf

MINISTERIO DE HACIENDA Y FUNCIÓN PÚBLICA. *Documento electrónico. Guía de aplicación de la Norma Técnica de Interoperabilidad*. 2ª edición electrónica. 2016. Disponible en: https://administracionelectronica.gob.es/pae_Home/dam/jcr:5881e773-6d5d-48b6-b4a6-7760e63fcfef/Guia_NTI_documento_electronico_PDF_2ed_2016.pdf

MINISTERIO DE HACIENDA Y FUNCIÓN PÚBLICA. *Expediente electrónico. Guía de aplicación de la Norma Técnica de Interoperabilidad*. 2ª edición electrónica. 2016. Disponible en: https://administracionelectronica.gob.es/pae_Home/dam/jcr:4386988b-c99d-4bd5-9729-ae5709bca284/Guia_NTI_expediente_electronico_PDF_2ed_2016.pdf

REAL DECRETO 1708/2011, de 18 de noviembre, por el que se establece el Sistema Español de Archivos y se regula el Sistema de Archivos de la Administración General del Estado y de sus Organismos Públicos y su régimen de acceso. Disponible en: https://www.boe.es/buscar/act.php?id=BOE-A-2011-18541

REGLAMENTO (UE) nº 910/2014 DEL PARLAMENTO EUROPEO Y DEL CONSEJO, de 23 de julio de 2014, relativo a la identificación electrónica y los servicios de confianza para las transacciones electrónicas en el mercado interior y por la que se deroga la Directiva 1999/93/CE. Disponible en: http://eur-lex.europa.eu/legal-content/ES/TXT/?uri=celex%3A32014R0910

MINISTERIO DE HACIENDA Y FUNCIÓN PÚBLICA. *Procedimientos de copiado auténtico y conversión entre documentos electrónicos. Guía de aplicación de la Norma Técnica de Interoperabilidad*. 2ª edición electrónica. 2016. Disponible en: https://administracionelectronica.gob.es/pae_Home/dam/jcr:ce2f617e-18e0-4e76-bd23-3dc91e4f720c/Guia_NTI_procedimientos_copiado_autentico_PDF_2ed_2016.pdf

MINISTERIO DE HACIENDA Y FUNCIÓN PÚBLICA. *Digitalización de documentos. Guía de aplicación de la Norma Técnica de Interoperabilidad*. 2ª edición electrónica. 2016. Disponible en: https://administracionelectronica.gob.es/

pae_Home/dam/jcr:cd4d2971-b218-4e38-8e42-4e77b969e378/
Guia_NTI_digitalizacion_PDF_2ed_2016.pdf

AGENCIA ESPAÑOLA DE PROTECCIÓN DE DATOS. *El impacto del Reglamento general de protección de datos sobre la actividad de las administraciones públicas*. Disponible en: https://www.agpd.es/portalwebAGPD/temas/reglamento/common/pdf/Impacto_RGPD_en_AAPP.pdf

MINISTERIO DE HACIENDA Y FUNCIÓN PÚBLICA — CENTRO CRIPTOLÓGICO NACIONAL. *Guía CCN-STIC-835 Borrado de metadatos en el marco del ENS*. 2017. Disponible en: https://www.ccn-cert.cni.es/pdf/guias/series-ccn-stic/800-guia-esquema-nacional-de-seguridad/2031-ccn-stic-835-borrado-de-metadatos-en-el-marco-del-ens/file.html

CENTRO CRIPTOLÓGICO NACIONAL. *Guía CCN-STIC-801 Responsabilidades y funciones*. Disponible en: https://www.ccn-cert.cni.es/series-ccn-stic/800-guia-esquema-nacional-de-seguridad/501-ccn-stic-801-responsibilidades-y-funciones-en-el-ens/file.html

INCIBE *Los soportes de información*. Disponible en: https://www.incibe.es/extfrontinteco/img/File/empresas/kit_concienciacion/Pildoras_informativas/incibepresentacin_2__los_soportes__texto.pdf

MINISTERIO DE HACIENDA Y ADMINISTRACIONES PÚBLICAS. Esquema de Metadatos para la Gestión del Documento Electrónico (e-EMGDE). Versión 2.0. Documentación complementaria a la Norma Técnica de Política de gestión de documentos electrónicos. Disponible en: file:///C:/Users/miguel.amutio/Downloads/Esquema_Metadatos_e-EMGDE_2016.pdf

SOLANO GADEA, Miguel. Ministerio de Hacienda y Función Pública. *Diccionario de términos y conceptos de la administración electrónica*. Disponible en: https://administracionelectronica.gob.es/pae_Home/pae_Estrategias/pae_Leyes-39-y-40-2015/materiales-ayuda/diccionario-terminos-y-conceptos-administracion-electronica.html

11.

DE LA GESTIÓN DOCUMENTAL A LA GOBERNANZA DE LA INFORMACIÓN: EL CUARTO PILAR DEL GOBIERNO ABIERTO

Joan SOLER JIMÉNEZ
Director del Arxiu Històric de Terrassa
Presidente de l'Associació d'Arxivers   *Gestors de Documents de Catalunya*
@Diplomaticat

La clásica gestión documental se está transformando progresivamente en gobernanza de la información para poder dar respuesta a las exigencias de la transparencia y el acceso a la información. La gestión documental es una metodología testeada y aceptada en el ámbito académico y en el marco más operativo de las administraciones públicas, pero no goza del respaldo legal necesario para que pueda ser un instrumento holístico de gestión del capital informacional de estas organizaciones. En este artículo valoramos el estado de la cuestión de la gestión armonizada de datos, información y documentos en el marco de la plena transformación digital provocada por los cambios legales que el impulso del gobierno abierto está operando.

1. LOS CUATRO PILARES DEL GOBIERNO ABIERTO

En otra ocasión ya pude explicar cuál era el origen del concepto de gobierno abierto y sus características fundamentales, haciendo especial hincapié en la ausencia en España de legislación de apoyo suficiente a uno de sus cuatro pilares fundamentales[1]. Después de los conocidos *memoranda* de Barack Obama de 2008, donde la transparencia, la colaboración y la participación, se forjaron como los tres pilares fundacionales del gobierno abierto, se les añadió un cuarto en 2011, que fue el de la gestión documental. Como decimos en su momento, en España éste cuarto pilar no se ha interiorizado con la profundidad necesaria, a la vista de una legislación débil y anticuada en esta materia. Éste cuarto pilar

---

(1) SOLER JIMÉNEZ, Joan. «La gestión documental en el marco del Gobierno Abierto », *El Consultor de los Ayuntamientos*, n.º 7, abril 2017, págs. 835 a 846.

ha sido en parte sustituido por la gestión de los datos abiertos, siendo ésta una aproximación sin duda importante ante la necesidad de gestionar la información «para con el ciudadano» y «hacia el ciudadano». Pero también hay que decir que se trata de una aproximación incompleta y limitada por no ser ni holística ni transversal. Hay dos limitaciones en la gestión de los datos abiertos: una, que no se vislumbran estrategias que demuestren una gestión armonizada detrás sino que avanzamos hacia una mera acumulación de *datasets*; dos, su focalización estrictamente digital. Es cierto que estas afirmaciones puedan parecer polémicas, sobre todo la segunda, y que vislumbran un aparente planteamiento regresivo al quitarle fuerza a lo digital. En ningún caso planteamos que lo digital sea «malo» ni «menor», sino que simplemente nos reafirmamos en que en plena transformación digital, el riesgo de brecha (digital) es una problemática a tener en cuenta, y que las políticas de gestión y apertura de datos solamente han contemplado aquello que estaba en digital y ha habido pocas campañas de digitalización de lo anterior. Esta situación provoca que «lo anterior» no exista. La transformación y la apertura de datos digitales deberían haber ido acompañadas de políticas de transformación a digital de aquellos «datos» que no lo son. Como hemos apuntado, esta situación es simplemente el resultado de una interpretación sesgada de lo que el memorándum de 2011, dedicado a la gestión documental, planteaba. Es indudable que la apertura de datos necesita de una gestión interna de primer nivel, que existe un mercado muy potente que da impulso a esta apertura y le da apoyo y recursos económicos, pero también es cierto que así como la gestión de datos para su apertura no incluye la gestión documental, ésta segunda sí incluye la primera. Cuando el memorándum de 2011 hablaba de *Records Management*, incluía la gestión de datos abiertos bajo el paraguas de la gestión documental. En España, la gestión de datos abiertos ha acabado supliendo a la gestión documental porqué cuando se apeló a esta segunda, no había nadie a la escucha. O no se les hizo caso.

La gestión documental, en el marco teórico y práctico, se ofrece como la metodología más completa para gestionar de manera absoluta los datos, información y documentos que administra una organización, con independencia del soporte donde estos se fijen. Existía gestión documental en el mundo papel, existe gestión documental en el mundo digital. No es una mera mimesis, la gestión documental también se está adaptando y transformando digitalmente. No es un reducto del pasado. No hay disrupción. Hay adaptación. Y no todo son datos. Es importante conocer este punto de vista.

Es evidente que la transparencia, uno de los pilares más potentes del gobierno abierto, vive directamente de una buena gestión documental, que tiene en su fundamento la provisión de datos, información y documentos de calidad y auténticos. Así, la transparencia será genuina y no el resultado de reelaboraciones tendenciosas. Los datos que serán objeto de apertura se integraran en una metodología de trabajo que permitirá enriquecerlos, comprobarlos, actualizarlos, verificarlos, mejorarlos y autenticarlos. Esas son algunas de las ventajas de la gestión documental y se verifican en aquellas organizaciones donde se aplica. La gestión documental aporta un método de control global, potencia las políticas de transparencia, permite más eficiencia y más impacto a las políticas de datos abiertos, permite una descripción normalizada de todos estos activos mediante metadatos que favorece la interoperabilidad, conduce a las organizaciones hacia una destrucción legal y ordenada de la información pública, provoca cambio cultural en las organizaciones y es factor de innovación, facilita un acceso des-burocratizado a la información, es un eje fundamental en la lucha contra la corrupción y favorece la rendición de cuentas. En definitiva, aporta confianza a las organizaciones y a los ciudadanos porqué muestra una mecánica de trabajo que permite gobernar una información de calidad y auténtica.

La gestión documental va a permitir evitar la brecha digital en las organiza-ciones y va a acompañarlas en el proceso de transformación digital. Aun así, se perciben ciertos miedos y dudas en el campo de las garantías jurídicas. Cuando la nueva legislación que regula el régimen jurídico de los habilitados nacionales (Real Decreto 128/2018, de 16 de marzo, por el que se regula el régimen jurídico de los funcionarios de Administración Local con habilitación de carácter nacio-nal), parece dar pasos de cangrejo al permitir la redacción en papel de las actas de los plenos municipales (art. 3 d), en realidad lo que nos indica es que no se quiere avanzar tan deprisa en la transformación digital. O que algunos no quie-ren avanzar tan deprisa sin que la garantía en entornos digitales esté más con-solidada. Tenemos un problema de certeza. Debemos admitir que en la sociedad líquida en qué vivimos la incertidumbre es un estado de ánimo difícil de revertir y las dudas se intensifican, frenando el devenir del progreso. En realidad, se confrontan ideologías y se ponen encima de la mesa las disputas de poder. Retocar la acción de gobierno y la gestión de la fe pública implica en muchos casos cambiar marcos mentales, tradiciones, prácticas y vicios, y esto requiere de tiempos más alargados de lo que los adalides de la innovación y de la voluntad disruptiva, amantes de la velocidad, pretenden apuntar.

En España, la aplicación del gobierno abierto ha ofrecido importantes nove-dades legislativas en el marco de la transparencia, quizás menos en el marco de la colaboración y de la participación, y prácticamente nulas en el marco de la gestión documental. ¿Por qué ha sucedido? Porqué así como los tres primeros pilares permiten hacer retoques en las políticas gubernamentales de escasa pro-fundidad organizativa (o a lo sumo, reubicar algún funcionario o crear alguna estructura mediana), los cambios exigibles en materia de gestión documental obligan a operar reorganizaciones profundas que no aportan un retorno social destacable ni un beneficio luminoso que el propio Gobierno pueda mostrar como un logro. Además, es indudable la complejidad derivada de los cambios organizativos donde operan muchos intereses de orden político y técnico, así como aspectos ligados a los derechos de los trabajadores, que implican un aumento de los esfuerzos. No hay duda de que lo que requiere el gobierno abierto en España es afrontar de manera equilibrada el desarrollo de los cuatro pilares y, para ello, hay que abundar en la filosofía misma de esta tipología de gobierno y desperezarse. Desde nuestro punto de vista, la gestión documental, bien interiorizada y desplegada, ofrece beneficios evidentes a cualquier organización, pero, sobre todo, bien mostrada y demostrada, ofrece indicadores muy interesantes en materia de buen gobierno.

2. LA GESTIÓN DOCUMENTAL EN LA LEGISLACIÓN SOBRE GOBIERNO ABIERTO: UNA LECTURA CRÍTICA

Procedemos, a continuación, a realizar una reflexión crítica sobre el desarrollo legal y normativo del gobierno abierto desde 2013, para observar las debilidades en materia de gestión documental. La aprobación de la LTABG nos dejó una ley de mínimos que venía a suplir años de desarrollos modestos en esta materia, tal como nos indica su propio preámbulo. El acceso a la información, curiosamente, no se legisló para dar desarrollo al art. 20.1 d) CE, que basado en el art. 19 de la Declaración Universal de los Derechos Humanos, explicita que toda persona tiene derecho a «comunicar o recibir libremente información veraz por cualquier medio de difusión». Sorprendentemente, la mención a este artículo no aparece ni en el preámbulo ni en el articulado de la LTABG, hecho que incrementa la percepción de que el legislador no quiso desarrollar un derecho fundamental sino canalizarlo por otras vías menos exigentes. El acceso a la información ya se había desarrollado parcialmente y de manera imperfecta en la medida que la LRJPAC desarrollaba en su art. 37, el art. 105 CE, promoviendo el acceso a los documentos de los archivos administrativos y a los registros. El art. 12 de la LTABG es explícito en este sentido y considera que «todas las personas tienen derecho a acceder a la información pública, en los términos previstos en el artículo 105.b) de la CE, desarrollados por esta ley». De manera que el derecho de acceso se fundamenta en un artículo que habla precisamente del «acceso de los ciudadanos a los archivos y registros». Curioso es que, aun siendo el derecho de acceso a la información pública, un derecho que deriva directamente del acceso a archivos y registros, en la LTABG no se desarrolle en nada el acceso a los archivos, y lo considere como algo sectorial y distinto a la información pública. Si no fuese así, no tendrían ningún sentido las modificaciones de los artículos 35 y 37 de la LRJPAC que se transforman para dar acceso a la «información pública, archivos y registros», considerando distintos los tres conceptos. Es más, incluye la mención a «información pública» que no aparecía en los dichos artículos, básicamente porqué tampoco aparece en el art. 105 CE. La LTABG, por tanto, no clarifica si el acceso a la información pública y a los archivos es lo mismo, sino parece indicar que hay distinción y su regulación puede ser diversa. Quizás la prueba más fehaciente de esta percepción separada es la propia puesta en práctica de la legislación de transparencia que no ha propuesto soluciones coordinadas de apertura de la información pública para los archivos en España. Aun así, la sentencia 1074/2019 del TSJC parece establecer la prevalencia de la legislación de transparencia por encima de las legislaciones sectoriales. Este camino seguramente permitiría recorrer la asimilación efectiva del acceso a la información de los archivos al acceso a la información pública y evitar interpretaciones distintas e interesadas en función de intereses concretos que, por ejemplo, puedan ampararse en la legislación de archivos para limitar el acceso a la información. Decimos «permitiría», puesto que consideramos que existe un problema más profundo más allá de la mera prelación legislativa, creemos que existe un problema cultural.

El art. 105 CE, además, no distingue entre archivos administrativos y archivos históricos, sino que habla de archivos, en general. En cambio en el preámbulo de la LTAIBG se habla del desarrollo imperfecto que la LRJPAC realizó de este artículo de la CE puesto que solo pareció dar acceso a información de archivos administrativos y a información de procedimientos ya cerrados. La intención de la LTAIBG, como es sabido, ha sido facilitar el acceso a información pública que resida en procedimientos aun activos. Y eso es bueno. Pero, en cambio, no alargó explícitamente el acceso a la información más allá del archivo administrativo, es decir, hasta el archivo histórico. Así, la LTABG realiza una interpretación restrictiva sobre el papel de los archivos, al no incluir los archivos históricos en el objeto de la ley. La consideración de institución cultural de esta tipología de archivos, sigue lamentablemente fijada en el marco mental de muchos ciudadanos y también del legislador. La consideración de «histórico» automáticamente dirige al legislador a ubicar su gestión y su acceso a las leyes de patrimonio histórico, creando una cesura en el ciclo de vida de la documentación por razón de depósito, algo que sigue siendo inaudito, erróneo y, tristemente, una característica propia de la tradición y la cultura legislativa española.

¿Por qué el legislador no armonizó lo requerido en los artículos 20 y 105 CE? ¿Por qué no armonizó el derecho de acceso a la información y el derecho de acceso a los archivos? ¿Por qué los consideró derechos diferentes? Nunca nadie ha expuesto razón alguna para comprender este sinsentido. Hemos apuntado hace un momento que esta situación se debía a la percepción social que considera a los archivos como un instrumento para acceder, no tanto a la información, sino a la Cultura. Algo que, por otra parte, sirve para dar cumplimiento al art. 44 CE y, por tanto, no se trata para nada de ninguna deshonra en absoluto y es encomiable. Pero creemos que esta percepción social viene fuertemente determinada porque el legislador desarrolló primero lo requerido en el art. 44 CE mediante la creación de las leyes de patrimonio cultural y, en segundo lugar, por el largo retraso en la legislación sobre el acceso a la información. Por este motivo, los archivos en España se desarrollaron preferentemente bajo el amparo de la protección patrimonial sin que su papel fuera tan preponderante en materia de gestión documental y gestión de archivos administrativos. Esta situación ha marcado la imagen social del papel de los archivos y, a día de hoy, aún se perciben dudas e incomprensión ante la función que pueden desarrollar en materias menos ligadas a la identidad y la pertinencia, y sí, más concretamente, con la gobernanza y la cultura de la transparencia.

Esto ha dado lugar a caminos paralelos y no convergentes, siendo un sinsentido fruto de la incapacidad del legislador de analizar el acceso a la información como algo global que incumbe a las oficinas pero también a los archivos. Es decir, el día que el legislador entienda que la función principal de los archivos públicos para con el ciudadano es exactamente la misma que la de cualquier administración que provisiona información pública, ese día podremos armonizar lo que ahora son caminos paralelos para el acceso a la información, pero con criterios distintos y confusión. A día de hoy, de hecho, asistimos al cierre y al aumento de las restricciones de acceso a la documentación de ciertos archivos gubernamentales y militares, por no haberlos incluido de manera patente en la legislación de acceso a la información y transparencia. Y nos asombramos. Así pues, lo que ganamos con la apertura de los gobiernos por la parte delantera, lo perdemos, a la vez, por la puerta trasera. Cambiar el marco mental del legislador se impone como algo urgente y la no distinción entre la tipología de información pública por cuestión de depósito o soporte deviene una obligación urgente.

Pero de igual manera que asistimos a una clara regresión (diríamos incluso de calidad democrática) con el cierre de archivos y sus fondos, también la observamos en el impulso general de apertura informativa y en las políticas gubernamentales. Nada es gratuito, la situación de regresión se observa a nivel político, social y en relación a la protección de los derechos humanos más básicos, en pos de resolver una presunta inseguridad solamente percibida por quién es el máximo proveedor de seguridad, es decir, por los Estados. Podemos denominar a este proceso, que se observa en España pero también en muchos otros países occidentales y occidentalizantes, como trumpismo.

El trumpismo se caracteriza por un progresivo paso atrás en las facilidades de acceso a la información. Lo primero que hizo Donald Trump una vez llegó a la Casa Blanca fue devolver a la opacidad más absoluta la página web presidencial, eliminando todo aquello que aparecía en el web de su antecesor Barack Obama. No eliminó la posibilidad de acceso pero, sutilmente, redujo la proactividad de la administración en la apertura de datos, promoviendo, como mucho, un acceso tutelado por parte del gobierno. Bajo este síndrome, es trumpismo el cierre de archivos pero lo es también disminuir el presupuesto de las partidas destinadas a las políticas de transparencia o al desarrollo del Consejo de la Transparencia y Buen Gobierno (CTBG). Es trumpismo, en definitiva, el desarrollo de políticas críticas con todo aquello que sea anterior y que persiguen con vigor reforzar los intereses nacionales propios que se sienten amenazados. Pues bien, siendo las políticas de gobierno abierto ya algo «anterior» (hablamos de la época de Barack Obama), y viéndose el Estado desprotegido e inseguro por un exceso de celo en la apertura, y habiendo ya sufrido algunos reveses por el incumplimiento de la transparencia, se activan todos los resortes defensivos para protegerse amparándose en la posible pérdida de lo «verdaderamente» propio, de lo patrio. El trumpismo tiende a mentir y a desviar la atención apelando a emociones. No debemos pues olvidar el marco socioeconómico general cuando hablemos de transparencia y acceso a la información, porque se tratan de ámbitos que tocan toda persona y toda organización. En este sentido, los archivos no escapan de este marco general si los concebimos correctamente como centros proveedores de información.

El retroceso es evidente cuando observamos las constantes disputas y la continua judicialización de casos entre el CTBG y el Gobierno español, para dar o no dar acceso a información calificada de sensible. El Gobierno puso durante el 2018 más de treinta recursos para frenar ciertas aperturas. Lo vimos en la necesidad del CTBG de contratar más abogados para llevar los casos mientras, como decíamos, sufría ciertos recortes presupuestarios. La falta de recursos también se observó en el despliegue de la ley andaluza de transparencia y en las dificultades para disponer de una estructura funcionarial suficiente para acelerar las resoluciones y poder resolver en plazo. O en Catalunya, donde la Comisión de Garantía del Derecho de Acceso a la Información Pública, la GAIP, se quedó en octubre de 2017 con solo dos miembros activos de los cinco previstos por el Parlamento catalán y sin posibilidad aún de resolver el mayúsculo incumplimiento del art. 40.3 de la LTAPBG catalana, que desde 2015 continua sin disponer de expertos archiveros o gestores documentales que participen en la elaboración de nueva doctrina y en la resolución de casos como miembros electos de la GAIP.

También observamos ralentización en el debate sobre la modificación de la Ley de Secretos Oficiales, que data de 1968. Esta ley preconstitucional continúa blindando, bajo el proteccionismo de la seguridad nacional, el acceso a los archivos gubernamentales históricos de Exteriores y Defensa, por ejemplo. Resulta paradójico (e incluso cínico) observar como precisamente esta ley fue la primera que hablaba en su preámbulo de transparencia. Incluso mucho antes que la CE que, en realidad, no usa ese concepto en ningún artículo.

En definitiva, vivimos la reacción y la ralentización de las políticas de apertura fruto de un marco general de percepción de inseguridad y de autoprotección por parte del Gobierno y de los órganos del Estado. Hay que tenerlo en cuenta para entender por qué las políticas de transparencia no avanzan como sería deseable, por qué los archivos siguen sin recursos económicos y humanos suficientes para apoyar la apertura y el acceso, y por qué la gestión documental no aparece mencionada casi por ninguna parte. Nada es gratuito.

La legislación española apenas ha legislado en materia de gestión documental ni en las leyes de patrimonio ni en las leyes de archivos, ni en las leyes de transparencia y acceso a la información, ni en las de reutilización o procedimiento administrativo. Poquísimo y disperso. Quizás la LAGD catalana es la que más claro habla de la necesidad de las administraciones públicas catalanas de disponer de un sistema de gestión documental, definido como concepto en su art. 7. Es una ley de 2001. A nivel estatal hay que escudriñar en el RD 4/2010 que regula el Esquema Nacional de Interoperabilidad (ENI) para encontrar en su artículo 21 un poco de marco legal que obligue a disponer, ya no de un sistema sino al menos de una política de gestión documental atendible. Esto al final acaba redundando en que la legislación de transparencia no pueda articularse en un marco de gobierno abierto completo porque en España, en realidad, se obvia la gestión documental. Y se obvia, de nuevo, por no haber existido ninguna norma orgánica o de suficiente rango como, por ejemplo, la *Federal Records Act* norteamericana, que habilite al gobierno abierto a apoyarse en ella. No hay legislación parecida que habilite a los archivos estatales y autonómicos a la regulación del acceso a la información pública (o al menos a participar activamente en ella). No hay legislación que permita a los archivos a que desarrollen políticas que velen por la buena gestión, preservación y conservación de la información pública desde un punto de vista global y completo, sistémico y sistemático, y no desde la buena voluntad. Existe la fantasía de que la apertura informativa es meramente el resultado de un trabajo colectivo de las administraciones públicas y de que, como el mercado libre, se autorregula. Y lógicamente es errónea.

Hay quien vio en la legislación sobre transparencia y acceso a la información la oportunidad para cubrir la vacante de una *Federal Records Act* a la española. No era su naturaleza y, ciertamente, no cubrió para nada la vacante. En realidad ¿es la legislación sobre transparencia y acceso a la información la que debería haber potenciado la gestión documental? Quizás no específicamente. Probablemente debería ser obligación de una norma más operativa, puesto que la gestión documental es precisamente eso, gestión de un producto informativo desde que nace hasta que se reutiliza, y en el marco de la reutilización es donde encontramos el cumplimiento de la transparencia y la provisión de acceso a la información. Así, la legislación de procedimiento administrativo común debería haber sido la que desarrollara el cambio organizativo profundo necesario para que la información fluyera de la mejora manera, pudiera ser reutilizada, pudiera mejorar su calidad y preservara su autenticidad e integridad. Pues bien, la LPAC tampoco ha afrontado el reto con decisión al no mencionar la gestión documental por ningún lado. ¿Qué pasa, que el expediente electrónico se gestiona solo? De modo que seguimos sin legislación con rango que mencione la gestión documental, que la defina, que la determine como la metodología a seguir, y que, por qué no, que la delimite como una cuestión obligatoria para el buen desarrollo de la producción, la gestión, la administración y la preservación de la información pública de calidad y auténtica. La gestión documental de la que todo el mundo habla, por tanto, no está en la ley sino que hay que inferirla o buscar en normas de rango inferior.

Así, es en el despliegue de reales decretos y normativas técnicas, o en la llamada *soft law* derivada de normativas estandarizadas, declaraciones de ámbito internacional o metodologías de trabajo elaboradas *ad-hoc*, donde encontraremos los instrumentos para desarrollar una política de gestión documental adecuada a las necesidades de la transparencia y el acceso a la información. Esto es positivo porque permite que el conocimiento técnico y científico filtre en la parte más operativa de la gestión de la información. Pero no tiene rango legal suficiente para ser de obligado cumplimiento. La solución de disponer la necesidad de la gestión documental en la legislación de rango inferior creemos que es una solución pensada para dinamizarla en el mercado. La gestión documental, la gestión de la información pública, por tanto, no es algo que necesite de la acción del funcionariado. Y aquí podríamos poner puntos suspensivos. ¿Es esto así? ¿Realmente la gestión documental es algo que las administraciones públicas deben contratar fuera? Entraríamos en un debate importante[2]. Pero creemos que el legislador se ha dado cuenta del riesgo que supone poner en manos privadas la gestión de la información pública cuando, quizás con prisas, ha puesto en manos de los secretarios habilitados nacionales la alta dirección de los archivos y registros en el reciente RD 128/2018. ¿Por qué, sino, aunque sea de manera un poco extemporánea, el legislador ha tenido que reforzar el papel de los habilitados de la fe pública ante los requisitos del art. 105 CE? Quizás habrá que explorar algún día la habilitación nacional de funcionarios específicos que preserven la autenticidad documental y sus garantías desde los archivos.

¿Es la gestión documental en las administraciones públicas una solución técnica que se compra? ¿O es una metodología de gestión de la información pública que vela por su calidad y su autenticidad, y es garantía de los derechos y deberes ciudadanos, y por tanto necesita de un control funcionarial? ¿Es la gestión documental algo propio del gobierno abierto sí o no? La gestión documental liberalizada en el mercado libre acaba ofreciendo productos y soluciones que no se hablan entre ellos, aunque atiendan a la legítima competitividad industrial. Pero en su aplicación a la gestión documental de la información pública, acaban provocando disfunciones que impiden una concepción transversal de la descripción documental o una interoperabilidad real y realista por aportar, en muchos casos, soluciones distintas a un único y mismo problema. Hay que seguir reflexionando sobre ello.

---

(2)   Son interesantes los comentarios contrarios a la liberalización de la función de la gestión documental en el mercado aportados por COTS VALVERDE, Roger. «Aspectos legales de la gestión documental», *El Consultor de los ayuntamientos*, n.º 7, abril 2017, págs. 847 a 856.

Se ha querido ver detrás del concepto de Archivo Electrónico Único, delimitado pero no descrito en los artículos 17 de la LPAC y 46 de la LRJSP, una mención a la gestión documental. En realidad no lo es tal como está escrito en la ley. Para nada. El concepto aparece mal dimensionado en la legislación de procedimiento administrativo. Sigue considerando el papel del archivo como un servicio finalista, como un mero depósito sin alma de documentos finalizados, como una caja fuerte o una *black box*. La LPAC no afronta la gestión documental de los expedientes electrónicos: creación, descripción, clasificación y preservación, en todo su íter productivo. ¿Habrá que esperar a los reglamentos de desarrollo de la ley para que se clarifique el concepto? En realidad los responsables de la gestión documental de las administraciones públicas ya han interpretado el concepto de la manera más funcional posible. Y es que no habrá un Archivo Electrónico Único que facilite «el cumplimiento de las obligaciones de transparencia» puesto que por sí mismo es imposible que permita «ofrecer información puntual, ágil y actualizada a los interesados» tal como nos avisa el preámbulo de la dicha ley. Sin el trabajo previo de gestión y adecuación de esta información en la fase de producción eso no será nunca posible, sin una concepción sistémica de la función de archivo no habrá solución posible. Si ya no lo es en el mundo papel, ¿cómo lo va a ser en electrónico? Si nos limitamos a una interpretación jurídica del concepto de Archivo Electrónico Único, el 2 de octubre de 2020 no habrá ninguno.

En conclusión, podríamos decir que se vislumbra como necesaria una fusión o una coordinación profunda entre la legislación de transparencia y acceso a la información, la de archivos y registros, la de protección de datos personales, y la de datos abiertos y reutilización de la información, para que realmente exista un cambio sólido y profundo en la provisión de información de calidad a los ciudadanos. Armonizar todos estos elementos es posible desde la gestión documental. Esto requiere un gran acuerdo a muchos niveles, pero no es imposible. En realidad la LTABG contempló en su disposición adicional segunda una revisión y una simplificación normativa. Un cometido que se tenía que encargar al Secretario de Estado de Relaciones con las Cortes que debía elaborar un Plan de Calidad y Simplificación Normativa. A la vez, también era responsabilidad de las Secretarías Generales Técnicas de los diferentes Departamentos ministeriales llevar a cabo el proceso de revisión y simplificación en sus respectivos ámbitos competenciales de actuación. Algo importante se vislumbró en una disposición adicional de 2013. ¿Se ha avanzado en ello?

3. COMENTARIOS AL III PLAN DE ACCIÓN DEL GOBIERNO PARA LA OPEN GOVERNMENT PARTNERSHIP: ALGUNAS INICIATIVAS RELATIVAS A LA GESTIÓN DOCUMENTAL Y OTRAS QUE AÚN NO LO SABEN

Los planes de acción del gobierno en materia de gobierno abierto fruto de la participación del Estado español en la *Open Government Partnership* son prueba de qué algo sí se ha hecho. Hasta el momento ha habido dos planes ejecutados, el primero de 2012 a 2014 y el segundo de 2015 a 2017. Un III plan de acción fue aprobado en junio de 2017 con una proyección de implantación a dos años, en 2019 concluyó[3]. Queremos destacar afortunadamente la aparición de aspectos ligados a la gestión documental, siendo un reconocimiento *de facto* de su importancia y relevancia. Comentaremos algunos aspectos ligados a lo proyectado y algunos elementos resultantes.

Probablemente, el hecho de incluir elementos vinculados a la gestión documental es consecuencia del impulso estatal en esta materia, pero también del proceso de participación ciudadana que se realizó durante el II plan de acción. De los diecisiete grupos de propuestas aportados por los ciudadanos, en dos se hizo hincapié a la necesidad de desarrollo de políticas de gestión documental y de digitalización de los archivos administrativos e intermedios que no habían sido objeto de atención en el II plan. Pero en realidad, si analizamos las diecisiete propuestas, todas ellas hablan de información, de datos, de su gestión, de su disposición en abierto, todas hablan en conclusión de gestión documental, si es que aceptamos la visión holística de esta metodología.

En el III plan de acción se definen cinco ejes: colaboración, participación, transparencia, rendición de cuentas y formación. No aparece como un eje formal el de la gestión documental. Sus funciones sí aparecen divididas en algunos de los compromisos planteados en cada eje. Así, en el de la colaboración encontramos la creación de un foro de gobierno abierto y de una comisión sectorial de gobierno abierto donde seguramente el conocimiento en gestión documental debería estar presente. En el eje de participación, la gestión documental en los espacios participativos web o en el observatorio de participación previstos también debería estar presente.

Pero es en el eje de transparencia donde más evidentemente se visualizan acciones importantes donde la gestión documental debería ser básica, como la mejora del portal de transparencia y el derecho de acceso, los programas de apertura de la información y su reutilización, la optimización de la carpeta ciudadana, el desarrollo e implementación del sistema *Archive*, o el desarrollo del reglamento de la LTABG. Y es natural que sea precisamente en el eje de trans-

---

(3) Fuente:http://transparencia.gob.es/transparencia/transparencia_Home/index/GobiernoParticipacion/Gobierno-abierto/IIIPlan/CompromisosIIIPGA.html.

parencia donde la gestión documental aparezca más imbricada por ser parte indisociable de la provisión de acceso a la información.

En el eje de rendición de cuentas se ha planteado desarrollar mejoras en la gestión de datos en materias de justicia, económica-financiera, calidad de los datos inmobiliarios y los relativos a la violencia de género. Se trata pues de dar impulso a grandes volúmenes de datos muy sensibles en el plano económico y en el plano de la justicia social. Deberían haberse vinculado en el estudio de estos datos toda aquella documentación relacionada en formato digital o aun en analógico para enriquecer los proyectos, que se asumen desde el principio como de mera explotación. No se han planteado seguramente el desarrollo de medidas de preservación digital de todos estos datos, habida cuenta que el sistema *Archive* no aparece mencionado, cuando debería estar estrechamente vinculado.

Finalmente, en el eje de formación, dentro de los compromisos previstos, la gestión documental debería formar parte de la formación de los empleados públicos, igualmente la sensibilización de la sociedad civil en esta materia mediante la inclusión de subprogramas relacionados con la metodología utilizada para gestionar sus datos, cómo acceder a ellos, qué solicitar y qué saber de más, aparte de aquello que ya disponen en los portales de transparencia. El compromiso de avanzar en materia de educación en las escuelas en materia de gobierno abierto debería ser objeto de análisis profundo, puesto que si lo que se pretende es que la nueva cultura de la transparencia se desarrolle desde edades tempranas, quizás necesitaría un eje propio en planes futuros.

Pero volvamos al tercer eje, el de la transparencia. La puesta en marcha de los distintos compromisos se realiza mediante 35 actividades concretas para su cumplimiento. En el momento de la primera redacción de este artículo, en 2018, solamente se habían completado ocho, habiendo pasado ocho meses desde la aprobación de los compromisos. En junio de 2019, se dan por finalizadas 20 actividades, seis más finalizadas con retraso, siete parcialmente ejecutadas y dos no iniciadas. Un 74% de lo previsto. En cuanto al primer compromiso, es decir, el de proponer mejoras del portal de transparencia y el derecho de acceso destaca un informe ya realizado. Se trata del «Análisis de las necesidades de mejora del Portal de Transparencia de la AGE» [(4)]. Se detectan defectos en materia de arquitectura y estructura: aspectos de clasificación mejorables, acceso poco intuitivo al ciudadano o poca facilidad para su uso, información que no se encuentra con facilidad, niveles de agregación complejos, dificultades de navegación a partir de menús y necesidad de separar aquella información sujeta a la obligación legal de publicidad activa de aquella que no lo está. En fin, el informe es una enmienda a la totalidad del portal de transparencia. Y nos parece positivo

---

(4)   Fuente: http://transparencia.gob.es/transparencia/dam/jcr:f6b2f2d4303e444cb01d4f62472
683c9/C3_1_A1_2017_11_10_Documento_analisis_mejoras_portal_vdef.pdf.

que así sea. Una vez cumplida la ley, la reorganización de la información no se puede demorar más. ¿Cómo hacerlo? No hay ninguna disposición legal que diga cómo. La única referencia legal existente en España que permitiría poner criterio sería el artículo 6.1.b de la LTAPBG catalana que obliga a clasificar la información de los portales de transparencia siguiendo el cuadro de clasificación corporativo. Lo proponemos como buena práctica. Pero la pregunta de fondo es en realidad otra: ¿Cómo hacerlo para que el ciudadano lo use más y encuentre más y mejor la información que necesita? En eso estamos más atrasados. Y es que «clasificar» es una de las acciones más complejas puesto que ordena una manera de ver el mundo, y como los gustos y los colores, cada ciudadano es un potencial clasificador. ¿Qué clasificación usar? Esta debería ser una de las acciones entre las previstas en el marco de la colaboración y la participación con los ciudadanos. ¿Existe hoy día alguna iniciativa de análisis de la clasificación de la información que cuente con la opinión ciudadana? Creemos que no.

Quizás esta necesidad debería ser una de las materias que deberían abordar los miembros del foro de gobierno abierto creado en febrero de 2018, con la finalidad de institucionalizar la colaboración y fortalecer el diálogo permanente entre las administraciones públicas y la sociedad civil en materias relacionadas con la colaboración, la transparencia, la participación y la rendición de cuentas. Su composición es amplísima y parece ser que sí se incluye conocimiento experto en materia de gestión documental aportado por alguna asociación profesional de archiveros.

El compromiso segundo en materia de transparencia pretende desarrollar programas de apertura de la información y su reutilización. Se quiere desarrollar un reglamento de la LRI de 2015, ampliar el catálogo nacional de datos abiertos, adoptar institucionalmente la Carta Internacional de Datos Abiertos, publicar estudios del sector infomediario y convocar los premios «Aporta» para estimular el uso y el potencial de los datos abiertos. En el balance de ejecución de las actividades previstas todas se han finalizado a excepción de la publicación de un «Estudio del sector infomediario». En relación al catálogo de datos abiertos nos preguntamos si los más de 15.000 *datasets* ya censados siguen una política de clasificación concreta, basándose en un cuadro de clasificación que permita determinar su régimen de acceso, reutilización, conservación y preservación a largo plazo. Si no es el caso, deberían aplicarse medidas de gestión documental para mejorar su control. Quizás este punto debería ser motivo de acción concreta de un plan de acción futuro, es decir, la disposición de un catálogo de cuadros de clasificación de las administraciones españolas. Este instrumento sería valiosísimo a los efectos de una simplificación que permitiera disponer de este instrumento para cada administración pública. De igual manera, ya que se plantea la adopción institucional de la Carta Internacional de los Datos Abiertos, proponemos adoptar también la Declaración Universal sobre los Archivos (DUA), aprobada por la UNESCO en 2010 y adoptada por el Parlament de Catalunya

251

en 2013, siendo esta cámara legislativa la primera del mundo en adoptar una declaración que está al mismo nivel que la Declaración de los Derechos Humanos. En Catalunya, fruto de una campaña promovida por la Associació d'Arxivers-Gestors de Documents de Catalunya, la DUA ya ha sido adoptada por 156 administraciones públicas y algunas entidades privadas. Entre ellas la Oficina Antifraude, la Autoridad Catalana de Protección de Datos, la Comisión Nacional de Acceso y Evaluación Documental, y una buena suma de municipios catalanes. En la DUA se proclama el papel fundamental de los archivos y la gestión documental para la garantía de los derechos de las personas, para la promoción de la transparencia y el acceso a la información, y un alto compromiso en la preservación futura de todo este patrimonio informativo para favorecer su reutilización.

Pero quizás los compromisos que más directamente tienen que ver con la gestión documental son el de la creación de una Carpeta Ciudadana y el del desarrollo del sistema *Archive*. Con una orientación cien por cien ciudadana, la carpeta que debe recopilar todos los datos que una administración tiene de cada uno de nosotros, la relación de usos que se han realizado, el seguimiento de la actividad del ciudadano con la administración, no es posible sin que exista una gestión muy potente del *back-office*. De carpetas ciudadanas llevamos años intentando crearlas y siempre con resultados modestos, porque presupone un seguimiento interno de los expedientes que les competen muy riguroso. No existe, ni existirá una carpeta ciudadana sin un sistema de gestión documental. Y este punto, aunque nos pueda parecer obvio, no aparece muy claramente delimitado en la ficha de este compromiso. En junio de 2019, la Carpeta Ciudadana es una acción parcialmente ejecutada.

En cuanto al sistema *Archive* se define como una aplicación web de archivo definitivo y preservación a largo plazo de expedientes y documentos electrónicos, que debe cumplir con lo dispuesto en el RD 4/2010, que regula el ENI. No hablaré extensamente de esta propuesta que es encomiable, pero continúa mostrando ese papel finalista de los archivos que tanto miramos de sacarnos de encima. El sistema *Archive* parece la transposición perfecta del concepto de Archivo Electrónico Único de la LPAC y entendemos que esa es la estrategia. En este sentido, vemos que, por suerte, pretende ir mucho más allá de la idea de mero depósito que nos plantea la LPAC, puesto que gestionará expedientes, metadatos, transferencias entre archivos, controlará cuestiones relativas a la preservación digital de los formatos, entre otras posibilidades. La solución *Archive* no deja de ser la solución iArxiu que en Catalunya lleva desarrollándose desde hace años. Y podría sufrir de lo que en Catalunya ha adolecido. Aportar una solución finalista, aunque sea a manera de sistema, sigue sin resolver el problema principal. Y este no es más que uno: ¿se producen y gestionan los expedientes electrónicos y los documentos electrónicos de la manera necesariamente pautada que permitirá usar el sistema *Archive*? ¿Están estos entornos de producción suficientemente maduros para poder transferir objetos digitales al sistema *Archive*? Mucho nos tememos que no (o no del todo). Plantear la solución final sin antes haber resuelto todo el proceso previo puede provocar que el sistema *Archive* quede cierto tiempo en desuso o con un uso relativamente modesto. No queda claro si el sistema *Archive* se va a dotar de un estudio de volúmenes y de continuidad de negocio, puesto que el crecimiento de las necesidades de espacio para la documentación digital puede ser francamente ingente a corto plazo. De nuevo, la solución *Archive* es una acción parcialmente ejecutada en junio de 2019.

En conclusión, un repaso sumario al III plan de acción en materia de gobierno abierto nos hace ser optimistas por ser ya visible que hay aspectos de la reorganización en la producción de datos, información y documentos que se están afrontando. Sin duda alguna es mucho más ambicioso y plural este III plan que los dos anteriores, y es la demostración que se está absorbiendo bien la filosofía más completa del gobierno abierto. Pero hay que seguir siendo prudentes. Lo previsto en este III plan no es una planificación completa en materia de gestión documental sino acciones concretas que no deben enmascarar las verdaderas necesidades de cada administración pública en toda esta materia. Para decirlo claro y poniendo un ejemplo: el sistema *Archive* no va a resolver por sí solo la necesidad de las administraciones españoles en materia de preservación a largo plazo de los expedientes ni de los documentos electrónicos auténticos y de calidad. Para ello hacen falta recursos constantes, personal profesional preparado y formado, y una toma de consciencia muy alta que solamente puede potenciarse mediante una ley marco, de muy alto nivel, que desarrolle el art. 105 CE desde la perspectiva de los archivos y los registros, y no usando este artículo solamente para amparar el desarrollo del acceso a la información pública. Necesitamos algo más completo y unificado.

Aun así, los marcos mentales sobre el papel de los archivos y la gestión documental siguen siendo muy marcados por el estigma de la función meramente cultural. Hay que seguir avanzando en la modulación de estos marcos mentales. Y es por ese motivo que vamos a hacer algunas propuestas concretas que creemos pueden ayudar.

4.   PROPUESTAS PARA ENRIQUECER EL MARCO MENTAL DEL GOBIERNO ABIERTO DESDE LA GESTIÓN DE DOCUMENTOS

Procedemos a ofrecer propuestas concretas para mejorar la reorganización de la gestión documental en las administraciones públicas para reforzar este cuarto pilar del gobierno abierto y para, evidentemente, reforzar el resto de pilares. Lo que se busca con estos cambios es algo más profundo que una mera optimización organizativa, se busca un cambio de marco mental, más abierto, transversal y global, que permita comprender la complejidad y la necesaria visión holística que necesita el gobierno abierto.

4.1. Propuestas de claridad conceptual

4.1.1. Datos, información y documentos: all-in-one

Considerar los datos, la información y la documentación como un solo conjunto conceptual es necesario. Estos tres elementos están genéticamente conectados en las teorías sobre la información y no existen unos sin los otros. Tal como dijo Börje LANGEFORS la información es el resultado de un proceso interpretativo que se realiza utilizando unos datos, mediante un conocimiento previo, durante un tiempo determinado[5]. El resultado de esta ecuación, al fijarse en un soporte, analógico o digital, se convierte en documento. El proceso de fijación busca dotar al documento de garantía jurídica, de evidencia probatoria y de autenticidad. No es bueno, por tanto, tratar separadamente los datos, la información y la documentación, y sectorizar su gestión. La teoría archivística nos permite gestionarlos de manera unitaria y no inconexa. ¿Cómo adunarlos terminológicamente? Existe en sociología y en ciencias de la información un término que nos lo permite. Se trata de capital informacional. En este sentido, la acepción de capital informacional que proponemos puede tener una doble concepción estricta o alargada. La idea de capital informacional *stricto sensu* proviene de la definición de Pierre BOURDIEU[6], que lo concibe como una relación de recursos informativos que acaba configurando un capital cultural en la institución o en la sociedad donde se opera. El capital informacional, así, es una relación de productos y recursos. Pero existe, también, una idea de capital informacional *lato sensu* que es la que nos plantea Cees J. HAMELINK[7] en que la relación de productos y recursos ganan sentido y superan el efecto silo de la primera acepción, si los contextualizamos con una capacidad financiera que permita su gestión, con habilidades técnicas de administración, con habilidades de análisis que permitan su retorno social y con la capacitación intelectual de ciertos profesionales para evaluar y filtrar su calidad.

Concebido de esta doble manera, el capital informacional podría llegar a ser un elemento central objeto de legislación de síntesis. Así, podríamos poner en un mismo marco de análisis la legislación de datos abiertos y de reutilización,

---

(5)   LANGEFORS, Börje. *Essays on Infology. Summing up and planning for the future.* Dept. of Information Systems. Göteborg: Göteborg University, 1993.

(6)   BOURDIEU, Pierre. *Razones prácticas. Sobre la teoría de la acción*, Editorial Anagrama, Colección Argumentos, 1997, págs. 99 a 100.

(7)   HAMELINK, Cees J. *The Ethics of Cyberspace.* London: Sage, 2000, pág. 91: «[Capital informacional es] la capacidad financiera para pagar la utilización de redes electrónicas y servicios de información, la habilidad técnica para manejar las infraestructuras de estas redes, la capacidad intelectual para filtrar y evaluar la información y la habilidad para aplicar la información a situaciones sociales».

la de protección de datos personales, la de transparencia y acceso a la información, y la de archivos, registros y gestión documental.

4.1.2. Información pública e información de los archivos públicos: es lo mismo

Considerar la información pública y la información de los archivos públicos como un mismo tipo de información. De ello hemos hablado extensamente en páginas anteriores. Nos reafirmamos en que esto nos permitiría conectar la información de los procedimientos abiertos con los cerrados tratándolos homogéneamente. No distinguiríamos el acceso a la información por razón de depósito o soporte. Podríamos aplicar de manera unitaria la misma normativa y los procedimientos de acceso al global del capital informacional de una administración pública.

4.1.3. Una transparencia a fondo: la fuerza del original

Vincular la publicidad activa con el acceso a la información pública, fomentando la conexión entre aquello que aparece en los portales y la fuente original de la información. Esta concepción global nos obligaría a disponer de un sistema muy bien trabado de gestión de todo el capital informacional disponible en cada una de las administraciones. La vinculación patente entre lo publicado en el *front-office* y lo gestionado en el *back-office* evitaría así la tentación de reelaboraciones excesivas o creativas, dejando en manos del ciudadano esta capacidad. La publicidad activa tiene que ser imparcial. La fuente original de calidad y auténtica, y localizable.

4.1.4. Sistema Integral de Gobernanza de la Información

Cada administración debe dotarse de un Sistema Integral de Información y Conocimiento. Así viene definida la gestión documental en la LTAPBG catalana en su art. 5.2. Para nada es un concepto homologable a ninguna teoría científica conocida, es un invento, un arreglo, pero es evidente que intuye la necesidad de gestionar la información de manera integral y holística. La teoría archivística en los últimos años se está decantando incluso hacia la superación del concepto de gestión documental. La nueva propuesta es la de la gobernanza de la información, mucho más actual, sin el concepto de «documento» que parece ser una rémora, e incluyendo sin tapujos la idea de gobierno. De esta manera, los archivos y la gestión documental sirven para edificar un Sistema de Gobernanza de la Información (o si lo prefieren, un Sistema de Gobernanza del capital informacional) que supera la visión clásica que vincula la función de los archivos a la pertinencia, la identidad y la cultura, y permite ubicar su función en las políticas que lideran el gobierno de las organizaciones.

4.2. Propuestas de mejora procedimental

4.2.1. Aligerar y abreviar los procedimientos de acceso a la información pública

En materia de transparencia conviene considerar la creación de un procedimiento abreviado de acceso a la información que no requiera de la totalidad de pasos garantistas que existen en la actualidad. No podemos disponer solamente en la parte de publicidad activa de este acceso no mediado, hay que agilizar también los tiempos y los trámites para datos, información y documentos que ya estén descritos y organizados en oficinas y en archivos, y que estén sujetos al cumplimiento del derecho de acceso a la información pública. Es evidente que el nuevo procedimiento descrito en la LTABG ha venido a burocratizar lo que antes no lo estaba. El acceso a la información pública tenía una puerta abierta en los archivos, donde el acceso era directo: el ciudadano solicitaba, el archivo provisionaba, el tiempo era breve. Existía una mediación vinculada a la protección de los datos personales, su anonimización, protocolos de reproducción controlados y tiempos muy reducidos para poder acceder. Este acceso desburocratizado debería ser recuperado para agilizar consultas y respuestas, y no aprovecharnos de los plazos determinados por la ley para alargar procesos incómodos. Hay que aprovechar el potente *know-how* de los archivos en este sentido. Un ejemplo de procedimiento abreviado se puede consultar en la Ordenanza de Transparencia, Acceso a la Información y Buen Gobierno del Ayuntamiento de Terrassa[8]. La brevedad está en no activar la burocracia de la resolución estimatoria sino apoyarse en el silencio administrativo positivo de la LTAPBG catalana, siendo la estimación favorable una consecuencia legal por defecto.

4.2.2. Reducir los tiempos de respuesta: mejora organizativa segura

Revisar los tiempos de respuesta a las peticiones de acceso a la información debe ser un estímulo a mejorar internamente los procedimientos de producción y gestión. Reducir los plazos de respuesta de los 30/45 días que la ley nos habilita, a un margen no superior de 10/15 días como mucho, tiene que redundar en una mejora operacional evidente. Ésta, que es una decisión política, permite mostrar una estrategia valiente de apertura y, por tanto, una voluntad potente de mejorar en el buen gobierno y la transparencia. Este paso obligaría a las organizaciones a pulimentar sus procedimientos y métodos de trabajo, a incrementar recursos en esta materia y a seguir estimulando la eficiencia, la facilidad y la agilidad. No es un paso menor y es una muestra de voluntad proactiva para superar los límites autoimpuestos por la legislación.

---

(8)   https://aoberta.terrassa.cat/normativa/detallNormativa.jsp?id=02366.

4.2.3. No más portales. Uno solo, de gobierno abierto

El ciudadano aprecia la claridad. En este sentido ha sido frecuente en las administraciones públicas ir abriendo portales específicos para cada uno de los pilares del gobierno abierto. Los portales de transparencia, de datos abiertos y de participación/colaboración se sumaron al portal web informativo habitual, a las sedes electrónicas y a los portales de los servicios de archivo. El ciudadano a día de hoy puede acceder por portales distintos a la administración de turno. Pero ese no es el problema. El problema está en cómo encuentra la información y en cómo estos portales la muestran sin que sea redundante, repetida o mal descrita. Para resolver esta multiplicación innecesaria proponemos unificar los portales de transparencia, datos abiertos y sede electrónica en un solo espacio y en un solo acceso que lleve el nombre de portal de gobierno abierto.

4.3. Propuestas de mejora organizativa

4.3.1. Los archivos en el centro

Disponer en el centro de la coordinación de las unidades de información a los archivos centrales de las organizaciones o al archivo administrativo/histórico que exista. Si no existe, creen uno. Toda administración pública tiene archivo, aunque aún no lo sepa o no lo quiera reconocer. No es una mera petición de parte, es un problema conceptual. El archivo no es un depósito, sino un instrumento para la gestión del capital informacional de una organización. Tiene experiencia y acceso a toda la información de la organización. Antes que externalizar, hay que valorar la posibilidad de disponer de esta estructura en plantilla, y más teniendo en cuenta que lo que estará entre manos será la gestión de la información pública, un activo que debería ser una responsabilidad netamente funcionarial.

4.3.2. Coordinar todos los órganos implicados en la Gobernanza de la Información

Considerar un espacio de coordinación amplio y de reunión periódica de todos los órganos implicados en la gobernanza de la información para la transparencia y el acceso a la información. Este espacio es extrapolable a todos los niveles de la administración, desde la local a la estatal, pasando por la autonómica. A más agencias, entidades, órganos de control y comisiones, más confusión para el ciudadano. Esta armonización de recursos y de doctrina empieza por el ámbito local, el que más impacto tiene que absorber ante la presión ciudadana y el que asume más funciones. La armonización empieza por los equipos multidisciplinares que tratan todas las materias del gobierno abierto. Los cuatro pilares tienen que encontrarse de manera equilibrada y en igualdad de condiciones en las organizaciones. Nadie es mejor que el otro. Todos son necesarios y fundamentales. Si uno falla, fallan todos.

4.3.3. Zapatero, a tus zapatos: los profesionales adecuados

Buscar a los profesionales adecuados. No hay duda de que el «zapatero, a tus zapatos» se impone cada vez más en la ejecución de prácticas de orden técnico. La gestión documental debe de ser ejecutada por los gestores documentales, no por expertos en organización, informáticos de sistemas y desarrollo, juristas recién llegados al acceso a la información o innovadores públicos entusiastas. Hay formación específica que orienta la gestión documental a ofrecer un plan de trabajo holístico y global que permite gobernar la información de una organización pública. Quizás la falta de obligación legal de disponer de sistemas de gestión documental impide que se verifique la necesidad de especialistas. Pero la práctica diaria los pide a gritos.

4.3.4. Unificar orgánicamente los servicios en materia de Gobernanza de la Información

En definitiva, quizás es necesario plantearse la unificación de los servicios de transparencia, acceso a la información, datos abiertos, gestión documental y archivo en un mismo ámbito orgánico. Las cuatro patas del gobierno abierto gestionadas coordinadamente. Para ello, la adscripción orgánica tradicional de los archivos en los ámbitos de Cultura debería de ser revisada cuanto antes. La protección del patrimonio documental es una obligación más de los servicios de archivo, pero desde este ámbito orgánico no puede articular de manera central sus políticas. Si el foco lo ponemos en el acceso a la información, los archivos ganan en transversalidad, visibilidad, capacidad de impacto e incidencia (para con la organización, pero también para con los ciudadanos), y permiten una gestión más eficiente del capital informacional de las organizaciones.

4.3.5. El conocimiento experto en archivística y gestión documental al mismo nivel que el jurídico

La composición de las comisiones o consejos de transparencia, acceso a la información pública y buen gobierno debería incluir expertos en archivística y gestión documental para que la interpretación jurídica se conecte con la consideración pragmática que deriva de la gobernanza de la información. Los problemas de la transparencia y el acceso a la información no se resuelven con un análisis exquisitamente jurídico. En los casi cinco años de desarrollo de la LTABG se ha hecho evidente que con un enfoque meramente jurídico el tema no se resuelve. Hay una exigencia operativa de primer orden. A parte del trabajo multidisciplinar, la solución planteada por la LTAPBG catalana para el órgano de garantía del derecho de acceso a la información pública, de incluir el conocimiento archivístico en la toma de decisiones y la resolución de casos polémicos, nos parece una propuesta muy potente. Proponemos que esta solución se alargue en otras comisiones y consejos a nivel autonómico, pero también en los que se creen en ámbito local. Incluso, ya por proponer, un área específica de trabajo en materia de gestión documental sería interesante en el CTBG.

4.4. Propuestas de mejora en la proactividad informativa

4.4.1. Publicitar los instrumentos de gestión de la documentación

Incorporar a la publicidad activa los instrumentos de gestión de la documentación, es decir, cuadro de clasificación corporativo, esquema de metadatos, cuadro de eliminación y disposición, cuadro de seguridad y acceso, catálogo de autoridades, catálogo de procesos, y los que el servicio de archivo y gestión documental haya desarrollado. Será la demostración más pragmática de qué existe una sistemática de trabajo y una concepción sistémica de la gobernanza de la información. Esta publicación debe redundar en una mayor confianza ciudadana al observar que se trabaja con criterio y no de manera aleatoria o espontánea. A la vez, es una manera de demostrar el buen gobierno de la organización a nivel interno.

4.4.2. Publicitar los instrumentos de descripción de la documentación

Incorporar a la publicidad activa los instrumentos de descripción de documentación: inventarios, catálogos, listados, descripción de fondos, y los que el servicio de archivo y gestión documental haya desarrollado. La LAGD catalana se adaptó a las medidas previstas por la LTAPBG precisamente en este punto. Se obligó a los archivos del Sistema de Archivos de Catalunya a promover la apertura de sus instrumentos de descripción mediante los portales de transparencia o en sus portales propios. Esta buena práctica ya se opera en muchos archivos del país, pero debe vincularse no tanto al acceso cultural que se promueve para investigadores y eruditos, sino al acceso general de los ciudadanos. Esta actitud también mostrará una modificación del marco mental de la propia organización.

4.4.3. Gestión abierta de borradores y documentación en fase de elaboración

Incorporar a la publicidad activa o al acceso a la información toda la documentación y los informes que estén en fase de borrador o en fase de elaboración. Este es uno de los sinsentidos mayores de la LTABG, considerar fuera de expediente esta documentación que demuestra, precisamente, como se están operando a nivel interno los asuntos. No entraremos en el debate jurídico sobre este tema. Hay quien incluso ha visto cierta inconstitucionalidad en el hecho de dejar fuera de expediente toda esta información. Lo que nos interesa, desde el punto de vista de la gestión documental, es que tener la capacidad de detectar qué informe está en fase de elaboración y no es documento final, y en qué momento del estado de transmisión se encuentra una documentación (borrador, original o copia), demuestra la disposición de un sistema de gestión documental sólido.

4.4.4. Una sola manera de clasificar: el cuadro de clasificación corporativo

Organizar la publicidad activa según el cuadro de clasificación. La LTAPBG catalana lo exige en su artículo 6.1.d). Aun así, no ha tenido demasiada fortuna puesto que, conscientemente, aún ninguna administración lo ha operado de esta manera. ¿Por qué? En realidad es un proceso lento de aprendizaje. Las organizaciones aprendieron qué era el cuadro de clasificación cuando lo tuvieron. Algunas, en la actualidad, aún no lo tienen. Es un instrumento técnico demasiado desconocido y que requiere del estudio profundo de los procesos de producción documental. Este trabajo, a veces árido y lento, no se observa como necesario desde muchos ámbitos e incluso ha sido criticado por innecesario. Es una larga marcha, pero toda administración pública que ha aplicado su cuadro a nivel interno ha observado una manera de controlar lógica y funcionalmente su información que otras organizaciones no han visto. Si quieren pruebas miren qué administraciones se llevan los premios en los congresos de innovación pública o gobierno digital, miren si tienen servicio de archivo y gestión documental y verán que, aparte de sí tenerlo, todos operan según un cuadro de clasificación. Aún hay mucho margen de mejora.

4.4.5. Doctrina armonizada en materia de acceso a la información pública

Coordinar la doctrina de acceso a la información pública entre los órganos de protección de datos, las comisiones o consejos de acceso a la información pública y las juntas o comisiones de evaluación documental es necesario. La disposición adicional sexta de la LTAPBG catalana puede servir de base. El riesgo de que cada uno de estos órganos cree doctrina dispar es alto. Deben coordinarse, trabajar juntos, crear doctrina común para evitar confusión en el ciudadano y en las administraciones públicas.

4.4.6. Las tablas de acceso y evaluación documental en un punto central

Considerar las tablas de evaluación y acceso documental que generan las juntas o comisiones de evaluación, como el epicentro del régimen de acceso a la información pública. El método de trabajo, normalmente fruto de un consenso amplio de distintas sensibilidades profesionales y jurídicas, fruto de un trabajo colegiado, avala su funcionalidad. Evita que el estudio caso a caso sea la norma y evita la desvinculación doctrinal que hemos comentado en el punto anterior.

4.5. Propuestas de mejora en el impacto social

4.5.1. Lograr mayor impacto social

En realidad todas las propuestas anteriores van orientadas a disponer de mecanismos que harán de la transparencia algo más tangible y de la provisión de información pública de calidad algo más sólido. Todas las medidas propuestas deben acabar redundando en la generación de mayor impacto social y promoviendo la evolución positiva. La transparencia y la gestión documental deberían, pues, aumentar su rango y sus recursos. Pero existen dos pilares del gobierno abierto que deberían explorarse con mayor ímpetu para incrementar más aun el impacto, no solamente de las mejoras en los portales de transparencia, sino en el retorno social de las políticas. Sin duda la colaboración y la participación deberían usarse para generar un trabajo compartido con los ciudadanos para promover e incentivar la reutilización informativa. Hay muchas iniciativas en este sentido y lo hemos visto en muchos de los compromisos del III plan de acción en materia de gobierno abierto. Pero hay que bajar del nivel más alto de la administración a las administraciones más cercanas al ciudadano. En este sentido, proponemos la realización de detallados programas de alfabetización ciudadana que desciendan por capilaridad a los municipios grandes, medianos y pequeños.

4.5.2. Alfabetización ciudadana en materia de transparencia y acceso a la información

Reforzar el punto anterior se logra fomentando políticas de alfabetización ciudadana en materia de transparencia y acceso a la información por la vía de tutoriales, cursos, seminarios, jornadas, procesos de formación y actualización en centros cívicos (sensibilización, transmisión de confianza, empoderamiento) y en archivos municipales (mecanismos de organización informacional, estrategias de archivo y gestión documental para entidades y particulares), programas de alfabetización a demanda, programas de alfabetización sectorial, a grupos de interés, incluso a grupos políticos y entidades defensoras de los derechos humanos. Hay que bajar a la calle. El gobierno abierto debe ganarse la calle, las plazas, las escuelas y las ágoras de debate. El Gobierno debe de ser, en definitiva, cien por cien ciudadano.

5. BIBLIOGRAFÍA

BOURDIEU, Pierre. *Razones prácticas. Sobre la teoría de la acción,* Colección Argumentos, Anagrama, 1997, págs. 99 a 100.

COTS VALVERDE, Roger. «Aspectos legales de la gestión documental», *El Consultor de los Ayuntamientos,* n.º 7, abril 2017, págs. 847 a 856.

HAMELINK, Cees J. *The Ethics of Cyberspace*. London: Sage, 2000, pág. 91.

LANGEFORS, Börje. Essays on Infology. Summing up and planning for the future. Dept. of Information Systems. Göteborg: Göteborg University, 1993.

SOLER JIMÉNEZ, Joan. «La gestión documental en el marco del Gobierno Abierto», *El Consultor de los Ayuntamiento*s, n.º 7, abril 2017, págs. 835 a 846.

12.

EL DOCUMENTO ELECTRÓNICO ACCESIBLE PARA TODOS

Elena Muñoz Salinero
Subdirectora general adjunta de la Secretaría General de Administración Digital
Ministerio de Asuntos Económicos y Transformación Digital

En la sociedad actual del conocimiento, todos somos usuarios, y parte, de ese coloso llamado internet. Ésta nos ha abierto las puertas a una cantidad ingente de conocimiento, pero ¿es esto así para todos los usuarios?

Tim Berners-Lee, Director del W3C e inventor de la World Wide Web, ya dijo hace muchos años *«El poder de la web está en su universalidad. Que todo el mundo pueda acceder, sin importar si se tiene o no una discapacidad, es un aspecto esencial».*

Ese es el reto al que nos enfrentamos, conseguir que los sitios web estén diseñados y construidos para que sus contenidos, documentos y servicios estén disponibles para cualquier persona, con independencia de sus capacidades visuales, auditivas, cognitivas o motrices e independientemente de la tecnología que utilizan. Por lo tanto, **conseguir unos documentos electrónicos accesibles para todos**.

En este proceso las administraciones públicas deben actuar como palanca de cambio de la sociedad. España así lleva haciéndolo desde hace años pero además ahora estos esfuerzos se ven reforzados desde el plano europeo con la aprobación de varias directivas que renuevan y unifican las exigencias a todos los estados miembros.

El Real Decreto 1112/2018, de 7 de septiembre, sobre accesibilidad de los sitios web y aplicaciones para dispositivos móviles del sector público[(1)], aprobado a propuesta de los antiguos Ministerios de Política Territorial y Función Pública; Economía y Empresa; y Sanidad, Consumo y Bienestar Social, traspone

---

(1)   RD 1112/2018 consultado el 2/2/2020 en http://www.boe.es/diario_boe/txt.php?id=BOE-A-2018-12699.

al ordenamiento jurídico español la Directiva (UE) 2016/2102 del Parlamento Europeo y del Consejo, de 26 de octubre de 2016, sobre la accesibilidad de los sitios web y aplicaciones para dispositivos móviles de los organismos del sector público[2].

Este real decreto cubre **todos los sitios web y aplicaciones móviles del sector público**, desde aquéllos pertenecientes a las administraciones, tribunales y servicios de policía a los de los hospitales, universidades y bibliotecas públicas, exigiendo que sean accesibles a todos los ciudadanos, especialmente para todos aquéllos con algún tipo de discapacidad.

De esta forma, el nuevo real decreto sustituye y mejora las condiciones que ya se venían exigiendo a los portales de las administraciones públicas desde la entrada en vigor el 31 de diciembre de 2008 del Real Decreto 1494/2007, de 12 de noviembre, por el que se aprueba el Reglamento sobre las condiciones básicas para el acceso de las personas con discapacidad a las tecnologías, productos y servicios relacionados con la sociedad de la información y medios de comunicación social.

Pero un sitio web, además de tener contenidos en formatos HTML que directamente se procesan y muestran desde un navegador web, es un «gran almacén» que pone a disposición de la ciudadanía general innumerables documentos electrónicos en diferentes formatos, desde los ofimáticos más básicos a documentos PDF o estructurados semánticamente.

Por lo tanto, cuando hablamos de **accesibilidad** de un sitio web **tenemos que contemplar «Todos» los contenidos y servicios que desde él se ofrecen y por lo tanto todos sus documentos.**

1. PREVISIONES DEL REAL DECRETO 1112/2018

Aunque todas las administraciones públicas españolas venían aplicando en mayor o menor medida los requisitos de accesibilidad en sus sitios web, **la publicación del nuevo Real Decreto 1112/2018 supone un cambio conceptual dado que la legislación no se limita a solicitar su cumplimiento, sino que además se acompaña de un conjunto de medidas organizativas encaminadas a concienciar y propiciar su cumplimiento.** Por supuesto, todo ello **unido a unas medidas específicas de seguimiento**, que se espera que **influyan muy positivamente en su cumplimiento**.

Los cambios más significativos que el RD 1112/2018 introduce son los siguientes:

---

(2) Directiva UE 2016/2102 consultada el 2/2/2020 en http://eur-lex.europa.eu/legal-content/ES/TXT/?uri=uriserv:OJ.L_.2016.327.01.0001.01.SPA&toc=OJ:L:2016:327:FULL.

• La equiparación de los requisitos de accesibilidad españoles al estándar armonizado europeo: la nueva versión de la norma **EN 301 549** «Requisitos de accesibilidad para productos y servicios TIC» que a su vez enlaza con las nuevas «Pautas de accesibilidad de páginas web» WCAG 2.1[3].

• La inclusión de las **aplicaciones móviles** desarrolladas por las Administraciones Públicas que deberán ser accesibles antes del 23 de junio de 2021.

• La inclusión de **intranets o extranets** nuevas o que se renueven sustancialmente a partir del 23 de septiembre de 2019.

• La disponibilidad, en cada portal y aplicación móvil, de una **declaración de accesibilidad**[4], de un mecanismo para reportar **errores y solicitar a demanda contenidos no accesibles**, y además, de un mecanismo de **reclamación**.

• La definición de previsiones para realizar un **seguimiento periódico de la implantación** del Real Decreto contando con las «unidades responsables de accesibilidad» y con el órgano encargado del seguimiento y presentación de informes que es la Secretaría General de Administración Digital (actualmente en el Ministerio de Asuntos Económicos y Transformación Digital) a través de su Observatorio de Accesibilidad Web[5].

• La obligación de realizar **reportes públicos a la Comisión Europea** cada 3 años del estado de aplicación de la Directiva (UE) 2016/2102. El primero de estos reportes se realizará antes del 23 de diciembre de 2021.

Las previsiones del real decreto entraron en vigor el 20 de septiembre de 2018, un día después de su publicación en el BOE. Sin embargo, al final se fijan algunas excepciones para algunos aspectos concretos.

• Para los sitios web, las disposiciones previstas en los artículos 10.2.b), 12 y 13 (**quejas, solicitudes de información accesible y quejas**) serán de aplicación **al año** de la entrada en vigor del real decreto (septiembre 2019), y a los **dos años para los sitios web ya publicados** (septiembre 2020).

• Todas las disposiciones relativas a **aplicaciones para dispositivos** móviles serán de aplicación desde el **23 de junio de 2021**.

---

(3) Web Content Accessibility Guidelines (WCAG) 2.1. W3C Recommendation 05 June 2018. Consultado el 2/2/2020 en http://www.w3.org/TR/WCAG21/

(4) Instrucciones para la generación de las declaraciones de accesibilidad disponibles en el Portal de Administración Electrónica (PAe). Consultado el 2/2/2020 en http://administracionelectronica.gob.es/PAe/Implantacion_RD_Accesibilidad/declaracion

(5) Observatorio de accesibilidad web en PAe. Consultado el 2/2/2020 en https://administracionelectronica.gob.es/PAe/accesibilidad

Además, desde el **1 de noviembre de 2018**, todos los sitios web y (21 de junio 2021 las aplicaciones móviles) de los organismos del sector público deben usar el **modelo de declaración de accesibilidad europeo.**

La **aplicación del real decreto afecta a todas las administraciones públicas, no sólo desde el punto de vista tecnológico sino también desde el punto de vista organizativo y administrativo** considerando fundamental, además del factor tecnológico, el papel que en este contexto desempeñan las unidades encargadas de la gestión y edición de los contenidos en los diferentes sitios web, así como todas las unidades funcionales que son las proveedoras finales de la mayoría de esos contenidos.

Por todo ello, es especialmente importante la designación y nombramiento de las **unidades responsables de accesibilidad**, que serán las responsables de garantizar el cumplimiento de los requisitos de accesibilidad de los sitios web y aplicaciones para dispositivos móviles dentro de su ámbito competencial, **considerando todos los posibles organismos públicos y entidades de derecho público dependientes**.

A esta unidad deberá otorgársele **capacidad de coordinación y actuación** sobre **todas las áreas** en las que repercute especialmente la accesibilidad: áreas de publicaciones y archivos; de generación y publicación de contenidos en la web; de tecnologías de la información y comunicaciones; de prensa; de formación; etc. Por lo tanto, **por primera vez, se instaura una figura de coordinación transversal en el ámbito de la accesibilidad**.

2. ¿Y QUÉ INICIATIVAS SE HAN PUESTO EN PRÁCTICA PARA AYUDAR A LAS ADMINISTRACIONES PÚBLICAS EN SU CUMPLIMIENTO?

En el año 2009, conscientes de la necesidad de mejorar en el cumplimiento de estos requisitos, el entonces Ministerio de la Presidencia, (actualmente estas competencias corresponden al Ministerio de Asuntos Económicos y Transformación Digital), lanzó la iniciativa del Observatorio de Accesibilidad Web con **el objetivo fundamental de ayudar a mejorar el grado de cumplimiento en materia de accesibilidad de los portales de la administración pública española**.

Ya por entonces, el Observatorio comenzó a **realizar una evaluación periódica de la accesibilidad de los sitios webs de las administraciones públicas españolas** con el objetivo de tener una estimación de la situación actual y su progreso.

Como el objetivo fundamental de esta iniciativa era y es ayudar a la mejora, los resultados individuales de cada uno de los sitios webs de estos estudios son entregados a los responsables de los mismos. Y, además, se les habilita el acceso al servicio de diagnóstico en línea que les permite «autoevaluarse» y obtener el detalle de los errores detectados. Elemento imprescindible para conseguir corregirlos.

Actualmente, considerando el nuevo contexto, desde el Observatorio de Accesibilidad Web se están preparando, y se van publicando periódicamente, nuevos materiales[6] dirigidos especialmente al cumplimiento de los requisitos del Real Decreto 1112/2018[7] y al cumplimiento de los requisitos de WCAG 2.1 que es necesario satisfacer.

3. ¿Y CÓMO SE CONSIGUE LA ACCESIBILIDAD DE UN DOCUMENTO ELECTRÓNICO?

La referencia técnica de los requisitos a cumplir es para todos los posibles tipos de documentos electrónicos la misma, la **UNE-EN 301549:2019**[8] **de Requisitos de accesibilidad para productos y servicios TIC**, equivalente a las WCAG 2.1 del w3c.

Esta norma está escrita en téminos genéricos y conceptuales de modo que pueda ser particularizada para la tecnología en concreto en la que se vaya a utilizar.

Para páginas web, el propio w3c tiene muy desarrollado las instrucciones precisas a aplicar. Para el caso de documentos en formato PDF, el segundo tipo de documento más frecuente en los sitios web, está menos precisada, pero existen innumerables referencias públicas a cómo cumplir los requisitos en estos tipos de documentos.

En concreto, desde el Observatorio de Accesibilidad Web, se encuentran disponibles materiales específicos para el tratamiento de la accesibilidad en documentos ofimáticos y PDF[9]. De modo que se ofrecen instrucciones concretas sobre cómo proceder con ellos.

El principal aspecto a tener en consideración para **generar un documento PDF accesible**, de la forma más sencilla y menos gravosa posible, **es partir de un documento ofimático que tenga ya incorporadas todas las características de accesibilidad necesarias**.

---

(6) Sección de Materiales de ayuda para la implementación de la accesibilidad disponible en PAe. Consultado el 2/2/2020 en https://administracionelectronica.gob.es/PAe/accesibilidad/documentacion

(7) Sección sobre la implantación del RD 1112/2018 disponible en PAe. Consultado el 2/2/2020 en http://administracionelectronica.gob.es/PAe/Implantacion_RD_Accesibilidad

(8) Norma UNE-EN 301-549:2019 disponible en PAe mediante acuerdo de distribución con AENOR. Consultado el 2/2/2020 en http://administracionelectronica.gob.es/PAe/accesibilidad/une-en-301549-2019.pdf

(9) Accesibilidad de PDF y documentos ofimáticos, en la sección de Materiales de ayuda de Accesibilidad disponible en PAe. Consultado el 2/2/2020 en https://administracionelectronica.gob.es/pae_Home/pae_Estrategias/pae_Accesibilidad/pae_documentacion/pae_eInclusion_Accesibilidad_de_PDF.html

Muchos de los aspectos a incorporar en el documento ofimático son conceptuales y deben tenerse en consideración desde la edición y redacción inicial del documento. Por ejemplo, la organización del documento utilizando una estructura coherente de encabezados (por ejemplo en *Word office* implementada a través de los «estilos»), el marcado correcto de listas de elementos, ofrecer una descripción alternativa a las imágenes y gráficos, etc.

Por supuesto, no hay que perder de vista la sencillez del lenguaje teniendo siempre presente los destinatarios del documento. Los documentos para la ciudadanía general deben redactarse en los términos más sencillos posibles. Incluso, determinados documentos, con especial impacto o repercusión en la sociedad, podrían venir acompañados de versiones específicas de «fácil lectura», muy simplificadas, orientadas a su máxima comprensión en caso de alguna discapacidad intelectual.

También hay aspectos más ligados a la maquetación del documento, que deben considerarse cuando se está diseñando el aspecto «estético» del documento, como por ejemplo el contraste suficiente de colores de fondo y texto, el incorrecto uso de marcas de agua o fondos decorados que dificulten la lectura, el tamaño de la letra, su diferente legibilidad en papel y en pantalla, el uso responsable del color evitando que la transmisión de información se haga únicamente mediante el color, etc.

El conocimiento y consideración de estos aspectos debe «empapar» a toda la organización de un modo totalmente transversal. **Todos los generadoress de información deben conocer estos principios y aplicarlos**.

4. CONCLUSIONES

La mejora y consecución del cumplimiento de los requisitos de este Real Decreto 1112/2018 será sólo posible con el **esfuerzo colectivo de todos los actores implicados**.

En el caso de los documentos electrónicos, la responsabilidad es especialmente compartida. Dado que serán muchos actores de la organización los que tengan que participar y colaborar en el proceso:

• Los redactores funcionales de la materia que redactan, editan y organizan conceptualmente el documento.

• Los maquetadores del documento que definen su estética.

• Los departamentos de publicaciones que generan la publicación oficial en formato PDF.

• Los diferentes departamentos, que generan documentos en formato PDF, para difusión de información, aunque no tengan el carácter de publicación oficial.

• Los editores del sitio web que generan contenidos para el sitio web o/y enlazan dichos documentos PDF desde el sitio web.

• Los departamentos técnicos responsables de la implantación del sitio web.

Aún queda un largo camino para el pleno cumplimiento, pero las demandas de la sociedad, tanto a nivel nacional como europeo, son imparables. **Todos los ciudadanos, con independencia de sus capacidades físicas, intelectuales o tecnológicas, deben ser capaces de acceder a la información y los servicios ofrecidos por las administraciones públicas.**

5. BIBLIOGRAFÍA

Real Decreto 1112/2018, de 7 de septiembre, sobre accesibilidad de los sitios web y aplicaciones para dispositivos móviles del sector público.

Directiva (UE) 2016/2102 del Parlamento Europeo y del Consejo, de 26 de octubre de 2016, sobre la accesibilidad de los sitios web y aplicaciones para dispositivos móviles de los organismos del sector público.

UNE-EN 301 549 (2019). Requisitos de accesibilidad para productos y servicios TIC disponible en PAe mediante acuerdo de distribución con AENOR. Consultado el 2/2/2020 en PAe, en la dirección http://administracionelectronica.gob.es/PAe/accesibilidad/une-en-301549-2019.pdf

Información sobre implantación del RD 1112/2018 en el Portal de Administración Electrónica. Consultado el 2/2/2020 en PAe, en la dirección http://administracionelectronica.gob.es/PAe/Implantacion_RD_Accesibilidad

Materiales de ayuda para la implementación de la accesibilidad en las Administraciones Públicas. Consultado el 2/2/2020 en PAe, en la dirección: https://administracionelectronica.gob.es/PAe/accesibilidad/documentacion

13.

EL DOCUMENTO ELECTRÓNICO EN LA ADMINISTRACIÓN DE JUSTICIA

Fátima RODRÍGUEZ COYA

Archivera del Gobierno del Principado de Asturias Tribunal Superior de Justicia de Asturias

1. INTRODUCCIÓN

Toda persona tiene derecho a una tutela judicial efectiva. Este es el dictado de la Carta de los Derechos Fundamentales de la Unión Europea en su artículo 47, pero también del artículo 24.1 de la Constitución Española (CE). Un derecho considerado complejo en su análisis jurídico, que con carácter general se asocia al derecho de acceso a la Justicia, a la prohibición de la indefensión de las personas, a la presunción de inocencia, al derecho de asistencia de letrado, a no declarar contra uno mismo, pero también, al derecho «a un proceso público, sin dilaciones indebidas y con todas las garantías» (CE, art. 24.2). Es así que partimos de un mandato constitucional que vincula de modo directo la protección de derechos fundamentales a aspectos procedimentales de la potestad jurisdiccional.

Y aunque todos los poderes del Estado deben cumplir con las garantías jurídicas dictadas por la CE y demás ordenamiento jurídico, ninguno con una trascendencia semejante al judicial en lo que atañe a los derechos y libertades de las personas. Por este motivo, tanto en su ejercicio cotidiano como en cualquier reforma que le afecte, las cautelas deben ser máximas para no lesionar la dignidad, ni esos derechos y libertades.

Destacado ese primer elemento de contexto, el otro que interesa tener presente antes de profundizar en cuestiones de carácter técnico, es la singular organización del Poder Judicial. Sin abandonar el dictado de la CE, se establece que corresponde exclusivamente a los juzgados y tribunales el ejercicio de la potestad jurisdiccional en todo tipo de procesos, juzgando y haciendo ejecutar lo juzgado (art. 117.3). El principio de unidad jurisdiccional es la base de la organización y funcionamiento de los tribunales, con la única excepción de la jurisdicción militar (art. 117.5), y será con arreglo tanto al principio de unicidad como al de independencia, que el Poder Judicial organice y ejerza sus funciones (art. 104 de la Ley Orgánica del Poder Judicial, LOPJ). Sin embargo, para posibilitar su desempeño harán falta unos medios materiales y humanos de acompañamiento a la potestad jurisdiccional que han de ser aportados por el poder ejecutivo, ya sea a través del ministerio con competencias en materia de justicia o de aquellas comunidades autónomas que hayan recibido la transferencia de competencias a esos efectos.

Obviamente lo apuntado hasta ahora no será lo único relevante, pero debiera tenerse especialmente presente para poder comprender mejor los matices que diferencian la reforma judicial electrónica de la de otros ámbitos como el ejecutivo o el legislativo. Por ello, aunque el documento judicial electrónico no será ajeno a muchas de las cuestiones expuestas por otros autores en esta obra, el celo procesal para la protección de derechos fundamentales y la necesaria independencia del Poder Judicial marcarán fuertemente sus tiempos y exigencias.

2. PRINCIPIOS, ACTUACIONES Y DOCUMENTOS JUDICIALES ANTE LA REFORMA ELECTRÓNICA

Al igual que sucede en cualquier otro ámbito, los órganos que conforman el Poder Judicial producen documentos que dan testimonio de los actos realizados al amparo de las funciones que tienen atribuidas. Además, si tomamos como referencia la trascendencia de sus competencias y el necesario celo procesal que se les exige en su ejercicio, garantizar la autenticidad, integridad, fiabilidad y disponibilidad de los documentos judiciales será imprescindible tanto para la propia acción de la Justicia, como para la salvaguarda de los derechos y obligaciones que de ella se deriven.

Sin pretender un estudio doctrinal sobre la acción judicial, conviene al menos detenerse en algunas cuestiones generales con las que no siempre se está familiarizado y que contextualizan particularidades del flujo documental de los diferentes procesos.

La maquinaria judicial solo se pone en marcha a petición de parte (por tanto, no por propia iniciativa de quien va a juzgar) y, en general, enfrentando sus intereses a los de otro u otros sujetos que, como se apuntó al aludir a la tutela judicial efectiva, deberán ser informados y tener garantizados tanto el derecho a la presunción de inocencia como a la defensa. Así pues, quien ostenta la responsabilidad de juzgar deberá resolver de modo imparcial a la luz de lo que los implicados directos o terceros vayan aportando para sostener la acusación y la defensa.

De ello es fácil deducir que ambas partes argumentarán sus posiciones ante quien ha de juzgar, y que habrá terceros que complementen el fondo del asunto o acompañen la tramitación. Ya sea mediante declaraciones o aportación de pruebas, se puede intuir el elevado flujo de documentos que sustanciará el proceso, mientras el sistema judicial debe mantener en todo momento la integridad de esas actuaciones, declaraciones y todas las pruebas se realicen o aporten, pero también informar sin dilaciones indebidas a los implicados para que todos puedan proceder en igualdad de condiciones.

Además, para no lesionar los derechos y libertades de los implicados y como garantía para las partes, el proceso y las actuaciones judiciales deben ser públicos, el procedimiento será predominantemente oral y las sentencias se pronunciarán en audiencia pública (CE, art. 24.2 y 120). Por tanto, contrario a la imagen que en ocasiones parece trascender de la Justicia, el control público es intrínseco a ella y un principio fundamental en su ejercicio, constituyendo también con ello uno de los pilares del Estado de Derecho, basado en la confianza de la sociedad en los tribunales. Desde un punto de vista más operativo, todo esto supone un cauteloso equilibro de congruencia al ponderar esa publicidad y acceso a la información con las excepciones previstas para la protección de otros derechos e informaciones, teniendo que ser estas en todo caso motivadas (LOP, art. 232 a 236; Ley de Enjuiciamiento Civil, LEC, art. 138 a 141 y 754; Ley de Enjuiciamiento Criminal, LECrim, art. 680 a 682).

La prevalencia de la oralidad dará lugar a declaraciones, interrogatorios, testimonios, careos, exploraciones, informes, ratificación de los periciales y vistas, que con carácter general se llevarán a efecto ante el juez o tribunal con presencia o intervención de las partes y en audiencia pública (LOPJ, art. 229). Para dejar constancia de ellas, las actuaciones procesales que no sean aportadas en documentos (cualquiera que fuese su soporte), se documentarán por medio de actas y diligencias con la necesaria extensión y detalle de todo lo actuado (LEC, art. 146). Con la incorporación de medios electrónicos para el desarrollo de la actividad judicial, la transcripción requerida de esos actos adoptó en muchos casos la forma de grabaciones audiovisuales, que de igual modo que sucedía con los documentos escritos, gozarán de validez y eficacia de documento original siempre que quede garantizada su autenticidad, integridad y el cumplimiento de los requisitos exigidos por las leyes procesales (LOPJ, art. 229 y 230). Con la configuración de la denominada Nueva Oficina Judicial (NOJ)[1], la grabación de las vistas se generalizó en todos los órdenes y con la última reforma de la LOPJ (Ley Orgánica 7/2015), directamente se descartó la transcripción para las actuaciones orales y vistas que hubiesen sido grabadas (vigente redacción del art. 230.3 de la LOPJ).

---

(1)   Los principales cambios procesales incorporados se encuentran recogidos en la Ley 13/2009, de reforma de la legislación procesal para la implantación de nueva oficina judicial (LRLP-NOJ).

Con cierta distancia, esta reforma apunta ser ventajosa y aparentemente sencilla en los tiempos actuales; sin embargo, constituye un caso interesante para reflexionar sobre ciertos aspectos que permiten entrever que lo electrónico plantea escenarios no siempre equiparables al régimen de funcionamiento anterior. Piénsese por un momento en un contexto judicial electrónico donde, aprovechando la capacidad tecnológica que ofrecen los medios disponibles y en un intento de maximizar el principio de publicidad respecto a épocas anteriores, se optase por retransmitir en directo ciertos actos declarativos. Así, de igual modo que cualquier persona puede presenciar un juicio, la tecnología podría facilitar aún más ese acercamiento de la sociedad a las actuaciones judiciales. Sin embargo, si no se tomasen las cautelas pertinentes, una retransmisión en directo de esa comparecencia podría comprometer el dictado jurídico de que los testigos no puedan asistir a las declaraciones de otros (LEC, art. 366; y LECrim, art. 435 «separada y secretamente») porque, aún sin compartir el mismo espacio físico, con esa retransmisión y el grado de conectividad actual, cualquier testigo podría hacer un completo seguimiento a las declaraciones de sus antecesores en la vista.

Desde una perspectiva funcional, el caso de las grabaciones de vistas también resulta interesante para apuntar cuestiones relevantes sobre la reforma electrónica de la Justicia. Es innegable el valor informativo que aporta una grabación audiovisual, porque siempre contará con mayor riqueza de matices que incluso la mejor de las transcripciones; sin embargo, para extraer esa información será necesario reproducir la grabación y no será posible realizar búsquedas puntuales como en un texto. Además, dado que no existe un trabajo de realización audiovisual sino unos medios de grabación fijos, su calidad en ocasiones se resiente. Con una duración variable de unos casos a otros, en la cotidianidad del ejercicio judicial todo ello supone la inversión de un tiempo ya de por sí escaso, debido a la sobrecarga de trabajo y al reajuste de los plazos realizado en las últimas reformas normativas. Y aunque no se pretende con esto desmerecer el potencial de estos documentos electrónicos, sí llamar la atención sobre un ejemplo paradigmático de cómo además de contemplar las exigencias jurídicas, también es necesario tener presente la funcionalidad para su uso y gestión. La grabación y el visionado requieren de un tiempo y unos recursos no siempre disponibles; por ello, además de comprender la dimensión electrónica para analizar con mucho tiento su impacto procesal, debería prestarse mayor atención al diseño de unos documentos electrónicos que no asfixien la tramitación y su propia gestión, porque también por este cauce podrían verse lesionados los derechos fundamentales de las personas, si el sistema judicial no puede actuar con eficacia y en tiempo.

Ahondando en el ejemplo y teniendo en cuenta el uso que se le dará a las grabaciones en el procedimiento, poder disponer de un índice minutado de navegación significativo (al estilo de lo que ya se viene haciendo en la grabación de sesiones parlamentarias o plenos municipales), su consulta se vería sustancialmente mejorada[2]. Su gestión actual, en un sistema aparte del que sustenta el íter procesal, supone una rémora en el desempeño cotidiano de los diferentes profesionales implicados, pero también una debilidad en la formación del expediente judicial por su posible descontextualización del proceso. Por su parte, el alto volumen de almacenamiento de datos que con ellas se genera ha obligado a adoptar soluciones para liberar periódicamente espacio en los servidores. Y aunque se exportan copias a soportes ópticos, subyace un borrado de datos que no responde a una política de gestión de documentos judiciales definida, sino, con carácter general, a una logística exclusivamente tecnológica o de gestión recursos materiales. Una de las muchas muestras del gran vacío aún existente en lo que a custodia y archivo de documentos judiciales electrónicos se refiere.

La grabación de actuaciones judiciales orales permite ejemplificar esa poliédrica y paulatina evolución hacia documentos judiciales electrónicos, con sus avances, dificultades y cuestiones aún por resolver. No obstante, no es el único caso representativo. Si por un momento se dejan de lado los principios de publicidad y oralidad, y se centra la atención en el derecho a la defensa y a utilizar los medios de prueba pertinentes para ello (CE, art. 24.2), el poder judicial se descubre en la brecha del desarrollo tecnológico. Y es que, aunque no lo incorpore como soporte a su propia actividad, en el momento que algo existe y puede ser objeto del delito, podrá ser aportado al proceso.

Un amplio abanico para la argumentación que no solo contempla la aportación de objetos o piezas de convicción, sino también documentos de muy diversa índole. Además de aquellos de carácter procesal, como la demanda o el apoderamiento, las partes interesadas podrán presentar en el proceso cualquier documento público o privado relativo al fondo del asunto, siendo admisibles tanto en soporte papel, como en electrónico (LEC, art. 267 y 268). Sin embargo, resulta llamativo que los documentos electrónicos aparezcan interpretados como «imagen digitalizada» porque, en la literalidad de ese texto, podrían quedar excluidos los documentos digitales nativos, salvo que se pudiesen acoger a una acotación posterior en la que también se dan por admisibles aquellos medios de reproducción de la palabra, el sonido y la imagen, y aquellos instrumentos que permiten archivar y conocer o reproducir palabras, datos, cifras y operaciones matemáticas llevadas a cabo con fines contables o de otra clase, relevantes para el proceso (LEC, art. 299.2, 382 y 384). Definiciones que, en cualquier caso, conviven con la interpretación dada por la Ley 18/2011, reguladora del uso de las tecnologías de la información y la comunicación en la administración de justicia (LRUTICAJ), que entiende por documento electrónico aquella «información de cualquier naturaleza en forma electrónica, archivada en un

---

(2) Aunque algunos sistemas de grabación de vistas permiten esos marcadores temporales, su uso es desigual de unos juzgados y tribunales a otros, no está normalizada su estructura y con frecuencia no resulta significativo respecto a los contenidos.

soporte electrónico según un formato determinado y susceptible de identificación y tratamiento diferenciado».

Por otra parte y de modo general, existe la posibilidad de que si las partes no pudiesen disponer de los documentos que pretenden aportar al proceso, designen el archivo, protocolo o lugar en que se encuentran, o el registro, libro o expediente que corresponda para obtener una certificación; pero esta opción solo se contempla cuando el propio actor no pueda pedir y obtener copias fehacientes de ellos para aportarlos al proceso (LEC, art. 265).

Si se piensa en unas administraciones públicas cada vez más electrónicas e interoperables, el trasiego de solicitud, emisión y aportación de esos documentos o sus copias podría verse sustancialmente aligerado aportando únicamente al proceso la referencia para su consulta directa por parte del órgano judicial correspondiente y de las partes. Todo un reto que va más allá de la mera interoperabilidad o establecimiento de canales de acceso para su consulta: una reforma estructural que capacite para una respuesta ágil, que permita conjugar las diferentes necesidades de acceso sin comprometer la protección de datos y para lo que no resultará en absoluto válida esa concepción de los documentos digitales como meras «imágenes digitalizadas» que aún contempla una parte del ordenamiento jurídico procesal.

Especialmente en el orden contencioso-administrativo, los desajustes entre la realidad de las administraciones públicas y ese dictado jurídico procesal están dando lugar a inadmisiones que, más pronto que tarde, requerirán una revisión detenida y una respuesta homogénea. De acuerdo con el artículo 48.4 de la Ley de la jurisdicción contencioso-administrativa (LJCA), «el expediente, original o copiado, se enviará completo, foliado y, en su caso, autentificado, acompañado de un índice, asimismo autentificado, de los documentos que contenga. La administración conservará siempre el original o una copia autentificada de los expedientes que envíe. Si el expediente fuera reclamado por diversos juzgados o tribunales, la administración enviará copias autentificadas del original o de la copia que conserve». En la práctica cotidiana esto se traduce en situaciones diversas. En la mejor de las circunstancias, la aportación de expedientes electrónicos ajustados al Esquema Nacional de Interoperabilidad (ENI) se realiza mediante INSIDE, de modo que el expediente ingresa en el sistema judicial para su incorporación al proceso, con todas las garantías y sin reelaboración alguna. Sin embargo, esta opción es todavía muy minoritaria. En lo que no se extienda su implantación, esos expedientes deben presentarse de forma generalizada a través de LexNet o el sistema de comunicación electrónica asimilado. En ese caso, si lo que se presenta son «imágenes digitalizadas» de originales en papel y se cumple con el dictado del artículo 48.4 de la LJCA, tampoco existen mayores inconvenientes. En cambio, las dificultades surgen cuando es necesario aportar a un proceso judicial un expediente que exclusivamente existe en formato electrónico y, aun cumpliendo con las exigencias ENI, es devuelto por el órgano judicial por no estar foliado o por entenderse que el índice del expediente aportado (el índice electrónico ENI) no responde a lo exigido en el artículo 48.4 de la LJCA. Foliar o modificar ese índice, podría interpretarse como una vulneración de la integridad del expediente administrativo; aceptarlo sin foliado e índice, el incumplimiento de las exigencias procesales por parte del órgano judicial. En cambio: imprimirlo, foliar y sellar esa impresión, generar una «imagen digitalizada» de esa copia impresa, firmar electrónicamente la digitalización y aportar esa nueva copia electrónica al proceso, cumpliría con las exigencias, aunque suponga el mayor de los despropósitos funcionales. Además del tiempo y recursos invertidos en todo ese proceso de generación de la copia, el fichero resultante verá mermadas sus cualidades a efectos de lectura y tratamiento; por ejemplo, a la hora de realizar búsquedas en él o aplicar tratamientos de anonimización de datos para entregar a terceros. Por otra parte, lo más probable es que el tamaño del fichero en términos de almacenamiento se incremente respecto al original (digital nativo), con lo que implicará más dificultades a la hora de realizar envíos, hacer consultas y una mayor demanda de espacio de almacenamiento y recursos a la hora su tratamiento.

Nuevamente la conclusión de todo ello pasa por la necesidad de conjugar la exigencia jurídica y la funcional de esos documentos, no solo desde la perspectiva de las actuaciones judiciales (como se apuntó con la incorporación de un índice minutado significativo a las grabaciones de vistas), sino también desde la perspectiva de la gestión de esos documentos a lo largo de todo su ciclo de vida. Definir los tipos de documentos abriendo el foco de análisis permitiría un verdadero salto cualitativo, pensando incluso más allá del contexto judicial. Un campo de trabajo interinstitucional a todas luces interesante, y que por el momento solo se ha trabajado de forma muy puntual para la aportación de determinados documentos a procesos penales (por ejemplo, con los partes hospitalarios y atestados), pero no desde una reingeniería de procesos completamente transversal.

Llegados a este punto, donde ya se han analizado cuestiones relativas a los actos declarativos y la aportación de pruebas, también ha ido trascendiendo el constante flujo de comunicaciones e intercambio de documentos que se dan a lo largo del proceso entre el órgano judicial, las partes y otros implicados. Demanda, notificaciones, aportación de pruebas, solicitudes, reclamaciones, requerimientos, citaciones, mandamientos y un largo etcétera que, con carácter general, ya son enviados y recibidos a través de LexNet (o del sistema de gestión de notificaciones electrónicas asimilado) para todos aquellos casos en los que estas comunicaciones se producen entre el órgano judicial y los profesionales de la justicia que representan a las partes. Un entorno donde será requerida la autenticación y firma para poder actuar y en el que quedará registrada la trazabilidad de las acciones[3].

---

(3) Regulado por el Real Decreto 1065/2015 sobre comunicaciones electrónicas en la administración de justicia en el ámbito territorial del Ministerio de Justicia y por el que se regula el sistema LexNET.

En gran medida este ha sido el estandarte del lema «papel cero» en la Justicia, sin embargo, aunque se ha conseguido minimizar la entrega de documentos y copias en papel, todavía dista bastante de alcanzar la literalidad de su proclama. Además de las impresiones de documentos electrónicos para su posterior foliado, sellado y digitalización, que ya se expusieron al hablar de la aportación de documentos, dentro de los órganos judiciales también se siguen imprimiendo copias pese a que la recepción se haga por vía telemática. En ambos casos, conviene no despistar que esa impresión se hace dentro del sector público: en el primer ejemplo, en el poder ejecutivo y en el segundo, en el poder judicial. Las razones en este último son diversas. Es cierto que existen casos en los que simplemente atiende a meras preferencias personales, pero en la mayoría, es la respuesta a diferentes limitaciones técnicas. Sucede, por ejemplo, con la entrega de documentos que superan el tamaño admitido en los sistemas de comunicación y que son aportados al proceso en soportes ópticos. Su visualización, al mismo tiempo que se manejan otros sistemas, no siempre resulta sencilla con los medios disponibles; así que su impresión es la solución para poder «tenerlos a mano» y simultanear acciones. En otros casos, directamente es la inexistencia de esos medios de visualización lo que aboca a la impresión; por ejemplo, para poder mostrar los documentos en sala. Un aspecto preocupante no solo por motivos económicos y prácticos, sino también por la validez jurídica de esas copias impresas que se utilizarán como referencia para la fundamentación de la resolución judicial. Porque, aunque existen desarrollos para la incorporación de códigos seguros de verificación a los documentos judiciales[4], su uso se ha centrado *ad extra* y no *ad intra*, tal vez porque en la definición de la transformación electrónica de la justicia la situación descrita no debería tener cabida alguna.

En lo que se refiere a las copias y certificados expedidos para las partes, estarán firmadas electrónicamente por el letrado de la administración de justicia correspondiente, responsable tanto de ello como de facilitar acceso a la información a quien justifique interés legítimo y directo en el proceso (LOPJ, art. 454). Unos documentos que, con carácter general, también llevarán incorporado un código seguro de verificación que permita a su receptor o a la persona representada, poder recuperar el documento electrónico con su firma original a través de la sede judicial electrónica que corresponda y poder cotejar así la validez de su copia[5].

---

(4)   Además de los documentos emitidos por juzgados y tribunales, también se incorporarán en los procesos de digitalización certificada realizados en la administración de justicia, de acuerdo con la GIS relativa a digitalización certificada. Así es que quedarían al margen de ello los documentos electrónicos aportados directamente por las partes e impresos en sede judicial.

(5)   Para ampliar detalles jurídicos y técnicos en materia de identificación y autenticación: capítulo II de la LRUTICAJ y la CTEAJE-GIS-707 de autenticación, certificados y firma electrónica (última versión publicada la sección de normas técnicas, CTEAJE, s.f.).

Para cerrar esta panorámica ya solo faltaría detenerse en la fase final de resolución y cierre del proceso judicial. En este sentido, aunque existen diferentes formas de resolver, la esencial en el ámbito judicial pasa por el dictado de sentencia. Así, según el mandato constitucional (CE, art. 120.3) se establece que las sentencias deben ser siempre motivadas, es decir, fundamentadas en la interpretación y aplicación del Derecho a las cuestiones desarrolladas por las partes a lo largo del litigio, con la intención última de resolver con imparcialidad y evitar la arbitrariedad. A su vez, retomando el principio de publicidad, las sentencias se pronunciarán en audiencia pública (CE, art. 120.3) y tanto ellas como las demás resoluciones firmes de los jueces y tribunales, serán de obligado cumplimiento (CE, art. 118).

Aquí vuelve a presentarse otro caso interesante para el análisis y para insistir en el delicado equilibrio entre las exigencias jurídicas de más alto nivel y las funcionales, tecnológicas y documentales. Para empezar, apuntar que no es habitual que una sentencia se «pronuncie» en audiencia pública, aunque sí son comunicadas a las partes y publicadas desde la base de datos de jurisprudencia del Centro de Documentación Judicial (CENDOJ), tras un tratamiento previo de anonimización. De este modo, son de consulta abierta los autos y sentencias del Tribunal Supremo y de la Audiencia Nacional, de los tribunales superiores de justicia y las audiencias provinciales, y aquellas resoluciones de interés jurídico relevante que son seleccionadas por los titulares de los juzgados. Para alcanzar ese objetivo, el CENDOJ recibe las resoluciones y las trata hasta transformarlas en un fichero de código XML homogéneo, que estructura y etiqueta sus contenidos para la posterior disociación de los datos que deben ser protegidos previa publicación.

A todas luces, adelantar ese análisis y estructuración de los contenidos de las sentencias, resoluciones e incluso en otros documentos del proceso, resultaría interesante para aquellas circunstancias en las que sea necesario proteger datos o entregar solo aquella información que resulte pertinente ante una consulta, la aplicación del principio de publicidad de las actuaciones judiciales o la reutilización de información dentro del sistema judicial. Para ello resulta imprescindible abandonar la concepción del documento electrónico como imagen digitalizada (LEC) y hacerlo en los términos más amplios de su definición en la LRUTICAJ.

El hecho de que las sentencias necesiten ser debidamente motivadas siempre ha dado lugar a documentos especialmente narrativos y a que el posible uso de modelos de datos o plantillas predefinidas haga temer que se vacíen de contenido concreto y las haga abstractas o demasiado genéricas, al extremo de comprometer la tutela judicial y lesionar con ello los derechos y libertades de las personas. Sin embargo, no son cuestiones excluyentes: existe un amplio campo de mejora entre la producción de documentos de forma libre y sin apenas estructura, más allá de pequeños detalles de edición, y un documento estructurado, por ejemplo en XML, con el que se podrían marcar o metadatar los contenidos. Haciéndolo de acuerdo con esto último, se podrían seguir respetando las exigencias procesales e incluso cabría decir que con mayor exquisitez en lo que a publicidad y protección de datos se refiere, sin que jueces y magistrados tengan por qué ver comprometido su ejercicio en la fundamentación de sus decisiones. Una intervención de este tipo también posibilitaría una mejor escalabilidad de acciones propias de la gestión de documentos. Si además se tiene en consideración que es mandato constitucional no solo resolver, sino hacer cumplir lo dictado y colaborar en la ejecución de lo resuelto, es fundamental ser garantistas tanto en la comunicación de estas resoluciones como en facilitar su disponibilidad con plenas garantías.

3. EL DESPLIGUE DE LA JUSTICIA ELECTRÓNICA

La obligada independencia de los poderes del Estado exige que el judicial tenga una estructura orgánica y un ordenamiento jurídico que rija su organización y funcionamiento con imparcialidad y sin injerencias. En lo que afecta a su reforma electrónica, esto implica que sus órganos queden fuera del ámbito subjetivo de aplicación del régimen jurídico que actualmente rige la reforma electrónica de otras administraciones públicas y que siempre deba desarrollar su propio marco regulatorio al respecto.

En la práctica, sin embargo, esta delimitación no es tan rotunda como cabría suponer y da lugar a un sofisticado equilibrio entre separación de poderes, reparto de competencias, liderazgo y ejecución operativa de las soluciones. Si a eso se suman algunas de las cuestiones ya apuntadas sobre particularidades de las actuaciones judiciales, se dibuja una panorámica que permite dimensionar la actual situación de la justicia electrónica española y establecer cuáles están siendo sus principales retos.

No cabe duda de que la jurisdicción es única y que la competencia de impartir justicia es intransferible, ejercida siempre por jueces y tribunales. Sin embargo, para desempeñar la potestad jurisdiccional, juzgando y haciendo ejecutar lo juzgado, son necesarios unos medios que, aunque considerados accesorios o complementarios, son imprescindibles para llevar a buen término esas actuaciones (personal de apoyo, instalaciones, equipamiento informático o de oficina, seguridad, etc.) y que deben ser aportados por el poder ejecutivo. Así, el ministerio que ostente las competencias en materia de justicia tendrá la responsabilidad de preparar y ejecutar la política del Gobierno para el desarrollo del ordenamiento jurídico (especialmente en materia de derecho penal, civil, mercantil y procesal), la política de organización y apoyo de la administración de justicia, y la cooperación con otras instituciones autonómicas e internacionales competentes en la materia[6]. Debe tenerse además en consideración, que algunas comunidades autónomas han asumido la dotación de los medios personales y materiales al servicio del Poder Judicial, descargando de ese capítulo de gasto y de su gestión al Gobierno central.

Eso da lugar a una potestad jurisdiccional que, según en la comunidad autónoma en la que se ejerza, contará con unos u otros recursos en función de si la dotación de medios materiales es asumida por el Gobierno estatal o por los autonómicos. Con todo, y tal vez más en la teoría que en la práctica, esa distinción de medios no debería marcar diferencias en el ejercicio jurisdiccional. El CGPJ, como máxima autoridad, debe velar por que no se resienta la independencia de sus órganos en su normal desempeño, ni tampoco la calidad de su servicio. Sin embargo, si se recuerda lo ya apuntado en este texto, los medios pueden marcar sustanciales diferencias en la agilidad y prestación del servicio, dejando siempre como telón de fondo el debate de si puede ser considerado o no una injerencia.

Por otra parte, si se contrapone la reforma electrónica de la justicia a las estrategias que se están desarrollando en administraciones públicas de cualquier nivel, se comprenderá que en el ámbito judicial será necesariamente más sofisticada y que uno de los primeros retos pasa por su liderazgo. Es patente que lo que se ha venido en denominar comúnmente como transformación digital, va mucho más allá de la incorporación de tecnología a la acción de las instituciones: supone una reformulación de su funcionamiento y un cambio en la cultura organizacional. Si afrontar esa reingeniería ya resulta complejo en instituciones donde quien dirige también ostenta la capacidad de dotar de los medios necesarios para el cambio, es fácil aproximar que en el caso que nos ocupa no será nada sencillo, más aún cuando el impacto en derechos y libertades de las personas subyace en todo ello. Por esa razón, desde los inicios de la década de los 2000, se ha apostado fuertemente por un cambio en tal dirección, en una acción coordinada en la que confluyen la reforma del plano procesal, la incorporación de medios tecnológicos y una mayor proximidad a la ciudadanía.

Esas primeras modificaciones comienzan a manifestarse a partir del Pacto de Estado para la Reforma de la Justicia, que fija entre sus objetivos que en ella se «actúe con rapidez, eficacia y calidad, con métodos más modernos y procedimientos menos complicados. Que cumpla satisfactoriamente su función constitucional de garantizar en tiempo razonable los derechos de los ciudadanos y de proporcionar seguridad jurídica [...]. Que actúe como poder independiente, unitario e integrado, con una estructura vertebrada, regida por una coherencia institucional que le permita desarrollar más eficazmente sus funciones constitucionales». De ese compromiso de Estado parte la promulgación de una profunda

---

(6)   Actualmente regulado por el Real Decreto 725/2017, de 21 de julio, por el que se desarrolla la estructura orgánica básica del Ministerio de Justicia.

reforma de la LOPJ[7] y la publicación de la Carta de Derechos de los Ciudadanos ante la Justicia[8], que fijan la antesala del nuevo modelo de oficina judicial. Un primer cambio en la filosofía de funcionamiento que requiere ser acompañado por la regulación de aspectos de carácter auxiliar, y que en esos momentos iniciales fue abordada con la promulgación del Reglamento 1/2005, de los aspectos accesorios de las actuaciones judiciales[9], que reordena procedimientos y responsabilidades para lograr una mayor funcionalidad y eficacia en la actividad judicial.

Casi una década después de aquel pacto de Estado y al calor de esas primeras reformas jurídicas, se van visibilizando nuevas necesidades y la importancia de la racionalización y optimización de los procedimientos y recursos técnicos asociados. Con la aprobación de la Ley 13/2009, de reforma de la legislación procesal para la implantación de la nueva oficina judicial (LRLP-NOJ), se afronta una reordenación profunda que afecta a cuestiones de competencia y que acompasa nuevamente criterios procesales y de organización.

Sobre esos cimientos, el siguiente paso fue el desarrollo jurídico de los aspectos de soporte tecnológico, con la promulgación de la LRUTICAJ, en la que el uso generalizado de las tecnologías se pone al servicio de los órganos judiciales para una mayor agilidad en los procesos y la relación con los ciudadanos. Así mismo, define los requisitos mínimos que regirán la interconexión, interoperabilidad y seguridad de los diferentes sistemas informáticos de la justicia. Como ya adelanta en su preámbulo, esta ley adopta idénticos principios y valores que la Ley 11/2007, de acceso electrónico de los ciudadanos a los servicios públicos, pero salvando las diferencias existentes entre los procedimientos administrativos y los judiciales, y el hecho de que la relación de los ciudadanos con los órganos judiciales se produce mayoritariamente a través de intermediarios profesionales y no de una forma directa. Así pues, en lugar del tratamiento disperso que se le había dado hasta la fecha a la cuestión tecnológica en el ámbito judicial, introducida como acotaciones entre aspectos procesales, ahora se aborda de forma transversal su régimen jurídico: los derechos y obligaciones asociados a ella; aspectos técnicos relativos a la identificación, autenticación, interoperabilidad y seguridad; la tramitación electrónica de los procedimientos judiciales y el expediente judicial electrónico; el marco institucional de cooperación en materia de administración electrónica, y la definición del Esquema Judicial de Interoperabilidad y Seguridad (EJIS).

Sin embargo, este progresivo desarrollo jurídico no se corresponde con la realidad práctica de la implantación de las TIC en Justicia. Consecuencia de la diversa provisión de medios materiales y económicos para el funcionamiento de

---

(7)   Ley Orgánica 19/2003, de modificación de la Ley Orgánica 6/1985 del Poder Judicial.
(8)   Aprobada en el Congreso de los Diputados, el 16 de abril de 2002.
(9)   Aprobado por el Acuerdo de 15 de septiembre de 2005, del Pleno del Consejo General del Poder Judicial.

la administración de justicia (desde el Gobierno estatal o desde las comunidades autónomas que asumieron las competencias), los ritmos y el grado de desarrollo también son diversos de unas comunidades autónomas a otras.

Incluso antes de esta regulación específica de las TIC, el Consejo General del Poder Judicial, ya tenía atribuida la competencia de aprobar los programas y aplicaciones informáticas y establecer los términos de compatibilidad e interoperabilidad de los sistemas utilizados en la administración de justicia[10]. Así es que surgieron múltiples plataformas de gestión procesal cuya interconexión se fue aproximando mediante el Test de Compatibilidad: un conjunto de estándares avalados por el Consejo General del Poder Judicial cuyo objetivo era garantizar la interoperabilidad de los distintos sistemas tecnológicos de la administración de justicia. Una interoperabilidad técnica y semántica, que ha ido evolucionando y perfeccionándose desde su creación, en 1999, y que aún es referente: tablas de códigos y valores empleados en la gestión procesal, registro homogéneo de asuntos, intercambio de información entre sistemas, seguridad y auditoría de la información, definición de hitos relevantes en la tramitación de expedientes y establecimiento de funcionalidades mínimas de los sistemas informáticos de gestión procesal (CGPJ, 2017).

Por tanto, previo a la promulgación de la LRUTICAJ ya existía un considerable trabajo en materia tecnológica que a partir de ese momento adquiere mayor reconocimiento jurídico, pero que también debe reorganizarse. Pocos meses después de esa promulgación, con fecha de octubre de 2011, el Test de Compatibilidad actualiza sus dos guías técnicas de interoperabilidad y seguridad relativas al documento y al expediente judicial electrónicos, donde se definen su estructura, componentes, metadatos, así como cuestiones relativas a su gestión, firma, acceso, intercambio, reproducción y conservación. En ambos casos, sus anexos incluyen los esquemas XML para el intercambio, en un posible asimilado a las normas técnicas de documento y expediente electrónico vinculadas al ENI del ámbito ejecutivo, y que sirvieron de base para las actuales GIS en la materia (CTEAJE, s.f.).

Sin embargo, pese a todo este contexto, existen distintos niveles de desarrollo entre territorios debido a los diferentes enfoques aplicados en su despliegue, a la cuantía de los recursos invertidos, así como al orden de prioridades establecido. Un abanico de casuísticas que podría haber sido justificación suficiente para la definición del Comité Técnico Estatal de la Administración Judicial Electrónica (CTEAJE) en la LRUTICAJ (art. 44). Un órgano administrativo, independiente orgánica y funcionalmente, copresidido por el CGPJ y el Ministerio de Justicia que contará con representación de ambos órganos, así como de las comunidades autónomas con competencias en la materia y de la Fiscalía General del Estado. De este modo, el objetivo de asegurar la interoperabilidad de los

---

(10) Atribución que proviene de la Ley Orgánica 16/1994, de 8 de noviembre, por la que se reforma la Ley Orgánica 6/1985, de 1 de julio, del Poder Judicial.

sistemas y aplicaciones de la administración de justicia dejará de afrontarse de forma aislada para su posterior validación ante el CGPJ , y se construirá de forma interinstitucional e interdisciplinar, fijando criterios comunes básicos que favorezcan la compatibilidad entre sistemas, el desarrollo de planes y programas conjuntos de actuación, así como el intercambio y la reutilización tecnológicos y de información. Mediante el Real Decreto 396/2013 se regula su organización y competencias, junto con el refuerzo de una norma interna que regirá el funcionamiento ordinario de sus órganos y grupos de trabajo, y una hoja de ruta que vertebrará sus actuaciones (CTEAJE, s.f.).

De acuerdo con la LRUTICAJ (art. 45), el CTEAJE será el responsable de fijar las bases para el desarrollo del EJIS, así como el conjunto de guías asociadas, para permitir la interoperabilidad total de las aplicaciones informáticas al servicio de la Administración de Justicia (CTEAJE, s.f.). Cumpliendo con ese mandato, en la actualidad ya ha aprobado tanto esas bases como cinco guías de interoperabilidad y seguridad (GIS) (CTEAJE, s.f.). De ellas, se ha calificado de obligado y urgente cumplimiento la relativa a autenticación, certificados y firma electrónica; mientras que, por el momento, las correspondientes al documento y expediente judicial electrónico, la digitalización certificada de documentos y el copiado auténtico y conversión, aunque también calificadas de obligatorias, no se han fijado como urgentes. Además, desde este órgano se han definido los esquemas de metadatos de intercambio de documentos y expedientes judiciales, al tiempo que se mantienen otros instrumentos que redundan en la interoperabilidad y la seguridad tecnológicas, como las tablas de datos maestros (dando continuidad a las comprendidas en el Test de Compatibilidad), formularios normalizados o guías técnicas de aplicación (CTEAJE, s.f.).

Desde entonces y cada vez más, el CTEAJE se afianza como el referente para el desarrollo de la administración judicial electrónica; sin embargo, y aunque con innegables mejoras respecto a etapas anteriores en lo que atañe a la coordinación y planificación, sigue siendo necesario tener en consideración que las competencias de toma de decisiones y las de dotación de medios materiales mantienen su respectiva independencia. De igual modo, para alcanzar algunas de las mejoras técnicas que se plantean en el seno del CTEAJE resulta imprescindible la actualización del marco jurídico a fin de evitar inconsistencias o actuaciones al margen de su dictado. Sin embargo, su tramitación deberá ser asumida por el Ministerio de Justicia, de acuerdo con unos procedimientos y unos tiempos que no siempre tienen por qué estar alineados en su totalidad con las recomendaciones realizadas desde el CTEAJE. Así, en esa interdependencia, el despliegue de posibles mejoras se ve ralentizado a la espera de una adecuada coordinación de todos los requisitos necesarios.

De esta manera, mientras se continúa avanzando en los aspectos técnicos, las reformas jurídicas van incorporando modificaciones que favorecen la confluencia de ambos contextos para una justicia eficaz, con plenas garantías para los derechos y libertades de las personas. La última gran reforma en este sentido se produjo en 2015 con la modificación de la LEC (mediante la Ley 42/2015, de reforma de la Ley 1/2000) y la LECrim (con la Ley Orgánica 13/2015, de modificación de la Ley de Enjuiciamiento Criminal para el fortalecimiento de las garantías procesales y la regulación de las medidas de investigación tecnológica y la Ley 41/2015, de modificación para la agilización de la justicia penal y el fortalecimiento de las garantías procesales).

4. LA GESTIÓN DE DOCUMENTOS JUDICIALES EN EL CONTEXTO ELECTRÓNICO

Aquel impulso reformador de la justicia emanado del pacto de Estado buscaba mejorar la situación de juzgados y tribunales, descongestionarlos para una respuesta ágil y eficaz a los ciudadanos, y trajo entre sus primeros desarrollos normativos la promulgación del Real Decreto 937/2003, de modernización de los archivos judiciales (RDMAJ). Atendiendo a lo que apunta en su preámbulo, se entendía que «una oficina judicial saturada de expedientes difíciles de ubicar o archivar, con la consiguiente dificultad para encontrarlos, en ocasiones produce en la sociedad la imagen de una justicia lenta e ineficaz», por ello la finalidad de ese real decreto pasa por la implantación de un sistema de gestión de archivos judiciales que permita la realización de los fines de la Justicia, así como garantizar el acceso a la documentación por quien tenga interés en ello, con las garantías y limitaciones legalmente exigibles (art. 1.5). Un propósito que, sin embargo, se va desdibujando en su articulado.

Hasta ese momento, la única normativa específica en materia de archivos o gestión de documentos judiciales, y aún vigente, databa de 1911 y 1937[11]. En ella, la situación de partida que se describía no parece distar demasiado de la apuntada en el nuevo real decreto: aglomeraciones de expedientes finalizados que obstaculizaban las dependencias judiciales. La solución aportada casi un siglo antes del RDMAJ, pasaba por la *evacuación* de esos espacios y, en un alto porcentaje, por la destrucción de los expedientes calificados como inútiles; prácticamente en una interpretación literal de la acepción de «expurgar» como el hecho de limpiar o purificar algo, entresacando lo inútil, sobrante o inconveniente.

Y aunque en el nuevo contexto de firme compromiso con la modernización de la justicia el RDMAJ apunta hacia «una mejora en el tratamiento de los documentos judiciales en un equilibrio entre la tradicional técnica archivística y el

---

(11)   Real Decreto de 29 de mayo de 1911 (Gaceta de Madrid de 31 de mayo), la Real Orden de 12 de agosto de 1911, del Ministerio de Gracia y Justicia (Gaceta de Madrid de 14 de agosto); la Orden de 29 de marzo de 1937, de la Presidencia de la Junta Técnica del Estado, sobre expurgo de legajos y documentos (Gaceta de Madrid de 31 de marzo), y la Orden de 8 de abril de 1937, de la Comisión de Justicia, sobre expurgo de documentos en los archivos judiciales (Gaceta de Madrid de 8 de abril).

desarrollo creciente de las nuevas tecnologías», hay más de aquella idea de limpieza que de doctrina archivística. Se insiste a lo largo de todo su articulado que tendrán cabida los soportes electrónicos y el uso de programas y aplicaciones informáticos para la gestión de documentos, pero únicamente se definen espacios y procedimientos que atienden a documentos en papel, donde lo electrónico queda apenas reducido a aplicaciones o plantillas utilizadas para el inventariado de documentos. Frente a aquella primera normativa, el RDMAJ profundiza algo más en cuestiones relativas a la ordenación, custodia, acceso y conservación de los documentos judiciales, aunque con especial interés en la definición de competencias. Pero a la vuelta de todo ello, y dando continuidad a la regulación predecesora, el grueso de su interés recae nuevamente en la definición y funcionamiento de las juntas de expurgo como canal fundamental para el desahucio de documentos de las dependencias judiciales, ya sea por destrucción o por transferencia de estos a la administración competente en materia de patrimonio histórico, siempre que haya prescrito todo valor para el poder judicial[12].

Con la perspectiva de algo más de una década desde su promulgación, se hace manifiesto que el RDMAJ tampoco ha alcanzado el objetivo fijado. Solo existen contadas excepciones que se aproximan a lo que se pretendía, pero no por limitarse a la literalidad de su articulado sino porque, desde la interpretación de las competencias de provisión de medios técnicos y materiales para la Administración de Justicia, algunas comunidades autónomas han desplegado modelos de gestión de documentos como infraestructura básica de soporte[13]. Para ello, han replicado unos procedimientos e instrumentos que ya se estaban utilizando en otras administraciones públicas, con una doble finalidad: amoldarlos al ámbito judicial con el fin de evitar injerencias desde el poder ejecutivo e intentar suplir con ello los vacíos del RDMAJ. De este modo, los cambios sí redundan de forma tangible en un mejor funcionamiento y servicio, tanto interno como a los ciudadanos, con plenas garantías, pero todavía acusando algunas limitaciones derivadas del dictado del RDMAJ, que entorpece, por ejemplo, la aplicación de procesos de valoración y selección acordes a la doctrina archivística.

---

(12) A partir de la promulgación de la Ley 16/1985 del Patrimonio Histórico Español, los documentos de cualquier época generados, conservados o reunidos en el ejercicio de su función por cualquier organismo o entidad de carácter público forman parte del patrimonio documental (art. 49) y cualquier eliminación de esos bienes debe contar con la autorización de la administración competente en la materia y en ningún caso, podrá llevarse a cabo en lo que aún subsista valor probatorio de derechos y obligaciones de personas o los entes públicos (art. 55). Por este motivo, aquella «libertad de criterio» desde la única perspectiva de una junta de expurgo formada exclusivamente por representantes del ámbito judicial, que dictaba el primer marco jurídico de 1911 y 1937, ya no resulta válida desde la entrada en vigor de esta ley.

(13) Cataluña, Andalucía y Galicia, son los principales referentes. Canarias, Madrid y Navarra también se encuentran trabajando en esa línea.

El hecho de que el marco jurídico apenas haya reconocido la relevancia de los procesos de gestión de documentos y que con carácter general apenas exista personal especializado en la materia, ha supuesto que abunden las soluciones organizativas de mínimos, que posponen el análisis y tratamiento de los documentos hasta que llega el momento de decidir sobre su transferencia para la conservación permanente como patrimonio histórico documental o su destrucción. Ante esta situación, durante décadas se ha descargado en las juntas de expurgo las principales labores de identificación y valoración de documentos, enfrentándolas a esa toma de decisiones sin apenas información previa de contexto. Se impone, por tanto, iniciar el estudio a partir de ese momento y con frecuencia, ante una casuística de criterios de organización tan diversa y lejana en el tiempo que prácticamente obliga al análisis individualizado de cada expediente. La consecuencia última de todo ello es su prolongada inoperancia, pese a llevar más de un siglo reguladas, y que el caos aún impere entre los documentos judiciales.

De este modo, la realidad más extendida pasa por unos documentos que, mientras se encuentran en fase de tramitación procesal, permanecen ajenos a cualquier tratamiento técnico de organización: sin apenas normalización, con diversidad de criterios de unos órganos a otros y, por extensión, con un desigual servicio para quienes deben basar el ejercicio de sus funciones en esos documentos o para aquellas personas que son parte implicada en el proceso judicial. Cuando se resuelven esos expedientes, pero aún no han prescrito todos los derechos y obligaciones derivados, lo habitual es que se trasladen a otros espacios y que se adopten las medidas necesarias para, al menos, asegurar su localización si son requeridos en ese tiempo. Sin embargo, no en todas las autonomías se ha cumplido el mandato del RDMAJ de crear al menos un archivo judicial territorial, con su correspondiente estructura de gestión, al que poder transferir la custodia y tratamiento de esa documentación. Esa inexistencia en ocasiones es suplida por espacios que concentran documentos judiciales con el fin de liberar las oficinas de juzgados y tribunales, pero sin apenas dotación para un verdadero tratamiento archivístico, aproximándolos más a almacenes que a verdaderos archivos. En otros casos, ese depósito se externaliza a empresas de custodia documental, o directamente se integran los fondos judiciales en archivos dependientes del poder ejecutivo, aun cuando los expedientes siguen siendo soporte jurídico de la potestad jurisdiccional y no patrimonio histórico documental. Es por ello que en este escenario, las juntas de expurgo no han sido, ni podrán ser, la solución a lo que el poder judicial necesita.

Si ahora se incorporan a la ecuación todos los cambios tecnológicos que han afectado a la gestión procesal, seguir perpetuando ese modo de proceder en el contexto electrónico acabará teniendo aún peores consecuencias que con el papel. Si el Test de Compatibilidad ya dictaba directrices de normalización para el intercambio de información por medios electrónicos en 1999, en breve se cumplirán dos décadas del manejo de información judicial en esos entornos. En un primer momento se concibieron como un apoyo para la tramitación de documentos judiciales que seguían produciéndose en papel; sin embargo, con el avance de los años el reemplazo de soportes ya es una realidad, sin que hasta el momento se haya adaptado su gestión más allá del período de tramitación.

Una vez más, las vistas pueden servir de ejemplo para ello: con su grabación se desplazó la transcripción escrita de las declaraciones, y aquellas actas ahora son suplidas en el expediente judicial por grabaciones validadas electrónicamente. Finalizado el proceso, ¿esa grabación se sigue almacenando en el repositorio del sistema de grabaciones de vistas?, ¿durante cuánto tiempo?, ¿se llega a transferir en algún momento a otro repositorio de archivo? Lo más habitual hasta la fecha es que esa grabación se hubiese copiado en un soporte óptico y que este, se hubiese anexado al expediente en papel, pero ¿cuál va a ser (o está siendo) la política de gestión de esas mismas grabaciones en el momento que desaparece el expediente en papel? He aquí pues, una muestra de las cuestiones que deben afrontarse en un contexto donde la arquitectura de información se encuentra dispersa en múltiples sistemas de soporte que, si no se coordinan plenamente, acabarán comprometiendo la integridad de los expedientes judiciales y su disponibilidad a medio plazo.

Pero además, ese mismo ejemplo puede servir para volver a llamar la atención sobre el impacto de la poliédrica organización de la Justicia en la gestión de documentos: el poder judicial debe mantenerse independiente en sus decisiones, la provisión de medios debe ser garantizada por el poder ejecutivo y al mismo tiempo, el enfoque jurídico, el de la gestión de documentos, el funcional y el tecnológico deben estar en constante coordinación. Por el momento, mientras el proceso judicial se encuentra activo, las garantías del documento (una grabación de vistas o cualquier otro) están aseguradas: el poder judicial marca las exigencias procesales necesarias, y la tecnología aportada por el poder ejecutivo se organiza para su cumplimiento. Una vez resueltas las actuaciones, ese reparto de roles debería seguir teniendo continuidad para atender las restantes exigencias judiciales comprendidas durante los plazos de prescripción; sin embargo, es a partir de este momento donde los límites se difuminan y surgen los vacíos en la gestión.

Como ya no se afea la imagen de juzgados y tribunales, porque esos documentos han dejado de obstruir pasillos y salas, parece que el problema haya desaparecido, pero sigue sin resolverse y con peores perspectivas de futuro que antes. Lo electrónico demanda una monitorización mayor para evitar pérdidas o alteraciones tanto a corto como a largo plazo, cuánto más ante un complejo entramado de plataformas tecnológicas. La delimitación espacial planteada por el RDMAJ (archivos judiciales de gestión, territoriales y centrales), no tiene cabida en el nuevo entorno electrónico y, entretanto, aún sigue estando pendiente una solución que conjugue exigencias, necesidades y el marco jurídico regulatorio. Ya se había apuntado antes que, aunque el término electrónico se repite con frecuencia, el RDMAJ se centra realmente en un contexto de producción de documentos en papel; por su parte, la LRUTICAJ en este sentido apenas se limita a exigir el cumplimiento de la normativa vigente en materia de archivos judiciales (art. 4.2.e y art. 6.2.c) y a apuntar que en ellos también se utilizarán programas y aplicaciones compatibles con los ya existentes en juzgados y tribunales (art. 29). Un círculo de interdependencia jurídica que, a la vuelta de todo, deja un vacío en la gestión de unos documentos judiciales electrónicos cuya producción solo va en aumento, y para los que urge dotarse de criterios e instrumentos para administrarlos y preservarlos con plenas garantías.

Con la constitución del CTEAJE y la definición de su hoja de ruta, la gestión de documentos judiciales vuelve a considerarse uno de los elementos estratégicos de mejora. Para ello, ya desde sus inicios, forma el Grupo de Trabajo de Gestión Archivística (GTGA) que, aunque en origen fue convocado con la finalidad de definir los requisitos funcionales básicos para el diseño de aplicaciones de archivo judicial, pronto recondujo sus objetivos hacia el establecimiento de una política de gestión de documentos electrónicos judiciales. Se entendió que difícilmente podrán desarrollarse herramientas tecnológicas si no se ha afrontado con anterioridad la definición de los procesos y actuaciones que se pretenden informatizar. De este modo se inició la puesta en común de las diferentes realidades y experiencias en gestión de documentos judiciales desde las perspectivas jurídica, archivística y tecnología, para detectar problemáticas y necesidades a las que urge dar solución. Además, esa coordinación multidisciplinar también permite compartir y analizar iniciativas ya realizadas en algunas instituciones, con el fin de aprovechar su experiencia y los casos de éxito.

El amplio espectro de mejora pasa fundamentalmente por la conjugación de los estándares internacionales de gestión de documentos (AENOR, 2008, 2011, 2016; DLM F.F., 2011), con los condicionantes propios del ámbito judicial. Un trabajo ímprobo que lleva postergado décadas y que precisa de una urgente actualización del marco jurídico para que las soluciones aportadas desde el CTEAJE puedan implantarse de forma integral y atajar, así, el fondo del asunto. Y aunque lleva siendo una demanda constante del GTGA desde sus inicios (CTEAJE, 2014), no debe olvidarse que, como ya se ha dicho, el impulso de las reformas legislativas queda fuera del radio de acción directa del CTEAJE y debe ser liderado por el Ministerio de Justicia. A la espera de que esa reforma sea efectiva, se continúa avanzando en los trabajos de estudio y definición de procesos documentales con el fin de cerrar la política de gestión de documentos y otros instrumentos de soporte (CTEAJE, s.f.), al tiempo que se colabora con los demás grupos de trabajo.

Por encima de todo, los documentos deben ser facilitadores de las actividades de las organizaciones, salvaguardando los derechos y obligaciones contraídos en esos actos de los que dan testimonio, al tiempo que suponen una fuente de información de primer orden para la propia organización y, en los casos que corresponda, incluso para terceros. Producirlos en el volumen que se hace en Justicia, sin apenas planificación y control sobre su gestión, da lugar a la situación descrita y a que, durante mucho tiempo, los documentos hayan sido concebidos más como un estorbo que como un pilar estratégico para la óptima prestación de servicios y la toma de decisiones.

Teniendo presentes los principios que rigen la Justicia, la trascendencia del ejercicio de su potestad en los derechos y libertades de las personas y que sobre ella se asientan algunos de los pilares del Estado de Derecho, resulta ineludible afrontar los cambios necesarios para dar respuesta a las exigencias de partida, pero también a los desafíos del nuevo entorno social y digital.

El camino para ello debería pasar por la delimitación de roles y responsabilidades, el establecimiento de procesos sistemáticos, criterios de medición y evaluación, y la revisión continua para su mantenimiento y mejora (AENOR, 2011). Todos ellos, elementos que en gran medida deberían quedar expresados en la política de gestión de documentos judiciales en la que trabaja el CTEAJE, e incardinados con otras políticas, directrices e instrumentos que rigen la actividad judicial.

Se apuntó desde el principio, y se han ido exponiendo circunstancias donde constatarlo: la exigencia constitucional de independencia de los poderes del Estado será una cuestión medular al delimitar competencias en aquellos proyectos que afecten al ámbito judicial. A la hora de configurar un sistema de gestión de documentos, esto implica que al poder judicial le corresponde fijar las exigencias de administración, gestión, procedimientos y plazos que afecten a los documentos judiciales; mientras que el ejecutivo debe encargarse de proveer los medios necesarios para darle cumplimiento a todo ello. Si se parte de la premisa de que la creación y gestión de documentos es parte integral de las actividades, procesos y sistemas de cualquier organización (AENOR, 2011), aquí todos ellos responden a las competencias del Poder Judicial. Por consiguiente, aunque ambas partes deben trabajar de forma coordinada y gozar de discrecionalidad en sus actuaciones, en ningún caso debiera verse comprometido el mandato de mínimos de quien es responsable último de las actuaciones que testimonian los documentos: el Poder Judicial.

En este sentido, cabe realizar una apreciación que, aunque pudiera resultar redundante para especialistas en la gestión de documentos conocedores del principio de procedencia, puede no ser así para otras disciplinas. El paralelo desempeño de estos dos poderes del Estado, en plena interrelación pero con el máximo dictado de evitar injerencias entre ellos, implica que sus órganos, las actuaciones de estos y por extensión los documentos que testimonian sus actos, estarán regidos por idéntico mandato de no interferencia. Esto supone que, aunque todo parezca referirse a la Justicia, los documentos consecuencia de las competencias de juzgados y tribunales de cualquier orden jurisdiccional, así como los correspondientes al gobierno de los órganos del Poder Judicial, tendrán una gestión marcadamente diferenciada de aquellos que resulten de las competencias asignadas a órganos del poder ejecutivo en materia de Justicia. Así, estos últimos se verán afectados por el dictado de las leyes administrativas, el ENI, el Esquema Nacional de Seguridad (ENS) y la política de gestión de documentos propia del Ministerio de Justicia o el gobierno autonómico del que dependa el órgano productor de esos documentos. Mientras que los primeros deberán cumplir el código procesal y demás leyes de ordenamiento del Poder Judicial, el EJIS, sus guías y la política de gestión de documentos judiciales que se defina a tal efecto.

Por eso además de una perfecta delimitación de los roles y competencias, también resultará fundamental trazar una arquitectura de información que respete esas mismas exigencias. Sistemas de gestión y repositorios que eviten intromisiones o injerencias, que cumplan con las exigencias procesales, pero también con todas aquellas de gestión que garanticen la autenticidad, integridad, fiabilidad y disponibilidad de los documentos que custodian.

Si se piensa en muchas de las cuestiones apuntadas al aludir a las actuaciones judiciales y cómo estas se sustancian en documentos, su integración en un sistema (en lugar de tratarlos como elementos aislados) asegura el control de la producción y gestión de esos documentos a lo largo de todo su ciclo de vida, siempre ante la máxima de responder a las necesidades de los órganos que le dan origen y a sus obligaciones con los ciudadanos. Un contexto y una metodología muy alejados de la visión finalista que hasta la fecha se ha tenido del archivo en Justicia, y que por el contrario, ha de adelantar su intervención a la definición de los requisitos que regirán la producción de los documentos judiciales. Es necesario analizar los procesos donde se van a originar los documentos, saber qué es necesario documentar, cuál va a ser su flujo de gestión y las exigencias que les van a afectar durante todo su ciclo de vital. Solo partiendo de esos cimientos, se podrá realizar una reingeniería de los procesos y un diseño de tipos documentales que conduzca a una mayor eficacia y eficiencia en las actuaciones y los recursos destinados a ello.

Así, del lado de la toma de decisiones, desde el Poder Judicial deberían fijarse los mínimos necesarios para el control de los procesos e instrumentos que afectan a la gestión de sus documentos, de igual modo que lo ha venido haciendo con reglamentos e instrucciones de homogenización de otros aspectos relacionados con las actuaciones o la organización judiciales. Cuestiones como su diseño, el establecimiento de un cuadro de clasificación funcional único, la calificación de documentos judiciales, o la aprobación de reglas de acceso y calendarios de conservación deben regirse por la misma unicidad de criterio que lo hacen las actuaciones de los órganos judiciales.

El RDMAJ establece una infraestructura, unos órganos y unos instrumentos que asfixian cualquier avance en esta línea, e incluso si se decidiese hacerlo ciñéndose a ellos, supondría una injerencia en las competencias judiciales. Las juntas de expurgo sirven para ejemplificarlo. Con frecuencia se tiende a asimilarlas a las comisiones calificadoras o de valoración de documentos de otras administraciones públicas; sin embargo, la correspondencia no es tan estrecha como podría parecer. Para empezar, porque se encuentran desligadas de otros procesos documentales propios de un sistema, pero además su intervención únicamente se limita a la decisión sobre el destino de unos documentos que ya son patrimonio histórico documental. Que las actuales juntas de expurgo dictaminasen sobre documentos judiciales en activo, estableciendo reglas de acceso, la calificación de documentos esenciales o calendarios de conservación (como hacen esas otras comisiones calificadoras y de valoración de documentos), sería una injerencia en el ámbito judicial.

Respecto a la ya apuntada falta de regulación sobre otros procesos básicos en la gestión de documentos, en el caso de la clasificación plantea un escenario con tantos cuadros de clasificación como territorios, siempre que se parta del mejor de los supuestos y esa labor haya sido realizada en algún momento. Sin coordinación alguna o directrices mínimas para ello, se aborta cualquier interoperabilidad entre aplicaciones a estos efectos y, por extensión, poder dar escalabilidad a otras intervenciones relacionadas, por ejemplo, con el control de acceso o los plazos de custodia de esos documentos. De igual modo que sucede con otras categorizaciones procesales o tablas maestras que llevan años formando parte del Test de Compatibilidad en las que se normalizan jurisdicciones, procedimientos, órganos, etc., el cuadro de clasificación de documentos judiciales debería recibir idéntica relevancia como uno de los pilares para la interoperabilidad entre plataformas de gestión de documentos judiciales.

Lo mismo sucede con las reglas de acceso y los calendarios de conservación. Es fundamental tener en consideración todo lo apuntado sobre publicidad, acceso y protección de datos, y la trascendencia que tienen tanto para la potestad jurisdiccional, como en los derechos y libertades de las personas. Razones de peso para establecer criterios que eviten una disparidad de opciones que pueda comprometer las actuaciones judiciales o lesionar derechos personales por culpa de esas divergencias. Piénsese, por ejemplo, en una persona que requiere la consulta de un expediente, alguna copia o una certificación y que, mientras en una autonomía se le entregan con una serie de prestaciones y garantías, en otra pueda no estar disponible o que lo esté en condiciones más lesivas, simplemente porque se hayan adoptado otros plazos y criterios en su gestión. En cualquiera de los dos casos, la obligación contraída se establece entre la persona y el Poder Judicial. Ya sean en materia procesal, de publicidad, transparencia o protección de otros derechos, como la cancelación de datos personales, todos redundan en esa misma relación, por lo que resulta evidente que debiera ser el Poder Judicial el que asegure los procesos que impactan de forma directa en ello, y evitar así el riesgo de quedar a merced de la disponibilidad técnica o del dictado del poder ejecutivo.

De esta manera, además de atender a los nuevos condicionantes tecnológicos, en el ámbito judicial es necesario emprender prácticamente desde cero la definición de un sistema de gestión de documentos. Algo que, en mayor o menor medida, otras administraciones públicas ya habían asumido antes de su incorporación a un entorno digital y, por ello, están siendo más ágiles en su renovación. Un doble reto que, correctamente planificado, puede plantear la oportunidad definitiva para superar décadas de inacción. Frente a otros ámbitos, la ventaja fundamental del judicial pasa por unos procedimientos muy estables en el tiempo y regulados con alto grado de detalle, que pueden fijar un punto de partida firme para la configuración del sistema de gestión de documentos judiciales. Disponer de un espacio de trabajo coordinado y multidisciplinar como el CTEAJE, desde el que poder recopilar, intercambiar y analizar la información necesaria, agilizará la toma de decisiones y la planificación respecto a épocas anteriores.

Lo importante es que, a partir de todo ello, y con independencia de si el desarrollo de la plataforma tecnológica de soporte es llevado a cabo por el gobierno central o por las autonomías con competencias en la provisión de medios materiales, los intereses y exigencias propias de las competencias del Poder Judicial queden garantizadas, con unicidad de criterio y pleno control en todas las acciones.

5. CONCLUSIONES

Cualquier proyecto de reforma organizacional requiere conocer en profundidad cuál es el punto de partida y delimitar perfectamente el contexto de acción (marco legal, agentes implicados, estructura organizativa, recursos disponibles, límites y exigencias...), pues difícilmente se podrán adoptar decisiones oportunas que satisfagan los objetivos propuestos y los requisitos exigidos, si todo eso se desconoce.

Por este motivo, se ha intentado ofrecer una panorámica general y lo más interdisciplinar posible, que permita comprender la idiosincrasia del entorno judicial, porque, aunque existen muchos elementos en común con otras administraciones públicas, tiene unos condicionantes propios que plantean unos riesgos y exigencias que no comparte con las demás instituciones. Además, su trascendencia directa sobre derechos fundamentales de las personas y el Estado de Derecho, exige una responsabilidad extrema que no puede ser obviada en ningún caso.

Los documentos judiciales electrónicos no serán ajenos a todo ello; pero además, el hecho de que su gestión integral se haya postergado durante tanto tiempo exige una reestructuración profunda no solo técnica y tecnológica, sino también jurídica y organizativa. Resulta imprescindible desterrar la visión finalista del archivo, entendido como un mero depósito en el que esperar a que se agoten los plazos de vigencia. Por eso la principal llamada de atención estriba en la importancia estratégica de dotar al poder judicial de un sistema de gestión de documentos que permita desarrollar más eficazmente el ejercicio de la potestad jurisdiccional y una mayor cercanía a la sociedad.

El tiempo ya ha demostrado que la solución no pasa por desplegar tecnología sobre unos modos de proceder que no atienden a las necesidades reales del momento, ni se adaptan al contexto. Por ello, esa labor de reingeniería deberá conjugar las exigencias jurídicas, funcionales, tecnológicas y documentales que permitan una mayor eficacia judicial, con plena independencia y unicidad de criterio, al margen de cuál sea la plataforma tecnológica que las soporte.

6. BIBLIOGRAFÍA

ASOCIACIÓN ESPAÑOLA DE NORMALIZACIÓN Y CERTIFICACIÓN (AENOR) (2008). UNE-ISO/TR 26122:2008 IN Información y documentación. Análisis de los procesos de trabajo para la gestión de documentos. Madrid: AENOR.

ASOCIACIÓN ESPAÑOLA DE NORMALIZACIÓN Y CERTIFICACIÓN (AENOR) (2011). UNE-ISO 30301:2011 Información y documentación. Sistemas de gestión para los documentos. Requisitos. Madrid: AENOR.

ASOCIACIÓN ESPAÑOLA DE NORMALIZACIÓN Y CERTIFICACIÓN (AENOR) (2016) UNE-ISO 15489-1:2016 Información y documentación. Gestión de documentos. Parte 1: Conceptos y principios. Madrid: AENOR.

COMITÉ TÉCNICO ESTATAL DE ADMINISTRACIÓN JUDICIAL ELECTRÓNICA (CTEAJE). Disponible en: https://www.cteaje.gob.es [Consultado el 10-02-2018].

COMITÉ TÉCNICO ESTATAL DE ADMINISTRACIÓN JUDICIAL ELECTRÓNICA (CTEAJE) (2014). Propuesta de política de gestión de documentos y archivos judiciales (versión 1.1). Disponible en: https://www.administraciondejusticia.gob.es/paj/PA_WebApp_SGNTJ_NPAJ/descarga/CTEAJE-GA-DTC-Propuesta%20de%20pol%C3%ADtica%20de%20gestion%20documental%20V%201.pdf?idFile=73771c54-4f87-481f-9dfb-d5d74781ca96 [Consultado el 10-02-2018].

COMITÉ TÉCNICO ESTATAL DE ADMINISTRACIÓN JUDICIAL ELECTRÓNICA (CTEAJE) (2017). Bases del Esquema Judicial de Interoperabilidad y Seguridad (versión 1.1, de 27 de junio de 2017). Disponible en: https://www.cteaje.gob.es/cteaje/PA_WebAppSGNTJCTEAJE/descarga/CTEAJE-BIS-

INF-MJU-Bases%20del%20EJIS.pdf?idFile=1b78eaca-95d4-4425-b45b-2acf3e0a7d53 [Consultado el 10-02-2018].

CONGRESO DE LOS DIPUTADOS (2003). Constitución Española [Portal temático]. Disponible en: http://www.congreso.es/consti/index.htm [Consultado el 10-02-2018].

CONSEJO GENERAL DEL PODER JUDICIAL (CGPJ) (2017). Test de compatibilidad de los sistemas informáticos de gestión procesal. Disponible en: http://testcompatibilidad.poderjudicial.es/cgpjtest/php/main.php [Consultado el 10-02-2018].

DLM FORUM FOUNDATION (2011). MoReq2010: Modular Requirements for Records Systems. Disponible en: http://moreq.info/files/moreq2010_vol1_v1_1_en.pdf [Consultado el 10-02-2018].

ESPAÑA (1882). Real Decreto de 14 de septiembre de 1882 por el que se aprueba la Ley de Enjuiciamiento Criminal. *Gaceta de Madrid,* núm. 260, de 17 de septiembre de 1882. Texto consolidado disponible en: https://www.boe.es/buscar/act.php?id=BOE-A-1882-6036 [Consultado el 10-02-2018].

ESPAÑA (1985). Ley Orgánica 6/1985, de 1 de julio, del Poder Judicial. *Boletín Oficial del Estado*, núm. 157, de 2 de julio de 1985. Texto consolidado disponible en: https://www.boe.es/buscar/act.php?id=BOE-A-1985-12666 [Consultado el 10-02-2018].

ESPAÑA (1998). Ley 29/1998, de 13 de julio, reguladora de la Jurisdicción Contencioso-administrativa. *Boletín Oficial del Estado*, núm. 167, de 14 de julio de 1998. Texto consolidado disponible en: https://www.boe.es/buscar/act.php?id=BOE-A-1998-16718 [Consultado el 10-02-2018].

ESPAÑA (2000). Ley 1/2000, de 7 de enero, de Enjuiciamiento Civil. *Boletín Oficial del Estado*, núm. 7, de 8 de enero de 2000. Texto consolidado disponible en: https://www.boe.es/buscar/act.php?id=BOE-A-2000-323 [Consultado el 10-02-2018].

ESPAÑA (2003). Real Decreto 937/2003, de 18 de julio, de modernización de los archivos judiciales. *Boletín Oficial del Estado*, núm. 181, de 30 de julio de 2003. Texto consolidado disponible en: https://www.boe.es/buscar/act.php?id=BOE-A-2003-15237 [Consultado el 10-02-2018].

ESPAÑA (2011). Ley 18/2011, de 5 de julio, reguladora del uso de las tecnologías de la información y la comunicación en la Administración de Justicia. *Boletín Oficial del Estado*, núm. 160, de 6 de julio de 2011. Texto consolidado disponible en: https://www.boe.es/buscar/act.php?id=BOE-A-2011-11605 [Consultado el 10-02-2018].

ESPAÑA (2013). Real Decreto 396/2013, de 7 de junio, por el que se regula el Comité Técnico Estatal de la Administración Judicial Electrónica. *Boletín Ofi-*

cial del Estado, núm. 146, de 19 de junio de 2013. Texto consolidado disponible en: https://www.boe.es/buscar/act.php?id=BOE-A-2013-6657 [Consultado el 10-02-2018].

GÓMEZ FERNÁNDEZ-CABRERA, J. (coord.) (2007). *Actas del Congreso de Archivos Judiciales*, Sevilla, mayo 2007. Sevilla: Junta de Andalucía, Consejería de Justicia y Administración Pública.

MORALES GÓMEZ, J. (coord.) (2008). *Actas de las VIII Jornadas de Archivos Aragoneses*, Huesca, noviembre 2008. Huesca: Gobierno de Aragón - Departamento de Educación, Cultura y Deporte, Diputación Provincial de Huesca.

NIETO, A. 2007. La Administración de Justicia y el Poder Judicial. *Revista de Administración Pública* (174), pp. 31-47.

14.

ANTE LOS NUEVOS MODELOS DE REINGENIERÍA DOCUMENTAL

Joan Carles FAUS MASCARELL
Técnico de procesos y archivo, Ayuntamiento de Gandía

Entre la revolución tecnológica y los consiguientes cambios organizacionales, de modelo de producción y de servicios, se abre un tiempo incierto que nos toca descubrir. La digitalización creciente y las transacciones electrónicas son una exigencia legal a la vez que un atributo consustancial de la actual sociedad digital. No es poco, pero solo es eso. El principal reto que se nos presenta es de modelo de trabajo, de renovación de un sistema de producción informacional acorde a su actual valor social. Pretendemos con esta comunicación trasladar a los gestores y directivos públicos la exigencia de una reingeniería documental ante la complejidad del escenario tecnológico actual, ineludible para una transformación digital efectiva, sostenible en el tiempo y confiable por la ciudadanía.

1. LAS NUEVAS TECNOLOGÍAS Y EL MODELO DE PRODUCCIÓN DE LAS ADMINISTRACIONES PÚBLICAS

Tras cinco largos siglos donde el papel y la imprenta han sido la base del conocimiento y de las relaciones humanas, vivimos en la denominada «sociedad de la información» o «sociedad del conocimiento». No parece una etiqueta más, sino que en palabras de Manuel CASTELLS estamos en plena *sociedad informacional,* donde una constante revolución tecnológica y el uso masivo de Internet está modificando la infraestructura del sistema social a un ritmo acelerado, desencadenando ingentes trasformaciones en el contexto social, en el modo de vida, en el gobierno y en la estructura del poder político, y en la economía en red[1]. Se abren nuevos escenarios para el uso masivo de datos, y lo digital es el medio común para almacenar y manejar el enorme volumen de información que generamos, y crecerá exponencialmente en los próximos años.

También el uso de servicios y herramientas tecnológicas en las administraciones públicas (AAPP) es ya considerable, e ineludible. La Ley 39/2015, de 1 de octubre, del Procedimiento Administrativo Común de las administraciones públicas (en adelante, LPAC), obliga al uso de medios electrónicos para procedimentar la actividad pública, e incluso fija sujetos obligados a interactuar electrónicamente (art. 14.2, LPAC). Pero este escenario está plagado de riesgos. Por supuesto, no podemos reproducir en digital una forma de trabajar y unos documentos pensados para el papel. Tampoco el slogan de «cero papel» puede comportar que indocumentemos la actividad de las organizaciones: qué hacemos, cómo lo hacemos, y donde acudir para saberlo. Debemos alinearnos lo más rápidamente posible al nuevo modelo digital para prevenir posibles arbitrariedades y déficits irreparables para el normal funcionamiento de las administraciones.

Generalmente, confiamos demasiado en la informática y en el acopio tic sin englobar más factores relacionados con la transformación digital. El sector privado nos aventaja, según la definición de *International Data Corporation* de transformación digital: «el proceso continuo en el que las empresas impulsan o se adaptan a cambios disruptivos en sus clientes y mercados (ecosistema externo), apoyándose en las competencias digitales para innovar en modelos de negocio, productos y servicios que combinan de forma integrada lo físico con lo digital, el negocio y la experiencia de cliente, mientras se producen mejoras en la eficiencia operacional y el rendimiento de la organización» (IDC, 2016). Este enfoque ensamblaría bastante bien con la definición amplia que conocemos de la administración electrónica (LIIKANEN, 2003).

La estrategia parece bien trazada, aunque las inercias pesan mucho. Todavía hoy el trabajo administrativo reposa más en la rutina y en la tradición que no en esquemas racionales y lógicos. Y no es que hayamos gastado poco. La ciudadanía en general valora positivamente el esfuerzo invertido con el uso de Internet y en servicios digitales, pero acto seguido nos recrimina, una y otra vez, que no hayamos revisado nuestra manera de trabajar tras el boom de la informática, y percibe escasas mejoras en la eficiencia operacional de trámites y procesos, y por lo tanto en el rendimiento de la administración pública (AEVAL, 2016).

Hacia un nuevo modelo de producción. Marvin Harris identifica el «modo de producción» con la tecnología, las pautas de trabajo y las relaciones tecnoe-

---

(1)   El término informacional indica el atributo de una forma específica de organización social en el que la generación, el procesamiento y la transmisión de la información se convierten en las fuentes fundamentales de la productividad y el poder, debido a las nuevas condiciones tecnológicas que surgen en este período histórico.

cológicas[2]. A partir de cierto punto, un excesivo optimismo tecnológico sin más desembocará en incertidumbre si no somos capaces de modificar nuestro actual modelo de trabajo. Es decir, además de una inversión sostenida en tecnología, hacen falta procesos y sistemas de información evolucionados, más eficientes y sostenibles, elementos que tienden a obviarse en la producción administrativa. Hemos olvidado tácitamente esta variable de la ecuación porque apenas existe competencia en el sector público, al menos como lo conocemos tradicionalmente, un entorno sumamente aislado o autárquico (oferta única sobre un mismo «producto de mercado», una licencia de obras pongamos por caso). Sin embargo, esta visión se romperá más pronto que tarde ante la irrupción de un escenario global, donde el valor de la información transciende el ámbito privado (de empresas y organizaciones) y se convierte en la nueva moneda estratégica para la competitividad y el progreso.

El progreso dependerá también de la capacidad de las administraciones públicas de adaptarse al entorno. Los usuarios de la era de Internet interactúan en la cotidianidad con servicios y tecnologías impensables hasta ahora. Para una sociedad diferente necesitaremos una administración diferente. Una administración renovada, con mucha mayor operatividad y cuya producción administrativa pueda competir en eficiencia, veracidad, calidad y agilidad. En este sentido, reivindicamos la acreditada conexión entre producción de documentos y la eficiencia interna, la sostenibilidad y la calidad con la que prestan sus servicios las empresas u organizaciones. Baste repasar, por ejemplo, la familia de normas técnicas UNE-ISO 30300, *Información y Documentación, Sistemas de gestión para documentos.*

Evidencias documentales, en un mundo datificado. La actividad administrativa es de naturaleza documental, ahora en un mundo cada vez más datificado. Aunque lo parezca, no es ninguna contradicción. Entendámoslo bien: creamos documentos para fijar información útil que permita resolver nuestros procesos de actividad, a la cual acudir como reflejo de la realidad (rendición de cuentas) y como activo informativo para futuras transacciones y negocios. No, la archivística no trata de los «papeles viejos» amontonados en estanterías, sino de crear y manejar bien la información necesaria para desarrollar de forma óptima nuestras funciones, y que podemos/debemos fijar para poder interoperar e intraoperar con ella.

Documentar va de diseñar, producir y usar en el tiempo la información. Con las nuevas tecnologías, además, se multiplica la posibilidad de crear documentos nativos digitales y de acumular y reutilizar este activo con posterioridad para transformarlo en la obtención de nuevos productos y sus beneficios asociados, generando conocimiento, riqueza y desarrollo social (CASTELLS, 1996, 1: 40).

---

(2) Tecnologías similares aplicadas a medios similares tienden a producir una organización del trabajo similar, tanto en la producción como en la distribución y ésta, a su vez, agrupamientos sociales similares de valores y de creencias.

Cierto, la tecnología no es el enemigo. Pero si los procesos corporativos no están bien definidos, la gestión evidencial puede complicarse mucho más en entornos electrónicos (individual y colectivamente), dejando abierta a la autonomía de sus responsables o gestores decidir qué información deben producir y compartir, como organizarla, describirla, conservarla o eliminarla. Es difícil que la informática pueda ayudarnos en la solución, puesto que no se trata solo de «domar» la información que generamos durante cortos espacios de tiempo. Urge invertir en los procesos de diseño, producción y circulación de documentos digitales para procesos electrónicos y asignarles determinadas cualidades —Autenticidad, Identidad, Integridad y Usabilidad/Disposición— desde que se crean las evidencias y durante el tiempo que estimemos disponerlas. Sin estas, la calidad de su representación se diluye, e incluso se pierde.

Con ello, la idea de producción documental enlaza con el ámbito tecnoeconómico, pero también en el de mayor eficiencia social. Generar y disponer nuestro patrimonio informacional supera el plano estrictamente tecnológico. Y esta cuestión no es menor. Recientes investigaciones demuestran que en tan solo diez años hemos modificado más de la mitad del sustrato informativo con el que las AAPP venían resolviendo sus trámites ¡en procedimientos regulados por norma! Además, concluyen que hoy en día generamos muchos más documentos, persiste una excesiva formalidad en la tramitación con mil maneras de resolver el mismo procedimiento en municipios distintos, y por lo tanto expedientes absolutamente diferentes como legado patrimonial (GUIU, 2013).

Atención pues, las AAPP compartimos funciones similares, pero los procesos concretos con los que las materializamos difieren según la organización de que se trate. Lejos por tanto de un modelo custodialista *sensu estricto*, la gestión documental hace posible la eficiencia, la rendición de cuentas, la gestión de los riesgos y la continuidad del negocio, siendo parte integral de las actividades, procesos y sistemas de las organizaciones[3]. Un programa informático facilitará su procesamiento automático, pero no va a solucionar las variopintas pautas de trabajo que mantenemos ni su congruencia para modificar nuestra competitividad administrativa[4]. Máxime con la tendencia actual de los sistemas informáticos hacia procedimientos genéricos, más fáciles y económicos de instalar en

---

(3) También permite a las organizaciones capitalizar el valor de sus recursos de información convirtiéndolos en activos comerciales y de conocimiento, contribuyendo a la preservación de la memoria colectiva, en respuesta a los desafíos del entorno global y digital. UNE-ISO 30300. Información y documentación. Sistemas de gestión para los documentos. Fundamentos y vocabulario.

(4) Se puede crear una mayor competitividad interna (la empresa trata de mejorar respecto a sí misma) a partir de la diferenciación por el aprovechamiento de los recursos disponibles. Aquí, con la tecnología, la capacidad de innovación y los factores de especialización son vitales. Esta última, nuestra especialización, no se compra, sino que debe crearse promoviendo habilidades específicas, con la experimentación práctica (*know-how*), impulso de metodologías singulares, capacidad de involucrar a las unidades de negocio, etc. Si bien, sí que pueden compartirse con otras organizaciones.

multitud de organizaciones dispares, pero que deja abierta a los usuarios, con su competencia profesional, la ejecución singular de cada actuación administrativa.

Cuando descendemos la teoría a su dimensión práctica, cada contexto singular puede dar o restar potencial a su transformación. Cambiar la producción administrativa pasa por aprovechar al máximo las oportunidades concretas de su entorno —tecnológicas, sociales, informacionales— para generar activos de transformación efectiva y sostenible en cada una de las administraciones públicas.

2. APOSTANDO POR LA SIMPLIFICACIÓN ADMINISTRATIVA Y LA REINGENIERÍA DOCUMENTAL

Alcanzar una administración sin papeles requiere comprometerse a producir documentos y expedientes electrónicos auténticos y válidos como instrumentos de una buena gestión administrativa. La validez de los documentos electrónicos administrativos establece unas reglas y criterios propios (arts. 26,27 y 70 de la LPAC), pero ni se defiende su sobreproducción ni su acopio innecesario. Lógicamente, no podemos continuar exigiendo cargas documentales inútiles u obsoletas y hay que revisar drásticamente nuestra praxis administrativa. Atención, tampoco podemos pasarnos de frenada, y menguar hasta el ridículo su componente documental. Recordemos que el artículo 70.4 de la LPAC deja la puerta abierta a cierta arbitrariedad de las AAPP para individualmente (¿a quién compete dicha responsabilidad: políticos, jurídicos, administrativos, tecnólogos, archiveros?) decidir sobre el sustrato documental de los expedientes.

La **simplificación administrativa** debería haber sido una práctica obligada previa a la informatización, entendida como el conjunto de acciones tendentes a mejorar los procedimientos administrativos, tanto en la reducción de cargas a la ciudadanía, como en la agilización de los trámites internos propios de la administración pública. La LAE promovía enérgicamente el rediseño funcional de los procedimientos administrativos para adaptar su estructura a la gestión electrónica (art. 34 LAE), y estimulaba a «que las administraciones públicas se detengan a analizar la estructura de sus propios procedimientos administrativos y los modifiquen para simplificarlos a fin de lograr mayor eficacia». Una década después no parece haberse generalizado este hábito suficientemente, o no conseguimos los resultados que exige la ciudadanía.

Cierto es que gracias al impulso de los países de la Unión Europea y de la Organización para la Cooperación y el Desarrollo Económico (OCDE), nos hemos familiarizado con el concepto de reducción de cargas administrativas, lográndose cierto impacto al acoplar a los respectivos manuales de simplificación un método que estima su coste directo (FEMP, 2010). Tanto en la Administración General del Estado como también en el ámbito local existen experiencias de éxito notable, pero tampoco termina de asentarse esta práctica de forma concluyente, y mucho menos en la reducción de documentos que intervienen en cada procedimiento. Una exigencia que pocas veces desciende a una concreción práctica (CEREZO, 2014: 7), y que desde luego habría que proyectar a toda la secuencia de tramitación, desde el inicio al final de los distintos procedimientos administrativos.

Puede servir de ejemplo la experiencia del Ayuntamiento de Gandía. Los primeros resultados tras rediseñar más de cuarenta procedimientos parecen convincentes: podemos conseguir expedientes válidos con un tercio menos de documentos; y se ha podido eliminar el 40% de documentos exigidos a la ciudadanía. Si aplicamos el modelo de costes estándar a dicha reducción documental (FAUS, 2017), la reingeniería documental ha permitido entre un 30 y el 75% de ahorro de costes asociados a la ciudadanía, según se interactúe de forma presencial o por medios electrónicos[5]. El impactante ahorro de la vía telemática no es igual en todos los casos y va a depender mucho del tipo o familia de procedimiento que se trate, lo cual exige futuras investigaciones en esta línea. Por último, se confirma la tendencia a acumular mucho peso documental en la fase inicial de los procedimientos, pero el impacto en términos económicos se iguala cuando ampliamos la eliminación de documentos a toda la secuencia de tramitación.

No parece sensato utilizar los mismos documentos que hasta ahora si queremos mejorar la forma de proceder «común» electrónica de la mayoría de administraciones públicas[6]. La reingeniería documental no va de trasladar a PDFs los documentos en papel, o de eliminar unos pocos documentos inútiles, sino de reinventar la forma de resolver procedimientos en circuitos administrativos óptimos e interoperables. Insistimos una vez más que se trata de sistematizar un análisis donde «se determinen los documentos de archivo que deberían ser creados en cada proceso de negocio y la información que es necesario incluir en dichos documentos» (Requisito 7.1 de la Norma Internacional UNE-ISO 15489:2001-1). Dicho de una forma más gráfica, replantearse la competitividad de nuestra actividad administrativa debe integrar:

---

(5)　En los 13 procedimientos estudiados, el ahorro anual proyectado en euros, resultado de multiplicar el coste eliminado de los documentos por la frecuencia de cada uno de los procesos, oscila según el canal de relación presencial o telemático entre 1.600.000 y los 7.500.000 euros.

(6)　En la experiencia del Ayuntamiento de Gandia, la mayoría de documentos eliminados respondían sobre todo a la mala praxis administrativa, con nula justificación procedimental: desplazamientos anacrónicos, fotocopias inútiles, exceso de celo en la tramitación e información que ya conocemos o debemos averiguar por nosotros mismos suman el 66% de los documentos que se han podido suprimir. La interoperabilidad entre AAPP facilitará procedimientos sin cargas gravosas que debe aportar la ciudadanía, pero sin olvidar que gran parte de los documentos eliminados responden más a criterios de racionalidad en el trabajo y a la intraoperabilidad de los silos de información.

Plan de gestión de documentos	Reingeniería documental (Comisión interdisciplinar)
¿Qué documentos se deben crear para cada proceso? ¿Qué información deben contener? ¿Qué forma y estructura se le debe de dar? ¿Qué tecnología se aplica? .../..	• **Análisis y rediseño de circuitos administrativos** • **El diseño normalizado de documentos** • **El catálogo/inventario de procesos/series** • **El catálogo documental** • ***Datasets* asociados a procesos/series...** • **Mapa informacional corporativo**

Compromiso para la reingeniería documental. La transformación digital no es (sólo) cuestión de *hardware* y *software*. Tampoco se trata, con la excusa de ser más diligentes, de reducir las pruebas de nuestra actividad pública a su mínima expresión, e incluso llegar a no documentarla válidamente. La vía electrónica no puede contravenir la necesaria contextualización de la actividad pública. Para eso nacen los documentos, sobre estos seremos más eficientes. Es en esta exigencia donde adquiere carta de naturaleza la reingeniería documental para repensar documentos y circuitos administrativos óptimos en la gestión administrativa, la cual debe responder a tres objetivos críticos:

• En primer lugar, garantizar el acierto y la competencia de nuestra actuación acorde con nuestro contexto digital.

• También, asegurar criterios de validez y de autenticidad acreditada durante todo el período establecido para su disposición como garantía de derechos propios o de terceros, actuales y futuros.

• Y, además, fortalecer nuestro patrimonio informacional como el principal activo para nuestro crecimiento y desarrollo social, preparado para su disposición en foro público y en escenarios globales.

Atención pues, la tendencia a datificar la información en los sistemas informáticos no puede desplazar ni poner en riesgo el interés general ni la consecución de los objetivos de la Institución. Dicho con otras palabras: **la reingeniería documental tiene por objeto diseñar procedimientos con las dimensiones y propiedades óptimas para su eficiencia social, ahora en un mundo digital**.

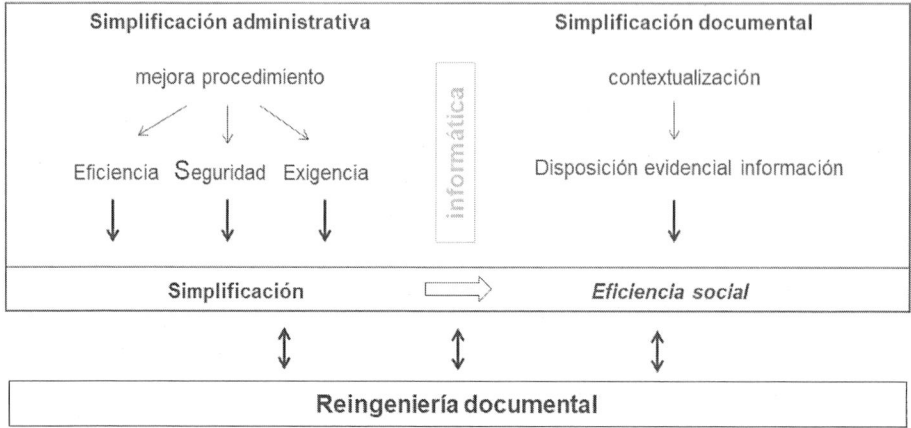

Hoy en día es absurdo medir el valor de la información como un elemento estanco, útil únicamente para la ejecución de los respectivos procesos y a sus responsables de gestión. Con la tecnología, sus vínculos de intercambio deben ser dinámicos, con la posibilidad de *intra* e *inter*-explotarla en relación a su entorno específico. Habrá flujo de información cuando existan evidencias que aportan información unas sobre otras, y durante el tiempo que se estime oportuno. La conjunción de tecnología y reingeniería documental debe favorecer, aparte de agilidad y eficiencia, a la gestión del flujo e intercambio informativo entre personas y unidades de trabajo, la conexión de silos de información, optimizar la interacción con nuestros usuarios, robotizar trámites fácilmente automatizables, activar la desintermediación entre productor y usuario, empoderar a la sociedad a través de su acceso a datos, incorporación de inferencias y ontologías para la automatización de rutinas, etcétera.

3. DIMENSIONES OPERATIVAS Y PROYECCIÓN PRÁCTICA DE LA REINGENIERÍA DOCUMENTAL EN ENTORNOS ELECTRÓNICOS

El modelo de reingeniería documental conlleva cambios extremos en la reestructuración completa del sustrato evidencial de los procesos con el objetivo de lograr una rápida y significativa transformación de la productividad y calidad de sus productos administrativos. Aunque comporta una mayor dosis de dificultad y riesgo, existen ahora mismo suficientes elementos que la justifican, con creces:

- Persistencia de circuitos administrativos anacrónicos fundamentados sobre la base de multitud de documentos simples, incluso gestionados electrónicamente, pero diseñados según la lógica y la tecnología analógica precedente.

- Asociado a las soluciones tic para agilizar las dinámicas de trabajo, encontramos una sobreproducción documental desmedida como consecuencia del boom informático que favorece la proliferación insostenible de información y ampara la pervivencia de un excesivo formalismo procedimental, además de una gran diversidad en la resolución de procesos, con desigual contenido de los expedientes entre distintas AAPP.

• La concurrencia de un marco normativo vanguardista que avala la exigencia de interacción por medios electrónicos, nuevas expectativas de los administrados digitales, la apertura de información en foro público, la rendición de cuentas, y la reutilización de la información en el sector público; y,

• Los retos de una digitalización que no contradiga la integridad, confidencialidad, trazabilidad, disponibilidad y autenticidad de las operaciones y procesos administrativos, y que apertura eficientemente el activo informacional para beneficio del interés general social.

La exigencia de la demanda y una complejidad creciente tensionan cada vez más una actividad pública demasiada anclada en el aspecto supra-garantista del procedimiento. Debemos acompasar una reingeniería documental al rediseño funcional de productos y servicios digitales. En gran medida, seremos más o menos competentes según la sobrecarga y/o la ineficiencia de los documentos que utilicemos para resolver los procesos, y a su vez el coste de su producción dependerá del mayor o menor esfuerzo que realicemos para disponer de su carga informativa. Necesitamos, por tanto, modelos operativos y metodologías contrastables que nos permitan ejecutar, dimensionar y universalizar estos elementos de dinamismo, como la *Administrative Process Study* (APS)[7]. Existen otros modelos de mejora de procesos[8], pero la APS resuelve los principales problemas organizativos con el análisis sistemático del diseño de circuitos administrativos, los documentos y la información asociada necesaria para «la fabricación de cada producto administrativo», con independencia del escenario tecnológico u organizacional que nos encontremos.

En cualquier caso, destacamos tres dimensiones principales sobre las que intervenir de forma decidida:

1. **Mapa de circuitos administrativos.** La mayoría de procedimientos son complejos, y engloban múltiples fases o diferentes rutas de tramitación, algunas opcionales o circunstanciales. Tendemos a «simplificar» (cabría decir mejor unificar) esta enorme casuística montando «procedimientos genéricos»

---

(7)   Esta metodología, conocida por las siglas APS, fue desarrollada en 1990 por ingenieros industriales en organización para su aplicación a una administración pública. El modelo presenta una técnica sencilla de ejecución, y por tanto de fácil y universal aplicación, en cualquier proceso, escenario u organización. La APS se divulga ahora mismo en varios currículum académicos, y su práctica se está expandiendo en diversas administraciones españolas. Para una completa aproximación de su operativa técnica, a modo de manual práctico, podemos acudir a Puig-Pey, 2010.

(8)   Como, por ejemplo, *Lean&Six Sigma* o *UN/CEFAT'S ModelingMehtodology* (UMM).

en la tramitación electrónica, aunque heredemos en niveles insostenibles la multitud de actividades obligatorias para su resolución. Al igual que los capítulos de un libro, la reingeniería debe segmentar esta complejidad diseñando circuitos administrativos más pequeños que nos permitan controlar la versatilidad del procedimiento sin perder de vista la consecución del objeto mismo de producción, el expediente administrativo.

Esta es una dimensión poco desarrollada hasta ahora pero de extremada importancia para hacer más racional y sostenible el modelo de producción administrativa. Aportará certidumbre en la válida resolución de procedimientos complejos, incluso con la concurrencia de múltiples aplicaciones informáticas de tramitación. Podremos prefijar, asimismo, el camino crítico o principal de los principales procedimientos y priorizar allí los esfuerzos de digitalización. Además, muchos circuitos (subsanación de solicitudes, publicaciones oficiales, formalización de pagos, etc.) pueden ser comunes a varios procedimientos y, poco a poco, iremos construyendo el mapa global de circuitos de cada organización.

2. **Rediseño de la estructura documental. La lógica de fabricación de un producto o servicio administrativo,** ya sea una subvención, una licencia o la reserva de un espacio público, se determina por los secuencia encadenada de sus documentos. La **reingeniería debe** rediseñar drásticamente el sustrato documental electrónico que sostiene válidamente cada procedimiento, desde su inicio al final. Con la tecnología actual se abren infinitas posibilidades, aportando un enfoque corporativo y reutilizando todos los recursos disponibles para generar los documentos mínimos (descarga documental) y óptimos (calidad informativa).

3. **Mapa global de la Información de los procedimientos**. Los procedimientos se dividen en circuitos administrativos; los circuitos engloban documentos; los documentos contienen información. Saber identificar la información de un documento no es ningún mérito. La novedad estriba cuando somos capaces de relacionar (y reutilizar) esta información para el resto de documentos, con un enfoque secuencial del procedimiento. La reingeniería debe descender al análisis de las Variables de Información (campos de datos) con una visión global del contenido informativo de los procedimientos (GUIU, 2013: 56). Este análisis sistemático nos permitirá diferenciar más fácilmente la información crítica de la repetitiva, aplicar los niveles exigidos de protección directamente a campos informativos, identificar los agentes (humanos o máquinas) responsables de generar cada «dato», e incluso el mejor modo para su captación al «sustrato» informacional del procedimiento. En definitiva, podremos aspirar a disponer y gestionar el mapa informacional corporativo para todos nuestros procedimientos.

Destacamos la experiencia del Ayuntamiento de Gandia, de la Universidad de Girona-UdG, el principado de Andorra, y, actualmente, el Ayuntamiento de Pamplona, la Universidad Pública de Navarra-UPNA y el Patronato de Turismo Costa Brava Girona. La Universidad Pública de Navarra rediseñó varios procedimientos estratégicos y de alto impacto para la comunidad universitaria con la APS mediante un aprendizaje activo (*learning action*) por sus propios empleados. Los resultados, aparte de la reducción de documentación innecesaria, trasladan cambios drásticos en sus clásicos esquemas de trabajo con un enfoque organizacional. El patronato de Turismo Costa Brava Girona ha descendido el análisis hasta la estandarización de la información de sus principales plantillas de documentos para optimizar su gestión electrónica.

La archivística debe participar, aportando metodológicamente éste enfoque de revisión radical con el fin de optimizar el modelo electrónico de producción administrativa. Lógicamente, no partimos de cero, y el grado de desarrollo de un Sistema de Gestión Documental en cada organización será un factor clave para avanzar más o menos rápido. Conocemos la producción documental, su naturaleza, finalidad, los actores que intervienen y sus destinatarios, las funciones y actividades en que se articula, y disponemos —aspecto estratégico esencial— de una visión global de los procesos/series documentales más allá de la inmediatez de la tramitación en las oficinas. Podemos aportar un valor diferencial a la transformación digital de las organizaciones, especialmente orientado hacía:

• **Enfoque por procesos**. Cada proceso tiene su origen en una necesidad (interna o externa), finaliza con la consecución de un producto como resultado, y debe documentase en un expediente. La reingeniería documental trata de transformar radicalmente la manera en que pueden ejecutarse, la documentación que generamos, los agentes que participan, y la información que se requiere para resolverlos de la mejor manera posible. Una actividad de gran importancia debe documentarse ampliamente, mientras que operaciones de bajo riesgo pueden evidenciarse con un mínimo de información identificable. El enfoque por procesos racionaliza costes de producción (diseñando menos carga documental para su consecución y reutilizando mejor sus Variables de Información) y cohesiona el flujo informativo dentro de la propia organización y con la interacción de sus clientes, también a medio y largo plazo. La reingeniería debe armonizar en cada caso qué evidencias debemos crear y conservar, respetando los requisitos normativos, de negocio y de utilidad social.

No se automatizan las funciones, sino los respectivos procesos con los que las materializamos. La gestión electrónica exige armonizar las series documentales con los procesos que se llevan a cabo habitualmente, en una relación de uno a uno[9]. Este planteamiento permitirá implementarlos más fácilmente en la administración electrónica, asegurar la formación de expedientes completos e incorporar políticas de acceso y disposición en los sistemas informáticos. El catálogo de procesos/series documentales electrónicas deberá integrar su diseño documental, disociación de datos, publicidad en sede, *datasets* asociados, aplicaciones informáticas relacionadas, criterios de acceso o protección de la información, entre otros.

• **Validez de unidades documentales compuestas**; es decir, del objeto digital expediente electrónico. Estamos muy acostumbrados a representar todas las operaciones administrativas de forma explícita, generando sus correspondientes documentos individuales y formamos expedientes con el conjunto acumulado de éstos. La información fijada al papel condicionaba a su registro constante, pero ahora dicha vinculación deja de ser taxativa. Nada impide incorporar algoritmos o inferencias para impulsar de forma automatizada fases del proceso, practicar verificaciones automáticas de Base de Datos, consultar cuadro de mandos de explotación de la información y, en general, otorgar valor de evidencia a la información en forma de datos que disponemos en nuestros propios sistemas de información (SERRA, 2017). Hay que bascular de la validez de documentos simples (mucha más onerosa en producción y en conservación) a la validez del documento compuesto para reflejar ágilmente el proceso en su conjunto.

Esta decisión no debería quedar a una elección arbitraria, ni mucho menos subordinada a la voluntad política. El mandato legal no parece suficiente (Tít. IV, Cap. III LPAC y normas técnicas del ENI), y debemos consensuar tanto el sustrato documental exigible como la información que ha de registrarse, bien dentro de los documentos simples o como prueba evidente del resultado del proceso. Es con la reingeniería documental que debemos controlar la no obligación de formalizar todas las operaciones, al menos en fase de tramitación o vigencia, para otorgar un mayor peso a la evidencia del objeto digital expediente, por ejemplo con extractos XML de determinadas transacciones.

Además, va a ser mucho más costoso mantener la validez de documentos simples, en fase de gestión, que el coste programado de formar y preservar expedientes. La transferencia de procesos/series a sistemas de archivo electrónico único (art. 17 LPAC) o repositorios digitales de confianza (art. 22.4 del ENI) garantiza la autenticidad y disposición eficiente de las evidencias electrónicas, cubiertas por firmas de archivo longevas.

• **Múltiples procesos, dato único**. En entornos tecnológicos desarrollados, muchas de las evidencias necesarias para la ejecución de los procesos pue-

---

(9)   Véase el ejemplo del modelo de Cuadro de Clasificación Municipal de la Generalitat de Catalunya.

den encontrarse en diferentes sistemas de información. El salto es cualitativo y de largo alcance: la reingeniería documental permitirá la reutilización eficiente de los datos disponibles. Únicamente conociendo las variables informativas de nuestros procesos aspiraremos a conformar el mapa informacional corporativo, tendiendo hacía el principio de dato único. Los archiveros actúan como gestores de documentos, y realmente ya no lo somos —no de manera exclusiva—, en absoluto; somos arquitectos, analistas de sistemas y no solo de documentos sino, y especialmente, de información (QUILEZ, 2017).

• **Automatización sostenible**. Menos es más: la archivística debe intervenir aportando un modelo prefijado según la tipología de procesos/series que incluya la secuencia de documentos obligatorios del expediente y los metadatos/variables de información que definen cada procedimiento. Un modelo con vocación de aplicación para la mayoría de organizaciones públicas, que deberán adaptarlo a sus requisitos y potencialidades específicas.

Incluso a partir del diseño de un procedimiento electrónico genérico, hay que centrarnos en aquellas actuaciones que producen documentos y en lo importante para formar expedientes electrónicos. La clave se sitúa en la gestión *ad hoc* de la información necesaria para resolverlos, aprovechando un «set» de metadatos críticos según el tipo de proceso/serie que se tramite. Sin olvidar, la información adicional necesaria (metadatos no obligatorios) para gestionar el contenido como evidencia a lo largo del tiempo, favorecer automatismos con alto impacto social, ofrecer proactivamente información a la ciudadanía, etc.

• **Información en foro público**. Atiborrar de datos los portales Web no garantiza una transparencia efectiva. Los gobiernos deben usar la tecnología para informar a la ciudadanía sobre lo que conocen y hacen, pero una gestión de documentos apropiada será la columna vertebral del gobierno abierto. El desafío actual para la archivística no sólo estriba en documentar bien la actuación de los gobiernos, sino en contribuir decididamente a la gobernanza de la información para conformar gobiernos abiertos (COOK, 2007: 72). Debemos diseñar evidencias documentales electrónicas con la vista puesta en su disposición abierta, facilitando una desintermediación entre producción administrativa, consumo y redistribución social.

La proyección de documentos electrónicos con estructuras semánticas facilitará los contenidos esenciales en Web garantizando el acceso a una información íntegra, fiable y útil. Desde luego, haciendo más compatible la apertura con la protección de datos, difícil de conseguir ahora mismo con un enfoque únicamente sobre documentos simples. Además, hay que contrarrestar el denominado «síndrome de archivos vacíos», que apunta a un descenso en la calidad de la documentación administrativa en países con mayor tradición en transparencia justamente porque los actos susceptibles de ser públicos se documentan peor, o dejan de documentarse. Como hemos señalado, la reingeniería documental debe alinear el derecho a saber con el deber de documentar; no tanto para satisfacer la curiosidad individual, sino como un instrumento útil al servicio del interés general.

• **Patrimonio informacional**. Analizar la información indispensable para ejecutar determinados procesos nos permitirá trazar patrones informativos, útiles para la operatividad inmediata de la mayoría de organizaciones, y modelo mínimo para proyectar nuestro patrimonio informacional. Esta faceta parece inaplazable, a tenor de las investigaciones mencionadas. El reto tecnológico apremia a evolucionar también el concepto de valoración documental, que debe recoger no solo criterios de eliminación o conservación sobre las series/procesos, sino dictando un patrón compartido de su estructura documental crítica (más o menos detallada) y la información esencial que debe integrarla.

Desde este punto de vista, garantizar desde la reingeniería el patrimonio documental y su información asociada facilita la rendición de cuentas acreditada, la reutilización de datos y la gobernanza de la información. La ciudadanía podrá empoderarse solo cuando tenga acceso por sí misma y pueda usar conscientemente la información pública que le pertenece, más fácilmente con su desagregación mediante tecnologías semánticas (*Linked Open Data*). El archivo electrónico será un elemento más del sistema de gestión documental único, y que funcionará solo si se cumplimos el resto de requisitos documentales.

4. CONCLUSIONES: EFICIENCIA DOCUMENTAL Y TRANSFORMACIÓN DIGITAL

Internet ha cambiado el mundo. La digitalización lo cambia todo; y no hay vuelta atrás. Pero ahora que somos electrónicos, no podemos pensar que todo gira alrededor de la tecnología. Seguimos anclados en modelos productivos y con procesos anacrónicos. La mejor percepción ciudadana de los servicios públicos no se relaciona directamente con la inversión tic, y nos repite que no vamos por buen camino. Trasladar a electrónico lo mismo que venimos haciendo desde hace años no es transformación; y es mucho más caro, insostenible. Podemos almacenar ingentes cantidades de *bits* en poco espacio (incluso alojarlo en la «nube»), pero no mejoraremos sustancialmente la usabilidad y disponibilidad de la información sin repensar y redimensionar la actividad administrativa y nuestro modelo de trabajo. La gestión documental, poco percibida como disciplina técnica en la producción administrativa, se entiende la mayoría de las veces ajena —e incluso, incompatible— a la transformación digital. Especialmente por los políticos, pero también por otros agentes y responsables de la gestión pública.

Conocemos bien donde queremos llegar, la administración electrónica apuesta por ello: «una manera muy eficaz de prestar servicios de calidad, reducir tiempos de espera y mejorar la relación coste/rendimiento, aumentar la productividad y mejorar la transparencia y la responsabilidad» (LIIKANEN, 2003). Aunque lo difícil no es saber dónde hay que ir, sino como hacer el cambio. Todavía hoy, las malas prácticas y la estructuración en silos de la información lastran nuestra competitividad y eficiencia. La burocracia administrativa inhibe la transformación digital.

La conjunción de tecnología y reingeniería documental deben dar respuesta a las exigencias de una mayor agilidad y certidumbre en organizaciones cada vez más complejas, donde los retos de la transformación alcanzan múltiples y diversas vertientes. La transformación va de repensar completamente y de forma sistemática los flujos de información y las dinámicas productivas, de re-documentar radicalmente los procesos de actividad y los circuitos administrativos aprovechando al máximo las ventajas de la digitalización. Va de la búsqueda de nuevos expedientes administrativos orientados al resultado, de servicios de impacto, de modular y disponer de la información útil para resolver los trámites y para activar la participación cívica en el crecimiento de la sociedad.

Deberíamos empezar a aplicar métricas como factor clave para la transformación de las administraciones públicas, como medir el porcentaje de interacción con usuarios en los procesos/series que hemos rediseñados radicalmente en los últimos 2 o 3 años[(10)]. Sobra decir que no se trata solo de introducir programas informáticos, ampliar servicios digitales, concentrar toda la táctica empresarial en la tecnología, a veces en una única aplicación, embutir información en páginas Web y datos en portales de transparencia, o enumerar el total de documentos tradicionales que hemos firmado electrónicamente, etc. La digitalización creciente y las transacciones electrónicas son una exigencia legal a la vez que un atributo consustancial de la actual sociedad digital. No es poco, pero solo es eso. El principal reto que se nos presenta es de modelo de trabajo, de renovación de un sistema de producción informacional acorde a su actual valor social.

La reingeniería documental, con sus tres dimensiones operativas (circuitos administrativos, sustrato documental y mapa informacional) permite diseñar, producir, construir, integrar, disponer y preservar información acorde a las necesidades actuales de los procesos en entornos digitales. Con un sistema de gestión documental asentado, la reingeniería documental y la tecnología propician la producción de evidencias informativas de calidad, preparadas para su datificación y explotación continuada, para generar riqueza y crecimiento. Sí, también para resolver trámites y procesos de forma ágil, identificando el valor del resul-

---

(10)   Recojo la idea del «índice de vitalidad» de Xavier Marcet, que determina el porcentaje de ingresos y beneficios asociados a productos que hace 2 años no existían, como indicador clave del rendimiento de una organización.

tado, y aprovechando los datos disponibles con automatismos y acciones proactivas. No se trata de desembarcar a boca llena recursos tic de copia-pega para interpretar la ley (con el agravante de su dependencia o *legacy* informático), sino de cambio de modelo: la transformación requiere modelar, manejar, explotar y proteger el sustrato informacional como principal activo de cada comunidad social del siglo XXI.

5. BIBLIOGRAFÍA

AEVAL, *Estabilidad y mejoría en los servicios públicos*. Informes de percepción de la calidad de los servicios públicos. Agencia de evaluación y Calidad-MINHAP, 2016 [En línea].

http://www.aeval.es/export/sites/aeval/comun/pdf/calidad/informes/Informe_Percepcion_2016.pdf.

IDC, *La gestión el dato en la transformación digital de las empresas* españolas, Estudio Especial, febrero de 2016, [En línea] http://www.idcspain.com/research-consultoria/estudios.

CASTELLS, Manel, *La era de la información*, Alianza, Madrid, 1996-1998, 3 vols., pág. 47 y ss.

CEREZO PECO, Fermín, *Decálogo sobre innovación y simplificación administrativa*, IVAP-EDUDEL, Bilbao, 2014, [En línea] http://www.eudel.eus/es/archivos/libro/Decalogo_simplificaci%C3%B3nInnova_mayo2014.pdf.

COOK, Terry, «Archivística y posmodernismo: nuevas fórmulas para viejos conceptos», *Tábula*, Revista de archivos de Castilla y León, 2007, págs. 59 a 81.

FAUS MASCARELL, Joan Carles, «Archivos y Transformación digital. Impacto de la reingeniería documental en la producción administrativa», *Tábula*, Revista de archivos de Castilla y León, núm. 19, 2017, págs. 173 a 201.

FAUS MASCARELL, J.C., PÉREZ SARRIÓN, L., PUIG-PEY SAURÍ, A., «Reingeniería de procesos administrativos; el paso previo necesario. La experiencia en el Ayuntamiento de Gandia», *Revista d'Arxius* núm. 9, la e-Archivística en la e-Administración, Asociación de Archiveros y Gestores de Documentos Valencianos, Valencia, 2010, págs. 261 a 294.

FEMP, *Manual de reducción de cargas administrativas en el ámbito local*, FEMP-MINHAP, 2010 [En línea].

http://www.femp.es/files/566-970-archivo/Manual_local_cargas_administrativas_23_12_2010_con_logo.pdf.

GUIU, Pere, PUIG-PEY, Antoni, FONTANET, Marta, MAURI, Alfred, PERPINYÀ, Remei, *Simplificació vers l'e-Administració. Redisseny i millora d'expe-*

dients administratius per unificar procediments, estandarditzar documentació i reduir continguts d'informació, EAPC-Generalitat de Catalunya, 2013 [En línea].

https://llibres.blog.gencat.cat/2014/04/25/simplificacio-vers-le-administra-cio-redisseny-i-millora-dexpedients-administratius-per-unificar-procediments-estandaritzar-documentacio-i-reduir-continguts-dinformacio-l-post-de-pere-guiu/.

HARRIS, Marvin, *El desarrollo de la teoría antropológica*, Editorial Siglo XXI, Madrid, 1981, pág. 3 y ss.

LIIKANEN, Erkki, «La administración electrónica para los servicios públicos europeos del futuro», *Lección inaugural del curso académico 2003-2004 de la UOC*, UOC, Barcelona, 2003, [En línea] http://www.uoc.edu/dt/20334/index.html.

MARCET, Xavier, *Esquivar la mediocridad. Notas sobre management: complejidad, estrategia, innovación*, Plataforma Editorial, Barcelona, 2018.

PUIG-PEY SAURÍ, A, GUIU RIUS, P, AGRAMUNT CALVET, H, *Circuits administratius. Disseny i millora. Simplificació i eficiència per a l'e-Administració*. Associació d'Arxivers Valencians-TIRAVOL, Valencia, 2010.

QUILEZ MATA, Julio, «Integració d'arxius, museus i biblioteques amb tecnologies del web semàntic: de la modelització conceptual a la iniciativa Linked Open Data», *Lligall* núm. 40, Revista Catalana d'Arxivística, 2017, págs. 16 a 57.

SERRA SERRA, Jordi, *Tendencias actuales en la gestión documental: la gestión documental orientada a datos*, I Conferêrencia Internacional de Gestão da Informação e Arquivos (CIGIA), Albergaria-a-Velha, 2017, [En línea] https://es.slides-hare.net/jordiserra/tendencias-actuales-en-la-gestin-documental-la-gestin-documental-orientada-a-datos.

15.

INTELIGENCIA ARTIFICIAL Y AUTOMATIZACIÓN EN LA GESTIÓN DOCUMENTAL

Andrés PASTOR BERMÚDEZ
Gerente adjunto en la Gerencia de Informática de la Seguridad Social

1. ¿QUÉ PUEDE HACER POR TI LA INTELIGENCIA ARTIFICIAL?

«Las máquinas podrán hacer cualquier cosa que hagan las personas, porque las personas no son más que máquinas»

Marvin Minsky

Seguro que la afirmación de Marvin Minsky, científico cognitivo del laboratorio de inteligencia artificial del Instituto de Tecnología de Massachusetts (MIT) y padre de la inteligencia artificial, no deja indiferente a nadie.

La inteligencia artificial (IA) se desarrolló en los años 60 del pasado siglo con el objetivo de conseguir que las máquinas realizaran acciones que, hasta el momento, requerían comprensión humana.

Durante varias décadas, los avances prácticos de la IA fueron limitados, pero en los últimos años hemos asistido a una explosión de las aplicaciones de la IA gracias al incremento exponencial del volumen de datos, a la mejora en los algoritmos utilizados y a la enorme capacidad de cálculo disponible en los ordenadores a un precio bajo.

Hoy en día, podemos afirmar que la IA se ha introducido en nuestras vidas y ha llegado para quedarse. Ya es algo cotidiano utilizar Siri o el asistente de Google para saber el tiempo que va a hacer mañana o la ruta a un restaurante. En otras ocasiones, la IA se encuentra embebida de forma sutil nuestro entorno, como en las recomendaciones de series en plataformas de consumo de contenidos como Netflix o en la visualización de un anuncio personalizado en Internet, todo ello sorprendentemente adaptado a nuestros intereses y gustos.

El mundo de la empresa y de las administraciones públicas no ha sido ajeno a la introducción de la IA, no entendida como nos la trasladan las películas de Hollywood, sino como un medio técnico que permite agregar inteligencia a productos y a procesos existentes gracias al análisis de enormes cantidades de datos.

En general, la IA comprende y extrae información de todo tipo de los activos digitales, siendo habitual el empleo de esta tecnología para los siguientes propósitos:

• Análisis de información y detección de patrones

Los sistemas de IA son capaces de tratar y analizar grandes volúmenes de datos y encontrar patrones o relaciones entre ellos. Hay que tener en cuenta que la IA aprende de los datos; Cuanto más datos y más precisos son, más capaz es el sistema de IA de tomar decisiones acertadas.

• Transcripción de voz a texto

Convierte conversaciones orales en texto, lo que permite detectar palabras, indexar el contenido, identificar intenciones, etc.). El proceso opuesto, transcripción de texto a voz, es especialmente útil para personas con dificultades visuales.

• Comprensión del Lenguaje Natural

La IA permite a las máquinas leer y **comprender la información expresada en lenguaje humano**, deduciendo la intención, significado y el sentimiento del mensaje dentro de un contexto. El sistema es además capaz de aprender del proceso a través de los nuevos datos de forma continua.

• Reconocimiento de imágenes

Incluye la detección y obtención de información de los objetos y personas en fotografías y vídeos. Un caso particular es el **reconocimiento inteligente de caracteres (ICR),** que permite **transformar imágenes a texto.**

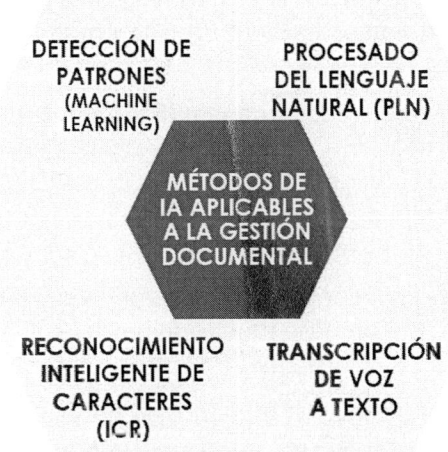

Figura 1. Principales técnicas de IA aplicables a la gestión documental

Entre los diferentes algoritmos utilizados en IA es especialmente relevante el uso de técnicas de aprendizaje automático (*machine learning*) para la identificación de patrones y la toma de decisiones. Lo más característico de estas técnicas es que permiten que los sistemas aprenden automáticamente de los datos sin la necesidad de una programación explícita. Un caso típico del empleo de *machine learning* es el reconocimiento de imágenes. Podemos verlo fácilmente a través de un ejemplo: Después de un periodo de entrenamiento en el que se le proporciona al sistema un conjunto de fotografías de animales en las que se le indica cuales corresponden a gatos, el algoritmo es capaz de reconocer gatos en las nuevas fotografías. El mismo principio se puede aplicar a otros procesos de toma de decisiones en base a datos, como identificar casos de fraude, predecir comportamientos o clasificar documentos. Sólo se necesita un conjunto histórico de datos que sirva para entrenar a la máquina.

Podemos decir que el principal activo sobre el que trabajan la mayor parte de las organizaciones son los datos, en forma de información estructurada o de documentos electrónicos en diferentes formatos (ofimática, correos, imágenes, videos, etc.). Utilizamos toda esta información para tramitar expedientes, realizar gestiones, tomar decisiones o tomar visión de conjunto sobre cómo evoluciona nuestro ámbito de gestión.

2. Y LLEGÓ LA AUTOMATIZACIÓN

Una de las tecnologías más disruptivas de los últimos años es la denominada automatización Robótica de Procesos (RPA, de sus siglas en inglés). No se trata de robots en el sentido físico, sino unos programas inteligentes capaces de utilizar un conjunto de reglas predefinidas, pero flexibles, para interactuar con los diferentes sistemas informáticos existentes en la oficina como si los estuviese manejando una persona.

El robot RPA es capaz de ejecutar una tarea compleja en el ordenador combinando operaciones simples, como abrir y leer correos, identificarse para acceder a una página web, navegar por aplicaciones corporativas, rellenar formularios, extraer datos de pantallas, tomar decisiones en función de estos datos, elaborar informes, enviar correos con la información obtenida, etc.

Si identificamos en la secuencia anterior parte de nuestra dinámica habitual de trabajo, es probable que no pase mucho tiempo antes de dejemos de hacer estas tareas para dar paso a un sistema RPA que las automatice.

El robot software, a diferencia del humano, no necesita descansar; trabaja 24 horas al día, 7 días a la semana, sin vacaciones ni enfermedades. En ese escenario, es cada vez más probable que se vayan sustituyendo tareas manuales realizadas por humanos por las equivalentes realizadas por robots software.

No se trata de una tecnología del futuro. La Seguridad Social Española está empleando ya la automatización robótica de procesos para sustituir tratamientos manuales en el proceso de alta de autónomos por un proceso robotizado, consiguiendo reducir en más de un 80% el tiempo con respecto al procesamiento manual, lo que permite que las personas se dediquen a tareas menos rutinarias, más creativas. Esta experiencia se extenderá a otros ámbitos de la organización, incluyendo la gestión documental.

2.1. IA y RPA: Un equipo perfecto para la gestión documental

La conjunción de las tecnologías cognitivas (IA) y de la automatización de procesos (RPA) es una combinación ganadora.

RPA automatiza las tareas manuales repetitivas que requieren la interacción con webs y aplicaciones informáticas, facilitando el inicio de una acción cuando se produce un evento y la intercomunicación entre sistemas heterogéneos.

Si RPA puede considerarse «las manos» de los procesos porque aporta la capacidad de ejecución, la inteligencia artificial sería «la cabeza», por su capacidad para proporcionar la lógica necesaria para leer y entender datos o documentos no estructurados, tomar decisiones en razón a su contenido o decidir la intención o el significado de un texto. Los sistemas RPA están evolucionando rápidamente integrando tecnologías cognitivas como *machine learning*, reconocimiento de voz o procesamiento del lenguaje natural, de forma que los robots software puedan adoptar decisiones inteligentes o realizar tareas más complejas.

La disponibilidad de estas capacidades permitirá liberar a las organizaciones de la realización manual de tareas rutinarias y semiestructuradas, reduciendo la presión habitual de tener que hacer más con menos y con la ventaja de liberar recursos que se pueden reorientar a realizar tareas más creativas.

3. GESTIÓN DOCUMENTAL INTELIGENTE

En cualquier proceso de gestión documental podemos distinguir tres etapas:

• La adquisición, que comprende la incorporación de los documentos desde diferentes canales de entrada al gestor documental.

• El tratamiento del documento, que incluye la extracción y comprensión de la información que contiene, la clasificación del documento y su transformación a diferentes formatos.

• La integración del documento con otros sistemas externos al gestor documental

Cada una de estas fases puede beneficiarse del binomio IA-RPA para realizar una gestión documental más inteligente y productiva.

3.1. Fase I: Adquisición de datos

En esta etapa se recogen datos y documentos desde diferentes canales empleando para ello una gran variedad de formatos y dispositivos de digitalización, incluyendo escáneres, impresoras multifunción, fotografías, ficheros pdf, capturas de pantallas y dispositivos móviles.

Tradicionalmente la tecnología más extendida para facilitar la recogida y extracción de datos, es el Reconocimiento Óptico de Caracteres (OCR, por sus siglas en inglés), una técnica que permite convertir diferentes tipos de documentos, normalmente en forma de imagen, a formato texto, lo que permite editarlos y emplear sobre ellos la búsqueda e indexación.

Sin embargo, es habitual la necesidad de incorporar documentos de baja calidad, que incluyen texto manuscrito, tipografías poco comunes, imágenes borrosas o inclinadas o de baja calidad. En estos casos, la combinación de las técnicas de visión artificial y aprendizaje automatizado permiten el reconocimiento y extracción automatizados de datos de documentos semiestructurados con una fiabilidad mayor que los motores de OCR más avanzados.

3.2. Fase II: Tratamiento

Una vez que el documento ha sido incorporado al gestor documental, comienza la fase de tratamiento y uso del documento, que pretende responder a las siguientes preguntas: ¿Qué tipo de documento es? ¿Qué información contiene? ¿Cuál es el siguiente paso a dar con este documento y con la información que contiene?

Podemos ayudarnos de las tecnologías cognitivas y de la automatización para realizar las siguientes funciones:

• Clasificación y categorización de documentos

La IA puede ayudar a reducir la carga que supone revisar grandes volúmenes de documentos, una actividad que puede absorber gran parte del tiempo en las organizaciones si se realiza de forma manual.

Utilizando diferentes técnicas, la IA permite «leer» y «comprender» la información que hay en un documento, clasificarla correctamente y automatizar flujos de trabajo basados en esa clasificación, todo ello más rápido que cualquier humano.

Los sistemas de clasificación pueden estar guiados inicialmente por un conjunto de reglas o no disponer de un sistema de clasificación previo. Con la aplicación de técnicas de aprendizaje automático (machine learning) es posible encontrar similitudes y patrones en los documentos o realizar hipótesis e inferencias para «entender» cómo se relacionan entre sí dentro de un contexto más amplio, mejorando sustancialmente las capacidades de identificación, clasificación y procesamiento de los documentos. La máquina puede aprender automáticamente a partir de los documentos ya clasificados en el repositorio de la organización e ir progresivamente mejorando la precisión del algoritmo, teniendo en cuenta para ello las acciones manuales que se vayan realizando sobre los documentos.

La precisión en la clasificación va aumentando a medida que se dispone de un mayor número de documentos correctamente clasificados, por lo que el sistema de clasificación se retroalimenta y mejora con el uso.

La automatización de procesos RPA puede ser utilizada en este caso para programar las reglas de agrupación de documentos, así como las de tratamiento de estos grupos de documentos de manera más específica.

Un caso especialmente interesante es la utilización de técnicas de procesamiento del lenguaje natural para clasificar los correos electrónicos, aplicable tanto a los buzones personales como de buzones genéricos que pueden, por ejemplo, utilizarse para la atención a usuarios. El procesamiento del lenguaje natural es un componente clave de la IA ya que ayuda a comprender mejor el contenido y el sentimiento de los mensajes, habilitando su tratamiento sin intervención humana.

- **Separación de documentos**

Otra función avanzada de la IA es la separación automática de documentos de un lote o paquete de documentos, generando documentos individuales que pueden ser tratados de forma independiente. Este proceso puede ser diseñado y entrenado a partir de muestras previas.

Un caso de uso típico es la separación de los artículos de una revista o la extracción de los documentos que conforman un expediente electrónico digitalizado cuando se parte de único fichero.

- **Extracción de datos de documentos**

Una vez realizada la fase de adquisición y la clasificación del documento, es probable que sea necesaria la extracción e interpretación de la información que contiene. Un ejemplo de ello es el reconocimiento de facturas para identificar los diferentes elementos que la conforman, como el número de factura, las líneas de pedido, información de la empresa, importes, etc., datos que pueden aparecer en diferentes ubicaciones del documento y con múltiples formatos (fuente, tamaño, idioma, etc.).

Las técnicas de inteligencia artificial permiten la lectura precisa y la comprensión de la información del documento y del contexto en que se encuentra, lo que facilita la identificación de los diferentes elementos que lo conforman. El RPA puede complementar esas capacidades automatizando el inicio los procesos aplicados para la extracción.

Esta técnica se puede utilizar con formularios, pero es especialmente útil en documentos no estructurados en los que los datos deseados pueden no ser conocidos o se incluyen elementos no necesariamente esperados que es conveniente identificar (como números de contratos, referencias a normas, direcciones, numeración de tarjetas de crédito, etc.). También es posible identificar estos datos aunque su ubicación pueda podría variar en la página e incluso estar ocultos dentro de un párrafo de texto.

Los datos no estructurados suponen el 80% de los datos de una organización y, de éstos, el 70% es texto en formato libre, por lo que cada vez es más necesario disponer de herramientas inteligentes que ayuden a procesar esta clase de contenidos.

- **Validación de datos en documentos**

Una vez extraída la información de los documentos, es preciso realizar las comprobaciones necesarias para asegurar la calidad de los datos y de la información identificada.

321

Aparte de las técnicas tradicionales de validación del formato o de la integridad de la información, podemos utilizar la capacidad que proporciona la IA de contextualizar los campos en el documento y corregir datos provenientes de procesos imperfectos de OCR o de digitalización. Este proceso se parece a la capacidad de los humanos de «adivinar» el texto de una nota manuscrita con mala caligrafía, contenido borroso o información defectuosa utilizando la intuición y el contexto.

Además es posible utilizar RPA como vehículo para realizar comprobaciones cruzadas con otros sistemas gracias a las capacidades nativas de estas herramientas para integrarse vía conectores o APIs estándar, todo ello sin la necesidad de desarrollar código.

• Búsquedas semánticas

En los últimos años, Google ha conseguido que la interfaz preferida en las aplicaciones sea.....la barra de búsquedas. Los usuarios prescinden de complicados menús para localizar funciones de la aplicación o información concreta por medio de búsquedas integradas en la aplicación. Además, sin un potente motor de búsquedas el gestor documental puede convertirse en un escondite perfecto de documentos. El uso de algoritmos de inteligencia artificial puede añadir al repositorio capacidades avanzadas a la búsqueda, como la localización de documentos empleando lenguaje natural, la búsqueda de contenidos por su significado, la determinación del sentimiento o la intención de un documento o el análisis analítico de los diferentes tipos de contenido del gestor documental.

• Seguridad avanzada

La IA puede ayudar a mejorar la seguridad y proteger los datos de los clientes, detectando información sensible o reconociendo patrones o términos que sugieran un tratamiento especial de los documentos (ej. «privado» o «confidencial»). Una vez identificada esta tipología de documentos, un robot software (RPA) puede encargarse de distribuirlos a ubicaciones seguras previas a su procesamiento o clasificarlos directamente, de forma que se asegure una adecuada gestión de acceso a los documentos sensibles o confidenciales.

Asimismo, cuando es necesario garantizar un alto nivel de confidencialidad es recomendable la aplicación de técnicas biométricas, como el reconocimiento facial, bien en el acceso al gestor documental o en la utilización y consulta de los documentos.

3.3. Fase III: Integración

En los últimos años se ha ido difuminando la idea de disponer de un único repositorio de propósito general para cubrir todas las necesidades de una organización. Por una parte, hay entornos especializados, como son el correo electrónico o la gestión de fondos bibliotecarios, en los que es común emplear aplicaciones de nicho con capacidades documentales. Por otra, la propia dinámica de las organizaciones (ej. fusiones, absorciones, etc.) o la autonomía de un departamento en la adquisición de soluciones informáticas nos llevan a un panorama heterogéneo de soluciones de gestión documental.

Cualquiera que sea la causa, la realidad es que va a ser necesario asegurar la interoperabilidad entre soluciones documentales diversas. Un ejemplo típico extraer un contrato de un correo o una escritura de propiedad del sistema de registro electrónico para integrarlos en un gestor documental. La forma tradicional de hacerlo es por mecanismos técnicos de integración como APIs o servicios web, pero no siempre son adecuados o están disponibles.

Los sistemas de automatización robótica de procesos (RPA) están diseñados para interactuar con todo tipo de aplicaciones, facilitando la creación de flujos de trabajo que incluyan diferentes gestores documentales, bases de datos, aplicaciones de gestión de relaciones con clientes (CRM) y sistemas de planificación de recursos empresariales (ERPs).

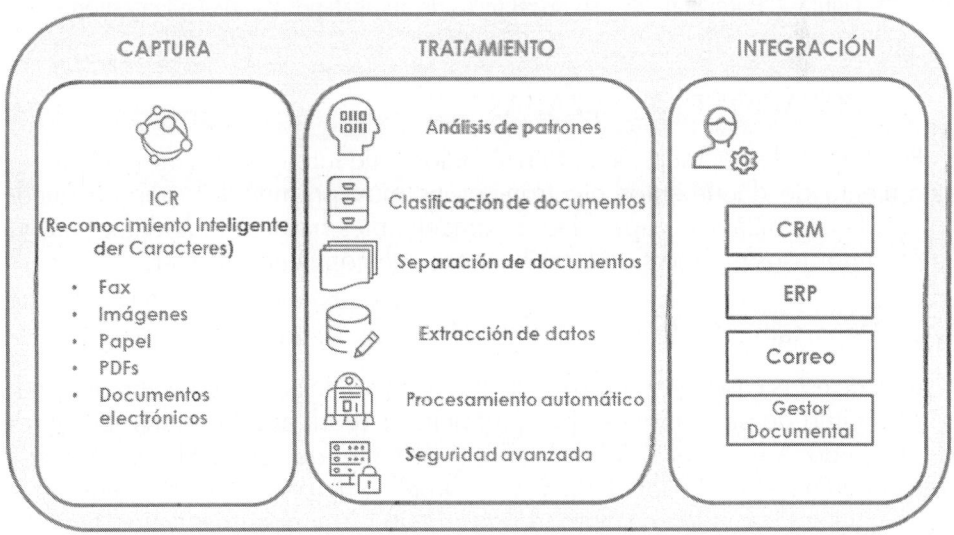

Figura 2. IA y RPA en el ciclo de la gestión documental

Estamos asistiendo aún al despertar de la automatización y de la inteligencia artificial; hoy en día, el uso principal de las técnicas analíticas se centra en la autocategorización de los documentos y en la mejora del proceso de reconocimiento inteligente de caracteres.

Se prevé que el empleo de técnicas de IA en la gestión documental crecerá en torno al 67% en los próximos 4 años, mientras que el crecimiento de la automatización vía RPA lo hará en torno al 36%.

Tarea	Uso
Automatizar la categorización de los documentos	30%
Extraer datos de los documentos utilizando reconocimiento inteligente de caracteres (ICR)	20%
Identificar documentos obsoletos como parte de un proceso de limpieza	14%
Identificar y auto clasificar contenido sensible (ej. detección de información de carácter personal, privada o confidencial)	14%
Automatizar la categorización del correo electrónico	14%
Aplicar analítica avanzada a los contenidos	12%
Identificar y preparar documentos como parte de un proceso de migración	12%
Búsqueda conceptual o semántica	10%

Figura 3. Porcentaje de uso de técnicas de autocategorización en la gestión documental

4. APLICACIONES AVANZADAS

El futuro de las técnicas de automatización y de Inteligencia Artificial para el tratamiento de documentos electrónicos es muy prometedor, porque puede dotar a la organización capacidades inimaginables hasta el momento. Pero ya hay algunos usos pioneros de estas técnicas que conviene conocer.

4.1. Departamento de Trabajo y Pensiones de Reino Unido

Uno de estos casos, se corresponde con el envío de documentación asociada a la solicitud de prestaciones al Department of Work and Pensions (DWP) de Reino Unido. Aunque el DWP pide a los solicitantes que envíen informes médicos, documentación hospitalaria y otras pruebas de profesionales médicos, la realidad es que se veían desbordados por recibir otra documentación complementaria como bonos de autobús, cartas de vecinos y otra documentación que puede o no ser relevante para prestaciones como la minusvalía o incapacidad. El DWP aplicó métodos de **inteligencia artificial** para procesar automáticamente toda la correspondencia, con datos tanto estructurados como no estructurados (correo postal, correo electrónico, fax, archivos electrónicos y SMS). El resultado demostró que se podía automatizar con éxito más del 42% de la demanda inicial y proyectada. Además se incorporaron mecanismos de contraste con otras administraciones para corroborar la veracidad de determinados documentos enviados, evitándose así tediosas labores manuales de comprobación

4.2. Los ficheros del caso JFK

En 2017, la administración norteamericana desclasificó más de 34.000 documentos relacionados con el asesinato del presidente John F. Kennedy. Toda la información fue puesta a disposición del público; el volumen de datos era enorme, y los datos existían en diferentes formatos, como archivos PDF escaneados, notas escritas a mano o imágenes.

La investigación manual se presentaba como una tarea ingente, por lo que decidió utilizar una solución basada en inteligencia artificial de la empresa Microsoft, Cognitive Search, para extraer datos de estas diversas fuentes utilizando técnicas de visión artificial, detección de rostros, ICR, reconocimiento de escritura a mano, búsqueda inteligente, etc.

El resultado es un archivo completo en el que los documentos están organizados y estructurados de forma que es sencillo buscar cualquier información y obtener resultados interrelacionados, independientemente del formato del documento. Este mismo proceso puede aplicarse a otros conjuntos de documentos de cualquier área del conocimiento.

4.3. Indexación de vídeos

Otra aplicación significativa que está empezando a ser relevante y que va a tener un fuerte impacto en la gestión documental es la indexación de vídeos. El empleo de este tipo de datos en entornos corporativos es cada vez más habitual, por ejemplo como sustitución al acta de reuniones significativas. La capacidades que introduce la IA de segmentar escenas, detectar cortes, objetos y personas en los diferentes fotogramas, convertir el audio en texto, detectar emociones y realizar análisis de sentimiento e indexar todo el contenido para permitir interrogar al conjunto en lenguaje natural convierte a estas soluciones en una herramienta corporativa de gestión documental al más alto nivel.

5. CONCLUSIONES

Los gestión documental debe aprovechar los algoritmos y técnicas que nos proporciona la inteligencia artificial como el aprendizaje automático, la automatización de procesos, el procesamiento del lenguaje natural y el aprendizaje no supervisado para realizar la agrupación, clasificación y separación de documentos, el reconocimiento inteligente de caracteres (ICR), la extracción de datos y la comprensión del contenido de los textos por medio de reconocimiento del lenguaje natural.

El aprendizaje automático (*machine learning*) es la técnica cognitiva más extendida y prometedora porque permite aprender de las muestras de datos que ya disponemos para entrenar el sistema y automatizar tareas de la gestión documental. El algoritmo puede ir mejorando a partir del uso que los usuarios hagan del sistema, ajustando progresivamente la precisión del proceso de clasificación de documentos y la inteligencia de extracción de datos, sin el costo de mantener unas reglas específicas ni programar.

Es necesario empezar a familiarizarse con la inteligencia artificial y con la automatización robótica de procesos para entender el impacto de estas tecnologías disruptivas y estar preparados para obtener el máximo provecho en un futuro cercano, en el que su extensión y capacidades van a crecer exponencialmente.

6. BIBLIOGRAFÍA

ASOCIACIÓN DE LOS CUERPOS SUPERIORES DE SISTEMAS Y TECNOLOGÍAS DE LA INFORMACIÓN DEL ESTADO. (2017). Gestión documental. Gestión de contenidos.Tecnologías CMS y DMS de alta implantación. Madrid: ASTIC.

CHERYL MCKINNON. (2018). Analytics, Cloud, And Intelligent Content Services: stay ahead of the curve. Forrester.

GARTNER. (2019). Magic quadrant for content services platforms. Obtenido de https://www.gartner.com/en/documents/3970858/magic-quadrant-for-content-services-platforms

KOFAX. (2018). Cognitive document automation.

MCKINSEY. (2015). Four fundamentals of workplace automation. Obtenido de https://www.mckinsey.com/business-functions/mckinsey-digital/our-insights/four-fundamentals-of-workplace-automation

MICROSOFT. (2017). JFK Files. Obtenido de https://www.microsoft.com/en-us/ai/ai-lab-jfk-files.

MICROSOFT. (2020). Microsoft Video Indexer. Obtenido de https://azure.microsoft.com/en-us/services/media-services/video-indexer/.

NELSONHALL. (s.f.). The future of document management. Obtenido de https://www.swisspostsolutions.com/en/market%20research/sps-marketresearch-the-future-of-document-management.pdf

NICAU, F. (2016). Neodoc. Obtenido de https://www.neodoc.es/blog-de-neodoc/posts-de-expertos/7-tendencias-que-marcaran-la-evolucion-de-la-gestion-documental/

PARMENTER, D. (2019). 6 ways Artificial Intellegence is revolutionizing document management. Obtenido de Information Management: https://www.information-management.com/opinion/6-ways-artificial-intelligence-is-revolutionizing-document-management

PARTE III.

PROCESOS DEL DOCUMENTO

16.

EL REGISTRO ÚNICO Y LA ASISTENCIA AL CIUDADANO EN MATERIA DE REGISTROS

Borja COLÓN DE CARVAJAL FIBLA

Jefe del Servicio de Administración e Innovación Pública. Diputación provincial de Castellón

1. INTRODUCCIÓN

Durante el transcurso de la crisis económica global de los últimos años, las respuestas de los gobiernos nacionales llevaron a la gobernanza pública al centro de todas las reformas. En el caso español, a pesar de que la crisis económica no estuviera originada por el sector público, las condiciones fiscales y la búsqueda de respuestas estructurales a los problemas recurrentes de su economía, hicieron centrar la mayor parte de su atención sobre éste.

En este sentido, la reforma de la Administración pública española se consideró también necesaria para minimizar el coste social de los ajustes y reconstruir la confianza en las instituciones, tanto a nivel de la Administración General del Estado (AGE), como de las Comunidades Autónomas, así como de las entidades que forman la Administración local. De este modo, la agenda de reforma de la Comisión para la Reforma de las Administraciones Públicas (CORA)[1] se planteó resultados a largo plazo, preocupándose por el papel estratégico que el sector público debía jugar en la senda del crecimiento, más allá de las finalidades de corto plazo tales como ajustes específicos o reducción de organismos públicos[2].

---

(1) Informe de la Comisión para la Reforma de las Administraciones Públicas, accesible desde aquí: https://goo.gl/MkYKxe.

(2) Estas metas tan ambiciosas refuerzan la idea de que la reforma administrativa no debe ser concebida como un ejercicio aislado en el tiempo, sino como un modo de desarrollar incentivos, procesos y ordenamientos institucionales que generen una mejora continua de la gestión pública, y por lo tanto mejores resultados sociales. De manera similar, la reforma administrativa debe verse como un componente importante de la reforma estructural, y su impacto dependerá de la consistencia con otras reformas en curso.

Del mismo modo, y según la OCDE, España compartía con otros países desarrollados la necesidad de darle un enfoque de conjunto a las reformas. Esto era especialmente necesario en vista del alto grado de descentralización y fragmentación institucional en todo el sector público español, como se ilustra en el informe de dicho organismo titulado «*Gobernanza Pública de España: De la reforma administrativa a la reforma continua*» del año 2014. Y es en este preciso contexto en el que nacen tanto la LPAC como su prácticamente hermana gemela, la LRJSP. Ambas normas fueron promovidas e impulsadas desde el convencimiento de que una economía competitiva exige unas administraciones públicas eficientes, transparentes y ágiles. Su propósito no fue otro que el de emprender una reforma integral y estructural que permitiera ordenar y clarificar cómo se organizan y relacionan las administraciones públicas tanto externamente, con los ciudadanos y empresas, como internamente con el resto de administraciones e instituciones del Estado.

Podemos decir, en este sentido, que dicha normativa representa una acertada decisión española de sumarse a la línea principal de reformas administrativas de los países desarrollados, que consiste básicamente en favorecer en la medida de lo posible y progresivamente la plena sustitución de los procedimientos convencionales en soporte papel y con presencia física por la teletramitación más simple: la llamada Administración electrónica[3].

Lo dice, además, claramente la Exposición de Motivos de la Ley 39/2015, de 1 de octubre, del Procedimiento Administrativo Común de las Administraciones Públicas (en adelante LPAC): «…en el entorno actual, la tramitación electrónica no puede ser todavía una forma especial de gestión de los procedimientos sino que debe constituir la actuación habitual de las Administraciones. Porque una Administración sin papel basada en un funcionamiento íntegramente electrónico no sólo sirve mejor a los principios de eficacia y eficiencia, al ahorrar costes a ciudadanos y empresas, sino que también refuerza las garantías de los interesados…».

Así pues, y a través de esa apuesta decidida del legislador español materializada en la LPAC se han alcanzado —o al menos se ha intentado— tres hitos fundamentales en la consolidación de un modelo integral y sostenible de Administración electrónica: en primer lugar, el reconocimiento de derechos a los ciudadanos en el ámbito de la relaciones jurídicas por medios electrónicos; en segundo lugar, y tal vez no de forma explícita, pero inequívocamente, la ley

---

(3)   Ya en el año 2003 la Comisión Europea definió con mucho acierto el concepto de Administración electrónica como «la utilización de las tecnologías de la información y la comunicación TIC en las administraciones públicas, asociada a cambios en la organización y nuevas aptitudes del personal. El objetivo es mejorar los servicios públicos, reforzar los procesos democráticos y apoyar a las políticas públicas». Comunicación de la Comisión, de 26 septiembre 2003, al Consejo, al Parlamento Europeo, al Comité Económico y Social Europeo y al Comité de las Regiones —El papel de la Administración electrónica en el futuro de Europa [COM (2003) 567 final— no publicada en el Diario Oficial].

sigue avanzando en la idea o principio del uso ordinario del medio electrónico, del que se deriva su carácter instrumental; y en tercer lugar, integra el uso del medio electrónico en un régimen jurídico único que es el común del procedimiento administrativo, con independencia del medio o instrumento que se utilice.

Sirvan, entonces, estas líneas introductorias para contextualizar la importancia del cambio normativo que supuso la aprobación de las denominadas *siamesas* en el establecimiento de un marco de referencia en el ámbito nacional que posibilitara el despliegue definitivo de la citada Administración electrónica. Han sido muchas las novedades de dicho cambio, pero quizá algunas de las más significativas se centran la nueva configuración de las oficinas de registro y en la conversión, por mandato del legislador, de los tradicionales registros generales de entrada y salida de documentos en un auténtico Registro Electrónico General, común e interoperable para todas las Administraciones públicas.

2. EL REGISTRO ELECTRÓNICO GENERAL

En primer lugar es preciso partir de la actual regulación que la LPAC da de los —simplemente— *Registros*, citando literalmente el primer párrafo del apartado primero del artículo 16 de ésta, según el cual: «1. Cada Administración dispondrá de un Registro Electrónico General, en el que se hará el correspondiente asiento de todo documento que sea presentado o que se reciba en cualquier órgano administrativo, Organismo público o Entidad vinculado o dependiente a éstos. También se podrán anotar en el mismo, la salida de los documentos oficiales dirigidos a otros órganos o particulares».

Sin embargo, no podemos decir que el proceso hasta llegar a consolidar una configuración tan precisa y ambiciosa de los registros que dibuja dicho artículo haya sido rápida y fácil, sino más bien todo lo contrario. Téngase en cuanta que ese largo camino ha tenido que transcurrir, por lo menos, a lo largo de tres etapas claramente diferenciadas, a saber: los registros informatizados, los registros telemáticos y el registro general electrónico.

2.1. La evolución de los registros administrativos

Como bien es sabido, la Ley 24/2001, de 27 de diciembre, de Medidas Fiscales, Administrativas y del Orden Social modificó el artículo 38 de la Ley 30/1992, de 26 de noviembre, del Régimen Jurídico de las Administraciones Públicas y del Procedimiento Administrativo Común, en el sentido de añadir un apartado 9 a dicho artículo, regulador del entonces denominado «*registro telemático*», para la recepción o salida de solicitudes, escritos y comunicaciones que se transmitan por medios telemáticos.

La modificación del artículo 38 significó la consagración, en aquel momento, de un modelo dual de regímenes jurídicos sobre el procedimiento administrativo y sus instituciones básicas en función del soporte o medio técnico sobre el que se articulaba el procedimiento. Así, distinguía dos tipos de registros con regímenes y efectos jurídicos claramente diferenciados. Por un lado, el registro general clásico que todos conocemos y que con la modificación del artículo 38 que introdujo la Ley 4/1999, de 13 de enero, se configura claramente como un registro informatizado y, por el otro, el registro telemático del apartado 9 del referido artículo 38 de la Ley 30/1992, que va a participar de una caracterización y régimen jurídico distintos[4].

La LAE representó un salto cualitativo en la configuración jurídica de la Administración electrónica en nuestro país. El acceso a la Administración por medios electrónicos se configura en la LAE, como un derecho de carácter subjetivo de los ciudadanos, al que corresponde una obligación jurídica para los poderes públicos, que están obligados a adoptar las medidas necesarias para hacer efectivo el ejercicio del derecho.

Al servicio de este principio y como garantía del ejercicio del derecho de los ciudadanos a presentar escritos, solicitudes y documentos por medios electrónicos, la LAE deroga el antes mencionado apartado 9 del artículo 38 de la Ley 30/1992 y regula, en los artículos 24 y siguientes de aquélla, el ya denominado *registro electrónico* desde una perspectiva generalista, que acaba por configurar a dicho registro como obligatorio para todas las administraciones públicas[5], estableciendo dos vías de acceso al mismo, una primera para procedimientos específicos con el uso de modelos normalizados y, una segunda, de carácter generalista, para la presentación de cualquier solicitud, escrito o documentación dirigidos a cualquier órgano de la Administración titular del registro correspondiente[6].

---

(4) Tal y como explica CASES I PALLARÉS, J., se pueden resumir las siguientes notas caracterizadoras de estos registros telemáticos: participan como cualquier registro de su función básica, de instrumento de acreditación de la presentación de documentos, escritos y comunicaciones ante las Administraciones públicas a efectos, entre otros, del cómputo de plazos; se configuran como un registro potestativo; van a permitir la presentación de escritos todos los días del año y durante las veinticuatro horas del día pero solo en aquellos procedimientos que previamente determine el órgano competente; no son un registros generalistas, sino los denominados *«de trámite a trámite»;* y no se configuran como un derecho de los ciudadanos, sino que su existencia y la tipología de trámites en que se admiten el uso del registros telemáticos queda en manos de la Administración pública competente.

(5) Queda claro, entonces, el carácter preceptivo del registro a la vista de la literalidad del artículo 24.1 de la citada LAE al establecer que «1. Las Administraciones Públicas crearán registros electrónicos para la recepción y remisión de solicitudes, escritos y comunicaciones».

(6) Serán, lógicamente, y al calor del artículo 25 de la LAE, las normas de creación de los registros las que resuelvas los aspectos más importantes en relación al registro electrónico, especialmente en los ámbitos de los criterios de exigencia en la autentificación, integridad y no repudio de la documentación.

Pero ha sido, como ya hemos apuntado, el artículo 16 de la LPAC el que ha consagrado, definitivamente, al registro electrónico general. Así pues, la idea del uso ordinario del medio electrónico tiene su concreción en que la única regulación jurídica sobre la institución del Registro es la de un único Registro General que se desarrolle en medio exclusivamente electrónico. Este va a ser un paso decisivo en la transformación de nuestras organizaciones hacia la Administración electrónica y, en la medida en que la propia Ley permita que determinados sujetos —en este caso solo personas físicas— puedan seguir presentando sus solicitudes, escritos y comunicaciones en soporte papel[7], va a obligar a articular un conjunto de mecanismos para hacer compatible la existencia de un único registro en soporte electrónico y el derecho que asiste a aquéllos a utilizar los *registros tradicionales*[8].

2.2. Régimen jurídico y características fundamentales del Registro Electrónico General

Sin embargo, la entrada en vigor del artículo 16 de la LPAC no transforma la función clásica del registro general como institución administrativa, sino que, en esencia, ahora determina que la misma se realice en soporte electrónico. Cabe mencionar aquí, lógicamente, la Disposición final —entrada en vigor de la LPAC— en la redacción dada a la misma por el art. 6 del Real Decreto-ley 11/2018, de 31 de agosto[9], que establece que ésta entrará en vigor al año de su publicación en el *Boletín Oficial del Estado*, no obstante, las previsiones relativas al registro electrónico de apoderamientos, *registro electrónico*, registro de empleados públicos habilitados, punto de acceso general electrónico de la Administración y archivo único electrónico producirán efectos a partir del día 2 de octubre de 2020.

Según la propia LPAC el Registro Electrónico General de cada Administración funcionará como un portal que facilitará el acceso a los registros electrónicos de cada Organismo, debiendo cumplir en todo caso con las garantías y medidas de

---

(7)   Cabe recordar, en este sentido, que de conformidad con el artículo 14.1 de la LPAC «las personas físicas podrán elegir en todo momento si se comunican con las administraciones públicas para el ejercicio de sus derechos y obligaciones a través de medios electrónicos o no, salvo que estén obligadas a relacionarse a través de medios electrónicos con las administraciones públicas».

(8)   Aunque la propia Ley permite que, «reglamentariamente, las administraciones puedan establecer la obligación de presentar determinados documentos por medios electrónicos para ciertos procedimientos y colectivos de personas físicas que, por razón de su capacidad económica, técnica, dedicación profesional u otros motivos quede acreditado que tienen acceso y disponibilidad de los medios electrónicos necesarios» (art. 16 apartado 5, párrafo segundo).

(9)   Real Decreto-ley 11/2018, de 31 de agosto, de transposición de directivas en materia de protección de los compromisos por pensiones con los trabajadores, prevención del blanqueo de capitales y requisitos de entrada y residencia de nacionales de países terceros y por el que se modifica la Ley 39/2015, de 1 de octubre, del Procedimiento Administrativo Común de las Administraciones Públicas.

seguridad previstas en la legislación en materia de protección de datos de carácter personal.

En este sentido, y continuando con las funciones esenciales del registro general —ahora ya totalmente electrónico— podemos decir que éste tiene como vocación fundamental:

a) La de la acreditación del inicio del cómputo de plazos a efectos administrativos.

b) La de la anotación de los correspondientes asientos registrales de entrada y de salida[10].

c) La de la recepción y remisión de solicitudes, escritos, documentos y comunicaciones en el ámbito de las relaciones jurídico-públicas.

d) La de la remisión de escritos, solicitudes y documentos a las personas, órganos o unidades destinatarias de las mismas.

e) La de la emisión de los recibos necesarios para confirmar y acreditar la recepción de los escritos[11].

En cuanto a las características fundamentales del registro electrónico general, podemos decir que esencialmente las mismas se resumen en dos:

a) Disponibilidad total —*always on*— lo que permitirá la presentación de documentos todos los días del año durante las veinticuatro horas, estipulación prevista expresamente por el artículo 31.2 a) de la LPAC.

b) Interoperabilidad, en los términos fijados por el apartado cuarto del artículo 16 en virtud del cual los registros electrónicos de todas y cada una de las Administraciones, deberán ser plenamente interoperables, de modo que se garantice su compatibilidad informática e interconexión, así como la

---

(10) Según el apartado segundo del artículo 16 de la LPAC los asientos se anotarán respetando el orden temporal de recepción o salida de los documentos, e indicarán la fecha del día en que se produzcan. Concluido el trámite de registro, los documentos serán cursados sin dilación a sus destinatarios y a las unidades administrativas correspondientes desde el registro en que hubieran sido recibidas.

(11) El apartado tercero del mismo artículo 16 continúa El registro electrónico de cada Administración u organismo garantizará la constancia, en cada asiento que se practique, de un número, epígrafe expresivo de su naturaleza, fecha y hora de su presentación, identificación del interesado, órgano administrativo remitente, si procede, y persona u órgano administrativo al que se envía, y, en su caso, referencia al contenido del documento que se registra. Para ello, se emitirá automáticamente un recibo consistente en una copia autenticada del documento de que se trate, incluyendo la fecha y hora de presentación y el número de entrada de registro, así como un recibo acreditativo de otros documentos que, en su caso, lo acompañen, que garantice la integridad y el no repudio de los mismos.

transmisión telemática de los asientos registrales y de los documentos que se presenten en cualquiera de los registros[12].

Pero es el apartado cuarto del mencionado artículo 16 el que confiere *carácter único* al registro general electrónico al establecer que los documentos que los interesados dirijan a los órganos de las administraciones públicas podrán presentarse en el registro electrónico de la Administración u organismo al que se dirijan, así como en los restantes registros electrónicos de cualquiera de los sujetos obligados de la LPAC., de tal forma que, independientemente del lugar en donde dichos documentos se presenten, producirán los mismo efectos jurídicos frente a todos. Y continúa el apartado cuarto del mencionado artículo 16 estableciendo que también se considerarán válidos para la presentación de los documentos que los interesados dirijan a los órganos de las administraciones públicas las oficinas de Correos, las representaciones diplomáticas u oficinas consulares de España en el extranjero, las oficinas de asistencia en materia de registros, así como cualquier otro que establezcan las disposiciones vigentes.

Finalmente decir, en atención al apartado primero, párrafo cuarto del artículo 16 de la LPAC, que las disposiciones de creación de los registros electrónicos se publicarán en el diario oficial correspondiente y su texto íntegro deberá estar disponible para consulta en la sede electrónica de acceso al registro y, en todo caso, dichas disposiciones de creación especificarán el órgano o unidad responsable de su gestión, así como la fecha y hora oficial y los días declarados como inhábiles.

3. LAS NUEVAS OFICINAS DE ATENCIÓN EN MATERIA DE REGISTRO

La apuesta decidida del legislador español por incorporar a la gestión pública el uso masivo de las TICS no debería ser un problema en sí mismo si no estuviéramos seguros de que existe una visible brecha digital de determinados sectores de la población que carecen o desconocen el uso y el funcionamiento de dicha tecnología. Y todo ello, a pesar de que año tras año las estadísticas oficiales arrojan cifras de uso y equipamiento que parecen apuntar en la dirección contraria. Sirva de ejemplo, la última nota del Instituto Nacional de Estadística sobre la encuesta sobre Equipamiento y Uso de Tecnologías de Información y Comunicación en los Hogares del año 2019, publicada el pasado 16 de octubre de 2019[13], y según la cual:

---

(12) A mayor abundamiento cabe destacar la referencia hecha en el apartado sexto del artículo 16 según el cual podrán hacerse efectivos mediante transferencia dirigida a la oficina pública correspondiente cualesquiera cantidades que haya que satisfacer en el momento de la presentación de documentos a las administraciones públicas, sin perjuicio de la posibilidad de su abono por otros medios.

(13) Y disponible a través del siguiente enlace: https://www.ine.es/dyngs/INEbase/es/operacion.htm?c=Estadistica_C&cid=1254736176741&menu=ultiDatos&idp=1254735976608

El 91,4% de los hogares españoles tiene acceso a internet, frente al 86,4% del año anterior. De estos, casi la totalidad (el 99,7%, 15 millones de hogares) disponen de acceso a internet por banda ancha (fibra óptica o red de cable, ADSL, telefonía móvil 3G o 4G...).

El principal tipo de conexión de banda ancha es a través de modalidades fijas (fibra óptica, ADSL...), presente en el 85,2% de los hogares con acceso. Las modalidades móviles (a través smartphone 3G ó 4G, vía modem USB o tarjeta) se emplean en un 83,9% de hogares.

Las viviendas que no disponen de internet señalan como principales motivos de tal situación los siguientes: porque no necesitan internet (75,5%), la falta de conocimientos para usarlo (51,3%) y los altos costes del equipo (28,0%).

Por otro lado, no es menos cierto que aún existen municipios en nuestro territorio a los que no llega Internet y en donde nuestra pirámide demográfica aconseja tener muy presentes a millones de personas de la tercera edad, así como calcular los costes económicos de mantener equipos electrónicos en constante actualización.

De ahí que, consciente precisamente de estas limitaciones, el legislador optara por reconfigurar las *antiguas oficinas de registro* en nuevos espacios de asistencia personal en donde los empleados públicos pudieran ayudar en todos aquéllos trámites presenciales que las personas físicas decidieran hacer *en ventanilla*, dotando a dichas oficinas, como más tarde veremos, de auténticas competencias y servicios auxiliares dotados de un creciente valor añadido para el día a día del funcionamiento de las mismas.

La primera vez que la LPAC se aproxima al concepto de oficinas de asistencia en materia de registros (en adelante OAMR) es en su propia exposición de motivos, según la cual «se dispone la obligación de todas las administraciones públicas de contar con un registro electrónico general, o, en su caso, adherirse al de la AGE. Estos registros estarán asistidos a su vez por la actual red de oficinas en materia de registros, que pasarán a denominarse *oficinas de asistencia en materia de registros*, y que permitirán a los interesados, en el caso que así lo deseen, presentar sus solicitudes en papel, las cuales se convertirán a formato electrónico».

Con la LPAC ya no se distingue, entonces, entre registro general o auxiliar (como hacía el antiguo Real Decreto 772/1999, de 7 de mayo, por el que se regulaba la presentación de solicitudes, escritos y comunicaciones ante la AGE, la expedición de copias de documentos y devolución de originales y el régimen de las oficinas de registro ahora derogado) sino que todas las actuales oficinas de registro pasan a denominarse por mandato del legislador *oficinas de asistencia en materia de registros*. Este cambio de denominación se produce *ex lege* y no se necesita dictar ninguna otra norma legal específica para llevar a cabo esta transformación.

3.1. Naturaleza de las nuevas Oficinas de Asistencia en Materia de Registros

Pero quizá el punto de partida de las nuevas OAMR se encuentra precisamente en que las mismas vienen a satisfacer el cumplimiento de un derecho reconocido en el artículo 13, letra b) de la LPAC[14], según el cual, quienes de conformidad con el artículo 3 de la misma tienen capacidad de obrar ante las administraciones públicas[15], son titulares, en sus relaciones con ellas, de los siguientes derechos: ... *b) A ser asistidos en el uso de medios electrónicos en sus relaciones con las administraciones públicas.*

Este derecho de asistencia podemos decir que se relaciona con el ya derogado artículo 8 de la LAE, que garantizaba el derecho de «todos» de acceder, «en todo caso» a la relación electrónica con la Administración con independencia de sus circunstancias personales, medios o conocimientos. Sin duda, el citado artículo 8 era la concreción normativa del principio de igualdad material, por el que se trataba de evitar para el ámbito de los servicios electrónicos la dualización conectados-desconectados y esa «brecha digital» a la que antes nos referíamos. Se trata de objetivos bien antiguos de que «ningún ciudadano debe quedarse atrás: promover la inclusión a través de la Administración electrónica» (Comunicación de 2006 el Plan de Acción sobre Administración electrónica y 2010 de la Comisión Europea), reiterados habitualmente, como en la Comunicación de la Comisión, de 19 de mayo de 2010, Una Agenda Digital para Europa[16].

En relación con el mencionado artículo 13 de la LPAC debemos citar dos artículos más de la misma norma. En primer lugar, el citado ya anteriormente artículo 14.1 de la LPAC, según el cual las personas físicas podrán elegir en todo momento si se comunican o no con las administraciones públicas para el ejercicio de sus derechos y obligaciones a través de medios electrónicos, y el artículo 12 (*asistencia en el uso de medios electrónicos a los interesados*) según el cual las administraciones públicas deberán garantizar que los interesados pueden relacionarse con ellas a través de medios electrónicos, para lo que pondrán a su disposición los canales de acceso que sean necesarios así como los sistemas y

---

(14) Denominado *Derechos de las personas en sus relaciones con las administraciones públicas.*

(15) A los efectos previstos en la LPAC, tendrán capacidad de obrar antes las Administraciones Públicas:
 a) Las personas físicas o jurídicas que ostenten capacidad de obrar con arreglo a las normas civiles.
 b) Los menores de edad para el ejercicio y defensa de aquellos de sus derechos e intereses cuya actuación esté permitida por el ordenamiento jurídico sin la asistencia de la persona que ejerza la patria potestad, tutela o curatela. Se exceptúa el supuesto de los menores incapacitados, cuando la extensión de la incapacitación afecte al ejercicio y defensa de los derechos o intereses de que se trate.
 c) Cuando la Ley así lo declare expresamente, los grupos de afectados, las uniones y entidades sin personalidad jurídica y los patrimonios independientes o autónomos.

(16) Disponible aquí para su lectura completa: http://eur-lex.europa.eu/legal-content/ES/TXT/?uri=LEGISSUM%3Asi0016.

aplicaciones que en cada caso se determinen. Asimismo, éstas asistirán en el uso de medios electrónicos a los interesados no incluidos en los apartados 2 y 3 del artículo 14 que así lo soliciten, especialmente en lo referente a la identificación y firma electrónica, presentación de solicitudes a través del registro electrónico general y obtención de copias auténticas.

Con todo ello podemos comprobar de qué manera el legislador trata de configurar a las nuevas OAMR como el lugar indicado para ofrecer esa asistencia personalizada en el uso de medios electrónicos para todas aquéllas personas físicas, que careciendo de medios y conocimientos, decidan acudir a las administraciones públicas a ejercer alguno de sus derechos.

De hecho, ya se dan casos de Comunidades Autónomas que están regulando esta especial configuración de las OAMR para dotarles de las mayores funcionalidades posibles. Uno de los casos más recientes es el del Principado de Asturias que, a través de su *Decreto 89/2017, de 20 de diciembre*[17], *por el que se regula la atención ciudadana y las oficinas de asistencia en materia de registros en la Administración del Principado de Asturias, sus organismos y entes públicos* regula en su Título II la definición, las funciones y el tratamiento de la documentación que se realizará en sus oficinas de asistencia en materia de registros[18].

3.2. Funciones de las Oficinas de Asistencia en Materia de Registros

No son pocas las funciones con las que nacen inicialmente configuradas las OAMR. Vamos a tratar de describirlas todas ellas.

3.2.1. Apoderamiento (art. 6)

Los interesados podrán otorgar apoderamiento *apud acta* mediante comparecencia personal en la oficina de asistencia en materia de registros o mediante comparecencia electrónica en sede, a través de los sistemas de firma electrónica previstos en la LPAC. A este respecto cabe recordar el artículo 5.4, párrafo segundo de la Ley que establece que se entenderá acreditada la representación

---

(17) Disponible aquí para su lectura completa: https://sede.asturias.es/bopa/2017/12/27/2017-14395.pdf.

(18) Es significativa también la justificación realizada en el propio Decreto asturiano en relación con las OAMR al establecer que: «La LPCAP introduce importantes novedades en lo que respecta a las relaciones de los ciudadanos con la Administración, atribuyendo nuevas funciones a las oficinas de registro, que pasan a denominarse oficinas de asistencia en materia de registro. sí, entre otros, de acuerdo con el artículo 6.5, el apoderamiento «apud acta» se podrá otorgar mediante comparecencia personal en estas oficinas; el artículo 12 establece la obligación de estas oficinas de facilitar a los interesados el código de identificación, si éstos lo desconocen; en el artículo 16.5 se establece la obligación de digitalización de los documentos presentados de manera presencial ante las administraciones públicas por la oficina en la que hayan sido presentados para su incorporación al expediente administrativo electrónico, devolviéndose los originales al interesado; y por último, el artículo 41.1a) prevé la notificación por comparecencia espontánea del interesado o su representante en estas oficinas».

realizada mediante apoderamiento apud acta efectuado por comparecencia personal o comparecencia electrónica en la correspondiente sede electrónica, o a través de la acreditación de su inscripción en el registro electrónico de apoderamientos de la Administración Pública competente.

3.2.2. Identificación de los interesados en el procedimiento (art. 9)

Los funcionarios de las OAMR deberán verificar, en todo caso, la identidad de los interesados en el procedimiento administrativo, mediante la comprobación de su nombre y apellidos o denominación o razón social, según corresponda, que consten en el Documento Nacional de Identidad o documento identificativo equivalente. Recordar por otro lado, que según el apartado segundo del mismo artículo 9 los interesados podrán identificarse electrónicamente ante las Administraciones Públicas a través de cualquier sistema que cuente con un registro previo como usuario que permita garantizar su identidad.

3.2.3. Asistencia en la identificación y firma electrónica (art. 12)

En el caso del artículo 12 se prevé un doble nivel de asistencia: por un lado una asistencia de carácter general en el uso de medios electrónicos, que debe entenderse como apoyo e información por parte del funcionario —en particular, en lo referente a la identificación y firma electrónica, medios existentes para ello y forma de utilización— y, por la otra, una asistencia específica por si alguno de los interesados no dispone de los medios electrónicos necesarios, su identificación o firma electrónica en el procedimiento administrativo podrá ser válidamente realizada por un funcionario público (funcionario habilitado), mediante el uso del sistema de firma electrónica del que esté dotado para ello. En este caso será necesario que el interesado que carezca de los medios electrónicos necesarios se identifique ante el funcionario y preste su consentimiento expreso para esta actuación, de lo que deberá quedar constancia para los casos de discrepancia o litigio. De lo cual se desprende, pues, que las Administraciones tienen que disponer de un registro de funcionarios habilitados, que pueden asistir al interesado en la identificación o firma electrónica y la presentación de solicitudes correspondientes a un procedimiento. En este registro o sistema equivalente, al menos, deben constar los funcionarios que prestan servicios en las OAMR.

3.2.4. Registro, digitalización y expedición de copias auténticas (arts. 16 y 27)

La primera función de las OAMR es la propia de un registro general, que en virtud de su carácter electrónico precisa la digitalización de los documentos que presentan los ciudadanos en papel. En este sentido, los documentos presentados de manera presencial ante las Administraciones públicas deberán ser digitalizados por la OAMR en que hayan sido presentados para su incorporación al expediente administrativo electrónico, devolviéndose los originales al interesado, sin perjuicio de aquellos supuestos en que la normativa determine la custodia por la Administración de los documentos presentados, o resulte obligatoria la presentación de objetos o de documentos en un soporte específico no susceptible de digitalización.

Por otro lado, las Administraciones Públicas estarán obligadas a expedir copias auténticas electrónicas de documentos en soporte electrónico o en papel que presenten los interesados y que se vaya a incorporar a un expediente administrativo. Asimismo, las Administraciones Públicas podrán realizar copias auténticas mediante funcionarios habilitados que estarán incluidos en un registro, u otro sistema equivalente, que deberá ser plenamente interoperable y estar interconectado con los de las restantes Administraciones públicas, a los efectos de comprobar la validez de la habilitación. En este registro o sistema equivalente constarán, al menos, los funcionarios que presten servicios en las OAMR.

3.2.5. Notificaciones (art. 41)

Las OAMR podrán practicar notificaciones cuando el interesado o su representante comparezcan de forma espontánea en las mismas y soliciten la comunicación o notificación personal en ese preciso momento.

3.2.6. Ayuda en la iniciación (art. 66)

Las OAMR estarán obligadas a facilitar a los interesados el código de identificación del órgano, centro o unidad administrativa a la que se dirige, si el interesado lo desconoce, estando asimismo, las Administraciones públicas obligadas a mantener y actualizar en la sede electrónica correspondiente un listado con los códigos de identificación vigentes.

De la misma forma, dichas Oficinas deberán emitir el correspondiente recibo que acredite la fecha y hora de presentación de solicitudes, comunicaciones y escritos que presenten los interesados, si estos lo exigen y, además, poner a disposición de éstos los modelos y sistemas de presentación masiva que permitan a los interesados presentar simultáneamente varias solicitudes.

Finalmente, y para facilitar la identificación de las nuevas OAMR, el legislador impone una serie de exigencias que permitirán conocer al ciudadano con mayor concreción la ubicación de éstas y sus funciones[19]:

a) la disposición adicional cuarta, establece que las administraciones públicas deberán mantener permanentemente actualizado en la correspondiente sede electrónica un directorio geográfico que permita al interesado

---

(19) El Punto de Acceso General contiene información detallada de las oficinas de atención al ciudadano y registro y sus horarios y características en el siguiente enlace: http://administracion.gob.es/pag_Home/atencionCiudadana/OficinasAtencion.html.

identificar la oficina de asistencia en materia de registros más próxima a su domicilio.

b) el artículo 16.7 de la Ley señala que las administraciones públicas deberán hacer pública y mantener actualizada una relación de las oficinas en las que se prestará asistencia para la presentación electrónica de documentos.

c) el artículo 31 de la Ley 39/2015 señala que cada Administración pública publicará los días y horario en el que deben permanecer abiertas las oficinas que prestarán asistencia para la presentación electrónica de documentos, garantizando el derecho de los ciudadanos a ser asistidos en el uso de medios electrónicos.

4. CONCLUSIÓN

Las Administraciones públicas han sufrido durante las últimas décadas importantes transformaciones en el plano organizativo e instrumental. Desde un crecimiento paulatino y escalonado de su masa crítica de recursos humanos hasta una tecnificación de sus estructuras y procesos debido a la incorporación constante de herramientas TIC en la prestación de servicios públicos.

Sin embargo, el cambio que ahora se avecina, el de la implantación sostenible e integral de un modelo coherente de Administración electrónica va a suponer un antes y un después en la concepción moderna de nuestras instituciones públicas. Un antes, porque solo aquéllas administraciones que verdaderamente aborden con éxito este proceso evolutivo van a ser capaces de sobrevivir institucionalmente y, un después, porque ya no volveremos a entender la prestación de servicios públicos desde un soporte papel y desde una perspectiva basada en la presencia física y el «vuelva usted mañana».

Y será en este tránsito hacia la modernidad administrativa real donde las Oficinas de Asistencia en Materia de Registro jueguen un papel más importante, ya que de ellas dependerá que la brecha digital que aun hoy existe y que, por lógica generacional y territorial muy probablemente siempre persista, pueda mitigarse hasta tal punto en que sea totalmente asumible por nuestras administraciones.

El legislador que dio a luz a la LPAC y a la LRJSP probablemente no fue del todo consciente del impacto que dichas normas han generado en el entramado jurídico institucional de nuestras administraciones, ya que suponen verdaderamente el impulso definitivo de esa transformaciones digital que todos esperábamos. Y con todas sus luces y sus sombras, podemos decir sin miedo a equivocarnos, que la conceptualización del registro general electrónico y las nuevas oficinas de atención en materia de registro que crearon las siamesas van a ser dos de los elementos clave para que dicha transformación se produzca con totales garantías.

5. BIBLIOGRAFÍA

ALMONACID LAMELAS, V. «Ley de Procedimiento, ¿qué entra en vigor en 2018?», Blog Nosoloaytos, consultado en fecha 13 de enero de 2017, disponible en: https://nosoloaytos.wordpress.com/2016/09/25/ley-de-procedimiento-que-entra-en-vigor-en-2018/.

BLASCO DÍAZ, José Luis y FABRA VALLS, Modesto J. «El documentos electrónico: aspectos jurídicos, tecnológicos y archivísticos». *Publicaciones de la Universidad Jaume I.* Colección Estudios Jurídicos, núm. 16. Castellón de la Plana. 2008.

CASES I PALLARÉS, J. (2016). «El registro electrónico general en la Ley 39/2015, de 1 de octubre, del procedimiento común de las administraciones públicas», CUNAL — *Revista de Estudios Locales*, n.º 191, Madrid, pág. 125.

DAVARA FERNÁNDEZ DE MARCOS, L. y DAVARA RODRÍGUEZ, M. A. «Ley 39/2015, del Procedimiento Administrativo Común de las Administraciones Públicas: novedades en materia de Administración electrónica», *Actualidad Administrativa*, n.º 1, 2016, págs. 26 a 39.

GAMERO CASADO, Eduardo y VALERO TORRIJOS, Julián (coordinadores). «La Ley de Administración Electrónica. Comentario sistemático a la Ley 11/2007, de 22 de junio, de acceso electrónico de los ciudadanos a los servicios públicos». Aranzadi. Pamplona. 2008.

GONZÁLEZ-VARAS, S. «Las claves de La ley 39/2015, de 1 de octubre, del Procedimiento Administrativo Común de las Administraciones Públicas», *Actualidad Administrativa*, núm. 11, 2015, págs. 77 a 81.

PALOMAR OLMEDA, A. «Régimen Jurídico del procedimiento electrónico», *Revista de Derecho vLex*, n.º 138, Noviembre 2015.

VVAA. COTINO HUESO, Lorenzo y VALERO TORRIJOS, Julián (coords.). «Administración electrónica. La ley 11/2007, de 22 de junio, de acceso electrónico de los ciudadanos a los servicios públicos y los retos jurídicos del e-gobierno en España». Tirant lo Blanch. Valencia. 2010.

VVAA. PIÑAR MAÑAS, José Luis (director). «Administración electrónica y ciudadanos». Aranzadi. Navarra. 2010.

17.

LA NORMALIZACIÓN DE LA FORMA Y TIPO DE DOCUMENTOS EN LA TRAMITACIÓN ADMINISTRATIVA ELECTRÓNICA

Alfonso DÍAZ RODRÍGUEZ
Archivero en Gobierno de Asturias
Docente Máster Archivística Universidad Carlos III
Miembro del Consejo Editorial TABULA
alfonso.diazrodriguez@asturias.org

1. INTRODUCCIÓN

El modelo de administración electrónica en su fase actual parece concretizarse en un proceso de digitalización. Los documentos, creados mediante un sistema de tipo ofimático, acaban digitalizándose y agregándoles los complementos necesarios para conformarlo como documento electrónico, de acuerdo con el marco jurídico actuante, de tal forma que en su conformación final esté integrado por un contenido «entendido como el conjunto de datos en que se sustancia la información de un documento electrónico»; una firma electrónica definida como un «conjunto de datos en forma electrónica, consignados junto a otros o asociados con ellos, que permite detectar cualquier cambio ulterior de los datos firmados, y está vinculada al firmante de manera única y a los datos a los que se refiere; y ha sido creada por medios que el firmante puede mantener bajo su exclusivo control», y los correspondientes metadatos «como elementos que proporcionan contexto al contenido, estructura y firma de un documento, contribuyendo al valor probatorio y fiabilidad de éste a lo largo del tiempo como evidencia electrónica de las actividades y procedimientos» (Guía, 2016).

Posteriormente para su interoperabilidad entre organizaciones se le añaden capas de metadatos de gestión con el fin de extraer en muchos casos valores de los contenidos documentales para que puedan «viajar».

Sin embargo aún está muy en los inicios la visión de la producción de documentos electrónicos nativos, es decir producir documentos mediante la agregación de datos dinámicos y estáticos insertados en «estructuras documentales» cuyo resultado final con independencia del formato de intercambio que se determine, dará lugar a un tipo concreto de documento,

Para ello resulta necesario disponer de un repositorio que administre para toda la corporación «estructuras documentales». Y, en ese sentido, nos centraremos en la necesidad y proceso de diseño de esas referidas estructuras documentales que puedan ser usadas por los gestores, o por la ciudadanía, en función del acto administrativo que se va a sustanciar, y que dicho tipo vaya acompañado del modelo de metadatos que permita tanto su gestión en el repositorio corporativo, como la explotación del conjunto de datos que la conforman (modelo de datos) de un tipo de documento concreto.

Todo ello con el propósito último de asegurar que en cualquier momento, el documento administrativo una vez producido tenga la misma información y, en general, la misma disposición de la información «forma documental», que en el momento de su creación. Debido a que «la persistencia de la estructura documental implica por lo tanto la estabilidad del contenido del documento a lo largo del tiempo» (Interpares, The InterPARES 2 Project Glossary).

2. ADMINISTRACIÓN ELECTRÓNICA Y GESTIÓN DE DOCUMENTOS

La transformación que están sufriendo desde finales del siglo pasado las organizaciones, nuestro análisis se centra en el sector público español, viene de la mano de un imparable desarrollo e implantación de sistemas de gestión soportados en las denominadas tecnologías de la información y la comunicación, y que ha dado lugar a lo que ha venido en denominarse transformación digital de nuestras organizaciones.

Estos cambios están afectando tanto al conjunto de políticas que determinan el marco legal y reglamentario, como al conjunto de procesos, procedimientos, actividades, rutinas y transacciones que estaban establecidos hasta el momento. El resultado se concretiza en los modelos de organización denominados de administración electrónica.

A este respecto ha sido curioso constatar cómo la transformación de la cual nadie duda de su necesidad, ni de la fortaleza de los valores añadidos que desprende, sigue presentando una cierta debilidad que resulta no ser tecnológica, ni estratégica, ni de visión, sino operativa: la gestión de documentos.

El documentar desde el punto de vista jurídico la ejecución de un procedimiento administrativo, atendiendo al marco legal y reglamentario establecido, gestionar a lo largo del tiempo el resultado de la ejecución de dicho procedimiento, los documentos, y asegurar que estos resulten ser en todo momento una garantía para la organización que los produjo, y para las personas físicas o jurídicas que son los destinatarios de esa gestión a lo largo del tiempo, es curiosamente la piedra angular

346

que determina el éxito o fracaso de la implantación de sistemas de gestión de documentos en las organizaciones.

Y ello es debido a que frente al modelo tradicional en el que los documentos una vez producidos por el administrador eran almacenados, olvidados, o en el mejor de los casos gestionados en los archivos correspondientes; ahora resulta que con la desmaterialización de las actividades de gestión, las evidencias de haber ejecutado las mismas, materializadas en los documentos que producen las transacciones, documentos electrónicos, han pasado a ser objeto de atención prioritaria, y ello a pesar de que la gestión de documentos es considerada una «realidad incómoda y compleja de cambiar debido a que su ejecución afecta de forma directa a las estructuras del Poder y a su ejercicio debido a esa relación natural existente entre gestión de documentos, transparencia y memoria, y a las implicaciones que se pueden derivar del ejercicio de estas relaciones» (SOLER JIMÉNEZ, 2017, 827).

Para que los documentos que se producen como consecuencia de las acciones de gestión administrativa «cumplan con los requisitos legales y reglamentarios, proporcionen apoyo en los litigios, y protejan los intereses de la organización de los gestores y de la ciudadanía» (UNE-ISO 15489-1. 2006,9), se hace necesario la implementación, junto y a la par de los procesos administrativos, de procesos de gestión de documentos.

Con carácter general al abordar los procesos de gestión de documentos estos inciden en las dimensiones del tratamiento del documento una vez este, el documento, ya existe, y casi siempre se deja de lado la planificación y diseño de la estructura documental, necesaria para la gestión, elemento intrínseco definitorio del documento, como garante a lo largo del tiempo de la actividad a la que representa dicho documento.

Desde el punto de vista de la interoperabilidad semántica, esta no debería limitarse a nuestro juicio únicamente a que los objetos digitales tengan una denominación e identificación uniforme para poder intercambiarlos, o reutilizarlos; sino que pasa por que su estructura documental digital esté normalizada de tal forma que para actuaciones iguales, lo que además exige procesos y procedimientos normalizados, el tipo de documento ha de ser igual, variando como es lógico pensar el contenido informativo que en cada caso tendrá que ver con el negocio jurídico objeto de actuación.

3. CONTEXTO NORMATIVO

Siguiendo en parte las recomendaciones establecidas en la Norma ISO 15489: 2001 *Information and Documentation. Records Management*[1], todo

---

(1)   Esta norma (ISO 15489-1:2001), ha sido reemplazada por una nueva versión ISO 15489-1:2016; sin embargo, en la primera versión se contemplan aspectos de la gestión de documentos que consideramos no deberían haber caído en desuso, y por ello volvemos a referenciarla.

sistema de información, aplicación o recurso informático de soporte a los procesos de gestión que permita la creación de documentos electrónicos como mínimo deberían de asegurar entre otros aspectos que:

a) Los documentos que debe de generar cada proceso de gestión identificado en la organización así como la información (datos) que es necesario incluyan dichos documentos.

b) La forma y la estructura en que se deben crear e incorporar los documentos al sistema.

c) Los metadatos que deben crearse junto al documento y a lo largo de los procesos relacionados con el mismo, así como la forma de gestión de dichos metadatos a lo largo del tiempo.

Sin embargo en la versión ISO 15489-1:2016 aun reconociendo la estructura del documento: forma, formato y las relaciones entre los distintos componentes, está se asocia a la descripción de dicho documento mediante metadatos, y no a la actividad concreta de los procesos, *a priori* (ISO 15489-1:2016, 5); apuntando más a la gestión de documentos relacionada con el intercambio de documentos e interoperabilidad, que al propio diseño de los mismos.

Por otro lado, en el contexto de la Unión Europea, y más concretamente en el estudio sobre «*Soluciones de interoperabilidad para administraciones públicas, empresas y ciudadanos*» (ISA. 2015) se recomienda el uso de «modelos de documentos» normalizados, eso sí para los procesos de intercambio de documentos entre organizaciones. De nuevo el enfoque tiene que ver con procesos finalistas, cuando el documento ya existe.

No obstante, es curioso constatar cómo estos requerimientos se basan en el valor añadido que para las organizaciones tendría el uso de formatos normalizados de documentos electrónicos, de tal manera que estos pudiesen ser reutilizados. Para ello fija su atención en la estructura y disposición de la información en dichos modelos de documentos, cuya composición abarca tanto la estructura del propio documento, lo que para nosotros resulta ser la disposición informativa del documento, como la semántica, es decir, la información final que tendrá un documento mediante las relaciones de sentido que se establecen entre los datos que lo conforman.

En el caso de España, el régimen jurídico que acompaña la transformación digital de las organizaciones al hablar de documento electrónico también hace referencia al contenido informativo de los documentos (LPAC; art. 26.2) y al contenido de los mismos que debe de ser entendido como «conjunto de datos o información del documento» (NTI, Documento Electrónico, 2011.

4. EL DISEÑO DE TIPOS DE DOCUMENTOS: INVENTARIO DE PROCEDIMIENTOS ADMINISTRATIVOS, REQUERIMIENTO PREVIO

El concepto de tipo de documento viene referido a «un modelo que como referencia nos permite identificar y representar documentos/unidades documentales semejantes a partir de la disposición o estructura de la información en dichos documentos. También se utiliza como modelo a la hora de la producción de los documentos» («ECADAL», 2018).

Hay que tener en cuenta que cuando hablamos de diseño de tipos de documentos, lo hacemos pensando en la producción electrónica nativa, no en la digitalización de documentos, y su clasificación en un tipo de documento concreto atendiendo únicamente a la actividad administrativa que lo ha producido, sin tener en cuenta la disposición de la información en un modelo común de datos.

Esto desencadena desde el punto de vista de la gestión de documentos la identificación de un nuevo proceso de gestión de documentos que hasta ahora ha pasado desapercibido en este escenario de diseño de modelos de gestión electrónica en las organizaciones, y que sin embargo resulta ser a nuestro juicio un proceso de soporte indispensable: el diseño de tipos documentales, lo que en algunas ocasiones ha venido a denominarse como «modelos de documentos».

Así, para que la fe pública manifestada en un documento como elemento probatorio surta los efectos jurídicos esperados en las relaciones entre partes, dicho documento tiene que venir acompañado de una serie de rasgos de autenticación, y validación; y ahí surge el primer problema ya que en el entorno electrónico la producción de documentos parece circunscribirse únicamente a la validación del documento, es decir, a que dicho documento venga acompañado de la firma electrónica correspondiente, como elementos de validación del contenido informativo; pero tendemos a olvidarnos de los elementos de autenticación documental que permiten verificar que los documentos sean inmunes a todo tipo de manipulación y alteración a lo largo del tiempo; y se mantengan íntegros y completos en cuanto a su estructura y contenido (CRUZ MUNDET, 2003).

Resulta pues un aspecto importante a nuestro juicio el incidir en la necesidad de abordar el proceso de definición de la estructura y forma del documento lo que conlleva la necesidad a su vez de reorganizar los procesos de gestión de documentos para adecuarlos a las necesidades cambiantes de las corporaciones, determinando cuales han de ser sustanciales, y cuales han de responder a la singularidad de la cultura gestión administrativa y documental.

Y para ello partiremos de un requerimiento básico: el inventario de procedimientos administrativos de las corporaciones públicas, instrumento básico para la interoperabilidad, que viene identificado en la Resolución administrativa por la que se aprueba el Esquema Nacional de Interoperabilidad, y que ha de contener la información de los procedimientos y servicios, clasificados y estructurados en familias con indicación del nivel de informatización de los mismos (ENI, art. 9).

Partimos pues del hecho de considerar un procedimiento administrativo como un conjunto preestablecido de fases ordenadas que permiten que a partir de uno o varios datos podamos obtener unos concretos resultados.

Desde el punto de vista de la administración de documentos podemos decir que un proceso de gestión administrativa ejecutado en una organización concreta, es el conjunto de actividades previstas en una determinada secuencia, cuyos efectos están vinculados con un único fin, el de conseguir una decisión final. Su plasmación física es un conjunto de documentos que constituyen lo que se denomina expediente administrativo lo que nos permite establecer que un expediente administrativo electrónico es un contendor de información que incluye un conjunto de documentos electrónicos y es considerado como una unidad de tramitación única en un sistema de gestión.

Fijándonos en esta definición realizamos la siguiente premisa: todas las tareas a realizar para la tramitación de un procedimiento administrativo se pueden representar a través de actos administrativos cuya materialización en la mayoría de los casos se formaliza en un documento.

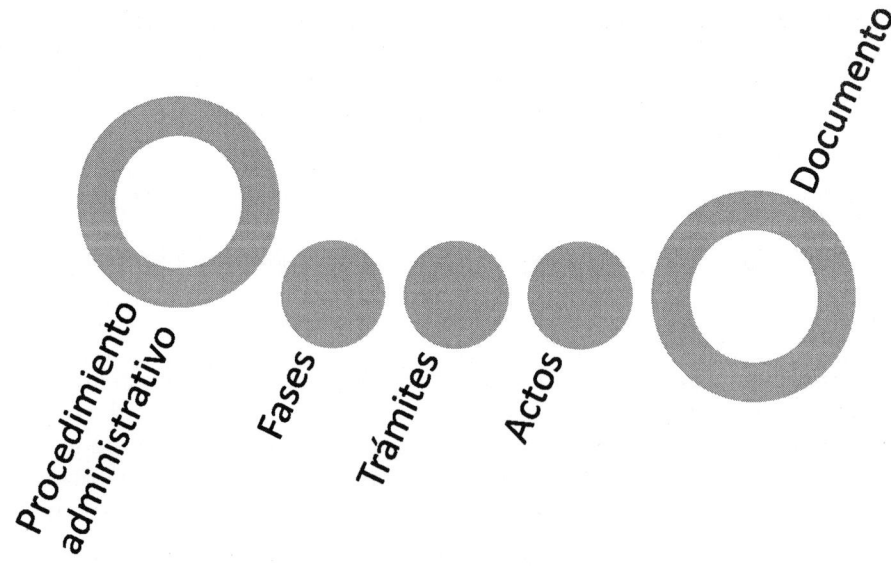

En este supuesto de procedimiento administrativo como conjunto de actos, toda la responsabilidad y conocimiento del mismo, así como su tramitación de acuerdo con el método establecido en cada organización y que normalmente vendrá determinado por las normas jurídicas que sean de aplicación, recaerán sobre el gestor o tramitador adscrito a una unidad de gestión de la organización que, al fin, es quien decide qué cosas (actos) y en qué orden (modelo de proceso) se deben realizar para ejecutar cada procedimiento concreto.

Ha de ser es a partir de este instrumento desde donde se inicie la identificación y diseño de qué documentos debe de generar cada acto administrativo del procedimiento identificado en la organización, así como la información (datos) que es necesario incluyan dichos documentos, y metadatos que faciliten su gestión.

¿En qué nos basamos para saber que un documento es una solicitud, un informe técnico, una resolución, una notificación, etc.? Generalmente en el tipo de acto administrativo del cual dicho tipo de documento da fe pública; siendo en este sentido transparente para el productor y destinatario la estructura del documento y la disposición de los elementos que dan contenido al acto administrativo, que sin embargo son los rasgos de autenticación inherentes a todo tipo documental: invocación, intitulación, dirección, salutación, cláusulas expositivas o dispositivas, sanción, resolución, corroboración, data tópica y crónica, y signos de validación: sello (certificado electrónico) y signatura (firma electrónica).

Para ello cada documento deberá tener asociado datos técnicos sobre su creación, control de calidad, gestión de derechos de acceso, control de acceso, uso, y condiciones de conservación (ciclos de actualización, migración, etc.).

Durante el desarrollo de las diferentes fases que conforman un procedimiento administrativo se generarán los documentos como soporte material, este conjunto concatenado de documentos es lo que configura un expediente electrónico como el «conjunto ordenado de documentos y actuaciones que sirven de antecedente y fundamento a la resolución administrativa, así como las diligencias encaminadas a ejecutarla» (LPAC, art. 70), que estará configurado por dos representaciones diferentes:

— Datos electrónicos: constituyen el modelo estático de datos y pueden ser:

• Genéricos: no dependen del proceso en sí.

• Específicos: son datos propios y característicos de un proceso concreto

— Documentos: constituyen el modelo dinámico de datos (la parte física y visible de los procesos), sirve de comunicación entre la organización y las personas físicas y jurídicas que interactúan con la misma. Los documentos al igual que los datos del modelo estático, pueden ser:

• Genéricos: no dependen del procedimiento o la fase a la que pertenezcan.

• Específicos: son propios de una determinada fase o procedimiento.

Definido el conjunto total de actos y de fases administrativas, es decir, todas las fases posibles y todos los actos posibles dentro de cada fase, estableciendo el modelo de relación entre cada uno de estos elementos, se obtiene un modelo de proceso que ha de permitir de forma normalizada ejecutar las actividades propias de su ámbito competencial a los gestores, y establecer los primeros controles de gestión de documentos. Es aquí, en la definición de los procesos de gestión donde está uno de los cimientos más transcendentes a la hora de programar una política organizativa de administración de documentos electrónicos: el diseño de tipos de documentos.

5. EL DISEÑO DE TIPOS DE DOCUMENTOS. UNA PROPUESTA

En el entorno digital, la definición que nos encontramos para tipo documental es: «modelo estructurado y reconocido que adopta un documento en el desarrollo de una competencia concreta, en base a una regulación y cuyo formato, contenido informativo o soporte son homogéneos» (e-EMGDE, Esquema de metadatos para la Gestión del Documento Electrónico).

En este sentido consideraremos el diseño de los tipos de documentos como un procedimiento más de la familia de gestión de documentos[2], y además lo categorizaremos entre los sustanciales, ya que la determinación de la forma documental que los documentos electrónicos han de manifestar como rasgo de autenticidad documental, lo entendemos como cimiento básico de esa transformación digital, en lo concerniente a la gestión corporativa de documentos debido a la importancia que el documento tiene en la verificación de las actividades de las administraciones públicas, al manifestarse como una entidad de información de carácter único cuyo contenido informativo estructurado y contextualizado se presenta como testimonio de las acciones, funciones, derechos y obligaciones de las organizaciones y de las personas físicas y jurídicas.

Así el alcance de la actividad de diseño de tipos de documentos ha de comprender el conjunto de operaciones destinadas a analizar la función, el contenido informativo, la estructura y el contexto de los documentos generados en cada actividad administrativa, a fin de determinar las formas documentales que deben sustentar su ejercicio. Cada tipo de documento tendrá asociada una plan-

---

(2) La Política de Gestión de documentos del Principado de Asturias, aprobada por Resolución de 22 de marzo de 2016, de la Consejería de Presidencia y Participación Ciudadana (*BOPA* de 31.03.2016), contempla, entre sus procesos de gestión de documentos, uno específico de diseño de tipos documentales.

tilla que responda a las características identificadas, y que será reutilizable por los distintos sistemas de tramitación administrativa.

Todo ello con el fin de que:

a) Para cada acto administrativo vinculado a un procedimiento se habrá de determinar la estructura informacional que corresponda con el tipo documental (informes, solicitudes, resolución, notificación, certificado, denuncia, etc.), que conformarán los expedientes singulares que responden a procedimientos administrativos iguales, soportados por el mismo marco jurídico de aplicación.

b) Cada acto administrativo se relacione con un tipo de documento concreto, de tal manera que los sistemas de información que soporten la tramitación administrativa deberán diseñar sus procedimientos, integrando cada acto con el tipo de documento que le corresponda. Así, la invocación por un sistema de tramitación de un acto administrativo determinado, se materializará en un documento, cuya estructura y disposición de datos se corresponderá con el tipo de documento que tenga asociado.

c) Esté accesible corporativamente un inventario de todos los tipos de documentos identificados, que deberá estar administrado, organizado y actualizado de forma centralizada.

La organización de dicho inventario organizará, en un primer nivel, atendiendo a la función que representa el documento, teniendo en cuenta en este sentido la clasificación de tipos de documentos que figura dentro de los metadatos obligatorios del documento electrónico de acuerdo con el listado de metadatos mínimos obligatorios del documento electrónico referidos a la entidad «tipo documental» (Guía, 2016).

1) Documentos de decisión: Resolución. Acuerdo. Contrato. Convenio. Declaración.

2) Documentos de transmisión: Comunicación. Notificación. Publicación. Acuse de recibo.

3) Documentos de constancia: Acta. Certificado. Diligencia.

4) Documentos de juicio: - Informe. Documentos de ciudadano: - Solicitud. - Denuncia. - Alegación. - Recursos. - Comunicación ciudadano. - Factura. - Otros incautados.

En un segundo nivel, se aplicará para la organización del repositorio de tipos de documentos el criterio de la fase administrativa a que corresponda de acuerdo a las disposiciones sobre el procedimiento administrativo común recogidas en el título IV de la LPAC:

1) Fase de Inicio.

2) Fase de Instrucción.

3) Fase de Finalización.

4) Fase de Revisión.

5) Fase de Recursos.

d) Los tipos de documentos se componen de un conjunto de datos estructurados, asociados a los metadatos que se refieren al contenido informativo propio de cada acto administrativo, así cada metadato debería de tener asignado un nivel singularizado de protección, que garantice la identificación, acceso y uso adecuado de los documentos.

Propuesta de proceso de diseño de tipo de documentos

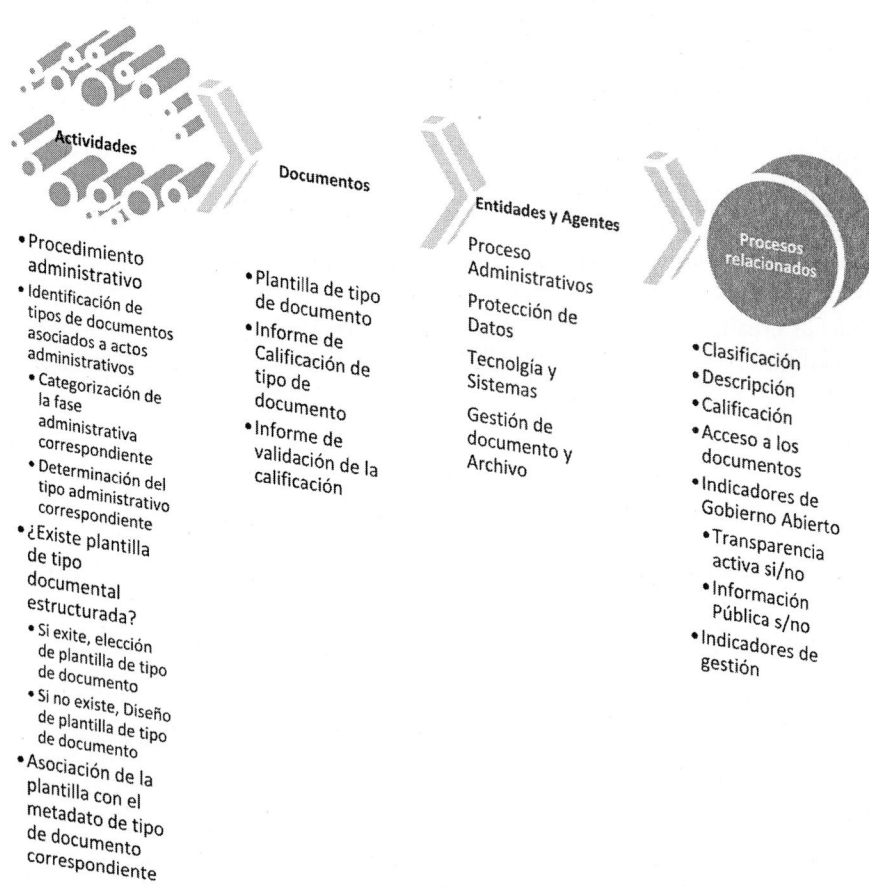

6. CONCLUSIONES

A nuestro juicio existe una laguna en el modelo de gestión de documentos en las organizaciones, anterior a la producción de los documentos, lo que hace que para una misma actividad administrativa aunque el tipo de documento resulte ser el mismo, su estructura y por lo tanto forma documental, son distintas.

Esto en el caso de los modelos de administración electrónica supone un claro problema a la hora de la interoperabilidad, ya que el modelo de datos de un documento de una acción administrativa concreta resulta no ser el mismo para la misma actividad en otra corporación, e incluso dentro de la misma. Podríamos concluir que la determinación de la forma y tipo de documento aportará seguridad, eficacia, y eficiencia a la gestión administrativa en el contexto de la interoperabilidad.

Igualmente anticipándonos a la producción del propio documento, y ligado a los actos administrativos, aportaría valor añadido no solo desde el punto de vista de la mera producción de documentos, sino además con vista a la planificación anticipada del acceso, protección de datos en relación con el Reglamento General de Protección de Datos, automatización de la producción administrativa, y preservación documental.

Desde el punto de vista de la transparencia, también aportaría valora añadido de forma anticipada en tanto en cuanto se podrá determinar si el tipo de documento responde a la categoría de información pública, y por lo tanto es publicable desde el momento de su producción.

Además, la normalización de este proceso significaría automatizar de forma real, controlada, y con seguridad, al acceso a datos de carácter personal.

7. BIBLIOGRAFÍA

CASTILLO GUEVARA, J., MENA MÚGICA, M. M. (2011). La gestión de documentos de archivo en el actual contexto organizacional y la introducción a la Norma ISO 15489. *ACIMED*, 22(1), 47-59. Recuperado en 07 de junio de 2017, de http://bit.ly/2qWVx3s.

CRUZ MUNDET, J. R. (2003). La gestión de los documentos electrónicos como función archivística. *AABADOM*. Oviedo. Recuperado en 07 de junio de 2017, de https://aabadom.files.wordpress.com/2009/10/75_0.pdf.

DÍAZ-RODRÍGUEZ, A. (2002). Administración electrónica y gestión de archivos. En: *Documentos electrónicos en la Administración. Regulación jurídica y gestión archivística*. Murcia: Comunidad Autónoma de la Región de Murcia, Consejería de Educación y Cultura.

DÍAZ-RODRÍGUEZ, A. (2007). El concepto de documento electrónico y su validación. *La validación de los documentos: pasado, presente y futuro*. Octavas

Jornadas Archivísticas / coord. Remedios Rey de las Peñas, Huelva, Diputación Provincial, 133-142.

Guía de aplicación de la Norma Técnica de Interoperabilidad de Documento electrónico (2016). Madrid: Ministerio de Hacienda y Administraciones Públicas. Subdirección General de Información, Documentación y Publicaciones. Disponible en: http://administracionelectronica.gob.es/.

GALENDE DÍAZ, J.C., GARCÍA RUPÉREZ, M. (2003). El concepto de documento desde una perspectiva interdisciplinar: de la diplomática a la archivística. *Revista General De Información Y Documentación*, 13, 7-35. Retrieved 7 June 2017, from http://bit.ly/2sTylOO.

GARCÍA RUIPÉREZ, M. (2015). La denominación de tipos, series y unidades documentales en España. Aportación a la teoría archivística. *DOCUMENTA & INSTRUMENTA,* 13, 53-87. Retrieved 7 June 2017, from http://bit.ly/2qWX7lH.

InterPARES. (2017). Template for Analysis. Appendix 2. *The International Research on Permanent Authentic Records in Electronic Systems.* [online] Available at: http://bit.ly/2r5yuTa [Accessed 7 Jun. 2017].

ISA. Interoperability solutions for public administrations, businesses and citizen. (2015). Analysis of structured e-Document formats used in Trans-European Systems: SC17DI06692 - D1.1 Survey on standardized e-Document formats. European Commission.

IZQUIERDO ALONSO, M. (2017). Forma del contenido y función documental: el papel de la estructura en la organización del conocimiento. ISKO | International Society For Knowledge Organization. [online] Available at: http://www.iskoiberico.org/wp-content/uploads/2014/09/47-52_Izquierdo-Alonso.pdf [Accessed 7 Jun. 2017].

Ley 39/2015, de 1 de octubre, del Procedimiento Administrativo Común de las Administraciones Públicas. (2015). Madrid.

LIMA JÚNIOR, L. (2016). *Estudo de tipologia documental como base para avaliação de documentos de arquivo: reflexões a partir do processo de afastamento docente na Universidade Federal Fluminense.* 1st ed. Niterói (BR): Universidade Federal Fluminense.

OSTOS SALCEDO, P. and PARDO RODRÍGUEZ, M. (2004). Documentos y notarios de Sevilla en el siglo XIV (1301-1350). 1st ed. Sevilla: Universidad de Sevilla, Secretariado de Publicaciones. Retrieved 7 June 2017, from http://bit.ly/2qWL2gx.

PÉREZ ALMANSA, L.; DÍAZ-RODRÍGUEZ, A. (2002). *Documentos electrónicos en la Administración. Regulación jurídica y gestión archivística.* Murcia: Comunidad Autónoma de la Región de Murcia, Consejería de Educación y Cultura.

REDONDO HERRANZ, M. (2010). El documento electrónico: un enfoque archivístico. *Revista General de Información y Documentación*, 20, 391-408. Retrieved from https://revistas.ucm.es/index.php/RGID/article/viewFile/RGID1010110391A/9090.

RODRIGUES, A. (2016). Diplomática e Arquivística: diálogos para a construção do método de identificação da tipologia documental. *XVII Encontro Nacional De Pesquisa Em Ciência Da Informação*. Retrieved 7 June 2017, from http://bit.ly/2sDPthw.

SECO CAMPOS, I. (2015). *El Documento de Archivo Municipal Contemporáneo: Método y Modelo de Análisis*. 1st ed. Madrid: ANABAD.

SOLER JIMÉNEZ, J. (2017). Presentación. *El Consultor De Los Ayuntamientos* (7), 827-833.

TANODI DE CHIAPERO, B. (2005). Relación diplomática - archivo. *Revista Códice*, 1. Recuperado a partir de http://bit.ly/2rMa6li.

Tipo documental. (2018). En Enciclopedia de Archivos de Administración Local. En: http://www.ecadal.org/tag/Tipo_documental.

UNE-ISO 15489-1 (2006). Información y documentación. Gestión de documentos. Parte 1: Generalidades. AEN/CTN 50.

18.

DIGITALIZACIÓN

Josefina OTHEO DE TEJADA BARASOAIN
Subdirectora adjunta en el Departamento de Informática Tributaria
Agencia Estatal de Administración Tributaria

1. MARCO LEGAL

La Ley 11/2007, de 22 de junio, de Acceso Electrónico de los Ciudadanos a los Servicios Públicos (LAE) fue dictada como complemento a la Ley 30/1992, de 26 de noviembre para fomentar el uso de las nuevas tecnologías por las administraciones públicas, facilitar la tramitación electrónica a los ciudadanos y agilizar la tramitación de los procedimientos. Es en esta norma donde, por primera vez, se define el concepto de documento electrónico en la administración española. En su artículo 29 introduce al concepto de documento administrativo electrónico al determinar que las administraciones públicas podrán emitir documentos electrónicos validos con las condiciones establecidas en el citado artículo.

Posteriormente el artículo 30 define el concepto de copia electrónica, tanto de documentos electrónicos emitidos por la administración pública, como de documentos generados por el ciudadano y establece las condiciones en las que estas copias electrónicas son válidas. En este mismo artículo se habla por primera vez del concepto de digitalización al establecer en el punto 3: «las administraciones públicas podrán obtener imágenes de los documentos privados aportados por los ciudadanos con su misma validez y eficacia a través de procesos de digitalización que garanticen su autenticidad, integridad y la conservación de documento imagen…».

Por último, el artículo 42 establece la creación del Esquema Nacional de Interoperabilidad y del Esquema Nacional de Seguridad donde, como veremos más adelante, se determinarán las condiciones mínimas obligatorias que deben cumplir las administraciones públicas para la digitalización de documentos.

La LAE se desarrolló reglamentariamente mediante el Real Decreto 1671/2009 de 12 de noviembre. En este desarrollo reglamentario se avanza en la definición de documento electrónico y de las características de las copias, tanto las electrónicas como en papel. En el Titulo VI de este desarrollo reglamentario: «los documentos electrónicos y sus copias», se avanza en la definición de todos los aspectos del documento electrónico. Cabe destacar en este apartado el desarrollo del capítulo I en el que se detallan todos los aspectos relevantes: características, metadatos, copias electrónicas y copias en papel de los documentos electrónicos. El capítulo IV determina las normas relativas a la obtención de copias electrónicas por los ciudadanos.

El Real Decreto 4/2010 de 8 de enero regula el Esquema Nacional de Interoperabilidad en el ámbito de la administración electrónica. En su artículo 21 determina las condiciones para la recuperación y conservación de documentos, en el artículo 22 la seguridad aplicable a los documentos, en el artículo 23 los posibles formatos de documentos y en el artículo 24 regula la digitalización de documentos en soporte papel. Concretamente el punto 1: «La digitalización de documentos en soporte papel por parte de las administraciones públicas se realizará de acuerdo con lo indicado en la norma técnica de interoperabilidad correspondiente en relación con los siguientes aspectos:

a) Formatos estándares de uso común para la digitalización de documentos en soporte papel y técnica de compresión empleada, de acuerdo con lo previsto en el artículo 11.

b) Nivel de resolución.

[...]

d) Metadatos mínimos obligatorios y complementarios, asociados al proceso de digitalización».

La disposición adicional primera del Esquema nacional de Interoperabilidad establece que para su aplicación se desarrollarán normas técnicas de interoperabilidad que serán de obligado cumplimiento por parte de las administraciones públicas, en concreto establece que la Norma Técnica de Digitalización de documentos: «Tratará los formatos y estándares aplicables, los niveles de calidad, las condiciones técnicas y los metadatos asociados al proceso de digitalización». Además, para que el proceso de generación y conservación del documento electrónico obtenido es necesario atender a lo dispuesto en la Norma Técnica de Interoperabilidad de Documento Electrónico.

La Norma Técnica de Interoperabilidad de Digitalización de Documentos, aprobada por Resolución de 19 de julio de 2011, de la Secretaría de Estado para la Función Pública determina la composición del documento electrónico digitalizado, así como las reglas para la digitalización de documentos en soporte papel. Pero para elaborar un documento electrónico valido e interoperable,

360

además de los requisitos de digitalización es necesario dotar al documento electrónico obtenido en el proceso de digitalización de al menos los metadatos mínimos obligatorios que determina la Norma Técnica de Interoperabilidad de Documento Electrónico, ya que en caso contrario el documento obtenido podría no ser válido y por tanto no se debería incorporar a un expediente administrativo.

Finalmente, La LPAC y la LRJSP, dan un paso más allá en cuanto al uso de nuevas tecnologías y tramitación electrónica, al establecer los derechos de los ciudadanos a comunicarse de forma electrónica con la administración y la obligación de las administraciones públicas de tramitación electrónica de los procedimientos.

Estas dos leyes consolidan las directrices establecidas por las Normas anteriores y mantienen plenamente vigente el Esquema Nacional de Interoperabilidad y sus Normas Técnicas. Pero suponen un importante avance, no solo al obligar a que la tramitación interna de la administración sea electrónica y que los documentos se conserven en formato electrónico, sino al determinar la obligatoriedad de determinados colectivos de relacionarse electrónicamente con la administración. Ejemplos de ello se suceden a lo largo del articulado del capítulo I de la LPAC, como en el artículo 16 relativo a los Registros en cuyo punto 5 determina que los documentos presentados deben ser digitalizados, incorporados al expediente administrativo electrónico y devueltos los originales a los interesados. Asimismo, en el artículo 26 determina que los documentos administrativos se emitan en formato electrónico. La LRJSP en su artículo 46 obliga a que todos los documentos utilizados en actuaciones administrativas se almacenen en un archivo electrónico.

Para cumplir con todos estos requisitos es fundamental que las administraciones públicas realicen el análisis de sus procedimientos y elaboren planes de trasformación digital para facilitar que la tramitación de todos sus procedimientos se realice de forma electrónica.

Para que una organización pueda tramitar electrónicamente los procedimientos es necesario que los documentos que intervienen en cada uno de sus procedimientos estén en formato electrónico y se archiven en un archivo electrónico que cumpla al menos los requisitos establecidos en la Norma Técnica de Interoperabilidad de Documento Electrónico. Es decir, los documentos generados deben disponer, al menos, de los metadatos mínimos obligatorios que esta Norma técnica determina.

En la actual versión de la Norma Técnica estos metadatos mínimos obligatorios son:

• Versión de la Norma Técnica vigente cuando se genera el documento

• Identificador del documento

• Código del Directorio Común de la administración generadora del documento

• Fecha de generación del documento

• Origen: ciudadano o administración

• Estado de elaboración: original o tipo de copia:

— Original (LAE art. 30).

— Copia electrónica auténtica con cambio de formato (LAE art. 30.1).

— Copia electrónica auténtica de documento papel (LAE art. 30.2 y 30.3).

— Copia electrónica parcial auténtica.

— Otros.

• Formato del fichero

• Tipo documental

• Tipo de firma. Podrá ser firma con Código Seguro de Verificación (CSV) o alguno de los formatos de firma electrónica de documentos electrónicos definidos en la NTI de Política de firma y certificados de la administración.

✓ Para firma con CSV: valor del CSV y Referencia a la Orden, Resolución o documento que define la creación del CSV correspondiente.

• Si el estado de elaboración es copia electrónica auténtica con cambio de formato o copia parcial autentica, se indicará el identificador normalizado del documento origen al que corresponde la copia.

Aunque en la versión actual de la Norma Técnica de Interoperabilidad de Documento Electrónico son metadatos opcionales, se recomienda adicionalmente para una correcta gestión documental dar contenido como mínimo a estos dos metadatos opcionales:

• Metadato Descripción del documento, ya que facilita la compresión de su contenido.

• Metadato Procedimiento, fundamental para la correcta catalogación, archivo y formación del expediente electrónico del procedimiento.

2.   TIPOLOGÍA DE DOCUMENTAL

Los documentos que intervienen en un procedimiento administrativo pueden tener dos orígenes:

• Documentos generados por el órgano que gestiona el procedimiento

• Documentos aportados por el ciudadano, persona física, empresa u otra administración pública

2.1. Documentos generados por el órgano que gestiona el procedimiento

Cada órgano debe generar sus documentos administrativos de forma electrónica, como originales electrónicos, independientemente de que posteriormente sea necesaria la puesta a disposición al ciudadano en formato papel. Como ejemplo, una notificación dirigida a una persona física no acogida voluntariamente a notificación electrónica, se debe generar como documento original electrónico, aunque se haga llegar en papel a través del servicio postal correspondiente.

Al hablar de generación de documentos electrónicos originales se está pensando en documentos electrónicos completos: metadatos y contenido. Mientras no se han asignado al menos los metadatos mínimos obligatorios, el documento no es un documento electrónico administrativo valido. Asimismo, se considera que para una correcta gestión documental y garantía de cumplimiento del artículo 17 de la LPAC en cuanto a autenticidad, integridad y conservación del documento, así como confidencialidad, calidad, protección y conservación de los documentos, lo óptimo y recomendado es que una vez generado el documento se almacenen, metadatos y contenido, en el archivo electrónico del órgano.

Por todo ello los planes de transformación digital de las administraciones deben revisar los procedimientos y dotar a los diferentes organismos de la infraestructura necesaria para:

• Realizar la tramitación electrónica de todos los procedimientos.

• Realizar la generación de documentos en formato electrónico, validos de acuerdo a las Normativa en vigor, en concreto la Norma Técnica de documento electrónico.

• Archivo de los documentos electrónicos en el Archivo electrónico del órgano.

• Inclusión de los documentos en expediente administrativo electrónico del procedimiento.

• Los documentos emitidos por las administraciones públicas, que por cualquier motivo no puedan ser originales electrónicos, deberán digitalizarse para convertirlos en copias auténticas, catalogarlos en el Archivo electrónico del órgano e incluirlos en el expediente electrónico administrativo. De esta forma se podrá realizar tramitación electrónica, tal como determina la Ley.

2.2. Documentos aportados por el ciudadano, persona física, empresa u otra administración pública

En la tramitación de los procedimientos administrativos intervienen documentos que aportan los ciudadanos, no generados por el órgano. Estos documentos se capturan desde el Registro, bien sea el Registro electrónico o el Registro presencial.

Los documentos aportados a través del Registro electrónico son aportados a la administración en formato electrónico y por tanto no es necesario que se realice un proceso de digitalización. Si es necesario realizar la asignación de metadatos y el archivo electrónico de los mismos.

Los documentos que se reciben en el registro presencial son documentos, habitualmente en papel, por lo que en estos registros, además de realizar las funciones propias de registro, es necesario realizar la digitalización para obtener el documento electrónico y catalogarlo en el Archivo electrónico con sus metadatos y contenido, tal como establece la LPAC. El artículo 16.5 de la LPAC obliga a las administraciones públicas a digitalizar todos los documentos presentados en Registro para su incorporación al Expediente Administrativo Electrónico, obligando además a devolver los originales al interesado. Es necesario por tanto que el proceso de registro en las oficinas de asistencia en materia de registros se adecue al cumplimiento de este artículo.

Antes de distribuir cada asiento registral, desde la oficina de registro a la oficina encargada de la tramitación del expediente, es necesario convertir los documentos presentados en papel en documentos electrónicos. Por tanto, al definir o redefinir el procedimiento de registro de cada organización se debe tener en cuenta como parte fundamental el dotar a la organización de un proceso de digitalización de documentos integrado con el proceso de registro. Asimismo, la aplicación de registro debe contemplar la distribución electrónica de los asientos con la documentación recibida a los gestores del expediente. La generación y archivo electrónico de las copias electrónicas de los documentos anexos a los asientos registrales permite agilizar la tramitación al reducir el tiempo de distribución de asientos registrales. Por todo lo descrito anteriormente todos los organismos de todas las administraciones públicas deben diseñar y poner en marcha un proceso de digitalización de toda la documentación que entra en la organización

La tramitación de la documentación debe ser electrónica, no debe haber movimiento de papel entre los diferentes gestores del expediente. Debe existir una aplicación que distribuya los documentos electrónicos recibidos en la organización a los gestores del expediente administrativo. La propia aplicación de registro puede ser la encargada de la distribución de la documentación no dando por finalizado un asiento registral mientras no ha sido aceptado por el órgano destino.

3. POLÍTICA DE GESTIÓN DOCUMENTAL Y DIGITALIZACIÓN

El diseño del proceso de digitalización no se debe abordar de forma aislada con el único objetivo de obtener documentos digitalizados a partir de documentos en papel. La definición de los procesos de digitalización se debe realizar de forma conjunta a la definición de la Gestión Documental de la organización y ambas teniendo en cuenta la Gestión Electrónica de los procedimientos. Los documentos digitalizados se convierten en documentos electrónicos que se almacenan en el Gestor Documental o Archivo electrónico del órgano.

La definición de los procesos de digitalización y gestión documental no debe ser realizada exclusivamente desde el punto de vista técnico, es necesario el compromiso de toda la organización realizando un estudio conjunto de los responsables de los procedimientos con los responsables de gestión documental y de la digitalización. Los principales aspectos a tener en cuenta en la definición de un proceso de digitalización son, como ya hemos visto, los derivados del marco legal y los derivados de la tipología y volumen de documentación a digitalizar.

Según se desprende del articulado de la LPAC, al obligar a devolver los originales al ciudadano, es aconsejable que todas las administraciones públicas en España a dispongan de un proceso de digitalización integrado con los procesos de entrada de documentación en la organización.

Para garantizar que los documentos digitalizados son copias electrónicas fieles del documento en papel y permitir la devolución de los documentos al interesado, es necesario que el proceso de digitalización genere los documentos de acuerdo a la Norma Técnica de Digitalización, ya que contiene los requisitos mínimos que debe cumplir cualquier sistema de digitalización para obtener documentos electrónicos fieles al documento en papel.

Los documentos obtenidos del proceso de digitalización, que cumplan la Norma técnica digitalización, son considerados copias electrónicas auténticas del documento en papel, lo que no implica que el documento presentado sea original. Con el estado actual de la tecnología el funcionario de registro no puede determinar si el documento que presenta el ciudadano es original o copia, únicamente puede garantizar que se obtiene una copia autentica de lo presentado.

Además del marco normativo para la definición del proceso de digitalización es necesario hacer un estudio de la documentación a digitalizar en cuanto a:

• Volumen y formato de documentación que se presenta en las oficinas de Registro de la organización.

• Tipos de documentos a digitalizar. En la mayoría de las organizaciones existen otras necesidades de digitalización diferentes a la entrada de documentación por el Registro del organismo. Es posible que se reciba documentación por otros canales o que sea necesario digitalizar documentación archivada en formato papel para incluirla en la tramitación de procedimientos que debe ser electrónica.

Todo ello servirá de base para determinar el proceso de digitalización, tanto en cuanto al desarrollo del propio proceso, como a la tipología y numero de escáneres. Es necesario por tanto desarrollar una solución de digitalización de documentos en papel específica para cada organización. Esta solución debe tener en cuenta escáneres y software de digitalización.

Es deseable que el software de digitalización por el que se opte o se desarrolle incluya software de procesamiento y mejora de imagen, de manera independiente al software equivalente que incorporen los escáneres. De esta forma se aplicarán las mejoras de forma general en toda la digitalización de la organización sin necesidad de que todos los escáneres sean de alta calidad. La solución de digitalización debe facilitar además la generación y archivo de los documentos electrónicos resultantes, por ello debe estar integrada en el archivo electrónico de la organización.

A continuación, veremos en detalle los dos principales aspectos a considerar para definir la solución de digitalización:

• Procedimiento de digitalización

• Características de los puestos de digitalización

3.1. Procedimiento de digitalización

La definición del proceso de digitalización debe tener en cuenta los requisitos mínimos siguientes:

• Garantizar la integridad y no manipulación de las imágenes obtenidas.

• Las imágenes deben ser fieles al documento original en papel, debiendo recoger la totalidad del contenido impreso en el papel.

• Las imágenes y documentos electrónicos resultantes se deberán obtener en alguno de los formatos estándares establecidos en las Normas Técnicas de Interoperabilidad correspondientes.

• Las imágenes y documentos electrónicos resultantes se deberán obtener con una resolución mínima de 200 puntos por pulgada.

• Las técnicas de compresión aplicadas deberán garantizar una calidad mínima, según lo especificado en las Normas Técnicas de Interoperabilidad correspondientes.

• Los documentos electrónicos obtenidos deberán tener asociados los metadatos mínimos y complementarios especificados en las Normas Técnicas de Interoperabilidad, al menos los de la Norma técnica Documento Electrónico y la Norma Técnica de Digitalización.

Algunos de estos requisitos, especialmente los requisitos técnicos, se pueden obtener simplemente dotando a la organización de escáneres con la capacidad técnica descrita. Esto tiene el inconveniente de que hay que tener control sobre cada uno de los escáneres con los que se digitaliza, velando porque cumplan las condiciones técnicas mínimas que prescriben las normas técnicas de interoperabilidad. Pero no solo hay que velar por que cumplan los requisitos mínimos, se debe vigilar que las imágenes obtenidas tengan las características necesarias para que sea posible el archivo electrónico de las mismas. La tecnología en cuanto a escáneres está muy avanzada y es fácil disponer de escáneres que digitalizan a color y con gran resolución de los que se obtienen imágenes muy pesadas para las que habrá dificultades de archivo.

Se recomienda diseñar una solución de digitalización que controle las características de digitalización de los escáneres mediante un software común a toda la organización.

Es conveniente diseñar una solución parametrizable que permita la modificación de los parámetros de configuración sin necesidad de realizar una nueva versión de la solución de digitalización adoptada. La tecnología y la normativa van avanzando y evolucionando, por ello es conveniente que la solución de digitalización se adapte fácilmente. Como ejemplo, puede ser necesario realizar modificaciones en los aspectos los relativos a las características de digitalización generales, inicialmente se puede restringir la digitalización en blanco y negro y con posterioridad se detecta que es necesario digitalizar determinados documentos en color. Otro ejemplo puede ser que con el avance tecnológico permita aumentar el tamaño o la resolución de los documentos a digitalizar.

Como el documento electrónico resultado de la digitalización debe contener al menos los metadatos mínimos obligatorios de la Norma Técnica de documento electrónico es conveniente que se aporten en el proceso de digitalización, antes de almacenar en el archivo electrónico. En la definición del procedimiento de digitalización es fundamental determinar el momento y la forma de adición de los metadatos asociados al documento electrónico, que como hemos dicho, debe ser previa al archivo de la imagen digitalizada convertida ya en documento electrónico.

Es bastante habitual que sea necesario digitalizar documentos en el seno de diferentes procedimientos y por tanto desde diferentes aplicaciones gestoras. Los usuarios de estas aplicaciones son los que tienen el conocimiento para asignar los metadatos a los documentos digitalizados. Sin embargo, el proceso de digitalización y archivo debe ser lo más trasparente posible a las aplicaciones con módulos reutilizables por cualquier aplicación. Este proceso debe estar integrado por:

- Módulo de adición de metadatos
- Módulo de digitalización
- Módulo de archivo

La definición del orden en el que se ejecutan estos módulos es fundamental en la definición del proceso de digitalización.

Si el primer módulo que es suministrar los metadatos, cuando el papel llega el escáner debe ser capaz de relacionar los metadatos con el papel. Esto se puede hacer de dos formas:

- Digitalización con carátula
- Digitalización sin carátula

3.1.1. Digitalización con carátula

Una solución de digitalización óptima debe permitir digitalizar de forma masiva y de forma individual. La digitalización con carátula permite realizar los dos tipos de digitalización en función de las necesidades en cada momento. Optar por este tipo de digitalización es una forma de aportar los metadatos, que no obliga a integrar las aplicaciones que capturan los documentos con el proceso de digitalización.

Mediante este tipo de solución cada documento en papel deberá ser precedido de la correspondiente Carátula de Digitalización. Se debe dotar a la organización de una herramienta para generar carátulas. Esta herramienta se debe poder utilizar para obtener una caratula de forma aislada o se puede invocar desde aplicaciones que requieran digitalizar documentos y necesiten integrar el proceso de digitalización y archivo. Cada documento en papel deberá ser precedido de la correspondiente Carátula de Digitalización.

El proceso de generación de la Carátula de Digitalización lleva implícito la cumplimentación, por parte de un usuario, de todos los datos necesarios, metadatos, que permiten identificar y catalogar el documento a digitalizar. Estos datos se imprimirán en un código de barras o puntos, depende de la opción tecnológica elegida. El proceso de digitalización debe realizar las operaciones de reconocimiento de este código que contiene como mínimo los datos de catalogación, para poder generar y almacenar el documento electrónico resultante.

Arquitectura básica con carátula de digitalización

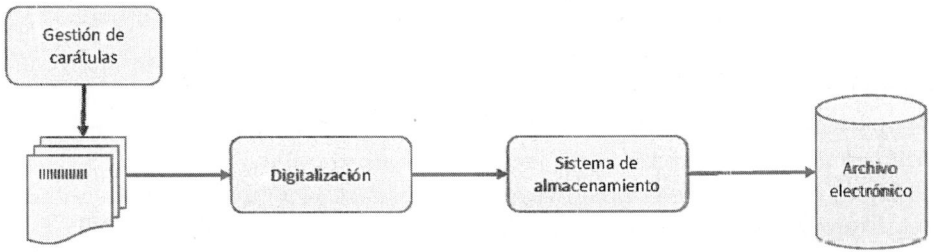

La Carátula de Digitalización es una hoja que acompaña, como primera hoja, a cada documento en papel. La imagen correspondiente a la Carátula de Digitalización no debe formar parte del documento imagen final. Este aspecto es importante ya que el documento digitalizado debe ser una imagen fiel del documento en papel. La inclusión de la carátula o de cualquier leyenda que no exista en el documento en papel podría invalidar la copia.

Este tipo de sistema de digitalización con carátula permite digitalizar de forma desacoplada a la aplicación que solicita la digitalización del documento, almacenando el documento resultante en el archivo electrónico.

El sistema con carátula es compatible con aplicaciones que necesiten incorporar los metadatos con posterioridad al proceso de digitalización. Para ello es conveniente integrar a la aplicación gestora con el sistema de digitalización y utilizar una carátula genérica, sin metadatos, para realizar la digitalización.

Arquitectura con carátula de digitalización genérica

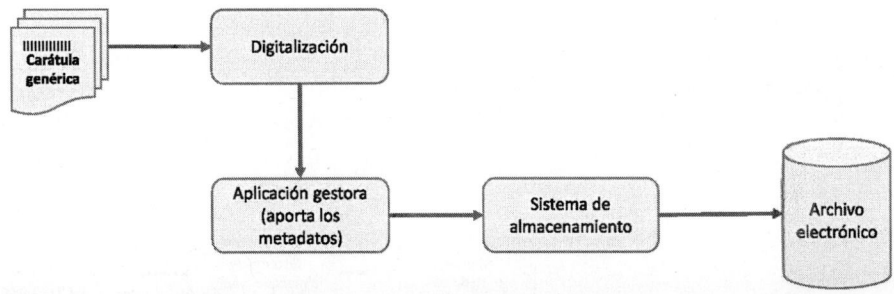

369

3.1.2. Digitalización sin carátula

Si no se opta por una solución con carátula de digitalización es necesario realizar la adición de metadatos antes de finalizar el proceso completo de digitalización, entendiendo por proceso completo el archivo electrónico del documento.

La adición de los metadatos de catalogación se puede hacer antes o después de la digitalización. El procedimiento a seguir según el caso es diferente.

• **Aportación de metadatos antes de la digitalización.** El procedimiento sería similar a la digitalización con carátula, la diferencia es que la adición de los metadatos se debe realizar en un puesto de trabajo conectado al escáner. Esto implica que no puede haber procesos de digitalización masiva y que el usuario que digitaliza tiene que conocer los metadatos a asignar al documento antes de digitalizar. Obliga a digitalizar a personal que tenga conocimiento para catalogar correctamente los documentos.

Arquitectura sin carátula de digitalización genérica con metadatos previos a la digitalización

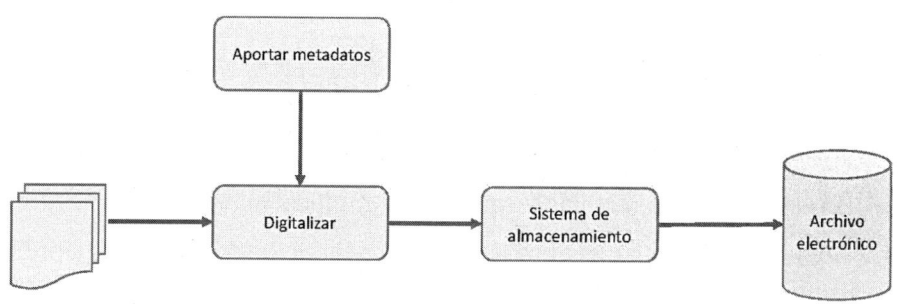

• **Aportación de metadatos después de la digitalización.** En este caso se debe hacer una distribución de las imágenes digitalizadas, previa al archivo, entre el personal capaz de catalogar la documentación.

Arquitectura sin carátula de digitalización

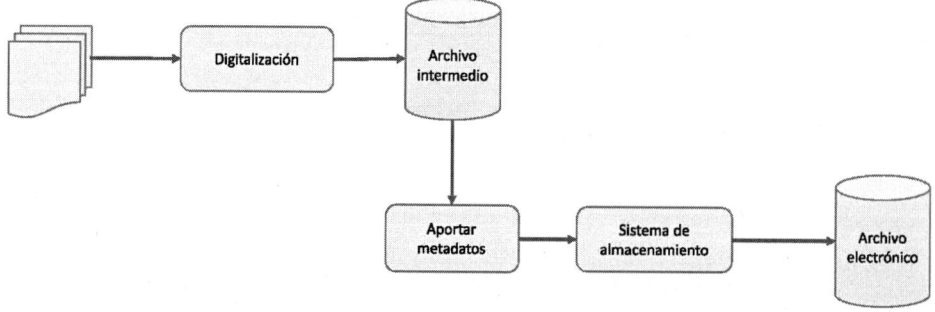

370

En ambos casos la aportación de metadatos se puede hacer dentro de una aplicación gestora, integrando de esta forma el proceso de digitalización de la aplicación, bien directamente o bien mediante la integración con una aplicación genérica de captura de metadatos.

Es por tanto necesario definir cuál de las dos opciones es más conveniente para las necesidades de la organización de que se trate.

3.2. Características de los puestos de digitalización

Para abordar la solución de digitalización y determinar el número y características de los escáneres uno de los aspectos principales aspectos a considerar es el volumen de documentación a digitalizar en la organización.

Para estimar este volumen resulta útil hacer un estudio de los siguientes parámetros:

- Número de usuarios en un año

- Número de imágenes a digitalizar al año

- Número medio de documentos al día

- Número medio de páginas al día

- Número máximo de páginas al día:

    ✓ Tamaño Medio por documento, según el tipo de resolución que se estime necesario, mínima 200 puntos por pulgada y si se digitaliza en color o en blanco y negro.

    ✓ Tamaño máximo de un documento.

Según el volumen resultante se puede además determinar la criticidad y las necesidades de rendimiento de la digitalización en la organización.

Pero además la solución de digitalización no se debe diseñar asociada a unos escáneres determinados, debe ser una solución versátil, valida en la medida de lo posible para cualquier modelo actual o futuro, siempre que cumplan, como mínimo, las siguientes características básicas:

- Posibilidad de digitalización de **diferentes tamaños de papel**, al menos DIN A4 y DIN A3.

- Posibilidad de **digitalización a doble página.**

- Posibilitar la digitalización en **Blanco y Negro o Color**.

- Disponer de mecanismos hardware de entrada de papel con la calidad suficiente para evitar posibles atascos, roturas de papel o dobles alimentaciones. Sería interesante que contara con alguna clase de **detector de doble alimentación**, preferiblemente por ultrasonidos.

• Funcionar a la **velocidad suficiente** para las cargas de trabajo prevista, con las holguras necesarias.

• Disponer de **ADF** (Automatic Document Feeder — **Alimentador Automático de Documentos.**

Los escáneres deben estar conectados a un puesto de trabajo. El esquema básico de un puesto de digitalización debe ser al menos un PC y un escáner. Se recomienda, siempre que las necesidades de la organización así lo determinen, la implantación de dos tipos de puestos de digitalización:

• Centros de digitalización, atendidos por personal especializado en digitalización

• Puestos de digitalización, para usuarios con necesidades de digitalización no especializados en este tipo de las tareas.

Los centros de digitalización son necesarios para el caso de digitalización masiva de documentación. Al ser utilizados por personal especializado en digitalización se recomienda utilizarlos con soluciones de digitalización con carátula. La caratula cumple desde este punto de vista una doble función, aporta los datos de catalogación y sirva para que el escáner reconozca el cambio de documento.

Los puestos de digitalización pueden ser con o sin carátula de digitalización, pero si se necesita poner más de un documento en el escáner lo más aconsejable es optar por la solución con carátula porque en caso contrario es necesario poner algún tipo de separación para que el escáner pueda detectar cambio de documento.

Como orientación y ayuda a la decisión del tipo de solución en cuanto a características de los puestos de digitalización se detallan sus principales características de cada uno de ellos.

Centro de Digitalización:

• Para digitalización diferida en el tiempo, cuando no sea necesario digitalizar en el momento.

• Digitalización masiva, por lotes de documentos.

• Se disponga o se determine que los escáneres deben ser medio o alto volumen.

• Se debe disponer de personal especializado en digitalización.

• Escáneres a utilizar para varias necesidades dentro de una organización o para compartir entre órganos.

Puesto de digitalización:

• Para digitalización inmediata.

• Los escáneres pueden ser de bajo o medio volumen.

• Puestos no asistidos por personal especializado.

• Distribuidos en diferentes despachos.

Finalmente se citan dos ejemplos en los que sería de utilidad cada uno de los dos modelos de digitalización. Ambos ejemplos son para digitalizar documentos que entran por el registro a la administración.

Sería útil utilizar un Centro de digitalización para un registro en el que se recibe mucha documentación por correo y por tanto no requiere una digitalización inmediata. En este caso el personal de registro, a la vista del documento recibido, realizaría el asiento registral identificando al interesado y el trámite y asignando estos datos como metadatos de catalogación. La aplicación de registro, integrada con la aplicación de digitalización emitiría la caratula y dejaría el documento vinculado al asiento pendiente de digitalización. El documento registrado se acompaña de la caratula y se envía a digitalizar al centro de digitalización, que puede ser interno o externo. Cuando se digitaliza el documento se actualiza el asiento vinculando el documento electrónico obtenido del proceso de digitalización.

Un puesto de digitalización accesible al personal de registro sería lo adecuado cuando se realiza el asiento registral en la Oficina de Asistencia en Materia de Registros con el ciudadano delante. La aplicación de registro se integra con la aplicación de digitalización y se devuelve la documentación presentada al ciudadano junto con el recibo de presentación con el justificante de la documentación entregada.

19.

DERECHOS DOCUMENTALES EN LA NUEVA LEY DE PROCEDIMIENTO ADMINISTRATIVO COMÚN. LA COPIA AUTÉNTICA

Luis POMED SÁNCHEZ
Letrado del Tribunal Constitucional.
Profesor de Derecho Administrativo

En el *BOE* n.º 236, de 2 de octubre de 2015, se insertaron los textos de la Ley de procedimiento administrativo común de las administraciones públicas (LPAC) y de la Ley de régimen jurídico del sector público (LRJSP). Se abandonaba así el sistema de ley única —hasta entonces, la Ley 30/1992— y se volvía al dualismo legislativo: leyes de régimen jurídico y de procedimiento administrativo, utilizando un criterio diferenciador de escasa consistencia dogmática, como es la distinción entre relaciones *ad intra* y *ad extra* de las administraciones públicas (LÓPEZ MENUDO, 2016, 35).

Las páginas que siguen representan una aproximación al tratamiento que la nueva legislación procedimental —en este caso, la LPAC— dispensa a los aspectos específicamente documentales del procedimiento administrativo. Convendrá, en aras de la precisión, indicar que hablamos fundamentalmente de las cargas de aportación de datos y documentos por quien insta la iniciación de un procedimiento o pretende comparecer en él y constituirse en parte, así como del régimen de copias administrativas. En cuanto a este régimen de copias, debe subrayarse la atención específica, exclusiva cabría decir, que la nueva ley presta a las copias auténticas. En el contexto de una administración plenamente digitalizada y con el objetivo de la supresión del papel, supresión que se presume ha de propiciar un mejor servicio a los ciudadanos (pues no otro puede ser el fin que constitucionalmente legitime —art. 103 CE— el actuar de este ente vicarial que conocemos como administración pública), la expedición habitual de copias auténticas debe facilitar el acceso de los ciudadanos a los servicios públicos.

Antes de abordar la exposición de su contenido material conviene hacer dos precisiones formales sobre la nueva regulación que de los derechos documentales y relacionados con la obtención y expedición de copias se contiene en la LPAC. La primera de ellas hace referencia al carácter básico que reviste, al amparo del art. 149.1.18 CE, conforme a lo establecido en la disposición final primera de la ley.

Con la segunda queremos dejar constancia de que las previsiones normativas objeto de nuestro análisis si bien se hallan formalmente vigentes, pueden padecer en cuanto a su plena efectividad como consecuencia de la extensión de la *vacatio legis* de «las previsiones relativas al registro electrónico de apoderamientos, registro electrónico, registro de empleados públicos habilitados, punto de acceso general electrónico de la Administración y archivo único electrónico» (disposición final séptima de la propia LPAC); es decir, las normas integrantes del que se ha venido en denominar, con ausencia manifiesta de elegancia lingüística, «paquete electrónico». Recuérdese, al respecto, que la demora en la entrada en vigor de estas normas se ha prolongado hasta el 2 de octubre de 2020 por mor de lo establecido en el artículo 6 del Real Decreto-ley 11/2018, de 31 de agosto, cuyo interminable título hace referencia expresa a la modificación de la LPAC.

1. LA DISCUTIBLE UTILIDAD DE LA DISTINCIÓN, EN MATERIA DOCUMENTAL, ENTRE DERECHOS RELACIONALES DE LAS PERSONAS Y DERECHOS PROCEDIMENTALES DE LOS INTERESADOS

La nueva ley procedimental desdobla el régimen de derechos de los ciudadanos antes contenido con carácter unitario en el artículo 35 de la Ley 30/1992 y diferencia, por una parte, los derechos de las personas en sus relaciones con las administraciones públicas (art. 13 LPAC) y, por otra, los derechos del interesado en el procedimiento administrativo. El deslinde no es del todo preciso y resulta especialmente artificioso cuando se trata de los derechos documentales, en su vertiente de aportación de documentación y obtención y expedición de copias.

A los efectos ahora pertinentes, el artículo 13 LPAC reconoce, a cuantos gozan de capacidad de obrar *ex* art. 3 de la misma ley, entre otros los siguientes derechos: «a comunicarse con las administraciones públicas a través de un Punto de Acceso General electrónico de la administración»[(1)] [art. 13 a)], «a ser asistidos en el uso de medios electrónicos en sus relaciones con las administraciones

---

(1) No parece del todo desacertado aconsejar a nuestros legisladores un mayor cuidado estilístico en la redacción de las normas; en particular, convendría recordar que la relevancia de una determinada materia —criterio por demás siempre subjetivo y que depende de la óptica del escribano— o la importancia que se le pretenda atribuir no son criterios idóneos para el empleo de mayúsculas. Muestran nuestras leyes un uso desmesurado y asistemático de las mayúsculas, ajeno por entero a las reglas establecidas por la Real Academia (CENTENERA SÁNCHEZ-SECO, 2010, 7). Si es cierto, como recordara Kant, que *Caesar non est supra grammaticos*, también parece serlo que el emperador tiene a gala hacer patente que nada le obliga, ni aun le induce, a ser pulcro en la escritura y preciso en la expresión.

públicas» [art. 13 b)], o, en fin, «a la obtención y utilización de los medios de identificación y firma electrónica contemplados en esta Ley» [art. 13 g)].

Por su parte, los «interesados en un procedimiento administrativo» tienen reconocidos en el artículo 53.1 los derechos «a conocer, en cualquier momento el estado de la tramitación de los procedimientos en los que tengan la condición de interesados [...] Asimismo, también tendrán derecho a acceder y a obtener copia de los documentos contenidos en los citados procedimientos» [letra a)], «a no presentar documentos originales salvo que, de manera excepcional, la normativa reguladora aplicable establezca lo contrario. En caso de que, excepcionalmente, deban presentar un documento original, tendrán derecho a obtener una copia autenticada de este» [letra c)] o, en fin, «a no presentar datos y documentos no exigidos por las normas aplicables al procedimiento de que se trate, que ya se encuentren en poder de las administraciones públicas o que hayan sido elaborados por estas» [letra d)].

Como fácilmente puede apreciarse, en tanto que los titulares de los derechos proclamados en el artículo 13 son «las personas» —entendiendo por tales las personas físicas o jurídicas y los grupos de personas a los que el artículo 3 de la ley reconoce capacidad de obrar en el ámbito administrativo— «en sus relaciones con las administraciones públicas», los derechos reconocidos en el artículo 53 parece que solo pueden ser ejercitados por quien ostente la condición de «interesado en el procedimiento administrativo». Resulta, sin embargo, cuando menos discutible esta distinción subjetiva en la titularidad de los derechos, pues no está claro que los derechos del artículo 53 puedan predicarse específicamente de quien tiene la condición de interesado en un procedimiento.

La LPAC dedica su artículo 4 a concretar el «concepto de interesado». Este precepto, siguiendo el criterio ya asentado por la Ley de procedimiento administrativo de 1958 atribuye la condición de interesados en el procedimiento a «quienes lo promuevan como titulares de derechos o intereses legítimos» [art. 4.1 a)], aquellos que, no siendo promotores del procedimiento sean titulares de derechos que puedan verse afectados por la resolución que recaiga en el procedimiento [art. 4.1 b)] y, en paralelo, los titulares de intereses legítimos que «se personen en el procedimiento en tanto no haya recaído resolución definitiva» [art. 4.1 c)]. Como ya sucediera en la Ley 30/1992, el texto de 2015 también hace recaer sobre la propia administración instructora del expediente la carga de emplazar a aquellos cuya condición de interesados —por ser titulares de derechos o intereses legítimos— «resulte del expediente» (art. 8).

Nos encontramos, por consiguiente, con dos grandes grupos de interesados en el procedimiento administrativo: i) de una parte, aquellos que sean sus promotores o cuya identificación resulte del propio expediente, pues se trata de personas o grupos de personas a quienes la administración no puede negar, en ningún caso, la condición de interesados (respecto de los primeros, porque son los promotores del procedimiento y tienen reconocida dicha condición por ministerio de la ley; en cuanto a los segundos —arts. 4.1 b) y 8— porque sería contrario a los propios actos el negar la condición de interesado a quien como tal ha sido llamado al procedimiento por la propia administración); ii) de otra, quienes se personen en el procedimiento invocando unos intereses legítimos que puedan verse afectados positiva o negativamente por la resolución que finalmente recaiga en el expediente de que se trate. La distinción pone bien a las claras la cristalización del interés legítimo como una posición activa que únicamente atribuye a su titular una legitimación procedimental (MEDINA ALCOZ, 2016, 199)[2].

Pues bien, será preciso hacer hincapié en que la sola personación no convierte de suyo en parte a quien invoque un interés legítimo. Al contrario: la existencia de ese interés legítimo, por generosa que sea su caracterización en nuestro Derecho público, es presupuesto insoslayable para que quien comparezca en un procedimiento administrativo en curso pueda tener la condición de parte interesada. Si convenimos en que así es como opera nuestro sistema jurídico, habremos de concluir que los derechos documentales del artículo 53 LPAC no son necesariamente derechos del interesado sino derechos de cualquier persona que se relacione con la administración pública, por más que esa relación se entable precisamente para reivindicar su condición de interesado en un procedimiento.

No parece que ninguno de los tres derechos documentales identificados en párrafos anteriores en el artículo 53.1, pueda ser considerado exclusivamente como derecho de los «interesados en un procedimiento administrativo», por más que estos, lógicamente, tengan plena e inconcusa legitimidad para ejercerlos.

En cuanto al derecho a obtener copia de los documentos contenidos en un determinado expediente [art. 53.1 a)], habrá que subrayar que la Ley de transparencia (LTABG) no limita el derecho de acceso a la información administrativa a los expedientes conclusos, como hiciera la Ley 30/1992, supuesto en el que la concurrencia del interés legítimo sería presupuesto de acceso a los documentos obrantes en un expediente en curso, sino que el referido derecho puede ejercerse respecto de cualesquiera documentos elaborados o adquiridos por las entidades y órganos comprendidos en el ámbito subjetivo de aplicación del

---

(2)   Al punto de que es costumbre referirse al interés legítimo por el resultado y no por el contenido, afirmando que existe allí donde el titular de cualesquiera intereses puede verse perjudicado o beneficiado por la resolución que finalmente se adopte en el proceso o procedimiento de que se trate. Es la expectativa de resultado la que determina la existencia del interés y no al contrario, como bien demuestra la propia jurisprudencia constitucional en la materia (entre otras muchas, STC 15/2016, de 1 de febrero, en esta ocasión el Tribunal Constitucional confirmó la negativa a reconocer el interés legítimo a quien se viera afectado por una acción de regreso resultante del establecimiento de responsabilidad patrimonial de la administración por sentencia que el ayuntamiento condenado renunció a impugnar en apelación).

artículo 13 de la LTABG, con independencia de que obren en un expediente en curso o ya concluso. Dicho de otro modo, a diferencia de lo que sucediera durante la vigencia del artículo 37 de la Ley 30/1992, aquello que debe haber finalizado para poder ejercer el derecho que nos ocupa es el proceso de elaboración del documento y no el procedimiento de resolución del expediente en el que figure o se conserve esa información.

Con respecto a los otros dos derechos, resulta discutible que puedan supeditarse a la condición de interesado en el procedimiento. La obtención de copia autenticada de documentos originales [art. 53.1 c)] o la exención de la carga de presentar documentos que ya obren en poder de «las administraciones públicas»[3] [art. 53.1 d)] se ejercen en un trámite cuya realización no corresponde al órgano encargado de la instrucción o resolución del procedimiento. Si el ejercicio de estos derechos se hace depender del eventual reconocimiento de la condición de interesado, su efectividad quedará seriamente mermada; si, por el contrario, se admite su ejercicio y se entiende que ese ejercicio ya atribuye la condición de interesado no solo estaremos ante una auténtica petición de principio sino que, además, de ella resultará una imprecisa identificación de interesado —a efectos del art. 53— con persona que se relacione con las administraciones públicas —en los términos del art. 13—, que convertirá en rigurosamente innecesaria la distinción entre ambas figuras.

2. EL RÉGIMEN DE APORTACIONES DOCUMENTALES DE LOS CIUDADANOS ESTABLECIDO EN EL ARTÍCULO 28 LPAC

Los derechos documentales de los interesados —con las matizaciones que respecto del ámbito subjetivo se han propuesto en el apartado anterior de este estudio— en el procedimiento administrativo reconocidos en el artículo 53 LPAC se concretan y desarrollan en el artículo 28 de esta misma ley. Un precepto que arranca con la expresión de unos criterios generales en la materia difícilmente discutibles.

Así, en el apartado primero de este artículo 28 LPAC hallamos una clara diferenciación entre la documentación de aportación obligatoria y aquella otra potestativa para la defensa de la fundamentación de las pretensiones ejercitadas ante la administración actuante. En tal sentido, el precepto legal que nos ocupa comienza afirmando que «los interesados deberán aportar al procedimiento

---

(3) Recuérdese que, de acuerdo con lo dispuesto en el art. 28.2 de la Ley 39/2015, el ejercicio de este derecho conlleva el otorgamiento, expreso o tácito, del consentimiento a acceder a los documentos que hayan sido elaborados por cualquier administración pública, no solo por aquella que ostente la competencia para la tramitación del procedimiento de que se trate. Lo que presupone, desde el punto de vista de la eficacia del actuar administrativo, la interconexión de todos los sistemas de información administrativos, pues la ponderación entre el derecho no aportar determinada documentación y el derecho a la oposición a la comunicación de esa documentación es una facultad privativa del ciudadano.

administrativo los datos y documentos exigidos por las administraciones públicas de acuerdo con lo dispuesto en la normativa aplicable» y continúa declarando que esos mismos interesados «podrán aportar cualquier otro documento que estimen conveniente».

Si bien se mira, el artículo 28.1 no solo distingue documentación de aportación obligatoria y facultativa sino que también diferencia claramente entre datos y documentos, puesto que, como inmediatamente tendremos ocasión de ver, la lectura del inciso final de este precepto legal lleva a la conclusión de que los interesados no están obligados a aportar los datos *facultativos* sino solo los obligatorios; por el contrario, los documentos deben ser aportados tanto si trata de *obligatorios* —en cuyo caso, la falta de aportación daría lugar a la apertura de un trámite de subsanación, cuya desatención determinaría la inadmisión *a radice* del procedimiento que se pretendiera iniciar a instancia de parte— como facultativos.

La distinción ahora apuntada encuentra reflejo en el desarrollo de los dos derechos documentales del artículo 53.1 [derecho a no aportar datos o documentos que hayan sido elaborados o se encuentren en poder de las administraciones públicas, reconocido en la letra d), y derecho a no presentar documentos originales de la letra c)] que hallamos en los apartados siguientes del propio artículo 28 LPAC. Un desarrollo que responde al deseo de aligerar al máximo las cargas documentales que puedan pesar sobre los ciudadanos en sus relaciones con las administraciones públicas:

a) En cuanto a la dispensa de la obligación de presentar datos o documentos elaborados o que se encuentren en poder de las administraciones públicas, el apartado segundo y el párrafo segundo del apartado tercero del artículo 28 distinguen claramente entre los documentos públicos administrativos y los demás documentos que obren en poder de las administraciones públicas.

Por lo que se refiere a los documentos públicos administrativos, esto es, los «válidamente emitidos por los órganos de las administraciones públicas» (art. 26.1), el artículo 28.2 contiene una regla general de dispensación de aportación «con independencia de que la presentación de los citados documentos tenga carácter preceptivo o facultativo en el procedimiento de que se trate», optándose, como ya se ha avanzado, por el establecimiento de un consentimiento expreso o tácito del interesado para que la administración actuante pueda recabar la documentación «electrónicamente a través de sus redes corporativas o mediante consulta a las plataformas de intermediación de datos u otros sistemas electrónicos habilitados al efecto» (párrafo segundo del art. 28.2)[(4)]. El consentimiento tácito es suficiente y se presume, salvo que conste oposición expresa del

---

(4)   El párrafo tercero del art. 28.2 contiene un régimen especial para los informes que, obviamente, debe entenderse referido en exclusiva a aquellos informes que no sean objeto de publicación o que no se incorporen a bases de datos de acceso público.

interesado «o la ley especial aplicable requiera consentimiento expreso» (párrafo primero del art. 28.2 *in fine*).

Respecto de los demás documentos que obren en poder de las administraciones públicas, el artículo 28.3, segundo párrafo, establece la regla de que la administración actuante no requerirá «datos o documentos no exigidos por la normativa reguladora aplicable o que hayan sido aportados anteriormente por el interesado a cualquier Administración». El primero de estos incisos remite a la consideración de los documentos facultativos, de aportación por tanto voluntaria por el interesado cuando este considere que sirven para fundamentar mejor las pretensiones que ejercite ante la administración, en los términos del art. 28.1 *in fine*. El segundo supuesto es el que ahora interesa y se refiere a los documentos que el propio interesado ya hubiera proporcionado con anterioridad a las administraciones públicas, es decir, tanto a la administración actuante en el concreto expediente de que se trate, como a cualquiera otra entidad que tenga la consideración de administración a los efectos de la aplicación de la normativa de procedimiento administrativo común[5]. Para este segundo supuesto, la LPAC prevé que el interesado indique «en qué momento y ante qué órgano administrativo presentó los citados documentos, debiendo las administraciones públicas recabarlos electrónicamente a través de sus redes corporativas o de una consulta a las plataformas de intermediación de datos u otros sistemas electrónicos habilitados al efecto». Si bien el precepto parece exigir la identificación precisa del órgano ante el que se presentó el documento, parece que debiera bastar la identificación de la administración, correspondiendo a esta, en virtud de su personalidad jurídica única, facilitar el adecuado ejercicio del derecho que aquí nos ocupa y que no es otro que el derecho a no aportar una documentación que la ley no exige. Por lo demás, aquí también opera una presunción de autorización a la administración para que acceda a la documentación, con reserva de oposición expresa o cuando «la ley especial aplicable requiera consentimiento expreso».

En rigor, este régimen es de aplicación no solo a los documentos privados sino también a los documentos públicos no administrativos, puesto que el pri-

---

(5)   Esta noción remite al ámbito subjetivo de aplicación de la Le 39/2015, delimitado en su artículo 2 sobre la base de la yuxtaposición de administraciones territoriales y sector público institucional. Nótese que quedan al margen, y no les resulta por tanto de aplicación el régimen de aportación documental que estamos analizando, todas las entidades del sector público, en particular entidades u órganos cuya actividad en materia de personal, administración y gestión patrimonial puede ser objeto de fiscalización por el orden jurisdiccional contencioso-administrativo ex art. 1.3 a) de la Ley 29/1998, de 13 de julio, reguladora de la jurisdicción contencioso-administrativa, o aquellos otros a los que resulta de aplicación la Ley de transparencia en virtud de lo previsto en su art. 2.1 f) («La Casa de su Majestad el Rey, el Congreso de los Diputados, el Senado, el Tribunal Constitucional y el Consejo General del Poder Judicial, así como el Banco de España, el Consejo de Estado, el Defensor del Pueblo, el Tribunal de Cuentas, el Consejo Económico y Social y las instituciones autonómicas análogas, en relación con sus actividades sujetas a Derecho Administrativo»).

mero de los regímenes de acceso aquí descritos hace referencia a los documentos «elaborados» por cualquier administración pública (art. 28.2), que es tanto como documentos «válidamente emitidos» por cualesquiera administraciones públicas, términos empleados por el artículo 26.1 LPAC para caracterizar los documentos públicos administrativos. Los documentos públicos no administrativos, es decir, aquellos enumerados en los apartados 1 a 4 del artículo 317 de la Ley de enjuiciamiento civil, no han sido «elaborados» por una administración pública —pues no tiene dicha condición, a los efectos de la aplicación de la normativa de procedimiento administrativo común, la oficina judicial ni, por supuesto, los actos que en su calidad de fedatario público pueda dictar o visar el Letrado de la administración de justicia— sino autorizados, intervenidos o certificados por quienes tienen la consideración legal de fedatarios públicos[6].

b) En cuanto al derecho a no presentar documentos originales, reconocido a todos los interesados en el procedimiento administrativo por el artículo 53.1 c) LPAC, es objeto de desarrollo por ese mismo artículo 28.

Un desarrollo que arranca con la afirmación de que «las administraciones públicas no exigirán a los interesados la presentación de documentos originales, salvo que, con carácter excepcional, la normativa reguladora aplicable establezca lo contrario» (art. 28.3). Se asienta así una regla que exime de la presentación de originales, con reserva normativa en todo caso para la imposición de esta carga documental; una carga que, además, solo podrá ser impuesta si supera el juicio de proporcionalidad pueda no en vano el precepto que nos ocupa se refiere a ella como algo «excepcional». Este mismo adjetivo es el empleado en artículo 28.4 al respecto: «Cuando con carácter excepcional, y de acuerdo con lo previsto en esta Ley, la administración solicitara al interesado la presentación de un documento original y éste estuviera en formato papel, el interesado deberá obtener una copia auténtica, según los requisitos establecidos en el artículo 27, con carácter previo a su presentación electrónica». La literalidad del precepto resulta un tanto imprecisa, por decir lo menos, pues en el artículo 28.3 no se habilita a la administración actuante para solicitar la presentación de originales

---

(6) Marginalmente, convendrá recordar que la fe pública no se agota en la descripción de los hechos sino que incluye un contenido de calificación jurídica. Así se aprecia en el artículo 1 del Reglamento de la organización y régimen del Notariado, aprobado por Decreto de 2 de junio de 1944 y modificado por el Real Decreto 45/2017, de 19 de enero. En este precepto se indica expresamente que la fe pública notarial «tiene y amparo un doble contenido: a) En la esfera de los hechos, la exactitud de los que el notario ve, oye o percibe por sus sentidos. b) Y en la esfera del Derecho, la autenticidad y fuerza probatoria de las declaraciones de voluntad de las partes en el documento público redactado conforme a las leyes». En el caso de la administración local, el Real Decreto 128/2018, de 16 de marzo, por el que se regula el régimen jurídico de los funcionarios de administración local con habilitación de carácter nacional, contiene en su artículo 3.2 un amplio elenco de funciones comprendidas en la «fe pública»: preparación de los asuntos que hayan de incluirse en el orden del día de los órganos colegiados, notificación de convocatorias, custodia de documentos, asistencia y elaboración de actas de los órganos colegiados, transcripción, certificación y remisión a otras administraciones de las resoluciones y acuerdos adoptados, etc.

sino a la potestad reglamentaria para que establezca los supuestos en los que cabe ese requerimiento; de modo que falta en el precepto que nos ocupa un inciso, pues debiera decir «de acuerdo con [la normativa aplicable y] lo previsto en esta Ley»...

De modo que incluso allí donde la normativa sectorial exija la aportación de documentos originales, el cumplimiento de esta exigencia obliga al interesado no solo a proporcionar el documento en su formato original (papel) sino, además, a obtener la correspondiente copia auténtica, expedida por la administración autora del documento. Siendo ello así no acaba de entenderse muy bien si no debiera bastar la aportación de la copia auténtica, eximiendo al ciudadano de la carga de la doble aportación que figura en el artículo 28.4. Si de lo que se trata es de facilitar la tramitación del expediente informático, basta con la copia auténtica en soporte informático y resulta innecesario el documento original, por más que, si se quiere y a los solos efectos de entender formalmente satisfecha la normativa que exija la exhibición del documento original, pudiera someterse este al cotejo previsto en el artículo 28.5.

En efecto, este último precepto convierte en excepcional el cotejo de documentos que era regla general en el régimen de la Ley 30/1992 (en concreto, art. 38.5). La diferencia radica en la decidida apuesta por la tramitación informática del expediente, de modo que el documento en papel deviene una reliquia de utilización excepcional en la práctica habitual de la administración diseñada por la LPAC. Si ello es así, bien pudiera optarse por afirmar la equivalencia absoluta de la copia auténtica y el documento original con reserva, como ya se ha avanzado, de cotejo en aquellos supuestos en los que a la administración instructora del expediente le pudiera suscitar alguna duda la validez o fiabilidad de la copia efectivamente aportada al procedimiento. De lo contrario, la doble obligación de aportación del documento original y copia auténtica representa una carga documental desproporcionada, por lo que desde aquí se apunta a la conversión de esta doble aportación en una obligación de exhibición del documento original y aportación de la copia auténtica. Por lo demás, la equivalencia entre copia auténtica y documento original se establece en el segundo párrafo del artículo 27.2 LPAC, de donde resulta lógicamente su intercambiabilidad funcional.

3. LA COPIA AUTÉNTICA. EL ARTÍCULO 27 LPAC

La Ley 30/1992 dedicaba su artículo 46 a la «validez y eficacia de documentos y copias» realizadas por la administración. La regulación contenida en este precepto legal era por demás parca, pues además de proporcionar una definición de documento público administrativo, se limitaba a remitir a la potestad reglamentaria la determinación de los órganos con potestad para la expedición de copias auténticas (apartado primero) y a consignar la diferente validez y eficacia de las copias de los documentos públicos y privados (apartados segundo y tercero). Resulta un tanto sorprendente que dicha validez y eficacia no se predicara exclusivamente de las copias auténticas, modalidad a la que se refería el apartado primero, por lo que parece que la Ley procedimental de 1992 no distinguía a este respecto entre copias auténticas y copias simples.

Contrasta la indiferenciación entre copias del artículo 46 de la Ley 30/1992 con la atención que se presta en exclusiva a las copias auténticas en la LPAC. Al punto de que su artículo 27, rubricado «Validez y eficacia de las copias realizadas por las administraciones públicas» versa exclusivamente sobre ese binomio —validez y eficacia— respecto de las copias auténticas. De la circunstancia de que la LPAC (art. 28) únicamente haga referencia a las copias simples proporcionadas por los ciudadanos que se relacionen con las administraciones públicas no cabe inferir que esté vedada a estas la expedición de copias simples. En este punto, interesa recordar que la distinción entre copia auténtica y copia simple no tiene que ver con el contenido de una y otra, pues ambas son reproducción total o parcial de la matriz, sino con los efectos que el ordenamiento jurídico les atribuye: la copia auténtica goza de la misma validez y efectos que la matriz original, en tanto que la copia simple tiene efectos exclusivamente informativos[7]. Como seguidamente tendremos ocasión de apreciar, la dualidad copia auténtica-copia simple no agota, ni siquiera en la arquitectura LPAC, el panorama de las reproducciones documentales, pues el propio texto legal diferencia los efectos de las copias auténticas según lo sean de documentos públicos o privados.

A decir verdad, no solo no es este el único punto en el que el artículo 27 LPAC se aparta de su antecesor, el artículo 46 de la Ley procedimental de 1992, sino que puede afirmarse sin exageración alguna que entre ambos preceptos apenas hay coincidencias de contenido. Las novedades no parecen responder siempre a un proceso de reflexión que arroje resultados diferentes.

Así sucede, sin ir más lejos, con la determinación de la competencia para expedir copias auténticas. En la Ley 30/1992, su artículo 46.1 remitía a lo que

---

(7) En nuestro ordenamiento jurídico el tratamiento más acabado de las copias simples con efectos exclusivamente informativos lo encontramos en la legislación hipotecaria, por referencia a las notas simples que pueden expedir los registradores de la propiedad. La nota simple tiene, según se indica en el artículo 222.5 de la Ley Hipotecaria, «valor puramente informativo y no da fe del contenido de los asientos», como hace, por el contrario, la certificación que pueda expedir el registrador. La descripción que hallamos en este mismo precepto legal del contenido de la nota simple informativa ilustra suficientemente sobre su similitud material con las certificaciones de asientos registrales (equivalente, en lo que ahora estrictamente interesa, de las copias auténticas que estamos analizando). Según se nos dice en este precepto de la Ley hipotecaria, la nota informativa «deberá reproducir, literal si así lo solicita el interesado, o en extracto en otro caso, el contenido de los asientos vigentes relativo a la finca objeto de manifestación, donde conste, al menos, la identificación de la misma, la identidad del titular o titulares de derechos inscritos sobre la misma y la extensión, naturaleza y limitaciones de éstos. Asimismo se harán constar, en todo caso, las prohibiciones o restricciones que afecten a los titulares o a los derechos inscritos».

cada administración estableciera «reglamentariamente». Por el contrario, en la LPAC encontramos dos previsiones no del todo coincidentes.

De una parte, el primer párrafo del artículo 27.1 nos dice que cada administración «determinará los órganos que tengan atribuidas las competencias de expedición de copias auténticas de los documentos públicos administrativos o privados». Esta previsión legal, que no predetermina el instrumento del que cada administración pueda hacer uso a efectos de dar cumplimiento a la previsión que nos ocupa (mediante reglamento o simple acto administrativo), puede y debe ser valorada positivamente pues no se alcanza a comprender la necesidad de norma reglamentaria para una decisión como la que ahora nos ocupa, carente de valor normativo y a la que difícilmente puede atribuirse capacidad de innovación del ordenamiento jurídico. La reserva normativa, de reglamento en este caso, nada aporta y limita innecesariamente —sin habilitación competencial suficiente ex art. 149.1.18 CE— la potestad de autoorganización de que gozan las administraciones territoriales y destacadamente las autonómicas.

Sea como fuere, y al margen de esta consideración un tanto marginal sobre el medio de determinación del órgano competente para la expedición de copias auténticas, es lo cierto que en el artículo 27.4 de esa misma Ley se establece una regla que aparentemente no se compadece con la libertad de determinación de los órganos administrativos competentes para la expedición de copias auténticas: «La solicitud [de expedición de copia auténtica] se dirigirá al órgano que emitió el documento original, debiendo expedirse, salvo las excepciones derivadas de la aplicación de la Ley 19/2013, de 9 de diciembre, en el plazo de quince días a contar desde la recepción de la solicitud en el registro electrónico de la administración u organismo competente».

A fin de resolver esta posible antinomia, parece oportuno examinar otras dos previsiones que en punto a la expedición de copias auténticas se contienen en ese mismo artículo 28 LPAC: (i) por una parte, en el tercer párrafo del primer apartado de este precepto legal se brinda la posibilidad de que las administraciones territoriales realicen copias auténticas «mediante funcionario habilitado o mediante actuación administrativa automatizada» y (ii) por otra, en el siguiente párrafo de este mismo artículo 28.1 se prevé la existencia de un registro actualizado «donde constarán los funcionarios habilitados para la expedición de copias auténticas que deberán ser plenamente interoperables y estar interconectados con los de las restantes administraciones públicas» a fin de «comprobar la validez de la citada habilitación». Puede servir, a estos efectos, la experiencia atesorada en el régimen de las leyes procedimentales de 1958 y 1992.

Dicha experiencia se ha asentado sobre la distinción entre la competencia para el cotejo y compulsa de documentos (acciones distintas, por más que asimiladas con cierta frecuencia por el legislador, PÉREZ LUQUE, 2005) y la competencia para la expedición de copias auténticas.

Como acertadamente se dice en el dictamen de la Abogacía General del Estado de 16 de septiembre de 2003[8], «la compulsa consiste en el cotejo que realiza una persona de la copia de un documento que se le exhibe junto con la matriz del mismo, a fin de acreditar que la primera es fiel reproducción de la segunda». En este mismo dictamen, y tras un somero examen de lo dispuesto en la Ley 30/1992 y en el Real Decreto 772/1999, se indica que a este primer contenido, general de cualquier tipo de compulsa, la compulsa específicamente administrativa añade otro propio, específico y exclusivo: «las copias compulsadas, para surtir efectos deben quedar incorporadas al expediente ya de forma inmediata —si se presentan ante el órgano competente para tramitar el procedimiento de que se trate— o ya de forma mediata —si se presentan ante el órgano que las remite posteriormente al competente— de tal suerte que si son retiradas por el particular tras ser cotejadas y presentadas posteriormente en otro procedimiento han perdido ya su fuerza adversativa, lo cual no sucedería —sin embargo— con las copias cotejadas notarialmente». Según puede apreciarse, en este dictamen la Abogacía del Estado perfilaba la diferencia entre la compulsa como forma de ejercicio de la fe pública notarial, función desempeñada por un tercero ajeno por entero a la relación jurídica plasmada en el documento o que se trata de formalizar con su aportación, y la compulsa administrativa, realizada por un órgano de la misma administración que habrá de tramitar y —por lo común— resolver definitivamente el expediente al que se incorpora la copia compulsada[9].

Pues bien, en tanto que la compulsa, previo cotejo, era competencia de cualquier unidad administrativa que pudiera recibir escritos de los ciudadanos, así como también de cualquier órgano al que correspondiera la instrucción o tramitación del correspondiente procedimiento, la expedición de copias auténticas de documentos públicos administrativos se reservaba, en la AGE, al órgano emisor del documento original. Así constaba en el artículo 9.2 del Real Decreto 772/1999 (norma reglamentaria expresamente derogada por la LPAC): «La expedición [de copia auténtica] se solicitará al órgano administrativo o al organismo público que emitió el documento original. Dicho órgano expedirá la copia previa comprobación en sus archivos de la existencia del original o de los datos en

---

(8) El dictamen, del que fuera ponente el abogado del Estado Luis Aguilera Ruiz, puede consultarse en http://boe.es/buscar/anales_abogacia/ANALES_03_0045.pdf (último acceso el 7 de abril de 2018).

(9) En lo que específicamente atañe a la potestad administrativa, la distinción resultaba del todo acorde con lo establecido en el artículo 8.4 del Real Decreto 722/1999, objeto de mención expresa en el propio doctamente. Mención hecha, nótese bien, para postular la extensión de la fuerza adversativa de la compulsa más allá del concreto procedimiento en el que se efectúe o expediente en el que se conserve la copia compulsada. En este dictamen se concluía al respecto que «es igualmente válida su aportación en otro procedimiento tramitado por ese mismo órgano si dicha copia ha quedado depositada en su registro»; de modo que era la conservación en el registro del órgano y no la incorporación al concreto expediente la clave para determinar el alcance de la eficacia de la copia compulsada.

él contenido»[10]. En el supuesto de que, por el tiempo transcurrido, el documento original ya no obrase en los archivos de gestión o de oficina sino que se hubiese depositado en los archivos centrales, intermedios o históricos, «la solicitud será cursada al correspondiente archivo para la expedición, en su caso, de la copia auténtica».

En conclusión, parece que las dos reglas aparentemente contradictorias que figuran en el artículo 27 LPAC (libertad de determinación del órgano competente para expedir copias auténticas, proclamada en el art. 27.1, e imposición al ciudadano de la carga de dirigir la solicitud al órgano emisor del documento en el art. 27.4) pueden ser objeto de una lectura integradora. Puede concluirse, en este sentido, que la regla del artículo 27.4 tiene pleno sentido y es la más beneficiosa para el ciudadano, quien no tiene el deber de conocer la identidad de los órganos competentes para expedir la copia pero estará en condiciones de identificar al órgano que expidió el documento cuya copia solicita. Se trata, dicho en otras palabras, de una expresión más del principio *pro actione* en el procedimiento administrativo. Ahora bien, nada impide que la administración, en ejercicio de su potestad de autoorganización, opte por reordenar el ejercicio de esta función, asegurando siempre que la copia auténtica reúna sus características distintivas y su validez y eficacia no queden en riesgo. Se trata de una opción respetuosa con la autonomía organizativa de cada entidad pública y que, además, facilita la gestión de copias auténticas en un entorno informatizado en el que la propia confección del documento puede ser fruto de la intervención directa de distintas unidades administrativas.

Dicho esto, cabe añadir que el artículo 27.2 define las copias auténticas en los siguientes términos: «Tendrán la consideración de copia auténtica de un documento público administrativo o privado las realizadas, cualquiera que sea su soporte, por los órganos competentes de las administraciones públicas en las que quede garantizada la identidad del órgano que ha realizado la copia y su contenido». En el segundo párrafo de este mismo art. 27.2 se afirma que «las copias auténticas tendrán la misma validez y eficacia que los documentos originales», afirmación que debe ser matizada por lo que a este respecto se indica en el segundo párrafo del artículo 27.1, donde se precisa que «las copias auténticas de documentos privados surten únicamente efectos administrativos». De este modo, las copias de documentos privados[11] operan como copias auténticas

---

(10) Este inciso final, amén de ser una regla de buen funcionamiento administrativo, preservaba la consideración de la copia auténtica como documento público a efectos de prueba en el proceso ex art. 317.6 de la Ley de enjuiciamiento civil.

(11) Recuérdese que la noción que de documento privado maneja nuestro ordenamiento jurídico es negativa y residual al establecerse en el artículo 324 de la Ley de enjuiciamiento civil que «se consideran documentos privados, a efectos de prueba en el proceso, aquellos que no se hallen en ninguno de los casos del artículo 317», precepto este donde se enumeran los documentos públicos, siempre a efectos de prueba en el proceso. Los artículos 1225 y ss. del Código civil renuncian a establecer cualquier definición, siquiera sea negativa, de los documentos privados.

ante las administraciones públicas y como copias simples fuera de ellas[12]. Esta cautela legislativa parece sensata y acorde con la eficacia probatoria que la legislación procesal ha venido atribuyendo tradicionalmente a los documentos privados en nuestro país; una eficacia para la que es requisito la exhibición del documento y la posibilidad de cotejo en el proceso judicial, que no puede ponerse en tela de juicio mediante las reglas que para el adecuado funcionamiento de las administraciones públicas puedan establecerse.

Al concluir estas líneas sobre el régimen documental de la LPAC parece oportuno hacer una muy somera referencia al apartado tercero del artículo 27. En este precepto se identifican las reglas a las que deberán ajustarse las administraciones públicas «para garantizar la identidad y contenido de las copias electrónicas o en papel, y por tanto su carácter de copias auténticas». De estas reglas destacan fundamental tres aspectos: en primer lugar, la necesaria digitalización de los documentos en papel y la introducción de los metadatos que acrediten su condición de copia [en particular, letras a) y b)], en segundo término, la preocupación por la correcta verificación de los documentos digitales y el sometimiento a los esquemas nacionales de interoperabilidad y de seguridad[13].

---

(12) Marginalmente cabe señalar que la atribución a las administraciones públicas de la potestad de expedición de copias auténticas de documentos privados explica la renuncia del legislador a identificar como órgano competente para la elaboración de copias auténticas exclusivamente los órganos autores de los documentos de que se trate, o los archivos generales, intermedios o históricos donde se guarden. De hecho, el Real Decreto 772/1999 regulaba únicamente la copia auténtica de documentos públicos administrativos, omitiendo toda referencia a la copia auténtica de documentos privados.

(13) Estos esquemas nacionales fueron introducidos por la Ley 11/2007, de 22 de junio, de acceso electrónico de los ciudadanos a los servicios públicos; ahora derogada por la Ley 39/2015. En desarrollo de esta Ley 11/2007 se dictaron el Real Decreto 3/2010, de 8 de enero, por el que se regula el esquema nacional de seguridad en el ámbito de la administración electrónica, y el Real Decreto 4/2010, de 8 de enero, por el que se regula el esquema nacional de interoperabilidad en el ámbito de la administración electrónica. Estas normas reglamentarias conservan su vigencia en particular porque lo dispuestos respecto de ambos esquemas nacionales en el artículo 42 de la Ley 11/2007 se ha incorporado actualmente al artículo 156 de la LRJSP, cuyo apartado primero establece que «el Esquema Nacional de Interoperabilidad comprende el conjunto de criterios y recomendaciones en materia de seguridad, conservación y normalización de la información, de los formatos y de las aplicaciones que deberán ser tenidos en cuenta por las administraciones públicas para la toma de decisiones tecnológicas que garanticen la interoperabilidad y su apartado segundo se refiere al esquema nacional de seguridad en estos términos: El Esquema Nacional de Seguridad tiene por objeto establecer la política de seguridad en la utilización de medios electrónicos en el ámbito de la presente Ley, y está constituido por los principios básicos y requisitos mínimos que garanticen adecuadamente la seguridad de la información tratada».

4. BIBLIOGRAFÍA

CENTENERA SÁNCHEZ-SECO, Fernando. «Algunas consideraciones sobre el uso de las mayúsculas en las normas», *Revista de las Cortes Generales* núm. 81 (2010), págs. 7 y ss.

LÓPEZ MENUDO, Francisco. «Algunos aspectos clave de la reforma del Procedimiento Administrativo Común y del Régimen Jurídico del Sector Público», en *Revista Española de la Función Consultiva*, núm. 26 (2016), págs. 17 y ss.

MEDINA ALCOZ, Luis. *Libertad y autoridad en el Derecho administrativo: derecho subjetivo e interés legítimo: una revisión*, Marcial Pons, Madrid, 2016.

PÉREZ LUQUE, Antonio. «De algunas cuestiones de las notificaciones y certificaciones de los Secretarios de Administración Local», *El Consultor de los Ayuntamientos*, núm. 6 (941/2005), tomo 1, págs. 941 y ss.

20.

CAPTURA DEL DOCUMENTO

José Luis GARCÍA MARTÍNEZ
Jefe de Área de Archivo y Documento Electrónico. Ministerio de Hacienda

Laura FLORES IGLESIAS
Subdirectora general adjunta de Impulso de la Digitalización de la Administración, de la Secretaría General de Administración Digital. Ministerio de Asuntos Económicos y Transformación Digital

1. DEFINICIÓN

La captura es el primero de los nueve procesos de gestión documental que se establecen en la NTI de Política de gestión de documentos electrónicos. A la hora de abordar el verdadero significado de captura, en los últimos años se han producido profundos debates en cuanto a su significado y concepto. Ejemplo de ello fueron las intensas reuniones para la elaboración de la política de gestión de documentos electrónicos del Ministerio de Hacienda y Administraciones Públicas (actualmente Hacienda y Función Pública), celebradas en el 2014.

Poco a poco, las discrepancias iniciales se han materializado en la idea de que la captura es el momento en el que un documento pasa a formar parte del sistema de gestión de un organismo. El término «captura» se define en el vocabulario de la Guía de aplicación de la NTI de expediente electrónico como: «Proceso de gestión de documentos que señala la incorporación de un documento a un sistema de gestión de documentos. En el momento de captura se crea la relación entre el documento, su productor y el con texto en que se originó, que se mantiene a lo largo de su ciclo de vida». Asimismo, la NTI de Política de gestión de documentos electrónicos indica que este proceso «incluirá el tratamiento de los metadatos mínimos obligatorios definidos en la NTI de Documento electrónico».

Con certeza, podríamos afirmar que la captura no es algo nuevo, sino que a lo largo de los diferentes siglos, desde las tablillas de arcilla de la época sumeria

(3.300 AC), los documentos han sido capturados por el sistema gestor, proceso que se ha repetido posteriormente con el resto de soportes analógicos: papiro, pergamino, papel, etc.

Incluso podríamos afirmar que el metadatado del documento no es nuevo, también era algo que se realizaba en el mundo analógico, recordemos los libros de entrada y salida de registro, o los inventarios y catálogos de documentos. Cuando describimos nuestra documentación en las aplicaciones de archivo estamos realmente metadatando los documentos con el objetivo de gestionar y recuperar la información con la mayor rapidez posible.

La diferencia principal entre la captura analógica y la electrónica radica principalmente en la automatización del proceso. Si algo caracteriza al metadatado de un documento en soporte papel es su labor manual. Por otro lado, los metadatos de un documento en papel estarán representados siempre en un sistema externo al documento, mientras que en el documento electrónico, los metadatos constituyen uno de sus componentes junto al contenido y la firma. El empaquetado que confecciona el ENI incluye en la misma estructura xml el contenido, los metadatos y la firma.

La definición más precisa del término captura la encontramos en la guía de aplicación de la NTI de Política de gestión de documentos electrónicos: «Fase de captura. Posterior a la propia creación o producción del documento, bien por parte de un ciudadano o internamente en una organización, la captura supone su incorporación al sistema de gestión de documentos de una organización»[(1)]. Por otro lado, se indica que «la captura del documento en el sistema de gestión de documentos de la organización incluiría los procesos de registro e incorporación de los documentos en el sistema de gestión de documentos de la organización, y, como acción de especial relevancia, incluiría la asignación de los metadatos y, si procede, la firma del documento por parte de la organización (por ejemplo, un sello electrónico por parte de una organización en un Registro de Entrada). Esta captura del documento, puede venir precedida por una digitalización (según lo dispuesto en la NTI de Digitalización de documentos) o por un proceso de conversión de formato del documento (según lo dispuesto en la NTI de Procedimientos de copiado auténtico y conversión entre documentos electrónicos), en caso necesario»[(2)].

La citada guía de aplicación de política de gestión de documentos electrónicos explica la naturaleza del proceso de captura de los documentos, cuya funcionalidad radica en dotarlos de un identificador único y señalar su entrada en el DGDE (sistema de gestión de documentos electrónicos), a la vez que «se esta-

---

(1)   VV.AA., Guía de aplicación de la Norma Técnica de Interoperabilidad de política de gestión de documentos electrónicos, Madrid, Ministerio de Hacienda y Administraciones Públicas, 2016, pág. 14.

(2)   *Ibidem*, pág. 16.

blece una relación entre el documento, su productor o creador y el contexto en que se originó. Esto se consigue mediante la asignación de los metadatos mínimos obligatorios definidos en la NTI de Documento electrónico».

Esta definición se ha materializado en el artículo 26.2 de la LPAC, que trata sobre la emisión de documentos por las administraciones públicas:

Para ser considerados válidos, los documentos electrónicos administrativos deberán:

a) Contener información de cualquier naturaleza archivada en un soporte electrónico según un formato determinado susceptible de identificación y tratamiento diferenciado.

b) Disponer de los datos de identificación que permitan su individualización, sin perjuicio de su posible incorporación a un expediente electrónico.

c) Incorporar una referencia temporal del momento en que han sido emitidos.

d) Incorporar los metadatos mínimos exigidos.

e) Incorporar las firmas electrónicas que correspondan de acuerdo con lo previsto en la normativa aplicable.

El metadatado del documento permite situar el documento en relación con el proceso de gestión donde se originó o al cual se incorpora, asociándolo a otros documentos, pasando éste a formar parte de un expediente electrónico o una agrupación documental.

La captura de un documento electrónico se completa con otros procesos y operaciones de gestión de documentos, tales como el registro, la clasificación o su inclusión en el índice de un expediente electrónico, tal y como se indica en la *NTI de Expediente electrónico*[3]. En la actualidad se aboga por que la captura, se realice al mismo tiempo que el registro, como vamos a ver a continuación, y como indica la guía de aplicación de la NTI de Política de gestión de documentos electrónicos.

Las definiciones vertidas hasta aquí acerca del proceso de captura de documentos parecen claras en tanto, de forma resumida, apuntan al momento en que el SGDE de una organización incorpora un documento para su gestión, esto es, éste empieza a existir, es identificado de forma unívoca y lleva aparejados los metadatos que lo dotan de contexto de creación y gestión.

En lo referente a la relación de la captura con la digitalización, un escáner con OCR que reconozca el texto puede automatizar la cumplimentación de algunos metadatos, lo que puede ser determinante para agilizar el proceso. No

---

(3) *Ibidem*, pág. 24.

obstante, la digitalización de un documento en papel no implica que éste vaya a ser capturado.

En cuanto a la NTI de Catálogo de estándares, es evidente que las administraciones deberían estar preparadas para poder capturar cualquier documento conformado en cualquiera de los formatos admitidos. En el caso de documentos con formatos ajenos a esta NTI, deberíamos proceder al cambio de formato conforme a la NTI de Procedimientos de copiado y conversión entre documentos electrónicos.

2. DIFERENCIA ENTRE CAPTURA Y REGISTRO

En un principio, cuando un ciudadano presenta un documento ante la administración, a través de sede electrónica, este documento se captura y registra en el mismo momento. A un tiempo, el documento es firmado con una firma o sello electrónico, y se cumplimentan una buena parte de sus metadatos.

No ocurre igual cuando el ciudadano presenta un escrito en una oficina de registro o a través de un formulario general. En este caso, es probable que el personal de la oficina desconozca cuáles son las características del procedimiento que el ciudadano quiere iniciar, y, por tanto, no se puedan incorporar al documento la mayor parte de los metadatos que estipula la NTI de documento electrónico. En ese caso, la captura sería posterior al registro.

Lo mismo ocurre cuando el registro y la aplicación de tramitación no están integradas, por lo que la captura también tendrá lugar después al registro. Al fin y al cabo, el registro es la herramienta que deja constancia de cuando se produce la entrada o salida de un documento, es decir el intercambio; mientras que la captura es en sí la conformación del documento con los atributos que requiere la tramitación de un procedimiento concreto.

La propia política de gestión de documentos del Ministerio de Hacienda y Administraciones Públicas indica que «el órgano que captura no tiene por qué ser necesariamente el que digitaliza y registra, sino que lo es el titular del SGDE que lo va a identificar de forma unívoca, a incorporar a sus procesos de gestión y a proporcionarle todas las garantías jurídicas necesarias a lo largo de las fases de su ciclo de vida en que se va a responsabilizar de su conservación»[4].

Está claro, por lo que hemos dicho, que la mejor forma de iniciar un procedimiento es en la sede electrónica correspondiente, buscando el listado de trámites del organismo y seleccionando el que nos interesa. Esto garantiza una captura y registro sincronizados.

Para que el sistema funcione de una manera engranada, las aplicaciones de tramitación deberían integrarse con la aplicación de registro, de forma que al capturar y registrar un documento, éste debería llegar al procedimiento iniciando un expe-

---

(4)   *Ibidem*, pág. 15.

diente o integrándose en uno ya abierto cuando corresponda. En ese momento, se incorporarían también los metadatos correspondientes al asiento registral.

Las aplicaciones de tramitación como Acceda, sí que están integradas con el registro, de forma que la correspondiente instancia, informe o resolución se incorporan al expediente y generan el correspondiente asiento registral de forma automática. De esta forma, el registro y la captura se realizan de forma sincronizada.

Esto es lo ideal, pero lo cierto es que el registro puede tener lugar con anterioridad y posterioridad a la captura. En ese caso, la fecha de captura y la del registro no coincidirán, por tanto los metadatos de fecha de captura y eEMGDE29.3 — Fecha del asiento registral contendrán un valor diferente.

Una oficina de registro puede desconocer cuáles son los valores de los metadatos necesarios, y remitir a la unidad correspondiente el documento para que lo capture su sistema. En ese caso, la captura se realiza con posterioridad al registro.

Caso contrario es el de un documento que se configura con sus metadatos y firma, se integra en un expediente, y con posterioridad es remitido al destinatario. En este caso la captura se realiza con antelación al registro.

No obstante, lo recomendable es que la captura se realice al mismo tiempo que el registro. La oficina de registro puede realizar una cumplimentación inicial de los metadatos obligatorios, lo que no impide que posteriormente la oficina tramitadora realice las correcciones necesarias cuando se detecte un error, ya que el ENI lo permite.

Pero, ¿es necesario registrar todos los documentos capturados? Por nuestra parte entendemos que no. Lo cierto y verdad, es que todos los documentos que se intercambian las administraciones y ciudadanos deberían estar registrados. Solamente deberían quedar al margen los documentos de tipo interno. En este sentido, el artículo 16.1 de la Ley 39/2015 define cuáles son los documentos que deben ser registrados: «todo documento que sea presentado o que se reciba en cualquier órgano administrativo, organismo público o entidad vinculado o dependiente a éstos. También se podrán anotar en el mismo, la salida de los documentos oficiales dirigidos a otros órganos o particulares». Por tanto, deben registrarse todos los documentos que intercambien las administraciones públicas entre sus diferentes órganos y con los ciudadanos. Quedarían fuera los documentos de tipo interno.

3. ESCENARIOS DE CAPTURA. REQUISITOS TÉCNICOS

La captura de los documentos puede darse en diferentes escenarios que darán lugar a diferentes interpretaciones y momentos de tratamiento y gestión de los metadatos asociados a los mismos. Es muy importante analizar la situación concreta de cada organización en cuanto a madurez de la gestión documental y de las herramientas existentes previamente en la misma.

En primer lugar se requerirá la adaptación del gestor documental existente al formato de documento electrónico indicado por el ENI, en concreto con la NTI de Documento electrónico. En ella, se indica tanto el formato concreto que debe seguir la estructura técnica del propio documento como el tipo de información que debe llevar asociado cada documento electrónico.

Así, el gestor documental de la organización deberá permitir gestionar los documentos electrónicos, tratamiento de metadatos mínimos obligatorios y, en su caso, complementarios, y firma electrónica de los mismos. En todos los casos es muy recomendable hacer uso de metadatos complementarios para enriquecer la información de contexto del documento, ayudando a la gestión automatizada y mejorando la explotación posterior de la información almacenada.

Una vez que el gestor documental está listo para recibir documentos electrónicos correctamente formados, llegaría el momento de adaptar tanto las aplicaciones de registro como las tramitadoras existentes en el organismo. Esta adaptación implicará cambios similares a los ya comentados anteriormente.

3.1. Organización con sistema integral de gestión documental

Algunas organizaciones maduras disponen de gestores documentales integrales, únicos para todo el organismo. Esta situación ayuda en gran medida a homogeneizar la implantación de la normativa de documento electrónico, enfocando los trabajos de adaptación en un único punto y obteniendo resultados en todas las fases del procedimiento. En estas organizaciones suele existir un gestor documental que está integrado tanto con las aplicaciones de registro como con las aplicaciones tramitadoras.

En este escenario, al que llamaremos Escenario 1, la aplicación de registro sería el punto de entrada del documento, bien ya originalmente electrónico o bien digitalizado tras haber sido aportado por el ciudadano.

El documento es capturado en el momento de la incorporación del mismo a la herramienta de registro debido a que la propia herramienta de registro está integrada con el gestor documental de la organización.

En este caso, el momento del registro coincide con el momento de la captura por lo que tendremos dos metadatos del documento (Fecha de Registro y Fecha de Captura) que tendrán idéntico valor. En el apartado siguiente se analizarán los metadatos necesarios en cada actuación.

Escenario 1

3.2. Organización con sistema independiente de registro y de tramitación

En contraposición al Escenario 1, existen otras realidades a la hora de gestionar los documentos electrónicos. Numerosas organizaciones no disponen de un gestor documental transversal a todas las aplicaciones existentes, de registro o tramitadoras, por lo que cada una debe hacerse cargo del documento gestionado de forma independiente.

El flujo del documento en este caso pasaría por la aportación del ciudadano en primer lugar, bien ya en formato electrónico a través de un registro electrónico o bien en papel, que necesitará de una digitalización previa del mismo modo que en el caso anterior. En este escenario, la aplicación de registro registrará el documento y lo almacenará, previsiblemente de forma temporal, en su gestor documental o base de datos correspondiente.

El siguiente paso del flujo del documento hasta su destino pasaría por ser remitido desde la aplicación de registro a la aplicación tramitadora correspondiente. Ésta lo recibirá y lo almacenará, ahora sí, en el gestor documental destino y donde será tratado durante la tramitación del procedimiento. En este momento el documento se considerará capturado.

El documento, por tanto, tendrá una fecha de registro diferente a la fecha de captura, ya que tienen lugar en dos momentos diferentes. La aplicación de registro lo registra pero no captura, ésta tiene lugar cuando la aplicación tramitadora lo deposita en su gestor documental.

En este escenario se pueden dar dos casos, que no influyen en los momentos de registro y captura pero que pueden ayudar al lector a entender todas las posibilidades de gestión del documento.

Estos dos casos se muestran en las figuras Escenario 2 y Escenario 3. En ellas podemos observar que la integración o remisión entre aplicación de registro y aplicación tramitadora puede realizarse bien directamente, si el documento ha sido registrado por el registro electrónico de la organización o bien si ha sido registrado por otro distinto y éste tiene que viajar hasta llegar a su registro destino.

En este último caso, este «viaje» del documento se realizaría entre aplicaciones de registro a través del Sistema de Interconexión de Registros (SIR).

Escenario 2

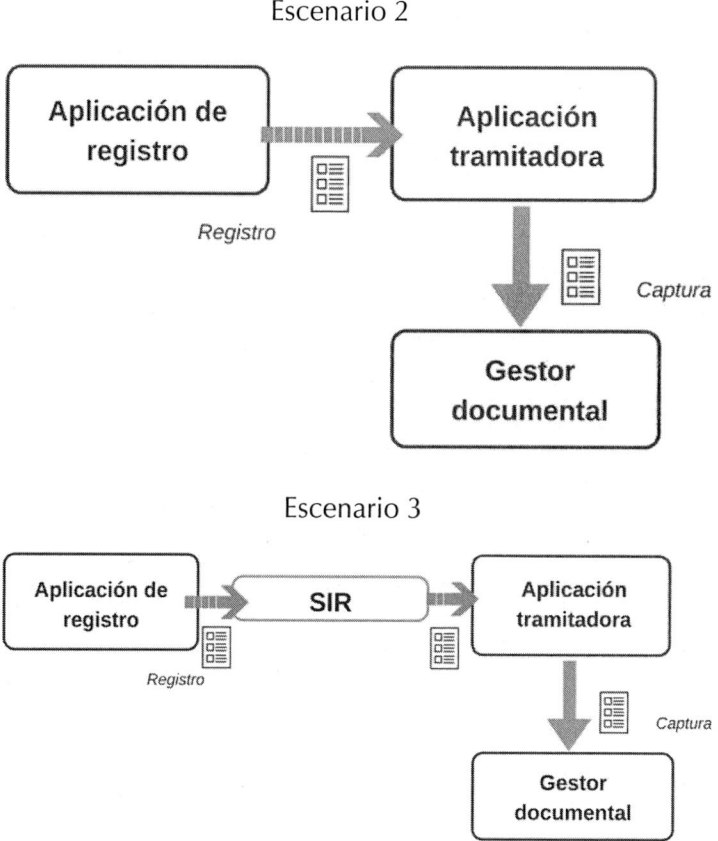

Escenario 3

4. METADATOS DE REGISTRO Y METADATOS DE CAPTURA

Suponiendo momentos distintos entre registro y captura (si ambos procesos tuviesen lugar en el mismo momento, se podrían informar todos los metadatos directamente en registro) los metadatos que se deducen de la Norma SICRES y que deben informarse en el proceso de registro serían los siguientes:

- Fecha y hora de registros
- Número de registro de entrada

398

- Datos de interesado y, de representante, en su caso
- Tipo de Documento
- Validez del documento

Por parte de la NTI de Documento Electrónico se podrían informar además, ya desde la fase de registro, los siguientes metadatos mínimos obligatorios para conformar un documento electrónico:

- Estado de elaboración
- Identificador único de documento
- Tipo documental
- Origen
- Formato

En la fase de captura, si se considera separada del proceso de registro, se deberán informar todos los metadatos mínimos obligatorios que no hayan sido cumplimentados en registro. La fase de captura deberá dar como resultado un documento electrónico bien conformado y con todos los metadatos mínimos obligatorios.

Posteriormente, en el momento de captura se añadirían los siguientes:

- Órgano responsable
- Fecha de captura

Además, en la fase de captura se podrán añadir metadatos complementarios que enriquezcan el valor contextual del documento, especialmente el metadato eEMGDE3.1-Nombre natural, que equivale al título del documento.

Para la correcta captura, los documentos deben tener correctamente conformados los metadatos recogidos en la siguiente tabla.

Meta-dato	Descripción/ Condiciones de uso	Repetible	Tipo	Esquema de valores
Versión NTI	Identificador normalizado de la versión de la Norma Técnica de Interoperabilidad de Documento electrónico conforme a la cual se estructura	1	URI	http://administracionelectronica.gob.es/ENI/XSD/v1.0/documento-e

Meta-dato	Descripción/ Condiciones de uso	Repetible	Tipo	Esquema de valores
	el documento electrónico.			
Identificador	Identificador normalizado del documento.	1	Cadena de caracteres	ES_ <Órgano>_<AAAA>_<ID específico>2

Ejemplo: ES E00010207 2010 MPR000000000000000000000010207 |
Órgano	Identificador normalizado de la administración generadora del documento o que realiza la captura del mismo.	1:N	Cadena de caracteres	Código alfanumérico único para cada órgano/unidad/oficina extraído del Directorio Común gestionado por el Ministerio de Política Territorial y Administración Pública.
Fecha de captura	Fecha de alta del documento en el sistema de gestión documental.	1	Fecha/hora	Formato: AAAAMMDD T HH:MM:SS <ISO 8601>
Origen	Indica si el contenido del documento fue creado por un ciudadano o por una administración.	1	Lógico	«0» = Ciudadano «1» = Administración
Estado de elaboración	Indica la naturaleza del documento. Si es copia, este metadato indica también si se ha realizado una digitalización o conversión de formato en el proceso de generación.	1	Cadena de caracteres	– Original (Ley 11/2007 Ad. 30).

– Copia electrónica auténtica con cambio de formato (Ley 11/2007, Art.3 0.1).

– Copia electrónica auténtica de documento papel (Ley 11/2007, Art. 30.2 y 30.3).

– Copia electrónica parcial auténtica.

– Otros. |
| Nombre de formato | Formato lógico del fichero de contenido del documento electrónico. | 1 | Cadena de caracteres | Valor extraído de la lista de formatos admitidos para ficheros definidos en la Norma Técnica de Interoperabilidad de Catálogo de estándares. |

Meta-dato	Descripción/ Condiciones de uso	Repetible	Tipo	Esquema de valores
Tipo documental	Descripción del tipo documental del documento.	1	Cadena de caracteres	Documentos de decisión: *Resolución.* *Acuerdo.* *Contrato.* *Convenio.* *Declaración.* Documentos de transmisión: *Comunicación.* *Notificación.* *Publicación.* *Acuse de recibo.* Documentos de constancia: *Acta.* *Certificado.* *Diligencia.* Documentos de juicio: *Informe.* Documentos de ciudadano: *Solicitud.* *Denuncia.* *Alegación.* *Recursos.* *Comunicación ciudadano.* *Factura.* *Otros incautados.* *Otros.*
Tipo de firma	Indica el tipo de firma que avala el documento. En caso de firma con certificado,	1:N	Cadena de caracteres	– CSV – Formatos de firma electrónica de documentos electrónicos definidos en la Norma Técnica de Interoperabilidad de Política de firma y certificados de la Administración.

Meta-dato	Descripción/ Condiciones de uso	Repetible	Tipo	Esquema de valores
	indica el formato de la firma.			
Si «Tipo de firma» = CSV				
Valor CSV	Valor del CSV.	1:N	Cadena de caracteres	NIA
Definición generación CSV	Referencia a la Orden, Resolución o documento que define la creación del CSV correspondiente.	1:N	Cadena de caracteres	Si AGE: Referencia *BOE*: BOE A YYYY-XXXXX En otro caso, referencia correspondiente.
Si «Estado de elaboración» =				
– Copia electrónica auténtica con cambio de formato (Ley 11/2007, Art. 30.1).				
– Copia electrónica parcial auténtica.				
Identificador de documento origen	Identificador normalizado del documento origen al que corresponde la copia.	1	Cadena de caracteres	Si el documento origen es un documento electrónico: ES_<Órgano>_<AAAA>_<ID específico> Ejemplo: ES–E00010207–2010 MPR000000000000000000000010207

Fuente: Guía de aplicación de la NTI de Documento electrónico, segunda edición, Madrid, Ministerio de Hacienda y administraciones Públicas, 2016, págs. 23 a 25

Metadato (NTI Documento Electrónico)	Descripción	Establecido en
Versión NTI	Se establece el valor por defecto en base a la NTI vigente: http://administracionelectronica.gob.es/ENI/XSD/v1.0/documento-e	Destino
Identificador	Valor normalizado en base al tratamiento de la NTI en el organismo/entidad de destino.	Destino

Metadato (NTI Documento Electrónico)	Descripción	Establecido en
Órgano de captura	Código en Directorio Común de la entidad registral (oficina de registro) origen que captura la imagen, que equivale al campo «Código de entidad registral de inicio» informado en la estructura de datos de SICRES 3.0. en el segmento de datos «internos y de control».	Origen
Fecha de captura	Fecha y hora de registro del asiento registral en la entidad registral (oficina de registro) origen que captura la imagen, que equivale al campo «Fecha y hora de entrada» informado en la estructura de datos de SICRES 3.0 en el segmento de datos «de origen».	Origen
Origen	El organismo/entidad de destino deberá informar el origen del documento, en base a la naturaleza y del contenido del mismo.	Destino
Estado de elaboración	Equivale al campo «Validez de documento» informado en la estructura de datos de SICRES 3.0. en el segmento de datos «de anexo» por la entidad registral (oficina de registro) de origen en SICRES 3.0. A continuación se detalla la correspondencia de ambos metadatos.	Origen
Nombre del formato	El organismo/entidad de destino deberá informar el formato del documento, en base a la extensión del nombre del fichero recibido en el campo «identificador de fichero».	Origen
Tipo documental	El organismo/entidad de destino deberá informar el tipo documental del documento, en base a la naturaleza del mismo.	Destino
Tipo de firma	Según el organismo/entidad en destino que generará y custodiará el documento electrónico.	Destino

*Fuente: Guía de aplicación de la NTI de Modelo de datos para intercambio de asientos registrales, Madrid, Ministerio de Hacienda y administraciones Públicas, 2013, págs. 27 a 28

— «Validez del documento» *vs.* «Estado de elaboración»

Existen dos metadatos que conceptualmente tienen mucha relación y podrían ser incluso equivalentes pero que son tratados de forma ligeramente diferente en SICRES 3.0 y en la NTI de Documento Electrónico.

En la NTI de Documento el metadato «Estado de elaboración» indica la naturaleza del documento. Si es copia, este metadato indica también si se ha realizado una digitalización o conversión de formato en el proceso de generación.

Este metadato, según la NTI de documento electrónico, puede tener los siguientes valores:

- Original
- Copia electrónica auténtica con cambio de formato
- Copia electrónica auténtica de documento papel
- Copia electrónica parcial auténtica
- Otros

En la norma SICRES 3.0, sin embargo, el metadato «Validez del documento» indica la categoría de autenticidad del documento, siendo sus posibles valores:

- *Copia*: el documento adjunto es una copia del original sin estar cotejada por ningún organismo oficial y por tanto, sin validez jurídica.

- *Copia compulsada*: el documento adjunto es una copia del original y cotejada por un organismo oficial, y por tanto, con validez jurídica.

- *Copia original*: el documento adjunto es una copia del documento pero con exactamente la misma validez jurídica que el original.

- *Original*: el documento adjunto es original electrónico.

La equivalencia entre ambos metadatos teniendo en cuenta su significado y, según la Guía de aplicación de la NTI de Modelo de datos para el intercambio de asientos entre entidades registrales, sería la siguiente:

SICRES 3.0	NTI DOCUMENTO ELECTRÓNICO
Copia	Otros
Copia compulsada	Otros
Copia original	Copia electrónica auténtica de documento papel
Original electrónico	Original

*Fuente: Política de Gestión de Documentos electrónicos del Ministerio de Hacienda y Administraciones Públicas, Madrid, Ministerio de Hacienda y Administraciones Públicas, 2014, pág. 18.

El artículo 27.2 de la Ley 39/2015, indica que «las copias auténticas tendrán la misma validez y eficacia que los documentos originales», por lo cual se podría inferir que es necesario que una copia sea expedida a partir de un original. Por su parte, del artículo 27.3.a, se deduce que las copias electrónicas se realizan a partir de «un documento electrónico original o de una copia electrónica auténtica, con o sin cambio de formato». De esta forma, entendemos que las copias a la hora de su captura, no se pueden metadatar como copia auténtica si no se tiene la certeza de que el documento digitalizado es un original o una copia auténtica. En ese caso, en el valor del metadato estado de elaboración habría que indicar otros.

5.   REFERENCIAS

NTI de Modelo de datos para el intercambio de asientos entre entidades registrales.

Guía de aplicación de la NTI de Modelo de datos para el intercambio de asientos entre entidades registrales.

NTI de Documento Electrónico.

Guía de aplicación de la NTI de Documento Electrónico.

Política de gestión de documentos electrónicos del Ministerio de Hacienda y Administraciones Públicas, Madrid, Secretaría General Técnica, 2014.

Guías de aplicación de la política de gestión de documentos electrónicos. Ministerios de Hacienda y de Política Territorial y Función Pública. Centro de Publicaciones MINHAC. Madrid, 2019.

21.

EL PROCESO DE CLASIFICACIÓN DE DOCUMENTOS: FORMALIZACIÓN Y MANTENIMIENTO

Alfonso DÍAZ-RODRÍGUEZ
Archivero en Gobierno de Asturias
Docente Máster Archivística Universidad Carlos III
Miembro del Consejo Editorial TABULA

1. INTRODUCCIÓN

A pesar de la importancia que la Archivística le otorga a la clasificación, esta siempre se ha abordado desde un punto de vista teórico, y reducida a la modelización de cuadros de clasificación, atendiendo a distintas perspectivas propias de las necesidades de cada momento.

Hasta ahora habíamos convenido que el objeto sobre el que ejecutábamos la clasificación era plural: documentos, fondos documentales, series, etc., es decir, un objeto físico, y un conjunto de objetos de carácter intelectual, que son las agrupaciones de documentos. Sin embargo, en la actualidad, el objeto sobre el que se ejecuta la clasificación entendemos ha de cambiar sustancialmente, ya que por una parte asistimos a un desmaterialización del propio documento, lo que nos obliga a fijar nuestro objeto de la clasificación en la gestión sistemática de un conjunto de actividades que permiten determinar, para cada proceso administrativo identificado por la organización, los metadatos de control y organización, que le corresponderán a los documentos que se generen, de acuerdo al sistema de clasificación institucional que se haya formalizado.

Así pues, en el escenario de la implantación progresiva de la denominada administración electrónica y la consecuente transformación digital que obliga a establecer sistemas funcionales de clasificación de documentos, se constata el hecho de que el proceso de clasificación no es un proceso que se puede ejecutar de forma aislada.

Esto significa que el proceso de clasificación no se reduce a la asignación de un código de clasificación a un documento, sino que supone la asignación de una serie de metadatos de control a los procesos administrativos operativos en las organizaciones, que permitirán que los documentos que se generen, cuando se ejecuten dichos procesos administrativos, lo hagan controlados dentro de un escenario de gestión de documentos.

Así, a nuestro juicio se desprende que lo que realmente se han de categorizar son los procedimientos administrativos, de ahí que para el caso de España, el Esquema Nacional de Interoperabilidad (en adelante ENI) en su disposición adicional primera, punto 3 establece la obligatoriedad en el sector público de institucionalizar como herramienta básica de trabajo un «inventario de procedimientos administrativos y servicios prestados: contendrá información de los procedimientos y servicios, clasificados y estructurados en familias»[1].

Resultando pues el referido inventario de procedimientos la relación de procesos de trabajo requeridos como entidad que ha de formar parte del conjunto de entidades para la clasificación, con el fin de tener anticipadamente, identificados y clasificados los documentos que se generen, sujetos a proceso administrativo, dentro del universo institucional, lo que originará como consecuencia la configuración paulatina y controlada de lo que venimos identificando conceptualmente como fondo documental.

2. CONTEXTO TEÓRICO, TÉCNICO Y JURÍDICO

Es a partir de las formulaciones de Schellenberg, sobre acciones, estructura orgánica, y asuntos, a mediados del siglo XX, cuando se introduce en la terminología archivística el concepto de clasificación, aunque en la práctica, evidentemente, ya se venía ejecutando esta actividad. Se habían enunciado ya los principios teóricos de la Archivística en cuanto al respeto a la procedencia y al orden original de los documentos, y Natalis de Wally (1841) había establecido el concepto de fondo de archivo, lo que permitía agrupar los documentos por clases.

Atendiendo al concepto de clasificación o «modo en que se organizan lógica y físicamente los documentos y series documentales, cualquiera que sea su soporte, ya desde el mismo instante de su producción en las oficinas» (Llansó, 2006, pág. 246), nos encontramos con que este proceso archivístico se identifica en la doctrina con expresiones tales como: clasificación de archivos, clasificación de fondos, clasificación de fondos archivísticos, clasificación de series

---

(1) En la actualidad, en el caso de España y para la Administración General del Estado (AGE) está ya operativo el denominado *Sistema de Información Administrativa* que resulta ser el inventario de información administrativa de la AGE, reglado por el artículo 9 del Esquema Nacional de Interoperabilidad, y actualizado de forma corresponsable por todos los Organismos participantes. Contiene la relación de procedimientos y servicios de la AGE y las diferentes Administraciones Públicas participantes.

documentales, clasificación en archivos, cuadro de clasificación de archivos, cuadro de clasificación de fondos, cuadro de organización de documentos, etc.

En España, Antonia Heredia en su *Manual de Archivística* identifica la clasificación con la tarea de *«separar o dividir un conjunto de elementos estableciendo clases o grupos»* (Heredia, 1986, 183), tarea ligada a la ordenación con la cual constituye una entidad o proceso unitario denominado de organización.

En la misma línea Duplá (1997, 89) define la clasificación como «la operación mediante la cual los documentos producidos y recibidos por una determinada unidad administrativa se van separando, formando conjuntos orgánicos de documentos correspondientes a las actividades desarrolladas por esa oficina»; y Pérez Herrero (1997, 170) afirma que «se entiende por clasificar un fondo el hecho de separar los componentes de un conjunto no homogéneo de documentos (masa documental sin estructura orgánica) en una sucesión de agrupaciones independientes, constituidas cada una de ellas por una serie de documentos afines entre sí (masa documental que refleja una estructura orgánica)».

Por último Cruz Mundet (2011, 111) afirma que la clasificación es la:

> *acción y efecto de agrupar jerárquicamente los documentos de un fondo mediante agregados o clases, desde los más amplios a los más específicos, de acuerdo con los principios de procedencia y orden original; para lo cual se identifican los tipos documentales, se evidencias las relaciones que existen entre ellos y se organizan en una estructura lógica, llamada cuadro de clasificación que refleja jerárquicamente dichas relaciones. La clasificación va indisolublemente unida a los conceptos de fondo, principio de procedencia y principio de orden original. En cuanto al fondo, porque es la unidad sobre la que se aplica la clasificación, el conjunto de documentos producidos y recibidos por una persona, física o jurídica, en el desarrollo de sus actividades; de modo que el cuadro de clasificación es atributo de un fondo organizado. Por lo que hace al otro concepto, el principio de procedencia, es el criterio que guía la agrupación de los documentos en clases, de las clases mismas y de su jerarquía. El principio de orden original indica el necesario respecto al orden que se ha dado en origen a los documentos. Tales son las bases sobre las que descansa la clasificación en particular y, en general, la teoría y la praxis archivísticas.*

Con la aparición de los documentos electrónicos, al hablar de la clasificación de documentos Roberge (2006: pág. 0.2) establece como objetivo de la clasificación *«encontrarlos rápidamente para consultar su contenido»* y liga esta actividad a la gestión integral de los documentos administrativos al afirmar que «el objetivo de esta operación dentro de la gestión documental es también planificar su periodo de conservación y determinar de antemano su destino final».

Más recientemente y en contraposición a Roberge, Páez García (2016, pág. 310) afirma con respecto a la clasificación que «contextualizar los documentos para posibilitar su comprensión individual —de cada documento— y total —del fondo—, es el objetivo principal de la clasificación, y la recuperación de los documentos es sólo un beneficio colateral de la misma, pero no su propósito primario».

Paralelamente a la evolución de la Archivística, en el escenario de la progresiva implantación de la denominada administración electrónica, y la consecuente transformación digital, la literatura técnica, y las normas jurídicas referidas a la gestión de documentos en las organizaciones a partir de su producción en entornos electrónicos, identifica la clasificación como el proceso, vertebrador de un conjunto de actividades, que la Archivística ha definido para una correcta gestión de los documentos en los archivos.

Estos documentos son: Norma ISO 15489-1/2: 2001, Modelo de Requerimientos para la Gestión de Documentos Electrónicos (MoReQ), Documentos electrónicos: manual para el archivero; y más recientemente incorporamos a este conjunto de normas técnicas la Norma ISO 15489:2016.

La Norma ISO 15489-1/2:2001, en la actualidad revocada, define la clasificación como la «Identificación y estructuración sistemáticas de las actividades de las organizaciones o de los documentos generados por éstas en categorías, de acuerdo con convenciones, métodos y normas de procedimiento, lógicamente estructurados y representados en un sistema de clasificación» (ISO 15489-1:2001, pág. 7), cobrando importancia a este respecto el alcance que se le da al proceso de clasificación al determinar que la clasificación tiene por objeto las actividades de la organización, lo que representa: «una poderosa herramienta de apoyo para el desarrollo de las mismas, y para muchos de los procesos de gestión de documentos».

En el Modelo de requerimientos para la gestión de documentos electrónicos (MOREQ), se describen las capacidades que debe de poseer cualquier aplicación de gestión de documentos electrónicos de archivo (Schram, 2009: 120), y en cuanto al proceso de la clasificación de documentos destacar, como este proceso se identifica con los requerimientos de carácter obligatorio que debe de contemplar cualquier sistema electrónico que tenga como finalidad la administración de documentos para el ejercicio de potestades; y como se vinculan estos requerimientos a los procesos de negocio de las organizaciones, idea esta en la que insiste de forma clara la nueva versión de la norma ISO 15489:2016.

El manual de «Documentos electrónicos: Manual para archiveros», publicado por el Consejo Internacional de Archivos en el año 2006, dedica su capítulo 4 a la implantación de los requisitos archivísticos y, en este y, por analogía con la Norma ISO 15489-1/2:2001, se afirma que entre los pasos necesarios que hay que dar está el objetivo de definir claramente «que documentos debería de incorporar a su sistema de archivo y mantener una organización» y con respecto a los procesos de negocio de las mismas «la necesidad de incluir en los mismos reglas concretas tanto referidas a la creación de documentos como a los metadatos que deben de definir su estructura y contexto» (Consejo Internacional de Archivos, 2006, 26).

Más recientemente la norma ISO 15489:2016 define la clasificación como la organización sistemática de los documentos de acuerdo con una estructura lógica de clasificación (cuadro de clasificación), a partir de la identificación de las actividades de negocio de las organizaciones, los procedimientos y las convenciones técnicas; y va aún más allá al entender la clasificación como la actividad que permite poner en relación a los documentos con su contexto de producción (agentes, norma jurídicas, competencias, etc.), y ligarla de forma global con un *sistema* de control del documento en cuanto a permisos para el control del acceso, disposición de los documentos, y ligado a ese contexto de producción facilitar la relación con los órganos productores a partir de la función como identificador singular a lo largo del tiempo.

Parece desprenderse pues, siguiendo a SABOURIN (2001, 138), un cambio de enfoque que va desde la clasificación de documentos basada en la materia informativa de los mismos, a la clasificación basada en la interpretación de la información del contexto y contenido de los mismos pues son el resultado de los procesos de negocio de la organización.

El marco jurídico español se ha desarrollado significativamente en los últimos años debido al hecho de que el desarrollo tecnológico y su aplicación práctica han ido muy por delante del desarrollo normativo en las organizaciones. En este caso es necesario reseñar que haremos referencia a la legislación de carácter básico en España, y desde nuestra perspectiva de análisis únicamente nos fijaremos en aquellas disposiciones que afectan de un modo general, a las estrategias de gestión de documentos en las administraciones, y de forma particular a aspectos de la clasificación de documentos.

Para contextualizar la realidad española hay que apuntar que en el entorno europeo las acciones encaminadas al desarrollo de la administración electrónica que es el escenario que va a determinar la adecuación normativa a las necesidades actuales, comienzan a materializarse a partir del año 2000 con la adopción de los primeros planes de acción para acelerar la implantación eficiente de servicios electrónicos, pudiendo considerar el último tercio del siglo XX como el momento de arranque de una carrera que a día de hoy aún no ha parado.

Así, en el ENI, cobra especial significado el contenido de su artículo 21 que establece las condiciones para la recuperación y conservación de documentos, al determinar en sus apartados «c) la identificación única e inequívoca de cada documento por medio de convenciones adecuadas, que permitan clasificarlo, recuperarlo y referirse al mismo con facilidad» y «e) la clasificación, de acuerdo con un plan de clasificación adaptado a las funciones, tanto generales como específicas, de cada una de las administraciones públicas y de las entidades de derecho público vinculadas o dependientes de aquéllas».

Especial atención merece la Resolución de 28 de junio de 2012, de la Secretaría de Estado de Administraciones Públicas, por la que se aprueba la NTI de Política de gestión de documentos electrónicos, la cual al determinar en su título VI cuales han de ser los procesos de gestión de documentos electrónicos en todas las organizaciones del sector público español, contempla en su apartado 3 el proceso de clasificación de documentos cuyo alcance doctrinal y técnico «incluirá los criterios de formación de expedientes y agrupaciones de documentos electrónicos [.../...], así como la clasificación funcional de acuerdo con el cuadro de clasificación de la organización».

Estos aspectos han sido desarrollados en la Guía de aplicación de la Norma Técnica de Interoperabilidad de Política de gestión de documentos electrónicos donde con respecto al proceso de clasificación de documentos singulariza los criterios de formulación de dicho proceso al afirmar que:

«La clasificación funcional consiste en agrupar documentos según criterios de actividad, lo que sirve para:

• Establecer vínculos entre diferentes actuaciones representadas en documentos y expedientes electrónicos constituyendo agrupaciones.

• Ayudar a la recuperación de documentos electrónicos referentes a una función o una actividad concreta.

• Definir niveles de seguridad y acceso para documentos, expedientes y otras agrupaciones de documentos, en aplicación de las políticas de acceso y las actuaciones de calificación, lo que le permite atribuir permisos de acceso a los usuarios.

• Asignar a las agrupaciones documentales los plazos de conservación correspondientes en atención a los valores de los documentos y a los calendarios de conservación existentes. v. Facilitar la definición de dictámenes de la autoridad calificadora y realizar acciones de conservación coherentes.

• La clasificación de cada organización se concreta, en la práctica de la gestión de los documentos, en los denominados cuadros de clasificación de documentos, que pueden definirse como una estructura de categorías funcionales organizadas de manera codificada, jerárquica y lógica, sobre la base del conjunto de las actividades desarrolladas por la organización en el cumplimiento de sus fines.

• En el caso de expedientes electrónicos, agregaciones y series de documentos electrónicos, en esta fase se indicarán los criterios de formación de dichas agrupaciones incluyendo los patrones de creación de índices electrónicos correspondientes».

3.   EL ORIGEN ORGÁNICO DE LA CLASIFICACIÓN FUNCIONAL

A pesar de que los actuales modelos de clasificación de documentos sólo consideran la clasificación de tipo funcional, sí es verdad que el origen de la misma atendiendo al principio de procedencia resulta ser orgánica. Ya que la primera de las entidades a tener consideración es la institución productora (órgano), y a partir de sus competencias atribuidas para el desarrollo de sus actividades podremos singularizar las funciones que esta ejecuta en su ámbito de actuación.

Así, la clasificación debería tratarse como un único proceso de soporte administrativo atribuido a las competencias propias de una organización, en este caso se ejemplifica el sector público, dentro del ámbito de la gestión de documentos, y para nuestro propósito seguiremos el modelo de análisis funcional que «busca agrupar todos los procesos que se ponen en marcha para conseguir un objetivo específico y concreto» (ISO/TR 26122:2008, pág. 7) mostrando las relaciones entre las funciones, procesos y operaciones que tienen consecuencias en el proceso de clasificación de documentos.

Para ello partimos de la contextualización en relación con la teoría archivística, lo que nos determinará desde el punto de vista operativo los agentes y entidades que han de formar parte del proceso de clasificación. Así, y en primer lugar, atenderemos para la formulación a dos premisas previas, que se corresponden con dos principios fundamentales archivísticos: el principio de procedencia, y el respeto al orden original.

a) El principio de procedencia establece que «los documentos producidos por una institución u organismo no deben mezclarse con los de otros» (Ministerio de Cultura, 1995), lo que desde el punto de vista de la clasificación implica un modo de actuación uniforme, y que tiene su sentido de ser en que los documentos solo podrán ser entendidos si están contextualizados en el conjunto al que pertenecen, ya que sólo el conjunto explica el por qué se han producido, cómo, para qué y qué efectos han tenido. En este sentido resulta importante el planteamiento de (Greene & Meissner, 2005, pág. 214), quien afirma que el principio de procedencia no deja de ser un elemento de eficacia ya que permite ahorrar tiempo a la hora de plantearse la creación de un cuadro de clasificación.

b) El segundo, el principio de orden original, que implica que los documentos de una misma procedencia deben conservar el orden establecido por el órgano productor, de ahí la importancia que actualmente tienen las formulaciones que determinan que la clasificación deberá de estar alineada con los procesos de negocio de cada organización (procedimientos administrativos), orden que se pone igualmente en relación con lo que contempla tanto la Política de gestión de expediente electrónico cuando determina que resulta ser metadato obligatorio del expediente electrónico la clasificación puesta en relación con el procedimiento administrativo con el que se relaciona. E igualmente se pone en relación la ordenación cuando se establece en la Política de Gestión de Documentos los criterios de formación de expedientes electrónicos y agrupación de documentos.

La aplicación de estos dos principios nos llevará a identificar otras entidades necesarias en el ecosistema de la clasificación:

a) La Organización. La cual singularizamos atendiendo a los rasgos genéricos que definen y caracterizan a estas entidades como centros elementales de decisión, con capacidad, para realizar actividades de las que son directamente responsables ante la ley, y contraer y aceptar obligaciones. Así mismo, ha de ser un rasgo identificativo el que además gocen de autonomía de decisión en el ejercicio de su funciones, lo que les ha de permitir ser titulares de bienes o activos con facultad de disposición sobre ellos.

b) Las funciones. Las cuales para Hurley (1993, pág. 1) tienen el valor añadido de permitir la diferenciación de los «órganos administrativos unos de otros [...] y amplían el conocimiento del alcance y naturaleza de cada órgano administrativo», y por lo tanto permiten según el posicionamiento de Barnard (2011) identificar, delimitar y describir las actividades que se articulan entorno a los procesos de gestión de cuya ejecución se producen los documentos.

Ahora bien a la hora de parametrizar con carácter general el proceso de clasificación «el primer problema que nos encontramos es que las funciones no son un fenómeno científico que opere de acuerdo con Leyes Naturales, sino producto de la mente humana y de los procesos políticos» (Hurley, 1993, 3).

Con el fin de objetivar la determinación de las funciones propias de cada organización se ha identificado como fuente primaria de información el Reglamento (UE) n.º 549/2013 del Parlamento Europeo y del Consejo, de 21 de mayo de 2013, relativo al Sistema Europeo de Cuentas Nacionales y Regionales de la Unión Europea.

Además podemos tener en cuenta otras fuentes de información más cercanas que existen en las organizaciones del sector público: las normas para la elaboración del presupuesto general, y el propio presupuesto general, que prevén la clasificación integrada funcional/programas siguiendo en su estructura la secuencia:

Sistema Europeo de Cuentas	Sistema de Clasificación de documentos
1. Grupo Funcional	1. Agrupación de funciones
1.1. Función	**1.1.** Función
1.1.1. Subfunción	**1.1.1.** Subfunción
1.1.1.1. Programa.	**1.1.1.1.** Serie

Así a nuestro juicio, la clasificación funcional contemplada en el Sistema Europeo de Cuentas, y su plasmación en el modelo de gestión de los presupuestos generales de las organizaciones, pone de manifiesto una correspondencia real, entre los programas presupuestarios y la producción de documentos como consecuencia de la ejecución de las actividades, resultado ser esa «identificación y estructuración sistemáticas de las actividades de las organizaciones o de los documentos generados por éstas en categorías, de acuerdo con convenciones, métodos y normas de procedimiento, lógicamente estructurados» (ISO 15489-1, 2001, pág. 7).

Esta clasificación funcional del gasto es adoptada ya en 1993 en el Sistema de Contabilidad Nacional (SCN) de Naciones Unidas con el fin de garantizar la comparabilidad de todos los países miembros (normalización); y en él se establecen las directrices mundiales sobre contabilidad nacional, directrices que han sido elaboradas bajo la corresponsabilidad conjunta de las Naciones Unidas, el Fondo Monetario Internacional (FMI), la Comisión de las Comunidades Europeas, la Organización de Cooperación y Desarrollo Económico (OCDE) y el Banco Mundial; lo que facilita entre otros valores añadidos la transparencia en la gestión del sector público, pues al auditar los programas de forma agregada están disponibles los documentos probatorios de la ejecución de dichos programas.

La estructura presupuestaria está configurada por un mínimo de 10 funciones generales, basadas en dos principios: el de universalidad, donde toda actividad de la entidad pública queda reflejada en su presupuesto, y el de unidad, en el sentido de que existe un único presupuesto por entidad institucional. Si trasladamos estos dos conceptos al contexto de la administración de documentos nos encontraremos con que el principio de universalidad hace referencia al principio de procedencia, y el de unidad al concepto de identificación de un único fondo de documentos por institución, muy en consonancia con nuestro marco legal cuando determina que «cada administración deberá mantener un archivo electrónico único de los documentos electrónicos que correspondan a procedimientos finalizados» (LPAC, Art. 17).

c) Las actividades. Entidad de gestión también a tener en cuenta ya que su identificación y análisis nos ha de servir siguiendo las recomendaciones de ISO 15489 para «identificar los flujos de los procesos y transacciones».

4. FORMALIZACIÓN DE LA CLASIFICACIÓN

Consideraremos la clasificación de carácter funcional, como un conjunto de acciones objetivas, llevadas a cabo a partir de criterios prefijados y plasmados en un instrumento medial, el cuadro de clasificación, elaborado tomando como referencia las fuentes de información anteriormente reseñadas.

Su ejecución en la práctica consistirá en la asignación de un conjunto de metadatos en las definiciones de los procesos administrativos, lo que se traducirá en:

a) Un identificador único del documento (ID), que permitirá relacionar los sistemas de producción y de administración de documentos en una organización, con el fin de visar mediante medios electrónicos su autenticidad, fiabilidad, integridad, y disponibilidad.

b) Identificación que permita la captura automatizada de documentos, y su posicionamiento en el nivel correspondiente del Sistema de Clasificación de Documentos, al mismo tiempo que faciliten la gestión del control de acceso a la información contenida en los documentos.

Teniendo en cuenta la nueva formulación en cuanto al modelo de organizaciones debido a la implantación de la administración electrónica, y los procesos de transformación digital a la que están sometidas estas, resulta evidente que los procesos de gestión de documentos en las mismas han de verse afectados, y por lo tanto un proceso singular de este tipo: la clasificación ha de sufrir una clara evolución que va desde la consideración de la clasificación como actividad archivística que se ejecuta una vez los documentos ingresan en los archivos correspondientes, hasta la actualidad, donde la clasificación, siguiendo la definición de la Norma ISO 26122:2008, la identificamos con un proceso de gestión de documentos el cual, «requiere la interacción a partir de unas determinadas reglas o procedimientos de una o más secuencias de operaciones para producir un resultado».

Así pues, existe una importante cuestión que debemos de plantearnos y resolver, que no es otra que determinar desde el punto de vista de análisis de procesos, cual es el objeto sobre el que se ejecuta la acción de clasificar, la finalidad que persigue dicha acción, y las consecuencias que produce en el ámbito de la administración y gestión de documentos.

5. MANTENIMIENTO DEL SISTEMA DE CLASIFICACIÓN DE DOCUMENTOS

Toda la operativa para la clasificación de documentos reside en la formalización de un sistema institucional de clasificación que venimos denominando cuadro de clasificación de documentos (CCD).

Los cuadros de clasificación de carácter funcional han de reflejar las actividades de la organización de la que dependen, se basan en el análisis de las mismas, y sirven como soporte para la ejecución de otros procesos de gestión de documentos. En la actualidad, basados en las funciones de la organización, son dinámicos, pues han de reflejar la realidad documental de la organización a la que representan en cada momento, de ahí la necesidad de su mantenimiento continuo en el tiempo.

La formalización del sistema de clasificación pasa por documentar de forma singularizada cada una de las entidades «que resultan sustantivas para la identificación de la categoría nuclear de todo cuadro de clasificación» (Fernández-Vega et al., 2015, pág. 1). En este sentido seguiremos las propuestas de reglas de normalización para la identificación y denominación de los elementos en que se estructura un cuadro de calificación y que afectan a: institución, función, subfunción, actividad, procedimiento administrativo, tipo documental, y serie de documentos (Fernández-Vega et al., 2015)[2].

Cada elemento que configura el cuadro de clasificación, es decir cada función o subfunción reflejada en nuestro sistema de clasificación ha de tener una gestión propia, con un modelo de metadatos definido que permita la contextualización y vinculación con el resto de agentes que intervienen en este nivel, y especialmente representa la vinculación con la Institución productora.

Esta estructura de sistema de clasificación requerirá en estos primeros niveles de agregación, de una administración regular en cuanto a qué funciones y grupos de funciones, pueden aparecer o desaparecer anualmente, al tener en cuenta las modificaciones en cuanto a nuevas competencias que puedan adquirir nuestras organizaciones, y a este respecto resulta de ayuda la propuesta de modelos de datos de gestión determinados para cada una de la entidades que configuran el cuadro de clasificación.

El que una función o subfunción pase a estado no activo en la gestión del cuadro de clasificación, no quiere ello significar que desaparezca de nuestro sistema, sino que a partir de una fecha concreta, en este modelo podría ser la aprobación de un nuevo presupuesto, esa función o subfunción quedará sin actividad, y por lo tanto no habrá más agregación o captura de documentos, lo que supone un control efectivo de la administración de documentos.

El establecimiento de estos dos niveles, mínimos, de categorías de agrupación de documentos, a partir de la identificación de las funciones y actividades (programas y actividades) de la organización, tendrán como valor añadido el posibilitar, de forma singular o agrupada, la definición de niveles de seguridad y atribución de permisos de acceso a los usuarios para acceder a determinados grupos de documentos u operar en los mismos (ISO 15489-1:2001, pág. 19).

Por otro lado clasificar los documentos que producen las organizaciones del sector público, alineados con las actividades de negocio de las propias organizaciones entendemos solamente se puede sustentar si ese alineamiento se produce entre la clasificación funcional de los prepuestos generales de la organización, y la concepción, desarrollo y mantenimiento del cuadro de clasificación de documentos correspondiente. Esto permite plantear una primera etapa de normalización de los sistemas de clasificación, y a partir de ahí del proceso de

---

(2)   La metodología para la formalización de las entidades que forman parte de la clasificación es accesible en: http://bit.ly/1wnfFwQ.

417

clasificación de documentos, al menos en los niveles superiores de la estructuración del sistema de clasificación, lo que supondrá un importante valor agregado desde el punto de vista tanto de la interoperabilidad, como de la reutilización de la información del sector público, que es una de la estrategias del Grupo de Archivos Europeo[3].

6. CONCLUSIONES

Asistimos pues en lo referido al entorno de producción de los documentos en las organizaciones a:

a) una evolución del modelo de gestión tradicional, desde el clásico modelo de producción administrativa basada en ciclos de producción autárquicos, donde existe una fractura de gestión entre el hecho de iniciar la acción administrativa, y administrar los documentos que generan esas actividades.

b) a la formulación de un nuevo paradigma que aprovechando el valor agregado que nos ofrecen las tecnologías de la información y comunicación, el diseño, desarrollo, planificación y, por lo tanto, concepción de las actividades de producción administrativa, se plantean desde la perspectiva de una única cadena, sin fracturas —ciclo único de producción— en la que iniciada la actividad administrativa, esta finaliza una vez han sido capturados y tratados en los sistemas de archivos de las organizaciones correspondientes los documentos producto de esas actividades, e incorporados al sistema de información corporativo de conocimiento, mediante un sistema de gestión de la información.

Se evoluciona, pues, desde la concepción de tramitación administrativa / gestión de expedientes, al concepto de ciclo único productivo.

Como conclusión general, pensamos que el proceso de clasificación de documentos en las organizaciones del sector público aportaría valor añadido si:

a) estuviese normalizado.

b) las operaciones de ejecución de la clasificación respondiesen a criterios objetivos.

Y esto se sustenta en el hecho de que a pesar de los esfuerzos de normalización que se han hecho tanto teóricos como técnicos aún desde la perspectiva de la clasificación nada está cerrado, pues aunque hay coincidencias, no existe un modelo operativo único formulado a pesar de que el sector público se rige por un ordenamiento jurídico común.

---

(3)   Cf. http://bit.ly/2BTP02E.

Sin embargo las organizaciones son entidades vivas, y la sistematización del proceso de clasificación debe de reflejar la realidad inmediata de la propia organización, en el sentido que recoge la norma ISO 15489:2016 de ser capaces de ofrecer una visión durante todo el tiempo que sea necesario de las funciones, actividades, y documentos.

Este hecho quizás sea consecuencia de una cultura de gestión de documentos asentada en modelos de gestión que aunque han evolucionado en sus planteamientos aún no dan respuestas reales a las necesidades actuales.

Uno de los hechos más llamativos es precisamente la ausencia de un sistema de gestión de documentos normalizado, al menos por tipo de organización. Al contrario, perviven aún modelos de sistemas de gestión de documentos basados en una cultura archivística ya superada por la realidad de la sociedad actual.

La consecuencia inmediata es que estos sistemas, con una estructura lógica para dar respuesta a la clasificación, alineada a las funciones y actividades de la organización, sirven para el propósito de la misma; pero su ejecución real, el hecho de clasificar los documentos en la agrupación física que responde a los procesos de negocio, la serie documental, resulta ser un ejercicio en gran medida subjetivo.

Profundizando al respecto, advertimos que en este nivel prima como criterio la visión orgánica frente a la funcional, quizás efecto de una interpretación inexacta del principio de procedencia, al ligarla al órgano productor de los documentos, y no a las funciones atribuidas a la organización.

Por otro lado se constata el hecho de que el proceso de clasificación no es un proceso que se puede ejecutar de forma aislada, sin tener en cuenta otras actividades propias de la gestión de documentos. Al contrario, sin el apoyo en ocasiones de otras gestiones, caso de la identificación, no podrían determinarse por ejemplo las categorías de agrupaciones documentales.

Por último estimamos que la ejecución de la clasificación no se reduce a la asignación de un código de clasificación a un documento, sino que supone la asignación de una serie de metadatos de control a los procesos administrativos operativos en las organizaciones, que permitirán que los documentos que se generen, cuando se ejecuten dichos procesos administrativos, lo hagan controlados dentro de un escenario de gestión de documentos.

De hecho el proceso no podrá cerrarse de una forma definitiva mientras no exista un mapa integral de procesos de gestión de documentos, algo que sería muy recomendable abordar, ya que es necesario establecer las necesarias integraciones entre actividades de distintos procesos, lo que además contribuirá a determinar que es necesario hacer y que no, en la línea ya manifestada por Greene & Meissner (2005) cuando plantea la importancia de distinguir que tratamientos archivísticos no son necesarios realizar o al menos no son necesarios realizar de forma continua, con el fin de aplicar a nuestro trabajo una economía de escala que nos permita determinar qué es lo que realmente deberíamos hacer, frente a lo que simplemente creemos es necesario hacer.

7. BIBLIOGRAFÍA

BARNARD AMOZORRUTIA, A. (2011). «Funciones, procesos y requisitos». *Administración de documentos y archivos. Textos fundamentales*. Madrid, Coordinadora de Asociaciones de Archiveros. Disponible en: http://bit.ly/2EXdE0W [consultado 10/01/2018].

CONSEJO INTERNACIONAL DE ARCHIVOS. (2006). *Documentos electrónicos: Manual para archiveros*. Madrid: Ministerio de Cultura [España]. Disponible en: http://bit.ly/2Ekj1pQ [consultado 10/01/2018].

CRUZ MUNDET, J. R. (2001). *Manual de Archivística*. Madrid. Fundación Germán Sánchez Ruipérez.

CRUZ MUNDET, J. R. (2006). *La gestión de documentos en las organizaciones*. Madrid. Ediciones Pirámide.

CRUZ MUNDET, J. R. (2011). *Diccionario de Archivística*. Madrid, Alianza editorial.

DÍAZ-RODRÍGUEZ, A. (2010a). «La clasificación en los sistemas de gestión electrónica de documentos». *XVIII Jornadas de Archivos Municipales. Pilares de la e-administración: Cuadro de Clasificación y Tesauro*. Madrid, Comunidad de Madrid. págs. 127 a 149.

DÍAZ-RODRÍGUEZ, A. (2010b). «La clasificación como proceso de gestión de documentos». *Tabula: Revista de Archivos de Castilla y León*, núm. 13, págs. 79 a 93.

DUPLÁ DEL MORAL, A. (1997). *Manual de archivos de oficina para gestores*. Comunidad de Madrid. Madrid. Marcial Pons Ediciones.

FERNÁNDEZ-VEGA, C., HERNÁNDEZ-MARTÍN, A., TOYOS DE CASTRO, A DE LOS. (2014). «Normalizando la clasificación de documentos: propuesta de reglas». En *Actas Jornadas Archivando: la nueva gestión de archivos* (1.ª ed., págs. 193 a 207). León (ESP): Fundación Sierra Pampley. Disponible en: http://bit.ly/1wnfFwQ [consultado 10/01/2018].

GREENE, M. & MEISSNER, D. (2005). More Product, Less Process: Revamping Traditional Archival Processing. In: *The American Archivist* (1.ª ed., págs. 208 a 263). Chicago: Society of American Archivists. Disponible en: http://bit.ly/2hjLWUT [consultado 10/01/2018].

HEREDIA HERRERA, A. (1981). «Clasificación y ordenación». *Archivística: Estudios Básicos*. Sevilla: Diputación Provincial.

HEREDIA HERRERA, A. (1986). *Archivística general, teoría y práctica*. Sevilla. Diputación Provincial.

HURLEY, C. (1993). «What, is anything, is a function?». *Archives and Manuscripts*, vol. 21, n.º 2. págs. 208 a 220.

LEY 39/2015, de 1 de octubre, del Procedimiento Administrativo Común de las Administraciones Públicas. Madrid: Jefatura del Estado [España]. *BOE* núm. 236, de 02/10/2015.

LLANSÓ SANJUAN, J. et al. (2006). *Buenas prácticas en gestión de documentos y archivos. Manual de normas y procedimientos archivísticos de la Universidad Pública de Navarra*. Universidad Pública de Navarra.

MINISTERIO DE CULTURA [España]. (1995). *Diccionario de terminología archivística*. Madrid, Subdirección General de Archivos Estatales.

MINISTERIO DE HACIENDA Y ADMINISTRACIONES PÚBLICAS [España]. (2016). *Guía de aplicación de la Norma Técnica de Interoperabilidad de Política de gestión de documentos electrónicos* (2.ª edición electrónica). Madrid: Subdirección General de Información, Documentación y Publicaciones.

MOREQ (2001). *Modelo de Requisitos Para la Gestión de Documentos Electrónicos de Archivo: Especificación Moreq* [Luxemburgo: Oficina Para las Publicaciones Oficiales de las Comunidades Europeas]. Texto revisado por el Grupo de Trabajo de Expertos en Documentos Electrónicos de la Subdirección General de los Archivos Estatales de España. Disponible en: http://bit.ly/2H8gT6B [consultado 10/01/2018].

MOREQ (2009). *Model Requirements for the Management of Electronic Records: update and extension*. [Prepared for the European Commission by Serco Consulting]. Disponible en: http://bit.ly/2EX7NJ5 [consultado 10/01/2018].

MoReq2010®. Modular Requirements for Records Systems. Volume 1 Core Services & Plug-in Modules Version 1.0. Hungary: DLM Forum Foundation. Disponible en: http://bit.ly/2GaBOo5 [consultado 10/01/2018].

PAÉZ GARCÍA, M. (2016). «La clasificación funcional: definición de un modelo». TRIA. Revista Archivística de la Asociación de Archiveros de Andalucía (20), págs. 308 a 323.

PÉREZ HERRERO, E. (1997). *El Archivo y el Archivero: sus técnicas y utilidad para el patrimonio documental canario*. Islas Canarias: Viceconsejería de Cultura y Deportes.

REAL DECRETO 3/2010, de 8 de enero, por el que se regula el Esquema Nacional de Seguridad en el ámbito de la Administración Electrónica (2010). Madrid: Ministerio de la Presidencia [España]. *BOE* núm. 25, de 29 de enero de 2010.

REAL DECRETO 4/2010, de 8 de enero, por el que se regula el Esquema Nacional de Interoperabilidad en el ámbito de la Administración Electrónica. Madrid: Ministerio de la Presidencia [España]. *BOE* núm. 25, de 29 de enero de 2010.

RESOLUCIÓN de 19 de julio de 2011, de la Secretaría de Estado para la Función Pública, por la que se aprueba la Norma Técnica de Interoperabilidad de Expediente Electrónico. (2011). Madrid: Ministerio de Hacienda y Administraciones Públicas [España]. *BOE* núm. 178, de 26 de julio de 2012.

RESOLUCIÓN de 28 de junio de 2012, de la Secretaría de Estado de Administraciones Públicas, por la que se aprueba la Norma Técnica de Interoperabilidad de Política de gestión de documentos electrónicos. Madrid. Ministerio de Hacienda y Administraciones Públicas [España]. *BOE* núm. 178, de 26 de julio de 2012.

ROBERGE, M. (2006). *Lo esencial de la gestión documental. Sistema integrado de gestión de los documentos analógicos y de los documentos electrónicos.* Versión adaptada para hispanohablantes. Québec, Éditions Gestar.

SABOURIN, P. (2001). *Constructing a Function-Based Records Classification System: Business Activity Structure Classification System.* Archivaria 51. págs. 137 a 154.

SCHRAM, J. (2009). MOREQ2. *Desarrollo de una norma europea de Gestión de Documentos de Archivo.* TABULA. Estudios archivísticos de Castilla y León. 12. Salamanca: ACAL. págs. 115 a 128.

SHELLEMBERG, T.R. (1956). *Modern archives: principles and techniques.* Chicago, IL: University of Chicago Press.

UNE-ISO 15489-1. (2006). *Información y documentación. Gestión de documentos. Parte 1*: Generalidades. Madrid: AENOR.

UNE-ISO/TR 15489-2. (2006). *Información y documentación. Gestión de documentos. Parte 2*: Directrices. Madrid: AENOR.

UNE-ISO 15489:2016. (2016) *Información y documentación. Gestión de documentos.* Madrid: AENOR

UNE-ISO/TR 26122 IN. (2008). *Información y documentación: análisis de los procesos de trabajo para la gestión de documentos.* Madrid: AENOR.

REGLAMENTO (UE) n.º 549/2013 del Parlamento Europeo y del Consejo, de 21 de mayo de 2013, relativo al Sistema Europeo de Cuentas Nacionales y Regionales de la Unión Europea. Unión Europea: *DOUE* n.º 174, de 26 de junio de 2013.

22.

LA FIRMA EN LOS PROCESOS DE GESTIÓN DEL DOCUMENTO ELECTRÓNICO

Álvaro TAPIAS SANCHO
Jefe del Servicio de Procedimientos Administrativos en Organismo Autónomo de Informática del Ayuntamiento de Madrid

1. INTRODUCCIÓN

La firma electrónica es un instrumento básico para la generación de confianza en las transacciones electrónicas y para el desarrollo de la sociedad de la información, ya que confiere seguridad a las operaciones que se realizan en Internet.

De igual forma, es un elemento también indispensable en la gestión de los documentos electrónicos, permitiendo garantizar la procedencia, o autenticidad, de los documentos, así como la inalterabilidad, o integridad, de su contenido, y así ha sido reconocido desde el primer momento por la normativa en administración electrónica.

La Ley 39/2015, de 1 de octubre, de Procedimiento Común de las Administraciones Públicas, regula en su artículo 26 que, para ser considerados válidos, los documentos electrónicos administrativos deberán incorporar las firmas electrónicas que correspondan según lo previsto en la normativa aplicable. En ese sentido, la NTI de Documento Electrónico, la cual desarrolla, dentro del ENI, los aspectos básicos del documento electrónico como elemento interoperable, determina que un documento electrónico está formado por 3 componentes: contenido, metadatos y, en su caso, firma electrónica. Además, determina que «*los documentos administrativos electrónicos, y aquellos susceptibles de formar parte de un expediente, tendrán siempre asociada al menos una firma electrónica de acuerdo con la normativa aplicable*». Esto hace que en el ámbito administrativo y de intercambio de expedientes electrónicos, los documentos que los conformen cuenten necesariamente con una o varias firmas electrónicas.

Por todo esto, es necesario conocer los principales aspectos regulatorios y técnicos de la firma electrónica de cara a establecer y cumplir una adecuada política de gestión de documentos electrónicos en una organización.

1.1. La seguridad del documento electrónico

En términos de seguridad de la información, existen 4 dimensiones o propiedades básicas de seguridad:

• Confidencialidad, entendida como la propiedad que impide la divulgación de una información a quién no debe tener acceso a ella.

• Integridad, cuyo objetivo es mantener la información libre de modificaciones no autorizadas.

• Disponibilidad, que se define como la cualidad de la información para estar disponible a quienes pueden acceder a ella.

• Autenticidad, definida como la cualidad de identificar, sin ningún tipo de duda, a aquel que generó la información.

En el caso de un documento electrónico, sobre todo el documento electrónico administrativo, las dimensiones de seguridad que se deben salvaguardar, y que por tanto son relevantes, son la autenticidad y la integridad. Conocer qué órgano de las administraciones es el productor de un documento electrónico administrativo y tener la seguridad de que la información de dicho documento no ha sido alterada es un aspecto esencial de la seguridad del documento electrónico, y esta seguridad es garantizada por la presencia de, al menos, una firma como componente básico del documento electrónico, lo cual es recogido por la legislación en esta materia.

2. ASPECTOS NORMATIVOS DE LA FIRMA ELECTRÓNICA

2.1. Normativa española de firma electrónica

La legislación básica sobre firma electrónica se recoge en la Ley 59/2003, de 19 de diciembre, de firma electrónica. Esta Ley deroga el Real Decreto Ley 14/1999 de 17 de septiembre, sobre firma electrónica, que fue la norma que introdujo la firma electrónica en el ordenamiento jurídico Español.

La Ley 59/2003, que surgió al amparo de la Directiva 1999/93/CE del Parlamento Europeo y del Consejo, de 13 de diciembre de 1999, por la que se establece un marco comunitario para la firma electrónica, define firma electrónica como un conjunto de datos en forma electrónica, consignados junto a otros o asociados con ellos, que pueden ser utilizados como medio de identificación del firmante. Además de la firma electrónica básica, la Ley 59/2003 define otros dos tipos de firma: firma avanzada y firma reconocida.

La firma electrónica avanzada es aquella firma electrónica que permite identificar al firmante y detectar cualquier cambio ulterior en los datos firmados, que está vinculada al firmante de manera única y a los datos a que se refiere y que ha sido creada por medios que el firmante puede utilizar, con un alto nivel de confianza, bajo su exclusivo control.

La firma electrónica reconocida es la firma avanzada basada en un certificado reconocido y generada mediante un dispositivo seguro de creación de firma. Obviamente, para entender correctamente el concepto de firma electrónica reconocida, se hace necesario definir el concepto de certificado electrónico reconocido y el de dispositivo seguro de creación de firma, ambos recogidos en la Ley 59/2003.

La firma electrónica basada en certificado, como es el caso de la que se regula en la Ley 59/2003, se basa en dos elementos relacionados entre sí y que permiten la realización de la firma: lo que la Ley denomina datos de verificación de firma, conocidos en terminología criptográfica como clave pública, y los datos de creación de firma, conocidos también como clave privada. Los datos de creación de firma son utilizados por el firmante en el proceso de generación de la firma por lo que deben ser de dominio exclusivo del firmante. Sin embargo, los datos de verificación de firma permiten al receptor de la misma verificar que la firma es correcta y, por tanto, son públicos y están a disposición de todos aquellos que quieran verificar la firma.

Los datos de verificación de firma, así como otros datos identificativos del firmante como su nombre, apellidos, NIF, etc., se encuentran recogidos en el denominado certificado electrónico que, tal como regula la Ley 59/2003, es un documento firmado electrónicamente por un prestador de servicios de certificación que vincula unos datos de verificación de firma a un firmante y confirma su identidad. Un certificado electrónico reconocido es aquel certificado electrónico expedido por un prestador de servicios de certificación reconocido, es decir, por un prestador que cumple los requisitos establecidos por la Ley 59/2003 respecto a la comprobación de la identidad y demás circunstancias de los solicitantes y a la fiabilidad y garantía de los servicios de certificación que presta. En España, la lista de prestadores de servicios de certificación reconocidos puede ser consultada en la página del Ministerio de Energía, Turismo y Agenda Digital[1]. Dentro de esta lista conviene destacar el Documento Nacional de Identidad (DNI) Electrónico, el cual incorpora medios que permiten acreditar electrónicamente la identidad personal de su titular y la firma electrónica de documentos, todo ello mediante los servicios del Ministerio del Interior como prestador de servicios de certificación reconocido.

---

(1)   http://www.minetad.gob.es/telecomunicaciones/es-es/servicios/firmaelectronica/paginas/prestadores.aspx

Por otro lado, un dispositivo seguro de creación de firma es aquel que ofrece unas garantías de seguridad mínimas respecto al proceso de generación de la firma, entre las que al menos debemos encontrar las siguientes, según la Ley de Firma Electrónica: que los datos para la generación de la firma pueden producirse una sola vez y se asegura razonablemente su secreto, que existe una seguridad razonable de que los datos utilizados para la generación de la firma no pueden ser derivados de los datos de verificación de firma o de la propia firma, que los datos de creación de firma pueden ser protegidos de forma fiable por el firmante contra su utilización por terceros y que el dispositivo no altera los datos o el documento que deba firmarse ni impide que este se muestre al firmante antes del proceso de firma. Al igual que se comentó en el caso de los certificados reconocidos, un buen ejemplo de dispositivo seguro de creación de firma es la tarjeta criptográfica del DNI electrónico, la cual permite generar una firma electrónica con todas las garantías contempladas en la Ley 59/2003.

En definitiva, como se puede apreciar en las definiciones, la firma electrónica avanzada y la firma electrónica reconocida amplían sucesivamente la definición de firma electrónica y la dotan de mayores salvaguardas, teniendo la firma electrónica reconocida, según la Ley 59/2003, la misma validez que la firma manuscrita respecto a los datos consignados.

2.2. Normativa europea de firma

La Ley 59/2003, de 19 de diciembre, de firma electrónica, que como hemos visto en el anterior apartado constituye la principal regulación española en materia de firma electrónica, surgió al amparo de la Directiva 1999/93/CE del Parlamento Europeo y del Consejo, de 13 de diciembre de 1999, por la que se establece un marco común para la firma electrónica. Esta directiva 1999/93/CE, fue la primera norma que reguló los servicios de firma electrónica en la Unión Europea y tenía como principal objetivo el reconocimiento jurídico de la firma electrónica, la regulación de los proveedores de servicios de certificación para garantizar el reconocimiento transfronterizo de las firmas y certificados electrónicos en la Unión europea y la equiparación de la firma electrónica reconocida con la firma manuscrita respecto a los datos consignados.

Sin embargo, al igual que ha ocurrido con otras normas que regulan aspectos del mundo digital, la Directiva 1999/93/CE ha quedado algo obsoleta y ha sido necesaria su actualización, a través del Reglamento (UE) n.º 910/2014 del Parlamento Europeo y del Consejo, de 23 de julio de 2014, relativo a la identificación electrónica y los servicios de confianza para las transacciones electrónicas en el mercado interior, la cual deroga la anterior directiva. Este nuevo reglamento, conocido como EIDAS, al contrario que las directivas que requieren transposición a cada estado miembro, se aplica directamente, siendo de obligado cumplimiento a partir de su entrada en vigor. Esta entrada en vigor se produjo el 17 de septiembre de 2014 aunque no fue de aplicación en su totalidad hasta el 1 de julio de 2016.

Si entrar en todos los detalles, el objetivo del reglamento europeo es aumentar la confianza de los ciudadanos de la unión en las transacciones electrónicas, potenciando así el mercado digital. Una parte fundamental para ello es la eliminación de barreras entre los estados miembros, mediante la identificación de los ciudadanos y la validez de sus firmas electrónicas en todo el territorio europeo.

El reglamento define firma electrónica de la misma forma que lo hace la Ley 59/2003 y que lo hacía la anterior directiva, introduciendo solamente como novedad el concepto de «cualificado», que sustituye el término «reconocido» de las citadas regulaciones. Por tanto, define firma electrónica, firma electrónica avanzada y firma electrónica cualificada, que es aquella firma electrónica avanzada basada en un certificado cualificado de firma electrónica y creada mediante un dispositivo cualificado de creación de firma. Esta firma electrónica cualificada tendrás los mismos efectos jurídicos que una manuscrita y será reconocida en todos los demás estados miembros.

El reglamento distingue varios tipos de certificados electrónicos, distintos a los regulados en la Ley 59/2003: certificado de firma para las personas físicas, certificado de sello para las personas jurídicas (desaparecen los certificados de persona jurídica), certificado de autenticación web y certificado no cualificado, en desuso. Es importante destacar que los sellos electrónicos, al igual que las firmas, también pueden ser avanzados y cualificados en función del certificado y dispositivo utilizado para su creación.

Además, cambia la terminología de los prestadores de servicios, que ya no son de certificación sino de confianza.

Obviamente, este nuevo reglamento obliga a revisar la legislación española en materia de firma para actualizar ciertos aspectos terminológicos y regulatorios.

2.3. La administración electrónica: la Ley 11/2007

La LAE se ha considerado un hito de especial relevancia en el campo de la administración electrónica, ya que reconoció a los ciudadanos el derecho a relacionarse con las administraciones de forma electrónica, teniendo derecho además a hacerlo con garantía de seguridad.

En el artículo 29, la LAE establece que, la emisión de documentos administrativos electrónicos requiere la incorporación de una o varias firmas de acuerdo a como se establece en la propia Ley. Estos tipos de firma se regulan en el capítulo II, donde se definen los mecanismos para la identificación y autenticación de los ciudadanos, administraciones y personal al servicio de la administración, permitiéndose en todos los casos la utilización de sistemas de firma acordes a la Ley 59/2003, de firma electrónica.

En el caso de los ciudadanos, se establece que para su identificación y autenticación se podrá utilizar, en todo caso, el DNI electrónico, sistemas de firma electrónica avanzada y reconocida y otros sistemas de firma, como claves concertadas, en los términos y condiciones que en cada caso se determinen.

Se establece también que las administraciones públicas puedan utilizar, para la actuación administrativa automatizada, firmas electrónicas avanzadas o reconocidas basadas en sello electrónico, así como Código Seguro de Verificación (CSV). Este último sistema de firma, no basado en certificado electrónico, es un código vinculado a la Administración Pública, órgano o entidad y, en su caso, a la persona firmante, que permite garantizar la autenticidad e integridad del documento mediante el cotejo del documento original en la sede electrónica del organismo emisor del documento.

Por último, en el caso de la firma electrónica del personal al servicio de la administración, se reconoce el uso del DNI electrónico, así como los sistemas de firma electrónica con los que cada administración provea a su personal. Nótese que el Código Seguro de Verificación es un mecanismo para la actuación administrativa automatizada pero que también puede estar vinculado a una persona firmante del documento, tal como se recoge en su definición y en el artículo 21.c) del Real Decreto 1671/2009, de 6 de noviembre, por el que se desarrolla parcialmente la LAE. De hecho, algunos organismos dentro de la AGE se han decantado por el Código Seguro de Verificación como mecanismo principal de firma para la actuación administrativa automatizada y para la firma del personal al servicio de la organización. En el Real Decreto 1671/2009, se establecen también algunos elementos de mayor detalle para la confección de los Códigos Seguros de Verificación, en particular el carácter único del código, su vinculación con el documento generado y el firmante, y la posibilidad de verificar el documento mediante su cotejo en la sede correspondiente durante el tiempo que el procedimiento establezca. A efectos de interoperabilidad, y para posibilitar la comprobación de la integridad y autenticidad del documento sin necesidad de acceder a la sede electrónica, se recomienda la incorporación en el documento de una firma electrónica basada en sello electrónico que permita su verificación automática.

El Real Decreto 1671/2009, también hace referencia a dos elementos muy importantes de cara a garantizar la efectividad y la interoperabilidad de los sistemas de firma electrónica basados en certificado electrónico: la política de firma electrónica y de certificados, en la cual se establecen las condiciones generales para la creación de políticas de firma basadas en certificados, y la plataforma nacional de verificación de certificados, cuyo objetivo es la consulta del estado de revocación de los certificados en el ámbito de la AGE.

También al amparo de la LAE, se ha desarrollado el ENI, a través del Real Decreto 4/2010, de 8 de enero, como instrumento de carácter técnico encargado de establecer los criterios comunes de gestión de la información que permitan compartir dicha información por vía electrónica entre las administraciones y con los ciudadanos. En relación a la firma electrónica, y en la misma dirección que el Real Decreto 1671/2009, el ENI dedica los artículos 18 y 19 a la interoperabilidad en la política de firma y certificados y a la plataforma de validación de certificados. Destaca, en la definición de la política de firma, el esfuerzo que se realiza con objeto de normalizar el uso y validación de la firma electrónica entre las diferentes aplicaciones gestoras, algo que influye de una forma muy importante en la usabilidad de la firma, una aspecto que quizás no haya sido una fortaleza de los sistemas de firma hasta ahora.

En todo caso, de cara a determinar en detalle la confección de los documentos electrónicos y los tipos de firma que se pueden aplicar sobre ellos, se debe recurrir a las Normas Técnicas de Interoperabilidad (NTI) a través de las cuales se articula el ENI.

En el caso del documento electrónico, la NTI de Documento Electrónico, aprobada por Resolución de 19 de julio de 2011, de la Secretaría de Estado para la Función Pública, establece que un documento electrónico consta de 3 componentes: contenido, metadatos y, en su caso, firma electrónica. La Norma Técnica establece también que todo documento administrativo electrónico o cualquier otro susceptible de incorporarse a un expediente, debe contener al menos una firma electrónica que permita garantizar la autenticidad y la integridad del documento. Si avanzamos un poco en la Norma Técnica de Documento Electrónico y analizamos la estructura de datos a través de la cual se intercambian los documentos electrónicos, podemos ver que se permite la utilización de dos tipos diferentes de firma: firmas basadas en certificado electrónico y firmas basadas en Código Seguro de Verificación (CSV).

Respecto a la firma basada en certificado electrónico y tal como se define en la Ley 59/2003, de Firma Electrónica, una firma electrónica es un conjunto de datos en forma electrónica que, por tanto, deben encontrarse en algún tipo de formato que sea reconocible tanto por el generador de la firma como por el verificador, los cuales se deben poner de acuerdo sobre el formato a utilizar.

De entre todos los formatos de firma basados en certificado existentes, la NTI de Documento Electrónico propone el uso de 3, PAdES, XAdES y CAdES, de acuerdo con la NTI de Política de firma y sello electrónicos y de certificados de la administración, aprobada por Resolución de 27 de octubre de 2016, de la Secretaría de Estado de Administraciones Públicas, la cual tiene por objetivo el establecimiento de criterios comunes para el desarrollo y adopción, por parte de las administraciones, de políticas de firma y sello electrónicos basadas en certificados que garanticen la interoperabilidad de dichas firmas mediante el establecimiento de reglas comunes en materia de formatos, algoritmos, etc. Los formatos de firma que propone utilizar esta NTI de Política de firma están, a su vez, en línea con la Decisión de Ejecución UE 2015/1506 de la Comisión Europea, de 8 de septiembre de 2015, por la que se establecen las especificaciones relativas a los formatos de las firmas electrónicas avanzadas y los sellos avanzados que deben reconocer los organismos del sector público de conformidad con el Reglamento (UE) 910/2014 del Parlamento Europeo y del Consejo, relativo a la identificación electrónica y los servicios de confianza para las transacciones electrónicas en el mercado interior.

Además de los formatos de firma permitidos cuando se opta por firmas basadas en certificado, la NTI de Política de Firma y Sello Electrónicos y de Certificados de la administración establece que las firmas electrónicas que se lleven a cabo deben estar, al menos, en perfil -EPES. Esto quiere decir que, dentro de los datos de la firma, se debe incluir una referencia a la política de firma de la organización bajo la cual se realiza esa firma. En la AGE, tal como regula el artículo 24 del Real Decreto 1671/2009 y la NTI de Política de firma y sello electrónicos y de certificados de la administración, existe una política de firma marco a la que todos sus organismos se pueden acoger en ausencia de una política propia. Se permite también, para aquellos organismos que lo requieran, el desarrollo de políticas propias, siempre dentro del marco de la política de la AGE.

Como conclusión, de cara a la interoperabilidad de un documento electrónico y atendiendo a las diferentes normativas que regula la generación y firma de documentos electrónicos, todo documento administrativo electrónico o todo documento susceptible de incorporarse a un expediente deberá incorporar, al menos, una firma electrónica, pudiendo ser dicha firma una firma basada en certificado electrónico, en formato PAdES, XAdES o CAdES, que incluya información de la política de firma de la organización, o una firma basada en Código Seguro de Verificación. Por último, añadir que estos tipos de firma coinciden exactamente con los que son admitidos para el foliado o firma de los expedientes electrónicos según la NTI de Expediente Electrónico, aprobada por Resolución de 19 de julio de 2011, de la Secretaría de Estado para la Función Pública.

2.4. El procedimiento administrativo común electrónico: la Ley 39/2015

La LAE ha sido derogada por la Ley 39/2015, de 1 de octubre, de Procedimiento Administrativo Común de las Administraciones Públicas (LPAC), que ha venido a regular el procedimiento administrativo común incorporando como actuación habitual de la administración los procedimientos electrónicos. Mientras que antes existía una ley de procedimiento administrativo y una ley de administración electrónica, la LPAC engloba ambos mundos, siendo el procedimiento electrónico el habitual y no una forma especial de gestión.

En relación a la firma electrónica, la LPAC, regula en su artículo 10 los sistemas de firma admitidos por las administraciones públicas que permiten acreditar la autenticidad de la expresión de la voluntad y consentimiento del firmante, así como la integridad e inalterabilidad del documento. Son admitidos los sistemas de firma electrónica avanzada y cualificada (se incorpora la terminología del reglamento europeo) basados en certificados electrónicos cualificados de firma electrónica o de sello electrónico, así como cualquier otro sistema que las Administraciones Públicas consideren válido, siempre que cuenten con un registro previo como usuario que permita garantizar la identidad del firmante y previa autorización por parte de la Secretaría General de Administración Digital.

Pese a que la LAE ha sido derogada, de momento, el Real Decreto 1671/2009, por el que se desarrolla parcialmente la LAE y el Real Decreto 4/2010, por el que se regula el ENI, siguen vigentes, por lo que los aspectos relativos a la firma de los documentos electrónicos, que como hemos visto son regulados en estas normativas, siguen igualmente vigentes y como hasta ahora.

Un aspecto relevante de la LPAC en este sentido y en cuanto a firma electrónica se refiere es que rebaja, en su artículo 11, los requerimientos de firma en el procedimiento administrativo, siendo solo obligatorio para los interesados el uso de firma en determinados casos. Como norma general, será suficiente con que los interesados acrediten, simplemente, su identidad. En el artículo 10.4 además se indica que las Administraciones Públicas podrán admitir los sistemas de identificación como sistema de firma cuando permitan acreditar la autenticidad de la expresión de la voluntad y consentimiento de los interesados. En estos casos en los que no es obligatoria la firma electrónica por parte del ciudadano, sino que se puede sustituir por su identificación, requieren de un estudio por parte de los órganos gestores de cara a incorporar esos documentos electrónicos en los respectivos expedientes ya que, como vimos en la todavía vigente NTI de Documento Electrónico, todo documento susceptible de incorporarse a un expediente debe incorporar al menos una firma electrónica. Una solución especialmente relevante para estos casos es la utilización de firma no criptográfica basada en los principios recogidos en la Resolución de 14 de julio de 2017, de la Secretaría General de Administración Digital, por la que se establecen las condiciones de uso de firma electrónica no criptográfica, en las relaciones de los interesados con los órganos administrativos de la Administración General del Estado y sus organismos públicos.

3. ASPECTOS PRÁCTICOS DE LA FIRMA ELECTRÓNICA

Como se ha podido ver desde el punto de vista normativo, la firma electrónica constituye un elemento básico en la generación y conservación de los documentos electrónicos, así como en el ámbito de la administración electrónica en general. Permite garantizar el origen y la inalterabilidad de los datos y documentos, autenticar a un ciudadano ante una administración, manifestar la volun-

431

tad y consentimiento o garantizar el no repudio de la información. Sin embargo, desde el punto de vista práctico y sobre todo desde el punto de vista tecnológico, la firma electrónica es un proceso complejo de implementar y con ciertos problemas de usabilidad, lo que ha conllevado tanto una reducción en el uso de la misma respecto a las expectativas generadas, en especial por parte del ciudadano en sus relaciones con las administraciones públicas, como ciertos problemas de interoperabilidad entre centros gestores de la administración.

A continuación se repasan los principales aspectos prácticos y operativos de la firma electrónica así como su problemática.

3.1. La firma electrónica en el documento electrónico

Como se vio en el apartado normativo, la NTI de Documento Electrónico establece que un documento electrónico está compuesto por tres partes: contenido, metadatos y firma.

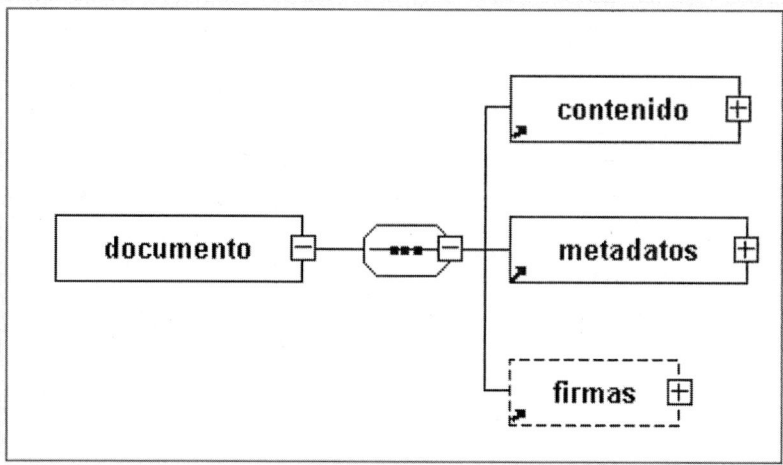

Componentes del documento electrónico definido en la NTI de Documento Electrónico

Además, la NTI de Documento electrónico establece que todo documento administrativo electrónico, o cualquier otro susceptible de incorporarse a un expediente, debe incluir, al menos, una firma electrónica. Según la norma, 2 son los tipos de firma que se pueden incorporar como componentes de un documento electrónico: firma basada en certificado electrónico y firma basada en Código Seguro de Verificación (CSV). Estas dos opciones se reflejan claramente en el esquema XML de intercambio que se define en la NTI de Documento Electrónico, ya que bajo el nodo donde se almacena el contenido de la firma, llamado «ContenidoFirma», existen, a su vez, dos posibles nodos: «CSV» y «FirmaConCertificado».

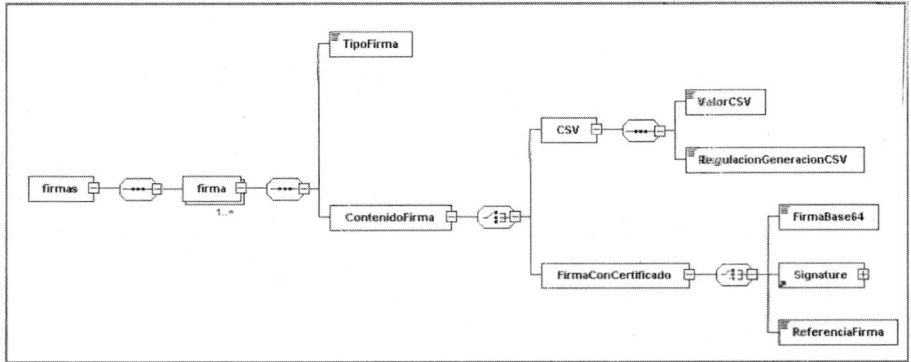

Sección de firmas de la estructura de intercambio de documentos electrónicos definida en la NTI de Documento Electrónico

De igual forma, son seis los posibles valores para el campo «*TipoFirma*» del esquema XML de intercambio de Documento Electrónico, uno para firma con CSV, y otros 5 para los diferentes formatos de firma con certificado:

- CSV
- PAdES
- XAdES *internally detached signature*
- XAdES *enveloped signature*
- CAdES *detached/explicit signature*
- CAdES *attached /implicit signature*

A continuación se detallarán los aspectos prácticos del uso de los diferentes tipos de firma y como se integran en el esquema de intercambio de documentos Electrónicos.

3.2. La firma electrónica basada en certificado

3.2.1. *Criptografía asimétrica: clave pública, clave privada y certificado electrónico*

La firma electrónica basada en certificado tiene su fundamento técnico en la criptografía asimétrica o de clave pública. La criptografía es el conjunto de técnicas que permiten comunicar un mensaje de forma que sea incomprensible para todo aquel que no tenga la clave secreta. Dentro de la criptografía, se habla fundamentalmente de dos tipos de técnicas en función del tipo de claves utilizadas: simétricas o asimétricas.

La criptografía simétrica es aquella en la que el emisor y el receptor del mensaje comparten una sola clave, de forma que el emisor cifra el mensaje con la clave secreta y el receptor lo descifra con la misma clave. Cualquiera que intercepte el mensaje y no esté en posesión de la clave no podrá acceder a dicho mensaje. Ambos, emisor y receptor, comparten la clave y podrían emitir y descifrar el texto recibido con dicha clave.

La criptografía asimétrica, o de clave pública, es un método criptográfico que utiliza dos claves para la emisión y recepción del mensaje. La clave privada, solo en posesión del emisor, se utiliza para cifrar el mensaje. La clave pública, a disposición del receptor del mensaje, permite descifrarlo. Las claves públicas y privadas están relacionadas entre sí matemáticamente[2] de forma que permiten descifrar con la clave pública un mensaje cifrado con la clave privada, pero no permite conocer la clave privada a partir de la clave pública. Esta última propiedad permite garantizar la autenticidad de un mensaje y de su emisor, ya que solo aquel que está en posesión de la clave privada puede emitir dicho mensaje, sin posibilidad de que un tercero sin la clave privada pueda suplantar al emisor. Esta característica se fundamenta, computacionalmente en la longitud de la clave privada, siendo más complicada la suplantación del emisor (averiguar la clave privada en función de la clave pública) cuanto mayor sea la longitud de las claves. En términos de administración electrónica se manejan claves de 2048 bits o superiores, las cuales garantizan esta propiedad de la firma electrónica.

Mientras que, como hemos visto, la clave privada solo está a disposición del firmante, la clave pública debe ser conocida por todo aquel que recibe el mensaje, ya que es el mecanismo que utiliza el receptor para verificar que la firma es correcta, y por tanto, verificar la autenticidad del mensaje. Dicha clave pública, junto con los datos de identificación del firmante, se encuentran recogidos en el certificado electrónico, elemento esencial en el sistema de clave pública. El certificado electrónico, según la Ley 59/2003, de firma electrónica, es un documento firmado electrónicamente por un prestador de servicios de certificación que vincula unos datos de verificación de firma a un firmante y confirma su identidad. Su contenido mínimo debe ser un código identificativo del certificado, la identificación del prestador que lo expide y su firma electrónica (garantiza la autenticidad e integridad del certificado), la identificación del firmante, los datos de verificación de firma o clave pública, la validez del certificado y los límites de su uso. Además, incluye información técnica sobre los algoritmos que se emplean para la realización de la firma electrónica, de forma que el receptor del mensaje, a través de dicha información, sepa validar correctamente la firma.

---

(2)   La relación depende del algoritmo utilizado. Algunos ejemplos de algoritmos de clave simétrica son RSA, basado en la factorización de números enteros, DSA, que es el estándar del Gobierno Federal de los Estados Unidos, o los algoritmos de Diffie-Hellman y ElGamal, ambos basados en el problema matemático del logaritmo discreto.

El denominado por la Ley 59/2003 prestador de servicios de certificación (prestador de servicios de confianza según el Reglamento Europeo de Firma) es una figura clave del sistema de criptografía asimétrica, ya que es un tercer actor en el que se deposita la confianza respecto a la identificación del firmante, respecto a la generación de la clave pública y la clave privada, ambas relacionadas entre sí, y respecto al aseguramiento de que los datos de creación de firma o clave privada están solo a disposición del firmante. Igualmente, permite la verificación del estado de revocación de los certificados durante el proceso de verificación de firma, ya que un certificado electrónico puede ser revocado cuando no hay seguridad de que los datos de creación de firma están bajo el exclusivo dominio del firmante.

En la actualidad, es amplia la lista de prestadores de servicios de certificación existentes en el mundo. En España, y en el ámbito de la administración electrónica, es de especial relevancia la «Lista de confianza de prestadores de servicios de certificación», mantenida por el Ministerio de Industria, Comercio y Turismo, que incluye, de conformidad con el artículo 22, apartado 5, del Reglamento (UE) n.º 910/2014 del Parlamento Europeo y del Consejo de 23 de julio de 2014, relativo a la identificación electrónica y los servicios de confianza para las transacciones electrónicas en el mercado interior, a los prestadores que proporcionan servicios electrónicos de confianza cualificados y que están establecidos y supervisados en España. Dentro de esta lista es de especial relevancia la presencia de la Dirección General de la Policía, que es la autoridad que presta los servicios de certificación de los que está provisto el DNI.

Los certificados electrónicos que emiten los prestadores de servicios de certificación, atendiendo al tipo de firmante y según el Reglamento Europeo de Firma, pueden ser:

• Certificados de firma, orientados a la identificación y firma de personas físicas. Dentro de estos, pueden incorporar atributos adicionales como, por ejemplo, la vinculación de una persona con una administración en la que presta servicios, siendo estos certificados los denominados certificados de funcionario público.

• Certificados de sello, orientados a la identificación y firma de personas jurídicas. Sustituyen a los certificados de persona jurídica de la Ley 59/2003 y son válidos tanto para administraciones públicas como para personas jurídicas del ámbito privado.

• Certificados de autenticación web, orientados a la identificación de un sitio web y vincularlo con una persona física o jurídica titular del mismo. Este es el certificado electrónico que se utiliza para la identificación de las sedes electrónicas de la administración.

Atendiendo a su soporte electrónico en el que se encuentran, los certificados pueden ser:

• Certificado hardware: son aquellos alojados en una tarjeta criptográfica, como por ejemplo el DNI electrónico.

• Certificados software: aquellos ficheros electrónicos que no tienen un soporte físico asociado, pudiendo alojarse en un ordenador o servidor donde se instalan. Habitualmente, estos certificados son instalados en el repositorio de certificados del sistema operativo o en el repositorio del propio navegador desde el que se utilizarán.

En el caso de los certificados electrónicos software, estos suelen proveerse en varios formatos, siendo los más habituales los formatos *.pfx* y *.p12*. Conviene distinguir estos ficheros de los ficheros *.cer* o *.crt*, dado que estos últimos solo contienen el certificado electrónico, es decir, la clave pública y demás datos de identificación del firmante (son formatos de exportación del certificado), mientras que los otros dos contienen el certificado electrónico y la clave privada. Por tanto, el firmante debe proteger de forma especial los ficheros en formato *.pfx* o *.p12*.

Como hemos visto, la vinculación de la clave pública y la clave privada y el hecho de que la clave privada solo esté bajo el dominio del firmante, nos permite garantizar la propiedad de autenticidad de la firma electrónica. Además de esta propiedad, la firma electrónica (avanzada y reconocida/cualificada) también permite garantizar la integridad de los datos firmados, es decir, su inalterabilidad. Para ello se aplican los algoritmos de resumen o, en inglés, algoritmos de *hash* o *digest*.

Los algoritmos de *hash* permiten la reducción de una cadena alfanumérica de cualquier longitud a una cadena de longitud fija llamado resumen, con las siguientes propiedades:

• Cada cadena alfanumérica genera un resumen diferente.

• Para una misma cadena, el resumen obtenido siempre es el mismo.

• Son unidireccionales, de forma que es imposible determinar la cadena alfanumérica que generó un resumen determinado.

Algunos ejemplos de algoritmos de resumen conocidos son *SHA-1, SHA-256, MD4, MD5, RipeMD,* etc. Al igual que ocurre con los algoritmos de cifrado asimétrico o con la longitud de las claves utilizadas, en ocasiones se descubren vulnerabilidades en algunos de estos algoritmos de resumen que obligan a la utilización de otros más seguros. Es importante que los sistemas de firma y los certificados expedidos por los prestadores se mantengan actualizados respecto a las versiones de los diferentes algoritmos que intervienen en el proceso de firma electrónica y respecto a la longitud de las claves utilizadas.

Una vez vistos los principales elementos que se utilizan en la generación y verificación de la firma electrónica, se puede describir el proceso con mayor detalle.

Para la realización de una firma sobre un conjunto de datos, como puede ser el contenido de un documento electrónico o la totalidad del documento (contenido y metadatos), lo primero que se calcula por parte del firmante es el resumen de los datos a firmar. Este resumen, se cifra con su clave privada, que está bajo su exclusivo control, siendo el resultado de dicho proceso el fichero de firma electrónica. Dicha firma se envía, junto con el certificado electrónico del firmante y los datos firmados al destinatario, en nuestro caso a través de la estructura de intercambio de documentos electrónicos definida por la NTI.

El receptor del mensaje, en primer lugar, valida el certificado electrónico, comprobando entre otras cosas que la firma electrónica del prestador de servicios de certificación que lo emitió (así como el resto de la cadena de confianza) es correcta, que el certificado es válido en fechas y que no ha sido revocado. Esto último lo realiza mediante listas de revocación (CRL) que se descargan periódicamente del prestador de servicios de certificación o mediante una consulta online a través del protocolo OCSP (*Online Certificate Status Protocol*) a los servicios del propio prestador. Para la verificación de firmas electrónicas en el ámbito administrativo se utilizan los servicios de @firma, plataforma de validación de certificados de la AGE, o directamente se delega la verificación en Cl@ve. Estas plataformas ahorran a cada organismo el desarrollo de servicios de verificación de certificados contra todos los proveedores existentes.

Una vez comprobada la validez del certificado electrónico, el receptor extrae el resumen de los datos aplicando el mismo algoritmo que utilizó el emisor. Por otro lado, desencripta la firma electrónica recibida mediante la clave pública contenida en el certificado electrónico del firmante y aplicando el mismo algoritmo de cifrado que utilizó el emisor para firmar, obteniendo, por tanto, el resumen que cifró el emisor. Si el resumen del emisor y el resumen que ha calculado el receptor sobre los datos coincide, la firma electrónica es correcta, garantizándose así la autenticidad del emisor (solo el emisor pudo cifrar el mensaje con su clave privada) y la integridad de los datos (el resumen es el mismo para ambos por lo que los datos no han cambiado, pues si hubieran cambiado el resumen obtenido por el receptor sería diferente).

3.2.2. *Formatos de firma electrónica basados en certificado*

Los formatos de firma electrónica basados en certificado aplicables a la firma de un documento o un expediente electrónico vienen marcados por las NTI de Documento y expediente electrónico y por la NTI de Política de firma y sello

437

electrónicos y de certificados de la administración. A su vez, estos formatos se ajustan también a la Decisión de Ejecución UE 2015/1506 de la Comisión Europea, de 8 de septiembre de 2015, por la que se establecen las especificaciones relativas a los formatos de las firmas electrónicas avanzadas y los sellos avanzados que deben reconocer los organismos del sector público de conformidad con el Reglamento (UE) 910/2014 del Parlamento Europeo y del Consejo, relativo a la identificación electrónica y los servicios de confianza para las transacciones electrónicas en el mercado interior.

Los formatos admitidos por las NTI para la firma de documentos y expedientes electrónicos basados en certificado electrónico son, como se ha comentado en otros apartados, tres especificaciones del ETSI (*European Telecommunications Standards Institute*): XAdES, CAdES y PAdES. Estos se consideran formatos avanzados (de ahí su nomenclatura AdES -*Advanced Electronic Signature*-) dado que extienden formatos existentes con el objetivo de incluir información adicional de firma. Esta información adicional permite un mejor tratamiento de las firmas de cara a garantizar la seguridad y la conservación de la información. En el caso de XAdES y CAdES, las NTI admiten dos formatos distintos para cada una de ellas, dado que es posible expresar el fichero de firma de dos formas distintas con respecto al fichero de datos firmado. Por tanto y con estas variantes, existen 5 posibles valores para la firma electrónica basada en certificado que se pueden aplicar a un documento electrónico:

- PAdES
- XAdES *internally detached signature*
- XAdES *enveloped signature*
- CAdES *detached/explicit signature*
- CAdES *attached /implicit signature*

La firma electrónica basada en certificado se integra en la estructura de datos XML para el intercambio determinada por la NTI de Documento electrónico bajo el nodo «*FirmaConCertificado*», incluyendo también el tipo de formato utilizado en el nodo «*TipoFirma*». Este esquema permite tanto la inclusión de firmas generadas previamente sobre el contenido de un determinado documento, como la generación de éstas sobre la totalidad o parte del documento XML de intercambio de documentos electrónicos.

Es importante indicar que el formato de firma aplicado sobre un documento electrónico condiciona cómo dicha firma se integra en la estructura XML, es decir, a través de cuál de los tres posibles nodos («*FirmaBase64*», «*Signature*» y «*ReferenciaFirma*») se incluye el contenido de la firma o se referencia a él.

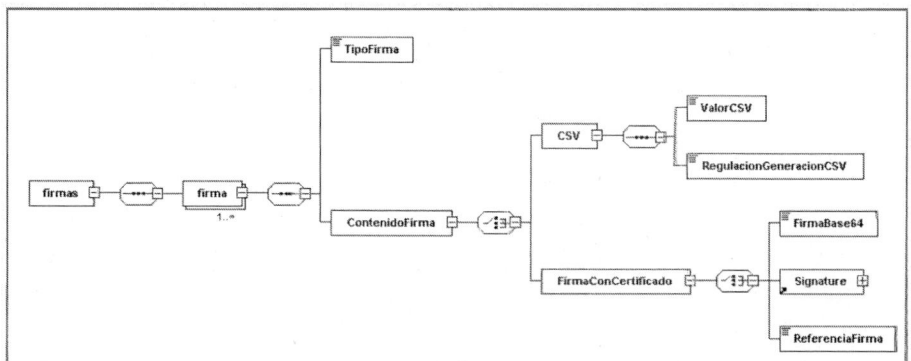

Sección de firmas de la estructura de intercambio de documentos electrónicos definida en la NTI de Documento Electrónico

Por tanto, dependiendo de los formatos utilizados por las aplicaciones de firma, ésta puede trasladarse a la estructura de intercambio a través de diferentes elementos del esquema, e incluso para un mismo formato existen, a veces, varias alternativas. Esto, obviamente, debe ser tenido en cuenta por las aplicaciones que verifican y conservan documentos electrónicos, añadiendo cierta complejidad al proceso de gestión de documentos electrónicos y la interoperabilidad entre sistemas.

XAdES (XML Avanzado).

El formato XAdES amplía la especificación estándar de XML-DSig, que recoge las reglas básicas de creación y procesamiento de firmas electrónicas de documentos XML. Aunque es especialmente indicado para la firma de datos en formato XML, permite la firma de cualquier formato de fichero de datos, generando como resultado un fichero de texto con contenido XML. El fichero XML resultante, que tiene extensión *.xsig*, permite un tratamiento automático de la información por parte del receptor, ya que está basado en etiquetas.

En el caso de XAdES y en relación con cómo se especifica la firma con respecto al contenido firmado, dos son las estructuras posibles que admiten la NTI de Política de firma y sello electrónicos y certificados de la administración y las NTI de Documento y expediente electrónico. En ambas, existen varias formas de integrar el contenido en el esquema XML de intercambio, siempre teniendo en cuenta que en el formato XAdES, al estar basado en XML-Dsig, se utiliza un nodo XML *ds:Signature* para especificar la firma.

• **Internally detached signature**. El contenido firmado y la firma comparten una misma estructura XML como nodos independientes al mismo nivel. El contenido firmado, si no es XML, se codifica en base64. Si el contenido fuese muy grande, en lugar de incluirlo se puede usar una etiqueta manifest para referenciarlo e incluir su hash.

En la estructura XML de intercambio para documentos electrónicos, una firma XAdES internally detached puede integrarse de diferentes formas:

— Incluyendo el elemento ds:Signature, el cual contiene la firma, a continuación del contenido del documento, en el propio bloque de contenido, y referenciando la firma posteriormente en el bloque de firma a través del elemento ReferenciaFirma, cuyo valor indica la URI del identificador del bloque de contenido. Este tipo de integración se utiliza para firmas que se han realizado sobre el contenido previamente a su integración en el esquema XML de intercambio de documentos.

— Utilizando el elemento ds:Signature del nodo de firma y, dentro del mismo, utilizar el elemento ds:Reference para especificar la URI del nodo de contenido que se ha firmado. Este caso se utiliza cuando se quiere integrar una firma aplicada sobre el nodo contenido del propio esquema de intercambio.

• **Enveloped signature**. En este caso, el contenido firmado y la firma comparten una misma estructura XML, envolviéndose la firma con el contenido, de ahí el nombre del formato. Este es el mecanismo utilizado, por ejemplo, para la firma de facturas electrónicas según el formato Facturae y la Orden PRE/2971/2007.

Una firma de este tipo, se puede incluir en la estructura XML interoperable de documento electrónico de varias formas:

— Incluyendo el contenido del documento, con el elemento ds:Signature que contiene la firma a continuación del contenido, en el nodo de contenido del esquema. Posteriormente, en el nodo de firma de la estructura de intercambio, se utiliza el elemento ReferenciaFirma para indicar la URI del bloque del contenido, ya que es ahí donde se encuentran los datos de firma. Esta estructura se utiliza para integrar una firma realizada sobre un contenido previamente a su integración en el esquema XML de intercambio.

— En el caso de que se quiera firmar toda la estructura XML de documento para el intercambio, la firma se incluye en el elemento ds:Signature del nodo de firma dejando vacío el elemento ds:Reference dentro de la firma para indicar que se ha firmado toda la estructura XML en la que se intercambia el documento electrónico.

CAdES (CMS Avanzado).

El formato CAdES amplía las especificaciones estándar de CMS (*Cryptographic Message Syntax*) y, al igual que XAdES, permite la firma de cualquier formato de fichero de datos. Sin embargo, el resultado no es un fichero de texto en XML sino un fichero en notación *Abstract Syntax Notation One* (ASN.1), normalmente de menor tamaño que su equivalente XAdES, también susceptible de tratamiento automático por el receptor y cuya extensión es *.csig*.

En el caso de CAdES, existen dos estructuras admitidas por el Esquema Nacional de Interoperabilidad para integrar la firma y el contenido:

• **CAdES detached/explicit signature**. El contenido y la firma constituyen elementos o ficheros independientes. De cara a incluir ambos ficheros en el esquema XML de documento o expediente electrónico el bloque de firma se construye utilizando el elemento *FirmaBase64* para incluir el fichero de firma y el fichero contenido se incluye en el nodo de contenido a través del elemento *ValorBinario*. Al estar la firma CAdES basada en ASN.1, se utilizan los nodos de valores binarios del esquema XML de intercambio para incluir firma y contenido.

• **CAdES attached/implicit signature**. En este caso existe un único fichero que contiene firma y contenido con la particularidad de que la firma envuelve o incluye el contenido firmado. La inclusión del fichero en la estructura XML de intercambio puede realizarse de dos formas:

— Incluyendo el fichero codificado en base64 en el bloque de firma a través del elemento FirmaBase64. En este caso, en el bloque de contenido se especifica una referencia al nodo de firma mediante el elemento referenciaFichero.

— Utilizando el elemento ReferenciaFirma dentro del bloque de firma para referenciar al bloque de contenido, donde se ha incluido el fichero mediante el elemento ValorBinario.

PAdES (PDF Avanzado).

El formato PAdES amplía las especificaciones del estándar de firma PDF, añadiendo información adicional. Es un formato de firma exclusivo para la firma de ficheros en formato PDF (*Portable Document Format*) y tiene la particularidad de que la firma electrónica se encuentra embebida en la propia estructura del documento, existiendo un único fichero con extensión *.pdf*. La especificación de PAdES determina que, por defecto, la firma incrustada en el documento PDF es una firma CAdES *detached*. Sin embargo, aunque esta sea la firma por defecto también se permite, a través de la quinta parte el a especificación, la utilización de XAdES para formar el elemento de firma que se incrusta dentro del documento.

Para incluir una firma PAdES en el esquema de documento electrónico se utiliza, dentro del bloque de firma, el elemento *ReferenciaFirma*, el cual referenciará al contenido, donde se incluye el fichero PDF, en formato base64, a través del elemento *ValorBinario*.

3.2.3. Clases de firma electrónica basadas en certificado

Los formatos avanzados de firma (AdES), como son XAdES, CAdES y PAdES, permiten incorporar información adicional a la firma para garantizar la validación y conservación de las firmas a largo plazo, una vez que el periodo de validez de los certificados ha concluido. Esta información adicional consiste en evidencias de terceros, en este caso autoridades de certificación, o sellos de tiempo que certifican el estado de un certificado electrónico en el momento en que se llevó a cabo la firma.

Existen distintas clases o formatos de firma, dentro de los formatos avanzados, que permiten guardar esta información, incrementando en cada formato la información almacenada y la calidad de la misma.

- AdES BES (*Basic Electronic Signature*). Es el formato básico de firma electrónica avanzada. Incluye referencia al estado del certificado electrónico utilizado para la firma.

- AdES EPES (*Explicit Policy-based Electronic Signature*). Este formato es igual que AdES BES pero incluye información de la política de firma, bien a través de un OID en ASN.1 o una URI en XML.

- AdES T (*TimeStamp*). Es un formato complementario a los dos anteriores (se puede usar conjuntamente) que añade un sellado de tiempo realizado por un tercero de confianza con el objetivo de certificar el estado del certificado electrónico en el momento de la realización de la firma. Un sello de tiempo es una firma electrónica realizado por un prestador de servicios de certificación, por tanto por un tercero independiente, que certifica el momento en el que se realizó la firma. Es un concepto diferente al de marca de tiempo, también utilizado en la firma electrónica, ya que ésta no es más que un metadato que se incluye en la firma con la hora del reloj que tenía la máquina en la que se realizó la firma en el momento de realizarla. Por tanto, un sello, al ser realizado por un tercero, aporta mayor confianza que una marca de tiempo, aportada por el propio firmante.

- AdES C (*Complete*). Este formato añade referencias no solo del estado y listas de revocación del certificado utilizado por el firmante, sino a toda la cadena certificación.

- AdES X (*Extended*). Al igual que ocurre con el formato T en relación a BES y EPES, este formato también es complementario con el anterior, ya que añade sellos de tiempo a las referencias al certificado y la cadena de certificación que se incluyen en el formato AdES C.

442

• AdES XL (*Extended Long-term*). En este formato, se incluye la información del estado de los certificados y la información de revocación de los mismos, así como el de toda la cadena de confianza, pero a diferencia con AdES C, no se incluyen referencias, sino la información en sí. De esta forma, es posible una mejor validación a largo plazo.

• AdES A (*Archive*). Formato que permite la adición de sellos de tiempo periódicos a los documentos archivados para garantizar la integridad de la firma en futuras verificaciones y evitar así la pérdida de información cuando la validez de la firma se ve comprometida en el tiempo, ya sea por la vigencia de los algoritmos o por una longitud de clave no adecuada a los tiempos. Desde el punto de vista archivístico, este es el formato más completo en adición con AdES XL. En el caso de PAdES, se suele conocer este formato como PAdES LTV.

La NTI de Política de firma y sello electrónicos y certificados de la administración determina la clase mínima de firma a utilizar en la firma de un documento electrónico cuando se opta por firma basada en certificado, siendo esta clase AdES EPES. Esto quiere decir que, al menos, es necesario incluir en la firma información de la política de firma de la organización bajo la cual se llevó a cabo la firma. Como se ha comentado, esto se lleva a cabo para las firmas binarias como CAdES y PAdES a través de un OID en notación ASN.1 o, en el caso de firmas XAdES, a través de una URI en XML. En estos campos será necesario identificar tanto la política de firma como su versión.

Como ejemplo, en el caso de la Política de firma electrónica y de certificados de la AGE, los datos identificativos de la política a incluir en la firma son los siguientes:

Nombre del documento	Política general de firma electrónica
Versión	1.9
Identificador de la Política (OID)[2]	OID 2.16.724.1.3.1.1.2.1.9
URI de referencia de la Política	En el Punto de acceso general de la Administración General del Estado. También disponible en: http://administracionelectronica.gob.es/es/ctt/politicafirma
Fecha de expedición	19 de noviembre de 2012
Ámbito de aplicación	Administración General del Estado

3.2.4. Firma basada en Código Seguro de Verificación

Además de la firma basada en certificado electrónico, las NTI de Documento y expediente electrónico permiten también la firma de documentos y expedientes electrónicos basada en Código Seguro de Verificación (CSV).

El CSV es un código, vinculado a la administración pública, órgano o entidad y, en su caso, a la persona firmante, que permite garantizar la autenticidad e integridad del documento mediante el cotejo del documento original en la sede electrónica del organismo emisor del documento. Al contrario que ocurre con la firma electrónica basada en certificado electrónico, la firma basada en CSV no requiere de un tercero de confianza, sino que es el propio organismo emisor del documento ante el cual se realiza el cotejo de la autenticidad e integridad del documento.

La normativa permite el uso del CSV como firma de organismo para la actuación administrativa automatizada y también para la firma del personal al servicio de la administración. Igualmente, de acuerdo con la NTI de Procedimientos copiado auténtico y conversión entre documentos electrónicos, permite la generación de copias auténticas en papel de documentos electrónicos mediante la impresión del código en el contenido del documento electrónico, de forma que sea posible para alguien que tenga en su poder la copia en papel el cotejo del documento electrónico original en la sede electrónica del organismo emisor a través de dicho código impreso.

Normalmente, cuando se utiliza el CSV como mecanismo de firma de un documento electrónico, tal como recomienda la normativa, se suele acompañar la firma con CSV con otra firma basada en certificado electrónico de sello electrónico. De esta forma, es posible la comprobación automatizada de la integridad y la autenticidad del documento, mejorando la interoperabilidad del mismo.

El CSV se utiliza de forma mayoritaria como mecanismo de cotejo y generación de copias auténticas en papel de documentos electrónicos. Este uso del CSV como mecanismo de cotejo se puede dar, a su vez, de dos formas diferentes en cuanto a la generación de los documentos: generando el documento electrónico original con el CSV impreso en su contenido o generando copias de los documentos electrónicos originales con información de firma (incluido el CSV) impresa. En este último caso, los documentos electrónicos originales se firman con algún formato de firma basada en certificado y no llevan impreso CSV de forma que, cuando la administración necesita la generación de un documento cotejable mediante código, genera una copia del mismo en el que se incluyen datos de la firma del documento y un CSV para su cotejo. Como se puede apreciar, mientras que en el primer caso solo existe un documento electrónico, en el segundo contamos con un documento electrónico original y una copia cotejable.

Es importante diferenciar entre un CSV y un simple código de cotejo. En el caso de CSV, el organismo propietario dispone de una normativa (el RD

444

1671/2009 determina que la utilización de CSV como sistema de firma requerirá orden del Ministro competente o resolución del titular del organismo público) que le habilita para utilizar dichos códigos como sistema de firma. En otros organismos que carecen de dicha normativa, el código es solo un sistema de cotejo que carece de valor de firma y que, por tanto, no se puede utilizar como mecanismo de firma de documentos o expedientes electrónicos, sino como mecanismo de generación de copias en papel auténticas.

Además de este uso como sistema de cotejo, existen organismos que han implantado el CSV como mecanismo principal de firma, debido sobre todo a su simplicidad de implementación y su baja carga computacional en relación a la firma basada en certificado. Estos organismos utilizan CSV para la firma de todos sus documentos, acompañando, en ocasiones, dicho CSV de otro mecanismo de firma basado en certificado cuando el documento va a ser intercambiado, al objeto de garantizar su interoperabilidad. Un ejemplo claro de este tipo de organismos es la Agencia Estatal de Administración Tributaria, la cual realiza la gestión de cientos de miles de documentos al año utilizando CSV como mecanismo de firma principal.

Ni el ENI ni el resto de normativa de administración electrónica define el formato del CSV, simplemente se especifica que debe ser un código único asociado al documento y a la organización o persona firmante del documento. Algunos organismos optan por generar el CSV mediante un algoritmo de hash o resumen del documento y demás datos de generación del mismo (hora, firmante, máquina, etc.). Esto es especialmente útil en los sistemas que generan documentos copia con información de firma y no en los que incorporan el CSV directamente en los documentos originales ya que, en este último caso, la extracción de un resumen del documento previo a la impresión del CSV hace que, cuando se imprime el CSV en el documento, el hash del documento ya no coincida con el extraído previamente. En el caso de los documentos copia con información de firma, si es posible que el CSV sea el hash del documento electrónico original, ya que se extrae del documento original y se imprime en la copia.

Otros organismos han optado por otras formas de generación de CSV no basadas en hash, sobre todo aquellos que incluyen el CSV en los documentos originales. En estos casos el CSV no es más que un código único generado en base a ciertos datos aleatorios combinados o asociados con datos del documento y del firmante del mismo.

Con independencia de cómo se genere el CSV, el sistema de gestión de documentos debe garantizar que el código generado para un documento es único en el sistema. Igualmente, se deben aplicar ciertos criterios de seguridad en la aplicación que permite el cotejo de documentos por CSV, que por normativa debe estar en la sede electrónica del organismo correspondiente. Esta aplicación debe disponer de mecanismos que no permitan la recuperación de documentos por CSV a usuarios que no dispongan de esos códigos. Para ello, existen varias salvaguardas, como añadir otro dato necesario, además del CSV, para recuperar el documento o utilizar sistemas de *Captcha* para evitar los ataques por fuerza bruta, en los que un usuario realiza pruebas de códigos al azar de forma automática.

Respecto al alfabeto utilizado para los códigos y su longitud, existe mucha diversidad entre organismos. Algunos, por ejemplo, han optado por utilizar códigos de 16 posiciones alfanuméricas en base32 (32 símbolos en el alfabeto) mientras que otros utilizan códigos de mayor longitud y en base16 (hexadecimal). La tendencia es utilizar códigos cortos que permitan un fácil cotejo manual por parte del ciudadano, y no códigos de gran longitud que requieran un esfuerzo excesivo para trasladarlos desde el papel a la aplicación de cotejo. En todos los casos, el algoritmo a utilizar debe proporcionar un espacio de códigos suficientemente amplio para identificar todos los documentos que gestiona el organismo de forma única y para hacerlo con cierta separación de los códigos dentro de ese espacio, de modo que no sea fácil teniendo un código, adivinar otro.

Igualmente, respecto a la impresión del CSV en el documento, tampoco existe un consenso sobre el formato a utilizar, sino que dependiendo del organismo se imprime en la parte inferior, en el lateral izquierdo o en el lateral derecho de todas las hojas del documento. Normalmente el código se acompaña, a veces mediante un enlace, de la dirección electrónica de cotejo del documento en la sede electrónica correspondiente e incluso de un código de cotejo basado en QR u otros códigos de barras que permitan la automatización del cotejo a través de algún dispositivo como un móvil o una pistola de lectura de códigos.

Por último, indicar que la integración del CSV como mecanismo de firma en la estructura XML para el intercambio de documentos electrónicos se realiza indicando en el nodo «*TipoFirma*» el valor «*CSV*» y utilizando la estructura «*CSV*» bajo «*ContenidoFirma*».

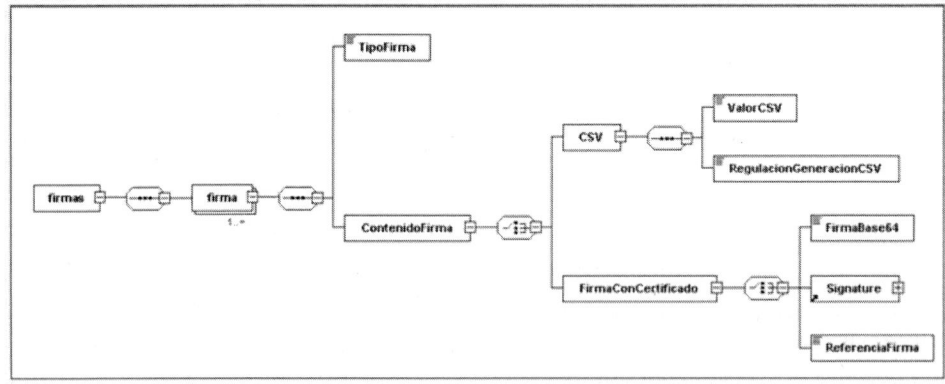

Sección de firmas de la estructura de intercambio de documentos electrónicos definida en la NTI de Documento Electrónico

Dentro del nodo «*CSV*», se deben especificar dos elementos:

- *ValorCSV*, con el código CSV utilizado para la firma del documento.

- *RegulaciónGeneraciónCSV*, con la referencia a la normativa del organismo en la cual se regula el CSV como mecanismo de firma, que como vimos con anterioridad, debe ser orden del Ministro competente o resolución del titular del organismo. En la AGE la referencia a la normativa suele ser el código de verificación del Boletín Oficial del Estado en el que aparece la normativa.

Como se puede apreciar, es mucho más sencillo integrar una firma basada en CSV en la estructura XML de intercambio de un documento electrónico que una firma basada en certificado. Como desventaja principal, la firma basada en CSV actualmente no puede ser cotejada automáticamente mientras que la firma electrónica basada en certificado sí.

Sin embargo, cuando la firma basada en CSV se utiliza como firma asociada a un funcionario al servicio de la administración, los metadatos mínimos obligatorios del documento electrónico o los campos de la estructura de firma para CSV no permiten incluir información de dicho firmante, como puede ser su identidad o la calidad en la que firman. El organismo emisor del documento puede mostrar esta información al cotejar el documento en su sede electrónica, pero no existe estructura obligatoria para el intercambio donde estos datos deban consignarse. Con objeto de paliar esta deficiencia, algunas de las políticas de gestión de documentos electrónicos que se han desarrollado en diferentes organismos, al amparo de la NTI de Política de Gestión de Documentos Electrónicos, incluyen metadatos complementarios para especificar los datos del firmante.

3.3. La firma desde el punto de vista del usuario

Cada programa o sistema de firma (incluidas aplicaciones de gestión que realizan firma electrónica) utiliza uno o varios formatos, normalmente teniendo un formato de firma basada en certificado electrónico como preferente y compaginándolo con firma basada en CSV.

Dependiendo del formato, los datos de firma se pueden almacenar de forma separada al contenido o de forma conjunta, en una estructura XML de intercambio acorde al ENI o simplemente como ficheros de datos separados, montando la estructura XML de intercambio en el momento de llevarlo a cabo.

De la misma forma, la visualización de los datos de firma en las aplicaciones del usuario variará en cada organismo y aplicación, mostrándose los datos de una forma u otra. En todo caso, suelen aplicarse criterios comunes respecto a los datos que se muestran siendo estos el firmante, la fecha de realización de la firma, los datos del certificado utilizado y su validez o los datos de verificación de la firma electrónica, que en el caso de firma basada en certificado se lleva a cabo de forma automática por la aplicación.

El formato predominante en el ámbito de la AGE, para firmas basadas en certificado, es XAdES. Un buen ejemplo de utilización de XAdES lo constituye la Administración Presupuestaria, a través de su portafirmas *DocelWeb*, o el Ministerio de Energía, Turismo y Agenda Digital, a través de su portafirmas *eCo-Firma*.

Sin embargo, algunos organismos han optado por PAdES como formato principal de firma basado en certificado, sobre todo para documentos cuyo destinatario sea el ciudadano. La ventaja fundamental de PAdES respecto a los otros formatos, es que la firma se puede verificar, y en algunos casos generar, con los principales visores de documentos PDF (*Adobe Reader* por ejemplo) sin necesidad de un programa de firma específico. Esta característica la hace mucho más usable, sobre todo cuando el receptor es un ciudadano, ya que se puede verificar la firma de los documentos recibidos de la administración fácilmente mediante programas gratuitos y de común presencia en los ordenadores de los hogares. En todo caso, la AGE pone a disposición de todos los ciudadanos la plataforma VALIDe[3], la cual permite la realización y verificación de firmas en diferentes formatos, tanto en la versión online de la aplicación como en la versión descargable, la cual permite al ciudadano realizar y verificar firmas en su propio equipo.

4. BIBLIOGRAFÍA

LEY 59/2003, de 19 de diciembre, de firma electrónica.

LEY 11/2007, de 22 de junio, de acceso electrónico de los ciudadanos a los Servicios Públicos.

REAL DECRETO 1671/2009, de 6 de noviembre, por el que se desarrolla parcialmente la Ley 11/2007, de 22 de junio, de acceso electrónico de los ciudadanos a los servicios públicos.

REAL DECRETO 4/2010, de 8 de enero, por el que se regula el Esquema Nacional de Interoperabilidad en el ámbito de la Administración Electrónica.

LEY 39/2015, de 1 de octubre, del Procedimiento Administrativo Común de las Administraciones Públicas.

DIRECTIVA 1999/93/CE del Parlamento Europeo y del Consejo, de 13 de diciembre de 1999, por la que se establece un marco común para la firma electrónica.

---

(3) https://valide.redsara.es/valide/?

REGLAMENTO (UE) n.º 910/2014 del Parlamento Europeo y del Consejo, de 23 de julio de 2014, relativo a la identificación electrónica y los servicios de confianza para las transacciones electrónicas en el mercado interior.

RESOLUCIÓN de 19 de julio de 2011, de la Secretaría de Estado para la Función Pública, por la que se aprueba la Norma Técnica de Interoperabilidad de Documento Electrónico.

RESOLUCIÓN de 19 de julio de 2011, de la Secretaría de Estado para la Función Pública, por la que se aprueba la Norma Técnica de Interoperabilidad de Expediente Electrónico.

RESOLUCIÓN de 27 de octubre de 2016, de la Secretaría de Estado de Administraciones Públicas, por la que se aprueba la Norma Técnica de Interoperabilidad de Política de Firma y Sello Electrónicos y de Certificados de la Administración.

RESOLUCIÓN de 19 de julio de 2011, de la Secretaría de Estado para la Función Pública, por la que se aprueba la Norma Técnica de Interoperabilidad de Procedimientos de copiado auténtico y conversión entre documentos electrónicos.

DECISIÓN DE EJECUCIÓN UE 2015/1506 de la Comisión Europea, de 8 de septiembre de 2015, por la que se establecen las especificaciones relativas a los formatos de las firmas electrónicas avanzadas y los sellos avanzados que deben reconocer los organismos del sector público de conformidad con el Reglamento (UE) 910/2014 del Parlamento Europeo y del Consejo.

RESOLUCIÓN de 14 de julio de 2017, de la Secretaría General de Administración Digital, por la que se establecen las condiciones de uso de firma electrónica no criptográfica, en las relaciones de los interesados con los órganos administrativos de la Administración General del Estado y sus organismos públicos.

Manual de usuario de los esquemas XML para intercambio de documentos electrónicos y expedientes electrónicos.

Política de Firma Electrónica y de Certificados de la Administración General del Estado versión 1.9.

23.

LA CALIFICACIÓN DE DOCUMENTOS ELECTRÓNICOS, ¿MÁS ALLÁ DE LA VALORACIÓN DE DOCUMENTOS?

Beatriz FRANCO ESPIÑO
Jefa de Unidad Técnica de Planificación y Programación Archivística
Subdirección General de Archivos y Gestión Documental. Comunidad de
Madrid
Secretaria del Consejo de Archivos de la Comunidad de Madrid

En el presente trabajo se trata la calificación como clave en la gestión de los documentos electrónicos, profundizando en los tres procesos en que se divide: la valoración de documentos y determinación de plazos de conservación, el dictamen de la autoridad calificadora y la determinación de los documentos esenciales. Incluye, asimismo, información sobre los trabajos de cooperación y colaboración que se están llevando a cabo en relación a la valoración de documentos electrónicos.

1. INTRODUCCIÓN

En la actualidad estamos pasando, o hemos pasado ya, de entornos aislados a entornos colaborativos, de información centralizada a descentralizada, de hablar de documentos a hablar de datos, de repositorios físicos a repositorios en la nube y, por supuesto, del soporte papel al soporte electrónico.

La LPAC señala que «la tramitación electrónica no puede ser todavía una forma especial de gestión de los procedimientos sino que debe constituir la actuación habitual de las administraciones». Actualmente ya no tenemos que hablar de administración electrónica, toda la administración ya es electrónica y, por tanto, el reflejo de sus actividades, es decir, los documentos, también.

Pero los documentos electrónicos de las administraciones públicas no se rigen únicamente por el desarrollo normativo de la administración electrónica, también son documentos administrativos y, por tanto, deben regirse por la legislación en materia de Procedimiento Administrativo, de Protección del Patrimonio, de Protección de Datos, de Acceso, etc.

En este artículo vamos a tratar la calificación, y la valoración, dictamen de documentos y determinación de documentos esenciales, en el ámbito de la administración electrónica.

Tanto el proceso de valoración como los calendarios de conservación, instrumento resultante de dicho proceso, no difieren para los documentos en soporte papel y los documentos electrónicos, los criterios son los mismos. Pero sí que se hacen patentes una serie de especificidades cuando estamos gestionando documentos electrónicos, sobre todo a la hora de preservar su integridad a lo largo del tiempo, que trataremos a continuación.

2. MARCO NORMATIVO

El artículo 21 del Real Decreto 4/2010, de 8 de enero, por el que se regula el *Esquema Nacional de Interoperabilidad en el ámbito de la Administración Electrónica (ENI)*, establece las condiciones para la recuperación y conservación de documentos en los siguientes términos:

1. Las administraciones públicas adoptarán las medidas organizativas y técnicas necesarias con el fin de garantizar la interoperabilidad en relación con la recuperación y conservación de los documentos electrónicos a lo largo de su ciclo de vida. Tales medidas incluirán:

(...) f) El periodo de conservación de los documentos, establecido por las comisiones calificadoras que correspondan, de acuerdo con la legislación en vigor, las normas administrativas y obligaciones jurídicas que resulten de aplicación en cada caso (...)

h) La adopción de medidas para asegurar la conservación de los documentos electrónicos a lo largo de su ciclo de vida, de acuerdo con lo previsto en el artículo 22, de forma que se pueda asegurar su recuperación de acuerdo con el plazo mínimo de conservación determinado por las normas administrativas y obligaciones jurídicas, se garantice su conservación a largo plazo, se asegure su valor probatorio y su fiabilidad como evidencia electrónica de las actividades y procedimientos, así como la transparencia, la memoria y la identificación de los órganos de las administraciones públicas y de las entidades de derecho público vinculadas o dependientes de aquéllas que ejercen la competencia sobre el documento o expediente. (...)

k) Si el resultado del procedimiento de evaluación documental así lo establece, borrado de la información, o en su caso, destrucción física de los soportes, de acuerdo con la legislación que resulte de aplicación, dejando registro de su eliminación.

Dentro de las Normas Técnicas de Interoperabilidad que desarrollan el ENI, la Resolución 28 de junio de 2012, por la que se aprueba la *Norma Técnica de Interoperabilidad (NTI) de Política de Gestión de documentos electrónicos*, en su Capítulo VI introduce entre los procesos de gestión de documentos electrónicos que una organización debe incluir, entre otros, los siguientes:

*(...) e) **Calificación** de los documentos, que incluirá:*

*a. Determinación de los **documentos esenciales***

*b. **Valoración** de documentos y determinación de plazos de conservación*

*c. **Dictamen** de la autoridad calificadora*

*f) **Conservación** de los documentos en función de su valor y tipo de dictamen de la autoridad calificadora, a través de la definición de **calendarios de conservación**. (...)*

*h) **Destrucción** o **eliminación** de los documentos, que atenderá a la normativa aplicable en materia de eliminación de Patrimonio Documental (...)».*

Por primera vez en la legislación española se incluye el término *calificación* como proceso de gestión de documentos que incluye a la valoración. En el *ENI*, ya mencionado, no encontramos el término *calificación* sino *evaluación documental*. Desconozco el motivo por el cual el legislador introdujo el término calificación en la *NTI de Política de gestión de documentos electrónicos*. Desde mi punto de vista, parece que su intención era poner en valor a los órganos responsables de la aprobación de los dictámenes relativos a la valoración y determinación de los plazos de conservación de los documentos que, al menos en el ámbito de la AGE, son la Comisión Superior Calificadora de Documentos Administrativos (CSCDA) y las distintas comisiones calificadoras departamentales y de organismos públicos.

En la guía de aplicación de la mencionada NTI de Política de gestión de documentos electrónicos se define calificación como «*proceso de gestión de documentos que tiene por finalidad, en base a un análisis de los valores de los documentos, establecer los plazos de permanencia de los documentos en el sistema de gestión, de transferencia y eliminación en su caso, así como los plazos de acceso y la eventual calificación como documento esencial de una organización*» (MINHAP, 2016a, pág. 38).

La calificación se establece como un proceso más amplio en el que se incluye la valoración de los documentos para determinar su conservación o eliminación y la asignación de metadatos para que los documentos estén disponibles durante todo el tiempo necesario, así como la determinación de los documentos esenciales de una organización.

Por otra parte, debe tenerse en cuenta que el artículo 17.2 de la LPAC establece lo siguiente: «Los documentos electrónicos deberán conservarse en un formato que permita garantizar la autenticidad, integridad y conservación del documento, así como su consulta con independencia del tiempo transcurrido desde su emisión. Se asegurará en todo caso la posibilidad de trasladar los datos a otros formatos y soportes que garanticen el acceso desde diferentes aplicaciones. La eliminación de dichos documentos deberá ser autorizada de acuerdo a lo dispuesto en la normativa aplicable».

Por tanto, compaginando esta regulación con la establecida en el marco del ENI, puede concluirse que los mecanismos establecidos para la conservación y eliminación de documentos, hasta ahora en formato papel, siguen totalmente vigentes para los documentos electrónicos, que se valorarán en las comisiones creadas a tal efecto en las distintas administraciones públicas.

3. VALORACIÓN DE DOCUMENTOS Y DETERMINACIÓN DE PLAZOS DE CONSERVACIÓN

Siguiendo la definición recogida en el *Diccionario de terminología archivística* (segunda edición)[1], la valoración es «*la fase del tratamiento archivístico que consiste en analizar y determinar los valores primarios y secundarios de las series documentales, fijando los plazos de transferencia, acceso y conservación o eliminación total o parcial*».

El propósito central de la valoración es establecer una serie de criterios, métodos e instrumentos para alcanzar una mejor administración de los documentos resultantes de los procesos de gestión de las organizaciones, determinando cuánto tiempo estará disponible un documento y en qué fase de archivo, destacando como uno de los procesos más importantes dentro de la gestión de documentos.

La base de cualquier sistema de valoración debe situarse en tres aspectos: en primer lugar, debe contar con una normativa de regulación; en segundo lugar, debe haber una atribución de potestades y responsabilidades, es decir, una autoridad y unos responsables en su ejecución; y por último, es preciso que produzca y aplique unos acuerdos, normalmente reflejados en lo que se conoce como calendarios de conservación, aplicados mediante dictamen.

Es absolutamente necesario que los procesos de valoración estén normalizados y las decisiones que se tomen al respecto estén autorizadas, sean responsables con la política y actuación de la organización y estén enmarcados siempre en un sistema transparente y fiable en el que se documente y justifique cualquier decisión tomada en materia de valoración. La valoración no debe responder en ningún caso a una acción subjetiva e intuitiva, sino a un procedimiento planificado y sistemático (FRANCO y PÉREZ, 2014).

Si en cualquier soporte es importante, la incorporación de los criterios de valoración en la fase de diseño y producción de los documentos electrónicos es fundamental. Por ello, la valoración se convierte en un proceso indispensable dentro de la gestión de documentos y archivos, afianzándose aún más como un proceso archivístico clave.

---

(1) El Diccionario de Terminología Archivística publicado por la Subdirección General de los Archivos Estatales está disponible en línea [Consulta: 17 de enero de 2020]: http://www.mecd.gob.es/cultura/areas/archivos/mc/dta/portada.html.

Y así se entiende en la actualidad a nivel internacional, situando a la valoración como un proceso archivístico que debe iniciarse antes de la propia creación de los documentos, como se recoge en la norma *UNE-ISO 15489:2016 Información y documentación. Gestión de documentos. Parte 1: Conceptos y principios.* En esta norma se define la identificación y valoración (*appraisal*) como «*el proceso de evaluar las actividades de la organización para determinar qué documentos necesitan crearse y capturarse, y por cuánto tiempo es necesario conservarlos*» (punto 7.1). E incluye una nota que aclara que la norma amplía los usos tradicionales del término «valoración» para incluir el análisis del contexto de la organización, sus actividades y los riesgos, con el fin de permitir la toma de decisiones a la hora de decidir qué documentos se deben crear y capturar y cómo la organización asegurará su adecuada gestión a lo largo del tiempo (UNE, 2016, pág. 15).

De manera previa a la creación de cualquier documento se tienen que tomar decisiones teniendo en cuenta la comprensión de la organización y de las actividades desarrolladas por la misma, es decir, cuáles son sus requisitos legales u operativos, sus recursos y el uso de la tecnología; los riesgos a gestionar; sus procesos de trabajo; todos aquellos agentes, tanto internos como externos, que participan en las actividades de la organización; las propias necesidades de la organización, etc. Estas cuestiones, entre otras, se tienen que analizar para determinar los documentos que la organización generará y durante cuánto tiempo deben conservarse.

Este análisis previo tendrá en cuenta también cuestiones como la preservación de los soportes, la obsolescencia de los mismos, qué formatos utilizar o cuándo realizar transferencias.

Hasta este momento estábamos acostumbrados a que a los diferentes órganos colegiados responsables de los dictámenes concernientes a valoración de documentos llegasen peticiones relativas a documentación acumulada, esto es, ya finalizada y conservada en nuestros depósitos de archivo, pero tenemos que cambiar la perspectiva. Ya no se entiende que la valoración se determine únicamente una vez que los documentos ingresen en los archivos, sino que se tiene que adelantar, como hemos visto, a la producción de los documentos.

Si partimos de la racionalización de la producción y del uso de los documentos, llegaremos a la normalización de los procedimientos y se evitará tanto la producción de documentos inútiles como la no creación de documentos necesarios, determinando también el control y regulación del acceso a los mismos, así como los plazos de transferencia y de eliminación o conservación.

La valoración se inserta de lleno en las políticas y sistemas de gestión de los documentos y de la información, a la vez que está estrechamente vinculada con otros procesos de gestión documental, como son la clasificación y la descripción de documentos.

De esta manera, mediante la valoración se asegura la preservación a largo plazo de los documentos necesarios para conocer en el futuro la evolución de una sociedad o de una organización desde diversos ámbitos (social, político, económico, tecnológico, etc.). Asimismo, delimita en qué momento los documentos pueden ser consultados por los ciudadanos y bajo qué circunstancias y condicionantes, siempre según la legislación vigente. También el hecho de reducir el volumen de documentos, manteniendo el máximo de información, facilita el acceso material a la documentación.

Esta nueva visión está ligada a la creación y gestión de documentos en un mundo que cambia rápidamente, donde las actividades y el intercambio de información se producen en entornos digitales dinámicos y, en la mayoría de los casos, interoperables. Esta situación requiere nuevos enfoques. Por esta razón, considero que este cambio es una oportunidad y una mejora. Si la valoración se realiza previamente a la creación de los documentos podemos estar seguros de contar con datos fiables. El que el proceso archivístico de valoración se integre en la propia creación de los documentos hace que podamos confiar en que se está dejando evidencia de todas aquellas actividades que las administraciones, los ciudadanos, las empresas, etc. tienen que conservar. La confianza en la fiabilidad de los datos públicos, soporte de los derechos y deberes tanto de los ciudadanos como de la administración, es fundamental.

Además, como colectivo llevamos años reclamando que el trabajo de los archiveros no debe comenzar en el momento en que la documentación está inactiva, una vez ya finalizado el trámite y se considera que tiene que pasar al archivo, sino que debe comenzar antes, con la propia creación de los documentos. Esta norma viene a consignar esta reclamación y hacerla efectiva.

En mi opinión, la existencia de unas administraciones públicas en las que se hayan identificado y analizado todas las funciones y competencias de las mismas, que a partir de dicho análisis se consignen todas las actividades que se realizan en las mismas para llevar a cabo dichas funciones y que dichas actividades se relacionen con su reflejo en una evidencia documental, sería un escenario ideal repleto de ventajas. Desde el principio tendríamos claro qué documentos se tienen que crear para dejar constancia de las actividades de la organización, durante cuánto tiempo es necesario que estén activos, durante cuánto tiempo se tienen que conservar y, si es el caso, cuándo se tienen que eliminar.

Si contemplamos el trabajo que se está realizando en el ámbito de la Comisión Superior Calificadora de Documentos Administrativos (CSCDA) y del resto de los órganos colegiados de las distintas administraciones públicas, vemos que aún, como he apuntado anteriormente, buena parte de las series documentales que se presentan para su dictamen son series custodiadas en los archivos. Pero en los últimos años sí se puede observar un cambio en la metodología y estamos cada vez más volcados en valorar series abiertas, es decir, que están en producción, incluyendo en los estudios tanto la tramitación en soporte papel como en electrónico, determinando para cada serie las fases de actividad, semiactividad e inactividad administrativa y delimitando los períodos de permanencia de los documentos según el ciclo vital.

4. DICTAMEN DE LA AUTORIDAD CALIFICADORA

Como se ha señalado, la valoración de los documentos es un proceso de responsabilidad. Las organizaciones deben realizar la valoración de sus documentos en concordancia con su política y procedimientos y deben asegurarse que se hace dentro de un procedimiento preciso y de calidad. Por tanto, las decisiones y acciones encaminadas a la conservación, eliminación o transferencia de los documentos deben estar autorizadas, ser responsables y quedar documentadas.

Para ello, y dada la responsabilidad que suponen los procesos de valoración, dentro de los organismos públicos deben crearse órganos o entidades específicas que sancionen, controlen y cuantifiquen la valoración.

La responsabilidad del proceso de valoración documental debe estar compartida por gestores administrativos, gestores documentales, archiveros, especialistas en derecho administrativo, conocedores de la prescripción de plazos judiciales y legales, representantes de los órganos con responsabilidad en cuestiones de acceso a la información y usuarios, por ejemplo, profesores de universidad o especialistas en historia. Por todo esto, es muy importante la interdisciplinariedad de los componentes de dichos órganos que sancionan y dictaminan en materia de valoración[2].

Los miembros de dichas comisiones estudiarán los formularios de identificación y valoración de series documentales o peticiones de dictamen que pondrán a su disposición la mayor información posible, al objeto de juzgar el valor de los documentos que componen la serie documental elevada a la comisión para su valoración.

Por esta razón, estos formularios/peticiones de dictamen deberían integrar, como mínimo, la siguiente información:

• Datos de la serie documental. Incluye los siguientes datos identificativos de la serie:

— Título: denominación de la serie documental.

---

(2)   Por ejemplo, entre los miembros actuales del Consejo de Archivos de la Comunidad de Madrid se encuentran representantes de los municipios de la Región, de los archivos de titularidad privada, de diferentes Subsistemas integrados en el Sistema de Archivos de la Comunidad de Madrid, y personalidades de especial relieve científico o cultural.

— Fechas extremas: fechas extremas de tramitación de la serie o de la fracción de serie objeto de valoración, indicando, en su caso, las lagunas cronológicas existentes.

— Tipo de soporte: soporte de la documentación valorada (papel, digital, microfilm, etc.).

— Volumen de la serie: expresado preferentemente en metros lineales, bytes de información, o en cualquier otra unidad de medida utilizada.

— Características físicas y lógicas: características físicas y lógicas (formatos) que deban ser tenidas en cuentas con vistas a la conservación, comprensión o utilización.

— Archivo de custodia: unidad o dependencia administrativa responsable del archivo donde se encuentra la documentación.

— Ubicación física/signaturas: datos que permitan la localización de la documentación, ya sea en un depósito, ya sea en un sistema de gestión.

— Organismo/Unidad productora: denominación del organismo productor responsable, de acuerdo con sus competencias, de la producción de la serie.

— Historia Institucional: breve historia del productor de la serie.

— Legislación: disposiciones normativas específicas, incluyendo normas internas, que afecten a la producción de la serie estudiada, especialmente al procedimiento administrativo.

— Función: finalidad con la que se producen los documentos. Si existe, incluir la referencia para enlazar con un registro de autoridad o con un cuadro de clasificación.

— Documentos esenciales: documentos esenciales del procedimiento (aquellos que son imprescindibles o bien que tienen una función importante en la tramitación del expediente).

— Información que contiene: descripción somera del tipo de información contenida en la serie documental.

— Organización/ordenación: forma de organización o tipo de ordenación aplicado dentro de la serie (cronológica, alfabética, etc.).

— Continuación de la serie: indicar si la serie objeto de estudio se sigue produciendo, si se trata de una serie abierta o cerrada

— Documentación relacionada: indicar la existencia de series documentales u otro tipo de documentación (por ejemplo, publicaciones) relacionada, indicando el tipo de relación (interesa, sobre todo, conocer si hay series complementarias que puedan justificar una posible eliminación o conservación, si hay documentos recapitulativos, duplicados, etc.).

• Propuesta de valoración de la serie documental, con los siguientes datos:

— Utilización: plazo durante el cual la documentación sigue siendo utilizada por la unidad productora, indicando un periodo estimado y el motivo, y si la utilización es frecuente o esporádica.

— Valores primarios: plazo de vigencia de los valores que van unidos a la finalidad inmediata por la cual se producen los documentos.

— Valores secundarios: existencia, en su caso, de valores que obedecen a otras motivaciones que no son la finalidad por la cual se producen los documentos (es decir, históricos, informativos, etc.).

— Acceso y seguridad de la información: régimen de acceso a los documentos, indicando si la serie es de acceso libre o incluye algún contenido susceptible de protección, así como si está sometida a un régimen de especial publicidad; la norma aplicable y el motivo y, en su caso, el plazo que debe durar la restricción, así como las medidas propuestas para favorecer el acceso a aquellos expedientes de acceso parcialmente restringido (disociación de datos, acceso parcial, anonimización, etc.).

— Plazos de transferencia: plazos, en años, tras el cual debe transferirse la documentación de un archivo a otro, siguiendo su ciclo vital, indicando el momento a partir del cual deben empezar a contarse.

— Selección: destino de la documentación, el momento en que debe hacerse efectivo y el motivo. Las posibles consecuencias son conservación permanente, eliminación parcial, eliminación total y sustitución de soporte (indicando el soporte alternativo).

— Muestreo: incluir información en el caso necesario. De las series eliminadas es conveniente dejar una muestra para que sirva de testigo de dicha serie, siguiendo criterios sistemáticos o cualitativos.

• Datos a cumplimentar por la comisión de valoración una vez que ha tenido lugar la sesión del órgano colegiado que dictamina la valoración:

— Resolución de la valoración.

— Resolución sobre acceso.

— Resolución de normalización de procedimiento administrativo, en su caso.

• Datos del expediente de valoración de series documentales o certificación, incluyendo:

— Número de dictamen.

— Sesión de aprobación del órgano colegiado que aprueba el dictamen.

— Fecha del acuerdo.

— Firmas de los responsables.

La información aquí recogida sigue el esquema tradicional utilizado por la mayoría de las comisiones calificadoras. En mi opinión, se debería incluir determinada información complementaria en las peticiones de dictamen que se elevan a las comisiones calificadoras que va a ser necesaria a la hora de aplicar dicho dictamen sobre documentación electrónica, como, por ejemplo, información sobre la obsolescencia de los soportes, la conservación de las firmas, el resellado, la eliminación de los metadatos, etc. Uno de los retos de estas comisiones es adaptar sus formularios o peticiones, pensados para series documentales en soporte papel, e integrar determinados campos de información necesarios para la gestión y aplicación de los dictámenes de la documentación electrónica.

Para ello, tenemos que cambiar determinadas formas de trabajar, al igual que el funcionamiento de dichos órganos colegiados también se tiene que adaptar. Por poner un pequeño ejemplo, se ha modificado totalmente el punto 3. *Acceso y seguridad* del formulario de petición de dictamen utilizado en la CSCDA (y siguiendo este modelo también el formulario utilizado en el ámbito del Consejo de Archivos de la Comunidad de Madrid). El motivo es que anteriormente sólo se podía indicar si el acceso a una serie documental era libre o restringido, es decir, en cuanto contuviera algún dato susceptible de protección se dictaminaba como de acceso restringido. Pero esto no reflejaba la realidad: un mismo expediente puede contener datos susceptibles de protección y, a la vez, otros señalados como de especial publicidad (por ejemplo, un expediente de proceso selectivo de personal funcionario puede contener datos especialmente protegidos como información sobre discapacidades y a la vez datos de especial publicidad relacionados con el principio de transparencia en el acceso al empleo público). ¿Qué imagen daríamos a los ciudadanos si la mayoría de los dictámenes de eliminación tuvieran acceso restringido? ¿Pensarían que eliminamos la documentación antes de que fuese posible el acceso a la información que contiene? ¿Podemos permitirnos esta visión en un estado democrático? Considero que cuanta más información ofrezcamos de los dictámenes aprobados, más transparente es la gestión que realizamos.

Por ello, todas las decisiones y dictámenes tomados por el órgano que dictamina en materia de valoración se deben documentar. De esta manera, el proceso de valoración y eliminación se enmarca en un sistema transparente y fiable, alineándose con los sistemas de calidad e integrando al archivo en los sistemas de gestión de la organización. Sería recomendable que todos los dictámenes sancionados por este órgano, así como la información legal, normativa, directrices y formularios que se utilizan para realizar propuestas a este órgano, estén accesibles a toda la organización y, mejor aún, en la Web para que dicha información esté disponible a todos los ciudadanos[3].

Los organismos públicos deben ser capaces de poner a disposición de los ciudadanos y de la administración, así como de los propios gestores, todas las evidencias e informaciones necesarias para asegurar que las decisiones tomadas estaban permitidas y autorizadas según la legislación y la normativa de competencia. Por ello es obligatorio publicar los dictámenes emitidos en un boletín público.

De manera general, tras la aprobación de un dictamen por las distintas comisiones responsables en materia de valoración es obligatorio publicar una resolución en el Boletín Oficial correspondiente, incluyendo en la misma el plazo establecido para la interposición de recursos por parte de cualquier ciudadano o administración al dictamen aprobado y, hasta finalizado dicho plazo o haberse resuelto el recurso interpuesto, no se puede iniciar ningún proceso de eliminación.

4.1. Revisión de las decisiones

El calendario y sus normas de conservación se deben mantener actualizados, por tanto, la revisión de todas las decisiones tomadas en este sentido y los dictámenes emitidos deben revisarse para comprobar que siguen siendo válidos y que las decisiones tomadas siguen siendo de aplicación.

Se debe incluir la revisión de:

• Los períodos de retención de las series documentales para asegurar que siguen siendo los convenientes.

• Los cambios en la legislación que afectan a la serie documental.

• Los cambios en el trámite administrativo.

• Los cambios en el organigrama o todos aquellos que afecten al órgano productor.

• Los cambios en los procesos y en la forma en que se desarrollan, por ejemplo, en los procesos administrativos automatizados.

---

(3)   En la web del Consejo de Archivos de la Comunidad de Madrid se encuentran disponibles las actas de las reuniones, las tablas de valoración y propuestas de eliminación aprobadas por el mismo, información sobre las mesas de trabajo creadas en su seno y sus documentos, la normativa de aplicación, además de toda aquella documentación de interés relacionada. Encontramos recursos parecidos en todas las comisiones calificadoras, de valoración, de evaluación, etc. creadas en el Estado, las Comunidades Autónomas y en los Ayuntamientos.

La evaluación interna de la propia organización permitirá la mejora continua de los procesos de valoración de la organización (FRANCO y PÉREZ, 2014). Por lo tanto, al hacer la revisión debemos considerar y preguntarnos lo siguiente:

- ¿Los documentos que custodia, crea y conserva nuestra organización son suficientes para cubrir las necesidades y requisitos funcionales y de rendición de cuentas?

- ¿El contexto administrativo, legal, social o archivístico ha cambiado?

- ¿Son adecuados los períodos de conservación y eliminación dictaminados?

Según las respuestas de la autoevaluación que hagamos en nuestra organización al respecto, incluiremos cambios en las propuestas y posibles modificaciones en los estudios y propuestas de valoración para modificar los calendarios de conservación aprobados mediante dictamen.

4.2. Implementación de los dictámenes

Las decisiones derivadas del proceso de valoración deben estar implementadas dentro de los procesos de la organización. Una vez que el organismo público tiene aprobada la conservación, eliminación o transferencia de determinada serie documental, ésta debe implementarse. Esto asegura que los documentos se conservan el período de tiempo establecido y no más ni menos de lo necesario en el archivo en el que le corresponda. Asimismo, asegura que los documentos se eliminarán en tiempo y forma.

Por tanto, la implementación de las decisiones de valoración de la documentación debe ser un proceso rutinario dentro de la organización, con lo que nos aseguramos que se hace de una manera eficiente y totalmente integrada en los procedimientos que se realizan dentro de la organización. Una vez dictaminadas las decisiones relativas a valoración por el órgano competente, la organización debe establecer los procesos de autorización de los resultados de dicha valoración y de los procedimientos para llevarla a cabo. Para ello es imprescindible asignar responsabilidades dentro de la organización para llevar a cabo dicha implementación.

La implementación de los dictámenes aprobados se debe llevar a cabo por personal técnico archivero con los conocimientos y habilidades necesarias para desarrollar dichas tareas y que tenga asignada dicha responsabilidad dentro de la organización.

Una de las tareas que tenemos que realizar para hacer posible la implementación de los dictámenes es integrarlos en el sistema de gestión de documentos electrónicos (SGDE) utilizado en la organización.

En la norma *UNE-ISO 16175-2:2012 Información y documentación. Principios y requisitos funcionales para documentos en entornos de oficina electrónica. Parte 2: Directrices y requisitos funcionales para sistemas que gestionan documentos electrónicos*, se dan una serie de requisitos para ejecutar los dictámenes autorizados. Entre otros, señala que el sistema de gestión de documentos electrónicos debe ser capaz de:

• Mantener una integridad completa de los metadatos de gestión de documentos en todo momento.

• Mantener la trazabilidad, automáticamente, de todos los periodos de conservación especificados en los dictámenes, e iniciar el proceso de eliminación una vez que se alcance la última de las fechas establecidas.

• Informar al administrador o responsable de cualquier acción de eliminación prevista por el sistema siguiendo un dictamen con anterioridad a la ejecución, para que sea el administrador el que, en último caso, confirme el proceso.

• Asegurar que no se borra ningún elemento si su borrado ocasiona un cambio en otro documento, informando al administrador o responsable de cualquier vínculo desde otra agrupación o documento a una agrupación o división que se vaya a eliminar, y solicitar confirmación antes de completar el borrado.

• Permitir al administrador que, manual o automáticamente, bloquee los procesos de eliminación de documentos (por ejemplo, a causa de un litigio o por motivos de investigación legal, o de acceso a la información, etc.).

• Registrar, de manera exhaustiva, cualquier eliminación o acción dictaminada en los metadatos del proceso.

• Ser capaz de elaborar un informe detallando el resultado de un proceso de eliminación, detallando todos los documentos electrónicos que fueron eliminados con éxito, e identificando, si es el caso, aquellos que no lo fueron.

• Elaborar un acta de eliminación en la que el órgano responsable de los documentos acreditará que se ha llevado a cabo lo dictaminado.

Como podemos ver, la eliminación de documentos electrónicos supone una tarea algo más compleja que en el caso de los documentos en papel, debido a las especificidades propias de los documentos electrónicos, como veremos más adelante.

5.   DETERMINACIÓN DE LOS DOCUMENTOS ESENCIALES

La tercera pata que la *NTI de Política de Gestión de documentos electrónicos* incluye en el proceso de calificación es la determinación de los documentos esenciales.

En la Política de Gestión de Documentos Electrónicos del Ministerio de Educación, Cultura y Deporte se definen los documentos esenciales como «aquellos que resultan indispensables y vitales para que la entidad pueda alcanzar sus objetivos, cumplir con sus obligaciones diarias de servicio y respetar la legalidad vigente y los derechos de las personas» (MECD, 2016, pág. 46). Se añade a continuación:

> *A nivel orientativo o de mera recomendación, se considera que los documentos electrónicos que podrían ser calificados como esenciales son aquellos que:*
>
> • *Informan de las directrices, estrategias y planificación de la organización.*
>
> • *Recogen derechos de la organización, singularmente relativos a convenios y documentos de propiedad.*
>
> • *Recogen información sobre los edificios, instalaciones y sistemas de la organización.*
>
> • *Dejan constancia de los acuerdos y resoluciones de los órganos de gobierno de la organización, tanto colegiados como unipersonales.*
>
> • *Contienen datos necesarios para la protección de los derechos civiles, profesionales, financieros, jurídicos u otros derechos de los individuos u otras instituciones de la propia organización.*
>
> • *Contienen elementos de prueba de las actividades presentes y pasadas de la organización para cumplir las obligaciones de rendición de cuentas* (pág. 47)[4].

Según la definición, parece clara la relación entre la determinación de los documentos esenciales y una aplicación práctica del análisis de riesgos asociado con la gestión de documentos.

La norma *UNE-ISO 18128:2014. Información y documentación. Apreciación del riesgo en procesos y sistemas de gestión documental* señala que «el resultado del análisis del riesgo relacionado con los procesos y sistemas de gestión documental debería incorporarse al marco general de la gestión del riesgo de la organización. Como resultado la organización tendrá un mejor control de sus documentos, de su calidad y de su uso para los propósitos de la organización» (UNE, 2014, pág. 5).

En el momento actual, el que un documento que sea evidencia de una actividad de la organización no se cree es un riesgo, es decir, que no quede cons-

---

(4)   Política de Gestión de Documentos Electrónicos del MECD. (punto 1.5.6. Calificación). Disponible en: http://www.mecd.gob.es/cultura-mecd/areas-cultura/archivos/recursos-profesionales/documentos-electronicos.html [Consulta: 17 de enero de 2020].

tancia documental de determinada actividad es un riesgo que una organización no se puede permitir. Es como si en las administraciones públicas no dejásemos constancia documental de una contratación o de cómo se han tomado determinadas decisiones. Sería imposible estar integrados en sistemas que cumplan con la transparencia, la rendición de cuentas o la calidad. Y no sólo es un riesgo el no crear determinados documentos, sino que éstos no estén disponibles el tiempo necesario, que la información no esté accesible a la organización, que no se puedan recuperar los documentos, que la documentación que estemos creando no sea fiable, etc.

Tanto el análisis de riesgos como la gestión de documentos son procesos transversales que están muy relacionados. Como administración, tenemos que responder siempre, más ahora con una administración activa 24 horas, 365 días al año, y seguir adelante después de cualquier incidencia. A nuestros usuarios (ciudadanos, organizaciones, administraciones públicas, etc.) no les interesa si se han caído nuestros sistemas, si tenemos problemas para disponer de los documentos o cualquier otra incidencia; el «negocio» debe continuar, debemos poder restablecer la actividad en caso de desastre y, para ello, es indispensable una gestión adecuada de los documentos, tener identificados los documentos esenciales y procurarles una especial protección.

A mi forma de ver, estos documentos esenciales pueden serlo durante un determinado período de tiempo (por ejemplo, contratos, justificantes, facturas, etc.) y dejar de serlo pasado el mismo. No hay que identificar documentos esenciales con documentos de conservación permanente. Algunos sí lo serán pero no necesariamente todos. Estos documentos calificados como esenciales (por ejemplo, un plan de prevención de incendios que se sustituye por otro, un contrato de contratación de suministro que se haya resuelto y ejecutado, etc.) pueden valorarse y ser dictaminados como susceptibles de eliminación, una vez que su carácter de esencial para la organización haya finalizado.

6. METADATOS DE CALIFICACIÓN

Para que el proceso de calificación de documentos pueda llevarse a cabo en entornos de gestión de documentos electrónicos es necesaria la implementación de los metadatos de calificación.

Según el artículo 42.1 del Real Decreto 1671/2009, de 6 de noviembre, por el que se desarrolla parcialmente la Ley 11/2007, de 22 de junio, de acceso electrónico de los ciudadanos a los servicios públicos, se entiende como metadato «cualquier tipo de información en forma electrónica asociada a los documentos electrónicos, de carácter instrumental e independiente de su contenido, destinada al conocimiento inmediato y automatizable de alguna de sus características, con la finalidad de garantizar la disponibilidad, el acceso, la conservación y la interoperabilidad del propio documento».

El punto 6.1 de la *Guía de Aplicación de la Norma Técnica de Interoperabilidad de Documento Electrónico*, define metadato como «*dato que define y describe otros datos*» (MINHAP, 2016b, pág. 20). Los metadatos constituyen un componente del documento electrónico y facilitan la creación, gestión, uso y conservación de documentos a lo largo del tiempo en el contexto de su creación[5].

A todo lo expuesto tenemos que sumar que en los entornos electrónicos debemos integrar en los documentos y expedientes electrónicos desde el primer momento el metadato de Clasificación (un código de clasificación funcional o el código del Sistema de Información Administrativa). Si a la vez incluimos para la serie documental ya los metadatos de Calificación (*e-EMGDE13*), con información sobre el dictamen de aplicación y la acción dictaminada, tenemos los ingredientes necesarios para lograr una gestión de documentos mucho más eficiente.

Es importante señalar que en la segunda versión del *Esquema de Metadatos para la gestión del documento electrónico (e-EMGDE)* de julio de 2016, los metadatos que se refieren a calificación han pasado de ser considerados como condicionales a obligatorios, por lo que tenemos que acelerar y afianzar la valoración de documentos y la elaboración de calendarios de conservación como un proceso clave en la gestión de documentos electrónicos.

El elemento *e-EMGDE13 — Calificación* da información acerca de los plazos de conservación de los documentos en atención a sus valores, a lo largo de su ciclo de vida, así como acerca de las acciones dictaminadas regladas a llevar a cabo sobre los mismos.

En el campo de Finalidad (MINHAP, 2016c, pág. 48) se señala que la información que se incluye en el metadato Calificación sirve para:

- Establecer el ciclo de vida de los documentos, en atención a sus valores.

- Identificar los requisitos legales o normativos aplicables a los documentos.

- Identificar las autoridades competentes en la determinación de los valores de los documentos.

- Identificar las normas de conservación aplicables a los documentos.

---

(5) En la Guía de aplicación de la Norma Técnica de Interoperabilidad de Documento Electrónico. 2.ª edición electrónica. Madrid, 2016. [Consulta: 17 de enero de 2020].Disponible en: http://www.administracionelectronica.gob.es/pae_Home/pae_Estrategias/pae_Interoperabilidad_Inicio/pae_Normas_tecnicas_de_interoperabilidad.html#DOCUMENTOE-LECTRONICO se pueden consultar los metadatos mínimos obligatorios y complementarios, así como consideraciones para su implementación, uso y tratamiento.

• Procurar relaciones entre los procesos de gestión, las actividades y los documentos producidos.

• Procurar relaciones entre los valores de los documentos previamente determinados y otros procesos de gestión documental, especialmente la clasificación y el dictamen realizado sobre los documentos y las series documentales.

• Determinar las interacciones entre los procesos de gestión y de gestión de documentos, y los ciudadanos y sus intereses.

• Proporcionar una referencia temporal a las acciones dictaminadas sobre los documentos.

• Asegurar que se han adoptado las acciones dictaminadas correctas sobre los documentos.

• Asegurar la constitución y conservación de un patrimonio documental representativo.

En el campo de Comentarios del mismo metadato se informa que «*puede que no sea posible proporcionar la información requerida por este elemento en el momento de creación o incorporación de la entidad al sistema de gestión documental por diversos motivos, incluidos la no disponibilidad de autoridades calificadoras de documentos o una política organizativa que excluye la determinación de los valores en el momento de la creación. En estos casos debe utilizarse el valor por defecto Sin cobertura de calificación para el sub-elemento eEMGDE13.1 - Valoración, hasta que las entidades pertinentes estén cubiertas por una norma de conservación*» (MINHAP, 2016c, pág. 49). Y está claro que es una de las asignaturas pendientes de todas las administraciones públicas en España.

La importancia que tiene este elemento para la gestión de los documentos electrónicos ha hecho que en la segunda versión del e-EMGDE de julio de 2016 se hayan ampliado los subelementos:

EEMGDE13 - CALIFICACIÓN

eEMGDE13.1 - Valoración

eEMGDE13.2 – Dictamen

eEMGDE13.2.1 - Tipo de dictamen

eEMGDE13.2.2 - Acción dictaminada

Esquema de metadatos para la gestión del documento electrónico (e-EMGDE).
Versión mayo 2012

EEMGDE13 - CALIFICACIÓN

eEMGDE13.1 - Valoración
eEMGDE13.1.1 - Valor primario
eEMGDE13.1.1.1 - Tipo de valor

eEMGDE13.1.1.2 - Plazo

eEMGDE13.1.2 - Valor secundario

eEMGDE13.2 - Dictamen
eEMGDE13.2.1 - Tipo de dictamen

eEMGDE13.2.2 - Acción dictaminada

eEMGDE13.2.3 - Plazo de ejecución de la acción dictaminada

eEMGDE13.3 - Transferencia
eEMGDE13.3.1 - Fase de archivo

eEMGDE13.3.2 - Plazo de transferencia

eEMGDE13.4 - Documento esencial

Esquema de metadatos para la gestión del documento electrónico (e-EMGDE).
Versión 2.0. Julio 2016

El subelemento *13.1.1. Valor primario* permite identificar los diferentes valores primarios (administrativo, fiscal, jurídico, etc.) que poseen los documentos y expedientes que componen una determinada serie documental. Se aplica a la entidad Documento y es heredable desde la serie documental a los expedientes y documentos que forman parte de la misma. Es un metadato obligatorio para las transferencias y su finalidad es identificar la utilidad de los documentos, para formar el calendario de conservación y para aplicar las medidas de conservación necesarias.

Posee dos sub-subelementos, el *eEMGDE 13.1.1.1. Tipo de valor*, que identifica los diferentes valores primarios que poseen los documentos, y el *eEMGDE 13.1.1.2. Plazo*, que define el plazo de prescripción de los valores primarios de los documentos y expedientes, esto es, su plazo de vigencia, con lo que proporciona criterios para la elaboración de los calendarios de conservación de las diferentes series documentales ya que, como hemos señalado anteriormente, no se puede determinar la eliminación de ningún documento en el que pervivan derechos y deberes de los ciudadanos y las administraciones.

El subelemento *13.1.2.Valor secundario* permite determinar la existencia de valores secundarios en los documentos (valor testimonial, informativo o histórico), lo que puede desencadenar que los documentos con valor secundario se dictaminen como de conservación permanente o con unos plazos más amplios de conservación, lo que debe tenerse en cuenta a la hora de aplicar las políticas de preservación adecuadas.

El subelemento 13.2. Dictamen recoge las decisiones emitidas por la autoridad calificadora competente, relativas a la conservación o a la eliminación de documentos. En el campo de comentarios de este subelemento se indica que debe tenerse en cuenta que, si se eliminan documentos de los sistemas en uso, no quede ninguna labor pendiente de ejecución ni exista algún proceso o investigación judicial en marcha para la que se pudiera necesitar el documento como evidencia.

Se incluyen en el mismo los subelementos 13.2.1. Tipo de dictamen, en el que se incluye como esquema de valores los siguientes: conservación permanente (CP), eliminación parcial (EP), eliminación total (ET) y pendiente de dictamen (PD); 13.2.2. Acción dictaminada, donde se concreta la acción que tiene que realizarse sobre un documento/expediente/serie siguiendo lo establecido en el dictamen; y 13.2.3. Plazo de ejecución de la acción dictaminada, donde se especifica el plazo concreto en el que se tiene que ejecutar el dictamen, plazo que se calculará sumando el valor numérico que se establezca en este metadato al correspondiente al metadato e-EMGDE4.2. Fecha fin.

En la última versión se ha incorporado como subelemento el 13.4. Documento esencial, que indica si a un documento se le ha calificado como esencial para el desarrollo de las actividades de la organización, lo que determinaría que se le apliquen medidas especiales de protección.

Esta ampliación en los metadatos de Calificación en la segunda versión del Esquema permite una mejor gestión de las acciones relacionadas con este proceso.

7. ESPECIFICIDADES DE LA CONSERVACIÓN Y ELIMINACIÓN DE LOS DOCUMENTOS ELECTRÓNICOS

Como señala Jordi Serra «los documentos electrónicos, a diferencia de los documentos tradicionales, no son perdurables por inactividad (conservación pasiva), sino que con el tiempo y la evolución tecnológica caducan y se vuelven inaccesibles. Mantener su accesibilidad a lo largo del tiempo implica una evaluación previa del riesgo de obsolescencia, un monitoraje periódico de su legibilidad y la conversión a formatos vigentes en el caso de que se active una alerta de obsolescencia (conservación activa)» (SERRA et al., 2010, pág. 12).

La mayor parte de los documentos que se gestionan en la actualidad nacen ya en formato digital o son convertidos a dicho formato mediante una digitalización. Las características singulares de los documentos electrónicos hacen que necesiten un tratamiento especial para preservar su integridad como documentos fiables, auténticos e íntegros a lo largo del tiempo (ISO, 2010, pág. 4). Cuanto

469

antes comencemos a actuar sobre los documentos electrónicos pensando en su preservación, mayor será la seguridad de que los mismos conservarán los requisitos de fiabilidad, integridad, autenticidad y utilidad necesarios para ser considerados documentos de archivo.

Los documentos electrónicos poseen unas características específicas que deben tenerse en cuenta de cara a su conservación y eliminación (FRANCO y PÉREZ, 2014):

• Se almacenan en soportes de almacenamiento con un formato específico.

• El contenido informativo es independiente del soporte y el formato.

• Los soportes son generalmente reutilizables.

• Su vida útil es corta comparada con la de un soporte en papel.

• Todo soporte o formato se hará obsoleto en un plazo más o menos largo de tiempo, lo que implicará necesariamente un cambio de soporte o formato.

• Los procedimientos de destrucción deberán tener en cuenta las características de los soportes más adecuados para la conservación de los documentos electrónicos.

• Pueden existir múltiples copias electrónicas auténticas, no siempre controladas, de los documentos.

Todo ello se puede resumir en los principales retos que encontramos en relación a la preservación de documentos electrónicos, como son:

• La obsolescencia y degradación de los formatos físicos (soportes).

• La obsolescencia de los formatos de ficheros.

• La obsolescencia del software (sistemas operativos, etc.).

• La obsolescencia del hardware.

Para poder resolver estos retos apuntados, tenemos que prever las acciones de conservación desde la propia creación de los documentos, es decir, se tienen que incorporar los requisitos necesarios en la propia creación de documentos para la futura conservación de los documentos. La conservación de los documentos debe ofrecer una garantía frente al deterioro de la información, mediante medidas preventivas y de preservación durante todo el ciclo de vida de los documentos.

Este plan de preservación garantizará la autenticidad, disponibilidad, integridad, trazabilidad y conservación a lo largo de su ciclo de vida, frente a los siguientes grupos de riesgos:

• Los derivados de la continua evolución de la tecnología y la consiguiente obsolescencia de la misma.

• Los que son consecuencia de un mal funcionamiento o de un uso erróneo de la tecnología, y que pueden ocasionar la pérdida o degradación de los documentos electrónicos, total o parcialmente.

• Los que proceden de una posible descontextualización de los documentos electrónicos.

• Los que forman parte del ámbito de la seguridad de las TIC y que pueden suponer una alteración intencionada de los documentos electrónicos o su misma desaparición (accesos no permitidos, ataques, etc.).

• Los que directa o indirectamente derivan del aumento constante del volumen de documentos y en paralelo de los costes necesarios para asegurar el entorno adecuado de conservación.

Se está discutiendo cómo hacer frente a estas cuestiones en distintos entornos de cooperación institucional y profesional.

En el 2016 se creó el Grupo de Trabajo del Comité Sectorial de Administración Electrónica para el Documento, Expediente y Archivo Electrónicos[6]. Dentro del mismo se han creado una serie de Subgrupos, pero a los efectos de este artículo nos interesa el Subgrupo de Protocolos de conservación, validez y disponibilidad, cuyo objetivo es definir herramientas técnicas y organizativas para garantizar valor probatorio y fiabilidad del documento electrónico como evidencia de actividades y procedimientos durante su ciclo de vida.

La finalidad del mismo es elaborar un documento con directrices generales sobre el tratamiento de las garantías organizativas y técnicas que han de cumplirse en el archivo definitivo de documentos y expedientes electrónicos y abordar cómo garantizar, de modo funcional y técnico, las garantías en sus cinco dimensiones: autenticidad, confidencialidad, integridad, disponibilidad y trazabilidad. Este documento aún se encuentra en fase borrador y se espera que el subgrupo pueda presentarlo en el Comité Sectorial de Administración Electrónica.

---

(6) Del grupo forma parte personal cualificado del mundo archivístico, así como personal del mundo de las tecnologías de la información y las comunicaciones (TIC), de 15 comunidades autónomas, la Federación Española de Municipios y Provincias (FEMP), la Conferencia de Rectores de las Universidades Españolas (CRUE) y La Conferencia de Archiveros de Universidades Española (CAU). Por parte de la AGE, concretamente, el grupo cuenta con representantes de la Comisión Superior Calificadora de Documentos Administrativos y de la Subdirección General de los Archivos Estatales del Ministerio de Educación, Cultura y Deporte, y del Ministerio de Hacienda y Administraciones Públicas, a través de los archivos centrales del ministerio y de la Dirección de Tecnologías de Información y las Comunicaciones.

8. TRABAJOS DE COOPERACIÓN EN EL CONSEJO DE ARCHIVOS DE LA COMUNIDAD DE MADRID

Como hemos visto, la nueva realidad exige una mayor cooperación entre profesionales de archivo y con otros profesionales, sobre todo del ámbito de las tecnologías de la información y las comunicaciones, en todos los ámbitos pero, creo, especialmente, en la valoración de documentos. En el seno de muchos de los órganos colegiados con competencias en valoración y acceso de documentos se han creado grupos de trabajo para tratar distintos temas de interés. Por ejemplo, en el seno de la CSCDA se creó un Grupo de Trabajo de valoración de series y funciones comunes de la AGE (GTSC/CSCDA) en el año 2012, cuyo objetivo principal es realizar estudios de identificación y valoración de series comunes; así como estudios comparativos de series complementarias y paralelas de los distintos organismos y su ubicación con el fin de elaborar propuestas de conservación o eliminación y calendarios de conservación.

El mismo objetivo es compartido por el Grupo de Trabajo de Valoración de Archivos Histórico Provinciales, creado en el seno de la Comisión Técnica de Archivos Histórico Provinciales del Consejo de Cooperación Archivística con respecto a las series documentales de titularidad estatal, custodiadas en estos archivos, cuya coordinación se lleva desde la Secretaria de la CSCDA.

Y, en concreto, para dar respuesta a los retos de la valoración de documentos electrónicos se creó otro Subgrupo de trabajo dentro de la CSCDA dedicado las cuestiones relacionadas con documentos electrónicos y formado por un equipo interdisciplinar de archiveros y técnicos informáticos.

No es que las series documentales tengan un valor y, por tanto, un dictamen diferente según si el soporte de la misma es papel o electrónico. Actualmente, las series abiertas que se están dictaminando incluyen tanto la tramitación en papel como en electrónico, como he comentado anteriormente. Pero sí es verdad que el formato puede afectar a la forma de llevar a cabo determinadas tareas relacionadas con procesos como la conservación y eliminación de los documentos, como hemos visto en el punto anterior.

Y estas características se tienen que tener en cuenta, junto con muchas otras, en la valoración de documentos electrónicos.

El primer resultado de este Subgrupo de Trabajo es el documento de *Recomendaciones para el borrado lógico de documentación electrónica y destrucción física de soportes informáticos de la Administración General del Estado* se suma al de *Recomendaciones para la destrucción física de documentos de archivo en papel de la AGE*[7]. Como ya hemos comentado, tanto para la eliminación de documentos en

---

(7) Disponible en la Web de la Comisión Superior Calificadora de Documentos Electrónicos: https://www.culturaydeporte.gob.es/dam/jcr:8a4186d5-73cc-4eb8-b5de-c1272ab8da7c/recomendaciones-destruccion.pdf.

soporte papel como en soporte electrónico se requiere un dictamen que autorice la eliminación, y, como en cualquier otro proceso de eliminación de documentos, es necesario dejar constancia documental de los procedimientos de borrado y destrucción realizados, tal y como se recoge, en el ámbito de la AGE, en los artículos 7 y 8 del Real Decreto 1164/2002, de 8 de noviembre por el que se regula la conservación del patrimonio documental con valor histórico, el control de la eliminación de otros documentos de la Administración General del Estado y sus organismos públicos y la conservación de documentos administrativos en soporte distinto al original.

En el documento se distinguen distintos escenarios y se dan recomendaciones según los mismos, teniéndose en cuenta:

• Cómo eliminar información en los distintos soportes y sistemas de almacenamiento.

• Qué técnicas de borrado seguro de documentos y de destrucción física de soportes electrónicos deben utilizarse según el tipo de soporte o el grado de confidencialidad de la información a borrar.

• Cómo se eliminan las copias, incluyendo los ficheros de respaldo o «back-up».

• Cómo se elimina la documentación que resida en «servicios en nube» (Software As A Service, Infraestructure As a Service y otros de similar naturaleza).

• Quién ejecuta el proceso de borrado/destrucción, teniendo en cuenta las diferencias a tener en cuenta si se hace en el marco de un contrato de servicios externo o con medios propios del organismo.

• Cómo se realiza la eliminación de documentos referenciados en más de un expediente o de documentos a partir de los cuales se han generado copias auténticas.

Como vemos, en la eliminación de documentos administrativos electrónicos se deben tener en cuenta situaciones que en papel no existían. El Consejo de Archivos de la Comunidad de Madrid tomó como base este documento elaborado por la CSCDA y aprobó en su sesión ordinaria de 25 de junio de 2018 estos criterios generales en materia de borrado lógico de documentación electrónica y destrucción de soportes informáticos (*Recomendaciones para el borrado lógico de documentación electrónica y la destrucción física de soportes informáticos que formen parte del Patrimonio Documental Madrileño*).

En el ámbito de la Comunidad de Madrid, también se ha creado dentro del Consejo de Archivos una Mesa de Trabajo de Valoración de Documentos Electrónicos en el año 2017 con la función de asesorar y elaborar documentos de trabajo y propuestas de recomendaciones relativas a la valoración de los documentos electrónicos.

— Actualmente esta Mesa de Trabajo está trabajando a través de distintos grupos con los siguientes objetivos: Definir la configuración de un modelo conceptual para el desarrollo del Modelo OAIS, base del archivo electrónico.

— Analizar la conservación de Bases de Datos, centrándose en aquellas que tienen relación con las Tablas de Valoración aprobadas por el Consejo de Archivos.

— Iniciar una propuesta de análisis y estructura de Política de Gestión de Documentos Electrónicos en el ámbito de la Comunidad de Madrid.

— Impulsar la normalización del Inventario de Procedimientos de la Comunidad de Madrid.

— Elaborar directrices sobre los distintos escenarios relacionados con la digitalización.

Asimismo, el Consejo de Archivos de la Comunidad de Madrid, como la mayoría de los órganos colegiados de valoración, tiene entre sus funciones dictaminar sobre la conservación en soporte distinto al original. Por esta razón, también se está trabajando en consensuar qué tipo de documentación se tiene que solicitar a los organismos que soliciten dicho dictamen (informes jurídicos, informe de riesgos, informes de los servicios TICs sobre el tipo de digitalización realizada, etc.) ya que la información solicitada será distinta si se requiere una digitalización para la difusión de los datos e información contenidos en la documentación o si se requiere una digitalización de documentos que aún contienen valores y derechos tanto de los ciudadanos como de las administraciones.

Como se puede concluir, son tantos los frentes y retos ante los que nos encontramos que es imposible intentar enfrentarse a ellos si no es en entornos colaborativos y de cooperación, tanto entre administraciones como entre profesionales. Es totalmente necesaria la colaboración entre órganos colegiados en materia de valoración en todos los ámbitos de la Administración. Esta colaboración permitirá mejorar la toma de decisiones y que éstas sean lo más consensuadas y constatadas posible.

9. BIBLIOGRAFÍA

ALBERCH, R., BONAL, J.L., CRUZ, J.R., SANCHIS, F.J., SERRA, J. *Conclusiones Jornada técnica El documento electrónico en el archivo: conservación y certificación*, Coordinadora de Asociaciones de Archiveros, 2010. Disponible en: http://www.anabad.org/images/documentos/anabad/caceres.pdf [Consulta: 1 de abril de 2018].

ALVITE DÍEZ, M.ª Luisa. 2014. «Metadatos en el contexto archivístico. El reto de la gestión y conservación de documentos electrónicos», *Jornadas Archivando: la nueva gestión de archivos*, León, 6 y 7 de noviembre de 2014. Actas de las Jornadas, págs. 69 a 91.

ASOCIACIÓN ESPAÑOLA DE NORMALIZACIÓN. *UNE-ISO 15489-1:2016. Información y documentación. Gestión de documentos. Parte 1: Conceptos y principios*. Madrid, 2016.

ASOCIACIÓN ESPAÑOLA DE NORMALIZACIÓN. *UNE-ISO 18128:2014. Información y documentación. Apreciación del riesgo en procesos y sistemas de gestión documental*. Madrid, 2014.

ASOCIACIÓN ESPAÑOLA DE NORMALIZACIÓN. *UNE-ISO 16175-2:2012. Información y documentación. Principios y requisitos funcionales para documentos en entornos de oficina electrónica. Parte 2: Directrices y requisitos funcionales para sistemas que gestionan documentos electrónicos*. Madrid, 2012.

CASELLAS I SERRA, Lluís-Esteve. «Destrucción de documentos y transparencia: ¿criterios más allá de la retórica?», *El Consultor de los Ayuntamientos*, n.º 7, Quincena del 15 al 29 abril de 2017, Editorial Wolters Kluwer, 2017, págs. 916 a 935.

COMISIÓN SUPERIOR CALIFICADORA DE DOCUMENTOS ADMINISTRATIVOS. *Cuadro de Clasificación de Funciones Comunes de la Administración General del Estado*, Madrid, 2018. [Consulta: 17 enero 2020]. Disponible en: https://www.culturaydeporte.gob.es/dam/jcr:4889f307-13b0-460a-88c4-5f930c4ac204/ultima-version-ccf-20180110.pdf.

COMISIÓN SUPERIOR CALIFICADORA DE DOCUMENTOS ADMINISTRATIVOS. *Recomendaciones para el borrado lógico de documentación electrónica y destrucción física de soportes informáticos de la Administración General del Estado*, Madrid, 2017. Disponible en: https://www.culturaydeporte.gob.es/dam/jcr:8a4186d5-73cc-4eb8-b5de-c1272ab8da7c/recomendaciones-destruccion.pdf

CONSEJO INTERNACIONAL DE ARCHIVOS. *Documentos electrónicos: Manual para archiveros*, Ministerio de Cultura, Madrid, 2007. [Consulta: 17 enero 2020]. Disponible en: https://www.ica.org/sites/default/files/ICA_Study-16-Electronic-records_ES.pdf

FRANCO ESPIÑO, Beatriz; PÉREZ ALCÁZAR, Ricard (coords.). *Modelo de Gestión de Documentos y Administración de Archivos para la Red de Transparencia y Acceso a la Información* [en línea]. RTA, 2014. [Consulta: 17 enero 2020]. Disponible en: http://mgd.redrta.org/. Con especial atención a *G05/O. Guía de Implementación Operacional: Valoración; G05/D01/O. Directrices: Instrumentos para la valoración; G05/D02/O. Directrices: Transferencia de documentos; G05/D03/O. Directrices: Eliminación de documentos*.

GONZÁLEZ MAESO, Pilar; PÉREZ MONTES, Mercedes. «¿Qué permanece en el nuevo entorno?», *Mesa Redonda sobre Gestión y Conservación de Documentos Electrónicos*, Grupo de Trabajo de Documentos Electrónicos. Conferencia de Archiveros de Universidades, 2008.

INTERNATIONAL ORGANIZATION FOR STANDARDIZATION, ISO/TC46/ SC11. *Preservación de documentos digitales. Guía «Cómo empezar»*, 2010. Disponible en: https://committee.iso.org/sites/tc46sc11/home/projects/published/digital-records-processes-and-se.html [Consulta: 17 de enero de 2020].

LA TORRE MERINO, José Luis; MARTÍN-PALOMINO Y BENITO, Mercedes. *Metodología para la identificación y valoración de documentos*. Madrid: Ministerio de Educación, Cultura y Deporte, 2000.

SERRA SERRA, Jordi. «Valoración y selección de documentos electrónicos: principios y aplicaciones», *Revista Tria,* núm. 12, 2005, págs. 110 a 155. Disponible en: http://eprints.rclis.org/7333/1/Jordi_Serra_-_TRIA_12.pdf [Consulta: 17 de enero de 2020].

MINISTERIO DE EDUCACIÓN, CULTURA Y DEPORTE. 2016. *Política de Gestión de Documentos Electrónicos del Ministerio de Educación, Cultura y Deporte*. [Consulta: 17 de enero de 2020]. Disponible en: http://www.mecd.gob.es/cultura-mecd/areas-cultura/archivos/recursos-profesionales/documentos-electronicos.html.

MINISTERIO DE HACIENDA Y FUNCIÓN PÚBLICA. 2016a. *Política de gestión de documentos electrónicos. Guía de aplicación de la Norma Técnica de Interoperabilidad*. 2.ª ed. Madrid: 2016. [Consulta: 17 de enero de 2020] Disponible en: http://www.administracionelectronica.gob.es/pae_Home/pae_Estrategias/pae_Interoperabllidad_Iniciu/pae_Normas_tecnicas_de_interoperabilidad.html#POLITICAGESTION.

MINISTERIO DE HACIENDA Y FUNCIÓN PÚBLICA. 2016b. *Documento electrónico. Guía de aplicación de la Norma Técnica de Interoperabilidad*. 2.ª ed. Madrid. 2016. [Consulta: 17 de enero de 2020]. Disponible en: http://www.administracionelectronica.gob.es/pae_Home/pae_Estrategias/pae_Interoperabilidad_Inicio/pae_Normas_tecnicas_de_interoperabilidad.html#DOCUMENTOELECTRONICO.

MINISTERIO DE HACIENDA Y ADMINISTRACIONES PÚBLICAS. 2016c. *Esquema de Metadatos para la Gestión del Documento Electrónico (e-EMGDE). Versión 2.0. Documentación complementaria a la Norma Técnica de Política de gestión de documentos electrónicos*. Madrid: 2016. [Consulta: 17 enero 2020]. Disponible en: https://www.administracionelectronica.gob.es/pae_Home/pae_Estrategias/Archivo_electronico/pae_Metadatos.html.

MINISTERIO DE HACIENDA Y ADMINISTRACIONES PÚBLICAS. 2016d. *Política de gestión de documentos electrónicos*. 2.ª ed. Madrid: 2016. [Consulta: 17 enero 2020]. Disponible en: http://www.minhafp.gob.es/Documentacion/Publico/SGT/POLITICA%20DE%20GESTION%20DE%20DOCUMENTOS%20MINHAP/politica%20de%20gestion%20de%20documentos%20electronicos%20MINHAP.pdf.

24.

LA CLASIFICACIÓN COMO PROCESO PARA LA GESTIÓN DE DOCUMENTOS ELECTRÓNICOS

Beatriz FRANCO ESPIÑO
Jefa de Unidad Técnica de Planificación y Programación Archivística. Subdirección General de Archivos y Gestión Documental. Comunidad de Madrid. Secretaria del Consejo de Archivos de la Comunidad de Madrid

En el presente trabajo se trata la clasificación como un proceso clave en la gestión de los documentos electrónicos de las organizaciones. Se incluye información sobre el Cuadro de Clasificación de Funciones Comunes de la Administración General del Estado, elaborado en el seno de la Comisión Superior Calificadora de Documentos Administrativos, y sobre los trabajos colaborativos en relación al Sistema de Información Administrativa (SIA). Se completa con unas breves indicaciones sobre cómo comenzar a elaborar un cuadro de clasificación y sobre los requisitos necesarios para implementar el mismo en el sistema de gestión de documentos electrónicos de la organización.

1. INTRODUCCIÓN

La clasificación, y el resultado de la misma el cuadro de clasificación, es un proceso básico para afrontar el nuevo escenario de gestión electrónica de la actividad administrativa que establece la LPAC.

La clasificación permite a una organización capturar, identificar, recuperar y mantener adecuadamente sus documentos a lo largo del tiempo.

Asimismo, disponer de un cuadro de clasificación basado en las funciones de la organización es un requisito esencial para abordar el proceso de conservación, al permitir organizar los documentos y expedientes electrónicos y determinar qué datos o documentos serán objeto de un tratamiento diferenciado con vistas a su preservación a largo plazo (MINHAP, 2016a, pág. 236).

En este artículo se tratará la clasificación, en concreto la funcional, como proceso para la gestión de documentos electrónicos, centrándome en los trabajos de colaboración realizados en el ámbito de la Comisión Superior Calificadora de Documentos Administrativos.

2. DEFINICIONES

Se puede definir la clasificación como aquel proceso de gestión documental basado en la estructuración sistemática de las actividades, de las organizaciones o de los documentos generados por estas, en categorías de acuerdo a convenciones, métodos o normas de procedimientos, lógicamente estructurados y representados en un sistema de gestión documental; y a su resultado, el cuadro de clasificación, como «herramienta para asociar los documentos con su contexto de creación» (UNE, 2016, pág. 6).

Según la norma *UNE-ISO 16175-2:2012 Información y documentación. Principios y requisitos funcionales para documentos en entornos de oficina electrónica. Parte 2: Directrices y requisitos funcionales para sistemas que gestionan documentos electrónicos*, un cuadro de clasificación es una herramienta de clasificación jerárquica que facilita la captura, identificación, recuperación, mantenimiento y calificación de documentos. Como se puede observar, sirve como base para la propia gestión de documentos electrónicos, dado que si nuestra organización cuenta con un cuadro de clasificación puede definir la forma según la cual los documentos electrónicos se agrupan y se vinculan al contexto de actividad en el cual han sido creados o recibidos (UNE, 2012, pág. 28).

Actualmente se considera la clasificación clave para la gestión de los documentos así como para la preservación de los mismos, sobre todo en entornos electrónicos.

3. MARCO LEGAL

Si se ha definido a la clasificación como esencial para la gestión de documentos electrónicos, es normal que la legislación que nos marca el ámbito de la administración electrónica incluya a este proceso archivístico en sus regulaciones.

El artículo 21 del ENI, en el que se establecen las condiciones para la recuperación y conservación de documentos, contempla la clasificación entre las medidas organizativas y técnicas que las administraciones públicas deben adoptar para garantizar la interoperabilidad en relación con la recuperación y conservación de los documentos electrónicos a lo largo de su ciclo de vida. Una clasificación que habrá de hacerse «de acuerdo con un plan de clasificación adaptado a las funciones, tanto generales como específicas, de cada una de las administraciones públicas y de las entidades de derecho público vinculadas o dependientes de aquéllas».

En el mismo sentido, la Resolución de 28 de junio de 2012, de la Secretaría de Estado de Administraciones Públicas, por la que se aprueba la NTI de Política de gestión de documentos electrónicos, establece en su apartado VI.3 que entre los procesos de gestión de documentos electrónicos de una organización estará, entre otros, la «clasificación de documentos, que incluirá los criterios de formación de expedientes y agrupaciones de documentos electrónicos según la NTI de Expediente electrónico, así como la clasificación funcional de acuerdo con el cuadro de clasificación de la organización».

El Real Decreto 1708/2011, de 18 de noviembre, por el que se establece el Sistema Español de Archivos y se regula el Sistema de Archivos de la Administración General del Estado y de sus Organismos Públicos y su régimen de acceso, establece en su artículo 21 de aplicación de las tecnologías de la información y comunicaciones en la gestión y tratamiento de los documentos que los departamentos ministeriales y sus organismos vinculados o dependientes promoverán en todo momento el uso de las tecnologías de la información y el conocimiento en el tratamiento archivístico de los documentos de su competencia y en todo lo relativo a las funciones de conservación, gestión, acceso y difusión que tiene encomendadas, mediante el desarrollo de archivos digitales o repositorios de documentos en soporte electrónico estableciendo formatos de intercambio de documentos o expedientes electrónicos, definiendo unos metadatos y clasificaciones comunes que permitan la reutilización y el intercambio de información entre los distintos órganos de la administración.

Por tanto, el cuadro de clasificación es una herramienta básica para afrontar el nuevo escenario de gestión y documentación electrónica de la actividad administrativa que establece la actual ley del procedimiento administrativo (LPAC) y permitirá a la administración:

- Organizar, representar y vincular los documentos que produce o recibe en el ejercicio de sus funciones.

- Vincular y compartir dichos documentos, ya sea de manera interna o externa a la administración.

- Proporcionar un mejor acceso, recuperación, uso y difusión de estos documentos.

- Facilitar la vinculación entre la información pública y los documentos que la sirven de sustento.

Los frutos del análisis realizado para la elaboración de un cuadro de clasificación contribuirán, además, a que las organizaciones trabajen en la identificación de los requisitos en materia de gestión de documentos que han de tenerse en cuenta de cara a la automatización, mejora y adecuación de los procesos y de los sistemas de tramitación existentes en la organización; a la definición de plazos de conservación adecuados y al desarrollo de calendarios de conservación; la identificación de los documentos esenciales; los requisitos de seguridad de acceso a la información y los sistemas y la determinación de aquellos metadatos necesarios para una correcta gestión de los documentos (UNE, 2016) todo ello en el marco de la actual transformación digital de las administraciones públicas.

Además, es importante señalar la relevancia que un cuadro de clasificación de funciones puede presentar para una efectiva implementación de la transparencia y el acceso a la información pública, dos de los ejes fundamentales de toda acción política, según destaca en su preámbulo la Ley 19/2013, de 9 de diciembre, de transparencia, acceso a la información pública y buen gobierno[1], al proporcionar una organización lógica de la actividad administrativa y de los documentos que son testimonio de la misma, lo que mejora su comprensión y facilita su recuperación y presentación.

Como se puede observar, la clasificación, proceso técnico archivístico, aparece en la normativa legal como un requisito necesario para la gestión y recuperación de los documentos electrónicos, así como de la información producida por las administraciones públicas, todo ello ligado a la transparencia, la rendición de cuentas, el acceso a la información y la transformación digital de las administraciones.

4. LA CLASIFICACIÓN COMO PROCESO

La norma *UNE-ISO 15489:2016* establece que los instrumentos de gestión de documentos que se deberían desarrollar en una organización son los siguientes (UNE, 2016, pág. 18):

- Esquemas de metadatos para la gestión de documentos.
- Cuadros de clasificación.
- Reglas y permisos de acceso.
- Calendarios de conservación.

La clasificación va a permitir establecer vínculos entre la documentación que se gestiona en una organización, a la vez que garantiza que los documentos se denominen de una manera coherente a lo largo de su vida. Disponer de un cuadro de clasificación también va a permitir la atribución de permisos de acceso a conjuntos de documentos clasificados por series documentales,

---

(1) Dicha Ley obliga a la administración a identificar los distintos tipos de información que obren en su poder y plasmar toda esa información en un mapa de contenidos accesible a los ciudadanos y las demás administraciones públicas.

haciendo más fácil la definición de niveles de seguridad y acceso. Y, asimismo, facilita la implementación y el establecimiento de plazos y medidas de conservación, eliminación, transferencia o migración de documentos. Como vemos, la clasificación va a permitir una mejor gestión de los documentos porque todos aquellos que estén clasificados bajo una misma categoría van a gestionarse de la misma manera, siguiendo las mismas reglas y plazos.

En la versión 2.0 del *Esquema de Metadatos para la Gestión del Documento Electrónico (e-EMGDE)* el metadato *eEMGDE22- Clasificación* es uno de los obligatorios para el expediente y en el campo de finalidad se recoge la clave de este proceso: la finalidad del uso del metadato de Clasificación es «adscribir la entidad a una categoría dentro de un plan de clasificación, de manera que todos los integrantes de la misma compartan una serie de atributos y reciban un tratamiento semejante en virtud de ellos» (MINHAP, 2016b, pág. 81).

Los subelementos que forman parte de este metadato *eEMGDE22 — Clasificación* son:

eEMGDE22.1 - Código de clasificación

eEMGDE22.2 - Denominación de clase

eEMGDE22.3 - Tipo de clasificación (SIA / Funcional)

Los metadatos de *Clasificación* y *Código de clasificación* son obligatorios para expediente y los otros dos subelementos, *Denominación de clase* y *Tipo de clasificación (SIA / Funcional)* son obligatorios para la transferencia.

Más adelante volveremos sobre la importancia de estos metadatos en la gestión de los documentos electrónicos de una organización.

La adopción de un criterio sistemático para poder disponer de un control intelectual sobre el conjunto de la documentación que produce o recibe una organización, así como para poder representar la información que contiene dicha documentación, resulta esencial para un adecuado desempeño del resto de las actividades que se desarrollan en la organización, facilitando una ejecución más eficaz y responsable; respalda una adecuada toma de decisiones basada en un sistema firme de información; garantiza la continuidad de los procesos en caso de vacantes, emergencias o catástrofes; proporciona evidencia sobre las actividades; sirve como apoyo legal; y garantiza una rendición de cuentas asentada sobre una información fiable y fácilmente recuperable.

El sistema de clasificación se debe aplicar sobre el conjunto de la documentación que gestiona la organización, permitiendo organizar lógica e intelectualmente los documentos y series documentales identificadas, desde el momento en que estos documentos se capturan o crean dentro de la organización.

La clasificación de los documentos, por tanto, es un proceso operativo básico para diseñar el conjunto de actuaciones o estrategias en materia de gestión documental dentro de una organización, puesto que su resultado ofrece un valor añadido esencial para poder planificar y determinar numerosas actuaciones posteriores, como se ha señalado.

Disponer de un sistema de clasificación integral y conocido por toda la organización ofrece las siguientes ventajas (FRANCO y PÉREZ, 2014):

• Se facilita la identificación de las diversas unidades de la organización con la filosofía basada en la gestión por procesos, ya que todas las unidades comparten un mismo sistema codificado creado a partir del mapa de procesos de negocio.

• Se garantiza la adecuada gestión documental dentro del archivo y de la organización en general, permitiendo la asignación de niveles de acceso o seguridad a conjuntos de documentos clasificados por series documentales, distribuyendo la responsabilidad de las agrupaciones documentales, facilitando las medidas de conservación y valoración, etc.

• Se simplifica la toma de decisiones en otros ámbitos de la organización, en los cuales la clasificación resulta un recurso fundamental, como puede ocurrir con unidades responsables de la gestión por procesos o unidades encargadas del diseño e implementación de sistemas de administración electrónica dentro de la organización.

Debido a la irrupción de los cambios producidos por el desarrollo tecnológico, así como a las políticas de gestión integral de las organizaciones, el proceso de clasificar la documentación se ha convertido en uno de los ejes fundamentales de las organizaciones, pasando de ser un proceso desarrollado tradicionalmente en las unidades de archivo, una vez que recibían la documentación por vía de transferencia, a ser un proceso operativo que se plantea de forma previa incluso a la creación de los propios documentos, ya que en realidad lo que se está clasificando no son los documentos en sí, sino los procesos de negocio por los cuales se crean los documentos, permitiendo así el desarrollo de actuaciones de mejora o de gestión específicas según la clasificación realizada (FRANCO y PÉREZ, 2014).

4.1. Clasificación funcional

La legislación en vigor claramente menciona que la clasificación debe ser funcional. Y no solo la legislación, también las buenas prácticas y normas internacionales se decantan por los cuadros de clasificación funcionales.

La norma *UNE-ISO 15489:2016* señala que el desarrollo de cuadros de clasificación aplicables a los documentos debe basarse en un análisis de las funciones, actividades y procesos de trabajo (UNE, 2016, pág. 20) y, como hemos visto, el eEMGDE sólo permite como valores en el *eEMGDE22.3 — Tipo de clasificación* el funcional, es decir, «la adscripción de la entidad a una categoría funcional dentro del cuadro de clasificación funcional de documentos de la organización» (MINHAP, 2016b, pág. 82) o una clasificación administrativa del procedimiento de acuerdo al SIA. Como veremos más adelante, se está trabajando para que ambas clasificaciones vayan de la mano.

La clasificación funcional se basa en la sistematización jerárquica de las actividades que desarrolla la organización siguiendo una estructura funcional, equivalente a la empleada en la definición de los mapas de procesos, en la cual la serie documental es la categoría más baja de clasificación.

Aplicando un criterio de clasificación funcional, las series documentales que reúnen los documentos y expedientes que resultan de un mismo proceso o actividad se agrupan intelectualmente con arreglo a las funciones de las que son testimonio, sin considerar las unidades administrativas que las llevan a cabo. La categorización así realizada reflejará una división jerarquizada de las funciones, desde los ámbitos de actuación más amplios hasta las actividades específicas que se testimonian en las respectivas series documentales.

La normativa vigente establece la necesidad de optar por una clasificación funcional en lugar de otras posibilidades que se han venido empleando, como las clasificaciones basadas en criterios orgánicos y por materias, fundamentalmente por las siguientes razones (CSCDA, 2018, pág. 6):

- Es un criterio más estable, puesto que las funciones perduran en el tiempo aunque las unidades que las desarrollan cambien.

- Es un criterio más objetivo, puesto que no depende de la percepción subjetiva de una persona, sino de las competencias que se le atribuyen a la administración.

- Es un criterio que emana de la naturaleza propia de los documentos y de los procesos que evidencian.

Un sistema de clasificación basado en funciones proporciona un marco sistemático y efectivo para la gestión de documentos. El análisis de las funciones realizado en el momento preliminar de identificación de la organización permite conocer todas las actividades de la organización y situarlas en el contexto de los objetivos y estrategias planteadas por la dirección de la organización.

Pero, como acertadamente nos recuerda Alejandro Delgado, «no perdemos de vista el hecho de que la clasificación funcional clasifica actividades, no documentos [...]. En algún momento habrá de descenderse de la abstracción implicada por la clasificación funcional a los procesos reales, cotidianos, que generan los documentos. Pero lo cierto es que las funciones o actividades y las series son entidades de distinto tipo, y, por tanto, no pueden compartir una manera de poner orden, de clasificar» (DELGADO, 2010, pág. 127).

Como hemos dicho anteriormente, el objetivo principal de la clasificación es recuperar el contexto. Para poder conocer lo más ampliamente posible el contexto de los documentos debemos tener información sobre el agente (organización, familia, persona) que lo ha creado (o remitido, gestionado, coleccionado, etc.), es decir, sobre su procedencia. A la vez, debemos tener información sobre la actividad que documenta y sobre los vínculos establecidos entre los documentos entre sí.

En el documento *NEDA-MC. Modelo conceptual de descripción archivística: entidades, relaciones y atributos* se señala que en los sistemas de descripción archivística las relaciones son esenciales para preservar el significado, el valor testimonial, el contexto y la accesibilidad de los documentos de archivo a través del tiempo (CNEDA, 2017, pág. 21). Las relaciones entre las diferentes entidades señaladas en el Modelo conceptual desarrollado por la CNEDA son múltiples, pero quería resaltar aquí un conjunto de relaciones señaladas como prioritarias: las relaciones de contexto y valor testimonial de los documentos. Desde la perspectiva del contexto orgánico, funcional y normativo de los documentos de archivo, así como su valor testimonial, en la *NEDA-MC* se han identificado los siguientes cuatro tipos de relación de contexto entre las entidades documentos de archivo, agente, función y sus divisiones y norma:

- Relaciones entre documentos de archivo y agente (producción, creación, gestión, etc.).

- Relación entre función y agente (realización).

- Relación entre documentos de archivo y función (testimonio).

- Relación entre norma y documentos de archivo, agente y función (regulación).

El uso de un modelo relacional de descripción archivística daría como resultado práctico, como señala Javier Barbadillo, un sistema de relaciones que admite la posibilidad de que una entidad pueda figurar al mismo tiempo en dos o más ramas de clasificación (BARBADILLO, 2010, pág. 96).

Si en un sistema de información de una organización, por ejemplo, en una institución pública se establecen relaciones entre las funciones / actividades generadas por dicha organización, las unidades que las llevan a cabo, el reflejo documental de dichas actividades realizadas por una unidad, y la norma / procedimiento administrativo que regula dicho reflejo documental, tendríamos la información necesaria para completar el lienzo con toda la información de contexto. Y gracias a esta información integral, las decisiones que se toman a cabo con respecto al acceso, difusión, conservación, valoración, transferencia, etc. estarán mejor fundamentadas y serán más acertadas.

¿Cómo podríamos visualizar las mencionadas relaciones? Vinculando nuestro cuadro de clasificación con aquellas herramientas de apoyo que faciliten su aplicación por toda la organización (con vocabularios controlados, tesauros, indexación de términos, etc.); con el repertorio de series documentales de la organización; con el listado de unidades administrativas que producen documentos (un tesauro de agentes, tanto actuales como pasados, por ejemplo, o el Directorio Común de Unidades Orgánicas y Oficinas, DIR3)[2]; y con las normas que regulan el trámite administrativo o afectan a la documentación relacionada (a través de vinculaciones con los diferentes boletines oficiales, con la regla de conservación dictaminada, con la normativa relativa al acceso, etc.).

Todo este entramado, que nos puede parecer complicado, se puede recuperar y gestionar por sistemas de información relacionales, haciendo que puedan vincularse con otros sistemas, absorbiendo datos de las múltiples herramientas que se han puesto a nuestra disposición gracias a la administración electrónica. Posteriormente trataré una de estas herramientas con más detenimiento: el Sistema de Información Administrativa (SIA).

5. EL CUADRO DE CLASIFICACIÓN DE FUNCIONES COMUNES DE LA AGE

En este momento quiero tratar uno de los trabajos desarrollados en el ámbito de la AGE. Claramente, en otros ámbitos se han realizado trabajos de este tipo con anterioridad y con muy buenos resultados[3] pero en el ámbito que nos ocupa en este apartado sólo se habían realizado cuadros de clasificación de funciones a nivel departamental.

Dentro de la Comisión Superior Calificadora de Documentos Administrativos (CSCDA) se ha creado el Grupo de Trabajo de Valoración de Series y Funciones Comunes, con el objetivo de realizar estudios de identificación y valoración de series comunes; así como estudios comparativos de series complementarias y paralelas de los distintos organismos y su ubicación con el fin de elaborar pro-

---

(2)   El Directorio Común (DIR 3) proporciona, como se indica en el Portal de Administración Electrónica, un Inventario unificado y común a toda la administración de las unidades orgánicas / organismos públicos, sus oficinas asociadas y unidades de gestión económica-presupuestaria, facilitando el mantenimiento distribuido y corresponsable de la información. Esta codificación única de las unidades facilita las comunicaciones entre las mismas. Una de las mejoras que considero que facilitaría su uso a largo plazo es que este Inventario permitiera conservar un histórico de los códigos. Esto es especialmente importante cuando se vayan acumulando cambios organizativos debido a las modificaciones en los gobiernos de las distintas administraciones públicas. De esta manera, sería posible mantener los vínculos entre estas unidades, las funciones que desarrollaron y la documentación que generaron.

(3)   Podemos destacar, entre otros, los trabajos colaborativos realizados por archiveros municipales, de universidades, de Puertos del Estado y los de distintas Comunidades Autónomas, así como los múltiples ejemplos de cuadros de clasificación de funciones desarrollados por distintas organizaciones que han servido de ejemplo para la elaboración de este Cuadro.

puestas de conservación / eliminación y calendarios de conservación. Para ser más operativo, dicho grupo de trabajo se ha dividido en varios subgrupos de trabajo temáticos. Uno de ellos, el Subgrupo de Funciones Comunes, se creó en la reunión del 25 de marzo de 2014 para dar respuesta a la necesidad de trabajar en la elaboración de Cuadro de Clasificación de Funciones Comunes de la Administración General del Estado que sirva como base a los cuadros de clasificación funcional de los departamentos ministeriales y organismos públicos de la AGE, sobre todo pensando en la obligación impuesta en la implementación de la Administración electrónica[4].

Formaron parte de este subgrupo archiveros de distintos departamentos[5] y responsables de la Subdirección General de Organización y Procedimientos, bajo cuyas competencias está el Sistema de Información Administrativa (SIA).

5.1. Método de trabajo empleado

Para alcanzar su propósito, el Subgrupo aplicó una metodología basada en directrices técnicas y buenas prácticas internacionales, enfocando su actividad en un primer momento en identificar los niveles superiores del futuro cuadro de clasificación[6].

La primera tarea realizada por el Subgrupo fue partir de un estudio contextual, centrado en la recopilación y revisión del marco legal y reglamentario de la actividad administrativa del conjunto de la Administración General del Estado. Para ello había que identificar en primer lugar los objetivos y estrategias generales de la AGE, principalmente a través del análisis de los reales decretos de estructura orgánica y competencial de los distintos departamentos ministeriales, que se repartieron para su estudio entre los miembros. Fue significativo el hecho que las mismas funciones comunes que se desarrollaban en todos los reales decretos de estructura (personal, económicas, contrataciones, subvenciones, etc.) se formulaban de muy distinta manera en cada uno de ellos, es decir, la terminología utilizada para nombrar dichas competencias variaba de uno a otro.

El segundo paso fue examinar la normativa específica y sectorial de cada ámbito funcional común. Se necesitaba conocer el marco legal para poder conocer las distintas competencias desarrolladas en cada uno de los ámbitos. A la vez, se concertaron entrevistas y se solicitó asesoramiento y colaboración de

---

(4) En la página web de la Comisión Superior Calificadora de Documentos Administrativos está disponible información de los Grupos de Trabajo creados en su seno y todos los documentos elaborados http://www.mecd.gob.es/cultura/areas/archivos/mc/cscda/presentacion.html.

(5) Han participado en el desarrollo del Cuadro compañeros de los Ministerios de Interior; Presidencia y para las Administraciones Territoriales; Agricultura y Pesca, Alimentación y Medio Ambiente; Hacienda y Función Pública; Justicia; Empleo y Seguridad Social con la coordinación del Ministerio de Educación, Cultura y Deporte.

(6) Han sido de especial interés las directrices recogidas en la Norma *UNE-ISO/TR 26122:2008. Información y documentación. Análisis de los procesos de trabajo para la gestión de documentos.*

los responsables de los procesos de gestión y de las unidades con funciones transversales en los distintos departamentos ministeriales, realizándose un importante trabajo de abstracción y discusión para alcanzar el mayor consenso en la terminología empleada.

Asimismo, se tuvieron en cuenta diversas fuentes bibliográficas, modelos de clasificación de funciones elaborados por otras administraciones públicas (universidades, comunidades autónomas, administraciones locales y departamentos ministeriales) y documentos técnicos sobre clasificación archivística. En el propio Cuadro se destaca el documento elaborado por la Agencia Estatal de Evaluación de las Políticas Públicas y la Calidad de los Servicios (AEVAL) *Diseño de una metodología para caracterizar las funciones desarrolladas por los servicios centrales de la Administración General del Estado,* en el que se establece un sistema de comparación entre los distintos Departamentos, aportando criterios objetivos para la toma de decisiones tanto en materia de recursos humanos o de estructuras y recursos compartidos[7].

Tras realizar todo ese análisis, pudieron identificarse una serie de funciones comunes que, en segundo término, fueron agrupadas en torno a los mencionados objetivos y estrategias generales, dando lugar a una primera versión del Cuadro de Clasificación de Funciones, que pretendía abarcar todas aquellas actividades que comparten cada uno de los departamentos ministeriales y organismos públicos de la AGE.

Además de la toma de decisiones en cuanto a la terminología a emplear, la segunda decisión de mayor calado que tuvo que realizar el Subgrupo fue elegir los niveles en los que se estructuraría el Cuadro. Se consideró que un número excesivo de niveles podría generar una estructura jerárquica demasiado compleja y difícil de gestionar, por lo que se decidió estructurar el Cuadro en tres niveles:

• Un primer nivel de funciones genéricas[8]. Se decidió crear dos grandes categorías más amplias donde luego se agruparían las funciones comunes:

---

(7) Agencia Estatal de Evaluación de las Políticas Públicas y la Calidad de los Servicios (AEVAL) *Diseño de una metodología para caracterizar las funciones desarrolladas por los servicios centrales de la Administración General del Estado.* Disponible en línea: http://www.aeval.es/es/difusion_y_comunicacion/publicaciones/Informes/Informes_de_Evaluacion/Evaluaciones_2013/E37.html.

(8) Se han seguido las siguientes definiciones: **Función.** Cualquier objetivo de alto nivel, responsabilidad o tarea asignada a una institución por la legislación, política o mandato. Las funciones pueden dividirse en conjuntos de operaciones coordinadas como subfunciones, procesos, actividades, tareas o acciones (*Function*). CONSEJO INTERNACIONAL DE ARCHIVOS. *Norma Internacional para la Descripción de Funciones (ISDF).* 2008. Madrid: Subdirección General de los Archivos Estatales. **Función.** Responsabilidad u objetivo principal asumido por la sociedad o realizado por un agente, e integrado por un conjunto de actividades o procesos. COMISIÓN DE NORMAS ESPAÑOLAS DE DESCRIPCIÓN ARCHIVÍSTICA (CNEDA). 2017. *Modelo conceptual de descripción archivística: entidades, relaciones y atributos.* Madrid: Ministerio de Educación, Cultura y Deporte.

«Gobierno y dirección» y «Administración y servicios generales». Estos dos grandes grupos corresponderían a dos de las tres principales atribuciones de cualquier organización: aquellas que responden a la capacidad directiva y estratégica de la organización; y las funciones de administración y soporte, es decir, aquellas que responden a la capacidad de ordenar internamente sus propios recursos (humanos, económicos, tecnológicos, etc.). La tercera función genérica de las organizaciones es la que se correspondería con las funciones específicas (no comunes) de los distintos organismos. Este tercer gran grupo no se desarrolla en el Cuadro, sino que cada una de las organizaciones tendrá que desarrollarlo para completar su propio cuadro de clasificación de funciones.

• Un segundo nivel con las funciones principales o ámbitos funcionales de actuación, es decir, aquellas responsabilidades básicas para la consecución de los objetivos.

• Un tercer nivel en el que se incluyen las subfunciones o divisiones de función que forman parte de una función superior.

Se decidió por parte del Subgrupo no hacer un cuarto nivel con un listado cerrado de series documentales. Lo que sí se ha recogido, a título meramente descriptivo y como ejemplo de desarrollo, es información sobre algunas series relacionadas con dichas subfunciones o divisiones de función. No pretende ser un listado exhaustivo en ningún caso, sino ejemplificar el posible desarrollo del Cuadro.

Una de las discusiones que se llevaron a cabo en el seno del Subgrupo era si incluir en el Cuadro aquellos procesos que podríamos denominar «de soporte» (CSCDA, 2018, pág. 9) o dejarlos como la parte del Cuadro a desarrollar por cada una de las organizaciones en su parte de funciones específicas. Es decir, decidir si procesos como aquellos relacionados con la gestión de contrataciones, subvenciones, procedimientos sancionadores, etc., se consideraban funciones comunes independientemente de la materia a la que se refieran o se consideraban funciones específicas. Finalmente, se acordó incluirlos en el desarrollo de los apartados comunes del Cuadro, dada la importancia de dichos procesos y el alto volumen de tramitación que conllevan en todos los organismos públicos.

El Cuadro presentado es el primer paso. La idea es que sirva de base a cada departamento ministerial u organismo público, que debe realizar su propio análisis de sus procesos de trabajo e identificar aquellas series documentales, reflejo de las subfunciones o divisiones de función identificadas. A partir de esta propuesta las organizaciones deben completar el cuadro de clasificación que responda a su organización y representar los vínculos entre sus documentos y el contexto de su creación.

Otra de las decisiones que se discutió en el Subgrupo es qué codificación utilizar. Finalmente se decidió utilizar una codificación numérica correlativa a la que se agregaría un cero delante de las unidades de cada bloque para lograr que cualquier programa o aplicación informática lo ordenase automáticamente.

El Cuadro puede sufrir modificaciones: se puede introducir un nuevo concepto, modificar una denominación o cambiar una posición en el Cuadro. Para poder dar respuesta a una posible modificación y lograr una mayor flexibilidad, se ha asignado a cada concepto un identificador aleatorio que se recoge en una tabla en la que se recuperan los códigos y conceptos del Cuadro. Como se recoge en la explicación del Cuadro, esta propuesta de identificadores se ofrece a modo de ejemplo, ya que la identificación unívoca de cada división o subdivisión del cuadro de clasificación debe existir a efectos técnicos por las razones aducidas, pero puede ser transparente al usuario, quedando de la mano de los administradores del sistema en cada repositorio de archivo (CSCDA, 2018, pág. 10).

Una vez finalizada la primera versión del Cuadro, somos conscientes que se pondrá a prueba cuando empiece a utilizarse. Será el uso y la implementación del cuadro de clasificación los que constatarán si funciona o si hay que realizar algunos ajustes o actualizaciones para que el modelo cumpla con la finalidad última del Cuadro.

5.2. Aprobación del documento y actuaciones

El Cuadro se aprobó dentro del Grupo de Trabajo de Series y Funciones Comunes tras una fase de comentarios para los miembros del mismo. Se presentó en el Pleno de la Comisión Superior Calificadora de Documentos Administrativos de marzo de 2017, donde se aprobó abrir un plazo público para recabar comentarios al Cuadro por cualquier persona interesada. Tras la finalización del plazo se discutieron los comentarios recibidos por el Subgrupo.

La versión 1.0 de este documento se presentó en la reunión del Pleno de la CSCDA de 13 de diciembre de 2017, acordándose por unanimidad su aprobación.

Una vez publicada la primera versión del Cuadro, la misión principal del Subgrupo ha finalizado. Se llegó al acuerdo dentro del GTSC de reconvertir el Subgrupo en Comisión de seguimiento, cuya función principal sería asegurar la actualización permanente y las posibles revisiones del Cuadro.

6. RECOMENDACIONES PARA LA ELABORACIÓN DE LA PARTE ESPECÍFICA DEL CCF EN UNA ORGANIZACIÓN

Como se ha mencionado anteriormente, para poder gestionar la totalidad de la información generada y recibida en el ejercicio de sus funciones por cada organización, aquellos departamentos ministeriales u organismos públicos que utilicen el Cuadro, tendrán que desarrollar su parte específica de acuerdo con la metodología utilizada en la elaboración del mismo y para ello tendrán que realizar las siguientes tareas (CSCDA, 2018, pág. 11):

• Revisar las competencias y funciones específicas atribuidas a las unidades administrativas de cada uno de los departamentos ministeriales y organismos públicos.

• Identificar y analizar los procesos de trabajo mediante los que se llevan a cabo dichas funciones y competencias.

• Identificar la serie o series documentales en que se testimonian dichos procesos, en el ejercicio de las distintas subfunciones o divisiones de función específicas.

Un cuadro de clasificación puede reflejar la simplicidad o la complejidad de cualquier organización. Por ello, es necesario que la identificación que se realice previamente de la organización sea lo más exhaustiva posible, en aras de conseguir el mayor nivel de conocimiento de las actividades y documentos que se gestionan. Es importante, asimismo, acudir a las disposiciones reguladoras de las competencias y las normas de procedimiento empleadas que establecen cómo aplicar en la vida real dichas competencias.

¿Cuáles son las tareas o actuaciones básicas a realizar en una organización para poder ejecutar correctamente el proceso de clasificación de documentos? Podemos identificar las siguientes:

• Sistematizar las actividades identificadas dentro de la organización, relacionándolas entre sí siguiendo una estructura funcional alineada con los procesos de negocio.

• Codificar las categorías empleadas en la sistematización, utilizando códigos numéricos o alfanuméricos para permitir la precisión e integración sencilla de las categorías en el desarrollo del resto de actividades de la organización.

• Plasmar esa estructura codificada y sistematizada de las actividades en un cuadro de clasificación, en el que se reflejen las categorías identificadas en las que se agrupan las series documentales.

• Utilizar y difundir dentro de la organización el cuadro de clasificación, acompañado de un lenguaje controlado para facilitar su aplicación desde las diversas unidades de la organización.

Como recomendación general para aquellas organizaciones que van a comenzar la tarea de elaborar un cuadro de clasificación se podría señalar la necesidad de comenzar el análisis y diseño del cuadro de clasificación en colaboración con las unidades responsables de crear o gestionar los documentos, ya que son aquellas personas las que mejor conocen el funcionamiento diario de sus respectivas actuaciones. Es conveniente, asimismo, que se apruebe el documento por la alta dirección de la organización por el apoyo que supone para el mismo, así como para que sea tenida en consideración en otros ámbitos de la misma. Y, tras la elaboración del cuadro, se recomienda la difusión y explicación del mismo en todas las unidades de la organización que vayan a gestionar los documentos o procesos en él reflejados, para que se aplique en toda la organización.

El cuadro de clasificación no es un documento estático sino una herramienta de gestión. Por tanto, se debe revisar periódicamente para incluir las modificaciones que se hayan planteado en las actividades de la organización.

Un documento puede clasificarse más de una vez, en distintos momentos de su existencia. En casos de reclasificación, deberían conservarse los metadatos de clasificación reemplazados.

También pueden utilizarse metadatos de indización para hacer que los documentos sean más fácilmente recuperables, por ejemplo, como materias, lugares geográficos o nombres de personas pueden vincularse a los documentos en el momento de la captura, o pueden añadirse cuando sea necesario a lo largo de toda su existencia.

Por tanto, se tiene que garantizar que la estructura se mantiene actualizada y refleja las modificaciones producidas, e incluir mejoras al mismo que faciliten su aplicación por toda la organización, como complementar el mismo con otras herramientas de apoyo como vocabularios controlados o sistemas de indexación de términos.

Y, ¿cómo podemos comprobar que el cuadro de clasificación que hemos elaborado es una herramienta que funciona de forma adecuada? Comprobando si cumple con los siguientes puntos (FRANCO y PÉREZ, 2014):

• Si el cuadro toma las denominaciones que aparecen en su estructura de las funciones y actividades y no de las unidades que componen la organización.

• Si el cuadro es propio de su organización y procura de forma coherente la vinculación entre las diversas unidades que comparten información y agrupaciones documentales debido a la interrelación de sus funciones.

• Si la estructura jerárquica del cuadro de clasificación va del concepto más general al más específico, es decir, desde las funciones de alto nivel de la organización hasta las operaciones o acciones más concretas.

• Si los términos que se emplean en el cuadro son unívocos y reflejan la práctica diaria de la organización.

• Si están formados por un número suficiente de agrupaciones en las que se contemplen todas las funciones que generen o gestionen documentos.

7. REQUISITOS DE UN SISTEMA DE GESTIÓN DE DOCUMENTOS ELECTRÓNICOS EN RELACIÓN CON LA CLASIFICACIÓN

Una de las tareas que tenemos que realizar tras la consolidación de un cuadro de clasificación de la organización es integrarlo en el sistema de gestión de documentos electrónicos (SGDE) implementado en la misma. Los profesionales de archivos tenemos que identificar aquellos requisitos necesarios que, en relación con la clasificación, deben implementarse en el sistema que en la organización gestiona los documentos electrónicos.

En la norma *UNE-ISO 16175-2:2012 Información y documentación. Principios y requisitos funcionales para documentos en entornos de oficina electrónica. Parte 2: Directrices y requisitos funcionales para sistemas que gestionan documentos electrónicos*, se dan una serie de requisitos que nos pueden servir como base para nuestro sistema.

El sistema que gestiona documentos electrónicos debe:

• Dar soporte y ser compatible con el cuadro de clasificación de la organización, pudiendo representar, como mínimo, agrupaciones organizadas en tres niveles de jerarquía.

• Permitir la herencia de valores desde un cuadro de clasificación.

• Dar soporte a la puesta en marcha y mantenimiento de un cuadro de clasificación.

• Permitir crear nuevas agrupaciones en cualquier nivel dentro de las agrupaciones existentes.

• Permitir la asignación de identificadores únicos a los documentos dentro de la estructura de clasificación. Si estos identificadores únicos se basan en una secuencia numérica, el sistema debería tener capacidad de generar automáticamente el siguiente número secuencial.

• En aquellos casos en que el sistema utilice una interfaz gráfica de usuario, dar soporte a la exploración y navegación gráfica de las agrupaciones y de la estructura del cuadro de clasificación, y la selección, recuperación y visualización de agrupaciones electrónicas y sus contenidos a través de la estructura del cuadro.

• Permitir que una agrupación documental sea reubicada en una localización diferente en el cuadro de clasificación y asegurar que todos los documentos electrónicos ya asignados permanezcan asignados a las agrupaciones que se han reubicado.

Se pueden necesitar requisitos específicos según las necesidades de la organización. Por ejemplo, una organización que reciba fondos de otras unidades u organizaciones (como un archivo intermedio que reciba fondos de distintos departamentos ministeriales o un archivo general que reciba fondos de distintas consejerías) debería tener un sistema que diese soporte a la definición y uso simultáneo de diferentes cuadros de clasificación.

8. TRABAJOS DE COLABORACIÓN PARA LA MEJORA DEL SISTEMA DE INFORMACIÓN ADMINISTRATIVA (SIA)

Además de todas las características que hemos señalado sobre el cuadro de clasificación, hay que añadir que se constituye como un instrumento de gran utilidad para clasificar los procedimientos y servicios que prestan las administraciones públicas, cumpliendo así con lo preceptuado en los artículos 8 y 9 del ENI, que forman parte del Capítulo III de Interoperabilidad organizativa, dedicados a los servicios de las administraciones públicas disponibles por medios electrónicos y a los inventarios de información administrativa.

El cuadro de clasificación facilita la integración del Sistema de Información Administrativa (SIA) con las políticas de gestión de documentos de cualquiera de los organismos de las administraciones públicas garantizando, así, la correcta aplicación de las políticas de conservación y acceso a los expedientes desde el mismo momento de su creación.

El Sistema de Información Administrativa, como se define en el Portal de Administración Electrónica, es una aplicación cuya función básica es la de actuar como repositorio de información relevante en lo concerniente a la relación entre administración y ciudadano. Es decir, su misión es integrar los procedimientos administrativos y servicios electrónicos existentes en el conjunto de las administraciones públicas, aunque en un inicio su ámbito de actuación era la Administración General del Estado.

A raíz de la puesta en marcha del Punto de Acceso General (PAG) como portal de entrada general, vía Internet, del ciudadano a las Administraciones Públicas (Orden HAP/1949/2014, de 13 de octubre), la concepción del SIA pasa de ser un mero repositorio de trámites a un sistema de información integral orientado a proveer información al ciudadano. Mediante el PAG, el ciudadano puede acceder a la información sobre las actividades, la organización y el funcionamiento de las administraciones, iniciar actuaciones administrativas y conocer el estado de tramitación de éstas en cualquier momento, así como acceder a los servicios que la administración pone a su disposición a través de una ordenación por materias (MINHAFP, 2017, pág. 3).

El SIA es una de las fuentes de datos que se ofrecen a los ciudadanos a través del Punto de Acceso General (PAG) y, por otra parte, es una fuente de datos para la administración al ser el Código SIA el identificador único de procedimientos y servicios que da soporte a otras funcionalidades. En nuestro ámbito nos interesan sobre todo los procedimientos que están dados de alta, por la identificación de los mismos con las series documentales que los sustentan.

Una de las características más importantes del SIA es que actúa como codificación única para otras herramientas como la Plataforma de Intermediación de Datos (PID), Notifica (Servicio de envío de notificaciones), Habilita (Registro de funcionarios habilitados), @podera (Registro electrónico de apoderamientos) y para el futuro Archivo único electrónico. Por esta razón, es tan esencial que la información que se da a través del SIA de los procedimientos administrativos esté normalizada y sea de gran calidad.

La Subdirección General de Organización y Procedimientos del Ministerio de Hacienda y Función Pública es la responsable del SIA. Como ya se ha señalado, responsables de esta Subdirección participaron en la elaboración del cuadro de clasificación de funciones comunes de la AGE y, a la vez, desde la CSCDA se ha colaborado para la mejora del propio SIA.

Si se da un vistazo a los procedimientos subidos en el SIA (cerca de 65000) nos encontramos con todo tipo de casuísticas (se dan de alta actuaciones puntuales administrativas y no el procedimiento completo, se determinan de forma errónea determinados procedimientos como específicos en vez de como comunes, y viceversa, se utiliza una terminología diversa, incluso en la misma organización, para denominar el mismo procedimiento, etc.). El SIA está cambiando y mejorando para ser una pieza clave para la interoperabilidad entre las administraciones y no sólo como herramienta de puesta a disposición de información administrativa.

La información del SIA se estructura actualmente en siete pestañas distintas de visualización:

GRUPO 1: Datos generales de la tramitación (identificación)

GRUPO 2: Clasificación / categorización del trámite

GRUPO 3: Datos de acceso al trámite

GRUPO 4: Información sobre el trámite

GRUPO 5: Documentación asociada

GRUPO 6: Información estadística

GRUPO 7: Gestión documental y archivo

Gracias a la colaboración, se ha implementado recientemente el Grupo 7 «Gestión documental y Archivo» para incluir información sobre el tipo de función a la que corresponde el procedimiento, los valores primarios (plazo de prescripción y acceso a la información) y los valores secundarios (dictamen de valoración, plazo de ejecución y url), es decir, nuevos campos de carácter archivístico para su cumplimentación por parte de personal con perfil de archivo y gestión de documentos. Esta pestaña se estructura de la siguiente manera:

7.1. Tipo de función

7.1.1. Código / Denominación de la función

7.2. Plazos de prescripción (Valores primarios). En este campo se indica el valor que va unido a la finalidad inmediata para la cual el expediente se ha producido, bien sea por su carácter administrativo, fiscal, jurídico o contable.

7.2.1. Plazo de prescripción. Indica el número de años a los que prescriben los valores indicados en el campo anterior.

7.2.2. Acceso a la información pública. Para indicar si el acceso al contenido de los expedientes asociados al procedimiento es libre o tiene algún tipo de restricción.

7.2.2.a.- Limitado. Para indicar si la causa de limitación es por la Ley 19/2013, de 9 de diciembre, de transparencia y acceso a la información pública y buen gobierno. o por otra normativa de aplicación.

7.3. Valor informativo histórico (Valor secundario). Indica si la serie documental tiene un valor informativo o histórico.

7.3.1. Dictamen de valoración. Hace referencia a las decisiones emitidas por la Comisión Superior Calificadora de Documentos Administrativos (CSCDA) relativas a la conservación o a la eliminación de documentos producidos por la tramitación de un procedimiento.

7.3.2. Plazo de ejecución del dictamen de valoración. A rellenar en el caso en que los dictámenes sean de eliminación parcial o total de la serie documental dictaminada, indica el plazo en años a partir del cual se puede ejecutar el dictamen aprobado, una vez se ha cumplido la normativa relacionada (en el caso de la AGE, los trámites preceptuados por el Real Decreto 1164/2002, de 8 de noviembre, por el que se regula la conservación del patrimonio documental con valor histórico, el control de la eliminación de otros documentos de la Administración General del Estado y sus organismos públicos y la conservación de documentos administrativos en soporte distinto al original.

495

7.3.3. URL del dictamen

La incorporación de este nuevo Grupo de información garantiza la correcta aplicación de las políticas de conservación y acceso a los expedientes desde el mismo momento de su creación.

9. CONCLUSIONES

Llegados a este punto, creo que queda clara la especial relevancia de la clasificación como proceso dentro de la gestión de los documentos, especialmente de los electrónicos. Y que, lejos de considerarse una actividad archivística en desuso, está siendo la puerta por la que muchos técnicos de información y comunicaciones están poniéndose en contacto con técnicos de archivos y gestión de documentos, al necesitar su colaboración para la implementación de un cuadro de clasificación en los sistemas de gestión de documentos electrónicos. Por esta razón, debemos poder dar una respuesta clara y de calidad y un buen punto de partida son los trabajos realizados de forma colaborativa.

10. BIBLIOGRAFÍA

AGENCIA ESTATAL DE EVALUACIÓN DE LAS POLÍTICAS PÚBLICAS Y LA CALIDAD DE LOS SERVICIOS (AEVAL). *Diseño de una metodología para caracterizar las funciones desarrolladas por los servicios centrales de la Administración General del Estado,* Madrid, 2014.

ASOCIACIÓN ESPAÑOLA DE NORMALIZACIÓN. *UNE-ISO 15489-1:2016. Información y documentación. Gestión de documentos. Parte 1: Conceptos y principios.* Madrid, 2016.

ASOCIACIÓN ESPAÑOLA DE NORMALIZACIÓN. *UNE-ISO/TR 26122: 2008. Información y documentación. Análisis de los procesos de trabajo para la gestión de documentos.* Madrid, 2008.

ASOCIACIÓN ESPAÑOLA DE NORMALIZACIÓN. *UNE-ISO 16175-2:2012 Información y documentación. Principios y requisitos funcionales para documentos en entornos de oficina electrónica. Parte 2: Directrices y requisitos funcionales para sistemas que gestionan documentos electrónicos.* Madrid, 2012.

BAK, Greg. «La clasificación de documentos electrónicos: documentando relaciones entre documentos», *Innovar o morir. En torno a la clasificación,* Tábula: Revista de Archivos de Castilla y León, 13, 2010, págs. 59 a 78.

BARBADILLO ALONSO, Javier. «Clasificaciones y relaciones funcionales de los documentos de archivo», *Innovar o morir. En torno a la clasificación,* Tábula: Revista de Archivos de Castilla y León, 13, 2010, págs. 95 a 112.

COMISIÓN DE NORMAS ESPAÑOLAS DE DESCRIPCIÓN ARCHIVÍSTICA. *NEDA-MC. Modelo conceptual de descripción archivística: entidades, relaciones y atributos,* Madrid, 2017. [Consulta: 17 enero 2020]. Disponible en: https://sede.educacion.gob.es/publiventa/d/20886C/19/0.

COMISIÓN SUPERIOR CALIFICADORA DE DOCUMENTOS ADMINISTRATIVOS. *Cuadro de Clasificación de Funciones Comunes de la Administración General del Estado,* Madrid, 2018. [Consulta: 17 enero 2020]. Disponible en: https://www.culturaydeporte.gob.es/dam/jcr:4889f307-13b0-460a-88c4-5f930c4ac204/ultima-version-ccf-20180110.pdf.

CRUZ MUNDET, J. R. *La Gestión de documentos en las organizaciones.* Ediciones Pirámide, 2006.

DELGADO GÓMEZ, Alejandro. «Sistemas de clasificación en múltiples dimensiones: la experiencia del Archivo Municipal de Cartagena», *Innovar o morir. En torno a la clasificación,* Tábula: Revista de Archivos de Castilla y León, 13, 2010, págs. 125 a 136.

DÍAZ RODRÍGUEZ, Alfonso. «La clasificación como proceso de gestión de documentos», *Innovar o morir. En torno a la clasificación,* Tábula: Revista de Archivos de Castilla y León, 13, 2010, págs. 79 a 94.

FRANCO ESPIÑO, Beatriz; PÉREZ ALCÁZAR, Ricard (coords.). *Modelo de Gestión de Documentos y Administración de Archivos para la Red de Transparencia y Acceso a la Información* [en línea]. RTA, 2014. [Consulta: 17 enero 2020]. Disponible en: http://mgd.redrta.org/. Con especial atención a *G04/O. Guía de Implementación Operacional: Control intelectual y representación* y *G04/D01/O. Directrices: Identificación y Clasificación.*

HEREDIA HERRERA, Antonia, «Clasificación, cuadros de clasificación y e-gestión documental», *Innovar o morir. En torno a la clasificación,* Tábula: Revista de Archivos de Castilla y León, 13, 2010, págs. 139 a 152.

LA TORRE MERINO, José Luis; MARTÍN-PALOMINO Y BENITO, Mercedes. *Metodología para la identificación y valoración de documentos.* Madrid: Ministerio de Educación, Cultura y Deporte, 2000.

MINISTERIO DE HACIENDA Y ADMINISTRACIONES PÚBLICAS, 2016a. *Política de gestión de documentos electrónicos.* 2.ª ed. Madrid: 2016. [Consulta: 17 enero 2020]. Disponible en: http://www.minhafp.gob.es/Documentacion/Publico/SGT/POLITICA%20DE%20GESTION%20DE%20DOCUMENTOS%20MINHAP/politica%20de%20gestion%20de%20documentos%20electronicos%20MINHAP.pdf.

MINISTERIO DE HACIENDA Y ADMINISTRACIONES PÚBLICAS, 2016b. *Esquema de Metadatos para la Gestión del Documento Electrónico (e-EMGDE).* Versión 2.0. Documentación complementaria a la Norma Técnica de

Política de gestión de documentos electrónicos. Madrid. 2016. [Consulta: 17 enero 2020]. Disponible en: https://www.administracionelectronica.gob.es/pae_Home/pae_Estrategias/Archivo_electronico/pae_Metadatos.html.

MINISTERIO DE HACIENDA Y FUNCIÓN PÚBLICA, 2017. *Sistema de información administrativa. Guía de contenidos*. Madrid. Diciembre 2019. [Consulta: 17 de enero de 2020] Disponible en: https://sia2.redsara.es/SIA2.0/ (solo disponible desde la Red Sara).

25.

LA CONSERVACIÓN EN EL CURSO DEL TIEMPO DE DOCUMENTOS DIGITALES: POSIBILIDADES, HERRAMIENTAS Y RETOS

Alejandro DELGADO GÓMEZ

Responsable de Administración Electrónica del Ayuntamiento de Cartagena

1. POSIBILIDADES

En fecha tan temprana como el año 2001, el Proyecto InterPARES estableció, como uno de los resultados de su investigación, que

> *Empíricamente, no es posible conservar un documento electrónico: sólo es posible conservar la capacidad para reproducir el documento. Esto se debe a que no es posible almacenar un documento electrónico en la forma documental en la que es capaz de servir como documento. Existe inevitablemente una diferencia sustancial entre la representación de un documento en su almacenamiento y la forma en la que se presenta para su uso. Siempre es necesario utilizar algún software para traducir los bits digitales almacenados a la forma documental del documento. Esto implica un riesgo inevitable de que, con independencia de lo bien que los datos digitales fueran protegidos en su almacenamiento, el documento puede ser alterado de manera inadecuada cuando los bits almacenados se recuperan y presentan para su uso como documento. Así, por contraste con las nociones prevalentes acerca de la conservación de los documentos en copia dura, el proceso de conservación de un documento electrónico va más allá de conservarlo de manera segura en su almacenamiento. El proceso de conservación comienza con el acto inicial de almacenamiento y se extiende a lo largo de la reproducción del documento*[1].

No citaremos ningún otro proyecto ni argumentación de la época acerca de la naturaleza del documento electrónico ni de las dificultades de su conservación, puesto que han sido estudiados en el curso de los años de manera exhaus-

---

(1) THE LONG-TERM PRESERVATION OF AUTHENTIC ELECTRONIC RECORDS: *Findings of the InterPARES Project. Part Two – Choosing to Preserve: The Selection of Electronic Records.* InterPARES Project, 2001. Pág. 5. URL: http://www.interpares.org/book/interpares_book_f_part3.pdf (Consulta: 16-02-2020).

tiva. Quedémonos con la primera aserción: «Empíricamente, no es posible conservar un documento electrónico: sólo es posible conservar la capacidad para reproducir el documento». Si esto es así, cabe legítimamente la posibilidad de preguntar: si no es posible conservar un documento electrónico, ¿entonces por qué durante años hemos agotado esfuerzos humanos y materiales en seguir investigando y discutiendo acerca de algo que es imposible? ¿Por qué durante los diecinueve años siguientes hemos seguido fabricando máquinas de conservar de las que por adelantado sabíamos que no iban a funcionar adecuadamente, porque estaban orientadas a una función que no se podía satisfacer?

Somos de la opinión de que, en gran medida, se trata de un problema de (de)formación profesional. En efecto, la tradición archivística se ha concentrado, en entornos físicos, sobre la cuestión de la conservación; y lo ha seguido haciendo en entornos digitales, a pesar de que desde finales de los años noventa del siglo XX y comienzos de los años dos mil se sabía que conservar documentos electrónicos era utópico y que el mismo concepto de documento electrónico estaba siendo puesto en cuestión de manera permanente.

El problema, a nuestro juicio, no reside en el hecho de que los archiveros insistan en conservar. Antes al contrario, conservar constituye una función administrativa y social muy importante. El problema reside más bien en el hecho de que los archiveros, al trasladarse a entornos digitales, no han hecho el esfuerzo de identificar cuál es el objeto que se debe conservar, desde luego, como ya se sabía, no el documento electrónico, una de cuyas propiedades, como ha quedado demostrado en el curso de los años, es precisamente que no es susceptible de conservación. Los motivos por los que no es posible hacerlo también han quedado sobradamente informados: procesos de conversión y de migración que alteran el llamado documento, obsolescencia de formatos, corrupción o daños en los soportes, desagregaciones inesperadas de los componentes de ese presunto documento, brechas de seguridad, etc. No merece la pena abundar en ello.

Tampoco ha ayudado demasiado la propia legislación, que sigue consagrando una y otra vez el concepto de documento, a pesar de que el legislador también sabe que el término «documento electrónico» es altamente engañoso, como vendría a sugerir el Proyecto de Real Decreto por el que se desarrollan la Ley 39/2015, de 1 de octubre, del Procedimiento Administrativo Común de las Administraciones Públicas y la Ley 40/2015, de 1 de octubre, de Régimen Jurídico del Sector Público, en materia de actuación y funcionamiento del sector público por medios electrónicos, que, en su actual artículo 41.2, ya hace notar que:

> La conservación de los documentos electrónicos deberá realizarse de forma unitaria. También será posible la inclusión de su información en bases de datos siempre que, en este último caso, consten los criterios para la reconstrucción de los formularios

o modelos electrónicos origen de los documentos, así como para la comprobación de la identificación o firma electrónica de dichos datos[2].

La aceptación de las bases de datos en las que se guardan los datos que constituyen el fundamento del llamado documento y sus instrucciones de reconstrucción como fuentes de conservación no es en realidad novedosa. Los propios investigadores del Proyecto InterPARES ya codificaban en el año 2006 el documento electrónico como constando de dos tipos de datos, los almacenados y los manifestados, siendo los primeros de ellos datos de forma, de contenido, de composición, reglas de comportamiento o llamadas a datos externos; y los segundos las reglas que permitían reproducir los datos almacenados. De igual modo, indicaban que los datos almacenados, si se gestionaban adecuadamente, podían ser documentos almacenados[3]. De esta manera, haciendo uso de un tomista lecho de Procusto, acomodaban los datos al concepto de documento: el documento manifestado en realidad no es nada, sino una mera representación de los datos almacenados, que desaparece al cerrar el fichero o la sesión. Lo único que existe son los datos almacenados, que, si bien de manera humilde y escondida, sí poseen la propiedad de una cierta persistencia, aunque no de una persistencia interminable.

¿Significa esto, para los archiveros, que la nueva posibilidad de conservar algo consiste en conservar datos? No necesariamente. Es cierto que, al menos, los datos existen en un almacén, algo que no sucede con los documentos manifestados, que simplemente no existen; pero los datos, en la medida en la que son también objetos digitales, están sujetos a las mismas condiciones de precariedad que los llamados documentos. Además, ya existen profesionales que se ocupan de la gestión de las bases de datos, y en condiciones que garantizan su admisibilidad jurídica. No pasemos por alto el hecho de que de la definición dada en el artículo 70.2 de la Ley 39/2015, de 1 de octubre, del Procedimiento Administrativo Común de las Administraciones Públicas, que, entre otras cosas, excluye las bases de datos, no se sigue que las bases de datos y otras informaciones no sean admisibles en una investigación. La misma Ley, en su artículo 77.1, se refiere a la prueba en los siguientes términos: «Los hechos relevantes para la decisión de un procedimiento podrán acreditarse por cualquier medio de prueba admisible en Derecho, cuya valoración se realizará de acuerdo con

---

(2)   España. MINISTERIO DE HACIENDA Y FUNCIÓN PÚBLICA: Proyecto de Real Decreto por el que se desarrollan la Ley 39/2015, de 1 de octubre, del Procedimiento Administrativo Común de las Administraciones Públicas y la Ley 40/2015, de 1 de octubre, de Régimen Jurídico del Sector Público, en materia de actuación y funcionamiento del sector público por medios electrónicos. URL: https://www.hacienda.gob.es/Documentacion/Publico/NormativaDoctrina/Proyectos/RD_Adm_Electr%C3%B3nica_20180516.pdf (Consulta: 16-02-2020).

(3)   DURANTI, Luciana, THIBODEAU, Kenneth: «The Concept of Record in Interactive, Experiential and Dynamic Environments: the View of InterPARES». En: *Archival Science*, March 2006, Volume 6, Issue 1, Págs. 13-68.

los criterios establecidos en la Ley 1/2000, de 7 de enero, de Enjuiciamiento Civil»[4].

En tal caso, si el llamado documento no es susceptible de conservación, puesto que no existe, y los datos que le dan apariencia están sujetos a la precariedad, bien que menor, derivada de su propia naturaleza digital, ¿qué posibilidades tienen los archiveros de conservar objeto alguno? Somos de la opinión de que, si es que es necesaria la conservación en el curso del tiempo, y jurídica, administrativa y socialmente lo es, lo único que se puede conservar son las pruebas mencionadas en la Ley, o, en términos más habituales en el entorno, testimonios o evidencias, y tales pruebas no tienen por qué estar contenidas en un documento. Esto es así tanto en entornos digitales como físicos. De hecho, el negocio de los archiveros nunca ha sido conservar documentos, sino testimonios. Si profesionalmente se ha llegado a creer de manera muy profunda, casi inscrita de manera genética, que el objeto de la conservación es el documento, esto se debe al hecho de que, administrativamente, éste ha sido el medio de prueba convencional, aunque no exclusivo, a lo largo de los siglos. No podemos olvidar que los archivos no recogen documentos por capricho, sino, en definición habitual, porque constituyen «testimonio material de un hecho o acto elaborado de acuerdo con unas características de tipo material y formal»[5]. Más aún, sin salir de las definiciones habituales, un archivo es un «conjunto orgánico de documentos producidos y/o recibidos en el ejercicio de sus funciones por las personas físicas o jurídicas, públicas y privadas»[6].

De ello se sigue que los archiveros conservan pruebas, testimonios, evidencias, de acciones, no en primera instancia los documentos que sirven de forma material a aquéllos. Si hasta el momento lo han hecho mediante la conservación de documentos, ello se debe al hecho de que el medio administrativo común de reflejar acciones eran los documentos. De conformidad con la legislación, aún lo es; pero la realidad es más terca que el legislador: técnicamente, esta posibilidad ya está cerrada, y si los archiveros insisten en ella su probabilidad de sobrevivir también.

Si la hipótesis de que el negocio de los archiveros no es la conservación de los documentos —nunca lo ha sido—, sino de los testimonios de acciones, exploremos las herramientas de que disponemos para desempeñar esta tarea, ya que no novedosa, al menos redefinida.

---

(4)   España. JEFATURA DEL ESTADO: Ley 39/2015, de 1 de octubre, del Procedimiento Administrativo Común de las Administraciones Públicas. URL: https://www.boe.es/buscar/act.php?id=BOE-A-2015-10565 (Consulta: 16-02-2020).

(5)   España. MINISTERIO DE CULTURA Y DEPORTE: *Diccionario de terminología archivística*. Subdirección General de los Archivos Estatales, 1995. URL: http://www.culturaydeporte.gob.es/cultura/areas/archivos/mc/dta/diccionario.html (Consulta: 16-02-2020).

(6)   Ibid.

2. HERRAMIENTAS

En lo que concierne a las herramientas legales, los archiveros, ciertamente, no disponen de numerosos mecanismos: apenas el artículo 17 de la Ley 39/2015, de 1 de octubre, del Procedimiento Administrativo Común de las Administraciones Públicas; el artículo 46 de la Ley 40/2015, de 1 de octubre, de Régimen Jurídico del Sector Público; los artículos 21 y 22 del Real Decreto 4/2010, de 8 de enero, por el que se regula el Esquema Nacional de Interoperabilidad en el ámbito de la Administración Electrónica; y poco más.

Dejando a un lado la anécdota de que los calificativos «electrónico» y «único» que utiliza el legislador para referirse al archivo on innecesarios, puesto que, por una parte, el funcionamiento de la administración es electrónico por defecto; y, por otra, en entornos digitales la discriminación entre archivos de gestión, intermedios y definitivos es cuando menos cuestionable, aseveración que queda fuera del alcance del presente texto; lo indudable es que la legislación en vigor, de manera análoga a un mundo en papel, marca una separación entre los sistemas de producción y los sistemas de conservación, cuando lo cierto es que existen otros modelos cuya eficacia ignoramos si se tuvo en cuenta en el momento de redactar las mencionadas normas.

Así, por ejemplo, la malograda especificación MoReq2010 ya proponía, como alternativa a los modelos similares a los físicos, sistemas de documentos capaces de insertar sus propias reglas, así como los controles y procesos de archivo, desde el inicio, en los sistemas de producción; o sistemas de documentos «dentro de» los sistemas de producción[7]. De igual modo, el ya citado Proyecto InterPARES, además del más tradicional Modelo de la Cadena de Conservación, elaboró un Modelo Orientado por el Negocio, en el que las interacciones entre los sistemas de producción y de conservación, e incluso con sistemas externos, eran mucho mayores[8].

No tiene sentido, empero, seguir discutiendo esto, puesto que, como decimos, el legislador ha establecido una estricta separación entre sistemas de producción y sistemas de conservación, de lo que se sigue, resulta obvio, la ubicación de los archiveros al final de una larga y complicada secuencia, en alguno de cuyos puntos cabe la posibilidad de que se deduzca que no es necesario enviar nada al archivo. Imaginemos: si el sistema de producción opera dentro de los requisitos del Esquema Nacional de Seguridad, si ya dispone, digamos, de un Alfresco, para almacenar los objetos que sirven como testimonio de acciones mientras los procedimientos están abiertos; si sus procedimientos de copia

---

(7) DLM Forum Foundation: *MoReq2010® Modular Requirements for Records Systems. Volume 1: Core Services. Version 1.1: & Plug-in Modules.* DLM Forum, 2010. Págs. 18-19. URL: https://www.moreq.info/files/moreq2010_vol1_v1_1_en.pdf (Consulta: 16-02-2020).

(8) InterPARES 2 Project: *Appendix 15: Business-driven Recordkeeping Model: Diagrams and Definitions.* URL: http://www.interpares.org/display_file.cfm?doc=ip2_BDR_model(consultation_draft_20070730).pdf (Consulta: 16-02-2020).

de seguridad o de definición de permisos y restricciones de acceso son adecuados, etc., ¿por qué habría de enviarse nada al archivo, más allá del imperativo legal? Y, si se satisface este imperativo legal, ¿qué impide que al archivo se envíe una instancia de esos objetos que son testimonio de acciones, permaneciendo otra instancia, para su uso posterior, en el sistema de producción?

Dejando al margen las herramientas legales, no obstante, debemos hacer también mención a herramientas técnicas, cuya eficacia no podemos dejar pasar sin discusión. Aunque, hasta donde sabemos, en ningún punto del Boletín Oficial del Estado se obliga a utilizar el conocido como modelo OAIS, recogido en la Norma ISO 14721[9], desde un primer momento los archiveros españoles dieron por sentado que éste era el modelo que debía utilizarse en los sistemas de conservación, hasta el extremo, diríamos, de que ha llegado a convertirse en norma de facto. Llama la atención el hecho de que la Federación Española de Municipios y Provincias, en su *Libro de estudio: Transformación Digital: Itinerario de la Ley 39 y 40 de 2015*, indique literalmente que «El Archivo Electrónico Único, debería basarse en la ISO 14721:2012, Space data and information transfer systems – Open archival information system (OAIS) – Reference model»[10].

¿Cuál es la causa de este «debería»? Como hemos hecho notar, existen otros modelos que no han sido examinados ni discutidos, hasta donde sabemos. Además, el ritmo del cambio tecnológico ha dado lugar al surgimiento de nuevas herramientas, como las tecnologías de registro distribuido, en la actualidad parcialmente restringidas por el Real Decreto-ley 14/2019, de 31 de octubre, por el que se adoptan medidas urgentes por razones de seguridad pública en materia de administración digital, contratación del sector público y telecomunicaciones[11]. Por supuesto, no discutimos el uso del modelo OAIS, ampliamente consolidado y con una excelente reputación. El modelo, además, es abstracto por naturaleza, de tal modo que permite conservar, no sólo los llamados documentos, sino también cualquier tipo de objeto de información susceptible de servir como testimonio de acciones, así como de funcionar en diferentes entornos. Lo que discutimos es, por una parte, la circunstancia de que haya sido considerado de facto como el único modelo admisible; y, por otra, el que estos derechos de exclusividad se hayan adoptado sin tener en cuenta los riesgos que el propio modelo OAIS acarrea, y que, en nuestra opinión, tienen su origen, al menos en parte, en el hecho de que el modelo nació a principios del siglo XXI, cuando aún

(9)   AENOR: *UNE-ISO 14721:2015: Sistemas de transferencia de datos e información espaciales. Sistema abierto de información de archivo (OAIS). Modelo de referencia*. Aenor, 2015.

(10)   Federación Española de Municipios y Provincias: *Libro de estudio: Transformación Digital: Itinerario de la Ley 39 y 40 de 2015*. FEMP, 2016. URL: http://femp.femp.es/files/566-2042-archivo/Student%20book%20TD%2002.11.pdf (Consulta: 16-02-2020). Pág. 68.

(11)   España. JEFATURA DEL ESTADO: Real Decreto-ley 14/2019, de 31 de octubre, por el que se adoptan medidas urgentes por razones de seguridad pública en materia de administración digital, contratación del sector público y telecomunicaciones. Boletín Oficial del Estado, 2019. URL: https://www.boe.es/diario_boe/txt.php?id=BOE-A-2019-15790 (Consulta: 16-02-2020).

existía la creencia de que era posible una conservación digital en todo semejante a la conservación física.

Así, en primer lugar, si existen objetos digitales que sirven como testimonio de acciones, ¿es posible conservarlos todos ellos durante períodos indefinidos de tiempo dentro de un OAIS? Puesto que ya son antiguas las investigaciones acerca de las dificultades de conservación, fuera del sistema en el que operan, de objetos como bases de datos o sitios web, no abundaremos en ello. ¿Cuántas posibilidades hay de conservar ficheros .cero .p12 durante plazos superiores a aquellos durante los que tienen validez? Más allá, ¿tiene sentido conservar, en el supuesto de que sea posible, una base de datos o un fichero .p12 fuera del sistema en el que operan? ¿Por qué habría de ser interesante o útil conservar semejantes objetos? Es cierto que, de conformidad con la legislación española, no tenemos por qué hacerlo, puesto que en un archivo sólo hay que conservar los procedimientos finalizados; sin embargo, ya que la legislación española, al menos en este asunto, choca con la realidad, como hemos argumentado, no debemos pasar por alto la posibilidad de conservar objetos que no sean documentos, pero que sirvan como testimonio de acciones, enfoque del presente texto, y un OAIS, en el actual entorno tecnológico, difícilmente puede comprometerse a ello.

En segundo lugar, un OAIS es un modelo abstracto, es decir, puede articularse en la práctica de diferentes maneras y, dependiendo de los criterios que se sigan para tal articulación, conllevará unas ventajas, pero también unos peligros u otros.

Imaginemos, por ejemplo, un OAIS que funciona como una bóveda, de manera semejante al modo en que funcionan los archivos físicos. En este caso, contamos con un repositorio digital estrictamente cerrado y con agentes, los archiveros, que toman decisiones acerca del momento en el que, y los requisitos para que, un Productor transfiera objetos a ese repositorio. El archivero abre la puerta del repositorio cuando lo considera necesario para que ingresen en él los objetos que considera necesarios. De igual manera se procede ante las demandas del Consumidor: el acceso no es inmediato, sino que el archivero decide, ante una solicitud, si proporciona los objetos almacenados o no, y bajo qué condiciones. En esta implantación práctica, la ventaja es que el archivero aún tiene algo que hacer, en la medida en la que tanto a la entrada como a la salida se reserva el derecho a abrir y cerrar la puerta. Como contrapartida, desaparece la actuación administrativa automatizada, el derecho al acceso inmediato a su información por parte de los interesados, e incluso, cabría pensar de manera concebible, los requisitos de transparencia, accesibilidad o reutilización de recursos de información a los que también los archiveros están obligados. Para colmo, en una sociedad cada vez más habituada a la inmediatez, el riesgo, ya mencionado, de que se envíe al OAIS una mera instancia por imperativo legal, mientras en los sistemas de producción permanecen otras instancias, sujetas a menos controles archivísticos, puesto que se puede hacer uso de ellas mediante actuación administrativa automatizada, y cuyas reglas, tan estrictas como resulte necesario, se definan para evitar tan fatigosa intervención humana.

Por contraste, imaginemos ahora un OAIS que no sigue el modelo de bóveda, sino que, atendiendo al criterio de actuación administrativa automatizada, define unas reglas según las cuales, y, digamos, mediante API o servicios web, se determina una primera vez cuáles son las condiciones para que un objeto enviado por el productor sea automáticamente ingresado; y cuáles son las condiciones para que automáticamente se acceda a un objeto requerido por el consumidor. En este caso, son agentes computacionales quienes actúan, de conformidad con ciertas reglas definidas previamente y una sola vez por humanos, lo cual agiliza notablemente el proceso, de cara al usuario final, pero deja sin trabajo a los archiveros: si las reglas se definen en el sistema de producción, si no es preciso controlar transferencias ni posteriores accesos, si los objetos transferidos incluyen los metadatos adecuados para su gestión, conservación y recuperación, entonces quien deja de tener utilidad práctica es el archivero.

En definitiva, un OAIS es un buen modelo que satisface los escasos requisitos legislativos españoles; pero no es el único modelo existente y, desde luego, no cabe aseverar que es el modelo que «debería» utilizarse por defecto, sin previa exploración adicional.

Por lo demás, desde hace mucho tiempo y, sobre todo, desde la explosión de las tecnologías móviles, se ha introducido en nuestro discurso acerca de la conservación un nuevo agente computacional, internet, a tomar en cuenta, si no en nuestros quehaceres administrativos, altamente regulados, como no puede ser de otra manera, sí en nuestros comportamientos sociales, indicio, en nuestra opinión, del modo en que evolucionaremos en los próximos años en todos nuestros entornos, incluido el jurídico-administrativo.

Hace algunos años intentamos proponer un modelo basado en internet como máquina de archivar, modelo que tuvo escaso éxito, pero que seguimos suscribiendo, si cabe de manera más profunda, a la vista de la evolución de las tecnologías. Según éste, «en un espacio en el que todo puede conocerse en cualquier instante, el conocimiento de cualquier cosa pasada, presente o futura puede relegarse para otro momento. La responsabilidad se disuelve en la propia volatilidad de los procesos cognitivos y la memoria puede alojarse en mecanismos externos»[12]. Y algo más adelante,

> El que los procesos cognitivos sean volátiles no significa que sean peores... sino que habilitan para otra percepción de la realidad. Habitamos en espacios informativos extremadamente distribuidos en los que las propias tecnologías ya no permiten un

---

(12) DELGADO-GÓMEZ, Alejandro: «Archivar en la nube: reglas de producción del documento contemporáneo. Parte II: Indicadores sociales». En: *El profesional de la información*, 2012, septiembre-octubre, v. 21, n.º 5. Pág. 478.

funcionamiento unilateral, sino en múltiples nodos que se modifican según las reglas de la infoesfera y a disposición de amplios porcentajes de la población[13].

No entraremos a discutir, puesto que queda fuera del alcance del presente texto, si internet nos ha hecho más tontos: quizá habría que concebir tests de inteligencia diferentes a los tests de inteligencia concebidos en y para un mundo físico. Lo que sí nos parece de interés es hacer mención, siquiera en filigrana, a tecnologías acerca de las cuales se está investigando, cuando no se encuentran en producción y consolidadas, algunas de las cuales afectan a la conservación de objetos como testimonio de acciones. A modo de ejemplo, algunos de los hallazgos clase del World Economic Forum en su informe del año 2018 acerca del futuro del empleo son: internet móvil de alta velocidad y ubicuo, analítica Big Data, inteligencia artificial y cómputo en la nube como conductores del cambio; adopción acelerada de las tecnologías; tendencia hacia la robotización; una nueva frontera humano-máquina que minimizará las tareas humanas; una creciente inestabilidad de las destrezas profesionales, etc.[14]

Estas tecnologías, entre otras, generan testimonios digitales, y muchas de ellas, sobre todo las más intangibles, ayudan además a gestionar tales testimonios. De hecho, si combinamos estas tendencias con el aún inestable concepto de singularidad tecnológica[15], algunas de estas tecnologías pueden gestionar testimonios por sí mismas, sin necesidad de intervención humana. En lo que concierne a la conservación, la Universidad de Surrey, en colaboración con otros socios, entre ellos los National Archives del Reino Unido, ha desarrollado Archangel: Trusted Archives of Digital Public Records, basado en el uso del blockchain y la inteligencia artificial[16]; y la compañía sueca EnigioTime ha desarrollado la solución e:Archiver, que por sí misma no es una herramienta blockchain, pero se encuentra integrada con la solución time:beat, que sí lo es[17].

En definitiva, como hemos intentado argumentar en otras ocasiones, si un chatbot, un asistente virtual, busca y recupera en la red nuestras canciones favoritas, esto se debe sólo al hecho de que es lo que le hemos enseñado a hacer. Si le enseñáramos las reglas para conservar, buscar y recuperar objetos como testimonio de acciones, no existe ningún motivo para pensar que no lo haría.

---

(13) Ibid. Pág. 479.

(14) World Economic Forum. Centre for the New Economy and Society: *The Future of Jobs Report. 2018*. Págs. vii-ix. WEF, 2018. URL: https://www.weforum.org/reports/the-future-of-jobs-report-2018 (Consulta: 16-02-2020)

(15) «Singularidad tecnológica», en: *Wikipedia*. URL: https://es.wikipedia.org/wiki/Singularidad_tecnol%C3%B3gica (Consulta: 16-02-2020).

(16) ARCHANGEL: Trusted Archives of Digital Public Records: *Project Summary*. URL: https://blockchain.surrey.ac.uk/projects/archangel.html (Consulta: 16-02-2020).

(17) EnigioTime. URL: https://www.enigio.com/ (Consulta: 16-02-2020).

3. RETOS

En nuestra opinión, de la discusión precedente se siguen al menos dos retos para el archivero que pretende conservar objetos que sirvan como testimonio de acciones. El primero de ellos no es novedoso; en realidad, es exactamente el mismo que ya se planteaba hace diez, veinte años: los archiveros no podrán conservar nada, o no tendrán nada que conservar, si no dejan de pensar en términos físicos y comienzan a hacerlo en términos digitales. Clasificar, valorar, describir, recuperar, y otros procesos y controles archivísticos son fácilmente delegables en agentes computacionales, aunque no se pueden delegar si no existe voluntad para ello. Si IBM ya contrataba proyectos de gestión de la información con el régimen nacionalsocialista hace ochenta años, ¿en qué han estado pensando los archiveros durante todo este tiempo, para olvidar la circunstancia de que las máquinas quizá sean importantes en nuestros actuales entornos digitales? Si acaso no llegan tarde, a pesar de los numerosos indicios que hacían suponer que llegaban tarde, los archiveros corren un serio peligro de extinción. En el año 2013, Frey y Osborne ya indicaban que los archiveros, entre otras profesiones, tenían una probabilidad de desaparición de 0,76, debido a la irrupción de internet[18]. Siete años después internet, en términos simples, no sólo se ha vuelto más fuerte, sino que parece que no tiene intención de seguir reforzándose.

Diríase que las tecnologías disruptivas que mencionábamos al final de la sección anterior son prueba de ello. Éste es el segundo reto. Por poner sólo un ejemplo, Luciano Floridi informa acerca de un jugador de ajedrez basado en Inteligencia Artificial y que es capaz de aprender millones de partidas en períodos muy cortos de tiempo y, lo que resulta más interesante, sin necesidad de un «profesor» humano. Tan sólo introduciendo las reglas del ajedrez, el jugador puede aprender jugando contra sí mismo y generando así datos sintéticos propios, no datos históricos producidos por humanos[19].

Como implicación, puede que en un plazo no muy largo ciertos procedimientos para generar cuadros de mando basados en Big Data y dependientes de la interacción con humanos devengan obsoletos; puede que nuestra Alexa también devenga obsoleta o, al contrario, que a partir de ciertas reglas también genere datos sintéticos de manera autónoma. En consecuencia, los archiveros deberían comenzar a codificar las reglas para la conservación de objetos como testimonio de acciones de tal modo que un agente computacional pueda hacer

---

(18)   FREY, Carl Benedikt, OSBORNE, Michael A.: *The Future of Employment: How Susceptible are Jobs to Computerisation?* Oxford University, 2013. Pág. 65. URL: https://www.oxford-martin.ox.ac.uk/downloads/academic/The_Future_of_Employment.pdf   (Consulta: 16-02-2020).

(19)   FLORIDI, Luciano: «What the Near Future of Artificial Intelligence Could Be», en: *Philosophy & Technology,* March 2019, Volume 32, Issue 1, Págs. 1–15. URL: https://link.springer.com/article/10.1007/s13347-019-00345-y (Consulta: 16-02-2020).

uso de ellas, o, en otros términos, deberían comenzar a reflexionar acerca de un uso imaginativo en su trabajo de tecnologías que ya están aquí, si no quieren que otros lo hagan. Básicamente, si podemos decir a nuestro coche que nos conecte a una emisora de radio o que active el geolocalizador, no existe ningún motivo por el que no podamos decirle que recupere nuestro expediente conservado en el depósito del archivo.

Somos de la opinión de que, a estas alturas, plantear cualquier otro reto, derivar la reflexión hacia otras rutas ya exploradas hasta la saciedad, son esfuerzos yermos que no conducen sino a la desaparición.

4. BIBLIOGRAFÍA

AENOR: UNE-ISO 14721:2015: Sistemas de transferencia de datos e información espaciales. Sistema abierto de información de archivo (OAIS). Modelo de referencia. Acnor, 2015.

ARCHANGEL: Trusted Archives of Digital Public Records: Project Summary. URL: https://blockchain.surrey.ac.uk/projects/archangel.html (Consulta: 16-02-2020).

DELGADO-GÓMEZ, Alejandro: «Archivar en la nube: reglas de producción del documento contemporáneo. Parte II: Indicadores sociales», en *El profesional de la información*, 2012, septiembre-octubre, v. 21, n.º 5.

DLM Forum Foundation: MoReq2010® Modular Requirements for Records Systems. Volume 1: Core Services. Version 1.1: & Plug-in Modules. DLM Forum, 2010. URL: https://www.moreq.info/files/moreq2010_vol1_v1_1_en.pdf (Consulta: 16-02-2020).

DURANTI, Luciana, THIBODEAU, Kenneth: «The Concept of Record in Interactive, Experiential and Dynamic Environments: the View of InterPARES», en *Archival Science*, March 2006, Volume 6, Issue 1.

ENIGIOTIME. URL: https://www.enigio.com/ (Consulta: 16-02-2020).

FEMP. Federación Española de Municipios y Provincias: Libro de estudio: «Transformación Digital: Itinerario de la Ley 39 y 40 de 2015». *FEMP*, 2016. URL: http://femp.femp.es/files/566-2042-archivo/Student%20book%20TD%2002.11.pdf (Consulta: 16-02-2020).

FLORIDI, LUCIANO: «What the Near Future of Artificial Intelligence Could Be», en *Philosophy & Technology*, March 2019, Volume 32, Issue 1. URL: https://link.springer.com/article/10.1007/s13347-019-00345-y (Consulta: 16-02-2020).

FREY, Carl Benedikt, OSBORNE, Michael A.: «The Future of Employment: How Susceptible are Jobs to Computerisation?» Oxford University, 2013. URL:

https://www.oxfordmartin.ox.ac.uk/downloads/academic/ The_Future_of_Employment.pdf (Consulta: 16-02-2020).

InterPARES 2 Project: Appendix 15: Business-driven Recordkeeping Model: Diagrams and Definitions. URL: http://www.interpares.org/display_file.cfm? doc=ip2_BDR_model(consultation_draft_20070730).pdf (Consulta: 16-02-2020).

InterPARES. The Long-term Preservation of Authentic Electronic Records: Findings of the InterPARES Project. Part Two – Choosing to Preserve: The Selection of Electronic Records. InterPARES Project, 2001. URL: http://www.interpares.org/book/interpares_book_f_part3.pdf (Consulta: 16-02-2020).

MINISTERIO DE CULTURA Y DEPORTE. *Diccionario de terminología archivística*. Subdirección General de los Archivos Estatales, 1995. URL: http:// www.culturaydeporte.gob.es/cultura/areas/archivos/mc/dta/diccionario.html (Consulta: 16-02-2020).

MINISTERIO DE HACIENDA Y FUNCIÓN PÚBLICA: Proyecto de Real Decreto por el que se desarrollan la Ley 39/2015, de 1 de octubre, del Procedimiento Administrativo Común de las Administraciones Públicas y la Ley 40/2015, de 1 de octubre, de Régimen Jurídico del Sector Público, en materia de actuación y funcionamiento del sector público por medios electrónicos. URL: https://www.hacienda.gob.es/Documentacion/Publico/NormativaDoctrina/ Proyectos/RD_Adm_Electr%C3%B3nica_20180516.pdf (Consulta: 16-02-2020).

WORLD ECONOMIC FORUM. Centre for the New Economy and Society: «The Future of Jobs Report». 2018. Págs. vii-ix. WEF, 2018. URL: https:// www.weforum.org/reports/the-future-of-jobs-report-2018 (Consulta: 16-02-2020).

26.

GESTIÓN DOCUMENTAL DATIFICADA

Jordi SERRA
Universidad de Barcelona

Hace pocos años Cassie Findlay, en un inspirado artículo sobre el futuro de la gestión documental, afirmaba que una de las cosas que los archiveros deben dejar de hacer es «hablar de poner cosas dentro de sistemas»[1], abogando por poner el foco en la gestión y en los flujos de información en lugar de centrarse en la custodia. En la misma línea apuntaba ya mucho antes John McDonald, cuando destacaba la necesidad de orientar la gestión documental hacia lo que en aquel momento eran aplicaciones con base de datos[2]. Y David Bearman ya era consciente antes de que los planteamientos de la gestión documental no se iban a adaptar fácilmente a cómo evolucionaba la tecnología informática hace ya más de tres décadas, ni a los volúmenes de información que se estaban generando[3].

Debería hacernos reflexionar que, a día de hoy, y en plena explosión del uso masivo de datos, la gestión documental[4] todavía considera que sus herramientas principales de actuación son los cuadros de clasificación y la tablas de retención.

---

(1)   FINDLAY, Cassie, «Reinventing Archival Methods», *Seminario en honor de Hans Hofman* celebrado en los Archivos Nacionales de Holanda el 27 de enero de 2014, siguiendo el artículo homónimo de CUMMING, Kate; FINDLAY, Cassie; PICOT, Anne; REED, Barbara, «Reinventing Archival Methods», *Archives and Manuscripts*, núm. 42:2, 2014.

(2)   MCDONALD, John, «Records management and data management: closing the gap», *Records Management Journal*, vol. 1 núm. 1, 1988 (republicado en 2010).

(3)   BEARMAN, David, «Who about What» or «From Whence, Why and How: Intellectual Access Approaches to Archives and their Implications for National Archival Information Systems», en BASKERVILLE, PETER & GAFFIELD, CHAD M. (eds.), *Archives, Automation and Access*, University of Victoria, 1986.

(4)   A lo largo de este capítulo utilizaré el término *gestión documental* en su sentido más amplio, es decir, en el sentido de *gestión documental i de la información*. En la literatura anglosajona este concepto se representa con las iniciales RIM (*Records and Information Management*). Para una definición de RIM véase la que proporciona ARMA International en https://www.arma.org/page/Records_And_Information_Management.

Y así se refleja en la evolución de la normativa técnica que se desarrolla dentro del ámbito archivístico. También debería hacernos reflexionar que el total de accesos a documentos que tienen muchos archivos en un año (incluso archivos digitales) sea el mismo que tiene un buscador en un segundo. Algo se mueve demasiado rápido para que la archivística pueda seguir de cerca este movimiento.

La tecnología informática ha evolucionado de forma constante desde hace tiempo. Pero en los últimos años se han manifestado tres evoluciones que han tenido un impacto más que notable en la forma de gestionar la información, y especialmente la información documental.

La primera ha sido la popularización, en entornos empresariales, de soluciones de colaboración, como son la suite de Google o el repertorio de soluciones vinculadas a Office 365 y Sharepoint. Se trata de entornos de trabajo integrados, donde las distintas herramientas se funden en una única experiencia de usuario, donde la federación de contenidos es constante y donde la compartición es un valor por defecto. Esto conlleva que tanto el propio documento entendido como objeto independiente (en adelante documento-objeto), como el contexto de dicho documento, se funden en un conjunto de contenidos de difícil delimitación[5]. El documento como objeto se diluye, por lo tanto, dentro de este entorno colaborativo. Si a esto le añadimos que el hecho de tratarse de servicios en modalidad SaaS (*Software as a Service*) acelera la puesta en producción de cualquier solución basada en estos entornos, el listón para los proyectos tradicionales de gestión documental se pone muy alto.

La segunda evolución ha sido la irrupción progresiva de la robotización en nuestra sociedad, y en consecuencia también en el trabajo administrativo (lo que se conoce como *Robotic Process Automation*, o RPA). El RPA permite automatizar tareas con relativa facilidad en entornos donde los sistemas son poco interoperables, y donde no se dispone de recursos para interconectar dichos sistemas y conseguir una mayor productividad. Las tareas que los usuarios realizan cuando los sistemas no interoperan entre ellos incluyen muchas veces acciones de copia o traslado de documentos, clasificación, metadescripción y archivo. Es decir, tareas propias de la gestión documental. El uso de RPA, combinado con reglas de autoclasificación basadas en inteligencia artificial y *machine learning*, permite prácticamente automatizar el 100% de estas tareas, lo que equivale a firmar el acta de defunción del trabajo administrativo, base tradicional de las tareas de gestión documental.

---

(5)   SERRA, Jordi, «La archivística líquida; el contexto actual de la profesión en el ámbito de la gestión documental», *Conferencia inaugural del II ciclo de la Sección de Archivística* (Escuela de Historia)
con motivo de la celebración del 75 aniversario de la Universidad de Costa Rica, agosto 2015.

Y la tercera evolución ha sido el salto a primera plana de la explotación de datos como forma básica de tomar decisiones en las organizaciones. Este salto ha sido provocado básicamente por dos fenómenos:

1. El incremento en la capacidad de procesamiento y análisis de datos, especialmente de los datos no estructurados en origen (es decir los documentos-objeto).

2. La popularización de las herramientas de visualización de datos.

Ambos fenómenos han provocado que los postulados propios de la explotación de datos (reutilización, intersección, normalización…) se hayan incorporado a la gestión diaria de la información, y se hayan constituido en base de un servicio de información eficaz. Esto está teniendo un impacto muy importante, aunque poco visible, en los conceptos básicos de la gestión documental. Así, el concepto de agrupación documental (serie, expediente, etc.) se diluye con la reutilización de los datos, de la misma manera que el concepto de ciclo de vida con unas fases claramente delimitadas y un destino prefijado de los documentos se transforma cada vez más en un ciclo continuo de reutilizaciones y generación de nuevos vínculos entre datos[6].

1. EL PROBLEMA DE GESTIONAR DOCUMENTOS-OBJETO

El principal problema de ver la gestión documental como la gestión de una colección de documentos, entendidos como objetos contenedores de información (visión limitativa de la gestión documental, pero no por ello menos arraigada) es la pérdida de una serie de oportunidades que ofrecería trabajar más intensamente con los datos contenidos en dichos documentos. Aunque a día de hoy la información contenida en documentos se procesa y utiliza masivamente, a menudo no se hace teniendo en cuenta el contexto archivístico de dichos documentos, con lo que se desperdicia buena parte de la valiosa aportación que la sistematicidad del trabajo archivístico podría aportar a la interpretación, valoración y autentificación de los datos obtenidos mediante procesos masivos.

Probablemente esto sucede porque la gestión documental no se visualiza como un elemento alineado con los objetivos de la organización. No nos engañemos: la gestión documental como tal sólo importa a los profesionales de la gestión documental. Toda organización tiene unos objetivos de negocio, y estos objetivos son los que marcan la pauta de toda la actividad de la organización:

---

(6)   Véase SERRA, Jordi, «Documents i governança de la informació: cap a on es dirigeix la gestió documental», en *Taula rodona: Governança de la informació*. 14es Jornades Catalanes d'Informació i Documentació (COBDC), Barcelona, marzo 2016.

aquello que no sirva a dichos objetivos, es prescindible. A menudo la gestión documental vende como aportaciones clave beneficios que no tienen una relación directa con estos objetivos de negocio. Por lo tanto, el primer paso para conectar la gestión documental con la información esencial de la organización es asegurar que la gestión documental produce resultados en los procesos clave de la organización, resultados tangibles a nivel de ampliación de horizontes (mercados, servicios, etc.), reducción de costes, mitigación de riesgos inmediatos, etc.

Esta alineación con los objetivos de negocio pasa por tener claro que la gestión documental, para la organización, no es un conjunto de instrumentos, ni una política, ni una aplicación informática, ni un departamento, sino un servicio, un servicio de información que debe hacer posible la toma de decisiones acertadas por parte de la organización. Y estas decisiones se toman en tres momentos:

a) En el momento de planificar, cuando se evalúan decisiones anteriormente tomadas y se preparan estrategias para el futuro. Se basa en el análisis de datos pasados y se realiza con un tiempo de reacción amplio.

b) A medida que se van ejecutando los planes anteriores, y con el objetivo de controlar que se ajustan a dicha planificación, tanto en lo que se refiere a desviaciones como al control de los riesgos que se puedan manifestar. Es la información que se utiliza para garantizar el *compliance*, y se utiliza de forma inmediatamente posterior a las acciones.

c) Como parte de la ejecución de los planes, es decir en tiempo de gestión. Cuando los gestores llevan a cabo las acciones planificadas, justo antes de tomar cada decisión necesitan información esencial, a menudo en tiempo real, recogida al momento y combinada con información acumulada como resultado de dicha gestión, junto con información externa sobre el contexto de actuación. Este es el momento clave para determinar el éxito de la gestión documental, puesto que es cuando dicha información determina el acierto o no de las decisiones que se toman durante la gestión.

A menudo se cae en la tentación de implantar un control extremo en esta gestión de la información, provocando que del soporte a la toma de decisiones se pueda pasar a contaminar dichas decisiones. No es necesario, por parte de la gestión documental, intervenir activamente en esta toma de decisiones, sino tan sólo facilitarla. Debemos pensar que **toda organización, si está informada, tiende de forma natural a la mejora**. El mero hecho de hacer circular más y mejor información por la organización, de poner más datos al alcance de los tomadores de decisiones, hará que estas decisiones sean más acertadas, más precisas, sin que sea necesario controlar de forma centralizada cómo se difunde o utiliza esta información. Como mayor sea el número de datos que tenga a su alcance quien tome cada decisión, mejor podrá aplicar a dicha decisión su conocimiento y experiencia profesional. Y esto, extendido y practicado repetidamente, redundará en una mejora general de la organización y en un mayor logro de sus objetivos.

La organización sólo está realmente informada cuando dispone de datos, es decir de información directamente procesable. Y la calidad de estos datos es determinante para la calidad de las decisiones tomadas. Cuando hablamos de datos de calidad, nos referimos básicamente a tres propiedades de los datos:

- La **fiabilidad**. Los datos deben ser ciertos, y en todo caso lo más ciertos que sea posible. Es decir, los datos deben tener el mismo carácter que cualquier documento válido (carácter de evidencia). Para que los datos sean fiables, es necesario que existan controles que permitan determinar las condiciones en que fueron capturados, y evaluar de este modo su fiabilidad. También es necesario que este grado de fiabilidad inicial se mantenga a lo largo del tiempo, es decir que estén protegidos contra modificaciones no autorizadas, y que además sea posible auditar tanto su origen como su posterior utilización (trazables).

- La **consistencia**. Los datos deben permitir una utilización unívoca y constante en los diferentes contextos en los que se utilicen. No pueden contener redundancias ni estar duplicados, y si lo están debe asegurarse que están sincronizados en sus distintas ubicaciones. Su sintaxis debe ser constante, es decir deben estar normalizados, tanto en el tipo de valores contenidos como en su formato. Y por último deben estar temporalizados, vinculados al momento de su captura o generación, o en su defecto al momento de su carga en el sistema de gestión de datos. En definitiva, deben acercarse lo más posible al ideal del dato único: disponer de un único dato producto de un único momento para cada ítem de información.

- La **disponibilidad**. Los datos deben ser accesibles cuando y donde se necesiten, y para tantos usuarios como los necesiten. Esto exige que existan sistemas de conservación a medio y largo plazo de los datos, sistemas fiables que incluyan controles de acceso y uso, y que puedan almacenar y gestionar los datos a un coste sostenible en el tiempo.

Garantizar la calidad de los datos en una organización requiere que tanto dichos datos como los sistemas y procesos que los generan se gobiernen de una forma integrada[7]. Gobernar la información no significa gestionarla directamente, sino disponer de capacidad de control sobre dicha gestión, y de un conocimiento suficientemente completo de los procesos, los sistemas y los datos

---

(7) El concepto de Gobierno de la Información fue planteado por primera vez en 2011 como parte del *Information Governance Reference Model* (IGRM) de EDRM.net. Para el origen del concepto véase KOOPER, Michiel; MAES, Rik; LINDGREEN, Edo Roos, «On the Governance of Information: Introducing a New Concept of Governance to Support the Management of Information», *International Journal of Information Management*, núm. 31(3), 2011.

como para garantizar que su gestión se realiza de forma coordinada y homogénea en todas las partes de la organización. Dado que las organizaciones son sistemas vivos, este gobierno no puede limitarse a imágenes estáticas (mapas de procesos o sistemas) y directrices generales (políticas), sino que debe proporcionar una base de análisis dinámico para poder analizar si la organización está consiguiendo en cada momento sus objetivos y en qué medida lo está haciendo, y saber de este modo dónde aplicar medidas (muchas veces de tipo quirúrgico) para acercar la actividad de la organización a sus objetivos. Un sistema de gobierno de la información es, por lo tanto, un **observatorio** para el monitoreo, el análisis, la planificación y el desarrollo de soluciones para la gestión de la información.

2. LOS CINCO PASOS PARA CONSEGUIR UNA GESTIÓN DOCU-MENTAL BASADA EN DATOS[8]

Podemos definir una gestión basada en datos (o datificada) como aquel modelo de gestión en el que las decisiones, tanto estratégicas como operativas, se toman de forma preferente utilizando como base datos estructurados y combinados entre ellos, así como derivados de los datos (indicadores individuales o agregados, visuales o numéricos), en lugar de utilizar documentos-objeto con estructura básicamente narrativa (informes, memorias, solicitudes, certificados, etc.). Es decir, un entorno donde las representaciones de los datos son independientes de la forma como estos datos se recibieron o generaron, y donde se adaptan a las decisiones que se deben tomar en cada momento, modificándose en función de los efectos provocados por dichas decisiones y adaptándose a las nuevas decisiones que se deban tomar. En este contexto, pues, la forma documental inicial no es relevante para el uso posterior de los documentos (estrictamente de los datos contenidos en los documentos), y los datos se «formatean» de forma totalmente independiente al contexto documental en el que fueron generados, de acuerdo con las necesidades de cada usuario en cada momento. El criterio de agrupación, y en consecuencia de significación, de los datos en este modelo pasa a ser lo que podríamos denominar «objeto de negocio», es decir el objeto sobre el cual se van a tomar decisiones en un momento determinado. De este modo, el contexto de creación y el contexto de utilización se separan radi-

---

(8)   Este modelo se basa en la experiencia llevada a cabo en diversas organizaciones, y especialmente en el Consorcio de Educació de Barcelona, ente participado por la Generalitat de Cataluña y el Ayuntamiento de Barcelona que se ocupa de toda la formación obligatoria y postobligatoria (no universitaria) de la ciudad de Barcelona. Para más información, véase SERRA, Jordi & ANDRÉS, Carme, «La implantació d'una gestió basada en dades... en 5 passos; l'experiència del Consorci d'Educació de Barcelona», en *Congrés de Govern Digital*, Barcelona, septiembre de 2019. Véase también SERRA, Jordi, «Data-based records management: the experience of Barcelona Education Consortium (CEB)», en *13° Congresso Nacional BAD* (Bibliotecarios, arquivistas e documentalistas), Fundao (Portugal), octubre 2018.

calmente, y el contexto de utilización se transforma en algo circunstancial, que sólo se fijará en nuevo contexto de creación a medida que se vayan derivando acciones de las decisiones tomadas. La vida del documento de acorta, en la misma medida en que la vida del dato se prolonga indefinidamente.

La propuesta metodológica que se presenta a continuación se basa en cinco pasos mediante los cuales se hace posible, no sólo implantar una gestión basada en el uso intensivo de los datos, sino también mantenerla en el tiempo, y hacerlo a un coste racional. Vamos a detallar cada uno de estos cinco pasos.

3. IDENTIFICAR

El primer paso es construir el sistema de gobierno de la información. El objetivo de esta paso es, en primer lugar, obtener conocimiento del territorio (organizacional) sobre el que se van a desarrollar el resto de pasos, y en segundo lugar construir una base para poder controlar las acciones que se van a llevar a cabo sobre este territorio: planificarlas, monitorizarlas, evaluarlas y corregirlas en tiempo de ejecución.

Para atender al primer objetivo (conocimiento del territorio organizacional), lo primero que necesitamos es construir un mapa detallado de este territorio. Se trata de un mapa por capas, en el que combinamos información sobre los distintos elementos que posteriormente deberemos gestionar. Es vital tener presente que la identificación no se limita a reconocer y describir los elementos que juegan en el tablero del gobierno de la información, sino sobre todo a **relacionarlos** entre ellos, de manera que tejamos una red que nos permita evaluar exactamente las implicaciones y consecuencias de cada cambio que se pueda realizar en dicho mapa. Así pues, los elementos que deberemos mapear son:

a) Los **agentes**, internos y externos, que participan de la actividad de la organización, y las relaciones que mantienen entre ellos.

b) Los **procesos** en los que se estructura funcionalmente la actividad de la organización, junto con sus agrupaciones y relaciones.

c) Los **sistemas de información** (estrictamente aplicaciones informáticas) que contienen datos resultantes de la actividad de los procesos identificados, incluyendo también los sistemas no normalizados o basados en herramientas de oficina. Incluiremos en este mapeo las interacciones entre sistemas, especialmente aquellas que implican intercambio de datos, tanto si este intercambio está totalmente automatizado como si requiere algún tipo de acción humana.

d) Los documentos-objeto, agregados de datos (por ejemplo un interfaz de entrada de datos) o simples conjuntos de datos (registros) que se derivan de cada acción de los procesos, que sirven de **evidencia** de dicha acción y que se almacenan en alguno de los sistemas de información identificados.

e) Las **series documentales** en las que se agrupan conceptualmente los documentos o agregados de datos que genera cada uno de los procesos, describiendo su carácter, ciclo de vida y condiciones de acceso y uso.

f) Los **datos** que aparecen en cualquier documento, agregado o conjunto de datos de los identificados en el mapeo anterior, relacionados en función del tipo de dato y del objeto al que hacen referencia[9].

Quiero hacer hincapié especialmente en este último mapa. El mapa de datos es aparentemente el nivel más detallado al que se trabaja, pero realmente no es así. El mapa de datos no reproduce ninguna estructura tecnológica (no es un modelo lógico ni físico de ningún sistema), ni tampoco obedece a ninguna estructura documental (el vínculo del dato con la serie o el proceso ya lo hacemos mediante el mapeo de documentos o agregados); el mapa de datos es una estructura orientada a negocio, que nos indica sobre qué recogemos información en nuestra organización, a través de qué documentos o canales, en qué sistemas la almacenamos, y en qué procesos la utilizamos. De este modo, podemos seguir el curso de un dato dentro de la organización, para saber cuántas veces se utiliza, en qué contexto y con qué otros datos se vincula. Es por este motivo que en nuestro modelo[10] hablamos de datos elementales (datos únicos), que pueden tener múltiples ocurrencias en múltiples contextos de la organización sin por ese motivo perder su unicidad.

---

(9)   Para un excelente ejemplo de mapeo de datos véase CASELLAS SERRA, Lluís Esteve, «The mapping, selecting and opening of data: The records management contribution to the Open Data project in Girona City Council», *Records Management Journal*, núm. 24(2), 2014.

(10) El modelo aplicado en el Consorcio de Educación de Barcelona.

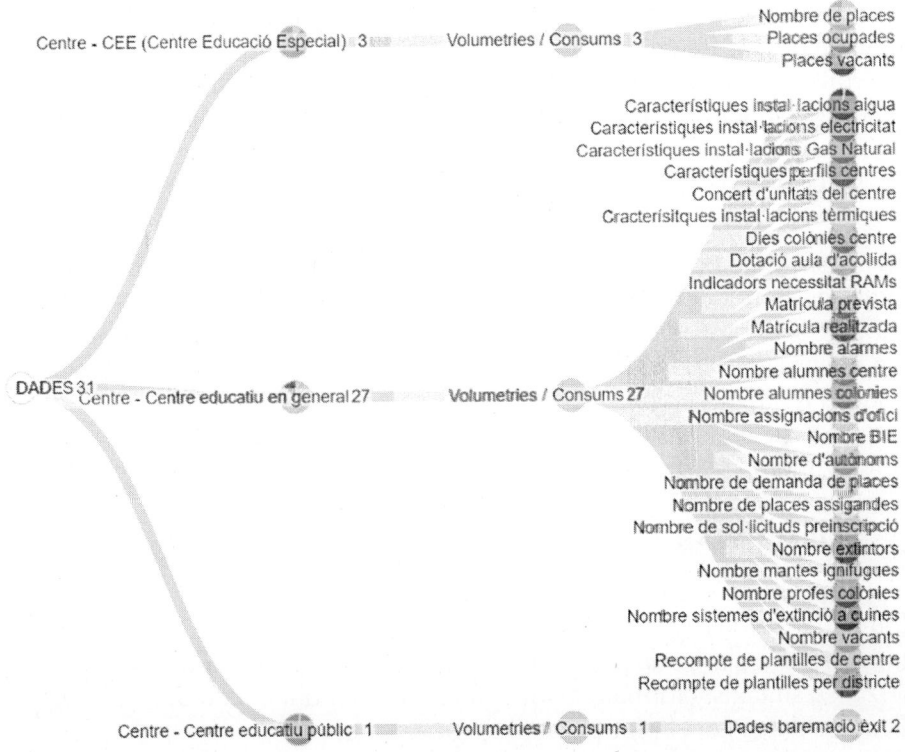

Figura 1. Ejemplo de análisis a partir de mapa de datos

Para conseguir el segundo objetivo (control del territorio), necesitamos almacenar el mapa de la organización en una herramienta que nos facilite al máximo su mantenimiento y actualización, y que nos permita seguir el día a día de su evolución. Hay soluciones de mercado que cubren parcialmente estas necesidades, pero probablemente deberemos complementarlas con un desarrollo o parametrización a medida para que se adapten al modelo de mapeo de nuestra organización[11].

Sobre la base de esta herramienta se pueden realizar un sinfín de acciones de mejora en la gestión general de la organización y de su información en particular. A partir del mapa de agentes y procesos se pueden planificar reestructuraciones orgánicas, y realizar análisis de dimensionamiento y distribución de competencias, optimización de flujos, mejoras en procesos y cambios normativos. Utilizando los mapas de series y evidencias (documentos o agregados de datos), se pueden llevar a cabo análisis de normalización, concentración y supresión de

---

(11)   En el Consorcio de Educación de Barcelona se ha desarrollado una herramienta específica para el gobierno multinivel de la información, que acelera enormemente la identificación, descripción y relación de las entidades descritas, y que proporciona indicadores en tiempo real para la mejora de los procesos, los sistemas, los equipos y los datos.

series documentales, de normalización de documentos, y de estructuración o sustitución de documentos por evidencias basadas en datos. El mapa de sistemas nos permite analizar deficiencias en seguridad y trazabilidad, posibilidades en la mejora de funcionalidades e interoperabilidad (plan de sistemas). Y el mapa de datos nos permite realizar análisis de calidad de datos, normalización de datos, detección de necesidades de información y diseño de nuevos productos de información.

En la construcción del sistema de gobierno de la información participan varios agentes (gestión documental, tecnología y comunicaciones, legal, etc.). Es importante situar este sistema a un nivel gerencial, con el fin de asegurar que la visión del gobierno de la información es absolutamente transcompetencial, no está sujeta a ningún ámbito concreto y es compartida y aceptada por todos los ámbitos. Esta es la llave del éxito del sistema de gobierno de la información: su autoridad (moral) por encima de las particularidades de cada ámbito de gestión.

4. NORMALIZAR

Del análisis del mapa anterior se van a derivar propuestas concretas de evolución o mejora de determinados procesos, sistemas y trámites. Se iniciará pues un trabajo particularizado para ir desgranando los datos de cada trámite y homogeneizar su sintaxis y formato de acuerdo con un modelo común, es decir, normalizar los datos generados por cada proceso.

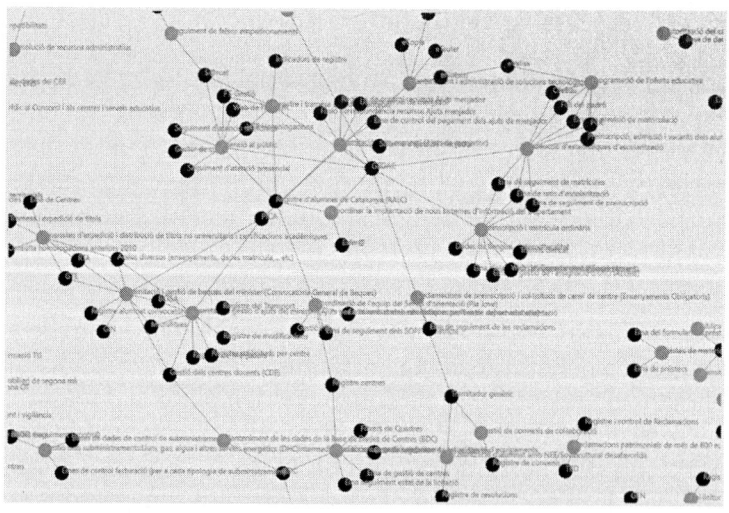

Figura 2. Ejemplo de mapa de procesos, sistemas e interacciones.

Se debe ir construyendo este modelo común (diccionarios o dominios comunes, datos maestros, etc.) a medida que se van normalizando datos de procesos, dado que difícilmente, en un principio, se puede deducir cuales serán estos datos de referencia más allá de las tablas genéricas geográficas, cronológicas y de terceros. Una parte importante de los datos que se van a convertir en el modelo en datos de referencia o maestros tienen un origen transaccional, se generan como resultado de un trámite concreto, y, una vez consolidados, se reutilizan posteriormente en otros trámites. Además, a medida que se van descomponiendo procesos en datos van apareciendo nuevas posibilidades de normalización, y datos que hasta ese momento se habían visto como datos exclusivamente transaccionales y vinculados a un único proceso, van revelando un potencial de reutilización que los convierte en datos de referencia para familias enteras de procesos. Se entra así en una dinámica en la que, al analizar cada proceso, aparecen nuevas formas de enfocarlo al disponer en origen de datos de los que anteriormente no se tenía conocimiento, y que era impensable incorporar a las decisiones de dicho proceso.

Pero la orientación de los procesos a datos, a diferencia de la orientación a documentos-objeto, requiere siempre de algún tipo de sistema que almacene dichos datos. Por lo tanto, la orientación a procesos lleva implícita la transformación de la forma original de los procesos (sea esta analógica o digital), transformación que se puede llevar a cabo desarrollando nuevas soluciones, o incorporando funcionalidades a aplicaciones ya existentes. Normalizar los datos generados por un proceso es consubstancial pues a transformar la base tecnológica de dicho proceso.

La metodología para descomponer en datos un proceso toma como punto de partida su circuito documental. Todo proceso se basa en una secuencia de acciones, que se encadenan mediante una relación de causa-efecto hasta llegar a una acción resolutoria o final. Para que se pueda materializar esta relación causa-efecto es necesario que cada acción quede documentada, es decir que se genere algún tipo de evidencia informativa de cada acción. Esta evidencia puede ser cualquier tipo de documento-objeto (fichero informático, correo electrónico, papel, etc.) o cualquier tipo de agregado significativo de datos (interfaz de entrada de datos, infotipo de SAP, paquete SOAP, registro de base de datos, etc.). Cada una de estas evidencias contiene un determinado número de variables de información (o datos), que toman valores concretos cada vez que se instancia el proceso. Si disponemos en una matriz las variables que van apareciendo en cada evidencia del proceso, observaremos que una serie de variables (preferentemente aquellas que contienen datos referenciales) se van repitiendo en las distintas evidencias, y que cada evidencia aporta a la matriz las pocas nuevas variables que genera cada acción[12]. Al acabar este análisis dis-

---

(12) La noción de matriz de variables de un proceso fue propuesta por primera vez por Antoni Puig-Pey y Pere Guiu en su ya clásico manual PUIG-PEY SAURÍ, Antoni de Pàdua, GUIU I RIUS, Pere, «Auditoria de circuïts administratius: anàlisi i propostes de millora», *Associació d'Arxivers Valencians*, 2002. Como parte de la metodología que desarrollaron (APS) ha sido aplicada con éxito en numerosos casos (véase FAUS, Joan Carles; SARRIÓN, Lorenzo; PUIG-PEY, Antoni, «Reingeniería de procesos administrativos; el paso previo necesario. La experiencia en el Ayuntamiento de Gandía», *Revista d'arxius*, núm. 9, 2010). En su modelo, el concepto de evidencia toma el nombre de *referencia*.

pondremos de una relación de variables o datos, equivalente al conjunto de información del proceso[13], que podremos distribuir entre distintas entidades del modelo de datos común de la organización. Una parte importante la vincularemos a datos referenciales, ya existentes en el modelo (y por lo tanto ya normalizados), y otra parte generará nuevas entidades transaccionales, para las que deberemos fijar los criterios de normalización.

Un sistema de gestión documental nunca es una creación *ex novo*. Cualquier persona de una organización que gestione procesos y su información, va a proveerse de algún tipo de sistema (aunque sea personal) para llevar a cabo dicha gestión. Cuando se implanta un sistema de gestión documental, por lo tanto, no se crea nada que previamente los gestores no tuvieran ya, sino que tan sólo se sistematiza y normaliza algo que anteriormente ya existía de forma natural. Por lo tanto, la gestión datificada es la evolución natural de algo ya existente en todas las organizaciones.

Tradicionalmente, todo proceso ha tenido una parte documental (colección de documentos-objeto), y un registro de control (aunque sea una simple hoja de cálculo), en el que como mínimo se ha anotado en qué estado de tramitación se encontraba cada petición, expediente, etc. Durante mucho tiempo, tanto el peso evidencial como el de gestión se ha hecho recaer en el elemento documental, siendo el registro de control un mero accesorio particular de cada usuario. A medida que la tecnología ha ido proporcionando más funcionalidades, el foco de la gestión se ha ido desplazando hacia el registro de control, pero dejando al elemento documental el valor evidencial y de archivo (por la consistencia de sus sistemas de autentificación). Pero en el momento en que esta autentificación se puede trasladar al registro de control (la aplicación de gestión), el foco se centra íntegramente en el elemento datificado, y el elemento documental sencillamente desaparece. En este caso, tan sólo tiene sentido gestionar documentos-objeto cuando se han recibido en una forma que es imposible deshacer (documentos firmados o media), o bien cuando deben producir efectos de forma externa al sistema.

Así pues, la transformación de los procesos para su orientación a datos tomará como punto de partida no sólo la colección de documentos-objeto del proceso, sino también cualquier registro de control que dé soporte a los gestores de dicho proceso (aunque sea una simple herramienta de oficina), y a partir de la matriz de datos resultante desarrollará una nueva solución tecnológica que permita sustituir el substrato documental anterior, y cuyo modelo de datos esté normalizado de acuerdo con el modelo común a toda la organización.

5. INTEGRAR

El reto de la orientación a datos no se consigue tan sólo normalizando. Aunque se hayan normalizado los datos de todos los procesos de la organización, y se hayan

---

(13) En un proceso absolutamente datificado esta relación, una vez autentificada, sería equivalente al expediente tipo generado por dicho proceso.

consolidado en los sistemas que les dan soporte, si estos sistemas no se comunican entre ellos de forma fluida el beneficio más elemental de la datificación no se consigue. Por lo tanto, una vez normalizados es necesario hacer lo posible para integrar los datos entre ellos, construyendo un nodo que garantice la interoperabilidad de toda la información de la organización, y rompiendo la cultura de silos incomunicados por desgracia tan frecuente en muchas organizaciones. Las opciones tecnológicas para conseguirlo son variadas.

La primera solución es conectar los sistemas punto a punto con el fin de compartir y sincronizar los datos. Esta solución es costosa, y sólo tiene sentido para implementar integraciones puntuales, pero no una integración masiva a nivel de toda la organización. Una variante mucho más eficiente de esta solución es construir una capa o bus de servicios a la que se conecten los sistemas para intercambiar datos[14].

El segundo conjunto de soluciones consiste en crear un depósito de datos externo a los sistemas de gestión, orientado específicamente al análisis y explotación de los datos, y que puede ir desde tradicionales soluciones de *Business Intelligence* (BI) hasta sistemas de tratamiento masivo de datos no previamente estructurados (bases de datos NoSQL y Big Data). A pesar de su potencial, estas herramientas por sí solas no resuelven el problema de la integración entre sistemas, y sin un trabajo previo de normalización de los datos sus resultados no tienen la precisión suficiente para dar un soporte directo a la gestión diaria. Tampoco cumple esta función la disponibilidad de un gestor documental centralizado, el cual, si se limita a almacenar documentos- -objeto y agrupaciones documentales con una metadescripción archivística básica, no proporciona el detalle suficiente de los datos que se necesitan como soporte a la gestión.

La tercera solución, y quizás la que mejor se adapta al tipo de explotación requerido como soporte a la gestión, consiste en separar (o replicar) los datos de cada sistema de gestión y concentrarlos en una o varias bases de datos centralizadas, en las que sea posible consolidar y temporalizar adecuadamente los datos transaccionales, y donde se concentren los datos maestros de la organización. Esta arquitectura también permite descargar parcialmente a los sistemas de gestión del tratamiento de los datos de referencia, y agilizar de este modo su desarrollo, ahorrando costes en el mantenimiento del mapa de sistemas de la organización. Este modelo facilita el desarrollo de soluciones simples, como el uso de formularios ligeros conectados a aplicaciones sin gestor documental pero vinculadas a bancos de datos centralizados, y permite acelerar de forma espectacular la transformación digital de las organizaciones.

---

(14)   Es lo que se conoce como *Enterprise Application Integration* (EAI), un conjunto de tecnologías que utiliza arquitecturas orientadas a servicios (SOA y ESB) junto con orquestadores de tareas para la coordinación de dichos servicios.

6.   SERVIR

Todo este trabajo previo de normalización e integración no tiene sentido si no sirve para generar productos de información que rompan el paradigma tradicional de gestión basado en silos incomunicados, y que permitan avanzar hacia modelos de gestión más abiertos, colaborativos y proactivos. Soluciones para la generación de estos productos no faltan en el mercado, puesto que en los últimos tiempos el crecimiento de las herramientas de visualización de la información ha sido espectacular. Por lo tanto, es en los equipos de gestión documental donde debe obrarse esta transformación, priorizando el servicio de información por encima de la captura de la información. En un momento inicial es evidente que el esfuerzo se debe concentrar en dicha captura, que es donde se van a datificar los procesos y normalizar los datos. Pero una vez transformados los sistemas originales, el esfuerzo se debe trasladar hacia la generación de nuevos productos de información, que vayan más allá de las necesidades concretas de cada agente y cada proceso, y busquen la lectura transversal que implique un mayor número de agentes. En este sentido, la orientación a negocio es básica, y la combinación de datos con independencia del proceso generador debe venir dictada por la búsqueda de nuevas oportunidades de negocio (en el ámbito privado) o de servicio (en el ámbito público).

7.   GARANTIZAR

La puesta en marcha de un modelo de gestión orientado a datos tiene como consecuencia inmediata una aceleración en el ciclo de actividad de la organización: nuevas oportunidades, nuevos productos o servicios, mayor *feedback* sobre los efectos en el negocio, mayores posibilidades de mejora, y vuelta a empezar. Y esta aceleración impacta claramente sobre dos aspectos de la gestión de la información:

1. A más sistemas transformados (es decir a más procesos con sistema que los soporte), más sistemas a mantener y actualizar. Si a esto le añadimos que las posibilidades de ofrecer nuevos productos o servicios se multiplican, las peticiones de modificación y evolución de los sistemas también lo hacen en la misma medida.

2. A más consumo de datos por parte de los gestores, mayor necesidad de nuevos datos y mayores expectativas sobre sus potencialidades. A medida que la cultura de datos se va implantando entre los tomadores de decisiones, más presión para el equipo de gestión documental.

Esta aceleración tiene un efecto incremental en las necesidades de los gestores, que difícilmente puede ser asumida con recursos exclusivamente humanos. Es aquí donde el uso de robots administrativos (RPA) se convierte en una nece-

sidad para el equipo de gestión documental[15], obligado a garantizar la actualidad y calidad del dato, y dar respuesta a una demanda exponencial, manteniendo el servicio a un coste asequible para la organización. La introducción
progresiva de la inteligencia artificial en la analítica de datos y la creación de
productos de información absolutamente personalizados es el siguiente paso en
esta carrera hacia una gestión cada vez más eficaz.

8. CONCLUSIONES

La principal conclusión es que el mayor potencial de los datos no reside en
su uso estadístico, sino en su uso durante la gestión, que es donde las decisiones
estratégicas se transforman en decisiones operativas e inciden en el mundo real.
El principal objetivo de la datificación no es por lo tanto suprimir documentos,
sino mejorar las decisiones que se toman en el curso de cada proceso y las condiciones en que se toman. En esta toma de decisiones realmente sólo importan
los datos y su fiabilidad; si los datos se autentifican, el documento puede acabar
convirtiéndose en una mera formalidad.

Pero el mayor impacto de la datificación se produce a medio plazo, con la
transformación profunda de la dinámica de las organizaciones. La normalización
y la concentración de la información altera las estructuras de poder tácito en las
organizaciones, y por este motivo la primera batalla a librar es la despatrimo-
nialización de la información dentro de la organización, desvincular la información de agentes o departamentos concretos para «democratizar» su uso. Asimismo, la disponibilidad de datos ciertos y en tiempo real se convierte en una
prueba de madurez para las organizaciones y sus tomadores de decisiones, ya
que obliga a repensar de forma integral la definición de políticas, planes y operativas de trabajo. Y finalmente, la disponibilidad de un dato único y fiable abre
nuevas perspectivas en lo que se refiere a la analítica predictiva y la inteligencia
artificial[16] aplicadas a la gestión de las organizaciones.

9. BIBLIOGRAFÍA

BAILEY, Steve, «Forget electronic records management, it's automated
records management that we desperately need», *Records Management Journal*,
núm. 19(2), 2009.

BEARMAN, David, «Who about What» or «From Whence, Why and How:
Intellectual Access Approaches to Archives and their Implications for National

---

(15) Necesidad ya anticipada por Steve Bailey en 2009, véase BAILEY, Steve, «Forget electronic
records management, it's automated records management that we desperately need»,
Records Management Journal, núm. 19(2), 2009.
(16) Véase ROLAN, Gregory; HUMPHRIES, Glen; JEFFREY, Lisa; SAMARAS, Evanthia; ANT-
SOUPOVA, Tatiana; STUART, Katharine, «More human than human? Artificial intelligence
in the archive», *Archives and Manuscripts*, núm. 47(2), 2019.

Archival Information Systems», en BASKERVILLE, PETER & GAFFIELD, CHAD M. (eds.), *Archives, Automation and Access*, University of Victoria, 1986.

CASELLAS I SERRA, Lluís Esteve, «The mapping, selecting and opening of data: The records management contribution to the Open Data project in Girona City Council», *Records Management Journal*, núm. 24(2), 2014.

FAUS, Joan Carles; SARRIÓN, Lorenzo; PUIG-PEY, Antoni, «Reingeniería de procesos administrativos; el paso previo necesario. La experiencia en el Ayuntamiento de Gandía», *Revista d'arxius*, núm. 9, 2010.

FINDLAY, Cassie, «Reinventing Archival Methods», *seminario en honor de Hans Hofman celebrado en los Archivos Nacionales de Holanda el 27 de enero de 2014*, siguiendo el artículo homónimo de CUMMING, Kate; FINDLAY, Cassie; PICOT, Anne; REED, Barbara, «Reinventing Archival Methods», *Archives and Manuscripts*, núm. 42:2, 2014.

MCDONALD, John, «Records management and data management: closing the gap», *Records Management Journal*, vol. 1 núm. 1, 1988 (republicado en 2010).

PUIG-PEY SAURÍ, Antoni De Pàdua, GUIU I RIUS, Pere, «Auditoria de circuïts administratius: anàlisi i propostes de millora», *Associació d'Arxivers Valencians*, 2002.

ROLAN, Gregory; HUMPHRIES, Glen; JEFFREY, Lisa; SAMARAS, Evanthia; ANTSOUPOVA, Tatiana; STUART, Katharine, «More human than human? Artificial intelligence in the archive», *Archives and Manuscripts*, núm. 47(2), 2019.

SERRA, Jordi, «La archivística líquida; el contexto actual de la profesión en el ámbito de la gestión documental», *Conferencia inaugural del II ciclo de la Sección de Archivística* (Escuela de Historia) con motivo de la celebración del 75 aniversario de la Universidad de Costa Rica, agosto 2015.

SERRA, Jordi, «Documents i governança de la informació: cap a on es dirigeix la gestió documental», en Taula rodona: Governança de la informació. 14es Jornades Catalanes d'Informació i Documentació (COBDC), Barcelona, marzo 2016.

SERRA, Jordi & ANDRÉS, Carme, «La implantació d'una gestió basada en dades... en 5 passos; l'experiència del Consorci d'Educació de Barcelona», en *Congrés de Govern Digital*, Barcelona, septiembre de 2019.

SERRA, Jordi, «Data-based records management: the experience of Barcelona Education Consortium (CEB)», en *13º Congresso Nacional BAD* (Bibliotecarios, arquivistas e documentalistas), Fundao (Portugal), octubre 2018.

27.

REUTILIZACIÓN DE DOCUMENTOS DEL SECTOR PÚBLICO

Aleida ALCAIDE GARCÍA

Coordinadora de Tecnologías de la información en el Instituto Nacional de Administración Pública

1. ¿QUÉ SE ENTIENDE POR REUTILIZACIÓN DE LA INFORMACIÓN DEL SECTOR PÚBLICO?

Los datos que las Administraciones Públicas generan, recopilan y custodian constituyen un activo de gran relevancia para que terceros puedan desarrollar aplicaciones que amplíen el abanico de servicios ofrecidos a la sociedad, de forma que se establezca una cadena de provisión de servicios que proporcionen un valor añadido allí donde no llegan los servicios públicos y que abren la puerta a todo un abanico de posibilidades de crecimiento económico y social.

Las políticas de fomento de la reutilización de la información se centran precisamente en poner a disposición del público los datos que las Administraciones poseen y que son considerados de carácter público para que puedan ser reutilizados por terceros.

Estas políticas han abierto el camino necesario a otras iniciativas, como las de transparencia de la actividad de la Administración y el fomento de una democracia mucho más activa y participativa. De todo ello son bien conscientes las Administraciones Públicas, que han apostado por la apertura de su información, y han regulado este sector que hace unos años aún no existía.

Además, en la actualidad, son muchas las tendencias tecnológicas que se nutren de esta apertura de datos para proporcionar servicios nuevos e innovadores a la sociedad, como las relativas a la inteligencia artificial (cuyo motor son los datos), la explotación masiva de datos (big data), la computación en nube (cloud computing), o la internet de las cosas.

Está claro que los datos públicos son de gran interés y, por ello, las Administraciones públicas van incorporando en sus estrategias de transformación digital la importancia de orientar su actividad a los datos, es decir, diseñar una Administración «datacéntrica».

No obstante, esta apertura de datos requiere un gran esfuerzo tecnológico en digitalizar y clasificar la información. En la cadena de producción y reutilización de la información se pueden observar diversos actores, tanto públicos como privados: organismos públicos que generan los datos, el sector infomediario compuesto por los agentes reutilizadores, desarrolladores e integradores TIC, periodistas, investigadores, etc.

¿Pero qué es, desde un punto de vista legal, la reutilización de la información del sector público? Tal y como recoge la Ley 37/2007, de 16 de noviembre, Ley de carácter básico en cuyo cuerpo se han traspuesto las Directivas Comunitarias dictadas en esta materia, se corresponde con el uso, por personas físicas o jurídicas, de documentos que obran en poder de las Administraciones y organismos del sector público, con fines comerciales, siempre que dicho uso no constituya una actividad administrativa pública. Queda excluido de este concepto el intercambio de documentos entre Administraciones y organismos del sector público en el ejercicio de las funciones públicas que tengan atribuidas.

Como se puede observar en esta definición, extrapolable a todo el redactado de la Ley 37/2007, de 16 de noviembre, así como el de las Directivas Comunitarias que traspone, se utilizan indistintamente los términos «información», «documentos» y «datos». Sin embargo, es importante matizar la diferencia entre cada uno de estos términos. Según la RAE, «información» es la explicación de una palabra, más en concreto, es una comunicación o adquisición de conocimientos que permiten ampliar o precisar los que se poseen sobre una materia determinada. Por tanto, por «información» contemplamos de manera amplia todo aquello que dispone el sector público sujeto a la reutilización.

Sin embargo, el contenido de normas europeas y españolas hace referencia a la reutilización de los «documentos». Cabe destacar que la acepción del término documento que se hace cuando se habla de reutilización de la información, no se corresponde con la de documento administrativo, siendo éste una concreción de aquel. La Ley 37/2007, de 16 de noviembre, contempla una definición genérica del término «documento», acorde con la evolución de la sociedad de la información y que engloba toda información o parte de ella, cualquiera que sea su soporte o forma de expresión, sea esta textual, gráfica, sonora visual o audiovisual, incluyendo los metadatos asociados y los datos contenidos con los niveles más elevados de precisión y desagregación. A estos efectos no se considerarán «documentos» los programas informáticos que estén protegidos por la legislación específica aplicable a los mismos.

Por último, el término «datos», se refiere al mayor nivel de desagregación de un documento. En el ámbito de la reutilización de la información del sector público, suele ir acompañado del adjetivo «abierto», de forma que los datos abiertos se refieren a aquellos que cualquiera es libre de utilizar, reutilizar y redistribuir, con el único límite, en su caso, del requisito de atribución de su fuente o reconocimiento de su autoría.

Es importante destacar que las políticas de reutilización de la información del sector público no pretenden regular el acceso a los documentos administrativos, sino que estas políticas entran en juego siempre que se permita el acceso por la normativa pertinente, como la Ley 19/2013, de 9 de diciembre, de transparencia, acceso a la información pública y buen gobierno y las demás normas que regulan el derecho de acceso o la publicidad registral con carácter específico.

2. ¿QUÉ LUGAR DEBE OCUPAR LA REUTILIZACIÓN EN LA GESTIÓN DEL DOCUMENTO ELECTRÓNICO?

Aunque como se ha mencionado con anterioridad el documento administrativo es un caso particular de todos los documentos disponibles en la Administración Pública, la reutilización de la información aporta su máximo valor cuando el documento se encuentra en sus últimas fases de la cadena de gestión. No siempre es necesario disponer de un documento para su publicación, de hecho, para facilitar la reutilización a terceros desarrolladores es preferible la publicación de los datos en bruto, pero la cultura administrativa todavía está orientada a la generación de documentos administrativos y no tanto a los datos como entidad esencial.

Lo que sí es esencial para facilitar la reutilización es que desde el principio de la generación del documento administrativo éste se conciba como publicable para su reutilización. Es por ello, que, desde los orígenes de la conformación del documento electrónico se hace imprescindible la adición de ciertos metadatos que posteriormente permita a los agentes reutilizadores su búsqueda de acuerdo a parámetros predeterminados y facilite el acceso. Son precisamente algunos de los metadatos que se le añaden los que van a permitir su referenciación en los Catálogos de Datos Abiertos, y por tanto su localización por parte de los agentes reutilizadores.

Por lo tanto, el enfoque orientado a datos debe darse desde el inicio de un procedimiento administrativo. Desde hace tiempo en múltiples normas administrativas se busca conseguir una administración digital por defecto. Cabe destacar las Leyes 39/2015 y 40/2015 del Procedimiento Administrativo Común y del Régimen Jurídico del Sector Público. El inicio de los procedimientos en digital nos permite cubrir el principio de una Administración abierta por defecto. La digitalización implica el uso de metadatos, y la incorporación de nuevas tecnologías en el tratamiento de los procesos y los datos. Todo ello, va a facilitar su posterior publicación y su posible reutilización.

La OCDE, muy consciente de esta realidad, concede una gran importancia a la cultura administrativa basada en los datos. Así, en las *«Recomendaciones para el desarrollo de Estrategias de Administración Digital»* encontramos una referencia explícita a los datos en la propia definición de administración digital expresado como el «Uso de las tecnologías digitales, como parte integrante de las estrategias de modernización de las administraciones, para crear valor público. Se basa en un ecosistema digital compuesto por: actores gubernamentales, organizaciones no gubernamentales, empresas, asociaciones de ciudadanos e individuos que apoya la producción y el acceso a datos, servicios y contenidos a través de interacciones con el gobierno».

En particular, la tercera recomendación, se refiere a «arraigar en el sector público una cultura basada en los datos»; que se desarrolla en dos partes; la primera parte expresada como «el desarrollo de marcos para permitir, guiar y fomentar el acceso, uso y reutilización de la creciente cantidad de evidencia, estadísticas y datos relativos a operaciones, procesos y resultados para aumentar la transparencia y en la formulación de políticas, la creación de valor público, el diseño y la prestación de servicios»; y la segunda parte como «equilibrar la necesidad de proporcionar datos oficiales oportunos con la necesidad de proporcionar datos confiables, gestionar los riesgos de uso indebido de datos relacionados con la mayor disponibilidad de datos en formatos abiertos (es decir, permitir el uso y la reutilización y la posibilidad de que actores no gubernamentales -utilizar y complementar datos con el fin de maximizar el valor económico y social público)».

En ámbito europeo, la Comisión Europea, muy consciente de la importancia de los datos en la contribución del sector de la economía digital, lanzó en 2017, una Comunicación al Parlamento Europeo, al Consejo, al Comité Económico y Social y al Comité de las Regiones, sobre la *«Construcción de una economía europea basada en los datos»*. Sin lugar a dudas, la tendencia inexorable es poner el foco en el dato y maximizar su carácter abierto y reutilizable, sin restricciones en la libertad de circulación de los datos de las Administraciones Públicas europeas.

3.   ¿CUÁL ES LA NORMATIVA ACTUAL QUE AMPARA LA RISP?

Si bien tecnológicamente la introducción del procedimiento administrativo digital por defecto va a suponer un impulso a la apertura de datos para su reutilización, es importante la regulación del sector y el establecimiento de un marco jurídico de referencia para Administraciones Públicas y sector privado.

En la normativa desarrollada tanto en Europa como en España referente a la Reutilización de la Información, hay que distinguir fundamentalmente dos bloques: por un lado, las obligaciones que se le imponen a las AAPPs, y por otro lado, el régimen jurídico de este nuevo sector de actividad, al que se han de atener los agentes reutilizadores. Las primeras normas desarrolladas, se centraban principalmente en el régimen jurídico aplicable a la reutilización de la información del sector público por parte de terceros. Las normas más actuales, abordan con más detalle las obligaciones del sector público con el fin de acelerar el crecimiento del sector.

La Unión Europea, desde finales del pasado siglo, reparó en la importancia de los datos que disponían las Administraciones Públicas para generar servicios de valor añadido que ofrecer a los ciudadanos si éstos eran abiertos y procesados por la industria. Los datos se contemplaban como la nueva materia prima del siglo XXI. Por este motivo, en el año 1999 la Comisión Europea publicó un Libro Verde titulado «PSI in the Information Society», en el que motivaba la necesidad de la apertura de los datos como un recurso clave en Europa para aumentar el empoderamiento de los ciudadanos al conocer qué están haciendo sus Gobiernos, así como la posibilidad de ampliar los servicios que pueden ofrecerse a éstos allí donde no llega el sector público. El objetivo de éste Libro Verde era promover el debate con la sociedad, con el fin de iniciar una regulación europea que homogeneizara los derechos de los agentes reutilizadores en todos los Estados Miembros de la Unión.

El 17 de noviembre de 2003, se aprobó la primera Directiva que regulaba esta materia, la Directiva 2003/98/CE del Parlamento Europeo y del Consejo relativa a la reutilización de la información del sector público, que nacía con el espíritu de crear un marco común en materia RISP para todos los Estados Miembros.

Los objetivos de la Directiva 2003/98/CE eran, esencialmente:

1) Facilitar la creación de servicios europeos basados en la información del sector público y, con el fin último de ayudar al crecimiento económico y a la creación de empleo, promover el desarrollo del sector de los contenidos digitales.

2) Fomentar el uso transfronterizo de los documentos del sector público por las empresas privadas, para que ofrezcan productos y servicios de información de valor añadido.

3) Evitar que la competencia se vea afectada en el mercado interior.

Con el fin de alcanzar estos retos, la norma comunitaria establecía un conjunto mínimo de obligaciones para armonizar las leyes, reglamentos y prácticas de los Estados miembros en relación con la explotación de la información del sector público.

531

Además, eliminaba los principales obstáculos detectados en el mercado interior para la reutilización de esta información: prácticas discriminatorias, acuerdos exclusivos y falta de transparencia.

Esta Directiva se traspone a la normativa nacional a través de la Ley 37/2007, de 16 de noviembre, de reutilización de la información del sector público, estableciendo el marco regulatorio general para esta actividad aplicable a todas las Administraciones Públicas españolas.

La Ley 37/2007, de 16 de noviembre, mantiene un carácter conservador y hace una trasposición literal de la Directiva sin ampliar su contenido. Sin embargo, en ámbito estatal se aprueba el RD 1495/2011, de 24 de octubre, por el que se desarrolla la Ley 37/2007, de 16 de noviembre, sobre reutilización de la información del sector público, para el ámbito del sector público estatal, que promueve una mayor apertura de los datos de las Administraciones. En concreto, cabe destacar lo siguiente:

1) Precisión de las obligaciones de Administraciones y organismos del sector público para promover la reutilización:

• Se autoriza con carácter general la reutilización de los documentos del sector público, siempre y cuando su acceso no esté restringido por la normativa de acceso.

• Las administraciones informarán sobre los documentos reutilizables de que dispongan preferentemente a través de las sedes electrónicas, sin perjuicio de que los datos en sí puedan facilitarse por otros medios.

• Se definen responsables de cada departamento ministerial u organismo público en materia de reutilización y se establece el conjunto de sus funciones mínimas: en particular, será el Subsecretario del departamento ministerial, o en el caso de organismos públicos la persona titular de éstos.

2) Se regulan los mecanismos de coordinación pertinentes en el ámbito de la Administración General del Estado. En particular, el Consejo Superior de Administración Electrónica (esta función la ha pasado a recoger la Comisión de Estrategia TIC), coordinará los aspectos técnicos necesarios para la aplicación de lo dispuesto en esta norma.

3) Se introduce legalmente como herramienta de apoyo a la difusión de los datos abiertos el Catálogo de información pública reutilizable:

• Se otorga apoyo normativo al Catálogo de Información Pública reutilizable de la AGE, alojado en el portal web «datos.gob.es».

• Se establecen obligaciones de actualización del citado Catálogo por parte de administraciones y organismos.

4) Se lleva a cabo una regulación de las modalidades de reutilización

• La regla general es la puesta a disposición sin sujeción a condiciones específicas. Se establece un modelo de aviso legal que recoge las condiciones generales de reutilización.

• Se permite, no obstante, que los ministerios y organismos que así lo deseen establezcan condiciones específicas cuando lo consideren necesario.

5) Se contempla un régimen aplicable a documentos reutilizables sujetos a derechos de propiedad intelectual o que contengan datos personales.

La Directiva 2003/98/CE fue modificada por la Directiva 2013/37/EC, que reforzaba la necesidad de poner a disposición la información del sector público, añadiendo más obligaciones a éste.

En particular, esta Directiva introducía como gran novedad una ampliación del ámbito de aplicación del régimen de reutilización a los fondos de patrimonio cultural en manos de bibliotecas (incluidas las universitarias), museos y archivos, así como una regulación más precisa de la aplicación de tarifas por la reutilización de los documentos y las condiciones de transparencia en que debe desenvolverse.

En 2018 se aborda una nueva revisión de la Directiva y se lanza una encuesta a nivel europeo con el fin de conocer aquellos aspectos que pueden ser sujeto de mayor regulación.

Se detectan 4 problemas principales:

• Datos dinámicos: la provisión de acceso en tiempo real a los datos del sector público utilizando APIs abiertas en Internet es algo escaso, lo que implica que es bastante complicado desarrollar aplicaciones o servicios como por ejemplo las aplicaciones de búsqueda de vuelos u hoteles, cuyos datos son altamente dinámicos.

• Tarifas: se detecta que varios organismos públicos están cargando sus datos con un coste muy superior a los costes de reproducción y diseminación, lo que supone una gran barrera para que Pequeñas y Medianas Empresas puedan innovar creando servicios a partir de estos datos.

• Alcance limitado de la Directiva: se plantea ampliar la apertura de datos a empresas en las que el sector público tenga algún tipo de participación, en los sectores commodity y en el transporte. También se plantea la apertura de los datos de proyectos de investigación que hayan sido financiados con dinero público.

• Existencia de acuerdos exclusivos que facilitan que grandes empresas puedan hacer uso de los datos, y dificultando la entrada a PYMES y start-ups.

Teniendo todo esto en cuenta la Comisión inició el proceso de revisión de la Directiva publicándose en DOUE el 26 de junio la Directiva (UE) 2019/2014 del Parlamento Europeo y del Consejo en materia de apertura de datos del sector público y su reutilización, de la que cabe destacar lo siguiente:

• Respecto a la provisión de datos dinámicos vía APIs se crea el concepto de Dataset de alto impacto que se determinarán por medio de Actos Delegados, con la obligación a los EEMMs de su puesta a disposición vía APIs. En el resto de los casos se plantea ponerlos a disposición en un tiempo razonable de forma que no suponga un esfuerzo desproporcionado.

• Respecto a las tarifas se plantea reducir las excepciones que permitan cobrar más de los costes marginales para la provisión de los datos. En este sentido, los Dataset de alto impacto que se determinen tendrán que proveerse gratuitamente.

• Se amplía el alcance a empresas públicas, pero con un régimen jurídico más laxo de cara a los costes y las obligaciones. No obstante, toda liberación de datos ha de ser transparente, no discriminatoria y sin requisitos de exclusividad.

• Datos de investigación: los Estados Miembro deberán tomar medidas para que organizaciones de investigación púbicas o que dispongan de fondos públicos para sus proyectos empiecen a abrir sus datos. La Directiva se enfoca en los datos que ya están publicados de este tipo de organizaciones.

• Respecto a la no exclusividad, se introducen requisitos de transparencia de los acuerdos.

Se inicia ahora el plazo para que el Estado español inicie su trasposición, con la fecha límite de 17 de julio de 2021.

4. SI SOY UN ORGANISMO DEL SECTOR PÚBLICO, ¿QUÉ DEBO HACER EN MIS PROCESOS PARA FACILITAR LA REUTILIZACIÓN?

El RD 1495/2011, de 24 de octubre, instaba a que los órganos y organismos del Sector Público Estatal aprobaran un plan propio de medidas de impulso de la reutilización de la información del sector público por medios electrónicos, dentro de su ámbito de competencias, que incluyera el compromiso por parte de los departamentos ministeriales de publicar a través de tales medios, de una manera estructurada y usable para los interesados e interesadas y en bruto, en formatos procesables y accesibles de modo automatizado correspondientes a estándares abiertos, al menos cuatro conjuntos de documentos de alto impacto y valor.

Con el fin de favorecer la interoperabilidad de los sistemas que se desarrollen y mantengan para facilitar la reutilización, se elaboró una Norma Técnica de Interoperabilidad de Reutilización de Recursos de la Información (NTI), aprobada por Resolución de 19 de febrero de 2013, de la Secretaría de Estado de Administraciones Públicas.

Su objeto es establecer el conjunto de pautas básicas para la reutilización de documentos y recursos de información elaborados o custodiados por el sector público. La NTI va acompañada de una Guía de Aplicación cuyo objetivo establecer una serie de pautas que el sector público ha de tener en cuenta en las fases necesarias para favorecer la reutilización de su información pública. Y estas fases son las siguientes.

4.1. Fase de selección de la información reutilizable

Identificar y seleccionar la información reutilizable, partiendo de los datos que ya ofrece el organismo. Inicialmente se optará por aquellos que puedan ser descargables, desde sus portales web, en algún formato adecuado para ser reutilizable.

Se deben priorizar los documentos de mayor relevancia y potencial social y económico. En ocasiones, es difícil conocer de antemano qué documentos cumplen estas condiciones. En este caso, se recomienda contactar con las Asociaciones infomediarias que están dispuestas a ayudar en esta labor. También se ha de tener en cuenta los documentos solicitados bajo petición, ya sea por transparencia o por reutilización.

Se aconseja que se busquen documentos con datos primarios, es decir, que no hayan sido procesados por la Administración.

4.2. Fase de identificación de la información reutilizable

Elaborar un procedimiento para que el organismo prepare y genere sus conjuntos de datos en el mejor formato posible (formato estándar que se decida), teniendo en cuenta la información afectada por derechos de propiedad intelectual o con datos de carácter personal, mejorando la calidad de los mismos y priorizando los conjuntos demandados por los agentes reutilizadores.

Los documentos seleccionados deberán identificarse mediante referencias únicas y unívocas, basadas en identificadores de recursos uniformes (URIs), que componen la base necesaria.

4.3. Fase de descripción de la información reutilizable

Establecer las condiciones de reutilización aplicables dentro del marco establecido por la Ley 37/2007. Los organismos y entidades del sector público estatal estarán sujetos a lo establecido por el Real Decreto 1495/2011.

Para la descripción de los documentos reutilizables se deben asociar una serie de metadatos mínimos, que son los contemplados en la NTI de reutilización de recursos de la información.

Esta fase no sería necesaria si se han metadatado los documentos desde el origen.

4.4. Fase de formateo de los documentos y recursos de la información reutilizables

Con el objeto de garantizar la independencia en la elección de alternativas tecnológicas por los ciudadanos y las Administraciones públicas y la adaptabilidad al progreso de la tecnología, los documentos y recursos de información reutilizables puestos a disposición pública, los metadatos y los servicios asociados a los mismos utilizarán estándares abiertos, así como, en su caso y de forma complementaria, estándares que sean de uso generalizado por la ciudadanía, siendo de aplicación lo previsto en el artículo 11 del Real Decreto 4/2010, de 8 de enero y se ceñirán a lo establecido en la Norma técnica de interoperabilidad de catálogo de estándares.

Cualquier documento o recurso de información reutilizable podrá ser puesto a disposición pública a través de una o varias distribuciones en varios formatos distintos, con el objeto de facilitar la reutilización a agentes con distintos perfiles.

Se seleccionarán preferentemente formatos que ofrezcan representación semántica de la información, con el fin de facilitar una mejor comprensión de la información representada y su tratamiento automatizado. Si los formatos elegidos lo permiten, se priorizará el uso de esquemas o vocabularios internacionalmente reconocidos para representar la información.

Se incluirá preferentemente información de ayuda complementaria sobre los esquemas o vocabularios utilizados para representar la información.

4.5. Determinación de los términos y condiciones bajo los que se permite la reutilización

Las condiciones de reutilización específica de los órganos y entidades de Derecho Público de las Administraciones públicas se ajustarán a lo dispuesto en la Ley 37/2007, de 16 de noviembre, y su normativa de desarrollo. Lo establecido en el artículo 8 del Real Decreto 1495/2011, de 24 de octubre, podrá ser utilizado como referencia por otras Administraciones Públicas.

Dichas condiciones de reutilización globales a un organismo, disponibles en formatos digitales y procesables electrónicamente, podrán ser complementadas por condiciones específicas aplicadas a categorías de documentos o recursos de información concretos.

4.6. Publicación y difusión de la información reutilizable

Se han de publicar y mantener los documentos y recursos de información en espacios web titularidad del organismo público responsable de los datos, así como referencias en el Catálogo de información pública reutilizable. Asimismo se informará de las condiciones de reutilización aplicables sobre los conjuntos de datos.

4.7. Evaluación y mejora de la calidad en la reutilización de datos del organismo y fomentar el uso de los mismos

A su vez, la Federación Española de Municipios y Provincias, ha elaborado una Guía estratégica orientada al ámbito local, para la apertura de datos, que introduce un itinerario de trabajo para la apertura de datos y su reutilización en las Administraciones locales. En ella, al igual que en la Guía de Aplicación de la Norma Técnica de Interoperabilidad de Reutilización de Recursos de Información, pero adaptándose al ámbito del sector público local, se diseña una hoja de ruta de los distintos procesos de gestión del modelo de apertura de datos, teniendo en cuenta el plano tecnológico, los indicadores de medición, el plan de formación y la divulgación.

5. ESTADO DE SITUACIÓN EN MATERIA RISP DE ESPAÑA

Por el lado de la oferta de datos, son ya 299 las iniciativas de datos abiertos existentes en la Administración Española, procedentes tanto del entorno estatal, autonómico y local, con un total de 25.000 conjuntos de datos disponibles a través del catálogo de datos, lo que supone un crecimiento de un 1000% desde la publicación de la Directiva de 2013, lo que pone en evidencia la concienciación del Sector Público en la publicación de sus datos.

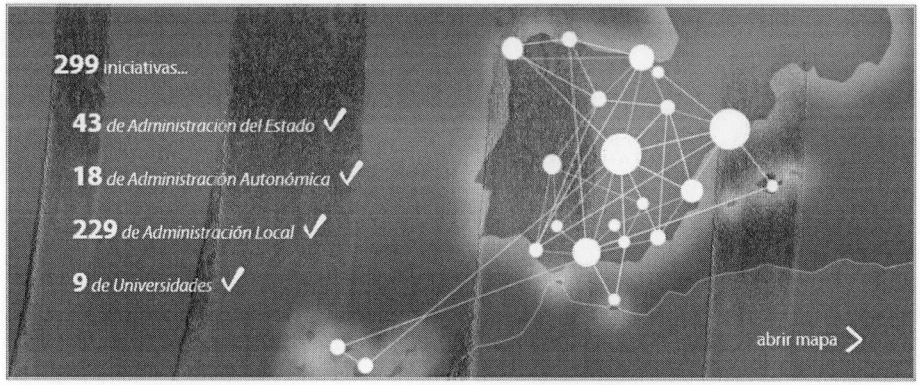

Fuente: http://datos.gob.es/es/iniciativas

537

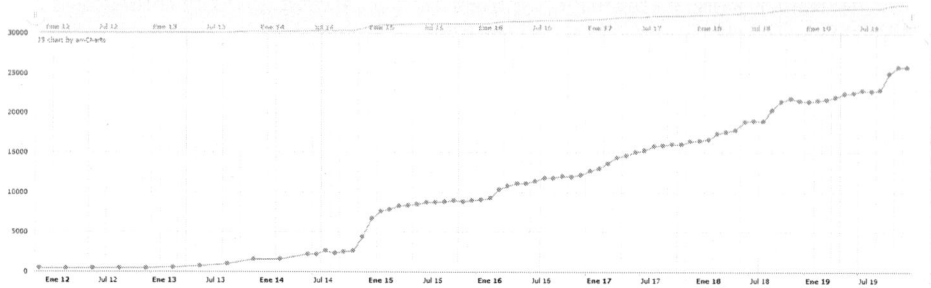

Fuente: https://datos.gob.es/es/dashboard

Por el lado de la demanda, nos remitimos al informe que publica anualmente la patronal de empresas del sector infomediario, ASEDIE, en el año 2019, en el cual se observan los siguientes datos:

Respecto a la distribución de las empresas por subsector de actividad se observa que la mayoría de ellas se dedican a la información geográfica, o a estudios de Mercado; o al subsector económico y financiero. Además, se sitúan preferentemente en Madrid o Cataluña.

Distribución de Sociedades por subsector de actividad

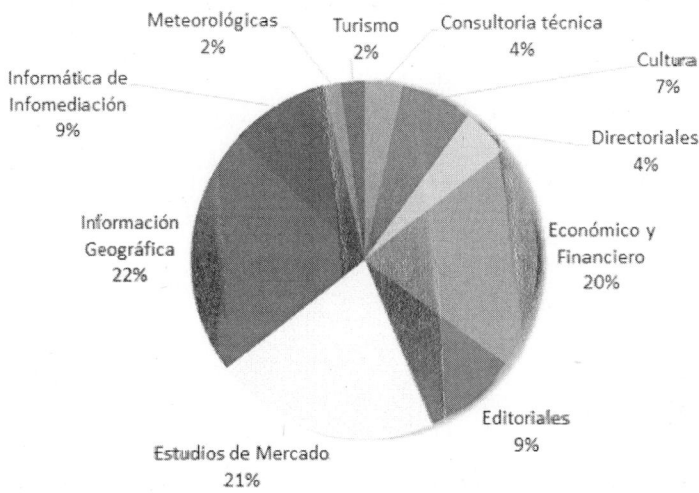

Entre los principales obstáculos que encuentran los agentes reutilizadores en la información publicada por las Administraciones cabe destacar la falta de homogeneidad en la información publicada, lo que dificulta automatizar los servicios que posteriormente se ofrecen a la sociedad, así como la falta de servicios que permitan la descarga masiva de datos. En este caso, **es obvia la necesidad de inversión que han de realizar las Administraciones Públicas para ofrecer este servicio. En este sentido, cabe explorar las opciones que la colaboración público-privada puede ofrecer a este sector.**

6. POSICIONAMIENTO INTERNACIONAL

Respecto al posicionamiento internacional cabe destacar el indicador del estado de madurez de las iniciativas de Open Data realizado por la Comisión Europea, donde España ocupa una posición de liderazgo, en segunda posición del ranking. El estudio mide cuatro indicadores clave como el nivel de desarrollo en cuanto al fomento de datos abiertos (grado de profundidad y penetración de las políticas nacionales de fomento de datos abiertos), la madurez de los portales de datos abiertos, el impacto de estas políticas en la economía y en la sociedad y la calidad de los datos.

España destaca en la dimensión que analiza el impacto que tienen las políticas de datos en las esferas políticas, sociales, medioambientales y económicas obteniendo la máxima puntuación. Sin embargo, tiene amplio margen de mejora respecto a la calidad de los datos que publica, como la frecuencia de publicación, o la desagregación de los mismos.

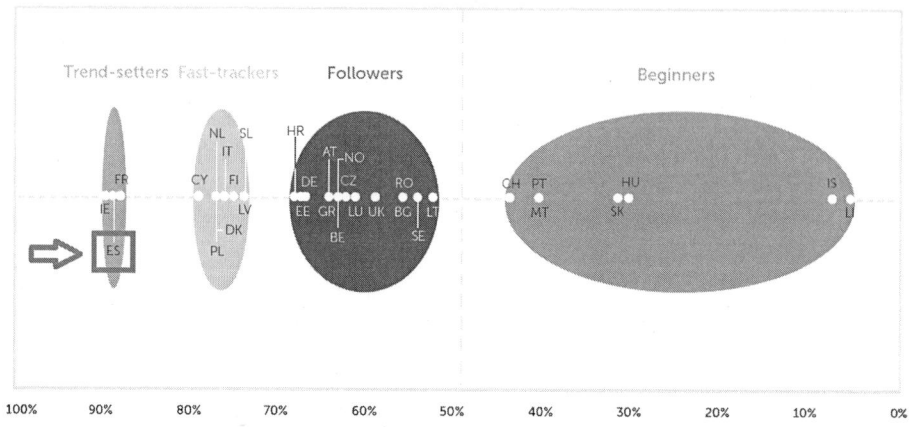

7. CONCLUSIONES

Avanzamos hacia una sociedad y unas organizaciones datacéntricas, en el que crecientemente se pone el foco de atención en los datos, de todo tipo, y en el que son muchas las tendencias que buscan su explotación, mediante la reutilización de los datos como la inteligencia artificial, los datos masivos (big data), la computación en la nube (cloud computing), o el internet de las cosas; todo ello para proporcionar más y mejores servicios, resolver los problemas de los ciudadanos y facilitar la toma de decisiones fundamentada en datos.

Las fuentes y los volúmenes de datos son crecientes. Los datos son el combustible de la economía digital. La OCDE insiste, en que hay que arraigar una cultura basada en los datos y enfatiza su reutilización. Mientras que la Unión Europea a través de la Estrategia para un Mercado Único Digital y sus instrumentos derivados, como el nuevo Marco Europeo de Interoperabilidad, también llama a compartir, utilizar y desarrollar ampliamente los recursos de datos públicos, con el fin de explotar la economía del dato.

Se ha asentado la idea de que, salvando las excepciones y cautelas previstas en el marco legal, los datos públicos habrían de estar disponibles para su reutilización. La Administración maneja datos para todo su quehacer, de forma intensiva. De hecho, las administraciones públicas recopilan, generan y almacenan enormes cantidades de datos, datos que son necesarios para el servicio al ciudadano, para la toma de decisiones, para la concepción de políticas públicas, para reutilizar por su interés social y económico, o bien para la transparencia de la actividad pública.

España ocupa una posición de liderazgo en Europa en materia de reutilización de datos; no obstante, el Sector Infomediario demanda del Sector Público, entre otras cuestiones, una mayor homogeneidad de la información a nivel autonómico y local; una mayor proactividad en la gestión de la información de las

Administraciones Públicas, fomentando la apertura por defecto de los datos; una mejor disponibilidad y calidad de los datos públicos; así como una mejor orientación a la demanda.

No obstante las administraciones tienen un cometido esencial para conseguir la reutilización de sus datos, y es la utilización de modelos de datos comunes que compartan los mismos vocabularios con el fin de estandarizar el sector. En este campo, la estandarización en la publicación de los datos, queda mucho por trabajar, y sin duda alguna será de lo que se hable en los próximos tiempos. Para poder explotar de forma masiva los datos, estos tienen que responder a modelos similares.

Por su parte, la Administración puede mejorar la reutilización de sus propios datos; aunque aquí hablaríamos más bien de compartir que de reutilizar, dejando esta segunda voz para la dinámica de los agentes reutilizadores.

Sin duda, la situación actual respecto a la apertura de datos de la Administración dista mucho de los primeros años, pero en este momento, en el que las nuevas tecnologías como la Inteligencia Artificial es una realidad, la Administración ocupa un rol esencial en cuanto que dispone de cantidades ingentes de datos y cuya apertura pueden impulsar el despliegue de este tipo de tecnologías emergentes. Además, es necesario trabajar en la calidad de los datos que se publican, como su actualización dinámica, en muchos casos en tiempo real, y su provisión en formatos válidos para el tratamiento automatizado. No debemos olvidar, que los «clientes» de la apertura de datos para su reutilización son máquinas.

8. BIBLIOGRAFÍA

COMISIÓN EUROPEA, *La información del Sector Público: un recurso clave para Europa. Libro verde sobre la información del sector público en la sociedad de la información,* 1998, http://europa.eu/rapid/press-release_IP-99-32_en.pdf.

COMISIÓN EUROPEA, *Directiva 2003/98/CE del Parlamento Europeo y del Consejo, de 17 de noviembre de 2003, relativa a la reutilización de la información del sector,* http://eur-lex.europa.eu/LexUriServ/LexUriServ.do?uri=CELEX: 32003L0098:ES:HTML.

COMISIÓN EUROPEA, *Datos abiertos. Un motor para la innovación, el crecimiento y la gobernanza transparente (COM (2011) 882),* http://eur-lex.europa.eu/procedure/EN/201185.

COMISIÓN EUROPEA, *Directiva 2013/37/UE del Parlamento Europeo y del Consejo, de 26 de junio de 2013, por la que se modifica la Directiva 2003/98/CE relativa a la reutilización de la información del sector público,* http:// eur-lex.europa.eu/LexUriServ/LexUriServ.do?uri=OJ:L: 2013:175:0001:0008:ES:PDF.

COMISIÓN EUROPEA, *Directiva 2019/1024/UE del Parlamento Europeo y del Consejo, de 20 de junio de 2019, relativa a los datos abiertos y la reutilización de la información del sector público*, https://eur-lex.europa.eu/legal-content/ES/TXT/?uri=CELEX:32019L1024.

GOBIERNO DE ESPAÑA, *Ley 37/2007, de 16 de noviembre, sobre reutilización de la información del sector público,* 2007 Boletín Oficial del Estado, https://www.boe.es/buscar/pdf/2007/BOE-A-2007-19814-consolidado.pdf.

GOBIERNO DE ESPAÑA, *Real Decreto 1495/2011, de 24 de octubre, por el que se desarrolla la Ley 37/2007, de 16 de noviembre, sobre reutilización de la información del sector público, para el ámbito del sector público estatal,* 2011 Boletín Oficial del Estado, http://www.boe.es/buscar/doc.php?id=BOE-A-2011-17560.

GOBIERNO DE ESPAÑA, *Resolución de 19 de febrero de 2013, de la Secretaría de Estado de Administraciones Públicas, por la que se aprueba la Norma Técnica de Interoperabilidad de Reutilización de recursos de la información,* 2013 Boletín Oficial del Estado, https://www.boe.es/boe/dias/2013/03/04/pdfs/BOE-A-2013-2380.pdf.

GOBIERNO DE ESPAÑA, Guía de aplicación de la Norma Técnica de Interoperabilidad de Reutilización de recursos de información (2.ª ed.), https://administracionelectronica.gob.es/pae_Home/dms/pae_Home/documentos/Estrategias/pae_Interoperabilidad_Inicio/Normas_tecnicas/Guia_NTI_PDF_Reutilizacion_recursos_informacion_2ed.pdf.

COMISIÓN EUROPEA, Agenda Digital para Europa, http://ec.europa.eu/information_society/digital-agenda/index_en.htm.

MINISTERIO DE ENERGÍA, Turismo y Agenda Digital. Agenda Digital para España. http://www.agendadigital.gob.es/Paginas/index.aspx.

GOBIERNO DE ESPAÑA, Ministerio de Hacienda y Función Pública y Ministerio de Energía, Turismo y Agenda Digital, *Planes RISP*, http://datos.gob.es/es/documentacion/planes-risp-de-la-administracion-publica.

OBSERVATORIO DE TELECOMUNICACIONES Y PARA LA SOCIEDAD DE LA INFORMACIÓN. *Estudio de caracterización del Sector Infomediario en España*. 2017, http://www.ontsi.red.es/ontsi/es/content/estudio-de-caracterizaci%C3%B3n-del-sector-infomediario-2016.

ASOCIACIÓN MULTISECTORIAL DE LA INFORMACIÓN (ASEDIE), *Informe sector infomediario 2019,* 2019, http://www.asedie.es/assets/informe-asedie-sector-infomediario-2019.pdf.

COMISIÓN EUROPEA, *Estudio sobre el estado de madurez de los datos abiertos en Europa*, 2019, https://www.europeandataportal.eu/sites/default/files/open_data_maturity_report_2019.pdf.

WORLD WIDE WEB FOUNDATION, *Open Data Barometer. 3rd Edition*, 2016, https://opendatabarometer.org/doc/3rdEdition/ODB-3rdEdition-Global-Report.pdf.

OCDE, OURdata Index on Open Government Data, 2017, http://www.oecd.org/gov/digital-government/open-government-data.htm.

OCDE, *Recommendation on Digital Government Strategies*. 2014, http://www.oecd.org/gov/digital-government/Recommendation-digital-government-strategies.pdf.

UBALDI, B, *Open Government data: Towards Empirical Analysis of Open Government Data Initiatives*. 2013. OECD Working Papers on Public Governance, Nº. 22, OECD Publishing, http://www.oecd-ilibrary.org/governance/open-government data_5k46bj4f03s7-en.

OCDE, *Rebooting public service delivery: how can open government data help to drive innovation?*, http://www.oecd.org/gov/Rebooting-Public-Service-Delivery-How-can-Open-Government-Data-help-to-drive-Innovation.pdf.

COMISIÓN EUROPEA, Building a European Data Economy, Communication from the Commission to the European Parliament, the Council, the European Economic and Social Committee and the COMMITTEE OF THE REGIONS, 2017, http://ec.europa.eu/newsroom/dae/document.cfm?doc_id=41205.

28.

ELIMINACIÓN SEGURA DE DOCUMENTOS ELECTRÓNICOS

Alejandro MILLARUELO GÓMEZ
Jefe de Servicio de Almacenamiento y Backup, Oficina de Informática Presupuestaria, IGAE, MINHAC

Andoni PÉREZ DE LEMA SÁENZ DE VIGUERA
Jefe de Área de Desarrollo de Servicios de Interoperabilidad y Gestión Documental, Oficina de Informática Presupuestaria, IGAE, MINHAC

1. INTRODUCCIÓN

La eliminación, borrado o destrucción de documentos electrónicos afecta directamente a la seguridad de los datos, especialmente a los de carácter personal. El acceso o difusión no autorizados de los datos que un proceso de eliminación incompleto o mal ejecutado podría ocasionar, pone en riesgo la seguridad de personas e instituciones públicas y privadas y vulnera la confidencialidad de la información. Además, los procesos de destrucción de los documentos en papel no pueden aplicarse a la eliminación de los electrónicos, lo que hace necesario contar con procedimientos específicos y adaptados a la nueva realidad de la Administración electrónica.

La Ley 16/1985, de 25 de junio, del Patrimonio Histórico Español, recogía expresamente la prohibición de destruir documentos del Patrimonio Documental[1] sin la debida autorización por parte de la Administración competente[2]. La acción de destruir documentos que han perdido su valor probatorio[3] no necesitó entonces de más aclaración por parte del legislador, puesto que su significado resultaba obvio. Los documentos en papel están indisolublemente unidos a su soporte físico, y simplemente destruyendo este soporte el documento desaparece por completo.

---

(1)   En cuanto a la definición que esta Ley hace del Patrimonio Documental, ver art. 49.2.
(2)   *Ibid*. art. 55.
(3)   *Ibid*. art. 55.2.

Los documentos electrónicos, que forman parte también del Patrimonio Documental, presentan sin embargo unas características propias que los hacen distintos en cuanto a su tratamiento:

a) En primer lugar, un documento administrativo electrónico está formado por varios elementos: «contenido (...), firma electrónica y metadatos«[4], y dispone de un formato específico, lo que en la práctica supone uno o varios ficheros informáticos. Un fichero o archivo informático es un conjunto de bits (representados por una combinación de 0 y 1), que se almacena en un soporte de forma permanente, y que se identifica por un nombre.

b) Por otro lado, un documento electrónico es independiente de su soporte y de su formato. Como fichero su contenido informativo podría ser copiado directamente a otro tipo de soporte y con otro formato, sin menoscabo de su integridad y, por tanto, de su autenticidad.

c) De la misma forma puede haber múltiples copias de un mismo documento electrónico, indistinguibles del original.

d) La tecnología permite asimismo que un documento electrónico, como fichero informático que es, pueda almacenarse dividido en distintos soportes, sin que su integridad ni su disponibilidad se vean afectadas.

e) Existe un riesgo real de obsolescencia de los soportes de almacenamiento y de los formatos, y de la tecnología que va asociada a estos dos elementos. Es decir, necesariamente los documentos electrónicos deberán cambiar de soporte y/o de formato, una o varias veces, a lo largo de su ciclo de vida[5].

f) Por último, la operación de eliminar un documento electrónico, como fichero informático, se denomina técnicamente borrado.

Así pues, debido a estas características, la eliminación de documentos electrónicos no podrá hacerse de la misma manera que con documentos en papel. Como mínimo habrá que tener presente las particularidades de cada soporte de almacenamiento, el alcance y los motivos de la eliminación y quién tiene la responsabilidad de su gestión.

Por otro lado los comandos estándar de borrado que incorporan los sistemas operativos o las aplicaciones no eliminan por completo los ficheros (o documentos) de los soportes de almacenamiento. Mediante determinadas técnicas sería posible acceder a estos ficheros una vez eliminados y recuperarlos. Esto

---

(4)   Resolución del 9 de julio de 2011, de la Secretaría de Estado para la Función Pública, por la que se aprueba la Norma Técnica de Interoperabilidad de Documento Electrónico.
(5)   Ver definición del ciclo de vida de un documento electrónico, recogida en el anexo del RD 4/2010, de 8 de enero, por el que se regula el Esquema Nacional de Interoperabilidad en el ámbito de la Administración Electrónica.

por sí mismo ya representa un problema desde el punto de vista de la seguridad de la información. La eliminación de un documento electrónico debería ser tan segura o irreversible como lo es la destrucción de un documento en papel.

Además la terminología que recoge la legislación de referencia, por ejemplo, el RD 4/2010, de 8 de enero, por el que se regula el Esquema Nacional de Interoperabilidad en el ámbito de la Administración Electrónica, o la Guía de aplicación de la Norma Técnica de Interoperabilidad de Política de Gestión de documentos electrónicos[6], puede dar lugar a cierta confusión por su variedad: borrado de la información, destrucción física de los soportes, destrucción reglamentaria (de los documentos electrónicos), destrucción o eliminación de documentos, etc.

Llegados a este punto se hace necesario revisar la legislación para definir con exactitud el marco normativo aplicable a la eliminación de documentos electrónicos. Por su alcance vamos a centrarnos principalmente en la legislación de ámbito estatal que hace referencia a la gestión de documentos o a la de datos que pueden formar parte de documentos.

2. LEGISLACIÓN

Ya hemos visto que la ley 16/1985, de 25 de junio, del Patrimonio Histórico Español, menciona explícitamente en su art. 55 que la destrucción de documentos del Patrimonio Documental deberá ser autorizada por la Administración competente, y se realizará mediante procedimiento reglamentario.

Asimismo el art. 58 indica que «el estudio y dictamen de las cuestiones relativas a la calificación y utilización de los documentos de la Administración del Estado» corresponderá a una Comisión Superior Calificadora de Documentos Administrativos[7].

El RD 1164/2002, de 8 de noviembre, por el que se regula la conservación del patrimonio documental con valor histórico, el control de la eliminación de otros documentos de la AGE y sus organismos públicos y la conservación de documentos administrativos en soporte distinto al original, define en su art. 2 la eliminación de documentos como «la destrucción física de unidades o series documentales (...) empleando cualquier método que garantice la imposibilidad de reconstrucción de los mismos y su posterior utilización», determinando en los arts. 4 a 8 el procedimiento de eliminación de documentos y sus distintas fases.

El RD 3/2010, de 8 de enero, por el que se regula el Esquema Nacional de Seguridad en el ámbito de la Administración Electrónica, incluye una medida de protección específica (borrado y destrucción mp.si.5) relativa a la totalidad de

---

(6)   2.ª edición electrónica (2016).
(7)   En adelante, CSCDA.

un soporte de información: «borrado seguro» para aquellos que se puedan reutilizar y «destrucción de forma segura» cuando las características de un soporte de información impidan su borrado seguro o cuando el tipo de información que contengan así lo requiera.

El apartado k del art. 21 del RD 4/2010, de 8 de enero, por el que se regula el Esquema Nacional de Interoperabilidad en el ámbito de la Administración Electrónica, indica que «si el resultado del procedimiento de evaluación documental así lo establece, borrado de la información, o en su caso, destrucción física de los soportes, de acuerdo con la legislación que resulte de aplicación, dejando registro de su eliminación».

Esta norma[8] contempla asimismo la destrucción reglamentaria como la fase final del ciclo de vida de los documentos electrónicos que no han sido seleccionados para su conservación permanente.

La resolución de 28 de junio de 2012, de la Secretaría de Estado de Administraciones Públicas, por la que se aprueba la Norma Técnica de Interoperabilidad de Política de gestión de documentos electrónicos, señala que la «destrucción o eliminación» es uno de los procesos básicos de gestión de documentos electrónicos, y se «atenderá a la normativa aplicable en materia de eliminación de Patrimonio Documental».

La LPAC vuelve a insistir[9] en cuanto a la eliminación de documentos electrónicos, en la obligación de que sea autorizada y acorde «a la normativa aplicable». Finalmente hay que indicar que el reglamento 2016/679 del Parlamento Europeo y del Consejo, de 27 de abril de 2016, relativo a la protección de las personas físicas en lo que respecta al tratamiento de datos personales y a la libre circulación de estos datos, en su art. 4 incluye la supresión o destrucción de datos como parte del tratamiento[10], y considera como una «violación de la seguridad de los datos personales (…) la comunicación o acceso no autorizados a dichos datos».

3. ELIMINACIÓN DE DOCUMENTOS ELECTRÓNICOS

3.1. Aclarando términos

Hemos comprobado en el capítulo anterior que los términos eliminación, borrado o destrucción de documentos electrónicos se usan indistintamente. Aunque parece que los tres pretenden expresar una misma idea, la eliminación

---

(8) Ver el glosario del RD 4/2010, de 8 de enero, por el que se regula el Esquema Nacional de Interoperabilidad en el ámbito de la Administración Electrónica.

(9) Art. 17.

(10) Define tratamiento como «cualquier operación o conjunto de operaciones realizadas sobre datos personales o conjuntos de datos personales, (…) como la recogida, registro, organización, estructuración, conservación, adaptación o modificación, extracción, consulta, utilización, comunicación por transmisión, difusión o cualquier otra forma de habilitación de acceso, cotejo o interconexión, limitación, supresión o destrucción».]

física de un documento electrónico, tanto de su contenido informativo como de su entidad como fichero informático, creemos que estos términos representan dimensiones distintas.

Los RD 3/2010, de 8 de enero, por el que se regula el Esquema Nacional de Seguridad en el ámbito de la Administración Electrónica, y 4/2010, de 8 de enero, por el que se regula el Esquema Nacional de Interoperabilidad en el ámbito de la Administración Electrónica, mencionan por un lado el borrado de la información o borrado seguro y, por otro, la destrucción física o destrucción de forma segura de los soportes.

Asimismo en la Guía Técnica de Aplicación de la Norma Técnica de Interoperabilidad de Política de Gestión de Documentos Electrónicos[11], «el proceso de eliminación de documentos electrónicos constituye un proceso clave en la gestión de documentos y tiene como objetivo impedir su restauración y posterior reutilización. Para ello, es necesario aplicar un proceso que incluya tanto el borrado de la información (el propio documento y sus metadatos) como la destrucción física del soporte, en función de las características del formato y las del propio soporte».

Basándonos en estas normas consideramos que podríamos aclarar el sentido exacto de cada uno de estos términos, borrado, destrucción y eliminación, de la siguiente manera:

a) *Borrado*

Un borrado sería la operación técnica de eliminación de un fichero o ficheros correspondientes a uno o a un conjunto de documentos electrónicos, de uno o varios soportes de almacenamiento.

Se realiza mediante comandos específicos del sistema operativo o de las aplicaciones que gestionan estos documentos, y consiste básicamente en marcar como libre el espacio que un fichero ocupa en un soporte, de forma que pueda ser empleado por el sistema operativo más adelante para sobrescribir en él otro fichero o parte de un fichero.

Con esta operación no se elimina pues físicamente ningún fichero, por lo que no puede considerarse como completa en la medida en que el documento «borrado» podría llegar a recuperarse mediante técnicas específicas.

Sin embargo, este tipo de borrado sería el mínimo recomendado, siempre y cuando el alcance de la eliminación no afecte a la totalidad de un soporte o conjunto de soportes[12] y existan otras medidas de seguridad de la información, como una política de accesos conforme a las características de dicha

---

(11)   2.ª edición electrónica, julio de 2016.
(12)   Ver la medida de protección mp.si.5 del Esquema Nacional de Seguridad.

información y a su nivel de protección. Obviamente permite la reutilización de los soportes de almacenamiento.

b) *Borrado seguro*

Un borrado seguro, en cambio, sería un procedimiento basado en técnicas especiales como la sobreescritura, la desmagnetización, etc., cuyo objetivo es borrar completamente un conjunto de documentos electrónicos previamente seleccionados, de un soporte o conjunto de soportes de almacenamiento, de manera que sea prácticamente imposible recuperar la información que contenían mediante técnicas específicas.

Este procedimiento, por sus características, afectará necesariamente a la totalidad de un soporte de almacenamiento y aunque no siempre permite su reutilización, ya que algunas técnicas como la desmagnetización lo pueden dejar inservible, es el tipo de borrado adecuado para asegurar la confidencialidad de la información de los documentos electrónicos borrados y para reutilizar los soportes de almacenamiento cuando sea posible. También puede efectuarse como paso previo a su destrucción.

En función de las técnicas o métodos que se apliquen el borrado podrá ser más o menos exhaustivo o seguro, por lo que deberán seleccionarse teniendo en cuenta las características de la información y del soporte de almacenamiento, de si éste será destruido o reutilizado, de la gestión interna o externa de los soportes, etc.

c) *Destrucción segura de soportes*

Se definiría como el procedimiento de destrucción física de un soporte de almacenamiento que ha contenido documentos electrónicos, mediante técnicas específicas, que garanticen que la información no pueda ser recuperada. Para aumentar la seguridad del procedimiento puede combinarse con un borrado seguro previo a la destrucción.

La destrucción segura se justificaría por la imposibilidad de reutilización del soporte, por un cambio de soporte por obsolescencia del mismo, o porque las características de la información de los documentos aconsejen esta destrucción (por ejemplo, por su elevado nivel de confidencialidad).

d) *Eliminación*

La eliminación es un proceso de gestión documental[13], y debería englobar, como mínimo, la identificación de los documentos electrónicos a borrar,

---

(13) Ver la Norma Técnica de Interoperabilidad de Política de gestión de documentos electrónicos.

incluyendo sus metadatos, copias de seguridad, réplicas, etc., la determinación del procedimiento de borrado conveniente en función del alcance y extensión de los datos a borrar y, si fuera el caso, la selección y ejecución de los métodos de borrado seguro o destrucción de soportes más adecuados en relación con el tipo de soporte y la información contenida. También debería incluir los procedimientos de verificación del borrado seguro o destrucción de soportes.

3.2. Otras aproximaciones

El Ministerio de Hacienda, en su política de gestión de documentos electrónicos[14], contempla tres niveles de borrado (0, 1 y 2) y la destrucción de los soportes, aplicándose en el borrado de nivel 1 y 2 y en la destrucción técnicas específicas que impedirían la recuperación de los datos. En una línea similar la política de gestión de documentos electrónicos del Ministerio de Cultura[15], o la Comisión Superior Calificadora de Documentos Administrativos[16], distinguen tres niveles de borrado y uno de destrucción de soportes, calificando esta última el borrado de nivel 2 como «seguro» y equiparándolo al término «sanitizing».

En la literatura especializada anglosajona existe el concepto de «sanitization»[17], que consiste en eliminar mediante determinados métodos (desmagnetización, sobreescritura, comandos de borrado de firmware, borrado criptográfico, etc.), todos los datos de un soporte, de manera que no puedan recuperarse. Tiene tres niveles[18]: «clear», «purge» y «destroy». El primero es el idóneo como protección contra técnicas sencillas de recuperación de datos, y aplica exclusivamente técnicas lógicas basadas en software (como la sobreescritura). El segundo, que supone un nivel de protección mayor, está orientado a hacer frente a técnicas especiales de recuperación de datos. Se basa tanto en técnicas lógicas como físicas (como la desmagnetización por ejemplo). El tercer nivel, «destroy», consiste en la inutilización y destrucción del propio soporte de almacenamiento, impidiendo cualquier recuperación de datos, incluso mediante las técnicas más avanzadas.

---

(14) 2.ª edición (2016).
(15) MINISTERIO DE EDUCACIÓN, CULTURA Y DEPORTE. Política de Gestión de Documentos Electrónicos. 2016. Pág. 67.
(16) COMISIÓN SUPERIOR CALIFICADORA DE DOCUMENTOS ADMINISTRATIVOS. Recomendaciones para el borrado lógico de documentación electrónica y destrucción física de soportes informáticos de la Administración General del Estado. 13 de diciembre de 2017.
(17) NATIONAL SECURITY AGENCY. NSA/CSS Storage Device Sanitization Manual. 2014.
(18) KISSEL, Richard; REGENSCHEDL, Andrew; SCHOLL, Matthew; STINE, Kevin. NIST special Publication 800-88. Revision 1. Guidelines for Media Sanitization. 2014.

4. ¿POR QUÉ ES NECESARIO CONOCER EL TIPO DE SOPORTE EN UN PROCESO DE ELIMINACIÓN?

Tal y como indica la normativa, la eliminación de documentos electrónicos debe garantizar que no puedan ser reconstruidos ni reutilizados posteriormente. Para cumplir este precepto sería necesario conocer por un lado el nivel de protección de la información que contienen los documentos y, por otro, el tipo de soporte donde se almacenan y si el proceso de eliminación afectará o no a la totalidad de un conjunto de soportes.

En función del alcance de esta eliminación y del nivel de protección de la información, los métodos y técnicas de borrado y destrucción de soportes podrían ser distintos, ya que las características técnicas de cada tipo de soporte determinarán los procedimientos más adecuados. Vamos a ver a continuación los aspectos técnicos a tener en cuenta en relación con los soportes:

a) Un soporte de almacenamiento es un dispositivo físico donde se guardan de manera permanente ficheros codificados de forma binaria, permitiendo su acceso, ya sea directamente o mediante algún tipo de dispositivo de lectura-escritura. Existen distintos tipos de soportes, magnéticos, ópticos o memorias de estado sólido, cuyas características técnicas evolucionan constantemente.

Algunas de estas características pueden limitar el alcance de una operación de borrado de ficheros, cuando se pretende que sea exhaustiva o irreversible. Así, en algunos discos duros magnéticos, hay sectores que están protegidos u ocultos o que podrían ser defectuosos. Los comandos de borrado no pueden acceder a estos sectores, por lo que los datos presentes en ellos no se eliminan cuando se borra un fichero.

En otros tipos de soportes de acceso secuencial, por ejemplo las cintas magnéticas, no sería posible borrar físicamente un fichero que se encuentra entre otros ficheros sin afectar a estos, por lo que debería borrarse todo el contenido del soporte.

En las memorias de estado sólido las operaciones de borrado sólo se pueden aplicar a bloques enteros. Cuando la porción a borrar es más pequeña, la información se marca como borrada pero los datos permanecen en el soporte. Un borrado seguro de una memoria solida debería afectar necesariamente a todo el dispositivo.

b) Para proporcionar una mayor fiabilidad en su uso, una capacidad de almacenamiento más grande y flexible ante una demanda creciente, y garantizar su accesibilidad y disponibilidad ante posibles fallos, los soportes de almacenamiento se integran en sistemas de almacenamiento.

El elemento principal que forma el núcleo de estos sistemas son las denominadas cabinas de almacenamiento (o «storage array»), en las que un número elevado de soportes de características más o menos similares se agrupan para suministrar espacio de almacenamiento a diversas plataformas tecnológicas (clústers de servidores, mainframes, plataformas virtualizadas, NAS, etc.), al mismo tiempo que proporcionan un elevado rendimiento y disponibilidad.

c) Por estas características descritas los sistemas de almacenamiento son los entornos más adecuados para garantizar la conservación a largo plazo de los documentos electrónicos. Por tanto, el borrado seguro o la destrucción de soportes se deberían realizar contra soportes concretos en contextos de sistemas de almacenamiento.

Esto no impide que puedan aplicarse las técnicas de borrado seguro o destrucción segura de soportes a dispositivos de almacenamiento no vinculados a sistemas de almacenamiento, como discos duros de ordenadores personales, por ejemplo, o memorias de estado sólido de teléfonos móviles. Sin embargo estos casos deberían contemplarse fuera de un proceso de eliminación reglado, ya que los soportes de almacenamiento individuales no son el medio más adecuado para garantizar la conservación a largo plazo de los documentos electrónicos. La aplicación de estas técnicas se justificaría simplemente como una medida de seguridad por las características de la información que contienen.

d) Los sistemas de almacenamiento pueden ser gestionados y administrados por la propia organización, pero también puede contratarse el acceso a ellos a proveedores de almacenamiento mediante protocolos de red.

Es lo que se conoce como almacenamiento en la nube («cloud») o almacenamiento como servicio (en sus siglas en inglés SaaS o «Storage as a Service»). O, incluso, pueden hacerse ambas cosas a la vez, disponiendo por ejemplo de lo que se denomina un cloud híbrido (en parte privado o gestionado por la propia organización, en parte público o proporcionado por un proveedor externo).

e) En un cloud público perdemos visibilidad del tipo de soporte de las características de los sistemas de almacenamiento.

Hay que tener presente que existen tecnologías que permitirían, por ejemplo, almacenar un fichero dividido en distintas ubicaciones físicas. Así pues, el borrado seguro de documentos electrónicos en estos entornos podría no ser posible por la dificultad técnica que presenta. Aunque los pliegos de contratación recojan unos requerimientos precisos para un borrado seguro o una destrucción segura de soportes, la verificación del resultado de estos procedimientos puede resultar muy difícil. La posibilidad de recuperación de los datos borrados debería contemplarse a la hora de evaluar los riesgos de seguridad de estas soluciones.

A continuación analizaremos los soportes de almacenamiento más comunes, y después veremos las características de los sistemas de almacenamiento, lo que nos ayudará a entender los métodos de borrado y las técnicas de destrucción de soportes.

5. SOPORTES DE ALMACENAMIENTO

Desde la aparición de los primeros sistemas informáticos se han desarrollado diversas tecnologías para almacenar de forma permanente los datos o ficheros que estos sistemas emplean. Estas tecnologías han evolucionado constantemente para hacer frente a mayores necesidades de espacio de almacenamiento accesibles en el menor tiempo posible. Actualmente contamos con tres tecnologías distintas que dan lugar a soportes magnéticos, ópticos y memorias de estado sólido.

A efectos prácticos los soportes de almacenamiento se caracterizan básicamente por:

a) su tamaño, normalmente expresado en Gigabytes o GB (equivalente a mil millones de bytes) o Terabytes o TB (equivalente a un billón de bytes);

b) su tiempo de respuesta a una petición (expresado en milisegundos o ms);

c) el tipo de tecnología empleada para almacenar los datos (magnética, óptica, de estado sólido);

d) el tipo de interfaz de acceso (USB, Thunderbolt, SCSI, FC, ATA, SAS, NVMe, etc.),

e) y su vida útil (expresada en años o técnicamente con valores como el tiempo medio de fallo o «Mean Time To Failure» o MTTF).

Un aspecto importante a reseñar es que cualquier soporte de almacenamiento va a funcionar durante un período de tiempo más o menos largo, que suele cifrarse en años, antes de que falle por unas u otras causas. Esto es lo que se conoce como vida útil. Además, no es necesario que un soporte falle para ser desechado: la obsolescencia del mismo tiene el mismo efecto.

Asimismo el tamaño de los soportes no tiene tanta importancia cuando se integran en sistemas de almacenamiento, donde decenas o centenares de ellos ofrecen conjuntamente capacidades cada vez mayores, que cuando consideramos el soporte de un dispositivo electrónico, por ejemplo, un teléfono móvil o un ordenador portátil.

Los métodos y técnicas de borrado y destrucción aplicables a los distintos soportes de almacenamiento, para garantizar la eliminación segura de los documentos electrónicos y que analizaremos más adelante, han de estar relacionados con las características intrínsecas de los propios soportes. Vamos a ver cuáles son.

5.1. Soportes magnéticos

Como soportes de almacenamiento de tipo magnético distinguiremos dos tipos:

a) *Disco duro*

Un disco duro o HDD (acrónimo de Hard Disk Drive) es un dispositivo mecánico formado por uno o más discos de un material rígido, denominados platos, con una capa superior de un material magnético, que están girando constantemente alrededor del mismo eje, y por un cabezal de lectura-escritura por plato, todo ello encapsulado en un contenedor hermético. Cada plato o disco dispone de dos caras, que a su vez están divididas en pistas concéntricas y éstas en sectores (cuyo tamaño se expresa en bytes). Los datos se escriben en bloques de tamaño determinado en los propios sectores.

El acceso a los datos es aleatorio, no secuencial, lo que evita tener que leer todo el disco para encontrar un determinado dato y mejora su tiempo de respuesta. Al estar construidos con elementos mecánicos sujetos a desgaste y a fallos, la vida útil de un disco duro que, además puede estar girando constantemente, es sólo de unos pocos años. Así pues, todo disco duro deberá ser reemplazado mediante su replicación a un nuevo disco cuando llegue el final de su vida útil.

En cuanto al borrado de un dato o fichero concreto, el sistema operativo registra los bloques correspondientes como libres, sin que lleve pareja ninguna operación real de eliminación. Será también el propio sistema operativo el que decidirá sobrescribir esos bloques.

b) *Cartucho de cinta*

Se trata de un soporte de almacenamiento de tipo magnético, empleado desde la aparición de los primeros ordenadores en los años cincuenta, y que ha tenido distintas implementaciones técnicas a lo largo del tiempo. Está formado por una cinta de un material flexible, con una capa magnetizable, y que se encuentra enrollada dentro de un cartucho.

Su gran capacidad de almacenamiento, unida al hecho de que un cartucho resulta más económico que un disco duro, y su vida útil, hacen que sea un soporte idóneo para almacenar información a la que no se accede habitualmente, como ficheros que deben conservarse durante mucho tiempo o también copias de seguridad.

Su vida útil es mayor que la de un disco duro magnético: hasta 30 años[19], dependiendo del tipo de cartucho y siempre que se respeten las condiciones de conservación indicadas por los fabricantes (temperatura constante, humedad, ausencia de radiaciones electromagnéticas, etc.).

Estos soportes se leen y escriben en una librería robótica, formada básicamente por cuatro elementos: celdas donde se almacenan los cartuchos, dispositivos de lectura-escritura denominados «drives», un dispositivo para introducir o sacar las cintas de la librería, y un brazo robótico que mueve las cintas desde este dispositivo a las celdas y de estas a los «drives», o viceversa.

A diferencia de un disco duro su acceso es secuencial, lo que hace necesario leer toda la cinta hasta dar con los datos buscados. Cualquier nueva escritura se realiza al final de la cinta, en el espacio disponible. Igualmente, una operación de borrado de un fichero o ficheros supone marcar como libre el espacio que ocupan, aunque en la práctica no puede aprovecharse con nuevos datos.

5.2. Soportes ópticos

Los soportes ópticos son discos de un material rígido en los que un láser ha grabado en su superficie información en formato digital. Una vez grabada la información, ésta no puede borrarse si se trata de un soporte de tipo WORM (Write Once Read Many). Otras tecnologías por el contrario permiten grabar múltiples veces sobre el mismo disco, por lo que en estos casos sería posible borrar ficheros.

Han sido muy populares en la informática de consumo hasta hace poco tiempo. Durante la década de los años 90 se emplearon dispositivos robóticos (o jukebox), a semejanza de las librerías de cintas, en entornos profesionales para almacenar datos poco accedidos, aunque su uso es actualmente prácticamente inexistente. Su tiempo de respuesta, mayor que el de los discos duros actuales, y su tamaño, también inferior, los ha relegado rápidamente frente a otros tipos de soportes y el acceso a los datos por red.

---

(19)   HEWLETT PACKARD. C04154430 – 11529 – Worldwide – V21 – 04-December-2017.

Su vida útil dependerá del tipo de disco. Los discos de tipo WORM parece que tienen una expectativa mayor[20], mientras que los discos regrabables tendrían una vida útil bastante menor. En cualquier caso, las condiciones de conservación para este tipo de soportes también influyen en la duración de su vida útil, ya que pueden degradarse con relativa facilidad[21].

Por lo general este tipo de soportes, salvo en el caso de discos regrabables, no admitirá el borrado de la información que contienen, por lo que la destrucción segura de los mismos se presenta como la única alternativa.

5.3. Soportes basados en memorias de estado sólido

Los dispositivos denominados memorias de estado sólido, basados en memoria flash (tecnología desarrollada por la empresa Toshiba a principio de los años 80), constituyen un tercer tipo de soporte de almacenamiento. Estas memorias están formadas por celdas, constituidas por circuitos integrados, en las que se almacena la información binaria mediante un sistema de puertas lógicas o circuitos de conmutación. Las celdas pueden almacenar un bit, dos o tres, denominándose estos tipos de memoria respectivamente Single Level Cell o SLC, Multi Level Cell o MLC y Triple Level Cell o TLC.

Por su reducido tiempo de acceso, por su pequeño tamaño, por carecer de elementos mecánicos, por su capacidad de almacenamiento y por su menor consumo eléctrico, se han convertido en el soporte de almacenamiento de la mayoría de aparatos electrónicos de consumo (impresoras, teléfonos móviles, televisiones, cámaras de fotografía, etc.). También están reemplazando a los discos duros en ordenadores portátiles, y se emplean para memorias USB.

Existe un tipo específico de dispositivo basado en memoria NAND flash que son los denominados SSD (o Solid State Drives). Estos son soportes de almacenamiento de estado sólido que disponen de interfaces de acceso de gran capacidad (por ejemplo, SAS o NVMe). Están sustituyendo paulatinamente a los discos duros magnéticos de mayor rendimiento en aplicaciones críticas que requieren de un tiempo de respuesta muy exigente y muy baja latencia. Para sistemas de almacenamiento se comercializan con un tamaño de hasta 30 TB, aunque es posible encontrar referencias a SSD de entre 50 y 100 TB. Su precio sigue siendo mayor que el de los discos duros, a pesar de que experimenta una disminución progresiva.

Por otro lado, su vida útil depende del número de escrituras (o número de ciclos) que se realicen por celda. Cada tipo de memoria flash tiene un número máximo de ciclos que se expresa en millares, que depende también del número

---

(20) Ver la siguiente URL: https://www.archives.gov/preservation/formats/audio-condition-assessment.html, de National Archives.

(21) Ver la siguiente URL: https://www.clir.org/pubs/reports/pub121/sec5/, de la organización sin ánimo de lucro CLIR (Council on Library and Information Resources).

de bits por celda. A diferencia de los discos duros el uso intensivo de un dispositivo SSD reduce su vida útil de forma muy rápida (por ejemplo las operaciones tradicionales de mantenimiento por parte de los sistemas operativos, desfragmentación, tests de rendimiento, formateo). Otras operaciones también aumentan el número de ciclos empleado: antes de reescribir un bloque debe borrarse, con lo que se emplean dos ciclos de escritura.

Para evitar un exceso de ciclos de escritura y alargar la vida del dispositivo se han desarrollado técnicas específicas como caché de escritura, procesos de recolección de basura (comando TRIM, que permite el borrado de los bloques que no se usan), compresión (para usar un número menor de bloques), nivelación de desgaste (reparto del uso de bloques en todo el dispositivo), etc.

6. SISTEMAS DE ALMACENAMIENTO

En entornos orientados a la conservación a largo plazo de documentos electrónicos, los soportes de almacenamiento no pueden emplearse aisladamente básicamente por el riesgo de fallo y de pérdida consiguiente de información. Para proporcionar una mayor fiabilidad de uso, una capacidad de almacenamiento más grande y flexible ante una demanda creciente, y garantizar permanentemente la accesibilidad y disponibilidad de la información, los soportes se integran necesariamente en sistemas de almacenamiento.

Un sistema de almacenamiento está formado por dos subsistemas principales: como mínimo una cabina de almacenamiento (o una librería robótica) y redes de comunicaciones:

a) *Cabina de almacenamiento*

Una cabina puede contener distintos tipos de soportes (discos duros magnéticos y dispositivos SSD), cuyo número es ampliable hasta cierto límite. El espacio que una cabina puede ofrecer en su conjunto va desde unos pocos TB (Terabytes) hasta varios PB (Petabytes)[22]. Además, en un sistema de almacenamiento pueden conectarse varias cabinas, por lo que el espacio de almacenamiento ofrecido puede llegar a ser enorme (en este caso podríamos hablar de centenares de PB).

Estos soportes se organizan en grupos pares que están protegidos frente a fallos mediante un sistema RAID («Redundant Array of Inexpensive Disks») de escrituras distribuidas (conocido como «striping») o replicadas («mirroring») y adicionalmente cálculo de paridad.

Sobre estos grupos de soportes se crean los volúmenes lógicos a los que podrá acceder un ordenador. Estos volúmenes no se corresponden con un

---

(22)   Un Petabyte equivale a 1000 Terabytes.

único soporte físico, sino que se distribuyen entre uno o varios grupos de ellos.

Las cabinas disponen además de otros elementos indispensables para su funcionamiento, que suelen estar redundados, como fuentes de alimentación, controladoras, puertos de conexión, memoria caché, etc., los cuales le proporcionan una alta disponibilidad y tolerancia ante fallos.

b) *Redes de comunicaciones*

Los ordenadores o servidores que harán uso del espacio de almacenamiento se conectan a los puertos de una cabina mediante una red específica de almacenamiento, conocida como SAN («Storage Area Network»), o incluso mediante una red Ethernet, empleando directores o «switches». Para ello se emplean protocolos como FC («Fibre Channel»), FCoE («Fibre Channel over Ethernet») o iSCSI, protocolos de compartición de ficheros (CIFS, NFS), protocolos seguros de red (como https) o API's de almacenamiento como S3[23].

Las tarjetas de conexión de los servidores (sean de tipo HBA, CNA o NIC) también forman parte de estas redes de comunicaciones y, por tanto, de los sistemas de almacenamiento.

Esta interconexión de un número elevado de soportes permite lo que se conoce técnicamente como virtualización del almacenamiento, que consiste en proporcionar un espacio de almacenamiento distribuido entre todo un conjunto de soportes, desligando el volumen físico o soporte (por ejemplo, un disco duro) del volumen lógico (el espacio concreto al que accederá un ordenador).

La virtualización del almacenamiento hace que los soportes como los discos duros magnéticos o los dispositivos SSD no puedan considerarse aisladamente, sino como partes de un conjunto. En este contexto la operación de borrar un documento electrónico no puede asociarse a un soporte de almacenamiento en concreto.

En relación con un sistema de almacenamiento, cuando se pretenda eliminar de forma controlada un conjunto de documentos electrónicos habrá que considerar dos posibles escenarios:

a) Si la eliminación de todos estos documentos no afecta a la totalidad de un conjunto de soportes, ésta podrá realizarse mediante el uso de las funcionalidades de borrado que incorporan los distintos sistemas operativos o las aplicaciones de gestión, combinadas con medidas de control de accesos, y

---

(23)   Una API, o «Application Programming Interface», es un módulo de software que puede ser empleado por una aplicación para realizar determinadas funciones específicas.

se podrá reaprovechar el espacio de almacenamiento liberado (siempre que se trate de discos duros magnéticos o dispositivos SSD).

Una política de seguridad de la organización, donde se gestione adecuadamente el control de accesos (cumpliendo con el Esquema Nacional de Seguridad), será probablemente suficiente para garantizar la confidencialidad de la información eliminada y evitar su recuperación y difusión no autorizadas.

b) Si la eliminación afecta en cambio a la totalidad de un conjunto de soportes, en cumplimiento de lo determinado por el Esquema Nacional de Seguridad, en relación con la medida de protección mp.si.5, habrá que aplicar las técnicas y métodos de borrado seguro y destrucción de soportes, en función del nivel de protección de la información y del tipo de soporte empleado.

En este sentido, las características de la información de determinados documentos electrónicos podrían hacer aconsejable su ubicación controlada en un mismo conjunto de soportes. Esto facilitaría un proceso de eliminación al poder aplicar un borrado seguro a los mismos.

Un paso más allá en la virtualización del almacenamiento se da cuando los sistemas de almacenamiento no son gestionados por la propia organización y simplemente se contrata su uso a un proveedor externo. En este caso pasamos a hablar de almacenamiento en la nube (*cloud*) o almacenamiento como servicio.

Representa una simplificación frente al modelo de gestión propia, ya que básicamente con un navegador web, una conexión segura (mediante https) y el uso de un API como S3, podemos almacenar ficheros, sin necesidad de saber dónde lo hacemos ni en qué tipo de soporte.

Normalmente pocas organizaciones confían la totalidad de sus datos a un proveedor externo, por lo que su uso se combina con el de sistemas de almacenamiento propios. Las razones principales serían evitar la dependencia de las redes externas de comunicaciones, con sus posibles vaivenes, y las consideraciones de seguridad derivadas de perder el control directo sobre los datos. Además, hay aplicaciones críticas que necesitan un rendimiento que sólo un sistema de almacenamiento de altas prestaciones puede proporcionar.

En ocasiones una organización dispone una parte de su sistema de almacenamiento como si fuera un *cloud* público, pero restringe su acceso a sus propios usuarios. Hablamos entonces de *cloud* privado. Cuando se combina con el uso de *cloud* público estaríamos ante lo que se denomina un *cloud* híbrido.

En cuanto a las operaciones de borrado seguro de documentos electrónicos, el uso de almacenamiento como servicio tiene varias implicaciones que detallamos a continuación:

a) En principio, salvo que se puedan seleccionar contractualmente, el tipo de soporte de almacenamiento y sus características son desconocidas. También lo es la ubicación física (país) de estos soportes.

b) Los ficheros (o documentos electrónicos) pueden encontrarse en un mismo sistema de almacenamiento o distribuidos entre varios sistemas y distintas ubicaciones.

c) Esta distribución de los datos y el uso de redes externas hace que el cifrado de la información sea un requisito obligatorio.

d) Las API de conexión pueden no permitir el borrado de un fichero si está activada la funcionalidad de versionado. En este caso simplemente se marcaría como eliminado, pero se mantendría en el soporte, con lo que teóricamente podría recuperarse.

e) A diferencia de un sistema de almacenamiento gestionado por la propia organización, en el que es posible decidir y seleccionar las herramientas de borrado seguro en función de los soportes disponibles, en un *cloud* público no es seguro que sea factible. Sería responsabilidad del proveedor del servicio realizar un borrado seguro o una destrucción segura de soportes, y de la organización contratante del servicio verificar su resultado.

7. TÉCNICAS ESPECÍFICAS DE BORRADO SEGURO DE DOCUMENTOS ELECTRÓNICOS

Estas técnicas pueden agruparse en cuatro bloques: sobreescritura, comandos de borrado a nivel de firmware, desmagnetización y borrado criptográfico.

7.1. Sobrescritura

Consiste en escribir un patrón fijo o aleatorio de tipo binario o una combinación de ambos, en todos los sectores o páginas de un soporte de almacenamiento (especialmente discos duros magnéticos). Para ser efectiva esta técnica debe afectar a toda el área del soporte, incluyendo sectores defectuosos y ocultos. Puede ejecutarse en varias etapas consecutivas o ciclos, lo que mejora su resultado.

Exige por el contrario mucho tiempo de ejecución, que estará determinado por el número de ciclos de escritura, el patrón de sobreescritura y el tamaño del soporte. Permite además la reutilización del mismo. Según la técnica seleccionada el borrado será más o menos exhaustivo, por lo que su selección debería depender de la categoría de la información almacenada.

Los soportes magnéticos, incluso después de ser sobrescritos, pueden conservar cierta «memoria» de su estado anterior, lo que se conoce como remanencia magnética. Esta cualidad permitiría, mediante sofisticadas técnicas, llegar

561

a recuperar información de un soporte borrado. Para evitar esta situación algunas técnicas de sobreescritura pueden generar patrones binarios aleatorios incluso en distintas frecuencias. Esto modifica de tal manera el soporte que dificultaría cualquier intento de recuperación de datos borrados.

Finalmente, una vez realizada la sobreescritura de un soporte se debería verificar el alcance de la misma, para asegurarnos de su fiabilidad.

Entre las técnicas de borrado mediante sobreescritura destacaremos las siguientes[24]:

a) AFSSI-5020

Consiste en sobrescribir todo con 0, luego con 1 y una tercera vez con un carácter aleatorio. Desarrollado originalmente por el ejército del aire de los Estados Unidos (USAF).

b) ISM 6.2.92

Sobrescribe los datos con un carácter aleatorio. Empleado por el Gobierno de Australia.

c) HMG Infosec Standard 5

Efectúa tres sobreescrituras: la primera con 0, la siguiente con 1 y la última con un carácter aleatorio. Es un método prácticamente idéntico al DoD 5220.22 del Departamento de Defensa de los Estados Unidos.

d) Algoritmo de Bruce Schneier

Es una técnica de sobreescritura de 7 ciclos. En el primero se escriben 0, en el segundo 1, y en los cinco restantes caracteres aleatorios. Se fundamenta en un generador de números aleatorios criptográficamente seguro, lo que sumado al número de sobreescrituras ralentiza su ejecución.

e) CSEC ITSG-06

Similar al método NAVSO P-5239-26, realiza tres sobreescrituras, la primera con 0, la siguiente con 1 y la última con un carácter aleatorio. Empleado por el Gobierno de Canadá.

---

(24)   Para más información acceder a la siguiente URL: https://dg-datenschutz.de/?lang=en/, de la Deutsche Gesellschaft für Datenschutz.

f) NAVSO P-5239-26

Ejecuta tres sobreescrituras: la primera con un carácter definido, la segunda con su opuesto y la tercera con un carácter aleatorio. Desarrollado originalmente por la Marina de Estados Unidos.

g) Algoritmo de Peter Gutmann

Este método fue creado por Peter Gutmann en 1996., Efectúa una sobreescritura de todo 1, todo 0, y luego patrones pseudoaleatorios, hasta un total de 35 ciclos. Por el número de ciclos que propone se consideró el método de sobreescritura más seguro.

Actualmente el número de sobreescrituras necesarias para garantizar un borrado seguro ha disminuido considerablemente, gracias a la mayor densidad de grabación de los discos duros y a que no utilizan muchos de los métodos de codificación para los cuales fue diseñado este algoritmo. Así se han hecho frecuentes los métodos con un número de sobreescrituras de entre 4 y 7, con al menos una sobreescritura aleatoria. Es el caso del denominado Gutmann parcial, una variante del método Gutmann completo, que reduce el número de ciclos de 35 a 5, escogiendo los 5 patrones más eficaces y aplicándolos secuencialmente.

h) DoD 5220.22 M

Consiste en realizar tres sobreescrituras, la primera con 0, la segunda con 1 y la última con un carácter aleatorio. Fue desarrollado por el Departamento de Defensa de los Estados Unidos.

i) BSI-VSITR

Definido por la Oficina Federal Alemana para la Seguridad de la Información, se ejecuta en 7 sobreescrituras: en las seis primeras se alterna la escritura de 0 y 1, y en la última se escribe un carácter aleatorio

j) NCSC-TG-025

Desarrollado originalmente por la National Security Agency (NSA) de Estados Unidos. Se basa en tres sobreescrituras, la primera con 0, la siguiente con 0 y la última con un carácter aleatorio.

La mayoría de estos métodos tienen en común que suelen incluir la verificación del resultado de la sobreescritura cuando se trata de un carácter aleatorio.

7.2. Comandos de borrado a nivel de firmware

Este tipo de comandos, propios del firmware (que es el software que maneja directamente el hardware de un sistema informático), realizan básicamente una sobreescritura de todos los bits de un soporte. Al estar implementados a bajo nivel, son más rápidos que una sobreescritura realizada mediante una aplicación específica. Afectan a todo el soporte, permitiendo su reutilización posterior.

Para soportes de almacenamiento que disponen de un interfaz de tipo ATA, por ejemplo, discos duros magnéticos (HDD), se utiliza el comando de «secure erase» o «enhanced secure erase», como se denomina en sus dos modalidades.

En su primera modalidad sustituye todos los bits escritos en el soporte por 0 o por 1, aunque no afecta a la totalidad de sectores o páginas de un dispositivo. Por eso la segunda variante, la mejorada o «enhanced», cuyo funcionamiento concreto depende de cada fabricante, se basa en la escritura de determinados patrones en todos los sectores de un soporte.

La guía NIST 800-88 del Gobierno de los EE.UU.[25] considera el uso del comando «secure erase» preferentemente en su modo mejorado, como una forma válida de borrado seguro[26], para discos duros ATA.

7.3. Borrado criptográfico

Existen algunos soportes de almacenamiento, especialmente dispositivos de estado sólido (SSD), que incorporan circuitos especiales que cifran permanentemente su contenido. Estos soportes se denominan dispositivos auto-cifrados (SED, o «Self Encrypting Drives»). El cifrado emplea un algoritmo criptográfico fuerte, basándose generalmente en el estándar AES (Advanced Encrytion Standard), y puede emplear AES-256.

Utilizan pues un tipo de cifrado basado en hardware, mediante el uso de dos claves. La primera la proporciona el usuario de estos soportes y funciona como password. Tiene una longitud máxima de 32 bytes, lo que la hace muy robusta. La segunda clave es la de cifrado del dispositivo. La primera se utiliza para cifrar esta segunda clave. Estas claves se almacenan en los circuitos que ejecutan el cifrado, por lo que no se encuentran en la memoria de ningún ordenador. Asimismo la autenticación (la validación del acceso mediante la clave o password) también se produce contra los mismos circuitos.

---

(25) KISSEL, Richard; REGENSCHEDL, Andrew; SCHOLL, Matthew; STINE, Kevin. NIST Special Publication 800-88. Revision 1. Guidelines for Media Sanitization. 2014.

(26) Esta guía distingue entre dos tipos de borrado seguro: clear y purge, siendo el segundo más exhaustivo o profundo, lo que impediría la recuperación de los datos borrados mediante técnicas de laboratorio. En relación a este tipo de comandos implementados en firmware los considera válidos como métodos de tipo «purge».

Hasta que no se proporciona un password por primera vez el dispositivo no aparece como cifrado. A partir de ese momento sólo podrá accederse a la información que contiene mediante el uso del password. En caso de apagar y arrancar el dispositivo éste se bloqueará, y sólo el password permitirá su acceso.

La capacidad de cifrado de estos dispositivos no puede desactivarse, y se hace de forma automática. Resulta transparente para el sistema operativo y para las aplicaciones que acceden a estos soportes. Tampoco supone una merma en su rendimiento.

Las características descritas proporcionan un alto grado de seguridad a estos soportes, protegiendo la integridad y accesibilidad de los datos y evitando el uso no autorizado de los mismos. Son soportes idóneos para información con un alto grado de confidencialidad.

En cuanto a la eliminación de documentos electrónicos, si se mantiene la reutilización del soporte, simplemente con un borrado de los mismos sería suficiente, siempre y cuando el nivel de confidencialidad de la información no exija un borrado seguro. En cambio, si se pretende realizar un borrado seguro de estos documentos que afectara a todo el dispositivo, existen dos posibilidades:

a) Emplear un comando de borrado a nivel de firmware.

b) Mediante la generación de una nueva clave de cifrado. Esto invalida automáticamente, en cuestión de segundos, todos los datos almacenados en el soporte, haciéndolos ilegibles al perder la clave de cifrado original. Es lo que se conoce como borrado criptológico.

Sin embargo, este tipo de dispositivos, a pesar de sus ventajas, presentan algunas objeciones:

a) Después de un borrado criptológico los datos, aunque cifrados, permanecen en el dispositivo.

Esto hace que hipotéticamente los datos puedan recuperarse. Por esta razón se han propuesto alternativas al borrado criptológico como el protocolo denominado SAFE (Scramble And Finally Erase)[27], que combina este tipo de borrado con otro que incluye todas las páginas del dispositivo SED. Además, introduce la posibilidad de verificar el alcance del borrado.

b) El dispositivo debe estar bloqueado para ser seguro frente a accesos no autorizados

Por eso es recomendable desconectarlos cuando no se usen.

---

(27)   SWANSON, Steven; WEI, Michael. SAFE: Fast, Verifiable Sanitization for SSDs. 2010.

c) A día de hoy estos dispositivos no funcionan integrados en sistemas de almacenamiento, lo que limita su uso como soporte de almacenamiento de documentos electrónicos

d) La clave de usuario o password puede almacenarse en otro lugar

Lo que la dejaría expuesta, permitiendo su robo y posterior utilización para acceder al dispositivo.

7.4. Desmagnetización

Este método es adecuado para borrar todos los datos de un soporte magnético, como discos duros o cartuchos de cinta. Consiste en exponer los soportes de almacenamiento a un campo magnético suficientemente potente para modificar la polaridad de las partículas magnéticas. Esto hace ilegibles e ininteligibles los datos almacenados e impide su posible recuperación. No funciona con memorias de estado sólido.

Su eficacia depende de la fuerza relativa del campo magnético generado por el dispositivo desmagnetizador. Cada tipo de soporte, en función de sus características y de su resistencia a ser desmagnetizado, necesitará de una potencia determinada.

Por consiguiente, será necesario asegurarse de que el equipo desmagnetizador sea el adecuado para el soporte y de que el campo magnético generado incida sobre su capa magnética, sin que ningún elemento como por ejemplo la carcasa lo impida.

Las cintas magnéticas y los discos duros de cierta antigüedad pueden ser desmagnetizados con equipos de relativamente baja potencia. Los discos duros más modernos requieren en cambio desmagnetizadores extremadamente potentes. Esto se debe a las mayores densidades que se utilizan actualmente para aumentar su capacidad.

Después del proceso de desmagnetización, que puede durar sólo unos segundos, los soportes quedan inutilizados, por lo que el siguiente paso debería ser su destrucción o reciclado. Esto permite evitar la verificación del propio proceso de borrado, por otro lado muy difícil en la práctica porque no es posible el acceso a los soportes desmagnetizados.

Como la desmagnetización suele contratarse a empresas especializadas habrá que tener en cuenta, en relación al tema de la seguridad, el transporte de los soportes de almacenamiento hasta el lugar donde se realice este proceso[28].

(28) El RD 3/2010, de 8 de enero, por el que se regula el Esquema Nacional de Seguridad en el ámbito de la Administración Electrónica, en su artículo 21, considera los soportes de información en tránsito como un entorno inseguro. En este sentido ver las medidas de protección específicas referidas al transporte y al borrado y destrucción de soportes de información.

8. DESTRUCCIÓN SEGURA DE SOPORTES DE ALMACENAMIENTO

La destrucción física de los soportes puede realizarse mediante una serie de técnicas específicas[29], que se ejecutan mediante maquinaria industrial:

a) Trituración: los denominados «shredders» o trituradoras son máquinas que reducen el soporte a pedazos minúsculos de tamaño y forma uniformes. Es un sistema apto para soportes de tipo óptico.

b) Desintegración: la realizan máquinas especiales denominados desintegradores o «disintegrators». Se basan en el uso de cuchillas rotatorias. El soporte queda reducido a partículas muy pequeñas (incluso menores a 2 mm). Es un método válido para SSD, cartuchos magnéticos y soportes ópticos.

c) Aplastamiento: denominados «crushers», ejercen una fuerza enorme sobre los soportes, doblándolos y perforándolos. Es un método apto para dispositivos HDD, SSD y memorias flash.

d) Pulverización: denominados «destroyers». Se asemejan a los crushers. Actúan machacando los soportes. Válido para discos duros magnéticos.

Algunas técnicas de destrucción de soportes son combinables con otras técnicas. Por ejemplo, el aplastamiento con el uso de una carga eléctrica determinada que destruye los circuitos electrónicos. Estas técnicas pueden emplearse con dispositivos SSD.

Además existen máquinas especiales de alta capacidad que podrían destruir centenares de soportes en muy poco tiempo, lo que las hace aptas para destruir por ejemplo cabinas de almacenamiento.

Salvo que se disponga de máquinas de estas características la destrucción segura de los soportes de almacenamiento deberá realizarse por una empresa externa a la organización. En este caso el traslado de los soportes debería contar con las medidas de seguridad necesarias.

Otras dos técnicas de destrucción segura de soportes de almacenamiento citadas por la guía NIST SP 800-88 Rev 1[30] son la fusión y la incineración.

Adicionalmente podría valorarse que el proceso de destrucción segura se ajuste a la norma DIN 66399-1:2012, de destrucción de soportes de datos. Esta norma establece tres categorías de protección en función de la confidencialidad de los datos (desde una protección normal para datos internos hasta una protección para datos muy confidenciales y secretos, con un nivel intermedio de alta protección para datos confidenciales), reconoce seis soportes de datos (papel, ópticos, magnéticos, electrónicos, microfilm y discos duros) y determina

---

(29) NATIONAL ASSOCIATION INFORMATION DESTRUCTION. Buyer's Guide. 2017 Edition.
(30) KISSEL, Richard; REGENSCHEDL, Andrew; SCHOLL, Matthew; STINE, Kevin. NIST Special Publication 800-88. Revision 1. Guidelines for Media Sanitization. 2014.

siete niveles de seguridad (en función de la clasificación de los datos y del tipo de soporte).

9. ASPECTOS A CONSIDERAR EN UN PROCESO DE ELIMINACIÓN DE DOCUMENTOS ELECTRÓNICOS

A modo de resumen y como guía para desarrollar un proceso de eliminación de documentos electrónicos, describimos a continuación los cinco aspectos esenciales que deben determinarse y tenerse en cuenta para llevar a buen término este proceso de eliminación:

1. *Motivo de la eliminación*

Existen tres posibles motivos que justifiquen un proceso de eliminación. Los dos primeros corresponden al ámbito de la gestión documental, en cuanto deben ser autorizados por la CSCDA. El tercero pertenece al ámbito de las TIC, aunque afecta directamente a la eliminación de documentos electrónicos (previa copia de los mismos) y por tanto a la seguridad de la información:

1.a) Ejecución de un dictamen de eliminación.

1.b) Transferencia a archivo.

1.c) Cambio de soporte:

1.c.1) Fallo de soporte.

1.c.2) Sustitución completa o parcial de un sistema de almacenamiento por uno nuevo, por fin de vida útil de los soportes, por obsolescencia tecnológica o por cualquier otra causa.

1.c.3) Movimiento de datos entre sistemas de almacenamiento o dentro del mismo sistema que afecte a la totalidad de un conjunto de soportes.

1.c.4) Cambio de formato de los documentos electrónicos que justifique una sustitución de los soportes.

2. *Alcance de la eliminación*

2.a) Determinar el conjunto de documentos afectados, incluyendo si es el caso (puntos 1.a y 1.b) todo tipo de copias (de seguridad, réplicas, etc.).

2.b) Establecer las exclusiones (si las hubiera contemplado la CSCDA).

2.c) Averiguar si afecta a la totalidad de un soporte o conjunto de soportes.

3. *Nivel de protección de la información*

3.a) Nivel de la dimensión de seguridad confidencialidad (Esquema Nacional de Seguridad):

3.a.1) Bajo

3.b.2) Medio

3.c.3) Alto

3.b) Datos personales o categorías especiales de datos personales (Reglamento General de Protección de Datos):

3.b.1) No aplica.

3.b.2) Datos personales.

3.b.3) Categorías especiales de datos personales.

3.c) Clasificación de la información (Ley sobre Secretos Oficiales):

3.c.1) Materias no restringidas.

3.c.2) Materias objeto de reserva interna (categorías de confidencial y difusión limitada).

3.c.3) Materias clasificadas (categoría de secreto o reservado).

En función de lo expuesto podrían considerarse tres niveles genéricos de protección de la información, básico, medio y alto, que corresponderían, para la aplicación de cada uno de los tres criterios descritos, al nivel más alto alcanzado.

4. **Soportes de almacenamiento**

4.a) Tipos de soportes de almacenamiento:

4.a.1) Disco duro magnético

4.a.2) Cinta magnética

4.a.3) Soporte óptico

4.a.4) Memorias de estado sólido

4.b) Contexto de los soportes

4.b.1) Sistemas virtualizados de almacenamiento

4.b.2) Almacenamiento local de un sistema informático o dispositivo móvil.

4.c) Tipo de gestión de los soportes

4.c.1) Gestión interna

4.c.2) Gestión externa

5. **Métodos y técnicas de borrado seguro y destrucción segura**

5.a) Borrado

5.b) Borrado seguro

5.b.1) Sobreescritura

5.b.2) Comandos a nivel de firmware

5.b.3) Borrado criptográfico

5.b.4) Desmagnetización

5.c) Destrucción segura

5.c.1) Trituración

5.c.2) Desintegración

5.c.3) Aplastamiento

5.c.4) Pulverización

Como resumen la siguiente tabla recoge las técnicas y métodos de borrado y destrucción de soportes en función de los soportes empleados:

10. CONCLUSIÓN

Generalmente la selección de los soportes y de las características de los sistemas de almacenamiento de una organización se ha hecho pensando en los requisitos de acceso y en garantizar básicamente la disponibilidad y accesibilidad de los datos. Ya vimos al principio la importancia y las implicaciones a nivel de seguridad que puede tener el borrado de documentos electrónicos. La política de gestión documental de una organización incluye además la eliminación entre los procesos de gestión de documentos, considerándola como un proceso clave cuyo objeto «es impedir su restauración y su posterior reutilización»[31].

Tomando en cuenta todas estas consideraciones, creemos que el proceso de selección de los soportes y sistemas de almacenamiento de una organización debería contemplar también las necesidades de eliminación segura de los documentos electrónicos. La valoración de tecnologías emergentes o consolidadas

---

(31) MINISTERIO DE HACIENDA Y ADMINISTRACIONES PÚBLICAS. Política de Gestión de Documentos Electrónicos. Guía de aplicación de la Norma Técnica de Interoperabilidad. 2.ª edición electrónica. 2016.

desde este punto de vista facilitaría los procesos de eliminación, reduciendo los riesgos de seguridad y consecuentemente los costes de administración y gestión de los sistemas involucrados, y aumentaría sin duda las posibilidades de realizar una eliminación efectiva y auténticamente segura.

11. BIBLIOGRAFÍA

BONETTI, GABRIELE; VIGLIONE, MARCO; FROSSI, ALESSANDRO; MAGGI, FEDERICO; ZANERO, STEFANO. A Comprehensive Black-box Methodology for Testing the Forensic Characteristics of Solid-State Drives. DEIB, Politecnico di Milano. 2013.

CENTRO CRIPTOLÓGICO NACIONAL. Guía de seguridad de las TIC (CCN-STIC-305). Destrucción y sanitización de soportes informáticos. 2017.

CENTRO CRIPTOLÓGICO NACIONAL. Guía de seguridad de las TIC (CCN-STIC-404). Control de soportes informáticos. 2006.

COMISIÓN SUPERIOR CALIFICADORA DE DOCUMENTOS ADMINISTRATIVOS. Recomendaciones para el borrado lógico de documentación electrónica y destrucción física de soportes informáticos de la Administración General del Estado. 13 de diciembre de 2017.

GRUPP, LAURA M.; SPADA, FREDERICK E.; SWANSON, STEVEN; WEI, MICHAEL. Reliably erasing data from flash-based solid state drives. 2011.

HEWLETT PACKARD. C04154430 – 11529 – Worldwide – V21 – 04-December-2017.

INTECO. Guía sobre almacenamiento y borrado seguro de información. Ministerio de Industria, Comercio y Turismo. 2011.

KISSEL, RICHARD; REGENSCHEDL, ANDREW; SCHOLL, MATTHEW; STINE, KEVIN. NIST Special Publication 800-88. Revision 1. Guidelines for Media Sanitization. 2014.

MINISTERIO DE EDUCACIÓN, CULTURA Y DEPORTE. Política de Gestión de Documentos Electrónicos. 2016.

MINISTERIO DE HACIENDA Y ADMINISTRACIONES PÚBLICAS. Política de Gestión de Documentos Electrónicos MINHAP. 2.ª ed. 2016.

MINISTERIO DE HACIENDA Y ADMINISTRACIONES PÚBLICAS. Política de Gestión de Documentos Electrónicos. Guía de aplicación de la Norma Técnica de Interoperabilidad. 2ª edición electrónica. 2016.

MINISTERIO DE HACIENDA. MINISTERIO DE POLÍTICA TERRITORIAL Y FUNCIÓN PÚBLICA. Política de Gestión de Documentos Electrónicos (3ª edición). 9. Guía de aplicación de eliminación. 2019.

NATIONAL ASSOCIATION INFORMATION DESTRUCTION. Buyer's guide. Edition 2017.

NATIONAL SECURITY AGENCY. NSA/CSS Storage Device Sanitization Manual. 2014.

SWANSON, STEVEN. Destroying Flash Memory-Based Storage Devices. 2011.

SWANSON, STEVEN; WEI, MICHAEL. SAFE: Fast, Verifiable Sanitization for SSDs. 2010.

VIRTIUM. Benefits of Self-Encrypting Drives (SEDs). Encryption, Authentication, and Sanitization of SSDs. White paper. 2016.

WHITAKER, KEN. A Comparative Study of Flash Storage Technologies for Embedded Devices. 2015.

PARTE IV.

HERRAMIENTAS DEL DOCUMENTO

29.

LA INTEROPERABILIDAD DEL DOCUMENTO ELECTRÓNICO. RETOS Y ESCENARIOS

Julio CERDÁ DÍAZ

Jefe de Gestión de Información y Transformación Digital en el Ayuntamiento de Arganda del Rey (Madrid)

1.   LA INTEROPERABILIDAD DEL DOCUMENTO ELECTRÓNICO

La interoperabilidad es la clave de bóveda de la administración electrónica. Existe una exigencia legal y una demanda social de nuevas formas de prestar y consumir los servicios públicos, de contar con unas organizaciones públicas cercanas, proactivas, transparentes, eficaces, y esa transformación sólo se puede llevar a cabo desde la acción de compartir, distribuir e intercambiar información. Es la principal virtud y también el condicionante de la tramitación electrónica. Todos los procesos administrativos llevan implícita la necesidad de que datos y metadatos puedan circular y ser compartidos dentro y fuera de la organización desde el momento de su creación.

Ese carácter multidimensional de la información, que ya venía establecido en el art. 4 de la LAE, adquiere su verdadera carta de naturaleza a partir de la aprobación del ENI. La capacidad de interconexión se convierte por tanto en un nuevo requisito de los documentos, junto a su carácter evidencial o probatorio de un determinado acto administrativo, deben igualmente tener la cualidad de ser interoperables. Se deja atrás el modelo unidireccional, estrictamente burocrático, donde los documentos se vinculaban en exclusiva al trámite de un procedimiento, y ahora se piensa en clave multidimensional. La interoperabilidad se convierte en una propiedad natural de los documentos electrónicos, y todos los procesos de gestión deben convivir en el mismo ecosistema sostenible de infraestructuras, sistemas y servicios comunes, tal como se expone en los primeros artículos del Real Decreto 4/2010 (ENI):

La interoperabilidad se entenderá contemplando sus dimensiones organizativa, semántica y técnica. La cadena de interoperabilidad se manifiesta en la práctica en los acuerdos interadministrativos, en el despliegue de los sistemas y servicios, en la determinación y uso de estándares, en las infraestructuras y servicios básicos de las administraciones públicas y en la publicación y reutilización de las aplicaciones de las administraciones públicas, de la documentación asociada y de otros objetos de información. Todo ello sin olvidar la dimensión temporal que ha de garantizar el acceso a la información a lo largo del tiempo[(1)].

Es un requerimiento legal que viene impulsado además por el marco europeo de Interoperabilidad, la iniciativa EIF[(2)], que ofrece orientaciones a las administraciones públicas europeas en el diseño e implantación de servicios públicos para que tengan como eje rector intercambiar y reutilizar de manera eficiente sus datos, información y documentos mediante sus sistemas de Información. Una estrategia que identifica distintos niveles de interoperabilidad: organizativa, semántica y técnica, y en la que muy acertadamente la norma española incorpora la interoperabilidad en el tiempo que más adelante desarrollaremos.

1.1. Beneficios

Cuando los sistemas son capaces de compartir y utilizar datos de calidad, si son capaces de comunicarse aunque se encuentren en distintos entornos y plataformas, produce unos incuestionables beneficios en la prestación de los servicios públicos:

• *Eficiencia*. Ahorro de costes, tanto de inversión como de tiempo. Se aumenta la rapidez y eficacia en la tramitación de los procedimientos administrativos y con un impacto directo tanto en las organizaciones públicas como en los ciudadanos.

• *Accesibilidad*. Facilita el acceso e intercambio electrónico de datos, información y documentos entre las distintas administraciones públicas. La interoperabilidad garantiza que la información esencial siempre esté disponible y sea de fácil acceso. Ayuda a cumplir el principio de una sola vez, que los ciudadanos no tengan que presentar documentos que obren en poder de las administraciones y dejen de hacer de mensajeros de las instituciones.

---

(1)   Art. 4 del. Real Decreto 4/2010, de 8 de enero, por el que se regula el Esquema Nacional de Interoperabilidad en el ámbito de la Administración Electrónica. https://www.boe.es/buscar/doc.php?id=BOE-A-2010-1331.

(2)   El EIF (European ineroperability framework) se promueve y mantiene en virtud del programa ISA (Interoperability solutions for European public administrations) que recoge el espíritu de los artículos 26, 170 y 171 del Tratado de Funcionamiento de la Unión Europea que impulsan la creación de redes transeuropeas interoperables que permitan a los ciudadanos beneficiarse plenamente de un mercado interior europeo. Marco Europeo de Interoperabilidad: https://ec.europa.eu/isa2/eif.

• *Normalización*. El intercambio electrónico de datos obliga a racionalizar y simplificar la producción documentos y los flujos de los procedimientos en todas las fases de su ciclo de vida. Eso hace necesario la aplicación de normas y estándares que mejoran el control de los procesos de gestión, una parametrización que puede llegar a producir la automatización de muchos procedimientos.

• *Calidad*. Cuando los sistemas dialogan entre sí e intercambian la información que producen se aumenta exponencialmente la calidad de esa información. Desaparecen de los expedientes copias de documentos o datos producidos por intermediarios que en más de una ocasión pueden llegar a tener una veracidad o validez cuestionable. Sin embargo, cuando la información procede de la unidad administrativa que ha generado ese dato la garantía es total, y es además información actualizada. Ejemplos de esta situación la podemos encontrar en un gran número de procedimientos transversales de la propia administración (por ejemplo en documentación económica, contable o acuerdos de gobierno), y por supuesto en el intercambio entre administraciones, un servicio disponible a través de la Plataforma de Intermediación de la Administración General de Estado[3].

• *Sostenibilidad*. La plena automatización de la actividad administrativa es una cuestión de tiempo. Adaptarnos a las nuevas exigencias del entorno de la interoperabilidad puede originar tensiones que son inevitables en todos los procesos de transición, pero no hay otro escenario posible para las organizaciones públicas, ni legal ni funcional, que el de la aplicación de arquitecturas modulares e integradas, de compartir, de reutilizar y de compartir datos, y posibilitar el intercambio de información y conocimiento entre ellas.

1.2. Estrategias

Pasar de los objetivos a las estrategias es una transición no exenta de dificultades. La mayoría de las organizaciones han trabajado en dirección contraria a la interoperabilidad y la realidad suele ser mucho más compleja que lo que imagina el legislador. Hasta fechas recientes las aplicaciones informáticas tenían como único objetivo la mecanización y simplificación de las tareas administrativas, y las soluciones de gestión y sus datos no tenían que estar interconectadas. Nada que ver con las nuevas exigencias de la transformación digital, un escenario totalmente distinto donde es necesario dar un giro de 180 grados para que personas, procesos y tecnología dejen de trabajar como nodos independientes.

Una gestión del cambio que hay que abordar con la premisa que no es posible esa interconexión de las infoestructruras, de los datos y documentos, sin una

---

(3)   Servicio de Verificación y Consulta de Datos: Plataforma de Intermediación: https://administracionelectronica.gob.es/ctt/svd.

nueva arquitectura de la gestión documental. La interoperabilidad es una funcionalidad, una cualidad de la información que se produce de modo natural cuando se aplican pautas de normalización en cada una de las fases y tareas de los procesos de gestión administrativa.

 INTEROPERABILIDAD Y GESTIÓN DOCUMENTAL

OBJETIVO: INTEGRACIÓN - CONECTIVIDAD - REUTILIZACIÓN

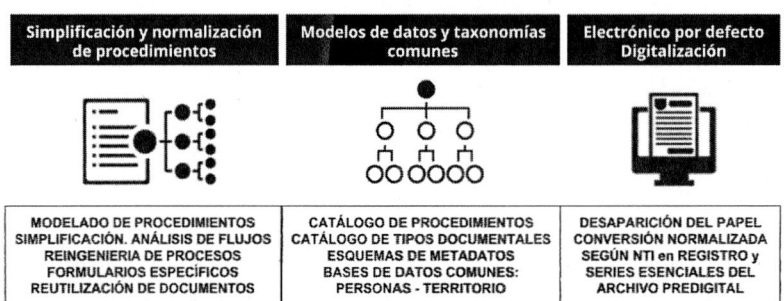

Simplificación y normalización de procedimientos	Modelos de datos y taxonomías comunes	Electrónico por defecto Digitalización
MODELADO DE PROCEDIMIENTOS SIMPLIFICACIÓN. ANÁLISIS DE FLUJOS REINGENIERIA DE PROCESOS FORMULARIOS ESPECÍFICOS REUTILIZACIÓN DE DOCUMENTOS	CATÁLOGO DE PROCEDIMIENTOS CATÁLOGO DE TIPOS DOCUMENTALES ESQUEMAS DE METADATOS BASES DE DATOS COMUNES: PERSONAS - TERRITORIO	DESAPARICIÓN DEL PAPEL CONVERSIÓN NORMALIZADA SEGÚN NTI en REGISTRO y SERIES ESENCIALES DEL ARCHIVO PREDIGITAL

Es una lección aprendida, pero no superada, se incumple con demasiada frecuencia, que las soluciones tecnológicas tienen que ir precedidas o acompañadas de un proceso de revisión, análisis y racionalización de las formas de gestión de los procedimientos administrativos de la organización. Si no se hace se podrá llegar a gestionar en electrónico, en el sentido que se producen documentos firmados electrónicamente, y hasta podrán ser documentos ENI, pero ni la administración ni los ciudadanos podrán percibir del todo sus beneficios. Cuando un sistema es realmente interoperable es el propio gestor quien se olvida de la difícil transición desde el mundo papel, y valora la evidente mejora del servicio público. Se incrementa la eficacia y productividad de su trabajo, automatizando procedimientos, compartiendo datos que antes tenía que solicitar a otros departamentos, o reduciendo sustancialmente los documentos que se solicitan a la ciudadanía.

Sirva un ejemplo para comprenderlo describiendo dos escenarios en un registro general de entrada o un registro de sede electrónica de un ciudadano que desea presentar una solicitud para participar en una convocatoria de Becas. En los dos casos se va a generar un expediente electrónico conforme a ENI, los dos cumplen normativa, pero su impacto en la mejora de los servicios públicos, que no olvidemos es la meta de la transformación digital, es diametralmente distinto:

• *Escenario A*: No existe un modelado específico de ese procedimiento. La instancia general se digitaliza en Registro, al igual que los documentos que se adjuntan, y ese conjunto de documentos digitalizados convertidos a PDF se unen a la solicitud del mismo modo que se haría en el entorno papel. No hay identificación de documentos, ni de los actos administrativos, ni de los tipos documentales, tampoco existen patrones de digitalización en función de las tipologías. Se inicia un procedimiento simplificado en electrónico y la unidad administrativa va añadiendo a la plataforma de tramitación los documentos que libremente considera adecuado. Es un expediente que cumple ENI, todos los documentos van firmados, la resolución igualmente es electrónica y se genera un índice XML para facilitar su posterior acceso y conservación, pero con un nivel de mejora muy limitado en la administración y para la ciudadanía. Se soliciten al ciudadano datos y documentos que ya tiene la administración, en la tramitación la unidad administrativa no accede automatizadamente a datos relacionados con ese procedimiento de su propia organización o de otras administraciones, y se aumenta innecesariamente el volumen y tiempo de tramitación del expediente. Esa misma visión finalista y aislada del proceso administrativo impide que la nueva información generada aumente la base de datos conocimiento de la institución

• **Escenario B:** Modelado y flujo del procedimiento está identificado y desarrollado. El ciudadano sólo presenta los documentos imprescindibles y que no tenga o pueda obtener la administración. En la Oficina de Registro o en Sede Electrónica esa información está perfectamente definida y el solicitante sólo debe cumplimentar un formulario y adjuntar la escasa documentación que le pueda faltar. Se reutilizan los datos y documentos del solicitante (datos bancarios, condiciones personales, padrón, estar al corriente de pagos, etc.), los datos procedentes de otras convocatorias anteriores y se solicitan vía Servicio de Verificación de Datos los que dependan de otras administraciones (agencia tributaria, servicios de empleo, discapacidad, estudios, etc.). Una vez que se inicia el trámite esos datos alimentan las plantillas del procedimiento, y lo convierten en un proceso casi automatizado, donde priman los XML sobre los PDF, los datos sobre los documentos. Se reducen los márgenes de error, el trabajo es con datos normalizados y verificados que incrementan exponencialmente la calidad del servicio. El trámite es mucho más rápido, más fiable y también más sencillo para los ciudadanos.

En este punto es necesario destacar la relevancia de la interoperabilidad semántica que parte de la existencia de modelos normalizados de datos comunes. Igual de esencial que los cuadros de clasificación, catálogos de procedimientos o tipos documentales. Un conjunto de herramientas que permitirá la creación de estándares de datos y metadatos, lenguajes para intercambio de datos estructurados (XML), equivalencias, o la interpretación y transformación de datos entre aplicaciones y sistemas de información.

Naturalmente que esta arquitectura de la interoperabilidad, de intercambio de información en confianza, tiene que estar reglada y validada por un marco legal. En julio de 2011 se publicaron en el *BOE* siete Normas Técnicas de Interoperabilidad: documento electrónico, expediente electrónico, digitalización de documentos, procedimientos de copiado auténtico y conversión entre documentos electrónicos, política de firma electrónica y de certificados de la Administración, requisitos de conexión a la Red de comunicaciones de las administraciones públicas españolas y modelo de datos para el intercambio de asientos entre Entidades Registrales. Y, posteriormente, se aprobaron cinco nuevas normas correspondientes a Catálogo de estándares, Relación de modelos de datos, Protocolos de intermediación, Política de gestión de documentos electrónicos y Declaración de conformidad con el ENI[4].

Sin ánimo de exhaustividad, y con el único objetivo de ayudar a la reflexión en esta fase de transición de modelos de gestión vamos a exponer brevemente algunas de las cuestiones que con más frecuencia son objeto de debate en torno a los retos de la interoperabilidad.

2. REFLEXIONES. ALGUNAS DE LAS PREGUNTAS MÁS FRECUENTES

2.1. ¿Para qué un archivo electrónico? ¿Es necesario?

Entre las dimensiones de la interoperabilidad hay que incluir la temporal, en las estrategias para garantizar la conservación de los documentos electrónicos, uno de los mayores retos presentes y futuros para los profesionales de los archivos. La interoperabilidad en el tiempo tiene una estrecha relación con los planes y estrategias de continuidad digital que comenzaron a desarrollarse a finales de los noventa especialmente en Reino Unido, Australia, Canadá y Estados Unidos[5], y que se puede asociar con el concepto de «disponibilidad», la «availability» del mundo anglosajón, la posibilidad de usar la información digital, los recursos informativos y documentales esenciales para el funcionamiento de una organización, en la forma que se desee y por tanto tiempo como se requiera. También desde la archivística[6], y coincidiendo también con la etapa en la que aparecían los primeros documentos electrónicos, se comenzaba igualmente a cuestionar su durabilidad o preservación, su disponibilidad en el largo plazo y,

---

(4) Portal de Administración Electrónica. NTI: En la actualidad son doce las Normas Técnicas de Interoperabilidad aprobadas: https://administracionelectronica.gob.es/pae_Home/pae_Estrategias/pae_Interoperabilidad_Inicio/pae_Normas_tecnicas_de_interoperabilidad.html.

(5) La base de la gestión de la continuidad son las políticas, guías, normas y procedimientos implementados para prevenir y/o gestionar que en el caso de que suceda una contingencia o desastre se garantice la no interrupción de sus operaciones y que la organización pueda cumplir con sus obligaciones legales o contractuales, sin poner en riesgo su cartera de servicios o los modelo de negocio. Puede consultarse: http://www.nationalarchives.gov.uk/documents/information-management/understanding-digital-continuity.pdf.

(6) El más conocido es el proyecto InterPARES (International ResearchonPermanentAuthentic Records in ElectronicSystems) impulsado en 1999 por la Universidad de British Columbia, en Vancouver. Los principales productos generados por el proyecto InterPARES son métodos y estrategias para el análisis y diagnóstico, identificar los requisitos para garantizar la autenticidad y un modelo de evaluación y conservación de documentos electrónicos (DURANTI, 2005).

una vez recuperados, su fiabilidad para servir de prueba de la actividad que los originó. Unos principios que se puede resumir en cuatro requisitos:

- *Accesibilidad*: Que los documentos estén disponibles

- *Integridad – Fiabilidad*: Que se presenten tal y como su creador los produjo

- *Autenticidad – Validez*: Que mantengan su valor probatorio

- *Seguridad*: Que se garantice la seguridad de su sistema de almacenamiento

Para todo ello se hace imprescindible que las organizaciones cuenten con repositorios electrónicos que cumplan con estas condiciones y eso nos conducía inexorablemente a un destino en el calendario: 2 de octubre de 2018, fecha límite que establece la Ley 39/2015 para que todas las administraciones públicas dispongan de un archivo electrónico único[7]. Sin embargo, así han sido, y por muy diferentes motivos, más organizativos que tecnológicos, la gran mayoría de las organizaciones han incumplido con esta obligación legal. Tendrán que pasar aún varios años para que de modo paulatino podamos ir viendo como la realidad de la administración electrónica se va a trasladando también a la gestión de los archivos.

En el Esquema Nacional de Interoperabilidad ya se indicaba que «las administraciones públicas crearán repositorios electrónicos, complementarios y equivalentes en cuanto a su función a los archivos convencionales, destinados a cubrir el conjunto del ciclo de vida de los documentos electrónicos»[8]. Pero era un texto legal que al introducir los adjetivos «complementario, equivalente, convencional» podría parecer más conservador y conciliador con los archivos tradicionales. Naturalmente que no dejaba de ser una ilusión, el objetivo ya estaba definido con el ENI: una administración pública íntegramente electrónica, con cero papel e interconectada, y por tanto, con la imprescindible existencia de un sistema integrado de gestión documental que pueda garantizar la autenticidad, integridad, disponibilidad y conservación de los datos, metadatos y documentos originados en los procedimientos administrativos electrónicos.

---

(7)   LPAC y LRJSP La disposición final séptima de entrada en vigor establece el plazo de 2 de octubre de 2018 en el que el Archivo Único electrónico. Es decir, cada administración pública mantendrá un archivo electrónico único de los documentos que correspondan a procedimientos finalizados en un formato que permita garantizar la autenticidad, integridad y conservación del documento.

(8)   Las funciones del repositorio electrónico están definidas en el capítulo X del R.D. 4/2010, de 8 de enero (Anexo 1), por el que se regula el ENI en el ámbito de la administración electrónica: «el repositorio electrónico, complementario y equivalente en cuanto a su función a los archivos convencionales, destinado a cubrir el conjunto del ciclo de vida de los documentos electrónicos, y donde se administrarán datos y documentos electrónicos, y sus metadatos».

En lo esencial el archivo electrónico debe seguir prestando el mismo tipo de servicio que han realizado los archivos hasta el siglo XXI antes de la aparición de la tecnología digital: garantizar la preservación y el acceso a los documentos producidos y recibidos por las organizaciones, en condiciones de plena disponibilidad e independientemente de las soluciones de software, soportes o formatos en la que estén almacenados puedan ser recuperados a lo largo del tiempo.

Es también una cuestión de legalidad, de cumplimiento con el Esquema Nacional de Interoperabilidad y Esquema Nacional de Seguridad[9], sin olvidar la necesidad de asegurar igualmente la identificación de los usuarios y el control de accesos, así como el cumplimiento de las garantías previstas en la legislación de protección de datos. La administración electrónica proporciona tantas ventajas como riesgos en su gestión, es consustancial a la utilización de las tecnologías de la información, y un sistema de administración de archivo electrónico es un elemento indispensable, una piedra angular, del sistema de gestión documental.

El adjetivo de «único» ha generado diversas interpretaciones, como que debe existir un solo archivo físico, o que todos los archivos de la organización deben estar agrupados[10]. Es otro el objetivo del legislador, y está fundamentado en el eje sobre el que sustenta todo el texto legal, la interoperabilidad, aunque en este caso habría que hablar además de su versión interna: la intraoperabilidad. No pueden existir repositorios electrónicos al margen del sistema, incomunicados tecnológica o semánticamente.

La idea es acabar con una realidad muy común en las administraciones públicas, con esa torre de babel de soluciones de gestión que no están integradas o conectadas con el gestor corporativo, originando duplicidad de datos, información desactualizada y que van a generar datos y documentos electrónicos con inevitables problemas de acceso en el medio y largo plazo. Todos esos procedimientos administrativos finalizados deben estar conservados en un único sistema de gestión de archivos, y no en repositorios propios, y disponibles también desde un único punto de acceso, el archivo electrónico único de la organización, que debe ejercer en cierto modo de puente de comunicación entre las distintas

---

(9)   Real Decreto 3/2010, de 8 de enero, por el que se regula el Esquema Nacional de Seguridad en el ámbito de la Administración Electrónica. https://www.boe.es/diario_boe/txt.php?id=BOE-A-2010-1330.

(10)   Por si hubieras dudas sobre el carácter complementario, y no excluyente ni aglutinador, de este archivo electrónico único se indica en la exposición de motivos de la LPAC que «resultará compatible con los diversos sistemas y redes de archivos en los términos previstos en la legislación vigente, y respetará el reparto de responsabilidades sobre la custodia o traspaso correspondiente ... y compatible con la continuidad del Archivo Histórico Nacional», y por analogía se supone que con el resto de Sistemas de Archivos de las distintas administraciones públicas.

aplicaciones integradas en el Sistema de Gestión de Documentos Electrónicos (SGDE).

Dando por hecho que la situación más frecuente es contar con un heterogéneo sistema de gestión de ficheros y objetos digitales, con un gran número de documentos electrónicos almacenados en directorios de red, en buzones de correo, o en las distintas aplicaciones de gestión o tramitación electrónica, una de las mejores opciones es le contar con un gestor documental corporativo (ECM o Enterprise Content Management), que por las funcionalidades que poseen, debería ser el primer paso para la creación del archivo electrónico único de la organización. Las soluciones que ofrecen gestores documentales como Alfresco, Documentum o SharePoint, entre otros, van mucho más allá de ofrecer un repositorio unificado, cuando se utilizan adecuadamente se convierten en la herramienta básica para abordar las políticas de gestión de documentos electrónicos de la entidad (clasificación, conversión, captura, autenticación, metadatado, búsqueda, acceso, control de versiones, etc..), garantizando el acceso, interoperabilidad y seguridad de los documentos electrónicos, junto a sus datos asociados, con la consecuente reducción de costes para su mantenimiento y gestión.

2.2. ¿Qué cambios origina la interoperabilidad en la forma de trabajar?

Es una carga de profundidad respecto a las formas tradicionales de entender el trabajo administrativo que ha ido siempre en dirección contraria a la interoperabilidad. Cada organismo, cada servicio, era un ente autónomo e independiente, sólo tenía la obligación de tramitar conforme a la Ley de Procedimiento, y conservar esos actos administrativos en unas carpetillas de expediente, mejor o peor, no era tan determinante cumplir con la obligación del índice y el foliado, ya que luego se ocuparían desde el archivo de organizarlos y servirlos, que para eso había unos cuadros de clasificación y unos instrumentos de control y descripción que eran capaces de localizar cualquier información que se demandara.

En lo que se refiere al archivo, hay que recordar que, en la mayoría de las ocasiones, ha tenido su origen como servicio en el desorden anterior, su carta de naturaleza ha sido su capacidad para solucionar el descontrol documental originado en las etapas de tramitación de los procedimientos, y con esa finalidad se crean numerosos archivos en las dos últimas décadas del siglo pasado, coincidiendo con la etapa de más desarrollo de las distintas administraciones públicas en España. Además de garantizar la conservación, el principal valor del archivo era ser facilitador de documentos que de otro modo era casi imposible localizar, ejercía de mediador necesario entre los documentos y el usuario, y así se destacaba en vídeos, materiales de difusión o en las propias memorias del servicio.

Ahora todo cambia, ya que la principal característica en el archivo electrónico es que sólo puede custodiar procedimientos administrativos finalizados, y lo más relevante, en los términos establecidos en la norma aplicable (art. 17.1. de la LPAC)[11]. Es decir, documentos ENI, expedientes ENI y, lógicamente, archivado ENI. Y esa normalización incorporando los metadatos de ingreso debe ser un requisito previo para poder ser transferidos al archivo electrónico.

Independientemente que sean metadatos mínimos obligatorios, la propia existencia del archivo electrónico en los términos que establece la ley, implica que existe un Sistema Integrado de Gestión de Documentos, y que esos documentos, esos procedimientos administrativos electrónicos cuentan desde su inicio con todos los requisitos técnicos para garantizar su integridad, fiabilidad, seguridad y también accesibilidad. El SGDE permite que las unidades administrativas accedan sin otros mediadores a los expedientes que tramitan o han tramitado, y cuando ingresan en el archivo electrónico es fundamentalmente, aunque se pueda completar el metadatado, para realizar tareas técnicas puntuales relacionadas con la conservación a largo plazo, la seguridad y el control de accesos[12].

Un efecto perverso de esta nueva situación se produce en las transferencias. Mientras en el mundo papel las unidades productoras suelen ser los agentes impulsores del envío al archivo, por ausencia de espacio físico en las oficinas y ser conocedoras que desde el archivo se garantiza su fácil localización, en el mundo electrónico los problema de espacio y acceso aparentemente desaparecen y si no se regula el plazo y el modo, por ejemplo en la Política de Gestión de Documentos de la entidad, va a ser muy difícil que las unidades productoras remitan voluntariamente sus procedimientos finalizados al archivo[13].

---

(11)   La redacción del artículo 17 «archivo de documentos», no deja lugar a dudas que el archivo electrónico sólo puede admitir procedimientos finalizados, naturalmente que sólo electrónicos, y que su gestión, conservación y acceso no puede ser dependiente de formatos, soportes ni estar condicionada su consulta, presente o futura, a ninguna aplicación o solución tecnológica, además de cumplir con las medidas de seguridad, de acuerdo a lo previsto en el Esquema Nacional de Seguridad y la legislación de protección de datos.

(12)   Los módulos funcionales más habituales de un Sistema de Gestión de Documentos de Archivo son, entre otros: Administración de Archivo - Administración de Usuarios - Administración de Series documentales - Administración de Metadatos - Gestión de expedientes y documentos - Políticas de Conservación.

(13)   La situación más frecuente está siendo que el impulsor, y muchas veces responsable de hacer esas transferencias sea el propio archivo, un cambio de roles respecto al mundo papel. Independientemente que se recoja en la Política de Gestión de Documentos, es difícil pensar que sean las propias unidades productoras quienes promuevan esa transferencia. Relacionado con este tema hay que mencionar que desde el Ministerio de Cultura y Educación se ha solicitado la aprobación de una «Norma Técnica de Interoperabilidad de Ingresos y Transferencias» para regular los criterios y protocolos de ingreso de documentos y expedientes electrónicos en el Archivo Electrónico Único. En el Foro del Documento Electrónico del Portal de Administración Electrónica puede consultarse más información: https://administracionelectronica.gob.es/comunidades/verPestanaGeneral.htm?idComunidad=141.

2.3. ¿Qué ocurre con el archivo analógico? ¿Se puede integrar en el archivo electrónico?

Es una de las preguntas más recurrentes entre los profesionales de los archivos, y tiene su sentido, cuando uno de los principios de la archivística ha sido la defensa del carácter único y la gestión integrada de los sistemas de archivos, e independientemente de su soporte, origen, edad o tipo de documentos.

Los archivos, tal como los conocemos, no tienen continuidad. La transformación de los conceptos, métodos y técnicas en el entorno electrónico, hacen del todo inviable su convivencia con el mundo papel. No se trata simplemente de una forma distinta de gestionar, y no se reduce como en ocasiones se menciona a un cambio de soporte. En el entorno electrónico nos encontramos con la aparición de nuevos problemas que para su solución no es siempre válida la óptica de situaciones anteriores, no existe muchas veces un lenguaje o significado común, y obliga a redefinir las estrategias y los métodos de análisis para afrontarlos con éxito. Los cambios son tan profundos que no podemos pensar en el futuro trabajando como en el pasado, ni tampoco es suficiente con el aprendizaje que hemos ido atesorando, esa experiencia previa en el entorno papel claro que es válida, pero es necesario someterla a revisión, hay que decodificarla, no reconocerlo implica un serio problema de percepción del universo tan distinto en el que nos encontramos.

Volviendo a la pregunta inicial, la única posibilidad para la integración, y así lo recoge la LPAC[14], es la conversión de los documentos en papel, y convertirlos en un «fichero electrónico que contenga la imagen codificada, fiel e íntegra del documento»[15]. Un proceso de digitalización que debe hacerse cumpliendo con los requisitos que recoge la NTI de copia auténtica[16], una digitalización certificada que va mucho más allá del elemental proceso de escaneo de documentos[17].

El siguiente paso sería la integración de esos ficheros electrónicos validados conforme a ENI, antes documentos en papel, en la plataforma de tramitación

---

(14) La Disposición transitorio primera «Archivo de documentos», indica en su punto 2: «siempre que sea posible, los documentos en papel asociados a procedimientos administrativos finalizados antes de la entrada en vigor de esta Ley, deberán digitalizarse de acuerdo con los requisitos establecidos en la normativa reguladora aplicable».

(15) Art. 27.3.b) de la LPAC.

(16) Resolución de 19 de julio de 2011 (*BOE* de 30 de julio), de la Secretaría de Estado para la Función Pública, por la que se aprueba la Norma Técnica de Interoperabilidad de Procedimientos de copiado auténtico y conversión entre documentos electrónicos. Recuperado de http://www.boe.es/diario_boe/txt.php?id=BOE-A-2011-13168.

(17) No está de más recordar que cuando el documento electrónico ha sido creado mediante digitalización no certificada, la función de original la sigue desempeñando el documento original en papel, su versión en soporte digital no tiene validez jurídica y por tanto no lo sustituye, no deja de ser una «fotocopia electrónica» que no será aceptada cuando la requiera un tercero, por ejemplo una instancia judicial.

electrónica. Puede ser directamente en el gestor corporativo de procedimientos administrativos, haciendo referencia al identificador del documento de origen con una diligencia para informar que es una copia auténtica del soporte papel, o bien, si se dispone de ese módulo funcional en la organización, transferirlo directamente a la solución de archivo electrónico. En cualquiera de las dos vías es muy conveniente que como paso previo al ingreso se someta a ese paquete de información a una herramienta como puede ser Inside[18], con funcionalidades como la edición de metadatos, gestión de índices, o la validación y generación de documentos y expedientes conforme a ENI. De no hacerlo, es la práctica más habitual, estaremos creando repositorios de expedientes y documentos en soporte electrónico, pero con el riesgo de no poder garantizar la autenticidad e integridad de sus contenidos, disponibles y accesibles en el largo plazo, su interoperabilidad con otras administraciones, y lo más relevante: se puede llegar a cuestionar su propia legalidad.

Es una cuestión que puede ser crucial, la propia existencia reglada y normalizada de un archivo electrónico de documentos y expedientes ENI supone ya una garantía para confiar en la conservación, disponibilidad y validez jurídica permanente de esos documentos electrónicos. Las políticas de refirmado electrónico en periodos de larga duración son en la práctica insostenibles, la única garantía será la del propio sistema de archivo, y que una de sus funcionalidades sea conservar un registro que testimonie que el sistema de archivo ha verificado los certificados y la validez de las firmas en el momento tanto de su integración en el Sistema de Gestión de Documentos como en el de ingreso en el módulo de Archivo.

La confianza en esa cadena de custodia será en la práctica la única vía para garantizar en el largo plazo la autenticidad de esos documentos electrónicos. Por eso es indispensable que la herramienta de gestión de archivo incorpore como requisito de ingreso la validación previa de que los documentos y expedientes cumplen ENI, y que esa validación de ingreso se convierta de facto en la garantía de la validez jurídica de eso documentos en el largo plazo. No hacerlo, o como es habitual interpretar como positiva la flexibilidad y la multifuncionalidad del gestor de archivo, permitiendo el ingreso de todo tipo de documentos, puede cuestionar seriamente la integridad, fiabilidad y validez del propio sistema de archivo electrónico.

2.4. ¿Cómo pueden tratarse los expedientes mixtos o híbridos?

Una pregunta que se responde con otra pregunta. ¿En qué texto legal aparecen regulados los expedientes donde coexisten ficheros electrónicos con documentos en papel? Es una realidad innegable la convivencia de entornos de trabajo administrativo en papel con digitales, ocurre en todas las organizaciones, y los

---

(18)   https://administracionelectronica.gob.es/ctt/inside#.WsuFHC5MSUk

expedientes «híbridos» existen, pero son siempre el resultado de una mala praxis administrativa que no podemos trasladar al archivo electrónico.

En un procedimiento «parcialmente» electrónico es imposible garantizar la integridad, disponibilidad, autenticidad y trazabilidad de los documentos que forman parte de ese expediente, se incumplen sistemáticamente varias normas técnicas ENI, su valor jurídico es cuestionable, y es harto complejo garantizar la gestión de su conservación en el medio / largo plazo, y en ningún caso se puede realizar su archivado conforme a ENI.

La LPAC no admite otra posibilidad que archivado electrónico para procedimientos electrónicos, y con ellos se formaría ese «archivo electrónico único». Sin embargo, como hemos mencionado en el punto anterior, muchos proveedores tecnológicos ofrecen soluciones de archivo «integradas», buscando facilitar el uso de sus aplicaciones, incluyendo a los expedientes híbridos, una estrategia comercial que busca ampliar los usos de la aplicación y por tanto la cuota de mercado, y a la que recientemente se han sumado las dos soluciones que se ofrecen desde las administraciones públicas: «Archive»[19] e «I-Arxiu»[20]. Salvo que sean módulos funcionales totalmente diferenciados, creemos que se corre el peligro de desvirtuar el objetivo y el sentido de un archivo electrónico, la versatilidad y la flexibilidad son enemigos declarados de la normalización documental. Son dos entornos de trabajo tan alejados en las técnicas de gestión y conservación, no es sólo un tema de soportes documentales, que es difícil pensar en una misma herramienta para tan distintas realidades.

Cuando se defiende esta estrategia de unificar en un único módulo de gestión de archivo documentos procedentes de los dos entornos, papel y electrónico, se suele utilizar como argumento que de ese modo todos los activos de información de la organización se encuentran accesibles y disponibles en un mismo espacio, cumpliendo además con el tradicional principio archivístico del archivo único e integrado que recordemos tiene su origen en intentar romper con las antiguas divisiones de los fondos documentales entre «histórico» y «administrativo». Eran planteamientos correctos y necesarios en su momento, y es comprensible que se mantengan, adaptar o incluso renunciar a lo aprendido no es una tarea fácil, pero son de una etapa donde no existía la tecnología y cuando el término interoperabilidad era un total desconocido.

La solución a ese aparente problema de tener dos módulos diferenciados para la gestión del archivo, uno para la etapa pre-digital y otro para los documentos y expedientes electrónicos generados conforme a ENI, es tan elemental que no debería admitir demasiadas interpretaciones. La base está en la intraoperabilidad técnica y semántica que es requisito imprescindible de todo SGDE, y especialmente en la existencia de una estrategia de dato único. A partir de ahí es muy

---

(19)   Disponible en https://administracionelectronica.gob.es/ctt/archive.
(20)   Disponible en https://www.aoc.cat/portal-suport/iarxiu/idservei/iarxiu/

sencillo contar con un buscador integrado que nos permita realizar búsquedas sobre los diferentes módulos funcionales del sistema, cada uno con sus propias singularidades y características, pero compartiendo esos únicos puntos de acceso a los datos, metadatos y documentos normalizados de la organización.

Buscador integrado del Sistema de Gestión de Documentos Electrónicos

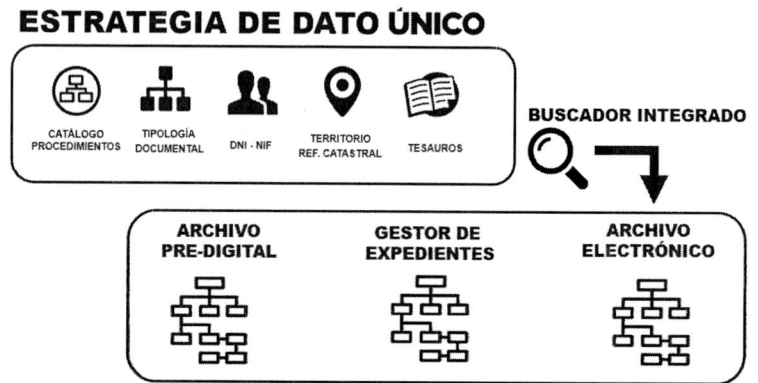

2.5. ¿Nuevos archiveros para los nuevos archivos?

Mal momento para buscar certezas. En una época de cambio de modelo siempre aparece la inseguridad, mucho más si se interpreta que ya no es tan necesaria la mediación del archivo para acceder a los documentos, y se asocia a una imagen de apagón progresivo de los servicios de archivo convencionales, y un inexorable desplazamiento del archivo a zonas periféricas del organigrama. La única salida es la flexibilidad y la capacidad de adaptación a los proyectos de transformación digital, seguir creando valor desde la gestión eficaz de la información, y aportando soluciones en los numerosos frentes de trabajo que abre la gestión electrónica de documentos, mucho más compleja y exigente que la gestión convencional de archivos y documentos en papel.

Comienza a quedar en un segundo plano una visión del archivo centrada exclusivamente en «competencias», con un enfoque de servicio vertical, ahora prima la transversalidad y la gestión por proyectos en aquellos ámbitos de la gestión documental donde sea necesario dar respuesta. El nuevo ecosistema obliga a que sean siempre proyectos colaborativos, con equipos muy heterogéneos que van a intervenir en entornos complejos y muy variables, sujetos a la dependencia tecnológica, y con un objetivo esencial: garantizar la normalización, interoperabilidad y reutilización de datos y metadatos.

Nos encontramos en un escenario que está evolucionando de un sistema docucéntrico a otro crecientemente datacéntrico. Un buen signo de madurez es que sean los datos, más que los documentos, la materia prima esencial de las plataformas de administración electrónica. Es necesario comenzar a dejar en un segundo plano los formatos de almacenamiento como PDF y que paulatinamente ganen protagonismo los modelos de representación y descripción de datos en XML. Cuando se consiguen trasladar los actos administrativos a datos estructurados y etiquetados se facilita su reutilización, no se limitan a ser únicamente el testimonio de una actuación administrativa, también pueden pasar a ser útiles para fundamentar la toma de decisiones, como elemento de control o ser una información relevante en las políticas de transparencia.

A partir de este nuevo escenario los espacios de trabajo se van ampliando, y las tareas técnicas van a girar fundamentalmente sobre los siguientes ejes de trabajo:

- Normalización de procedimientos
- Procesos de digitalización y copia auténtica
- Normalización de metadatos
- Estrategias de preservación

Destacan los procesos de normalización, simplificación y reingeniería de procedimientos administrativos. Los sistemas convencionales estaban pensados para permitir la gestión de documentos de la organización a lo largo de su ciclo de vida, y ahora además debe facilitar que esos datos auténticos y fiables, el testimonio de determinadas actuaciones administrativas, estén también disponibles para su reutilización, libre acceso y creación de nuevos contenidos y servicios. Por tanto, adquieren un nuevo valor político, cultural, social o económico, se maximizan los beneficios de la gestión documental, haciéndolos extensivos a la sociedad, convirtiendo la gestión de datos en una «res pública».

Además, para evitar confusiones sobre los distintos significados del término «información pública», hay que recordar que por un lado seguiremos gestionando los datos y la información incluida en procedimientos administrativos específicos (que requieren probar el interés legítimo para ejercer la consulta vía sede electrónica o presencial), y la distinta acepción que tiene en otros ámbitos, por ejemplo, en las estrategias de gobierno abierto. En este caso, la información que se somete al principio de «publicidad activa» está unida a otro concepto el de «utilidad», bien sea para facilitar la transparencia de las actuaciones de la administración, o se trate de información que pueda ser considerada relevante para la sociedad o para potenciar la actividad económica.

En este escenario de transformación digital hay que volver a insistir en que la gestión documental electrónica no es una réplica de la analógica, tiene sus propias reglas, y que la evolución natural de la administración electrónica es la administración automática, la automatización máxima de los procesos de gestión gracias a la conexión y relación entre los activos de información. Una meta que ya se está cumpliendo en algunos procesos concretos, y que se generalizará conforme avancemos en la depuración, normalización de datos, metadatos y flujos de tramitación de los procedimientos de las organizaciones.

2.6. ¿Qué cambios se producen en la forma de tramitar los expedientes?

Tal como se ha explicado anteriormente el archivo electrónico es una consecuencia, el resultado de un proceso anterior de normalización que ha comenzado desde el primer dato o documento que da inicio al expediente. En la archivística tradicional ya se hablaba de la relevancia de los archivos de gestión, concepto que en la gestión electrónica desaparece, pero ahora no es que sea importante, es que el núcleo central está en la fase de trámite. Es más, no puede haber archivo electrónico sin la correcta identificación de los flujos de tramitación y el completo metadatado de los procedimientos, mientras que en el entorno papel, libre de controles y supervisiones, todo era válido, aunque fuera a costa de pérdida de información, acumulación incontrolada, problemas de recuperación, accesos no autorizados o incluso la destrucción accidental de información.

Ese escenario debe desaparecer con el SGDE y es lo que quizás cuesta más de asumir, dando por hecho que la tecnología, la utilización de determinada solución de gestión va a resolver todos los problemas organizativos previos, y si no lo hace, si no supone una mejora en la tramitación de expedientes, se produce la errónea valoración que esa solución electrónica no es la adecuada. Un contrasentido que se da con mucha frecuencia, pensar que las cuestiones organizativas se resuelven con más tecnología. Cuando se comprueba que no es así, se suele optar por minimizar las obligaciones de normalización en el itinerario de tramitación, jugando al límite del incumplimiento ENI, y se opta por el «bypass documental», una vía alternativa para evitar la reingeniería de procedimientos y de afrontar cambios en las formas anteriores de tramitar. Con esa vía rápida, es suficiente con abrir y cerrar expediente, denominarlo de un modo normalizado, un código de clasificación, interno y externo (SIA), e incorporar finalmente una firma electrónica antes de su remisión al archivo.

Por esta vía alternativa, la de utilizar flujos de tramitación genéricos o muy simplificados, apenas cumpliendo con los metadatos obligatorios, se está dejando de lado una de las principales ventajas de la transformación digital, ser un instrumento de simplificación y normalización de la gestión documental, y no convertirse en un simple traslado a electrónico de las anomalías del mundo papel.

Es el sentido de los términos «reingeniería», con objetivos tan esenciales como las estrategias de «dato único» que mencionamos anteriormente. El compartir y utilizar las mismas bases de datos en cualquier proceso de gestión para personas/entidades (DNI-NIF), accesos y direcciones (coordenadas-referencia catastral), materias (tesauro), tipos documentales (relación de tipos para categorizar los documentos internos y externos) y de procedimientos administrativos (catálogo de procedimientos). Los beneficios de esta intraoperabilidad, que los datos corporativos viajen por todas las aplicaciones de gestión, pero no que las aplicaciones de gestión viajen por los datos, se hacen notar rápidamente. Es la base de un sistema de información eficaz, con ahorro de tiempo y costes para la administración y el ciudadano, y una cuestión nada menor, el incremento del control y las infinitas posibilidades de recuperación y explotación de esos datos normalizados. Es una apuesta segura para la creación de indicadores de gestión y cuadros de mando, rendición de cuentas, transparencia, o facilitar la consulta y acceso por parte de los ciudadanos a datos específicos de procedimientos en su carpeta de la sede electrónica[21].

2.7. ¿Qué relación existe entre los cuadros de clasificación y los catálogos de procedimientos?

El Cuadro de Clasificación del Archivo puede ser el punto de partida del Catálogo de procedimientos, pero desde un punto de vista abierto y flexible. Es una clasificación que proviene de las formas anteriores de tramitación, que refleja el modo habitual en que llegaban los expedientes al archivo y que no siempre tiene su traslado al entorno electrónico. Si se hace bien ese proceso de adaptación, de los anteriores cuadros a los nuevos catálogos de procedimientos, se producen dos situaciones que podrían parecer contradictorias, cuando es todo lo contrario:

- *Desaparecen series documentales del cuadro de clasificación*

En la tramitación en papel no hay conexiones entre las unidades administrativas. Es frecuente que en las diferentes fases de un procedimiento intervengan varios departamentos, puede ser un simple apunte contable, un informe puntual, el pago de una tasa, o un certificado que se incorpora a ese trámite iniciado por otra área administrativa. Por ese hecho, el dejar una huella documental en determinada oficina, aunque fuera un duplicado, se interpretaba que era el testimonio en soporte papel de una actuación administrativa de esa unidad, que acababa agrupado en un archivador y de ahí al archivo en forma de serie documental, y como tal era tratado en el Cuadro de Clasificación de la organización.

---

(21) Será también esencial aprobar una política de gestión de documentos en la organización. Sirva de ejemplo la PGDE-Local tipo aprobada por el Grupo de Trabajo del Comité Sectorial de Documento, Expediente y Archivo Electrónicos del MINHAP. Documento de trabajo accesible en el Portal de Administración Electrónica: http://www.minhafp.gob.es/Documentacion/Publico/SGT/CATALOGO_SEFP/270_PGDE_el_modelo_B.pdf

En el entorno electrónico, cuando se hace previamente un análisis de flujos, de las relaciones entre procedimientos, la tendencia es al contrario, a crear procedimientos transversales. Es el resultado de trabajar sobre una plataforma electrónica común, utilizada —matiz importante— por todas las unidades administrativas, incluida el área económica, con las bases de datos comunes que indicábamos anteriormente, y a partir de un catálogo único de procedimientos, y que dará lugar a un sistema integrado de gestión que, cuando está bien diseñado e implementado, supone siempre un notable ahorro de tiempo, evita trabajos duplicados, simplifica los procesos de gestión e incrementa exponencialmente la calidad de los datos[22].

• *Aparecen nuevos procedimientos que no tienen su reflejo en el cuadro de clasificación*

Es la realidad más frecuente y la más previsible. La serie documental es un nivel superior que se corresponde con una función o actividad administrativa que dará lugar a una relación de procedimientos asociados[23]. No está de más volver a insistir en la importancia de los procesos de identificación de metadatos, tanto los mínimos obligatorios, que en una gran parte se heredan de los metadatos de la serie documental o se deducen automáticamente del entorno de tramitación (SIA, DIR3), junto a los metadatos propios del expediente, los de valoración, acceso y niveles de protección de protección de datos, o los que se deban incorporar como elementos de identificación para cumplir con las distintas NTI, incluida en el caso de los datos públicos, la NTI de Reutilización de recursos de información.

---

(22) Entendemos por expediente «el conjunto ordenado de documentos y actuaciones que sirven de antecedente y fundamento a la resolución administrativa, así como las diligencias encaminadas a ejecutarla», y a partir de ahí total libertad, caben todas las interpretaciones que queramos sobre los límites para decidir lo que es o no es una serie documental, o cuando hay que identificar de modo singular un procedimiento. Un ejemplo fácil de entender, entre otros muchos: la serie «Mandamientos de Pago», una serie omnipresente en todos los cuadros. Si se ha hecho bien la fase de análisis, esta serie desaparece, formaría parte del procedimiento de contratación, ya que cualquier orden de pago y las facturas que le acompañan, van unidas a un proceso anterior de contratación. La misma consideración se podría hacer con otras muchas series de los cuadros como «Certificados», «Informes», «Notificaciones», etc., en un entorno electrónico bien implementado son siempre parte de otros procedimientos. De hecho, una buena praxis es convertir en «procedimiento reglado», en expediente, cualquier actuación administrativa, por sencilla y elemental que pueda parecer. No debe producirse ningún documento en la organización al margen del gestor corporativo, y ningún documento pueda estar fuera del catálogo de procedimientos.

(23) Una relación aparentemente clara en muchas áreas administrativas, por ejemplo en «Industria» las antiguas series de «Expedientes de actividades» tendrán vinculados los distintos procedimientos de «Licencias de funcionamiento», pero en otros muchos casos coinciden plenamente nomenclatura y contenido de series documentales y procedimiento administrativo, como por ejemplo en las series y procedimientos de Patrimonio o Contratación.

2.8. ¿Qué función desempeña el SIA?

El SIA, el Sistema de Información Administrativa de la Administración General del Estado (AGE), es el instrumento que existe en la actualidad para cumplir con un precepto legal definido tanto en el ENI (art. 9 del RD 4/2010[24]) como en la LRJSP (art. 142 de la Ley 40/2015[25]): un instrumento común e interoperable de los procedimientos administrativos que tramitan las diferentes administraciones públicas con el objeto de poder garantizar la integración y el intercambio de datos e información entre los distintos sistemas de gestión.

Ese código único para cada procedimiento es una pieza clave para la interoperabilidad. La categorización de los procedimientos mediante su identificación, junto a la definición de otros atributos (función, normativa que lo regula, esquemas de metadatos, valoración, acceso) facilita el intercambio entre sistemas y abre además la posibilidad de establecer una correspondencia entre los procedimientos de cada administración. Sin descartar la creación de sistemas unificados de acceso y recuperación, la explotación como datos abiertos o plataformas integradas de consulta de datos públicos relacionados con transparencia. Un escenario que sólo se puede comenzar a idear desde la normalización, paso previo a la construcción de sistemas integrados, y lograr romper con la concepción de las administraciones como entes aislados.

Es un punto esencial de la estrategia de transformación del documento al dato a través de la interoperabilidad semántica, de la tendencia al dato único, de la apuesta por el intercambio de información, no de documentos. Un cambio de la cultura organizativa que está comenzando a ser interiorizada, son muchas las iniciativas que apuntan en este sentido. Además de SIA otras administraciones, locales y autonómicas, se han sumado a la publicación de sus catálogos y guías

---

(24) Art. 9. *Inventarios de información administrativa.*
1. Las administraciones públicas mantendrán actualizado un inventario de información administrativa, que incluirá los procedimientos administrativos y servicios que prestan de forma clasificada y estructurados en familias, con indicación del nivel de informatización de los mismos. Asimismo mantendrán una relación actualizada de sus órganos administrativos y oficinas de registro y atención al ciudadano, y sus relaciones entre ellos. Dichos órganos y oficinas se codificarán de forma unívoca y esta codificación se difundirá entre las administraciones públicas.
2. Cada administración pública regulará la forma de creación y mantenimiento de este Inventario, que se enlazará e interoperará con el inventario de la AGE en las condiciones que se determinen por ambas partes y en el marco de lo previsto en el presente real decreto; en su caso, las administraciones públicas podrán hacer uso del citado Inventario centralizado para la creación y mantenimiento de sus propios inventarios. Para la descripción y modelización de los procedimientos administrativos y de los procesos que los soportan será de aplicación lo previsto sobre estándares en el artículo 11.
(25) Art. 142. *Técnicas de colaboración.*
b) «Las obligaciones que se derivan del deber de colaboración se harán efectivas a través de creación y mantenimiento de sistemas integrados de información administrativa con el fin de disponer de datos actualizados, completos y permanentes referentes a los diferentes ámbitos de actividad administrativa en todo el territorio nacional».

de procedimientos, como Galicia[26], Navarra[27] o la Guía de procedimientos y servicios de la Región de Murcia[28], que incorpora un modélico sistema de búsqueda.

La novedad de SIA, o el sistema que lo pueda reemplazar en el futuro, es su carácter obligatorio, y ese es su verdadero poder. Más por lo que es en la actualidad, por lo que necesariamente tiene que llegar a ser en un futuro no muy lejano. Su función como dato de identificación obligatorio de los procedimientos, un metadato esencial para la trazabilidad e intercambio, tanto por precepto legal como por exigencia técnica, es imprescindible en todas las aplicaciones y servicios comunes de administración electrónica de la AGE, incluido «Archive», la solución de archivo electrónico.

Pero una vez más tenemos primero la herramienta antes que las normas de uso, o al menos las normas para una utilización compartida, ya que SIA es un sistema pensado inicialmente para la Administración General del Estado, cuenta con sus propios administradores que supervisan la publicación de los procedimientos procedentes de los órganos ministeriales. Sin embargo, al abrirlo al resto de administraciones libre de controles y supervisiones se ha convertido en un serio problema de gestión y organización. No es en absoluto una crítica, es simplemente una situación inevitable cuando se libera el uso de una herramienta y cada usuario la interpreta del modo que le resulta más sencillo. No se valora realmente el alcance que tiene, es suficiente con que cada procedimiento lleve asociado su código, es un metadato obligatorio más a cumplimentar. ¿Dónde está el problema?, justo en el paso previo, en la identificación, en lo que cada administración entiende por «procedimiento»[29].

---

(26) http://www.xunta.es/dog/Publicados/2012/20120116/Anun-cioC3C1-130112-10976_gl.html

(27) http://www.navarra.es/home_es/Gobierno+de+Navarra/Accion+del+Gobierno/Procedi-mientos+Administrativos.

(28) http://www.carm.es/web/pagina?IDCONTENIDO=2469&IDTIPO=100&RAS-TRO=c672$m

(29) Para entender la situación es tan sencillo como imaginar que en nuestra organización se aprobara que todas las unidades administrativas que quieran utilizar el gestor de expedientes corporativo tuvieran que subir a esa plataforma, sin mediación ni orientación de ningún administrador, por su cuenta, una relación de los procedimientos administrativos que tramitan acompañada de su código, y que la herramienta validara automáticamente todo lo que se sube. El resultado es previsible: cada unidad tiene un criterio para interpretar el significado de «procedimiento» y en la que entrarían todo tipo de casuísticas, como no diferenciar entre un acto administrativo puntual con el procedimiento, tipos documentales, o que cada nuevo expediente se identifique como un nuevo procedimiento, etc. En el mundo de la gestión documental la libertad es la primera amenaza a la calidad de la información, la eficacia de un sistema de gestión pasa necesariamente por la normalización de los sistemas de clasificación y descripción.

Una sencilla consulta a SIA[30] nos da una idea de la situación en la que nos encontramos, y nos sirve para tomar conciencia de la imperiosa necesidad de aprobar unas normas para una utilización compartida antes de que aumente la generalización de su uso y el problema sea aún mayor.

Es compatible la autonomía de cada organización para subir los procedimientos que estime convenientes, seguro que tiene unas razones o unos criterios para hacerlo de un modo u otro, pero además debería ser preceptivo el mapeo o relación de equivalencia de ese catálogo de procedimientos propio con un vocabulario común de funciones y actividades de esa administración que podría ofrecer el propio SIA. Sería el único modo de garantizar que el código de procedimiento (o su equivalente SIA) cumple con las reglas o principios de toda codificación, crear una lógica interna al sistema, y de este modo sentar las bases de un sistema integrado de intercambio de información viable y sostenible en el tiempo, y que ese código pueda ser un punto básico de acceso en los futuros sistemas de búsqueda y recuperación como puede ser la carpeta ciudadana, que tiene como objeto integrar todos los documentos de los ciudadanos procedentes de las distintas administraciones públicas.

Con este mismo objetivo de avanzar en la interoperabilidad semántica de los procedimientos, el Grupo Técnico de la comisión de Sociedad de la Información y Tecnologías de la FEMP elaboró un vocabulario de funciones comunes de las administraciones locales, aprobado por la Comisión Sectorial de Administración Electrónica (CSAE), que incorpora una relación de términos normalizados vinculados con las funciones y actividades de las administraciones locales y que es de uso obligatorio en SIA en los procesos de carga de los trámites de ayuntamientos y diputaciones provinciales[31].

---

(30) Accesible en http://tramites.administracion.gob.es/comunidad/tramites/tramites. Actualmente SIA ofrece cinco grupos de datos: Datos generales de la tramitación (identificación). Clasificación/categorización del trámite. Datos de acceso al trámite. Información sobre el trámite. Documentación asociada. Información estadística y se está trabajando para que próximamente incorpore un sexto grupo con datos de gestión de archivo que incluye la creación del perfil archivero. El desarrollo y la mejora de SIA es una de las líneas de actuación del Grupo de Trabajo del Comité Sectorial de Documento, Expediente y Archivo Electrónicos del MINHAP. Documentos de trabajo accesibles en el Portal de Administración Electrónica. https://administracionelectronica.gob.es/comunidades/verPestanaDocumentacion.htm?idComunidad=141

(31) El Vocabulario de Funciones Comunes de las Administración Local, aprobado por el CSAE el 4 de mayo de 2019, está accesible en: https://administracionelectronica.gob.es/ctt/sia/descargas#.XfuH0dXVuUk . Es necesario reseñar que ese término del vocabulario asociado en SIA con un procedimiento se utiliza además para informar del metadato obligatorio ENI «Función», que se incorpora en la fase de archivo electrónico.

2.9. ¿Qué herramienta de archivo electrónico? ¿Soluciones públicas o privadas?

La respuesta la encontramos de nuevo en el propio marco legal[32]. Con este criterio la primera opción siempre debería ser una solución de la Administración General del Estado, y en concreto «Archive», una aplicación de gestión de archivo definitivo de expedientes electrónicos ENI impulsado por el Ministerio de Hacienda y Función Pública, y disponible en el Centro de Transferencia de Tecnología[33].

Archive sigue el modelo OAIS (Open Archive Information System) de gestión de archivos, que es un modelo de preservación digital estandarizado a través de la norma ISO 14721:2003[34], pero podría utilizarse igualmente otro modelo de gestión de repositorio electrónico que cumpla con las mismas funciones de garantizar la conservación a largo plazo. Es una solución que sigue los pasos de

---

(32) La Disposición Adicional Segunda de la LPAC recoge que comunidades autónomas y entidades locales podrán adherirse a las plataformas establecidas al efecto por la Administración General del Estado, y en caso de hacerlo: «deberá justificarse en términos de eficiencia conforme al artículo 7 de la Ley Orgánica 2/2012, de 27 de abril, de Estabilidad Presupuestaria y Sostenibilidad Financiera».

(33) Han transcurrido más de dos años desde la puesta en producción de Archive (01/09/2015) y, por muy diferentes motivos, entre los que hay que destacar la necesidad de ingresar documentos y expedientes conforme a ENI, en abril de 2018 en entorno de producción sólo está siendo utilizado por cuatro organizaciones, todas vinculadas a la AGE: Autoridad Portuaria de Gijón (Ministerio de Fomento), Subsecretaría de Interior (Ministerio del Interior), Subsecretaría de Hacienda y Administraciones Públicas (Ministerio de Hacienda y Administraciones Públicas) y Subsecretaría de Industria, Energía y Turismo (Ministerio de Industria, Energía y Turismo). A diferencia de I-Arxiu que sólo se puede utilizar como servicio en la nube y sin coste para la administración, Archive oferta tanto servicio «oncloud», con un coste para la administración, y «onpremise», instalado en los servidores propios de la administración. La buena noticia es que la herramienta sigue evolucionando y es una tendencia que puede cambiar, en el presente año está previsto desarrollar un calendario de conservación de los documentos y expedientes archivados, servicios web de consulta para generar ficheros reutilizables, un portal de archivo único y la integración con herramientas europeas (E-ARK).

(34) El Modelo de Referencia OAIS: Sistema de Información de Archivo Abierto es una norma ISO, desarrollada originalmente por el *Consultative Committee for Space Data Systems* (CCSDS). *ISO 14721:2012 Space data and information transfer systems – Open Archival Information System* define los procesos necesarios para preservar y acceder a los objetos de información a largo plazo y establece un lenguaje común para estos procesos. Las herramientas como Archive o I-Arxiu que siguen este modelo incluye funcionalidades para la generación de SIPs (Submission Information Package), visualización de AIPs (Archival Information Package) y generación de DIPs (Dissemination Information Package). También hay que mencionar la *ISO 16363:2012 Space data and information transfer systems – Audit and certification of trustworthy digital repositories*: que recoge los criterios de auditoría de los repositorios digitales, y por último la *UNE-ISO/TR 17068:2013 Información y documentación. Repositorio de tercero de confianza para documentos electrónicos,* que abre una nueva vía, la del uso de repositorios de terceros certificados como sitios de confianza, y no directamente el repositorio de la entidad productora de los documentos. Recuperado de https://www.iso.org/standard/24683.html]

su predecesora en el ámbito público, la catalana I-Arxiu[35], también utiliza el mismo modelo OAIS, y que después de cumplir una década desde su lanzamiento se está adecuando en la actualidad a los requisitos técnicos que exige el Esquema Nacional de Interoperabilidad, y una cuestión muy relevante, según anuncian en su hoja de ruta se está trabajando para la próxima alineación con la plataforma ministerial Archive. Las integraciones, el posibilitar el intercambio de información entre repositorios de preservación es el sentido de este tipo de soluciones públicas de archivo, y es la misma estrategia de interoperabilidad seguida también por Archive con el proyecto europeo de archivo electrónico E-ARK[36].

Con este planteamiento de partida podría dar la impresión de que Archive es la única opción y no, no es así. Existen varios proveedores en el sector privado con soluciones que nos van a garantizar cumplir con las obligaciones jurídicas de archivo electrónico. Elegir la que mejor se adapta a nuestras necesidades es una decisión estratégica que hay que tomar con mucho cuidado por las consecuencias que pueda tener en el futuro. Nada que ver con aquellos debates sobre el mejor armario compacto o la base de datos para describir los fondos del archivo, ahora nos referimos a la totalidad. El archivo electrónico afecta tanto al continente como al contenido, al sistema de conservación de los soportes, ficheros, datos, metadatos y elementos de validación de los documentos de la organización. Es por tanto un entorno de naturaleza inestable, dependiente por completo de los sistemas tecnológicos y sometido a múltiples riesgos, la elección de la plataforma de gestión tiene que ser una decisión bien meditada.

2.10. ¿Qué factores son clave para elegir un buen gestor de archivo?

Los puntos principales a valorar podrían ser los siguientes:

• *Integración.* La solución de archivo debería estar integrada en la plataforma de gestión electrónica y conectado con el gestor de expedientes. La utilización de un único entorno de trabajo nos va a facilitar tanto las transferencias como la consulta y acceso por parte de las unidades administrativas, o la conexión con la sede electrónica para la puesta a disposición de datos y documentos en la carpeta del ciudadano. Igualmente debe facilitar la integración con los portales de datos abiertos y la difusión de datos públicos a través de los portales de transparencia. Puede ser un gestor de archivo propio, de otro proveedor distinto, o incluso la integración de una solución pública. Es la vía que por ejemplo han utilizado diversos proveedores tecnológicos

---

(35) https://www.aoc.cat/portal-suport/iarxiu/idservei/iarxiu/>. Para la gestión de los documentos y expedientes electrónicos en fase de tramitación el Consorcio AOC ofrece el servicio DESA'L.

(36) http://www.eark-project.com/>. En concreto se está trabajando en la futura exportación de SIP Archive a SIP E-ARK a través de la herramienta RODA (Repository os Authentic Digital Objects): http://rodain.roda-community.org/

para la utilización de I-Arxiu[37] y que también se anuncia por varias empresas para Archive.

• *Abierto.* Debe permitir la libre importación y exportación de los paquetes de información y bajo los principios de la neutralidad tecnológica, no puede estar supeditado su gestión y acceso, de facto o explícitamente, a ningún tipo de desarrollo propietario. Debe ser independiente de la infraestructura y de los distintos componentes de la plataforma de gestión: buscador, bases de datos y las aplicaciones de gestión. Una cuestión relacionada es las prevenciones que debe tomar una administración pública respecto a un proveedor que en el transcurso del tiempo adquiere una situación privilegiada, por cuota de mercado o de número de soluciones implantadas, creando una dependencia tecnológica de la que la organización difícilmente podría prescindir sin originar problemas críticos en la gestión o requerir una enorme inversión de recursos.

• *Usabilidad.* El sistema de archivo debe «trabajar para nosotros», no al contrario. El éxito de un software se mide, en buena medida, por la satisfacción de los usuarios. Debe ofrecer una interface intuitiva acompañada de un buen servicio de soporte técnico. Es un punto igualmente importante en las soluciones públicas, y que requeriría una reflexión. La oferta de servicios públicos de administración electrónica no se puede limitar a la solución tecnológica, debe ser un servicio integral que va más allá de la cesión de uso del software, es el único modo de asegurar su extensión y utilización por las administraciones públicas[38].

• *Solvencia.* Hay que diferenciar precio y valor, dos conceptos que se confunden con frecuencia y no tienen nada que ver: Precio es lo que pagas, valor es lo que recibes. Estamos hablando de un gestor de archivo definitivo, que nos pueda garantizar el cumplimiento de requisitos en el largo plazo, eso no es nada fácil. La solvencia y experiencia del proveedor en administraciones públicas y en soluciones de archivo es un elemento clave

• *Acceso.* Si analizamos el binomio preservación/acceso, los dos pilares de un sistema de archivo, se suele centrar el interés en hablar más de conservación que de difusión. Sin embargo, el mayor valor de un archivo no es

---

(37) La administración catalana ha hecho un ejercicio de transparencia que debería extenderse. Es muy útil conocer las empresas que han integrado una solución pública de archivo y en qué administraciones públicas lo han hecho. Se pone a disposición de los proveedores un formulario para comunicar esa integración y el estado en el que se encuentra, y una vez comprobado se hace público por la administración. Por ahora sólo tenemos datos oficiales de l'Arxiu. Accesible en: https://www.aoc.cat/knowledge-base/quines-son-les-entitats-integrades-al-servei-2/idservei/iarxiu/, https://www.aoc.cat/knowledge-base/quins-programaris-de-mercats-estan-integrats-amb-la-plataforma-iarxiu/idservei/iarxiu/

(38) El centro de soporte del Consorci Administració Oberta de Catalunya (Consorcio AOC) Accesible en https: //www.aoc.cat/suport/, ofrece servicios de ayuda, con orientaciones y tutoriales específicos tanto para administraciones como para ciudadanos y empresas.

lo que conserva es tan o más importante lo que es capaz de compartir. Por ello, cualquier solución debería incorporar funcionalidades avanzadas para cambios de formato y de extracción masiva y automatizada de información. La interoperabilidad no se puede interpretar sólo como el envío de un expediente a otras administraciones, o su puesta a disposición en la carpeta del ciudadano de la sede electrónica. Los archivos prestan muchos más servicios, y ese gestor de archivo electrónico tiene que ser un archivo abierto, contar con un portal de acceso, con un sistema de búsqueda de datos e información pública, que permita la reutilización y difusión de sus fondos documentales.

¿Cómo accederán en el futuro los investigadores o los ciudadanos que quieran consultar libremente los datos y documentos públicos de ese repositorio electrónico? ¿Será posible utilizar la información de ese sistema de archivos electrónico interconectados para alimentar los portales de transparencia? ¿Podremos realizar búsquedas por ejemplo de los expedientes de contratación de determinado proveedor? ¿Cómo será el sistema de búsqueda y recuperación? ¿Podremos crear sistemas integrados similares a PARES o Europeana? Se está pensando en clave de seguridad más que de accesibilidad, en el riesgo de la obsolescencia de los soportes y de los sistemas, en la validez de las firmas, y menos en crear sistemas de conexión, integración y acceso compartido.

La interoperabilidad es también reutilización y publicidad activa, apostar por compartir datos, como por ejemplo se ha realizado con éxito para el acceso a los recursos patrimoniales a través del protocolo OAI-PMH[39]. Esa misma filosofía, la de un protocolo normalizado para el intercambio de metadatos, no de documentos, es la vía más lógica para facilitar la distribución de los documentos electrónicos, y que sea esa estructura XML de referencias la que informe de los metadatos de identificación, permisos, clasificación, etc., y lo más relevante, también de la URL del web service que de acceso a los documentos conservados en el archivo electrónico único de la organización.

A modo de conclusión, insistir una vez más en tres cuestiones:

• El archivo electrónico no deja de ser el resultado de la gestión normalizada de la fase de tramitación. Si esa etapa se realiza a partir de un sistema de gestión documental bien concebido el archivo electrónico pasa a ser un problema menor, se limita a recoger los frutos del trabajo bien hecho. Es más, incluso hasta un gestor de archivo básico puede ser suficiente, igual que cuando la gestión documental previa no ha sido la correcta ni el mejor software de archivo del mercado será bueno.

• La estrategia más eficaz de conservación es la difusión y distribución. Corremos el peligro de tener unos recursos documentales perfectamente envasados y sin fecha de caducidad, con la denominación de origen ENI,

---

(39)   Accesible en https://www.openarchives.org/pmh/

pero el verdadero sello de calidad se adquiere con la generación de valor público, cuando ponemos el acento en promover la mayor circulación de esos recursos a través de la creación de múltiples vías de acceso.

• Más que una determinada herramienta o tecnología hay que priorizar las estrategias organizativas, la normalización de los sistemas de gestión. La mejor fábrica de software siempre está en las personas, en su capacidad para activar sus habilidades y conocimientos con el motor de la tecnología, cuando ese vehículo se pone en marcha las organizaciones cambian, mejoran y, sobre todo, funcionan.

3. BIBLIOGRAFÍA

AMUTIO GÓMEZ, M.A. (2011). «Normas técnicas de interoperabilidad relativas al documento electrónico». *Revista d'arxius,* 10, págs. 31 a 48.

BUSTELO RUESTA, C. (2011). *Serie ISO 30300: Sistema de gestión para los documentos.* Madrid. SEDIC. Recuperado de https://www.sedic.es/wp-content/uploads/2019/06/serie-iso-30300.pdf

BUSTELO RUESTA, C. (2017). «La trasformación digital y las normas internacionales para gestionar documentos». *Tría. Revista de la Asociación de Archiveros de Andalucía,* 21, págs. 17 a 29. Recuperado de http://www.archiverosdeandalucia.org/?dl_id=206.

BUSTOS PRETEL, G. (2017). «El archivo electrónico único requiere gestión centralizada». *Tría. Revista de la Asociación de Archiveros de Andalucía,* 21, págs. 33 a 56. Recuperado de http://www.archiverosdeandalucia.org/?dl_id=207.

CERDÁ DÍAZ, J. (2012). «En ruta hacia la e-administración. Itinerario para archiveros». *Tría. Revista de la Asociación de Archiveros de Andalucía,* 18, págs. 109 a 130. Recuperado de http://www.archiverosdeandalucia.org/?dl_id=151.

CERDÁ DÍAZ, J. (2013a). «Gestión documental y gobierno abierto. El archivo en la república de los datos». *Tábula: Revista de archivos de Castilla y León,* 2013, págs. 123 a 128.

CERDÁ DÍAZ, J. (2013b). Después de la Ley 11/2007. «Archivos y archiveros en la administración electrónica». *Anales de Documentación. Revista de biblioteconomía y documentación.* 16 (1), págs. 1 a 21. Recuperado de http://revistas.um.es/analesdoc/article/download/161271/146461.

CERDÁ DÍAZ, J. (2015). «Gestión documental y gobierno abierto. Nuevos roles para nuevos retos». *Tría. Revista de la Asociación de Archiveros de Andalucía,* 19, págs. 113 a 124. Recuperado de http://www.archiverosdeandalucia.org/?dl_id=159.

DURANTI, L. (2005). *La conservación a largo plazo de documentos electrónicos auténticos: hallazgos del Proyecto InterPARES*. Cartagena, Ayuntamiento.

GARCÍA DÍEZ, E. (2011). «Estado de desarrollo del esquema nacional de interoperabilidad - Herramientas para la interoperabilidad del documento electrónico». *Revista d'arxius,* 10, págs. 49 a 68.

GARCÍA-MORALES, E. (2013). *Gestión de documentos en la e-administración*. Barcelona: UOC.

HERNÁNDEZ DÍEZ, J. (2017). «El archivo electrónico. Evolución, desarrollo y repercusiones». *Nota Técnica del Observatorio de Administración electrónica*. Recuperado de https://administracionelectronica.gob.es/pae_Home/dam/jcr:c50f4a96-56ff-4a4e-a9b5-6767f74b2bdb/2017-12_nota_tecnica_OBSAE_Archivo_electronico.pdf.

INTEROPERABILIDAD Y DOCUMENTO ELECTRÓNICO (2017). Madrid: Centro de Publicaciones del Ministerio de Economía y Hacienda. Recuperado de https://servicios telematicos.minhap.gob.es/apps/virtuallib/publica/Administracion/DetalleLibro.aspx?ID=5918&TipoPublicacion=3&Anho=2017&PUB=5918&ORACLE_CODIGO=21400.

MERCHÁN ARRIBAS, M. (2009). La problemática de la Administración electrónica y los archivos. *Lligall, Associació d'Arxivers• Gestors de Documents de Catalunya,* 29, págs. 87 a 224. Recuperado de http://arxivers.com/index.php/documents/publicacions/revista-lligall-1/lligall-29-1/422-07-la-problematica-de-la-administracion-electronica-y-los-archivos-1/file.

MESA DE TRABAJO DE ARCHIVOS DE LA ADMINISTRACIÓN LOCAL (2012). «Requisitos archivísticos en la implantación de la administración electrónica de las entidades locales». Oviedo: Enornet. Recuperado dehttp://eprints.rclis.org/18483/].

NUALART MERCADÉ, R. (2015). «Un paseo por l'Arxiu: un servicio de preservación y archivo electrónico». *Tría. Revista de la Asociación de Archiveros de Andalucía,* 19, págs. 125 a 150. Recuperado de http://www.archiverosdeandalucia.org/?dl_id=160.

SERRA, J. (2001). «Gestión de los documentos digitales: estrategias para su conservación». *El profesional de la información,* 10, págs. 4 a 18. Recuperado de: http://www.elprofesionaldelainformacion.com/contenidos/2001/septiembre/1.pdf.

SERRA, J. (2005). «Valoración y selección de documentos electrónicos: principios y aplicaciones». *Tría. Revista de la Asociación de Archiveros de Andalucía*, 12, 119-155. Recuperado de http://www.archiverosdeandalucia.org/?dl_id=102.

30.

EL ARCHIVO ELECTRÓNICO: PRINCIPIOS FUNCIONALES Y TÉCNICOS PARA SU DISEÑO

Rosa MARTÍN REY
Gerencia Territorial del Catastro de Lugo

Javier HERNÁNDEZ DÍEZ
Subdirector General de Tecnologías y Servicios de Información del Ministerio de la Presidencia, Relaciones con las Cortes y Memoria Democrática

1. INTRODUCCIÓN

La Ley 11/2007, de 22 de junio, de acceso electrónico de los ciudadanos a los servicios públicos (LAE), se abría tímidamente a la necesidad de existencia de un archivo electrónico para la conservación de los documentos generados en este nuevo marco de relación entre la administración y los ciudadanos cuando establecía en su artículo 31 que podrían almacenarse por medios electrónicos «todos los documentos utilizados en las actuaciones administrativas».

Poco después, el Real Decreto 1671/2009, de 6 de noviembre, por el que se desarrolla parcialmente la LAE, convertía esta recomendación en obligación[1], si bien únicamente para el ámbito de la Administración General del Estado, y completaba algunos aspectos fundamentales en que debía consistir dicho archivo, tales como la necesidad de establecer períodos mínimos de conservación de los documentos electrónicos y, en consecuencia, aplicar estrategias para

---

(1) Artículo 51.1. La Administración General del Estado y sus organismos públicos vinculados o dependientes deberán conservar en soporte electrónico todos los documentos electrónicos utilizados en actuaciones administrativas, que formen parte de un expediente administrativo, así como aquellos otros que, tengan valor probatorio de las relaciones entre los ciudadanos y la Administración.

la preservación de estos documentos con todos sus componentes, de forma que se garantizara su acceso y legibilidad[2].

Pero no fue hasta la publicación del Real Decreto 4/2010, de 8 de enero, por el que se aprueba el Esquema Nacional de Interoperabilidad en el ámbito de la Administración Electrónica (en adelante, ENI) y su normativa técnica de desarrollo, de aplicación a todas las administraciones públicas, que se pudieron dibujar con mayor precisión las funciones que tendría que cumplir ese archivo de documentos a que obligaba su artículo 21.2. al disponer que «... las administraciones públicas crearán repositorios electrónicos, complementarios y equivalentes en cuanto a su función a los archivos convencionales, destinados a cubrir el conjunto del ciclo de vida de los documentos electrónicos», atribuyendo así una función, el archivo de documentos electrónicos, a una realidad de naturaleza orgánica, un centro o infraestructura de archivo electrónico de documentos.

La consagración de este archivo administrativo electrónico viene, sin embargo, de la mano de la LPAC, para todos los expedientes cerrados —procedimientos finalizados— que respondan a la definición de su artículo 70[3], por una parte y, por otra, de la LRJSP, que concibe como pieza clave de esas admi-

---

(2)   Artículo 52. Conservación de documentos electrónicos.
1. Los períodos mínimos de conservación de los documentos electrónicos se determinarán por cada órgano administrativo de acuerdo con el procedimiento administrativo de que se trate, siendo en todo caso de aplicación, con la excepción regulada de la destrucción de documentos en papel copiados electrónicamente, las normas generales sobre conservación del patrimonio documental con valor histórico y sobre eliminación de documentos de la Administración General del Estado y sus organismos públicos.
2. Para preservar la conservación, el acceso y la legibilidad de los documentos electrónicos archivados, podrán realizarse operaciones de conversión, de acuerdo con las normas sobre copiado de dichos documentos contenidas en el presente real decreto.
3. Los responsables de los archivos electrónicos promoverán el copiado auténtico con cambio de formato de los documentos y expedientes del archivo tan pronto como el formato de los mismos deje de figurar entre los admitidos en la gestión pública por el Esquema Nacional de Interoperabilidad.

(3)   Artículo 70.
1. Se entiende por expediente administrativo el conjunto ordenado de documentos y actuaciones que sirven de antecedente y fundamento a la resolución administrativa, así como las diligencias encaminadas a ejecutarla.
2. Los expedientes tendrán formato electrónico y se formarán mediante la agregación ordenada de cuantos documentos, pruebas, dictámenes, informes, acuerdos, notificaciones y demás diligencias deban integrarlos, así como un índice numerado de todos los documentos que contenga cuando se remita. Asimismo, deberá constar en el expediente copia electrónica certificada de la resolución adoptada.
3. [...]
4. No formará parte del expediente administrativo la información que tenga carácter auxiliar o de apoyo, como la contenida en aplicaciones, ficheros y bases de datos informáticas, notas, borradores, opiniones, resúmenes, comunicaciones e informes internos o entre órganos o entidades administrativas, así como los juicios de valor emitidos por las administraciones públicas, salvo que se trate de informes, preceptivos y facultativos, solicitados antes de la resolución administrativa que ponga fin al procedimiento.

nistraciones la obligatoria conservación o archivo de documentos que contengan actos jurídicos que afecten a intereses o derechos de los ciudadanos.

Consecuentemente, la herramienta para el archivo electrónico de documentos y expedientes de las administraciones públicas debe dar respuesta, en primer lugar, a este mandato legal, de manera que cuando nos planteamos diseñar una herramienta de archivo electrónico en este contexto administrativo y normativo, debemos pensar en aspectos funcionales, aspectos procedimentales y en requisitos técnicos determinados desde la normativa vigente.

Por tanto, el alcance de este capítulo es la estrategia de planeamiento del Archivo administrativo electrónico sobre los fundamentos del ENI y sus normas técnicas de desarrollo (NTI), y las LPAC y LRJSP.

Veremos después que el archivo electrónico no termina aquí, y que tras cumplir este primer y más urgente objetivo, aún le queda camino por recorrer, un camino que ya se abre ante nosotros y que nos pide dar respuesta a una realidad más compleja y heterogénea que la que nos marcan las mencionadas normas, tendentes a la uniformidad y normalización desde una única perspectiva de producción documental, la de la administración pública regida por sus normas básicas, RD del ENI y LPAC y LRJSP.

No se tratarán en este capítulo especificaciones técnicas concretas nacidas de los magníficos trabajos de organizaciones profesionales internacionales tales como los emanados del DLM-Forum, y nos referimos específicamente a MOREQ2010 y el proyecto e-ARK, por cuanto muchos de los aspectos y requisitos que en ellos se recogen son fuente y están ya integrados en el propio germen que dio lugar a la regulación de la gestión y archivo de la documentación en nuestra administración electrónica. Se hará mención a estas fuentes en el apartado de bibliografía.

2. LA CONSTRUCCIÓN DEL ARCHIVO ADMINISTRATIVO ELECTRÓNICO: PRINCIPIOS NORMATIVOS, FUNCIONALES Y TÉCNICOS

2.1. Principios normativos

Como avanzábamos hace un momento, resulta imposible no ver en la génesis de nuestro artículo 21 del ENI y de nuestra NTI de Política de gestión de documentos los estándares internacionales sobre gestión de documentos electrónicos más reconocidos y aceptados.

Tanto la propia definición del término «gestión de documentos» en el ENI, como los fundamentos de gestión documental que debe aplicar cualquier política conforme a la normativa vigente, se encuentran firmemente asentados sobre principios consensuados internacionalmente, tal y como establece la NTI de Política de gestión de documentos en su apartado III.2.2 al disponer que «aplicará los criterios, métodos de trabajo y de conducta generalmente reconocidos, así como los estándares y buenas prácticas nacionales e internacional aplicables para la gestión documental [...]».

Recordemos en síntesis las definiciones y principios aludidos mediante el siguiente cuadro:

Gestión de documentos: definiciones y principios

GESTIÓN DE DOCUMENTOS
Norma UNE-ISO 15489-1 Área de gestión responsable de un control eficaz y sistemático de la creación, la recepción, el mantenimiento, el uso y la disposición de documentos, incluidos los procesos para incorporar y mantener, en forma de documentos, la información y prueba de las actividades y operaciones de la organización. **Guía de aplicación de la NTI de Política de Gestión de Documentos** Conjunto de operaciones dirigidas al control eficaz y sistemático de la creación, recepción, uso, valoración y conservación de los documentos, incluidos los procesos para incorporar y mantener pruebas de las actuaciones o actividades de dicha organización, en forma de documentos y sistemas de información.

PRINCIPIOS, INSTRUMENTOS Y PROCESOS PARA LA GESTIÓN DE DOCUMENTOS
Norma UNE-ISO 15489-1 **Principios para la gestión de documentos:** — La creación, captura y gestión de documentos es parte integral de la gestión de la organización — Los documentos son evidencia fidedigna de la actividad de la organización si son auténticos, íntegros, fiables y utilizables — Los documentos constan de contenido y metadatos que describen contexto, contenido y estructura del documento a través del tiempo **Instrumentos para la gestión de documentos** — Esquemas de metadatos para la gestión de documentos — Cuadros de clasificación (funcional) — Reglas de acceso y permisos — Calendarios de conservación **Procesos para la gestión de documentos** — Creación

PRINCIPIOS, INSTRUMENTOS Y PROCESOS PARA LA GESTIÓN DE DOCUMENTOS
— Captura
— Clasificación e indización
— Control de acceso
— Almacenamiento de documentos
— Uso y reutilización
— Migración o conversión
— Disposición

Estos mismos principios, instrumentos y procesos impregnan todo el marco normativo del ENI y, concretamente, las disposiciones específicas referidas a documento y expediente electrónicos en cuanto a su generación, gestión y conservación, y son estos mismos principios, instrumentos y procesos en los que tengamos que basar, con los que tengamos que instrumentar y que tengamos que ejecutar, respectivamente, al diseñar y desarrollar una herramienta para la conservación de documentos electrónicos que responda a dichos requerimientos. Veámoslo brevemente.

La LPAC, en su artículo 26, al establecer los requisitos que debe cumplir un documento que vaya a ser soporte material de actos administrativos para ser válido, habla de información archivada como contenido documental, firmas que garanticen la identidad del actuante y la integridad del contenido, así como metadatos mínimos exigidos que expliquen su contexto de creación.

El ENI, en su artículo 21, sobre recuperación y conservación del documento electrónico, insiste en la integridad mediante la firma electrónica, en la asociación de metadatos a documentos y expedientes que permitan la identificación de su contexto y su recuperación, la creación de esquemas de metadatos y cuadros de clasificación como instrumentos de gestión, recuperación y referencia, así como en las políticas de conservación y acceso a los documentos de manera que garanticen el cumplimiento de las condiciones de seguridad que establece el Esquema Nacional de Seguridad (en adelante ENS) a través de sus cinco dimensiones: disponibilidad, autenticidad, integridad, confidencialidad y trazabilidad.

Las NTI de documento y expediente electrónico, junto con la NTI de Política de gestión de documentos, están destinadas a establecer los requisitos y medidas necesarias para garantizar la autenticidad, integridad, fiabilidad y disponibilidad de los documentos administrativos, así como la conservación o mantenimiento de estas características inherentes a ellos a lo largo del tiempo. Las primeras determinan los componentes mínimos de documentos y expedientes, que comprenden contenido, metadatos, firmas y estructuras para el intercambio, mientras que a la última se encomienda el diseño de instrumentos y procesos que garanticen la conservación y recuperación de documentos electrónicos en un repositorio electrónico equivalente a los archivos convencionales, volviendo al artículo 21 del ENI.

El instrumento fundamental para la aplicación de la política de gestión de documentos y la implantación de su programa de tratamiento documental, que engloba el conjunto de procesos de gestión a que nos referiremos más adelante, es, indudablemente, el esquema institucional de metadatos.

Los metadatos de gestión de documentos, siguiendo la definición del propio ENI, «sirven para identificar, autenticar y contextualizar documentos, y del mismo modo a las personas, los procesos y los sistemas que los crea, gestionan, mantienen y utilizan». Estos metadatos de gestión de documentos, según dispone la NTI de Política de gestión de documentos en su apartado VII.3 «se articularán en esquemas de metadatos que responderán a las particularidades y necesidades específicas de gestión de cada organización», constituyéndose éstos como instrumentos que definen «la incorporación y gestión de los metadatos de contenido, contexto y estructura de los documentos electrónicos a lo largo de su ciclo de vida», como el propio RD del ENI explica.

Y esto es lo que tenemos que construir, un archivo electrónico sobre los fundamentos de la LPAC y del ENI, y con los instrumentos que éste propone para dar soporte a los distintos procesos de gestión documental que en él deben ejecutarse, con el fin de garantizar que los documentos electrónicos se conservan «en un formato que permita garantizar la autenticidad, integridad y conservación del documento, así como su consulta con independencia del tiempo transcurrido desde su emisión»[4].

Sin embargo, la normativa aludida, que debe regir la creación y gestión del documento administrativo a lo largo de su ciclo de vida, de la misma forma que no establece un protocolo de intercambio de documentos y expedientes aptos para él, esto es, con sus estructuras xml creadas para el intercambio de todos sus elementos constitutivos: contenido documental, metadatos y firma/s, tampoco entra a proponer un modelo de implantación del archivo electrónico, por lo que se puede decir que está abierta a cualquier solución que garantice la autenticidad, integridad, disponibilidad y conservación de documentos y expedientes conformes con el ENI, el ENS y con los estándares y buenas prácticas en materia de gestión de documentos y archivos arriba recogidas.

---

(4)   Artículo 17 de la Ley 39/2015, de 1 de octubre, del Procedimiento Administrativo Común de las Administraciones Públicas.

2.2. Principios funcionales

Las afirmaciones precedentes reflejan de forma resumida, a modo de brevísimo código profesional, las funciones mínimas que debe ejercer ese repositorio electrónico a que obliga el artículo 21.2 del ENI. Estas funciones se llevan a cabo mediante una metodología y unos procesos técnicos largamente debatidos, formulados, aplicados y revisados por los profesionales de los archivos.

Son estos procesos los que enuncia la NTI de Política de gestión de documentos y cuya implantación deben facilitar las administraciones públicas conforme a esa norma, mediante el establecimiento de unas directrices claras y ajustadas a cada contexto organizativo, así como mediante la creación de unos instrumentos o estructuras de información en torno a los que pivoten desde diferentes ángulos todos y cada uno de esos procesos.

Los procesos que debe regular cualquier política de gestión de documentos son ampliamente conocidos por los archiveros: captura, registro, clasificación, descripción, calificación, conservación, acceso, transferencia y, en su caso, eliminación.

Los instrumentos o estructuras de información que soportan los procesos de gestión de documentos son, por una parte, el cuadro de clasificación y el calendario de conservación, propios de cada centro de archivo en lo que se refiere al marco organizativo a que da servicio y, por otra parte, el esquema institucional de metadatos, un directorio de unidades productoras de documentos y un catálogo de actividades administrativas, entendidas estas en este contexto como inventario de procedimientos administrativos, pudiendo ser estos tres últimos instrumentos bien propios de cada centro de archivo u organización, bien comunes a varios centros de archivo u organizaciones por tratarse de estructuras de información horizontales creadas y alimentadas bajo principios colaborativos y con la interoperabilidad como objetivo.

Entraremos en detalle en cada uno de estos elementos, procesos e instrumentos, en el apartado III, para los que además analizaremos las evidencias documentales que desprenden, así como una propuesta completa de implantación técnica.

2.3. Principios técnicos

Desde un punto de vista técnico, hemos de establecer un conjunto de principios que se han de considerar como fundamentales a la hora de afrontar la preservación digital, cometido principal del archivo electrónico.

En sí misma, la interoperabilidad es, en relación con la preservación del documento y expediente electrónicos, una garantía de esta preservación, ya que la propia necesidad de respetar ciertas reglas, que se trasladan a nuestra norma-

609

tiva en forma de Normas Técnicas de Interoperabilidad[5], ayuda a conseguir dicha preservación.

Siguiendo este conjunto de normas, lo que estamos garantizando es que el documento electrónico tenga una forma homogénea con independencia de su productor, lo que es la base fundamental de una preservación a largo plazo.

Por tanto, a la hora de afrontar un archivo electrónico, este ha de ser capaz de preservar estos documentos y expedientes siguiendo estas reglas y además, deberá garantizarlo con la seguridad de que no se modificará en tanto en cuanto el archivero así lo decida acorde a las políticas de conservación, eliminación o transferencia.

Así, hemos de observar esta seguridad en todas sus dimensiones que, de manera resumida, debe cumplir los siguientes principios:

En relación a la información, esta ha de ser:

— ACCESIBLE y DISPONIBLE

— ÍNTEGRA, de modo que no pierda su AUTENTICIDAD a lo largo del tiempo

Y en relación al archivo electrónico en sí, se ha de garantizar:

— Que la información sea accedida con las necesarias cautelas de CONFIDENCIALIDAD

— Que todo lo que ocurre con la información tenga las condiciones necesarias de TRAZABILIDAD

— Que sea desarrollado con los principios de MANTENIBILIDAD del sistema, que se traduce en, desarrollos ABIERTOS y MODULARES.

— Que su diseño, por parte de los gestores del archivo y la ciudadanía, tenga en cuenta los principios de la EXPERIENCIA DE USUARIO.

2.3.1. Información accesible y disponible

Garantizar el acceso a la información es un derecho de los ciudadanos tal y como se recoge en Ley 19/2013, de 9 de diciembre, de transparencia, acceso a la información pública y buen gobierno[6]. No es objeto de este artículo cómo procedimentar funcionalmente este derecho, sino abordar desde un punto de vista técnico —a lo que el archivo electrónico se refiere— lo que hay que tener

---

(5) https://administracionelectronica.gob.es/pae_Home/pae_Estrategias/pae_Interoperabilidad_Inicio/pae_Normas_tecnicas_de_interoperabilidad.html https://administracionelectronica.gob.es/pae_Home/pae_Estrategias/pae_Interoperabilidad_Inicio/pae_Normas_tecnicas_de_interoperabilidad.html

(6) https://www.boe.es/buscar/act.php?id=BOE-A-2013-12887

en cuenta desde el mismo momento del nacimiento de la información para garantizar que lo que se archiva en el mismo haya seguido las normas técnicas de interoperabilidad mencionadas anteriormente.

Las implicaciones técnicas en este sentido se pueden resumir en que los formatos de los documentos electrónicos pertenezcan al conjunto del Catálogo de Estándares de las NTI[7], para que no se archiven documentos en formatos propietarios o no conocidos, o que no sean de uso habitual por las administraciones públicas. Es decir, tenemos que garantizar la accesibilidad de la información en el contenido en sí mismo.

Además, se debe garantizar que la información almacenada sea susceptible de identificación por aquellos formatos que dejen de pertenecer al catálogo — bien por obsolescencia, o por falta de uso— y a partir de ahí, generar procesos de cambios de formato, elaborando copias electrónicas auténticas con cambio de formato[8].

Este aspecto particularmente tiene un conjunto de implicaciones:

— Se debe conservar el documento electrónico original del que parte la copia (recordemos que la NTI de documento electrónico ya contempla el establecimiento del parámetro llamado «id documento original» para reflejar esta dependencia entre original y copia),

— Se debe modificar el índice del expediente electrónico,

— Se debe garantizar la autenticidad de la copia mediante procesos normalizados de firma o sello electrónicos, y

— Se debe asimismo asegurar la autenticidad del índice, mediante procesos automatizados de sello electrónico.

Por tanto, el archivo electrónico en sí mismo debe proveer procesos parametrizables de cambios masivos de formato y, más aún, el archivo electrónico debe ser capaz de evolucionar incorporando nuevos formatos a eliminar y a añadir, para reflejar el estado actual de los estándares del momento. Y esto último impacta de manera directa, como se verá más adelante en el principio de MODULARIDAD del archivo electrónico.

Otro aspecto importante es la necesidad de que el soporte informático donde se escribe físicamente la información también esté siempre DISPONIBLE.

Existen multitud de soportes informáticos actuales que no garantizan dicho aspecto, ya que, a lo largo del tiempo, este se degrada y no suele tener opción

---

(7) Resolución de 3 de octubre de 2012, de la Secretaría de Estado de Administraciones Públicas, por la que se aprueba la Norma Técnica de Interoperabilidad de Catálogo de estándares.

(8) Resolución de 19 de julio de 2011, de la Secretaría de Estado para la Función Pública, por la que se aprueba la Norma Técnica de Interoperabilidad de Procedimientos de copiado auténtico y conversión entre documentos electrónicos

de recuperación, máxime si los entornos de almacenamiento de los mismos no cumplen ciertas garantías ante contaminación lumínica, electromagnética, de humedad o de temperatura.

Por tanto, y en tanto no se desarrollen dispositivos que garanticen la perdurabilidad de la información escrita por muchos años a un coste razonable, debemos contemplar que los dispositivos permitan una duplicación de la información en distintos lugares o dispositivos, de modo que el sistema permita que ante un probable fallo en un soporte (disco magnético, de estado sólido, ópticos u otros), pueda realizarse una sustitución en un determinado tiempo, y restitución de la información ahí almacenada.

No sólo debemos garantizar esta cualidad —la replicación— sino que, además, debemos garantizar que el modo en que se almacena la información esté accesible a lo largo del tiempo sin necesidad de tener que recurrir a estándares de acceso propietarios (no libres), o a sistemas operativos que no sean de uso corriente por las administraciones. Más aún, que la información que se almacena no sea transformada de tal modo que la haga ilegible salvo que se usen dichos sistemas o se requiera la colaboración de determinados agentes limitativos.

En definitiva, la cualidad que tiene el soporte papel de ser legible, duradero y transportable debe ser, en gran medida, imitada a la hora de contemplar los soportes técnicos del archivo electrónico, por lo que tener que realizar complejos procesos de copiado, conversión o reconstrucción de la información, a la hora, por ejemplo, de una migración de soporte, haría un flaco favor a un archivo electrónico de calidad.

2.3.2. *Información íntegra y auténtica*

Aunque de manera tangencial se ha mencionado anteriormente, la necesidad de tener la información replicada para sortear fallos en el soporte cuando nos referimos a información íntegra y auténtica, estamos refiriéndonos no solo a esto, sino a que la información, en sí misma, sin necesidad de agentes externos (archivo o dispositivos de almacenamiento) no permita modificaciones a lo largo del tiempo, bien por errores de soporte (disponibilidad de la información) o bien por interacción humana deliberada o accidental.

La integridad, entre otras cosas, es la garantía de que la información almacenada en un soporte es replicada con exactitud en el resto de soportes. Esto nos proporciona la seguridad de que disponemos siempre de la misma información en todas las copias, pero lo que nos garantiza que no podamos escribir información no íntegra, son los propios mecanismos de firma electrónica criptográfica.

Un archivo electrónico no debería permitir, en ningún caso, la escritura de información no íntegra o, dicho de otro modo, no garantizado por mecanismos de firma electrónica, en tanto en cuanto son la base fundamental de la perdurabilidad de la información, y de la perdurabilidad de la autenticidad en el ordenamiento jurídico español.

Este extremo no podría garantizarse, salvo por procesos que deberían añadirse al sistema general de archivo electrónico, únicamente mediante mecanismos CSV, ya que, asociado al archivo, debería, además, preservarse el mecanismo de validación de Códigos Seguros de Verificación.

Dicho de otro modo, son los mecanismos de firma electrónica criptográfica los que nos van a permitir no poder alterar el orden de los documentos en un índice, ni su contenido, ni intercambiar documentos por otros, etc.

Esto enlaza de manera directa con la autenticidad, ya que es el mismo mecanismo el que nos garantiza ambas dimensiones fundamentales de la administración electrónica en nuestro país, ya que la garantía de que una firma es auténtica y que el firmante o la persona jurídica que realiza el sello electrónico, en ningún caso podrá repudiar dicha actuación electrónica.

En la legislación española, y en la europea, en proceso de trasposición al ordenamiento jurídico español en algunos aspectos[9], se establece que la firma electrónica es fundamental como garantía de la autenticidad de los documentos. Sin embargo, los mecanismos en sí de la firma electrónica no solo garantizan la autenticidad, sino que también aseguran el no repudio de la propia firma. Además, asegura la integridad de la misma, de modo que cambiando un solo bit del contenido firmado, la firma electrónica no sería válida para ese contenido.

No en vano, el ENI también prevé no solo la firma electrónica en el contenido de los documentos electrónicos, sino en el propio índice electrónico, el cual, a su vez, contiene para cada documento indizado, su identificador y también una función resumen (hash) que es calculada a partir de cada documento de manera individual. Es decir, existe una garantía de integridad y autenticidad del expediente de manera enlazada o transitiva, desde el índice al documento.

Esto nos va a permitir obtener de una manera más sencilla la garantía de la autenticidad a lo largo del tiempo de un modo menos costoso, ya que la firma electrónica es un proceso garantizado por un certificado electrónico cuya validez caduca al cabo de un tiempo. Para poder «renovar» la validez de cada firma, se puede optar por distintas técnicas, pero todas deberían incluir en algún momento, un resellado o actualización de la firma electrónica.

Al prever un repositorio en el archivo de millones de documentos, contemplar procesos de resellado electrónico de todos y cada uno de ellos puede ser inabordable a un coste razonable al cabo de unos años, por lo que debemos apro-

---

(9) Reglamento (UE) n.º 910/2014 del Parlamento Europeo y del Consejo, de 23 de julio de 2014, relativo a la identificación electrónica y los servicios de confianza para las transacciones electrónicas en el mercado interior y por el que se deroga la Directiva 1999/93/CE

vecharnos de la previsión que el ENI tuvo de enlazar las autenticidades desde el índice del expediente a los documentos, a través de la firma del índice, con sus funciones hash incluidas.

Por tanto, al menos, un archivo electrónico deberá mantener la autenticidad de las firmas de los índices electrónicos (y, por tanto, su integridad), antes de la caducidad de su firma.

2.3.3. Acceso restringido para garantizar la confidencialidad

Hasta ahora hemos visto los principios técnicos que deben respetar la información en sí misma, así como el soporte y los sistemas generales para garantizar que se preserva correctamente.

Desde un punto de vista de control de la confidencialidad, es fundamental el control de accesos al archivo, que se resume, como en cualquier otra aplicación informática, en el control de la IDENTIDAD y el PERFILADO de los usuarios.

Así, debemos ser estrictos a la hora de asegurarnos la identidad de las personas que harán uso del archivo, bien como gestores (archiveros), bien como consultores (ciudadanos), que acceden a los datos contenidos en el archivo, si así se requiere.

Por tanto, es necesario que, de nuevo, hagamos uso de técnicas conocidas para obtener la identidad de manera fiable, mediante el uso de los estándares nacionales de identificación, que se pueden obtener mediante certificados digitales, o sistemas análogos (como Cl@vePIN de la Agencia Estatal de Administración Tributaria).

Una vez conseguida una identificación segura del gestor, el sistema de archivo electrónico debe permitir, a su vez, un perfilado que limite el centro de archivo al que accede y el rol que desempeñará (con al menos, el de administrador, gestor del archivo o lector). Se deberá poder granularizar estos permisos incluso a nivel de serie documental.

Además, a la hora de otorgar acceso a expedientes, debemos igualmente asegurarnos que el receptor de la información es quien debe ser, y de nuevo, a la hora de generar paquetes de información que puedan ser consultados, el archivo debe permitir establecer las restricciones de identidad de la persona y la duración del acceso.

Existe, además, como veremos más adelante, la posibilidad de que el productor de la información archivable siempre debería tener acceso a lo que remitió al archivo, como si de un préstamo se tratara. Esto impacta también en esta dimensión, ya que sólo aquellas aplicaciones productoras podrán acceder a lo que remitieron, y esto requiere que haya una correspondencia que compruebe la identidad de la aplicación productora, el código de unidad administrativa que remitió expediente, y el código de procedimiento (o de serie documental) a la que accede para ofrecer o no dicho préstamo de manera automatizada.

Por último, y no por ello menos importante, se debe trabajar en el control de acceso físico a la información, de modo equivalente a como se controla el acceso al archivo en papel. Esto en sí no tiene un impacto técnico de nueva implementación, pero sí organizativo, debiendo desde la administración de los sistemas asegurar un correcto control de acceso a los sistemas de ficheros que almacenan la información.

2.3.4. Preservar la trazabilidad

Como cualquier sistema de gestión, el archivo electrónico ha de ser capaz de poder preservar lo que acontece en cada proceso documental. Así, ha de ser objeto del máximo aseguramiento, junto con la información que preserva, esta información de trazabilidad, que de manera resumida puede incluir los accesos de los archiveros, lectores o administradores de la solución a la información contenida, visionado de expedientes, actividad realizada por procesos automatizados, como los cambios de formato, y por supuesto, aquellos procesos derivados de la ejecución de políticas de conservación.

Es muy importante que un centro de archivo custodie toda la información posible relacionada con la identificación de la información que ha estado en dicho archivo. Dicho de otro modo, que conserve esa nueva especie de relaciones de entrega que se generan mediante estos procesos electrónicos.

Así, a la hora de ejecutar una política de eliminación, o de transferencia, el contenido documental pasa a ser eliminado de manera segura, o bien, transferido con el consecuente cambio de custodia. Sin embargo, es de vital importancia el conservar toda la metainformación asociada a cada unidad documental (en definitiva, todos los metadatos mínimos —según ENI— como aquellos metadatos de gestión —como los del eEMGDE— y por supuesto, la acción realizada). Esto nos dará información muy valiosa en el momento que nos permitirá contar qué ha pasado en el archivo a lo largo del tiempo, aunque el contenido documental no figure ya en el archivo.

2.3.5. Mantenibilidad del sistema

La mantenibilidad de un software es la capacidad que tiene el mismo para ser modificado según se necesite. Siguiendo la norma ISO 25010, puede subdividirse en un conjunto de características, que son la modularidad, reusabilidad, analizabilidad, capacidad para ser modificado y la de ser probado.

En concreto, es el primer aspecto el más interesante, aunque todos están interrelacionados, en tanto un sistema de preservación digital debería seguir en la medida de lo posible una norma o marco de referencia de probada eficiencia.

Desde la AGE se ha desarrollado una herramienta que sigue el modelo conceptual de la norma UNE-ISO 14721:2015 «Sistemas de transferencia de datos e información espaciales. Sistema abierto de información de archivo (OAIS[10]). Modelo de referencia».

Modelo conceptual OAIS

La principal ventaja de este modelo es la diferenciación de funciones en grupos —módulos— relacionados mediante subprocesos de gestión, de tal suerte que la modificación de cualquiera de ellos no implicaría sustancialmente a los demás.

Los principales subsistemas que componen el marco de referencia OAIS son los siguientes:

— Módulo de Ingreso, el cual provee la capacidad al sistema de recoger la información de los productores y preparar los contenidos para que el módulo de archivo los gestione, asegurando la calidad y requerimientos de dicho paquete para su preservación.

— Módulo de Plan de Preservación, que, de alguna manera, controla el proceso en general, asegurándose que se realizan los procesos pertinentes para asegurar la preservación digital de la información, así como su autenticidad, el calendario de conservación, etc.

— Módulo de Gestión de Datos, que proporciona las funciones para mantener, acceder y nutrir de información en sí mismo al archivo, tanto descriptiva como administrativa. Además, es el responsable del mantenimiento de los esquemas utilizados para el almacenamiento, así como las consultas a las bases de datos que proveen el servicio, generación de informes, etc.

— Módulo de Área de Archivo, que permite el almacenamiento, mantenimiento y recuperación de la información archivada, de modo que se comu-

---

(10)   https://public.ccsds.org/pubs/650x0m2.pdf

nica con el resto de los módulos que necesitan acceder al almacenamiento. Este módulo tiene importancia en tanto se encarga de que la información almacenada lo hace de un modo esquematizado y jerarquizado y de modo íntegro, garantizando la disponibilidad.

— Módulo de Acceso, permite recibir las solicitudes de los consumidores para el acceso a la información, así como el diseño de los DIPs para dar cabida a dichas solicitudes, con los debidos controles asociados

— Módulo de Administración, que provee la capacidad de configuración del sistema, gestión de usuarios, perfilado, políticas y soporte asociados al sistema en general.

Estos módulos se pueden relacionar con tres tipos de actores (productor, consumidor o gestor), y son dirigidos por paquetes de información (SIP o Submission Information Package, AIP o Archival Information Package y DIP o Dissemination Information Package), los cuales son esquematizados por Información Descriptiva (ID).

Estos paquetes son la base fundamental del modelo, y en tanto el ámbito de este artículo está orientado a documentos y expedientes electrónicos, cada uno de ellos contendrá uno o varios expedientes administrativos, de tal forma que el productor generará un paquete de remisión (SIP) que contendrá los expedientes a ingresar, y el archivo electrónico deberá transformarlos para convertirlos en un AIP, incorporando toda la metainformación necesaria para la gestión archivística del expediente y sus documentos.

Por último, para dar respuesta al derecho de acceso, podrán conformarse paquetes de difusión (DIP) para ponerlos a disposición del interesado que requiere dicho acceso.

Para llevar a cabo, por tanto, el desarrollo de este modelo, debemos seguir las pautas recomendadas de un desarrollo sostenible, o mantenible, lo que incluye entre otros requisitos:

— Ser implementado en lenguajes de programación que sean estándares y de amplio uso por parte de las administraciones.

— Ser licenciado bajo alguna de las licencias disponibles y recomendadas por las administraciones públicas, tales como EUPL[11], para garantizar evolutivos por parte de, en su caso, la comunidad de las administraciones públicas, y tener código compartido entre los que deseen intervenir en el proceso.

— Mejorar la capacidad de ser analizado y probado por los distintos agentes involucrados.

---

(11)   https://opensource.org/licenses/EUPL-1.1

Otro aspecto a reseñar es que el desarrollo en sí mismo, ha de ser guiado por los responsables que harán uso de la aplicación, y más aún, implementado de tal modo que contemple su reutilización por cualquier administración pública, para evitar la multiplicación del coste del desarrollo de cada administración.

2.3.6. Experiencia del Usuario

Tras cubrir todos los principios anteriores para la construcción del sistema de Archivo-E, debemos ahora centrarnos en la capacidad que el propio archivo ha de tener para ofrecer una utilidad real tanto a los archiveros como a los ciudadanos.

En este sentido, la herramienta debe tener un diseño centrado en el usuario, facilitando en la sencillez de uso, la búsqueda guiada y sencilla, y la posibilidad de ofrecer servicios personalizados a los ciudadanos, que son, en última instancia, los beneficiarios de este servicio administrativo.

A modo de ejemplos, se debería tener en cuenta algunas funcionalidades en la construcción del archivo:

— Provisión de datos y estadísticas, y su disponibilidad en formatos abiertos para la reutilización de dicha información;

— Acceso intuitivo a las series documentales que no tengan nivel de protección alguno;

— Acceso a servicios personalizados del ciudadano, previa identificación segura del mismo, para consulta de archivos en los que es interesado o titular de expedientes archivados.

El objetivo es siempre, en última instancia, acercar la necesaria labor archivística de la administración a la ciudadanía.

3. DISEÑO DE UNA HERRAMIENTA PARA EL ARCHIVO-E: LA IMPLEMENTACIÓN DE LAS NORMAS Y SU INTEGRACIÓN CON LOS PROCESOS TÉCNICOS ARCHIVÍSTICOS

En este apartado se analizan los distintos procesos que se llevan a cabo dentro de un archivo tradicional, y cómo se trasponen los mismos a un mundo electrónico que, de manera inevitable, y en algunos casos, de manera ventajosa, sufren alguna transformación.

3.1. Proceso 0. Configuración del entorno organizativo

Un archivo electrónico tiene que dotarse de la capacidad de establecer un sistema de información que ponga en relación productores y documentos. Los pilares que sustentan este sistema son, por una parte, una estructura de datos normalizada y codificada que comprenda todos los órganos administrativos proveedores de documentos y, por otra, una estructura de datos normalizada y codificada que comprenda todos los procedimientos administrativos en el transcurso de cuya tramitación se producen esos documentos. Los procedimientos, a su vez, se pueden agrupar en clases y sub-clases funcionales para situarse en algún lugar de un mapa jerárquico que refleja todas las actividades de la organización, o lo que es lo mismo, un cuadro de clasificación que categoriza toda la actividad administrativa sobre la base de un criterio funcional.

La estructura de productores para un centro de archivo de cualquier administración pública española será o estará interconectada con DIR3, el Directorio Común de Unidades Orgánicas y Oficinas, en virtud del artículo 9 del ENI, que dispone que las administraciones públicas «mantendrán una relación actualizada de sus órganos administrativos [...] Dichos órganos y oficinas se codificarán de forma unívoca y esta codificación se difundirá entre las administraciones públicas». Además, este inventario deberá enlazar e interoperar con el Inventario de la Administración General del Estado (DIR3) y, añade que «las administraciones públicas podrán hacer uso del citado Inventario centralizado para la creación y mantenimiento de sus propios inventarios».

El archivo electrónico, por tanto, deberá estar integrado con el inventario de unidades orgánicas que dé servicio a cada administración con el fin de identificar de forma precisa y unívoca aquellos órganos que generan documentos o que, sin haberlos generado, pueden enviarlos a un centro de archivo determinado por ser éste el competente en su custodia.

De forma paralela, la estructura de actividades será o interoperará con el Sistema de Información Administrativa de la Administración General del Estado, en cumplimiento igualmente del mismo artículo 9 del ENI, que dispone que «las administraciones públicas mantendrán actualizado un Inventario de Información Administrativa, que incluirá los procedimientos administrativos y servicios que prestan de forma clasificada y estructurados en familias [...]».

De esto se deriva que, igualmente, cada centro de archivo debe integrar el catálogo de procedimientos administrativos de su ámbito, quedando este vinculado al cuadro de clasificación funcional correspondiente.

3.2. Proceso 1. Ingreso de expedientes en el archivo electrónico y transferencia entre archivos

Debemos aclarar, en primer lugar, que aquí empleamos el término ingreso como correlato del término *ingesta*, término propio del modelo OAIS, y en referencia de manera precisa a la remisión de expedientes desde una aplicación de tramitación electrónica o gestor documental al repositorio de archivo para su custodia aplicando las políticas de conservación y acceso que correspondan.

En cualquier caso, y con independencia de que este ingreso o transferencia se realice de archivo de oficina a archivo central, o entre cualquiera de las fases sucesivas de archivo en virtud del principio del ciclo vital, los elementos constitutivos de este acto son, resumidamente, órgano remitente, órgano productor, serie documental cuya documentación se transfiere, fecha y responsables de la entrega y recepción de la documentación. Aneja al acta que da fe de ello va relacionada una remesa o fracción de serie que puede constar de un número variable de unidades de instalación de archivo, y constituye el objeto cuya custodia se transfiere.

Este es sin duda uno de los procesos de gestión documental más dependientes del soporte y cuya operativa se ve más modificada con la producción electrónica de expedientes y su archivo. El único concepto que permanece inamovible es el acto jurídico-administrativo de traspaso de la responsabilidad de custodia, del que se dejará constancia igualmente mediante un documento administrativo con la tipología de acta, fechada y firmada.

En un entorno electrónico e interoperable de conformidad con el ENI, y en un repositorio de archivo que sigue el modelo conceptual que propone el OAIS, cada expediente lleva toda la información de contexto en una estructura autocontenida que lo vincula a un productor, un procedimiento o serie documental, un remitente —aplicación informática—, una fecha y un asunto o descripción de contenido, si así definimos la estructura de datos de ingreso. Estos datos de remisión que figurarían en el acta y relación de entrega están intrínsecamente unidos a cada unidad documental compuesta que se remite. Para conformar ese acto de entrega y recepción, es decir, de ingreso de documentos en el archivo, sólo falta dar fe de su fecha de remisión e ingreso, y este acto quedará documentado en un acta firmada electrónicamente. Cabe plantearse, en consecuencia, si la remisión de expedientes electrónicos por lotes, en correspondencia exacta con las tradicionales fracciones de serie, aporta algún valor añadido en cuanto a la información acerca del contexto de producción de los documentos remitidos, y creemos que no.

A nivel técnico, el ingreso de los expedientes tiene varias fases desde el momento en que la aplicación de gestión (o archivo de oficina) finaliza un expediente y lo traslada al archivo electrónico, que son:

1. Preingreso del expediente, en el que la aplicación de gestión comunica informáticamente el expediente y los documentos, y recibe una confirmación de la recepción del mismo en el archivo electrónico. Esta confirmación incluye los siguientes procesos:

a) Validación del formato del expediente, sus firmas y las de cada uno de sus documentos. El funcionamiento, en este aspecto concreto de las firmas, deberá poder ser configurable, para decidir si se quiere validar todas y cada una de las firmas, o únicamente la del expediente.

b) Además, se deberá comprobar que la unidad que remite el expediente puede realmente hacerlo, comprobando que la unidad del directorio dispone de permisos adecuados para ingresar a ese centro de archivo y, además, que existe en el cuadro de clasificación, un código que sea igual al que se remite entre los metadatos del expediente.

c) Además, el archivo debería almacenar el paquete de información SIP en su sistema de almacenamiento, en la estructura de archivo y serie apropiadas.

2. Una vez se ha comprobado de manera automática lo anterior, y que el archivero lo ve en un estado de pre-ingreso y, mediante una acción, decide ingresarlo definitivamente, se desencadenan un conjunto de procesos que incluyen:

a) Generación del AIP, mediante la incorporación de los metadatos heredables de la serie documental,

b) Incorporación de datos de trazabilidad que indiquen dicha acción,

c) Envío del acta de cambio de custodia a la aplicación origen, que deberá custodiar junto con algunos metadatos del expediente recién transferido.

d) Además, el archivo de oficina, con el acta, podrá eliminar el contenido documental.

Este último punto es peliagudo, en tanto que deberá contemplarse, en este primer momento, la posibilidad de reapertura del expediente, que bien puede ser excepcional, o formar parte de la dinámica habitual.

Así, el archivo de oficina deberá, o bien pedir la preservación de todos los metadatos de gestión necesarios para, en caso de devolución, poder regenerar las estructuras de información en el archivo de oficina, o bien conservarlas en el sistema, eliminando únicamente el contenido documental.

Por último, hemos de hacer notar que el ingreso que aquí se contempla está afectando exclusivamente a un expediente —operación que, por otra parte, puede repetirse las veces que se requiera— y por tanto, el acta de cambio de custodia, así como las evidencias de dicha entrega, podría pensarse que incluyen únicamente un solo expediente.

Esto es cierto a nivel de detalle de implementación, pero el archivo electrónico debería ser capaz de generar informes de entregas (dicho de otro modo, pseudo-relaciones de entrega), o generar documentos con el listado de cambios de custodia efectuados, de manera completamente personalizada a partir de las evidencias que se almacenan en el sistema de ficheros, y proporcionar, así, documentos que cumplan con todas las garantías necesarias (generalmente, mediante garantías de sello electrónico), y que equivaldrían a un registro de entrada o salida de documentos en el archivo generado de forma dinámica.

Ingreso de expedientes en el archivo electrónico

Proceso	Procesos electrónicos	Evidencias documentales / electrónicas
Ingreso en Archivo-e	Llamada a los servicios Web de la aplicación de archivo. Notificación de ingreso o pre-ingreso a la aplicación consumidora en el momento de la confirmación de la recepción del expediente. Procesos automáticos de validación de los expedientes administrativos mediante el diccionario de metadatos del centro de archivo. Acta de ingreso definitiva firmada mediante sello electrónico, que se envía a la aplicación remitente del expediente, para su constancia.	Notificación de pre-ingreso a la aplicación consumidora en el momento de la confirmación de la recepción del SIP (no ha habido cambio de custodia, el remisor no debe eliminar el contenido documental). Acta de ingreso definitiva firmada mediante sello electrónico que se proporciona a la aplicación remitente del expediente, para su constancia. En este momento, la aplicación podría eliminar el contenido documental asociado. Pueden consultarse las actas generadas en los procesos de ingreso de los expedientes y generarse informes a partir de los datos de ingreso o transferencia.

Acta de ingreso de expediente en el archivo electrónico

Acta de ingreso de Expediente	
Expediente:	ES_E02693904_2014_EXP_ACTASEELL_
Fecha de Ingreso:	21/03/2018 19:07:01
Archivo:	Archivo Único Electrónico
Serie Documental:	Remisión de Resoluciones y Acuerdos Municipales de las entidades locales a las Delegaciones, Subdelegaciones del Gobierno y Direcciones Insulares

Metadatos Expediente

Identificador:	ES_E02693904_2014_EXP_ACTASEELL_
VersionNTI:	http://administracionelectronica.gob.es/ENI/XSD/v1.0/expediente-e
Organo:	E02693904
FechaAperturaExpediente:	2014-06-27T00:00:00
Clasificacion:	203602
Estado:	E02
Interesado:	L01270235

Indice Expediente
Solicitud del acta
 ES_E02693904_2014_DOC_ACTASEELL_
   Valor huella:b27236225d5a064413b704ffee39940a5737537763fd5c35ee9ca7a18bbf279058e85fc95259226459a720c6f838ce503acc0efacc31bac2006c570676cf9f29
   Función resumen:http://www.w3.org/2001/04/xmlenc#sha512
   Fecha incorporación expediente:27/06/2014
   Orden documento expediente:2
 ES_E02693904_2014_DOC_ACTASEELL_REGISTRO_

Transferencia de documentos entre repositorios de archivo

Proceso	Procesos electrónicos	Evidencias documentales/electrónicas
Transferencia a la siguiente fase	Entre centros de archivo compatibles (el propio o gestionado por otra herramienta). El archivo de siguiente fase se define a nivel de centro de archivo desde el panel de administración y configuración de cada centro de archivo. En el mundo electrónico podemos contar con plazos de transferencia entre aplicación de gestión y de archivo central, que se define a nivel de aplicación de gestión. Los siguientes plazos de transferencia se definen a nivel de serie documental desde el cuadro de clasificación, donde se	La aplicación de archivo receptora del expediente, debe proporcionar un acta de cambio de custodia, de modo equivalente al ingreso desde las aplicaciones de gestión. Esta acta se asocia a al expediente transferido, cuyos metadatos se conservan permanentemente y aparecen en una bandeja de *transferidos*. La información de trazabilidad está indisolublemente ligada a cada expediente transferido, en los metadatos del eEMGDE correspondientes.

Proceso	Procesos electrónicos	Evidencias documentales/electrónicas
	consignan los metadatos de transferencia, indicando el número de años desde el cierre del expediente.	

Para implementar el proceso de transferencia en el archivo electrónico, este debe permitir indicar en el mismo qué archivo de siguiente fase es el que recibirá los expedientes y documentos que han de transferirse y, traduciéndolo a un lenguaje técnico, debe establecer la dirección donde enviar los expedientes y documentos.

¿Y dónde se ha de almacenar esta información? En la información del propio centro de archivo y, de nuevo, a su vez, ha de establecerse un lugar donde escribir esta información, y ser preservada.

Además, asociado a cada documento y expediente, junto con la información de calificación, han de estar presentes los datos que permitan ejecutar las políticas de transferencia (o de eliminación, como se señalará más adelante), de manera que mediante procesos automatizados sea posible chequear si el expediente ha de estar pendiente de transferencia o no.

Así, el archivo electrónico debe mostrar al archivero el conjunto de expedientes que han de ser transferidos y, en este proceso, permitir al mismo hacerla efectiva, generando, de manera equivalente a como se hace con el ingreso, un SIP del AIP, es decir, un paquete de transferencia que remitirá al siguiente archivo, emulando de nuevo el proceso de ingreso, pero entre dos archivos distintos, y con las mismas cautelas o posibilidades de relación de entrega, actas de cambio de custodia, metadatos de trazabilidad, etc.

3.3. Proceso 2. Clasificación

No nos proponemos en este apartado ahondar en la definición, funciones y metodología de elaboración de un cuadro de clasificación. Partimos de un hecho, la creación de un cuadro de clasificación para estructurar y hacer abordable y accesible la información contenida en los documentos pertenecientes a un fondo documental es un consenso profesional y una obligación normativa, y tenemos que instrumentar su aplicación en un archivo electrónico.

Generar el cuadro de clasificación funcional a que nos obliga el ENI siguiendo las directrices de la ISO 15489 no es para un informático más que crear una estructura jerárquica a la que adscribir los procedimientos o series documentales, a los que a su vez se vinculan los expedientes que se remiten el archivo. El vínculo real, mediante el que se articula y efectúa la gestión de documentos en un repositorio es este último, el vínculo entre serie o procedimiento[12] y expediente. Es este el vínculo que permite la aplicación de criterios y la ejecución de acciones sobre agrupaciones documentales de idéntica naturaleza jurídico-administrativa.

En el caso de los documentos de archivo, los expedientes, sobre los que se tendrán que adoptar e implementar decisiones en cuanto a su conservación y acceso, forman conjuntos homogéneos a partir de un primer nivel de agrupación bajo el criterio de su pertenencia a un procedimiento. Aun siendo conscientes de que es discutible la equivalencia entre procedimiento y serie documental, partir de esta correspondencia garantizará muy eficientemente la consistencia del tratamiento de los documentos y expedientes de archivo en tanto estos quedarán calificados, en lo relativo a sus elementos comunes, por la descripción del procedimiento al que pertenecen. Se trata de una aplicación directa de la descripción multinivel, por cuanto los atributos del procedimiento se propagan en cascada a sus elementos descendientes.

Qué papel, entonces, juega un cuadro de clasificación funcional en este contexto. La funcionalidad de un cuadro de clasificación respecto a la recuperación de la información es evidente e indiscutible, pero podría cuestionarse si es tan necesario para la gestión de otro tipo de procesos. A nivel operativo, de ejecución de acciones, de aplicación de decisiones de conservación y acceso, de calificación documental, lo que resulta imprescindible es una completa y exhaustiva identificación y descripción de los procedimientos que dejan evidencia documental, y esta descripción va ligada al procedimiento, no a la categoría funcional a la que se adscribe.

El archivo electrónico, por tanto, y con independencia de la aproximación intelectual al problema, debe permitir asociar los metadatos necesarios para la clasificación de los expedientes en sus series documentales, haciendo uso de vocabularios extendidos entre las administraciones públicas, ya que, de un modo u otro, permitirá su conversión a otros, incluso internacionales.

En un plano exclusivamente técnico, a más ahondamiento, el archivo electrónico ha de preservar la información que nos permite clasificar los expedientes (los metadatos de la serie documental donde se ingresa el mismo) unida al propio expediente, como previsión de que, a futuros, esta información pueda consultarse de manera íntegra y permanente asociada al mismo.

Por tanto, este archivo deberá gestionar, del mismo modo que hace con los documentos y expedientes, que la información de clasificación se preserve con las mismas cautelas de integridad, disponibilidad y accesibilidad. A efectos prácticos, y aterrizado sobre los sistemas españoles de administración electró-

---

(12)   A efectos de interoperabilidad con las estructuras transversales de información administrativa, se considera como muy recomendable establecer una correspondencia biunívoca entre serie documental y procedimiento administrativo.

nica, la información que constituye este mapa mental de clasificación puede estar asociado en cualquier sistema, actualmente y futuriblemente en el Sistema de Información Administrativa, pero se ha de preservar a largo plazo, en previsión que el SIA, en unos años, haya evolucionado y por tanto, esta asociación entre el documento o expediente, y su clasificación, se pueda diluir con el tiempo.

Como añadido, el archivo electrónico permite de manera más eficiente la gestión de los cambios en el cuadro de clasificación, mediante procesos automatizados, bien cambiando en un único sitio la información que la relaciona con los expedientes, bien de manera masiva y automatizada, si el cambio ha de propagarse a los elementos electrónicos preservados.

Alta de serie documental y adscripción a su clase funcional

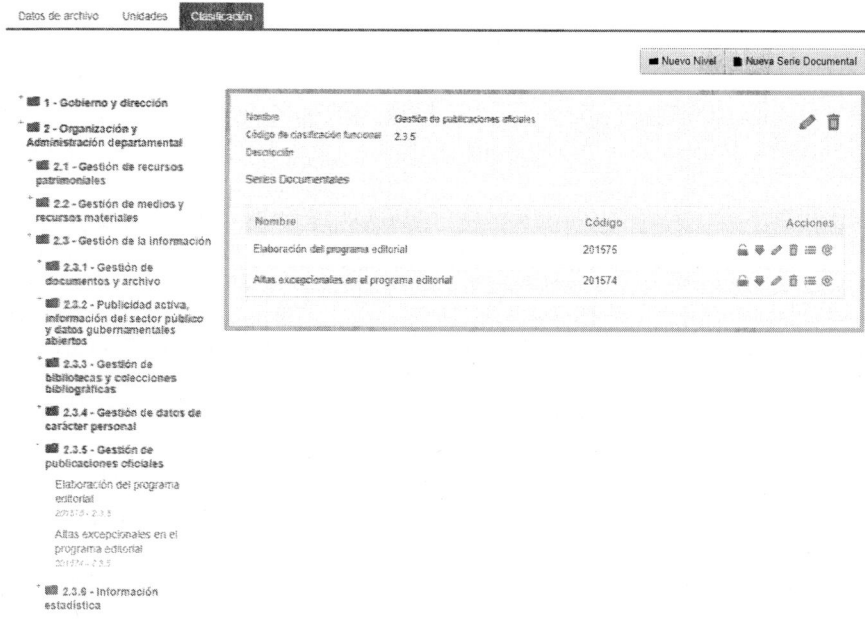

3.4. Proceso 3. Calificación

La metodología de identificación y valoración documental se consolidó y consagró en España a partir de las Jornadas sobre metodología para la Valoración Archivística de 1991[13]. En esencia el entorno electrónico no implica una diferencia sustancial en cuanto a este proceso, pero la identificación intrínseca del productor a través de los metadatos de contexto y la descripción completa del procedimiento a partir de su código de identificación en el sistema de información administrativa correspondiente, hacen que nuestros esfuerzos deban dirigirse más hacia la conceptualización del escenario organizativo de creación y producción de documentos a que aludíamos en el primer punto de este apartado, que hacia un estudio *a posteriori* de los documentos recibidos en un archivo cuya procedencia puede resultar dudosa por tratarse de fondos acumulados o agrupaciones de documentos insuficientemente descritas.

Los expedientes electrónicos generados conforme al ENI se están creando ahora, con su información de contexto impresa genéticamente en sus metadatos mínimos obligatorios. Nuestros esfuerzos, en consecuencia, no deben dirigirse tanto a explicarlos, puesto que ya se autoexplican, como a conservarlos, a agilizar el establecimiento de valores primarios y secundarios, así como la decisión sobre su eliminación o conservación. Es decir, a la creación de calendarios de conservación de forma fluida y responsable, que nos permitan establecer una estrategia de conservación temprana y certera para cada expediente que se cree como resultado de la tramitación de cada procedimiento administrativo.

Esta premisa implica la adición de elementos a la descripción de cada procedimiento del catálogo o inventario de procedimientos administrativos con la finalidad de que la información relativa al calendario de conservación y acceso al expediente quede incorporada a él y, con ello, a cada expediente ENI que se inicie desde el momento en que incluye en su génesis el código del procedimiento al que corresponde.

---

(13) *Actas de las Primeras Jornadas sobre Metodología para la Identificación y Valoración de Fondos Documentales de las Administraciones Públicas*: (Madrid, 20, 21 y 22 de marzo de 1991). Madrid: Ministerio de Cultura, Dirección General de Bellas Artes y Archivos, 1992.

Borrador de propuesta de modificación del Sistema de Información Administrativa para la inclusión de información de clasificación, conservación y acceso de los expedientes administrativos definida a nivel de procedimiento

---

1. **Creación de un grupo de atributos GRUPO 7. DATOS PARA LA GESTIÓN DE EXPEDIENTES**, que contendría los siguientes campos:

   GRUPO 7. DATOS PARA LA GESTIÓN DE EXPEDIENTES

   BLOQUE 1
   - Valores primarios (administrativo, fiscal, jurídico, otros)
   - Plazo de prescripción de valores primarios
   - Acceso (Libre/Limitado)
   - Acceso (Causa de limitación Ley transparencia)
   - Acceso (Causa legal de limitación)
   - Acceso (reutilización)

   BLOQUE 2
   - Valor secundario: Sí/No
   - Dictamen de conservación (ET, EP, CP, SS, PD)
   - Plazo de ejecución del dictamen de conservación
   - Texto del dictamen de conservación
   - URL del dictamen de conservación

   - Función: denominación/código de función
     - Anexo: funciones comunes/específicas desplegadas en niveles jerárquicos

2. **Elaboración de un ANEXO III. LISTADO DE FUNCIONES**, a partir del cuadro de funciones comunes que la CSCDA está próxima a aprobar, incrementando cada organismo las funciones específicas que le correspondan de acuerdo a sus competencias.

Cada administración ha desarrollado o está desarrollando un sistema de correspondencia entre estos inventarios o catálogos de procedimientos administrativos y las tradicionales series documentales de archivo; la expuesta es sólo una propuesta más para conectar con la menor mediación posible dos momentos de la actividad administrativa que no tendrían que tener solución de continuidad, la creación de documentos durante la actividad administrativa y su archivo.

¿Y qué procesos electrónicos han de tenerse en cuenta para calificar la información? No son muy distintos de los ya descritos, en tanto que cuando un elemento es archivado (es decir, se ha generado un AIP), este, en sí mismo, contiene toda la información relacionada con su calificación. Es decir, el archivo electrónico debe asociar de manera unívoca la metainformación del negocio del archivo al propio expediente, para poder ejecutar las políticas que se describen a continuación, de eliminación o de transferencia.

Proceso de calificación documental

Proceso	Procesos electrónicos	Evidencias documentales/electrónicas
Calificación	Metadatado a nivel de serie/procedimiento con los valores procedentes del estudio de valoración del mismo y, en su caso, del dictamen de conservación aplicable. Propagación automática de metadatos y, por tanto, de los datos de valoración documental, a cada elemento (expediente) que ingrese con la referencia (código) del procedimiento al que pertenece. Activación de estados relativos a los procesos pendientes de ejecución, una vez cumplidas las condiciones parametrizadas mediante los metadatos: pendiente de eliminación, pendiente de transferencia a la siguiente fase. En su caso, eliminación manual del contenido documental de los expedientes que hayan cumplido las condiciones dictaminadas, previa selección de testigos para su conservación y paso a la siguiente fase de archivo.	Estructura de datos de la serie documental calificada, que se conservará con sus correspondientes valores. Almacenamiento del esquema de valores utilizado para la calificación de los expedientes y documentos, asociados de modo inherente a la serie y al propio expediente y documento a través del metadatado correlativo «clasificación».

3.5. Proceso 4. Acceso

El archivo debe proveer el acceso a los documentos que custodia, bien por razones administrativas a la unidad que los produjo y/o remitió, bien a un tercero interesado por razón de interés particular o de interés científico, de investigación o de mero conocimiento de los hechos en ellos reflejados. Esto ha venido siendo y es así para cualquier solicitud de acceso al contenido documental de los expedientes y documentos electrónicos.

Dar acceso mediante datos abiertos a los valores recogidos en los metadatos de la documentación conservada en un archivo electrónico es un camino que se abre ahora y que tendrá sus procedimientos y desarrollos específicos, como se verá en el último apartado de este capítulo, siempre sujetos a las restricciones a que nos obliga la normativa en materia de protección de datos, transparencia y acceso a los archivos.

Trataremos por separado cada una de las posibles modalidades de acceso a los documentos de archivo mencionadas:

— Puesta a disposición a la unidad productora o remitente

— Devolución del expediente a la unidad productora por necesidades de tramitación

— Provisión de acceso al documento por parte de terceros en ejercicio del derecho de acceso a los documentos de archivo.

Empezaremos por la primera de todas las modalidades de acceso a los documentos de archivo, la más inmediata, la que no necesita la mediación de la tramitación de un procedimiento sobre el que deba recaer resolución administrativa para adquirir eficacia: el tradicionalmente denominado préstamo administrativo. El procedimiento de préstamo administrativo a la unidad productora de los documentos no nos llevará a demasiada reflexión, teniendo en consideración que no hay elemento metodológicos en juego, y que el concepto de préstamo, que implicaba una devolución temporal de la custodia de la documentación solicitada al órgano productor, en el entorno electrónico estará sustituida por una «puesta a disposición», es decir, por un acceso inmediato y, en su caso, descarga, del expediente original, del que se generará una réplica exacta. Al no haber cambio de custodia, como decíamos, no se hace necesaria papeleta ni registro de préstamos, sino registro de acciones reflejadas en los metadatos de trazabilidad del expediente custodiado en un repositorio de archivo electrónico.

Proceso de acceso. Préstamo administrativo

Proceso	Procesos electrónicos	Evidencias documentales/electrónicas
Préstamo administrativo: puesta a disposición de la UT	La aplicación de gestión remisora puede consultar siempre en todo momento el expediente que remitió en algún otro momento, accediendo al expediente y documentos.	Esta acción queda registrada a nivel de metadatos de trazabilidad.

Como se explica en la parte funcional, el concepto de préstamo a la unidad gestora se diluye en tanto la propia tecnología del archivo electrónico ha de permitir el acceso continuo al expediente archivado desde la propia aplicación que en origen remitió el SIP inicialmente, ya que en realidad, el mismo no sale en ningún caso del archivo electrónico, aunque sí que ha de incrementar la información del acceso entre los metadatos de trazabilidad asociados al expediente.

La segunda modalidad de acceso al documento es una derivación de la primera, por cuanto la unidad administrativa que tramitó el expediente solicita devolución íntegra del mismo para incorporar documentación sobrevenida. El expediente que retornará nunca será el mismo que se remitió a la unidad para su consulta, y eso, que en el mundo papel no tenía ninguna repercusión en el procedimiento de préstamo administrativo, siendo una actuación completamente transparente para el archivero, ahora, en el archivo electrónico, adquiere una complejidad considerable, como se puede ver en la tabla sinóptica del procedimiento y su explicación técnica.

Proceso de acceso. Devolución de expediente a la unidad de tramitación

Proceso	Procesos electrónicos	Evidencias documentales/ electrónicas
Devolución de Expedientes a la UT (pendiente de definición exacta del reingreso)	La aplicación de gestión remisora puede solicitar la devolución del expediente, implicando así un cambio de custodia del mismo. Se genera un acta de devolución de custodia El reingreso de un expediente que se devolvió constituye un nuevo ingreso.	La solicitud, la devolución, y en su caso el reingreso, quedan registrados a nivel de metadatos de trazabilidad del archivo del expediente.

En este caso, el archivo electrónico ha de facilitar a la unidad de gestión que emitió el expediente la devolución del mismo, pero, además, perder la responsabilidad sobre él. Por tanto, aparte de informar entre los metadatos de trazabilidad de tal devolución, deberá eliminar el contenido documental de su repositorio, pero conservando siempre el rastro (metainformación) del expediente que conservó.

No es en el caso del archivo electrónico donde radica la dificultad de este proceso, sino en el archivo de oficina, que deberá generalmente reconstruir la base de datos de gestión para volver a abrir el expediente, por lo que, tal y como se comentaba anteriormente, se ha de contemplar desde el momento del ingreso del expediente esta posibilidad, para poder realizar la necesaria reconstrucción de manera coherente.

Es bastante probable que la reapertura de un expediente pasados algunos años, en los que la aplicación de gestión haya evolucionado, no funcione de manera automática, y habrá que realizar procesos añadidos. En todo caso, se destaca la importancia de que los metadatos mínimos obligatorios, y los heredados de la gestión archivística, sean insuficientes para intentar, en gran medida, conocer la información necesaria para su gestión ordinaria.

La última modalidad de acceso a los documentos conservados en el archivo es la del acceso por parte de terceros que acrediten, en caso de ser preciso en virtud de la normativa que le sea de aplicación, un interés legítimo. En este caso el derecho de acceso se concede o deniega como resultado de la tramitación de un procedimiento administrativo que estará regulado legalmente en cada administración, y que, a nivel operativo, puede llevarse a una herramienta tramitadora externa o implementarse dentro de la aplicación de archivo electrónico, siendo nuestra opinión más proclive a la primera de las dos soluciones.

Proceso de acceso. Solicitud de acceso por parte de terceros

Proceso	Procesos electrónicos	Evidencias documentales/ electrónicas
Solicitud de acceso por parte de terceros	De acuerdo con el procedimiento administrativo definido en SIA al efecto. El archivo debe permitir la generación de DIPs desde expedientes archivados, así como la obtención/ copia/ descarga del contenido documental para su puesta a disposición.	Se debe reflejar entre los metadatos de trazabilidad dicha puesta a disposición. Se debe conservar la evidencia del acceso por parte del interesado al DIP generado junto al mismo.

Para finalizar, siguiendo el concepto del acceso contemplado en el modelo OAIS, al margen del modo en que se ejecute dicho derecho de acceso, a nivel técnico el archivo debe ofrecer la posibilidad de generar paquetes de información de acceso (DIPs), personalizables por el archivero y posibilitar al solicitante de dicho acceso la consulta de dicho paquete de información.

En este sentido, dichos DIPs deben almacenarse en el sistema de ficheros y ser preservados, al menos, durante el tiempo que dure el acceso. A este DIP se le deberán agregar los metadatos de trazabilidad necesarios para reflejar dichos accesos.

Es muy recomendable, además, que sea el propio archivo el que custodie en todo momento dicha información en forma de DIP, poniendo a disposición el acceso directamente a los sistemas de ficheros, sin envíos «físicos» de la documentación.

3.6. Proceso 5. Eliminación

El proceso de eliminación visto desde la perspectiva funcional es un resultado, uno de los posibles, del proceso de calificación documental, al que se remite en el correspondiente apartado de este capítulo.

Desde el punto de vista técnico, la eliminación es un proceso del que se deben tener distintas garantías, en las que se entrecruzan la seguridad de que el borrado es efectivo, con la seguridad de que se mantiene una traza de dicha eliminación.

Para esto, el proceso de eliminación en el archivo electrónico, una vez aplican las políticas y se confirma por parte del archivero, debe contemplar la inserción de la información de trazabilidad en el AIP, así como fecha y horas y de dicho proceso. Además, se debe tener en cuenta que al eliminar un expediente y sus documentos, en realidad, solo se elimine la información documental, preservando los metadatos de gestión de archivo del expediente y documentos, para tener un conocimiento exhaustivo de dicho proceso.

Proceso de eliminación

Proceso	Procesos electrónicos	Evidencias documentales/electrónicas
Eliminación	Selección previa de los expedientes sobre los que ha recaído dictamen de eliminación y que ya han cumplido los plazos de conservación establecidos el correspondiente calendario de conservación de series documentales. Implica la activación del estado «pendiente de eliminación» de cada expediente que cumpla la regla de conservación que le es de aplicación. Selección, en su caso, de los expedientes que se determinen en el dictamen para la preservación de una muestra a largo plazo. Ejecución de la eliminación del contenido documental de los expedientes en estado «pendientes de eliminación».	Acta de eliminación firmada, que se genera para cada expediente eliminado. Relación de documentos eliminados mediante la conservación de los metadatos mínimos obligatorios de los correspondientes expedientes. La información de trazabilidad recogida en los metadatos complementarios de gestión de documentos.

4. LÍMITES Y RETOS DEL ARCHIVO ELECTRÓNICO DE LAS LEYES 39/2015 Y 40/2015, DE 1 DE OCTUBRE

El ENI está concebido para dar cobertura a la actividad de las administraciones públicas en el ejercicio de las competencias que sus distintos organismos tienen atribuidas por norma legal. El archivo electrónico que hemos intentado dibujar, como avanzábamos al comienzo de este artículo, es el que da respuesta a ese mandato legal del artículo 17 de la LPAC, y 46 de la LRJSP, y que se construye sobre los fundamentos del ENI. Pero la interoperabilidad técnica y semántica que garantizan las NTI de documento y expediente en cuanto a requisitos, componentes y modelos y estructuras de datos, están específicamente destinados a un universo documental muy concreto: el correspondiente a actuaciones administrativas en el transcurso de la tramitación de un procedimiento administrativo o de alguna de las actividades que desarrollan las administraciones públicas sujetas a su régimen jurídico propio.

En definitiva, el archivo electrónico que acabamos de perfilar es un archivo ENI para dar servicio a las administraciones públicas en su actividad sujeta a procedimiento administrativo.

Y ¿qué hay de todas esas otras competencias específicas, de carácter sectorial, que son ejercidas por estructuras propias con regímenes especiales? Nos referimos, dentro de la administración civil, a ámbitos como el educativo, el sanitario, etc., que se rigen por sus propios códigos profesionales, por sus protocolos de actuación, por su modelado de datos y procesos, por su codificación y estructuras de información, y que generan una documentación cuya especificidad dista en muchas ocasiones de ser siquiera semejante a la producida al amparo de la LPAC. Estos ámbitos tienen tanta o más necesidad de establecer mecanismos de intercambio dentro de ellos, de forma intra sectorial, como fuera de ellos, en intercambios intersectoriales.

Es por tanto que un archivo electrónico único ha de tener entre sus objetivos ser el centro de toda documentación electrónica, tenga la forma que tenga. Si bien es cierto que aquellas formas documentales de las que emanen derechos y obligaciones, sea el primer paso en la buena dirección de este centro de archivo electrónico.

Una vez, por tanto, que un paquete de información pueda albergar cualquier contenido documental, administrativo o de otros sectores de información, podremos hablar de un archivo completo.

No obstante, el mundo administrativo en sí ha de trabajar en mejorar la normalización del propio documento, para poder ofrecer información de altísima calidad almacenada en el archivo electrónico, y no solo a un nivel de preservación de contenidos documentales que son necesarios leer para poder obtener información acerca de ellos.

Hay una vía de futuro, por tanto, en la normalización de la información, de los documentos, de modo que se permita extraer inteligencia de ellos, y hacer uso de tecnologías de big data, de conversión entre diccionarios de distintos archivos, y ofrecer un conocimiento que, sobre una base documental de muchos años, puede ofrecernos sorprendentes datos que nos ayuden a hacer una administración más eficiente y ágil en su provisión de servicios a los ciudadanos.

5. REFERENCIAS LEGALES, NORMATIVAS Y TÉCNICAS

Ley 39/2015, de 1 de octubre, del Procedimiento Administrativo Común de las Administraciones Públicas. https://www.boe.es/buscar/act.php?id=BOE-A-2015-10565

Ley 40/2015, de 1 de octubre, de Régimen Jurídico del Sector Público. https://www.boe.es/buscar/doc.php?id=BOE-A-2015-10566

Real Decreto 1671/2009, de 6 de noviembre, por el que se desarrolla parcialmente la Ley 11/2007, de 22 de junio, de acceso electrónico de los ciudadanos a los servicios públicos. http://www.boe.es/buscar/doc.php?id=BOE-A-2009-18358

Real Decreto 3/2010, de 8 de enero, por el que se regula el Esquema Nacional de Seguridad en el ámbito de la Administración Electrónica. http://www.boe.es/buscar/doc.php?id=BOE-A-2010-1330

Real Decreto 4/2010, de 8 de enero, por el que se regula el Esquema Nacional de Interoperabilidad en el ámbito de la Administración Electrónica. http://www.boe.es/aeboe/consultas/bases_datos/doc.php?id=BOE-A-2010-1331

Real Decreto 1708/2011, de 18 de noviembre, por el que se establece el Sistema Español de Archivos y se regula el Sistema de Archivos de la Administración General del Estado y de sus Organismos Públicos y su régimen de acceso. http://www.boe.es/buscar/doc.php?id=BOE-A-2011-18541

Resolución de 19 de julio de 2011, de la Secretaría de Estado para la Función Pública, por la que se aprueba la Norma Técnica de Interoperabilidad de Documento Electrónico. http://www.boe.es/diario_boe/txt.php?id=BOE-A-2011-13169

Guía de aplicación de la Norma Técnica de Interoperabilidad de Documento Electrónico.http://administracionelectronica.gob.es/PAe/NTinteroperabilidad#DOCUMENTOELECTRONICO

Resolución de 19 de julio de 2011, de la Secretaría de Estado para la Función Pública, por la que se aprueba la Norma Técnica de Interoperabilidad de Expediente Electrónico. http://www.boe.es/diario_boe/txt.php?id=BOE-A-2011-13170

Guía de aplicación de la Norma Técnica de Interoperabilidad de Expediente Electrónico.http://administracionelectronica.gob.es/PAe/NTinteroperabilidad#EXPEDIENTEELECTRONICO

Resolución de 19 de julio de 2011, de la Secretaría de Estado para la Función Pública, por la que se aprueba la Norma Técnica de Interoperabilidad de Digitalización de Documentos. http://www.boe.es/diario_boe/txt.php?id=BOE-A-2011-13168

Guía de aplicación de la Norma Técnica de Interoperabilidad de Digitalización de Documentos.http://administracionelectronica.gob.es/PAe/NTinteroperabilidad#DIGITALIZACIONDOCUMENTOS

Resolución de 19 de julio de 2011, de la Secretaría de Estado para la Función Pública, por la que se aprueba la Norma Técnica de Interoperabilidad de Procedimientos de copiado auténtico y conversión entre documentos electrónicos.http://www.boe.es/diario_boe/txt.php?id=BOE-A-2011-13172

Guía de aplicación de la Norma Técnica de Interoperabilidad de Procedimientos de copiado auténtico y conversión entre documentos electrónicos. http://administracionelectronica.gob.es/PAe/NTinteroperabilidad#COPIA-DOAUTENTICO

Resolución de 28 de junio de 2012, de la Secretaría de Estado de Administraciones Públicas, por la que se aprueba la Norma Técnica de Interoperabilidad de Política de gestión de documentos electrónicos. http://www.boe.es/diario_boe/txt.php?id=BOE-A-2012-10048

Guía de aplicación de la Norma Técnica de Interoperabilidad de Política de gestión de documentos electrónicos. http://administracionelectronica.gob.es/PAe/NTinteroperabilidad#POLITICAGESTION

Directorio Común de Unidades Orgánicas y Oficinas (DIR3) - Modelo de Codificación y Manual de Atributos de Información. http://administracionelectronica.gob.es/ctt/dir3

Sistema de Información Administrativa (SIA). http://administracionelectronica.gob.es/ctt/sia

ISO 15489. Información y documentación. Gestión documental.

UNE-ISO/TR 18492 IN: Conservación a largo plazo de la información basada en documentos.

UNE-ISO 30300. Información y documentación. Sistemas de gestión para los documentos.

UNE-ISO 23081. Información y documentación. Procesos de gestión de documentos. Metadatos para la gestión de documentos.

UNE-ISO7TR 26122 IN: Información y documentación. Análisis de los procesos de trabajo para la gestión de documentos.

Esquema de Metadatos para la Gestión del Documento Electrónico (e-EMGDE). Versión 2.0. Documentación complementaria a la Norma Técnica de Política de gestión de documentos electrónicos (2016) Elaboración y coordinación de contenidos: Dirección de Tecnologías de la Información y las Comunicaciones (DTIC). Madrid: MINHAFP, Subdirección General de Información, Documentación y Publicaciones https://administracionelectronica.gob.es/ctt/eemgde

UNE-ISO 14721:2015: Sistemas de transferencia de datos e información espaciales. Sistema abierto de información de archivo (OAIS). Modelo de referencia.

Modelo de requisitos para la gestión de documentos electrónicos de archivo (MoReq). DLM Forum Foundation. http://www.moreq.info/

E-ARK Project (European Archival Records and Knowledge Preservation) http://www.eark-project.com/

31.

EL REPOSITORIO: DONDE VIVEN LOS DOCUMENTOS ELECTRÓNICOS

Andrés PASTOR BERMÚDEZ
Gerente adjunto en la Gerencia de Informática de la Seguridad Social

Repositorio

Del lat. repositorium «armario, alacena».

1. m. Lugar donde se guarda algo.

DRAE (Diccionario de la Real Academia Española)

Imágenes digitales, documentos y expedientes electrónicos, películas retransmitidas por Internet, canciones en formato mp3, libros electrónicos, e-facturas, publicaciones en la nube... No cabe duda que lo digital va ganando terreno en nuestras vidas, con su presencia intangible pero omnipresente. Pero ¿dónde se guardan todos estos activos del mundo electrónico?

Si apelamos a nuestra experiencia personal, la respuesta nos conducirá a un ordenador o dispositivo móvil, más precisamente a los sistemas de almacenamiento no volátil de estos sistemas informáticos, como son una unidad de disco duro o un DVD.

En las grandes empresas y en las Administraciones Públicas, el continuo crecimiento del número de activos digitales ha llevado a la aparición de sistemas informáticos especializados en almacenar y gestionar archivos y ficheros en formato digital. Son los denominados *repositorios*, el lugar de residencia oficial de los documentos electrónicos.

Y es que, aunque el mundo digital se extienda inexorablemente entre noso-tros, cual éter de Aristóteles, lo cierto es que todos los elementos digitales tienen que tener sustento en algún elemento físico.

Este punto de contacto entre lo digital y lo material es el campo de trabajo de los especialistas informáticos, un mundo técnico en constante evolución y lleno de oportunidades para la gestión documental si conseguimos una comunicación fluida y efectiva entre profesionales de las TIC, archiveros, gestores y otros pro-fesionales implicados esta disciplina.

1. LOS PRIMEROS REPOSITORIOS ELECTRÓNICOS

Los primeros repositorios electrónicos que utilizaron empresas y administra-ciones públicas fueron los *sistemas de ficheros*. El papel era el formato preferido y los documentos electrónicos elaborados con un procesador de texto eran un medio para conseguir el deseado informe en papel.

Los documentos electrónicos se almacenaban en carpetas y directorios de los ordenadores personales o, en una unidad de red compartida entre varios usuarios de la oficina, si la organización disponía de un sistema informático que lo per-mitiera.

No existían funciones formales de organización ni de conservación de los documentos, salvo el celo profesional de algún empleado organizado y respon-sable.

El correo electrónico servía como medio de transmisión de documentos elec-trónicos, entendidos estos como los ficheros adjuntos a los mensajes de correo, convirtiéndose el sistema de mensajería en un improvisado repositorio de docu-mentos para muchas organizaciones.

En este periodo inicial de la informática corporativa, no se tenía conciencia de que estos ficheros elaborados con el procesador de textos del momento (Word Perfect, Word Pro, Word, etc.) tenían un alto interés para la organización, al igual que los mismos mensajes de correo electrónico, con ficheros adjuntos o sin ellos.

Pronto se comprendió que este no era el camino adecuado para garantizar el almacenamiento, la conservación y una gestión sostenible de los activos electrónicos en un escenario de crecimiento exponencial de la información digital[1].

_____

(1)   Se estima que el número de activos digitales dobla su volumen cada dos años.

En la década de los 90 empezaron a aparecer los primeros programas informáticos especializados en el almacenamiento y tratamiento de los documentos electrónicos. Pero no fue hasta los primeros años del siglo XXI cuando la disciplina de los llamados *Gestores de Contenidos* (CMS – Content Management System en la literatura anglosajona) alcanzó la mayoría de edad, extendiéndose su uso en el mundo empresarial.

Esta evolución desde los *sistemas de ficheros* a los *Gestores de Contenidos* ha ocurrido en momentos distintos en cada organización. Aquellas que tuvieron la necesidad de gestionar grandes volúmenes de información iniciaron el viaje antes, mientras que otras organizaciones se encuentran aún en la posición de partida.

La buena noticia para estas últimas es que hoy en día la gestión documental es una disciplina muy madura, por lo que estas organizaciones se pueden beneficiar del conocimiento acumulado durante los últimos años y acceder fácilmente a un amplio abanico de herramientas informáticas muy estables y adaptadas cualquier necesidad.

2. EL REPOSITORIO ELECTRÓNICO EN LA NORMATIVA

En el ámbito de las administraciones públicas, el concepto de r*epositorio electrónico* se define por primera vez en el glosario de términos incluido en el *Real Decreto 4/2010, de 8 de enero, por el que se regula el Esquema Nacional de Interoperabilidad en el ámbito de la Administración Electrónica*:

Repositorio electrónico

Archivo centralizado donde se almacenan y

administran datos y documentos electrónicos, y sus metadatos.

La normativa debe ser agnóstica respecto al uso de la tecnología, por lo que evita referirse expresamente en términos informáticos y se limita a describir las funciones que se esperan de un repositorio: almacenar y administrar datos, documentos electrónicos y metadatos.

Más allá de la definición, en el artículo 21 del mismo texto normativo se encuentra el mandato a las administraciones públicas de crear repositorios electrónicos funcionalmente equivalentes a los archivos convencionales para cubrir el ciclo de vida de los documentos electrónicos:

CAPITULO X

Recuperación y conservación del documento electrónico

Artículo 21. Condiciones para la recuperación y conservación de documentos.

1. Las Administraciones públicas adoptarán las medidas organizativas y técnicas necesarias con el fin de garantizar la interoperabilidad en relación con la recuperación y conservación de los documentos electrónicos a lo largo de su ciclo de vida [...]

2. A los efectos de lo dispuesto en el apartado 1, las Administraciones públicas crearán repositorios electrónicos, complementarios y equivalentes en cuanto a su función a los archivos convencionales, destinados a cubrir el conjunto del ciclo de vida de los documentos electrónicos.

¿Cuáles son las principales funciones del repositorio electrónico? Se derivan de la definición, así como de la enumeración de las medidas que indica la norma que deberán adoptar las administraciones públicas en relación a los documentos electrónicos:

— Almacenamiento de datos, documentos, y sus metadatos

— Identificación única e inequívoca de cada documento

— Asociación de los metadatos mínimos obligatorios y, en su caso, complementarios, asociados al documento electrónico

— Clasificación de los documentos

— Conservación de los documentos, garantizando su integridad y seguridad

— La recuperación y acceso inmediato de los documentos a través de medios de consulta

— La visualización de documentos

— La copia o descarga en línea de los documentos en los formatos originales

— La impresión en papel

— Consulta de la firma, sello de tiempo y metadatos asociados al documento

— Almacenamiento y gestión de expedientes electrónicos

— Inclusión en los expedientes de un índice electrónico firmado por el órgano o entidad actuante para facilitar su recuperación

— Borrado de la información, de acuerdo a la legislación vigente, dejando constancia de su eliminación

— Transferencia de expedientes entre distintos repositorios garantizando su conservación y recuperación, a medio y largo plazo

— Cualquier otra función necesaria para cubrir el ciclo de vida de los documentos electrónicos

En este contexto, la mayor parte de las funcionalidades asociadas a los documentos electrónicos deben entenderse igualmente aplicables a los expedientes electrónicos, por ejemplo, en lo relativo a la conservación, la identificación única y a la capacidad de consulta, recuperación, visualización e impresión de los expedientes, con sus respectivas peculiaridades.

El repositorio electrónico es, por lo tanto, el centro neurálgico de la gestión documental donde coinciden documentos, procesos y personal. Sin repositorio electrónico no es posible la gestión documental ni va a ser viable la conservación de los documentos y expedientes electrónicos.

3. EL REPOSITORIO COMO HERRAMIENTA INFORMÁTICA

El repositorio electrónico es un concepto general al que se refiere la norma para agrupar las funciones básicas que debe proporcionar un sistema de gestión documental en relación a la captura, conservación y gestión de los documentos electrónicos.

En términos informáticos, a las aplicaciones software, especialmente diseñadas para realizar estas funciones, se les denomina *aplicaciones de gestión documental* o *gestores documentales*, para abreviar.

Los gestores documentales suelen adoptar una estructura modular, con un núcleo central que implementa las funciones básicas de la gestión documental (captura, almacenamiento, metadatos, seguridad, búsquedas, etc.), más un conjunto de módulos opcionales que proporcionan funcionalidades avanzadas (flujos de trabajo, analítica de datos, etc.)

La oferta de software en gestión documental es amplia y diversa. Es posible encontrar más de veinte soluciones empresariales de gestión documental en el mercado.

4. CLASIFICACIÓN DE LOS REPOSITORIOS

Es posible clasificar los repositorios en relación a los siguientes criterios:

4.1. Especialización

— *Gestor documental:* Es una aplicación software especializada en la captura, conservación y gestión de documentos electrónicos.

— *Aplicación genérica de negocio:* No todos los sistemas que almacenan documentos electrónicos son aplicaciones de gestión documental. Aplicaciones de negocio, como los sistemas de gestión financiera, de recursos humanos o el correo electrónico corporativo tratan con activos digitales como imágenes, videos, datos o ficheros electrónicos, que deben ser considerados para garantizar una gestión documental completa.

4.2. Distribución física del repositorio

— *Centralizado:* Repositorio único que proporciona servicios de gestión documental en el ámbito de una organización.

— *Distribuido:* Conjunto de repositorios dispersos geográficamente que actúan funcionalmente como uno sólo. Pueden ser útiles en organizaciones con varias sedes dispersas.

4.3. Por tipo de licencia

La licencia software es el contrato que se establece entre el autor y el usuario de un programa informático, siendo común encontrar uno de estos dos tipos en los gestores documentales:

— *Software Libre:* El autor del software de gestión documental permite que el programa pueda ser copiado, modificado y utilizado libremente. Esto no significa que el programa sea gratuito, ya que el autor puede aplicar un coste de distribución, de uso o de mantenimiento. Aplicaciones habituales en esta categoría son WordPress, Joomla, Drupal, etc.

— *Software propietario o privativo:* Podemos asimilar este concepto a Gestores Documentales comerciales en los que la empresa desarrolladora no permite el acceso ni la modificación del código software y que tiene un coste de adquisición y/o de mantenimiento.

4.4. Por modelo de entrega

Este criterio se refiere al lugar donde se instala el software de gestión documental. Es habitual que se dé una de las dos situaciones siguientes en relación a la ubicación del repositorio:

— **En instalaciones propias**[2]: El software de gestión documental reside en instalaciones bajo el control de la organización, que es la que se encarga directa o indirectamente de las labores técnicas de instalación, administración y mantenimiento.

— **En la nube:** El Gestor documental y los documentos electrónicos residen en las instalaciones de un proveedor especializado. La organización se desentiende de las labores técnicas, que son realizadas por el proveedor, normalmente a cambio de un pago periódico.

5. REQUISITOS PARA LA ELECCIÓN DE UN GESTOR DOCUMENTAL

La elección de un software de gestión documental es una decisión importante a la que se enfrenta una organización. Se trata de una inversión cuantiosa que no va a repetirse en años y va a condicionar la puesta en marcha de las estrategias, métodos y herramientas necesarios para la gestión de los activos electrónicos de la organización.

El software de gestión documental aglutina un conjunto de tecnologías diversas en constante evolución, pero no todas son adecuadas o necesarias para todas las organizaciones.

Por esto, el primer paso debe ser analizar con detalle las necesidades de la organización en materia de gestión documental. Cada empresa u organismo público parte de una situación diferente, de una cultura, una madurez y unos objetivos particulares, por lo que es necesario profundizar en las condiciones de partida y definir explícitamente sus necesidades. Una forma de hacerlo es seguir los siguientes pasos:

— Obtener un conocimiento general de la organización y del contexto administrativo, legal, financiero, operacional y social en los que desarrolla su actividad.

— Realizar un análisis de las actividades de la organización, identificando sus procesos y actividades principales y los actores internos y externos que participan en ellas.

— Identificar documentos necesarios para ejercer esa actividad y los documentos resultantes.

— Identificar los diferentes sistemas que generan o consumen documentos.

— Determinar volúmenes estimados de generación de nuevos documentos, intercambios y almacenamiento.

---

(2)   Instalación *On-Premise* en la literatura anglosajona.

La tarea de confeccionar un listado exhaustivo y completo de requerimientos partiendo de cero es laboriosa, por lo que, como aproximación alternativa es recomendable partir de buenas prácticas y normas consolidadas a nivel nacional e internacional, como es el modelo europeo de requisitos para programas de gestión electrónica (MoReq2010) o los Archivos Nacionales de Australia, *Functional Specifications for Electronic Records Management Systems Software*.

Cualquiera que sea la aproximación elegida, permitirá un mejor entendimiento de la situación y de los factores a tener en cuenta en la implantación del sistema de gestión documental.

6. FUNCIONALIDADES DEL SOFTWARE DE GESTIÓN DOCUMENTAL

Tras determinar los requerimientos en materia de gestión documental, el siguiente paso es identificar las funcionalidades que puede proporcionar el software. La comparativa entre ambos permitirá identificar las adaptaciones necesarias sobre el software base.

6.1. Funcionalidades básicas

La mayor parte de los paquetes de software de gestión documental permiten realizar las siguientes funcionalidades:

— *Captura:* Capacidad de incorporar documentos y otros activos digitales al gestor documental desde diferentes fuentes, incluyendo el papel, y convertirlos a diferentes formatos. La velocidad y versatilidad del proceso de captura son características fundamentales del proceso de digitalización.

— *Almacenamiento seguro:* Característica ligada bien al gestor documental o al sistema de almacenamiento corporativo. Permite asegurar que los activos electrónicos se guardan de forma segura, en instalaciones propias o en la nube, permitiendo la redundancia de la información o la gestión del tiempo de permanencia de los documentos en el repositorio.

— *Clasificación y categorización:* Asignar etiquetas y metadatos a los documentos digitales con el fin de organizarlos en el repositorio, aplicar políticas de acceso, uso o retención.

La clasificación puede ser *manual, mecánica* cuando el documento se categoriza en un flujo de trabajo, *automática* a partir de valores identificados en el documento vía OCR o *inteligente,* cuando se apoya en herramientas cognitivas como machine learning.

— *Control de acceso de usuarios y seguridad:* Los documentos electrónicos permanecen seguros y son accedidos únicamente por usuarios autorizados, tanto en el repositorio, como cuando son utilizados fuera de éste.

Se requiere poder asignar permisos de acceso de forma granular a cada documento, así como la definición de grupos y roles, típicamente utilizando un sistema estándar de identificación conocido en la organización, como LDAP o Active Directory de Microsoft.

Si se requiere limitar el acceso a los documentos electrónicos una vez abandonen el repositorio, se necesitará contar con un sistema de gestión de derechos digitales[3].

— *Versionado de documentos:* Control y almacenamiento de las distintas versiones de un documento o activo electrónico.

— *Visualización e impresión en diferentes formatos:* Se refiere a las capacidades del Gestor Documental para reproducir los documentos electrónicos en diferentes formatos (PDF, html, XML), resoluciones y dispositivos, inclui dos dispositivos móviles e impresoras.

— *Búsqueda de documentos:* Sin un motor interno de búsquedas el repositorio puede ser un lugar perfecto para esconder documentos. El motor de búsquedas permite facilitar la localización de documentos en el repositorio utilizando diferentes técnicas, desde las más tradicionales, a la búsqueda en lenguaje natural o utilizando técnicas de inteligencia artificial.

6.2. Funcionalidades opcionales

Los gestores documentales modernos incorporan funcionalidades avanzadas que pueden facilitar la implantación de una gestión documental completa en la organización.

— *Flujos de trabajo:* Incluye la definición de flujos de trabajo, enrutamiento de tareas, gestión de formularios, emisión de notificaciones, aprobaciones, firmas, etc.

— *Soporte de dispositivos móviles:* Cada vez es más necesario tener la capacidad de acceder a los contenidos de la organización en cualquier momento y lugar[4], por lo que es conveniente poder capturar, visualizar, buscar y utilizar documentos electrónicos desde dispositivos móviles.

— *Analítica/BI:* Las capacidades analíticas permiten mostrar una visión global del uso de los contenidos, detectar tendencias y anomalías para la

---

(3) Digital Rights Management (DRM) en la literatura anglosajona.
(4) De acuerdo con el Informe *Global Digital Report 2018* elaborado por *We are social en colaboración con Hootsuite,* hay más de 37 millones de usuarios de móvil en España, de los cuales el 87% disponen de teléfono inteligente o smartphone.

toma de decisiones y facilitar la automatización de los procesos de categorización y de clasificación de documentos.

— *Social:* El trabajo colaborativo mejora la productividad de los equipos de trabajo. Las redes sociales se han ido incorporando al mundo empresarial para facilitar la interacción de los empleados entre sí, incluyendo capacidades como las de compartir documentos, la sincronización de ficheros entre dispositivos, la edición colaborativa de documentos, etc.

6.3. Funcionalidades empresariales

Es conveniente que decisión de seleccionar un gestor documental se adopte con visión de futuro, evaluando la necesidad de contar con las características indicadas a continuación:

— *Rendimiento, escalabilidad y alta disponibilidad:*

Los sistemas que se adquieran deben ofrecer la posibilidad de adaptarse a las previsiones de evolución para los próximos años. En las administraciones públicas se dibuja un panorama de eliminación progresiva del papel, por lo que el sistema de gestión documental debe estar preparado para absorber y gestionar documentos en el futuro con el rendimiento adecuado.

De la misma forma, el gestor documental debe permitir la instalación de sus elementos en modo de alta disponibilidad, incluyendo redundancia en sus componentes para asegurar que se siga prestando servicio incluso en caso de fallo.

— *Integración con la Infraestructura TIC existente:*

La capacidad de integración del software de gestión documental con otros elementos informáticos existentes puede significar enormes ahorros para la organización, simplificar las labores de administración del gestor documental y facilitar la interoperabilidad con otros sistemas (bases de datos, sistemas de autenticación, servidores web, etc.).

— *Interoperabilidad:*

Se trata de un concepto esencial en los sistemas de información y, en particular, de los gestores documentales debido a la necesidad de estos sistemas de intercambiar información y documentos con otros sistemas informáticos (correo electrónico, sistemas de ficheros, etc.).

En particular, para los organismos públicos es necesario garantizar el funcionamiento integrado de todos los elementos que soportan la administración electrónica, lo que se traduce en la posibilidad de compartir documentos electrónicos con el Registro electrónico, firmar documentos del repositorio, generar e intercambiar expedientes en formato ENI, etc.

Es importante resaltar que los documentos electrónicos pueden tener una vida más larga que los gestores de contenidos debido a la rápida evolución tecnológica, obligando a migrar documentos y expedientes electrónicos de un sistema a otro cada 5 o 7 años, lo que debe conseguirse sin merma de información de documentos y metadatos, manteniendo la integridad de todos los elementos del repositorio.

Se recomienda adoptar un estándar como CMIS (Content Management Interoperability Services), que facilita la comunicación entre repositorios y aplicaciones externas y cuenta con el apoyo de la industria y de OASIS[5].

— Servicios:

Es imprescindible contar con servicios complementarios para instalación, puesta en marcha, soporte y uso en la organización. Se debe prestar atención a los siguientes aspectos:

• Reputación del fabricante o desarrollador: Tiempo de presencia en el sector, solvencia financiera, cuota de mercado, referencia de clientes recientes, presencia en diferentes regiones, red de partners e integradores.

• Calidad: Estabilidad y completitud de los productos. Satisfacción de la comunidad de usuarios.

• Línea de evolución e innovación: Proveedor que mantenga una hoja de ruta para la incorporación periódica de nuevas funcionalidades, como el reconocimiento del lenguaje natural, la inteligencia artificial o la automatización de procesos con robots software.

• Servicios de soporte: Disponibilidad de soporte 24x7 todo el año, tiempo de respuesta ante incidentes, diversidad de canales de contacto, publicación periódica de actualizaciones y correcciones de errores, satisfacción de usuarios ante incidentes, etc.

• Servicios de formación: Disponibilidad de documentación y diversidad de servicios de formación (cursos on-line, presenciales, blended learning, etc.).

---

(5) OASIS (Organization for the Advancement of Structured Information Standards) es un consorcio internacional sin ánimo de lucro dedicado al desarrollo e impulso de los estándares en varios ámbitos relacionados con la sociedad de la información.

• Servicios de consultoría y desarrollo: Permiten adaptar la funcionalidad del gestor documental a los procedimientos y especificidades de la organización.

7. CONCLUSIONES

El repositorio, como almacén de los activos digitales de la organización, es la base del ciclo de vida de los documentos electrónicos y sirve de punto de unión con el resto de sistemas de gestión de la organización. Sin repositorio no sería posible la gestión documental.

Los gestores documentales proporcionan la funcionalidad de repositorio documental, junto a otras capacidades avanzadas que aprovechan lo mejor de las nuevas tecnologías.

Un gestor documental robusto, fiable, funcionalmente adaptado a las necesidades de la organización y un proveedor comprometido con la innovación son las claves para una gestión documental completa y efectiva.

8. BIBLIOGRAFÍA

ASOCIACIÓN DE LOS CUERPOS SUPERIORES DE SISTEMAS Y TECNOLOGÍAS DE LA ADMINISTRACIÓN (2017). *Gestión documental. Gestión de contenidos. Tecnologías CMS y DMS de alta implantación.* Madrid: ASTIC.

HOOTSUITE, WE ARE SOCIAL. (s.f.). «*Global Digital Report 2018*». Recuperado el 28 de marzo de 2018, de https://digitalreport.wearesocial.com/

JEFATURA DE ESTADO (2015). «*Ley 40/2015, de 1 de octubre, de Régimen Jurídico del Sector Público*». Madrid: *Boletín Oficial del Estado.*

JEFATURA DEL ESTADO (2015). «*Ley 39/2015, de 1 de octubre, del Procedimiento Administrativo Común de las Administraciones Públicas*». Madrid, *Boletín Oficial del Estado.*

MCKINNON, C. (2017). *The Forrester Wave™: Enterprise Content Management — Business Content Services.* Cambridge, Massachusetts, USA: Forrester.

MICHAEL WOODBRIDGE, K. A. (2017). *Critical Capabilities for Content Services Platforms.* Connecticut, USA: Gartner.

MINISTERIO DE LA PRESIDENCIA (2010). «*Real Decreto 4/2010, de 8 de enero, por el que se regula el Esquema Nacional de Interoperabilidad en el ámbito de la Administración Electrónica*». Madrid: *Boletín Oficinal del Estado.*

NATIONAL ARCHIVES OF AUSTRALIA (2006). *Functional Specifications for Electronic Records Management Systems Software.* Canberra, Australia.

NATIONAL ARCHIVES OF AUSTRALIA (2006). *Guidelines for Implementing the Functional Specifications for Electronic Records Management Systems Software*. Canberra, Australia.

SECRETARÍA DE ESTADO PARA LA FUNCIÓN PÚBLICA (2011). *«Resolución de 19 de julio de 2011, de la Secretaría de Estado para la Función Pública, por la que se aprueba la Norma Técnica de Interoperabilidad de Documento Electrónico»*. Madrid: *Boletín Oficial del Estado*.

SECRETARÍA DE ESTADO PARA LA FUNCIÓN PÚBLICA (2011). *«Resolución de 19 de julio de 2011, de la Secretaría de Estado para la Función Pública, por la que se aprueba la Norma Técnica de Interoperabilidad de Expediente Electrónico»*. Madrid: *Boletín del Estado*.

32.

LA DIGITALIZACIÓN DEL REGISTRO COMO PARADIGMA DE LA NUEVA ADMINISTRACIÓN PÚBLICA

Manuel RUIZ DEL CORRAL

Subdirector General de Modernización e Innovación de Procesos – Área de Gobierno de Hacienda y Personal del Ayuntamiento de Madrid

Las relaciones entre los ciudadanos y las administraciones han estado tradicionalmente caracterizadas por dificultades de comunicación y acceso entre ambas partes, y por una elevada carga de trámites y tiempos para su resolución. En este sentido, un ciudadano común puede relacionarse con cualquiera de las más de ocho mil administraciones municipales, diecisiete administraciones autonómicas, o decenas de organismos del Estado para ejercer sus obligaciones y derechos más cotidianos. En una administración regional o local los ciudadanos suelen tramitar los pagos del impuesto de circulación de sus vehículos, la solicitud de ayudas para la guardería de sus hijos, o el cambio de residencia, así como comunicar la apertura de sus empresas o solicitar el cambio de su médico público de cabecera... y estos mismos ciudadanos, a su vez, también deben realizar otros trámites con la Administración del Estado, tales como el impuesto de la renta de las personas físicas o la declaración del impuesto sobre el valor añadido. Todos ellos son trámites habituales que necesitan una reflexión por parte del ciudadano: ¿a qué administración debo dirigirme? ¿a qué oficina debo desplazarme? ¿qué documentación tengo que presentar? ¿puedo obtener toda esta documentación en la misma administración? ¿dónde puedo consultar la información que necesito? Trámites complejos, como el de la creación y puesta en marcha de una empresa, pueden exigir agotadoras jornadas de desplazamientos y trámites ante diferentes administraciones que, en algunos casos, desincentivan la actividad económica y el emprendimiento de la sociedad.

Esta acumulación de cargas, unidas a la gran demanda ciudadana y al difícil dimensionamiento de los medios disponibles para atenderla en las tradicionales dependencias de la administración —las oficinas de registro—, han dejado una herencia de burocracia, barreras y colas que, afortunadamente para todos, se está superando ampliamente en los últimos años gracias al avance de la administración digital.

El registro, por tanto, ha sido un claro impulsor de la implantación de las nuevas tecnologías y del nuevo marco normativo permite consolidar una administración sin papeles.

Gracias al ya universal despliegue de Internet, las sedes electrónicas y los mecanismos de identificación digital, todos los ciudadanos tienen a su disposición los servicios de administración electrónica de las administraciones públicas. Estos servicios se han apoyado en la pieza fundamental del *registro electrónico*[1], que podríamos definir como una aplicación informática que ofrece al ciudadano, a través de Internet, los plenos derechos de recogida de su documentación, de forma automatizada y sin intervención humana en dicho acto de presentación.

Por otro lado, siempre debe considerarse la vía presencial para aquellos ciudadanos no adecuadamente capacitados tecnológicamente (carencia de conexión, dispositivos de acceso, habilidades informáticas, etc.). En estos casos, y como ya se ha comentado, los ciudadanos deben desplazarse a un registro presencial para presentar sus solicitudes. Existen, en España, más de diez mil registros presenciales y, como se comentaba anteriormente, no es infrecuente que un ciudadano deba averiguar primero cuál es la administración competente de su solicitud y además desplazarse físicamente para hacer la presentación documental en una sede de dicha administración implicando, en muchos casos, incluso el desplazamiento entre municipios. En este sentido, tradicionalmente los ciudadanos han actuado como mensajeros, repercutiendo importantes gastos, retardos e ineficiencias para todas las partes, y penalizando especialmente a los residentes en entornos rurales o afectados por cualquier dificultad sobrevenida (por ejemplo, condiciones meteorológicas o de discapacidad).

No obstante, esta situación se está por fin superando gracias a la interoperabilidad e interconexión electrónica de los registros presenciales, la cual elimina las barreras derivadas de la organización territorial y la división de competencias, y también la mencionada penalización por razones geográficas o dependencias físicas o sociales. Gracias a la digitalización y a la firma electrónica, entre otras herramientas, es posible por fin equiparar la autenticidad y el valor probatorio del papel tradicional y sus equivalentes electrónicos y, por tanto, suprimir el papel en el registro presencial devolviendo los documentos al inte-

---

(1)   Conviene diferenciar, en esta fase preliminar del texto, el concepto de **registro electrónico** del concepto de **registro presencial**. El primero se caracteriza por ser automático y no necesitar intervención humana para dar fehaciencia a la presentación. El presencial, por su parte, es asistido por un funcionario «de ventanilla» y está apoyado en un programa informático más o menos sofisticado, al que accede el empleado público desde su ordenador personal permitiéndole inventariar las solicitudes presentadas por el ciudadano.

resado. Eximidos de su tránsito postal y manipulación, la desaparición de estos originales en papel permite agilizar enormemente la tramitación, ahorrando importantes costes postales y de espacio de archivo físico, que tradicionalmente han ascendido a cientos de millones de euros en todas las administraciones del país.

Tanto la disponibilidad de registros electrónicos como la interoperabilidad de los registros presenciales son una realidad implantada en nuestro país y, con ella, se ha conseguido un acercamiento de la administración pública al ciudadano, un trato más equitativo a la ciudadanía y una reducción sustancial de la brecha entre las zonas rurales con grandes núcleos de población. Gracias a la remisión electrónica de los registros, se reducen de plazos de inicio de tramitación (de semanas, a segundos), mejora de la transparencia, la colaboración y la eficiencia administrativa, y se genera ahorro muy elevado de costes para todos los agentes implicados, particularmente en envíos postales o por mensajería), además de la logística necesaria (recepción, almacenaje, transporte y archivo).

Todo esto ha sido posible gracias a un importante esfuerzo de transformación administrativa liderado por el Ministerio de Administraciones Públicas, en cualquiera de sus diferentes acepciones competenciales a lo largo del último decenio. Transformación que ha sido materializado mediante la implantación de varias plataformas tecnológicas de referencia que han ido evolucionando a lo largo de este período: el Registro Electrónico Común, el Sistema de Interconexión de Registros (SIR), la Oficina de Registro Virtual (ORVE), o el servicio común de gestión integral de registro (GEISER), este último con vocación de ser el registro único de las administraciones públicas.

Desde su puesta en marcha efectiva en 2012, estas soluciones han permitido que más de cinco mil oficinas de asistencia en materia de registro están interconectadas en todos los niveles de administración (local, regional o estatal), habiendo tramitado decenas de millones de documentos registrales en los últimos cinco años, un proceso que se detalla y describe a continuación desde sus orígenes.

1. LA CREACIÓN DE UN ESCENARIO JURÍDICO PARA LA COLABORACIÓN (2009-2011)

Construir el entramado anteriormente descrito no ha sido una tarea exenta de obstáculos.

No cabe duda de que la LAE cambió para siempre la forma de entender la administración pública y, de una forma no intrusiva, estableció las bases para la construcción de un registro electrónico único y de una red interconectada de registros presenciales para el intercambio digital de su documentación. El desarrollo de esta Ley, mediante el Real Decreto 1671/2009, de 6 de noviembre, y del Real Decreto 4/2010, de 8 de enero, por el que se regula el Esquema Nacional de Interoperabilidad en el ámbito de la administración electrónica, aportaron elementos imprescindibles para abordar la digitalización de los registros. Fue este último, a través de sus diferentes NTI, el que consolidó la red SARA como columna vertebral electrónica de la administración y proporcionó la cobertura jurídica necesaria para que los documentos digitalizados tuvieran la misma validez que sus originales en papel y, por tanto, éstos pudieran ser devueltos físicamente al ciudadano en el momento de su presentación.

Sin embargo y en el ámbito del registro, importantes obstáculos jurídicos y técnicos dificultaban una implementación ágil de una solución. Si bien la Ley 30/1992, de 26 de noviembre, de Régimen Jurídico y Procedimiento Administrativo Común, estableció el marco común de relación del ciudadano con las respectivas administraciones a través de las oficinas de registro, permitiendo la presentación de cualquier escrito, solicitud o comunicación a cualquier administración pública a través de los registros del Estado y a las comunidades autónomas —actuando, por tanto, como una «ventanilla única»—, eximía a las entidades locales de dicha obligación salvo que, por criterio propio y de forma unilateral, adoptasen dicha decisión con la intención de facilitar este servicio a sus ciudadanos mediante la firma de los correspondientes convenios.

Este desequilibrio de obligaciones de atención ciudadana según el tipo de administración[2], unido a la desigual y descoordinada informatización de cada entidad pública, se constituyó como la principal barrera a superar para la interconexión y modernización de los registros. De algún modo, el reto fundamental al que se enfrentó esta iniciativa fue construir una estrategia que permitiera eliminar las barreras derivadas de la estructura territorial y división de competencias. Ante la carencia de mecanismos formales para que las administraciones públicas se obligaran indefectiblemente a adoptar una solución de digitalización e interconexión de sus registros, esta estrategia suponía necesariamente abordar actuaciones jurídicas y técnicas tan habilitantes como no intrusivas, así como diseñar un escenario de negociación política y difusión que incentivara la adhesión ante la mencionada vacuidad de obligaciones, y que a su vez no menoscabara la libre competencia y desarrollo de productos comerciales de registro por parte del sector privado.

Aprovechando las fortalezas aportadas por la LAE, en tanto planteaba un primer escenario a las administraciones para interconectar sus registros presenciales, varias actuaciones jurídicas y procedimentales resultaban imprescindibles.

En primer lugar, debía desarrollarse un estándar técnico con rango legal que estableciera el contenido común de la información a intercambiar en los registros, y que reglara las comunicaciones entre las diferentes oficinas, independientemente del producto o tecnología que utilizasen (es decir, el estándar fijaría

---

(2)   Superado hoy con la implantación Ley 39/2015, de 1 de octubre, del Procedimiento Administrativo Común de las Administraciones Públicas.

cuáles son los datos que debe tener un asiento registral como se estructura su documentación, así como la definición de los mensajes de control para regular las comunicaciones de los registros de una forma íntegra y sin pérdidas de información). Adicionalmente, también debía desarrollarse una norma funcional que estableciera el procedimiento común para la digitalización de la documentación en las ventanillas, sin perjuicio de las particularidades complementarias que estableciese cada administración. Y, por último, la posterior implantación de estas normas en las diferentes aplicaciones informáticas de registro, comerciales o propias, se haría mediante la previa certificación de conformidad expedida por una oficina técnica gestionada por el Ministerio de Administraciones Públicas, la cual permitiría garantizar que ningún documento electrónico quedase perdido en el tránsito, manteniendo la integridad de la documentación y la cohesión del plazo de presentación en todo caso independientemente del número de oficinas de registro involucradas en las comunicaciones.

En este sentido, la Resolución de 19 de julio de 2011, de la Secretaría de Estado para la Función Pública, por la que se aprueba la NTI de Modelo de datos para el intercambio de asientos entre las entidades —SICRES 3.0—, fue fraguada durante dos años de trabajo con la participación de un grupo de trabajo interdisciplinar, que incluyó la toma de contacto con más de mil oficinas de registro y reiteradas visitas in situ. Su objetivo no sólo era estandarizar el formato de los datos de un asiento registral (datos personales del interesado, los documentos adjuntos, tipología de asuntos relacionados, etc.), sino también reflejar la compleja operativa de un registro presencial. En otras palabras, los registros presenciales están sujetos a intervención humana por parte de interesado y empleado público, y además de despachar internamente los asientos de entrada para las unidades de tramitación de su ámbito o validar la naturaleza de los documentos aportados (las tradicionales compulsas), también reenvían y rechazan la documentación en caso de errores materiales o de selección de destino por cualquiera de las partes implicadas. Toda esta lógica de envíos, reenvíos y rechazos en la que pueden estar involucradas varias oficinas antes de que se inicie un trámite, quedó plasmada con bastante fidelidad en la norma a través de una completa definición de estados, flujos de comunicaciones y mensajes de control.

La norma también se acompañó de una potente guía funcional de procedimiento en los registros, basada en la experiencia de la Agencia Estatal de Administración Tributaria, organismo pionero en la digitalización total de sus documentos de entrada en registro. Esta guía fue preparada por el grupo de trabajo y perfeccionada a lo largo del despliegue de la iniciativa, dando solución a múltiples problemas de la operativa diaria. En este manual de referencia se trabaja en detalle las incidencias de envío y recepción de los documentos, la capacidad de los escáneres, el metadatado de la documentación de entrada en función de su naturaleza (original, copia, compulsa, etc.), o las posibles incidencias en la manipulación de la documentación física tales como encuadernados, grapados, paquetes voluminosos, o tamaños superiores o inferiores a la bandeja del escáner. Aplicando este manual y con una capacitación técnica adecuada (conexión a la red de banda ancha y un escáner sencillo de 24 páginas por minuto), cualquier oficina de registro debe poder alcanzar más del 80% de digitalización de sus entradas, como así se ha demostrado a lo largo del despliegue del proyecto tal y como se describirá posteriormente.

2. EL DISEÑO TECNOLÓGICO DE LA VENTANILLA ÚNICA DE REGISTRO (2011-2012)

Una vez planteado el escenario jurídico y funcional, varias alternativas tecnológicas eran posibles para la interconexión de los registros públicos.

En un extremo, y como alternativa más tentadora, cabría desarrollar una **solución centralizada** mediante la construcción de una aplicación informática única de registro para todas las administraciones, que residiría en los sistemas centrales del Ministerio de Administraciones Públicas en virtud de sus competencias de coordinación y de prestación de servicios comunes. Sin duda, esta solución permitiría el máximo control del sistema y el mínimo coste de inversión, al realizar una única aplicación para todas las administraciones y una implantación simple y centralizada. Pero evidentemente, la compleja anatomía de las administraciones públicas aportaba importantes interrogantes a esta solución por la carencia de mecanismos para obligar a las administraciones a utilizar una aplicación informática desarrollada por la AGE, por la intrusión e impacto en los esfuerzos que hubieran realizado el resto de las administraciones en sus soluciones tecnológicas (incluido el menoscabo de los productos comerciales del sector privado), o por la inadaptabilidad de la aplicación diseñada a necesidades específicas, especialmente en los organismos de mayor tamaño o más singulares.

En el otro extremo, podría plantearse una **solución distribuida** a través de una plataforma de interconexión común que permitiera el traslado de los asientos registrales entre administraciones. Con una filosofía no intrusiva, a esta plataforma se conectarían las diferentes aplicaciones informáticas de registro homologadas a la norma SICRES 3.0, lo cual permitiría mantener las soluciones propias de cada administración con sus respectivas singularidades.. Sin embargo, y en plena época de racionalización de costes, esta solución planteaba dos problemas severos. El primero: una importante duplicidad de esfuerzos y costes, ya que aunque las administraciones mantengan sus aplicaciones propias todas ellas deberían invertir en su homologación y conexión con la plataforma. El segundo: un importante riesgo de exclusión para las administraciones con presupuestos más limitados (especialmente los municipios), al no poder hacer frente a la inversión necesaria para la adaptación de sus aplicaciones.

Finalmente y ante el elevado riesgo de fracaso ante la implantación de cualquiera de las alternativas anteriores, se apostó por una **solución mixta** no exenta de complejidad. Se diseñaría una aplicación centralizada como herramienta preferente, inmediata y gratuita para los organismos sin recursos, y también por una plataforma de interconexión común para aquellos que dispusieran de medios suficientes para invertir en la evolución de sus soluciones propias de registro, y así garantizar su continuidad. Las fortalezas de esta estrategia son evidentes, al aportar la máxima flexibilidad en un escenario jurídico carente de mecanismos para la obligación, a pesar la sobrecarga de gestión y coste por la necesidad de implantar y mantener dos soluciones complementarias.

Se construyó así el Sistema de Interconexión de Registros (SIR) como plataforma de interconexión entre aplicaciones propias, y la Oficina Virtual de Registro (ORVE) como solución centralizada. Todo ello con la vocación de flexibilizar los requisitos de la interconexión de registros a la anatomía de recursos técnicos, humanos y económicos de las diferentes administraciones, haciendo viable así el éxito de una ventanilla única interadministrativa.

Por su parte, el Sistema de Interconexión de Registros se concibió como el corazón de toda la infraestructura de registros y la «autopista» por la que transitan todas las comunicaciones registrales entre administraciones. En otras palabras, SIR se diseñó como la plataforma de interconexión entre los diferentes sistemas informáticos certificados a la norma SICRES 3.0, autorizando y regulando el intercambio de registros entre las diferentes oficinas, así como monitorizando la estabilidad de toda la red. Para ello se hacía necesario codificar todas las oficinas de registro y unidades de tramitación de las administraciones públicas de forma única y desde este punto central, de acuerdo a garantizar el adecuado encaminamiento de los registros y la eliminación total de posibles duplicidades o inconsistencias entre orígenes y destinos. Nació así el Directorio Común de Unidades Orgánicas y Oficinas (DIR3), hermanado en una primera fase con el Sistema de Interconexión de Registros, pero que rápidamente se consolidó como infraestructura nuclear para cualquier proyecto de interoperabilidad de las administraciones públicas (facturación electrónica, transparencia, archivo electrónico, etc.).

Respecto a la Oficina Virtual de Registro (ORVE), éste sistema se apoyó en el ambicioso planteamiento dispuesto en el —ya derogado— artículo 31 del Real Decreto 1671/2009, de 6 de noviembre, que establecía la creación de un punto único para la presentación de cualesquiera solicitudes, escritos y comunicaciones dirigidas a las administraciones públicas, redirigiendo el asiento registral a los registros competentes, denominado Registro Electrónico Común (REC). En otras palabras, se abría la puerta a un registro único en el que todas las administraciones pudiesen participar, independientemente de los trámites que se presentaran en el mismo y de la unidad competente para su tramitación. Si bien el ámbito inicial de esta innovadora figura jurídica era la AGE, la Orden HAP/566/2013, de 8 de abril, abrió la posibilidad al uso de este registro por el resto de administraciones públicas mediante los correspondientes convenios. Se articuló así el primer sistema de ventanilla única de registro electrónico para todas las administraciones públicas, a través de los convenios de acceso al Registro Electrónico Común mediante la aplicación ORVE en las diferentes administraciones públicas.

ORVE era especialmente atractiva para las entidades locales. En plena época de crisis económica, éstas tenían a su disposición una vía rápida e inmediata para generar ahorros directos, ya que cualquier municipio podría utilizarlo para digitalizar la entrada de documentación en sus oficinas y suprimir costes postales. En su diseño se utilizó un criterio de extrema sencillez: la aplicación debería poder utilizarse sin necesidad de sustituir los sistemas existentes, y de forma complementaria al funcionamiento habitual de la entidad. Es decir, ORVE tan solo ofrecía la posibilidad de digitalizar, enviar, recibir y reenviar asientos registrales entre todos los registros conectados, con los mínimos requerimientos y actuando como un sistema de mensajería fehaciente. Su punto débil era precisamente la imposibilidad de cubrir cualquier función más compleja y, sobre todo, la carencia de mecanismos para el traslado de la documentación a los sistemas internos, que debía ser manual en todos los casos.

En definitiva, y una vez que el Sistema de Interconexión de Registros y ORVE quedaron implantados en entornos productivos, el primer escenario para la interconexión de los registros ya estaba planteado. Corría el año 2012 y, a partir de aquí, cualquier administración pública podría invertir en el desarrollo y certificación de su sistema informático para digitalizar e intercambiar asientos registrales, o bien, decidir adherirse a ORVE para eliminar de forma rápida el tránsito de papel entre oficinas, aportando indudables beneficios para los ciudadanos.

3. LA EXPANSIÓN LA VENTANILLA ÚNICA ELECTRÓNICA DE REGISTRO EN ESPAÑA (2012-2015)

Ante todo pronóstico, y por la inmediata traducción de su uso en ahorro de costes —3,5€ euros por registro digitalizado, según la metodología oficial del Ministerio de Administraciones Públicas— el despliegue de ORVE fue un éxito sin precedentes en la administración pública española, agregando más de mil municipios en cuatro años, y permitiendo un ahorro estimado de más de 2 millones de euros en coste postal.

Fueron los pequeños municipios los más beneficiados de esta solución, por la especial sensibilidad de estos ahorros en su estrategia política y en la gestión de sus presupuestos. En un escenario jurídico con vacuidad de obligaciones, fue precisamente la rápida extensión de ORVE en la administración local la que incentivó a las administraciones superiores a integrarse también en ORVE, e incluso certificarse en el Sistema de Interconexión de Registros.

El piloto de implantación de esta solución se realizó en el año 2012 entre el Ministerio de Administraciones Públicas y la Comunidad de Madrid junto con sus municipios, para posteriormente extenderse en los años 2013 a 2015 a través de las Comunidades Autónomas de Canarias, Asturias, La Rioja, Castilla la Mancha o Castilla y León, pioneras en la implantación de la ventanilla única y a las que sucedieron el resto de regiones del país, hasta la plena implantación en 2018.

La plena implicación que se consiguió tanto de los niveles políticos y directivos de las administraciones involucradas, como de los equipos pre-directivos y personal de registro, fue un factor crítico de éxito de esta expansión, aunque cabe destacar también otros aceleradores de este despliegue. Por una parte, una inicial línea de ayudas económicas para la adquisición de escáneres y su implantación en las primeras administraciones usuarias, minimizando costes de inversión inicial e incentivando el uso del servicio. Y, por la otra, un completo plan de comunicación y formación coordinadas por representantes de los tres niveles de administración pública (Estado, comunidades autónomas, entidades locales y federaciones de municipios).

4. LA CONVERGENCIA ENTRE EL REGISTRO Y LA TRAMITACIÓN (2015-2017)

La vertiginosa expansión del servicio ORVE hizo vislumbrar también sus deficiencias de forma rápida. Como se comentaba anteriormente, si bien su extrema sencillez fue su clave de éxito, su diseño no permitía el traslado automático de la documentación a los sistemas de tramitación internos, que debía hacerse de forma manual (imprimiendo en registro, o bien, enviando la documentación a las unidades de tramitación mediante herramientas simples como el correo electrónico o la compartición en carpetas de red). Aunque la ineficiencia que supone esta disección es tolerable para la mayoría de organismos públicos de tamaño medio, es absolutamente incompatible en organismos con elevados volúmenes de tramitación, los cuales deberían acudir necesariamente a invertir en la conexión con la plataforma SIR sin otra alternativa.

Esta carencia de alternativas generaba otro riesgo importante para la expansión del proyecto.

Si bien las administraciones de pequeño y mediano tamaño disponían de una solución funcional a pesar de sus limitaciones, las grandes administraciones se veían obligadas a realizar inversiones de largo recorrido. Por tanto y sin una solución completa de registro, los grandes organismos de la administración del estado quedaban sometidos a la manualidad de ORVE para la gestión de un tráfico de asientos crecientemente ineficiente.

A partir de los mimbres de ORVE se diseñó así el servicio común de gestión integral de registro —GEISER—, con el objetivo de cubrir todas las necesidades de gestión de la documentación presentada por los ciudadanos en las oficinas de registro de la administración, e integrando funcionalidades para gestión de la documentación y la remisión, tanto a otros organismos como a las propias unidades de tramitación, que también pueden intercambiar información entre sí.

Por tanto, esta solución se concibe definitivamente como el registro electrónico único de las administraciones, integrando la vía presencial con la electrónica, y ofreciendo una tramitación completa extremo a extremo. Su implantación es, por tanto, es intrusiva con los sistemas propios de cada organismo, pero ofrece una excelente oportunidad de racionalización y eficiencia de recursos técnicos y económicos. Es por ello por lo que GEISER forma parte de la declaración de servicios compartidos, siendo de preferente y obligatorio uso para la administración general del estado de acuerdo al modelo de gobernanza de las TIC aprobado mediante el Real Decreto 806/2014, de 19 de septiembre, salvo justificación de que sus costes de implantación aconsejen el mantenimiento de la solución específica, o bien, cuando se evidencien razones de incapacidad del servicio común de implementar funcionalidades específicas que se identifiquen como imprescindibles para la gestión del organismo.

Este impulso resulta en un importante despliegue de GEISER en los organismos de la administración general del estado, que progresivamente sustituyen sus aplicaciones propias por esta solución común —salvo excepciones de elevada singularidad como la Agencia Estatal de Administración Tributaria, la Intervención General de la Administración del Estado o la Tesorería General de la Seguridad Social—, y dando lugar a un escenario de homogeneización sin precedentes de las soluciones informáticas de las administraciones públicas.

5. HACIA EL REGISTRO ELECTRÓNICO ÚNICO Y LA TRAMITACIÓN AUTOMATIZADA (2018, Y EL FUTURO)

En 2020 puede decirse que una gran parte de la administración pública española ya actúa como ventanilla única electrónica a través de SIR, ORVE y GEISER, sistemas que interconectan a más de 9.400 oficinas de registro a lo largo del territorio nacional, integrando a todos los niveles de administración pública y permitiendo al más del 83% de la población española beneficiarse del servicio en las oficinas de asistencia de su municipio de residencia. Los indicadores de uso son muy relevantes, habiéndose tramitado más de 8 millones de asientos registrales entre las diferentes administraciones públicas, y con un índice de digitalización (o supresión del papel) de más del 94%.

Los resultados de esta iniciativa suponen un caso de éxito reconocido a nivel europeo, pero es necesario seguir avanzando hacia la digitalización total y a la plena integración de las administraciones. En este sentido, la puesta en marcha de la LPAC, supone un importante cambio de paradigma para los registros presenciales y electrónicos, al simplificar la problemática obligacional y apostar de forma decidida por un registro único e interconectado para todas las administraciones públicas. En este sentido, desaparecen las limitaciones de la obligación de ventanilla única para las entidades locales, permitiendo por primera vez en España que todas las oficinas de asistencia en materia de registro deban recoger toda la documentación para cualesquiera administraciones destinatarias en el ámbito de la ley, y siempre que el presentador sea una persona física no obligada a utilizar medios electrónicos. Así mismo, el artículo 16 de la citada Ley también obliga de forma indubitada a la digitalización de toda la documentación de entrada, al metadatado de dicha documentación para permitir su tramitación automatizada, y a la interconexión de los diferentes registros únicos de cada administración pública conforme a la normativa de interoperabilidad vigente.

Estas cuestiones suponen un gran avance para el servicio público al minimizar el número de registros y establecer la obligación de su digitalización e interconexión sin condiciones. Pero su implantación no está exenta de nuevos retos y obstáculos que deberán superarse mediante el desarrollo reglamentario de la Ley y, en consecuencia, también mediante la necesaria evolución de los sistemas de información de registro, en particular, el servicio común de gestión de registro GEISER.

La primera problemática de necesario desarrollo es el concepto de registro único. Considerando que resultaría inviable sustituir muchos de los actuales registros electrónicos por un sistema único (pongamos como ejemplo el actual registro electrónico de la agencia estatal de la administración tributaria, o del instituto nacional de la seguridad social, que gestionan decenas de millones de asientos anualmente con requisitos singulares de seguridad e integridad), la regulación actual deja un vacío necesario de cubrir al respecto, especialmente en la administración del estado. Cabe señalar que estas decisiones, sin duda, incidirán de forma decisiva en los sistemas informáticos y en el rendimiento de los mismos.

Otro asunto potencialmente problemático es la exigencia de digitalización total del papel en las oficinas de asistencia en materia de registro. Como bien se expuso anteriormente, la praxis del Sistema de Interconexión de Registros establece un mínimo exigible del 80% y un óptimo alcanzable del 90%. En ambos casos, siempre exceptúa la digitalización de los documentos más voluminosos o que presenten especiales dificultades de formato. Si se incluyeran este tipo de documentos en las obligaciones (que tan sólo suponen un porcentaje residual), la digitalización total implicaría una relación coste-beneficio bastante gravosa, al exigir inversiones adicionales en equipamiento o personal que muchas administraciones no serían capaces de sufragar.

Y, por último, es necesario abordar las condiciones de registro presencial con la tramitación automatizada. La mayoría de las aplicaciones de registro presencial que permiten la remisión de los asientos a las unidades de tramitación lo hacen sin metadatar los documentos electrónicos en su captura, como bien plantea la norma SICRES 3.0. La razón de esta aparente disfuncionalidad es que gran parte de los metadatos de los documentos electrónicos deben ser realizados por las propias unidades (responsable del trámite, código de trámite, etc.) y este proceso es ajeno a las funciones del registro presencial, ya que éste puede estar también no relacionado con el organismo responsable del trámite. Si quisiera establecerse la obligación de un completo metadatado de los documentos electrónicos en el acto de presentación, dos requisitos son imprescindibles. El primero, que el personal de registro tenga pleno conocimiento de cada trámite que se presenta, algo que sería perfectamente factible si dicho trámite es popular, o bien, perteneciera a su ámbito de competencia. El segundo, que la aplicación de registro permita un metadatado ágil y una separación exhaustiva de los documentos por su naturaleza en el propio acto de la digitalización, algo que requeriría de asistencia por herramientas de reconocimiento óptico de caracteres y escáneres de buenas prestaciones. Si bien estas actuaciones serían asumibles en los organismos más potentes, la relación coste-beneficio vuelve a mostrarse gravosa en las administraciones más pequeñas, en las que tanto el conocimiento de los trámites de terceros como las capacidades técnicas y económicas para hacer frente a estas obligaciones resultarían en un obstáculo bloqueante.

Todas estas cuestiones suponen un nuevo reto para las administraciones públicas. Cuestiones que deben cohesionarse con el desarrollo de la habilitación de funcionarios y de ambiciosas actuaciones de simplificación de procedimientos, de forma que los ciudadanos puedan ser asistidos in situ a la presentación electrónica en renovados trámites que se caractericen por tener las mínimas cargas y volumen de documentación a presentar. Si además estas actuaciones se apoyan en concienzudas actuaciones de difusión e incentivo a los empleados públicos y ciudadanos, se reforzarían los eslabones últimos de esta transformación digital, imprescindibles para su éxito.

6.　BIBLIOGRAFÍA

LEY 39/2015, de 1 de octubre, del Procedimiento Administrativo Común de las Administraciones Públicas.

REAL DECRETO 806/2014, de 19 de septiembre, sobre organización e instrumentos operativos de las tecnologías de la información y las comunicaciones en la Administración General del Estado y sus organismos públicos.

LEY 11/2007, de 22 de junio, de acceso electrónico de los ciudadanos a los Servicios Públicos.

REAL DECRETO 1671/2009, de 6 de noviembre, por el que se desarrolla parcialmente la Ley 11/2007, de 22 de junio, de acceso electrónico de los ciudadanos a los servicios públicos.

REAL DECRETO 4/2010, de 8 de enero, por el que se regula el Esquema Nacional de Interoperabilidad en el ámbito de la administración electrónica.

RESOLUCIÓN de 19 de julio de 2011, de la Secretaría de Estado para la Función Pública, por la que se aprueba la norma técnica de interoperabilidad de modelo de datos para el intercambio de asientos entre las entidades registrales.

ORDEN HAP/566/2013, de 8 de abril, por la que se regula el Registro Electrónico Común.

OBSERVATORIO DE ADMINISTRACIÓN ELECTRÓNICA (OBSAE) https://administracionelectronica.gob.es/pae_Home/pae_OBSAE.html

33.

PUNTO DE ACCESO GENERAL Y CARPETA CIUDADANA

Laura FLORES IGLESIAS
Subdirectora general adjunta de Impulso de la Digitalización de la Administración, de la Secretaría General de Administración Digital. Ministerio de Asuntos Económicos y Transformación Digital

1. NORMATIVA Y CONCEPTO

Según el artículo 13 de la LPAC, referente a los derechos de las personas en sus relaciones con las administraciones públicas, los ciudadanos tienen derecho a comunicarse con las administraciones públicas a través de un Punto de Acceso General electrónico de la administración.

En cuanto a la comunicación inversa, desde las administraciones al ciudadano, refleja el artículo 43.4 que los interesados de los procedimientos podrán acceder a las notificaciones desde el Punto de Acceso General electrónico de la administración, que funcionará como un portal de acceso.

Además, en su artículo 53 se detallan los derechos del interesado en el procedimiento administrativo, entre los que se encuentra el derecho a conocer, en cualquier momento, el estado de tramitación de los procedimientos en los que tengan la condición de interesados. Añade, que quienes se relacionen con las administraciones públicas a través de medios electrónicos, tendrán derecho a consultar dicha información en el Punto de Acceso General electrónico de la administración que funcionará como un portal de acceso.

En concreto, para el caso de la Administración General del Estado (AGE), la regulación de su Punto de Acceso General se encuentra publicada en el Real Decreto 1671/2009, de 6 de noviembre, por el que se desarrolla parcialmente la LAE, derogado en parte, que en su artículo 9 indica que éste contendrá la sede electrónica que, en este ámbito, facilita el acceso a los servicios, procedimientos e informaciones accesibles de la AGE y de los organismos públicos vinculados o dependientes de la misma. También podrá proporcionar acceso a servicios o informaciones correspondientes a otras administraciones públicas, mediante la celebración de los correspondientes convenios.

El acceso se organizará atendiendo a distintos criterios que permitan a los ciudadanos identificar de forma fácil e intuitiva los servicios a los que deseen acceder.

El Punto de Acceso General podrá incluir servicios adicionales, así como distribuir la información sobre el acceso electrónico a los servicios públicos de manera que pueda ser utilizada por otros departamentos ministeriales, administraciones o por el sector privado.

La orden ministerial de creación del Punto de Acceso General de la Administración General del Estado (PAG) y su sede electrónica es la HAP/1949/2014, que concreta los servicios a los que debe permitir el acceso desde el mismo.

El PAG permitirá, así, acceder a los portales de los distintos departamentos ministeriales y organismos públicos vinculados o dependientes de los mismos, acceso a su propia sede electrónica y a las sedes electrónicas de los departamentos ministeriales y de los organismos públicos vinculados o dependientes.

De igual modo, el PAG permitirá también acceder a los diferentes servicios que la Administración pone a disposición de los ciudadanos y, especialmente, los más usados por los ciudadanos.

Será, además, el punto de acceso al Portal de Transparencia y a otros portales destacados de ámbito estatal como el Portal de Datos abiertos, la Ventanilla Única de la Directiva de Servicios y aquellos de naturaleza similar.

El PAG dispondrá, además, de un área restringida o privada para los usuarios donde éstos podrán consultar sus datos. Este área restringida se implementó mediante la Carpeta Ciudadana.

El PAG dispone también de un espacio de información administrativa de carácter horizontal de todos los departamentos ministeriales y organismos públicos, vinculados o dependientes sobre temas que sean de especial interés para el ciudadano, como las ayudas, becas, subvenciones, empleo público y legislación.

Por otro lado, el PAG es punto de entrada también para permitir la participación ciudadana desde el punto de vista de permitir la interactuación de los ciudadanos a través de redes sociales más extendidas.

2. SERVICIOS RELACIONADOS CON EL DOCUMENTO ELECTRÓNICO

El Punto de Acceso General y Carpeta Ciudadana ofrecen, entre otros, algunos servicios relacionados con el documento electrónico y con el expediente electrónico, de forma que son el portal de acceso a cierta información pública para los ciudadanos, empresas y otras administraciones. A continuación se detallan los servicios ofrecidos por el Punto de Acceso General (área pública) o Carpeta Ciudadana (área restringida) que tienen relación directa con el concepto de documento electrónico y la implementación de la tramitación electrónica de procedimientos.

2.1. Directorio de sedes-e de todas las Administraciones Públicas

El Punto de Acceso General funciona como directorio de sedes electrónicas de las Administraciones Públicas, tanto de los Departamentos ministeriales como comunidades autónomas u otros organismos. Este directorio permite al ciudadano poder buscar entre todas las sedes y procedimientos disponibles desde un punto único, sin necesidad de conocer los sitios web de cada uno de los organismos con los que desea interactuar.

2.2. Cotejo de documentos con CSV

El segundo de los servicios ofrecidos tanto desde Carpeta Ciudadana y PAG es el de cotejo de documentos públicos electrónicos, tanto por parte del ciudadano como de cualquier administración o tercera parte interesada. Este cotejo se realiza partiendo de documentos electrónicos o copias en papel que incluyen un Código Seguro de Verificación (CSV). Este cotejo es posible gracias a la integración de Carpeta y PAG con el servicio común denominado CSV Broker, perteneciente a la Suite INSIDE, y que permite, dado un CSV inferir el organismo que lo ha generado y por tanto, lo custodia y obtenerlo como resultado de la consulta. De esta forma, el ciudadano puede cotejar su copia con CSV con el original que almacena la administración.

Este servicio es útil de cara al ciudadano ya que puede obtener en cualquier momento el documento electrónico original correspondiente a su copia auténtica en papel y, de cara las administraciones, ya que les permite comprobar la autenticidad de documentos aportados por el ciudadano en otros procedimientos administrativos. Este cotejo por parte de la administración requiere de una intervención manual por parte del funcionario que validará y cotejará el CSV en el PAG.

2.3. Registro Electrónico General de la AGE

Otro de los servicios disponibles desde el Punto de Acceso General es el acceso al registro electrónico general de la AGE. En él, se pueden registrar solicitudes o comunicaciones para cualquier administración pública sin necesidad de conocer cuál es el organismo competente.

Según se indica en el propio PAG «el Registro Electrónico General de la Administración General del Estado es un registro para la presentación de documentos para su tramitación con destino a cualquier órgano administrativo de la Administración General del Estado, organismo público o entidad vinculado o dependiente a éstos, de acuerdo a lo dispuesto en la Ley 39/2015, de 1 de octubre, del Procedimiento Administrativo Común de las Administraciones Públicas».

Además, a través de este registro se podrán presentar también documentos o solicitudes para su remisión electrónica a otras administraciones públicas como comunidades autónomas, entidades locales, etc., siempre y cuando estén integradas en el Sistema de Interconexión de Registros (SIR).

2.4. Mis expedientes

En el área restringida para el ciudadano, es decir, Carpeta Ciudadana, se permite acceder a un resumen de los expedientes abiertos o en tramitación que tiene disponibles el ciudadano. Estos expedientes aparecerán organizados por ministerio u organismo correspondiente.

Desde la propia Carpeta Ciudadana, además de conocer que existe un expediente abierto o en trámite, se puede consultar el estado del expediente en cuestión. Esta consulta es posible gracias al metadato «Interesado» que todo expediente electrónico debe incluir, de forma que permite automatizar la consulta mostrada posteriormente en Carpeta Ciudadana.

Si además, se quisiera acceder al expediente completo y no sólo al estado, Carpeta permite en un solo clic redirigir a la sede electrónica correspondiente y poder consultar el detalle completo.

Fuente: Carpeta ciudadana

2.5. Mis datos

Desde este área restringida el ciudadano podría visualizar un resumen de su información personal existente en poder de las administraciones públicas, organizado según materias y organismos.

El ciudadano podría consultar desde Carpeta Ciudadana sus apoderamientos en vigor y gestionarlos. Estos apoderamientos son los incluidos en el Registro Electrónico de Apoderamientos de la Administración General del Estado.

Además, el ciudadano puede visualizar qué intercambio de sus datos personales se han realizado entre administraciones para tramitar cualquiera de sus procedimientos administrativos iniciados, siempre que haya existido consentimiento previo, de forma expresa o tácita.

Estos intercambios de datos serían los realizados mediante la Plataforma de Intermediación, detallada en el Capítulo 31.

🏠 Domicilio
→ Domicilio (datos del padrón)
→ Comunicar cambio de domicilio ⬀

📖 Educación
→ Titulaciones universitarias
→ Titulaciones no universitarias

🏘 Inmuebles
→ Bienes inmuebles urbanos
→ Bienes inmuebles rústicos

👤 Situaciones personales
→ Ausencia de antecedentes de delitos de naturaleza sexual
→ Ausencia de antecedentes penales
→ Dependencia
→ Título de familia numerosa
→ Discapacidad

💼 Empleo y vida laboral
→ Vida laboral ⬀
→ Tu Seguridad Social ⬀
→ Demanda de empleo y prestaciones de desempleo
→ Certificados de prestaciones de desempleo ⬀
→ Registro Central de Personal (empleados públicos de la AGE y determinado personal de universidades)

🚗 Tráfico
→ Conductor y saldo de puntos
→ Vehículos

Fuente: Carpeta ciudadana

2.6. Mis registros

Este servicio permite, según el Punto de Acceso General, «consultar los escritos o solicitudes (asientos registrales) presentados en una oficina de un organismo o administración pública con destino a otra administración u organismo siempre que se digitalicen y se remitan de forma electrónica». Esto permite al ciudadano saber en qué punto están sus escritos y los intercambios que se han realizado.

2.7. Mis notificaciones

Otro de los servicios disponibles sería el acceso a las notificaciones electrónicas que el ciudadano tenga pendientes de comparecer en su Dirección Electrónica Habilitada (DEH) o bien por comparecencia desde Carpeta Ciudadana a través del sistema de notificaciones electrónicas, Notifc@.

En el caso de notificación en la Dirección Electrónica Habilitada (DEH), según se indica en el PAG, «cualquier persona física o jurídica dispondrá de una dirección electrónica para la recepción de las notificaciones administrativas que por vía telemática pueda practicar las distintas Administraciones Públicas».

Por otro lado, el sistema Notific@ recibe desde todos los organismos integrados las notificaciones o comunicaciones que el ciudadano tiene pendientes de comparecer y las pone a disposición desde Carpeta Ciudadana. De esta forma el ciudadano puede obtener en un único punto acceso a la comparecencia de todas ellas sin necesidad de ir localizando una a una realizando una búsqueda por todas las sedes electrónicas.

Los documentos electrónicos cuyo tipo documental sea el de notificación podrán ser puestos a disposición a través de este servicio.

2.8. Portal de Transparencia

Las unidades administrativas deben poner a disposición de los ciudadanos sus documentos electrónicos en cumplimiento de los requisitos de publicidad activa y derecho de acceso atendiendo a la Ley 19/2013, de 9 de diciembre, de Transparencia, Acceso a la Información Pública y Buen Gobierno. Estos documentos electrónicos son puestos a disposición a través del Portal de Transparencia, accesible de forma directa desde el Punto de Acceso General.

2.9. Datos abiertos

La gestión de documentos electrónicos en una organización puede respaldar la estrategia de datos abiertos seguida por la misma de forma que los gestores de documentos electrónicos y archivos electrónicos son la pieza fundamental para implementar políticas de transparencia y también de datos abiertos.

Una buena gestión documental mantiene la autenticidad, integridad y trazabilidad de los documentos almacenados y, por tanto, son fuente de unos datos de calidad, tal y como indica la Ley 37/2007, de 16 de noviembre, de Reutilización de información del sector público, modificada por la Ley 18/2015.

Según dicha Ley, será de aplicación «a los documentos elaborados o custodiados por las Administraciones y organismos del sector público, cuya reutilización no esté expresamente limitada por éstos».

El portal de datos abiertos en España es datos.gob.es y éste está enlazado desde el Punto de Acceso General, de forma que los ciudadanos pueden tenerlo disponible desde este punto único de información y relación con la administración.

Este punto recoge otras de las vías de puesta a disposición de los documentos electrónico públicos para dar cumplimiento a la legislación vigente.

2.10. Validador oficial de documentos y expedientes ENI

Como ya se ha mencionado en varias ocasiones en capítulos anteriores, los documentos y expedientes electrónicos cumplen con el formato y contenidos indicados en el Esquema Nacional de Interoperabilidad, en concreto con las NTI de Documento y de Expediente. En éstas se define un esquema XML que deben seguir todos los documentos electrónicos y otro esquema XML para los expedientes electrónicos.

El validador ENI incluido en el PAG permite, por un lado, validar nuestros documentos y expedientes de forma que nos indique si cumplen el esquema con todas las garantías o no lo hacen y, por otro, nos permite visualizar los documentos y expedientes de forma agradable para las personas, interpretando los XML ENI.

Esto permite tanto a otras administraciones como ciudadanos y empresas a poder empezar a familiarizarse con estos formatos y permitir así la implantación total del documento y expediente electrónico, al no necesitar herramientas propias especialmente adaptadas para, confirmar que un documento está formado correctamente y para visualizarlo.

3. BENEFICIOS PARA EL CIUDADANO Y PARA LAS ADMINISTRACIONES PÚBLICAS

Todos los servicios ofrecidos desde el PAG y Carpeta ciudadana comentados en este Capítulo tienen relación con la gestión del documento electrónico en los diferentes organismos y reportan beneficios múltiples para ciudadanos y empresas. Algunos de estos beneficios serían los siguientes:

— Permite al ciudadano la posibilidad de relacionarse con las administraciones públicas desde un único punto, evitando la complejidad de la Administración en cuanto a diferentes sedes electrónicas, competencias repartidas entre organismos, etc.

— El ciudadano puede visualizar de un sólo vistazo su situación en toda la administración, incluyendo la autonómica, lo que fomenta el uso de medios electrónicos.

— En cuanto a empresas y emprendedores, agiliza la realización de sus trámites al no tener que recorrer numerosas sedes electrónicas para iniciarlos o ver sus resultados.

— El ciudadano dispone de su información siempre actualizada, ya que Carpeta Ciudadana no almacena ningún dato sino que realiza las consultas en tiempo real cuando son solicitadas por el ciudadano.

— Carpeta Ciudadana es personalizable, el ciudadano puede establecer servicios favoritos.

— No requiere registro previo por parte del ciudadano, está disponible para todos de forma automática.

Carpeta ciudadana y PAG no sólo ofrecen beneficios para los ciudadanos y empresas sino que también ofrecen beneficios para las administraciones como podrían ser:

— Disponer de un interfaz existente de puesta a disposición de su información.

— Dar cumplimiento a la ley en cuanto a reutilización de sistemas y servicios existentes con el ahorro que ello conlleva tanto para la administración pública en general como para el organismo en particular.

— Ayuda a implementar servicios interoperables que pueden ser utilizados para otros objetivos al organismo o intercambios con otras administraciones.

— Mejora la imagen corporativa de la administración pública al hacer notar sus esfuerzos de coordinación y homogeneización de servicios.

4. IMPACTO DE IMPLANTACIÓN EN LAS ADMINISTRACIONES PÚBLICAS

Desde el punto de vista de las Administraciones, todos estos beneficios y servicios de cara al ciudadano requieren de un esfuerzo por parte de las mismas que conlleva la integración con diferentes servicios de los cuales hacen uso tanto el PAG como Carpeta Ciudadana. Estos servicios, que tienen relación con el documento electrónico, serían:

— Notifica: permite el acceso a las notificaciones y comunicaciones del ciudadano.

— Plataforma de Intermediación (PID): tratada en el Capítulo 31 de este libro, permite obtener los datos personales del ciudadano a partir de los servicios publicados por sus organismos competentes.

— Sistema de intercambio de registros (SIR): permite la consulta del envío de asientos registrales entre administraciones a través de la plataforma SIR.

— Registro electrónico de la AGE: permite la presentación de solicitudes y escritos a través del mismo, con destino cualquier administración pública.

— CSV Broker: servicio de cotejo de documentos por CSV, incluido en la Suite INSIDE que permite obtener el documento electrónico correspondiente a una copia en papel.

5. REFERENCIAS NORMATIVAS

LEY 39/2015, de 1 de octubre, del Procedimiento Administrativo Común de las Administraciones Públicas.

REAL DECRETO 1671/2009, de 6 de noviembre, por el que se desarrolla parcialmente la Ley 11/2007, de 22 de junio, de acceso electrónico de los ciudadanos a los servicios públicos.

REAL DECRETO 4/2010, de 8 de enero, por el que se regula el Esquema Nacional de Interoperabilidad en el ámbito de la Administración Electrónica.

ORDEN HAP/1949/2014, de 13 de octubre, por la que se regula el Punto de Acceso General de la Administración General del Estado y se crea su sede electrónica.

http://administracion.gob.es.

https://administracionelectronica.gob.es/ctt/ccd#.Wl9ZslKPLcs.

34.

PLATAFORMA DE INTERMEDIACIÓN

Laura FLORES IGLESIAS
Subdirectora general adjunta de Impulso de la Digitalización de la Administración, de la Secretaría General de Administración Digital. Ministerio de Asuntos Económicos y Transformación Digital

1. NORMATIVA Y CONCEPTO

Ya desde la publicación de la ya derogada LAE y, de nuevo, en la actual LPAC, se indica que los interesados de un procedimiento administrativo tienen derecho «a no presentar datos y documentos no exigidos por las normas aplicables al procedimiento de que se trate, que ya se encuentren en poder de las administraciones públicas o que hayan sido elaborados por éstas».

Este es uno de los derechos enumerados en el artículo 53 de dicha Ley que forman parte de la base de la administración electrónica.

Además, en el artículo 28 de la misma Ley se definen las reglas en cuento a los documentos aportados por los interesados al procedimiento administrativo. En él, se refuerza la idea de que los interesados no estarán obligados a aportar documentos que hayan sido elaborados por cualquier otra administración. Para poder cumplir con ese derecho, los sistemas deberán permitir consultar o recabar dichos datos de forma que «se presumirá que la consulta u obtención es autorizada por los interesados salvo que conste en el procedimiento su oposición expresa o la ley especial aplicable requiera consentimiento expreso».

Si esta autorización existe, las administraciones públicas deberán consultar los datos o documentos en cuestión, de forma electrónica, a través de las correspondientes plataformas de intermediación u otros sistemas electrónicos que se habiliten.

Además, el artículo 155 de la LRJSP, que se centra en las transmisiones de datos entre administraciones públicas, remarca que *«cada administración deberá facilitar el acceso de las restantes AA.PP. a los datos relativos a los interesados que obren en su poder, especificando las condiciones, protocolos y criterios funcionales o técnicos necesarios para acceder a dichos datos».*

Por su parte, el Real Decreto 1671/2009, de 6 de noviembre, por el que se desarrolla parcialmente la Ley 11/2007, de 22 de junio, de acceso electrónico de los ciudadanos a los servicios públicos y que se encuentra parcialmente derogado, comenta en su artículo 2 cómo se llevarán cabo estas consultas de datos o documentos, regulando dichas transmisiones de datos.

En él se indica que este derecho se ejercitará de forma «específica e individualizada para cada procedimiento concreto sin que el ejercicio del derecho ante un órgano u organismo implique un consentimiento general referido a todos los procedimientos que aquel tramite en relación con el interesado».

En caso de que el propio órgano administrativo encargado de la tramitación ya posea, en cualquier tipo de soporte, los datos, documentos o certificados que se requiere al interesado o tiene acceso electrónico a los mismos, los incorporará por defecto al procedimiento administrativo correspondiente sin necesidad de realizar ningún otro trámite.

En cuanto a las garantías de seguridad de estas transmisiones, indica dicho Real Decreto que, «los órganos u organismos ante los que se ejercite el derecho conservarán la documentación acreditativa del efectivo ejercicio del derecho incorporándola al expediente en que el mismo se ejerció». Esta información pasaría a formar parte del expediente como un documento electrónico más del mismo.

En el desarrollo de la ya derogada LAE se encuentra el Real Decreto 4/2010, de 8 de enero, por el que se regula el Esquema Nacional de Interoperabilidad en el ámbito de la Administración Electrónica y que sigue en vigor hoy en día. En él se incluyen dos definiciones que enmarcan el funcionamiento de las plataformas de intermediación:

— Nodo de interoperabilidad: Organismo que presta servicios de interconexión técnica, organizativa y jurídica entre sistemas de información para un conjunto de Administraciones Públicas bajo las condiciones que éstas fijen.

— Protocolos de intermediación de datos: tratará las especificaciones de los protocolos de intermediación de datos que faciliten la integración y reutilización de servicios en las Administraciones públicas y que serán de aplicación para los prestadores y consumidores de tales servicios.

Así, emanando de dicho real decreto, se publican varias NTI, entre las que se encuentra la Resolución de 28 de junio de 2012, de la Secretaría de Estado de

Administraciones Públicas, por la que se aprueba la Norma Técnica de Interoperabilidad de Protocolos de intermediación de datos.

Esta NTI define los roles de los agentes que participan en los intercambios intermediados de datos así como las condiciones relativas a los procesos de intercambio intermediado de datos a través de la Plataforma de intermediación del Ministerio de Política Territorial y Función Pública.

2. FUNCIONAMIENTO DE LA PLATAFORMA DE INTERMEDIACIÓN DE DATOS

Según se indica en la NTI de Protocolos de intermediación de datos, existen diferentes roles y agentes que participan en el protocolo de intercambio. Éstos agentes se describen a continuación.

2.1. Agentes en los intercambios intermediados de datos

2.1.1. Cedente y Emisor

Un Cedente será «cualquier organización que posea datos relativos a los ciudadanos que otra pueda necesitar consultar en el ámbito del ejercicio de sus competencias; es el responsable de los mismos según la LOPD, y los ofrecerá a posibles Cesionarios a través de un Emisor». El rol que jugará este agente incluye lo siguiente:

— Facilitará la información para el catálogo o registro de sus servicios de intercambio de datos disponibles bajo servicios de intercambio a disposición de otras organizaciones para su consulta.

— Respecto a las autorizaciones de acceso a los servicios, establecerá los protocolos y condiciones de acceso a los servicios de intercambio de datos que ofrecen, los métodos de consulta permitidos así como la información a conocer de cada requirente además de justificar los rechazos o denegaciones y definir la política de auditoría.

— Podrá delegar estas tareas en el emisor o en un nodo de interoperabilidad.

Un emisor será el que facilita la cesión de los datos desde un punto de vista tecnológico. El Emisor se encarga de «establecer las condiciones técnicas de acceso a los servicios de intercambio de datos que ofrece, los métodos de consulta permitidos y los controles y auditoría técnica, pudiendo delegar la ejecución de dichas condiciones en un nodo de interoperabilidad».

2.1.2. Cesionario y Requirente

Un cesionario será «cualquier organización autorizada a consultar determinados datos de los ciudadanos en poder de un cedente». El Cesionario tendrá las siguientes capacidades:

— Solicitará información **siempre en relación con los trámites y procedimientos autorizados** por el cedente y dentro del marco de un procedimiento administrativo.

— Cumplirá las condiciones de acceso a los datos establecidas por el cedente.

— Recabará el **consentimiento** del interesado, salvo que una ley le exima de ello, y reflejará la respuesta obtenida del sistema, en el ámbito del expediente correspondiente.

— Utilizará la información obtenida de cada consulta para la finalidad que corresponda en cada caso.

Un Requirente, sin embargo, será el que «facilita la consulta de los datos desde un punto de vista tecnológico». Entre sus responsabilidades se encuentran:

— Cumplirá las condiciones de acceso a los datos establecidas por el Emisor.

— Asegurará que las peticiones de consulta contienen los datos de identificación, la información solicitada y la especificación del trámite o procedimiento en el que los datos serán usados.

— Mantendrá la traza de las peticiones y monitorizará.

— **No almacenará** información personal de ningún ciudadano salvo la imprescindible para el trámite que se solicita, para la organización en nombre de la cual ha sido recabada y sólo durante el tiempo imprescindible.

2.2. Plataforma de intermediación del Ministerio de Política Territorial y Función Pública

Según esta NTI, el Ministerio de Hacienda y Función Pública «funcionará como un nodo de interoperabilidad mediante la plataforma de Intermediación que, atendiendo a la definición de nodo de interoperabilidad recogida en el Real Decreto 4/2010, prestará funcionalidades comunes para el intercambio de información entre emisores y requirentes».

La **Plataforma de intermediación** del Ministerio de Política Territorial y Función Pública gestionará los Cesionarios y Requirentes según las condiciones definidas con cada Cedente, asegurando la confidencialidad e integridad de la información intercambiada.

La Plataforma no almacenará información personal del ciudadano en ningún caso, funcionando únicamente de pasarela en la transacción de intercambio de datos.

3. CERTIFICADOS DISPONIBLES EN LA PLATAFORMA DE INTERMEDIACIÓN DE DATOS DEL MINISTERIO DE HACIENDA Y FUNCIÓN PÚBLICA

La Plataforma de Intermediación de Datos del Ministerio de Política Territorial y Función Pública pone a disposición de los requirentes los datos, documentos y certificados ofrecidos por numerosos organismos. Los servicios disponibles se enumeran a continuación, agrupados por temática.

Servicios de Verificación y Consulta de Datos de Identidad (SVDI):

Este servicio permite consultar o verificar los datos de identidad de un ciudadano. La validación de dichos datos se realiza contra las Bases de Datos del organismo que los custodia: Dirección General Policía (DGP).

Servicio de Verificación de Datos de Residencia (SVDR):

Estos servicios son los encargados de consultar al INE los datos de empadronamiento de un ciudadano para aquellos organismos que requieran de un certificado de empadronamiento.

Servicio de Verificación de Datos de Prestación de Desempleo (SVDP):

Por parte del Servicio Público de Empleo Estatal, SPEE-INEM, se ponen a disposición los siguientes servicios para ser accesibles por todos los organismos públicos:

Servicio de Verificación de Datos de Títulos Oficiales (SVDT):

El Ministerio de Educación pone a disposición de todos los organismos públicos los servicios de verificación de títulos universitarios y no universitarios.

Servicio de Verificación de Datos de la TGSS:

Por parte de la TGSS se ofrecen los certificados de Verificación de Datos de Estar al corriente de pago de Obligaciones con la Seguridad Social y de Verificación de Datos de Estar dado de Alta en la Seguridad Social.

Servicio de Verificación de Datos de la AEAT:

La Agencia Tributaria dispone a través de Intermediación del servicio de consulta de estar al corriente de pago de las obligaciones tributarias.

Servicio de Consulta de Nivel y Grado de Dependencia:

La Plataforma de Intermediación será la responsable de consultar al servicio del IMSERSO para obtener los datos relativos al Nivel y Grado de Dependencia.

Servicio de Consulta de Prestaciones Públicas:

El INSS pone a disposición de todos los organismos públicos el servicio de consulta de las prestaciones del Registro de Prestaciones Sociales Públicas y las de Incapacidad Temporal y Maternidad.

Servicio de Consulta de Datos del M. Justicia:

El Ministerio de Justicia pone a disposición de todos los organismos públicos los servicios de Consulta de nacimiento, de matrimonio, de defunción además de los certificados de inexistencia de antecedentes penales o de naturaleza sexual.

Servicio de Consulta de entidades aseguradoras y reaseguradoras:

La Dirección General de Seguros y Fondos de Pensiones (DGSFP) pone a disposición de todos los organismos públicos:

— Consulta de entidades aseguradoras y reaseguradoras.

— Consulta de mediadores de seguros y corredores de reaseguros.

— Consulta de planes y fondos de pensiones.

— Consulta de datos de solvencia requeridos para participar en concursos públicos.

Servicio de Impuesto sobre Actividades Económicas (IAE) Gobierno de Navarra

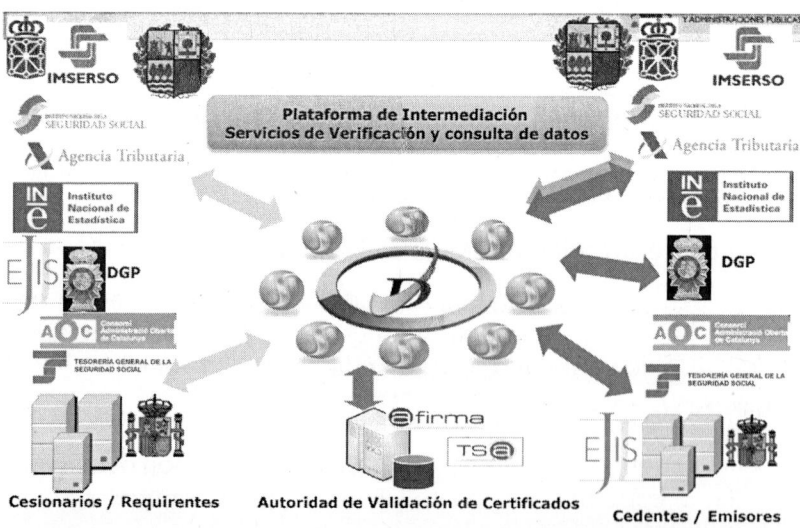

Fuente: Ministerio de Política Territorial y Función Pública

4. GESTIÓN DE DOCUMENTOS ELECTRÓNICOS PROCEDENTES DE LA PLATAFORMA DE INTERMEDIACIÓN

El flujo de la gestión de documentación electrónica teniendo como interviniente a la Plataforma de Intermediación, requiere que un ciudadano inicie un procedimiento administrativo en el cual se le requieren una serie de documentos a aportar.

Algunos de esos documentos serán efectivamente aportados por el propio ciudadano, sin embargo, en cumplimiento del derecho que recae en éste, de no aportar datos que ya obren en poder de la Administración, deberán ser recabados por loe medios electrónicos disponibles, siempre que el ciudadano así lo haya autorizado. En este momento, entraría en juego la función de la Plataforma de Intermediación que permite realizar estas consultas de datos obteniendo un resultado de dicha consulta.

Los datos de la solicitud realizada a través de la Plataforma de Intermediación conformarían un documento electrónico referente a la solicitud realizada. Así mismo, podrían conformarse los datos de consentimiento como otro documento electrónico, incorporando ambos al expediente electrónico del procedimiento del interesado.

Una vez realizada la consulta a través de la Plataforma, el resultado generaría otro documento electrónico diferenciado que formará parte del expediente a tramitar, si así lo indica el procedimiento. Este resultado podría ser un conjunto de datos, un documento, un certificado, etc., en función del servicio de la Plataforma de Intermediación utilizado.

El resultado obtenido de Plataforma de Intermediación es un conjunto de datos estructurados que siguen un formato normalizado para cada tipo de datos. Este conjunto de datos será el contenido del documento electrónico a generar. Es decir, un documento electrónico, según la normativa, es una estructura formada por tres bloques: contenido, firma y metadatos. El conjunto de datos resultantes de una consulta a la Plataforma de Intermediación serían únicamente el bloque contenido, teniendo que añadir el órgano cesionario el resto de bloques (firma y metadatos) para generar el documento electrónico que sería responsabilidad del organismo solicitante.

Este procesamiento posterior requiere, por un lado, definir los metadatos mínimos obligatorios que serán incluidos así como otros metadatos de negocio que puedan ser de utilidad y que podrán incorporarse como metadatos adicionales del mismo. Por otro lado, el documento deberá estructurarse según el formato de documento electrónico (según la NTI de Documento Electrónico), siguiendo una estructura XML concreta.

Una vez realizado este proceso podrá finalmente incorporarse a la herramienta tramitadora y por tanto al expediente electrónico.

En el siguiente apartado se entrará en el detalle de esta conversión, sobre todo desde el punto de vista de los metadatos mínimos y de negocio que podrían incorporarse en la conformación del documento electrónico.

Cada consulta a la Plataforma de Intermediación podría generar, al menos, dos documentos electrónicos independientes, uno por cada solicitud y uno por cada respuesta. Todos ellos deberían incorporarse como parte del expediente.

Gestión de documentos procedentes de PID

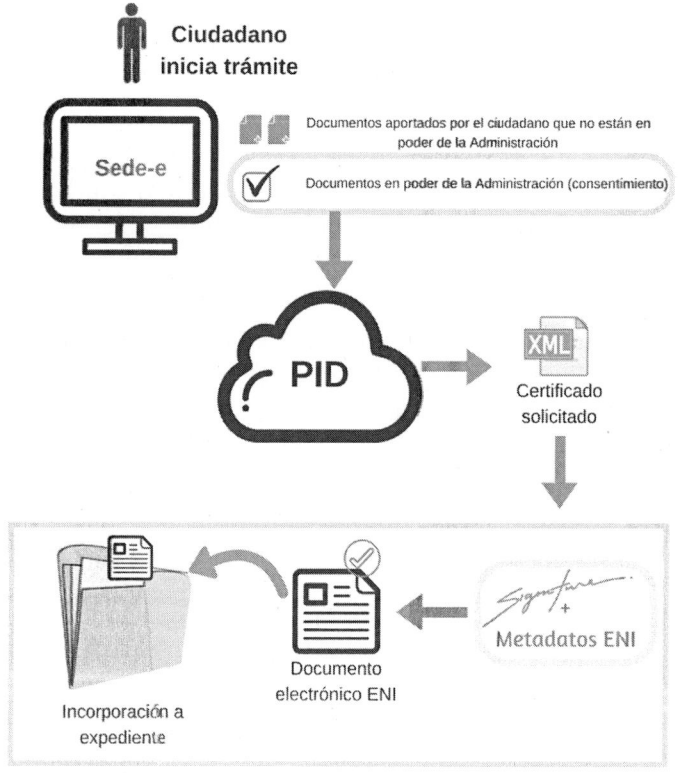

5. ESTRUCTURA DE LOS DATOS OBTENIDOS Y COMPATIBILIDAD CON LOS METADATOS DEL DOCUMENTO ELECTRÓNICO

La rama Solicitudes contiene las Solicitudes de Transmisión, que estarán formadas por el bloque de datos Genéricos y por el bloque de Datos Específicos.

El apartado de Datos Genéricos recoge todas las consideraciones legales a tener en cuenta en la transmisión de datos entre Administraciones, registrando la información relativa a:

— *Emisor*: Se refiere al organismo que proporciona la información. La identificación del emisor estará formada por el NIF y su nombre.

— *Solicitante*: Se refiere al organismo que proporciona la información. La identificación del solicitante estará formada por el NIF/CIF del organismo que solicita la información, así como su nombre, que corresponderá con el código del organismo que solicita los datos.

— *Titular*: Se refiere al «administrado» sobre quien se recaba Información.

— *Transmisión*: Se refiere a la transmisión concreta realizada.

— *Unidad Tramitadora*: Se corresponderá con la unidad de gestión autorizada a realizar la consulta y responsable de la tramitación administrativa a la que se refiere la consulta y la transmisión de datos. Tiene que tener la competencia del procedimiento indicado en la solicitud.

— *Identificador de Expediente*: Número de expediente, si lo hay, por el cual se realiza la consulta.

— *Código del Procedimiento*: para el que se autoriza al usuario/organismo a efectuar la consulta. Se recomienda usar códigos estandarizados (SIA u otros).

— *Nombre del Procedimiento*: para el que se autoriza al organismo a efectuar la consulta.

— *Funcionario*: Datos identificativos del Funcionario.

— *Consentimiento*: Indica si se tiene consentimiento o no es necesario (consulta por ley).

— *Finalidad*: Indica la descripción de la finalidad de la consulta. Complementario a la información relativa al procedimiento.

Por otro lado, la estructura de Datos Específicos en la solicitud contendrá los parámetros específicos de cada servicio, y será definida por el emisor. La respuesta obtenida incluirá en los Datos Específicos los datos intermediados o certificado correspondiente.

Para conformar una **solicitud** de datos a la Plataforma de Intermediación como documento electrónico se requerirá dar valor a los metadatos mínimos obligatorios y, en su caso, los adicionales. Una posible forma de compatibilizar los datos con el esquema de documento electrónico sería la siguiente:

METADATOS	NOMBRE	VALOR
Metadatos mínimos obligatorios	Órgano responsable	DIR3 del órgano cesionario
	Fecha de captura	Fecha de la solicitud realizada la Plataforma de Intermediación
	Tipo documental	Solicitud
Metadatos adicionales o complementarios (OPCIONALES)	NIF/CIF Emisor	DIR3 del organismo emisor
	Nombre Emisor	Nombre de la unidad emisora
	NIF/CIF Solicitante	DIR3 del organismo solicitante
	Nombre Solicitante	Nombre de la unidad solicitante
	Titular	NIF del administrado sobre el que se recaba la información
	Unidad tramitadora	Código DIR3 de la unidad tramitadora
	ID Expediente	n.º expediente, si lo hay
	Código SIA	Código del procedimiento por el que se solicitan los datos
	Nombre del procedimiento	Nombre del procedimiento por el que se solicitan los datos
	Funcionario	NIF del funcionario que realiza la consulta
	Consentimiento	S/N
	Finalidad	Descripción de la finalidad de la consulta

Por otro lado, para conformar la respuesta con los **datos o certificados** devueltos por la Plataforma de Intermediación como documento electrónico se requerirá dar valor a los metadatos mínimos obligatorios y, en su caso, los adicionales. Una posible forma de compatibilizar los datos con el esquema de documento electrónico sería la siguiente:

METADATOS	NOMBRE	VALOR
Metadatos mínimos obligatorios	Órgano responsable	DIR3 del órgano cedente de los datos
	Fecha de captura	Fecha de la respuesta obtenida por la Plataforma de Intermediación
	Tipo documental	Certificado

En este caso, los metadatos adicionales o complementarios no pueden normalizarse ya que dependerán del tipo de dato o certificado obtenido en cada caso. Los mismos dependerán del negocio concreto y a decisión del cedente.

En resumen, tanto las solicitudes como las respuestas de la Plataforma de Intermediación son susceptibles de conversión a documentos electrónicos siguiendo el formato de la NTI de Documento electrónico, lo que permite, por tanto, incorporarlos a un expediente electrónico con todas las garantías.

6. REFERENCIAS NORMATIVAS

https://administracionelectronica.gob.es/ctt/svd/descargas#.Wof4wqjOXIU

LEY 39/2015, de 1 de octubre, del Procedimiento Administrativo Común de las Administraciones Públicas.

REAL DECRETO 4/2010, de 8 de enero, por el que se regula el Esquema Nacional de Interoperabilidad en el ámbito de la Administración Electrónica.

RESOLUCIÓN de 28 de junio de 2012, de la Secretaría de Estado de Administraciones Públicas, por la que se aprueba la Norma Técnica de Interoperabilidad de Protocolos de intermediación de datos.

35.

LOS INSTRUMENTOS DE FIRMA, SELLO Y CERTIFICACIÓN

Nacho ALAMILLO DOMINGO
Abogado, DEA, CISA, CISM, COBIT 5-f, ITIL V3-f
Director de Astrea La Infopista Jurídica SL

1. CARACTERIZACIÓN DE LA FIRMA Y EL SELLO ELECTRÓNICOS

El Reglamento (UE) n.º 910/2014 del Parlamento Europeo y del Consejo, de 23 de julio de 2014, relativo a la identificación electrónica y los servicios de confianza para las transacciones electrónicas en el mercado interior y por la que se deroga la Directiva 1999/93/CE (en adelante, Reglamento eIDAS) regula jurídicamente la firma electrónica[1], que reserva en exclusiva a la actuación de las personas físicas, así como el sello electrónico, reservado a la actuación de las personas jurídicas.

Como veremos, una de las principales diferencias entre ambas instituciones (firma y sello) va a ser precisamente el tipo de entidad usuaria de la misma — persona física para la firma, persona jurídica para el sello—; motivo por el cual procederemos a su análisis conjunto, sin perjuicio de ir anotando las diferencias relevantes entre ambas, que desde luego no son pocas.

Como se verá, la firma/sello electrónico es un artefacto técnico que va a ser reconocido jurídicamente en función de una serie de propiedades que lo hacen relevante como fuente de prueba, al objeto de atribuir un documento electrónico a una persona y, en su caso, también identificar a dicha persona. Y, en este sentido, también hay que decir que la firma/sello electrónico no es un servicio de confianza, sino que es una institución que hace uso de los mismos, en algunos casos, como elemento de respaldo.

En todo caso, el Reglamento eIDAS diferencia diversos tipos de firma/sello electrónico, cuyo estudio abordamos a continuación.

---

(1) Sobre el régimen legal anterior, contenido en la Ley 59/2003, de 19 de diciembre, cfr. MARTÍNEZ NADAL (2009) y ALAMILLO DOMINGO & URIOS APARISI (2004), entre otros.

1.1. La firma y sello electrónicos, en general

1.1.1. El concepto de firma: de la autenticación de datos a la finalidad de firmar

El artículo 3.10 del Reglamento eIDAS define la firma electrónica como los «datos en formato electrónico anejos a otros datos electrónicos o asociados de manera lógica con ellos que utiliza el firmante para firmar», en una definición que refuerza el aspecto funcionalista de la definición, ya que lo importante será que los citados datos sean empleados precisamente para esta función de firmar, mientras que en la regulación anterior al Reglamento eIDAS se hacía hincapié en el aspecto funcional de la firma como sistema, al menos, de identificación/autenticación electrónica.

La nueva definición europea, que se centra en que dichas tecnologías persigan la finalidad de «firmar», prescinde completamente del requisito de la identificación/autenticación —tanto de la entidad como de los datos—, sin perjuicio de que evidentemente sea necesario poder identificar de forma efectiva al firmante, de forma previa o a posteriori, para poder beneficiarse del valor probatorio de una firma electrónica.

Los sistemas de firma electrónica actualmente disponibles en el mercado presentan una gran variedad, e incluyen desde dispositivos digitalizadores de firmas manuscritas[2] hasta algoritmos de autenticación de mensajes basados en contraseñas. También se emplean algoritmos asimétricos, de firma digital, pero sin uso de certificados electrónicos, incluso en proyectos de ámbito europeo. Por este motivo, con el nuevo concepto de firma electrónica, cualquier mecanismo técnico formado por datos asociados a otros datos que se emplee «para firmar» será admisible, incluso aunque el mismo no identifique/autentique de forma previa a la persona física, y sin perjuicio de que no todos éstos resultarán probatoriamente útiles.

Respecto a qué signifique la expresión «para firmar», se trata de una cuestión que se debe analizar conforme al derecho nacional, dado que el Reglamento eIDAS nada dice al respecto.

En este sentido, resulta claro que la firma manuscrita cumple diversas funciones sociales típicas, normalmente institucionalizadas jurídicamente por la legislación o la jurisprudencia, por lo que cualquier tecnología que permita dicho cumplimiento deberá ser considerada como firma electrónica.

Desde este punto de vista, sucede que una de las funciones de la firma electrónica puede ser simplemente la atribución del mensaje a una persona identi-

---

(2)   GRUBER, HOOK, KEMPF, SCHARFENBERG & SICK (2006) muestran un sistema de bolígrafo digitalizador capaz de verificar la autenticidad de una firma manuscrita, que puede cualificar perfectamente como sistema de firma electrónica. Cfr. también BASHIR & KEMPF (2009).

ficada, pero sin que de la misma se desprenda la realización de declaración de voluntad alguna —así sucedería, por ejemplo, con la firma de una postal remitida a un familiar—; mientras que otra función socialmente típica será la prestación del consentimiento contractual, para la que se requerirán condiciones específicas a este respecto.

A diferencia de otros ordenamientos jurídicos, como el francés, en Derecho español no existe una definición de los requisitos que debería cumplir una firma manuscrita para la prestación del consentimiento contractual, pero la jurisprudencia ha concretado algunas de estas características.

Así, la STS de 3 de noviembre de 1997 indica que «la firma es el trazado gráfico, conteniendo habitualmente el nombre, los apellidos y la rúbrica de una persona, con el cual se suscriben los documentos para darles autoría y virtualidad y obligarse con lo que en ellos se dice. Aunque la firma puede quedar reducida, sólo, a la rúbrica o consistir, exclusivamente, incluso, en otro trazado gráfico, o en iniciales, o en grafismos ilegibles, lo que la distingue es su habitualidad, como elemento vinculante de esa grafía o signo de su autor. Y, en general, su autografía u olografía, como vehículo que une a la persona firmante con lo consignado en el documento, debe ser manuscrita o de puño y letra del suscribiente, como muestra de la inmediatez y de la voluntariedad de la acción y del otorgamiento».

De esta Sentencia del Tribunal Supremo se pueden, de hecho, obtener los tres elementos que debe cumplir una tecnología para «servir para firmar»; a saber, la identificación del firmante en condición de autor del documento, la voluntad de obligarse y la vinculación con el texto contenido en el documento, que presupone que el autor ha tenido acceso directo al mismo.

De ello se desprende que la función social típica de la firma manuscrita sólo tiene sentido cuando la declaración de voluntad se emite en relación con un documento escrito, por lo que cualquier firma electrónica también se deberá proyectar sobre un soporte electrónico duradero que incorpore dicho escrito.

Ello no significa que no resulte posible obtener una declaración de voluntad de una persona sin que exista un soporte escrito electrónico duradero, como sucedería en una contratación verbal registrada electrónicamente, pero en este caso no tendría sentido acudir a ninguna firma electrónica, igual que en el contrato verbal no se firma documento alguno en papel.

1.1.2. La aparición del concepto de sello electrónico de persona jurídica

Como novedad relevante, el artículo 3.25 del Reglamento eIDAS define el sello electrónico como los «datos en formato electrónico anejos a otros datos en formato electrónico, o asociados de manera lógica con ellos, para garantizar el origen y la integridad de los datos de estos últimos».

Se trata de un mecanismo en cierto modo parecido a la firma electrónica[3], pero para su uso por personas jurídicas, como se deduce del considerado 59 del Reglamento eIDAS, el cual indica que «los sellos electrónicos deben servir como prueba de que un documento electrónico ha sido expedido por una persona jurídica, aportando certeza sobre el origen y la integridad del documento»; mientras que, de acuerdo con el considerando 65, «además de autenticar el documento expedido por la persona jurídica, los sellos electrónicos pueden utilizarse para autenticar cualquier activo digital de la persona jurídica, por ejemplo, programas informáticos o servidores».

Mientras que, en el caso de firma electrónica, el firmante es «una persona física que crea una firma electrónica» (artículo 3.9 del Reglamento eIDAS), en el caso del sello electrónico, el creador del sello es «una persona jurídica que crea un sello electrónico» (art. 3.24 del Reglamento eIDAS).

La definición legal del sello electrónico se refiere, conforme al artículo 3.25 del Reglamento eIDAS, a los «datos en formato electrónico anejos a otros datos en formato electrónico, o asociados de manera lógica con ellos, para garantizar el origen y la integridad de estos últimos», por lo que su utilidad viene dada por estos dos elementos, que vienen referidos a los servicios de seguridad informática de autenticación del origen de los datos y de la integridad de los datos, presentados anteriormente.

Como se puede apreciar, una diferencia muy relevante entre ambos conceptos es que el de firma electrónica se construye por relación a la firma escrita, por lo que deberá poderse emplear una firma electrónica donde la legislación venga referida a una firma escrita —por lo que la firma electrónica se considera equivalente de la firma escrita— pero en el caso del sello electrónico no se aplica este enfoque, sino que se define para qué sirve el mismo, en lugar de referenciarse contra el empleo del «sello físico», del que muchas personas jurídicas disponen, y cuyo uso se encuentra regulado en gran cantidad de casos; por lo que quizá se hubiera podido emplear también la técnica del equivalente funcional para la conceptualización jurídica de este mecanismo de seguridad informática.

En todo caso, se trata de una innovación importante en términos del derecho europeo, pero que resulta sólo parcialmente novedosa en relación al ordenamiento jurídico español, en que ya se habían regulado algunos casos aparentemente similares:

• El artículo 7 de la Ley 59/2003, 19 de diciembre, de Firma Electrónica (en adelante, LFE) reguló el certificado de firma electrónica de persona jurí-

---

(3)   GARCÍA MAS (2010, pág. 1124) ha notado que "el significado de la firma electrónica no determina que se trate de una auténtica firma, sino más bien se puede hablar de un sello por ejemplo, lo que ocurre que se utiliza la misma tecnología quizá por ser más expresiva, y como comparación con la firma manuscrita".

dica, que cumplía una función similar a los sellos electrónicos del Reglamento eIDAS, pero con la limitación de que «los datos de creación de firma sólo podrán ser utilizados cuando se admita en las relaciones que mantenga la persona jurídica con las Administraciones públicas o en la contratación de bienes o servicios que sean propios o concernientes a su giro o tráfico ordinario».

• La Ley 11/2007, de 22 de junio, de Acceso Electrónico de los Ciudadanos a los Servicios Públicos (en adelante, LAE) reguló, para el ámbito del procedimiento administrativo electrónico, el sello de Administración, órgano o entidad de derecho público, que actúa como sistema de firma electrónica en actuaciones automatizadas, sin intervención humana[4]; instrumento que también se mantiene como instrumento para el funcionamiento electrónico del sector público en la Ley 40/2015, de 1 de octubre, de Régimen Jurídico del Sector Público.

• En sentido similar a la LAE, la 18/2011, de 5 de julio, reguladora del uso de las tecnologías de la información y la comunicación en la Administración de Justicia (en adelante, LUTICAJ) ha regulado, para el ámbito del procedimiento judicial, el sello de la oficina judicial, que actúa como sistema de firma electrónica en actuaciones judiciales automatizadas, sin intervención humana.

• Finalmente, la Ley 25/2013, de 27 de diciembre, de impulso de la factura electrónica y creación del registro contable de facturas en el sector público, autoriza el uso del sello electrónico avanzado basado en certificado reconocido, el cual define como «el conjunto de datos en forma electrónica, consignados o asociados con facturas electrónicas, que pueden ser utilizados por personas jurídicas y entidades sin personalidad jurídica para garantizar el origen y la integridad de su contenido», figura que ya parece haberse inspirado en la definición contenida en la propuesta del Reglamento eIDAS, que ya se encontraba en tramitación legislativa.

La aprobación del Reglamento eIDAS permitía prever que estos casos podían quedar absorbidos dentro del concepto de sello electrónico, cuyo régimen jurídico se unifica tanto para el sector público como para el privado, y en ese sentido, hay que entender —como han confirmado la Comisión Europea y el supervisor español— que el concepto de firma electrónica de persona jurídica de la LFE es incompatible con el Reglamento eIDAS y, por tanto, se ha debido dejar de expedir certificados de este tipo a partir de la entrada en aplicación de la norma europea.

---

(4)   Sobre el uso de este instrumento, cfr. MARTÍN DELGADO (2009) o ALAMILLO DOMINGO & URIOS APARISI (2011).

Asimismo, los sellos definidos en las tres leyes mencionadas han debido necesariamente alinearse con el Reglamento eIDAS, sin perjuicio de incorporar las particularidades que se contemplan en tales normas.

En definitiva, el concepto legal de firma electrónica se restringe absolutamente a las personas físicas, y el de sello electrónico, a las personas jurídicas, a cuyo efecto hay que recordar, de acuerdo con el considerando 68 del Reglamento eIDAS, que «de conformidad con las disposiciones del Tratado en materia de establecimiento, el concepto de "personas jurídicas" permite a los operadores elegir libremente la forma jurídica que consideren adecuada para la realización de sus actividades.

Por tanto, las "personas jurídicas" en el sentido del Tratado incluyen todas las entidades constituidas en virtud de la legislación de un Estado miembro, o que se rigen por la misma, independientemente de su forma jurídica», por lo que deben también entenderse incluidas en este concepto a las entidades sin personalidad jurídica.

1.2. La firma y sello electrónicos avanzados

El artículo 3.11 del Reglamento eIDAS define la firma electrónica avanzada como «la firma electrónica que cumple los requisitos contemplados en el artículo 26»; a saber: «a) estar vinculada al firmante de manera única; b) permitir la identificación del firmante; c) haber sido creada utilizando datos de creación de la firma electrónica que el firmante puede utilizar, con un alto nivel de confianza, bajo su control exclusivo, y d) estar vinculada con los datos firmados por la misma de modo tal que cualquier modificación ulterior de los mismos sea detectable».

Como se puede ver de su definición, la firma electrónica avanzada es idónea para cumplir el fin social típico de la firma escrita a los que antes nos hemos referido, incluyendo la identificación del firmante en condición de autor del documento, la voluntad de obligarse y la vinculación con el texto contenido en el documento, mediante el uso de determinadas tecnologías.

De forma análoga, aunque no idéntica, a la firma electrónica avanzada, el artículo 3.26 del Reglamento eIDAS define el sello electrónico avanzado como «un sello electrónico que cumple los requisitos contemplados en el artículo 36», que son los siguientes: «a) estar vinculado al creador del sello de manera única; b) permitir la identificación del creador del sello; c) haber sido creado utilizando datos de creación del sello electrónico que el creador del sello puede utilizar para la creación de un sello electrónico, con un alto nivel de confianza, bajo su control, y d) estar vinculado con los datos a que se refiere de modo tal que cualquier modificación ulterior de los mismos sea detectable».

El siguiente gráfico muestra el funcionamiento típico de la tecnología de firma digital que subyace a la firma y sello electrónico avanzado:

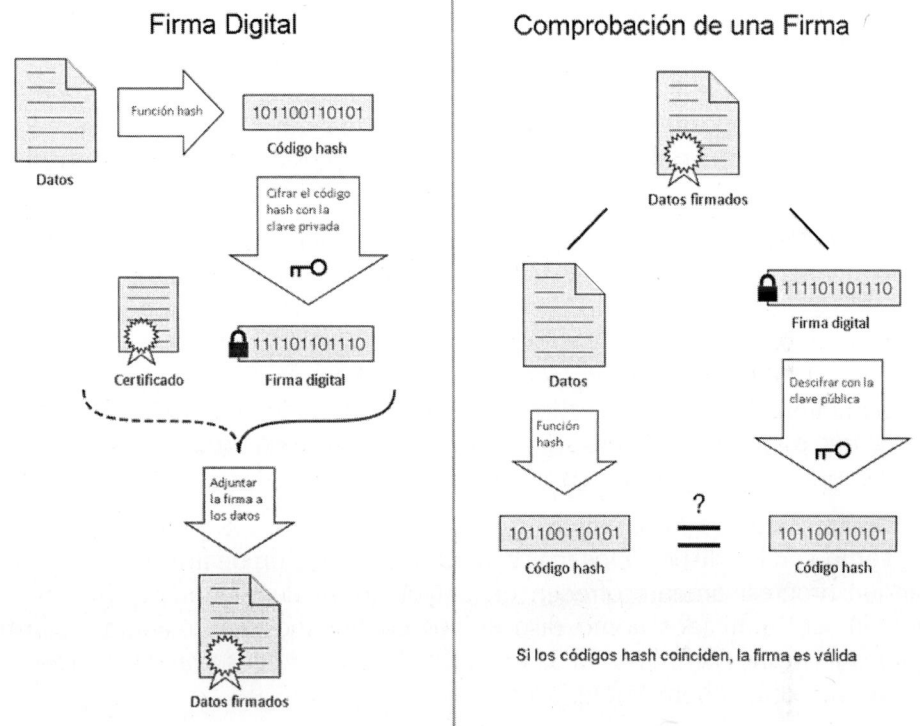

Como se puede ver de ambas definiciones, para la creación de la firma y sello electrónico avanzado se requiere del uso de unos datos de creación, que son, de acuerdo con el artículo 3.13) del Reglamento eIDAS, «los datos únicos que utiliza el firmante para crear una firma electrónica» y «los datos únicos que utiliza el creador del sello electrónico para crearlo», conforme al artículo 3.28).

En ambos casos, se trata del aspecto de mayor criticidad del sistema, ya que la posesión o el acceso no autorizado a los datos de creación de firma permite suplantar al firmante o creador del sello, respectivamente, motivo por el que los datos de creación de firma o sello han de poder ser protegidos contra la utilización indebida por terceros, algo que tradicionalmente se había interpretado en el sentido de la exclusiva posesión de la clave únicamente por el firmante, si bien el Reglamento eIDAS considera un enfoque más amplio para adaptarse a nuevas opciones tecnológicas, incluso autorizando la gestión, por terceros, de los datos de creación, en determinadas condiciones.

En este sentido, también es preciso aclarar que la creación de la firma o sello electrónico avanzado se produce empleando un dispositivo. El mismo se define en el artículo 3.22 del Reglamento eIDAS, como «un equipo o programa informático configurado que se utiliza para crear una firma electrónica», mientras que el artículo 3.31 del Reglamento eIDAS define el dispositivo de creación de sello electrónico como «un equipo o programa informático configurado que se utiliza para crear un sello electrónico».

Estas definiciones conectan la creación de la firma o sello electrónico con la aplicación (es decir, el uso) de los datos de creación de firma, de forma que el poseedor del dispositivo es realmente la persona que controla el proceso de creación de la firma o del sello, sea o no el suscriptor del certificado correspondiente.

Por este motivo, la firma o sello será imputable al firmante o creador del sello en la medida en que una persona no autorizada no pueda utilizar los datos de creación correspondientes, lo que justifica la necesidad de disponer del control del uso de los datos de activación de la firma o sello electrónico, al objeto de poder hacer esta imputación, algo que como hemos visto está previsto en la propia definición de firma o sello electrónico avanzado, aunque con la diferencia de que ese control deberá ser exclusivo en el caso de firma electrónica, y no en el caso del sello electrónico.

Las aplicaciones informáticas (software) de servicios criptográficos se han convertido en los dispositivos más genéricos de creación de firma electrónica, y aunque progresivamente ofrecen un mayor grado de seguridad, difícilmente pueden ser calificados como dispositivos cualificados de creación de firma, empleándose en el contexto de la firma o sello electrónicos avanzados a los que anteriormente nos hemos referido.

Resulta también preciso referirse al artículo 3.40) del Reglamento eIDAS, que se refiere a los datos de validación de firma o sello electrónico, que define como «los datos utilizados para validar una firma electrónica o un sello electrónico» (por parte de los terceros destinatarios de comunicaciones y documentos firmados).

Esta segunda definición de firma y sello electrónico, incremental en requisitos sobre la más general de simple firma y sello electrónico, exige que la tecnología permita identificar y atribuir unos datos a la persona que utiliza los mecanismos para producir la firma o sello, y a diferencia de la firma manuscrita, la tecnología calificable como firma y sello electrónico avanzado debe garantizar la integridad del documento, de modo que las modificaciones posteriores del mismo sean detectables[5].

Como ya se ha avanzado, la definición se corresponde con las funciones tradicionalmente asignadas a la firma manuscrita, de modo que la firma electrónica avanzada resulta, con carácter general, un sistema más idóneo para que las per-

---

(5) En este sentido, ELÍAS BATURONES (2008, pág. 49) ha señalado, precisamente, las diferencias con la firma manuscrita.

sonas físicas procedan a utilizar dicha tecnología en sustitución de la firma escrita.

De nuevo, se trata de una orientación que pretende resultar neutral desde una perspectiva técnica, permitiendo que diversas tecnologías reciban la calificación jurídica de firma y sello electrónico avanzado, a pesar de que claramente el legislador comunitario regula con una determinada tecnología en mente, que no es otra que la firma digital basada en criptografía de clave asimétrica —además, como veremos, basada en certificado electrónico—; esto es, la denominada PKI o infraestructura de clave pública. En este sentido, la neutralidad se encuentra más orientada a las diversas tecnologías de firma digital que a otras tecnologías diferentes.

En efecto, resulta más que evidente la equivalencia entre la clave privada (concepto técnico) y el dato de creación de firma o sello (concepto jurídico), así como entre la clave pública (concepto técnico) y el dato de validación de firma o sello (concepto jurídico), apoyando la equivalencia entre la firma digital (concepto técnico) y la firma electrónica avanzada o el sello electrónico avanzado (concepto jurídico).

Al menos desde una perspectiva puramente teórica, la firma y sello electrónico avanzado puede, sin embargo, corresponderse con una firma digital, o no hacerlo, y en el primer caso, basarse en certificado, o no hacerlo, sin que ello afecte a su valor jurídico, pero siempre que se emplee una tecnología que permita el cumplimiento de todos los requisitos de la firma o sello electrónico avanzado, algo que no siempre es fácil.

Sucede además que, en el ámbito de la administración electrónica, como veremos posteriormente con mayor detalle, se ha venido admitiendo con carácter general la firma electrónica de los ciudadanos siempre que la misma se base en certificado cualificado admitido por la administración; es decir, se ha configurado como un derecho del ciudadano en sus relaciones con la administración, y sin perjuicio de que se hayan habilitado otros mecanismos de firma y sello electrónico; por lo que ciertamente se ha producido una fuerte promoción de una de las tecnologías de firma electrónica avanzada.

1.3. La firma y sello electrónicos cualificados

Contiene, finalmente, el artículo 3.12 del Reglamento eIDAS una tercera definición de firma electrónica, a la que denomina como cualificada, y que conceptúa como «una firma electrónica avanzada que se crea mediante un dispositivo cualificado de creación de firmas electrónicas y que se basa en un certificado cualificado de firma electrónica».

Se trata, de nuevo, de una definición incremental en cuanto a los requisitos, que incorpora dos elementos adicionales a la firma electrónica avanzada —el dispositivo cualificado de creación de firmas electrónicas y el certificado cuali- ficado de firma electrónica, a los que nos referiremos posteriormente en detalle—, en orden a garantizar que la tecnología de firma electrónica reconocida o cualificada produzca su efecto típico; es decir, que sea idónea y adecuada para que una persona física se identifique y firme.

Nótese que tanto el dispositivo de firma como el certificado de firma deben ser cualificados, como medida de control previo que garantiza su idoneidad y, por tanto, que la firma electrónica cualificada efectivamente lo es.

De esta forma, el concepto de firma electrónica cualificada va a servir para denotar un subconjunto de tecnologías de firma electrónica como institución jurídica, a la que se asociarán efectos jurídicos específicos, «proporcionando una base común para lograr interacciones electrónicas seguras entre los ciuda- danos, las empresas y las administraciones públicas e incrementando, en con- secuencia, la eficacia de los servicios en línea públicos y privados, los negocios electrónicos y el comercio electrónico en la Unión», en palabras del conside- rando (2) del Reglamento eIDAS anteriormente introducido.

Debe quedar claro, de todos modos, que no se debe considerar que una firma electrónica cualificada sea mejor ni más segura que otros tipos de firma, al menos técnicamente hablando. En realidad, lo que sucede es que se ha realizado una cierta apuesta, en cierto modo infringiendo el principio de neutralidad tecnoló- gica, en favor de unas tecnologías concretas, lo cual sólo es aceptable porque la Ley sigue permitiendo, en régimen de no discriminación, otras tecnologías.

Sólo de esta forma se explica que el sector privado haga un uso comparati- vamente mínimo de los sistemas de firma electrónica cualificada (como, por ejemplo, el DNI electrónico) en favor de otros mecanismos, como las contrase- ñas u, más recientemente, las firmas manuscritas digitalizadas, sin que se incre- menten los niveles de fraude efectivo.

La firma electrónica cualificada y, en concreto, la que se encuentra sustentada en el DNI electrónico, constituye una línea de identificación y firma electrónica ofrecida por el Estado perfectamente razonable y defendible, y de la que las compañías privadas pueden hacer uso, pero sin renunciar a otras tecnologías idóneas en escenarios diversos, porque la realidad es que la base tecnológica que requiere el DNI electrónico (igual que otros sistemas de firma electrónica reconocida o cualificada) no se encuentra disponible en todos los escenarios, principalmente por cuestiones de interoperabilidad técnica .

Igualmente, la firma electrónica cualificada ha planteado problemas de usa- bilidad y de rechazo social en determinados procesos[6], por lo que el mercado sigue innovando y produciendo tecnologías seguras que, aun no gozando de

---

(6)   Véase la crítica, por ejemplo, de (Roßnagel, 2006).

698

una ventaja jurídica especial, resultan tanto o más seguras que la firma electrónica cualificada.

De esta conceptualización jurídica cabe criticar que la cualificación deba venir referida necesariamente estos dos elementos, porque supone una apuesta tecnológica que infringe el principio de neutralidad tecnológica; al contrario, la cualificación debería ser abstracta, porque de otro modo se discrimina la innovación; y ello sucede en la mayoría de servicios de confianza.

Por su parte, y de nuevo en una analogía clara con la firma electrónica cualificada, el artículo 3.27 del Reglamento eIDAS define el sello electrónico cualificado como «un sello electrónico avanzado que se crea mediante un dispositivo cualificado de creación de sellos electrónicos y que se basa en un certificado cualificado de sello electrónico»; de nuevo resultando aplicables las consideraciones realizadas en relación con la firma electrónica cualificada, pero para su uso por personas jurídicas.

Como hemos avanzado, uno de los elementos requeridos para obtener una firma o sello electrónicos cualificados —que como ya hemos visto es directamente equivalente a la firma escrita de la persona física, o directamente atribuible a la persona jurídica que lo genera, respectivamente— es el dispositivo cualificado de creación de dicha firma o sello, que procede analizar con algo de detalle.

Dicho dispositivo se define en el artículo 3.23) del Reglamento eIDAS, en relación con la firma electrónica, como «un dispositivo de creación de firmas electrónicas que cumple los requisitos enumerados en el anexo II», mientras que el artículo 3.32) del mismo reglamento se refiere, en relación con el sello electrónico, a «un dispositivo de creación de sellos electrónicos que cumple mutatis mutandis los requisitos enumerados en el anexo II». De forma manifiestamente reiterativa, dispone el artículo 29.1 del Reglamento eIDAS, «[l]os dispositivos cualificados de creación de firmas electrónicas cumplirán los requisitos establecidos en el anexo II», previsión aplicable mutatis mutandis a los dispositivos cualificados de creación de sello electrónico en virtud de lo establecido en el artículo 39.1 del mismo Reglamento eIDAS.

En este sentido, por lo que respecta los dispositivos cualificados de firma electrónica, el considerando (56) del Reglamento eIDAS indica que «en el presente Reglamento se establecen requisitos aplicables a los dispositivos cualificados de creación de firmas electrónicas, a fin de garantizar la funcionalidad de las firmas electrónicas avanzadas», dando buena cuenta de la finalidad y orientación de dichos requisitos.

El anexo II del Reglamento eIDAS, aplicable por tanto a dispositivos de creación de firma cualificados como a dispositivos de creación de sello cualificados, es el que realmente establece los requisitos que deben cumplir dichos productos, que en gran medida se refieren a los datos de creación de firma o sello, en diversas previsiones relevantes.

En primer lugar, el apartado 1.a) del anexo II del Reglamento eIDAS exige que «esté garantizada razonablemente la confidencialidad de los datos de creación de firma electrónica [o sello electrónico] utilizados para la creación de firmas electrónicas [o sellos electrónicos]», previsión completamente lógica, ya que, si estos datos de creación de firma o sello son conocidos por terceros, entonces dichos terceros pueden emplearlos para producir firmas en lugar de los legítimos firmantes.

En segundo lugar, el Anexo II del Reglamento eIDAS determina en su apartado 1.b) que los dispositivos cualificados han de garantizar que «los datos de creación de la firma electrónica [o sello electrónico] utilizados para la creación de una firma electrónica [o sello electrónico] solo puedan aparecer una vez en la práctica».

Nótese la realista formulación de del Reglamento eIDAS reconociendo la imposibilidad de ofrecer esta garantía de forma absoluta; en efecto, la garantía de unicidad del dato de creación se puede obtener de forma lo más aleatoria posible a partir de espacios numéricos muy grandes, pero incluso en este caso es difícil asegurar que dicho dato sea único, en especial cuando diversos prestadores generan datos de creación empleando mecanismos diversos.

En tercer lugar, el anexo II del Reglamento eIDAS, aplicable tanto a la firma como al sello electrónico, determina en su apartado 1.c) que los dispositivos cualificados han de garantizar que «exista la seguridad razonable de que los datos de creación de firma electrónica [o sello electrónico] utilizados para la creación de una firma electrónica [o sello electrónico] no pueden ser hallados por deducción».

Como se puede ver, la legislación no exige una seguridad absoluta o total, que difícilmente se podría garantizar, sin perjuicio de que el término «razonable» deba interpretarse a la luz de los potentes efectos jurídicos asociados a la firma o sello electrónicos cualificados, en especial a su efecto de equivalencia plena con la firma escrita o a su presunción de autenticidad, cuando se establezca.

Además, por su importancia, y como hemos avanzado, el dato de creación de firma y sello ha de ser convenientemente protegido por el firmante o creador del sello, habitualmente mediante el propio dispositivo de firma o sello electrónico, que por ello debe tener la consideración de cualificado, de acuerdo con el Reglamento eIDAS.

En cuarto lugar, se contiene una referencia explícita a la protección de los datos de creación en el Anexo II del Reglamento eIDAS, aplicable tanto a dispositivos de creación de firma cualificados, como a dispositivos de creación de sello cualificados, cuando su apartado 1.d) dispone que los dispositivos deben garantizar que «los datos de creación de la firma electrónica utilizados para la creación de una firma electrónica puedan ser protegidos por el firmante [o creador del sello] legítimo de forma fiable frente a su utilización por otros».

A la protección de la clave hace referencia la propia definición de la firma/ sello electrónico avanzado, cuando indica que ésta ha sido creada por medios que el firmante puede utilizar, con un alto nivel de confianza, bajo su control exclusivo [artículos 26.c) y 36.c) del Reglamento eIDAS], en una formulación flexible porque la referencia a la utilización de los medios de creación de firma/ sello bajo control exclusivo se debe hacer con un alto nivel de confianza y, por tanto, no se exige un nivel absoluto o total de control.

Además, debe también hacerse notar que el Reglamento eIDAS no establece ninguna obligación al firmante o creador de sellos a hacer un uso exclusivamente personal de los datos de creación de los mismos, como hubiera sido el caso si el legislador hubiera empleado el verbo «deber», lo cual permite defender la tesis de la posible cesión del uso de los datos (y medios) de creación de firma y sello a un tercero.

En este sentido, hay que mencionar los datos de activación de la creación de la firma y sello electrónico, que son los datos que se utilizan para iniciar un proceso de creación de firma electrónica cualificada. Aunque los mismos no aparecen definidos en el Reglamento eIDAS, su existencia y necesidad conecta con la protección de los datos de creación de firma y sello electrónicos, ya que con los datos de activación —que son conocidos únicamente por el firmante o el creador de sellos electrónicos, o por las personas en quien «delegue» la creación de la firma o del sello— se puede autorizar el uso de los datos de creación de firma o sello y «activar» el procedimiento de generación de la firma o del sello.

Generalmente, estos datos de activación representan verdaderamente el mecanismo de control —en el caso de la firma, exclusivo— del uso de los datos de creación de firma o sello, con independencia del dispositivo en el que los mismos se encuentren.

Precisamente este dato de activación de la creación de la firma o sello electrónico es el mecanismo de protección más habitual de los datos de creación de firma electrónica al que se hace referencia en el anexo II, apartado 1.d) del Reglamento eIDAS; generalmente es un dato alfanumérico, que puede tener una longitud variable, y que debería tener como mínimo ocho caracteres, aunque muchas veces coincide con un número de identificación personal de cuatro dígitos.

Otra posibilidad, menos frecuente, es que se empleen sistemas de autenticación de un solo uso (OTPs) o incluso biometría (por ejemplo, la comprobación de la huella digital) para la activación de la firma electrónica, posibilidades prometedoras en el contexto de las firmas a distancia.

Debido a este especial efecto de equivalencia, las especificaciones técnicas europeas desarrolladas para concretar los requisitos de los dispositivos seguros (o, ahora, cualificados) de creación de firma han adoptado una interpretación estricta del concepto de seguridad, que habitualmente conecta con el uso de un elemento de maquinaria o hardware, como por ejemplo un microchip criptográfico, para poder considerar el sistema como dispositivo cualificado de creación de firma electrónica.

Además, el artículo 30.1 del Reglamento eIDAS establece que «la conformidad de los dispositivos cualificados de creación de firmas electrónicas con los requisitos que figuran en el anexo II será certificada por los organismos públicos o privados adecuados designados por los Estados miembros»; norma que hay que poner en relación directa con el artículo 29.2 del Reglamento eIDAS, que indica que «[l]a Comisión podrá, mediante actos de ejecución, establecer números de referencia de normas relativas a los dispositivos cualificados de creación de firmas electrónicas», con el efecto jurídico de que «[s]e presumirá el cumplimiento de los requisitos establecidos en el anexo II cuando un dispositivo cualificado de creación de firmas electrónicas se ajuste a dichas normas»; actos que «se adoptarán con arreglo al procedimiento de examen contemplado en el artículo 48, apartado 2»; artículo que resulta también aplicable a los dispositivos cualificados de creación de sello en virtud de lo establecido en el artículo 39.1 del Reglamento eIDAS.

La consecuencia jurídica de esta modificación es que, desde el 1 de julio de 2016, fecha de inicio de aplicación del artículo 30.1, no se puede comercializar un dispositivo como cualificado sin proceder a su previa certificación; la cual, según indica el apartado 3 del artículo 30 del Reglamento eIDAS, «se basará en los elementos siguientes:

• Un proceso de evaluación de la seguridad llevado a cabo de conformidad con las normas para la evaluación de la seguridad de los productos de tecnología de la información incluidos en la lista que se establecerá de conformidad con el párrafo segundo, o

• Un proceso distinto del proceso contemplado en la letra a), con tal de que ese proceso haga uso de niveles de seguridad equivalentes y que los organismos públicos o privados a los que se refiere el apartado 1 notifiquen ese proceso a la Comisión. Podrá recurrirse a ese proceso únicamente a falta de las normas a que se refiere la letra a) o cuando esté en curso el proceso de evaluación de la seguridad a que se refiere la letra a)», previsión que se completa con el mandato de que «[l]a Comisión establecerá, por medio de actos de ejecución, la lista de las normas para la evaluación de la seguridad de los productos de tecnología de la información a que se refiere la letra a).

Dichos actos de ejecución se adoptarán con arreglo al procedimiento de examen contemplado en el artículo 48, apartado 2».

Este artículo ofrece dos opciones: una más estricta, que es la preferible para el legislador europeo, y que consiste en el empleo, como hasta ahora, de metodologías específicas de seguridad funcional de productos, principalmente criterios comunes, para las que se van generando estándares europeos, como hemos mostrado anteriormente; y otra más flexible, que autoriza la certificación empleando otras metodologías, incluso *ad hoc*, pero que sólo se puede emplear en ausencia de normas europeas conforme al primer guion, o mientras un producto se encuentre en el proceso de evaluación conforme a dichas normas, todo ello de acuerdo con la reciente Decisión de Ejecución (UE) 2016/650 de la Comisión, de 25 de abril de 2016.

Por lo que respecta a los contenidos de la ya citada Decisión 2016/650, es preciso hacer notar que la misma se dicta al amparo de los artículo 30.3 y 39.2 del Reglamento eIDAS, sin que se realice mención alguna a los artículos 29.2 y 39.1 del Reglamento; y ello a pesar de que en la misma se referencian tanto «normas para la evaluación de la seguridad de los productos de tecnología de la información» cuanto «normas relativas a los dispositivos cualificados de creación de firmas electrónicas» (aplicables mutatis mutandis a los dispositivos cualificados de creación de sellos electrónicos).

Entre las primeras, que en efecto serían las propias de los artículos 30.3 y 39.3, encontramos las referencias a los criterios de evaluación para la seguridad de la TI y a la Metodología para la evaluación de la seguridad de la TI.

Sin embargo, entre las segundas encontramos la norma CEN EN 419 211, partes 1 a 5, gozando del efecto de presunción de cumplimiento. Lo lógico es que esta norma se hubiera referenciado, por tanto, no con la base legal de los artículos 30.3 y 39.2 del Reglamento eIDAS, como se ha hecho, sino a los efectos de los artículos 29.2 y 39.1 del reglamento, dado que se podría dar el caso de que se llegue a considerar que un producto cualificado que haya obtenido la correspondiente certificación no se considere protegido por la presunción legal de cumplimiento de los requisitos legales establecidos en el anexo II del Reglamento eIDAS.

En segundo lugar, la Decisión 2016/650 hace uso de las dos posibilidades previstas en el artículo 30.3 del Reglamento eIDAS, al establecer, de un lado, «normas para la evaluación de la seguridad de productos de tecnología de la información que se aplican a la certificación de dispositivos cualificados de creación de firma electrónica o dispositivos cualificados de creación de sello electrónico de conformidad con el artículo 30, apartado 3, letra a), o con el artículo 39, apartado 2, del Reglamento (UE) n.º 910/2014, cuando los datos de creación de firma electrónica o los datos de creación de sello electrónico se conservan íntegramente, aunque no necesariamente de forma exclusiva, en un

703

entorno gestionado por el usuario», y, de otro, autorizar la certificación de los dispositivos cualificados de creación de firmas electrónicas o dispositivos cualificados de creación de sellos electrónicos, cuando un prestador cualificado de servicios de confianza gestione los datos de creación de firma electrónica o los datos de creación del sello electrónico en nombre de un firmante o de un creador de un sello, que «se basará en un proceso que, de conformidad con el artículo 30, apartado 3, letra b), haga uso de unos niveles de seguridad equivalentes a los exigidos por el artículo 30, apartado 3, letra a), y que sea notificado a la Comisión por el organismo público o privado a que se refiere el artículo 30, apartado 1, del Reglamento (UE) n.º 910/2014»; esto es, cualquier proceso de evaluación equivalente a criterios comunes y los perfiles de protección de la norma CEN EN 419 211, a discreción del organismo de certificación designado —en nuestro caso, sería el organismo de certificación del Centro Criptológico Nacional—, que es quien debe tomar la decisión acerca de la metodología a emplear y comunicarla al ejecutivo europeo, como ha sucedido en el caso de España y de Italia .

Además, el artículo 31.2 del Reglamento eIDAS prevé que «la Comisión establecerá, publicará y mantendrá una lista de dispositivos de creación de firmas electrónicas cualificados certificados», a partir de la información que deberán remitirle los Estados miembros (prevista en el artículo 30.1 del Reglamento eIDAS); norma que claramente persigue establecer un mecanismo administrativo de publicidad administrativa que aporte certeza a los prestadores y a los usuarios de los servicios de confianza, en especial a las partes que confían.

Finalmente, es imperativo hacer notar que el considerando 56 del Reglamento eIDAS menciona que «el presente Reglamento no debe regular la totalidad del entorno del sistema en el que operen tales dispositivos. Por consiguiente, el objeto de la certificación de los dispositivos cualificados de creación de firmas debe limitarse a los equipos y programas informáticos empleados para gestionar y proteger los datos de creación de firma creados, almacenados o tratados en el dispositivo de creación de firmas», por lo que «el alcance de la obligación de certificación debe excluir a las aplicaciones de creación de firmas».

Este enfoque resulta altamente criticable porque deja fuera del sistema de control público de garantías de la firma electrónica nada más y nada menos que a la aplicación que se emplea para crear la firma electrónica, por lo que dicha aplicación podría actuar de forma fraudulenta, mostrando un documento en pantalla, pero remitiendo —al dispositivo cualificado de creación de firma electrónica, para la creación de la firma— el resumen criptográfico de un documento diferente al que realmente se mostró .

Y es que, al alcanzar la certificación únicamente al dispositivo cualificado de creación de firma, queda fuera del marco de garantías precisamente lo más importante de la función social de la firma, que es la vinculación entre la declaración de voluntad con el texto sobre el que la misma recae. Ello no significa que la firma electrónica cualificada sea disfuncional, sino que las garantías técnicas intrínsecas a la misma no cubren verdaderamente toda su funcionalidad, algo que veremos debe ser tenido en cuenta en el momento de analizar su valor probatorio.

2. LOS EFECTOS JURÍDICOS DE LA FIRMA Y SELLO ELECTRÓNICOS

2.1. La validez general de la firma y sello electrónicos

Llegados a este punto, no es conveniente seguir sin explicitar una cuestión importante: toda firma o sello electrónicos, con independencia de su calificación como «ordinarios» o «simples», «avanzados» o «cualificados» sirven al mismo objetivo de atribuir el contenido del documento a la persona que lo autoriza y, por tanto, son legalmente válidos y, en función del caso, perfectamente aceptables.

En este sentido, el considerando (22) del Reglamento eIDAS dice que «para contribuir al uso transfronterizo general de los servicios de confianza, debe ser posible utilizarlos como prueba en procedimientos judiciales en todos los Estados miembros»; y por su parte, el considerando (49) del Reglamento eIDAS indica que «el presente Reglamento debe establecer el principio de que no se deben denegar los efectos jurídicos de una firma electrónica por el mero hecho de ser una firma electrónica o porque no cumpla todos los requisitos de la firma electrónica cualificada».

En definitiva, el Reglamento eIDAS instaura una norma jurídica de no discriminación de la firma electrónica diferente de la firma electrónica cualificada, que también se extiende al sello electrónico no cualificado. Así se muestra en el artículo 25.1 del Reglamento eIDAS, cuando establece que «no se denegarán efectos jurídicos ni admisibilidad como prueba en procedimientos judiciales a una firma electrónica por el mero hecho de ser una firma electrónica o porque no cumpla los requisitos de la firma electrónica cualificada», mientras que, en relación con el sello electrónico, el artículo 35.1 del Reglamento eIDAS indica que «no se denegarán efectos jurídicos ni admisibilidad como prueba en procedimientos judiciales a un sello electrónico por el mero hecho estar en formato electrónico o de no cumplir los requisitos del sello electrónico cualificado».

Consecuencia de todo ello es que debemos partir de la validez, *a limine*, de toda tecnología de firma y sello electrónicos, porque lo relevante jurídicamente es poder atribuir, desde la perspectiva de la prueba, un contenido a una persona física o jurídica, de acuerdo con las circunstancias concretas del caso, con una situación concreta que varía en función de las solemnidades y de las formas exigidas para la producción de cada acto jurídico —cuando sea el caso—.

Cuestión diferente de la validez potencial será la de los efectos legales concretos de cada tipo de firma/sello, que mayoritariamente queda en manos de cada legislador nacional, como veremos posteriormente.

Este régimen jurídico no ha resultado particularmente novedoso en España, dado que ya había sido el Tribunal Supremo español, nada menos que en sentencia de 3 de diciembre de 1997, quien había indicado la perfecta admisibilidad de los sistemas de firma electrónica de todo tipo, adelantándose en el tiempo a la aprobación de la primera legislación española sobre la materia, sin perjuicio de la conveniencia de elevar este principio (de no discriminación) a rango de ley formal.

En consecuencia, la diferencia real entre una simple firma o sello electrónicos, una firma o sello electrónicos avanzados o una firma o sello electrónicos reconocidos/cualificados no reside en su validez o admisibilidad jurídica, ni siquiera en su potencial eficacia, sino en el conjunto de requisitos técnicos necesarios para lograr o incluso garantizar jurídicamente unos efectos jurídicos concretos.

Finalmente, sucede que una firma o sello electrónicos (sean ordinarios, avanzados o incluso reconocidos o cualificados) pueden, a pesar de ser válidos, no ser idóneos, ellos solos, para atribuir todos los elementos de producción de un acto a una persona física o jurídica, de modo que necesitaremos elementos y condiciones adicionales para asegurar la evidencia que ofrece el documento en forma electrónica. Por ejemplo, para obtener certeza de la existencia del documento electrónico —generalmente pocos momentos después de su producción y firma electrónica— podemos añadir a la firma o sello electrónicos un sello de fecha y hora criptográfico, obteniendo un valor probatorio del documento electrónico superior al documento privado en soporte papel, mecanismo que el Reglamento eIDAS regula como servicio de confianza independiente de la firma o sello electrónicos, y al que nos referiremos infra.

2.2. La eficacia de la firma y sello electrónicos

Desde el punto de vista de la eficacia, por tanto, y respecto a la firma electrónica cualificada, el artículo 25.2 del Reglamento eIDAS establece que «una firma electrónica cualificada tendrá un efecto jurídico equivalente al de una firma manuscrita», mientras que respecto al sello electrónico cualificado, el artículo 35.2 del Reglamento eIDAS determina que «un sello electrónico cualificado disfrutará de la presunción de integridad de los datos y de la corrección del origen de los datos a los que el sello electrónico cualificado esté vinculado».

En ambos casos se trata de un efecto jurídico típico, que persigue la generación de seguridad jurídica para los usuarios de los sistemas de firma o sello electrónicos cualificados, que no deben regular el funcionamiento del sistema de firma o sello electrónico, ni obtener una previa autorización de los mismos, en sus relaciones con terceros.

El artículo 25.2 del Reglamento eIDAS mantiene el enfoque, como se puede ver, de determinar que el efecto jurídico típico de una firma electrónica cualificada será el equivalente al que tendría la firma manuscrita, por lo que se deberá poder emplear cuando una ley exija el requisito de firmar, al tiempo que el epígrafe 1 del propio artículo 25 prohíbe negar eficacia jurídica (potencial) a una firma electrónica que no sea cualificada.

Como hemos avanzado anteriormente, esto significa que toda firma electrónica puede potencialmente recibir efectos jurídicos, no pudiendo ser ninguna tecnología discriminada por ser electrónica, algo que afectaría a la tutela judicial efectiva de forma evidente, pero el legislador sólo define un efecto jurídico típico en relación con la firma electrónica cualificada —que es precisamente actuar como equivalente de la firma manuscrita—, permitiendo a los Estado miembros establecer los efectos jurídicos que consideren oportunos en relación con las firmas no cualificadas .

En su consecuencia, resultaría contrario a Derecho realizar una interpretación *a sensu contrario* del efecto típico de las firmas electrónicas cualificadas en perjuicio de las firmas no cualificadas; esto es, no sería correcta la interpretación que, partiendo de que «una firma electrónica cualificada tendrá un efecto jurídico equivalente al de una firma manuscrita» (artículo 25.2 del Reglamento eIDAS), considerase que una firma electrónica no cualificada no tendrá un efecto jurídico equivalente al de una firma manuscrita. Y no sería correcta esta interpretación porque la firma electrónica que no sea cualificada podrá obtener también efectos jurídicos, a tenor de la regla de no discriminación contenida en el Reglamento eIDAS.

Como hemos avanzado, los Estados miembros podrán establecer efectos jurídicos en relación con las firmas electrónicas no cualificadas, con carácter general o en relación a casos concretos[7], o incluso no establecer regla alguna al respecto —en cuyo caso nos encontraremos ante firmas electrónicas de efecto atípico—, pero desde luego lo que no podrán hacer es denegar todo efecto jurídico a una firma electrónica no cualificada, ni desde luego restringir su admisibilidad como prueba.

Dado que la definición de firma electrónica contenida en el artículo 3.10 del Reglamento eIDAS se refiere a «los datos en formato electrónico anejos a otros datos electrónicos o asociados de manera lógica con ellos que utiliza el firmante para firmar», todos los Estados miembros deben respetar que una firma electrónica no cualificada pueda potencialmente recibir el efecto de «servir para fir-

---

(7) Por ejemplo, la legislación de procedimiento administrativo común establece efectos jurídicos en relación con la firma electrónica y el sello electrónico no cualificados. Cfr. MARTÍN DELGADO (2010), MARTÍNEZ GUTIÉRREZ (2011) o ALAMILLO DOMINGO (2016).

mar»; esto es, para ser empleada en lugar de una firma manuscrita, porque en caso contrario estaríamos ante una infracción manifiesta del artículo 25.1 del Reglamento eIDAS.

Y ello suscita la duda acerca de qué otros efectos jurídicos pueden establecer los Estados miembros en relación con la firma electrónica no cualificada. Una posibilidad, que además se encuentra mencionada en el propio Reglamento eIDAS, sería establecer un efecto jurídico específico en relación con un determinado tipo de firma electrónica, en un contexto concreto, como por ejemplo sucede con la admisión del uso de determinadas firmas electrónicas no cualificadas en las relaciones entre los ciudadanos y las entidades del sector público, o en la regulación de sistemas de firma electrónica específicos de las entidades del sector público, sin la consideración de cualificados, pero con indudable efecto jurídico.

Por otra parte, cabe también preguntarse qué sucede en el caso de que un Estado miembro no establezca efecto jurídico alguno en relación con un sistema de firma electrónica no cualificada. Dado que, como hemos visto de forma reiterada, dicho Estado no puede denegar el efecto jurídico de la firma electrónica ni su admisibilidad como prueba, ello deja espacio para la autonomía de la voluntad de las partes que se relacionan con sujeción a las reglas del Derecho privado.

Esta concepción doble se traduce en los niveles que caracterizan la eficacia de la firma electrónica: la regla jurídica de no discriminación, de acuerdo con la cual la parte a quien interesa la eficacia de una firma electrónica tiene derecho a que se practique una prueba suficiente, que determine si la firma electrónica era suficientemente fiable como para imputar el acto a la persona que la produjo; y la regla de equivalencia, que no elimina la necesidad de esta prueba, pero la reduce considerablemente, mediante la presunción de la especial idoneidad de determinada tecnología (la que se puede subsumir en el concepto jurídico de firma electrónica cualificada) para actuar sustantivamente como si fuera la firma manuscrita de dicha persona, con eficacia *erga omnes*.

Mientras que la regla jurídica de no discriminación permite la existencia de firmas electrónicas atípicas, cuyos efectos sustantivos serán definidos por las partes, pudiendo «servir para firmar [en ese caso particular]», la regla de equivalencia establece una firma electrónica típica que aporta seguridad jurídica a las partes que deciden utilizarla, debido a su idoneidad para «servir para firmar [en todo caso]». Y dada la necesidad de admitir el empleo de firmas electrónicas no cualificadas en determinados ámbitos, se observa que en efecto los Estados miembros establecen efectos típicos singulares a dichas firmas no cualificadas, limitados a su jurisdicción.

Los Estados miembros no sólo pueden establecer efectos jurídicos con respecto a las firmas electrónicas no cualificadas, sino que también pueden hacerlo en relación con las firmas electrónicas cualificadas, siempre que dichos efectos vayan más allá del efecto típico definido en el Reglamento eIDAS, como por ejemplo sucederá en el caso del establecimiento de una presunción de autenticidad de la firma electrónica cualificada.

No se puede concluir esta sección sin indicar que ninguna firma electrónica puede emplearse en la absoluta totalidad de actuaciones personales, ya que el artículo 1.2 del Reglamento eIDAS, en línea de continuidad con la legislación anterior, aclara que el mismo «no afecta al Derecho nacional o de la Unión relacionada con la celebración y validez de los contratos u otras obligaciones legales o de procedimiento relativos a la forma», por lo que nos podemos encontrar ante requisitos de forma que impidan el uso de la firma electrónica, incluso cuando la misma sea cualificada; noción que conecta con la idea de que ninguna firma electrónica basada en claves matemáticas sea considerada como un verdadero acto personal[8].

Así sucede con la imposibilidad de realizar a distancia, con independencia del sistema de firma de que se disponga, actuaciones en las que intervienen fedatarios públicos, en los términos de la legislación notarial, y sin perjuicio de que dichas actuaciones sí podrían hacerse presencialmente con firma electrónica cualificada.

En el caso del sello electrónico vendría a suceder algo parecido con la firma electrónica, aunque con la diferencia de que no existe, como en la firma electrónica, un efecto de equivalencia descrito legalmente; es decir, que el efecto típico del sello es, como hemos visto, acreditar la autenticidad del origen de los datos y su integridad, y no ser equivalente a ninguna figura previamente existente, como pudiera ser el «sello físico de persona jurídica».

Dada la inexistencia de este efecto de «equivalencia con», se pueden generar dudas razonables acerca de los actos para los que se puede emplear un sello electrónico (con independencia de si el mismo es ordinario, avanzado o cualificado), excepto cuando nos encontremos ante el requisito legal, sustantivo, de que una persona jurídica deba ofrecer una garantía de autenticidad del origen de los datos y de la integridad del contenido, como sucede, por ejemplo, en el caso de las facturas electrónicas. Tampoco parece irrazonable acudir al empleo del sello electrónico en aquellos casos en que, como hemos visto anteriormente, exista una norma que prevea el uso de un sello (físico) de persona jurídica.

Sin embargo, aunque sabemos que para el Reglamento eIDAS el sello electrónico debe servir como prueba de que un documento electrónico ha sido expedido por una persona jurídica, aportando certeza sobre el origen y la integridad del documento —considerando (59)— y para autenticar cualquier activo digital de la persona jurídica, por ejemplo, programas informáticos o servidores

---

(8)   BAUZÁ MARTORELL (2002, pág. 65 y ss.) y NIEVA FENOLL (2009) han planteado la cuestión de la escindibilidad y transferibilidad de la firma electrónica, incluso cualificada.

—considerando (65)—, de ahí no se puede desprender que se pueda emplear para toda actuación jurídicamente vinculante para la persona jurídica, en especial a tenor de las normas de representación de los diferentes tipos de personas jurídicas.

Sorprende, a este respecto, que el considerando (58) del Reglamento eIDAS establezca que «cuando una transacción exija un sello electrónico cualificado de una persona jurídica, debe ser igualmente aceptable una firma electrónica cualificada del representante autorizado de la persona jurídica», como si quisiera evitar que la existencia del sello pudiera afectar negativamente a la representación, en el sentido de discriminar negativamente la actuación del representante de la persona jurídica en cuestión.

Parece que para el legislador europeo un sello electrónico se pudiera emplear para toda actuación de una persona jurídica, pero hay que recordar que el Reglamento no afecta al Derecho nacional o de la Unión relacionado con la celebración y validez de los contratos u otras obligaciones legales o de procedimiento relativos a la forma, por lo que se deberá acudir al caso concreto para dilucidar si se puede o no emplear un sello para una determinada actuación.

De nuevo, los Estados miembros pueden determinar en su legislación los efectos jurídicos que produzcan los sellos electrónicos, y en este caso cabe prever que nos encontraremos ante dos tipos de normas: las que podrán regular efectos de sellos electrónicos diferentes a los cualificados, para casos concretos, y a diferencia de la firma electrónica cualificada, las que autoricen el uso del sello electrónico cualificado para determinadas actuaciones, como por ejemplo, en el ámbito de las relaciones entre las personas jurídicas y las entidades del sector público, en el funcionamiento electrónico del sector público, o en el caso de la factura electrónica.

En caso de que los Estados miembros no establezcan normas específicas relativas a los efectos de los sellos electrónicos, o de autorización de su uso en aquellos casos donde se requiera legalmente la representación, cabrá también atender a lo que las partes pacten, dentro de su ámbito de autorregulación, o a la utilidad intrínseca del sello, que por ejemplo se podría emplear para la autenticación de comunicaciones remitidas por personas jurídicas, a la acreditación de las actuaciones de acceso o de recepción, o quizá a la formalización de condiciones generales de la contratación.

Al efecto jurídico principal que acabamos de exponer, añade el Reglamento IDAS un segundo efecto jurídico, idéntico en relación a ambas instituciones, cuando el artículo 25.3 ordena que «[u]na firma electrónica cualificada basada en un certificado cualificado emitido en un Estado miembro será reconocida como una firma electrónica cualificada en todos los demás Estados miembros», y el artículo 35.3, que «[u]n sello electrónico cualificado basado en un certificado cualificado emitido en un Estado miembro será reconocido como un sello electrónico cualificado en todos los demás Estados miembros».

Se trata de un efecto de reconocimiento transfronterizo, que como se puede ver se limita a las firmas electrónicas cualificadas o los sellos electrónicos cualificados que se basen en certificados cualificados expedidos en los Estados miembros. Sorprende esta referencia al certificado cualificado porque, como hemos visto, una firma o un sello sólo pueden ser cualificados cuando se basan en un certificado cualificado, al ser un elemento constitutivo del concepto legal.

Por ello, esta previsión sólo se entiende desde el punto de vista de que dicho certificado cualificado haya sido expedido en un Estado miembro, y no en un tercer Estado, algo que permitiría sustentar la posición de que las firmas o sellos electrónicos cualificados basadas en certificados cualificados expedidos en Estados que no sean miembros de la Unión no gozan, necesariamente, del efecto de reconocimiento transfronterizo como firmas o sellos cualificados.

Se trata de una norma que recuerda a alguna ley nacional, como la alemana, que —partiendo de que sólo confería el efecto jurídico de la equivalencia con la firma manuscrita a las firmas electrónicas que fueran cualificadas conforme a la ley alemana de firma electrónica— únicamente consideraba equivalentes a éstas las firmas electrónicas cualificadas que se basaran en certificados electrónicos cualificados expedidos por prestadores establecidos en otros Estados que previamente se hubieran acreditado —incluidos los prestadores del Espacio Económico Europeo, norma que se podía considerar como un obstáculo a la libre circulación de las firmas electrónicas—.

Quizá por el desplazamiento de la legislación nacional operada por el Reglamento eIDAS se haya considerado necesario prever en el nivel europeo una norma como la contenida en el artículo 25.3, en relación con la firma electrónica, y en el artículo 35.3, en relación con el sello electrónico, pero dicha norma podría entrar en conflicto potencial con lo establecido en el artículo 14 del Reglamento eIDAS, en cuya virtud, y para todos los servicios de confianza, se prevé la posibilidad de declaración de su equivalencia mediante el reconocimiento por acuerdo entre la Unión y el tercer país u organizaciones internacionales.

En este caso, debemos entender que también la firma electrónica cualificada basadas en un certificado cualificado emitido en un tercer país con convenio deberá ser reconocida como una firma electrónica cualificada en todos los demás Estados miembros, porque en caso contrario se producirá el indeseable resultado de la inaplicación del artículo 14 del Reglamento eIDAS.

Respecto a la prueba de la firma y sello electrónicos, el Reglamento eIDAS prevé en su artículo 26.4 que «la Comisión podrá, mediante actos de ejecución, establecer números de referencia de normas relativas a firmas electrónicas avanzadas», de modo que «se presumirá el cumplimiento de los requisitos de las firmas electrónicas avanzadas mencionadas [...] en el artículo 26 cuando una firma electrónica avanzada se ajuste a dichas normas», previsión que también se contiene en relación con el sello electrónico avanzado en el artículo 37.4.

Estas normas tienen un gran interés desde la perspectiva probatoria, dado que permiten facilitar la prueba de forma muy importante, mediante el establecimiento de la presunción de que una firma o un sello son efectivamente avanzados, por lo que no será necesario en estos casos demostrar que en el momento de generación de la firma o sello avanzado concurrieron todos los requisitos exigidos legalmente que, como hemos visto, no son pocos.

Para el establecimiento de estos números de referencia de normas se debe dictar un acto de ejecución mediante el procedimiento de examen, en los términos del artículo 48.2 del Reglamento eIDAS, acto de ejecución que de momento no se ha adoptado.

También establece el Reglamento eIDAS, y esto resulta más relevante desde la óptica de la prueba, el contenido del proceso de validación de la firma o sello electrónico cualificado (artículos 32 y 40), así como la posibilidad de implementarlo en forma de servicio de validación cualificado (artículos 33 y 40), en ambos casos considerando la potestad de la Comisión de establecer normas de conformidad, el cumplimiento de las cuales presumirá que la validación se ha realizado correctamente.

2.3. La admisión transfronteriza de firmas y sellos electrónicos en relación con el acceso a servicios públicos

Para completar la visión de los efectos jurídicos de las firmas y los sellos electrónicos, es preciso indicar que el Reglamento eIDAS ha establecido una serie de reglas para la admisión transfronteriza de las firmas y sellos electrónicos, que van a afectar a la libertad de los Estados miembros de regular las condiciones de uso de estos sistemas de prueba electrónica en las relaciones que se establezcan con las mismas.

En primer lugar, los artículos 27.3 y 37.3 del Reglamento eIDAS disponen, con carácter general, que los Estados miembros no exigirán, para el uso transfronterizo en un servicio en línea ofrecido por un organismo del sector público, una firma o sello electrónicos cuyo nivel de seguridad sea superior al de una firma o sello electrónico cualificados. Se trata de una norma claramente orientada a garantizar la actuación transfronteriza de los ciudadanos de la Unión, que en sus Estados de residencia típicamente van a obtener, a lo sumo, un sistema de firma o de sello electrónico cualificado. Sin perjuicio de lo que se acaba de indicar, como es lógico este régimen se aplica también a las firmas y sellos producidos por las entidades del sector público, que deban ser admitidos por las entidades de sector público de los restantes Estados miembros.

Como ejemplo de una firma o sello electrónico de nivel de seguridad superior al cualificado, podemos citar la imposición obligatoria de un sello de tiempo electrónico cualificado sobre el contenido del documento firmado, o de un certificado de firma electrónica con atributos — como en el caso de la representación legal o voluntaria— o de un certificado de atributos, adicional al certificado cualificado de firma electrónica.

Podemos considerar este aspecto como una reacción al régimen legal anterior, que como hemos visto permitía de forma expresa el establecimiento de condiciones adicionales al uso de la firma electrónica en las relaciones con el sector público.

En segundo término, los artículos 27.2 y 37.2 del Reglamento eIDAS determinan que si un Estado miembro impone una firma o sello electrónicos avanzados basado en un certificado cualificado con el fin de utilizar un servicio en línea ofrecido por un organismo del sector público, o en nombre del mismo, dicho Estado miembro reconocerá las firmas o los sellos electrónicos avanzados basados en un certificado y las firmas o sellos electrónicos cualificados por lo menos en los formatos o con los métodos contemplados en el apartado 5; mientras que, por su parte, los artículos 27.1 y 37.1 del mismo reglamento establecen que si un Estado miembro impone una firma o sello electrónicos avanzados con el fin de utilizar un servicio en línea ofrecido por un organismo del sector público, o en nombre del mismo, dicho Estado miembro reconocerá las firmas o sellos electrónicos avanzados, las firmas o sellos electrónicas avanzados basados en un certificado reconocido y las firmas o sellos electrónicos cualificados por lo menos en los formatos o con los métodos contemplados en el apartado 5.

Como se puede ver en ambos casos, lo que persigue el legislador europeo es, de nuevo, garantizar que se puedan emplear los sistemas de firma o sello electrónico avanzado de que dispongan los usuarios —aunque no de firma o sello electrónico ordinario, que quedaría excluido de admisión para usos transfronterizos— cuando un Estado miembro imponga la obligación de uso de éstos.

La idea es que cuando un Estado exija un sistema de firma o sello electrónico avanzado el ciudadano pueda elegir emplear dicho sistema, o alternativamente —y a su elección— también un sistema de firma o sello electrónico avanzado basado en certificado cualificado, o también un sistema de firma o sello electrónico cualificado, pero siempre que los mismo cumplan con lo establecido en el apartado 5 de los artículos 27 y 37, que prevé la posibilidad de que la Comisión Europea establezca, mediante actos de ejecución, normas técnicas relativas a formatos de referencia o métodos alternativos, con base en instrumentos ya existentes como la Decisión 2011/130/UE, de 25 de febrero de 2011 por la que se establecen los requisitos mínimos para el tratamiento transfronterizo de los documentos firmados electrónicamente por las autoridades competentes en virtud de la Directiva 2006/123/CE del Parlamento Europeo y del Consejo relativa a los servicios en el mercado interior.

Estas normas técnicas han sido adoptadas por la Decisión de Ejecución (UE) 2015/1506 de la Comisión de 8 de septiembre de 2015 por la que se establecen las especificaciones relativas a los formatos de las firmas electrónicas avanzadas y los sellos avanzados que deben reconocer los organismos del sector público de conformidad con los artículos 27, apartado 5, y 37, apartado 5, del Reglamento (UE) n.º 910/2014 del Parlamento Europeo y del Consejo, relativo a la identificación electrónica y los servicios de confianza para las transacciones electrónicas en el mercado interior, que esencialmente se refiere a los perfiles de base XAdES, CAdES, PAdES y con un contenedor con firma asociada (ASiC), definidos en las especificaciones técnicas ETSI TS 103 171 v.2.1.1, ETSI TS 103 173 v.2.2.1, ETSI TS 103 172 v.2.2.2 y ETSI TS 103 174 v.2.1.1, respectivamente; o al uso de métodos equivalentes descritos en la propia Decisión.

Los métodos equivalentes están previstos, en la Decisión, para permitir la verificación transfronteriza de las firmas electrónicas —o los sellos electrónicos—, y exigen que «el Estado miembro en el que tenga su sede el proveedor de servicios de confianza utilizado por el firmante ofrezca a otros Estados miembros posibilidades de validación de firmas adecuadas, en la medida de lo posible, para el tratamiento automático» (artículo 2.1 de la Decisión), como sucede, en España, con el servicio @firma.

Estas posibilidades de validación «parten de los requisitos para la validación de las firmas electrónicas y los sellos electrónicos cualificados a los que hacen referencia los artículos 32 y 40 del Reglamento (UE) n.º 910/2014», con el objetivo de «establecer requisitos comparables para la validación y para aumentar la confianza en las posibilidades de validación proporcionadas por los Estados miembros para otros formatos de firma electrónica o sello electrónico distintos de los comúnmente admitidos», según establece el considerando (9) de la Decisión, por lo que aplicarán, salvo excepción —normalmente referida a la exigencia del dispositivo cualificado de creación de firma o sello— los requisitos que se analizan con ocasión del estudio de este proceso y su correlativo servicio de confianza .

Hay que notar que, a diferencia de la previsión de los artículos 27.4 y 37.4 del Reglamento eIDAS, estas normas no presumen que la firma o sello sea efectivamente avanzado, sino que únicamente se refiere a la sintaxis informática que deben cumplir las firmas o sellos admisibles en operaciones transfronterizas, o los métodos equivalentes que resultan aceptables, por lo que cabe indicar que se trata de una actuación que responde a la necesidad de circulación de las pruebas de atribución dimanante de la construcción del Mercado Único Digital .

Esta regla es muy conveniente, ya que como sabemos existen potencialmente muchas y variadas tecnologías de firma o sello electrónico avanzado, y podría perfectamente suceder que los ciudadanos de un Estado dispusiesen de un sistema técnicamente incompatible con los sistemas de firma o sello electrónico avanzado de otros Estados. Gracias a esta norma, una persona que deba realizar una actuación transfronteriza para la que se imponga la firma o sello electrónico avanzado podrá acogerse al sistema que le ofrezca dicho Estado o emplear el sistema conforme a la norma técnica establecida por la Comisión; esto es, al menos las firmas o sellos en formato XAdES, CAdES o PAdES, en el nivel de conformidad B, T o LT, o los métodos equivalentes ya mencionados.

Sin embargo, es también preciso reconocer que la Decisión de Ejecución (UE) 2015/1506 se limita, en todo caso, a sistemas de firma y sello electrónico avanzado —o cualificado— respaldados por el uso de los correspondientes certificados cualificados, por lo que no desarrolla todas las posibilidades previstas en los artículos 27.1 y 37.1 dado que no se refiere a la firma y el sello electrónico avanzado que no se base en un certificado, lo cual no deja de ser una forma de inaplicar el mandato legal.

En efecto, conforme a la norma, si el Estado miembro exige firma electrónica avanzada debería admitir la firma electrónica avanzada, o la firma electrónica avanzada basada en certificado cualificado, o la firma cualificada, pero tras la aprobación de la Decisión de Ejecución (UE) 2015/1506 dicho Estado admitirá firma electrónica avanzada (normalmente a sus nacionales), pero podrá exigir (a los extranjeros) el uso de una firma electrónica avanzada basada en certificado cualificado o de una firma electrónica cualificada.

Por tanto, aunque la regla es conveniente en términos de interoperabilidad, y puede considerarse razonable —frente a la dificultad de llegar a acuerdos sobre otros sistemas de firma o sello electrónico avanzado—, lo cierto es que supone un tratamiento diferente al previsto en el Reglamento eIDAS. Nada impide, sin embargo, que en el futuro se puedan incluir en la Decisión otros formatos de firma o sello electrónico avanzado que no se basen en certificados cualificados, o ni siquiera se basen en certificados, si ello resulta necesario.

3. LOS SERVICIOS DE CONFIANZA EN SOPORTE DE LA FIRMA Y SELLO ELECTRÓNICOS

3.1. El servicio de expedición de certificados de firma y sello electrónicos

Debemos, en primer lugar, referirnos a los certificados de firma y sello electrónico, objeto de este servicio de confianza, que la legislación regula como componente imprescindible de las modalidades más robustas de la firma y sello electrónico —avanzada y cualificada—.

Con carácter general, un certificado electrónico es, sencillamente, un documento electrónico que garantiza, a las terceras personas que lo reciben o que lo utilizan, una serie de manifestaciones contenidas en el mismo. Estas manifestaciones deben referirse, al menos, a la identidad de una persona y la titularidad o posesión de una clave pública —y de la correspondiente clave privada—, pudiendo también referirse a otros datos opcionales, como sus autorizaciones (en forma de roles o permisos), su capacidad de representar a otra persona física o jurídica, su dirección de Internet, etc.

El artículo 3.14) del Reglamento eIDAS se refiere al certificado de firma electrónica como «una declaración electrónica que vincula los datos de validación de una firma con una persona física y confirma, al menos, el nombre o el seudónimo de esa persona», y el artículo 3.15) del mismo, al certificado cualificado como un «certificado de firma electrónica que ha sido expedido por un prestador cualificado de servicios de confianza y que cumple los requisitos establecidos en el anexo I». De forma análoga, en el caso del sello, el artículo 3.29) define el certificado de sello electrónico como «una declaración electrónica que vincula los datos de validación de un sello con una persona jurídica y confirma el nombre de esa persona», mientras que el artículo 3.30) se refiere al certificado cualificado como «un certificado de sellos electrónicos que ha sido expedido por un prestador cualificado de servicios de confianza y que cumple los requisitos establecidos en el anexo III».

Esta identificación, que es la finalidad principal de los certificados, se expide en relación con diversos propósitos legales previstos en el Reglamento eIDAS, principalmente para respaldar la firma o el sello electrónico avanzado, al confirmar la identidad de la persona correspondiente.

Los servicios de confianza correspondientes a la expedición de certificados (de firma electrónica y de sello electrónico) deben cumplir los requisitos establecidos en el Reglamento eIDAS y, en su caso, en la legislación nacional, en especial los correspondientes a la modalidad cualificada del servicio.

Para sustentar la confianza de las partes usuarias, el Reglamento eIDAS establece un conjunto de normas mínimas referidas al contenido de cada uno de estos certificados y a las obligaciones mínimas de los prestadores de que los expiden, configurando, por tanto, los correspondientes servicios de confianza de expedición de certificados, tipificados en el Reglamento eIDAS.

3.2. El servicio de confianza de validación de la firma y el sello electrónico

El servicio de validación permite la comprobación de una firma o sello electrónico, de forma que se determine su validez y, por tanto, su capacidad para producir los efectos jurídicos deseados.

Respecto a este servicio de confianza, en su modalidad cualificada, el considerando (57) del Reglamento eIDAS indica que «la especificación de los requisitos exigibles a los prestadores cualificados de servicios de confianza que pueden brindar un servicio de validación cualificado a las partes usuarias que no desean o no pueden realizar por sí mismas la validación de las firmas electrónicas cualificadas debe estimular a los sectores privado y público para que inviertan en tales servicios», con el objeto de facilitar el empleo de la firma o sello electrónico.

A pesar de resultar novedoso en el Reglamento eIDAS, se trata de un servicio que ha venido siendo ampliamente empleado en España, en especial en el ámbito de la Administración electrónica, y que se encuentra parcialmente regulado en el RDENI, resultando muy relevantes, al menos en volumen, experiencias como el servicio @firma, el servicio Validador del Consorci Administración Oberta de Catalunya o la plataforma Zain del Izenpe vasco.

La novedad del Reglamento es, en definitiva, la tipificación, la armonización y el fomento del servicio de validación, seguramente por la enorme complejidad técnica asociada a esta tarea, que hace francamente difícil a los terceros que reciben firmas o sellos electrónicos algo aparentemente tan simple como asegurarse de que son válidos, así como para crear un marco que permita consensuar las reglas para proceder a dicha validación de forma consistente en toda la Unión Europea.

Este último aspecto no es precisamente baladí, en especial en el caso de las firmas electrónicas transfronterizas, porque la ley aplicable a la creación y a la validación de la firma electrónica son diferentes, algo que en el modelo de la DFE ha generado problemas de reconocimiento transfronterizo de las firmas electrónicas; disfunción que debería resolver el enfoque de armonización del Reglamento eIDAS, al menos en el caso de la firma y el sello electrónico cualificado.

La validación se define en el artículo 3.41) del Reglamento eIDAS como «el proceso de verificar y confirmar la validez de una firma o sello electrónicos», mientras que los datos de validación se definen, en el artículo 3.40) del propio reglamento, como «los datos utilizados para validar una firma electrónica o un sello electrónico».

Resulta interesante notar que este servicio se ofrece, normalmente, a una persona que recibe una firma o sello electrónico calificado, y precisa realizar este proceso de forma previa a confiar en dicha firma o sello electrónico cualificado. Esta parte usuaria se define, en el artículo 3.6) del Reglamento eIDAS, como «la persona física o jurídica que confía en [...] el servicio de confianza», aunque realmente, como hemos avanzado, realmente precisa confiar en la prueba electrónica recibida (como una prueba de identificación electrónica, una firma o sello electrónico, o un sello de tiempo electrónico, o una certificación de entrega electrónica). Obviamente, el servicio también se puede prestar al firmante o al creador de sellos, para que posteriormente remita la firma o sello electrónico cualificado a terceros, o para conservarla junto con el documento o mensaje.

Nótese que, como en otros casos, se puede ofrecer un servicio cualificado, que cumplirá los requisitos que establece el reglamento, o un servicio sin cualificación, en cuyo caso realmente los requisitos serán establecidos por el propio prestador.

En este sentido, hay que dejar claro que el proceso, y el correspondiente servicio cualificado, se refiere a la validación de la firma o sello electrónico cualificado, y no a la validación de otras tipologías de firma o sello electrónico, algo que responde a la imposibilidad de establecer requisitos para todas las posibles tecnologías que sustentan la prueba de atribución. Ello no significa que no se pueda «reutilizar» un servicio cualificado de firma o sello electrónico cualificado para la validación de una firma o sello electrónico avanzado basado en un certificado cualificado, algo relativamente simple dado que únicamente debe obviarse la comprobación de uno de los requisitos de la firma o sello, que además se informa en el certificado cualificado; más difícil resulta reutilizar este proceso cuando nos encontramos ante un certificado sin cualificación, por no encontrarse normalizada la información correspondiente al mismo, y así sucesivamente.

El enfoque del Reglamento eIDAS es, pues, muy pragmático y centra la cualificación en el proceso de validación de firma o sello electrónico cualificado, el más concreto y mejor definido en la normativa, tanto jurídica, como técnica. A continuación, analizaremos sucintamente estos requisitos, los cuales mostrarán la complejidad que subyace a este proceso, que —recuérdese— debe ser automático, y que consta de diversos elementos en juego.

En primer lugar, el artículo 32.1 del Reglamento eIDAS contiene algunas normas referidas a los certificados cualificados de firma o sello electrónico cualificado. En concreto, en el proceso de validación se debe verificar que el certificado que respalda la firma o sello electrónico cualificado era, en el momento de la creación de la firma, un certificado cualificado de firma electrónica ajustado al anexo I o al anexo III del Reglamento eIDAS, respectivamente. Se trata de un requisito que exige, como se puede fácilmente deducir, acceder al contenido del certificado y evaluar la completitud y corrección de dichas informaciones, o alternativamente, obtener información adicional acerca de los certificados, posiblemente de la lista de confianza publicada por el órgano competente, pero también poder determinar que esta información era correcta en el momento de creación de la firma, para lo cual es imprescindible determinar con certeza este aspecto, siendo muy relevante el uso de un servicio, eventualmente cualificado, de sellado de tiempo electrónico en un momento muy cercano al de creación de la firma o sello electrónico cualificado.

También debe ser objeto de comprobación que el certificado cualificado en cuestión había sido emitido por un prestador de servicios de confianza, lo que requiere de la comprobación de la información contenida en la lista de confianza anteriormente mencionada, a la fecha de creación de la firma o sello electrónico cualificado, y que era válido en el momento de la firma, para lo cual se requiere acceder a la información de estado de dicho certificado, de nuevo a la fecha de creación de la firma o sello electrónico; para lo cual también se debe comprobar el certificado empleado por el prestador para firmar el certificado del firmante o creador de sello, así como, en su caso, el certificado que a su vez hubiera firmado el certificado del prestador, y así hasta el inicio de la jerarquía, como se expuso en el capítulo técnico inicial .

En segundo lugar, el mismo artículo 32.1 contiene algunas exigencias relativas a algunas informaciones que deben mostrarse, de forma garantizada, a la parte usuaria, incluyendo los datos de validación de firma o sello, el conjunto único de datos que representa al firmante o creador de sellos en el certificado o una indicación clara acerca de haberse utilizado un seudónimo, en lugar de la identidad real del firmante.

Se trata de requisitos orientados a sustentar las garantías de la firma o sello electrónico asociadas a los datos contenidos en el correspondiente certificado, de modo que la parte usuaria pueda conocer la identidad —en su caso, basada en seudónimo— del firmante o creador de sellos, y los correspondientes a los datos de validación de la firma o sello; esto es, la clave pública correspondiente a la persona identificada en el certificado en cuestión, dado que estos datos permiten determinar que una firma o sello es efectivamente avanzado.

En tercer lugar, el artículo 32.1 del Reglamento eIDAS se refiere a exigencias específicas de la firma o sello electrónico, entre las cuales la comprobación de que la firma o sello ha sido creada empleando un dispositivo cualificado — mediante la información contenida en el certificado correspondiente, o alternativamente la información indicada en la lista de confianza—, de que se ha mantenido la integridad de los datos firmados o sellados, y finalmente, de que en el momento de firma se han cumplido todos los requisitos previstos para considerar a la firma o sello como avanzado.

Esto último implica que el proceso de validación ha de ser capaz de comprobar la vinculación entre firma o sello y firmante o creador de sello, respectivamente; que la firma o sello identifica a firmante o creador de sello —lo que resulta redundante con la comprobación ya realizada del certificado—; el control exclusivo de los datos de creación de firma o sello —lo que sólo puede asumirse como correcto a partir de la constatación del uso del dispositivo cualificado, que ya sabemos que es puramente declarativa—; y la vinculación entre firma o sello y datos firmados o sellados.

3.3. El servicio de confianza de conservación de la firma y sello electrónico

El servicio de conservación de firma o sello electrónico permite ampliar la fiabilidad de los datos de validación de la firma o sello electrónico cualificado más allá de su período de validez tecnológica inicial, necesidad que deriva de la tecnología criptográfica empleada, que pierde fortaleza a medida que transcurre el tiempo, principalmente por el incremento de la capacidad de cálculo y por la posible aparición de ataques que puedan afectar negativamente a los algoritmos.

Esta necesidad conecta con la existencia de documentos o mensajes de duración superior al de una firma o sello electrónico, por lo que hay que mantener su validez jurídica, necesidad que identifica con bastante claridad el Reglamento eIDAS en su considerando (61), cuando indica que la norma «debe garantizar la conservación a largo plazo de la información, es decir, la validez jurídica de la firma electrónica y los sellos electrónicos durante períodos de tiempo prolongados, garantizando que se puedan validar independientemente de la evolución futura de la tecnología».

Este objetivo se podrá lograr acudiendo a diversas técnicas, incluyendo la incorporación, de forma protegida, de informaciones adicionales a la firma o sello electrónico o el empleo de repositorios de documentos firmados, que han sido inicialmente reguladas actualmente en la normativa nacional —como, por ejemplo, en España en la normativa de administración electrónica—, que cabe imaginar quedará superada por la regulación europea, aplicable también al sector privado.

Antes de entrar en los requisitos del servicio, conviene hacer notar que el Reglamento eIDAS, a diferencia de la creación y validación de firma y sello electrónico, no regula cómo pueden el firmante o creador de sellos, o la parte usuaria (por ejemplo, el receptor del documento o mensaje firmado o sellado) conservar dicha firma o sello electrónico cualificado, algo francamente criticable por la evidente incompletitud que supone dicha laguna.

En este marco, el artículo 34.1 del Reglamento eIDAS —aplicable también al sello electrónico en virtud de lo establecido en el artículo 40 del propio Reglamento—, ordena que «[s]olo podrá prestar un servicio cualificado de conservación de firmas electrónicas cualificadas el prestador cualificado de servicios de confianza que utilice procedimientos y tecnologías capaces de ampliar la fiabilidad de los datos de la firma electrónica cualificada más allá del período de validez tecnológico», en una redacción que viene a contener dos requisitos para la prestación del servicio, de corte genérico, referido al empleo de procesos y tecnologías que permitan esta ampliación de la fiabilidad de la firma o sello más allá de su periodo de validez tecnológico.

Como se puede ver, el servicio se ordena a resolver un problema estrictamente técnico, en particular referido a la pérdida de seguridad de los algoritmos criptográficos empleados para la firma y sello electrónico cualificado, por lo que el requisito es únicamente disponer de la correspondiente tecnología, y aplicar el correspondiente proceso.

Resulta, sin embargo, criticable que no se establezca ningún requisito respecto a dicha tecnología o al proceso asociado, dado que de esta forma resulta francamente difícil para los operadores jurídicos determinar el alcance de las obligaciones asociadas al servicio; sin perjuicio de la posibilidad de acudir a las normas técnicas que se desarrollen.

Una duda importante que plantea este servicio es si el mismo implica que la conservación física del objeto de firma o sello deba correr necesariamente a cargo del prestador, o la pueden realizar el firmante o creador de sellos, o la parte usuaria; es decir, si esta conservación es un requisito del servicio.

A tenor de la dicción literal del Reglamento eIDAS, se puede entender que sería conforme al mismo un servicio que simplemente aplicara el proceso tecnológico previsto en las normas técnicas —por ejemplo, la adición de un sello cualificado de tiempo electrónico de archivo a la firma o sello electrónico cualificado—, devolviendo posteriormente la firma o sello modificada a la persona usuaria del servicio.

En contra de esta posibilidad, se podría oponer que la denominación del servicio implica, en efecto, la obligación de conservación del objeto de firma o sello electrónico, pero dicha interpretación parecería excesiva, dado que nada más en el Reglamento la apoya.

Más correcto parece la interpretación, que encuentra apoyo en las normas técnicas anteriormente aludidas, en cuya virtud la conservación física del objeto de firma o sello sería una opción técnica más para la ampliación del plazo de validez técnica de dicha firma o sello, alternativa o complementaria a la adición de sellos de tiempo electrónico de archivo, conforme al ejemplo anteriormente expuesto.

Esta interpretación ha sido expresamente adoptada por algún organismo de supervisión, y es la que también adopta nuestra legislación del sector público, en concreto en la NTI de Interoperabilidad de Política de firma y sello electrónicos y certificados de la Administración, aprobada por Resolución de 27 de octubre de 2016, de la Secretaría de Estado de Administraciones Públicas.

De forma consistente con lo que se acaba de indicar, tampoco es un requisito del servicio proceder a la conservación del documento o mensaje firmado o sellado, aunque ciertamente pueda resultar conveniente; algo que en algún Estado ha supuesto la regulación, en sede nacional, del correspondiente servicio de confianza de archivo de documentos, como, por ejemplo, en Bélgica.

4. BIBLIOGRAFÍA

ALAMILLO DOMINGO, I. (2016). Identidad y firma electrónica. Nociones técnicas y marco jurídico general. Identificación y autenticación de los ciudadanos. En E. Gamero Casado, S. Fernández Ramos, & J. Valero Torrijos (Edits.), *Tratado de procedimiento administrativo común y régimen jurídico básico del sector público* (Primera ed., págs. 675 a 768). Tirant lo Blanch. Valencia.

ALAMILLO DOMINGO, I. & URIOS APARISI, X. (2004). Comentario crítico de la Ley 59/2003, de 19 de diciembre, de firma electrónica. *Revista de la Contratación Electrónica* (46).

ALAMILLO DOMINGO, I. & URIOS APARISI, X. (2011). *La actuación administrativa automatizada en el ámbito de las Administraciones Públicas. Análisis jurídico y metodológico para la construcción y la explotación de trámites automáticos* (1.ª ed.). Barcelona: Escola d'Administració Pública de Catalunya. Obtenido de http://eapc.gencat.cat/web/.content/home/publicacions/col_leccio_estudis_de_recerca_digital/3_actuacio_administrativa_automatitzada/alamillo_urios_castellano.pdf

BASHIR, M., & KEMPF, J. (2009). Bio-Inspired Reference Level Assigned DTW for Person Identification Using Handwritten Signatures. En J. Fierrez, J. Ortega-Garcia, A. Esposito, A. Drygajlo, & M. Faundez-Zanuy (Ed.), *Biometric ID Management and Multimodal Communication. BioID 2009* (págs. 200 a 206). Berlin: Springer.

BAUZÁ MARTORELL, F. J. (2002). *Procedimiento administrativo electrónico.* Granada: Comares.

ELÍAS BATURONES, J. (2008). *La prueba de documentos electrónicos en los Tribunales de Justicia* (Vol. 574). Valencia: Tirant lo Blanch.

GARCÍA MAS, F. (2010). Especial consideración del documento electrónico en el art. 3 de la Ley 59/2003, de 19 de diciembre, de firma electrónica: la modificación de la Ley 56/2007. *Actualidad Civil*(10).

GRUBER, C., HOOK, C., KEMPF, J., SCHARFENBERG, G., & SICK, B. (2006). A Flexible Architecture for Online Signature Verification Based on a Novel Biometric Pen. *2006 IEEE Mountain Workshop on Adaptive and Learning Systems* (págs. 110 a 115). Logan: IEEE. doi:10.1109/SMCALS.2006.250700

MARTÍN DELGADO, I. (sept.-dic. de 2009). Naturaleza, concepto y régimen jurídico de la actuación jurídica automatizada. *Revista de Administración Pública* (180), págs. 353 a 386.

MARTÍN DELGADO, I. (2010). Identificación y autenticación de los ciudadanos. En E. Gamero Casado, & J. Valero Torrijos (Edits.), *La Ley de Administración Electrónica. Comentario sistemático a la Ley 11/2007, de 22 de junio, de*

Acceso Electrónico de los Ciudadanos a los Servicios Públicos (3.ª ed., págs. 463 a 536). Cizur Menor, Navarra, Aranzadi.

MARTÍNEZ GUTIÉRREZ, R. (2011). Identificación y autenticación: DNI electrónico y firma electrónica. En J. L. Piñar Mañas (Ed.), *Administración electrónica y ciudadanos* (1.ª ed., págs. 407 a 454). Cizur Menor, Navarra, Aranzadi.

MARTÍNEZ NADAL, A. (2009). *Comentarios a la Ley 59/2003 de firma electrónica* (2.ª ed.). Cizur Menor: Civitas Thompson Reuters.

NIEVA FENOLL, J. (2009). Práctica y valoración de la prueba documental multimedia. *Actualidad Civil* (17).

ROBNAGEL, H. (2006). On diffusion and confusion — Why electronic signatures have failed. In S. Fischer-Hübner, S. Furnell, & C. Lambrinoudakis (Eds.), *Trust and Privacy in Digital Business. 3rd International Conference on Trust and Privacy in Digital Business, TrustBus 2006* (Vol. LNCS 4083, págs. 71 a 80). Springer.

PARTE V.

SOLUCIONES DE ARCHIVO Y GESTIÓN DOCUMENTAL

36.

ARCHIVE COMO SOLUCIÓN DE ARCHIVO ELECTRÓNICO PARA TODAS LAS AA PP

José Luis GARCÍA MARTÍNEZ
Jefe de Área de Archivo y Documento Electrónico del Ministerio de Hacienda

Laura FLORES IGLESIAS
Subdirectora general adjunta de Impulso de la Digitalización de la Administración del Ministerio de Asuntos Económicos y Transformación Digital

Gerardo BUSTOS PRETEL
Subdirector general de Información, Documentación y Publicaciones del Ministerio de Hacienda

1. ¿QUÉ ES ARCHIVE?

En la actualidad existen diferentes aplicaciones de gestión documental que facilitan la tramitación de procedimientos, aunque, no tenemos que olvidar, que la mayor parte de los órganos de las administraciones públicas carecen de las herramientas adecuadas para generar expedientes electrónicos.

¿Qué es lo que diferencia a Archive de esas aplicaciones de gestión? Pues en esencia, Archive no está pensado para tramitar expedientes, sino que su función es recibir los expedientes de las aplicaciones de gestión y conservarlos a largo plazo. Para ello, la aplicación cuenta con diferentes centros de procesos de datos en los que la información está replicada, con lo que se evita cualquier posibilidad de pérdida. Siguiendo el modelo OAIS[(1)] de gestión de archivos, Archive cubre todo el ciclo de vida de los documentos y expedientes desde su finalización y

---

(1) OAIS (Open Archive Information System) es un modelo de referencia para la implantación de un sistema de repositorio digital desarrollado por el Consultative Committee for Space Data Systems (CCSDS) y estandarizado a través de la ISO 14721:2003. Actualmente este modelo es la referencia a la hora de abordar el diseño de un sistemas para el archivo prolongado de información digital.

sus sucesivas fases de archivo a largo plazo, por tanto, está diseñado para que convivan en ella diferentes archivos centrales, intermedios e históricos.

Por otro lado, igual que en el mundo analógico, el expediente electrónico necesita de toda una serie de cuidados para su mantenimiento. Para ello se renuevan las firmas electrónicas de sus índices y se realizan cambios de formato de los documentos de forma automatizada. Así evitamos la obsolescencia de los documentos custodiados, garantizando su integridad y disponibilidad.

Archive es una aplicación web y proporciona las herramientas necesarias para la creación por parte de un gran administrador multidepartamental de un sistema de administración y gestión de centros de archivo, así como la integración en Archive de las correspondientes aplicaciones consumidoras y la gestión de los documentos y expedientes electrónicos remitidos por éstas.

Otra de las características de Archive es que está perfectamente adecuado al ENI. Está pensado para custodiar documentos y expedientes con los formatos, estructuras y metadatos establecidos en las Normas Técnicas del ENI y en las políticas de gestión de documentos. Por decirlo de alguna manera, está preparado para asumir la documentación en el formato que las administraciones públicas españolas han establecido para intercambiar y conservar sus documentos: el formato ENI. En este caso, el envío de documentos y expedientes a Archive se agilizará a medida que las aplicaciones de tramitación se adecuen al ENI.

Archive dispone diferentes módulos de trabajo relacionados con el ingreso de los expedientes en el archivo, el alta de unidades y órganos, la creación de series documentales, ejecución de los dictámenes de conservación, transferencias, generación de actas de cambio de custodia, búsquedas, trazabilidad, etc.

Los expedientes y documentos serán importados y clasificados dentro de centros de archivo y series documentales, y pasarán por diversos estados (tanto de forma automática, como manual), en función de la política de conservación asignada.

Una de las principales funciones de un archivo es la recuperación de información de la forma más rápida posible. El motor de búsqueda de Archive, a través de la indexación de los metadatos de documentos y expedientes en su ingreso, es similar a los que utilizan empresas como Google o Amazon, por medio de palabras clave genera un listado de expedientes y documentos que pueden adjuntarse a un paquete de difusión (DIP) hecho a medida de los usuarios.

Archive proporciona también mecanismos de notificación de los cambios de estados que experimentan los expedientes, así como distintos módulos de gestión (usuarios y roles, archivos documentales, clasificación SIA y/o funcional). Y dispone de una serie de operaciones accesibles a través de servicios web, tales como enviar o consultar SIP, buscar expedientes u obtener actas de ingreso.

Permite generar, para cada archivo y serie documental, los metadatos del esquema de metadatos de la Norma Técnica de Interoperabilidad de Política de gestión de documentos electrónicos, necesarios para la gestión de expedientes (como unidad atómica). Estas selecciones automáticamente se traducen en reglas de validación de los SIP (submission information package) para que puedan, así, ser implementados por cada centro de archivo. Incluye herramientas para la generación de estos SIP, así como una visualización de los AIP (archival information package) que se generan internamente en el software de Archivo.

Análogamente, en el proceso de intercambio entre Archivos, permite la generación de DIP (dissemination information package) de manera semiautomática, para el traspaso entre centros de archivo compatibles con estos protocolos de transferencia. En relación con las políticas de conservación, permite la eliminación total, parcial, conservación permanente y pendiente de dictamen. Para eso, desarrollan entre otras funcionalidades, las de resellado de documentación, conversiones masivas de formato y gestión avanzada de metadatos para la definición de los SIP y AIP.

Archive, un producto de carácter público creado en el seno de las administraciones públicas, viene a dar respuesta a la importante necesidad de preservar nuestro presente de la misma forma que nuestros antepasados han conservado los archivos analógicos. El sector privado también tiene la oportunidad de sumarse a esta iniciativa y reutilizar esta y otras herramientas del Estado.

La aplicación ya se encuentra liberada y se ofrece con licencia EUPL.

Se ha publicado una guía rápida para las administraciones acerca de Archive llamada «Archive en 3 pasos», en el que se indican las características principales, actuales y futuras, del aplicativo de preservación digital. Además, se indican los pasos para solicitar accesos para probar la aplicación y otras cuestiones que pueden ser de interés. http://run.gob.es/archiveguia.

2. ¿POR QUÉ Y CÓMO SE DESARROLLÓ ARCHIVE?

En 2013 el entonces Ministerio de Hacienda y Administraciones Públicas inició los trabajos para la elaboración de la Política de gestión documentos electrónicos. En ese marco surgió rápidamente la necesidad de contar con una herramienta de archivo electrónico que diera respuesta a la necesidad de conservación documental en soporte electrónico. Empezó así una estrecha colaboración entre la Subdirección General de Información, Documentación y Publicaciones (donde se encuadraba el Archivo Central de MINHAP) y la entonces Dirección General de Modernización Administrativa, Procedimientos e Impulso de la Administración Electrónica. Esa colaboración multidisciplinar garantizaba el trabajo conjunto de técnicos informáticos como desarrolladores del programa, y los archiveros y gestores como asesores funcionales de ese desarrollo.

Esos trabajos, si bien fueron más intensos en los primeros años, prácticamente no han parado desde entonces, a pesar de que desde 2018 supone la colaboración desde dos ministerios diferentes. El proyecto coincidió en el camino con la aprobación por parte de la Comisión de Estrategia TIC, el 15 de septiembre de 2015, del marco regulador de la Declaración de servicios compartidos. Este planteamiento suponía en realidad la apuesta por un nuevo modelo de prestación de servicios articulado en torno a la idea de servicios compartidos, de carácter obligatorio y sustitutivo de los anteriormente existentes, salvo singulares excepciones, y a la idea de infraestructuras comunes en el ámbito de las tecnologías de la Información y las comunicaciones.

En esa misma fecha se realizó la primera declaración de 14 servicios compartidos, entre los cuales se encontraban dos estrechamente ligados a la gestión y conservación del documento electrónico:

- Servicio de gestión de expediente y documento electrónico
- Servicio de gestión de archivo electrónico

El MINHAP ponía así a disposición de las administraciones públicas ARCHIVE, un servicio de archivo definitivo de documentos y expedientes electrónicos compatible con los requisitos del ENI. El objetivo de esta plataforma es facilitar a las distintas administraciones públicas. un servicio común de archivo definitivo de documentación electrónica asegurando la persistencia en el tiempo de dicha documentación.

3. ¿QUÉ FUNCIONES CUMPLE ARCHIVE?

El servicio y la conservación han sido hasta ahora las funciones principales que han definido al archivo tradicional. Ahora estamos ante una nueva etapa protagonizada por las nuevas tecnologías, pero la filosofía de los archivos como institución en la que se custodia la documentación producida por las administraciones públicas y las personas no tiene por qué cambiar, a pesar de la especial transcendencia del cambio tecnológico. Realmente, el archivo no tendría por qué perder funciones, sino que, si juega bien la partida, podrían ganar nuevas.

En ese cambio tecnológico, los archivos pasan a prestar principalmente sus funciones online, pues los usuarios pueden entrar en el portal del archivo electrónico y consultar información a través del buscador sobre archivos electrónicos, series documentales y número de expedientes y solicitar el derecho de acceso para la visualización de expedientes y documentos, y cuando lo estime conveniente, descargarse los mismos.

Para la puesta a disposición de la información, Archive tiene un potente motor de búsqueda que, a través de los metadatos, puede filtrar la información de múltiples formas: con una palabra clave, un periodo cronológico, una serie documental determinada o varias series, determinados valores en los metadatos, etc., o bien combinando diferentes criterios que se pueden cambiar dinámicamente según se van obteniendo resultados, lo que convierte a este buscador en una valiosa herramienta de trabajo envidiada por cualquier aplicación de gestión de archivo tradicional.

El listado de expedientes resultante puede asociarse a un paquete de difusión (DIP) total o parcialmente. No obstante, al usuario no se le remiten los expedientes, sino que lo que recibe es un *token* con los identificadores de los expedientes y una clave. Realmente los expedientes no se remiten por la red, lo que ahorra tráfico de datos, costes y tiempo. Si el usuario desea descargarse algún documento o expediente puede hacerlo.

Por otro lado, en la actualidad, se está diseñando un Portal de Archivo Único, en el que el usuario podrá acceder al cuadro de clasificación de cada uno de los centros de archivo existentes. A través de este cuadro, el usuario podrá navegar en el árbol jerárquico de funciones hasta descender a las series documentales, e incluso, en el futuro, podrían visualizar los propios expedientes en el caso de que sean de libre acceso. Si la serie está calificada como de acceso limitado, el usuario podrá dirigirse al Archivo solicitando el acceso a la información, que será ponderado por el archivero.

En cuanto a la conservación, Archive cuenta con un calendario de conservación que gestiona las transferencias y las eliminaciones a través de sendos módulos en los que el archivero puede ejecutar las acciones diseñadas. Tanto de los ingresos como de las transferencias a la siguiente fase de archivo queda constancia con la generación de un acta. Los datos de las actas se gestionan a través de un registro de actas.

No obstante, para que los expedientes y documentos puedan ponerse a disposición de los ciudadanos con garantías de conservación es necesario que las aplicaciones se integren en Archive e ingresen sus expedientes en el centro de archivo correspondiente. Una vez ingresados, los expedientes y documentos son tratados, mejorando la descripción de los metadatos para facilitar su recuperación y conservación.

4. ¿CÓMO FUNCIONA ARCHIVE?

En el momento presente, Archive cuenta con cinco módulos: gestión de expedientes, gestión de DIP, gestión de archivo, administración y buscador. Para conocer las utilidades de la aplicación es necesario explicar brevemente el funcionamiento de cada uno de ellos, comenzando por el módulo de administración, que es el primero que tenemos que poner en funcionamiento al dar de alta el centro de archivo.

4.1. Módulo de administración

Las funciones principales de este módulo corresponden a la Secretaría General de Administración Digital. Aquí es dónde se crean los diferentes centros de archivo, se da de alta a los usuarios y sus roles.

Al crear los centros de archivo se pueden definir los metadatos que estimemos necesarios para que sean requeridos a las unidades de gestión. Están incluidos los metadatos de la primera y segunda versión del eEMGDE. Para cada metadato se puede establecer su condición de obligatoriedad o condicionalidad, o si un metadato concreto debe tener un valor con una expresión regular.

4.2. Módulo de gestión de archivo

Una vez definido el centro de archivo llega el momento de entrar en el módulo de gestión de archivo. Aquí daremos permiso a las unidades gestoras para remitir sus expedientes, daremos de alta las series documentales y gestionaremos el cuadro de clasificación. Como Archive está integrado con DIR3[2] y SIA[3], tendríamos que conocer el código de la unidad que ha generado el expediente y entrar en SIA para ver si la serie documental está creada y si tiene cumplimentados los datos de la pestaña de gestión documental. Este paso previo es necesario, puesto que, en el momento de crear la serie documental, los datos de SIA quedarán vinculados automáticamente a Archive, estableciendo los metadatos de clasificación, seguridad, acceso, y calificación que heredarán los expedientes en el momento de su ingreso (cuando se crea el AIP).

El cuadro de clasificación se genera de forma sencilla y permite multitud de niveles jerárquicos. Cada serie documental debe asociarse a una función del cuadro.

---

(2) El Directorio Común DIR3 proporciona un Inventario unificado y común a todas las administraciones públicas de las unidades orgánicas / organismos públicos, sus oficinas asociadas y unidades de gestión económica - presupuestaria, facilitando el mantenimiento distribuido y corresponsable de la información.

(3) El Sistema de Información Administrativa, SIA, es una aplicación informática cuya función básica es la de actuar como catálogo de información sobre tramitación administrativa, incluyéndose procedimientos administrativos y servicios tanto dirigidos al ciudadano como propios de las administraciones públicas.

4.3. Módulo de gestión de expedientes

El módulo de gestión de expedientes es el más utilizado. Se organiza en diferentes bloques o pestañas. En todas ellas se pueden realizar los correspondientes filtrados por serie documental. Las pestañas de este módulo son las siguientes:

Prearchivo: aquí se encuentran los expedientes que han entrado en la aplicación y están pendientes de su aceptación por el responsable del archivo[4]. El preingreso se realiza de forma continua, no en fracciones de serie. El formato de los expedientes en esta fase se corresponde con el SIP. En el preingreso, Archive coteja automáticamente si las firmas están en vigor y si se cumplen las estructuras que determina el ENI.

Archivo: aquí se encuentran todos los expedientes que han ingresado en el centro de archivo, desde los más recientes hasta los que están pendientes de eliminación o transferencia. Cada uno de ellos, dependiendo de su estado, se identifica con un icono diferenciado. Cuando se ingresa un expediente se genera un acta de ingreso que queda registrada y se remite a la aplicación origen.

Los expedientes ingresados tienen el formato AIP, que contiene el SIP original al que se añaden los metadatos concernientes a clasificación, seguridad, acceso y calificación heredados de su serie documental, así como los relativos al registro de entrada en el archivo y los que la aplicación asigna relativos a la conservación en los repositorios y la trazabilidad.

En esta pestaña tenemos la opción de convertir los expedientes ingresados en híbridos en el caso de que una parte del mismo se encuentre en papel[5].

Pendientes de eliminación y **pendientes de transferencia**: son en realidad subconjuntos del Archivo, en los que encontraremos los expedientes que

---

(4) El ingreso en el Archivo (el paso de los expedientes de prearchivo a archivo) es una tarea manual, que queda en manos del archivero. Éste coteja los expedientes y documentos (una muestra) y comprueba que los metadatos y contenido se encuentran de forma correcta.

(5) Para ello se incluyen en el AIP el metadato eEMGDE15.1 Soporte, que tendrá como valor «papel», y el metadato eEMGDE15.2 Localización, en el que indicaríamos la signatura de la parte del expediente que se encuentra en papel. Esta acción se puede realizar en cualquier momento, una vez ingresado el expediente en el archivo.

están pendientes de eliminación o trasferencia[6]. Aunque el sistema gestiona estas bandejas de forma automatizada, la decisión última de transferencia o eliminación se materializa de forma manual por parte del archivero[7].

Testigos: en lo concerniente a la eliminación, la aplicación facilita la conservación de los correspondientes testigos o muestras, que después se transferirán a la siguiente fase de archivo. Estos testigos se visualizan también en la pestaña del archivo.

Transferidos o **eliminados:** en estas pestañas solamente encontraremos los índices y metadatos de los expedientes que un día formaron parte del archivo, pero que ya no se encuentran en él, bien por su paso a otra fase de archivo, o bien, porque han sido eliminados.

Devueltos: aquí encontramos los índices y los metadatos de los expedientes que se han restituido a las unidades para añadir algún documento. Cuando el expediente sea ingresado de nuevo vendrá con un índice nuevo, por tanto, lo que encontramos en esta pestaña son los índices antiguos de estos expedientes[8].

Registro de actas: en esta pestaña podemos filtrar por periodos de ingreso y por serie documental, de forma que es posible emitir relaciones de entrega al estilo tradicional, en Excel o PDF, en las que constarán todos los expedientes ingresados por serie documental, constando el momento exacto en el que se produce el mismo. Estas relaciones pueden firmarse, si así se estima necesario, por el archivo remitente y el archivo receptor.

---

(6) Que aparezcan los expedientes en estos subconjuntos se debe a la combinación de los metadatos de dictamen (eEMGDE13.2.1 Tipo de dictamen y eEMGDE13.2.3 Plazo de ejecución de la acción dictaminada) o de transferencia (eEMGDE13.3.1 Fase de archivo y eEMGDE13.3.2 Plazo de transferencia), con el metadato eEMGDE4.2 Fecha fin del expediente, sin olvidar la importante participación previa del metadato clasificación (donde se incluye el código SIA), que agrupa el expediente de forma automática.

(7) La Norma ISO 15485 indica que las decisiones sobre la disposición se activen mediante alertas en el sistema, que permitan su ejecución bajo la supervisión del archivo.

(8) Recordemos que el índice del expediente está firmado y garantiza la autenticidad e integridad de los documentos, y que no se puede añadir un nuevo documento a un expediente sin reelaborar el índice, por eso hay que devolverlo a la unidad productora.

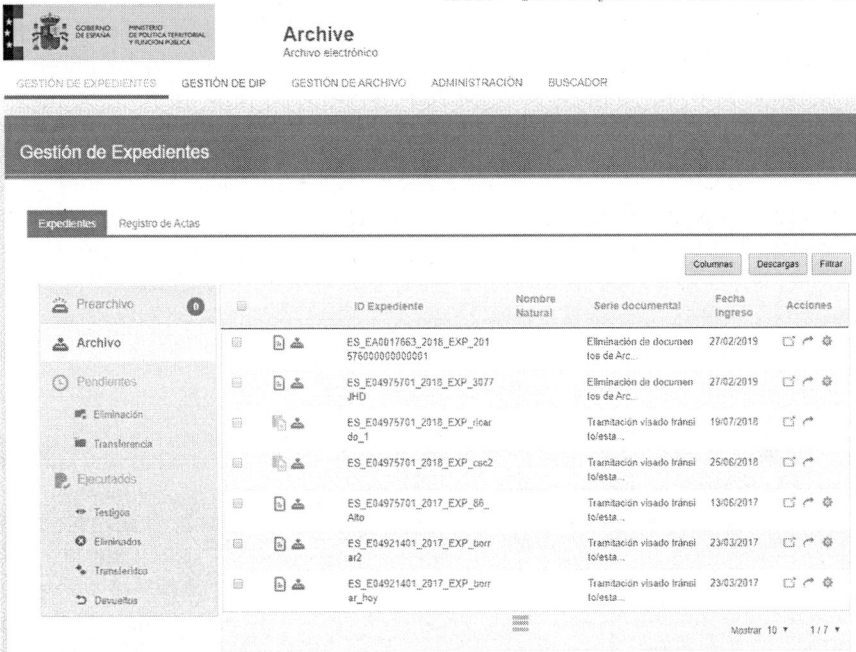

4.4. Módulo de gestión de DIP

En el módulo de gestión de DIP, se pueden generar paquetes de difusión (DIP) que integren uno o varios expedientes para ponerlos a disposición de los usuarios. Éstos reciben un *token* con una dirección de internet y una clave, con la que pueden acceder al expediente o expedientes de ese paquete concreto.

Esto marca una diferencia considerable con la administración tradicional. El préstamo como tal ya no existe, en realidad el usuario tiene acceso a una vista del expediente, y puede descargarse un original si lo estima necesario.

4.5. Módulo de búsqueda

El quinto módulo es el buscador, en el que se pueden realizar búsquedas a través de los metadatos, bien de forma genérica, o bien, filtrando por una o varias series documentales. En cada búsqueda se hace constar el número de resultados, lo que puede ser útil a la hora de elaborar estadísticas.

5. MODELO OAIS

La aplicación Archive, que tiene la vocación de convertirse en el archivo electrónico de las administraciones públicas, sigue el modelo OAIS (ISO 14721), que

735

establece tres tipos de paquetes: submission information package (SIP), archival information package (AIP) y dissemination information package (DIP). Como hemos dicho anteriormente, el paquete de transferencia (SIP) debe ingresar en el archivo con los metadatos obligatorios ENI, los que la unidad productora estime necesarios para su negocio y los metadatos de nombre natural y fecha fin, así como los correspondientes del Esquema de Metadatos comunes (eEMC).

Una vez ingresado el SIP en el archivo, se genera un AIP, paquete que contiene el SIP original al que se añaden los metadatos relativos a clasificación, seguridad, acceso y calificación, así como los necesarios para la conservación en los repositorios.

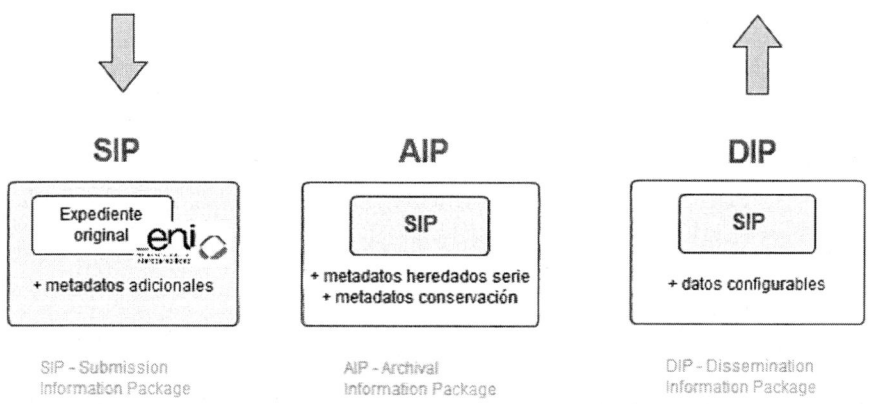

6. EN LA NUBE Y DISTRIBUIBLE

Archive está disponible en dos modelos: como servicio en la nube ofrecido por la Secretaría General de Administración Digital y como producto distribuible.

El servicio en la nube se ofrece principalmente a la Administración General del Estado, para aquellos organismos que no dispongan ya de un servicio de archivo electrónico. Este modelo de servicio tiene como ventajas la rapidez de implantación y delegación de la gestión de la infraestructura aunque también tiene algunas desventajas, como el rendimiento respecto a una instalación local.

El modelo como producto distribuible tiene más coste de implantación inicial pero mejor rendimiento y autonomía en cuanto a mejoras *ad-hoc*.

El producto distribuible se encuentra publicado en la solución Archive del PAE con licencia EUPL, lo que permite que pueda ser reutilizado por administraciones y empresas.

En cualquier caso, el uso de uno u otro modelo garantizan un tratamiento uniforme en la conservación de expedientes, normaliza formatos, metadatos, etc. que facilita la explotación de datos en el futuro y la interoperabilidad entre los archivos.

7. ALGUNAS CIFRAS

Desde junio de 2016 Archive empezó a funcionar, con carácter de proyecto piloto, como archivo electrónico único del entonces MINHAP. Posteriormente, al dividirse este departamento en los actuales Ministerio de Hacienda y Ministerio de Política Territorial y Función Pública, nos encontramos con dos centros de archivo electrónico en dos ministerios diferentes.

Hasta la fecha, aunque se están analizando otras posibilidades, han sido tres las aplicaciones que se han integrado con Archive:

IVO es una aplicación del Parque Móvil de Estado (Ministerio de Hacienda), que gestiona el inventario de coches oficiales, y remite los expedientes al Centro de Archivo de Hacienda. La serie documental integrada es la de Expedientes de autorización y renovación de vehículos del sector público estatal.

ACTAS es la aplicación que gestiona las actas de pleno, de Junta de gobierno y resoluciones de alcaldía que los ayuntamientos remiten a su correspondiente delegación o subdelegación del Gobierno. Hasta la fecha se han remitido más de 70.000 actas al Centro de Archivo del Ministerio de Política Territorial y Función Pública.

ACCEDA[(9)] ya está integrado con Archive en preproducción, fruto de los trabajos de colaboración realizados por las dos unidades que participaron en el nacimiento y desarrollo de Archive, es decir, la SGAD (Ministerio de Asuntos Económicos y Transformación Digital) y la Subdirección General de Información, Documentación y Publicaciones del Ministerio de Hacienda. En breve será implementado en producción, lo que permitirá que todas las unidades que gestionan sus expedientes con esta aplicación puedan remitir sus expedientes de forma automática a Archive. Esto va a suponer un gran salto para la consolidación de Archive como aplicación de archivo de las administraciones públicas.

Por otro lado, Archive también permite la entrada manual de expedientes a través de la generación de SIP, aunque es una práctica lenta y poco recomendable. En este sentido, han entrado expedientes de las series documentales siguientes:

• Petición de certificaciones y copias auténticas de documentos y expedientes custodiados en el archivo Central.

---

(9) ACCEDA debe su nombre a «Acceso de los Ciudadanos a los Expedientes de la Administración». Es una plataforma modular que integra tres componentes principales: una sede-e; un completo gestor para la tramitación electrónica de los expedientes que se inician en la sede; y una herramienta para su administración y configuración, que incluye un gestor de contenidos de la sede y un editor de formularios propio.

- Eliminación de documentos de Archivo.
- Transferencia de documentos al Archivo central.
- Préstamo de documentos de archivo.
- Elaboración del programa editorial.
- Altas excepcionales en el programa editorial.
- Expurgo de publicaciones en la Biblioteca.
- Acuerdos de colaboración de la Secretaría General Técnica.

Cabe señalar, por último, que a 31 de enero de 2020 en Archive había ocho centros de archivo en producción: 4 ministerios (Hacienda; Política Territorial y Función Pública; Industrial, Energía y Turismo; Interior a través de la Dirección General de Tráfico), 3 autoridades portuarias (Gijón, Tarragona, Valencia) y la Diputación Provincial de Córdoba. En la misma fecha, en entorno de pruebas había 45 centros de archivo, correspondientes a todas las AAPP: AGE, CC. AA., entidades locales y diputaciones provinciales.

A nivel resumen, los datos más significativos de Archive son:

- Centros de archivo en producción: 8
- Entornos de pruebas: 45
- Usuarios: 34
- Series documentales en producción: 16
- Expedientes en ingreso y preingreso: 50.305

8. BIBLIOGRAFÍA

GARCÍA MARTÍNEZ, J.L., «Archive, el archivo del futuro», en *Balduque, Boletín semestral de la Asociación de Archiveros de Extremadura*, 12 (2017), pp. 38-48.

Para contactar: https://ssweb.seap.minhap.es/ayuda/consulta/archive

¿Qué es Archive?: http://www.minhap.gob.es/Documentacion/Publico/SGT/Triptico%20ARCHIVE%20web_acc.pdf

Guía rápida de archive: https://ssweb.seap.minhap.es/portalEELL/doc/guia_archive/paso1.html

Inside: https://administracionelectronica.gob.es/ctt/inside

Archive: http://administracionelectronica.gob.es/ctt/archive

En general, PAE: https://administracionelectronica.gob.es/

37.

IARXIU COMO SOLUCIÓN DE ARCHIVO ELECTRÓNICO EN CATALUÑA

Raimon NUALART MERCADÉ
Cap de servei Consorci AOC. Responsable de gestió documental i Arxiu

1. LA GÉNESIS DEL SERVICIO Y SUS MOTIVACIONES

El Consorci Administració Oberta de Catalunya (Consorci AOC[1]) es una entidad pública que tiene la misión de promover la interoperabilidad de los sistemas de información catalanes con el resto de administraciones; crear y prestar servicios comunes de administración electrónica; reutilizar las aplicaciones y los servicios de administración electrónica que se desarrollen y garantizar la identidad y acreditar la voluntad en las actuaciones de los ciudadanos y el personal del sector público, así como la confidencialidad y el no-rechazo en las comunicaciones electrónicas.

El desarrollo de esta misión se realiza en base a unas líneas de actuación marcadas, por un lado, por una clara vocación de servicio a las administraciones públicas y, de otra, por la anticipación de las necesidades futuras que ya se prevén en el actual marco normativo. Precisamente, una de éstas es impulsar la generación de soluciones y prestar servicios que den respuesta a necesidades comunes de las entidades del sector público catalán en el uso de los medios electrónicos, fomentando la reutilización, las economías de escala y la disponibilidad en todo el territorio. En este contexto de vocación de servicio y de innovación para impulsar la transformación digital de las administraciones, encontramos la génesis del servicio de archivo electrónico y preservación digital, iARXIU[2], que el Consorci AOC pone a disposición de las administraciones públicas catalanas desde el 2010.

---

(1) Para más información sobre el Consorci AOC véase: http://www.aoc.cat/ [consulta el 13/02/2020].

(2) Para más información sobre el servicio iARXIU véase: https://www.aoc.cat/serveis-aoc/i-arxiu/ [consulta el 13/02/2020].

La aparición, de la ya derrogada, Ley 11/2007, de Acceso Electrónico de los Ciudadanos a los Servicios Públicos (LAE) y de los Esquemas Nacionales de Interoperabilidad y Seguridad (ENI y ENS, respectivamente), más el impulso de la administración electrónica y la progresiva automatización de los servicios y procedimentos de las instituciones en estos últimos años motivaron al Consorci AOC a proveer un servicio de archivo electrónico y así evitar que los problemas vinculados a la gestión y conservación de la documentación electrónica suposieran un freno para la digitalización y modernización de las administraciones públicas catalanas.

iARXIU fue una de las primeras experiencias en relación con el archivo y preservación de documentos electrónicos a largo plazo a nivel estatal. Si a su carácter vanguardista e innovador le sumamos algunos factores[3] que han dificultado su despliegue nos encontramos que el nivel de uso e implementación de la solución, como así lo confirman los indicadores[4], es desigual y hay mucho camino que recorrer para que sea asumido como un servicio vital y estructural para consolidar definitivamente la gestión de los documentos electrónicos de forma holística y garantizar un funcionamiento íntegramente electrónico de las administraciones públicas.

Seguramente las instituciones públicas están más preocupadas en su transformación digital y modernización que no en garantizar que los documentos y los datos electrónicos que se generan y gestionan, a día de hoy, sean accesibles y conservados de forma correcta para el futuro. Esta visión sesgada orientada a dar respuesta a los problemas a corto plazo está cambiando y la obligatoriedad de mantener un archivo electrónico único de los documentos electrónicos que correspondan a procedimientos finalizados esperamos que sea el punto de inflexión para conseguir una gestión integral de los documentos y datos electrónicos, desde que se crean hasta su disposición final.

2.   ¿PARA QUÉ SIRVE EL SERVICIO?

Es un servicio de archivo electrónico que permite la gestión, la custodia y la difusión de los documentos y expedientes una vez a finalizada su tramitación administrativa hasta su disposición final, ya sea la eliminación reglada o su conservación permanente y garantizando, en todo momento, la correcta asignación

---

(3)   BUSTOS PRETEL, GERARDO. «Documentos (electrónicos) en peligro de extinción». Legaltoday, Thompson-Reuters. Disponible en: http://www.legaltoday.com/blogs/transversal/blog-administracion-publica/documentos-electronicos-en-peligro-de-extincion   [consulta el 13/02/2020].

(4)   Para más información sobre indicadores de uso y conocer que organismos utilizan este servicio véase: https://app.powerbi.com/view?r=eyJrIjoiNjM5ZmU1MTItYm-FiMC00NmIzLTk5ZWEtNzNmODY4MDExODNjIi-widCl6ljM3YThhMGI5LTE4NzQtNGU1ZC1iMWY1LTExMDQwYzFjMDdmYyIsImMiOjl9[consulta el 13/02/2020].

de las responsabilidades, en cuanto a su gestión y custodia, por parte los archivos (instituciones) correspondientes.

Muchas veces se asocia un servicio de archivo electrónico a un mero repositorio o plataforma tecnológica donde se almacenan y administran datos y documentos electrónicos, y sus metadatos de forma centralizada. Esta percepción es una verdad a medias. Es cierto que los usuarios disponen en iARXIU de una aplicación web para gestionar los expedientes y documentos y que éstos se encuentran almacenados y custodiados en un archivo en la nube o solución SAAS, pero es imprescindible que las instituciones sean conscientes que este servicio debe estar integrado en su sistema de gestión documental, como un elemento funcional más. Sin una gestión documental previa no hay archivo electrónico. Hay que tener en cuenta que iARXIU no ofrece una solución integral, sino que es una fase más de la gestión documental y que su éxito depende si las demás fases se han realizado correctamente.

Asimismo, con disponer de un archivo electrónico no es suficiente y éste debería contar con un conjunto de servicios o herramientas que permitan garantizar la autenticidad, integridad, fiabilidad, disponibilidad y conservación de los documentos y sus datos, así como, del mismo sistema a lo largo de su ciclo de vida. Es lo que denominamos estrategias o técnicas de preservación digital.

3. ¿QUÉ TIPO DE DOCUMENTACIÓN/DATOS SE GESTIONAN EN LA PLATAFORMA?

Para entender mejor el funcionamiento de iARXIU hay que explicar, aunque sea brevemente, qué modelo de información se utiliza para representar los contenidos que se gestionan en el archivo electrónico.

Como es sabido, los archivos basados en el modelo OAIS (Open Archival Information System) utilizan el concepto de paquete de información para definir las entidades documentales a gestionar. Lo podemos definir como un contenedor que incluye los contenidos a conservar, en su aproximación más docucéntrica[5], (ya sean estos documentos electrónicos en su variedad de formas y estructuras como expedientes electrónicos o agrupaciones documentales) más los metadatos que los acompañan que nos describen el contexto, el contenido y la estructura de los documentos y nos permiten asegurar su autenticidad, fiabilidad, integridad y disponibilidad a lo largo de su ciclo de vida. Por lo tanto, cuando hablamos de preservación de documentos nos referiremos tanto a los

---

(5)   El debate sobre el modelo docucéntrico o datacéntrico aún no se ha resuelto y existen dudas razonables sobre si las NTI del documento y expediente electrónico, el formato ENI y las plataformas existentes, a día de hoy, como Archive y iARXIU son modelos válidos para gestionar la preservación de los datos, bases de datos, páginas web u otros contenidos como los datasets, las redes sociales, etc.

documentos, como objetos de información (contenido), como a los metadatos que nos ayudan a interpretar y gestionarlos correctamente.

Por esta razón es imprescindible modelar e implementar una forma de estructurar y agrupar todos los componentes que son objeto de conservación en un contenedor neutral, para que dejen de ser dependientes del sistema de información originario y puedan ser almacenados en un formato apto para su conservación y difusión. Si unimos, en un mismo contenedor, los contenidos digitales y sus metadatos, se crea una entidad que puede existir en cualquier entorno informático, ya que incluye toda la información necesaria para acceder y representar el documento. En la mayoría de proyectos de archivo electrónico[6] se propone el uso del formato XML para representar y almacenar los contenidos y sus metadatos.

En el 2010 ante la ausencia de un modelo normalizado de estructuración, empaquetado y encapsulación como el que establece el formato ENI[7] y, después de analizar los distintos esquemas existentes se decidió utilizar el esquema METS[8] por varios motivos:

• Permite estructurar los documentos de una forma flexible (arbórea) que se adapta a las distintas formas de agrupación (documento o expediente).

• Admite diferentes diccionarios o esquemas de metadatos (como *Dublin Core*, metadatos ENI, etc.) facilitando su interoperabilidad semántica.

• Permite el «crecimiento» del paquete a medida que se aplican procesos de preservación o de control en los ficheros y los metadatos.

• Permite incorporar los ficheros, tanto de forma incrustada en base64, como vinculados externamente mediante referencias o enlaces.

• Permite generar un paquete de información autónomo, autosuficiente y «auto-documentado», en formato XML, independiente del sistema y desprovisto de las dependencias tecnológicas de la aplicación que lo generó. Este paquete de información incluye:

○ Los contenidos a preservar (fichero/s).

---

(6) Para más información consultar los siguientes proyectos europeos sobre archivo electrónico y preservación digital: http://www.eark-project.com/, https://e-ark4all.eu/ y http://kc.dlmforum.eu/gm [consulta el 13/02/2020].

(7) Para más información véase NTI de documento electrónico y NTI expediente electrónico en el Portal de Administración Electrónica (PAE): https://administracionelectronica.gob.es/pae_Home/ [consulta el 13/02/2020].

(8) El esquema METS es un estándar para codificar metadatos descriptivos, administrativos y estructurales con respecto a objetos digitales, expresados usando el lenguaje de esquema XML. Para más información véase: http://www.loc.gov/standards/mets/ [consulta el 13/02/2020].

o Metadatos descriptivos necesarios para facilitar su búsqueda y recuperación.

o Metadatos administrativos necesarios para la gestión de los documentos a largo plazo.

o Metadatos de preservación necesarios para identificar correctamente los metadatos más técnicos asociados a los ficheros utilizando el esquema de metadatos de PREMIS[9].

o Metadatos de auditoria para dejar constancia de todos los cambios que sufre el paquete de información a lo largo de su vida (por ejemplo, una migración, una eliminación de contenidos, etc.) a efectos de trazabilidad utilizando el esquema de metadatos de PREMIS.

o Metadatos estructurales que definen la estructura interna del paquete y los elementos que lo forman.

La elección del formato METS fue una decisión muy acertada porque ha sido considerado el formato recomendado para representar los paquetes de información en el proyecto e-ARK (European Archival Records and Knowledge Preservation).

Siguiendo la terminología OAIS, existen los paquetes de información de transferencia (PIT) que son los contenidos y sus metadatos descriptivos que transfieren los productores al archivo. Cuando estos PIT ingresan en la plataforma se les aplica un conjunto de controles para verificar su integridad, autenticidad e idoneidad con los requerimientos de conservación. Se les añaden otro tipo de metadatos como los relacionados con la información de representación y los de auditoría. A esta normalización del PIT se le llama paquete de información de archivo (PIA). Cuando un usuario quiera consultar algún contenido almacenado en el repositorio, el sistema le permitirá descargarse una copia del PIA que se denomina paquete de información de consulta (PIC).

---

(9) Para más información sobre el esquema de metadatos véase http://www.loc.gov/standards/premis/premis.xsd y su guía de uso: http://www.loc.gov/standards/premis/v3/premis-3-0-final.pdf [consulta el 13/02/2020].

```
-<mets:mets TYPE="urn:iarxiu:2.0:templates:catcert:PL_expedient" OBJID="catcert:m02397:20200212-124749986:1588">
 +<mets:dmdSec ID="DMD_X2020000002"></mets:dmdSec>
 +<mets:dmdSec ID="DMD_1"></mets:dmdSec>
 +<mets:dmdSec ID="DMD_2"></mets:dmdSec>
 +<mets:amdSec ID="AMD_PAC"></mets:amdSec>
 +<mets:amdSec ID="AMD_1"></mets:amdSec>
 +<mets:amdSec ID="AMD_2"></mets:amdSec>
 +<mets:amdSec ID="AMD_3"></mets:amdSec>
 +<mets:amdSec ID="AMD_4"></mets:amdSec>
 +<mets:amdSec ID="PREMIS_OBJECT_BIN_1.0"></mets:amdSec>
 +<mets:amdSec ID="PREMIS_OBJECT_BIN_2.0"></mets:amdSec>
 -<mets:amdSec ID="PREMIS_EVENT">
   +<mets:digiprovMD ID="PREMIS_EVENT.0"></mets:digiprovMD>
   -<mets:digiprovMD ID="PREMIS_EVENT.1">
     +<mets:mdWrap LABEL="PREMIS event for the package" MDTYPE="PREMIS"></mets:mdWrap>
    </mets:digiprovMD>
  </mets:amdSec>
 +<mets:amdSec ID="SEAL.0.AMD"></mets:amdSec>
 -<mets:fileSec>
   +<mets:fileGrp ID="BIN_1"></mets:fileGrp>
   +<mets:fileGrp ID="BIN_2"></mets:fileGrp>
   +<mets:fileGrp ID="SEAL"></mets:fileGrp>
  </mets:fileSec>
 +<mets:structMap ID="structMap"></mets:structMap>
 </mets:mets>
```

Figura 1. **Ejemplo de PIA** en formato METS

4. ¿CÓMO FUNCIONA?

4.1. Las funciones y responsabilidades del Consorci AOC como prestador

El Consorci AOC como administrador y prestador del servicio a las administraciones públicas catalanas le corresponden las siguientes funciones:

• Proporcionar la solución de archivo electrónico único para expedientes finalizados en modalidad de servicio (SaaS) o en la nube. En esta modalidad la administración usuaria o cliente utiliza la aplicación web de archivo electrónico y los servicios de preservación asociados. Además, la infraestructura tecnológica que la sustenta y, en especial, el repositorio electrónico, reside a las instalaciones de un tercero, en este caso, en el CPD que proporciona el Consorci AOC.

• Dar de alta los centros de archivos y entes que van a consumir los servicios y recursos que proporciona iARXIU. Esto incluye la gestión de las aplicaciones de los entes usuarios y su autorización para que utilicen ciertas operaciones accesibles a través de los servicios web existentes[10].

• Aplicar medidas de seguridad, de acuerdo con lo previsto en el Esquema Nacional de Seguridad, que garanticen la integridad, autenticidad, confidencialidad, calidad, protección y conservación de los documentos almacenados y de toda la infraestructura tecnológica del servicio.

---

(10) Para más información sobre los servicios web veáse: https://www.aoc.cat/portal-suport/iarxiu-base-coneixement/idservei/iarxiu/#integradors [consulta el 13/02/2020].

• Configurar y monitorizar las funciones transversales y comunes del servicio, tales como:

○ Determinar los formatos de los ficheros aceptados por la plataforma.

○ Determinar el volumen de las transferencias que pueden efectuarse en el módulo de ingreso.

○ Gestionar los vocabularios o esquemas de metadatos que los usuarios pueden utilizar para describir los contenidos a archivar.

○ Garantizar la protección de la firma electrónica frente a la posible obsolescencia de los algoritmos y el aseguramiento de sus características a lo largo del tiempo de validez, aplicando el siguiente protocolo:

▪ completado de las firmas de los documentos que forman parte del expediente transferido, al perfil –A. Aquellas firmas que no pasen el proceso de validación se guarda la respuesta proporcionada por el servicio de validación de firmas a efectos de auditoria.

▪ Almacenamiento de las firmas electrónicas y de sus metadatos en el propio repositorio digital garantizando la protección de la firma contra falsificaciones y asegurando la fecha exacta en que se guardó la firma.

▪ Incorporación de una firma XAdES-A a nivel de agrupación o paquete de información en el momento de finalizar el ingreso en el repositorio digital para garantizar la integridad de los documentos/ expedientes transferidos y para mantener la cadena de confianza.

▪ Utilización de mecanismos de resellado automático, sólo aplicable a la firma de la agrupación o paquete de información, para añadir, cuando el anterior sellado este próximo a su caducidad, un sello de fecha y hora de archivo con un algoritmo más robusto.

• Garantizar el mantenimiento evolutivo del servicio, en función de las necesidades demandadas por los entes usuarios, las prioridades definidas por el Consorcio AOC y los recursos disponibles.

• Proporcionar documentación de apoyo a los usuarios del servicio y documentación de apoyo a la integración[11].

4.2. Las funciones y responsabilidades de los entes como suscriptores

Los entes usuarios del servicio se encargan de realizar las transferencias; de gestionar y mantener los fondos documentales y, finalmente, de adecuar sus

---

(11) Para más información veáse los contenidos del portal: https://www.aoc.cat/portal-suport/ iarxiu/idservei/iarxiu/ [consulta el 13/02/2020].

sistemas de información, normalmente los gestores de tramitación o gestores documentales, a los requisitos establecidos por iARXIU para poder realizar las transferencias de los documentos/expedientes al archivo electrónico de forma automatizada, así como, su posterior recuperación mediante los servicios web correspondientes.

Para facilitar la gestión del archivo electrónico, la plataforma incluye los siguientes módulos funcionales:

El módulo de ingreso ofrece los servicios y operaciones relacionados con la preparación, validación e ingreso de los paquetes de información de transferencia (PIT) que transfieren los productores de la documentación ya sea:

• De forma automatizada mediante los servicios web que ofrece la plataforma. Esta es la opción recomendada para transferir los expedientes finalizados desde las aplicaciones de gestión, normalmente gestores documentales o herramientas de tramitación administrativa, a iARXIU[12].

• O bien de forma manual utilizando la interfaz web de la aplicación que facilita la carga de documentos y la descripción de los mismos. Este canal lo utilizan aquellos organismos que no disponen de ninguna herramienta o aplicación de gestión de documentos, pero tienen la necesidad de conservar sus documentos.

Antes de proceder al ingreso de los documentos en el repositorio, la plataforma realiza un conjunto de tareas para verificar su integridad, autenticidad e idoneidad con los requisitos de conservación del archivo:

• Recepción de las solicitudes de transferencia, previa autenticación y autorización del envío.

• Almacenamiento temporal de los PIT para proceder a su validación y completado. Los controles que se realizan son los siguientes:

○ Aplicación de un control de integridad a los ficheros para verificar que no se hayan alterado o modificado.

○ Verificación de la existencia de virus en el PIT.

○ Introspección automática en los ficheros para extraer metadatos de carácter técnico útiles para garantizar su preservación[13].

---

(12) En este escenario los clientes deben generar los PITs en formato METS y enviarlos a la plataforma utilizando el servicio web correspondiente. Para más información véase: https://www.aoc.cat/knowledge-base/en-que-consisteix-la-integracio-amb-la-plataforma-iarxiu/idservei/iarxiu/ [consulta el 13/02/2020].

(13) Utilizamos dos herramientas para analizar los ficheros y extraer sus metadatos técnicos: DROID y JHOVE. Para más información sobre DROID véase: http://digital-preservation.github.io/droid/ [consulta el 13/02/2020]. Para más información sobre JHOVE véase: http://jhove.sourceforge.net/ [consulta el 13/02/2020].

o Validación y completado de las firmas electrónicas existentes en el PIT.

o Validación del contenido, de la estructura y la forma del PIT según lo establecido en el protocolo de transferencia.

o Incorporación de otros metadatos preestablecidos por el sistema con el fin de aumentar las garantías de conservación y gestión del contenido almacenado.

• Generación del PIA, un objeto normalizado y apto para ser archivado en el repositorio electrónico. Para garantizar su integridad se incorpora una firma electrónica del tipo XAdES-A.

• Indexación de los metadatos descriptivos en la base de datos para facilitar la búsqueda y la recuperación de los documentos.

• Envío del PIA al módulo de archivo para su almacenamiento y custodia.

• Creación del asiento correspondiente en el registro de transferencias y notificación del éxito de la operación de transferencia al usuario.

El módulo de archivo, transparente para los usuarios, provee los servicios y funciones para el almacenamiento, mantenimiento y recuperación de los contenidos archivados. Para garantizar la conservación y archivo de los PIA, el Consorci AOC aplica lo que prevé el Esquema Nacional de Seguridad en cuanto al cumplimiento de los principios básicos y de los requisitos mínimos de seguridad mediante la aplicación de las medidas de seguridad adecuadas a los medios y soportes en los que se almacenan los documentos.

El módulo de administración incluye las funcionalidades necesarias para que el archivero pueda gestionar los fondos documentales de su organización en su fase de archivo:

• La creación y mantenimiento de las series documentales.

• La definición de las políticas de acceso para determinar el régimen de acceso y consulta a los documentos almacenados.

• La gestión de los usuarios y los grupos, imprescindibles para configurar las políticas de acceso.

• La definición, gestión y monitorización de las políticas de retención y disposición de los documentos cuyo objetivo es determinar el período de tiempo que los PIA deben permanecer en la plataforma (período de retención) en función de sus valores y asegurar su disposición correspondiente: eliminación, conservación permanente, conservación parcial y/o transferencia a otro repositorio.

• La definición y configuración de los vocabularios y las plantillas de metadatos que los usuarios utilizarán para describir los documentos.

• La consulta del registro de acciones o historial de eventos y la consulta de las estadísticas de uso de la plataforma. Con esta funcionalidad se pueden extraer todos los registros, ya sean, de transferencias, de eliminaciones, de consultas, etc. que la normativa establece como indispensables para un archivo.

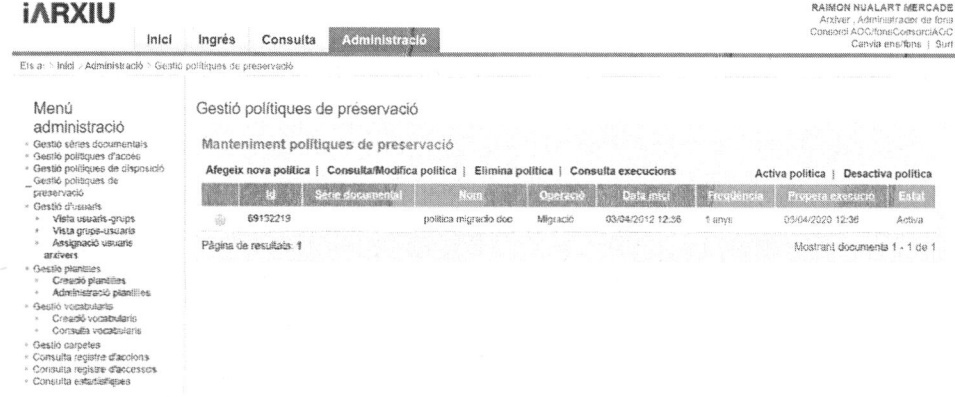

Figura 2. Funcionalidades módulo de administración

También encontramos en este módulo, los servicios y funciones de control del entorno del archivo, facilitando la creación de planes de preservación para asegurar que la información almacenada en el archivo permanezca accesible y disponible a largo plazo. Las técnicas de preservación digital disponibles son las siguientes:

• Servicio automatizado de identificación de los formatos de los ficheros en los procesos de transferencia de los PIT.

• Política de comprobación de la integridad y consistencia de los PIA almacenados y, en concreto, de los ficheros presentes en los PIA mediante el uso de la técnica del ckecksum o cálculo del hash.

• Resellado automático de la firma del paquete de información para garantizar la integridad de sus contenidos y metadatos.

• Servicio de migración de los formatos de los objetos digitales a formatos normalizados o más aptos para su conservación. Los documentos resultantes tienen la consideración de copias auténticas[14].

---

(14)   Véase la Resolución de 19 de julio de 2011, de la Secretaría de Estado para la Función Pública, por la que se aprueba la Norma Técnica de Interoperabilidad de Procedimientos de copiado auténtico y conversión entre documentos electrónicos.

El módulo de consulta y difusión incluye todas aquellas funcionalidades relacionadas con la recuperación y difusión de los contenidos almacenados en el archivo. Los usuarios, ya sea utilizando la interfaz de la aplicación web o los servicios web, manejan este módulo para realizar consultas sobre la documentación almacenada y optar entre los diferentes modos de visualización/recuperación:

• Búsqueda básica y avanzada mediante los metadatos de los documentos y/o expedientes.

• Consulta en línea de los contenidos y sus metadatos.

• Expedición de copias auténticas y conversión en línea de los documentos a nuevos formatos para facilitar su visualización.

• Descarga de paquetes de información de consulta (PIC) en formato ZIP y XML.

5.   ¿Y QUE NOS DEPARA EL FUTURO?

Sabemos que el servicio de iARXIU no finaliza aquí, sino todo lo contrario, tiene que mantenerse en permanente y continua evolución para adaptarse a las necesidades y requisitos del mañana. A corto plazo, el servicio incorporará nuevas funcionalidades para lograr que sea un servicio de archivo electrónico más completo: permitir exportar los PIC a formato ENI; alineación con el modelo OAI (*Open Archive Initiative*) para mejorar la difusión y consulta de los contenidos archivados de acceso público; mejorar la definición de las políticas de retención y disposición y facilitar la gestión de los expedientes híbridos.

Para seguir creciendo debemos salir de nuestra zona de confort y no tener miedo a buscar soluciones disruptivas a los nuevos retos que se nos presentan. Por ejemplo, aportar soluciones para la gestión, preservación y explotación de la información estructurada o en bases de datos, o incluso, de la información en bases de datos no relacionales utilizadas para gestionar y explotar proyectos Big Data. O como beneficiarnos de las potencialidades de la tecnología blockchain para automatizar ciertos procesos de gestión documental. O bien impulsar la creación de espacios de innovación, centros de conocimiento en preservación digital promovidos por las instituciones públicas y que aprovechen el conocimiento y experiencia de los profesionales, del mundo universitario y de la investigación, así como la potencialidad de las empresas tecnológicas del sector con el objetivo de generar servicios y soluciones reutilizables relacionados con la preservación digital tanto para la propia administración como para la ciudadanía. Este decálogo de actuaciones no se acaba aquí, y seguro que se pueden añadir más, pero como decía el gran maestro Yoda, *«Do. Or do not. There is no try»*.

38.

DOKUSI: SISTEMA INTEGRAL DE GESTIÓN DOCUMENTAL DEL SECTOR PÚBLICO DE LA COMUNIDAD AUTÓNOMA DE EUSKADI

Gloria BARCELÓ DEL CAMPO
EJIE- Sociedad Informática del Gobierno Vasco

Irune ZUMALDE IGARTUA
Archivo General, Gobierno Vasco

1. DEFINICIÓN

DOKUSI (acrónimo formado por las siglas **DO**kumentu **KU**deaketa **S**istema **I**ntegrala) es el sistema integral de gestión documental que da servicio a todos los sistemas de información que requieren funcionalidades de gestión documental del Sector Público de la Comunidad Autónoma de Euskadi.

Es un sistema basado en criterios archivísticos que regula todo el ciclo de vida del documento y da servicio a los tres entornos: registro, tramitación y archivo de documentos y expedientes. Los documentos alojados en el archivo electrónico único pueden ser fruto de procedimientos administrativos o de servicios ofrecidos por el Sector Público a la ciudadanía.

2. ¿CÓMO SE GESTÓ?

La Administración vasca comenzó a prepararse para la administración electrónica ya en 2003. En ese año se publicó el Decreto 174/2003, de 22 de julio, de organización y funcionamiento del Sistema de Archivo de la Administración Pública de la Comunidad Autónoma de Euskadi, que daba carta de naturaleza a un sistema de archivo en funcionamiento desde 1982.

A lo largo de los años 2003-2005 se realizaron una serie de planes informáticos, planes estratégicos, definición de estándares y de modelos por parte de la Dirección de Informática y Telecomunicaciones (DIT) y la entonces Oficina de

Modernización Administrativa (actual Dirección de Atención a la Ciudadanía e Innovación y Mejora de la Administración-DACIMA) que permitieron establecer las bases de lo que luego se ha convertido en la infraestructura de tramitación y el archivo electrónico.

Entre 2005 y 2006 confluyeron tres factores que ayudaron a asentar lo que iba a ser, por una parte, la tramitación electrónica y, por otra, la gestión de sus documentos.

1. El sistema de archivo se dotó de una aplicación de gestión (AKS/SGA) en el que se definía un cuadro de clasificación funcional que asignaba a cada serie un código único y permitía organizar toda la producción documental (independientemente de su soporte) en un único instrumento.

2. La Dirección competente en Administración electrónica desarrolló una plataforma para la tramitación electrónica (PLATEA) donde se integran las distintas «piezas» que permiten gestionar los expedientes. Entre ellas un módulo de tramitación de expedientes adaptable a procedimientos distintos y que se conoce como Tramitagune.

3. Por parte de EJIE, Sociedad informática del Gobierno Vasco, se vio la necesidad de contar con un repositorio electrónico único para albergar todos los documentos que estaban generándose y que se intuía iba a ser clave en un futuro muy próximo.

Como resultado de los análisis realizados se definió y aprobó en 2006 el Modelo de Gestión Documental (MGD) que es uno los componentes de DOKUSI, junto con sus políticas y metodologías y la infraestructura de gestión documental.

3. COMPONENTES DE DOKUSI

3.1. Modelo de Gestión Documental (MGD)

Se trata de un modelo teórico que facilita la comprensión y la homogénea implantación de la gestión documental corporativa, basada en criterios archivísticos que contempla todo el ciclo de vida de los documentos desde que se crean e ingresan en el sistema hasta que se conservan de manera definitiva o se eliminan. El MGD tiene en cuenta la normativa y recomendaciones internacionales, la normativa estatal y la propia autonómica en materia de archivística, de gestión documental y de administración electrónica.

EL MGD describe y concreta las funciones, procesos y roles en materia de gestión documental con el objetivo final de contribuir a la eficacia organizativa. Este modelo contempla las técnicas y procedimientos de la archivística, ya implantadas en la organización, y está en línea con las estrategias en materia de administración electrónica definidas e impulsadas por aquella.

Las directrices generales del modelo son independientes del soporte físico del documento (papel, electrónico, etc.). No obstante, dada la obligatoriedad legal de generar documentos electrónicos, en algunos casos concretos se han desarrollado más las particularidades que presentan éstos.

Sobre éstos se establecen unos requisitos básicos para que puedan ser guardados en el repositorio electrónico:

— Han de responder a los estándares de formato definidos por la DIT.

— Han de tener asignado un tipo documental de entre los recogidos en los Ficheros Maestros definidos por la Dirección de Recursos Generales, concretamente por el Archivo General.

— Han de tener asignado un código de procedimiento administrativo del Catálogo de Servicios, gestionado por la DACIMA.

— Han de tener asignado un código de serie documental del cuadro de clasificación del Sistema de gestión del sistema de archivo (AKS/SGA).

— Han de guardarse desde un sistema de información (aplicación).

3.2. Políticas y metodologías

Este segundo componente de Dokusi trata de diversos aspectos relacionados con la gestión documental. Entre ellos destacamos los siguientes:

— Guía de uso del Archivo Digital, compuesta por tres documentos que contiene la información funcional, la técnica y la de integración de la solución tecnológica que soporta a Dokusi y que deberá ser conocida por los sistemas de información que pretendan usarlo.

— Política de firma electrónica basada en certificados de la Administración Pública de la Comunidad Autónoma de Euskadi.

— Metodología de Despliegue del SGA en las entidades del Sector Público Vasco (MEDESGA).

— Metodología de digitalización de documentos para automatizar los procesos de captura de documentación en papel y la integración de los sistemas de información.

— Formatos de documentos electrónicos que se deben utilizar de acuerdo con los estándares tecnológicos definidos por la DIT.

— Conservación a largo plazo: mecanismos encaminados a asegurar los requisitos de autenticidad, integridad, fiabilidad, disponibilidad y confidencialidad de los documentos albergados en Dokusi a lo largo de su ciclo completo de vida.

— Estudios de integración: a solicitud de sistemas de información ya existentes que, necesitando de servicios de consultoría en gestión documental, piden la migración o integración de sus sistemas de información con la solución aportada por Dokusi.

— La Orden 27 de septiembre de 2016, del Consejero de Administración Pública y Justicia y del Consejero de Hacienda y Finanzas, por la que se aprueba la Política de Gestión de Documentos Electrónicos del Sector Público de la Comunidad Autónoma de Euskadi (PGDE-CAE), en la que se incluyen directrices para la asignación de responsabilidades y la definición de los programas, procesos y controles de gestión de documentos y administración de los repositorios electrónicos, oficializando los procesos de gestión documental:

1. *Creación de documentos*. Deberá respetar los formatos admitidos en los estándares definidos por la DIT. En el caso de que el documento deba ir firmado, la firma electrónica deberá ajustarse al reglamento que regule la política de firma electrónica y de certificados electrónicos.

2. *Registro de documentos*. Su fin es marcar la entrada o salida de los documentos en la Administración, permitiendo el seguimiento de los mismos en los trámites administrativos.

3. *Captura de documentos*. Cuando se incorpora al archivo electrónico único se dota al documento de un identificador (OID) que garantiza su identificación. En la captura se establece una relación entre el documento, su productor y el contexto en que se originó.

4. *Distribución de documentos*. Todos los documentos electrónicos registrados deben ser distribuidos telemáticamente a las unidades administrativas responsables de su tramitación.

5. *Clasificación de documentos*. Tanto los documentos aportados por la ciudadanía como los generados por la administración serán asignados a los expedientes administrativos que les correspondan asociándoseles en ese momento el código de procedimiento y el código de serie documental.

6. *Descripción de documentos*. En los documentos se debe indicar su tipología documental y deberán ser descritos mediante el esquema de metadatos corporativo.

7. *Acceso a los documentos*. Regido por lo dispuesto por la Comisión de Valoración, Selección y Acceso a los Documentos (COVASAD) sobre la serie documental a la que pertenece; por lo dispuesto en la *Ley* Orgánica 3/2018, de 5 de diciembre, de Protección de Datos Personales y garantía

de los derechos digitales y las directrices del Esquema Nacional de Seguridad, en el caso de documentos con datos especialmente protegidos, y por los requisitos indicados en las normas técnicas del Esquema Nacional de Interoperabilidad, cuando los documentos vayan a ser objeto de intercambio entre administraciones.

8. *Calificación de los documentos*. Incluye la valoración, determinación de plazos de conservación y transferencia de los documentos que se establezcan en los calendarios de conservación.

9. *Conservación de documentos*. Dado su valor de evidencia y probatorio en las relaciones entre la ciudadanía y la administración, todos los documentos electrónicos que hayan sido utilizados en las actuaciones administrativas y que contengan actos administrativos se conservarán en Dokusi.

10. *Transferencia de documentos*. Los expedientes de los procedimientos administrativos y sus documentos, una vez hayan concluido su tramitación, se incorporarán desde los sistemas de gestión de expedientes al nivel de archivo de oficina del AKS/SGA, y una vez cumplidos los plazos de permanencia en el archivo de oficina establecidos en los calendarios de conservación serán transferidos al Archivo General.

11. *Expurgo de documentos*. Proceso de eliminación de documentos una vez se hayan cumplidos los plazos de permanencia establecidos en los calendarios de conservación.

12. *Copias auténticas electrónicas de documento*. Tendrán la misma validez y eficacia jurídica que el documento original en el procedimiento concreto de que se trate.

13. *Sustitución de documentos* originales en soporte papel o en otro soporte no electrónico por copias auténticas electrónicas.

3.3. Infraestructura

Dos elementos componen la infraestructura de Dokusi: el archivo único electrónico y el sistema informático del sistema de archivo (AKS/SGA).

El Archivo Electrónico único se creó para cubrir la necesidad de disponer de un repositorio único corporativo para el almacenamiento de documentación, que permitiera compartir los documentos evitando la duplicidad de información y minimizar los costes. Su existencia se recoge formalmente en el Decreto 21/2012, de 21 de febrero, de Administración Electrónica (art. 40).

La construcción del Archivo Electrónico se ha realizado sobre un gestor de contenidos empresariales (ECM por sus siglas en inglés) Documentum, actualmente distribuida por la empresa OpenText, con todas las potencialidades de su software, pero con independencia de la propia plataforma gracias a la construcción de dos estructuras: la primera, un Framework de Servicios básicos (FSB) y la segunda, un Framework de Servicios Documentales (FSD). Ambas aíslan a Dokusi, de migraciones, versiones, etc., en el ciclo de vida de la propia plataforma.

Con el módulo de indexación y búsqueda dotamos a nuestra solución de las capacidades de búsqueda a texto completo que nos sirven para localizar la información relevante de forma rápida y sencilla; con el módulo de transformación lo dotamos de soluciones en la transformación de formatos electrónicos; con el OCR atacamos las necesidades de reconocimiento óptico de caracteres de los documentos digitalizados y con la suite para *SAP* nos aseguramos la integración con las plataformas *EIZU* (Sistema de Recursos Humanos para la Administración de la Comunidad Autónoma del País Vasco) y *EIKA* (Sistema Económico, Financiero y Presupuestario para la Administración de la Comunidad Autónoma del País Vasco), ambos sobre plataformas SAP.

Para dar solución a la continua evolución tanto técnica como normativa, el Archivo Electrónico se ha implementado con arquitectura SOA (Arquitectura Orientada a Servicios), una forma de utilización de componentes/servicios sencillos, reutilizables, basado en estándares y que pueden comunicarse con otros servicios mediante conexiones flexibles. La arquitectura SOA aporta integración simple, alta interoperabilidad incluso entre las distintas administraciones, reutilización de servicios y rapidez de presentación de los servicios de negocio para facilitar su acceso.

Para cumplir con los estándares de seguridad, los usuarios del archivo electrónico se gestionan por cada aplicación/sistema de información, que debe implementarla a nivel de perfil de usuario. Lo que se garantiza es que ambas seguridades sean compatibles.

Todos los documentos que se encuentran en el Archivo Electrónico tienen por lo menos una ACL (Access Control List) asignada por el sistema de información, pero se pueden definir más con el fin de diferenciar los accesos entre los posibles usuarios (aplicaciones) de un documento. Una ACL es un fichero que siempre acompaña a cada uno de los documentos que se encuentran albergados en el Archivo Electrónico. Su función es la de indicar qué usuarios pueden acceder a ese documento, lo que en nuestro sistema significa qué aplicaciones están autorizadas a acceder al mismo y qué funciones puede realizar en ese acceso: consulta, modificación, borrado, etc.

Los mecanismos de acceso a los documentos deben estar integrados con XLNets, es decir, con el Sistema de Seguridad corporativo de la Administración autónoma.

Sobre el Archivo Electrónico se ha desarrollado el Framework de Servicios Documentales (FSD), que constituye una estructura software de soporte a las aplicaciones utilizadas por los productores en la que se ha desarrollado una colección muy amplia de servicios que intentan dar respuesta a todas las necesidades documentales.

Dentro de los servicios desarrollados (228), los más destacados son:

— 83 servicios de acceso (relacionados con el almacenamiento de documentos) y servicios de contextualización (relacionados con el ciclo de vida).

— 2 servicios de búsqueda por contenido y documentos ENI.

— 75 servicios de procedimientos, series y tipos documentales. (obtener familias, tipos documentales, procedimientos/servicios, etc.).

— 8 servicios para la integración con SAP (EIZU y EIKA).

— 12 servicios de administración y uso interno (mantenimiento de sedes, etc.).

— 4 servicios para el dossier del ciudadano (internos).

— 8 servicios para el dossier del ciudadano.

— 6 servicios de estadísticas.

— 9 servicios de auditorías.

— 6 servicios para uso específico solicitados por los departamentos.

— 1 servicio para la generación de los códigos QR tanto de los localizadores como de las solicitudes.

— 5 servicios para la distribución de los documentos electrónicos que acompañan a los asientos registrales (CDAR).

— 6 servicios para el Archivo General: cuadro de clasificación, expedientes del AKS/SGA, etc.

— 1 servicio para referencias (interno).

— 8 servicios para el sistema de referencias.

El sistema informático de gestión del sistema de archivo (AKS/SGA, que significa Artxibo Kudeaketa Sistema/Sistema de Gestión de Archivo) da soporte a los procesos y tareas de gestión de archivo definidos en la normativa, necesarias desde una perspectiva integral.

Es una aplicación horizontal desarrollada en J2EE y base de datos Oracle y se relaciona con el Archivo Electrónico para acceder a los documentos electrónicos. Está integrada con el sistema robotizado del archivo físico y también está integrada con el sistema de seguridad corporativo, XLNets. Las aplicaciones de gestión de expedientes realizan sus ingresos en este sistema a través de la plataforma de intercambio de ficheros de la organización (PIF).

Las funcionalidades principales del AKS/SGA son:

— Registro y descripción de elementos de diferentes niveles (fondo, subfondo, sección, subsección, serie, expedientes, documento, unidad de instalación).

— Consulta de información por criterios múltiples incluida la búsqueda por contenido de los documentos que componen el expediente.

— Gestión de cuadro de clasificación de fondos corporativo y de calendarios de conservación.

— Gestión de las estructuras organizativas productoras, incluidas las históricas.

— Transferencia de documentación entre los distintos niveles de archivo del sistema.

— Control y gestión de préstamos, consultas y reproducciones.

— Control y gestión de espacios de archivo.

— Gestión de expurgos en cumplimiento de los calendarios de conservación.

— Gestión del proceso de sustitución de documentos en papel por copia electrónica auténtica.

— Ingreso automático de expedientes cerrados y sus documentos desde los sistemas de información.

— Integración con el depósito automatizado de Gamarra en el que se guardan las unidades de instalación con los expedientes transferidos al Archivo General.

— Integración con el sistema de gestión de la COVASAD, una aplicación de diseño propio.

— Integración con el sistema de información de Ficheros Maestros que controla el archivo electrónico único.

— Registro y control de usuarios externos del sistema de archivo.

— Versión OPAC de la aplicación, que muestra el cuadro de clasificación con sus modificaciones en tiempo real, la evolución de las estructuras orgánicas de la Administración Autónoma, y los registros y documentos de más de 50 años y los que aun no cumpliendo ese plazo son de consulta libre.

La información actualizada de la infraestructura técnica de Dokusi puede consultarse en la web de estándares informáticos del Gobierno Vasco.

3.4. ¿Cómo funciona?

Al tratarse de una infraestructura de uso obligatorio, todas las aplicaciones que van a tramitar de forma electrónica han de utilizar el Archivo Electrónico de Dokusi. Para ello los servicios/procedimientos que van a gestionarse han de estar dados de alta en el Catálogo de Servicios. El código que genera ha de asociarse, en la aplicación de los Ficheros Maestros de Dokusi, al código de serie del cuadro de clasificación del AKS/SGA.

Para ello, desde el Archivo General, responsable de mantener este cuadro de clasificación y los Ficheros Maestros, se recaba información a los productores para definir correctamente la serie que corresponde al procedimiento, dándose de alta una nueva en caso de no estar recogida con anterioridad. Se analizan y definen los tipos documentales que conforman el procedimiento y se elabora la ficha de identificación que se elevará a la COVASAD.

Los sistemas de información/aplicaciones o Tramitagune (la aplicación horizontal de tramitación, si se opta por esta solución) tramitan los expedientes y van generando documentos que se albergan en el Archivo Electrónico. Es importante destacar que en él se pueden referenciar documentos en papel mediante documentos electrónicos; con ello se consigue unificar el tratamiento de la gestión documental del Gobierno con independencia del formato en el que se encuentre. Cuando el expediente se cierra, se procede a su archivado en el sistema de archivo.

En ese momento se genera un fichero XML con una serie de datos identificativos del expediente, que se pueden o no combinar con unos literales para que la descripción del mismo sea comprensible. El contenido del XML se acuerda entre el sistema de información y el sistema de archivo. En ese XML se incluyen los OIDs de los documentos que pertenecen al expediente.

El proceso de carga, que se realiza de forma Batch, con ventana de ejecución nocturna, alimenta el sistema de archivo el cual asigna un código a cada expediente y lo devuelve al sistema de información de origen para que lo guarde. Gracias a ese código, el sistema de información puede realizar posteriores archivados relacionando expedientes, cuando así lo requieran.

El ingreso de los expedientes cerrados en el AKS/SGA no impide a los sistemas de tramitación de origen poder seguir visualizando los documentos electrónicos. Esto obliga a que en el momento en que se deban ejecutar los expurgos de los expedientes y sus documentos de las series documentales así valoradas los sistemas productores deban estar avisados, con el fin de retirar las consultas de los documentos electrónicos de sus plataformas.

Este proceso permite archivar expedientes en papel, electrónicos o mixtos. Si se trata de expedientes con soporte papel, la persona responsable del archivo de oficina, que es quien los ha acomodado en las cajas correspondientes, una vez realizada la carga de información de los expedientes en el AKS/SGA, ha de entrar en el nivel de archivo de oficina para asignar a cada uno de ellos su ubicación física en la unidad de instalación y en el depósito. De esta forma, al consultar al sistema de archivo se puede ver en la misma respuesta los expedientes en papel ya archivados, con indicación de sus signaturas, los expedientes electrónicos con sus documentos, y en el caso de los mixtos, ambos elementos, signatura y documentos, de manera que toda la producción documental se archiva en la misma serie independientemente de los canales utilizados en la tramitación (presencial o telemático).

Una vez cumplidos los plazos de permanencia en el nivel de archivo de oficina, se procede a transferir la documentación al Archivo General, donde se aplicarán los calendarios de conservación.

Finalmente, la documentación considerada de conservación permanente se transferirá al Archivo Histórico. Actualmente se está planteando crear un repositorio específico para la documentación que tendrá la consideración de patrimonio documental.

En todos los subsistemas de archivo del AKS/SGA se aplican los servicios de conservación a largo plazo. Para las firmas electrónicas el resellado de firmas y para los formatos de los documentos electrónicos la transformación de formatos con el fin de garantizar la disponibilidad de los expedientes depositados en el Archivo General según los calendarios de conservación definidos por la COVA-SAD.

Dokusi cuenta además con una aplicación para gestionar las supervisiones y las auditorias establecidas en la orden de la Política de Gestión de Documentos Electrónicos aprobada en 2016. Una aplicación diseñada *ex-novo* por el sistema de archivo y la asistencia técnica prestada por EJIE. Su finalidad es garantizar el cumplimiento de las políticas fijadas en materia de gestión de documentos electrónicos, mejorar el rendimiento de la organización y la satisfacción en gestión de documentos electrónicos de las personas usuarias y garantizar que los documentos electrónicos administrativos cumplan los requisitos necesarios para ser aceptados como prueba en un juicio, si así se exigiera. A ella se han de conectar todas las aplicaciones que utilizan el Archivo Electrónico, para enviar los datos que permitirán las supervisiones y auditorias definidas.

Como colofón ofrecemos una serie de datos cuantitativos (a 31/01/2020) de nuestro sistema de gestión documental que dan idea de su envergadura:

— 33.101.876 documentos electrónicos (con un crecimiento mensual de 800.000 documentos en este momento).

— 1.715 servicios de procedimientos administrativos.

— 2.728 series documentales, mantenidas en el cuadro de clasificación.

— 7.348.672 expedientes ingresados en el AKS/SGA, en total, de los cuales 3.285.441 expedientes contienen documentos electrónicos.

— 65.500 metros lineales de documentos en papel en el Archivo General.

Los números son lo suficientemente significativos como para entender la importancia del papel de Dokusi en nuestra administración.

39.

ARPAD: EL PROYECTO DE ARCHIVO ELECTRÓNICO DE GALICIA

Sabela PILLADO QUINTÁNS
*Departamento de Administración Electrónica de la Agencia para la
Modernización Tecnológica de Galicia (AMTEGA)*

Gabriel QUIROGA BARRO
Archivo del Reino de Galicia

1.   INTRODUCCIÓN

En 2018, dimos a conocer ARPAD, el sistema de archivo digital integrado de la Administración de Galicia, en las Actas de las 23 Jornadas de Archivos Universitarios, celebradas en A Coruña el año anterior. Desde entonces, el proyecto ha seguido avanzando, tanto en el ámbito normativo, como en el funcional y el tecnológico. Este artículo recoge, en esencia, el texto de la ponencia expuesta en aquellas Jornadas, pero actualiza la información correspondiente a esos tres ámbitos.

Así, nos referiremos a la Ley 4/2019, de 17 de julio, de Administración Digital de Galicia, que ha venido a dar nueva cobertura, en el marco de las leyes estatales 39/2015, de 1 de octubre, del Procedimiento Administrativo Común de las Administraciones Públicas y 40/2015, de 1 de octubre, de Régimen Jurídico del Sector Público, a las diversas disposiciones de la Administración gallega en esta materia.

En segundo lugar, analizaremos brevemente el contenido del nuevo Cuadro de clasificación funcional de documentos del Sector Público Autonómico, un instrumento fundamental para el desarrollo de la gestión documental en el marco del Archivo electrónico de la Administración Gallega.

Finalmente, expondremos los avances experimentados en la implementación del sistema, centrándonos en el ámbito administrativo.

2. VISIÓN DEL ARCHIVO DIGITAL INTEGRADO

Desde un punto de vista tecnológico, el modelo de ARPAD integra dos infraestructuras diferentes: el denominado Archivo Electrónico Administrativo y el Archivo Electrónico del Patrimonio Documental. El núcleo del primero es un repositorio Alfresco sobre el que se ha construido una capa de servicios que permite la integración de diferentes aplicaciones que hacen posible la gestión documental y el funcionamiento del archivo electrónico: desde el Registro electrónico y las aplicaciones de gestión/tramitación propiamente dichas, el Portafirmas, la aplicación de notificaciones electrónicas, el generador de índices, el generador de CSV, el gestor de identidades, la aplicación de digitalización garantizada hasta dos aplicaciones clave: el Inventario de Información Administrativa y la Aplicación de Captura y Consulta.

El Archivo Electrónico del Patrimonio Documental se basa en un repositorio diseñado para desarrollar las funcionalidades de preservación de objetos digitales que propone el modelo OAIS (Open Archival Information System). De forma separada, pero en relación con este repositorio, se ha diseñado una aplicación de gestión de descripciones archivísticas y otra para la recolección y difusión de los metadatos de los objetos digitales transferidos desde el Archivo Electrónico Administrativo o creados a partir de la digitalización del patrimonio documental analógico.

Cuadro 1: Visión del Archivo Digital Integrado de Galicia

En las páginas que siguen nos proponemos desarrollar esta breve visión de forma más detallada. Nos apoyaremos, con finalidad meramente didáctica, en el guion de la renovada Norma ISO 15489-1 (2016).

3. POLÍTICAS Y RESPONSABILIDADES

El Marco de Referencia del Archivo Digital Integrado de Galicia (MRA), aprobado por Resolución conjunta del 15 de diciembre de 2014, de la AMTEGA y de la Secretaría Xeral de Cultura de la Xunta de Galicia (*DOG* núm. 4, de 8 de enero de 2015), sigue siendo, a la espera de la publicación de la Política de gestión de documentos electrónicos de la Xunta de Galicia, el documento fundamental que diseña ya todos los elementos básicos sobre los que habrá de desenvolverse esa política. Sin embargo, sus principios y una buena parte de su contenido han quedado notablemente reforzados por la Ley 4/2019, de 17 de julio, de Administración Digital de Galicia (*DOG* núm. 141, de 26 de julio).

La Ley 4/2019 comprende, entre sus ámbitos, los instrumentos necesarios para el desarrollo de la administración electrónica, las infraestructuras y sistemas para el funcionamiento digital del sector público autonómico y los instrumentos de coordinación, colaboración, cooperación y seguimiento para lograr una implantación efectiva de la administración digital (Preámbulo II).

Entre esos instrumentos e infraestructuras, la Ley 4/2019 cita expresamente el Archivo electrónico administrativo de la Xunta de Galicia y aquellos otros que, conectados de forma íntima con él, son imprescindibles para el funcionamiento digital del sector público autonómico, como es el caso de la Sede electrónica, el Inventario de información administrativa o la «revisión integral y preceptiva» de los procedimientos y servicios sobre criterios comunes que permitan un pleno funcionamiento electrónico.

3.1. Política de gestión documental electrónica

En ese contexto, el artículo 82 señala que la Política de gestión documental electrónica «constituye el marco de actuación para la creación y gestión de documentos auténticos, fiables y disponibles en el tiempo». Su «puesta en práctica» es responsabilidad de «La entidad del sector público autonómico con competencias en desarrollo digital, en coordinación con las consejerías competentes en materia de archivos y patrimonio documental y en materia de administraciones públicas» (art. 82.2), mientras que su «determinación» corresponde a la competente en materia de archivos y patrimonio documental, con la colaboración de la primera (art. 123.1).

3.2. Archivo electrónico de la Xunta de Galicia

La Ley de Administración Digital de Galicia modificó, en su Disposición final tercera, el artículo 43 de la Ley 7/2014, de 26 de septiembre, de Archivos y Documentos de Galicia (*DOG* núm. 191, de 7 de octubre), que definía el Archivo electrónico de Galicia. Tras la puesta en marcha de ARPAD, este Archivo se define como:

> «*el sistema digital que permite gestionar los documentos electrónicos en poder del sector público autonómico. Está integrado tanto por el Archivo Electrónico Administrativo como por el Archivo Electrónico del Patrimonio Documental, de acuerdo con las políticas de gestión establecidas en cada caso*» (art. 43.1).

El Archivo Electrónico Administrativo gestionará los expedientes administrativos electrónicos de la Administración general y del sector público autonómico en sus diferentes fases hasta el momento de su eliminación o de su transferencia al Archivo Electrónico del Patrimonio Documental, cuando hubiesen sido valorados y seleccionados para su conservación permanente (art. 43.2).

El Archivo Electrónico del Patrimonio Documental «gestionará los documentos valorados como de conservación permanente» (art. 43.3).

El Archivo Electrónico de la Xunta de Galicia «desarrollará los procesos y funciones de la gestión documental a los que se refiere el artículo 18 en el ámbito de la Administración electrónica en coordinación con el órgano competente en materia de Administración tecnológica» (art. 43.4).

El Archivo electrónico administrativo es objeto además del Capítulo VII. Así, el artículo 81.1 lo define como el sistema que permite la gestión de expedientes administrativos electrónicos del sector público autonómico en sus diferentes fases. Por tanto, incluirá todos los expedientes en tramitación y los finalizados, durante el tiempo establecido en sus calendarios de conservación.

El punto 3 de este mismo artículo señala que:

> «*La responsabilidad de la custodia y el mantenimiento de los expedientes y documentos durante su tramitación será... de la unidad gestora de los mismos. Finalizada su tramitación, la unidad gestora del expediente deberá transferir su custodia al Archivo de Galicia o a otros archivos del Sistema de archivos de Galicia*».

Tanto el Archivo Electrónico de la Xunta de Galicia como el Inventario de información administrativa, además de otros sistemas transversales en la administración electrónica, tendrán la consideración de «utilización obligatoria para las entidades del sector público autonómico» (art. 119.3).

4. INSTRUMENTOS DE GESTIÓN DE DOCUMENTOS

Destacaremos dos instrumentos fundamentales: el esquema de metadatos ARPAD y el Cuadro de clasificación funcional del Archivo de Galicia.

4.1. Esquema de metadatos ARPAD

Basada en la 1ª versión del e-EMGDE (Esquema de Metadatos para la Gestión del Documento Electrónico) (2012), se ha propuesto un modelo a desarrollar desde una aproximación mono-entidad (documento) de acuerdo con el esquema estatal y la Norma ISO 23081 de metadatos para la gestión de documentos (Norma 23081, 2008). Comprende 63 elementos y subelementos. Incluye metadatos que no figuraban en esa 1ª versión del e-EMGDE, luego parcialmente recogidos en e-EMGDE 2.0 (2016), como por ejemplo los referidos a Versión NTI (Norma Técnica de Interoperabilidad) o Asiento registral.

4.2. Cuadro de clasificación funcional del Archivo de Galicia

El cuadro de clasificación funcional que se implementó en una primera fase en el Archivo Electrónico Administrativo de la Xunta de Galicia fue elaborado a partir del estudio orgánico y funcional de la Administración autonómica publicado en 2010[1]. Concebido precisamente con ese propósito, su utilidad fue evidente, pues se basaba en un exhaustivo trabajo de compilación, análisis y síntesis de las normas sobre competencias y estructuras orgánicas de la Administración de Galicia desde su creación hasta 2009.

Pero fue un esfuerzo incompleto, en la medida en que no tuvo en cuenta totalmente la identificación y análisis de procedimientos/procesos ejecutados por la Administración de Galicia y la- de las series documentales en que aquellas se materializan. De esta forma, hacía descansar la clasificación que se proponía sobre grandes funciones o funciones marco[2], desarrolladas a su vez en otras agrupaciones funcionales hasta llegar al nivel de serie documental[3]. Con ello no lograba integrar adecuadamente dos realidades que no siempre concuerdan entre sí: la del contexto orgánico y administrativo estudiado y la del conjunto de

---

(1)   QUIROGA BARRO, Gabriel (Coord.). *Estudo orgánico e funcional da Xunta de Galicia. Proposta dun cadro de clasificación*, Xunta de Galicia, Santiago de Compostela, 2010.

(2)   Una función marco se define como: «Un derecho o responsabilidad de la sociedad que desborda los límites de una organización. Una función marco proporciona el contexto más amplio en el que la organización realiza sus funciones» [*NORMA UNE-ISO 23081-1: Información y Documentación. Procesos de gestión de documentos. Metadatos para la gestión de documentos. Parte 2: Elementos de implementación y conceptuales* (2008), p. 18].

(3)   El último nivel funcional se inspiraba en la propuesta de Mateo Paz. Cfr.: PÁEZ GARCÍA, M, *Cuadro de clasificación funcional para fondos de archivos de el Subsistema autonómico andaluz: El fondo de la Consejería de Agricultura y Pesca*. (2002). Sevilla: Junta de Andalucía, Consejería de Agricultura y Pesca.

los procedimientos y series documentales de la Administración autonómica identificados progresivamente en el Archivo de Galicia.

Era necesario realizar un verdadero análisis funcional, en el sentido en el que lo utiliza el Informe técnico UNE-ISO/TR 26122, que define el término función «como procesos que se agrupan porque están pensadas para un objetivo estratégico específico»[4]. Es decir, una metodología que va de abajo arriba, complementaria de la que se aplicaba en el *Estudio*.

En este contexto, se detectaron problemas intrínsecos como, por ejemplo, series comunes dependientes de dos o más funciones o series transversales dependientes de funciones específicas, entre otros. Otros problemas son propios del entorno electrónico, en el que el cuadro de clasificación, además de vincular los documentos a su contexto, se convierte en un instrumento para la agrupación de los que comparten calendarios de conservación y reglas de acceso[5].

Por tanto, el nuevo cuadro, ya aprobado, parte de estas consideraciones, de la experiencia adquirida en la implementación de ARPAD y de las experiencias de las Comunidades autónomas de Andalucía[6] y Canarias[7]. En esta propuesta, se reduce el número de secciones y se pone el foco en la esencia funcional para superar los inconvenientes enunciados.

Cuadro 2. Propuesta de Cuadro de clasificación funcional del Archivo Digital Integrado de Galicia

1. Alta Dirección y Gobierno
2. Administraciones públicas y Organización administrativa
3. Política económica, Hacienda y Gestión de Recursos económicos
4. Ordenación y Regulación
5. Fomento
6. Prestación de Servicios públicos
7. Seguimiento y valoración
8. Control, Inspección y Sanción

(4) *INFORME Técnico: UNE-ISO/TR 26122 IN* (2008): *Información y documentación: Análisis de los procesos de trabajo para la gestión de documentos,* pág. 11.
(5) *NORMA 15489, op. cit.,* pág. 22.
(6) PÁEZ GARCÍA, M, «El cuadro de clasificación integrado: Normalización de la clasificación archivística», *PH*, 47, 84-95.
(7) GOBIERNO DE CANARIAS. CONSEJERÍA DE PRESIDENCIA, JUSTICIA E IGUALDAD. DIRECCIÓN GENERAL DE MODERNIZACIÓN Y CALIDAD DE LOS SERVICIOS. (s.f.). *Cuadro de clasificación funcional.*

5. IDENTIFICACIÓN Y VALORACIÓN

5.1. El análisis documental

En el modelo diseñado en el MRA, el análisis documental constituye un proceso fundamental de la gestión documental que se aplicará de manera continua, al ritmo de la habilitación en el sistema de procedimientos electrónicos y de implementación de las aplicaciones de gestión documental electrónica[8].

El análisis documental identifica las series documentales y los procedimientos con los que se relacionan y sus resultados comprenden: 1. El establecimiento de las relaciones entre procedimientos y series en el cuadro de clasificación. 2. La identificación de las relaciones entre las unidades productoras, las series y los procedimientos a lo largo del tiempo. 3. La determinación de los documentos que deben incluirse en los expedientes y sus tipos documentales. 4. El flujo documental y las características de los documentos. 5. La identificación de las aplicaciones relacionadas con la creación y recepción de documentos. 6. La determinación de necesidades de metadatos específicos para cada serie documental en el marco del esquema ARPAD y, en su caso, los requisitos específicos de ubicación, agrupación y clasificación de los documentos en el repositorio. 7. El establecimiento de las reglas y categorías de acceso una vez finalizado el procedimiento y 8. El informe de valoración sobre los plazos de transferencia y conservación que se eleva al Consello de Avaliación Documental[9].

El análisis para cada serie documental debe realizarse antes de comenzar a capturar documentos y expedientes electrónicos en el archivo electrónico, salvo en el caso del informe de valoración, que puede realizarse a posteriori[10].

El Inventario de Información Administrativa (IIA) es la aplicación que facilita la realización del análisis documental y el mantenimiento del cuadro de clasificación, entre otros procesos, y, en sincronía con el repositorio documental del Archivo Electrónico Administrativo (e, indirectamente, con las aplicaciones de gestión vinculadas a éste), hace efectivos los diversos procesos de gestión documental definidos en el modelo.

En este contexto, cobra una importancia vital el proceso de habilitación de procedimientos administrativos, facilitado por una aplicación específica, la aplicación REDUCE. De acuerdo con la Orden de 12 de enero de 2012 (DOG núm. 10 de 2012), los procedimientos y servicios establecidos por una disposición de carácter general deben ser habilitados y validados de forma conjunta por la Dirección General de Evaluación y Reforma Administrativa y la Agencia para la Modernización Tecnológica de Galicia a través de esa aplicación. En un

---

(8) *ARCHIVO Digital Integrado de Galicia: Marco de referencia.*(2014). Xunta de Galicia, Santiago de Compostela. Accesible desde http://intranet.xunta.es/arquivo-dixital-de-galicia.
(9) *ARCHIVO Digital…, op.cit.*, pág. 20.
(10) *ARCHIVO Digital…, op.cit.*, pág. 20.

esquema ideal de funcionamiento, el análisis documental debería formar parte de este proceso de habilitación de procedimientos[11]).

En la actualidad, ya existen 117 procedimientos electrónicos, previamente habilitados y que son gestionados desde las aplicaciones, cuyos expedientes se producen, capturan y gestionan de forma íntegra en el Archivo Electrónico Administrativo.

6. IMPLANTACIÓN DEL ARCHIVO ELECTRÓNICO ADMINISTRATIVO DE LA XUNTA DE GALICIA EN EL MARCO DEL PROYECTO ARPAD

6.1. Escenarios del marco de referencia

El marco de referencia del Archivo electrónico de la Xunta de Galicia, partiendo de una visión integradora, da cobertura a tres escenarios en los que la gestión de documentos electrónicos tiene distintos objetivos y condicionantes. Los tres escenarios comparten los principios del modelo de gestión documental, pero pueden presentar diferencias en la forma de formular la implantación de los procesos documentales y la tecnología usada como soporte.

Los tres escenarios contemplados son:

• Escenario 1: Gestión documental soporte de la actuación administrativa antes, durante y después de la finalización del trámite.

• Escenario 2: Digitalización sustitutiva de actuaciones administrativas realizadas en papel.

• Escenario 3: Digitalización del patrimonio documental.

La implantación del Archivo electrónico Administrativo de la Xunta de Galicia se desarrolla en los escenarios 1 y 2 definidos en el modelo y ha avanzado fundamentalmente en el escenario 1.

Para el escenario 1, de la gestión documental soporte de la actuación administrativa, el marco de referencia tiene en cuenta que las administraciones públicas se encuentran en un momento de profunda transformación hacia la administración electrónica. La administración electrónica supone la gestión de documentos electrónicos que progresivamente han ido sustituyendo casi completamente a los documentos en papel. Este escenario contempla, por lo tanto, toda la gestión de los documentos electrónicos que se producen y reciben en el marco de la actuación administrativa y sus distintos estados desde que se crea el documento hasta que se determina su destrucción o conservación permanente.

---

(11) *ARCHIVO Digital...*, op.cit., *pág. 47.*

El objetivo principal de la gestión documental en este escenario es la eficacia y eficiencia de los procedimientos administrativos; pero sin perder de vista la necesidad de gestionar los documentos de manera que una vez finalizados los trámites sean consultables por quien los necesite y se les puedan aplicar los plazos de conservación correspondientes.

La gestión documental en este escenario debe integrarse con los procesos de trabajo, y por lo tanto con las aplicaciones y sistemas electrónicos de gestión y tramitación existentes, y además con los demás componentes tecnológicos transversales como: el registro electrónico, el inventario de información administrativa, el sistema de notificación electrónica y la plataforma de firma electrónica.

6.2. Premisas para la puesta en marcha del Archivo electrónico administrativo de la Xunta de Galicia

Para la puesta en marcha efectiva del Archivo Electrónico Administrativo de la Xunta de Galicia a partir del modelo de referencia establecido se adoptaron una serie de decisiones estratégicas orientadas a garantizar un proyecto viable que permitiera obtener resultados con los medios disponibles en un plazo de corto de tiempo.

Una de las premisas consideradas antes de abordar el proyecto fue tener en cuenta la situación de partida en la implantación de la tramitación electrónica en los procedimientos administrativos, tanto desde un punto de vista organizativo como tecnológico.

Así, organizativamente se optó por una visión integrada en la que la incorporación en el archivo electrónico administrativo de los documentos generados durante la tramitación de los procedimientos administrativos es un aspecto más para tener en cuenta en el proceso de implantación de la tramitación electrónica de procedimientos, que ya estaba implantado y maduro en la organización.

En el ámbito tecnológico se tuvo en cuenta el grado de digitalización de los procedimientos—centrando inicialmente los esfuerzos en incorporar al archivo electrónico administrativo los documentos de aquellos procedimientos que ya tenían una herramienta de tramitación o que estaban en proceso de implantarla— y el conjunto de servicios electrónicos transversales que estaban ya implantados y que generaban documentos electrónicos que es necesario custodiar adecuadamente, especialmente la sede electrónica, el registro electrónico y la plataforma corporativa de firma.

Otra de las decisiones adoptadas fue la de incorporar la gestión documental en las herramientas de tramitación abstrayendo a los usuarios de la complejidad técnica, tanto informática como archivística, subyacente. Así, los procesos documentales se realizan de manera automática siempre que es posible. Por ejemplo, la asignación del tipo documental adecuado a un documento se puede realizar automáticamente si el documento se genera a partir de una plantilla previamente conocida y tipificada, a la que se le ha asociado el tipo documental durante el análisis del sistema.

6.3. Evolución del Archivo electrónico administrativo de la Xunta de Galicia

La sede electrónica de la Xunta de Galicia se puso en marcha en el año 2011 y ofrece a los ciudadanos y empresas la posibilidad de realizar más de 1.000 trámites electrónicos distintos. En 2019 se recibieron más de 650.000 solicitudes, escritos o comunicaciones a través de la sede electrónica.

La red de oficinas de atención a la ciudadanía y de registro de la Xunta de Galicia está digitalizando los documentos que los ciudadanos presentan en papel y en particular aquellos que se dirigen a otras administraciones públicas integradas con el Sistema de Interconexión de Registros gestionado por la Administración General del Estado, lo que permite el intercambio electrónico de la información de los asientos registrales y de su documentación asociada.

En el ámbito de la gestión interna la plataforma corporativa de firma permite firmar documentos electrónicos tanto a los empleados públicos como en las actuaciones administrativas automatizadas. En 2019 se firmaron más de 3,9 millones de documentos en esta plataforma.

Estos documentos forman parte del Archivo electrónico administrativo desde el momento en el que se crean o se reciben en la administración, asignándoles todos los metadatos posibles en el mismo momento de su captura.

El Archivo electrónico administrativo de la Xunta de Galicia almacena actualmente más de 11 millones de documentos y 221.000 expedientes asociados a más de 100 series documentales y debe continuar evolucionando para dar cabida a las nuevas necesidades y demandas de gestión documental. Así, es necesario continuar las distintas líneas de trabajo del proyecto, que se pueden estructurar en 4 ejes:

- Definición y evolución del modelo, publicando formalmente la política de gestión de documentos electrónicos de la Xunta de Galicia que integre los componentes y documentos ya publicados hasta el momento: Marco de referencia, modelo de metadatos, catálogo de tipos documentales, cuadro de clasificación funcional y modelo de integración de aplicaciones.

- Componentes tecnológicos, dotando a las herramientas disponibles de nuevas funcionalidades y de mejoras en el rendimiento que faciliten la incorporación ágil de procedimientos y series documentales. También es necesario avanzar en la interoperabilidad de herramientas permitiendo el intercambio electrónico de expedientes entre administraciones públicas.

- Procesos documentales, incorporando y consolidando los procesos documentales asociados, haciendo que todas las unidades implicadas conozcan cuáles son sus tareas y responsabilidades en este ámbito.

• Integración de procedimientos y herramientas. Además de los sistemas transversales mencionados se han ido integrando sistemas sectoriales de tramitación de expedientes, que son fundamentales para continuar el proceso de clasificación de todos los documentos en sus expedientes correspondientes. Es imprescindible continuar con este proceso de integración para permitir el avance en los procesos documentales.

7.   CONCLUSIONES

El proyecto ARPAD ha proporcionado un impulso decisivo al proceso de implantación de la gestión documental electrónica en la Administración de Galicia. Proceso en el que la creación y mantenimiento de un archivo digital integrado o archivo electrónico único es un factor esencial, de acuerdo con lo establecido en la legislación de procedimiento administrativo y organización administrativa y en la legislación y normativa técnica de interoperabilidad y seguridad.

ARPAD ofrece ya resultados tangibles de tramitación y archivo íntegramente electrónicos de procedimientos y expedientes, de acuerdo con la legislación vigente y las buenas prácticas internacionales, si bien queda mucho trabajo por hacer para garantizar su sostenibilidad.

Al integrar también la gestión del patrimonio documental analógico digitalizado en el proyecto, ARPAD se configura como un modelo singular que en última instancia contribuye a subrayar la unidad y continuidad de ese patrimonio y su origen en la actividad de las instituciones administrativas del pasado, del presente y del futuro.

El modelo de ARPAD ha puesto también de manifiesto que el desarrollo de la Administración y el Archivo electrónicos requiere de un gran esfuerzo no solamente técnico sino también organizativo, en el que es necesario un alto grado de colaboración entre diferentes administraciones (y órganos administrativos en el seno de cada una de ellas), entre los sectores público y privado y entre diferentes profesionales y disciplinas (gestión documental y archivo y tecnologías de la Información y la Comunicación).

Por otra parte, este gigantesco esfuerzo tiene la virtud de constituir en la práctica un potente factor normalizador y unificador de la gestión administrativa a través de la gestión documental electrónica.

8.   BIBLIOGRAFÍA

ARCHIVO Digital Integrado de Galicia: Marco de referencia (2014). Xunta de Galicia, Santiago de Compostela. Accesible desde http://intranet.xunta.es/arquivo-dixital-de-galicia.

ESQUEMA de Metadatos para la Gestión del Documento Electrónico (e-EMGDE). Documentación complementaria a la Norma Técnica de Política de gestión de documentos electrónicos (2012). Madrid: Ministerio de Hacienda y Administraciones Públicas, Dirección General de Modernización Administrativa, Procedimientos e Impulso de la Administración Electrónica.

ESQUEMA de Metadatos para la Gestión del Documento Electrónico (e-EMGDE). Versión 2.0

Documentación complementaria a la Norma Técnica de Política de gestión de documentos electrónicos. (2016). Recuperado de http://administracionelectronica.gob.es/

GOBIERNO DE CANARIAS. CONSEJERÍA DE PRESIDENCIA, JUSTICIA E IGUALDAD. DIRECCIÓN GENERAL DE MODERNIZACIÓN Y CALIDAD DE LOS SERVICIOS (s.f.). *Cuadro de clasificación funcional*. Recuperado de http://www.gobcan.es/cpj/dgmcs/temas/archivos/cuadroclasificacionfuncional.html

*Norma UNE ISO 23081***: *Metadatos para la gestión de documentos. Generalidades* **(2008). Accesible** desdehttp://www.aenor.es/aenor/normas/normas/fichanorma.asp?tipo=N&codigo=N0046569#.WWKGXoVOKP9

Norma UNE ISO 23081: Metadatos para la gestión de documentos. Elementos de implementación y conceptuales. (2011). Accesible desde

http://www.aenor.es/aenor/normas/normas/fichanorma.asp?tipo=N&codigo=N0046569#.UyAdtT95MoM

Norma UNE ISO 15489: Información y documentación. Gestión de documentos. Parte 1: Conceptos y principios (2016). Accesible desde http://www.aenor.es/aenor/normas/normas/fichanorma.asp?tipo=N&codigo=N0057440&PDF=Si#.WWKJb4VOKP8

PÁEZ GARCÍA, M. *Cuadro de clasificación funcional para fondos de archivos del Subsistema autonómico andaluz: El fondo de la Consejería de Agricultura y Pesca*. (2002). Sevilla: Junta de Andalucía, Consejería de Agricultura y Pesca.

PÁEZ GARCÍA, M. El cuadro de clasificación integrado: Normalización de la clasificación archivística, *PH*, 47, 84-95. Recuperado de http://www.iaph.es/revistaph/index.php/revistaph/article/view/1691/1691.

QUIROGA BARRO, G. (coord..). (2010). *Estudio orgánico y funcional de la Xunta de Galicia: Proposta dun cadro de clasificación*. Santiago de Compostela, Xunta de Galicia. Recuperado desde http://arquivosdegalicia.xunta.gal/export/sites/default/arquivo-de-galicia/resources/downloads/estudio-orgxnico-funcional-xunta-galicia.pdf

40.

EL SISTEMA DE INFORMACIÓN DE ARCHIVOS DE LA JUNTA DE ANDALUCÍA: @RCHIVA

M.ª Isabel VALIENTE FABERO
Coordinadora del Sistema de Información Archiv@. Junta de Andalucía

«La simplicidad es la complejidad resuelta»

Constantin Brancusi

1. INTRODUCCIÓN

@rchivA cómo las personas, tiene facetas. Entre ellas se relacionan, complementan y necesitan para ejecutar las políticas y alcanzar los objetivos de la Junta de Andalucía en materia de documentos, archivos, patrimonio documental y administración digital. Así podemos distinguir dos facetas, aquella en la que @rchivA se desarrolla cómo estrategia y otra en la que se materializa como aplicativo y herramienta corporativa.

Cómo estrategia, @rchivA es un conjunto de actuaciones que se llevan a cabo desde la Consejería de Cultura y Patrimonio Histórico encaminadas a crear el contexto necesario para una correcta gestión documental integral en el ámbito de la Junta de Andalucía que garantice la consecución de los objetivos que le dan sentido, esto es básicamente, gestionar y conservar las pruebas y evidencias de la actividad de la administración pública, posibilitar la ejecución del derecho de acceso a los documentos por parte de la ciudadanía, y promover la correcta configuración del Patrimonio Documental de Andalucía cuyo núcleo duro tiene definida su fuente en el art. 9 de la Ley 7/2011, de 3 de noviembre, de Documentos, Archivos y Patrimonio Documental de Andalucía[1].

---

[1] Ley 7/2011, de 3 de noviembre, de Documentos, Archivos y Patrimonio Documental de Andalucía (*BOJA* nº 222 de 11/11/2011). Art. 9 . Los documentos de titularidad pública.

Cómo producto tecnológico, @rchivA es la herramienta corporativa para la gestión de los documentos de la Junta de Andalucía, la gestión del archivo electrónico único, y la tramitación de los procedimientos propios de los Archivos de las distintas tipologías (centrales, intermedios e históricos).

Ambas facetas se complementan, relacionan y necesitan porque en un contexto de intensa actividad administrativa y alta complejidad estructural de la administración, para desarrollar una correcta gestión documental sincrónica y diacrónica no es suficiente el desarrollo de una herramienta , pues como es sabido la dificultad mayor de esta gestión no viene por el aspecto tecnológico, sino por el organizativo.

Esa dificultad es el síntoma de la falta de racionalización y simplificación administrativa que afecta a las administraciones públicas y para cuya erradicación se viene trabajando desde distintos ámbitos y desde hace tiempo[2]. Esta carencia lleva a errores de cálculo, cómo el que se ha hecho en la dimensión del alcance y significación de la interoperabilidad organizativa y semántica que dispone en sus Capítulos III y IV el Real Decreto 4/2010, de 8 de enero, por el que se regula el Esquema Nacional de Interoperabilidad y que ha llevado posponer en 2 años la entrada en vigor de las previsiones sobre el archivo electrónico único de la Ley 39/2015.

No hay que olvidar que racionalización, simplificación, interoperabilidad, son principios de actuación de las Administraciones Públicas de acuerdo con lo dispuesto en el art. 3 de la Ley 40/2015, de 1 de octubre, de Régimen Jurídico del Sector Público[3].

2.   ESTRATEGIA @RCHIVA

Esta faceta de @rchivA promueve la colaboración y participación en las actuaciones que ayudan a crear el contexto necesario para que la gestión documental se desarrolle correctamente. Resaltamos cuatro ámbitos de actuación:

1) El ámbito normativo. Destacan 3 hitos

— La Ley 7/2011, de 3 de noviembre, de Documentos, Archivos y Patrimonio de Andalucía (BOJA 222 de 11/11/2011). Marco legal que rige la gestión documental en la Junta de Andalucía, destacamos lo siguiente:

• Establece el Sistema de Información de Archivos de la Junta de Andalucía como el sistema común para la gestión integrada de los documentos de su competencia y su interoperabilidad con todos los

---

(2)   ¿Recuerda las Jornadas de 1991? Véanse las Actas de las Primeras Jornadas sobre *Metodología para la Identificación y Valoración de Fondos Documentales de las Administraciones Públicas* (Madrid, 20, 21 y 22 de marzo de 1991). Ministerio de Cultura ed. Madrid. 1991.

(3)   *BOE* 236, de 02/10/2015.

sistemas de información para la transferencia de documentos y expedientes electrónicos (art. 60).

• Crea el Registro General de los Sistemas de Información de la Junta de Andalucía (art. 59) que producen y custodian documentos (durante fase procedimental). Este Registro tiene una aplicación instrumental en @rchivA en cuanto soporta el contrato de servicio para la interoperabilidad con los sistemas productores para el ingreso de documentos y expedientes administrativos en el archivo electrónico único. También organizativa, en cuanto que ayuda a identificar los sistemas productores de documentos y expedientes electrónicos y el nivel de calidad de estos en relación con su adecuación a las Normas Técnicas de Interoperabilidad de Documento electrónico y Expediente electrónico para actuar en consecuencia.

— Acuerdo de 1 de agosto de 2017, del Consejo de Gobierno, por el que se aprueba la Política de gestión de documentos electrónicos de la Junta de Andalucía (PGDEJA)[4] que aplica la NTI de Política de gestión de documentos[5]. Esta Política sitúa a @rchivA cómo centro operativo de la gestión documental incluido el archivo electrónico único y determina el ámbito objetivo de su aplicación, esto es, documentos públicos administrativos válidamente emitidos conforme a la Ley 39/2015 de 1 de octubre (documentos administrativos electrónicos y expedientes administrativos electrónicos).

— Decreto 622/2019, de 27 de diciembre, de administración electrónica, simplificación de procedimientos y racionalización organizativa de la Junta de Andalucía (BOJA 250 de 31/12/2019), en el que recoge:

• El reconocimiento de las funciones de la gestión documental en su transversalidad para la protección, custodia, recuperación y conservación física y lógica de los documentos así como instrumento para garantizar la racionalización administrativa y una gestión administrativa ordenada, eficaz, eficiente y transparente (art. 43).

• La obligatoriedad de la reingeniería de procesos para la aplicación de medios electrónicos a procedimientos y servicios previamente tramitados en papel para su rediseño funcional y simplificación (art. 37.1).

• La obligatoriedad de iniciar el procedimiento de calificación de las series de los procedimientos sometidos a la aplicación de medios electrónicos cuando no cuenten con tablas de valoración aprobadas (art. 37.2).

---

(4)   *BOJA* 149 de 04/08/2017.
(5)   Norma Técnica de Interoperabilidad de Política de gestión de documentos electrónicos.

• La reiteración del art. 59 de la Ley 7/2011 de 3 de octubre en relación a la inscripción de los Sistemas de información en el Registro General de los Sistemas de Información de la Junta de Andalucía.

2) En el ámbito de la **normalización de procedimientos** se actúa impulsando la coordinación del Registro de Procedimientos de la Junta de Andalucía con Cuadro de Clasificación Funcional de la Junta de Andalucía y el Registro de Series que se gestionan en @rchivA.

3) **Impulso de la valoración documental.** Producir menos y mejores documentos, tratarlos y acompañarlos durante toda su vida para que cumplan su función, actuando así con eficacia y eficiencia implica situar la identificación y la valoración en primer plano. La norma UNE-*ISO 15489*-1:*2016*[6] así lo establece, «porque no se evalúa solo para determinar el tiempo de retención, sino también para determinar qué documentos necesitan crearse» . Es importante el avance en esta perspectiva que hace la edición de 2016 de la norma al interiorizar tan oportunamente la teoría de la macroevaluación[7] en cuanto que uno de los interrogantes que plantea es precisamente que funciones o actividades deben ser documentadas.

La identificación, la valoración y la reingeniería de procesos actuando conjuntamente, crear un contexto en lo que esta sinergia fluya es esencial para que la gestión documental pueda desarrollarse correctamente y para conseguir los objetivos que le dan sentido.

En definitiva, tenemos que producir menos y mejores documentos, el contexto actual de funcionamiento electrónico de la Administración lo favorece enormemente. El «menos es más» de Peter Behrens popularizado por su discípulo Mies van der Rohe[8] que dio lema al Minimalismo aplica absolutamente en el ámbito que nos ocupa.

4) Destacamos una última línea de actuación estratégica, la que se sitúa en el ámbito de la **operativa de la implantación**, en la que se actúa: coordinando y prestando el apoyo necesario a los archivos para llevarla a cabo; manteniendo un Servicio de Atención al Usuario multicanal y multinivel (según nivel de conocimiento) condición básica para la implantación generalizada; gestionando planes de formación de los usuarios; desarrollando los

---

(6) UNE-ISO 15489-1:2016 información y documentación. Gestión de documentos. Parte 1. Pag 17 «La identificación y valoración es el proceso de evaluar las actividades de la organización para determinar que documentos necesitan crearse y capturarse, y por cuanto tiempo es necesario conservarlos».

(7) COOK, Terry, «Macrovaloración y análisis funcional: la preeminencia de la interacción político-social sobre el gobierno», en TABULA nº 6, 2003, pág. 8 .

(8) RANZ SCHULZE , Edward Windhorst, *Ludwig Mies van der Rohe: Una biografía crítica* (nueva edición revisada). Colecc. Estudios Universitarios de Arquitectura, 28. Madrid. 2016.

instrumentos necesarios para facilitar la integración de los sistemas de tramitación con @rchivA.

3. HERRAMIENTA CORPORATIVA @RCHIVA

3.1. Consideraciones generales

El Sistema de Información @rchivA es la herramienta corporativa desarrollada por la Junta de Andalucía para la gestión integral de los documentos y archivos de la Junta de Andalucía, cuyo ámbito de aplicación incluye todos sus órganos, entes instrumentales y administración periférica. @rchivA gestiona los archivos de la Junta de Andalucía, con carácter global y transversal. De acuerdo con el Artículo 60.2 de la Ley 7/2011, de 3 de noviembre, de Documentos, Archivos y Patrimonio Documental de Andalucía su coordinación le corresponde a la órgano competente en materia de documentos, archivos y patrimonio documental, actualmente la Consejería de Cultura y Patrimonio Histórico[9] (CCPH), que actúa coordinadamente con el órgano competente en materia de administración electrónica y estrategia digital.

Funcionalmente @rchivA abarca la gestión técnica de los documentos en sus distintas fases de archivo, la gestión administrativa de los distintos tipos de centros de archivo y los servicios que éstos prestan a la propia Administración y a la ciudadanía. Así mismo incorpora las funciones de archivo electrónico único de la Junta de Andalucía de acuerdo a la Ley 39/2015, de 1 de octubre. Cuenta con un portal de difusión @rchivAWeb para, de acuerdo con la legislación vigente, facilitar el acceso a los documentos.

Su ámbito subjetivo son los archivos de la Junta de Andalucía (Centrales, Intermedios e Históricos), y cuenta con más de 5.900 usuarios.

Su ámbito objetivo son los documentos y expedientes administrativos válidos conforme a la Ley 39/2015[10], ámbito en cuya delimitación sobrevuela el principio de legalidad de la actuación de las Administraciones Públicas[11], una vez finalizada su tramitación e independientemente de su soporte. No entramos aquí a discutir este principio sobre el que hay abundante literatura jurídica, ni las distintas formas de la producción documental de la Administración en la que las nuevas tecnologías posibilitan el desarrollo de su creatividad y sobre la que también hay que actuar sobre todo para explotar y en su caso reutilizar la información que mueven, pero lo que sí que este ámbito objetivo es consecuencia

---

(9) Para ejecutar estas competencias la CCPH cuenta en su estructura con la Unidad de Coordinación del Sistema de Información @rchivA adscrita al Servicio de Archivos que actúa coordinadamente del Servicio de Informática.

(10) Art. 26 de la Ley 39/2015, de 1 de octubre, del Procedimiento Administrativo Común de las Administraciones Públicas (*BOE* 236 de 02/10/2015).

(11) Art. 103 de la Constitución (*BOE* 311, de 29 /12/1978)

del valor jurídico de los documentos administrativos como evidencia y prueba de la actuación de la Administración pública y de su consideración de Patrimonio Documental.

@rchivA ha evolucionado pasando de ser una aplicación «exenta» a un ecosistema en el que el que conviven una comunidad de componentes en un medio natural «lógico» de integración en interoperabilidad.

En este ecosistema encajan un elenco de componentes que conforma su infraestructura. Infraestructura que ha dado un salto cualitativo tras la incorporación de la gestión del archivo electrónico único siguiendo el Modelo conceptual OAIS[12].

El marco que regula este salto es la «Política de gestión de documentos electrónicos de la Junta de Andalucía».

3.2. Infraestructura

La integran los siguientes componentes:

a) **@rchivA**: Aplicación web desarrollada por la Junta de Andalucía para la gestión de los documentos y archivos de su titularidad. Sigue una arquitectura de tipo modular de 3 capas orientada a servicios (SOA) que permite la separación entre la lógica de negocio, la capa de presentación y la capa de datos. En la CCPH se mantiene en cuatro entornos Pruebas, Preproducción, Producción y Formación.

b) **Plataforma de interoperabilidad**: Ordena y facilita la comunicación entre los distintos componentes del ecosistema @rchivA así como su interacción con los sistemas productores de documentos y expedientes electrónicos. Esta plataforma utiliza los componentes de la Suite WSO2: Enterprise Service Bus (ESB), Data Services Server (DSS) y Governance Registry (GREG), entre los tres permiten la comunicación y operatividad con sistemas heterogéneos y el acceso y gestión de datos. El despliegue de esta plataforma se ha realizado en Alta disponibilidad para garantizar la continuidad del servicio a los sistemas con los que se interopera y la gestión de las interrupciones.

c) **Archive**: Aplicación web de archivo definitivo de expedientes y documentos electrónicos, que cumple con lo dispuesto al respecto en el RD 4/2010, de 8 de enero, por el que se regula el Esquema Nacional de Interoperabilidad en el ámbito de la Administración electrónica[13] que aplica el modelo conceptual OAIS. La utilizamos en una instalación en local integrada

---

(12) Modelo conceptual tecnológico para la gestión de la conservación a largo plazo definido en la norma ISO 14721:2003. Modelo Referencia OAIS (Open Archival Information System).

(13) PAe portal de administración electrónica de la Administración General del Estado. https://administracionelectronica.gob.es/ctt/archive#.XkpH99hJIEY

en el ecosistema @rchivA y absolutamente transparente al usuario. Es una experiencia de uso que iniciamos sin que existiera referencia a experiencias similares.

¿Porque Archive? Por razones políticas y económicas. Arrancan de la «Disposición adicional segunda» de la Ley 39/2015, de 2 de octubre, mediante la cual se obliga a las administraciones públicas a utilizar las plataformas comunes proporcionadas por la Administración General del Estado para la implementación de servicios básicos de administración electrónica. A continuación llegó la «Orden PRE/710/2016, de 12 de mayo, por la que se publica el Acuerdo de la Comisión Delegada del Gobierno para Asuntos Económicos de 31 de marzo de 2016, sobre condiciones adicionales a cumplir por las Comunidades Autónomas adheridas al Fondo de Financiación a Comunidades Autónomas, compartimento Fondo de Liquidez Autonómico 2016», que estableció las condiciones a cumplir con carácter previo para acceder a los fondos correspondientes al compartimento fondo de liquidez autonómico 2016, entre las que se encontraban la firma del convenio para adherirse al uso de las plataformas de administración electrónica entre la que estaban Archive e Inside. La Junta de Andalucía firmó el convenio indicando que la instalación de estas plataformas se harían en local integrada en la plataforma propia, y ahí estamos. Archive gestiona toda la operativa del ingreso en la plataforma de almacenamiento de los documentos y expedientes electrónicos y la posterior puesta a disposición de los mismos. Su comunicación con los sistemas tramitadores productores-remisores y con @rchivA se realiza haciendo uso del componente WSArchivaE a través de la plataforma de interoperabilidad. Esta gestión es totalmente transparente al usuario.

d) **WSArchivaE**: Conjunto ordenado de servicios web que siguiendo el modelo OAIS impulsa el envío de paquetes SIP (Submission Information Package) con los documentos y expedientes para su archivo electrónico único, así como la gestión de sus derivados para la consulta de los expedientes almacenados.

e) **Servicios @rchivAws:** Servicios que gestionan las comunicaciones con @rchivA, a los que se ha añadido un nuevo servicios «CrearSolicitudeexp» similar al servicio ya existente para la generación de expedientes de ingreso de modo telemático para unidades documentales en soporte papel. Este nuevo servicio permite que los sistemas externos remitan la información necesaria para el archivo expedientes electrónicos con la generación del expediente de ingreso que documenta la acción.

f) **Inside**: Herramienta desarrollada por la Administración General del Estado facilita la operativa para aplicación del formato ENI a los expedientes electrónicos. Disponible para las aplicaciones consumidoras[14].

g) **Infraestructura de Almacenamiento ECS**: Plataforma de almacenamiento seguro de objetos de Dell EMC para la conservación a largo plazo en el que no se precisa de procedimiento de resellado para garantizar la integridad e inalterabilidad.

h) **ActiveMQ**: Gestionar la demanda es un requisito ante el alto número de aplicaciones consumidoras de los servicios de @rchivA para el archivo de expedientes electrónicos. Para ello se ha implantado una gestión asíncrona de remisión mediante la integración del componente ActiveMQ que gestiona la cola de peticiones.

Por otro lado para el desarrollo de sus funcionalidades @rchivA interopera con las herramientas corporativas de administración electrónica (firma, Port@firmA,@ries) para la tramitación electrónica de los procedimientos administrativos de los Archivos (ingresos, salidas, servicios), el Sistema de Información Estadística de la CCPH, la herramienta para la gestión de vocabulario (Arthe), el repositorio digital de difusión y la herramienta de cuadro de mandos (Qlikview), estando prevista su interoperabilidad con el Registro de Procedimientos de la Junta de Andalucía.

Esta infraestructura, totalmente transparente al usuario, es la que da servicio a todos las unidades productoras de documentos de la Junta de Andalucía, cuyo parque de aplicaciones productoras y consumidoras de los servicios de @rchivA es muy elevado y diverso, por lo que para facilitar su integración se han tomado tres iniciativas:

- Desarrollar y poner a disposición un Toolkit para facilitar la generación de paquetes SIP.

- Integrar estas funcionalidades en el motor de tramitación corporativo Trew@.

- Generar un Manual de Integración dirigido a los Servicios TIC en todos los órganos de la Junta de Andalucía.

3.3. Funcionalidades

Cómo herramienta corporativa @rchivA despliega todas las funcionalidades necesarias para la gestión de los documentos y los Archivos.

---

(14) PAe portal de administración electrónica de la Administración General del Estado. https://administracionelectronica.gob.es/ctt/inside#.XkpJgNhJIEY

Las funcionalidades atienden: el mantenimiento de las estructuras en los centros (gestión espacios, cuadros de clasificación, gestión de usuarios, gestión de roles); tramitación electrónica de los procedimientos de ingresos y salidas de documentos y/o cambio de custodia (caso de documentos y expedientes electrónicos); gestión de conservación /eliminaciones; gestión de servicios internos y a la ciudadanía; la gestión del archivo electrónico único; el tratamiento técnico archivístico; la difusión a través del portal @rchivAWeb. Así mismo, la PGDEJA regula todas estas funcionalidades en relación con los documento y expedientes administrativos electrónicos y el archivo electrónico único, ya que es desde @rchivA desde se impulsan y ejecutan todas las actuaciones.

Estas funcionalidades se aplican a todos los documentos y expedientes administrativos sin discriminación por soporte pero respetando sus respectivas particularidades y teniendo en cuenta el dinamismo de las estructuras de gobierno de la Administración.

En este sentido, dada sus particularidades, ha sido necesario desarrollar una operativa propia para el ingreso de los documentos y expedientes administrativos electrónicos en la que intervienen los componentes que se han indicado en el apartado anterior y que describimos a continuación. Su punto de partida es el alta del sistema productor en el Registro de Sistemas gestionado en @rchivA que actúa cómo contrato de servicio entre ambas aplicaciones en el que quedan identificados unidad productora, sistema tramitador, serie, código RPA/SIA[15].

A partir de ahí, una vez finalizada la tramitación se desencadena el proceso de ingreso que podemos resumir en lo siguiente:

1) Generación del índice del expediente ENI con metadatos adicionales y su firma de acuerdo con lo establecido en la PGDEJA.

2) Generar SIP. En caso de que el sistema no tenga esta capacidad podrá hacer uso del Toolkit que @rchivA pone a disposición.

3) Enviar SIP. Para ello se hace uso del SW correspondiente del componente WSArchivAe. Este es el servicio principal por el que se envían los expedientes y documentos finalizados tras realizar las validaciones correspondientes. Esta acción invoca el servicio web de @rchivA: CrearSolicitudeexp que genera el preingreso del expediente y sus documentos. En @rchivA se almacenará la solicitud del ingreso del expediente y creará un expediente de ingreso aglutinando un conjunto de envíos que tengan mismo archivo destino, misma serie y mismo productor. El expediente remitido queda en Archive en estado pre-Archive. En @rchivA, se almacenará el identificador

---

(15)   Sistema de Información Administrativa es el inventario de información administrativa de la Administración AGE, regulado en el art. 9 del Real Decreto 4/2010, de 8 de enero, por el que se regula el Esquema Nacional de Interoperabilidad en el ámbito de la Administración Electrónica.

del expediente/documento que permite su localización posterior en Archive. Una vez Registrado el ingreso en @rchivA el documento cambia de estado en Archive quedando almacenado en la infraestructura de almacenamiento seguro puesta a disposición. El procedimiento de ingreso queda documentado en @rchivA en su correspondiente expediente de ingreso.

4) Los metadatos de los documentos y expedientes son reutilizados en @rchivA para cumplimentar la respectiva descripción archivística conforme a la normativa técnica.

Tal como recoge la citada PGDEJA los sistemas productores una vez remitidos los documentos y expedientes al archivo electrónico único deberán quedar sólo los datos identificativos de estos, en cualquier caso serán los documentos y expedientes almacenado en el electrónico único de la Junta de Andalucía los que tengan la fuerza y el valor que en derecho se le atribuye al documento original. Los documentos una vez ingresados entran en la dinámica del trabajo técnico archivístico así como en la del servicio a la Administración y a la ciudadanía.

Se ha desarrollado la funcionalidad necesaria para permitir el acceso directo y no invasivo de las aplicaciones productoras a la recuperación para la consulta de los expedientes que en su día remitieran al archivo electrónico único, acceso que deja su rastro de auditoría en el módulo de Servicios de @rchivA. Este proceso convive con el que puede realizar una persona a través de @rchivA y que operará sobre todo en los casos en que dicha persona no sea usuaria del sistema productor o bien porque el mismo no se encuentre operativo temporal o definitivamente. En la consulta y servicio de documentos se invocan una serie de servicios web de Archive (consultarSIP, devolverSIP, etc.) que lo permiten. En este punto tenemos pendiente solucionar la puesta a disposición del paquete DIP ya que en la versión actual de Archive V1.4.0. es un proceso disponible en su interfaz pero del que no existe Servicio Web que podamos usar.

El trabajo continúa en distintas líneas en las que la modernización tecnológica, la gestión de la conservación a largo plazo, la explotación y reutilización de la información y la prestación de nuevos servicios son líneas prioritarias.

4. BIBLIOGRAFIA

OLIVA LEÓN, Ricardo y VALERO BARCELÓ, Sonsoles (Coords.), *La prueba electrónica: validez y eficacia procesal*, 2016, https://www.juristasconfuturo.com/ebook-prueba-electronica/.

BUSTOS PRETEL, Gerardo (Coord.), *La gestión del documento electrónico*, El Consultor de los Ayuntamientos, Madrid, 2018.

MINISTERIO DE HACIENDA Y ADMINISTRACIONES PÚBLICAS. *Política de gestión de documentos electrónicos MINHAP: ponencias complementarias al documento*, Ministerio de Hacienda y Administraciones Públicas, Madrid, 2015

GARCÍA-MORALES, Elisa, *Gestión de documentos en la e-administración*, Editorial UOC, Barcelona, 2013.

COOK, Terry, «Macrovaloración y análisis funcional: la preeminencia de la interacción político-social sobre el gobierno», *Tabula*, nº 6, 2003, p. 87-104.

RIVERO ORTEGA, Ricardo, *El expediente administrativo: de los legajos a los soportes electrónicos*, Aranzadi, Navarra, 2008.

41.

MODELO DE ARCHIVO EN LA NUBE, EN TINAJO (LANZAROTE)

Pedro Antonio CABRERA HERNÁNDEZ
*Responsable del Sistema de Gestión Documental y Archivo Electrónico del
Ayuntamiento de Tinajo (Lanzarote)*

1. INTRODUCCIÓN

Tinajo es un municipio de la isla de Lanzarote, situado al noroeste de la misma con una población de 6200 habitantes y un territorio de $135´3km^2$. Por tanto, un municipio pequeño y con recursos limitados.

En los últimos años las personas y las instituciones se han visto profundamente afectadas por la crisis económica, con mayor relevancia en municipios de recursos limitados. En este contexto el Ayuntamiento de Tinajo hace un importante esfuerzo apostando en procesos de modernización e innovación, basados en la mejora del servicio y atención a la ciudadanía y empresas, sobre todo aquellas, erradicadas en nuestro término municipal. En definitiva, continuamos un proceso de inversión en innovación y servicios que deben retornar en eficiencia, transparencia y optimización de recursos públicos, que debe reflejarse en mejoras de procesos y consolidación de un modelo de gestión administrativa más ágil pero igualmente sensible a las necesidades ciudadanas.

2. ¿PRODUCIR Y ARCHIVAR BAJO EL MANTO DEL CÓMPUTO EN LA NUBE?

En primer lugar, el *Cloud Computing* es un modo de prestación de servicios, no de prestación de productos y por otro lado el *Cloud Computing* es una tecnología informática, dicho esto conviene una explicación más detallada en cuanto a su validez como sistema, totalmente distinto de otras implantaciones, digamos clásicas. Existen muchos modos de utilizar servicios de *cloud computing*, y la nube no siempre ha de ser pública, un ejemplo clarificador sería la *Red SARA* una nube, en este caso cerrada y segura, para la realización de comunicaciones entre administraciones, pero ciertamente, con ello no podemos dejar de plantear el hecho de que incluso las nubes seguras son inseguras y por tanto nos tenemos que enfrentar al reto que se nos plantea el hecho de utilizar servicios, sistemas o depósitos en la nube que necesariamente implicará una continuada tarea de gestión del riesgo y de la incertidumbre, que puede que no siempre será capaz de transformar esas incertidumbres en certezas[1].

3. NUESTRO MODELO DE PRODUCCIÓN DE DOCUMENTOS

Por tanto nuestro modelo de producción principal se compone de un gestor documental el cual incluye todos los procesos de tramitación, base de datos de terceros, conexión con sede e integración con todas las aplicaciones verticales de la organización con las que comparte información y además disfruta de las funcionalidades de integración con las aplicaciones del estado como; SIA, Cl@ve, @podera, Notifica, SIR y BOE[2]. Todo esta arquitectura es la que principalmente transfiere documentos y sus elementos asociados al Archivo Electrónico el cual está perfectamente integrado con el sistema de producción descrito.

Por tanto la orientación procurada del sistema propone que desde el momento en que un procedimiento sea invocado desde la sede electrónica, así como desde la propia plataforma, se inserte el metadato de clasificación, con lo que conseguimos que desde el comienzo queden realizados tres procesos archivísticos y uno de gestión; la clasificación, la valoración y el acceso, además de determinar el destino hacia el agente productor. Debemos advertir que hasta ahora no se estaban aplicando reglas en cuanto a valoración de documentos. Todo este proceso no se consigue a través del cuadro de clasificación; es más: tal cuadro no existe de manera representada, aunque dispone de dicha orientación y por tanto, existe la funcionalidad de clasificar documentos que el Archivo Municipal de Tinajo ha desarrollado sobre un catálogo de procedimientos, sobre el que aplica el código correspondiente. Hay que tener en cuenta que el archivo municipal ha optado por un modelo multientidad, tal y como se definen en el ENI[3], en lugar de la tradicional y única contextualización simultanea que nos ofrece un cuadro de clasificación. Por tanto, un catálogo de procedimientos, al cual se le aplica el código de clasificación en combinación con otras herramientas que nos ofrece ya el propio sistema, se ha revelado mucho más eficaz y por tanto nos permite, desde el principio, una adecuada contextualización.

---

(1) DELGADO GÓMEZ, Alejandro, «Archivar en la nube: reglas de producción del documento contemporáneo. Parte I: indicadores tecnológicos», *El profesional de la información*, 2011, vol. 20, nº 4, págs. 406 a 416.

(2) Para mayor información consultar Pae, Portal de Administración Electrónica https://administracionelectronica.gob.es/pae_Home#.XkZTCojgqUk

(3) Real Decreto 4/2010, de 8 de enero, por el que se regula el Esquema Nacional de Interoperabilidad en el ámbito de la Administración Electrónica.

En primer lugar, y como ya hemos explicado, disponemos de un catálogo de procedimientos, pero además hemos creado otro de agentes, aquéllos que se han definido dentro del organigrama de la organización y un tercero de interesados, tanto de carácter físico como jurídico, lo que nos permite la contextualización de estas entidades por medio de vinculación en la propia aplicación de producción, no sólo con el procedimiento elegido sino que también nos permite vincular éste con otros que pudieran te demás quedan documentados todos y cada uno de los procesos realizados por dichos agentes por medio de traza de auditoría. De esta manera, al vincular un procedimiento con un expediente queda vinculado con la actividad que refleja y éste con el agente que lo generó, y una vez que el expediente o documento y sus objetos asociados ingresan en el depósito, se vincularán en la aplicación de archivo a su serie correspondiente mediante la inserción en un nivel superior quedando de esta manera perfectamente jerarquizado, consiguiendo una triple con textualización a nivel de agente, actividad y serie, todas entidades de distinto tipo.

4. EL MODELO DE ARCHIVO ELECTRÓNICO ÚNICO

En las presentes líneas describiremos el modelo alternativo de conservación, para crear y mantener un depósito interoperable en conexión, aunque con cierta separación, con el sistema de producción, mediante Apis y servicios web, manteniendo las condiciones de aislamiento que requiere la legislación. Tengamos en cuenta que la legislación obliga a las administraciones a crear y mantener un depósito seguro similar en cuanto a funcionalidades a los archivos convencionales, pero en ningún punto indica que deba ser un oais. Es más, sólo nos indica que debemos conservar pero no cómo, más allá de la creación de repositorios y la transferencia, si procede entre éstos. Por otro lado, un oais[4] se mantiene rígidamente separado del sistema de producción esperando el envío de los paquetes de información y sólo al llegar al archivo los transforma en paquetes de información archivística. Sin embargo, desde el Archivo Municipal de Tinajo hemos entendido que un depósito en condiciones de aislamiento no es deseable, pues para el cuerpo normativo que regula la administración electrónica constituyen estrategias esenciales las relativas a la interoperabilidad, la reutilización de datos y aplicaciones, así como la racionalización, estrategias que no se corresponden con la idea de un sistema de conservación en condiciones de aislamiento.

Ante todo debemos decir que la legislación exige conservar no sólo el contenido de los documentos y expedientes, sino además de los metadatos y las firmas y, en el caso de los expedientes, el índice firmado, los metadatos, además de los documentos que lo componen. Así, una vez y que un expediente se

---

(4)   CRUZ MUNDET José Ramón, DÍEZ CARRERA, Carmen, «Sistema de Información de Archivo Abierto (OAIS): luces y sombras de un modelo de referencia», *Investigación bibliotecológica México*, 2016, vol. 30, n° 70, *versión On-line* ISSN 2448-8321.

declare cerrado, pasará a un primer estadio de archivo, realizado en la aplicación de producción por el archivo municipal, único órgano con permiso para ello, para posteriormente pasar a ser ingresado a través de nuestra aplicación Odilo a3w-ae en nuestro depósito digital seguro, si es que ha podido definir una concordancia entre los datos generados y los que alojará la aplicación, procediendo a transferir los pdf/a junto con los documentos XML los cuales incluyen metadatos mínimos obligatorios del documento, además del contenido en base 64, metadatos del expediente, índice, firmas y registro, para la generación de paquetes de transferencia en formato ENI-NTI. Todos estos objetos llegan unidos mediante encapsulación y antes de aceptarlos se comprueba la estructura normalizada de documentos y expedientes, además del chequeo de firmas. En la base de datos del archivo se incorpora el código del expediente y la referencia a los ficheros transferidos, los cuales se indizan a texto completo, y es dentro de estos ficheros donde los usuarios con permiso para ello realizan las búsquedas. En cuanto a la visualización de los resultados de búsquedas, el usuario recupera los pdf/a junto con los metadatos mínimos obligatorios y los datos de firma. Tanto los documentos como los datos están restringidos a permisos de sólo lectura. Todo este proceso, unido a la configuración de permisos y restricciones de acceso junto a las potentes medidas de seguridad aplicadas sobre el entorno en el que desarrolla este complejo procedimiento, ofrece garantías suficientes de que los documentos y expedientes se mantienen tan auténticos e íntegros como en el momento en que se realizó la transferencia, teniendo en cuenta que inevitablemente, en entornos digitales, éstos sufrirán en algún momento procesos de migración, conversión o refresco produciendo alteraciones que serán admisibles siempre que no impliquen cambios en los aspectos esenciales del documento y expediente.

5. EL ARCHIVADO DE VIDEOACTAS

El Ayuntamiento de Tinajo en colaboración con las empresas con la empresa proveedoras del servicio de archivo, ODILO y la de servicio de videoactas, ha ejecutado durante 2018 un proyecto encaminado a la gestión, conservación a largo plazo y difusión de vídeo-actas y actas del Pleno del Ayuntamiento, todo ello en el marco del Esquema Nacional de Interoperabilidad y de las normas técnicas de interoperabilidad.

La empresa Ambiser suministra al Ayuntamiento de Tinajo la aplicación VideoActa, una aplicación comercial que permite gestionar la convocatoria de sesiones del Pleno y de otros órganos colegiados, incluyendo la definición de los puntos del orden del día de estas sesiones, grabar las sesiones y asociar los puntos del orden del día prefijados a instantes concretos del vídeo grabado, generando una vídeo-acta, Firmar el vídeo estructurado (con la vinculación entre puntos del orden del día e instantes concretos del propio vídeo) por cada uno de los asistentes a la sesión y la conversión del audio a texto De esta forma, se dota al vídeo de los elementos necesarios que permiten asegurar su integridad y autenticidad, de la documentación adicional relacionada con la sesión, como actas en formato pdf y otros documentos. Esta herramienta proporciona, de este modo, un conjunto de elementos que aportan una componente adicional de transparencia a la actividad del Ayuntamiento y la acerca a sus ciudadanos. Sin embargo, más allá de la gestión de las vídeo-actas a corto plazo, se hacía necesario dar un paso más y pensar en dos elementos adicionales: Las posibilidades de intercambio de documentación relacionada con una sesión concreta.

En este sentido se podría haber optado por un mero intercambio de vídeos. Sin embargo, el Ayuntamiento de Tinajo ha querido establecer un procedimiento de intercambio de documentación basado en paquetes ENI-NTI. La conservación y difusión a largo plazo, asegurando la pervivencia de la memoria institucional del Ayuntamiento y cumpliendo con los requisitos legislativos y normativos en cuanto a la conservación de documentación. Para conseguirlo, era necesario definir transferencias al archivo institucional del Ayuntamiento, sustentado sobre la solución Odilo A3W-AE. La empresa Odilo suministra al Ayuntamiento de Tinajo una solución tipo SaaS (software as a service) que le permite una gestión unificada de la documentación física y electrónica en fase de archivo. Además, incorpora funcionalidades de consulta y acceso a la documentación del archivo y de difusión controlada de aquella con carácter público. El criterio establecido por el Ayuntamiento de Tinajo para la selección de esta herramienta se basaba en la exigencia de que la conservación de la documentación se realice bajo unos estándares que permitan, en cualquier momento, recuperar todo el contenido en unos formatos adecuados para la gestión en cualquier otra herramienta. En definitiva, independizar el contenido de la gestión y evitar dependencias con una determinada solución tecnológica. La ejecución de este proyecto con los objetivos fijados ha implicado un trabajo conjunto por parte de las dos empresas implicadas bajo la iniciativa del Ayuntamiento de Tinajo.

El proyecto ha supuesto diversos retos técnicos que han tenido que ser resueltos para su puesta en funcionamiento, en primer lugar, ha sido necesario definir un modelo de paquete de información compatible con el Esquema Nacional de Interoperabilidad y las normas técnicas de interoperabilidad y que, al mismo tiempo, fuera capaz de albergar unos contenidos con unas características especiales como son las vídeo-actas (un documento audiovisual, de gran tamaño, con diversas firmas, etc.), acompañadas de otros documentos en formatos como el pdf. Para esto, se ha definido un nuevo modelo de paquete SIP/PIT (Submission information package o paquete de información de transferencia) con una estructura respetuosa con el estándar establecido por la Norma Técnica de Interoperabilidad de Documento Electrónico y la Norma Técnica de Interoperabilidad de Expediente Electrónico. Este modelo de paquete ha sido asumido como propio por la empresa Ambiser para todos los intercambios de documentación (con otras instituciones y con el propio Archivo del Ayuntamiento de Tinajo. Este modelo de paquete ha sido remitido a los técnicos de la AGE para su validación y su posible establecimiento como estándar para este tipo de materiales.

El segundo de los retos pasaba por la automatización del proceso de transferencia desde la plataforma de VideoActa de Ambiser, a la plataforma de archivo Odilo A3W-AE. Una institución con recursos limitados, como el caso del Ayuntamiento de Tinajo, requiere que los procesos que requieren de una intervención humana se reduzcan al máximo. Este caso no podía ser una excepción: el envío de paquetes de información desde VideoActa, la recepción por parte de A3W-AE, su descripción, la creación de registros descriptivos y su difusión en el portal de archivo debían ser procesos completamente automatizados. Y así se ha hecho. Una vez finalizada la tramitación de la sesión y generada la documentación, se genera un paquete de información (SIP/PIT) y se pone a disposición de A3W-AE, donde el archivero se encarga de aceptar o rechazar el ingreso. A partir de esa acción, todo el proceso es automático, se genera un paquete de información de archivo (AIP/PIA – Archival information package o paquete de información de archivo) para la conservación a largo plazo del conjunto de documentación. Se extraen los metadatos descriptivos (asunto de la sesión, participantes, etc.) y, de forma automatizada, se generan fichas descriptivas para el paquete y para cada uno de los objetos que lo conforman. Si así lo determina el archivero, el contenido ya descrito, también se difunde automáticamente en el portal de archivo de la institución al que los ciudadanos pueden acceder libremente y sin restricción.

6. EL ACCESO DIRECTO AL ARCHIVO, UNA CARPETA CIUDADANA

Con este proyecto se pretende empoderar al ciudadano, el objetivo es el de mejorar el acceso a la documentación pública y a la que es personal y propia de cada ciudadano, siempre asegurando los criterios de confidencialidad y protección de datos personales, pero sin coartar las posibilidades de acceso remoto que exige el contexto actual de administración electrónica. Como se ha indicado, el Ayuntamiento de Tinajo dispone de una solución integral de archivo físico y electrónico en SaaS (software as a service). Entre las funcionalidades incluidas en el servicio se encuentra, un portal de archivo para la difusión de documentación definida como público por el Ayuntamiento. Dentro de este conjunto de documentación se incluye documentación acerca de la gestión del propio Ayuntamiento y de sus instituciones (como las vídeo-actas antes especificadas) y documentación de carácter patrimonial (como colecciones fotográficas históricas). Un módulo OAI-PMH que permite reutilizar el contenido de carácter patrimonial por recolectores de todo el mundo. Destacan entre ellos Hispana y Europeana. Para completar estos servicios, se hacía necesario ampliar las funcionalidades disponibles de modo que los ciudadanos pudieran consultar, no solo documentación pública sobre la actividad del Ayuntamiento o de carácter patrimonial de la memoria de la institución o del municipio, sino también documentación de carácter personal propia de cada ciudadano y hacerlo con las debidas medidas de seguridad y de control. Además está prevista la incorporación de servicios telemáticos adicionales junto con estas funcionalidades: solicitud virtual de documentación, copias auténticas, etc. La ejecución de este proyecto con los objetivos fijados ha implicado un trabajo conjunto por parte de Odilo bajo la iniciativa del Ayuntamiento de Tinajo. El proyecto ha requerido todo un proceso previo de definición conceptual para permitir un acceso controlado a determinados conjuntos de documentación. Efectivamente, los sistemas actuales de tramitación incorporan unas descripciones pobres, no pensadas para la reutilización y gestión automatizada de la documentación, y con poca información relacionada con las cualidades de confidencialidad, datos personales, etc.

En este sentido, el Ayuntamiento de Tinajo ha tenido que realizar un proceso previo de adaptación de los expedientes administrativos conservados en el Archivo para que los criterios de acceso fuesen adecuados al contexto de cada documento. Así, el trabajo para determinar qué expedientes y documentos concretos pueden ser accesibles si se acredita la identidad de un ciudadano ha sido muy manual, pero ha permitido sentar las bases de un proceso más automatizado a medio plazo. En segundo lugar, ha sido necesario adaptar la aplicación de archivo (A3W-AE) para permitir un acceso acreditando la identidad de los ciudadanos. Para conseguir este acceso se han ejecutado (o se encuentran en ejecución puesto que es un proyecto aún en curso) las siguientes actividades: Creación de un acceso mediante clave y contraseña, certificado digital o cl@ve en el portal de archivo del Ayuntamiento de Tinajo. Esto permite a los ciudadanos acceder a documentación que les es propia, consultarla, obtener copias, etc. El acceso a esta documentación es automático en función de los permisos definidos por el Archivo. Actualmente está disponible el acceso mediante clave y contraseña para, progresivamente, incorporar el resto. Definición de un servicio web para integrar los servicios de consulta del Archivo con la sede electrónica del Ayuntamiento. De este modo, el ciudadano no tiene que visitar diferentes páginas y servicios del Ayuntamiento, sino que puede acceder a la documentación en trámite y a la archivada a través de un único servicio.

7.   EL PLAN DE PRESERVACIÓN

El plan de preservación recoge una descripción de los elementos necesarios para la construcción de un sistema de archivo y preservación digital que cumpla los requisitos del modelo OAIS: responsables y responsabilidades del sistema, características de la documentación que se va a preservar, modelo de gestión de los paquetes del sistema (SIP/PIT, AIP/PIA y DIP/PID), auditoría del sistema, medidas de preservación aplicables, etc. Como se ha indicado, una parte de la ejecución del servicio de archivo y preservación digital ha sido encomendada a

Odilo, en concreto, los elementos que componen el servicio de preservación suministrado por el citado proveedor son los siguientes:

Un conjunto de servicios de asesoramiento y acompañamiento para el traslado de la metodología de gestión del Archivo del Ayuntamiento de Tinajo a las herramientas tecnológicas de Odilo y para la definición del plan de preservación que se describe en este documento. Una solución tecnológica integrada, Odilo A3W y Odilo Preserver para el archivo y la preservación digital de la documentación, cumpliendo completamente con el estándar OAIS (norma ISO 14721) que permite la gestión completa de todas las acciones y actividades relacionadas con la preservación de la documentación, un sistema de almacenamiento en la nube compuesto por un almacenamiento de uso frecuente (para el acceso inmediato a los objetos preservados) y un almacenamiento de seguridad (que genera copias almacenadas en ubicaciones geográficas separadas y sincronizadas para asegurar la integridad, validez legal de los activos digitales, etc.), un servicio activo de preservación digital orientado a la identificación de riesgos que puedan afectar a la conservación a largo plazo de la documentación y a la definición de acciones correctivas que permitan tener controlados dichos riesgos. Toda esta actividad se encuentra bajo la supervisión y autorización del Ayuntamiento de Tinajo y la auditoría del sistema con el objetivo de velar por el cumplimiento de los requisitos de la norma ISO 14721 y otras normas complementarias (ISO 27001 e ISO 22301), así como con el ENS nivel Alto. Corresponde a la empresa proveedora, además, proporcionar certificados de cumplimiento de estos estándares elaborados por una entidad certificadora independiente y acreditada. El detalle del compromiso de prestación del servicio, bajo acuerdo marco de colaboración entre el Ayuntamiento de Tinajo y Odilo para la prestación de servicios de archivo y preservación, se encuentra a la espera de aprobación definitiva y publicación.

8. CONCLUSIONES

Por medio de esta exposición hemos intentado mostrar un estudio de caso, de cómo la cooperación multidisciplinar es absolutamente necesaria para alcanzar con éxito la implantación de una administración electrónica eficaz, en administraciones locales de pequeño tamaño y con recursos limitados para dejar atrás procedimientos y aptitudes, opacas y resistentes al cambio, para lograr que el ciudadano se pueda relacionar con ésta en condiciones de igualdad. En segundo lugar hemos explicado cómo los instrumentos disponibles, tanto legales como tecnológicos, son adecuados para la conservación de documentos electrónicos a través de la utilización de servicios de Computación en la Nube como una solución sólida. En tercer lugar hemos mostrado cómo un depósito en absolutas condiciones de aislamiento no es deseable, y cómo es posible conectar más de un sistema de producción y un sistema de conservación, contextualizando los documentos tanto electrónicos como físicos sin que éstos corran peligros innecesarios. En cuarto lugar, el archivero ha pasado de una situación de aislamiento a un crecimiento imparable propiciado por unas tecnologías hasta ahora desconocidas e incontrolables, pero con las comienza a entenderse, abriendo el diálogo con otras disciplinas y con ello obteniendo beneficio propio. Por último, todo este proceso ha significado la implicación decidida de varios agentes con diferentes perfiles. Por un lado, el representante político, delegado de la Concejalía de Archivo Municipal y Nuevas Tecnologías, que impulsa y provee a los demás agentes implicados los recursos necesarios para el adecuado alcance de objetivos. La Secretaría General, figura indispensable, impulsora y directora del proyecto, especialista en legislación, es la encargada de estudiar las fórmulas legales aplicables. Por último, el Servicio de Archivo Municipal implanta normas técnicas, y dirige las integraciones, asegurándose de que los documentos producidos y conservados sean auténticos, fiables e íntegros.

PARTE VI.

COLATERALES DEL DOCUMENTO

42.

CONSERVACIÓN A LARGO PLAZO DE BASES DE DATOS

Alejandro MILLARUELO GÓMEZ

Jefe de Servicio de Almacenamiento y Backup, Oficina de Informática Presupuestaria, IGAE, MINHAC

1. INTRODUCCIÓN

La distinción entre datos estructurados y no estructurados es habitual cuando se habla de gestión de la información[1]. Los datos estructurados son aquellos que se almacenan en contenedores especiales denominados bases de datos, formando grupos que tienen unas características determinadas (tipo de dato, longitud, etc.). Estos grupos de datos son atributos o características de entidades lógicas u objetos (que pueden tener una correspondencia en el mundo real) o de relaciones entre estos mismos objetos. Una base de datos sería, pues, un conjunto organizado de datos.

Los datos no estructurados, en cambio, se almacenan principalmente en sistemas de ficheros (aunque pueden hacerlo también en bases de datos), disponen de un formato específico (texto, imagen, sonido, etc.), y pueden combinar distintos tipos de información. Un ejemplo de dato no estructurado sería un documento electrónico, en la definición que hace la Norma Técnica de Interoperabilidad de Documento Electrónico[2]: «contenido (...), firma electrónica y metadatos».

Las bases de datos se pueden utilizar, entre otras funciones, para gestionar documentos electrónicos o su información. Pueden también contenerlos como datos de la propia base de datos o hacer referencia a ellos (mediante un enlace a su ubicación en un sistema de ficheros, por ejemplo). Incluso pueden alma-

---

(1) Existe un tercer grupo, los datos semiestructurados (por ejemplo, un fichero XML), pero en este contexto no se ha considerado importante esta distinción.

(2) Resolución del 9 de julio de 2011, de la Secretaría de Estado para la Función Pública, por la que se aprueba la Norma Técnica de Interoperabilidad de Documento Electrónico.

cenar datos y servir «como evidencia e información por una organización o persona, de acuerdo con sus obligaciones legales o en el desarrollo de sus actividades»[3].

Así pues, en el ámbito de la Administración electrónica, las bases de datos constituyen un nuevo elemento a tener presente, por su relación con los documentos electrónicos y por el posible valor de su información. Examinaremos en el próximo apartado qué nos dice la legislación acerca de ellas.

2. LEGISLACIÓN

Ni el RD 4/2010, de 8 de enero, por el que se regula el Esquema Nacional de Interoperabilidad en el ámbito de la Administración Electrónica, ni las Normas Técnicas de Interoperabilidad, contienen ninguna mención directa al uso de bases de datos. Tampoco las Leyes 39/2015, de 1 de octubre, del Procedimiento Administrativo Común de las Administraciones Públicas y 40/2015, de 1 de octubre, de Régimen Jurídico del Sector Público.

Por otro lado, en la legislación que regula la función estadística pública sí encontramos algunas referencias que pueden corresponderse con el uso de base de datos, aunque no citan este término. La ley 12/1989, de 9 de mayo, de la Función Estadística Pública, en su art. 34, indica que «el Instituto Nacional de Estadística podrá recabar de los Departamentos ministeriales, Organismos Autónomos y Entidades Públicas de la Administración del Estado, cualquier dato o archivo de datos y directorios de utilidad estadística, salvo que se refieran a las materias indicadas en el artículo 10.4 de la presente Ley y sin perjuicio de lo previsto respecto de la protección de los datos personales en el artículo 16. Asimismo, y en análogas condiciones de protección de los datos personales, los servicios estadísticos de los departamentos ministeriales, de los Organismos Autónomos y de las Entidades Públicas de la Administración del Estado podrán recabar del Instituto Nacional de Estadística aquellos datos, archivos y directorios necesarios para el desarrollo de las estadísticas a ellos encomendadas».

En el punto 3 del mismo artículo se indica la obligación de los Ministerios de ordenar «los registros y archivos de sus actividades que puedan tener utilidad estadística, informatizándolos para facilitar tanto la explotación de datos administrativos a efectos estadísticos, como la entrega a los interesados de cualesquiera informaciones contenidas en dichos registros y archivos en los términos que establezca la legislación sobre la materia».

En la legislación sobre datos de carácter personal tampoco se emplea directamente el término base de datos, aunque la definición que se hace de fichero podría englobarlo. Así el reglamento 2016/679 del Parlamento Europeo y del Consejo, de 27 de abril de 2016, relativo a la protección de las personas físicas

---

(3)   Definición de documento de la norma ISO 15489-1:2001.

en lo que respecta al tratamiento de datos personales y a la libre circulación de estos datos, en su art. 4, define fichero como «todo conjunto estructurado de datos personales, accesibles con arreglo a criterios determinados, ya sea centralizado o repartido de forma funcional o geográfica».

El mismo reglamento señala también la posibilidad de que los Estados miembros puedan tratar los datos personales «con fines de archivo en interés público, fines de investigación científica o histórica, o fines estadísticos», aspecto igualmente recogido en los artículos 25 y 26 de la Ley Orgánica 3/2018, de 5 de diciembre de Protección de Datos Personales y garantía de los derechos digitales.

Resulta obvio que la legislación en general ha optado por evitar el uso del término base de datos, empleando vocablos más genéricos que permitirían englobar ésta y cualquier otra posible solución técnica. Esta ausencia evidentemente no impide o prohíbe su utilización por parte de la Administración electrónica. De hecho, como puede comprobarse fácilmente, la realidad es que se usan con profusión, como parte esencial de los denominados sistemas de información. Este es un concepto perfectamente integrado en el Esquema Nacional de Seguridad[4], donde se define como un «conjunto organizado de recursos para que la información se pueda recoger, almacenar, procesar o tratar, mantener, usar, compartir, distribuir, poner a disposición, presentar o transmitir»[5]. A continuación veremos qué son y por qué son importantes.

3. SISTEMAS DE INFORMACIÓN Y BASES DE DATOS

Las bases de datos forman parte de los sistemas de información, que podrían definirse de forma genérica como un conjunto de elementos de tipo *hardware* y *software* que interactúan, mediante unos procedimientos o reglas de negocio, para recibir, organizar, almacenar, procesar y distribuir información, con el objetivo de ponerla a disposición de un grupo de usuarios.

El *hardware* lo pueden formar uno o varios servidores, redes de comunicaciones, sistemas de almacenamiento, etc. Una o varias aplicaciones informáticas, entre las que encontraremos un sistema de gestión de bases de datos (o DBMS, Data Base Management System) que se encargará de gestionar una o varias bases de datos, constituirán los principales componentes software del sistema. Los DBMS cumplen con una función primordial al independizar la forma de estructurar los datos de las aplicaciones que los usan.

---

(4)   Ver el RD 3/2010, de 8 de enero, por el que se regula el Esquema Nacional de Seguridad en el ámbito de la Administración Electrónica.

(5)   Tampoco se menciona en el Esquema Nacional de Seguridad directamente el término base de datos.

Una estructura habitual de los sistemas de información es la que se denomina arquitectura de tres niveles[6]. Cada nivel o capa, que se implementa mediante módulos de *software*, se relaciona con su nivel adyacente y tiene definidas unas funciones específicas dentro del sistema. Esto permite un funcionamiento independiente y facilita los cambios, ya que éstos no deben afectar a las otras capas[7]. Además cada nivel puede residir en servidores distintos, lo que proporcionaría una independencia física y una tolerancia mayor ante fallos del propio sistema.

Una arquitectura de tres niveles podría organizarse de la siguiente manera[8]:

a) Capa de presentación: gestiona la interfaz gráfica y la presentación de los datos, e interactúa directamente con los usuarios del sistema de información.

b) Capa de aplicación o capa lógica: formada por módulos de código en los que están embebidos las reglas de negocio[9], se encarga de gestionar los flujos de trabajo entre la capa de presentación y la capa de datos. Realiza las funciones principales de la aplicación: procesar datos, coordinar usuarios, administrar varias bases de datos, etc. Los distintos servicios que proporciona podrían implementarse en servidores independientes.

c) Capa de datos: una o varias bases de datos y, opcionalmente, uno o varios sistemas de ficheros, formarían el núcleo de este nivel. Su función es la de almacenar datos, en forma de ficheros binarios, integrados en bases de datos o en sistemas de ficheros.

Las bases de datos se crean en el contexto de un sistema de información, constituyendo uno de sus elementos principales. Sin conocer este contexto es difícil entender sus funciones[10]. Además, el diseño de los sistemas de información y de las propias bases de datos puede facilitar o dificultar su conservación, tanto a largo como a corto plazo.

La conservación de una base de datos debería garantizar a largo plazo su integridad, su inteligibilidad, autenticidad, disponibilidad y accesibilidad. Debido a la complejidad de la organización y funcionamiento de una base de datos y su estrecha vinculación con la tecnología informática, por otro lado

(6)   DAVID, Gabriel. RIBEIRO, Cristina. Database Preservation. 2009.
(7)   ORACLE: https://docs.oracle.com/cd/E19528-01/820-0888/aaubb/index.html
(8)   DAVID, Gabriel; MUZAMMAL, Muhammad; RAHMAN, Arif Ur; RIBEIRO, Cristina. Database Preservation: The DBPreserve Approach. International Journal of Advanced Computer Science and Applications, Vol. 6, n.º 12. 2015.
(9)   FITZGERAL, Neal. Using data archiving tools to preserve archival records in business systems – a case study. 2013.
(10)   ERPANET. The Long-term Preservation of Databases. ERPANET Workshop Report, Bern. April 9 - 11, 2003.

sujeta a cambios, examinaremos a continuación las dificultades que presenta la conservación de las mismas.

4. CONSIDERACIONES ACERCA DE LA CONSERVACIÓN DE BASES DE DATOS

La decisión de conservar a largo plazo determinadas bases de datos, por el valor de la información que contienen, debería tener en cuenta una serie de consideraciones:

4.1. Clasificación de las bases de datos

En el ámbito de la Administración electrónica, las bases de datos deberían clasificarse en función de algún criterio que facilite su valoración y, por tanto, la decisión de su conservación o destrucción. Este criterio podría escogerse en función de la naturaleza de su contenido, por ejemplo, su relación con documentos electrónicos.

En unos casos encontramos bases de datos que sirven para gestionar documentos electrónicos, ya sea conteniéndolos en la misma base de datos, ya sea enlazando con ellos en sistemas de ficheros, o almacenando información acerca de ellos, o incluso todo al mismo tiempo. En otros casos la información de un conjunto determinado de documentos electrónicos, estén o no relacionados entre sí, incluyendo o no información de otros tipos de fuentes, puede volcarse en una base de datos, con el objetivo de ser procesada, por ejemplo, con fines estadísticos, científicos o de cualquier otra índole. Otras bases de datos se utilizan para almacenar información, no sustentada en documentos electrónicos, pero que tiene un carácter testimonial de acciones, hechos, circunstancias, relaciones, etc.[11] Finalmente, otras bases de datos almacenan información cuyo origen no estaría en documentos electrónicos, ni tendría un carácter testimonial.

Basándonos en estas distinciones clasificaríamos las bases de datos en cuatro grupos:

1) Bases de datos que gestionan documentos electrónicos

2) Bases de datos que contienen información de varias fuentes (incluyendo necesariamente documentos electrónicos)

3) Bases de datos que contienen información de carácter testimonial (no sustentada en documentos electrónicos)

4) Bases de datos cuya información no proviene de documentos electrónicos ni es de carácter testimonial

---

(11)   *Ibid.*

Esta clasificación es importante porque determinaría la elección los métodos de conservación idóneos para cada tipo de base de datos, no sólo a largo plazo sino también a corto y medio plazo.

En la fase de diseño de sistemas de información y de bases de datos se debería definir esta relación con los documentos electrónicos, ya que, como veremos más adelante, cada uno de estos tipos tiene unas ventajas e inconvenientes en relación con su administración y su conservación.

Otros posibles criterios de clasificación de carácter más técnico, como bases de datos SQL o NoSQL, orientadas a objetos, transaccionales o no transaccionales, en *cloud* (DaaS, o Database as a Service), federadas, distribuidas, multidimensionales, etc., pueden considerarse en un momento posterior a la valoración, cuando haya que seleccionar los métodos de conservación a largo plazo.

4.2. Alcance de la conservación

¿Será necesario conservar sólo la capa de datos o todas las capas del sistema de información? ¿Hay que documentar la evolución de la base de datos a lo largo del tiempo, reflejo a su vez de la del propio sistema de información? Contestar a estas, y a otras preguntas similares, servirá para decidir el alcance y extensión de la conservación, como parte del proceso de calificación de la información contenida en una base de datos.

4.3. Obsolescencia y formatos propietarios

La obsolescencia tecnológica puede entenderse como la incapacidad de atender total o parcialmente determinados requisitos técnicos, que en un momento dado se consideran esenciales, necesarios o importantes. Obviamente es un riesgo para la conservación a largo plazo de las bases de datos, ya que los datos que contienen pueden acabar siendo ilegibles o incluso perderse total o parcialmente, debido a cambios de hardware o software que se producirán a lo largo del tiempo[12].

Para evitar este riesgo, mientras sea posible, habrá que mantener una política de actualización de elementos hardware y software, lo que evidentemente tendrá un coste elevado porque la mayoría de bases de datos y sus DBMS son producto de desarrollos comerciales y, normalmente, formatos propietarios.

Las copias de seguridad, por otro lado, no constituyen una garantía frente a la obsolescencia, ya que serán válidas mientras el entorno tecnológico en el que se realizaron se mantenga vigente.

---

(12)   DAVID, Gabriel; MUZAMMAL, Muhammad; RAHMAN, Arif Ur; RIBEIRO, Cristina. Database Preservation: The DBPreserve Approach. International Journal of Advanced Computer Science and Applications, Vol. 6, n.º 12. 2015.

4.4. Experiencias de conservación a largo plazo

Existen aún pocas experiencias de conservación a largo plazo de bases de datos, aunque el conocimiento que han aportado permitiría proponer algunas alternativas. Hay que tener presente también que las estrategias de conservación a largo plazo se han orientado preferentemente hacia el documento electrónico.

5. CLASIFICACIÓN DE LAS BASES DE DATOS EN RELACIÓN CON DOCUMENTOS ELECTRÓNICOS

5.1. Bases de datos que gestionan documentos electrónicos

Los documentos electrónicos, junto con sus firmas y metadatos, pueden almacenarse directamente como objetos en tablas de una base de datos. Oracle, por ejemplo, trabaja con un tipo de dato, denominado LOB (Large Objects u objetos grandes), que son ficheros binarios de tamaño grande. Cuando se almacenan en la misma base de datos se denominan BLOB (Binary Large Object, objeto grande binario). Si se almacenan fuera, en un sistema de ficheros, la tabla de la base de datos contiene una referencia o enlace a este fichero. En este caso se emplea un campo de tipo «BFILE».

Almacenar documentos electrónicos en una base de datos, por ejemplo, como objetos de tipo BLOB, tiene unas ventajas y unas desventajas que describiremos a continuación:

a) *Ventajas*

1) Simplifica y centraliza la administración del conjunto de datos

Los DBMS permiten además control de accesos, trazabilidad de acciones, etc.

2) La copia de seguridad de los datos puede realizarse con herramientas específicas de bases de datos

Por ejemplo, como RMAN en Oracle, sin necesidad de efectuar dos tipos distintos de copias (la de la base de datos por un lado y la de los documentos por otro).

3) Permite operar con una transaccionalidad más simple

Una transacción es cualquier operación realizada contra una base de datos, mediante un sistema de gestión (DBMS), y que se atiene a las propiedades denominadas ACID (Atomicity, Consistency, Isolation and Durability:

atomicidad, consistencia, aislamiento y durabilidad)[13], descritas en la norma ISO/IEC 10026-1. El objetivo es evitar que existan registros de la base de datos que sean incompletos o contradictorios.

Estas propiedades ACID pueden describirse de la siguiente manera:

• Atomicidad: una operación, que se puede dividir en una serie de acciones consecutivas, debe realizarse por completo. Si no es posible no se llevará a cabo ninguna acción.

• Consistencia (o integridad): para mantener la integridad de la base de datos cualquier operación que se quiera ejecutar contra la base de datos debe completarse. Se realizarán pues sólo las operaciones que vayan a cumplir este requisito y no se admitirán aquellas que no sean capaces de terminarse.

• Aislamiento: dos o más operaciones no pueden concurrir al mismo tiempo contra el mismo conjunto de datos. Para asegurar la integridad de la base de datos cada operación se realizará en el orden necesario, respetando las propiedades de atomicidad y consistencia.

• Durabilidad (o persistencia): el resultado de cada operación completada contra la base de datos será permanente en el tiempo, sin que pueda revertirse por fallo en el sistema.

4) No es necesario establecer enlaces externos entre la base de datos y los documentos

Esto evitaría en teoría los posibles riesgos de pérdida o modificación de estos enlaces, el renombrado no planificado de documentos, etc.

b) *Desventajas*

1) Tamaño de la base de datos

El número de documentos almacenados en la base de datos aumentará probablemente con el tiempo, salvo que se exporten periódicamente a otros sistemas y se borren de la propia base de datos. En paralelo el tamaño de ésta irá creciendo, pudiendo llegar a ser inmanejable[14] si no se obtiene un rendimiento mayor del *hardware* (lo que obviamente tiene un coste).

2) Acceso a los documentos

---

(13)   THOMPSON, Sara Day. Preserving Transactional Data. DPC Technology Watch Report 16. 02 May 2016.

(14)   LINDLEY, Andrew. Database PreservationEvaluation Report SIARD vs. CHRONOS. Preserving complex structures as databases through a record centric approach? Preserving Transactional Data Briefing Day. London. 17-03-2016.

Unos documentos son más demandados que otros por los usuarios en función de su ciclo de vida. Es posible dividir el conjunto de documentos electrónicos almacenados en una base de datos en relación con el número de accesos a los mismos. Los documentos más demandados, dependiendo de las necesidades de los usuarios y de la importancia que tenga la información para la organización, requerirán de un tiempo de acceso menor que el resto. No tiene mucho sentido, económicamente hablando, que todos compartan el mismo tipo de soportes de almacenamiento de alto rendimiento. Estos no garantizan una mejor conservación, sólo un tiempo de acceso menor.

En estos casos, para optimizar el uso de los recursos de almacenamiento, sería necesario repartir la base de datos entre distintos tipos de soportes en función de su rendimiento. Un sistema de almacenamiento puede proporcionar, por ejemplo, un almacenamiento por niveles combinando distintos dispositivos (discos SSD de alto rendimiento con HDD con interfaz SAS).

3) Copias de seguridad

Cuanto más grande sea el tamaño de la base de datos mayor será en principio el tiempo necesario para hacer copias de seguridad y restauraciones de datos de la misma. En función del tamaño y de la criticidad de los datos, si se quiere reducir ostensiblemente el tiempo de copia pueden emplearse herramientas específicas, según el tipo de DBMS. Sin embargo, esto aumentará los costes de explotación y mantenimiento de la base de datos[15].

El tamaño de la base de datos podría llegar a comprometer su recuperación completa ante un desastre (salvo que la criticidad de los datos justifique una inversión económica en sistemas informáticos que permitan una recuperación completa y rápida independientemente de su tamaño).

También el espacio de almacenamiento necesario para guardar las copias de seguridad se verá afectado por el tamaño creciente de la base de datos.

Una alternativa para reducir el tiempo de ejecución de las copias de seguridad y el espacio de almacenamiento necesario para las mismas, sería dividir la base de datos en función de algún criterio, como por ejemplo, un rango de fechas. A este procedimiento se le denomina particionamiento de una base de datos, y consiste en repartir entre distintas tablas los grupos seleccionados de datos o documentos. Esta partición permitiría aplicar un atributo de sólo lectura a una o varias tablas, impidiendo su modificación y protegiendo a los datos de cambios no previstos. Además pueden excluirse de las copias de seguridad, reduciendo así el volumen de datos a copiar. Estas tablas también pueden almacenarse en soportes de almacenamiento distintos que el resto de tablas, permitiendo un ahorro de costes.

---

(15)   THOMPSON, SARA DAY. Preserving Transactional Data. DPC Technology Watch Report 16. 02 May 2016.

4) Datos redundados

Almacenar documentos como parte de la propia base de datos puede llevar a su duplicación no deseada. En Oracle, por ejemplo, la copia de un campo BLOB puede llevar a duplicar el fichero en la misma base de datos[16]. Como veremos más adelante la duplicidad de documentos puede complicar en un futuro la exportación de los mismos a otros formatos.

5) Obsolescencia y formatos propietarios

Como cualquier elemento tecnológico los DBMS tienen un ciclo de vida al final del cual se volverán obsoletos. Almacenar documentos electrónicos en un DBMS propietario, especialmente si se pretende guardarlos indefinidamente, es un riesgo para su conservación a largo plazo.

La alternativa a incluir los documentos electrónicos en una base de datos es almacenarlos fuera de ella, en un almacenamiento secundario (un sistema de ficheros o incluso un sistema de archivado). En este caso en la base de datos se guardaría simplemente un enlace a la ubicación física o un identificador único del documento.

a) *Ventajas*

1) Tamaño de la base de datos

El tamaño de la base de datos no dependerá del número de documentos u objetos sino del número de registros y de los datos que guarde.

2) Acceso a los documentos

Para garantizar un tiempo de acceso a los datos acorde con las necesidades de los usuarios y con el ciclo de vida de los documentos, los más demandados pueden almacenarse directamente en la base de datos o en sistemas de ficheros de alto rendimiento (registrando entonces un enlace en la propia base de datos). El resto de documentos se almacenarían en un sistema de ficheros o en un sistema de archivado, de menor rendimiento (y coste económico). En la base de datos únicamente se enlazaría con ellos, reduciendo el espacio de almacenamiento necesario. Periódicamente podrían traspasarse documentos de la base de datos a los sistemas de almacenamiento secundarios, manteniendo controlado el tamaño de la base de datos.

3) Copias de seguridad

El menor tamaño de la base de datos exigiría un tiempo menor para hacer las copias de seguridad o las restauraciones de datos. Las copias de seguridad de los documentos almacenados en los sistemas de almacenamiento secundarios, especialmente si se trata de un sistema de archivado, podrían no ser necesarias

---

(16) Ver https://docs.oracle.com/cd/B10501_01/appdev.920/a96583/cci05lob.htm

si se emplean otros sistemas de protección de datos (como el uso de clones, de versionado, almacenamiento distribuido, etc.).

4) Datos redundados

Al sustituir en la base de datos un objeto de tipo documento por un enlace al mismo o por un identificador, es más fácil controlar que sea único, evitando la redundancia de datos y mejorando el uso del almacenamiento.

5) Obsolescencia y formatos propietarios

Al independizar los documentos electrónicos de un DBMS se reduce el riesgo de inaccesibilidad por obsolescencia, al menos de esos documentos.

b) *Desventajas*

1) Gestión

Podría complicar la administración del conjunto de datos, al perder algunas de las funcionalidades de los DBMS (control de accesos, trazabilidad, etc.). El propio sistema de ficheros o el sistema de archivado correspondientes serían los responsables de estas funciones.

2) Copias de seguridad

Si no es posible evitar las copias de seguridad de los documentos guardados en el almacenamiento secundario, habría que realizar dos tipos de copias, la de la propia base de datos y la de los documentos almacenados fuera.

3) Transaccionalidad

Los documentos almacenados fuera de la base de datos no operan directamente con la transaccionalidad de la base de datos, por lo que serán el sistema de ficheros o el sistema de archivado los que deberán proporcionar las propiedades ACID.

4) Enlaces externos

La existencia de enlaces externos en la base de datos podría representar un problema si se modificasen accidentalmente, con el consiguiente riesgo de inaccesibilidad de los documentos.

Estas dos formas de gestión de documentos electrónicos no son excluyentes. Una base de datos podría contener los documentos electrónicos más recientes, con objeto de reducir el tiempo de acceso a los mismos, y exportar los documentos electrónicos menos usados a un sistema de ficheros o sistema de archivado.

Estas ventajas y desventajas de las dos formas que tienen las bases de datos de gestionar documentos electrónicos deberían tenerse en cuenta en la fase de diseño de las bases de datos, ya que no sólo influyen en su administración sino también en las condiciones de su futura conservación o eliminación.

Independientemente del uso de una u otra forma, las bases de datos pueden contener parte de la información de los propios documentos electrónicos para facilitar su gestión. Por ejemplo, almacenando en tablas una copia de los metadatos o de parte del contenido de los documentos en formato de texto plano, para facilitar las búsquedas o realizar cálculos.

5.2. Bases de datos que contienen información de varias fuentes (incluyendo necesariamente documentos electrónicos)

En este tipo de bases de datos no encontraríamos las fuentes originales (es decir, los propios documentos electrónicos), sino todo o parte de su contenido y sus metadatos. Además, tampoco sería necesario que los documentos cuya información se almacena constituyan un grupo relacionado (una serie o fracción de ésta, por ejemplo). Y en la misma base de datos se podría guardar asimismo información que provenga de fuentes distintas a las de los documentos electrónicos.

Las razones para crear y mantener este tipo de bases de datos pueden ser muy variadas: de apoyo a la gestión administrativa, realización de cálculos, estadísticas, minería de datos, etc. Los sistemas denominados de big data corresponderían a esta categoría (siempre que incluyan datos de documentos electrónicos entre sus fuentes). Un problema de cara a su conservación es que, en muchas ocasiones, este tipo de bases de datos se crean con un objetivo muy concreto, por lo que una vez alcanzado se eliminaría la misma.

La información contenida en este tipo de bases de datos podría tener un valor de carácter informativo, aunque podrían ser también importantes la finalidad y el contexto en el que se crearon.

5.3. Bases de datos que contienen información de carácter testimonial (no sustentada en documentos electrónicos)

En este grupo se incluirían aquellas bases de datos cuya información no proviene de documentos electrónicos, pero que representa una evidencia de acciones, hechos, circunstancias o relaciones, y podría tener, consiguientemente, carácter testimonial o probatorio. Un ejemplo sería una base de datos de fichajes en un centro de trabajo. Como en la categoría anterior su ciclo de vida puede ser muy corto, lo que no facilita precisamente las posibilidades de conservación. La calificación de este tipo de bases de datos debería tener en cuenta su valor testimonial o informativo, su finalidad y su contexto.

5.4. Bases de datos cuya información no proviene de documentos electrónicos ni es de carácter testimonial

En este último grupo se incluirían todas aquellas bases de datos que no gestionan documentos electrónicos, no contienen información que provenga de ellos ni información de carácter testimonial. Una base de datos científicos o estadísticos podría ser un ejemplo de esta categoría. La utilidad de los datos justificaría su creación y la falta de utilidad su eliminación o desuso. En estos casos podría valorarse tal vez su carácter informativo de cara a su conservación.

6. EXPERIENCIAS DE CONSERVACIÓN A LARGO PLAZO DE BASES DE DATOS

Se han desarrollado diversas experiencias de conservación a lo largo de los últimos años, especialmente en Europa. Las más conocidas son:

6.1. SIARD (Software Independent Archiving of Relational Databases)

Desarrollada inicialmente por los Archivos Federales Suizos, esta aplicación de software es utilizada por el Gobierno suizo para la exportación del contenido de bases de datos relacionales que no están en uso, aunque también se emplea para obtener imágenes de bases de datos en fase de explotación[17]. Puede descargarse libremente desde la web como «SIARD Suite».

El contenido de las tablas de una base de datos se exporta mediante ficheros XML. Para la estructura de la base datos, en cambio, se utiliza el lenguaje SQL3. En caso de existir campos con objetos tipo LOB (documentos, por ejemplo) se mantienen como ficheros separados. Todos estos ficheros generados se insertan a su vez en un único fichero con formato zip64, que puede ser importado por un DBMS para ser consultado mediante lenguaje SQL.

La aplicación permite asimismo registrar automáticamente distintos tipos de metadatos, aunque otros deben introducirse manualmente.

6.2. e-ARK

Probablemente representa la experiencia más interesante, por su alcance y porque en ella ha participado nuestro país (representado por el Ministerio de Hacienda y Función Pública). Es un proyecto de colaboración, financiado por la Comisión Europea, en el que participan también proveedores comerciales, cuyo objetivo es crear y probar una metodología paneuropea para el archivo electrónico de documentos, mediante el uso de las mejores prácticas nacionales

---

(17) Database Preservation Case Study: Review. Mette van Essen, Maurice de Rooij, Bill Roberts, Maurice van den Dobbelsteen. National Archives of the Netherlands. 12 July 2011.

811

existentes. Su alcance engloba documentos y bases de datos, y pretende asegurar su autenticidad y disponibilidad a lo largo del tiempo.

Uno de los enfoques desarrollados está orientado a la conservación de bases de datos relacionales, mediante el uso de tres aplicaciones, Database Preservation Toolkit, Database Visualization Toolkit y el formato de conservación SIARD 2.0, que pueden descargarse directamente desde la web de e-ARK. Este kit de aplicaciones permitiría extraer y convertir a un formato de conservación registros de bases de datos. Podría realizar una conversión entre distintos formatos de bases de datos, entre bases de datos en activo y un formato de conservación generado por SIARD y de este formato a una base de datos activa.

La aplicación Database Visualization Toolkit es un visor web ligero para la visualización de bases de datos en formato SIARD. Por otro lado, como sistemas gestores de bases de datos (DBMS), están soportados MySQL/MariaDB, PostgreSQL, Oracle, Microsoft SQL Server, Microsoft Access y otras bases de datos mediante el uso de JDBC.

El objetivo es que este formato de conservación obtenido de bases de datos se trate como un paquete SIP (Submission Information Packages), que pueda ser enviado a un repositorio digital que cumpla el modelo de referencia OAIS (Open Archival Information System). Para ello se proporciona otra aplicación, RODA-in, que es capaz de crear este tipo de paquetes normalizados.

Entre los pilotos desarrollados o en ejecución, en los que participan los archivos nacionales daneses, relacionados con la conservación a largo plazo de bases de datos, está la creación de paquetes SIP a partir de bases de datos relacionales y la restauración y la visualización de ficheros SIARD con la aplicación Database Visualization Toolkit. Otro conjunto de pruebas pretende evaluar la aplicación SIARD 2.0.

7. ESTRATEGIA DE CONSERVACIÓN A LARGO PLAZO DE BASES DE DATOS

7.1. Recomendaciones para facilitar la conservación

Las bases de datos son estructuras que se encargan de almacenar y procesar información, en el contexto de un sistema de información. En este marco y en relación con su conservación podríamos distinguir tres fases:

a) *Fase de diseño físico*[18]

En esta fase deberían incorporarse al diseño de las bases de datos que gestionan documentos las consideraciones desarrolladas en el apartado 5,

---

(18)   BERZAL, Fernando. El ciclo de vida de un sistema de información. Departamento de Ciencias de la Computación e Inteligencia Artificial. Universidad de Granada. 2006.

para facilitar en la siguiente fase su administración y asegurar la conservación de los documentos electrónicos[19].

b) *Fase de uso o explotación*

El ciclo de vida de un documento electrónico o el de cualquier otro tipo de información que no tenga como origen esos documentos, no tiene por qué coincidir evidentemente con el del sistema de información que los almacena y gestiona. Esto plantea un problema: una misma base de datos podría gestionar tanto documentos electrónicos o datos en fase de tramitación o uso como en fase de archivo.

Como vimos en el apartado 5, los documentos electrónicos pueden almacenarse fuera de la base de datos, en sistemas de ficheros o sistemas de archivado. Pero lo habitual en el caso de datos de cualquier otro tipo es que permanezcan en la propia base de datos. Será pues muy importante garantizar la disponibilidad de esos datos al menos mediante la realización de copias de seguridad periódicas.

c) *Fin de vida útil*

El final de la vida útil de una base de datos puede venir dado por dos posibles causas: el desuso (por un cambio en las necesidades que dieron lugar al sistema de información o por su sustitución por un nuevo sistema) o la obsolescencia.

Normalmente el desuso es anterior a una situación de obsolescencia, pero no es raro encontrar sistemas donde lleguen prácticamente a solaparse debido a la rápida evolución de la tecnología. Si el sistema de información es sustituido por uno nuevo[20], sus datos se migrarán o exportarán a este segundo sistema. La restauración de una copia de seguridad podría también servir para mover los datos de un sistema a otro.

Sin embargo, si el desuso es provocado por un cambio en las necesidades que dieron lugar al sistema de información, sin que sea sustituido por ningún otro en sus funciones, podría ocurrir que los datos permanezcan en la propia base de datos y se confíe en la existencia de copias de seguridad como sistema de conservación. La obsolescencia de los elementos que forman parte del sistema de información, especialmente del *software*, provocará probablemente una pérdida total o parcial de los datos. En este estadio tampoco servirá recurrir a las

---

(19) Ver en DE ROOIJ, Maurice; ROBERTS, Bill; VAN DEN DOBBELSTEEN, Maurice; VAN ESSEN, Mette. Database Preservation Case Study: Review. National Archives of the Netherlands. 12 July 2011, la importancia de disponer de bases de datos bien estructuradas.

(20) DAVID, Gabriel; MUZAMMAL, Muhammad; RAHMAN, Arif Ur; RIBEIRO, Cristina. Database Preservation: The DBPreserve Approach. International Journal of Advanced Computer Science and Applications, Vol. 6, n.º 12. 2015.

copias de seguridad, ya que sufren también de la misma obsolescencia que la base de datos.

La conclusión es que ante el fin de vida útil de una base de datos su información debería trasladarse a otro entorno si queremos conservarla. En caso contrario lo recomendable sería eliminarla.

A modo de resumen detallaremos a continuación una serie de recomendaciones, algunas ya desarrolladas anteriormente, que pueden afectar directamente a la conservación de las bases de datos:

a) *Mantener el formato original de las bases de datos mientras sigan activas y sea posible*

Funcional y económicamente es mejor mantener los formatos originales mientras no haya un riesgo de obsolescencia y la base de datos siga prestando servicio.

b) *Realizar la valoración de las bases de datos durante la fase de explotación*

Para evitar que una situación de obsolescencia pueda ocasionar la pérdida de información relevante, la valoración de la misma debería hacerse durante esta fase. Hay que tener presente, no obstante, que las características de la información pueden variar a lo largo del tiempo, debido a cambios en las reglas de negocio del sistema de información y en la propia base de datos. Esto aconsejaría, por ejemplo, repetir el proceso de calificación en función de estos cambios.

c) *No esperar al final de la vida útil para conservar o eliminar los datos*

Si la valoración de las bases de datos se lleva a cabo en la fase de explotación, en cuanto una base de datos entra en desuso sería recomendable preparar y llevar a cabo un proceso de conservación o eliminación antes de que un estado de obsolescencia lo impida o dificulte.

d) *Almacenar los documentos fuera de la base de datos*

Almacenar documentos en una base de datos puede ser recomendable en función de las necesidades de acceso de los usuarios a los mismos. En cuanto estas necesidades disminuyan sería conveniente exportar estos documentos a sistemas de almacenamiento secundario, como sistemas de ficheros o sistemas de archivado.

La razón principal es que el formato de los documentos electrónicos tiene un menor riesgo de obsolescencia al ajustarse a estándares abiertos, por lo que su almacenamiento fuera de la base de datos permitiría asegurar una conservación a largo plazo. Una segunda razón es que el tamaño de las bases de datos podría complicar o impedir su conservación[21]. Reducirlo en la medida de lo posible constituiría pues una buena práctica.

e) *Mantener la consistencia de los datos*

Sería recomendable evitar duplicidades en los datos almacenados e inconsistencias (especialmente en bases de datos relacionales) no sólo de cara a realizar una correcta administración de la base de datos, sino para facilitar un futuro proceso de conservación.

f) *Evitar la obsolescencia*

Para eludir o retrasar la obsolescencia es necesario mantener operativo el entorno de ejecución de las bases de datos, manteniendo actualizadas las versiones de *software*, *hardware*, sistemas operativos, DBMS, etc. Disponer asimismo de contratos de soporte de asistencia técnica que cubran todas las contingencias ayuda a ello.

g) *Documentar el contexto*

Contar con una documentación adecuada de las características del sistema de información facilitaría la conservación no sólo de la capa de datos sino de las otras capas, especialmente de la de aplicación, evitando la pérdida de información que un proceso de conservación (por ejemplo, una migración) podría ocasionar[22]. Esta documentación podría guardarse en forma de metadatos e incorporarse a los nuevos datos.

Entre esta documentación encontraríamos:

• Información de contexto, que incluya las reglas de negocio, las razones legales o técnicas que llevaron a la creación del sistema de información, etc.

• Manuales de usuario, capturas de pantalla, código de procedimientos, diagramas E/R (entidad – relación)[23].

• Información técnica sobre el DBMS.

• Esquemas de la base de datos, de las tablas que la integran, de las relaciones entre ellas, de las restricciones, etc.[24]

(21) THOMPSON, SARA DAY. Preserving Transactional Data. DPC Technology Watch Report 16. 02 May 2016.
(22) DAVID, Gabriel; RIBEIRO, Cristina. Database Preservation. 2009.
(23) FITZGERAL, Neal. Using data archiving tools to preserve archival records in business systems – a case study. 2013.
(24) PEREIRA FREITAS, Ricardo André. Signicant Properties in the Preservation of Relational Databases. 2011.

• Determinación de los datos esenciales (por ejemplo, de las claves primarias si es un DBMS relacional).

• Modelo de datos: define las relaciones entre entidades y la estructura de aquéllas.

h) *Realizar copias de seguridad*

Mientras las bases de datos se mantengan activas será obligatorio realizar copias de seguridad periódicas[25]. Asimismo habrá que mantener su vigencia, controlando su expiración y comprobando periódicamente su funcionamiento (especialmente en relación con determinados soportes como las cintas magnéticas).

En cuanto a las copias de seguridad más antiguas, la verificación de su funcionamiento no debería limitarse a los propios soportes de las copias, sino también y especialmente al entorno de recuperación (hardware y software) necesario. Así podría darse el caso de tener que mantener entornos tecnológicamente desfasados con el objetivo de garantizar la recuperación de determinados datos.

i) *Clasificar las bases de datos*

Una clasificación de las bases de datos como la propuesta en el apartado 4, en función de su relación con documentos electrónicos, podría ser útil en el momento de valorar la información de las mismas.

j) *Uso de estándares abiertos*[26]

Como última recomendación señalaremos la preferencia por el uso de estándares abiertos para conservar bases de datos a largo plazo, evitando en la medida de lo posible la utilización y dependencia de formatos propietarios, por su coste y por el riesgo de obsolescencia tecnológica[27].

7.2. Proceso de conservación a largo plazo

Partiendo del supuesto de que se ha adoptado la recomendación de almacenar los documentos electrónicos fuera de la base de datos, el proceso de con-

---

(25) Ver el art. 25 del RD 3/2010, de 8 de enero, por el que se regula el Esquema Nacional de Seguridad en el ámbito de la Administración Electrónica.

(26) En la línea de lo expresado en el art. 23 del RD 4/2010, de 8 de enero, por el que se regula el Esquema Nacional de Interoperabilidad en el ámbito de la Administración electrónica.

(27) DAVID, Gabriel; MUZAMMAL, Muhammad; RAHMAN, Arif Ur; RIBEIRO, Cristina. Database Preservation: The DBPreserve Approach. International Journal of Advanced Computer Science and Applications, Vol. 6, núm. 12. 2015.

servación a largo plazo podría desarrollarse, a modo de ejemplo, en las siguientes fases:

a) *Calificación de la información*

Valor probatorio[28], testimonial, informativo o histórico[29]. Otros criterios[30]: datos empleados en la toma de decisiones, registros de eventos o transacciones, información de interés estadístico, histórico o científico[31], etc.

b) *Alcance de la conservación*

Si como resultado del proceso de valoración se propone su conservación permanente, debe plantearse y decidirse qué se quiere conservar: si todas las capas de un sistema de información, si la capa de datos junto con la capa de aplicación, o sólo la base de datos. La existencia de una documentación más o menos completa sobre el sistema de información facilitaría incorporar otras capas además de la de datos.

c) *Selección de los datos a conservar*

Sería recomendable conservar copias de seguridad de las distintas capas, especialmente de la de datos[32], por si fuera necesario recuperar alguna información de ellas (siempre que estas copias no estén obsoletas).

d) *Depuración del conjunto de datos seleccionados para mantener su consistencia*

e) *Selección del método de conservación*

Para seleccionar el método más adecuado sería importante tener en cuenta el tipo de base de datos (transaccionales, SQL o NoSQL), por sus implicaciones técnicas. A continuación describiremos dos de ellos, aunque tal como hemos visto sólo el primero parece haberse llevado a la práctica:

1) Migración

Consiste en exportar los datos, mediante su extracción de la base de datos, su transformación a un estándar abierto (evitando la pérdida de

---

(28)   Ley 16/1985, de 25 de junio, del Patrimonio Histórico Español.
(29)   Política de gestión de documentos electrónicos MINHAP. 2ª ed. 2016.
(30)   DE ROOIJ, Maurice; ROBERTS, Bill; VAN DEN DOBBELSTEEN, Maurice; VAN ESSEN, Mette. Database Preservation Case Study: Review. National Archives of the Netherlands. 12 July 2011.
(31)   Ver apartado de legislación en este mismo artículo.
(32)   FITZGERAL, Neal. Using data archiving tools to preserve archival records in business systems – a case study. 2013.

información y agregando metadatos contextuales, de contenido, técnicos y de procedencia) y su carga en un nuevo sistema[33].

Algunos formatos estándar empleados para los datos migrados podrían ser: archivos planos tipo ASCII, EBCDIC, UTF-16 para texto, XML para datos y metadatos y SQL estándar para la estructura de la base de datos [34].

2) Emulación

Teóricamente sería posible emular (o simular) un entorno de ejecución para un sistema de información obsoleto, por ejemplo, mediante el uso de servidores virtuales[35], pero en la práctica resulta complicado técnicamente y por tanto caro. Tiene una dificultad adicional y es que debería adaptarse a los cambios tecnológicos para garantizar la accesibilidad permanente a los datos.

f) *Acceso a los datos*

Finalmente sería esencial no descuidar las condiciones de accesibilidad a la información conservada, independientemente de su formato. En esta línea disponer de herramientas de consulta puede resultar muy útil en función del tipo de datos.

8. BIBLIOGRAFÍA

BERZAL, Fernando. El ciclo de vida de un sistema de información. Departamento de Ciencias de la Computación e Inteligencia Artificial. Universidad de Granada. 2006.

CASTRO, Rui; FARIA, Luis; FERREIRA, Miguel; RAMALHO, José Carlos. Relational Database Preservation through XML modelling. 2007.

DAVID, Gabriel; MUZAMMAL, Muhammad; RAHMAN, Arif Ur; RIBEIRO, Cristina. Database Preservation: The DBPreserve Approach. International Journal of Advanced Computer Science and Applications, Vol. 6, n.º 12. 2015.

DAVID, Gabriel; RIBEIRO, Cristina. Database Preservation. 2009.

---

(33) DAVID, Gabriel; MUZAMMAL, Muhammad; RAHMAN, Arif Ur; RIBEIRO, Cristina. Database Preservation: The DBPreserve Approach. International Journal of Advanced Computer Science and Applications, Vol. 6, n.º 12. 2015.

(34) ERPANET. The Long-term Preservation of Databases. ERPANET Workshop Report, Bern. April 9 - 11, 2003.

(35) THOMPSON, Sara Day. Preserving Transactional Data. DPC Technology Watch Report 16. 02 May 2016.

DE ROOIJ, Maurice; ROBERTS, Bill; VAN DEN DOBBELSTEEN, Maurice; VAN ESSEN, Mette. Database Preservation Case Study: Review. National Archives of the Netherlands. 12 July 2011.

ERPANET. The Long-term Preservation of Databases. ERPANET Workshop Report, Bern. April 9 - 11, 2003.

FITZGERAL, Neal. Using data archiving tools to preserve archival records in business systems – a case study. 2013.

LINDLEY, Andrew. Database PreservationEvaluation Report SIARD vs. CHRONOS. Preserving complex structures as databases through a record centric approach? Preserving Transactional Data Briefing Day. London. 17-03-2016.

MINISTERIO DE HACIENDA Y ADMINISTRACIONES PÚBLICAS. Política de Gestión de Documentos Electrónicos MINHAP. 2ª ed. 2016.

ORACLE: https://docs.oracle.com/cd/E19528-01/820-0888/aaubb/index.html.

PEREIRA FREITAS, Ricardo André. Signicant Properties in the Preservation of Relational Databases. 2011.

THOMPSON, Sara Day. Preserving Transactional Data. DPC Technology Watch Report 16. 02 May 2016.

TSAKONA, Katerina. Legal Awareness on Database Preservation. 2007.

43.

CONSERVACIÓN A LARGO PLAZO DE MENSAJES DE CORREO ELECTRÓNICO

Alejandro MILLARUELO GÓMEZ
*Jefe de Servicio de Almacenamiento y Backup, Oficina de Informática
Presupuestaria, IGAE, MINHAC*

1. INTRODUCCIÓN

Desarrollado durante los años 60 y popularizado a partir de finales de la década de los noventa, el correo electrónico (o *email*, abreviación de «electronic mail») es uno de los sistemas de comunicación personal y empresarial más extendidos a nivel mundial, cuyo crecimiento ha ido en paralelo con el de Internet. El término puede referirse, igualmente, a los mensajes que intercambian dos usuarios a través de este sistema. Se ha calculado que el número de mensajes o *emails* enviados diariamente en todo el mundo durante el año 2017 fue de 269.000 millones[1], y se prevé que siga aumentando durante los próximos años. Aunque una parte de ellos pueda considerarse spam (o correo basura), y a pesar de la aparición de otros sistemas de mensajería electrónica con los que está en competencia, su número indica claramente su importancia.

Una de las características del correo electrónico es que permite enviar cualquier tipo de información en formato digital, combinando texto en distintas codificaciones, enlaces a recursos externos o adjuntando ficheros multimedia. Otra es que esta información puede ser de índole personal o profesional. Tanto organizaciones públicas como privadas, como proveedores de acceso a Internet o empresas que suministran servicios de correo web, ofrecen a sus clientes, trabajadores o usuarios, cuentas personales o corporativas de correo electrónico. Independientemente del tipo de cuenta o del proveedor de la misma, pueden servir para enviar o recibir información personal, de carácter oficial, comercial, científico, empresarial, o de cualquier otro tipo imaginable.

---

(1) THE RADICATI GROUP, INC. Email Statistics Report, 2017-2021. 2017.

Aquí distinguiremos entre mensaje y correo electrónico, descartando el uso del término *email* en cualquiera de sus acepciones. A continuación vamos a describir brevemente su funcionamiento como sistema de comunicación y su papel como herramienta en la Administración Pública.

1.1. Cómo funciona el correo electrónico

Se fundamenta en el envío y recepción de mensajes entre un origen (denominado remitente) y un destino (o destinatario, que puede además ser múltiple). Como sistema de comunicación es de tipo asíncrono, es decir, no hace falta que quien envía los mensajes y quien los recibe estén conectados al mismo tiempo. Para el intercambio de mensajes tanto remitente como destinatario deben disponer, por un lado, de un cliente o aplicación de correo electrónico, conectado a redes de comunicaciones abiertas y, por otro, de lo que se denomina un buzón, que es un espacio de almacenamiento reservado en un servidor de correo. Cada buzón se identifica mediante una dirección única, formada por un identificador del usuario de la cuenta y por un segundo identificador denominado dominio, y que está gestionado por un proveedor de correo. Ambos identificadores están separados por el símbolo @.

Como ejemplos de aplicaciones de correo electrónico podemos mencionar Microsoft Outlook, Mozilla Thunderbird e IBM Notes en la parte de cliente y Microsoft Exchange y Lotus Domino en la de servidor. En cuanto a clientes de correo *web* citaremos a Microsoft Hotmail y Google Gmail como los más extendidos.

Los mensajes de correo electrónico, por otro lado, constituyen un objeto complejo formado por dos elementos[(2)]:

a) *Una cabecera*

En la cabecera se almacena determinada información estructurada en campos que disponen de un valor, y que se identifican mediante un nombre:

- Identidad del remitente (De)
- Identidad de los destinatarios (Para, CC o CCO)
- Fechas (de envío, recepción, etc.)
- Asunto, etc.

b) *Un cuerpo*

En el cuerpo encontraremos la información que contiene el mensaje, en formato de texto, por ejemplo, en lenguaje HTML. Puede incluir, asimismo, como

---

(2)   INTERNET ENGINEERING TASK FORCE. RFC-5322. Internet Message Format. 2008.

adjuntos, ficheros de cualquier tipo (JPEG, TIFF, PDF, XLS, DOC, TXT, etc.) a los que se suele fijar un límite para su tamaño. Además, el cuerpo puede integrar enlaces a recursos externos, como URL a ficheros o a páginas web.

La estructura de los mensajes está normalizada, mediante la aplicación de unos documentos de especificaciones técnicas, denominados RFC (Request For Comments). Estos son redactados por la IETF (Internet Engineering Task Force), una organización internacional que se encarga de la elaboración de estándares aplicables al entorno de Internet. Así, por ejemplo, el protocolo SMTP se basa en la RFC-5321[3], mientras que la RFC-5322 define la estructura y formato de los mensajes.

1.2. El correo electrónico en la Administración pública

Actualmente es la herramienta de comunicación más extendida y utilizada en el ámbito de la Administración pública, especialmente mediante el uso de aplicaciones *software* comerciales instaladas en ordenadores y dispositivos móviles. Adicionalmente las propias aplicaciones de correo proporcionan herramientas colaborativas, como los calendarios o gestores de tareas. Se podría afirmar sin temor a equivocarnos que la mayoría, sino todos, de los empleados públicos disponen de un buzón y una dirección de correo electrónico corporativos. Aunque la atribución de estas cuentas de correo al personal de las Administraciones públicas obedece obviamente a motivos estrictamente laborales, adicionalmente se pueden utilizar para fines personales por los usuarios de esas cuentas.

Por otro lado, la indisponibilidad del servicio de correo electrónico, aunque sea durante unos pocos minutos, suele afectar visiblemente a las actividades cotidianas de la organización, por lo que se considera en muchas ocasiones como una aplicación crítica. Para mantener unos niveles de servicio tan exigentes cada organismo suele destinar recursos informáticos dedicados al correo electrónico: clústeres de servidores con almacenamiento en redes SAN con aplicaciones de correo de nivel profesional, copias de seguridad diarias, aplicaciones de archivado (cuyo objeto es distribuir el conjunto de mensajes entre sistemas de almacenamiento distintos, en función de su uso, para garantizar su conservación), etc., además de personal especializado en su administración.

Esto ha llevado a contemplar, en el ámbito de la Administración General del Estado, la posibilidad de que el servicio de correo electrónico sea considerado como un servicio compartido[4], con el objetivo de optimizar los recursos dedicados por el conjunto de organismos públicos.

---

(3) Ver un ejemplo de RFC en https://tools.ietf.org/html/rfc5321.
(4) Como se propone en el documento «Declaración de servicios compartidos» de la Dirección de Tecnologías de la Información y las Comunicaciones (DTIC), de 2015.

Al margen de estas consideraciones, el correo electrónico parece haber quedado fuera, salvo alguna excepción, de la legislación que desarrolla la Administración electrónica, como el RD 4/2010, de 8 de enero, por el que se regula el Esquema Nacional de Interoperabilidad en el ámbito de la Administración Electrónica, o las Normas Técnicas de Interoperabilidad. Cualquier iniciativa que plantee la conservación a largo plazo de los mensajes de correo electrónico, en el ámbito de la Administración pública, va a encontrar un vacío legal al respecto, ya que a priori, no podrían ser considerados documentos electrónicos administrativos. Por otro lado, habría que considerar otros aspectos que pueden complicar su conservación a largo plazo, como, por ejemplo, el tratamiento de datos de carácter personal.

Vamos a revisar a continuación qué nos dice la legislación en relación con el correo electrónico.

2. LEGISLACIÓN

La Constitución Española, en su art. 18.3 establece que «se garantiza el secreto de las comunicaciones y, en especial, de las postales, telegráficas y telefónicas, salvo resolución judicial». En la misma línea, la Carta de los Derechos Fundamentales de la Unión Europea, en su art. 7 reconoce que «toda persona tiene derecho al respeto de su vida privada y familiar, de su domicilio y de sus comunicaciones».

Asimismo, la directiva europea 2002/58/CE[5], en su art. 2, llega incluso a definir el correo electrónico, «como todo mensaje de texto, voz, sonido o imagen enviado a través de una red de comunicaciones pública que pueda almacenarse en la red o en el equipo terminal del receptor hasta que este acceda al mismo».

A pesar de estas referencias que hacen hincapié en la importancia de la protección de la vida privada de las personas respecto el uso de sistemas de comunicaciones, el correo electrónico, aun entrando de lleno en esta categoría, no está regulado específicamente por ninguna norma de ámbito nacional.

Únicamente el RD 3/2010, de 8 de enero, por el que se regula el Esquema Nacional de Seguridad en el ámbito de la Administración Electrónica, recoge una medida de protección específica destinada al correo electrónico, con tres alcances:

a) protección de los mensajes, tanto del cuerpo como de los anexos y de «la información de encaminamiento de mensajes y establecimiento de conexiones»,

---

(5) Directiva 2002/58/CE del Parlamento Europeo y del Consejo, de 12 de julio de 2002, relativa al tratamiento de los datos personales y a la protección de la intimidad en el sector de las comunicaciones electrónicas.

b) protección de la organización frente a amenazas que procedan del correo electrónico, y

c) establecimiento de normas de utilización, conteniendo éstas «limitaciones al uso como soporte de comunicaciones privadas» y «actividades de concienciación y formación relativas al correo electrónico».

También la Norma Técnica de Interoperabilidad[6] de Catálogo de estándares recoge MIME (Multipurpose Internet Mail Extensions) y SMTP (Simple Mail Transfer Protocol) como protocolos de comunicación e intercambio de correo electrónico.

3. CONSIDERACIONES PREVIAS A LA CONSERVACIÓN

La ausencia de una regulación específica o la dificultad de equiparar los mensajes a documentos electrónicos (en el sentido que le dan las Normas Técnicas de Interoperabilidad), no deberían ser obstáculos para plantearnos la conveniencia de la conservación a largo plazo de mensajes de correo electrónico, en el contexto de la Administración pública, por el valor testimonial, informativo o histórico de esos mensajes.

La conservación a largo plazo de los mensajes de correo electrónico y su consideración como documentos de archivo, no es un asunto nuevo dentro de la gestión documental. Ya desde finales de los años 90, coincidiendo con la expansión vertiginosa del uso del correo electrónico, se han llevado a cabo algunas experiencias de conservación en distintos países de nuestro entorno. Asimismo como consecuencia de la preocupación por la conservación de los documentos en formato digital, se han realizado estudios acerca de las implicaciones de conservación de los mensajes de correo (por ejemplo, de carácter legal), el ámbito, el alcance y las dificultades inherentes a la misma, el papel que juegan los usuarios de los sistemas de correo[7], etc.

Actualmente podemos destacar, en cuanto al tratamiento archivístico de los mensajes de correo electrónico, las recomendaciones del programa VITAM en Francia; los esfuerzos de carácter organizativo y normativo de los responsables de NARA[8] en Estados Unidos (National Archives Records Administration)[9]; los estudios realizados al respecto por la «Digital Preservation Coalition»[10], un

---

(6) Resolución de 3 de octubre de 2012, de la Secretaría de Estado de Administraciones Públicas, por la que se aprueba la Norma Técnica de Interoperabilidad de Catálogo de Estándares.

(7) Un excelente resumen de algunas de estas experiencias puede encontrarse en: VITAM. L'archivage des messageries électroniques. Preuve de concept VITAM. Version 1.2. 31 octobre 2013.

(8) Ver un ejemplo de ello en NATIONAL ARCHIVES. Bulletin 2013-03. September 9, 2013.

(9) Otro ejemplo: NATIONAL ARCHIVES. Criteria for Managing Email Records in Compliance with the Managing Government Records Directive (M-12-18). April 6, 2016.

(10) Ver http://www.dpconline.org/

consorcio británico formado por entidades públicas y privadas interesadas en promover la conservación de la información digital, y las recomendaciones de los National Archives de Gran Bretaña[11].

Llegados a este punto, las preguntas que podríamos hacernos son: ¿Deben conservarse los mensajes de correo electrónico más allá del período durante el cual resultan útiles para el remitente o los destinatarios o para la propia organización? En tal caso, ¿qué mensajes se conservarían? Para seleccionarlos, ¿con qué criterios se valoraría la información contenida en ellos? ¿A partir de qué momento pasarían al archivo? ¿En qué condiciones? ¿Con qué dificultades, técnicas, organizativas, o de otra índole, nos podemos encontrar?

Antes de intentar responderlas, examinaremos una serie de factores que son característicos de los mensajes y de los sistemas de correo electrónico y que determinarán o influirán en las condiciones de conservación a largo plazo de los mismos.

3.1. Un mensaje de correo electrónico no es un documento en sí mismo

Como hemos visto, un mensaje es más bien un objeto definido en unas especificaciones técnicas. Sin embargo, funciona como un contenedor de información que podría adoptar la forma de distintos tipos de documentos (misiva, nota, acta de reunión, formulario, informe, comunicación, inventario, etc.), o incluso, una mezcla de varios de ellos.

3.2. Un mensaje tampoco es un documento electrónico administrativo

En su origen, los mensajes de correo electrónico no podrían ser considerados como documentos electrónicos administrativos, ya que carecen de los metadatos mínimos obligatorios y probablemente de firma electrónica avanzada.

3.3. Aun así un mensaje podría calificarse de documento

Teniendo en cuenta las definiciones que de documento hacen diversas leyes o normas, como la de Patrimonio Histórico Español[12], «toda expresión en lenguaje natural o convencional y cualquier otra expresión gráfica, sonora o en imagen, recogidas en cualquier tipo de soporte material, incluso los soportes informáticos», o la expresada por el Esquema Nacional de Interoperabilidad[13]: «información de cualquier naturaleza en forma electrónica, archivada en un soporte electrónico según un formato determinado y susceptible de identifica-

---

(11) Ver, por ejemplo, THE NATIONAL ARCHIVES. Guidance principles on the auto-deletion of email. 2016.
(12) Art. 49.1 de la ley 16/1985, de 25 de junio, de Patrimonio Histórico Español.
(13) Anexo del RD 4/2010, de 8 de enero, por el que se regula el Esquema Nacional de Interoperabilidad dentro del ámbito de la administración electrónica.

ción y tratamiento diferenciado», o la propia de la norma ISO 15489-1:2001 como «cualquier información creada, recibida y mantenida como evidencia e información por una organización o persona, de acuerdo con sus obligaciones legales o en el desarrollo de sus actividades», los mensajes de correo electrónico podrían ser considerados sin duda como documentos, siempre que su contenido informativo se ajuste a lo expresado por estas definiciones.

3.4. Los usuarios del correo electrónico determinan su uso[14] y su contenido

La posibilidad de incluir cualquier tipo de información en formato de texto, anexos, objetos multimedia embebidos en el cuerpo del mensaje (como imágenes, vídeos, tablas, etc.), y enlaces a ficheros o URL externos, supone en la práctica una variedad de usos y contenidos por parte de los usuarios del correo electrónico[15]. También podría emplearse, por ejemplo, como medio para almacenar y gestionar información, mediante el reenvío de mensajes al propio buzón.

Esta flexibilidad permite que los usuarios utilicen el correo de forma dinámica, en función de sus necesidades o intereses. Estos modos de empleo, que dependerán de los propios usuarios, de la cultura organizativa, de las limitaciones técnicas (los usuarios no son los administradores de la herramienta de correo, por lo que su uso estará restringido a las opciones permitidas), etc., determinarán finalmente el uso específico que harán los usuarios del correo electrónico.

A nivel de cada organización, de cara a la conservación a largo plazo, estas prácticas deberían estudiarse[16] y documentarse, para ser contempladas durante el proceso de calificación de los mensajes.

3.5. Valor primario o utilidad de los mensajes

La utilidad de la mayoría de mensajes es efímera para los usuarios, lo que facilita que puedan ser eliminados rápidamente según su criterio (salvo que técnicamente se haya contemplado que los mensajes de correo no puedan borrarse). Aunque su valor probatorio o informativo sea indiscutible, su conservación puede depender, en última instancia, de cada usuario. Si la organización quiere promover la conservación de todos o parte de los mensajes de correo recibidos y enviados, tendrá que asumir la responsabilidad de establecer normas en este sentido, y verificar su cumplimiento.

En algunos casos una falta de recursos podría forzar a la eliminación de mensajes de correo electrónico, por ejemplo, por el limitado tamaño de los buzones.

827

Esto obligaría a los usuarios a seleccionar los que les resulten más importantes y a borrar el resto. En otros, la organización podría considerar que el correo es simplemente una herramienta para facilitar la comunicación rápida entre sus trabajadores y que no es importante conservar los mensajes más allá de su período de utilidad.

3.6. Doble finalidad de los mensajes

A pesar de que es una herramienta que las organizaciones ponen al servicio de sus empleados, el correo electrónico como medio de comunicación, puede emplearse con una doble finalidad: para actividades particulares o profesionales. Y salvo que los mensajes puedan clasificarse, por ejemplo, como privados, para diferenciarlos del resto, estarán mezclados en un mismo buzón.

3.7. Las aplicaciones de correo por sí mismas no garantizan la conservación

Un problema para su conservación es que un número muy grande de mensajes de correo electrónico promueve o justifica su borrado, simplemente por la dificultad de gestionarlos. Muchos de los mensajes recibidos, por otro lado, carecen de importancia o su utilidad es efímera. Además, pueden producirse borrados accidentales.

Un borrado accidental podría paliarse en principio mediante la restauración de una copia de seguridad, pero una eliminación voluntaria de los mensajes recibidos (o de los enviados) supondría la pérdida definitiva de estos mensajes (una vez expiren sus copias de seguridad). El período de retención de las copias de seguridad es decisión de la organización, y dependerá de la importancia que dé a todos o a parte de los usuarios y de la capacidad de almacenar esas copias de seguridad.

Algunos sistemas gestores de correo electrónico permiten exportar los mensajes a contenedores especiales, descargando de mensajes los buzones de usuario. La misma aplicación de correo puede emplearse para acceder a ellos. Es el caso de los ficheros de tipo PST que utiliza la aplicación Outlook. Sin embargo, el riesgo de usar este tipo de contenedores está en que se suelen guardar en el ordenador del usuario, del que podrían no hacerse copias de seguridad. Aunque éste no fuera el caso, tampoco las copias garantizarían la conservación permanente de estos mensajes por su plazo de expiración.

La conservación a corto o medio plazo de los mensajes no estaría garantizada sin la utilización de los denominados sistemas de archivado[17], siempre y cuando se configuren para que los usuarios no puedan eliminar mensajes. Un sistema

---

(17) PROM, CHRISTOPHER J. Preserving email. DPC Technology Watch Report 11-01 December 2011. Pág. 25.

de archivado permitiría mover automáticamente los mensajes, en función de su antigüedad, por ejemplo, a un almacenamiento más económico, liberando espacio de los buzones de los usuarios. En estos el mensaje sería reemplazado por un enlace al sistema de archivado que permitiría su recuperación.

3.8. Los usuarios establecen los criterios de organización de sus mensajes

La organización de los mensajes de correo es responsabilidad del titular del buzón. Las aplicaciones de correo facilitan algunos sistemas de organización o de clasificación de mensajes (creación de carpetas, uso de etiquetas, etc.). En función del tiempo disponible, del número de mensajes, de su importancia, de la pericia individual y del interés por hacerlo, los usuarios podrán organizar o no sus mensajes de correo electrónico.

El hecho de que un mensaje de correo electrónico pueda tratar más de un asunto a la vez, complica esta organización. Las herramientas de búsqueda que incorporan las aplicaciones de correo y las de archivado permiten encontrar la información siempre que se acierte con los términos de búsqueda.

Una deficiente organización podría dificultar una selección manual de mensajes concretos para su archivado o conservación.

3.9. No existe un repositorio centralizado de mensajes

En principio, salvo que técnicamente se pudiera definir y establecer como tal, no existe un repositorio centralizado de mensajes de correo electrónico donde estos se almacenen, ya que por defecto los mensajes se descargan desde el servidor de correo a los buzones particulares de los usuarios.

3.10. Naturaleza de la información

El contenido de los mensajes de correo electrónico afecta plenamente a la confidencialidad como dimensión de la seguridad, y entra de lleno en la esfera de los datos de carácter personal (especialmente si es un mensaje de índole particular). Incluso su contenido podría verse afectado por una clasificación de la información (en función de las categorías definidas por la ley de secretos oficiales).

3.11. Integridad de los mensajes

Salvo que los mensajes se firmen electrónicamente, la integridad de los mismos no está garantizada.

3.12. Herramientas colaborativas

Las aplicaciones de correo electrónico incorporan adicionalmente herramientas de tipo colaborativo como los calendarios o gestores de tareas. Este tipo de información debería ser tenido en cuenta en el momento de la valoración de los mensajes.

3.13. Formatos propietarios

Aunque el transporte, el acceso a los buzones o las direcciones de correo, por citar algunos elementos de carácter técnico, se ajustan a protocolos estándar, el almacenamiento de los mensajes se hace, por lo general, con formatos propietarios, lo que conllevará a medio o largo plazo, la obsolescencia de dichos formatos.

3.14. Información redundante

En muchos mensajes se puede producir una reiteración de su contenido. Así, por ejemplo, en una cadena de mensajes, entre varios usuarios, cada uno puede incorporar el contenido del mensaje anterior, de tal manera que el último de ellos contendrá todos los mensajes del hilo.

4. RECOMENDACIONES ORIENTADAS A LA CONSERVACIÓN A LARGO PLAZO DE MENSAJES DE CORREO ELECTRÓNICO

La conclusión que podemos extraer, una vez que hemos analizado los factores o características del correo electrónico contemplado en su doble vertiente como sistema de comunicación y como mensaje, es que su conservación a largo plazo presentará una gran complejidad. Ante este reto, para empezar, podríamos adoptar básicamente dos enfoques o modos de abordar el proceso de conservación (que, por otro lado, no son excluyentes entre sí):

a) El primero se basaría en elaborar un conjunto de normas o recomendaciones acerca del uso del correo electrónico en el ámbito de la Administración pública, con el objetivo de promover su buen uso como herramienta de trabajo y garantizar además su conservación a largo plazo.

Este enfoque se centraría en el papel del usuario de los sistemas de correo electrónico en la conservación. Estos asumirían la responsabilidad de seleccionar los mensajes que cumplan unos requisitos y de ejecutar un determinado procedimiento de conservación. La organización, por su parte, debe establecer unas directrices claras en cuanto a la selección de los mensajes y al procedimiento de conservación.

Un inconveniente de esta aproximación es que el resultado de la conservación podría ser muy variable, en función de la actitud, disposición y aptitud de los distintos usuarios. La pérdida de mensajes de correo electrónico relevantes, desde el punto de vista de su valor secundario, constituiría su mayor riesgo.

Por el contrario, la ventaja de este enfoque es que permitiría que cada usuario descartase los mensajes de carácter personal o de bajo valor informativo.

b) El segundo, por el contrario, se centraría en evaluar, probar y adoptar soluciones técnicas que permitan la conservación a largo plazo de los mensajes de correo electrónico.

Según este enfoque el papel del usuario en la conservación de los mensajes sería secundario, en cuanto las soluciones técnicas adoptadas se encargarían de seleccionar los mensajes y de aplicar un procedimiento de conservación.

Uno de los riesgos de un enfoque de este tipo sería que podría incluir mensajes personales, por lo que habría que tener en consideración los posibles problemas de índole legal, en cuanto al tratamiento de datos de carácter personal, que pudieran producirse. Otro de los riesgos es que no se tenga en cuenta el modo en que los usuarios utilizan la herramienta de correo electrónico, aunque fuera relevante en relación al valor de la información. Un último riesgo podría derivarse de una baja calidad de la selección, si los algoritmos de selección de mensajes no han sido bien desarrollados o son incompletos.

Finalmente, la gran ventaja de esta aproximación es que no depende de los usuarios, y que podría evolucionar para adaptarse a nuevos requisitos de conservación.

Independientemente de la adopción de uno u otro enfoque, o de una mezcla de ambos, existen unos hitos en cuanto a la conservación a largo plazo de mensajes de correo electrónico que deberíamos tener en cuenta antes de realizar cualquier propuesta de conservación. A continuación los analizaremos de forma breve.

4.1. Implicaciones legales del proceso de conservación

Sería indispensable conocer las limitaciones legales, si las hubiera, a determinados tratamientos de los mensajes de correo electrónico, en función de la confidencialidad de la información (entendida como una dimensión de la seguridad)[18], su carácter de datos personales o su posible clasificación en función de la ley de secretos oficiales[19].

De todos modos, cualquier tratamiento que se pretenda hacer de los mensajes de correo electrónico, del que se pudiera sospechar que afecta a derechos individuales, debería ser conocido por el conjunto de empleados de la organización, ya sea para recabar su consentimiento o para adaptar sus características[20] a la normativa aplicable.

De cara a la eliminación de determinados mensajes, cabría recordar que si estos son «generados, conservados o reunidos en el ejercicio de su función por cualquier organismo o entidad de carácter público»[21], lo que los haría formar parte del Patrimonio Documental, su eliminación «deberá ser autorizada por la Administración competente»[22] y «en ningún caso se podrán destruir (...) en tanto subsista su valor probatorio de derechos y obligaciones de las personas o entes públicos»[23].

4.2. Alcance de la conservación a largo plazo

La conservación se puede extender a todos o a parte de los mensajes de correo electrónico, a todas las cuentas de correo o a un conjunto parcial de las mismas, a todo el contenido informativo de los mensajes o únicamente a la información textual, excluyendo los anexos.

Determinar este alcance seguramente será uno de los puntos fundamentales en un proceso de conservación. Un criterio restrictivo podría dejar fuera del mismo a mensajes con un valor testimonial, histórico o informativo importante. Al contrario, una visión absolutamente conservacionista, en la que no se admitan excepciones, podría hacer inmanejable el mismo proceso de conservación. En cualquier caso, el criterio decisivo para establecer este alcance debería ser el valor secundario de la información. Llevar a cabo un proceso de calificación adecuado se convierte de esta manera en algo esencial.

Podríamos describir los siguientes escenarios en cuanto al alcance de la conservación:

a) *Conservación de los mensajes de todas las cuentas de correo*

---

(18) RD 3/2010, de 8 de enero, por el que se regula el Esquema Nacional de Seguridad en el ámbito de la Administración Electrónica.
(19) Ley 9/1968, de 4 de abril, sobre secretos oficiales.
(20) Para un análisis detallado de las implicaciones legales del tratamiento de mensajes, aunque sea en el caso francés, ver págs. 14 a 21 de VITAM. L'archivage des messageries électroniques. Preuve de concept VITAM. Version 1.2. 31 octobre 2013.
(21) Art. 49.2 de la ley 16/1985 de Patrimonio Histórico Español.
(22) *Ibid*. art. 55.1.
(23) *Ibid*. art. 55.2.

De todos los mensajes o de una parte de ellos. Si se pretende conservar los mensajes de todas las cuentas, como medida de precaución, debería deshabilitarse la posibilidad de que los usuarios puedan eliminar sus propios mensajes, sean recibidos o enviados. Esto supondría incluir los mensajes personales en el conjunto de mensajes a conservar.

b) *Conservación de los mensajes de buzones seleccionados previamente*

En esta situación la conservación se limitaría a un conjunto predeterminado de cuentas de correo, que podría incluir todos los mensajes o un conjunto limitado de ellos. La selección de estas cuentas podría hacerse, por ejemplo, en función de la categoría profesional o de la posición del titular de la cuenta en el escalafón de la organización.

Independientemente del escenario donde nos hallemos, los mensajes de correo producto de actividades particulares deberían ser eliminados por los propios usuarios, directamente o excluyéndolos automáticamente de un archivado mediante su clasificación, por ejemplo, como mensajes privados. Otros tipos de mensajes a excluir de un proceso de conservación podrían ser borradores, mensajes con poco valor informativo, comunicaciones de tipo comercial, mensajes repetidos (sería preferible conservar, en el caso de determinados mensajes con múltiples destinatarios, el enviado originalmente y nos los recibidos, siempre que quede constancia de los destinatarios), etc. Los usuarios del correo electrónico cumplirían una labor importante en la selección y eliminación de la mayor parte de este tipo de mensajes.

Por último, sería necesario seleccionar la información a conservar. Ya hemos visto que los mensajes pueden contener texto en distintas codificaciones, objetos multimedia embebidos, vínculos externos o ficheros adjuntos[24]. En ocasiones estos vínculos o ficheros tendrán un valor mayor que el del texto del propio mensaje, que, por otro lado, podría ir en blanco. Se debería determinar, pues, qué información habrá que conservar, en función de su valor testimonial, histórico o informativo, por ejemplo.

Una dificultad para tratar esta información es que los ficheros adjuntos podrían estar en un formato obsoleto (con lo que habría que prever un procedimiento de conversión) o que la información a la que daba acceso el enlace ya no esté disponible.

4.3. Ciclo de vida de los mensajes de correo electrónico

Sería necesario definir un ciclo de vida de los mensajes de correo electrónico para decidir el momento en que se debe valorar la información y establecer los

---

(24) PROM, CHRISTOPHER J. Preserving email. DPC Technology Watch Report 11-01 December 2011. Pág. 11.

procedimientos y plazos de conservación. Un ciclo de vida de los mensajes de correo electrónico podría estar formado por tres fases:

a) Fase en la que la información del mensaje resulta útil al usuario del correo electrónico (o a la propia organización) o dispone de un valor probatorio de derechos y obligaciones

Realizar copias de seguridad para los buzones de usuario, con un período de retención acorde a la importancia de la información, y archivar los mensajes, excluyendo los de carácter particular, serían las medidas que asegurarían la disponibilidad de los mensajes durante esta fase.

b) Fase en la que la información del mensaje carece de utilidad o su valor probatorio de derechos y obligaciones ya no tiene efecto, pero no dispone aún de un valor secundario

El proceso de calificación de los mensajes debería realizarse durante esta fase, para eliminar aquellos que carecen de valor secundario y determinar los plazos y los procedimientos de conservación de los mensajes seleccionados (por ejemplo, la migración a estándares abiertos). Las condiciones de conservación a largo plazo deberían, por tanto, asegurarse durante esta fase: contextualización de los mensajes, firma electrónica avanzada (si carecen de ella), conversión de anexos, etc.

Un sistema de archivado permitiría la conservación de los mensajes durante esta fase, aunque el uso de copias de seguridad quedaría descartado por no ser ya necesarias.

c) Fase de conservación permanente en la que los mensajes disponen de un valor testimonial, histórico o informativo

En esta fase los mensajes deberían integrarse en un archivo electrónico.

4.4. Cómo garantizar su integridad y autenticidad

El problema a considerar es que, probablemente, el proceso de conservación se aplicará a un conjunto de mensajes cuya integridad y autenticidad no esté asegurada. En este sentido podría ser necesario establecer y disponer de sistemas que garanticen la integridad y autenticidad de los mensajes desde el momento en que se generen, para mantener su fiabilidad como testimonio y facilitar las condiciones futuras de conservación. Podrían emplearse, por ejemplo, mecanismos de firma electrónica avanzada, incorporar determinados metadatos que permitirían su contextualización, etc.

El cifrado de mensajes, en cambio, podría dificultar el proceso de conservación, por el riesgo que supone de indisponibilidad y no accesibilidad de la información (en el caso, por ejemplo, de pérdida de claves).

4.5. Contextualización de los mensajes

De cara a su conservación permanente sería importante disponer de la suficiente información para reconstruir el contexto en el que se han producido o recibido los mensajes de correo electrónico. Esta contextualización debería materializarse mediante el uso de metadatos específicos, ya sean los que poseen los propios mensajes en su cabecera, o cualquier otro que se incorpore de forma manual por parte de los usuarios del correo o automáticamente por los sistemas de gestión que traten esos mensajes.

Por un lado, muchos mensajes de correo electrónico forman parte de un hilo de conversación. Conservar el último mensaje de la cadena podría resultar suficiente, si contiene el texto del resto de mensajes anteriores y el resto de la información (anexos, enlaces, etc.).

Por otro, deberían poder asociarse las direcciones de correo a personas físicas y a su cargo dentro de una organización. Los sucesivos cambios de denominación de los organismos públicos y ministerios complicarían la individualización de las distintas direcciones de correo. A lo largo de su carrera administrativa cada empleado público dispondrá probablemente de varias direcciones de correo, no sólo de los distintos organismos donde haya prestado servicio sino incluso de un mismo organismo. La utilización de un único dominio, por ejemplo, gob.es[25], simplificaría este problema.

La asociación de direcciones de correo a nombres es más complicada cuando se trata de personas no vinculadas directamente con organismos públicos.

Por ejemplo, si los mensajes tuvieran relación directa con la tramitación de expedientes electrónicos deberían poder relacionarse con dichos expedientes, ya sea mediante su incorporación a los mismos como documento administrativo electrónico después de un proceso de transformación (copia electrónica auténtica con cambio de formato, inclusión de metadatos mínimos obligatorios, firma electrónica, etc.), o porque se incluya una referencia a esos expedientes entre los metadatos del mensaje. Esta relación debería hacerse en origen, para evitar el riesgo de descontextualización de los mensajes en una fase posterior.

4.6. Métodos de conservación

Los métodos de conservación dependerán del estado de la tecnología en cada momento. En principio, parece ser que la migración de los mensajes a un están-

---

(25) Como se propone en el documento «Declaración de servicios compartidos» de la Dirección de Tecnologías de la Información y las Comunicaciones (DTIC), de 2015.

dar abierto como XML sería el resultado más prometedor[26]. En cualquier caso la selección de los métodos de conservación a largo plazo debería tener presente también el acceso, visualización y búsqueda de los mensajes de correo electrónico.

Un último aspecto a considerar en cuanto a los métodos de conservación sería la manera de organizar los mensajes. La forma más simple sería emplear un sistema de ficheros y una estructura de carpetas. La inclusión de los mensajes en un repositorio digital desarrollado conforme a la norma OAIS (Open Archival Information System) podría ser, pese a la complejidad de su implantación, el modelo futuro para garantizar la conservación a largo plazo de los mensajes de correo electrónico.

5. BIBLIOGRAFÍA

INTERNET ENGINEERING TASK FORCE. RFC-5528. Internet Mail Architecture. 2009.

INTERNET ENGINEERING TASK FORCE. RFC-5322. Internet Message Format. 2008.

PROM, CHRISTOPHER J. Preserving email. DPC Technology Watch Report 11-01 December 2011.

THE RADICATI GROUP, INC. Email Statistics Report, 2017-2021. 2017.

VITAM. L'archivage des messageries électroniques. Preuve de concept VITAM. Version 1.2. 31 octobre 2013.

---

(26) VITAM. L'archivage des messageries électroniques. Preuve de concept VITAM. Version 1.2. 31 octobre 2013.

44.

FORMATOS ESPECIALES

José Luis GARCÍA MARTÍNEZ
Jefe de Área de Archivo y Documento Electrónico. Ministerio de Hacienda

1. INTRODUCCIÓN A LOS DOCUMENTOS NO TEXTUALES

Generalmente, cuando pensamos en documentos, nuestra mente centra su imagen en los documentos textuales, tanto si están en soporte analógico como en electrónico. La propia Ley 39/2015, constata esta supremacía del documento de carácter textual. En el artículo 26.1 se indica que «Las Administraciones Públicas emitirán los documentos administrativos por escrito, a través de medios electrónicos, a menos que su naturaleza exija otra forma más adecuada de expresión y constancia».

Sin embargo, existen otro tipo de documentos. La Ley 16/1985 de Patrimonio Histórico Español, en su artículo 49.1 define documento como «toda expresión en lenguaje natural o convencional y cualquier otra expresión gráfica, sonora o en imagen, recogidas en cualquier tipo de soporte material, incluso los soportes informáticos. Se excluyen los ejemplares no originales de ediciones».

Por tanto, desde un «graffiti» hasta un «whatsApp», desde un «twitt» hasta un dibujo son documentos. En principio, solamente estamos obligados a conservar los documentos que forman parte del patrimonio documental español: según el mencionado artículo 49, los documentos producidos en cualquier momento por las administraciones públicas; los documentos con más de cuarenta años producidos por sindicatos, asociaciones, fundaciones, instituciones de la Iglesia, empresas, etc.; y los documentos privados que tengan más de 100 años.

El volumen de información contenida en nuestros archivos está formado en su mayor parte, casi al 99 por cierto, por documentos textuales, teniendo un peso muy relativo los documentos fotográficos, los audiovisuales y los sonoros.

Los primeros documentos no textuales que encontramos en nuestros archivos son los proyectos arquitectónicos y urbanísticos, entre los que encontramos trazas de templos, palacios, retablos, planos, etc., que normalmente aparecen en expedientes de obras o asociadas a los contratos de construcción. Éstos empiezan a proliferar desde el siglo XVI. En los archivos navales encontramos proyectos para la construcción de buques, de gran interés para la historia marítima.

El verdadero salto de los formatos especiales de los archivos se produce en el siglo XIX con el invento de la fotografía. Desde 1826, cuando Niépce realiza la «Vista desde la ventana en Le Gras»[1] los archivos han recibido de forma progresiva documentos fotográficos. A medida que los equipos y técnicas fueron evolucionando, un nutrido grupo de pioneros recorrió Europa para reflejar en soporte nuestras más bellas ciudades y sus gentes. Uno de los más importantes fue Jean Laurent, del que se conservan una buena parte de sus negativos en el Instituto del Patrimonio Cultural de España[2].

Desde finales de siglo XIX comienzan a hacerse habituales las fotografías en los expedientes. Un ejemplo interesante es el expediente sobre la voladura del acorazado Maine en 1898, custodiado en el Archivo General de la Marina «Álvaro de Bazán». A pesar de ello, desde esos momentos hasta nuestros días, la presencia de documentos fotográficos en los expedientes es mínima.

Si hablamos de documentos sonoros, éstos son más propios de los archivos especializados, como el de Radio Nacional de España. Desde que Edison inventara el fonógrafo en 1876, no ha sido muy habitual la inserción de documentos sonoros en los expedientes. Lo mismo ocurre con los documentos audiovisuales, propios también de archivos especializados, por ejemplo el de Filmoteca Española o el de Televisión Española. No obstante, en los últimos años se está haciendo habitual la sustitución de la tradicional acta escrita por la grabación en vídeo de las reuniones.

2. EL CAMINO HACIA LA DIGITALIZACIÓN

La digitalización de los documentos consiste en convertir cualquier señal de entrada continua (analógica) en una serie de valores numéricos. La información digital es la única información que puede procesar una computadora, generalmente en el sistema binario, es decir unos y ceros. La digitalización ha permitido tres avances muy importantes en lo referente a los documentos en formatos especiales.

---

(1)   Se exhibe en el Harry Ransom Humanities Research Center en la Universidad de Texas en Austin.
(2)   Se conservan cerca de 12.000 negativos originales de vidrio al colodión húmedo, de J. Laurent, y J. Laurent y Compañía.

• En primer lugar, supone una garantía de preservación importante para los documentos en formatos especiales, puesto que permite poner a disposición del usuario una copia digitalizada, evitando la manipulación del original y su consiguiente deterioro. Podríamos escuchar un discurso de Azaña 1.000 veces seguidas sin alterar la secuencia de bits, al tiempo que el soporte original no sufriría daño alguno. Lo mismo ocurre con la visualización del viaje de Alfonso XIII a las Hurdes, cuya película original, una vez digitalizada, no sería manipulada salvo en casos muy excepcionales.

• Por otro lado, la digitalización ha supuesto la sustitución de las técnicas analógicas de emisión de los documentos en formatos especiales. Estas técnicas han quedado relegadas a aficionados. En el caso del sonido y el cine, el abandono de las técnicas tradicionales se ha producido por los menores costes de producción y la mejora de la calidad.

• Finalmente, la digitalización ha permitido la difusión inmediata de los documentos en formatos especiales a través de internet.

Es necesario hacer hincapié en la constante mejora de la calidad de los documentos fotográficos, sonoros y audiovisuales digitales experimentada en la última década, lo que está intrínsecamente ligado al aumento de capacidad en los soportes de almacenamiento. Uno de los más claros y cotidianos ejemplos de este avance se evidencia al visualizar vídeos tomados con móviles de hace más de 10 años, que ahora se muestran pixelados o en una porción mínima de la pantalla.

3. LOS FORMATOS DE LOS DOCUMENTOS NO TEXTUALES

Uno de los problemas más importantes que tienen los documentos en formatos especiales es la gran variedad de formatos, lo que puede ser un obstáculo para su conservación a largo plazo. En el ámbito de la administración contamos con la Norma Técnica de Interoperabilidad de catálogo de estándares, aprobada por Resolución de 3 de octubre de 2012, de la Secretaría de Estado de Administraciones Públicas. En ella se recogen los estándares mínimos necesarios para la interoperabilidad y para la implementación del resto de normas técnicas de interoperabilidad, es decir, los formatos que deben ser admitidos por las administraciones públicas. En la siguiente tabla se muestran los formatos en imagen, sonido y vídeo recogidos en el anexo de la citada Norma Técnica de Interoperabilidad (en adelante NTI).

Categoría	Nombre		Tipo	Versión mínima aceptada	Extensión
	Común	Formal			
Contenedores multimedia	AVI	Audio Video Interleave	Uso generalizado	–	.avi
Contenedores multimedia	MPEG-4 MP4 media	ISO/IEC 14496-14:2003 Information technology - Coding of audio-visual objects - Part 14: MP4 file format	Abierto	2003	.mpeg .mp4
Imagen y/o texto	Comma Separated Values.	Comma Separated Values.	Abierto	RFC 4180	.csv .txt
Imagen y/o texto	HTML	HyperText Markup Language	Abierto	4.01	.html .htm
Imagen y/o texto	CSS	Cascading Style Sheets	Abierto	2.1	.css
Imagen y/o texto	JPEG	ISO/IEC 15444. Information technology - JPEG 2000 image coding system.	Abierto	2004-2008	.jpg .jpeg
Imagen y/o texto	MHTML	Multipurpose Internet Mail Extension HTML	Abierto	RFC 2557	.mhtml .mht
Imagen y/o texto	ISO/IEC 263002006 OASIS 1.2	ISO/IEC 26300:2006 Information technology - Open Document Format for Office Applications (OpenDocument) OASIS 1.2	Abierto	1.0	.odt .ods .odp .odg
Imagen y/o texto	Strict Open XML	ISO/IEC 29500-1:2012 Information technology - Document description and processing languages - Office Open XML File Formats - Part 1: Funda-	Abierto	2012	.docx .xlsx .pptx

Categoría	Nombre		Tipo	Versión mínima aceptada	Extensión
	Común	Formal			
		mentals and Markup Language Reference - Strict			
Imagen y/o texto	PDF	ISO 32000-1:2008 Document management - Portable document format - Part 1: PDF 1.7	Abierto	1.4	.pdf
Imagen y/o texto	PDFA	ISO 19005-1:2005 ISO 19005-2:2011 Document management -Electronic document file format for long-term preservation	Abierto	1.4 1.7	.pdf
Imagen y/o texto	PNG	ISO/IEC 15948:2004 Information technology - Computer graphics and image processing - Portable Network Graphics (PNG): Functional specification.	Abierto	2004	.png
Imagen y/o texto	RTF	Rich Text Format.	Uso generalizado	1.6	.rff
Imagen y/o texto	SVG		Abierto	1.1	.svg
Imagen y/o texto	TIFF	ISO 12639:2004 Graphic technology - Prepress digital data exchange - Tag image file format for image technology (TIFF/IT)	Abierto	2004	.tiff
Imagen y/o texto	TXT	Texto plano	Abierto	–	.txt
Sonido	MP3. MPEG-1 Audio Layer 3	ISO/IEC 11172-1:1993 ISO/IEC 11172-2:1993 ISO/IEC 11172-3:1993 ISO/IEC 11172-4:1995 ISO/IEC TR 11172-5:1998	Uso generalizado	1993-1998	.mp3

Categoría	Nombre		Tipo	Versión mínima aceptada	Extensión
	Común	Formal			
Sonido	OGG-Vorbis	OGG Vorbis	Abierto	2010	.ogg .oga
Video	H.264/ MPEG-4 AVC	ISO/IEC 14496-10:2009 Information technology - Coding of audio-visual objects - Part 10: Advanced Video Coding	Abierto	2009	.mpeg .mp4
Video	MPEG-4 MP4 Video	ISO/IEC 14496-14:2003 Information technology - Coding of audio-visual objects - Part 14: MP4 file format	Uso generalizado	2003	.mpeg .mp4
Video	BebM	WebM	Abierto	2010	.webm

3.1. Formatos de imagen

Los formatos más importantes para la fotografía son RAW (no incluido en la NTI), TIFF y JPEG. Sus principales diferencias radican en la compresión y el tratamiento del color. Prácticamente todos los formatos pueden utilizar compresión, pero hay que diferenciar entre la compresión sin pérdidas, que mantiene toda la información original, y la compresión con pérdidas que «engaña» al ojo humano, simplificando detalles de la imagen que éste no va a percibir.

Una imagen digital es el resultado de una matriz de pixeles que se reparten en filas y columnas, la suma de todos los píxeles repartidos en las filas y columnas es su tamaño en pixeles. Cada pixel tiene codificado un color, para ello se usan un número determinado de bits. Cuanta más profundidad de color se necesitan más bits. Las imágenes digitales se pueden producir en blanco y negro (en forma bitonal), a escala de grises o a color:

Cálculos binarios **para la cantidad de tonos representados por profundidades de bits comunes:**

1 bit (2^1) = 2 tonos

2 bits (2^2) = 4 tonos

3 bits (2^3) = 8 tonos

4 bits (2^4) = 16 tonos

Cálculos binarios para la cantidad de tonos representados por profundidades de bits comunes:
8 bits (2^8) = 256 tonos
16 bits (2^{16}) = 65.536 tonos
24 bits (2^{24}) = 16,7 millones de tonos

• *Imagen bitonal*: está compuesta por píxeles que constan de 1 bit cada uno, que pueden representar dos tonos (normalmente negro y blanco), utilizando los valores 0 para el negro y 1 para el blanco o viceversa.

• *Imagen a escala de grises*: está formada por píxeles representados por múltiples bits de información, que normalmente se encuentran entre 2 y 8 bits, aunque a veces se utilizan más. Cuantos más bits tenga una imagen mayor número de tonos podrá contener. Si tiene 4 bits por píxel, tendrá 16 grises y si tiene 2 bits tendrá 4 grises. Con 8 bits se muestra una imagen de 256 tonos de grises diferentes, comparable con una imagen de las fotografías tradicionales en blanco y negro.

• *Imagen a color:* como decimos, para mostrar 256 tonalidades diferentes necesitamos 8 bits, por ello, las fotografías en color normalmente utilizan una profundidad de bits de 8, 24 o más bits. En una imagen de 24 bits (el llamado modo RGB), los bits por lo general están divididos en tres grupos: 8 para el rojo (red), 8 para el verde (green) y 8 para el azul (blue). Por lo tanto, los colores que podemos obtener son 256 x 256 x 256 = 16.777.216, lo que se conoce como color real. Con esta cantidad de colores es suficiente para que el ojo humano perciba las imágenes con calidad fotográfica.

Para elegir el formato adecuado de una imagen hay que valorar su contenido (gráfico, logotipo, fotografía en blanco y negro, en color, etc.), la calidad (dependiendo de su destino: impresión en papel, publicación en web…) y el tamaño del archivo. Vamos a ver ahora en qué se diferencian en este sentido los formatos de imágenes.

• El *formato RAW* (no incluido en la NTI), es un formato de archivo digital sin compresión que contiene la totalidad de los datos de la imagen tal y como ha sido captada por el sensor digital de la cámara. Es equivalente a lo que era el negativo en las cámaras analógicas. Suele tener una mayor profundidad de color (36 o 48 bits, que incluyen soporte de niveles de transparencia) y se considera un formato orientado a profesionales, para el tratamiento posterior de las imágenes. Las cámaras profesionales y semiprofesionales ofrecen por lo general la opción de grabar imágenes en este formato.

El gran inconveniente de este formato es la falta de estandarización: cada fabricante de cámaras usa su propia versión del formato, lo que puede producir incompatibilidades o que esa versión de RAW no se pueda usar en el futuro. La iniciativa OPENRAW trabaja para que los fabricantes de cámaras creen un formato RAW de código abierto y estándar.

• El **formato TIFF** (incluido en la NTI), tiene por principal característica que, al contrario de lo que ocurre en otros casos que veremos a continuación, como el JPEG, aquí no tendremos pérdida de píxeles. De esta forma, por muchas veces que abramos, cerremos, o volvamos a guardar el documento fotográfico con el que estamos trabajando, éste permanece inalterable. Se puede trabajar sin compresión, o que realice una leve compresión de los datos de imagen y compresión en el archivo en sí, lo que permite reducir algo el tamaño del archivo sin perdidas de calidad significativas. Utiliza cualquier profundidad de color de 1 a 32 bits, por lo que es un formato ideal para editar o imprimir una imagen.

Es un formato que se suele utilizar para llevar a cabo proyectos que requieran alta calidad en las imágenes y donde no importe demasiado el espacio que ocupen. Es muy utilizado para digitalizar documentos antiguos, por lo que se recomienda en los fondos antiguos de los archivos para realizar copias de seguridad. El inconveniente es que produce archivos muy grandes.

• El **formato JPEG** (incluido en la NTI), soporta 16,7 millones de colores (24 bits) y es el más empleado para las fotografías. Las cámaras digitales suelen almacenar directamente las imágenes en formato JPEG con máxima calidad.

Utiliza compresión con pérdidas, que puede ser ajustada, desde un 0% (sin pérdidas, respetando la máxima calidad posible) hasta extremos que normalmente ya suponen inutilizar la imagen. Los 24 bits del RGB serán suficientes para ver toda la gama de colores posibles, pero serán claramente insuficientes cuando queramos realizar ciertos ajustes a la imagen (iluminación, corrección de tonalidades, etc.).

Utiliza un algoritmo interno que hace un rastreo de cada línea de píxeles y si, por ejemplo, encuentra en una línea dos píxeles contiguos muy parecidos en su colorimetría, decide cuál guardar y cuál no. De este modo se ahorran muchos datos, lo que afecta directamente al tamaño en disco de la imagen, aunque también afecta a la calidad final de la imagen. También es cierto que cuando guardamos una fotografía en JPEG podremos personalizar su calidad, especificando el nivel de sustitución deseado. Cuanto más bajo, menor será la calidad de la fotografía y descenderá el espacio que ocupe en disco. Por tanto, debemos conservar los originales con la menor compresión posible, elaborando copias de menor peso para internet.

• El *formato PNG* (incluido en la NTI) permite almacenar imágenes en color real (una profundidad de color de 48 bits por píxel), además, soporta la transparencia de canal alfa, es decir, la posibilidad de definir 256 niveles de transparencia. También posee una función de entrelazado que permite mostrar la imagen de forma gradual. Fue desarrollado para superar las limitaciones del formato GIF y utiliza una compresión sin pérdidas.

• *Otros formatos* muy utilizados son el GIF y el BMP, que no están incluidos en la NTI de catálogo de estándares. El *formato GIF* se utiliza para imágenes pequeñas. Está compuesto de un mapa de bits de hasta 256 colores y 8 bits, lo que significa que estas imágenes tan solo podrán estar compuestas por un máximo de 256 tonalidades de color diferentes, lo que limita su realismo. Debido a su poco peso, los GIF son muy utilizados para realizar animaciones, ya que este formato puede incluir diferentes imágenes en un mismo fichero para crear el efecto de movimiento deseado. El *formato BMP* es el formato nativo del sistema operativo Windows de Microsoft. Define los valores de cada pixel, uno a uno, de abajo a arriba y barriendo las líneas de izquierda a derecha. Su gran problema es que genera archivos enormes y por tanto no se recomienda su uso.

3.2. Formatos de audio

En cuanto a los formatos de los archivos de audio, la NTI de catálogo de estándares incluye los formatos MP3 y OGG-Vorbis. El *formato MP3* está prácticamente monopolizando el mundo del audio digital por su extraordinario grado de compresión y calidad. Solamente utiliza frecuencias comprendidas aproximadamente entre los 200Hz-15KHz, por lo que una amplia gama de sonidos, especialmente los más bajos, no pueden ser reproducidos. Con su uso, los archivos que ocupaban 45 megas pasan a ocupar 4 o 5 megas, e incluso menos, lo que facilita su difusión y carga en entornos web. La transformación de WAV a MP3 o la publicación directa de una grabación en formato MP3 es un proceso fácil y al alcance de los principales editores de audio.

El *formato Ogg Vorbis* utiliza compresión con pérdida que reduce algunos de los datos de audio como las frecuencias inaudibles, a fin de obtener el mayor grado de compresión posible y generar un archivo lo más parecido al original. Es un formato de código abierto, a diferencia de MP3, lo que permite que el algoritmo de compresión se pueda utilizar libremente por todos los productores de software. Por tanto, este formato constituye un recurso para el desarrollo y el lanzamiento de numerosas herramientas y librerías libres de derecho. Puede grabar polifónicamente (varios canales) y, por lo tanto, ofrece una mejor fidelidad de sonido, en una escala de frecuencia de 8 kHz-48,0 kHz, mientras que MP3 sólo puede grabar en estéreo (dos canales).

Aunque no consta en la NTI de catálogo de estándares, uno de los más utilizados es el *formato WAV*, que utiliza la compresión sin pérdida. Produce archivos de alta calidad y, por tanto, de gran tamaño. Por su buena calidad, es el formato más utilizado en los discos compactos, empleando 16 bits a 44.100 Hz, con un almacenamiento de 88 kB/s. Es ideal para guardar audios originales a partir de los cuales se puede comprimir y guardar en distintos tamaños de muestreo para publicar en la web. Una canción extraída de un CD (16 bytes, 44100 Hz y estéreo) puede ocupar entre 20 y 30 Mb.

Otros formatos son *RAX*, muy utilizado en los famosos «streamings», *FLAC*, utilizado para reproducir el sonido en sistemas de audio de alta gama, *MIDI*, empleado como fondo de páginas HTML, y *AAC*, con uno de los algoritmos de codificación con pérdida que ofrece mayor calidad.

3.3. Formatos de audiovisuales

Encontramos infinidad de formatos de vídeo, su elección dependerá de la calidad que se desee y del espacio disponible. No es lo mismo exportar un vídeo en calidad para una filmación cinematográfica que para subirlo a youtube o cualquier plataforma online. Uno de los mayores problemas que encontramos es la compatibilidad, cada dispositivo graba en un formato diferente y podemos tener problemas a la hora de reproducirlos. Es importante diferenciar lo que es un formato contenedor de lo que es un códec de vídeo.

El *formato contenedor* es el formato del archivo, el cajón que engloba todo el material, por ejemplo AVI, MOV, OGG, MP4, MKV, RMVB, etc. Éste tiene en su interior varios elementos, entre ellos el vídeo y el audio generalmente, pero también puede contener subtítulos integrados, incluso varios archivos de audio con diferentes idiomas, los códecs y los metadatos.

Los *códecs de vídeo* son los archivos que están dentro del formato contenedor que ayudan a la compresión, por ejemplo, DidX, H264, MPEG-1, MPEG-2, MPEG-4, WMV, etc. Dependiendo de la elección del códec se obtendrá peor o mejor calidad. La norma de codificación de objetos digitales es la ISO/IEC 14496 information technology - Coding of audio-visual objects.

Cada tipo de archivo admite en cada momento un códec de compresión distinto. Los archivos de vídeo contenidos en la NTI de catálogo de estándares son los siguientes (mezcla contenedores y códecs): AVI, MP4 media, MP4 video, H264 y BebM.

Códecs más utilizados dependiendo del contenedor del audiovisual	
Contenedor	Códecs
MP4	H.264, MPEG-4, MPEG-2 y MPEG-1

Códecs más utilizados dependiendo del contenedor del audiovisual	
MKV	H.264
AVI	DivX, Xvid o M-JPEG
MOV	H.264
WMV	MPEG-2 y MPEG-4
DVD-Vídeo	MPEG-2
3GP	MPEG-4 y H.263
BebM	VP8

De los contenedores destacamos el *formato AVI*, que puede incluir video con una calidad excelente, sin embargo, el peso del archivo resulta siempre muy elevado. Puede ser visualizado con la mayoría de reproductores: Windows Media, QuickTime, etc., siempre y cuando se encuentren instalados en el equipo los adecuados códecs para cada tipo de reproductor. Es ideal para guardar videos originales que han sido capturados de la cámara digital. No es recomendable publicarlos en Internet en este formato por su enorme peso. Los códecs DivX y XviD consiguen una óptima compresión aunque se suelen destinar sobre todo a la codificación de películas de larga duración. Al ser un formato antiguo se ha ido actualizando con códecs haciendo que reproductores antiguos ya no puedan leer estos formatos actualizados y viceversa.

El *formato MP4* admite distintos tipos de códecs de compresión: MPEG-1 (calidad CD), MPEG-2 (calidad DVD), MPEG-3 (orientado al audio MP3) y MPEG-4 (más orientado a la web). Se reproducen con Windows Media Player y QuickTime. Basado en el formato de Quicktime, fue introducido a finales de 1998 y designado como un estándar para un grupo de formatos de codificación de audio, video y las tecnologías relacionadas acordadas por la ISO/IEC 14496 – Codificación de objetos audiovisuales. Los usos de MP4 incluyen la compresión de datos de audiovisuales para la web (streaming), y distribución de CD, voz (teléfono, videoconferencia) y difusión de aplicaciones de televisión.

Otros formatos de contenedores (ninguno incluido en la NTI de catálogo de estándares), son **MOV,** desarrollado por Apple, ideal para publicar videos en internet por su razonable calidad/peso; **WMV,** desarrollado por Microsoft, que utiliza el códec MPEG-4 para la compresión de video y es muy utilizado para publicar videos en internet. Ofrece soporte para la gestión digital de derechos, evitando que los usuarios puedan copiar la información; **RM**, que utiliza un códec propio para comprimir el audio y se visualiza con el reproductor Real Player; y **MKV** (Matroska), utilizado principalmente para películas, series y contenidos en 3D.

En cuando a los **códecs**, están incluidos en la NTI el formato BebM y el H. 264. El *formato WEBM o BebM* está destinado al uso en HTML5 de vídeos libres de derechos de autor basados en el contenedor de archivos MKV. Tanto el formato para navegadores web como la aplicación de YouTube para Nintendo Wii utilizan este tipo de archivo para reproducir vídeo, al igual que Wikimedia, Skype, 4chan y Logitech. La codificación y descodificación de archivos conformes a BebM es posible mediante varios programas.

El *formato H.264*, o MPEG-4 parte 10, fue creado en el 2003. Es una norma que define un códec de vídeo de alta compresión. Es uno de los más populares en la actualidad, especialmente para vídeo de alta definición. Mantiene su tasa de bits baja, consiguiendo un diseño de estructura sencillo. Tiene la capacidad de grabar vídeo y de gestionar la compresión y distribución. Se utiliza con frecuencia en grabadoras de vídeo AVCHD y en reproductores de HD DVD y Blu-ray.

En el cine, el formato por excelencia es el **DCP** (Digital Cinema Package), que aparece oficialmente en el año 2005, fruto del consorcio creado en el 2002 por los seis mayores estudios de cine para definir un formato de proyección digital. El paquete definido contiene tanto la imagen (en 2D o en 3D), el sonido, los subtítulos, los metadatos para controlar automatismos, etc. Adopta una estructura de archivos organizada en varios documentos de gran tamaño (generalmente muchos gigabytes) en formato MXF (Material Exchange Format), utilizados por separado para almacenar flujos de audio y vídeo, y archivos auxiliares de índice en formato XML. Los archivos MXF contienen secuencias que están comprimidas, codificadas y cifradas, con el fin de reducir la gran cantidad de almacenamiento requerido y para proteger del uso no autorizado. La parte de imagen está comprimida en JPEG 2000, mientras que la parte de audio es PCM lineal, un formato de codificación digital del sonido sin pérdida.

La primera película con estas especificaciones fue «STAR WARS Episodio II», proyectada en 2002 en dos salas de forma experimental. Debido a su éxito, desde entonces, la implantación del formato ha sido cada vez mayor.

3.4. Los formatos de los proyectos arquitectónicos, recreaciones en 3D y realidad aumentada

Las nuevas tecnologías han permitido el desarrollo de programas para la edición de proyectos arquitectónicos y urbanísticos, así como para la recreación de edificios y otros entornos en tres dimensiones. Este tipo de documentos no han sido tratados hasta el momento y merecen un estudio de cara a su conservación a largo plazo, puesto que sin duda, tienen un claro valor histórico, comparable al especial interés que tiene una traza para un proyecto arquitectónico de hace varios siglos. Es evidente que la visualización de estos documentos en el futuro formará parte de estudios relacionados con la historia del arte, la geografía, la tecnología, etc.

El *formato DraWinG* (DWG) es el más popular de este tipo, utilizado principalmente por el programa AutoCAD, producto de la compañía AutoDesk. Es uno de los programas más usados por arquitectos, ingenieros, diseñadores industriales, etc. Almacenan la información de dibujo en tres dimensiones de forma vectorial. El problema es que existen numerosas versiones, aparejadas al programa AutoCAD, que desde 1982 hasta 2018 ha sacado al mercado 34 versiones.

Debido a la elevada cuota de mercado del programa AutoCAD en la industria y el diseño, se ha cubierto la necesidad de lectura de este tipo de archivos por parte de otros programas mediante un archivo de intercambio, importación-exportación, conocido como DXF (Drawing eXchange File). La popularidad de este formato ha llevado a la Free Software Foundation a la creación de bibliotecas LibreDWG.

Otro tipo de formatos son los relacionados con la **realidad virtual y/o aumentada**, que se basa en vídeo y audio. Para el usuario es un gran paso poder vivir sus momentos de manera mucho más realista e inmersiva, respecto a la plenitud de las cámaras tradicionales en un entorno de escenas u objetos de apariencia real. A nadie se le escapan las posibilidades que esta tecnología tiene, ya que gracias a ella podemos simular un viaje a la luna, al centro de la Tierra o al interior del cuerpo humano. Además, la tecnología 360° permite mayor realismo y la posibilidad de abarcar toda la panorámica de una escena, convirtiéndola en «realidad».

Existen tres tipos de formatos de contenidos virtuales, ya sean inmersivos o semi-inmersivos:

1. Los generados por ordenador (gráficos 3D o CGI tridimensional).

2. Los basados en fotografía esférica 360°.

3. Los basados en vídeo inmersivo 360°.

Recientemente Google ha lanzado VR180, un formato específico para los vídeos de 360 grados y de realidad virtual que puede verse en plataformas como YouTube con gafas como las PlayStation VR, Cardboard o Daydream, pero también sin ellas directamente desde el ordenador y el móvil con gafas de realidad virtual, con las que permite ver las imágenes de forma estereoscópica en tres dimensiones.

4. METADATOS DE LOS DOCUMENTOS NO TEXTUALES

Si para documentos textuales es muy importante reflejar la estructura en xml, para formatos de imágenes, es interesante la resolución, el perfil de color, la profundidad de color, etc.; y para formatos audio o video, la tasa de bits, el códec o la duración. Los metadatos aseguran la accesibilidad a las imágenes, al tiempo que constituyen una valiosa fuente de información y agregan valor.

En un entorno de Windows es muy sencillo visualizar los metadatos de un documento fotográfico, incluso de aquellos descargados por internet. Los metadatos de una fotografía se distribuyen en cinco campos: descripción, origen, imagen, cámara, fotografía avanzada y archivo. Muchos de ellos son muy fáciles de automatizar, especialmente la fecha de captura, el autor y las características técnicas. Los metadatos no automatizables se pueden editar en Photoshop, de acuerdo a las normas de la Internacional Press Telecommunications Council.

En áreas como la medicina, la investigación científica o la documentación histórica, el uso de metadatos adquiere una importancia particular, porque estas imágenes carecen de relevancia sin datos que describan la situación fotografiada. Para investigaciones sobre el terreno en arqueología o ciencias naturales, con un navegador GPS (Global Positioning System) y una cámara equipada con la correspondiente entrada para el navegador, resulta posible incluir en los metadatos las coordenadas de latitud y longitud del punto donde se tomó la foto, así como también la altura sobre el nivel del mar.

En el tratamiento de la información audiovisual se generan diferentes datos añadidos que acompañan al contenido del documento y cuyo interés es a veces igual que el propio documento ya que nos permiten facilitar procesos relacionados con la transferencia, la distribución interna y externa y el almacenamiento. Es decir, los documentos audiovisuales contienen un tipo de información implícita que constituye un tipo de metadatos. Esta información es parte del vídeo o del audio y puede necesitarse para ser recuperada.

Según De Jong los metadatos de los documentos audiovisuales se agrupan en tres bloques, según el tipo de medio, el procesado y el contenido[3].

Medio	El medio con el que se relacionan o del que derivan (frecuencia de muestreo, textura o tipo de caracteres, etc.).
Procesado	Características necesarias para poder procesar el documento. Vinculan los ficheros audiovisuales con los correspondientes metadatos para dirigir e intercambiar este contenido entre los miembros del sistema.

---

(3)   DE JONG, Annemieke, 2003.

Contenido	Se dividen en metadatos basados directamente en el contenido (como los índices) o metadatos descriptivos del contenido, que a su vez se subdividen en:
	— Metadatos descriptivos objetivos: autor, título, duración del programa, fechas de producción y catalogación.
	— Metadatos temáticos: descripción del contenido o parte de él, del tema y del significado.
	— Metadatos adicionales: otra información sobre el contenido de manera subjetiva.

Dependiendo del tipo de documento, fotográfico, sonoro, o audiovisual, se recomiendan diferentes esquemas de metadatos. El eEMGDE, el esquema de Metadatos para la Gestión de documentos electrónicos ha tenido en cuenta algunas características aplicables a los documentos fotográficos. Aparte de los que se pueden utilizar para documentos textuales, para la fotografía serían especialmente útiles los siguientes elementos del metadato eEMGDE14-Características técnicas: formato, versión del formato, resolución, tamaño y profundidad del color. No obstante, los documentos sonoros, vídeos y documentos de diseño han quedado fuera.

Para los documentos sonoros y de vídeo, la Biblioteca Nacional de Francia recomienda el esquema de metadatos MPEG-7. No obstante, para los documentos audiovisuales se utilizan diferente esquemas de metadatos, los más habituales son: AAF, Dublin Core, FIAT-IFA, METS, MPEG, MXF, P-FRA, P-Meta, SMIL, SMPTE, TV-ANYTIME y UMID[4].

Finalmente, tenemos que tener en cuenta que los metadatos pueden conservarse bien separados del contenido del documento al que describen o bien almacenados junto al documento. En el caso de los archivos JPEG los metadatos quedan escritos dentro del archivo, en tanto que en el caso de los RAW, éstos se almacenan en un archivo adjunto que los acompaña. En estos casos, tendríamos que encontrar la fórmula para que los metadatos no queden disociados. En el entorno de los documentos audiovisuales, los metadatos pueden conservarse dentro del archivo contenedor junto a las imágenes, audios y códecs.

5. EL ARCHIVO ELECTRÓNICO ÚNICO Y LA CONSERVACIÓN DE DOCUMENTOS EN FORMATOS ESPECIALES

De cara a su conservación en el Archivo electrónico único, los documentos en formatos especiales, tanto fotográficos, sonoros o en vídeo, deberían conser-

---

(4) POLO CARRIÓN, Juan Antonio, CALDERA SERRANO, Jorge, y POVEDA LÓPEZ, Inés Carmen, 2011, págs. 45-64.

varse en su expediente. La NTI de catálogo de estándares establece en su anexo la relación de formatos que deben ser admitidos en los intercambios de información entre las administraciones públicas. Cualquiera de ellos podría integrarse en un expediente si cumplen con el Esquema Nacional de Interoperabilidad. Sin embargo, al día de hoy, a través de INSIDE solamente pueden integrarse documentos en los formatos siguientes: pdf, jpg, jpeg, png, tiff, doc, docx, xls, xlsx, rtf, txt, xml, odt, ods, odp, odg, lo que evidencia la prevalencia absoluta de los documentos de carácter textual, aunque los formatos relacionados con la fotografía también han sido contemplados, pudiendo formar parte de un expediente electrónico ENI. El resto de formatos especiales (sonido, vídeo, proyectos arquitectónicos y urbanísticos diseñados en programas de edición, etc.), han quedado de momento relegados.

Está claro que este tipo de documentos, cuando corresponda, tendrán que formar parte de un expediente con el fin de que se mantengan contextualizados a lo largo del tiempo, pensemos en un vídeo de una reunión de un órgano colegiado. Se tendrá que definir si todos los expedientes ingresados en el archivo electrónico tienen que tener la estructura determinada por el ENI. En el caso de que sea así, tendremos que encontrar la fórmula para que los documentos en formatos especiales puedan integrarse en su correspondiente expediente. Solamente de esta forma, los usuarios del futuro podrán comprender el contexto en el que estos documentos fueron creados y gestionados.

6. BIBLIOGRAFÍA

AA.VV. «¿Cuántas fotos se suben a las redes cada segundo?» en *Índice* (2015): http://www.indicepr.com/noticias/2015/06/09/nova/43716/cuantas-fotos-suben-a-las-redes-cada-segundo/ [Consulta: 15 de febrero de 2018].

DE JONG, Annemieke, *Los metadatos en el entorno de la producción audiovisual*, México, 2003, [s.n.].

ESPEJO, Antonio. «La imagen digital se hace con un 80% del mercado español», en *Ciberp@ís*, 7 de octubre de 2004.

GARCÍA CRESPO, Oswaldo. «La digitalización de la imagen cinematográfica y la ausencia de estándares tecnológicos», en *Estudios sobre el Mensaje Periodístico*, 18 (2012), págs. 337 a 346.

MILLÁN MUÑOZ, Jesús. «¿Cuántas fotos se hacen en el mundo», en *Mundiario* (2016): https://www.mundiario.com/articulo/sociedad/cuantas-fotos-hacen-mundo/20160815180040065501.html [Consulta: 15 de febrero de 2018].

POLO CARRIÓN, Juan Antonio, CALDERA SERRANO, Jorge y POVEDA LÓPEZ, Inés Carmen. «Metadatos y audiovisual, iniciativas, esquemas y estándares», en *Documentación de las ciencias de la información*, 34 (2011), págs. 45 a 64.

SCHOUHAMER IMMINK, Kees. A. «The CD Story», en *AES Journal of the audio engineering society,* 46 (1998), págs. 458 a 465.

WRIGHT, Steve. *Compositing visual effects: Essentials for the aspiring artist,* Burlington, Focal Press, 2008.

45.

EL DOCUMENTO ELECTRÓNICO Y SUS SOPORTES

José Luis GARCÍA MARTÍNEZ
Jefe de Área de Archivo y Gestión Documental. Ministerio de Hacienda

Alejandro MILLARUELO GÓMEZ
*Jefe de Servicio de Almacenamiento y Backup en el Área de Infraestructuras,
Oficina de Informática Presupuestaria, IGAE, MINHAFP*

1. INTRODUCCIÓN

Uno de los elementos imprescindibles y más importantes del documento electrónico son los soportes de almacenamiento. Como ficheros informáticos codificados en formato binario, los documentos electrónicos se crean y se almacenan para su consulta y su conservación en estos dispositivos especiales. Sin ellos, la información electrónica no existiría. Un disco duro magnético o una memoria flash, son ejemplos bien conocidos de soportes empleados para guardar información. Con su nacimiento, aparece el documento electrónico y posteriormente la administración electrónica. Sin su evolución y desarrollo, nada de lo que conocemos en la actualidad sería posible. La propia LPAC indica en su artículo 26.2 que, para ser considerados válidos, «los documentos electrónicos administrativos deberán contener información de cualquier naturaleza archivada en un soporte electrónico según un formato determinado susceptible de identificación y tratamiento diferenciado».

En ámbitos donde se gestionan millones de documentos electrónicos y en los que es esencial asegurar su accesibilidad y disponibilidad actual y futura por obligación legal, como en el caso de la administración pública, los soportes de almacenamiento empleados deben ofrecer la garantía de su conservación y, capacidad y rendimiento. Para ello se emplean sistemas de almacenamiento donde se integran, interconectados, decenas o centenares de soportes del mismo tipo. Estos sistemas proporcionan protección ante posibles fallos técnicos, un gran rendimiento frente a múltiples usuarios o procesos informáticos concurrentes y una capacidad de almacenamiento flexible que puede atender una demanda creciente de recursos de almacenamiento.

Al igual que ha ocurrido en el mundo analógico, la conservación del soporte es vital para el mantenimiento de la información, aunque en este caso las medidas de protección son diferentes. La replicación de la información en diferentes centros de proceso de datos es uno de los sistemas que más garantías ofrece, aunque es necesario tener prevista cualquier tipo de contingencia que pudiera surgir: desde una tormenta solar inusualmente intensa hasta un incendio o inundación, ataques terroristas o incluso un ataque nuclear. Es evidente, que los centros de proceso de datos deben encontrarse redundados en lugares distantes, y alejados de posibles riesgos y deben proporcionar la mayor seguridad para evitar una pérdida de información.

La responsabilidad para la conservación de la información es enorme, pero tampoco debemos olvidar las medidas relativas a la seguridad referida a los accesos que se indican en el Esquema Nacional de Seguridad. Un acceso incontrolado a la información puede producir pérdidas millonarias al tiempo que socava la reputación de una o varios millares de personas.

Finalmente, los sistemas de acceso a los soportes de almacenamiento, principalmente a través de internet, propician unas posibilidades inmensas para la difusión de la información[1], lo que en la actualidad representa uno de los recursos más importantes para el desarrollo de la Humanidad.

2. NORMATIVA SOBRE SOPORTES ELECTRÓNICOS

Como es evidente, las medidas de conservación y seguridad de los soportes de almacenamiento de documentos electrónicos requieren unas condiciones especiales. El artículo 17.3 de la LPAC indica que «los medios o soportes en que se almacenen documentos, deberán contar con medidas de seguridad, de acuerdo con lo previsto en el Esquema Nacional de Seguridad (en adelante, ENS), que garanticen la integridad, autenticidad, confidencialidad, calidad, protección y conservación de los documentos almacenados. En particular, asegurarán la identificación de los usuarios y el control de accesos, así como el cumplimiento de las garantías previstas en la legislación de protección de datos».

La LRJSP en su artículo 46.2 añade que «los documentos electrónicos que contengan actos administrativos que afecten a derechos o intereses de los particulares deberán conservarse en soportes de esta naturaleza [...]. Se asegurará

---

(1) No exentas de grandes riesgos para la privacidad y la confidencialidad de la información, especialmente en las denominadas redes sociales. Ver la comparecencia de Mark Zuckerbeg los días 10 y 11 de abril de 2018 ante el Congreso de los Estados Unidos, por el caso de la filtración de datos de carácter personal de Facebook a Cambridge Analytica (https://www.theguardian.com/technology/2018/apr/11/mark-zuckerbergs-testimony-to-congress-the-key-moments).

en todo caso la posibilidad de trasladar los datos a otros formatos y soportes que garanticen el acceso desde diferentes aplicaciones».

El ENS contempla en su artículo 21.K el borrado y la destrucción física de los soportes cuando se cuente con un dictamen favorable de eliminación de la información. En cuanto a las medidas de seguridad necesarias, el artículo 22 del ENI nos remite asimismo al ENS. Es éste el que define con más detalle los principios básicos y los requisitos mínimos de seguridad mediante la aplicación de las medidas de seguridad adecuadas a los medios y soportes en los que se almacenen los documentos, de acuerdo con la categorización de los sistemas. Estas medidas se aplicarán con el fin de garantizar la integridad, autenticidad, confidencialidad, disponibilidad, trazabilidad, calidad, protección, recuperación y conservación física y lógica de los documentos electrónicos, sus soportes y medios, y se realizarán atendiendo a los riesgos a los que puedan estar expuestos y a los plazos durante los cuales deban conservarse los documentos.

El artículo 21 del ENS indica que se prestará especial atención a la información almacenada o en tránsito a través de entornos inseguros. Tendrán la consideración de entornos inseguros los equipos portátiles, asistentes personales (PDA), dispositivos periféricos, soportes de información y comunicaciones sobre redes abiertas o con cifrado débil.

En cuanto a las medidas de protección, éstas se especifican en el punto 5 del anexo del ENS. Por un lado se establecen acciones formativas relacionadas con la gestión de la información en cualquier soporte en el que se encuentre, relativas a las siguientes actividades: almacenamiento, transferencia, copias, distribución y destrucción. Por otro lado se disponen medidas para la protección de los soportes relativas a etiquetado, criptografía, custodia, transporte y borrado y destrucción.

En lo referente a etiquetado, los soportes de información se etiquetarán de forma que, sin revelar su contenido, se indique el nivel de seguridad de la información contenida de mayor calificación. Los usuarios han de estar capacitados para entender el significado de las etiquetas, bien mediante simple inspección, bien mediante el recurso a un repositorio que lo explique.

En lo referente a criptografía, ésta se aplica a todos los dispositivos removibles (CD, DVD, discos USB, u otros de naturaleza análoga). Si la información está calificada con nivel alto, se emplearán algoritmos acreditados por el Centro Criptológico Nacional.

En cuanto a la custodia, se aplicará la debida diligencia y control bajo la responsabilidad de la organización, mediante el control de acceso con medidas físicas o lógicas, o ambas, así como respetando las exigencias de mantenimiento del fabricante, en especial, en lo referente a temperatura, humedad y otros agresores medioambientales.

Sobre las medidas de transporte se dispone que el responsable de sistemas debe garantizar que los dispositivos estén bajo control y que permanezcan los requisitos de seguridad mientras están siendo desplazados de un lugar a otro. Para ello se dispondrá de un registro de salida que identifique al transportista que recibe el soporte para su traslado y de un registro de entrada que identifique al transportista que lo entrega. De esta forma se cotejan las salidas con las llegadas y se levantan las alarmas pertinentes cuando se detecta algún incidente. Se utilizarán los medios de protección criptográfica correspondientes al nivel de calificación de la información contenida de mayor nivel y se gestionarán las claves que sean necesarias.

En último lugar, sobre borrado y destrucción se indica que los soportes que vayan a ser reutilizados para otra información o liberados a otra organización serán objeto de un borrado seguro de su anterior contenido. Se destruirán de forma segura los soportes, cuando la naturaleza del soporte no permita un borrado seguro o cuando así lo requiera el procedimiento asociado al tipo de la información contenida.

También son relevantes las guías del Centro Criptográfico Nacional (CCN), en la que se establecen algunas medidas sobre la seguridad y conservación de los soportes de almacenamiento. La Guía CCN-STIC 804 de seguridad de las TIC sobre implantación del ENS, con contiene diferentes directrices sobre la protección de los soportes, en particular lo referente a etiquetado, criptografía, custodia, transporte y borrado y destrucción[2].

Por su parte, la guía CCN-STIC-875 de Seguridad de las TIC Microsoft System Center Configuration Manager 2012 R2 sobre Microsoft Windows Server 2012 R2, tiene un apartado sobre protección de soportes de información, centrándose en el borrado y destrucción de la documentación[3].

Finalmente, la Guía CCN-STIC-825 ENS - National Security Framework, Certifications 27001, incluye un apartado sobre protección de instalaciones e infraestructuras[4], la CCN-STIC-835 trata sobre el borrado de metadatos en el marco del ENS, y la CCN-STIC-823 sobre seguridad en entornos Cloud[5].

---

(2) *Guía de seguridad de las TIC. CCN-STIC-804, ENS. Guía de Implantación*, 2017, págs. 73-77. Véase https://www.ccn-cert.cni.es/series-ccn-stic/800-guia-esquema-nacional-de-seguridad/505-ccn-stic-804-medidas-de-implantancion-del-ens/file.html [Consultado el 21 de abril de 2018].

(3) *Guía de seguridad de las TIC. CCN-STIC 875, Microsoft System Center Configuration Manager 2012 R2 sobre Microsoft Windows Server 2012 R2*, 2017, pág. 59. Véase https://www.ccn-cert.cni.es/pdf/guias/series-ccn-stic/guias-de-acceso-publico-ccn-stic/2311-ccn-stic-875-implementacion-del-ens-en-ms-sccm-2012-r2/file.html [Consultado el 21 de abril de 2018].

(4) https://www.ccn-cert.cni.es/pdf/guias/series-ccn-stic/800-guia-esquema-nacional-de-seguridad/2148-ccn-stic-825-ens-national-security-framework-27001-certifications/file.html

(5) https://www.ccn-cert.cni.es/series-ccn-stic/800-guia-esquema-nacional-de-seguridad/541-ccn-stic-823-seguridad-en-entornos-cloud/file.html

3.   LOS SOPORTES DE ALMACENAMIENTO

El soporte o medio de almacenamiento de datos es el material físico donde se guardan los datos que pueden ser procesados por un ordenador, un dispositivo electrónico o un sistema informático, aunque este término también abarca el concepto de documento no necesariamente informatizable (generalmente en papel, cartulina o similar, pero también en piedra, madera, material fotosensible, material magnético o de otro tipo para registros de audio, etcétera).

A diferencia de la memoria RAM de un ordenador, cuyos datos se pierden una vez se apaga aquel, los soportes de almacenamiento son dispositivos creados para mantener permanentemente la información almacenada en ellos.

La creación y evolución de los soportes de almacenamiento ha ido unida a la evolución de los ordenadores desde los años 40. El aumento paulatino de la capacidad de procesamiento de la información de estos[6] posibilitó el tratamiento de un mayor número de datos[7]. Al mismo tiempo, el tamaño de los documentos, especialmente los de imagen y sonido, ha experimentado un aumento paralelo, proporcionando una calidad que ya ha superado a la ofrecida por el mundo analógico.

Características fundamentales de los soportes de almacenamiento son la codificación binaria de la información y la necesidad de acceso mediante un sistema informático. Cualidades a tener en cuenta son el tamaño de almacenamiento (Bytes, Kylobytes, Megabytes, Gigabytes, Terabytes, etc., expresado en base 10), el tiempo de respuesta a una petición (expresado en milisegundos), el tipo de tecnología empleada para el almacenamiento de los datos (magnética, óptica, o de estado sólido), el interfaz de acceso (USB, SCSI, FC, Thunderbolt, etc.) o el tiempo de vida útil (expresado técnicamente como tiempo medio de fallo o mean time to failure o MTTF).

En la actualidad, existen tres grandes familias de soportes de almacenamiento, en función de la tecnología utilizada: magnéticos, ópticos y memorias de estado sólido.

Antes de abordar los tipos de soportes hay que mencionar que los datos, en forma de ficheros binarios, se almacenan en los distintos soportes mediante un sistema de ficheros.

---

(6)   Recordemos la denominada ley de Moore, expuesta por vez primera en 1965 por Gordon Moore, cofundador de Intel, según la cual el número de transistores de un procesador se duplicaría cada año.

(7)   La cantidad de información almacenada en soportes digitales en todo el mundo es enorme. En el año 2011, Eric Schmidt, consejero delegado de GOOGLE, afirmó en un estudio publicado en *Science*, que la Humanidad había generado hasta 2003 una cantidad equivalente a **5 Exabytes,** añadiendo que en el 2011 esta cifra se creaba en dos días. Véase HILBERT, Martin y LÓPEZ, Priscila, 2011, págs. 60 a 65.

Los sistemas de ficheros son elementos software que, en estrecha relación con el sistema operativo y entre otras funciones, organizan los ficheros en los soportes, registran sus atributos (permisos de acceso, propietario, tamaño, fecha de creación, fecha de modificación, etc.), mantienen su integridad y gestionan la forma de nombrarlos y también su ubicación.

Los sistemas de ficheros más comunes, según el sistema operativo, son:

- NTFS, exFAT, FAT16 y FAT32, para Windows;

- APFS para MAC OS;

- Veritas File System, UFS (Unix File System), ext4, XFS, para Unix y Linux;

- ISO 9660 y UDF, para soportes ópticos;

- LTFS (Linear Tape Flie System), para cintas magnéticas.

3.1. Disco duro magnético

Los discos duros magnéticos (o HDD, Hard Disk Drive), son aún los soportes de almacenamiento más empleados tanto en ordenadores personales como en sistemas informáticos empresariales. Son dispositivos mecánicos formados por varios elementos, que se integran en una carcasa hermética para evitar, entre otras cosas, que el polvo en suspensión pueda afectarles:

- Uno o varios discos del mismo diámetro (2,5 o 3,5 pulgadas es lo más habitual), denominados platos, construidos con materiales como el cristal, el aluminio o la cerámica, recubiertos en cada una de sus caras por una capa de un material con propiedades magnéticas.

- Dependiendo del número de platos, uno o varios cabezales sujetos a uno o varios brazos que, en paralelo a los discos, son capaces de leer y escribir en toda su superficie.

- Una conexión específica (o interfaz) permite la transmisión y recepción de datos desde y hacia el disco duro. Los interfaces más comunes son SATA (Serial Advanced Technology Attachment) y SAS (Serial Attached SCSI). Un conjunto de circuitos integrados (denominados controladora) gestionan esta interfaz y el flujo de datos entre el dispositivo y un ordenador.

Los platos giran a una velocidad constante sobre un mismo eje. Las velocidades se expresan en giros por minutos (rpm, o revoluciones por minuto). Para ordenadores personales las velocidades habituales están entre 4.800 y 7.200 rpm, mientras que para los discos de sistemas profesionales el rango se sitúa entre 7.200 y 15.000 rpm. Estas altas velocidades hacen que los cabezales no deban tocar la superficie de los discos, para evitar dañarlos, por lo que de hecho «flotan» sobre ellos a una distancia determinada para poder leer y escribir datos.

Asimismo, el rendimiento de un disco dependerá en parte de su velocidad de rotación, ya que, cuanto mayor sea, menor será el tiempo necesario para acceder a los datos. La cantidad de datos que es capaz de recibir o enviar un disco duro a un ordenador se denomina tasa de transferencia, y se mide en MB (Megabytes) por segundo.

El acceso a un disco duro magnético es de tipo aleatorio, denominándose de esta forma, en contraposición a un acceso de tipo secuencial, porque no es necesario leer todo el contenido de un disco duro para acceder a determinada información. Para permitir este tipo de acceso la superficie de un disco duro se organiza en los denominados pistas y sectores, empleados por los distintos sistemas de ficheros para la localización de los datos.

Las caras de cada plato están divididas en pistas concéntricas. La pista más exterior recibe el nombre de pista 0. A su vez, cada pista está dividida en un número variable de sectores: las pistas exteriores disponen de un número mayor de sectores que las interiores, para compensar el hecho de que su longitud sea mayor[8].

Finalmente el tamaño de un disco duro vendrá determinado, además de por el número de platos, por la denominada densidad de grabación (a mayor densidad, más datos pueden guardarse), llegándose actualmente hasta los 8 TB (Terabytes) o más.

3.2. Cinta magnética

Las cintas magnéticas actuales, por ejemplo, las de tecnología LTO (Linear Tape Open), están formadas por una estrecha, pero larga película flexible de plástico, sobre la que existe una capa de material magnético, cuyos extremos se unen a dos ejes contrapuestos. La cinta se enrolla en toda su extensión inicialmente en uno de estos ejes. Para escribir o leer en ella es necesario hacer girar el eje vacío para mover la cinta mientras se va enrollando en este. Un cartucho de plástico rígido, de forma cuadrada, contiene en su interior los dos ejes y la cinta. En uno de sus lados hay una lengüeta que se levanta para dejar a la vista el fragmento de cinta que se va a leer.

Para escribir o leer los cartuchos se emplean librerías robóticas (también llamadas robots de cintas). Consisten básicamente en un armario metálico cerrado, con huecos especiales donde se almacenan las cintas, denominados celdas, un brazo mecánico que permite agarrarlas y moverlas entre éstas, los dispositivos de lectura-escritura conocidos como «drives» y una zona especial donde es posible introducir o sacar cintas de la librería con intervención de una persona.

Los modelos más pequeños de robots de cintas pueden almacenar en su interior unas pocas decenas, pero existen algunas librerías que pueden llegar a guar-

---

(8)   Es la tecnología denominada ZBR o Zone Bit Recording.

dar miles de cartuchos. En estos casos no se suele emplear un único brazo mecánico, sino al menos dos. También el número de «drives» dependerá del tamaño del robot.

El acceso a los datos es de tipo secuencial: hasta llegar a un dato requerido es necesario recorrer (enrollar) toda la cinta anterior al mismo. Lo mismo pasa con la escritura de un dato, que debe hacerse al final de la cinta ya escrita. Esta forma de acceso hace que este tipo de soporte sea considerado «lento» en relación con los discos duros magnéticos, a pesar de que la tecnología ha ido evolucionando y ofrece en sus últimos desarrollos una tasa de transferencia teórica de hasta 750 MB por segundo y una capacidad mayor que los discos (hasta 15 TB empleando compresión)[9].

Estas características han hecho de este soporte el candidato ideal para la conservación de copias de seguridad o de ficheros poco o nada usados, pero que deben guardarse durante bastante tiempo. El precio de un cartucho, alrededor de 60 €, ha facilitado sin duda estos usos. Las cintas magnéticas se emplean, exclusivamente, en entornos empresariales.

3.3. Discos ópticos

Los discos ópticos son un tipo de soporte que comenzó a popularizarse a mediados de los años 80, primero como alternativa a los discos de vinilo[10] y después como medio de almacenamiento de datos en entornos de informática doméstica y en pequeñas empresas.

Consisten básicamente en un disco no flexible de 12 cm de diámetro, de un material plástico recubierto de otros materiales (como aluminio) que forman diversas capas. Para grabar datos se emplea un haz láser especial que es capaz de realizar pequeñas marcas en una capa interna protegida en una de las caras del disco. Mediante otro haz láser que es reflejado por la superficie del soporte se pueden detectar estas marcas e interpretarlas. En ambos casos es necesario emplear unos dispositivos de lectura-escritura que deben conectarse a un ordenador. En ellos los discos ópticos, mientras giran constantemente, pueden ser «escritos» o «leídos».

Existen varios formatos de discos ópticos, entre los que cabe citar los siguientes:

• CD-ROM (Compact Disc - Read Only Memory): soporte de sólo lectura y una capacidad de unos 650 MB-700 MB (Megabytes).

---

(9)   Para cartuchos de tecnología LTO-7.
(10)   Empleando una frecuencia de muestreo de 44,1 kHz y una resolución de 16 bits, que se convirtió en un estándar para las grabaciones de audio durante aquella época.

• CD-R o CD-WORM (Compact Disc – Recordable o Compact Disc – Write Once Read Many): disco que puede grabarse una única vez, para lo que el dispositivo lector debe además poder grabar datos.

• CD-RW (Compact Disc – Read Write): disco que puede regrabarse múltiples veces, a diferencia del CD-ROM o el CD-WORM.

• DVD: formato específico de disco óptico que permite almacenar entre 4,7 y 8,5 GB (Gigabytes), apto especialmente para la distribución de películas.

• Blu-ray Disc: último soporte óptico en ser comercializado (a partir de 2002), admite unas capacidades de entre 25 y 125 GB (GigaBytes).

Durante la década de los años 90 se desarrollaron diversos sistemas para explotar las capacidades de almacenamiento de los soportes ópticos, en entornos de informática empresarial. Surgieron, así, dispositivos robóticos (denominados «jukebox») a semejanza de las librerías de cintas magnéticas. Sin embargo, una serie de factores frenaron la expansión de los soportes ópticos, colocándolos aparentemente en la cola de los soportes en vías de extinción[11]:

• La aparición y popularización de Internet durante la década del año 2000 ha provocado que el consumo de contenidos digitales (como la música y el cine) se realice preferentemente en un entorno de redes, reduciendo el uso de soportes ópticos hasta convertirlo casi en irrelevante.

• En paralelo, determinados soportes de almacenamiento, como los discos duros magnéticos y las memorias de estado sólido, han evolucionado enormemente, aumentando y mejorando su capacidad, su rendimiento, su portabilidad y su conectividad (mediante interfaces como USB o Thurderbolt). Por el contrario, las características de los soportes ópticos, aunque también han evolucionado tecnológicamente, en comparación con las de los otros soportes, no han facilitado especialmente su uso.

3.4. Memorias de estado sólido

Las denominadas memorias de estado sólido, que se basan en un tipo de memoria llamada flash, desarrollada en 1984 por Fujio Masuoka, son el soporte de almacenamiento más reciente y, probablemente, de más éxito. Por su reducido tamaño, bajo consumo eléctrico y gran capacidad se emplean en todos los dispositivos móviles actuales (teléfonos, tablets, etc.), en memorias USB que se

---

(11) Es difícil vaticinar el futuro de cualquier soporte de almacenamiento, ya que desde un punto de vista sociológico existen factores que influyen en su ciclo de vida. Véase el caso de los discos de vinilo: después de la irrupción de los CD-A su suerte parecía echada, pero hoy en día siguen fabricándose y las últimas cifras de ventas conocidas son similares a las de mediados de los años 90.

conectan a ordenadores personales, en periféricos como impresoras y escáneres, en cámaras fotográficas (tarjetas CompactFlash, Memory Stick o Secure Digital, por ejemplo), en tarjetas de crédito para sustituir la banda magnética, como sustituto de los discos duros magnéticos en muchos ordenadores personales y en general en cualquier dispositivo, del tipo de sea, que necesite guardar datos de forma permanente.

A diferencia de los discos duros las memorias de estado sólido no están formadas por elementos mecánicos, sino por unas celdas especiales basadas en circuitos integrados. La información binaria se almacena en estas celdas, empleándose un sistema de circuitos de conmutación que funcionan como puertas lógicas (NOR o NAND, lo que permite representar 0 o 1). En función del número de bits que una celda pueda contener (1, 2 o 3), las memorias de estado sólido se denominan respectivamente SLC, MLC o TLC (Single Level Cell, Multi Level Cell o Triple Level Cell).

Los SSD (Solid State Drives) son un tipo de soporte, basado en memoria de tipo NAND flash, de gran capacidad (hasta 15 TB) y excelente rendimiento, con interfaces de acceso SAS, que están sustituyendo a los discos duros magnéticos especialmente en sistemas de almacenamiento de nivel empresarial que requieren altas prestaciones de los soportes.

4. SISTEMAS DE ALMACENAMIENTO

Cuando los datos constituyen un registro de las actividades de una organización, como ocurre con los documentos electrónicos en la administración pública, asegurar la accesibilidad, disponibilidad e integridad de los mismos durante todo su ciclo de vida es fundamental. La pérdida de información o su alteración, debida a errores humanos, catástrofes naturales, ataques intencionados, fallos técnicos, etc., es un riesgo que debe tenerse en consideración por las consecuencias que podría acarrear (pérdidas económicas, revelación de secretos o difusión de datos personales, pérdida de confidencialidad de los datos, etc.).

Por estas razones, para garantizar la accesibilidad, disponibilidad e integridad de los documentos electrónicos, la administración pública tiene la obligación de emplear soportes de almacenamiento que sean capaces de ofrecer el nivel necesario de consistencia e integridad de los datos contenidos en ellos.

Los soportes de almacenamiento, especialmente los discos duros magnéticos y los SSD, pueden agruparse e interconectarse para ofrecer una mayor capacidad de almacenamiento y mejores tasas de transferencia de datos, garantizar la accesibilidad y disponibilidad de los documentos electrónicos frente a fallos de los mismos soportes, asegurar la consistencia e integridad de los datos ante errores humanos o de las aplicaciones que los gestionan y controlar el acceso a la información.

Estas agrupaciones de soportes se realizan en los denominados sistemas de almacenamiento. Una cabina de almacenamiento (conocida en la literatura técnica como «storage array») es el elemento central de estos sistemas. A continuación resumimos cómo funciona:

• Una cabina contiene un número elevado de soportes de almacenamiento (discos duros magnéticos y SSD) que se organizan en grupos más pequeños de similares características técnicas (tamaño, velocidad de rotación, etc.). Estos grupos (el número de componentes será siempre par) se estructuran mediante un sistema denominado RAID (Redundant Array of Independent Drives): mediante él un fichero (por ejemplo, un documento electrónico) no se almacenará en un único soporte físico, sino que se dividirá en partes que se repartirán entre todos ellos.

• Adicionalmente se realizará además un cálculo de paridad de estas partes en que se divide un fichero, obteniéndose con ello otros datos adicionales que también se guardarán en los mismos soportes y que permitirían reconstruir todo el fichero en caso de pérdida de una de sus partes.

• El espacio de almacenamiento de cada soporte, en cada uno de estos grupos en que se organiza una cabina de almacenamiento, se dividirá en porciones que se distribuyen entre todos los soportes. Estas porciones se denominan volúmenes, y no pueden asociarse a un único soporte sino a un conjunto de ellos. Esta disasociación entre soporte físico y volumen recibe el nombre de virtualización del almacenamiento.

• Algunas cabinas permiten distribuir un mismo volumen entre grupos distintos de soportes, e incluso asignar de forma dinámica partes del mismo volumen a grupos de soportes en función del número de accesos. Esta distribución consigue aumentar el rendimiento de las cabinas de almacenamiento y atender al mismo tiempo a un número elevado de usuarios o aplicaciones.

• Además de los soportes, las cabinas disponen de otros elementos tecnológicos, como memoria caché, controladoras, fuentes de alimentación, puertos de conexión, etc., que suelen estar redundados (para evitar que el fallo de uno de ellos afecte al funcionamiento de la cabina), y que son necesarios para su funcionamiento.

• Por último, las cabinas incorporan funcionalidades de réplica de datos (a nivel de volumen) contra otras cabinas, que por motivos de seguridad deberían ubicarse en una localización distinta (edificio o población).

Los servidores que deben acceder a una cabina de almacenamiento (por ejemplo, aquellos en los que residen las aplicaciones que gestionan documentos electrónicos) se conectarán a los puertos de la misma mediante una red específica de almacenamiento (SAN o Storage Area Network) o a través de una red

Ethernet si el acceso se realiza mediante un servidor de ficheros (o NAS) empleando en estos casos protocolos de compartición de ficheros (CIFS, NFS).

Las redes SAN (con todos sus elementos, como directores, switches, paneles de cableado, DWDM, etc.) y las tarjetas específicas que emplean los servidores para conectarse a estas redes, son otros elementos que forman parte de un sistema de almacenamiento.

Por su parte los sistemas operativos de los servidores conectados a una cabina permiten crear, a su vez, sobre un conjunto de volúmenes del mismo grupo o de distintos grupos de soportes de una cabina, otras estructuras «lógicas», como sistemas de ficheros, o nuevos volúmenes.

5. ALMACENAMIENTO EN LA NUBE

Un nivel de abstracción mayor en cuanto al uso de soportes de almacenamiento se produce cuando el acceso a éstos se realiza mediante protocolos seguros de red (como https) o API's[12] específicas como S3, empleadas por aplicaciones. Es lo que se conoce como almacenamiento como servicio (SaaS, Storage as a Service) o almacenamiento en la nube. Su aparición y desarrollo ha ido de la mano con Internet, ya que es el medio de comunicación necesario para el acceso «a la nube».

En la práctica supone disponer de uno o varios sistemas de almacenamiento como los descritos en el apartado anterior, ubicados a su vez en uno o varios centros de proceso de datos interconectados entre si mediante una red SAN extendida o a través de redes Ethernet. En estos sistemas se reserva un número determinado de volúmenes, a los que se les proporciona unos permisos de acceso específicos, y a los que sólo es posible acceder mediante un navegador web que utilice Internet con una conexión tipo https.

Actualmente diversos proveedores tecnológicos ofrecen este tipo de servicios de almacenamiento, tanto a empresas como a particulares[13]. Lo habitual es contratar un determinado espacio por una cuota mensual. Los ficheros se «suben a la nube» desde el ordenador del usuario o pueden ser creados directamente «en la nube». Una vez almacenados en este tipo de repositorio los documentos electrónicos pueden ser consultados, modificados e incluso eliminados. También es posible activar una funcionalidad de versionado, que permite conservar las distintas versiones de un documento que ha sido editado o modificado. En algunos casos esta funcionalidad podría limitar las posibilidades de eliminación de estos ficheros.

---

(12) Una API o «Application Programming Interface» es un elemento de tipo software que conecta entre sí distintos módulos de software, proporcionando funciones comunes.

(13) Ejemplos de servicios de almacenamiento en la nube son Dropbox, iCloud de Apple, Azure de Microsoft, Google Drive, etc.

La seguridad de los datos almacenados en estos entornos se garantizaría mediante su cifrado y el control de accesos. Asimismo se realizan copias de seguridad que permitirían recuperar los datos en caso de pérdida o modificación accidental. En cuanto al rendimiento de estos servicios dependerá de la velocidad de acceso de Internet, por lo que actualmente no sería recomendable para el almacenamiento de datos que requieran de un tratamiento casi instantáneo.

En cualquier caso el almacenamiento en la nube puede representar un ahorro en las inversiones en infraestructuras de almacenamiento, especialmente si el tamaño requerido por una organización es pequeño. Esto convierte a este modo de almacenamiento en una alternativa real al modelo tradicional de sistemas de almacenamiento redundados ubicados en instalaciones propias.

6. PROBLEMÁTICA DE LOS SOPORTES

Existen una serie de factores que, por un lado, incidirán en la conservación de los soportes y de la información que contienen y, por otro, en aspectos relacionados con la seguridad y la confidencialidad de los datos.

El primero de estos factores es lo que se denomina vida útil de un soporte, que es el tiempo durante el cual se espera que funcione sin fallar de manera irremediable. Un segundo factor es la obsolescencia, que podría considerarse como la inadecuación del soporte a nuevas condiciones tecnológicas, lo que suele corresponder con el final de su ciclo de vida. Un tercer factor es la seguridad de la información que ofrecen los distintos soportes, especialmente en entornos como el almacenamiento en la nube.

Estos factores se han tenido en cuenta especialmente en relación con los documentos electrónicos y con los soportes más adecuados para su conservación (discos duros magnéticos, SSD y cintas magnéticas).

6.1. Vida útil

Los discos duros magnéticos empleados en cabinas de almacenamiento giran continuamente, por lo que el desgaste o los fallos de los distintos elementos mecánicos llevarán necesariamente, en un plazo más o menos largo, a su reemplazo. La vida útil estimada de un disco de estas características se situaría entre 3 y 5 años.

Las cintas magnéticas deben conservarse en ambientes controlados (temperatura constante, humedad, ausencia de radiaciones magnéticas). Su vida útil estimada es de unos 30 años[14], si se respetan estas condiciones.

En cuanto a los soportes ópticos, hay que señalar que los materiales que forman sus distintas capas pueden degradarse ante unas determinadas condiciones

---

(14)   HEWLETT PACKARD. C04154430 – 11529 – Worldwide – V21 – 04-December-2017.

ambientales (humedad, temperatura, presencia de compuestos químicos, luz solar directa, etc.), y es relativamente fácil rayar accidentalmente un disco óptico. En cualquier caso el tipo de disco (regrabable, WORM, etc.) determinará su vida útil, aunque no existe un consenso acerca del número máximo de años durante los cuales este tipo de soportes podría mantenerse operativo.

Las memorias de estado sólido tienen en común que su vida útil depende del número total de escrituras[15] o número de ciclos por celda. Cada tipo de memoria tiene un número máximo de ciclos, que estará en función también del número de bits por celda. Cuando se llega al número máximo la celda queda inutilizada.

En cualquier caso, los soportes de almacenamiento no tienen una vida útil estimada comparable a la de los documentos en papel, por lo que deberán renovarse periódicamente con el gasto consecuente. Además, estas operaciones de traspaso de información de un soporte a otro tienen un riesgo de pérdida o alteración de la información almacenada, con lo que habrá que contemplar esta posibilidad y tomar las medidas técnicas necesarias para garantizar la integridad y disponibilidad de los datos.

6.2. Obsolescencia

La obsolescencia de un soporte de almacenamiento podría afectar a la vida útil de un soporte, reduciéndola aunque no exista un fallo irremediable del mismo.

El primer aspecto que determina la posible obsolescencia de un soporte es su tamaño. Por ejemplo, los soportes de almacenamiento habituales en los años 80 cuantificaban su tamaño en MB (Megabytes, o millón de bytes). Los soportes actuales lo hacen en TB (Terabytes, un millón de un millón de bytes). Evidentemente la cantidad de datos que deben almacenarse ha crecido exponencialmente y parece que continuará haciéndolo.

Un segundo aspecto está relacionado directamente con la tecnología que permite el acceso a los datos contenidos en los soportes. En este caso la obsolescencia estará relacionada con el hecho de que no existan dispositivos de lectura para el soporte (por ejemplo, para cintas magnéticas), con que la interfaz de acceso haya caído en desuso (discos magnéticos), con que el software que controla estos soportes o los dispositivos de lectura (denominado firmware) no pueda actualizarse, etc.

6.3. Seguridad

No todos los soportes garantizan la seguridad de los datos que contienen de la misma forma. Los soportes removibles (o transportables), entre los que encon-

---

(15)   En este tipo de soportes las operaciones de borrado de celdas también cuentan como operaciones de escritura.

traríamos las cintas magnéticas o los discos ópticos, son probablemente los más inseguros, ya que pueden ser objeto de sustracción. Los discos duros magnéticos y los SSD, al formar parte de cabinas de almacenamiento, presentan una seguridad mayor, reforzada si es necesario con el uso de técnicas de cifrado y el control de accesos que implementan los sistemas operativos, las aplicaciones de gestión documental e incluso los sistemas de almacenamiento.

Otro elemento relacionado con la seguridad y, especialmente, con la confidencialidad de los datos, es la eliminación de los documentos electrónicos. Mediante avanzadas técnicas forenses podría recuperarse la información eliminada de un soporte de almacenamiento, siempre que alguien no autorizado pudiera acceder a esos soportes. La reutilización continua de los soportes reduce este tipo de riesgos, pero la sustitución o renovación completa de una cabina de almacenamiento podría aprovecharse para realizar este tipo de acceso no autorizado e intentar acceder a datos almacenados e incluso borrados.

Finalmente, el almacenamiento en la nube puede presentar bastantes problemas de seguridad, ya que la gestión y ubicación externa de los sistemas de almacenamiento dificulta la verificación y control de las medidas de seguridad necesarias para garantizar la confidencialidad de los datos. El robo de datos (en forma de copia), la alteración o simplemente el acceso no autorizado a los mismos, son riesgos que sufre cualquier sistema de información, pero que en un entorno de nube pública (el almacenamiento contratado a un proveedor externo a la organización) pueden resultar más difíciles de controlar o detectar.

7. BIBLIOGRAFÍA

BLACK, Edwin, *IBM and the Holocaust: The Strategic Alliance Between Nazi Germany and America's Most Powerful Corporation*, New York, Crown Publishers, 2001.

HILBERT, Martin y LÓPEZ, Priscila, «The World's Technological Capacity to Store, Communicate, and Compute Information», *Science*, 332 (2011), págs. 60 a 65.

MANIJAK, Peter; STEWART, Martin; VILD, Pavel, «Storage Concepts. Storing and Managing Digital Data», *HDS Academy*, Hitachi Data Systems, 2012.

MILLARUELO GÓMEZ, Alejandro y PÉREZ DE LEMA SÁENZ DE VIGUERA, Andoni, «Destrucción o eliminación segura de documentación electrónica y soportes informáticos», en Política de Gestión de documentos electrónicos del Ministerio de Hacienda y Administraciones Públicas», Ponencias complementarias al documento, Madrid, Ministerio de Hacienda y Administraciones Públicas, 2014, págs. 145 a 174.

VILLAREJO SÁNCHEZ, Nadia, «Del soporte papel perforado y cinta magnética al disco 3D holográfico anatómico nanotecnológico: nuevos soportes magneto-ópticos y ópticos de almacenamiento masivo de información», *Anales de documentación*, revista de biblioteconomía y documentación, 10 (2007), págs. 429 a 450.

VALENTÍN RUIZ, Francisco José, «Preservación digital en la nube como modelo de futuro», *Revista de Estudios Archivísticos de Castilla y León* núm. 19 (2016), págs. 351 a 366.

VASIC, Bane, y KURTAS, Erozan M., *Coding and signal processing for magnetic recording systems*, Boca Raton, Taylor & Francis Group, LLC, 2004.

PARTE VII.

ORGANIZACIÓN DEL DOCUMENTO

46.

TRANSFORMACIÓN DIGITAL DE LOS MODELOS NACIONALES DE GESTIÓN DE DOCUMENTOS

Joaquim LLANSÓ SANJUAN

Director del Servicio de Archivos y Patrimonio Documental — Gobierno de Navarra

jllansos@navarra.es

1. INTRODUCCIÓN

En 1993 apareció la primera monografía que analizaba la gestión de documentos en el panorama internacional y caracterizaba los principales modelos existentes (J. LLANSÓ, 1993). Transcurridos veinticinco años desde su publicación, el objeto de este estudio no es otro que presentar el estado actual de los principales modelos nacionales de gestión de documentos identificados entonces como referentes: Estados Unidos, Canadá francófono (Quebec), Reino Unido, Francia e Italia. España no consiguió dotarse de un modelo nacional. Sí lo hizo algo más tarde Australia: en los años 90 del pasado siglo, en un contexto de crisis de los modelos dominantes, afloró el modelo del continuo, que adquirió la hegemonía internacional con la publicación de la norma ISO 15489 en 2001. Esta norma, adoptada como guía de buenas prácticas, concentró en torno a sí las diferentes perspectivas hasta entonces existentes y propició la evolución de la gestión de documentos hacia la certificación de sistemas. Finalmente, la revisión de esta norma en 2016 ha trazado nuevas perspectivas para la gestión de documentos electrónicos, que se materializarán a lo largo del próximo decenio. Sobre este impulso normalizador se han ido desarrollando, hasta la actualidad y en un proceso ininterrumpido, los modelos nacionales de gestión de documentos digitales.

2. LOS MODELOS NACIONALES DE GESTIÓN DE DOCUMENTOS

2.1. Características y tipología

Puede decirse que el concepto gestión de documentos abarca el conjunto de principios, técnicas e instrumentos que se aplican sobre los documentos a lo largo del tiempo, desde su origen en un entorno de producción, en el contexto de los procesos de gestión, hasta su transferencia a otro entorno de gestión netamente archivística, para la conservación de documentos con valor permanente. La doctrina ha venido distinguiendo tres etapas o fases, activa, semiactiva y no activa, con diferentes regulaciones y responsabilidades.

En el marco definido en dicho concepto, el estudio de J. LLANSÓ de los modelos de gestión de documentos de 1993, que correspondía a un contexto netamente analógico, ponía de manifiesto la existencia de dos grandes modelos, uno norteamericano y otro europeo, cada uno de ellos con dos submodelos. El modelo norteamericano evidenciaba unos rasgos característicos, aunque en su interior el submodelo de los Estados Unidos presentaba unas diferencias evidentes en relación con el submodelo de Quebec. Por otro lado, el modelo europeo tampoco era uniforme, sino que existían divergencias surgidas por la presencia o no de oficina de archivos corrientes (registros) y el papel desarrollado por las instituciones archivísticas.

Por una parte, el modelo norteamericano se inscribía en unas administraciones jóvenes y dinámicas, embebidas del sistema de derecho administrativo de origen anglosajón (el *Rule of Law)*, en constante redefinición, preocupadas por los beneficios y las economías resultantes de una óptima gestión de los documentos. No partían de herencias pluriseculares, lo que las empujaba a acometer con optimismo y desenfado nuevas experiencias: sólo así se explicaba el avance de la gestión de documentos ya en los primeros años tras su reconocimiento legal. Pero tanto los Estados Unidos como Quebec desarrollaron de manera distinta la gestión de los documentos, si bien su influencia internacional fue extraordinaria. El *records management* estadounidense y la *gestion des documents administratifs* fueron, por este orden, los modelos de referencia para las principales instituciones internacionales en su difusión archivística.

Por otro lado, el modelo europeo partía de unas tradiciones archivísticas pluriseculares, imbricadas en unas administraciones algo arcaicas, si bien a finales del siglo XX se hacían evidentes redefiniciones y reestructuraciones administrativas generalizadas en toda Europa. En cuanto a gestión de documentos se refiere, la existencia o no de oficinas de archivo corriente (conocidos como registros) marcó dos evoluciones distintas, trazadas ya antes de la llegada de la nueva doctrina archivística de los Estados Unidos. Puede decirse que la nueva teoría incidió positivamente en la potenciación de los documentos contemporáneos como área de trabajo de los archiveros, hasta entonces exclusivamente concentrados, salvo raras excepciones, en los fondos con valor histórico. Los principales modelos europeos eran el *préarchivage* francés, el *registry* británico y las registraturas germánicas —de las que derivó en último extremo el *protocollo* italiano—.

2.2. La preeminencia del modelo norteamericano

Pese a la existencia de una base amplia de modelos existentes, las orientaciones en relación a cómo tratar los documentos en su etapa administrativa llegaron desde la perspectiva del denominado *records management*, el más dinámico de todos, de la mano de las organizaciones más influyentes en el panorama archivístico internacional: Unesco y Consejo Internacional de Archivos.

El Programa RAMP de la Unesco (operativo entre los años 1979 y 1998), tendía a considerar los archivos como instrumento de eficacia administrativa y como fuentes de planificación y desarrollo social y económico, prevaleciendo su valor administrativo frente a su valor cultural. En dicho contexto destacaron por su impacto internacional los trabajos de J.B. Rhoads (1983 y 1989), en los que hablaba de las fases (creación, mantenimiento y uso y disposición de los documentos, más una cuarta de gestión de los documentos con valor permanente), de los niveles de implantación de los que hoy conocemos como procesos de gestión documental (niveles mínimo, mínimo incrementado, intermedio y óptimo) y los beneficios de un programa de gestión de documentos: beneficios económicos y en productividad, economías en eficiencia y efectividad en la planificación de actividades y el uso juicioso y responsable de la automatización y la reprografía.

Esta perspectiva se completó mediante las iniciativas del Consejo Internacional de Archivos a través de las actividades de su comité mixto sobre los problemas de la gestión de documentos (creado en 1977), Conferencias Internacionales de la Mesa Redonda de Archivos (con preferencia sobre depósitos intermedios y evaluación documental), simposios y seminarios regionales y las publicaciones de los Comités Técnicos del Consejo. Esa tendencia se rompió con la aparición de primera norma internacional de descripción archivística, ISAD (G), en 1994.

2.3. La crisis de los modelos de gestión de documentos

Los modelos de gestión de documentos entraron en crisis en los primeros años de la década de los 90 del pasado siglo. Entre sus causas cabe destacar las fuertes restricciones presupuestarias de fines de los 80 y las nuevas reflexiones en relación a la percepción del ámbito de la actuación archivística, derivadas de las nuevas necesidades de la administración. Como consecuencia, se produjo una inversión de la fase de efervescencia archivística desarrollada entre las décadas de 1960 y 1980, que llevó a una rápida saturación de los depósitos y, en consecuencia, a una serie de replanteamientos, por un lado en cuanto a quién debía asumir los altos costes de gestión, y por otro en relación a cuáles debían ser las prioridades en las instituciones de archivos. En este contexto, la administración exigía de los archiveros satisfacer sus necesidades.

La respuesta llegó en forma de conclusiones, que fueron distintas en Norteamérica y Europa. En Norteamérica prevaleció la idea de buscar nuevas soluciones a través del concepto de gestión integral y la práctica de la racionalización, en tanto que en Europa se asistió a un repliegue hacia la gestión de la documentación con valor permanente.

Mientras esto sucedía en el contexto internacional, en Australia se estaba formulando un nuevo modelo, que apostaba en integrar la gestión de documentos en las especialidades incluidas en la *Information Resources Management*, que constituía a finales del siglo XX la punta de lanza del *records management* estadounidense, si bien profundizando en la metodología, los procesos y los instrumentos específicos de la gestión documental.

2.4. Surgimiento del Records Continuum Model australiano

El *Records Continuum Model* surgió en los años 90 del siglo pasado en la Universidad de Monash, a cargo de F. Upward (1996), como una respuesta a los retos que suponía para la archivística la gestión de los documentos digitales. Este autor sitúa el continuo en un contexto amplio, donde actividades e interacciones transforman borradores (*documents*) en documentos de archivo (*records*), evidencia y memoria, que tienen diversos usos y finalidades a lo largo del tiempo. La gestión de documentos incluye actividades de creación, captura, organización y continuidad a través del tiempo y en ubicaciones distintas, como son las organizaciones y las instituciones archivísticas. En este sentido, el modelo incluye la función de gestión netamente archivística en las funcionalidades de un sistema de gestión de documentos.

Concretamente, la amplia visión del modelo del continuo incorpora a la orientación a la eficiencia ya existente las nuevas ideas de responsabilidad y rendición de cuentas y del valor del documento como evidencia, conseguida mediante una adecuada asignación y gestión de los metadatos, a la par que integra la gestión de los documentos en el contexto de la gestión de la información.

La consagración del *Records Continuum Model* se sitúa en 2001, cuando aparece en el escenario internacional la norma ISO 15489, en sus dos partes, inspirada en el mismo.

3. LA GESTIÓN DE DOCUMENTOS EN EL ESCENARIO DE LA NORMALIZACIÓN

3.1. Las buenas prácticas: ISO 15489

ISO comprendió la importancia de la tarea de convertir en norma internacional una norma australiana de 1996, AS 4390, orientada a cubrir el vacío existente en las normas de gestión de la calidad (ISO 9000) en relación a la gestión de los documentos en las organizaciones (los denominados *quality records*).

El esfuerzo se concretó en 2001, cuando surge en el panorama internacional la norma ISO 15489.

Con la rápida y plena aceptación universal de los postulados de la norma ISO 15489 como guía para buenas prácticas en gestión de documentos en las organizaciones, se asiste a la convergencia de las diferentes aproximaciones existentes hasta entonces en un único modelo de referencia basado en conseguir, mediante la difusión de buenas prácticas consensuadas internacionalmente, que las organizaciones dispongan de un sistema de gestión de documentos que asegure su carácter de auténticos, fiables, íntegros y disponibles a lo largo del tiempo. Por primera vez se habla de procesos de gestión documental, con lo que las técnicas de tratamiento archivístico se sitúan al mismo nivel que los otros procesos de gestión sobre los que las organizaciones sustentan sus actividades.

De hecho, la norma supone la plasmación del más destacado esfuerzo de consenso llevado a cabo hasta el momento por establecer un modelo internacional de buenas prácticas de gestión de documentos en un contexto difícil, dominado por tradiciones nacionales muy distintas entre sí y difícilmente compatibles, en muchos casos. La creciente complejidad en cuanto a la gestión de los documentos electrónicos, así como la necesidad de interoperar a todos los niveles, aconsejaban un acercamiento metodológico en la teoría y en la praxis de la gestión de documentos.

Posteriormente fueron surgiendo nuevas normas encuadradas en la denominada «familia ISO 15489» que abarcan diferentes ámbitos: metadatos (ISO 23081), procesos de trabajo en gestión de documentos (ISO/TR 26122), digitalización de documentos (ISO/TR 13028), requisitos funcionales para los documentos en entornos de oficina electrónicos (ISO 16175), migración y conversión de documentos electrónicos (ISO 13008), repositorio de tercero de confianza para documentos electrónicos (ISO/TR 17068) y evaluación de riesgos para procesos y sistemas de documentos (ISO/TR 18128).

En paralelo a esta familia de normas, ISO ha ido publicando otras normas orientadas a la conservación de los documentos electrónicos: el formato de conservación pdf-A (ISO 19005), estrategias de conservación frente a riesgos y obsolescencia (ISO/TR 18492), recomendaciones para la veracidad y fiabilidad de la información (ISO/TR 15801) y el modelo OAIS como sistema de información archivística abierto (ISO 14721).

3.2. La serie de normas ISO 30300: la certificación de sistemas

En el contexto de revisión ordinaria a la que somete sus normas, ISO consideró ya en 2008 que el ciclo como buenas prácticas que representaba la norma ISO 15489 de 2001 estaba agotado, por lo que apostó por la certificación de sistemas de gestión de documentos en el marco de un esfuerzo estratégico por integrar estos sistemas entre los sistemas de gestión más relevantes de las organizaciones (calidad, medio ambiente, seguridad de la información o energía), orientando su mensaje a los directivos.

Así, en 2011 se publican dos nuevas normas ISO relativas a «sistemas de gestión para documentos» y orientadas a su certificación, fruto de un profundo cambio de estrategia. Las normas ISO 30300 (orientada a fundamentos y vocabulario) e ISO 30301 (que expone una serie de requisitos para la certificación), parten de la premisa de que un «sistema de gestión» es resultado de la manera en que la alta dirección de una organización establece sus políticas y objetivos, y determina las estrategias para conseguirlos. Dado que todas las organizaciones crean documentos en el desarrollo de sus actividades, estos son un elemento más del «sistema de gestión» general de cada organización. Estas normas, como sucede con el resto de normas de sistemas de gestión, se dirigen a los no especialistas y tienen limitaciones específicas en relación a su estructura, vocabulario y orientación a la auditoría.

3.3. La nueva norma ISO 15489 de 2016

En 2016 tuvo lugar el alumbramiento de una nueva primera parte de la norma ISO 15489, relativa a «conceptos y principios» de la gestión de documentos, adaptada a las estrategias definidas en las normas de 2011. Si bien la norma ISO 15489 de 2001 supuso la culminación del modelo del continuo australiano como buena práctica internacional de gestión de documentos en entornos híbridos, la renovación de la norma en 2016 proyecta la nueva gestión de documentos electrónicos en un contexto presidido por la certificación de sistemas basada en ISO 30301:2011.

Cabe calificar la norma ISO 15489 de 2016 como de muy innovadora en su planteamiento, situando la evaluación de la actividad de la organización y del análisis de los procesos de trabajo de los que se sirve y sus riesgos (esto es, el contexto) en el epicentro para la determinación de los requisitos institucionales de gestión de documentos y su concreción en políticas y procedimientos que, a su vez, sirvan de marco para el diseño e implantación de controles y procesos de gestión de documentos. Al mismo tiempo, proyecta un nuevo alcance para el concepto de sistema, mucho más integrador, en el que incluye elementos técnicos, como el software, y no técnicos, como la política, los procedimientos, las personas y las responsabilidades. Todo ello bajo medidas de seguimiento y apoyado en una sólida formación.

4. LA TRANSFORMACIÓN DIGITAL DE LOS MODELOS DE GESTIÓN DE DOCUMENTOS

Nos fijaremos a continuación en qué se ha concretado, a día de hoy, la transformación digital en los modelos nacionales de gestión de documentos más relevantes presentes en el panorama internacional a finales el siglo XX.

4.1. Estados Unidos

4.1.1. El records management

En Estados Unidos nació, a mediados del siglo XX, el concepto «gestión de documentos» (records management), para dar solución a los problemas de inflación documental existentes en la administración con el objetivo de reducir al mínimo el volumen de documentos que debía conservarse por su valor histórico, bajo criterios económicos y de rentabilidad. La iniciativa se inscribió en una «política de Estado» ya consolidada, dirigida a la racionalización del conjunto de las prácticas administrativas.

La inflación documental se solucionó con la implantación de calendarios de conservación (records schedules), impulsados por las propias agencias, si bien el Archivo Nacional actuaba como garante de la conservación de la documentación con valor permanente, fundamentalmente con el establecimiento de depósitos intermedios, los records centers. La dualidad de intereses entre agencias, centrada en la gestión de los documentos con valor administrativo, y el Archivo Nacional, orientado a la conservación de los documentos con valor histórico, había llevado en los años 80 del pasado siglo a la coexistencia de dos profesiones: records managers y archivists, en un contexto en el que el Archivo Nacional se afanaba en el control de la totalidad del ciclo de vida de los documentos, si bien la influencia del modelo federal era relativa en las administraciones estatal y local.

Sin embargo, fue en el ámbito privado donde se situó la vanguardia del modelo, que a comienzos de los 90 iniciaba una evolución hacia la Information Resources Management y más tarde hacia el Knowledge Management, bajo la influencia de otros profesionales de la información, como bibliotecarios, documentalistas y —como consecuencia del impulso de las nuevas tecnologías— informáticos y gestores de sistemas de información[1].

---

(1) Las publicaciones de ARMA muestran perfectamente esta evolución (http://www.arma.org/, consulta 5 de marzo de 2018).

Cabe concluir que el modelo de gestión de documentos de los Estados Unidos fue desde mediados del siglo XX la referencia obligada para el resto de países, inclusive aquellos que habían desarrollado su propio modelo. Su influencia no dejó de aumentar con el auge de las nuevas tecnologías en los años 90: el microfilm y, especialmente, la informática.

4.1.2. Situación actual

En la actualidad, las líneas de acción desarrolladas por el Archivo Nacional de los Estados Unidos en cuanto a la gestión de documentos están ligadas en exclusiva a los documentos electrónicos[2]. Se basan en la renovación de las políticas y prácticas nacionales en gestión de documentos aparecida en 2012, como consecuencia del *Presidential Memorandum -Managing Government Records* firmado por el Presidente Obama el año anterior, al objeto de fomentar la apertura y rendición de cuentas sobre las actuaciones y decisiones del Gobierno en base a documentos, así como de minimizar los costes en gestión de documentos y ganar en eficiencia. Sobre estos principios reposa el sistema nacional de gestión de documentos, que destaca de manera expresa las siguientes líneas:

- Gestión del correo electrónico.

- Archivos intermedios (*Federal Records Centers* – FRC).

- Transferencia física y custodia legal de documentos de conservación permanente.

Gestión de documentos electrónicos, donde destacan el sistema ERA, que da soporte a la conservación y acceso a los documentos electrónicos de valor permanente y la guía sobre formatos de ficheros para la transferencia de documentos electrónicos de valor permanente por parte de las agencias al Archivo Nacional.

- Recursos de referencia[3].

- Manual de gestión de documentos, donde destacan los requisitos, guías y recursos para la inclusión de la gestión de documentos en los sistemas de información electrónica en las agencias.

- Política y guías de gestión de documentos, que inciden en la transferencia de documentos y la recuperación frente a desastres y documentos esenciales.

---

(2) La información de este apartado procede del análisis del contenido de los enlaces que residen en la página web del Archivo Nacional de los Estados Unidos dedicada a la gestión de documentos: https://www.archives.gov/records-mgmt.

(3) Presenta un total de 195 recursos, 97 de ellos producidos por el propio Archivo Nacional.

• Iniciativas en gestión de documentos, donde destaca el estándar DoD 5015.2, relativo a criterios para el diseño de aplicaciones de gestión de documentos electrónicos.

• Formación en gestión de documentos.

Los aspectos más relevantes en el panorama actual de la gestión de documentos en el modelo norteamericano se organizan en cuatro ámbitos:

1) *Conceptos básicos y metodología de gestión de documentos*

Abarca las cuestiones de terminología y conceptos de la gestión de documentos y la tecnología de la información, el paso de la gestión tradicional a la gestión de documentos electrónicos, la gestión de documentos compuestos, la gestión de documentos en el entorno del teletrabajo, la gestión de documentos compartida por varias agencias, la comunicación con profesionales de las tecnologías de la información, los requisitos y componentes básicos para la creación, mantenimiento, uso y disposición de documentos y correo electrónicos (inclusive en el diseño de sistemas de información), los requisitos legales, la formación y la implantación de la gestión de documentos electrónicos en las agencias.

2) *Procesos y controles de gestión de documentos*

Incide en cuestiones tales como la aprobación, publicación y gestión de calendarios de conservación (incluyendo los denominados calendarios «flexibles»), la transferencia de documentos electrónicos permanentes (incluyendo conjuntos de metadatos y uso del formato pdf/A-1), la gestión y conservación de documentos sobre la identidad digital (PKI), la evaluación de documentos y requisitos de transferencia de documentos permanentes de contenido web, los datos geoespaciales, la fotografía digital, los documentos en formato pdf, las imágenes obtenidas de documentos textuales y mensajes de correo electrónico con sus anexos, así como los planes de contingencia para condiciones de emergencia y para proteger derechos legales y financieros.

3) *Tipologías y formatos de documentos electrónicos*

Incluye la gestión de correo y mensajes electrónicos (mensajes de texto, chat/mensajería instantánea, redes sociales, mensajes de voz), las implicaciones en gestión documental de la puesta en marcha de servicios en la nube, los formatos electrónicos aceptados, los sistemas de archivo de correo electrónico, los formatos para la conservación de documentos electrónicos a largo plazo y los soportes de almacenamiento para documentos de valor efímero (CD y DVD) y el tratamiento de documentos digitales de audio y vídeo, así como las implicaciones documentales de los portales web, blogs y wikis (tanto de contenidos como las operaciones realizadas en los mismos).

4) *Tecnología aplicada a la gestión de documentos*

Abarca la evaluación de programas de gestión de documentos, las herramientas de software libre para la gestión de documentos, el valor de la información creada usando herramientas web 2.0, las tecnologías de encriptación y la evaluación de soluciones de gestión de documentos electrónicos (ERM y ERK).

4.2. Quebec

4.2.1. *La gestion des documents administratifs*

El modelo de Quebec tuvo una enorme vitalidad en los años 80 del siglo XX, a través de la formulación por parte de su Archivo Nacional de una serie de políticas y programas de gestión de documentos que abarcaban todas las fases del ciclo de vida, muy bien definida a nivel legislativo y reglamentario. El peso del Archivo Nacional en la fase activa del ciclo de vida llegó a ser cualitativamente más importante que el que tenía el Archivo Nacional de los Estados Unidos.

El singular interés del modelo en las fases activa y semiactiva generó la extensión en la aplicación de los instrumentos de gestión documental (cuadro de clasificación, calendario de conservación e inventario —*répertoire*— de documentos), en cuya fuerte interdependencia reposaba la «archivística integrada»[4]. Este concepto, nacido al comienzo de los años 90, se caracterizaba por la articulación del ciclo de vida en fases (activa, semiactiva e inactiva), superando la contemplación de la gestión de los documentos por tipos de archivos hasta entonces existente (archivo de oficina, intermedio e histórico) y sentando la importancia de la clasificación y la evaluación como procesos clave de la actividad archivística. En consecuencia, no es de extrañar que su política de gestión de documentos semiactivos impulsara los calendarios de conservación, que en pocos años llegaron a abarcar la práctica totalidad de los documentos producidos por la administración, así como la dotación de centros de documentos semiactivos.

El modelo otorgaba gran relevancia a las nuevas tecnologías —especialmente la informática— en la gestión de la documentación administrativa.

---

(4)   Sorprendía la polémica presente en la bibliografía esos años sobre la preeminencia del cuadro de clasificación (lo que equivalía a dar prioridad a atender las necesidades de la administración) o del calendario de conservación (que priorizaría la protección de los documentos con valor histórico).

4.2.2. Situación actual

De acuerdo con la Ley de Archivos de Quebec, aprobada en 1983 y sucesivamente modificada, los organismos públicos de Quebec de los ámbitos gubernamental, legislativo, judicial, municipal, educativo, sanitario y de los servicios sociales tienen como referencia «la política de gestión de los documentos activos y semiactivos establecida por la Biblioteca y el Archivo Nacional de Quebec», y «deben establecer y mantener actualizado un calendario de conservación que determine los períodos de utilización y los soportes de conservación de sus documentos activos y semiactivos, indicando qué documentos inactivos son conservados de manera permanente y cuáles serán eliminados»[5].

En 2004 se crea la Biblioteca y Archivo Nacional de Quebec como una sola entidad, uniendo la Biblioteca y el Archivo nacionales hasta entonces autónomos.

Las iniciativas que desarrolla actualmente el modelo de Quebec en cuanto a gestión de documentos obedecen a las líneas de acción siguientes:

1) Normativa

En el ámbito normativo prevalecen aun hoy las políticas de gestión de documentos activos, semiactivos e inactivos dictadas en los años 80 del siglo pasado y el Reglamento sobre el calendario de conservación, la transferencia, el depósito y la eliminación de los archivos públicos (integrado en la Ley de Archivos).

En este contexto destaca la Directiva sobre la seguridad de la información gubernamental (2014), que se aplica a lo largo de su ciclo de vida, sustentada por unos esquemas de gestión de la seguridad de la información y de gestión de riesgos. La Directiva asimila los documentos y los bancos de datos, que justifica por el hecho de que «los elementos estructurales permiten la creación de documentos mediante la delimitación y la estructuración de la información que incluye».

2) Plan de clasificación y calendario de conservación

En cuanto se refiere al plan de clasificación, incluye un cuadro tipo para las instituciones públicas (1995).

Por lo que respecta al calendario de conservación, abarca una guía (1996) que aborda la retirada y transferencia de documentos tanto semiactivos como inactivos, las responsabilidades y el método de aplicación del calendario de

---

(5) La información de este apartado procede del análisis del contenido de los enlaces que residen en la página web de la Biblioteca y Archivo Nacional de Quebec: http://www.banq.qc.ca/.

conservación. Asimismo incluye las reglas de conservación de documentos comunes de las instituciones públicas (actualizadas en 2016), destinadas a la elaboración y actualización de sus calendarios de conservación, y las decisiones de la evaluación de documentos adoptadas teniendo en cuenta el conjunto de las funciones archivísticas (2005).

3) Gestión del correo electrónico

En cuanto a gestión del correo electrónico incluye unas orientaciones publicadas en 2006 sobre los diferentes valores, maneras de gestionar y responsabilidades sobre los documentos transmitidos por correo electrónico.

4) Gestión de los documentos esenciales

En el ámbito de la gestión de los documentos esenciales incorpora una guía teórico-práctica para su identificación (2017), de acuerdo con una metodología y unas herramientas determinadas.

5) Gestión integrada de documentos

En relación a la gestión integrada de documentos destaca un modelo general para su adaptación al contexto específico de las instituciones públicas (2004). Asimismo, incluye una estructura de metadatos a utilizar en el momento de captura de documentos en el sistema institucional (2009), acorde con los elementos de metadatos más relevantes según la norma ISO 15836 (Dublin Core).

6) Digitalización

En el ámbito de la digitalización destacan los métodos y recomendaciones para la aplicación de esta técnica (2012), en especial los dirigidos a la destrucción de los documentos en papel una vez digitalizados: resolución, formatos y soportes de conservación.

4.3. Reino Unido

4.3.1. El registry

A finales del siglo XX era el modelo de tratamiento documental más antiguo y extendido del mundo, con enorme peso del derecho consuetudinario. El modelo se basa en el hecho de que registrar un documento constituía la evidencia legal de su autenticidad, si bien de forma progresiva la práctica de registrar cada documento de forma individual fue sustituida por el registro de expedientes, debido a la incapacidad del modelo en ejercer un control eficaz sobre la cantidad creciente de documentos.

En los *registries* los documentos se clasificaban generalmente de acuerdo con su asunto antes de que ser enviados a las oficinas de actuación. Dada la ralentización provocada en la tramitación, se había detectado una tendencia a recurrir a copias indiscriminadas y a sentar plazos de conservación largos en las oficinas.

La responsabilidad en los documentos depositados en los archivos de gestión, gestionados por el *registrar*, correspondía a la propia administración productora, así como la responsabilidad de la gestión los documentos depositados en los archivos intermedios (*records centers*). En Inglaterra el *Public Record Office*— PRO ejercía un papel suplementario en caso de incapacidad de los departamentos y organismos públicos, que podían recurrir a transferir sus documentos semiactivos al «limbo» de Hayes, gestionado por el PRO, si bien se reservaba el papel de control e inspección para garantizar la conservación de la documentación con valor permanente: la práctica de la evaluación de la documentación sobre dos revisiones (*first review* y *second review*) era responsabilidad de cada departamento u organismo público. Una vez que los documentos habían llegado a la institución archivística, ésta se reservaba la aplicación de un principio para devolver el orden originario cuando éste hubiera sido alterado por la administración de origen: el *registry principle*.

La influencia del modelo norteamericano había sido especialmente evidente en la práctica de la periodización, selección y eliminación de documentos y en la implantación de depósitos intermedios.

4.3.2. Situación actual

En el año 2000 la *Freedom of Information Act* vino a suponer en el Reino Unido un auténtico revulsivo para la modernización de la gestión de la información y el punto de partida para la publicación de un elevado número de instrumentos normativos y técnicos para su buena práctica en los departamentos y organismos públicos. A la luz de estos instrumentos no cabe duda de que el Archivo Nacional se ha convertido en el principal punto de referencia para la gestión de documentos en todos los soportes y formatos, en papel y, especialmente, digital.

Concretamente, el Archivo Nacional del Reino Unido aborda la gestión de los documentos electrónicos en las siguientes líneas de actividad[6]:

1) Planificación

El Archivo Nacional reclama constituirse en punto de referencia para los Departmental Records Officers—DRO, y busca asentar el conocimiento de los requisitos estratégicos y legales de la gestión de la información, sus beneficios y resultados. Incluye una guía para la captura de tweets y vídeos, una

---

(6) Los documentos esenciales constituyen entre el uno y el dos por ciento de los documentos de una organización.

herramienta online para evaluar los sistemas de gestión de documentos, una serie de guías de aplicación y unos requisitos para un almacenamiento externo (2009). Es importante destacar la propuesta desarrollada por el Archivo Nacional para la evaluación de la gestión de información—IMA a través de un programa independiente a la medida de los departamentos y organismos públicos que evalúa cómo gestionan su información y mitigan los riesgos.

Entre las iniciativas destacan unos requisitos para la gestión de información y documentos digitales (2013) que se centran en los beneficios de la gestión de la información: orientación al usuario, gobernanza, propiedad y responsabilidad, uso proporcional de recursos, consistencia en las aplicaciones, continuidad digital, evaluación, transferencia y auditoría.

2) *Política y procesos*

Aborda una combinación de políticas, procesos, herramientas y tecnología de acuerdo con los requisitos estratégicos y legales: archivo de sitios web, disposición de los documentos (destacan sus fases y un checklist), gestión de la continuidad digital y evaluación de riesgos, gestión del correo electrónico y obligación de transferir documentos al Archivo Nacional.

3) *Gestión de riesgos*

Proporciona una guía para la evaluación y gestión de riesgos, incluidas las amenazas cibernéticas, unos checklists para la exportación y transferencia de datos y documentos electrónicos entre sistemas y una guía muy completa sobre cómo abordar la transferencia de funciones entre departamentos del Gobierno.

4) *Selección y transferencia de documentos*

Identifica seis etapas para la selección y transferencia de documentos en papel y otras cinco para la transferencia de documentos digitales al Archivo Nacional con sus metadatos, así como la variedad de formatos de archivo digital que en la actualidad el Archivo Nacional está en condiciones de mantener a largo plazo.

5) *Conservación de los documentos digitales*

Incluye información sobre DROID, la herramienta de software que el Archivo Nacional ha creado para la identificación automática de los formatos de ficheros, así como de la base de datos PRONOM como registro de formatos de fichero.

4.4. Francia

4.4.1. El préarchivage

El modelo francés arrastraba en la segunda mitad del siglo XX las prácticas tradicionales de la administración francesa, lo que limitaba su capacidad de innovación.

Las administraciones no habían sido capaces de generar una estructura organizativa responsable de la gestión de los documentos activos (*archives courantes*) y hasta el año 1969, con la puesta en funcionamiento del Centro de los Archivos Contemporáneos de Fontainebleau, de los depósitos intermedios. El vacío existente se pretendía cubrir desde el Archivo Nacional mediante la promoción e impulso de las *missions* en algunos ministerios: si bien la institución archivística gozaba de un alto prestigio como custodio de la documentación histórica, debía hacer frente al desconocimiento y a las reticencias existentes en el seno de los ministerios en cuanto a su intervención sobre la documentación en las fases activa e intermedia. Por otra parte, la formación profesional del archivero —especialmente los estudios en la *École des Chartes*— se había dirigido, tradicionalmente, más hacia la gestión de los fondos históricos que hacia la documentación con vigencia administrativa, lo que complicaba la formación de los profesionales a cargo de las *missions* en los ministerios (los *correspondants*).

Si bien la clasificación de los documentos estaba legalmente asentada para la documentación generada por los ministerios, departamentos, municipios y hospitales, no fue hasta comienzos de los años 90 del siglo pasado cuando empezaron a cobrar importancia los calendarios de conservación (*tableaux de gestion*).

La multiplicación de los documentos informáticos facilitaron una concienciación sobre la necesidad de un cambio: el *préarchivage* tradicional no podía aplicarse sobre los nuevos soportes. Era preciso un replanteamiento, sin descartar la intervención del archivero de una manera más directa en la fase activa del ciclo de vida de los documentos.

4.4.2. Situación actual

A finales del siglo XX existía en Francia un fuerte debate sobre la implicación de los archivos en la vida administrativa de los organismos públicos, debido fundamentalmente a razones de coste. Existían además dudas sobre la implantación del modelo tradicional del *préarchivage* en el entorno digital. A comienzos del siglo XXI el Archivo Nacional de Francia[7] dio firmes pasos hacia una

---

[7] La información de este apartado procede del análisis del contenido de los enlaces que residen en la página web del Archivo Nacional del Reino Unido: http://www.nationalarchives.gov.uk/.

sólida gestión de los documentos digitales, que se manifiesta en el momento actual en diferentes ámbitos:

1) *Sostenibilidad de la información digital*

El Servicio Interministerial de los Archivos de Francia—SIAF impulsa los proyectos AD-ESSOR, dirigidos a la puesta en marcha de Servicios de Archivo Electrónico en archivos intermedios y definitivos de titularidad departamental o municipal. La sostenibilidad de la información incide tanto en los problemas causados por la obsolescencia de la tecnología como por la fragilidad de los soportes de conservación, en los formatos de conservación, en los metadatos (singularmente METS y PREMIS), almacenamiento y soportes.

Concretamente, respecto a sostenibilidad de los formatos de conservación, se abordan el formato SIARD (originario de los archivos federales suizos) para el archivo de bases de datos relacionales (2010), los ficheros pdf (2011), una guía metodológica para la elección de formatos digitales permanentes en el contexto de datos orales y visuales (proyecto TGE ADONIS, versión de 2011) y los ficheros digitales de archivos de arquitectura (2015).

En cuanto a soportes, se incide en unas recomendaciones para el registro, conservación y evaluación de CD-R (2005), un estudio sobre CD-R y DVD-R (2006), las tipologías recientes de soportes ópticos digitales (2008), una guía para la migración de CD-R (2009) y un estudio sobre la evolución del DVD y los discos Blu-Ray para el archivo electrónico (2012).

2) *Marco legal y normativo*

Aborda cuestiones referentes al valor probatorio de la copia fiel, la norma NF Z 42-013 relativa a medidas técnicas y procesos para el archivo de documentos electrónicos, referencias de interoperabilidad (formatos de gestión e intercambio, de difusión y consulta y de conservación) y referencias de seguridad.

Destaca el estándar de interoperabilidad SEDA—Standard d'échange de données pour l'archivage, que define los metadatos para describir, gestionar y hacer perdurable la información desde una perspectiva netamente archivística. Para la descripción sigue las normas ISAD(G)/EAD, para el modelo organizativo se inspira en la norma ISO 14721 (OAIS) y para la conservación de la información toma como modelo PREMIS.

3) *Archivo digital*

Incide en el papel del SIAF como responsable de establecer una política global digital para toda Francia, el programa VITAM para desarrollar e implementar una herramienta de archivo digital común a varios ministerios y el proyecto ADAMANT dirigido a la puesta en marcha de una plataforma de archivo digital patrimonial. Asimismo existen una guía para el archivo digital y un vade-mecum del archivado de los documentos electrónicos.

4.5. Italia

4.5.1. El protocollo

El modelo italiano del *protocollo* era una adaptación del registro típico de los países germánicos (Alemania, Suiza), al que añadía la característica de ser un instrumento para tener prueba y memoria jurídicamente válida de que un documento existía, había sido producido, recibido o expedido: la fórmula de registrar documentos constituía garantía de autenticidad (cabía rastrear sus antecedentes hasta la antigua Roma).

El *protocollo* se encontraba extendido en todos los niveles de la administración, donde los documentos se clasificaban de acuerdo con una estructura predefinida, el *titolario*, cuya denominación podía variar entre las distintas administraciones, pese a tener la misma estructura.

Las prácticas de registro y clasificación de documentos constituían los elementos distintivos del modelo, junto con que en Italia los archivos de depósito eran gestionados por las propias administraciones.

4.5.2. Situación actual

La gestión del documento electrónico en Italia parte del *Codice dell'Amministrazione Digitale* de 2005. Sobre esa norma, la *Agenzia per l'Italia Digitale*—AgID tiene las funciones de coordinar la actividad de las administraciones y hacer seguimiento del Sistema Informativo de la administración pública, definir guías y normas y asegurar la uniformidad técnica[8]. Así, esta entidad ha definido el modelo de referencia, la arquitectura y los requisitos del *Sistema di Gestione dei Procedimenti Amministrativi della pubblica amministrazione e della rete dei poli conservativi* (SGPA). En último término, la AgID orienta su actividad a conseguir un sistema cooperativo que haga posible la interoperabilidad y el flujo documental entre todas las administraciones y consiga la unidad en la gestión de datos y documentos informáticos no estructurados.

En base a estas premisas la AgID aborda la gestión de los documentos digitales con dos grandes bloques: la gestión del procedimiento administrativo y la conservación de los documentos electrónicos.

---

(8)   Este DRO se responsabiliza de la gestión de la información desde su creación hasta su transferencia, su selección para conservación permanente y su transferencia puntual. Mención especial merece su relación con el responsable de riesgos. El Archivo Nacional pone a disposición de este colectivo una revista, *Information Management Newsletter*.

Hay que señalar que la singularidad del modelo italiano de gestión de documentos radica en el marco de la tramitación administrativa: mediante el procedimiento administrativo se garantiza la correcta gestión del ciclo de vida de los documentos, desde la producción hasta la conservación.

En dicho contexto son cuatro los ámbitos de interés del modelo:

1) Documento informático

Aborda la gestión del documento electrónico contemplándolo como el elemento central del proceso de innovación de la administración pública, por lo que se le dota de instrumentos normativos útiles para la gestión del ciclo de vida completo del documento administrativo informático: registro (*protocollo*) informático (2013), sistema de conservación (2013) y documento informático extenso (2014). Este último recoge las especificidades técnicas relativas a glosario, formatos[9], normas y especificaciones técnicas (incluyendo las relativas al empaquetado de conservación)[10] y metadatos mínimos.

2) Flujo documental y registro (protocollo)

Incide en los instrumentos para la gestión del que denomina *archivio corrente*: registro, signatura y clasificación del documento. El registro de los documentos o *protocollo* consiste en individualizar de forma unívoca el documento singular en el interior del archivo de manera que se certifique la fecha de entrada e incorporación en el archivo del sujeto productor. La signatura consiste en la aposición sobre el original del documento, de forma permanente y no modificable, de la información relativa al documento completo que está siendo registrado. La clasificación es la operación lógica por la que un documento, que contiene un asunto singular y específico, es reconducido, de acuerdo con lo que trata, a grandes agrupaciones recogidas en el cuadro de clasificación (*titolario* o *piano di classificazione*), basado en el análisis de funciones de la entidad[11].

---

(9)   *Guide 1: What is records management?, Guide 2: Organisational arrangements to support records management, Guide 3: Records management policy, Guide 4: Keeping records to meet corporate requirements, Guide 5: Records systems, Guide 6: Storage and maintenance of records, Guide 7: Security and access, Guide 8: Disposal of records, Guide 9: Records created in the course of collaborative working or through out-sourcing, Guide 10: Monitoring and reporting on records management.*

(10)   Define continuidad digital como «la capacidad de utilizar información digital de la manera necesaria y a largo plazo», para lo que debe garantizarse que dicha información esté completa, disponible y utilizable.

(11)   La información de este apartado procede en su mayor parte del análisis del contenido de los enlaces que residen en las páginas web del Archivo Nacional de Francia: https://francearchives.fr/ y http://www.archives-nationales.culture.gouv.fr/.

3) *Desmaterialización*

Afronta diferentes conceptos sobre el que se persigue la desmaterialización[12]: aspectos generales, registro y gestión documental, clasificación y gestión de expedientes, firma digital, correo electrónico certificado y conservación de recursos digitales.

4) *Sellado*

Aborda la validez de la copia analógica de un documento original informático mediante sello electrónico (*contrassegno a stampa* o *timbro digitale*).

En cuanto a la conservación del documento electrónico, el modelo la considera fundamental para la sostenibilidad del proceso de desmaterialización, la garantía de que los documentos y la información son conservados de manera íntegra, auténtica, accesible y legible. Para ello es esencial llevar a cabo una homologación de productos, razón por la que la AgID facilita un elenco actualizado de empresas acreditadas para desarrollar su actividad en la conservación de los documentos informáticos, de acuerdo con unas instrucciones de 2015 orientadas a la certificación en seguridad conforme a la norma ISO/IEC 27001. Al mismo tiempo, la AgID desarrolla iniciativas para difundir información sobre la conservación de los documentos y crear un espacio para debatir la problemática de las actuaciones en sistemas de conservación conforme a las disposiciones legales y aspectos técnicos.

El modelo italiano optó en 2013 por el desarrollo a nivel nacional de polos archivísticos para la conservación de documentos electrónicos. En este momento está en marcha un acuerdo entre AgID y el Ministerio de los Bienes y de la Actividad Cultural y del Turismo, con la participación del Archivo Central del Estado, para definir la correcta conservación de los documentos digitales y poner en marcha la red nacional de polos de conservación, así como formar el Archivo Nacional de la administración pública italiana[13]. A tal fin, el acuerdo contempla el análisis y el estudio de soluciones innovadoras metodológicas, organizativas y técnicas existentes o en proyecto, la definición de criterios y metodologías para un modelo nacional de referencia para la realización de polos de conservación distribuidos, la elaboración de guías de difusión del modelo, el soporte a las administraciones públicas y la formación a los profesionales.

---

(12) Destaca el proyecto de archivo de bases de datos del Archivo de París: https://siaf.hypotheses.org/765#more-765 (consulta 5 de marzo de 2018).

(13) El SIAF ha impulsado, entre otras iniciativas, un estudio sobre la evolución de los proyectos de archivo electrónico de los departamentos entre 2014 y 2016.

4.6. Australia y Nueva Zelanda – Australasia

4.6.1. El records continuum

Coincidiendo con la crisis de los modelos más relevantes a nivel internacional surgía en Australia un nuevo modelo, el continuo, como consecuencia de los nuevos paradigmas suscitados a raíz de la aparición del documento electrónico y la necesidad de gestionarlo. Aún a día de hoy este modelo constituye la vanguardia de la gestión de documentos, fundamentalmente por la extensión que supuso su adopción como buenas prácticas internacionales por parte de ISO, con la publicación de la norma ISO 15489-1 y 2 de 2001.

El modelo parte de la evidencia de que los documentos son imparciales y no pueden decir nada más que la verdad.

El modelo se contrapone con una aplicación rígida del ciclo de vida de los documentos, al entender que no hay estados excluyentes a lo largo del mismo (activo, semiactivo o no activo), sino una continuidad gobernada por las necesidades de su acceso y uso: es posible la evaluación de los documentos incluso antes de que estos sean creados y los documentos pueden pasar de un estado determinado a otro anterior.

Bajo ese prisma el modelo conecta con conceptos y metodologías tales como gestión de las tecnologías de la información, ingeniería de procesos, análisis funcional, gestión de recursos, gestión de la herencia cultural, control de calidad, auditoría o benchmarking, por lo que incide en la multidimensionalidad profesional de la gestión de documentos. Considera, asimismo, la función de gestionar documentos otro elemento significativo más, como el resto de actividades de gestión de la información.

El modelo proporciona una perspectiva enriquecedora del proceso de descripción: el propósito de la descripción no es otro que asegurar que los documentos se conservan en el contexto de su creación y uso y retienen sus cualidades de evidencia, de manera que cuando se recuperan para uso posterior puede comprenderse su significado. Para que ello sea posible las cualidades de evidencia e información contextual deben permanecer intactas. Esto se asegura mediante la aplicación de los esquemas de metadatos, que permiten que el documento sea un objeto de información que se gestiona por sí mismo, un objeto inteligente.

Como se ha dicho, este modelo fue el referente tomado por ISO para la publicación de la norma 15489 de 2001, que en su segunda parte incluía las directrices para la definición y puesta en marcha de un sistema de gestión de documentos acorde con la metodología australiana: el modelo DIRKS—*Designing and Implementing Recordkeeping Systems*.

4.6.2. Situación actual

Australia y Nueva Zelanda colaboran de manera estrecha en diferentes iniciativas relativas a la gestión de los documentos electrónicos. Un marco para dicha colaboración fue la *Australasian Digital Recordkeeping Initiative*—ADRI, prolongada hasta 2013, en la que se integraban instituciones archivísticas nacionales, estatales y territoriales de ambos países. Entre sus resultados se encuentran un glosario de disposición, una especificación de funciones nucleares en la gestión de documentos, unas recomendaciones sobre tratamiento de riesgos en la gestión de documentos en la nube, una aplicación online de conservación y disposición de documentos (ORDA), una especificación y un estándar de transferencia de custodia de documentos digitales entre sistemas y una especificación de principios y requisitos funcionales en entornos de oficina[14].

• *Australia*

La política australiana *Digital Continuity 2020* identifica los principios y prácticas recomendadas en la gestión de la información digital. El aseguramiento de la gestión de los documentos lo procura el Archivo Nacional, en concordancia con la Ley de Archivos de 1983, que le atribuye competencias para su normalización[15]. Los ámbitos de interés son los siguientes:

1) *Normalización*

La norma relativa a gestión de la información[16] se ha situado en la vanguardia del modelo australiano. Publicada en abril de 2017, en ella se sientan los principios de una información bien gestionada, situados en el marco de los procesos de gestión. Los principios van acompañados por las correspondientes guías de aplicación, y deben implantarse en todo caso utilizando una aproximación basada en el riesgo.

No menos importantes son los procesos de gestión de la información y los documentos: creación, captura, descripción, acceso, protección, almacenamiento, conservación y disposición. Para ellos el modelo propone una herra-

---

(14) El programa VITAM lo impulsan desde 2014, los ministerios de Cultura, Defensa y Asuntos Exteriores (http://www.programmevitam.fr/, consulta 5 de marzo de 2018).

(15) En relación a archivo digital, la Biblioteca Nacional de Francia ha lanzado el proyecto SPAR para el archivo electrónico (http://www.bnf.fr/fr/professionnels/innov_num_preservation_numerique.html, consulta 5 de marzo de 2018), en tanto que el Centro Informático Nacional de la Enseñanza Superior - CINES ha desarrollado diversas soluciones de archivo (https://www.cines.fr/archivage/, consulta 5 de marzo de 2018).

(16) La información de este apartado procede del análisis del contenido de los enlaces que residen en la página web de là *Agenzia per l'Italia Digitale*: http://www.agid.gov.it/.

mienta de autoevaluación sobre las prácticas de gestión de documentos en entornos de oficina (2017)[17].

2) Orientación a los entornos de oficina

El modelo australiano se alinea con la norma ISO 16175 Principios y Requisitos funcionales para documentos en entornos de oficina electrónicos, también conocida como ICA-Req, que en su origen fue publicada conjuntamente entre el Consejo Internacional de Archivos y la *Australasian Digital Recordkeeping Initiative*. La tercera parte de la norma, dedicada a directrices y requisitos funcionales para documentos en los sistemas de la organización, que destaca por su enfoque basado en el riesgo, sirve de base al modelo para el análisis de la funcionalidad de gestión de la información en sistemas de gestión.

3) Metadatos

La preocupación por los metadatos es una característica intrínseca al modelo australiano: destaca el AGLS *Metadata Standard* de 2010 (AS 5044) y su manual de implantación (2015)[18] y el grupo mínimo de metadatos como aplicación práctica del *Australian Government Recordkeeping Metadata Standard 2.2* (AGRkMS), que da soporte a los principios de sistemas y procesos interoperables de acuerdo con la política *Digital Continuity 2020*.

4) Especificaciones

El modelo australiano dedica su atención a diferentes especificaciones, entre las que destacan un checklist para la gestión de documentos en la nube (2011) y unas estrategias para la creación y mantenimiento de documentos en sitios web (2011). Asimismo destaca la importancia de los documentos como evidencia, especialmente en cuanto afecta a su conservación y destrucción, y la importancia de los calendarios de conservación.

Mención especial merece su atención a los documentos de las redes sociales, a los que destina una guía de uso (2012), la captura de documentos (2012) y unas estrategias de gestión (2015).

• *Nueva Zelanda*

---

(17) Acepta los siguientes formatos: PDF - PDF/A, TIFF, JPG, Office Open XML, Open Document Format, XML y TXT, además de formatos para el correo electrónico.

(18) Incluye las siguientes normas: para la formación y gestión de documentos informáticos, ISO 15489-1 y 2, ISO/TS 23081-1 y 2, ISO 15836 *Dublin Core*; para la conservación de documentos informáticos, ISO 14721 OAIS, ISO/IEC 27001, ETSI TS 101 533-1 y 2, UNI 11386 Standard SInCRO - *Supporto all'Interoperabilità nella Conservazione e nel Recupero degli Oggetti Digitali* e ISO 15836.

La gestión de documentos en Nueva Zelanda está regulada por la *Public Records Act* de 2005, que administra el Departamento del Interior mediante el Archivo de Nueva Zelanda, responsable de la normalización en gestión de documentos y de guiar a las organizaciones en asumir sus obligaciones en dicho área[19]. Los ámbitos de interés son los siguientes:

1) *Normalización*

La normalización es el elemento característico del modelo neozelandés, llamado a regular la práctica totalidad de la gestión de los documentos y de la información. El resultado no es otro que la Guía de implantación de la gestión de la información y los documentos (2017), cuyo objeto consiste en actuar como referencia para una gestión de documentos y otros recursos de información ligada a los procesos de gestión digitales, cada vez más complejos. En ese marco, la gestión de la información y de los documentos se integra en los procesos, sistemas y servicios de gestión propios de los entornos de oficina, lo que permite la identificación de los requisitos precisos para moverlos, si cabe, a un nuevo entorno de servicio o para desarrollar nuevos procesos, sistemas o servicios de gestión o mejorar los ya existentes, además del análisis de los riesgos que conllevan.

2) *Implantación de sistemas, procesos y servicios*

En relación directa con la normalización, el modelo neozelandés concede una gran importancia a los recursos, normas, herramientas y guías de aplicación, presentados de manera exhaustiva e interrelacionada. Entre estos recursos destaca la Guía exhaustiva de recursos, normas, herramientas y guías públicamente accesibles, donde destaca la información sobre la primera transferencia al Archivo Nacional de documentos nativos digitales (*end-to--end born-digital transfer*) completada en 2017. La guía incluye definiciones, instrucciones y buenas prácticas relativas al acceso, evaluación, transferencia digital (incluido el aseguramiento de la cadena de custodia), eliminación, calendario de conservación, evaluación de riesgos, definición de estrategia y política, capacitación y normalización, integración de sistemas, procesos y prácticas, tipología y requisitos de metadatos, protección y preservación, supervisión y seguimiento de la implantación del sistema y responsabilidades.

---

(19)   Existen diferentes niveles dentro del *titolario*: *titolo, classe, sottoclasse, categoria, sottocategoria*. Ejemplo de *titolario* para los municipios: http://www.agid.gov.it/sites/default/files/documenti_indirizzo/titolario_per_i_comuni.pdf (consulta 6 de marzo de 2018). Al *titolario* se vincula el calendario de conservación (*piano de conservazione o massimario di scarto*).

3) *Especificaciones*

El modelo concede a su vez importancia a la extracción automática de metadatos sobre ficheros digitales (2007)[20], a los requisitos mínimos para la creación y mantenimiento de documentos (2008), a la estructura de metadatos de gestión de documentos (2008) y a las especificaciones funcionales para sistemas electrónicos de gestión de documentos (2010), así como a los principios de la gestión de datos (2016)[21] y del uso de servicios en la nube (2017)[22].

5. EL CASO ESPAÑOL

5.1. La dilatada etapa de inexistencia de un modelo

En los años 90 del siglo XX la que podría denominarse «nueva archivística», en relación al impulso que registraba la gestión de documentos a nivel internacional, no había conocido una implantación y un desarrollo uniformes en España.

El término «gestión de documentos» se había incorporado poco antes a la bibliografía archivística española, de la mano de María Luisa Conde (1983), con la preocupación por el creciente desarrollo de la informática, los obstáculos planteados por los nuevos soportes (dificultad de conservación, fácil manipulación, reconocimiento de su valor legal) y las medidas a adoptar ante la acumulación de documentos (necesidad de sistematizar los fondos y establecer criterios de transferencias y expurgos), en un contexto de ignorancia de la misión de los archivos, abandono y tratamiento superficial de los fondos. Ante esa situación, el Estado, junto a una importante aunque aislada reflexión desarrollada en 1991 en el marco de unas jornadas, buscó sinergias en el Grupo Iberoamericano de Tratamiento de Archivos Administrativos (1989-1996) en pos de un modelo iberoamericano de gestión de documentos.

La compartimentación existente a nivel legislativo, jurisdiccional y de competencias característica del país obligaba a una coordinación estatal que nunca existió. Ese desinterés contrastaba con algunas experiencias exitosas en implantación de sistemas archivísticos institucionales, situados en vanguardia en cuanto a la implantación de los métodos, principios y técnicas de la gestión documental (destaca, por pionera, Cataluña, influida por el modelo de Quebec, con un buen número de municipios y universidades, desde inicios de los años 90 del siglo XX).

Pese a la presencia de singularidades, en sentido estricto puede decirse que hasta la implantación de la administración electrónica no se consiguieron las

---

(20) Con desmaterialización se indica el incremento progresivo de la gestión documental informatizada y la consiguiente sustitución de los soportes tradicionales a favor del documento informático.

(21) Un ejemplo destacado de polo de conservación archivística es el de la región de Emilia-Romagna: http://parer.ibc.regione.emilia-romagna.it/ (consulta 6 de marzo de 2018).

(22) Disponible en: http://adri.gov.au/ (consulta 11 de marzo de 2018).

bases de una coordinación que hiciera posible un modelo español de gestión de documentos, que fue una realidad tras la publicación en 2010 del Esquema Nacional de Interoperabilidad.

5.2. Un modelo basado en la interoperabilidad

Cabe contemplar la experiencia española en gestión de documentos como la suma de modelos institucionales (de aplicación desigual en comunidades autónomas, ayuntamientos, universidades, etc.), donde las administraciones públicas han atendido con preferencia el tratamiento de la documentación semiactiva, concretamente la identificación, valoración y descripción de documentación acumulada. Se constata un pobre desarrollo de la práctica de la evaluación documental, así como una escasa presencia de cuadros de clasificación funcionales.

Para corregir estos déficits, se ha hecho precisa la presencia de los principios básicos de la gestión documental en la legislación sobre administración electrónica (iniciada en 2007) y sus normas de desarrollo (esquemas de interoperabilidad y seguridad, 2010): desde 2012, las instituciones públicas españolas deben dotarse de políticas para la producción y mantenimiento de documentos auténticos, íntegros, fidedignos y disponibles, así como incorporar sistemas de gestión de documentos que contemplen la aplicación de procesos de gestión documental en las fases activa, semiactiva y no activa.

El hito más relevante hasta el momento de la gestión de documentos en España tuvo lugar en enero de 2010, cuando el Boletín Oficial del Estado publicaba el Esquema Nacional de Interoperabilidad—ENI, vinculado a la norma reguladora de la administración electrónica de abril de 2007. De acuerdo con dicho Esquema, la gestión de los documentos de los organismos públicos queda intrínsecamente ligada al modo en que los sistemas de información comparten e intercambian datos y conocimiento.

Concretamente, el artículo 21 del ENI establece que las administraciones públicas deben tomar medidas para garantizar la interoperabilidad con vistas a la recuperación y conservación de los documentos electrónicos a lo largo de su ciclo de vida. Tales medidas incluirán:

a) La definición de una política de gestión de documentos.

b) La inclusión en los expedientes de un índice electrónico firmado.

c) La identificación única e inequívoca de cada documento.

d) La asociación de los metadatos mínimos obligatorios y, en su caso, complementarios.

e) La clasificación, de acuerdo con un plan de clasificación adaptado a las funciones.

f) El período de conservación de los documentos, establecido por las comisiones calificadoras.

g) El acceso completo e inmediato a los documentos a través de métodos de consulta en línea.

h) La adopción de medidas para asegurar la conservación de los documentos electrónicos a lo largo de su ciclo de vida.

i) La coordinación horizontal entre el responsable de gestión de documentos y los restantes servicios interesados en materia de archivos.

j) Transferencia, en su caso, de los expedientes entre los diferentes repositorios electrónicos a efectos de conservación.

k) En su caso, borrado de la información o destrucción de los soportes.

l) La formación tecnológica del personal.

m) La documentación de los procedimientos que garanticen la interoperabilidad a medio y largo plazo.

Asimismo, contempla la creación de repositorios electrónicos, complementarios y equivalentes en cuanto a su función a los archivos convencionales, destinados a cubrir el conjunto del ciclo de vida de los documentos electrónicos.

En su disposición adicional primera prevé el desarrollo de Normas Técnicas de Interoperabilidad, con las siguientes características:

• Son de obligado cumplimiento por parte de las administraciones públicas.

• Concretan aspectos de la interoperabilidad de manera práctica y operativa, tanto entre las administraciones públicas como de estas con el ciudadano.

• Abarcan tres bloques: normas de gestión documental; normas relacionadas con la interconexión, infraestructuras y servicio; normas de carácter general (estándares).

• Se acompañan de guías de aplicación, que constituyen su principal material de apoyo.

Las normas de gestión documental fueron publicadas a lo largo de los años 2011 y 2012, y se refieren concretamente a los siguientes aspectos: documento electrónico, expediente electrónico, digitalización de documentos, procedimientos de copiado auténtico y conversión, política de gestión de documentos (con su esquema nacional de metadatos) y política de firma electrónica y certificados de la administración.

En un contexto de reflexión archivística, podemos afirmar que actualmente en España tiene lugar, de la mano de la implantación de la administración electrónica, la consolidación de la metodología y la praxis de la gestión de documentos y archivos. Como se ha dicho, la oportunidad ha llegado a través de la legislación relativa a la interoperabilidad, que es, junto con la seguridad, uno de los pilares sobre los que descansa la administración electrónica.

5.3. El hito de la política de gestión de documentos electrónicos

La publicación en junio de 2012 de la Política de gestión de documentos electrónicos constituye el principal hito en la evolución de la gestión de documentos en España[23]. En el contexto del ENI, es la norma técnica más relevante desde el punto de vista archivístico, ya que ofrece pautas para la implantación en cada organización de políticas de gestión de documentos a través del correspondiente sistema de gestión de documentos y su programa de tratamiento. Es asimismo importante porque identifica los requisitos y procesos de gestión de documentos en el marco de la administración electrónica a partir de normas y buenas prácticas consolidadas a nivel nacional e internacional. Otros aspectos singulares son los siguientes:

• Atribuye diferentes grados de responsabilidad en la definición, aprobación e implantación de la política en la organización (directivos, responsables de procesos, archiveros, informáticos y empleados en general).

• Identifica las características de los documentos, que deben mantenerse a lo largo de su ciclo de vida: autenticidad, fiabilidad, integridad y disponibilidad.

• Define el sistema institucional de gestión de documentos como un sistema de gestión más, en el conjunto de sistemas de gestión de una administración, y señala los componentes del sistema: política, recursos, programa de tratamiento y los propios documentos electrónicos.

• Señala la importancia del Esquema Nacional de Metadatos (e-EMGDE, inspirado en el AGRkMS australiano) para la gestión de documentos electrónicos.

• Identifica y define los procesos de gestión de documentos: captura, registro, clasificación según criterios de actividad, descripción y asignación de metadatos, evaluación, conservación, acceso y control de trazabilidad.

---

(23)   La información de este apartado procede del análisis del contenido de los enlaces que residen en la página web del Archivo Nacional de Australia: http://naa.gov.au/.

• Precisa la importancia de documentar cada proceso en un manual de procesos de gestión de documentos específico de esa administración, de implantar un programa de formación continua y llevar a cabo la supervisión y la auditoría regulares sobre los procesos de gestión de documentos.

Esta norma técnica se completa con su guía de aplicación (un documento de buenas prácticas orientado a la implantación de los requisitos de gestión de documentos establecidos en la Política), un modelo tipo de política que facilita la aprobación de la Política de gestión de documentos en cada organización (con un acercamiento a su implantación en las entidades locales) y el esquema de metadatos de gestión de documentos electrónicos.

6. CONCLUSIONES

El contraste entre la situación de los modelos nacionales de gestión de documentos a comienzos de los años 90 del siglo XX y el momento actual plenamente digital permite una serie de conclusiones.

La diferenciación en modelos nacionales de gestión de documentos pervive en el entorno electrónico. Concretamente, en el marco de los modelos analizados podemos identificar con claridad un modelo anglosajón (correspondiente a Estados Unidos, Reino Unido y el conjunto de Australia con Nueva Zelanda) y un modelo europeo (casos de Francia e Italia). Otros casos estudiados pero ausentes en este trabajo, como el alemán, parecen refrendar esta hipótesis. Por su parte, el caso de Quebec se corresponde a un modelo desconectado respecto a la evolución digital actual.

En cuanto concierne a los distintos modelos nacionales estudiados, las perspectivas de los países anglosajones coinciden en impulsar en su conjunto la evolución de tecnología, productos y servicios implicados en la gestión de los documentos electrónicos, con un claro alineamiento entre administración e instituciones de archivos. Sin embargo, los países europeos no anglosajones destinan un importante esfuerzo hacia la conservación de los documentos electrónicos, y se observa que las instituciones de archivos ceden a la administración el liderazgo en gestión documental en el entorno de producción de documentos. Esa dicotomía de perspectivas parece indicador y consecuencia del énfasis que la comunidad profesional destina a la gestión de documentos en un entorno de procesos de gestión (países del ámbito anglosajón) o en un entorno de conservación (países europeos no anglosajones).

Por otro lado, en las organizaciones los actores con responsabilidad en la gestión documental se han ampliado, pasando de una perspectiva puramente archivística a otra en la que ésta convive con la aportada por directivos, responsables de procesos en entornos de producción, responsables de sistemas y seguridad de la información y, en su conjunto, la totalidad de empleados que trabajan con documentos.

Además, en las organizaciones la redistribución de los ámbitos de trabajo y las responsabilidades en cuanto a gestión de documentos ha llegado al extremo de alterar sustancialmente el rol en cuanto a diseño, planificación y coordinación de sistemas y programas de actuación. En un momento en que la metodología y la técnica están muy bien definidas internacionalmente (gracias en buena parte a la madurez competencial adquirida por los profesionales de la gestión de los documentos y los archivos desde el último tercio del siglo XX, consagrada en la norma ISO 15489 de buenas prácticas en 2001), los gestores de sistemas y seguridad de la información han tomado el testigo a los profesionales de la gestión de documentos y archivos, que han visto muy mermado su ámbito de responsabilidad. En este sentido, la norma ISO 15489 de 2016 restringe la responsabilidad de los profesionales de la gestión de documentos y archivos a la elaboración de esquemas de metadatos, cuadros de clasificación, calendarios de conservación y normas y permisos de acceso.

Las funcionalidades de los procesos y controles de gestión documental no parecen haber variado sustancialmente, salvo en la necesidad de re-lectura, en cuanto a su aplicación en entornos analógico y digital. Así, por lo que atañe a los instrumentos nucleares de la gestión de documentos, el cuadro de clasificación y el calendario de conservación son plenamente vigentes, en tanto que la asignación y gestión de los metadatos han sustituido a la descripción como proceso archivístico, si bien la funcionalidad permanece inalterada. También los procesos parecen seguir el mismo camino: creación, captura, clasificación, acceso, almacenamiento, uso y disposición de los documentos. Tan sólo el proceso de migración o conversión, específico del entorno digital, se añade a los tradicionales. Valga señalar que en todos los casos las instituciones de archivos, si bien parecen haber quedado algo orilladas del impulso de la transformación digital, mantienen firmes sus competencias en evaluación documental, determinación de plazos de conservación y gestión de documentos con valor permanente.

En cuanto a conservación de documentos, las organizaciones e instituciones de archivos recurren de forma creciente a servicios prestados por proveedores, singularmente en cuanto a servicios en la nube, por lo que a corto plazo verán alteradas sus funciones hacia la coordinación y supervisión (singularmente en cuanto al mantenimiento del valor de evidencia y el aseguramiento de la portabilidad) y reorientarán el destino de sus recursos. Los nuevos retos serán la conservación como evidencia de la información generada en las nuevas formas de comunicación y la recuperación y almacenamiento de datos. Y todo ello en un entorno en que las fronteras entre documentos fehacientes e información tienden a diluirse.

Por lo que se refiere a la situación en España, desde una perspectiva archivística cabe decir que, mediante la publicación en 2012 de la Política de gestión de documentos electrónicos (norma técnica integrada en el Esquema Nacional de Interoperabilidad), existe finalmente un modelo de gestión de documentos que puede calificarse como moderno y eficiente, alcanzado en el contexto de la implantación de la administración electrónica.

7. BIBLIOGRAFÍA

BUSTELO, Carlota; ELLIS, Judith. *What is ISO 30300? Who, when, where, why and how to implement*, 2011. Recuperado de http://www.iso30300.es/wp-content/uploads/2011/12/Innovadoc2011_JEllisCBustelo.pdf.

CONDE VILLAVERDE, María Luisa. «La gestión de documentos en la Administración», *Boletín de la Anabad*, vol. 33, n.º 3, 1983, págs. 465 a 469.

COUTURE, Carol; LAJEUNESSE, Marcel. *Législations et politiques archivistiques dans le monde*, Documentor, 1993, 471 págs.

CRUZ MUNDET, José Ramón. *La gestión de documentos en las organizaciones*, Pirámide, 2006, 311 págs.

DE FELICE, Raffaele. *L'archivio contemporaneo. Titolario e classificazione sistematica di competenza nei archivi correnti pubblici e privati*, La Nuova Italia Scientifica, 1988, 116 págs.

DELGADO GÓMEZ, Alejandro (ed.). *Archivos: gestión de registros en sociedad*, Ayuntamiento de Cartagena. 3000 Informática, 2006, 463 págs.

DIRECCIÓN DE LOS ARCHIVOS ESTATALES. *Actas de las Primeras Jornadas sobre metodología para la identificación y valoración de fondos documentales de las administraciones públicas (Madrid, 20, 21 y 22 de marzo de 1991)*, Ministerio de Cultura, 1992, 564 págs.

DUCHEIN, Michel. «Le préarchivage: quelques clarifications nécessaires», *Études d'archivistique 1957-1992*, Association des Archivistes Français, 1992, págs. 35-45.

Entre la gestion et la documentation historique de la recherche. Le pré-archivage en France et à l'étranger: hier, aujourd'hui, demain. Journée d'étude de l'Association des archivistes français (Paris, 27 janvier 1995), La Gazette des Archives, 1995.

GRUPO IBEROAMERICANO DE TRATAMIENTO DE ARCHIVOS ADMINISTRATIVOS—GITAA, *Archivos administrativos iberoamericanos. Modelo y perspectivas de una tradición archivística*, Archivo General de la Nación de Colombia, 1996, 439 págs.

HEREDIA HERRERA, Antonia. «La gestión de documentos en el corazón del cambio», Tría, n.º 20, 2016, págs. 273-289.

Introduction à la série de normes ISO 30300, Système de gestion des documents d'activité. Integration du records management et perspectives d'évolution de l'ISO 15489 (Livre blanc.2), SCC. AFNOR .ADBS. AAF, 2011, 42 págs. Recuperado de https://www.leslivresblancs.fr/livre/informatique-et-logiciels/archivage-electronique/introduction-la-serie-de-normes-iso-30300.

ISO 15489-1:2016, *Información y documentación. Gestión de documentos. Parte 1: Conceptos y principios.*

ISO/TR 15489-2:2001, *Información y documentación. Gestión de documentos. Parte 2: Guía de aplicación.*

ISO 30300:2011, Información y documentación. Sistemas de gestión para los documentos. Fundamentos y vocabulario.

ISO 30301:2011, Información y documentación. Sistemas de gestión para los documentos. Requisitos.

LLANSÓ SANJUAN, Joaquim. *Gestión de documentos. Definición y análisis de modelos,* Departamento de Cultura del Gobierno Vasco. IRARGI, 1993, 250 págs.

LLANSÓ SANJUAN, Joaquim. *Gestión de documentos electrónicos. La importancia de los sistemas de gestión de documentos. Nociones generales,* 2009, Anroart Ediciones, 124 págs.

PÉROTIN, Yves. «Le records management et l'administration anglaise des archives», *La Gazette des Archives,* n.º 44, 1964, págs. 5-17.

RHOADS, James B. *La función de la gestión de documentos y archivos en los Sistemas Nacionales de Información. Un estudio del RAMP,* Organización de las Naciones Unidas para la Educación, la Ciencia y la Cultura, 1983, 56 págs. [Serie PGI-83/WS/21]. Edición revisada en 1989 [Serie PGI-89/WS/6].

UPWARD, Frank H. «Structuring the Records Continuum - Part One: Postcustodial Principles and Properties», *Archives & Manuscripts,* 1996, págs. 268 a 285.

UPWARD, Frank H. «Modelling the Continuum as Paradigm Shift in Recordkeeping and Archiving Processes, and Beyond—A Personal Reflection», *Records Management Journal,* 2000, págs. 115 a 139.

8.   REFERENCIAS

AGENZIA PER L'ITALIA DIGITALE. 2018. Recuperado de http://www.agid.gov.it/

ARCHIVES NATIONALES [DE FRANCE]. [Sin fecha]. Recuperado de http://www.archives-nationales.culture.gouv.fr/

ARCHIVES NATIONALES [DE FRANCE]. [Sin fecha]. Recuperado de https://francearchives.fr/

ARCHIVES NEW ZEALAND. 2018. Recuperado de http://archives.govt.nz/

ARCHIVES NEW ZEALAND. [Sin fecha]. *Records Toolkit. Archives New Zealand's guidance on information and records management.* Recuperado de https://records.archives.govt.nz/

ARMA INTERNATIONAL. 2017. Recuperado de http://www.arma.org/

AUSTRALASIAN DIGITAL RECORDKEEPING INITIATIVE. 2014. Recuperado de http://adri.gov.au/

AUSTRALIAN GOVERNMENT. THE DEPARTMENT OF FINANCE ARCHIVE. 2011. *Better Practice Checklist—Archiving Web Resources.* Recuperado de http://www.finance.gov.au/archive/policy-guides-procurement/better-practice-checklists-guidance/bpc-archiving/

BIBLIOTHÈQUE ET ARCHIVES NATIONALES DE QUÉBEC. [Sin fecha]. Recuperado de http://www.banq.qc.ca/

BIBLIOTHÈQUE NATIONALE DE FRANCE. 2016. *La préservation à l'heure du numérique.* Recuperado de http://www.bnf.fr/fr/professionnels/innov_num_preservation_numerique.html

CENTRE INFORMATIQUE NATIONAL DE L'ENSEIGNEMENT SUPÉRIEUR. 2016. *Archivage.* Recuperado de https://www.cines.fr/archivage/

CONDE VILLAVERDE, MARÍA LUISA, «La gestión de documentos en la Administración», *Boletín de la Anabad*, vol. 33, n.º 3, 1983, págs. 465 a 469.

DIGITAL.GOVT.NZ. 2016. New Zealand Data and Information Management Principles Recuperado de https://www.ict.govt.nz/guidance-and-resources/open-government/new-zealand-data-and-information-management-principles/

DIGITAL.GOVT.NZ. 2017. Using Cloud Services. Recuperado de https://www.ict.govt.nz/guidance-and-resources/using-cloud-services

DIRECCIÓN DE LOS ARCHIVOS ESTATALES, *Actas de las Primeras Jornadas sobre metodología para la identificación y valoración de fondos documentales de las administraciones públicas (Madrid, 20, 21 y 22 de marzo de 1991)*, Ministerio de Cultura, 1992, 564 págs.

GOBIERNO DE ESPAÑA. PORTAL DE ADMINISTRACIÓN ELECTRÓNICA. [Sin fecha]. Recuperado de https://administracionelectronica.gob.es/pae_Home/pae_Estrategias/Archivo_electronico/pae_Politica-de-gestion-de-documentos-electronicos.html#.Wq-mFf6G-Hs

GRUPO IBEROAMERICANO DE TRATAMIENTO DE ARCHIVOS ADMINIS-TRATIVOS—GITAA, *Archivos administrativos iberoamericanos. Modelo y perspectivas de una tradición archivística,* Archivo General de la Nación de Colombia, 1996, 439 págs.

GRUPPO DI LAVORO PER LA FORMULAZIONE DI PROPOSTE E MODELLI PER LA RIORGANIZZAZIONE DELL'ARCHIVIO DEL COMUNI. 2005. *Piano di classificazione (= Titolario) per gli archivi dei Comuni italiani.* Recuperado de http://www.agid.gov.it/sites/default/files/documenti_indirizzo/titolario_per_i_comuni.pdf

LLANSÓ SANJUAN, Joaquim. *Gestión de documentos. Definición y análisis de modelos,* Departamento de Cultura del Gobierno Vasco. IRARGI, 1993, 250 págs.

NATIONAL ARCHIVES OF AUSTRALIA. 2015. *AGLS Metadata Standard.* Recuperado de http://agls.gov.au/

NATIONAL ARCHIVES OF AUSTRALIA. 2017. Recuperado de http://naa.gov.au/

NATIONAL ARCHIVES [OF UNITED KINGDOM]. [Sin fecha]. Recuperado de http://www.nationalarchives.gov.uk/

NATIONAL ARCHIVES [OF UNITED STATES]. [Sin fecha]. Recuperado de https://www.archives.gov/records-mgmt

NATIONAL LIBRARY OF NEW ZEALAND. [2007]. *Digital Library Tools.* Recuperado de http://natlib.govt.nz/librarians/digital-library-tools

NEW SOUTH WALES STATE ARCHIVES & RECORDS. 2016. *Strategies for managing social media records.* Recuperado de https://www.records.nsw.gov.au/recordkeeping/advice/strategies-for-managing-social-media-information

NEW SOUTH WALES STATE ARCHIVES & RECORDS. 2017. *Checklist for assessing business systems.* Recuperado de http://www.records.nsw.gov.au/recordkeeping/advice/designing-implementing-and-managing-systems/checklist-for-assessing-business-systems

POLO ARCHIVISTICO REGIONALE DELL'EMILIA-ROMAGNA. [Sin fecha]. Recuperado de http://parer.ibc.regione.emilia-romagna.it/

PROGRAMME INTERMINESTÉRIEL ARCHIVAGE NUMÉRIQUE. [Sin fecha]. Recuperado de http://www.programmevitam.fr/

PUBLIC RECORD OFFICE VICTORIA. 2012. *Social Media Recordkeeping Policy.* Recuperado de http://prov.vic.gov.au/government/faq-government-users/faq-how-should-a-social-media-record-be-captured

RHOADS, James B., *La función de la gestión de documentos y archivos en los Sistemas Nacionales de Información. Un estudio del RAMP*, Organización de las Naciones Unidas para la Educación, la Ciencia y la Cultura, 1983, 56 págs. [Serie PGI-83/WS/21]. Edición revisada en 1989 [Serie PGI-89/WS/6].

SERVICE INTERMINISTÉRIEL DES ARCHIVES DE FRANCE. [Sin fecha]. Recuperado de https://siaf.hypotheses.org/765#more-765

UPWARD, Frank H., «Structuring the Records Continuum - Part One: Postcustodial Principles and Properties», *Archives & Manuscripts*, 1996, págs. 268 a 285.

47.

EL ENTORNO EUROPEO DEL DOCUMENTO

Miguel A. AMUTIO GÓMEZ
Director de la División de Planificación y Coordinación de Ciberseguridad
Secretaría General de Administración Digital
Ministerio de Asuntos Económicos y Transformación Digital

1. EL DOCUMENTO ELECTRÓNICO EN EL MARCO LEGAL DE LA UNIÓN EUROPEA

1.1. Introducción

La Estrategia para el Mercado Único Digital de Europa advertía que *debe fomentarse el uso de documentos electrónicos en la Unión Europea*, según la idea de que su uso puede contribuir a reducir costes, así como cargas administrativas de empresas y particulares.

Anteriormente a la citada Estrategia, el Consejo, en sus conclusiones de 27 de mayo de 2011, llamaba a la Comisión a crear unas condiciones adecuadas para el reconocimiento mutuo en el contexto transfronterizo de diversos instrumentos, entre los cuales figuran los documentos electrónicos, junto con cuestiones relevantes asociadas para su flujo, como son las firmas electrónicas y los servicios de entrega electrónica.

También es de interés recordar que, en su día, la Directiva 2006/123/CE del Parlamento Europeo y del Consejo, de 12 de diciembre de 2006, relativa a los servicios en el mercado interior, ya se refería a eliminar las formalidades burocráticas en la presentación de documentos; a la introducción de formularios armonizados a escala comunitaria que pudieran utilizarse como equivalentes a los certificados; y a que no se impusieran requisitos formales, como la presentación de documentos originales, copias compulsadas o una traducción compulsada, excepto en aquellos casos en que esté justificado objetivamente. Igualmente se advertía de las discriminaciones impuestas a los ciudadanos de otro Estado miembro, en cuanto a presentar documentos originales, copias compulsadas, un certificado de nacionalidad o traducciones oficiales de los documentos para poder disfrutar de algún servicio.

Además, la Recomendación 2011/711/UE sobre digitalización, accesibilidad en línea y conservación digital invita a los Estados miembros de la Unión Europea a intercambiar información sobre estrategias y planes de acción para la conservación a largo plazo de la información en soporte digital; a hacer provisiones en la legislación para permitir la copia y migración de recursos digitales por parte de instituciones públicas con fines de conservación; y a adaptar el marco legal para la conservación de los recursos de información nacidos digitalmente.

Mientras que el Reglamento (UE) 2016/679 de 27 de abril de 2016 relativo a la protección de las personas físicas en lo que respecta al tratamiento de datos personales y a la libre circulación de estos datos y por el que se deroga la Directiva 95/46/CE (Reglamento general de protección de datos), reconoce que las personas tienen derecho a saber si los datos personales que les conciernen están siendo procesados, dónde y con qué fin, y a solicitar una copia de los mismos en un formato electrónico; lo cual conduce a la necesidad de conservar adecuadamente los datos personales en poder de los archivos. En consecuencia, deberán conservarse y ponerse a disposición cantidades crecientes de información para el acceso transfronterizo y la reutilización.

A la luz de este contexto, en este capítulo veremos, en primer lugar, el documento electrónico en el marco legal de la Unión Europea; a continuación, el documento electrónico en el Plan de acción de administración electrónica 2016-2020 y en actuaciones derivadas como el Marco Europeo de Interoperabilidad; seguidamente, acciones y proyectos europeos para un enfoque común del documento electrónico y relativas al archivo electrónico; posteriormente, expondremos unas consecuencias prácticas del entorno europeo del documento electrónico; y, finalmente, recapitularemos unas conclusiones.

1.2. Marco jurídico para el documento electrónico en la UE

A la fecha, la principal referencia en relación con el documento electrónico en el marco legal comunitario la encontramos en el Reglamento eIDAS. Su interés radica en el hecho de que el documento electrónico se encuentra dentro de su ámbito objetivo, pues en su artículo 1 se declara que se establece un marco jurídico para un conjunto de elementos entre los que figuran los documentos electrónicos, junto con las firmas electrónicas, los sellos electrónicos, los sellos de tiempo electrónicos, los servicios de entrega electrónica certificada y los servicios de certificados para la autenticación de sitios web, no existiendo anteriormente un marco de referencia transfronterizo y de carácter general similar.

¿Qué se entiende por «documento electrónico» en la Unión Europea? Según el Reglamento eIDAS, «documento electrónico» es *todo contenido almacenado en formato electrónico, en particular, texto o registro sonoro, visual o audiovisual.*

El enfoque aplicado a la definición en el Reglamento eIDAS, sin acompañamiento de mayores precisiones, elude profundizar en aspectos más concretos del documento electrónico, que se demuestran en la práctica como muy necesarios para el progreso de los servicios públicos digitales europeos, tales como las condiciones que han de satisfacer los documentos electrónicos para ser considerados válidos de forma transfronteriza; cuestión ésta que sí se afronta en el citado artículo 26 de nuestra LPAC en el que se recogen las cinco condiciones básicas; u otras particularmente relevantes como las relativas a los metadatos, la digitalización y las copias, tratadas en nuestro marco legal en sus artículos 27 y 28, en el Real Decreto 4/2010 ENI y en su desarrollo a través de sus Normas Técnicas de Interoperabilidad. Sin duda, influye el hecho de que la Comisión Europea carece de competencias en materia de administración pública; hecho que da lugar a que se intente avanzar en función del desarrollo del Mercado Interior, sirviéndose de instrumentos de apoyo al mismo, tales como los citados, la Directiva de servicios y el Reglamento eIDAS, entre otros.

Dicho esto, no obstante, la noción de un marco jurídico para el documento electrónico en el Reglamento eIDAS lleva aparejado el reconocimiento de sus efectos jurídicos. Al respecto, su artículo 46 establece que *no se denegarán efectos jurídicos ni admisibilidad como prueba en procedimientos judiciales a un documento electrónico por el mero hecho de estar en formato electrónico*, al objeto de garantizar que no se rechazará una transacción electrónica por el mero hecho de que el documento está en formato electrónico. Este precepto supone un avance notable respecto a la anterior Directiva 1999/93/CE del Parlamento Europeo y del Consejo, de 13 de diciembre de 1999, por la que se establece un marco comunitario para la firma electrónica, ya derogada.

Por otra parte, los documentos electrónicos han de ir dotados de elementos que sustenten la confianza en los mismos mediante los oportunos mecanismos que contribuyen a garantizar su autenticidad e integridad. Por eso, el Reglamento eIDAS apunta que, ante la variedad de formatos de firma electrónica avanzada usados en los Estados miembros para firmar sus documentos, se hace necesario que aquellos puedan soportar técnicamente al menos una serie de formatos de firma electrónica avanzada. Cuestión igualmente aplicable al uso de los sellos electrónicos avanzados que sirven como prueba de que un documento electrónico ha sido expedido por una persona jurídica, aportando certeza sobre el origen y la integridad del documento.

Además, el Reglamento eIDAS se desarrolla a través de diversos actos. En particular, la Decisión de Ejecución (UE) 2015/1506 de la Comisión, de 8 de septiembre de 2015, que menciona una consecuencia lógica de lo anterior, y no es otra que la relativa al establecimiento por parte de los Estados miembros de los medios técnicos necesarios que les permitan procesar los documentos firmados electrónicamente. Se establece que se deben proporcionar a la vez medios de validación que permitan la verificación transfronteriza de las firmas electrónicas o los sellos electrónicos. Y que se ha de proporcionar información de fácil acceso sobre las herramientas de validación, para lo que se debe incluir la información en los documentos electrónicos, en las firmas electrónicas o en los contenedores de documentos electrónicos.

1.3. Otras perspectivas

En el contexto del Mercado Único Digital y de la cooperación administrativa se suscita una visión del **documento como «prueba»**, en términos de *todo documento o dato, tanto si se trata de un texto escrito como de una grabación de audio, de vídeo o audiovisual, independientemente del método utilizado, requerido [...] por una autoridad competente para probar unos hechos o el cumplimiento de unos requisitos a efectos de los procedimientos...*, según el Reglamento (UE) 2018/1724 del Parlamento Europeo y del Consejo, de 2 de octubre de 2018, relativo a la creación de una pasarela digital única de acceso a información, procedimientos y servicios de asistencia y resolución de problemas y por el que se modifica el Reglamento (UE) n.º 1024/2012. En la Directiva 2013/37/UE del Parlamento Europeo y del Consejo, de 26 de junio de 2013, por la que se modifica la Directiva 2003/98/CE relativa a la **reutilización de la información** del sector público se reconoce que *los documentos elaborados por los organismos del sector público de los Estados miembros constituyen un conjunto amplio, diverso y valioso de recursos que pueden beneficiar a la economía del conocimiento.* A la vez que se razona que *la autorización de la reutilización de los documentos en poder del sector público les confiere valor añadido para los reutilizadores, para los usuarios finales y para la sociedad en general y, en muchos casos, para el propio organismo público.*

No obstante, hay más definiciones de interés en el marco legal de la Unión Europea, pues introducen matices adicionales; por ejemplo, la referencia a otros soportes como el papel. Así, para la Directiva 2003/98/CE del Parlamento Europeo y del Consejo, de 17 de noviembre de 2003, relativa a la reutilización de la información del sector público, «**documento electrónico**» sería *cualquier contenido sea cual sea el soporte (escrito en papel o almacenado en forma electrónica o como grabación sonora, visual o audiovisual); o cualquier parte de tal contenido.*

Mientras que para el Reglamento (CE) Nº 1049/2001 del Parlamento Europeo y del Consejo, de 30 de mayo de 2001, relativo al acceso del público a los documentos del Parlamento Europeo, del Consejo y de la Comisión, un «**documento**» es *todo contenido, sea cual fuere su soporte (escrito en versión papel o almacenado en forma electrónica, grabación sonora, visual o audiovisual) referente a temas relativos a las políticas, acciones y decisiones que sean competencia de la institución.*

Para concluir con las definiciones, según la segunda versión del «Modelo de requisitos para la gestión de documentos electrónicos» (MoReq2) un «**documento de archivo**» es *información creada o recibida, conservada como información y prueba, por una organización o un individuo en el desarrollo de sus actividades o en virtud de sus obligaciones legales.*

En cuanto al **acceso a los documentos comunitarios**, el Reglamento (CE) nº 1049/2001 del Parlamento Europeo y del Consejo, de 30 de mayo de 2001, relativo al acceso del público a los documentos del Parlamento Europeo, del Consejo y de la Comisión que tiene por objeto definir los principios, condiciones y límites, por motivos de interés público o privado, por los que se rige el derecho de acceso a los documentos del Parlamento Europeo, del Consejo y de la Comisión; establecer normas que garanticen el ejercicio más fácil posible de este derecho; y promover buenas prácticas administrativas para el acceso a los documentos. Al mismo se remite el Reglamento General de Protección de Datos en su artículo 76, apartado 2, al acceso a los documentos presentados a los miembros del Comité Europeo de Protección de Datos, los expertos y los representantes de terceras partes.

Finalmente, mientras se viene asentando el marco general relativo al documento electrónico en la Unión Europea, ha sido necesario resolver **necesidades concretas** en entornos en los que es necesario manejar documentos. Se trata habitualmente en estos casos de documentos que tienen una fuerte componente en su composición de datos estructurados que pueden ser procesados fácilmente de forma automatizada por los sistemas, aunque puedan contar también posiblemente con datos no estructurados en ámbitos de contratación.

Un ejemplo característico de este tipo de documentos sería el «documento europeo único de contratación» (*European Single Procurement Document— ESPD*) que, según explica la Comisión, *consiste en una declaración de la situación financiera, las capacidades y la idoneidad de las empresas para un procedimiento de contratación pública. Está disponible en todas las lenguas de la UE y se utiliza como prueba preliminar del cumplimiento de los requisitos exigidos en los procedimientos de contratación pública en toda la UE. Gracias a dicho documento, los licitadores ya no tendrán que proporcionar pruebas documentales completas y diferentes formularios utilizados anteriormente en la contratación pública de la UE, lo que significa una considerable simplificación del acceso a las oportunidades de licitación transfronterizas. A partir de octubre de 2018 el DEUC se ofrecerá exclusivamente en formato electrónico.*

2. EL DOCUMENTO ELECTRÓNICO EN EL PLAN DE ACCIÓN DE ADMINISTRACIÓN ELECTRÓNICA 2016-2020

El **Plan de Acción de Administración Electrónica 2016-2020**, ubicado en el tercer pilar, de la Estrategia para el Mercado Único Digital de Europa, formula una visión según la cual *en 2020, las AA.PP. y las instituciones públicas de la UE deben ser abiertas, eficaces e integradoras, proporcionando servicios públicos digitales a todos los ciudadanos y empresas de la UE que sean personalizados, transfronterizos, servicios fáciles de usar, y de extremo a extremo.*

Sin embargo, a pesar de lo apuntado en la citada Estrategia acerca del documento electrónico, el Plan de Acción solo incluye referencias de carácter tangencial y sectorial al documento electrónico, principalmente en un contexto de apoyo a la transición de las administraciones públicas de los Estados miembros hacia la contratación electrónica de forma plena y de uso de firmas electrónicas interoperables. De manera que el foco se pone en el «Documento europeo único de contratación» y en la factura electrónica, con vistas a lograr el objetivo de que las empresas puedan concurrir por medios electrónicos a la contratación pública y que la factura electrónica sea aceptada, en cualquier parte de la Unión Europea.

Además, manteniendo este foco, más bien parcial, se dice en dicho Plan de Acción que la Comisión establecerá una ventanilla única para la aplicación del principio de solo una vez para el reporte en el ámbito del transporte marítimo (objetivo 14 del Plan); a la vez que se apunta que la Comisión está trabajando en la digitalización de los documentos de transporte para todas las modalidades y en la promoción de su aceptación por las autoridades públicas.

Por otra parte, la Declaración Ministerial de Tallin, firmada el 6 de octubre de 2017, dirigida a la Unión Europea y los países EFTA, en refuerzo el compromiso con los principios del Plan de Acción, no contiene, sin embargo, referencia alguna al documento electrónico, quizá por el liderazgo de Estonia durante su presidencia y su visión esencialmente datacéntrica.

El **Marco Europeo de Interoperabilidad** (COM(2017) 134 final ANEXO 2), otra de las acciones previstas en el Plan de Acción, no incluye referencias directas al documento electrónico más allá de las relativas a la conservación permanente, no exentas de importancia, y cuya presencia fue defendida por España, tanto para la versión 1, como para la versión 2 de dicho Marco. Se trata de la inclusión en la lista de principios fundamentales de uno específico, el número 11, relativo a la **conservación de la información**, en el cual se señalan las tres grandes cuestiones que se exponen a continuación.

En primer lugar, se constata el hecho de que pueda haber un marco legal que requiera el almacenamiento de información o documentos durante un tiempo determinado para acceso y como evidencia de los procedimientos y las decisiones, a la vez que se efectúen las conversiones pertinentes, bien de formatos, bien de soportes, para garantizar la legibilidad, fiabilidad e integridad de los documentos.

En segundo lugar, se refiere al uso de los formatos que garanticen la accesibilidad del documento a largo plazo, incluyendo la conservación de las firmas electrónicas asociadas y de los sellos electrónicos, sellos de tiempo, etc., mencionando el uso de servicios cualificados de conservación, en consonancia con el Reglamento eIDAS. Apunta que son deseables los formatos abiertos, es decir, aquellos formatos de archivo independiente de plataformas y puestos a disposición del público sin restricciones que impidan la reutilización de los documentos.

En el contexto de la reutilización de la información del sector público interesa, también, que sean legibles por máquina junto con sus metadatos. Un documento se presenta en formato legible por máquina si tiene un formato de archivo estructurado de tal forma que las aplicaciones informáticas puedan identificar, reconocer y extraer con facilidad los datos específicos que contiene. Si los documentos están codificados en un formato de archivo que limite este procesamiento automático no han de considerarse documentos en un formato legible por máquina. Esta es una cuestión, por ejemplo, que ha pesado grandemente en la decisión de la ESMA (*European Securities and Market Authority*) de adoptar la especificación denominada *in line xbrl,* basada en datos estructurados, para el reporte financiero de las empresas desde el 1 de enero de 2020, frente a otras alternativas como el formato no estructurado PDF.

En tercer lugar, se distingue entre la conservación en el ámbito nacional y la conservación que pueda tener un carácter europeo. Se dice, en ese segundo caso, que los Estados miembros afectados deben aplicar una «política de conservación» adecuada para hacer frente a las dificultades que puedan surgir cuando la información pertinente se utilice en diferentes jurisdicciones; cuestión esta difícil de abordar si no se cuenta en el ámbito nacional con políticas de gestión de documentos electrónicos, ni en el ámbito europeo con un enfoque común del documento electrónico.

En consecuencia, la recomendación 18 del Marco Europeo de Interoperabilidad se expresa en términos de *formular una política de conservación a largo plazo de la información relacionada con los servicios públicos europeos y, en particular, de la información que se intercambie a través de fronteras.*

3. ACCIONES EN MATERIA DEL DOCUMENTO Y ARCHIVO ELECTRÓNICO

3.1. Acciones para en enfoque común del documento electrónico

A la luz de la experiencia de España en materia del documentos electrónico y habiendo detectado la laguna existente en la Unión Europea, a propuesta de nuestro país, el programa comunitario ISA, cuya base legal fue la Decisión 922/2009/CE del Parlamento Europeo y del Consejo, de 16 de septiembre, de 2009 relativa a las soluciones de interoperabilidad para las administraciones públicas europeas (ISA), incorporó en su programa de trabajo, la acción «Definición de un enfoque común para el intercambio de documentos y expedientes electrónicos» (*Defining a common approach to electronic document and file Exchange*), acción posteriormente recogida también por su sucesor, el programa ISA^2, cuya base legal es la Decisión (UE) 2015/2240 del Parlamento Europeo y del Consejo, de 25 de noviembre de 2015, por la que se establece un programa relativo a las soluciones de interoperabilidad y los marcos comunes para las administraciones públicas, las empresas y los ciudadanos europeos (programa ISA^2).

Esta acción parte del reconocimiento de la necesidad de establecer pautas para la interoperabilidad en el intercambio de documentos electrónicos y tiene como objetivo principal la definición de un enfoque común para el documento y el expediente electrónico. Hasta el momento, como parte de los trabajos de esta acción, se han producido los resultados que se exponen a continuación.

En primer lugar, el informe *Análisis de formatos de documentos electrónicos estructurados en sistemas transeuropeos (SC17DI06692 - D1.1 Survey on standardized e-Document formats)* contempla que un documento electrónico puede contener datos estructurados y posiblemente también datos no estructurados, entendiendo que un formato de documento electrónico es una especificación que establece la sintaxis (estructura) y la semántica de un tipo particular de documento electrónico, y presenta el resultado del estudio de un conjunto de familias de formatos de documentos electrónicos utilizados en diversos ámbitos sectoriales (informes financieros, antecedentes penales, seguridad social, etc.) para intercambiar información entre las administraciones públicas en sistemas transeuropeos.

Se detecta una abundancia de formatos de documentos debida a la tendencia a buscar soluciones *ad hoc* de carácter sectorial o para servicios transeuropeos concretos, que da lugar, según concluye el informe, a escenarios en los que los requisitos no están suficientemente documentados; no se usan elementos estándar, con consecuencias negativas para la interoperabilidad; se desarrollan herramientas particulares para manejar estos formatos; de forma que todo ello conduce a la fragmentación, la divergencia y los conflictos de interoperabilidad, a la vez que a una multiplicación de esfuerzos de carácter redundante.

El informe se orienta a responder a preguntas tales como ¿qué formatos de documentos electrónicos existen?, ¿se encuentran disponibles bajo una licencia abierta?, ¿están descritos de acuerdo con el Esquema de metadatos de descripción de activos (ADMS—*Asset Description Metadata Schema*)?, ¿cuál es su contexto de utilización?, ¿se basan en bibliotecas compartidas (de tipos de datos, elementos, convenciones de nombres y reglas de diseño)?, ¿cuentan con mecanismos de conformidad?, ¿qué aspectos de seguridad incluyen?, ¿cómo se realiza la gobernanza del ciclo de vida de estos formatos y la gestión de cambios?, y ¿cuál es el uso real de los mismos?

Los principales hallazgos del análisis muestran que la mayoría de los formatos de documentos electrónicos analizados se encuentran, en el mejor de los casos, descritos informalmente; que los metadatos descriptivos no están disponibles en un formato legible por máquina conforme con el citado Esquema de metadatos de descripción de activos (ADMS); que la mitad de los formatos analizados no están disponibles bajo licencia abierta; que los formatos analizados se crean para un solo contexto de intercambio de información; además, pocos formatos electrónicos vienen con una implementación de referencia; en cuanto a la seguridad, se observa que la mayoría de los casos se basan en la aplicación de una firma electrónica estándar; que la mayoría de los formatos cuentan con algún mecanismo de gobernanza, pero el proceso de gestión de cambios no siempre es de carácter abierto; y que, en general, se utilizan para grandes volúmenes de transacciones.

Seguidamente, se formulan **recomendaciones** basadas en las buenas prácticas identificadas en el estudio de los casos, tales como usar formatos de documentos electrónicos ya existentes; incluir un modelado conceptual, una biblioteca estandarizada de tipos de datos, elementos y convenciones como nombres y reglas de diseño; proporcionar procedimientos de prueba de conformidad; definir un mecanismo de gobernanza formal con roles, responsabilidades y mecanismos de decisión para administrar el ciclo de vida de los formatos (por ejemplo, cómo se realizan las actualizaciones del formato o cómo se gestionan las solicitudes de cambio, favoreciendo la participación de los actores interesados).

En segundo lugar, la *Guía para las administraciones públicas sobre ingeniería de documentos electrónicos (SC17DI06692 - D1.2 Report on Semantics for e--Documents based on the Core Vocabularies)* tiene como objetivo formular una serie de directrices para la ingeniería de formatos de documentos electrónicos y se centra en la parte estructurada de los formatos utilizados en un intercambio de información basado en mensajes. También presenta el resultado de un estudio y de un proyecto piloto sobre ingeniería de documentos electrónicos. Recoge, así mismo, las lecciones aprendidas de un mini piloto que se llevó a cabo en el proyecto europeo e-SENS dentro del apartado relativo a semántica, procesos y documentos. En este contexto, según explica la Guía, se entiende por ingeniería de documento electrónico una disciplina para especificar, diseñar e implementar los documentos.

La Guía expone que fundamentalmente se manejan dos enfoques; o bien se parte de la reutilización de un formato estándar existente o bien se crea un nuevo. El resultado final es diferente dependiendo del enfoque. En el primer caso, el resultado suele ser un documento explicativo acerca de cómo usar la sintaxis estándar, mientras que en el segundo caso se crean artefactos técnicos para definir un nuevo formato. La Guía se inclina de forma preferente por el primer enfoque orientado a la reutilización de formatos estándar existentes, aunque explica cuáles son los componentes necesarios para definir un nuevo formato de documento electrónico: convenciones, sintaxis (estructura), biblioteca de elementos y su significado (semántica), nombres y reglas de diseño, reglas de comportamiento de los elementos en el formato, sus relaciones y cálculos, herramientas para diseñar, crear y probar la conformidad.

En tercer lugar, la «Arquitectura de Referencia de Documentos Electrónicos», sobre la base de un estudio de soluciones en 16 Estados miembros, documenta procesos y componentes elementales que ayuden a diseñar formatos de documentos electrónicos que tengan presente requisitos de interoperabilidad, así como estándares y especificaciones existentes.

Esta arquitectura contempla el ciclo de vida del documento electrónico a través de sus etapas, empezando por su creación bien mediante la digitalización de un documento en soporte papel o bien a partir de su generación como documento electrónico estructurado o no estructurado; siguiendo por las etapas de gestión; de intercambio bien orientado al usuario o bien entre sistemas; de conservación, en los diversos escalones de archivo; y en su caso de borrado y destrucción. La arquitectura repasa igualmente las implicaciones para el documento electrónico en todas las dimensiones de la interoperabilidad, legal, organizativa, semántica y técnica.

3.2. Acciones relativas al archivo electrónico

El proyecto **E-ARK** (*European Archival Records and Knowledge Preservation*), ejecutado entre el 1 de febrero de 2014 y el 31 de enero de 2017, parcialmente financiado por la Comisión Europea por medio del Programa de Competitividad e Innovación (CIP), ha constituido un esfuerzo europeo de cooperación, con participación del ámbito académico, de servicios de archivos nacionales y de proveedores de sistemas comerciales, para producir especificaciones y crear herramientas que permitan transferir registros entre archivos digitales con vistas a la conservación a largo plazo, según un enfoque capaz de satisfacer las necesidades de organizaciones de carácter diverso, públicas y privadas, grandes y pequeñas y lograr la interoperabilidad entre sistemas y archivos. Los principales resultados del proyecto han sido las especificaciones técnicas y el software compatible desarrollado y probado en el proyecto E-ARK, resultados disponibles bajo licencia de fuente abierta.

E-ARK también ha creado y probado una metodología para el archivo electrónico de documentos, sintetizando las mejores prácticas nacionales e internacionales existentes, en cuanto a exportación desde los sistemas comerciales de origen, transferencia de registros a los archivos, conservación, habilitación de acceso y reutilización. Dicha metodología se viene aplicando en siete proyectos piloto ejecutados en diversos contextos nacionales, utilizando herramientas y servicios existentes, desarrollados por los socios del proyecto, para demostrar la idoneidad de las normas y herramientas propuestas de E-ARK en cuanto a respaldar las necesidades de archivo electrónico que cubran todas las actividades relevantes (ciclo de vida de OAIS – *Open Archival Information System*), desde la ingesta hasta la reutilización de datos, al mismo tiempo que se abordan las necesidades de los interesados, productores de datos, sujetos de datos, propietarios de datos, titulares de datos y usuarios de datos. Los pilotos integran las herramientas de E-ARK junto con sistemas en operación y persiguen proporcionar un marco para garantizar la compatibilidad, la interoperabilidad y la mejora de los estándares actuales.

Sobre la base de los resultados de E-ARK, el mecanismo CEF-Telecom, que financia el desarrollo de componentes elementales cuyo propósito es permitir interacciones digitales transfronterizas, incluye el relativo a archivo electrónico, denominado eArchiving que resulta de un proceso de consultas realizado entre 2016 y 2017, con el respaldo de diversos Estados miembros y, particularmente, de España. Se parte de la idea de que, en todos los Estados miembros, las instituciones públicas tienen la obligación legal de conservar determinados datos y documentos en los archivos durante cierto tiempo. De forma que si no se incluyera la conservación a largo plazo de los activos digitales en las prácticas para el intercambio de datos transfronterizos, pudiera haber riesgo de que se perdiera alguna información valiosa con consecuencias en merma de transparencia y de confianza en las instituciones públicas, a la vez que se limitarían las oportunidades de reutilización de la información del sector público y de investigación.

Dicho todo esto, la plataforma de servicios centrales para el nuevo componente elemental de eArchiving se basa y ha continuado con el trabajo realizado por el proyecto E-ARK al objeto de lograr una adopción más amplia y transfronteriza de soluciones de archivo electrónico. Para ello se vislumbra que se ha de trabajar en el soporte técnico, la capacitación y los servicios de prueba con el fin de complementar y mejorar las especificaciones técnicas existentes, a la vez que promover software compatible, así como buenas prácticas asociadas. También se promoverán actividades de divulgación y colaboración destinadas a ampliar las soluciones existentes de E-ARK, desarrollar interfaces, especificaciones y servicios de acceso transfronterizo adicionales para una gama más amplia de dominios (por ejemplo, salud, medio ambiente, finanzas, seguridad, etc.).

Los posibles beneficios derivados de la puesta en marcha del componente elemental de eArchiving incluirían aspectos tales como la mejora de la capacidad para intercambiar datos entre organizaciones y con los ciudadanos (lo que ayudaría a cumplir los requisitos de portabilidad de datos establecidos por el citado Reglamento general de protección de datos); mejores oportunidades de mercado y mayor competitividad para los proveedores de tecnologías de la información debido a la facilidad de intercambio de datos de archivo a través de las fronteras; mayor disponibilidad transfronteriza de servicios de archivo electrónico comerciales para los sectores público y privado; mayor transparencia facilitada por una mayor capacidad de archivo electrónico y de acceso público a los registros digitales archivados; la capacidad de crear nuevos servicios innovadores basados en información en el archivo electrónico; mejor almacenamiento a largo plazo y disponibilidad de datos del sector público y privado. Además, se estima que el establecimiento de la plataforma de servicios básicos de archivo electrónico permitiría reducir los costes relacionados con la implantación y mantenimiento de soluciones de archivo electrónico, por razón de economías de escala y mayor eficiencia.

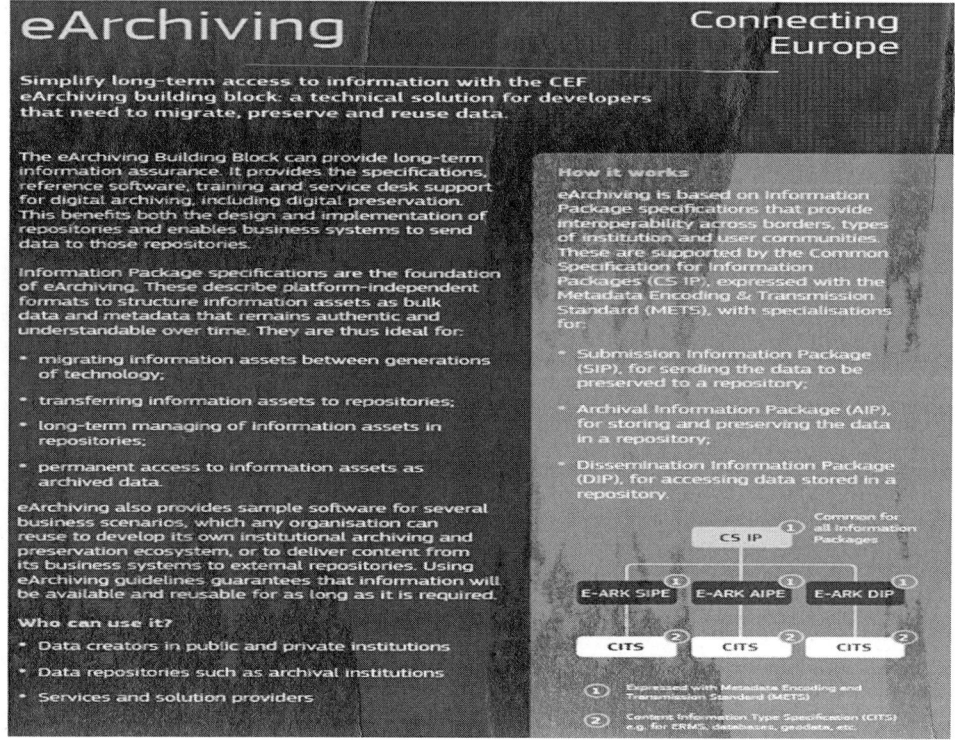

Figura 1. Panorámica del componente elemental eArchiving.

En el escenario configurado para eArchiving, la Comisión Europea será responsable de la configuración, operación y mantenimiento de la plataforma de servicios básicos de eArchiving; mientras que los archivos nacionales de los Estados miembros participarán a través del Grupo Europeo de Archivos (EAG), que cumple la función de Grupo de expertos. La Plataforma de servicios centrales para este componente elemental se implementará a través de contratos de adquisición y subvenciones. El primero se utilizará para establecer la infraestructura, para el apoyo administrativo y para las actividades de monitorización y comunicación, y, el segundo, para el desarrollo técnico y las especificaciones de estándares, involucrando a los interesados.

4. CONSECUENCIAS PRÁCTICAS DERIVADAS DEL ENTORNO EURO-PEO DEL DOCUMENTO ELECTRÓNICO

Las consecuencias prácticas de lo expuesto sobre el entorno europeo del documento electrónico se ponen principalmente de manifiesto en relación, por un lado, con la aplicación del Reglamento eIDAS sobre identidad electrónica y servicios de confianza y, por otro lado, con el alineamiento e integración con pautas, especificaciones y componentes elementales resultado de actuaciones y proyectos comunitarios.

En el primer caso, se trataría de la aplicación práctica de las previsiones del Reglamento eIDAS en cuanto a la identidad electrónica para la identificación y autenticación de los usuarios y el control de accesos; a la firma electrónica, que permite acreditar la autenticidad de la expresión de la voluntad y consentimiento, así como la integridad e inalterabilidad del documento; al sello electrónico que permite garantizar el origen y la integridad del documento; y al sello de tiempo que aporta la prueba de que un documento existían en un cierto instante. Todo ello, mediante los servicios e instrumentos que la organización use o despliegue para tales funciones.

En el segundo caso, se trataría del alineamiento e integración de servicios e instrumentos de la organización o usados por ésta en materia de documento, archivo y conservación con pautas del Marco Europeo de Interoperabilidad, con especificaciones bien sobre documento electrónico resultantes de las acciones comunitarias de ISA/ISA^2, bien sobre archivo electrónico procedentes del proyecto europeo E-ARK y su continuación a través del componente elemental eArchiving promovido por el instrumento CEF-Telecom.

5. CONCLUSIONES

En conclusión cabe destacar lo que sigue en relación con el documento electrónico en la Unión Europea.

A la fecha, la principal referencia en relación con el documento electrónico en el marco legal comunitario la encontramos en el Reglamento eIDAS relativo a la identidad electrónica y los servicios de confianza; de hecho, el documento electrónico se encuentra dentro de su ámbito objetivo, pues en su artículo 1 se declara que se establece un marco jurídico para un conjunto de elementos entre los que figuran el documento electrónico.

A pesar de que diversos actos comunitarios inciden en la importancia del documento electrónico y de la necesidad de su promoción, junto con la relevancia de aspectos asociados, tales como el reconocimiento mutuo, la eliminación de formalidades asociadas, o su reutilización, más allá del reconocimiento de los efectos jurídicos del documento electrónico no se encuentran a la fecha en el marco legal de la Unión Europea desarrollos de detalle relativos a cuestiones como las condiciones de validez del documento electrónico, en sintonía con las previstas en nuestra Ley LPAC, y que se perciben como de interés para su generalización en el ámbito transfronterizo en la Unión Europea.

Mientras se viene asentando el marco general relativo al documento electrónico en la Unión Europea, ha sido necesario resolver necesidades concretas en entornos en los que es necesario manejar documentos, habitualmente con una fuerte componente en su composición de datos estructurados que pueden ser procesados fácilmente de forma automatizada por los sistemas. Se detecta, por tanto, una abundancia de formatos de documentos debida a la tendencia a buscar soluciones *ad hoc* de carácter sectorial o para servicios transeuropeos concretos, de forma que todo ello conduce a la fragmentación, la divergencia y los conflictos de interoperabilidad, a la vez que a una multiplicación de esfuerzos de carácter redundante, como queda puesto de manifiesto por los estudios realizados por los programas ISA e ISA^2.

A pesar de lo apuntado en la Estrategia para el Mercado Único Digital de Europa acerca del documento electrónico, el Plan de Acción de administración electrónica 2016-2020 solo ha incluido referencias de carácter sectorial al documento electrónico, principalmente de apoyo a la contratación electrónica, la factura electrónica y para el reporte en el ámbito del transporte.

El Marco Europeo de Interoperabilidad en su versión 2 no incluye referencias explícitas al documento electrónico más allá de las relativas a la conservación permanente, a través de la inclusión en la lista de principios fundamentales de uno específico, el número 11, sobre la conservación de la información.

La *Arquitectura de Referencia de Documentos Electrónicos,* acción del programa ISA^2, documenta procesos y componentes elementales que ayuden a diseñar formatos de documentos electrónicos que tengan presente requisitos de interoperabilidad, así como estándares y especificaciones existentes.

El mecanismo europeo CEF-TELECOM promueve componentes elementales de interés para el documento electrónico, en particular, eArchiving que se basa y continúa con el trabajo realizado por el proyecto E-ARK (*European Archival Records and Knowledge Preservation*) al objeto de lograr una adopción más amplia y transfronteriza de soluciones de archivo electrónico, así como producir especificaciones y crear herramientas que permitan transferir registros entre archivos digitales con vistas a la conservación a largo plazo, según un enfoque capaz de satisfacer las necesidades de organizaciones de carácter diverso, públicas y privadas, grandes y pequeñas y lograr la interoperabilidad entre sistemas y archivos.

Finalmente, las consecuencias prácticas del entorno europeo del documento electrónico se ponen principalmente de manifiesto en relación, por un lado, con la aplicación del Reglamento eIDAS y, por otro lado, con el alineamiento e integración con pautas, especificaciones y componentes elementales resultado de actuaciones y proyectos comunitarios.

6. BIBLIOGRAFÍA

COM(2015) 192 final Comunicación de la Comisión al Parlamento Europeo, al Consejo, al Comité Económico y Social Europeo y al Comité de las Regiones Una Estrategia para el Mercado Único Digital de Europa. Disponible en: http://eur-lex.europa.eu/legal-content/ES/TXT/?uri=CELEX:52015DC0192

Reglamento (UE) nº 910/2014 del Parlamento Europeo y del Consejo, de 23 de julio de 2014, relativo a la identificación electrónica y los servicios de confianza para las transacciones electrónicas en el mercado interior y por la que se deroga la Directiva 1999/93/CE. Disponible en: http://eur-lex.europa.eu/legal-content/ES/TXT/?uri=celex%3A32014R0910

Directiva 2006/123/CE del Parlamento Europeo y del Consejo, de 12 de diciembre de 2006, relativa a los servicios en el mercado interior. Disponible en: http://eur-lex.europa.eu/legal-content/ES/TXT/?uri=celex:32006L0123

Directiva 2013/37/UE del Parlamento Europeo y del Consejo, de 26 de junio de 2013, por la que se modifica la Directiva 2003/98/CE relativa a la reutilización de la información del sector público. Disponible en: http://eur-lex.europa.eu/legal-content/ES/TXT/?uri=CELEX:32013L0037

Directiva 2003/98/CE del Parlamento Europeo y del Consejo, de 17 de noviembre de 2003, relativa a la reutilización de la información del sector público. Disponible en: http://eur-lex.europa.eu/LexUriServ/LexUriServ.do?uri=OJ:L:2003:345:0090:0096:ES:PDF

Reglamento (UE) 2018/1724 del Parlamento Europeo y del Consejo de 2 de octubre de 2018 relativo a la creación de una pasarela digital única de acceso a información, procedimientos y servicios de asistencia y resolución de problemas y por el que se modifica el Reglamento (UE) n.º 1024/2012. Disponible en: https://eur-lex.europa.eu/legal-content/ES/ALL/?uri=CELEX%3A32018R1724

Reglamento (CE) n.º 1049/2001 del Parlamento Europeo y del Consejo, de 30 de mayo de 2001, relativo al acceso del público a los documentos del Parlamento Europeo, del Consejo y de la Comisión. Disponible en: http://eur-lex.europa.eu/legal-content/ES/TXT/?uri=LEGISSUM%3Al14546

European Commission. *MoReq2. Model Requirements for the Management of Electronic Records. MoReq2 Specification*. Disponible en: http://moreq2.eu/moreq2

Boletín Oficial del Estado. *Código de Administración Electrónica*. Disponible en: https://www.boe.es/legislacion/codigos/codigo.php?id=029_Codigo_de_Administracion_Electronica

Reglamento (UE) 2016/679 del Parlamento Europeo y del Consejo, de 27 de abril de 2016, relativo a la protección de las personas físicas en lo que respecta al tratamiento de datos personales y a la libre circulación de estos datos y por el que se deroga la Directiva 95/46/CE (Reglamento general de protección de datos). Disponible en: http://eur-lex.europa.eu/legal-content/ES/TXT/?uri=CELEX %3A32016R0679

Directiva 1999/93/CE del Parlamento Europeo y del Consejo, de 13 de diciembre de 1999, por la que se establece un marco comunitario para la firma electrónica. Disponible en: http://eur-lex.europa.eu/legal-content/ES/TXT/?uri=CELEX:31999L0093

Decisión de Ejecución (UE) 2015/1506 de la Comisión, de 8 de septiembre de 2015, por la que se establecen las especificaciones relativas a los formatos de las firmas electrónicas avanzadas y los sellos avanzados que deben reconocer los organismos del sector público de conformidad con los artículos 27, apartado 5, y 37, apartado 5, del Reglamento (UE) nº 910/2014 del Parlamento Europeo y del Consejo, relativo a la identificación electrónica y los servicios de confianza para las transacciones electrónicas en el mercado interior (Texto pertinente a efectos del EEE). Disponible en: http://eur-lex.europa.eu/legal-content/ES/TXT/?qid=1513527318691&uri=CELEX:32015D1506

Documento europeo único de contratación (DEUC). Servicio para cumplimentar y reutilizar el DEUC. Disponible en: https://ec.europa.eu/tools/espd/filter?lang=es

COM(2016) 179 final COMMUNICATION FROM THE COMMISSION TO THE EUROPEAN PARLIAMENT, THE COUNCIL, THE EUROPEAN ECONOMIC AND SOCIAL COMMITTEE AND THE COMMITTEE OF THE REGIONS EU eGovernment Action Plan 2016-2020 Accelerating the digital transformation of government. Disponible en: http://eur-lex.europa.eu/legal-content/hu/TXT/?uri=CELEX:52016SC0108

Declaración Ministerial de Tallin. Disponible en: https://administracionelectronica.gob.es/pae_Home/dam/jcr:de049e90-bd31-4fbe-8156-5b981cd6e86e/declaracion_ministerial_tallin_es.pdf

COM(2017) 134 final ANEXO 2 de la COMUNICACIÓN DE LA COMISIÓN AL PARLAMENTO EUROPEO, AL CONSEJO, AL COMITÉ ECONÓMICO Y SOCIAL EUROPEO Y AL COMITÉ DE LAS REGIONES Marco Europeo de Interoperabilidad - Estrategia de aplicación. Disponible en: http://eur-lex.europa.eu/resource.html?uri=cellar:2c2f2554-0faf-11e7-8a35-01aa75ed71a1.0010.02/DOC_2&format=PDF

Decisión de Ejecución (UE) 2015/1505 de la Comisión, de 8 de septiembre de 2015, por la que se establecen las especificaciones técnicas y los formatos relacionados con las listas de confianza de conformidad con el artículo 22, apartado 5, del Reglamento (UE) n° 910/2014 del Parlamento Europeo y del Consejo, relativo a la identificación electrónica y los servicios de confianza para las transacciones electrónicas en el mercado interior (Texto pertinente a efectos del EEE). Disponible en: http://eur-lex.europa.eu/legal-content/ES/TXT/?qid=1513527318691&uri=CELEX:32015D1505

Decisión 922/2009/CE del Parlamento Europeo y del Consejo, de 16 de septiembre, de 2009 relativa a las soluciones de interoperabilidad para las administraciones públicas europeas (ISA). Disponible en: http://eur-lex.europa.eu/legal-content/ES/TXT/?uri=CELEX%3A32009D0922

Decisión (UE) 2015/2240 del Parlamento Europeo y del Consejo, de 25 de noviembre de 2015, por la que se establece un programa relativo a las soluciones de interoperabilidad y los marcos comunes para las administraciones públicas, las empresas y los ciudadanos europeos (programa ISA^2). Disponible en: http://eur-lex.europa.eu/legal-content/ES/ALL/?uri=CELEX%3A32015D2240

Programa ISA^2. Disponible en: https://ec.europa.eu/isa2/home_en

EUROPEAN COMMISSION. *Defining a common approach to electronic document and file exchange.* Disponible en: https://ec.europa.eu/isa2/actions/defining-common-approach-electronic-document-and-file-exchange_en

EUROPEAN COMMISSION. *Analysis of structured e-Document formats used in Trans-European Systems. SC17DI06692 - D1.1 Survey on standardized e-Document formats.* Comisión Europea. Disponible en: https://ec.europa.eu/isa2/sites/isa/files/miscellaneous/analysis-of-structured-e-document-formats-used-in-trans-european-systems_en.pdf

EUROPEAN COMMISSION. *Guidelines for public administrations on e-Document engineering methods. SC17DI06692 - D1.2 Report on Semantics for e-Documents based on the Core Vocabularies.* Comisión Europea. Disponible en: *https://ec.europa.eu/isa2/sites/isa/files/miscellaneous/guidelines-for-public-administrations-on-e-document-engineering-methods-en.pdf*

EUROPEAN COMMISSION. *e-Documents Reference Architecture* (Arquitectura de Referencia de Documentos Electrónicos). Disponible en: https://ec.europa.eu/isa2/solutions/e-documents-reference-architecture_en

Proyecto E-ARK. Disponible en: http://www.eark-project.com/

Connecting Europe Facility—Telecom. Disponible en: https://ec.europa.eu/inea/en/connecting-europe-facility/cef-telecom

Componentes elementales (building blocks). https://ec.europa.eu/cefdigital/wiki/display/CEFDIGITAL/About+CEF+building+blocks

SOLANO GADEA, Miguel. Ministerio de Hacienda y Función Pública. Diccionario de términos y conceptos de la administración electrónica. Disponible

en: https://administracionelectronica.gob.es/pae_Home/pae_Estrategias/
pae_Leyes-39-y-40-2015/materiales-ayuda/diccionario-terminos-y-conceptos-
administracion-electronica.html

48.

¿DÓNDE COLOCAMOS AL MÁXIMO RESPONSABLE DEL DOCUMENTO ELECTRÓNICO?

Gerardo BUSTOS PRETEL
Subdirector general del Ministerio de Hacienda y Función Pública

En España el documento electrónico carece de un cuerpo normativo propio y de una máxima autoridad responsable de su gestión y tratamiento. Las causas de esta realidad quizá haya que buscarlas en su gran transversalidad, en su corta existencia o en la peculiaridad de actuar de puente entre dos mundos muy dispares, uno viejo y arraigado (los archivos) y otro nuevo y de arrolladora pujanza (la administración electrónica).

Lo cierto es que en el mundo que rodea al archivo las funciones y responsabilidades están claras, al menos en buena medida. La administración electrónica en general ha desarrollado también una estructura y jerarquía propias, tanto en la AGE como en el resto de administraciones públicas. Ambas disciplinas, además, cuentan con cuerpos de funcionarios propios: archiveros y técnicos informáticos, respectivamente.

En el documento electrónico, como decíamos antes, no se da nada esto. Carece de estructura propia, no tiene una responsabilidad única y no ha desarrollado un colectivo de especialistas específicos en el corporativo mundo administrativo.

1. UN PUENTE ENTRE EL ARCHIVO Y LA ADMINISTRACIÓN ELECTRÓNICA

Ante este panorama, la realidad se está abriendo su propio camino. La gestión del documento electrónico se está nutriendo de archiveros e informáticos y, sobre todo, de la colaboración entre ambos. En menor medida, también de gestores y de juristas.

Esta situación ha colocado al profesional del archivo en un primer plano del proceso de gestión de documentos electrónicos. Eso es así porque se trata del único profesional de las administraciones públicas con conocimientos sobre la gestión documental, lo que le sitúa en un plano privilegiado para intentar trasladar sus conocimientos documentales al tratamiento del documento electrónico.

Este hecho provoca un importante cambio de roles en las administraciones públicas. Tradicionalmente el archivero español, como en general los archiveros del modelo europeo de conservación, han sido esencialmente finalistas. Sin embargo, eso cambia drásticamente con la transformación digital, que reclama la presencia del archivero en todo el proceso del recorrido documental, desde la propia captura del documento. Pero hay que tener cuidado con el uso del espejo entre el pasado, el presente y el futuro. Lógicamente, no basta con un mero traslado de conocimiento del documento papel al documento electrónico. Cualquier operación de mimetismo está condenada al fracaso y a la frustración, porque estamos ante un cambio de paradigma. El rol que realmente tiene que asumir el especialista documental es el salto de la mera gestión electrónica (tradicional) del documento (en papel o incluso en soporte electrónico) a la gestión todo-electrónica de documentos sólo en soporte electrónico.

Eso implica en realidad lo que García-Morales, Elisa (2013) califica como el gran cambio de paradigma del siglo XXI: «la evolución desde la gestión electrónica de documentos a la gestión de documentos electrónicos». En el primer caso se gestionan los originales en soporte papel o sus copias digitales empleando programa informáticos, por decirlo de la manera más simple. En el segundo caso, las tecnologías gestionan electrónicamente en todos sus aspectos un documento que sólo es electrónico. Efectivamente, ése es el gran reto al que nos enfrentamos.

2. EL DOCUMENTO ELECTRÓNICO ES EL EJE DE LA TRANSFORMACIÓN DIGITAL

A esta fase de gestión de documentos electrónicos llegamos en nuestro país básicamente de la mano de la LPAC y la LRJSP. Con ambas leyes, conocidas como «las siamesas», el marco administrativo español ha consagrado el funcionamiento electrónico como el único y habitual, lo que supone un cambio disruptivo sobre la legislación precedente. Nos encontramos frente a un claro antes y después del archivo electrónico: un profundo cambio de paradigma en torno al archivo y sus responsables. La manera de trabajar, la forma de organizarse, la responsabilidad sobre el archivo, la colaboración con otros sectores laborales, la implicación en todo el proceso de gestión del documento electrónico desde su captura inicial, la simbiosis con el mundo tecnológico, etc.

La del archivo electrónico único es una idea sin desarrollar y con no pocas incógnitas, al menos hasta que viva su necesario desarrollo reglamentario; pero es una evidencia clara del pensamiento digital del legislador, que ha planteado un concepto nuevo, huyendo del mero mimetismo en digital de la idea de gestión documental en papel. Y eso es así, porque ha visto claro que el archivo electrónico escapa por su propia idiosincrasia de la tiranía de la ubicación física que padece el papel.

En este entorno electrónico, el documento es el eje sobre el que pivota la administración electrónica, el verdadero corazón de la transformación digital y de la interoperabilidad. Hasta ahora hemos acumulado papel, lo hemos guardado, clasificado y archivado. El documento es un testimonio que han trascendido al presente de sus protagonistas. Esos testimonios se han registrado siempre en los soportes físicos existentes en cada momento: pinturas en las cavernas, piedra Rosseta, tablillas de barro, tablillas de arcilla, jeroglíficos, pergaminos, papiros, papel, etc. Pues bien, ahora ese mismo documento lo empezamos a conservar en soportes electrónicos. Ése es el gran cambio.

Precisamente por ese papel central que ocupa el documento electrónico, es por lo que demanda un tratamiento global, planificado y sistemático. Derivado de ese planteamiento surge la necesidad de una responsabilidad clara que garantice la correcta ejecución del plan de transformación digital.

3. LA CONEXIÓN ENTRE ARCHIVOS Y DOCUMENTOS ELECTRÓNICOS

La falta de una autoridad única y clara en materia de documento electrónico se ha salvado hasta el momento merced a la dinámica de colaboración creciente entre archiveros e informáticos, que ha empezado a cobrar vida en los últimos años. Es imposible avanzar en materia de documento, expediente y archivo electrónico sin la estrecha colaboración entre los profesionales del archivo y los profesionales de las tecnologías de la información y las comunicaciones, además de los gestores.

El sector funcional necesita de los informáticos para desarrollar aplicaciones que gestiona en la vida del documento desde que nace hasta que llega al archivo definitivo. Y de la misma manera, el técnico necesita de la colaboración del sector funcional para desarrollar esas aplicaciones de acuerdo con las necesidades del gestor y, sobre todo, de los cánones de la archivística.

Los dos sectores están condenados a entenderse y deben hacerlo con grandes dosis de flexibilidad. El entorno funcional aporta la experiencia y los conocimientos del sector, pero tiene que ser flexible y entender que su conocimiento del archivo papel ayuda a entender las metas y los objetivos, pero no los caminos a seguir, porque el soporte electrónico necesariamente debe seguir sus propios trazados. En definitiva, le exige al archivero pensar en digital.

Por su parte, el técnico debe saber que el desarrollo que realiza es una herramienta que está obligada a dar respuesta a las necesidades del archivero. Pensando en digital debe dar respuesta a unas obligaciones que son heredadas del mundo analógico. Si ese matrimonio funciona, el documento electrónico tendrá la respuesta que necesitamos.

4. RESPONSABILIDADES COMPARTIDAS

Sin duda la importancia del documento electrónico se ha visto incrementada, si cabe, con la aprobación de la LPAC y la LRJSP. Ya hemos apuntado antes que de su mano aparece el concepto nuevo del archivo electrónico único. El archivo electrónico es de hecho la prueba de fuego de esa administración sin papeles, porque el archivo electrónico único sólo es posible con una óptima gestión del documento electrónico.

4.1. Colaboración colegiada

Sin duda la gestión del documento electrónico precisa de una perfección que sólo puede dibujarse con la implicación multidisciplinar de todos los actores implicados, desde el minuto cero de la captura del documento electrónico, hasta el destino final del archivo electrónico. Pero hasta ahora más que un modelo orgánico de competencias centralizadas, nos podemos encontrar con fórmulas de cooperación multidisciplinar, de responsabilidades compartidas.

Sin entrar de manera pormenorizada en los terrenos de las distintas administraciones, donde hay fórmulas más o menos generalizadas en comunidades autónomas y entidades locales, pero hay también casos muy singulares, vamos a abordar el planteamiento a nivel AGE, que con frecuencia se convierte en un foco de mimetismo para el resto de las administraciones públicas. En todo caso, más adelante abordaremos como plantean las PGD-e de las diferentes administraciones la responsabilidad en materia de gestión de documentos electrónicos.

A nivel de la AGE, hay voces que hablan ya de la existencia de una especie de monstruo de tres cabezas: la archivística, la electrónica y la del Ministerio de la Presidencia. Por un lado nos encontramos con una estructura orgánica en materia de archivos claramente definida, con la cúspide en el Ministerio de Cultura y Deporte, a través de la Subdirección General de Archivos Estatales. Por otro lado, tenemos una administración electrónica, relativamente joven y pujante, con estructura propia y cuya cúspide la encontramos actualmente en la Secretaría de Estado de Digitalización e Inteligencia Artificial, donde se encuadra la Secretaría General de Administración Digital (SGAD).

El problema surge cuando la gestión del documento electrónico necesita incorporar varios sectores competenciales, pero sobre todo dos: archivística y documentos, por un lado, y administración electrónica y digital por otro. Quizá esta necesidad es la que llevó al legislador a contemplar en el Real Decreto 1708/2011, de 18 de noviembre, por el que se establece el Sistema Español de Archivos y se regula el Sistema de Archivos de la Administración General del Estado y de sus organismos públicos y su régimen de acceso, a la creación de la nonnata (casi 9 años después de la entrada en vigor del real decreto) Comisión de Archivos de la AGE, adscrita al Ministerio de Presidencia.

El propio preámbulo del real decreto señala que «la nueva Comisión de Archivos de la AGE, órgano con representación interministerial, tiene encomendada la coordinación de la política archivística de los ministerios y organismos públicos en tanto que integrantes del Sistema de Archivos de la Administración General del Estado. En el diseño del Sistema se tiene en cuenta que, en la fase activa del ciclo de vida de los documentos, la gestión eficaz de la información administrativa resulta clave tanto para la organización interna como para la actividad externa de la Administración, en tanto que, finalizada la fase activa, es la dimensión histórico-patrimonial y cultural de documentos y archivos la que adquiere progresivamente mayor relevancia. En consecuencia con esto, el presente Real Decreto prevé una regulación común, de carácter general, para asegurar un tratamiento archivístico adecuado de los documentos administrativos a lo largo de su ciclo vital».

La Comisión de Archivos de la Administración General del Estado actuará como coordinadora del Sistema de Archivos de la AGE. Este órgano interministerial adscrito al Ministerio de Presidencia, «elaborará las instrucciones, recomendaciones, manuales y criterios para garantizar el cumplimiento de la normativa en materia de archivos e impulsar la gestión coordinada de los mismos. En particular, la Comisión establecerá instrucciones y criterios para homogeneizar, normalizar y armonizar las tareas archivísticas que se realicen en las distintas etapas del ciclo documental y en los diferentes archivos de su competencia».

Como puede verse, tampoco muestra la normativa con respecto a este órgano colegiado una especial preocupación por el documento electrónico. Si bien es cierto que entre los miembros de la Comisión de Archivos de la AGE se encuentra el máximo responsable de la administración digital.

Todo hace pensar que el legislador ha situado la cabeza de ese órgano colegiado en la Presidencia del Gobierno evidenciando una preocupación clara por la política de acceso, y por la unificación de dos mundos que cada vez tienen que colaborar más estrechamente. Y esa necesidad no va encaminada en la buena gestión de los archivos, sino en un desarrollo óptimo de la transformación digital, con la gestión de documentos electrónicos como eje.

4.2. Diferentes competencias

Desde un punto de vista cargado de realismo, en lo que atañe a la administración archivística y a la administración electrónica no cabe hablar de dos cabezas archivísticas. Son dos competencias y cada una de ellas tiene su propia dirección. De lo que se trata es de establecer puentes de colaboración entre ambas. No se puede pretender que la administración archivística gobierne la administración electrónica, ni viceversa. De la misma manera que la industria automovilística no puede encargarse de gobernar la construcción de carreteras y autopistas.

Es precisamente la falta de una estructura que unifique a nivel orgánica en las diferentes administraciones la gestión del documento electrónico contemplando todos sus componentes (electrónico-TIC y documento-archivo), lo que ha dado lugar a numerosos grupos y foros institucionales de encuentro entre todas las administraciones intentando salvar esa carencia.

En los últimos tiempos la necesidad obliga, y empezamos a observar numerosos casos de puentes que favorecen esa colaboración multidisciplinar. Cabe señalar en este sentido la modificación del Real Decreto 1401/2007, de 29 de octubre, por el que se regula la composición, funcionamiento y competencias de la Comisión Superior Calificadora de Documentos Administrativos[1]. El principal objetivo de la modificación fue la incorporación como miembros de sendos representantes del Consejo de Transparencia y Buen Gobierno y de Secretaría General de Administración Digital.

A otros niveles de punto de encuentro entre las diferentes administraciones, cabe señalar que en enero de 2016 se constituyó el Grupo de Trabajo del Comité Sectorial de Administración Electrónica para el Documento, Expediente y Archivo Electrónico. Lo integran representantes funcionales y técnicos de las comunidades autónomas, la administración local a través de la Federación Española de Municipios y Provincias (FEMP) y las universidades a través de la Conferencia de Rectores. Igualmente, en abril de 2016 se aprobó la creación del Grupo de Trabajo del Comité de Dirección TIC para el Documento, Expediente y Archivo Electrónico, en el que los ministerios y organismos representados en el CDTIC forman parte con una doble representación funcional y técnica. En ambos órganos colegiados, además, se *integra la Subdirección General de Archivos Estatales.*

4.3. Al ENI sí le preocupa la organización del documento electrónico

Como hemos señalado en varias ocasiones a lo largo de estas líneas, ninguna ley aborda con criterio organizativo o estructural la gestión de documentos electrónicos. Pero donde sí encontramos alguna preocupación por la organización en torno al documento electrónico, aunque tímida, es en el ENI. En su artículo 21, a la hora de establecer las «condiciones para la recuperación y conservación de documentos», en el apartado 1, entre las «medidas organizativas y técnicas» a adoptar para «garantizar la interoperabilidad en relación con la recuperación

---

(1) Modificado por el Real Decreto 487/2017, de 12 de mayo.

y conservación de los documentos electrónicos», especifica la siguiente: «i) La coordinación horizontal entre el responsable de gestión de documentos y los restantes servicios interesados en materia de archivos».

Siguiendo la senda marcada por el ENI, la NTI de política de gestión de documentos electrónicos en su capítulo IV alude a los «actores involucrados en la definición, aprobación e implantación de la política de gestión de documentos-e en una organización», empezando por la alta dirección que aprueba la política. Sin embargo, no va más allá, es decir, ni siquiera plantea algún tipo de unidad de acción, concentración de responsabilidad en algún órgano, etc. Pero hay que entender que al menos abre una puerta que posteriormente trasvasan muchas PGD-e, con diferente grado de concreción.

5. ¿ CÓMO SALVAN LA CARENCIA LAS POLÍTICAS DE GESTIÓN DE DOCUMENTOS ELECTRÓNICOS?

Donde se aprecia cierta preocupación por determinar la responsabilidad en materia de gestión documental es en las PGD-e aprobadas en las diferentes administraciones y organizaciones públicas. Desgraciadamente la falta de una propuesta clara en el ENI sobre el particular, al igual que en la NTI de política de gestión de documentos electrónicos, ha dado lugar a una disparidad de soluciones, entre los que se encuentra a veces el planteamiento de huir de cualquier concreción de responsabilidad a base de distribuir esa responsabilidad entre demasiados actores.

Si observamos las PGD-e aprobadas hasta la fecha en las diferentes administraciones públicas, nos encontramos una solución dispar en cuanto a la máxima responsabilidad para gestionarlas[2].

5.1. Documento electrónico en entorno estatal

En la Administración General del Estado, hay tres casos de PGD-e publicadas. Corresponde, por el orden en el que han sido aprobadas, a los Ministerios de Hacienda, de, Cultura y Deportes; y de Defensa.

En el caso del Ministerio de Hacienda la Política de gestión de documentos electrónicos MINHAC determina que el gestor de esa PGD-e es el titular de la Subdirección General de Información, Documentación y Publicaciones, que es la unidad de la que depende el Archivo Central del ministerio.

En el caso del MINHAC este planteamiento ha derivado en una consecuencia interesante en lo que se refiere a la definición orgánica de las responsabilidades en la materia de documentos electrónicos. En su última reorganización, en el

---

(2)   Este pequeño repaso a algunos casos se ha centrado en las PGD-e recogidas en PAE: https://administracionelectronica.gob.es/pae_Home/pae_Estrategias/Archivo_electronico/pae_Politica-de-gestion-de-documentos-electronicos.html.

Real Decreto 769/2017, de 28 de julio, por el que se desarrolla la estructura orgánica básica del entonces MINHAFP, este departamento se ha hecho eco de los planteamientos de su PGD-e, elevando a estructura lo que ya se había convertido en realidad. El real decreto de estructura adjudica en su artículo 19 a la mencionada Subdirección General de Información, Documentación y Publicaciones la competencia en «la gestión y coordinación de la política de gestión de documentos electrónicos del departamento».

En esta circunstancia hay que destacar dos aspectos novedosos. El primero, que por primera vez la competencia sobre política de gestión de documentos electrónicos se hace visible en un real decreto de estructura ministerial. Generalmente se trata de una competencia nueva, no siempre reconocida y que, en todo caso, se difumina es materias más asentadas por siglos de existencia, como los archivos. Y el otro aspecto a destacar, es el hecho de que además de reconocerse tal competencia en la estructura, se determine la responsabilidad máxima sobre dicha competencia en materia de PGD-e.

En el caso del Ministerio de Cultura y Deporte la competencia en materia de gestión documental adquiere tintes especiales al encontrarse entre sus competencias la relativa a los Archivos Estatales. Finalmente su PGD-e establece como su gestor a dos unidades, respectivamente responsables de tecnologías y de archivos: la Subdirección General de los Archivos Estatales y la Subdirección General de Tecnologías de la Información y Comunicaciones del ministerio.

La tercera PGD-e del entorno de la AGE corresponde al Ministerio de Defensa, aprobada en este caso mediante orden ministerial. Siguiendo la tónica de las anteriores, determina que el gestor de la PGD-e es la Subdirección General de Publicaciones y Patrimonio Cultural, que también es la unidad con las competencias en archivo en el departamento. Cabe destacar la importancia de que la competencia en materia de documento electrónico esté bien definida en un ministerio de estructura compleja y que, además, cuenta desde 1998 con su propio Sistema Archivístico de la Defensa (SAD).

5.2. Documento electrónico en entornos autonómicos

A nivel autonómico es frecuente encontrar responsabilidades repartidas entre diferentes órganos y unidades a la hora de gestionar el documento electrónico y al establecer la PGD-e. Sin embargo por lo general, aunque las responsabilidades estén repartidas, suele haber una responsabilidad más o menos estructurada en torno a la PGD-e.

Esa coordinación en materia de PGD-e recae sobre el organismo responsable de los archivos en Catilla La Mancha, Murcia, Aragón. Similar es el caso de aquellas comunidades autónomas que centran esa responsabilidad en el organismo responsable de documentos y archivos, como Cataluña y Andalucía.

Otras comunidades tienen sellos claramente especiales en la responsabilidad en materia de documento electrónico. Así, por ejemplo, las Islas Baleares, partiendo de unas responsabilidades muy compartidas, adjudica la principal responsabilidad sobre la PGD-e al Grupo Técnico de Inmersión Digital, donde la participación multidisciplinar queda garantizada. Este encuadramiento, por otra parte, implica concebir el documento electrónico como parte de un proyecto de transformación digital más amplio. Sin duda un aspecto interesante, porque la transformación digital tiene muchas patas y ha de abordarse en conjunto, sin olvidar, por supuesto, por la gestión de documentos electrónicos es el centro de ese gran cambio de paradigma.

Llamativo también es el caso de Asturias, que establece como gestor de la PGD-e a la Dirección General de Participación Ciudadana. Profundizando un poco más en esta curiosidad, advertimos que la variación se centra sobre todo en el nombre. La responsabilidad que comentamos a un segundo nivel se encuadra en un macro Servicio de Publicaciones, Archivos Administrativos, Documentación y Participación Ciudadana.

Euskadi y Canarias aúnan las competencias archivísticas y tecnológicas para concentrar la responsabilidad sobre la PGD-e. Canarias, en un marco de responsabilidades repartidas, apuntan que la aprobación, actualización e impulso de la PGD-e corresponde al titular del departamento competente en materia de administración electrónica y gestión documental y archivos. Asimismo, en el caso de Euskadi la aprobación e impulso de la PGD-e corresponde al departamento competente en materia de sistema de archivo y documentación y al departamento competente en materia de administración electrónica. Pero posteriormente difunde las responsabilidades, sin que haya una centralización específica.

Casi muy particular y diferenciado es el de Navarra, donde la propia PGD-e reclama una nueva estrategia organizativa que debe tener un carácter multidisciplinar y contemplar responsabilidades a diferentes niveles. En ese marco estructura una serie de órganos colegiados de variada representación, según sus cometidos, entre los que a nuestros efectos destaca la existencia de una Comisión Estratégica del Sistema de Gestión Documental de Navarra. Sus cometidos son los de marcar o revisar los objetivos del sistema de gestión documental, realizar el seguimiento del cumplimiento de los mismos, así como de encargar al Equipo Operativo el cumplimiento de las decisiones estratégicas que tome la Comisión y de recibir y estudiar las solicitudes elevadas a ella desde el Equipo Operativo. La composición multidisciplinar incluye responsables de funciones de gestión documental y archivística, de la Comisión de Evaluación Documental, las funciones de organización, de las funciones de tecnología y de las funciones de acción legislativa. Es decir, incluye representantes de las disciplinas imprescindibles en elaboración de cualquier PGD-e: especialistas en archivo y documento, técnicos, gestores y juristas.

5.3. Documento electrónico en entornos locales

A nivel local con cierta frecuencia se centraliza la responsabilidad de la PGD-e en el archivo. En el caso del Ayuntamiento de Cartagena (Murcia) y de El Molar (Madrid) así ocurre y el responsable es el archivo municipal. En la Diputación de Barcelona, la responsabilidad del mantenimiento, supervisión y actualización de la PGD-e es responsabilidad de la Secretaría General de la Diputación a través del Archivo General. Por su parte, la Diputación de Castellón, el Ayuntamiento de Valdepeñas reparte tareas entre diferentes responsables. Otros casos no concretan la existencia de un responsable de la PGD-e, como ocurre con la Diputación de Valladolid.

Especial atención merece un planteamiento que sí apunta hacia la solución más cargada de coherencia con la necesidad de nuevas responsabilidades organizadas en torno a la gestión documental. Hay ayuntamientos provistos de unidades cuya denominación y funciones abarcan al archivo municipal y la gestión documental. La existencia de estas unidades encierra dos aspectos que merece la pena destacar. El primero de ellos, la evidencia de que van apareciendo organigramas municipales que incluyen entre sus estructuras la gestión documental. El segundo aspecto a valorar es el hecho de que esta responsabilidad sobre la gestión documental generalmente se ha unido al archivo municipal. Se crea así un punto orgánico que asume la responsabilidad sobre la gestión de documentos electrónicos en esos ayuntamientos, en la órbita de donde se encuentra la gestión de la preservación y archivo del patrimonio documental. Cabe entender, además, que los cambios organizativos no se han quedado aquí, sino que van acompañados de puentes estructurales que han facilitado la actuación coordinada de estas nuevas unidades con los servicios TIC del ayuntamiento.

Lógicamente, cuando existen estas responsabilidades en los organigramas municipales, no hay ninguna duda a la hora de centralizar la responsabilidad de la PGD-e, que recae siempre en estas unidades de archivo y gestión documental. Tal es el caso, por citar algunos ejemplos, del Ayuntamiento de Rivas Vaciamadrid (Unidad de Documentación y Archivo); Ayuntamiento de Leganés (Archivo y Gestión Documental); Ayuntamiento de Pycania (Gestión Documental y Archivo Municipal).

5.4. Documento electrónico en entorno universitario

En los ámbitos universitarios, encontramos algunos casos que focalizan la responsabilidad de la PGD-e en el entorno de los archivos. Por ejemplo, la Universidad Pública de Navarra concreta que el gestor de su PGD-e es el jefe de Sección de Gestión de Documentos y Archivo General. Una solución similar a la de la Universidad Miguel Hernández de Elche, donde el gestor de la PGD-e es la Oficina de Documentación, Archivo y Registro.

En el caso de la Universidad de Valladolid se responsabiliza del desarrollo y aplicación de la PGD-e a la Secretaría General de la universidad, apoyada por la Comisión de Administración Electrónica. En la misma línea, la Universidad de Cantabria establece también que el gestor de su PGD-e es el secretario general de la universidad.

Por último, hay casos como el de la Universidad de Murcia, que reparte tareas entre diferentes responsables.

6. LA EXPERIENCIA DE LOS PAÍSES CON EXPERIENCIA

Sólo a título indicativo, puesto que en este mismo libro LLANSÓ[3], aborda los modelos en profundidad, si queremos referirnos al tipo de organización en algunos países que sí han puesto el punto de mira en un tratamiento del documento electrónico desde la unificación competencial.

6.1. En Estados Unidos manda el NARA

Naturalmente, cada país tiene su cultura y costumbres y las fórmulas no siempre son exportables. Sin embargo, cuando estamos viviendo un cambio de paradigma de este calibre, no está mal mirar cómo lo hacen otros, con la mente abierta a la necesidad de profundos cambios culturales en nuestros modelos organizativos en todos los órdenes. El profundo cambio que introduce el documento electrónico pide a gritos una actuación de especialistas en gestión documental desde primer momento de su captura. Un cambio radical, aconseja mirar otras experiencias como la norteamericana.

El profundo cambio que estamos experimentando a nivel en torno a la transformación digital invita, como decíamos, a mirar otras culturas, como la norteamericana. A diferencia del modelo español, y en general del modelo europeo, el modelo norteamericano de la gestión de documentos es uniforme a lo largo del ciclo de vida de los documentos. El europeo, sin embargo, centra la responsabilidad en lo que respecta a archivos en sus diferentes fases.

Pero lo que queremos destacar aquí es la gran diferencia que supone el hecho de que el sistema americano se base en la existencia de una autoridad clara en la materia. Es una agencia independiente adscrita al Gobierno Federal de Estados Unidos, que protege y documenta los registros gubernamentales e históricos. Se denomina Archivos Nacionales y Administración de Documentos de los Estados Unidos y es conocida como NARA[4]. Tiene, además, atribuida algunas funciones de prestigio, como la publicación de las actas del Congreso, las proclamaciones presidenciales, etc.

---

(3) Véase «36. Transformación digital de los modelos nacionales de gestión de documentos».
(4) En inglés, National Archives and Records Administration.

Originalmente era un sistema descentralizado y poco seguro, hasta que en 1934, el Congreso creó mediante ley la Administración Nacional de Documentos. Después de otros cambios, en 1985 desembocó en el NARA actual. Justa el mismo año en el que se aprueba en España la Ley 16/1985, de 25 de junio, del Patrimonio Histórico Español, que introduce desde su artículo primero el concepto de «patrimonio documental», pero no aborda la gestión documental.

6.2. En Australia, una agencia

También queremos llamar la atención sobre el Archivo Nacional de Australia. Se trata de una agencia ejecutiva, que alienta y facilita el uso de los recursos de archivo del gobierno, al tiempo que proporciona liderazgo en el desarrollo y la coordinación de la conservación y uso de los recursos de archivo. La agencia es la responsable del desarrollo de políticas en esta materia, y también de prestar asesoramiento al Gobierno de Australia y sus organismos en la gestión, conservación y disposición de los documentos.

El Archivo es responsable de la selección y preservación de la información más valiosa del Gobierno de Australia y de facilitar su uso por el público, independientemente del formato o tecnología de dependencia. También es responsable de promover la buena gestión de la información y los registros de los servicios nacionales australianos.

7. UNA SOLA GESTIÓN

La alusión a los casos de Norteamérica y Australia tiene por objetivo valorar la importancia de centralizar responsabilidades, como vía para una gestión eficaz del documento electrónico, en el marco de una transformación digital global que implica cambio de paradigma. En estos momentos nos encontramos con una responsabilidad dispersa: los archiveros archivan, los gestores tramitan, los informáticos desarrollan aplicaciones. Falta una autoridad orgánica o colegiada que asuma la responsabilidad sobre la gestión documental. Una carencia que se muestra con mayor claridad si se tiene en cuenta que el documento es el eje de la administración electrónica. Precisamente por serlo, necesita un tratamiento global, planificado y sistemático.

7.1. Documento electrónico único

La responsabilidad sobre la administración electrónica está planteada en las estructuras de las administraciones públicas a nivel estatal, autonómico y local. Otro tanto sucede con los archivos.

Por el contrario, la responsabilidad sobre la gestión de documentos electrónicos no aparece claramente reflejada ni en las estructuras de los organismos, ni tampoco entre sus funciones especificadas. Esta circunstancia podemos explicarla a través de tres razones básicas:

• Es una función joven.

• Es una actuación transversal, con implicaciones multidisciplinares, como informáticos, archiveros, gestores, etc.

• La gestión documental no ha merecido tratamientos especiales hasta que no ha llegado el documento electrónico.

Las alternativas que se plantean son las de concebir un documento electrónico único, con una gestión única, con un tratamiento único. Desde una organización que acomete la gestión del documento electrónico desde todos sus aspectos competenciales, especialmente archivísticos y electrónicos.

7.2. Archivo electrónico único

Algo similar cabe señalar con respecto al archivo. Actualmente la idea en cuanto a capacidad de almacenamiento y fácil acceso en torno al archivo electrónico único son enormes. Pero eso es así si establecemos la organización adecuada y no una organización que entorpezca, dificulte o incluso imposibilite el ejercicio de esas ventajas. Debe ser también una organización que garantice el nada fácil problema de la preservación, entendido básicamente como la capacidad de asegurar que los documentos sean legibles en el futuro. A lo que ha de añadirse la necesidad de cumplir sus principales objetivos, como son el acceso y la recuperación.

Como apunta BIA, «no tiene sentido tener algo almacenado si no podemos encontrarlo, o si ni siquiera sabemos que lo tenemos». Es decir, la organización tiene que asegurar también «con un eficiente sistema de búsqueda y recuperación de lo almacenado». Planteado globalmente no encontramos solución más acorde con el concepto de archivo electrónico único que la articulación de una responsabilidad concentrada.

Estamos planteando la posibilidad de una estructura organizativa que contemple la figura de una autoridad única en materia de archivo y gestión documental. Centralizar la responsabilidad de la organización sobre el documento electrónico, probablemente aceleraría la implantación de la administración digital y de las medidas adecuadas de conservación en las condiciones exigidas por la LPAC, el ENI y las NTI.

Como hemos apuntado al principio, la responsabilidad sobre la administración electrónica está claramente dibujada en las estructuras de las administraciones públicas a nivel estatal, autonómico y local. Otro tanto se puede decir de los archivos. La laguna, como venimos repitiendo, la advertimos en el hecho de que sobre la gestión de documentos electrónicos no aparece claramente reflejada ni en las estructuras de los organismos; ni tampoco entre las funciones especificadas de éstos.

Puede ser orientativo el planteamiento al respecto de las políticas de gestión de documentos electrónicos que hemos abordado más arriba; pero realmente tampoco lo es, dado que también en este caso nos encontramos con un planteamiento dispar a la hora de fijar quien tiene la máxima responsabilidad en la gestión de esas políticas en las distintas administraciones públicas. A veces caen en los responsables de los archivos, otras veces en unos nuevos responsables que aúnan bajo su manto organizativo archivos y gestión documental, pero no siempre es así.

Se plantea aquí la reflexión sobre si la existencia de una figura con máxima responsabilidad sobre la gestión de documentos electrónicos favorecería el proceso de digitalización hacia la administración electrónica. Desde luego, lo que parece evidente es que lo contario, la dispersión de responsabilidades en la materia, no parece que sea un elemento de ayuda.

Asimismo, otra cuestión a valorar es el hecho de que con la LPAC el archivo ha entrado a formar parte del procedimiento administrativo, de manera que invita a cuestionar la antigua consideración del archivo como una parcela administrativa encuadrada en la Cultura. Hoy en ese mundo exclusive de la Cultura únicamente colocaríamos el archivo histórico.

8. CONCLUSIONES

El documento electrónico es el eje de la transformación digital, pero carece organización y normativa propias.

Las PGD-e son los proyectos donde más claramente está empezando a plantearse la responsabilidad única en torno a la gestión del documento electrónico.

La gestión del documento electrónico se asienta en las ciencias archivísticas y de administración electrónica, y por eso podría alcanzar su mayor grado de eficacia con una organización, estructura y reglas propias.

La gestión de documentos electrónicos es un proceso tremendamente disruptivo, que pide a voces un cambio igualmente disruptivo en la organización que afronte esa gestión.

Es necesario explorar una estructura con organización única en la gestión de documentos electrónicos.

9. BIBLIOGRAFÍA

BIA, Alejandro. «La preservación digital: ¿un problema tecnológico u organizativo». Dentro de la obra colectiva dirigida y editada por BLASCO DÍAZ, José Luis y FABRA VALLS, Modesto J., *El documento electrónico: aspectos jurídicos, tecnológicos y archivísticos*. Publicacions de la Universitat Jaume I. Castelló de la Plana. 2008.

BUSTOS PRETEL, Gerardo, en el análisis del artículo 46 de la obra colectiva dirigida por CAMPOS ACUÑA, Concepción, *Comentarios a la Ley 40/2015 de Régimen Jurídico del Sector Público*. Wolters Kluwer. Madrid. 2017.

BUSTOS PRETEL, Gerardo, en el análisis del artículo 17 de la obra colectiva dirigida por CAMPOS ACUÑA, Concepción, *Comentarios a la Ley 39/2015 de Procedimiento Administrativo Común de las Administraciones Públicas*. Wolters Kluwer. Madrid. 2017.

BUSTOS PRETEL, Gerardo (2016). «Entre "Archive" y la política de gestión de documentos electrónicos». *Tabula*. Asociación de Archiveros de Castilla y León, n.º 19.

BUSTOS PRETEL, Gerardo (2016). «¿Quién manda en el documento electró nico?». Blog de Legaltoday http://www.legaltoday.com/blogs/transversal/blog-administracion-publica/quien-manda-en-el-documento-electronico?voto=5 (consultado 10/04/2018)

BUSTOS PRETEL, Gerardo (2019). «La cultura es la jaula de oro del archivo electrónico». Blog de Legaltoday. http://www.legaltoday.com/blogs/transversal/blog-administracion-publica/la-cultura-es-la-jaula-de-oro-del-archivo-electro-nico (consultado 11/12/2020).

GARCÍA-MORALES, Elisa. *Gestión de documentos en la e-administración*. Editorial UOC. Barcelona. 2013.

GONZÁLEZ PEREZ, Jesús y GONZÁLEZ NAVARRO, Francisco. *Comentario a la ley de régimen jurídico de las administraciones públicas y del procedimiento administrativo común (Ley 30/92, de 26 de noviembre)*, tomo I. 4.ª ed., 2007. Aranzadi. Pamplona 2007.

LLANSÓ I SANJUAN, Joaquim. *Gestión de documentos. Definición y análisis de modelos*. IRARGI. Departamento de Cultura del Gobierno Vasco. Bergara. 1993.

MINISTERIO DE HACIENDA Y ADMINISTRACIONES PÚBLICAS. *Políticas de gestión de documentos electrónicos MINHAP*. Centro de Publicaciones de MINHAP. Madrid. 2015.

MINISTERIO DE HACIENDA Y ADMINISTRACIONES PÚBLICAS. *Políticas de gestión de documentos electrónicos MINHAP. Ponencias complementarias al documento*. Centro de Publicaciones de MINHAP. Madrid. 2015.

MINISTERIO DE DEFENSA. «Política de gestión de documentos electrónicos» https://publicaciones.defensa.gob.es/media/downloadable/files/links/p/o/poli-tica_gesti_n_de_documentos_electr_nicos.pdf

MINISTERIO DE HACIENDA Y ADMINISTRACIONES PÚBLICAS. «Plan de Transformación Digital de la Administración General del Estado y sus organismos públicos (Estrategia TIC 2015 -2020)». Colección administración electrónica. Centro de Publicaciones de MINHAP. Madrid. 2015.

PALOMAR OLMEDA, Alberto. *Procedimiento administrativo*. Thomson Reuters-Aranzadi. Navarra. 2ª ed., 2017.

PIÑAR MAÑAS, J. L. y otros (2011). *Administración electrónica y ciudadanos*. Capítulo I «Revolución tecnológica y nueva administración». Civitas. Pamplona.

SERRA, Jordi. «Gestión y conservación de los documentos electrónicos desde la perspectiva archivística: un nuevo escenario de actuación». Dentro de la obra colectiva dirigida y editada por BLASCO DÍAZ, José Luis y FABRA VALLS, Modesto J. *El documento electrónico: aspectos jurídicos, tecnológicos y archivísticos*. Publicacions de la Universitat Jaume I. Castelló de la Plana. 2008.

VALCÁRCEL FERNÁNDEZ, Patricia. «Documentos y archivos electrónicos», incluido en la obra colectiva *Administración Electrónica y Ciudadanos*, dirigida por PIÑAR MAÑAS, JOSÉ LUIS. Thomson Reuters-Aranzadi. Navarra. 2011.

49.

LA GESTIÓN DOCUMENTAL COMO PREMISA DE LA ADMINISTRACIÓN DIGITAL. BASES LEGALES

César HERRERO POMBO
*Funcionario de administración local con habilitación de carácter nacional.
Secretario del Ayuntamiento de Tavernes de la Valldigna*

1. INTRODUCCIÓN: HABLEMOS DE MESTIZAJE

Es muy llamativo que la Ley 39/2015, de 1 de octubre, del Procedimiento Administrativo Común de las Administraciones Públicas (LPAC) no contenga ninguna referencia a la gestión documental como premisa de la implantación de la administración digital.

Efectivamente, si repasamos su articulado, no encontraremos ninguna regulación específica que obligue a las AAPP a implantar sistemas de gestión documental que permitan establecer unas bases sólidas para la correcta preservación —con todas sus propiedades— de la ingente producción documental de los diferentes actores involucrados.

Tampoco en la Ley 16/1985, de 25 de junio, del Patrimonio Histórico Español, se menciona la obligación de disponer de una política de gestión documental por parte de las AAPP como «proveedores» del PHE. Su art. 49.2 dispone que forman parte del Patrimonio Documental los documentos de cualquier época generados, conservados o reunidos en el ejercicio de su función por cualquier organismo o entidad de carácter público, por las personas jurídicas en cuyo capital participe mayoritariamente el Estado u otras entidades públicas y por las personas privadas, físicas o jurídicas, gestoras de servicios públicos en lo relacionado con la gestión de dichos servicios.

Y —aviso a navegantes— el art. 323.1 del Código penal castiga con la pena de prisión de seis meses a tres años o multa de doce a veinticuatro meses al que cause daños en bienes de valor histórico, artístico, científico, cultural o monumental, o en yacimientos arqueológicos, terrestres o subacuáticos. Con la misma pena se castigarán los actos de expolio en estos últimos.

De modo que la desaparición del papel como soporte de la gestión documental nos obliga a reflexionar sobre los requisitos que caracterizan a los documentos electrónicos de manera intrínseca así como los establecidos para su conservación e intercambio (interoperabilidad), lo que conduce a la metainformación y al e-EMGDE, así como a la firma electrónica y los metadatos específicos que garantizan la autenticidad y preservación de las características de la firma y del documento firmado.

Todo ello pone de manifiesto, adicionalmente, la necesidad ineludible de un enfoque multidisciplinar, de un espacio común de conocimiento, de un mestizaje entre archiveros, tecnólogos y juristas. Sin esta orientación, será imposible implantar una administración digital racional y, adicionalmente, pondremos en serio riesgo elementos esenciales del PHE.

Ahora bien, el hecho de que la legislación citada no prevea expresamente la obligación de cada administración pública de disponer de una PGD no supone que no resulte exigible. A lo largo de las siguientes páginas vamos a intentar demostrar que ocurre, precisamente, lo contrario: hay múltiples normas jurídicas que presuponen y, por tanto, exigen, una definición previa de la política de gestión documental como cimiento de la implantación de la administración digital; hay una profusa arquitectura tecnológica cuyo objeto primordial es la producción de documentos; hay una imperiosa necesidad de trasvasar y comprender las técnicas archivísticas desde el germen de cualquier estrategia encaminada a la implantación de la administración digital. Desde esta perspectiva, las críticas vertidas al olvido de la gestión documental —al menos en el máximo nivel normativo— por parte del legislador, son plenamente justificadas.

2. EL DOCUMENTO ADMINISTRATIVO (ELECTRÓNICO)

2.1. Concepto normativo

El adjetivo electrónico va entre paréntesis porque, a día de hoy, es redundante. Una de las primeras ideas que derivan con absoluta claridad de la LPAC es que no se puede hablar ya de documentos administrativos que no sean electrónicos, puesto que incluso los que los interesados aporten en papel deben ser objeto de digitalización y copia, en muchos casos auténtica, de modo que su ingreso en el sistema de gestión documental se hará casi siempre en formato digital.

A diferencia de lo que ocurre con el expediente administrativo, que es objeto de definición por la LPAC en su artículo 70, no hemos podido encontrar en ella una definición normativa del documento administrativo. Al igual que ocurre con otros aspectos vinculados a la gestión documental, parece que el legislador da por sentados ciertos aspectos primarios de la producción administrativa que nos obligan a una lectura sistemática de la normativa que nos permita deducir el concepto.

El art. 3 de la Ley 59/2003, de 19 de diciembre, de firma electrónica, dispone que documento electrónico es la información de cualquier naturaleza en forma electrónica, archivada en un soporte electrónico según un formato determinado y susceptible de identificación y tratamiento diferenciado. Distingue entre documento público o documento administrativo en los siguientes términos:

a) Documentos públicos, por estar firmados electrónicamente por funcionarios que tengan legalmente atribuida la facultad de dar fe pública, judicial, notarial o administrativa, siempre que actúen en el ámbito de sus competencias con los requisitos exigidos por la ley en cada caso.

b) Documentos expedidos y firmados electrónicamente por funcionarios o empleados públicos en el ejercicio de sus funciones públicas, conforme a su legislación específica.

c) Documentos privados.

En el Modelo Conceptual de Descripción Archivística y Requisitos de Datos Básicos de las Descripciones de Documentos de Archivo, Agentes y Funciones (MC), publicado el 18 de junio de 2012 por la Comisión de Normas Españolas de Descripción Archivística (CNEDA), el primer tipo de entidad es el **Documento de archivo**, considerado como el objeto *tangible* de la gestión documental, que constituye en general, el centro de atención de la Archivística. Para esta entidad, el MC de CNEDA identifica diez subtipos: grupo de fondos, fondo, serie, subserie, fracción de serie/subserie, unidad documental, colección, división de colección y componente documental.

De estos diez subtipos, resultan interesantes para nuestro estudio y por su vinculación a la idea de documento administrativo, los siguientes:

• *Serie:* conjunto de documentos, producidos por uno o varios agentes, que son *testimonio continuado de una o varias actividades o procesos*[(1)].

• *Subserie:* conjunto de documentos de una serie, agrupados de acuerdo con un criterio determinado de clasificación.

---

(1)　En este sentido, es imprescindible tener en cuenta las consideraciones de la Guía de aplicación de implantación de la política de gestión de documentos electrónicos, que en su punto 7.1 indica que la identificación de series documentales consiste en la investigación y estudio de los documentos generados por un órgano administrativo en el ejercicio de sus funciones. Es necesario identificar las diferentes series documentales o procedimientos generados por un órgano administrativo, determinando para cada una de ellas su triple contexto de producción orgánico, funcional y procedimental.

Este subtipo de entidad incluye cualquier conjunto de documentos de una serie, agrupados de acuerdo con un criterio de clasificación, como las diversas modalidades de actividades o procesos que testimonia la serie, un criterio geográfico, etc.

• *Fracción de serie / subserie:* Conjunto de documentos de una serie o subserie, normalmente correlativos, conservados en una o varias unidades de instalación.

Este subtipo de entidad puede incluir una o varias unidades de instalación, como cajas, carpetas, legajos, etc. Incidentalmente, esta definición demuestra el alejamiento del MC de la administración electrónica, seguramente como consecuencia del fenómeno del «culturalismo». Lo que la implantación de la administración digital demanda al mundo archivístico se centra ahora en ficheros, bases de datos, repositorios electrónicos, reingeniería de procesos, gestores documentales, datos masivos, transparencia y reutilización, etc.

• *Unidad documental:* elemento básico de un fondo, grupo de fondos, colección o serie, constituido por un documento de archivo o por varios que formen una unidad documental compuesta.

Este subtipo de entidad incluye cualquier unidad documental compuesta o cualquier unidad documental simple o documento de archivo.

Así pues, desde este modelo conceptual que, se orienta no tanto a la definición de los procesos de producción documental como a los procedimientos relacionados con la fase de archivo, se podría avanzar que el documento administrativo es una unidad documental, simple o compuesta, testimonio de una o varias actividades o procesos.

Desde el punto de vista normativo, una primera aproximación al concepto de documento electrónico nos la ofrece el Anexo al Real Decreto 4/2010, de 8 de enero, por el que se regula el Esquema Nacional de Interoperabilidad en el ámbito de la administración Electrónica (ENI) que, en su glosario de términos, lo describe en los siguientes términos: **información de cualquier naturaleza en forma electrónica, archivada en un soporte electrónico según un formato determinado y susceptible de identificación y tratamiento diferenciado**.

2.2. Componentes del documento (electrónico)

Según la Resolución de 19 de julio de 2011, de la Secretaría de Estado para la Función Pública, por la que se aprueba la NTI del Documento Electrónico, los componentes de un documento electrónico son:

944

a) **Contenido**, entendido como conjunto de datos o información del documento.

b) En su caso, **firma electrónica**.

Tanto los documentos administrativos electrónicos, como aquellos susceptibles de formar parte de un expediente, *tendrán siempre asociada al menos una firma electrónica* de acuerdo con la normativa aplicable.

Según la Guía de aplicación de la NTI del DE, un documento administrativo electrónico es, por tanto, un *objeto digital* administrativo que contiene la información objeto (datos y firma) y los datos asociados a ésta (metadatos). Aunque pueden definirse diferentes dimensiones y componentes digitales, para la gestión, tratamiento y conservación de un documento electrónico, éste se considera de forma funcional o conceptual como una unidad.

Esta Guía dice que la firma electrónica es un conjunto de datos en forma electrónica, consignados junto a otros o asociados con ellos, que (a) permite detectar cualquier cambio ulterior de los datos firmados, (b) está vinculada al firmante de manera única y a los datos a los que se refiere y (c) ha sido creada por medios que el firmante puede mantener bajo su exclusivo control. Noción que coincide con la definición de firma electrónica avanzada del art. 3.2 de la Ley 59/2003, de 19 de diciembre, de firma electrónica y que debe ser relacionada, en la actualidad, con la firma electrónica cualificada. En cualquier caso, en cuanto a la firma requerida para la plena validez del documento electrónico, habrá que estar a lo dispuesto por el art. 10 de la LPAC, que flexibiliza —en nuestra opinión de forma excesiva en cuanto a la preservación de la garantía jurídica de sus efectos— los sistemas de firma exigibles por las AAPP y dispone que los interesados podrán firmar a través de cualquier medio que permita acreditar la autenticidad de la expresión de su voluntad y consentimiento, así como la integridad e inalterabilidad del documento, considerando válidos a efectos de firma:

a) Sistemas de firma electrónica reconocida o cualificada y avanzada basados en certificados electrónicos reconocidos o cualificados de firma electrónica expedidos por prestadores incluidos en la «Lista de confianza de prestadores de servicios de certificación». A estos efectos, se entienden comprendidos entre los citados certificados electrónicos reconocidos o cualificados los de persona jurídica y de entidad sin personalidad jurídica.

b) Sistemas de sello electrónico reconocido o cualificado y de sello electrónico avanzado basados en certificados electrónicos reconocidos o cualificados de sello electrónico incluidos en la «Lista de confianza de prestadores de servicios de certificación».

c) Cualquier otro sistema que las administraciones públicas consideren válido, en los términos y condiciones que se establezcan.

Cada administración pública, organismo o entidad podrá determinar si sólo admite algunos de estos sistemas para realizar determinados trámites o procedimientos de su ámbito de competencia. Este art. 10 de la LPAC llega incluso a admitir los sistemas de identificación contemplados en esta Ley como sistema de firma cuando permitan acreditar la autenticidad de la expresión de la voluntad y consentimiento de los interesados[2].

Debe tenerse en cuenta a este respecto que el art. 1 del Real Decreto-ley 14/2019, de 31 de octubre, por el que se adoptan medidas urgentes por razones de seguridad pública en materia de administración digital, contratación del sector público y telecomunicaciones, modifica el apartado 1 del artículo 8 de la Ley Orgánica 4/2015, de 30 de marzo, de protección de la seguridad ciudadana, disponiendo que el DNI es el único documento con suficiente valor por sí solo para la acreditación, a todos los efectos, de la identidad y los datos personales de su titular.

Además, el art. 2 de dicho RD-l modifica el apartado 1 del artículo 15 de la Ley 59/2003, de 19 de diciembre, de firma electrónica, en los siguientes términos:

«1. El documento nacional de identidad electrónico es el documento nacional de identidad que acredita electrónicamente la identidad personal de su titular, en los términos establecidos en el artículo 8 de la Ley Orgánica 4/2015, de 30 de marzo, de protección de la seguridad ciudadana, y permite la firma electrónica de documentos.» En cuanto a sistemas de firma basados en cadenas de bloques, este RD-l introduce una nueva Disposición adicional sexta que proscribe los sistemas de identificación basados en tecnologías de registro distribuido y los sistemas de firma basados en los anteriores, en tanto que no sean objeto de regulación específica por el Estado en el marco del Derecho de la Unión Europea. Cualquier sistema de identificación basado en tecnología de registro distribuido que prevea la legislación estatal a que hace referencia el apartado anterior deberá contemplar asimismo que la Administración General del Estado actuará como autoridad inter-

---

(2)   La Resolución de 14 de julio de 2017, de la Secretaría General de Administración Digital, por la que se establecen las condiciones de uso de firma electrónica no criptográfica, en las relaciones de los interesados con los órganos administrativos de la Administración General del Estado y sus organismos públicos, sienta las bases de uso de sistemas de identificación basados en la plataforma Cl@ve, para la realización de la firma. Téngase en cuenta que la firma no criptográfica no tiene los mismos efectos que la manuscrita, reservados a la firma cualificada. En aplicación de esta norma, se podrán utilizar sistemas de firma electrónica no criptográfica cuando el sistema de información asociado al procedimiento haya sido categorizado, según el esquema nacional de seguridad, *de categoría básica y aquellos de categoría media en los que no sea necesario utilizar la firma avanzada,* cuando así lo disponga la normativa reguladora aplicable.
Por tanto, sin una previa categorización de los niveles de seguridad, no será posible el empleo de Cl@ve como sistema de firma electrónica.

media que ejercerá las funciones que corresponda para garantizar la seguridad pública.»

d) *Metadatos* del documento electrónico.

Según la Guía de aplicación de la NTI del documento electrónico, los metadatos proporcionan contexto al contenido, estructura y firma de un documento, contribuyendo al valor probatorio y fiabilidad de éste a lo largo del tiempo como evidencia electrónica de las actividades y procedimientos. Un documento electrónico, en su forma más común y simple está compuesto por un solo fichero de información, un conjunto de metadatos más, en su caso, si es un documento administrativo electrónico, o si es un documento susceptible de formar parte de un expediente, obligatoriamente, una o varias firmas electrónicas.

Los metadatos mínimos obligatorios del documento electrónico:

a) Serán los definidos en el anexo I de la NTI.

b) Estarán presentes en cualquier proceso de intercambio de documentos electrónicos entre órganos de la administración y entidades de derecho público vinculadas o dependientes de aquélla y con el ciudadano.

c) No serán modificados en ninguna fase posterior del procedimiento administrativo, a excepción de modificaciones necesarias para la corrección de errores u omisiones en el valor inicialmente asignado.

2.3. Tipos de documentos

Por su contenido, de acuerdo con la Resolución de 19 de julio de 2011, de la Secretaría de Estado para la Función Pública, por la que se aprueba la NTI de DE, pueden ser:

a) *Documentos administrativos electrónicos*. En línea con esta clasificación, el art. 3.6 de la Ley 59/2003, de 19 de diciembre, de firma electrónica indica que el documento electrónico será soporte de:

• Documentos públicos auténticos (con fe pública), firmados electrónicamente por funcionarios que tengan legalmente atribuida la facultad de dar fe pública, judicial, notarial o administrativa, siempre que actúen en el ámbito de sus competencias con los requisitos exigidos por la ley en cada caso.

• Documentos expedidos y firmados electrónicamente por funcionarios o empleados públicos en el ejercicio de sus funciones públicas (copias simples), conforme a su legislación específica.

Este será el caso de los documentos aportados presencialmente por los interesados que sean objeto de digitalización y copia auténtica por el personal funcionario de la oficina de asistencia en materia de registros.

b) *Cualquier otro documento electrónico susceptible de formar parte de un expediente electrónico*.

• Documentos privados. Según el citado art. 3.6 el art. de la Ley 59/2003, aquí quedarán englobados los documentos presentados por vía electrónica por los sujetos obligados a relacionarse electrónicamente con las AAPP, de acuerdo con el art. 14 de la LPAC, o los no obligados que opten voluntariamente por esta forma de relación.

Por su modo de ingreso en el SGD, el documento puede ser producido o capturado.

• Los documentos administrativos **producidos** por las AAPP (art. 26.1 de la LPAC), se emitirán por escrito y a través de medios electrónicos, a menos que su naturaleza exija otra forma más adecuada de expresión y constancia.

• Los documentos **presentados** por las personas interesadas que, si bien la LPAC no lo indica expresamente, cuando se presenten en papel, desde el momento en que pasan a formar parte de un expediente administrativo, se convierten a efectos de gestión documental en documentos susceptibles de incorporarse a un expediente electrónico, puesto que van a ser objeto de ingreso a través del Registro Electrónico Único, se van a incorporar a un expediente, van a ser objeto de intercambio a través de los mecanismos de interoperabilidad previstos por la norma y van a ser incluidos, en la fase de cierre del expediente, en el índice electrónico, todo ello en la fase activa. Además, van a ser objeto de transferencia al archivo para su custodia en su fase de archivo. Tal y como dispone el art. 16.5, los documentos presentados de manera presencial ante las administraciones públicas, deberán (imperativo) ser digitalizados, de acuerdo con lo previsto en el artículo 27 y demás normativa aplicable, por la OAMR en la que hayan sido presentados para su incorporación al expediente administrativo electrónico, devolviéndose los originales al interesado, sin perjuicio de aquellos supuestos en que la norma determine la custodia por la administración de los documentos presentados o resulte obligatoria la presentación de objetos o de documentos en un soporte específico no susceptibles de digitalización.

En la misma línea, el art. 28.4 dispone que cuando con carácter excepcional, y de acuerdo con lo previsto en esta Ley, la administración solicite la presentación de un documento original y éste esté en formato papel, el interesado deberá obtener una copia auténtica, según los requisitos establecidos en el artículo 27, con carácter previo a su presentación electrónica.

2.4. Requisitos de validez

El art. 26.2 de la LPAC dice que para ser considerados válidos, los documentos electrónicos administrativos deberán:

a) Contener información de cualquier naturaleza archivada en un soporte electrónico según un formato determinado susceptible de identificación y tratamiento diferenciado.

b) Disponer de los datos de identificación que permitan su individualización, sin perjuicio de su posible incorporación a un expediente electrónico.

c) Incorporar una referencia temporal del momento en que han sido emitidos.

d) Incorporar los metadatos mínimos exigidos.

e) Incorporar las firmas electrónicas que correspondan de acuerdo con lo previsto en la normativa aplicable.

Se considerarán válidos los documentos electrónicos, que cumpliendo estos requisitos, sean trasladados a un tercero a través de medios electrónicos.

3. EL EXPEDIENTE (ELECTRÓNICO)

3.1. Concepto normativo

A diferencia de lo que ocurría con la legislación de procedimiento administrativo precedente, el art. 70 de la LPAC incluye una definición del concepto de expediente electrónico, que remite a la establecida por el art. 164 del Real Decreto 2568/1986, de 28 de noviembre, por el que se aprueba el Reglamento de Organización, Funcionamiento y Régimen Jurídico de las Entidades Locales (ROF[3]).

Según este art. 70, se entiende por expediente administrativo el conjunto ordenado de documentos y actuaciones que sirven de antecedente y fundamento a la resolución administrativa, así como las diligencias encaminadas a ejecutarla.

---

(3)   *Art. 164.*
Constituye expediente el conjunto ordenado de documentos y actuaciones que sirven de antecedente y fundamento a la resolución administrativa, así como las diligencias encaminadas a ejecutarla. Los expedientes se formarán mediante la agregación sucesiva de cuantos documentos, pruebas, dictámenes, decretos, acuerdos, notificaciones y demás diligencias deban integrarlos, y sus hojas útiles serán rubricadas y foliadas por los funcionarios encargados de su tramitación.

Los expedientes tendrán **formato electrónico** y se formarán mediante la agregación ordenada de cuantos documentos, pruebas, dictámenes, informes, acuerdos, notificaciones y demás diligencias deban integrarlos, así como un índice numerado de todos los documentos que contenga cuando se remita. Asimismo, deberá constar en el expediente copia electrónica certificada de la resolución adoptada.

Cuando en virtud de una norma sea preciso remitir el expediente electrónico, se hará de acuerdo con lo previsto en el ENI y en las correspondientes NTI, y se enviará completo, foliado, autentificado y acompañado de un índice, asimismo autentificado, de los documentos que contenga. La autenticación del citado índice garantizará la integridad e inmutabilidad del expediente electrónico generado desde el momento de su firma y permitirá su recuperación siempre que sea preciso, siendo admisible que un mismo documento forme parte de distintos expedientes electrónicos.

3.2. La distinción entre expediente y procedimiento. Su insoportable levedad

Desde el punto de vista práctico, parece oportuno hacer un esfuerzo para distinguir los conceptos de *expediente* y *procedimiento*. A diferencia de lo que ocurre con el documento electrónico, el glosario de términos del ENI no incluye su definición, aunque sí se refiere a la de procedimiento administrativo como proceso formal regulado jurídicamente para la toma de decisiones por parte de las administraciones públicas para garantizar la legalidad, eficacia, eficiencia, calidad, derechos e intereses presentes, que termina con una resolución en la que se recoge un acto administrativo; este proceso formal jurídicamente regulado se implementa en la práctica mediante un proceso operativo que coincide en mayor o menor medida con el formal.

Por *proceso operativo* se entiende el conjunto organizado de actividades que se llevan a cabo para producir un producto o servicio; tiene un principio y fin delimitado, implica recursos y da lugar a un resultado.

Además, y en relación con estas definiciones, se alude al concepto de «familia», como la agrupación de procedimientos administrativos atendiendo a criterios genéricos de similitud por razón de esquema de tramitación, documentación de entrada y salida e información, dejando al margen criterios de semejanza en la materia objeto del procedimiento, órgano competente, u otra información análoga. Esta última definición resulta primordial —en especial para los archivos—, puesto que se está primando un enfoque funcional/operacional en detrimento de un criterio material; en otras palabras, se busca la sistematización no tanto en función de las materias propias de cada serie o subserie sino de acuerdo con los procesos de gestión en el entorno de producción que permitan una consideración conjunta de las actuaciones necesarias para la tramitación de cada procedimiento. En arreglo a este criterio, un procedimiento sancionador en materia urbanística puede pertenecer a la misma familia que otro en materia de personal, aunque desde la perspectiva archivística puedan vincularse a distintas series y subseries documentales. Además, ello enlaza directamente con la imperiosa necesidad de acometer el proceso de simplificación administrativa previo a la implantación de un modelo de gestión documental electrónica y es coherente, por otra parte, con la realidad jurídica del procedimiento administrativo como batería de trámites con los que configurar cada procedimiento. Pero resulta difícil encajar la noción de «familia», al menos nominalmente, en el MC de CNEDA.

En definitiva, el expediente administrativo (electrónico) es el conjunto ordenado de documentos y actuaciones que sirven de antecedente y fundamento a la resolución administrativa, así como las diligencias encaminadas a ejecutarla. Su identificación unívoca en el SGD debe partir —entre otros— del criterio orgánico (órgano competente para resolverlo) y departamental (unidad organizativa encargada de su tramitación y custodia en la fase activa). Lógicamente, cada expediente concreto será objeto de agrupación dentro de un conjunto de procedimientos homogéneos (familia), lo cual permitirá asignar de manera automatizada y heredar a cada expediente e, incluso, a los documentos que lo integran, grupos de metadatos comunes que faciliten la simplificación del proceso de implementación e, incluso, su automatización. Por otra parte, el enfoque del SGD a las familias permitirá también sistematizar la incorporación de trámites y documentos asociados a cada uno de ellos de forma homogénea así como su automatización, partiendo de la correspondencia que puede establecerse entre las nociones de familia y serie/subserie documental.

4. COPIAS ELECTRÓNICAS AUTÉNTICAS (OBJETO ESENCIAL DE LA FE PÚBLICA ADMINISTRATIVA)

4.1. Normas generales

El art. 27 de la LPAC dice que las copias auténticas tendrán la misma validez y eficacia que los documentos originales.

Para garantizar la identidad y contenido de las copias electrónicas o en papel, y por tanto su carácter de copias auténticas, las administraciones públicas deberán ajustarse a lo previsto en el ENI, el ENS y sus normas técnicas de desarrollo, así como a las siguientes reglas:

a) Tanto las copias electrónicas de un documento electrónico original o de una copia electrónica auténtica, con o sin cambio de formato, como las copias electrónicas de documentos en soporte papel o en otro soporte no electrónico susceptible de digitalización **deberán incluir los metadatos que**

acrediten su condición de copia y que se visualicen al consultar el documento[4].

b) Las copias en soporte papel de documentos electrónicos requerirán que en las mismas figure la condición de copia y contendrán un código generado electrónicamente u otro sistema de verificación, que permitirá contrastar la autenticidad de la copia mediante el acceso a los archivos electrónicos del órgano u Organismo público emisor.

c) Las copias en soporte papel de documentos originales emitidos en dicho soporte se proporcionarán mediante una copia auténtica en papel del documento electrónico que se encuentre en poder de la administración o bien mediante una puesta de manifiesto electrónica conteniendo copia auténtica del documento original.

A estos efectos, las administraciones harán públicos, a través de la sede electrónica correspondiente, los códigos seguros de verificación u otro sistema de verificación utilizado.

4.2. La articulación de la firma electrónica y la función de fe pública administrativa en el sector local

El ejercicio de la fe pública administrativa electrónica tiene unas características singulares en el ámbito local, debido a la atribución exclusiva de su ejercicio a la Secretaría Municipal a tenor del art. 92.bis de la Ley 7/1985, de 2 de abril, Reguladora de las Bases de Régimen Local (LRBRL). El encaje de la LPAC con la legislación local debe realizarse, en cualquier caso, ponderando el contexto en el que se dictaron tanto la LRBRL, el ROF, el TRRL (Real Decreto Legislativo 781/1986, de 18 de abril, por el que se aprueba el texto refundido de las disposiciones legales vigentes en materia de Régimen Local), el Real Decreto 128/2018, de 16 de marzo, por el que se regula el régimen jurídico de los funcionarios de administración local con habilitación de carácter nacional. Debemos recordar que la LPAC concede a las administraciones Públicas una gran libertad para configurar el procedimiento administrativo electrónico proporcionando un amplio margen de maniobra para actuar.

En este sentido, debe recordarse que, según el art. 318 de la Ley 1/2000, de 7 de enero, de Enjuiciamiento Civil[5], al regular el modo de producción de la prueba por documentos públicos, dice que los documentos públicos tendrán la

---

(4)   Se entiende por digitalización, el proceso tecnológico que permite convertir un documento en soporte papel o en otro soporte no electrónico en un fichero electrónico que contiene la imagen codificada, fiel e íntegra del documento.

(5)   Recuérdese que el art. 77.1 de la LPAC dice que los hechos relevantes para la decisión de un procedimiento podrán acreditarse por cualquier medio de prueba admisible en Derecho, cuya valoración se realizará de acuerdo con los criterios establecidos en la Ley 1/2000, de 7 de enero, de Enjuiciamiento Civil.

fuerza probatoria establecida en el art. 319 si se aportaren al proceso en original o *por copia o certificación fehaciente*, ya sean presentadas éstos en soporte papel o mediante documento electrónico, o si, habiendo sido aportado por copia simple, en soporte papel o imagen digitalizada, conforme a lo previsto en el artículo 267, no se hubiere impugnado su autenticidad. El art. 319.1 añade que los documentos públicos harán *prueba plena* del hecho, acto o estado de cosas que documenten, de la fecha en que se produce esa documentación y de *la identidad de los fedatarios* y demás personas que, en su caso, intervengan en ella.

Por tanto, es evidente que **la plena fuerza probatoria de los documentos administrativos del sector local debe articular correctamente la firma electrónica del secretario municipal**.

5. DERECHO A LA INTEROPERABILIDAD: DOCUMENTOS APORTADOS POR LAS PERSONAS INTERESADAS AL PROCEDIMIENTO ADMINISTRATIVO. LA COPIA ELECTRÓNICA AUTÉNTICA

El art. 28.4 de la LPAC dispone que cuando con carácter excepcional, y de acuerdo con lo previsto en esta Ley, la administración solicitara al interesado la presentación de un documento original y éste estuviera en formato papel, el interesado deberá obtener una **copia auténtica**, según los requisitos establecidos en el artículo 27, con carácter previo a su presentación electrónica. La copia electrónica resultante reflejará expresamente esta circunstancia. Esta previsión enlaza con lo que hemos dado en denominar el *«derecho a la interoperabilidad»* de los interesados, consagrado por el art. 53 de la LPAC, que en sus letras c) y d) proclama, con unos efectos desconocidos hasta la fecha, el derecho a no presentar documentos originales salvo que, de manera excepcional, la normativa reguladora aplicable establezca lo contrario. En caso de que, excepcionalmente, deban presentar un documento original, tendrán derecho a obtener una copia autenticada de éste; y el derecho a no presentar datos y documentos no exigidos por las normas aplicables al procedimiento de que se trate, que ya se encuentren en poder de las administraciones públicas o que hayan sido elaborados por éstas.

6. CONDICIONES PARA LA RECUPERACIÓN Y CONSERVACIÓN DE LOS DOCUMENTOS

En relación con los metadatos mínimos como requisito de validez del documento administrativo, resulta esencial el art. 21 del ENI, que establece las condiciones para la recuperación y conservación de documentos refiriéndose, entre otros aspectos, a la necesidad de definir una *«política de gestión de documentos* en cuanto al tratamiento; la inclusión en los expedientes de un índice electrónico firmado; la *identificación única e inequívoca de cada documento*; la asociación de los metadatos mínimos obligatorios y, en su caso, complementarios; la *clasificación*, de acuerdo con un plan de clasificación adaptado a las funciones de cada una de las Administraciones públicas y de las Entidades de Derecho Público vinculadas o dependientes de aquéllas; el *período de conservación* de los documentos, establecido por las comisiones calificadoras que correspondan; el *acceso completo e inmediato a los documentos* con todo el detalle de su contenido, la recuperación exhaustiva y pertinente de los documentos, la copia o descarga en línea en los formatos originales y la impresión a papel de aquellos documentos que sean necesarios[6]; la adopción de medidas para *asegurar la conservación* de los documentos electrónicos a lo largo de su ciclo de vida; la *coordinación horizontal entre el responsable de gestión de documentos y los restantes servicios* interesados en materia de archivos; *transferencia* de los expedientes entre los diferentes repositorios electrónicos a efectos de conservación; la *formación* tecnológica del personal y la *documentación* de los procedimientos».

Se trata de un precepto que establece concretas obligaciones legales en cuanto al despliegue de la Administración digital desde el enfoque de la gestión documental. Por tanto, debe ser objeto de especial atención y cumplimiento teniendo en cuenta que, *en definitiva, la gestión documental digital se sustenta en la asignación de metadatos como mecanismo necesario para cumplir todas las obligaciones establecidas por el ENI.* Es necesario recordar que su Disposición final primera se remite, en cuanto al título habilitante para su promulgación, a lo establecido en el artículo 149.1.18ª de la Constitución, que atribuye al Estado la competencia sobre las *bases del régimen jurídico de las Administraciones públicas.*

Por tanto, *el ENI es una parte ineludible de la normativa básica del régimen jurídico de las AAPP,* de obligado cumplimiento en todo el territorio nacional, de tal modo que su inobservancia puede generar responsabilidades de toda índole (disciplinaria e incluso penal, además de la patrimonial derivada de los daños que se puedan producir al PHE). Todo ello, además, vinculado al Archivo Electrónico Único (arts. 17 de la LPAC y 46 LRJSP).

Compaginando esta regulación con la del art. 21.2 del ENI, puede concluirse que este archivo electrónico único, en realidad, es un repositorio electrónico, complementario y equivalente en cuanto a su función a los archivos convencionales, destinado a cubrir el conjunto del ciclo de vida de los documentos electrónicos. Y, en todo caso, aunque las normas citadas se están refiriendo al archivo electrónico único, realmente están hablando de gestión documental pura y dura. No se puede construir un archivo electrónico único sin gestión documental electrónica. Veámoslo con un poco más de detalle.

---

(6) El sistema permitirá la consulta durante todo el período de conservación al menos de la firma electrónica, incluido, en su caso, el sello de tiempo, y de los metadatos asociados al documento.

**• Definición de una política de gestión de documentos en cuanto al trata-
miento, de acuerdo con las normas y procedimientos específicos que se hayan
de utilizar en la formación y gestión de los documentos y expedientes. La inaplazable dotación de personal tecnológico y archiveros. Su innegable estatus
funcionarial en el contexto del TREBEP**

La política de gestión de documentos electrónicos:

1. Se integrará en el *marco general de gestión de documentos* y en el
contexto de cada organización junto al resto de políticas implantadas para el
desempeño de sus actividades.

2. Aplicará los criterios, métodos de trabajo y de conducta generalmente
reconocidos, así como los estándares y buenas prácticas nacionales e internacionales aplicables para la *gestión documental* atendiendo a lo establecido
en la Norma Técnica de Interoperabilidad de Catálogo de estándares.

Este es el primer anclaje normativo de la PGD, cuya elaboración se impone
no sólo desde la perspectiva del carácter básico del ENI (antes apuntado) sino
como un requisito ontológico de la Administración digital. Ello enlaza directamente con la Resolución de 28 de junio de 2012, de la Secretaría de Estado de
Administraciones públicas, por la que se aprueba la NTI de Política de gestión
de documentos electrónicos (NTI PGDE). El contenido de esta norma será de
aplicación para el desarrollo de políticas de gestión de documentos electrónicos
en el ámbito establecido en el artículo 3 del ENI (apartado II.1) que, a su vez,
remite a artículo 2 de la Ley 11/2007, de 22 de junio (derogada por la LPAC). El
art. 2 de la LPAC recoge y amplia este ámbito de aplicación.

El punto III de la NTI PGDE define su contenido mínimo:

1. Definición del alcance y ámbito de aplicación.

2. Roles de los actores involucrados.

3. Directrices para la estructuración y desarrollo de los procedimientos de
gestión documental.

4. Acciones de formación relacionada contempladas.

5. Actuaciones de supervisión y auditoría de los procesos de gestión de
documentos.

6. Proceso de revisión del contenido de la política con el fin de garantizar
su adecuación a la evolución de las necesidades de la gestión de documentos.

Es interesante resaltar la necesidad de definir claramente los actores involucrados, de acuerdo con el enfoque multidisciplinar requerido. Así, es imprescindible la incorporación de los dirigentes políticos, los responsables administrativos de las diferentes unidades organizativas, el personal responsable de las

tecnologías, personal de archivo y gestión documental y, específicamente en el sector local, secretario de la entidad local. Es llamativo que la norma sólo garantice, con carácter obligatorio para todas las EELL, la figura del secretario como funcionario de Administración local con habilitación de carácter nacional. Desde aquí reivindicamos la necesidad —si se quiere perseguir con seriedad la implantación de la Administración digital— de establecer con carácter obligatorio (y con las correspondientes medidas de financiación) la existencia en *todas* las plantillas y relaciones de puestos de trabajo de personal capacitado para la implantación de las medidas tecnológicas correspondientes y personal de archivo y gestión documental para velar por la correcta gestión documental y archivo.

Hemos subrayado la palabra «todas» para poner de manifiesto que, con independencia de la extensión con que interpretemos la atribución conferida por el art. 36.1.g) de la LRBRL a las Diputaciones Provinciales (la prestación de los servicios de administración electrónica y la contratación centralizada en los municipios con población inferior a 20.000 habitantes), no se puede pensar con un mínimo rigor que estos municipios (de un total de 8.115, 7.718 son de menos de 20.000 habitantes) van a poder funcionar por medio de las Diputaciones sin disponer, como mínimo, de un informático y un archivero.

Por otra parte, el art. 9 del Real Decreto Legislativo 5/2015, de 30 de octubre, por el que se aprueba el texto refundido de la Ley del Estatuto Básico del Empleado Público (TREBEP) dice que en todo caso, el ejercicio de las funciones que impliquen la participación directa o indirecta en el ejercicio de las potestades públicas o en la salvaguardia de los intereses generales del Estado y de las Administraciones públicas corresponden exclusivamente a los funcionarios públicos, en los términos que en la ley de desarrollo de cada Administración Pública se establezca. Desarrollo que, en nuestro caso, se establece en el art. 92 de la LRBRL que, con carácter general, dice que los puestos de trabajo en la Administración local y sus Organismos Autónomos serán desempeñados por personal funcionario. Esto viene a sentar la regla general de la opción por personal sujeto al estatuto funcionarial. Y añadiendo, en coherencia con el TREBEP, que corresponde exclusivamente a los funcionarios de carrera al servicio de la Administración local el ejercicio de las funciones que impliquen la participación directa o indirecta en el ejercicio de las potestades públicas o en la salvaguardia de los intereses generales.

Por tanto, parece imprescindible definir qué debe entenderse por funciones que impliquen la participación directa o indirecta en el ejercicio de las potestades públicas o en la salvaguardia de los intereses generales. Se trata de conceptos jurídicos indeterminados que deben ser objeto de análisis, concreción y evaluación en las correspondientes relaciones de puestos de trabajo. Pero lo que me parece meridianamente claro es que las funciones que hoy tienen asignadas los sufridos integrantes de departamentos TIC y archiveros y gestores documentales —donde existan— tienen una evidente y directa relación con el ejercicio de funciones públicas y salvaguardia de los intereses generales. En cuanto al ejercicio de funciones públicas, intervienen de manera transversal en todas ellas. Sin excepción. El mero hecho de participar en el diseño, implantación, desarrollo y supervisión de aplicaciones informáticas implica la aplicación de normas y técnicas sobre seguridad (aplicando el ENS y LOPD), interoperabilidad (aplicando el ENI), reingeniería de procesos para la efectiva aplicación de las Leyes 39 y 40 de 2015, y un largo etcétera de normas que son la base de la Administración digital, determina sin ningún género de dudas el encuadre de informáticos y archiveros en el art. 9 del TREBEP y, en consecuencia, la necesidad de atribuirles —a todos ellos— condición funcionarial.

• **Inclusión en los expedientes de un índice electrónico firmado por el órgano o entidad actuante que garantice la integridad del expediente electrónico y permita su recuperación**

El art. 70.2 de la LPAC, establece que los expedientes tendrán formato electrónico y se formarán mediante la agregación ordenada de cuantos documentos, pruebas, dictámenes, informes, acuerdos, notificaciones y demás diligencias deban integrarlos, así como un índice numerado de todos los documentos que contenga cuando se remita. Asimismo, deberá constar en el expediente copia electrónica certificada de la resolución adoptada. Esta obligación queda lastrada, en la regulación de la LPAC, por la *falta de regulación del momento en que el expediente queda cerrado*, lo que permitiría definir con claridad el momento en que el mismo pasa a quedar bajo la responsabilidad del Archivo, con el correspondiente cambio de custodia y todas las obligaciones que ello desencadena en cuanto a la delimitación de las responsabilidades respecto a la preservación de la integridad, autenticidad, confidencialidad, calidad, protección y conservación de los documentos almacenados, en los términos del art. 17.3 de la LPAC. El art. 177.1 del ROF nos ofrece alguna orientación a este respecto al disponer que, conclusos los expedientes, se entregarán en la Secretaría de la Corporación que, después de examinarlos, los someterá al Presidente. Ello determina que **el expediente concluye cuando se han realizado todos los trámites necesarios para que el órgano competente pueda dictar el acto administrativo que decida sobre su objeto**. Además, en el sector local, esta obligación de indexar los expedientes no es una novedad, puesto que el art. 179 del ROF indica que los expedientes tramitados pasarán periódicamente al archivo y tendrán índice alfabético duplicado en que se exprese el asunto, número de folios y cuantos detalles se estimen convenientes.

• **Identificación única e inequívoca de cada documento por medio de convenciones adecuadas, que permitan clasificarlo, recuperarlo y referirse al mismo con facilidad**

La identificación única e inequívoca de cada documento es otro de los aspectos que cimientan la necesidad de una definición previa de la PGD. Se trataría de algo similar al DNI de cada documento[7]. Pero no basta con garantizar la identificación. *El metadato Identificador presupone una organización documental previa que, en la técnica archivística, parte del Cuadro de Clasificación y del índice de series documentales.* Y, lógicamente, presupone también una convención interna de cada Administración que unifique los sistemas, criterios y procedimientos de clasificación de los documentos para garantizar, precisamente, su identificación unívoca e inequívoca dentro del contexto de cada organización. ¿Es posible plantear la identificación única e inequívoca de la entidad documento/expediente en contextos de producción donde cada unidad organizativa tiene su propio criterio de archivo, sin alinearlo con el general de la organización? ¿Podemos cerrar los ojos e ignorar la precaria situación de la organización de la documentación en el contexto de producción de las entidades locales españolas? ¿Existen evidencias empíricas de la situación real de la organización documental en el sector local? Yo no las he encontrado, más allá del informe elaborado gracias al voluntarismo de ciertos elementos de la Diputación de Valencia[8], pero no parece que haya calado suficientemente la necesidad de unificar, no ya la clasificación documental, sino los criterios de archivo de gestión de los expedientes. Si este defecto no se corrige, con la digitalización vamos a informatizar el caos y a multiplicar el desastre de la organización documental. Y es muy grave, porque estamos sentando las bases para perder toda nuestra producción documental lo que, además de su perversidad intrínseca, es delito[9].

• Asociación de los metadatos al documento electrónico, a lo largo de su ciclo de vida, e incorporación al esquema de metadatos

Según el art. 42.1 del RD 1671/2009, de 6 de noviembre, por el que se desarrolla parcialmente la Ley 11/2007, de 22 de junio, de acceso electrónico de los ciudadanos a los servicios públicos, se entiende como metadato, a los efectos de este real decreto, *cualquier tipo de información en forma electrónica asociada a los documentos electrónicos, de carácter instrumental e independiente de su contenido, destinada al conocimiento inmediato y automatizable de alguna de sus características, con la finalidad de garantizar la disponibilidad, el acceso, la conservación y la interoperabilidad del propio documento.*

---

(7) Su correlato en el e-EMGDE es el *eEMGDE2—Identificador.*

(8) *Encuesta sobre el estado de la gestión documental electrónica en los ayuntamientos de la provincia de Valencia,* coordinado por Francisco Sanchís Moreno y Fernando Lilao Prats.

(9) En el Modelo A de Política de Gestión Documental de las Entidades Locales (PGD-eL), publicado por el Ministerio de Hacienda y Función Pública, se propone la definición de un criterio de identificación sencillo, al que se incorpora un modelo de Cuadro de Clasificación Funcional y un índice de series documentales que facilita la conexión del entorno de producción de los documentos con el de archivo, ya sea de gestión o histórico.

El punto 6.1 de la Guía de aplicación de la NTI de Documento Electrónico, indica que la definición común de metadato es **«dato que define y describe otros datos»**. Constituyen un componente del documento electrónico que, como información estructurada o semi-estructurada, facilita la creación, gestión, uso y conservación de documentos a lo largo del tiempo en el contexto de su creación. Pueden definirse en el marco de un SGD completo desde una perspectiva multi-entidad en la que, además de los propios documentos, participan otro tipo de entidades caracterizadas por sus propios metadatos, como pueden ser agentes, regulaciones o actividades.

El Esquema de Metadatos para la Gestión del Documento Electrónico (e-EMGDE), que se menciona en la NTI de Política de gestión de documentos electrónicos, constituye un modelo funcional para la aplicación de los metadatos como herramienta de gestión global dentro de una organización a través de una aproximación multi-entidad. Puede ser utilizado como herramienta para la adecuación de cada organización a los requisitos de interoperabilidad en materia de gestión documental. La forma de implementación de los metadatos de los documentos electrónicos a nivel interno es libre y, como tal, sería diseñada por cada organización en base a sus necesidades, criterios y normativa específica (PGD) con el fin de garantizar la disponibilidad e integridad de los metadatos de los documentos electrónicos, manteniendo de manera permanente las relaciones entre el documento y sus metadatos. *Libertad que queda restringida cuando un documento electrónico intervenga en un proceso de intercambio*, en cuyo caso la implementación de sus metadatos se realiza según una estructura y condiciones establecidas en el apartado VII de la NTI. Según esta Guía, las posibilidades de implementación a nivel interno van por tanto desde la integración total de los metadatos en los ficheros de los documentos electrónicos hasta la distribución de éstos en diferentes aplicaciones de gestión documental que interactúan con los ficheros del documento, pasando por múltiples soluciones intermedias. Sin embargo, *la opción de desagregar los metadatos del documento debe ser objeto de reflexión muy pausada, en la medida en que, si las aplicaciones disponibles no son propiedad de la Administración, va a resultar muy complejo recuperar la metainformación cuando no dispongamos de la aplicación concreta*, con el consiguiente coste económico que implicará el pago de la correspondiente licencia de uso, que es la causa principal de la cautividad respecto a los proveedores de software y, en definitiva, la pérdida del control de la integridad de los documentos. De ahí que apostemos por la incrustación de los metadatos en el documento, huyendo de sistemas de implementación mediante vinculación.

La Guía añade que el tipo de implementación conlleva un nivel determinado de integración de los metadatos con la firma del documento, de forma que pueden quedar fuera de la firma, parcialmente envueltos por ésta o completamente integrados bajo ella. En todo caso, ha de tenerse en cuenta que si la firma cubre

959

los metadatos, éstos no podrían modificarse, o bien, su modificación exigiría re-firmar el documento. Por tanto, en caso de firmar metadatos cabría considerar sólo aquellos cuyo valor permanezca invariable a lo largo del ciclo de vida del documento. La determinación de estos metadatos de valor permanente es, en buena lógica, una tarea propia de los responsables del archivo y la gestión docu-mental en función de los valores primarios y secundarios y demás aspectos pro-pios de la tabla de valoración documental.

Una implementación de metadatos a través de una capa independiente de la firma permite disponer de un nivel de información adicional que no estará con-dicionado por los propios datos contenidos en el documento y sus firmas. Por lo tanto, en este caso, los metadatos constituyen un elemento adicional a la firma y contribuyen al valor probatorio y testimonial del documento en la medida en que explican sus circunstancias de creación, gestión y uso. En este sentido, la utilización de los metadatos en esta capa independiente facilita la conservación de los documentos y *puede ayudar a atenuar la repercusión de la problemática de conservación de firmas electrónicas a largo plazo, ya que supone la desagre-gación de los metadatos con respecto a los datos de contenido y estructura.* De esta forma, si la firma dejase de ser verificable, la información sobre la existencia de una firma válida en un momento del tiempo o el rol que ésta desempeñó en el proceso, podría extraerse a través de los metadatos, con lo que nos ahorra-ríamos complejos sistemas de resellado de tiempo para garantizar el valor de la firma.

- **Clasificación, de acuerdo con un plan adaptado a las funciones, tanto generales como específicas, de cada Administración**

Aquí partimos de una base poco sólida. En general, parce que cada Comu-nidad Autónoma sigue su propio enfoque aunque algunos de los más extendidos parten de una premisa, a nuestro modo de ver, errónea. Hay que, afirmar, con carácter previo, que *no hemos podido encontrar una aproximación normativa clara en cuanto a la definición del concepto de «función administrativa»*, al menos a los efectos del desarrollo del plan de clasificación al que se refiere el ENI, vinculado al cuadro de clasificación funcional. Y esto supone un enorme lastre, puesto que impide normalizar la clasificación archivística que queda, por tanto, al libre albedrío de los responsables —donde los haya— del archivo de cada organización[10]. El Modelo Conceptual de Descripción Archivística indica que la *función* es la responsabilidad u objetivo principal asumido por la sociedad o realizado por un agente, e integrado por un conjunto de actividades o procesos. Constituye un subtipo del tipo de entidad función y sus divisiones. Por consi-guiente, es necesaria la aprobación de un Cuadro de Clasificación del Archivo, definiendo las series documentales y estableciendo los datos informativos que permitan su correcta contextualización orgánica y funcional, como sustrato para

---

(10)   Con la repercusión que ello tiene en SIA, por ejemplo.

la correcta implementación del ENI. El Modelo A PGD-eL ofrece un modelo de CdC e índice de series orientativo y flexible, que permite adaptarlo a las necesidades de cada organización. Sin embargo, hay que hacer constar que uno de los aspectos más polémicos que se suscitaron en el seno del grupo de trabajo fue, precisamente, el enfoque del CdC. Inicialmente, en los trabajos preliminares dentro del grupo de elaboración del modelo A PGD-eL se propuso tomar en consideración las recomendaciones derivadas de las XVIII Jornadas de Archivos Municipales de Madrid, celebradas en San Sebastián de los Reyes los días 27 y 28 de mayo de 2010, en las que, entre otras cosas, se afirmaba lo siguiente[11]: «Hasta ahora habíamos convenido que el objeto sobre el que ejecutábamos la clasificación era plural: documentos, fondos documentales, series, etc., es decir un objeto físico, y un conjunto de objetos de carácter intelectual, que son las agrupaciones de documentos. Sin embargo, en la actualidad, el objeto sobre el que se ejecuta la clasificación va a cambiar sustancialmente, por una parte asistimos a un desmaterialización del propio documento, lo que obliga a que la clasificación sea considerada como un conjunto de actividades que permiten determinar, para cada proceso administrativo identificado por la organización, los metadatos de control y organización, que le corresponderán a los documentos que genere, de acuerdo al sistema de clasificación institucional que se haya formalizado. Esto supone que lo que realmente se categoriza son los procesos administrativos, con el fin de tener anticipadamente, identificados y clasificados los documentos que se generan dentro del universo institucional, lo que originará como consecuencia la configuración paulatina y controlada de lo que venimos identificando conceptualmente como fondo documental. Se clasificarán, pues, los procesos administrativos, y los documentos que se generen por la ejecución de dichos procesos administrativos se generarán ya clasificados, de tal manera que la ejecución de la acción de transferencia dentro del SGED, tendrá como resultado que, los documentos, de forma automática se capturarán en la posición prevista dentro de la estructura del Sistema institucional de Clasificación de documentos, que cada organización establezca».

Puede afirmarse que la definición de la noción de función administrativa es el primer paso para la construcción del Cuadro de Clasificación de documentos, alineado con las actividades de negocio propias de cada organización. La fuente principal para la clasificación funcional era la derivada de la clasificación funcional de los presupuestos generales de las instituciones, por la correspondencia real que tiene entre las actividades presupuestadas y la producción de docu-

---

(11) *La clasificación en los Sistemas de Gestión Electrónica de Documentos (SGED).* Alfonso Díaz Rodríguez. Archivero del Gobierno de Asturias.

mentos como consecuencia de la ejecución del mismo y por tratarse de la única aproximación normativa al concepto[12].

La clasificación funcional fue sustituida por la clasificación por programas en virtud de lo dispuesto por la Orden EHA/3565/2008, de 3 de diciembre, por la que se aprueba la estructura de los presupuestos de las entidades locales, modificada por la Orden HAP/419/2014, de 14 de marzo, según las cuales los estados de gastos de los presupuestos se estructurarán de acuerdo con las clasificaciones orgánica, por programas y económica. La nueva clasificación por programas viene a sustituir a la anterior clasificación funcional. La estructura por grupos de programas de gasto (funciones) es *abierta* por lo que podrán crearse los que se consideren necesarios. También dice que los grupos de programas de gasto podrán desarrollarse en programas y subprogramas, cuya estructura será igualmente abierta. Ello permite plantear una primera etapa de *normalización* de los sistemas de clasificación y del proceso de clasificación de documentos, al menos en los niveles superiores de la estructura del sistema de clasificación, lo que supondrá un importante valor añadido desde el punto de vista tanto de la interoperabilidad, como de la reutilización de la información del sector público que es también una de la estrategias del Grupo de Archivos Europeo, así como su enorme potencial desde la perspectiva macro (*big data*).

La estructura presupuestaria está configurada por 6 grandes áreas de gasto (equivalentes a las funciones generales), basadas en dos principios: el de universalidad, donde toda actividad de la entidad pública queda reflejada en su presupuesto, y el de unidad en el sentido de que existe un único presupuesto por entidad institucional.

Sin embargo, en el sector local, el modelo conceptual predominante construye el CdC desde el enfoque del art. 11.2 de la LRBRL, según el cual *son elementos del Municipio el territorio, la población y la organización.* A partir de este dogma, se desarrolla todo el CdC. Sin embargo, territorio, población y organización ¿son realmente funciones administrativas? Creo que no; son elementos constitutivos de una entidad administrativa y territorial, pero dudo que se trate de funciones administrativas. Adicionalmente, ¿ello no supone la pérdida de oportunidades de alineamiento estratégico/*big data* con estándares internacionales descriptivos de las funciones administrativas: SEC?

El mundo archivístico debería abrir un debate.

---

(12) Esta clasificación fue adoptada ya en 1993 en el Sistema de Contabilidad Nacional (SCN) de Naciones Unidas con el fin de garantizar la comparabilidad de todos los países miembros; y tiene su reflejo en el Reglamento (UE) n.º 549/2013 del Parlamento Europeo y del Consejo, de 21 de mayo de 2013, *relativo al Sistema Europeo de Cuentas Nacionales y Regionales de la Unión Europea,* en donde se establecen las directrices mundiales sobre contabilidad nacional, directrices que han sido elaboradas bajo la responsabilidad conjunta de las Naciones Unidas, el Fondo Monetario Internacional (FMI), la Comisión de las Comunidades Europeas, la Organización de Cooperación y Desarrollo Económico (OCDE) y el Banco Mundial [*Reglamento (CE) n.º 2223/96:17].*

• Período de conservación de los documentos, establecido por las comisiones calificadoras que correspondan, de acuerdo con la legislación en vigor, las normas administrativas y obligaciones jurídicas que resulten de aplicación en cada caso

Este es otro de los gravísimos lastres que sufrimos, como consecuencia de la dispersión competencial. El diseño constitucional de las CCAA ha acarreado, en este caso particular, una consecuencia que introduce enorme complejidad: según el art. 148.1 de la Constitución, las CCAA pueden asumir competencias, entre otras, en materia de museos, bibliotecas y conservatorios de música de interés para la CA (regla 15ª), así como en relación con el fomento de la cultura, de la investigación y, en su caso, de la enseñanza de la lengua de la CA (regla 17ª).

Correlativamente, el art. 149.1 atribuye al Estado competencia exclusiva, entre otras, en materia de bases del régimen jurídico de las Administraciones públicas que, en todo caso, garantizarán a los administrados un tratamiento común ante ellas; así como en relación con el procedimiento administrativo común, sin perjuicio de las especialidades derivadas de la organización propia de las CCAA (regla 18ª). Y la regla 28ª se ocupa de asignar al Estado —en exclusiva— la defensa del patrimonio cultural, artístico y monumental español contra la exportación y la expoliación; museos, bibliotecas y archivos de titularidad estatal, sin perjuicio de su gestión por parte de las CCAA[13]. Desde esta perspectiva, no cabe duda de que *la responsabilidad de definir los calendarios de conservación es exclusiva de las CCAA*. Y los resultados de su actividad, al menos en cuanto a la elaboración de tablas de valoración documental (con sus correspondientes calendarios de conservación) de series documentales del sector local es deficitaria. *¿Cómo vamos a incorporar los metadatos si no disponemos de un listado omnicomprensivo de las tablas de valoración documental?* ¿Son conscientes las CCAA de la trascendencia que esta situación tiene en el complejo despliegue de la gestión documental?

• Acceso completo e inmediato a los documentos a través de métodos de consulta en línea que permitan la visualización de los documentos con todo el detalle de su contenido, la recuperación exhaustiva y pertinente de los documentos, la copia o descarga en línea en los formatos originales y la impresión a papel de aquellos documentos que sean necesarios. El sistema permitirá la consulta durante todo el período de conservación al menos de la firma elec-

---

(13) Para profundizar sobre esta cuestión, resulta imprescindible la lectura de la Gúia de aplicación de acceso a la información, disponible en PAe (https://administracionelectronica.gob.es/pae_Home/pae_Actualidad/pae_Noticias/Anio-2019/Agosto/Noticia-2019-08-02-Publicadas-11-guias-Politica-gestion-documentos-electronicos.html#.XhWF3UdKi70).

trónica, incluido, en su caso, el sello de tiempo, y de los metadatos asociados al documento[14]

Esta obligación de acceso completo e inmediato *en línea* enlaza con la interoperabilidad técnica, a la que se refiere el art. 11.1 del ENI al imponer a las administraciones públicas el uso de **estándares abiertos** (públicos y de utilización gratuita o a un coste que no suponga una dificultad de acceso, sin estar condicionado al pago de un derecho de propiedad intelectual o industrial), así como, en su caso y de forma complementaria, **estándares que sean de uso generalizado por los ciudadanos** (es el caso, por ejemplo, del estándar PDF/A[15]), al objeto de **garantizar la independencia en la elección de alternativas tecnológicas por los ciudadanos y las Administraciones públicas y la adaptabilidad al progreso de la tecnología** y, de forma que toda la producción documental electrónica esté disponible mediante estándares abiertos, de acuerdo con el **principio de neutralidad tecnológica,** evitando la discriminación a los ciudadanos por razón de su elección tecnológica[16].

Como excepción a este principio general, el art. 11.2 del ENI indica que en las relaciones con los ciudadanos y con otras Administraciones públicas, el uso

---

(14) En este contexto, es muy reveladora la doctrina derivada de la STC 103/1988, de 8 de junio, que a propósito de la impugnación de la Ley del Parlamento de Andalucía 3/1984, de 9 de enero, valoró como *intervenciones legislativas diferentes la calificación de documentos y la ordenación de archivos.* En definitiva, queda claramente bendecida la competencia autonómica para la definición de los elementos que componen el patrimonio documental de su ámbito territorial, admitiendo incluso —dado que con ello se consigue una sobreprotección— que dicha definición se amplíe a elementos pertenecientes a archivos de titularidad estatal.

(15) El PDF/A es un estándar ISO para la utilización del formato PDF en la conservación de documentos digitales durante largos periodos de tiempo. Se publicó el día 1 de octubre de 2005 como «ISO 19005-1: Document management — Electronic document file format for long-term preservation — Part 1: Use of PDF 1.4 (PDF/A-1)». Los formatos de mapa de bits almacenan sus contenidos como píxeles. En un PDF/A el texto sigue siendo texto y por tanto se pueden realizar búsquedas. Un PDF/A con páginas escaneadas puede tener el texto procedente de un proceso de OCR en una capa invisible directamente detrás del texto visible. Esto permite que se puedan realizar búsquedas por contenido a la vez que el aspecto visual se mantiene inalterado. Es interesante resaltar que el formato PDF acepta las firmas digitales (incrustadas). El estándar PDF/A admite la firma digital con un número mínimo de requisitos. Los archivos PDF/A pueden contener explícitamente una firma digital que garantice su integridad sin que la misma invalide su compatibilidad con el estándar. Este soporte de firma digital es extensible a las nuevas tecnologías de firma digital que estarán disponibles en un futuro cercano.

(16) Es importante recalcar el entronque de estas previsiones con el principio de neutralidad tecnológica que obliga a que las AAPP sean muy cuidadosas a la hora de garantizar que las aplicaciones construidas sobre estándares no abiertos puedan cumplir estos requisitos básicos de la interoperabilidad técnica, lo que se traduce, esencialmente, en que *deben ser accesibles por los ciudadanos y por otras AAPP sin necesidad de disponer de las licencias para su uso.* En general, esto conduce a la necesidad de garantizar, por ejemplo, el uso del estándar PDF/A para los modelos de documentos electrónicos que se incorporen a las sedes electrónicas para su uso por los ciudadanos y, a la inversa, para la remisión de notificaciones.

en exclusiva de un estándar no abierto sin que se ofrezca una alternativa basada en un estándar abierto *se limitará a aquellas circunstancias en las que no se disponga de un estándar abierto que satisfaga la funcionalidad satisfecha por el estándar no abierto en cuestión y sólo mientras dicha disponibilidad no se produzca*. Las Administraciones públicas promoverán las actividades de normalización con el fin de facilitar la disponibilidad de los estándares abiertos relevantes para sus necesidades.

Además, es necesario adoptar medidas para garantizar la recuperación exhaustiva y pertinente de los documentos, la copia o descarga en línea en los formatos originales y la impresión a papel de aquellos documentos que sean necesarios:

— La recuperación exhaustiva y pertinente de los documentos debe estar resuelta, con carácter previo, en la PGD. Ya hemos visto que uno de sus principales contenidos es, precisamente (punto III de la NTI PGDE), la definición de las directrices para la estructuración y desarrollo de los procedimientos de gestión documental, la articulación de la formación relacionada con ello y la supervisión y auditoría de los procesos de gestión documental. La conservación de los documentos y expedientes electrónicos atenderá a los plazos legales y en su caso a los establecidos en el dictamen de la autoridad calificadora y a lo dispuesto en la estrategia de conservación implantada. Atendiendo a lo dispuesto en el ENS, y proporcionalmente a los riesgos a los que estén expuestos los documentos, la entidad elaborará un *plan de continuidad para preservar los documentos y expedientes electrónicos conservados, así como sus metadatos asociados*, que incluirá lo previsto sobre «Copias de seguridad (backup) [mp.info.9]»; junto con las medidas de protección de la información [mp.info], de protección de los soportes de información [mp.si], y, en cualquier caso, de protección de datos de carácter personal según lo dispuesto en la normativa de Protección de Datos.

— Las copias deberán ajustarse a las especificaciones de la Resolución de 19 de julio de 2011, de la Secretaría de Estado para la Función Pública, por la que se aprueba la NTI de Procedimientos de copiado auténtico y conversión entre documentos electrónicos. En su apartado III se establecen las características generales de las copias auténticas, indicando que tendrán la eficacia jurídica de documento electrónico original y que, en esencia, serán nuevos documentos electrónicos que incluirán total o parcialmente el contenido del documento sobre el que se expiden y que cumplirán con lo establecido en la NTI de Documento electrónico.

— La descarga en línea en los formatos originales implica que el sistema debe permitir, al menos, la consulta durante todo el periodo de conservación de la firma electrónica, incluido, en su caso, el sello de tiempo, y de los metadatos asociados al documento. Esta posibilidad enlaza con los derechos de los ciudadanos en sus relaciones con las AAPP (art. 13 LPAC), y, concretamente, el derecho a comunicarse con las AAPP a través de un Punto de Acceso General electrónico de la Administración (letra a); y el derecho al acceso a la información pública, archivos y registros, de acuerdo con lo previsto en la Ley 19/2013, de 9 de diciembre, de transparencia, acceso a la información pública y buen gobierno y el resto del Ordenamiento Jurídico (letra d), siempre con respeto a la normativa de protección de datos de carácter personal.

Y, en el caso de los interesados en un procedimiento administrativo, debe recordarse que el art. 53.1.a) de la LPAC consagra —entre otros— su derecho a acceder y a obtener copia de los documentos contenidos en los citados procedimientos, a través el Punto de Acceso General electrónico de la Administración que funcionará como un portal de acceso. Se entenderá cumplida la obligación de la Administración de facilitar copias de los documentos contenidos en los procedimientos mediante la puesta a disposición de las mismas en el Punto de Acceso General electrónico de la Administración competente o en las sedes electrónicas que correspondan. Además, de acuerdo con el apartado VIII de la Resolución de 19 de julio de 2011, de la Secretaría de Estado para la Función Pública, por la que se aprueba la NTI del Documento Electrónico, cuando las AAPP faciliten el acceso a los documentos electrónicos a través de sus sedes electrónicas o de los canales de comunicación que correspondan en cada caso, se mostrará el contenido del documento electrónico, la información básica de las firmas y la descripción y valor de los metadatos mínimos obligatorios.

• **Adopción de medidas para asegurar la conservación de los documentos electrónicos a lo largo de su ciclo de vida, de acuerdo con lo previsto en el artículo 22, su recuperación y su conservación a largo plazo asegurando su valor probatorio**

Para evitar reiteraciones innecesarias, damos por reproducidas las consideraciones del punto anterior. Nos limitaremos ahora a introducir una breve reflexión en cuanto a los requisitos necesarios para asegurar el valor probatorio de los documentos electrónicos producidos y/o capturados por las AAPP. Ya hemos apuntado que en el ámbito específico de la Administración local, el valor probatorio pleno lo proporciona la fe pública administrativa, reservada en exclusiva al secretario o secretario-interventor. Dado que todo documento que ingrese en el sistema de gestión documental es electrónico, vamos a manejar muchas copias auténticas electrónicas. Conviene recordar que el art. 28.4 de la LPAC dispone que cuando con carácter excepcional, y de acuerdo con lo previsto en esta Ley, la Administración solicitara al interesado la presentación de un documento original y éste estuviera en formato papel, el interesado *deberá* (modo imperativo del verbo) obtener una copia auténtica, según los requisitos establecidos en el artículo 27, con carácter previo a su presentación electrónica. Y, siendo coherentes con lo dispuesto por el art. 92.bis de la LRBRL, para que la copia sea auténtica deberá llevar la firma del secretario o, en su defecto, funcionario habilitado en quien haya delegado la facultad de firmar las copias electrónicas auténticas. Lo que cambia ahora es el proceso, pues de una simple fotocopia y una firma manuscrita pasamos a una digitalización y elaboración de copia auténtica, de acuerdo con las respectivas NTI, y que —además— determinan la incorporación de los metadatos mínimos obligatorios del documento capturado y los de la firma electrónica que se incorpora, dado que estas copias electrónicas auténticas van a ser objeto de intercambio, tanto en el seno de la Administración que captura el original y elabora la copia auténtica (interoperabilidad interna), como con otras administraciones públicas (interoperabilidad en sentido estricto), de acuerdo con el juego conjunto de los arts. 13, 28 y 53 de la LPAC.

• **Coordinación horizontal entre el responsable de gestión de documentos y los restantes servicios interesados en materia de archivos**

Esta previsión guarda relación con el punto III.2 de la Resolución de 28 de junio de 2012, de la Secretaría de Estado de Administraciones Públicas, por la que se aprueba la NTI de Política de gestión de documentos electrónicos, que establece que la PGDE se integrará en el marco general de gestión de documentos y en el contexto de cada organización y aplicará los criterios, métodos de trabajo y de conducta generalmente reconocidos, así como los estándares y buenas prácticas nacionales e internacionales aplicables para la gestión documental atendiendo a lo establecido en la NTI de Catálogo de estándares. Para ello, lógicamente, es imprescindible la coordinación del responsable de gestión de documentos con los servicios de archivo.

En primer lugar, habría que determinar **quién es el responsable de la gestión documental y archivo**. Evidentemente, se trata de servicios horizontales que se sitúan en el núcleo de la organización administrativa porque su intervención resulta técnicamente necesaria para garantizar la corrección científica del diseño, implantación, ejecución y supervisión de la política de gestión documental. En el ámbito local, la legislación no es clara ni contundente a la hora de establecer la obligación de dotar a las plantillas municipales de personal especializado en esta materia y, además y como hemos apuntado más arriba, sujeto a estatuto funcionarial de acuerdo con los principios que se derivan del art. 9 del TREBEP. Sin incorporar a los equipos personal especializado en gestión documental, va a resultar casi imposible implantar con seriedad la Administración digital. Resulta necesario un enfoque de la profesión archivística orientado a la provisión de servicios de gestión documental electrónica, mucho más demandado en el actual contexto que las clásicas funciones de preservación documental en soportes no electrónicos. Y las organizaciones deben superar el *«culturalismo»*. Los archiveros han de dejar de estar vinculados, en nuestras estructuras organizativas, a los departamentos de cultura y deben incorporarse, urgentemente, al núcleo de los equipos directivos y grupos multidisciplinares de trabajo que impulsen la transformación digital de nuestras AAPP, atribuyéndoles la responsabilidad de la coordinación horizontal de los procesos de gestión documental, tanto en el entorno de producción como en la fase de archivo. Urge la elaboración de itinerarios formativos específicos, con especial atención a la gestión documental electrónica y firma electrónica, puesto que —como veremos a continuación— el servicio de archivo asume la responsabilidad de la preservación y custodia de la documentación cuando se produzca la transferencia (con o sin cambio de repositorio) de los expedientes administrativos finalizados. Porque la Ley es clara al asignarles esa responsabilidad y lo que deriva de ello es de enorme trascendencia.

Todo ello implica acometer las correspondientes modificaciones de las relaciones de puestos de trabajo y plantillas y, adicionalmente, la necesidad de suprimir las limitaciones al crecimiento de personal en el sector de archivos y gestión documental —al igual que el sector TIC— para conseguir una dotación mínima que nos permita cumplir todas las exigencias derivadas de la LPAC, ENS, ENI, NTI, etc.

• **Transferencia de los expedientes entre los diferentes repositorios electrónicos a efectos de conservación, de manera que se pueda asegurar su conservación, y recuperación a medio y largo plazo. La necesaria atribución de la condición de órgano al responsable del archivo**

La NTI de Expediente Electrónico no incluye una descripción del ciclo de vida del expediente electrónico como tal; en su punto 28 se refiere someramente al ciclo de vida del expediente electrónico, describiendo en tres fases: «Apertura», «Tramitación» y «Conservación y selección».

La **fase de apertura** o creación del expediente electrónico conllevaría, al menos, la realización de las siguientes acciones:

— Creación del objeto administrativo digital «expediente» que comprenderá el índice electrónico y los documentos electrónicos que lo componen.

— Creación del índice electrónico.

— Inclusión en el índice de las referencias de cada uno de los documentos disponibles en el momento de la apertura, a los que se irán sumando otros de acuerdo con su progresiva captura en el SGD.

— Asignación de metadatos mínimos obligatorios del expediente electrónico en el momento de la creación del expediente electrónico.

Durante la **fase de tramitación** tendrían lugar actuaciones administrativas relacionadas con el expediente. Estas actuaciones podrían tener como consecuencia:

— Inclusión de nuevos documentos con sus referencias en el índice electrónico.

— Cambios de estado o de características del expediente.

— Generación de sub-expedientes electrónicos objeto de intercambio.

En cuanto al **proceso de cierre de un expediente**, la NTI contempla, al menos, los siguientes aspectos:

— Compleción del índice del expediente.

— El foliado o indizado del expediente (art. 70.3 de la LPAC), con la con-catenación ordenada, en el índice electrónico, de los elementos que sirven para referenciar desde el propio índice a los documentos que componen el expediente electrónico (identificadores de los documentos electrónicos que lo componen, huellas digitales de dichos documentos electrónicos (función resumen bien al fichero de contenido de dicho documento o concatenando las huellas de todos los ficheros que lo componen), la fecha de incorporación del documento electrónico al expediente, el orden del documento dentro del expediente y los datos generales sobre el expediente, como puede ser la fecha de apertura o de cierre del expediente.

— El índice electrónico se debe firmar para que quede debidamente garantizada la autenticidad e integridad de su contenido, y por extensión del expediente.

El punto VI de la NTI de PGDE regula los procesos de gestión de documentos electrónicos que, como mínimo, incluirán la captura, el registro, la clasificación, la descripción, el acceso, la calificación, la conservación, la transferencia y la destrucción. Lógicamente, la transferencia de los expedientes al servicio de archivo determina la asunción de la responsabilidad en su custodia, lo que con-lleva la aplicación de las tablas de valoración documental, de los calendarios de conservación, de la preservación de su eficacia probatoria a través de la firma electrónica del responsable del archivo así como la aplicación de las medidas de seguridad previstas en el ENS (en cuyo contexto ha de encajarse la vertiente específica de la protección de datos personales) y documentación de seguridad de la propia entidad.

Para ello, es imprescindible que cada organización tenga creado y claramente definido en su RPT el puesto de responsable del Archivo, incluido en la corres-pondiente plantilla de personal y dotado presupuestariamente. Y es imprescin-dible porque, según la metodología que subyace en las NTI —y en la propia lógica de los procesos de gestión documental— el cierre del expediente deter-mina que se le transfiera la responsabilidad de su custodia. A partir de ese momento, el Archivo será el responsable de la preservación de la validez pro-batoria de los documentos transferidos y de la implantación de las técnicas ins-trumentales necesarias para ello. Y, en particular, el resellado del fichero, de las firmas y de los metadatos de unos y otras, tarea cuya automatización exige, a nuestro modo de ver, *la atribución al archivero de la condición de órgano*, al menos a los efectos de la correcta asignación de un sello de órgano que posibilite la realización de actuaciones administrativas automatizadas, en los términos del art. 41.2 de la LRJSP, que obliga a establecer previamente el **órgano u órganos competentes**, según los casos, para la definición de las especificaciones, programación, mantenimiento, supervisión y control de calidad y, en su caso, auditoría del sistema de información y de su código fuente.

• **Destrucción física de los soportes, de acuerdo con la legislación que resulte de aplicación, dejando registro de su eliminación**[(17)]

La destrucción o eliminación de los documentos ha de cumplir la normativa aplicable en materia de eliminación de Patrimonio Documental y contemplará la aplicación de las medidas de seguridad relacionadas definidas en el ENS: Borrado y destrucción del capítulo de «Protección de los soportes de información [mp.si]» y Limpieza de documentos del capítulo de «Protección de la información [mp.info]». El proceso de eliminación es clave en la gestión de documentos y tiene como objetivo impedir su restauración y posterior reutilización. Para ello, es necesario aplicar un proceso que incluya tanto el borrado de la información (el propio documento y sus metadatos) como **la destrucción física del soporte**, en función de las características del formato y las del propio soporte. En general, debe recordarse que siempre se ejecuta con autorización expresa de la entidad u organización competente en cuanto a la calificación de los documentos; no se pueden eliminar los documentos mientras subsista su valor probatorio de derechos y obligaciones o cuando no hayan transcurrido los plazos de conservación; tampoco se pueden eliminar los documentos calificados como de valor histórico o de investigación.

• **Formación tecnológica del personal responsable de la ejecución y del control de la gestión de documentos, como de su tratamiento y conservación en archivos o repositorios electrónicos**

Aquí no está de más recordar que la DA 2ª del ENI dispone que el personal de las AAPP recibirá la formación necesaria para garantizar su conocimiento, a cuyo fin los órganos responsables dispondrán lo necesario para que esta formación sea una realidad efectiva. En parecidos términos se pronuncia la DA 1ª del ENS.

Nada podemos añadir respecto al valor esencial de la formación. Si acaso, reprochar al legislador la tibieza con la que se ha establecido este requisito, puesto que la práctica está demostrando que la formación del personal al servicio de las diferentes AAPP españolas es muy deficiente en el vasto campo de las nuevas tecnologías. Hay enormes carencias de base: no se conocen las implicaciones reales de la firma electrónica, los deberes y obligaciones derivados del uso de sistemas de firma corporativa; no hay una conciencia real de la transformación que supone en nuestro quehacer diario el derecho a la interoperabilidad y la **ilegalidad** que implica solicitar a los interesados documentos ya elaborados o en poder de cualquier administración,

---

(17) Aquí también es obligatoria la consulta de la Guía de aplicación de eliminación (https://administracionelectronica.gob.es/pae_Home/pae_Actualidad/pae_Noticias/Anio-2019/Agosto/Noticia-2019-08-02-Publicadas-11-guias-Politica-gestion-documentos-electronicos.html#.XhWF3UdKi70)

ni siquiera se intuye la enorme responsabilidad derivada del consumo de servicios de la plataforma de intermediación y las posibles vulneraciones de la normativa de protección de datos que su incorrecta gestión puede generar; hay una ausencia prácticamente absoluta de formación en materia de gestión documental básica, etc. Estas carencias tendrían que haber sido resueltas antes de poner en marcha toda la arquitectura de la Administración digital, con planes de formación obligatorios, con modificaciones de las RPT orientadas a la introducción de nuevas aptitudes y, coherentemente, con el establecimiento de nuevos requisitos de acceso y movilidad centrados en definir los méritos, capacidades y aptitudes necesarios para el correcto desempeño de la función pública en este nuevo escenario. Pero aún hay más: las reiteradas limitaciones al crecimiento de las plantillas padecidas en los años de hierro de la crisis han traído como consecuencia un envejecimiento del personal que, en demasiadas ocasiones, dificulta el cambio de paradigma que deriva de una Administración sin papel.

• Documentación de los procedimientos que garanticen la interoperabilidad a medio y largo plazo, así como las medidas de identificación, recuperación, control y tratamiento de los documentos electrónicos

Esta obligación de documentar los procedimientos que garanticen la interoperabilidad encuentra sus raíces en el art. 8 del ENI, que obliga a las AAPP a establecer y publicar las condiciones de acceso y utilización de los servicios, datos y documentos en formato electrónico que pongan a disposición del resto de Administraciones y en el art. 9 del ENI que anuncia la creación de un Inventario de Información Administrativa, que incluirá los procedimientos administrativos y servicios que prestan de forma clasificada y estructurados en familias (SIA), así como una relación actualizada de sus órganos administrativos y oficinas de registro y atención al ciudadano, y sus relaciones entre ellos (DIR3).

Desde esta perspectiva de documentar los procedimientos de interoperabilidad, resulta esencial recordar que, de acuerdo con la DA 1ª del ENI, la **Política de gestión de documentos electrónicos** incluirá directrices para la asignación de responsabilidades, tanto directivas como profesionales, y la definición de los programas, procesos y controles de gestión de documentos y administración de los repositorios electrónicos, y la documentación de los mismos. Por otra parte, el art. 21.2 del ENS dice que forman parte de la seguridad los procedimientos que aseguren la recuperación y conservación a largo plazo de los documentos electrónicos producidos por las administraciones públicas en el ámbito de sus competencias.

7. BIBLIOGRAFÍA

AMUTIO GÓMEZ, Miguel Ángel. «Transformación digital, sí o sí; expediente y archivo electrónico». Revista El Consultor de los Ayuntamientos, Madrid, n.º 5, 2017.

BUSTOS PRETEL, Gerardo. «Archive y punto final». Revista El Consultor de los Ayuntamientos, Madrid, n.º 5, 2017.

DÍAZ RODRÍGUEZ, Alfonso. «La clasificación en los Sistemas de Gestión Electrónica de Documentos». *XVIII Jornadas de Archivos Municipales de Madrid*, Ananabad, Madrid, 2010.

MINISTERIOS DE HACIENDA Y DE POLÍTICA TERRITORIAL Y FUNCIÓN PÚBLICA. Publicadas en PAe, julio de 2019. De lectura imprescindible:

1. Guía de aplicación de implantación de la política de gestión de documentos electrónicos

2. Guía de aplicación de Captura y Registro

3. Guía de aplicación de Clasificación

4. Guía de aplicación de Descripción

5. Guía de aplicación de Acceso a la Información

6. Guía de aplicación de Calificación

7. Guía de aplicación de Conservación

8. Guía de aplicación de Transferencia

9. Guía de aplicación de Eliminación

10. Guía de aplicación de Tramitadores y Gestores Documentales

11. Guía de aplicación de Digitalización

REQUEJO ZALAMA, Javier. «Normalización de la descripción archivística española en el siglo XXI: reflexiones sobre el pasado, presente y futuro». *El Consultor de los Ayuntamientos*, Madrid, n.º 7, 2017.

SANCHÍS MORENO, Francisco y LILAO PRATS, Fernando. «Encuesta sobre el estado de la gestión documental electrónica en los ayuntamientos de la provincia de valencia», Valencia, 2011. http://www.dival.es/sites/default/files/portal-de-transparencia/Informe%20encuesta%20gesti%C3%B3n%20documental_0.pdf

SOLER JIMÉNEZ, Joan. «La gestión documental en el marco del Gobierno Abierto», *El Consultor de los Ayuntamientos*, Madrid, n.º 7, 2017.

Jurisprudencia

Sentencia del Tribunal Constitucional 103/1988, de 8 de junio.

50.

DOCUMENTOS ELECTRÓNICOS SIN FRONTERAS PARA LA DEFENSA DE LOS DERECHOS HUMANOS

Antonio GONZÁLEZ QUINTANA
*Presidente de la Sección de Archivos y Derechos Humanos del Consejo
Internacional de Archivos
Presidente de Archiveros Españoles en la Función Pública
Miembro de Archiveros sin Fronteras*

1. ARCHIVOS, DEMOCRACIA Y DERECHOS HUMANOS: UNA EVOLUCIÓN PARALELA

Fue un poco después de la aprobación de la Declaración de los Derechos del Hombre y del Ciudadano en Francia (1789), cuando se aprobó el primer Proyecto de Ley de Archivos Nacionales, que abría los archivos franceses a la consulta de los ciudadanos (7º Termidor 1794). Desde ese momento, los derechos civiles y los documentos y archivos públicos han seguido un camino paralelo en su desarrollo.

1.1. Documentos y archivos para el ejercicio de derechos

A partir de las revoluciones liberales, los archivos adaptarían sus estructuras y reglas para satisfacer las exigencias de los nuevos ciudadanos que exigían garantías en el ejercicio de sus recién estrenados derechos, entre ellos el derecho a la identidad, puerta de la ciudadanía que se materializaría en el Registro Civil, o el derecho a la propiedad que garantizarían el Registro de la Propiedad y el Registro Mercantil. Desde entonces los mecanismos de seguridad jurídica en el ejercicio de los derechos han incrementado de manera muy considerable su sustento en herramientas de gestión documental, si bien en oleadas paralelas a la expansión de los regímenes democráticos y las libertades fundamentales.

973

Hoy podemos enumerar con precisión todos aquellos derechos fundamentales que requieren de documentos para ser efectivos[1]. Además, las consecuencias de la inexistencia o pérdida de archivos o registros públicos pueden llegar a ser trágicas. Como ejemplo, destaquemos la importancia que, para los derechos del niño, tiene la existencia de un Registro de Nacimientos. No es casual que Naciones Unidas haya identificado como un reto fundamental evitar la existencia de niños y niñas sin identidad registrada, a partir de la negativa realidad de que solo un 73% de los menores de cinco años han sido registrados en el mundo y, en concreto en África, sólo el 46%. Así, entre los Objetivos para el Desarrollo Sostenible de Naciones Unidas una de las metas concretas es, precisamente, la de *proporcionar acceso a una identidad jurídica para todos, en particular mediante el registro de nacimientos*[2]. Y si hablamos de la calidad de los servicios públicos creados para garantizar los derechos económicos o sociales, la relación entre derechos y documentos crece aún más; en ella habría que destacar el papel esencial de los archivos para proporcionar servicios sociales a la población; es imposible, por ejemplo, implementar un buen servicio de salud sin un buen sistema de gestión de documentos en las redes hospitalarias[3].

1.2. Los archivos y los testimonios de las graves violaciones de Derechos Humanos

Sin embargo, cuando la relación entre Archivos y Derechos Humanos se ha percibido con mayor claridad, ha sido en el momento de la apertura generalizada, a finales del siglo XX, de numerosos procesos de transición a la Democracia en los que los archivos se han mostrado como herramientas insustituibles para apoyar la llamada Justicia Transicional[4].

Los llamamientos desde la comunidad internacional a la conservación y apertura de los archivos públicos ha tenido eco tanto a niveles nacionales como internacionales. Así, la importancia de los archivos ha sido reconocida por diversos organismos de Naciones Unidas como UNESCO, Alto Comisionado de Naciones Unidas para los Derechos Humanos o Consejo de Derechos Humanos. Las más explícitas referencias al papel de los archivos desde Naciones Unidas las encontramos en los informes de los relatores Louis Joinet[5] y Diane Orentli-

---

(1) PETERSON, Trudy H. *The Universal Declaration of Human Rights: an archival commentary.* Paris, International Council on Archives – Human Rights Working Group, 2018.

(2) A/RES/70/1. *Transformar nuestro mundo: la Agenda 2030 para el Desarrollo Sostenible.* Naciones Unidas, documento A/RES/70/1, 2015.

(3) INFORMATION GOVERNANCE ALIANCE. *Records Management Code of Practice for Health and Social Care.* London, IGA, 2016.

(4) GONZÁLEZ QUINTANA, Antonio. *Políticas archivísticas para la defensa de los derechos humanos.* París, 2009.

(5) JOINET, Louis. *Informe final revisado acerca de la cuestión de la impunidad de los autores de violaciones de los derechos humanos.* Naciones Unidas, Consejo Económico y Social. Documento E/CN.4/Sub. 2/1997/20/Rev. 1, 1997.

cher[6], que entre las medidas esenciales para combatir la impunidad de quienes hayan violado los derechos humanos, recogen las de: proteger y conservar los archivos que testimonian las violaciones de derechos humanos y ponerlas al servicio de la justicia y la reparación; hacer accesible esa información, dando a conocer a las personas que lo soliciten qué documentación conservan los archivos sobre ellas; o poner los archivos de los antiguos organismos represivos bajo la responsabilidad de personas claramente desvinculadas de las atrocidades del pasado. Posteriormente, Pablo de Greiff[7], como relator especial de Naciones Unidas en relación al derecho a la verdad, la justicia la reparación y las garantías de no repetición, incluiría en su informe de 2015 importantes referencias al papel de los archivos en la búsqueda de la verdad y en la evitación del negacionismo o de la repetición futura de las atrocidades del pasado.

1.3. Trascendencia temporal y territorial

La trascendencia de los documentos de archivo en el ámbito de la defensa de los derechos humanos ha mostrado una doble dimensión, temporal y geográfica. Temporal, al superar claramente el período de uso para el que inicialmente fueron concebidos y, geográfica, al haber quedado demostrado su posible uso más allá de las fronteras del país en el que surgieron.

El Archivo del Centro Internacional de Búsqueda de Cruz Roja, en Bad Arolsen, sería el ejemplo perfecto de esa dimensión geográfica transfronteriza, al facilitar información sobre las víctimas del Holocausto a una enorme cantidad de solicitantes de información sobre el paradero de sus seres queridos desde múltiples países. La información se facilita a partir de los documentos producidos por la administración de los campos de concentración y exterminio del régimen Nazi, gestionados por el International Tracing Service (ITS), hoy reconvertido en Arolsen Archives, International Centre on Nazi Persecution[8]. Muy ilustrativo de esa trascendencia ha sido también el uso de pruebas documentales de múltiples procedencias en los grandes juicios contra criminales de guerra o contra acusados de crímenes de lesa humanidad[9].

---

(6) ORENTLICHER, Diane. *Conjunto de principios actualizado para la protección y la promoción de los derechos humanos mediante la lucha contra la impunidad.* Naciones Unidas, Consejo Económico y Social. Documento E/CN.4/2005/102/Add.1, 2005.

(7) DE GREIFF, Pablo. *Informe del Relator Especial sobre la promoción de la verdad, la justicia, la reparación y las garantías de no repetición, Pablo de Greiff,* 7de septiembre de 2015. Naciones Unidas, Documento A/HRC/30/42.

(8) HENNING BORGGRÄFE, Henning; HÖSCHLER, Christian; PANEK, Isabel. *A Paper Monument: the History of the Arolsen Archive.*Bad Arolsen, 2019.

(9) ARENDT, Hannah. *Eichmann en Jerusalén: un estudio sobre la banalidad del mal* (título original: *Eichmann in Jerusalem. A Report on the Banality of Evil*). New York, Vickung Press, 1963.
GONZÁLEZ QUINTANA, Antonio. «Documentos sin fronteras para una justicia universal», en *Justicia, terrorismo y archivos. Tabula, nº 14* (2011). Salamanca, ACAL, 2011.

Los documentos de los archivos de la seguridad del estado en aquellos países que transitaron de regímenes totalitarios a democracias plenas, como los de la alemana Stasi o los de las policías políticas de otros países[10], son el mejor ejemplo de trascendencia temporal, intergeneracional, pues pasaron de ser herramientas básicas y piezas principales de la persecución y represión política en las dictaduras, a convertirse en elementos esenciales para la rehabilitación o la reparación de las víctimas de violaciones de derechos humanos en las transiciones políticas así como para el enjuiciamiento de criminales y el general conocimiento de la verdad sobre lo ocurrido en el pasado inmediato.

2. MANTENER LOS DERECHOS HUMANOS EN EL MUNDO DIGITAL

¿Cuál va a ser la evolución del uso de los documentos electrónicos en la defensa de los derechos humanos?, ¿seguirán siendo tan eficaces o insuficientes como lo han sido hasta ahora los documentos en papel o, por el contrario, se dibuja un panorama negativo para los derechos humanos en el entorno digital? Mantener y mejorar la potencialidad de archivos y documentos para el fortalecimiento de la democracia y la defensa de los derechos humanos en el entorno digital es uno de los principales retos que el nuevo paradigma archivístico plantea. Los poderes públicos, ante este desafío, *deberán garantizar que las enormes ventajas que la administración electrónica puede aportar para una mayor eficacia, agilidad y transparencia de sus actos no menoscabarán, en ningún caso, los logros democráticos consolidados en los últimos años en cuanto a la preservación y la disponibilidad de los documentos públicos y, en consecuencia, en su uso por los ciudadanos como herramientas fundamentales para el ejercicio de sus derechos*[11].

2.1. Aprovechar las ventajas que ofrece el documento electrónico

Debemos aprovechar las enormes ventajas derivadas de la naturaleza virtual del documento electrónico. Esa versatilidad le permite, al menos es técnicamente posible, ser usado para operar libremente en un mundo globalizado, no solo en operaciones de búsqueda de información, sino también en la tramitación de asuntos administrativos o en transacciones comerciales.

Son varias las mejoras que el uso de documentos electrónicos aporta al fortalecimiento de las sociedades democráticas y la defensa de los derechos humanos y que se pueden percibir inmediatamente. En primer lugar, los documentos electrónicos son más rápidamente accesibles a través de las redes telemáticas y, gracias a esa mejor accesibilidad, generan un fuerte impulso a las políticas de

---

(10) SCHILLER-DICKHUT, Reiner and ROSENTHAL, Bert. *European Network of Official Authorities in Charge of the Secret Police Files: A Reader on the Legal Foundations, Structures and Activities.* Berlin, BstU, 2014.

(11) ARCHIVEROS ESPAÑOLES EN LA FUNCIÓN PÚBLICA. *Manifiesto en defensa de los archivos públicos.* Madrid, AEFP, 2006 (Consulta en: www.arciverosaefp.org.

Gobierno Abierto, gracias a la creación de portales de transparencia o sedes electrónicas para la realización de todo tipo de trámites. En segundo lugar, el desarrollo de los registros de identidad ha sido enorme gracias a las nuevas tecnologías. El objetivo de la Agenda 2030 de Naciones Unidas de registrar el 100% de los nacimientos deberá aprovechar estas oportunidades. Ya existen exitosos proyectos respecto a la identidad personal basados en la inclusión de datos biométricos en el documento de identificación digital. Esos datos sirven para interactuar en la realización de múltiples trámites, desde control de fronteras hasta el uso de los servicios de asistencia social. En concreto, en el Marco Europeo de Interoperabilidad han surgido el Registro Común de Identidad (Common Identity Registry, CIR) y el Servicio de Equivalencia Biométrica (Biometric Matching Service, BMS), vinculados al control de fronteras y a las investigaciones de Europol. En la India, siguiendo otro ejemplo, encontramos el mayor sistema mundial de identificación digital biométrica, Aadhaar, que utilizan más de mil doscientos millones de personas como elemento obligatorio en los procesos de solicitud de ayudas, subvenciones y prestaciones de servicios sociales.

Como elementos positivos en el desarrollo democrático, en cuanto fomentan nuevas vías para la participación política gracias al uso de los documentos electrónicos hay que mencionar también los sistemas digitales de voto electrónico, ya implantado en varios países (a pesar de las críticas que en procesos concretos haya podido suscitar), para ser emitido tanto presencialmente como por Internet. En algunos lugares, como Estonia, se ha llegado a que el ciudadano pueda ejercer el derecho al voto desde su teléfono móvil.

La carpeta única ciudadana, que permite ir acumulando en un sólo recurso informático todos los documentos que las personas generamos individualmente en nuestra relación con la administración electrónica, es el más incuestionable de los logros en el Gobierno Abierto, en la medida en que queda clara la capacidad técnica y organizativa real de las administraciones de hacer plenamente efectivo el *habeas data* o derecho a saber qué información conservan los organismos públicos sobre las personas, reconocido en numerosas leyes y constituciones pero de difícil concreción práctica. En parte un subproducto de la carpeta ciudadana, sería la historia clínica electrónica, que permite la disponibilidad inmediata, en un determinado ámbito de interoperabilidad, de todos nuestros antecedentes médicos ante cualquier urgencia y en cualquier parte donde los centros hospitalarios participen de ese ámbito[(12)]. Posiblemente sea en el campo de la salud en el que las aportaciones del archivo electrónico y las aplicaciones de inteligencia artificial al tratamiento de datos han tenido un éxito más rotundo.

---

(12)   ESPAÑA. MNISTERIO DE SANIDAD Y POLÍTICA SOCIAL. INSTITUTO DE INFORMACIÓN SANITARIA, AGENCIA DE CALIDAD DEL SISTEMA NACIONAL DE SALUD (SNS).- *El Sistema de Historia Clínica Digital del SNS*. Madrid, Ministerio de Sanidad..., (2009).

2.2. El acceso a la información sin fronteras

Poder acceder a los documentos y usarlos sin otros intermediarios que el ordenador y el software, desde cualquier punto geográfico en el que exista una conexión a Internet, significa la esencial mejora que ofrece al ciudadano el uso de los documentos electrónicos. Junto a esas posibilidades técnicas, hemos de señalar que el derecho de acceso a los documentos está reconocido y sustentado en múltiples legislaciones nacionales y en abundantes normas internacionales, entre otras en la Carta de Derechos Fundamentales de la Unión Europea (art. 42)[13]. Por otra parte, las políticas de Gobierno Abierto, nacidas para fortalecer la transparencia de las actuaciones de los organismos públicos, ofreciendo tan amplia información sobre sus actos como sea posible, se sustentan en los documentos electrónicos como aliados principales. No sería concebible una apuesta por la transparencia que obviara la apertura a la consulta en la red de los documentos administrativos.

Las limitaciones que las leyes impongan en el tráfico de datos, las exigencias normativas sobre características de los documentos, la inexistencia de equipos y aplicaciones informáticas y las carencias o deficiencias en las infraestructuras de comunicación serán, por tanto, los únicos obstáculos a esa superación de los límites nacionales. Y en efecto, existen asignaturas pendientes importantes para su pleno desarrollo en un mundo digital auténticamente libre de fronteras.

En primer lugar, la ausencia de un entorno de interoperabilidad mundial limita, de forma importante, el uso universal de los documentos electrónicos. La aceptación universal de los certificados electrónicos sigue siendo una barrera casi infranqueable y no solo para el reconocimiento de los documentos de unos países en otros (como veremos, la Unión Europea podría suponer una excepción) sino también para operar en portales o plataformas internacionales o de terceros países con esos mismos certificados electrónicos.

Pero al margen de las limitaciones legales que ya tienen los documentos electrónicos, en su uso transfronterizo tienen que afrontar otros obstáculos además del derivado de la ausencia de interoperabilidad, en este caso los mismos que afrontan los soportados en papel. Numerosos negocios y actos jurídicos en el extranjero, requieren de la intervención de diferentes agentes o funcionarios públicos, como los notarios, para darles validez. La apostilla electrónica de documentos ha venido a paliar, en parte, el problema de la autentificación de documentos en terceros países, pero aún no existe un marco de apostilla electrónica internacional. Sí hay, en cambio, iniciativas muy importantes en ámbitos nacionales, como sucede en el caso español, para habilitar la legalización de documentos mediante apostillas electrónicas[14]. El Convenio de La Haya de 1961, sobre la eliminación del requisito de la legalización

---

(13) «Carta de Derechos Fundamentales de la Unión Europea». *Diario Oficial de las Comunidades Europeas*. C 364. 18 de diciembre de 2000.

(14) ESPAÑA, MINISTERIO DE JUSTICIA. *La apostilla electrónica: informes de modernización judicial en España*. Madrid, Ministerio de Justicia, (2011).

de documentos públicos extranjeros, supuso un extraordinario avance en la simplificación y agilización del tráfico jurídico internacional de documentos, en la medida en que reemplazaba las formalidades, muchas veces engorrosas y costosas, de la legalización diplomática (certificación en cadena) de un documento público, por medio de la simple emisión de una Apostilla. Apostillar cada uno de los documentos a usar en un trámite ante una entidad foránea es, sin embargo, todavía un auténtico calvario de peregrinaciones por las oficinas que han de hacer las distintas apostillas. El construir un registro de apostilla electrónica única es, sin duda, otro importante paso en la interoperabilidad nacional pero sigue siendo un tanto anacrónico todo esto cuando para tantas operaciones comerciales la identificación de una de las partes se limita a teclear el código de una tarjeta de crédito.

Existen, no obstante, algunas experiencias de puesta en marcha de marcos de interoperabilidad para los documentos electrónicos de carácter internacional. La más importante de todas ellas es la que ofrece, en el seno de la Unión Europea, el Marco Europeo de Interoperabilidad, que pretendía dotar a la Unión Europea de una política de conservación a largo plazo de la información relacionada con los servicios públicos europeos y, en particular, de la información que se intercambie a través de fronteras.

La Comunicación «Una Estrategia para el Mercado Único Digital de Europa», de 6 de mayo de 2015, reconocía la interoperabilidad como un requisito previo para «unas conexiones transfronterizas, entre comunidades y entre servicios y autoridades públicos más eficientes» y reclamaba la revisión y ampliación del Marco Europeo de Interoperabilidad, reconociendo que los servicios públicos no eran en aquel momento, una realidad en la Unión Europea, menos aún en lo relativo a los servicios transfronterizos[15]. El establecimiento de criterios comunes en la determinación de los servicios de certificación ha sido un paso fundamental en este objetivo[16].

2.3. Los principales riesgos para los derechos humanos en el uso de documentos y archivos electrónicos

Si las ventajas que ofrece el documento electrónico para el fortalecimiento democrático de las sociedades son incuestionables, también son evidentes los riesgos que conlleva el uso de las nuevas tecnologías. Las principales preocupaciones de los defensores de los derechos humanos ante los avances tecnológicos en la información y las comunicaciones se pueden resumir en dos. La pri-

---

(15) COMUNICACIÓN DE LA COMISIÓN AL PARLAMENTO EUROPEO, AL CONSEJO, AL COMITÉ ECONÓMICO Y SOCIAL EUROPEO Y AL COMITÉ DE LAS REGIONES. *Marco Europeo de Interoperabilidad – Estrategia de aplicación.* Bruselas, 23-3-2017, COM(2017) 134 final.
Véase, además, en esta misma obra, el artículo de Miguel A. AMUTIO GÓMEZ: «El entorno europeo del documento».
(16) Reglamento (UE) n.º 910/2014.

mera, la vulnerabilidad de las comunicaciones y la capacidad de vigilancia que los poderes públicos o económicos puedan ejercer sobre las personas, que amenaza tanto al derecho a la libertad de expresión, en la medida en que puedan ser violadas nuestras comunicaciones, como al derecho a la privacidad y a la intimidad. La segunda tendría que ver con la posibilidad de prescindir del factor humano en la toma de decisiones, a partir de los procedimientos autoejecutables en trámites administrativos resueltos con programas de inteligencia artificial.

En cuanto a la libertad de expresión, protección de datos personales y respeto a la privacidad, han sido muy numerosos los organismos internacionales que han manifestado su preocupación a la vez que se hacían públicos, cada vez con más intensidad, los escándalos y denuncias sobre uso y abusos en el control de las comunicaciones, y por la utilización de algoritmos para perfilar las políticas comerciales a partir de nuestra interacción en las redes sociales o en el uso de Internet para buscar información o hacer transacciones comerciales. Esa preocupación por el manejo de las comunicaciones privadas y el uso de los datos personales proporcionados por los ciudadanos en el entorno digital, ha llevado a la adopción de leyes de protección de datos en más de cien países así como a regulaciones internacionales de mayor alcance, entre las que merece una especial mención el Reglamento de Protección de Datos de la Unión Europea, aprobado en 2016 y aplicable plenamente desde el año 2018.

La propia tecnología nos va a ofrecer, en contrapartida, un antídoto importante contra la vulneración de la privacidad de datos y comunicaciones con el encriptado o cifrado del contenido de nuestros documentos, incluidos sus metadatos, y de nuestras comunicaciones. Como reconoce UNESCO, *el anonimato y el cifrado pueden jugar un papel fundamental como habilitadores de la protección de la privacidad y la libertad de expresión*[17].

Sin embargo, el cifrado, como medida positiva en la protección de las comunicaciones, enfrenta numerosas objeciones a un estricto encriptado de las comunicaciones desde distintos gobiernos, que creen que pone en riesgo la persecución de la actividad criminal, y que abogan por la habilitación de excepciones al encriptado. El límite de esas excepciones, a través de la regulación del acceso legal a esos datos, es el que traza la fina raya de separación entre la democracia con garantía de respeto a los derechos humanos y la negativa utopía orwelliana del Gran Hermano que nos controla.

Como ejemplo de esa disyuntiva, podemos citar la modificación legislativa, a partir de una iniciativa del presidente Trump, de la denominada Stored Communications Act (SCA) de Estados Unidos, que regula la posibilidad de que las autoridades públicas exijan a los proveedores de servicios de almacenamiento de datos, la conservación de los mismos y su disponibilidad cuando los soliciten,

---

(17)   SCHULZ, Wolfganf and VAN HOBOKEN, Joris.- *Human Rights and Encription*. París, UNESCO, 2016.

980

siempre con garantías judiciales y bajo estrictas limitaciones. La nueva Cloud Act permite esa intervención no solo sobre los datos conservados en repositorios de Estados Unidos, sino también en cualquier otro lugar del mundo, siempre que el país en cuestión haya suscrito un acuerdo ejecutivo con los Estados Unidos. En esencia, se arguye para justificar el cambio que si el documento es materializado en un equipo informático ubicado en suelo estadounidense, inmediatamente pasa a ser competencia jurisdiccional de los tribunales del país. La pregunta de dónde está el documento, si este se produce siempre *ad hoc* y en esencia lo que hay en los repositorios no es más que una sucesión de dígitos, no es en absoluto baladí.

2.3.1. El tráfico de datos y documentos electrónicos: Internet

El acceso a los documentos cambia de tal modo con la aparición de la red universal que desde los organismos internacionales de Derechos Humanos la posibilidad del uso de Internet se plantea como un objetivo básico de democratización y, su generalización, junto con la alfabetización digital, se considera la única alternativa posible para evitar un mundo de absoluta desigualdad. La Coalición por los Derechos y Principios de Internet (Coalición IRP), en el Foro de Naciones Unidas sobre Internet, ha elaborado *la Carta de Derechos Humanos y Principios para Internet*[18], tratando de adaptar los Derechos Humanos existentes a este medio. Este documento señala que *Internet ofrece oportunidades sin precedentes para desarrollar los Derechos Humanos y desempeña un papel cada vez más importante en nuestra vida.* Y afirma que, por tanto, *es esencial que todos los agentes, tanto públicos como privados, respeten y protejan los Derechos Humanos en Internet. También se deben tomar medidas que garanticen que Internet funcione y evolucione de manera que cumpla y sea respetuosa con estos derechos.* Para hacer realidad un Internet basado en el respeto a los Derechos Humanos, la Carta expone diez principios básicos entre los que podemos destacar el principio 3 «accesibilidad»: *Toda persona tiene igual derecho a acceder y utilizar Internet de forma segura y libre;* el principio 4 «libertad de expresión y asociación»: *Toda persona tiene derecho a buscar, recibir y difundir información libremente en Internet sin censura ni interferencias. Todo el mundo tiene derecho a asociarse libremente a través de Internet, con fines sociales, políticos, culturales o de otro tipo;* el principio **5** «**c**onfidencialidad y protección de datos»: *Toda persona tiene derecho a la privacidad online. Esto incluye el no ser vigilado, el derecho a utilizar cifrado y el derecho al anonimato. Todo el mundo tiene derecho a la protección de datos, incluyendo el control sobre la*

---

(18) INTERNET RITHS AND PRINCIPLES COALITION. *Carta de Derechos Humanos y Principios para Internet.* Internet Rights and Principles Dynamic Coalition (UN Internet Governance Forum), 2015.
Véase, también, la resolución del Consejo de Derechos Humanos presentada a la Asamblea General de Naciones Unidas, *Promoción, protección y disfrute de los derechos humanos en Internet.* Naciones Unidas, documento A/HRC/32/L.20, 2015.

recolección, retención, transformación, eliminación y divulgación de sus datos personales; o el principio 10 *«gobierno»: Los Derechos Humanos y la Justicia Social deben ser la base jurídica y normativa sobre la que operar en Internet. Esto sucederá de manera transparente y multilateral, con un Internet basado en los principios de la participación inclusiva y la rendición de cuentas.*

2.3.2. La Inteligencia Artificial (IA)

Son muchos los beneficios que la Inteligencia Artificial nos ofrece en múltiples facetas de la vida, algunas de ellas ya presentes en nuestra cotidianeidad gracias al desarrollo que el conocido como «Internet de las cosas» está teniendo en los últimos años. Ese desarrollo de la IA sería impensable sin los datos y sin los documentos que se escanean en miles de millones de páginas web aplicando algoritmos que llevan a decisiones exitosas la mayor parte de las veces.

A pesar de esos beneficios, una serie de dudas éticas importantes han surgido al analizar el uso de la IA desde la perspectiva del respeto a los derechos humanos. La principal crítica la encontramos cuando abandonamos la IA que tiene que ver con el funcionamiento de los objetos y nos introducimos su aplicación en las relaciones de los ciudadanos con los poderes públicos. Y se concreta en la falta de intervención del factor humano en la toma de decisiones cuando la IA se aplica en algunos trámites administrativos, sobre todo los relacionados con la aprobación de ayudas o prestaciones sociales a los ciudadanos y se toman las decisiones sin intervención alguna de seres humanos. En el centro de esta crítica está la afirmación de que *la Inteligencia Artificial se está convirtiendo cada vez más en un oculto tomador de decisiones de nuestros tiempos*[19].

En esa percepción crítica a la IA se sitúa el Relator Especial de la ONU sobre la extrema pobreza y los derechos humanos, Philip Alston, quien en su informe presentado a la Asamblea General de Naciones Unidas en octubre de 2019 hace un demoledor y exhaustivo recorrido por los resultados negativos de su aplicación, que le llevan a afirmar la existencia de una falso estado de bienestar digital en el que la IA estaría favoreciendo la exclusión social de numerosas personas: *conforme la humanidad avanza, tal vez inexorablemente, hacia un futuro de bienestar digital, debe cambiar de rumbo de forma significativa y rápida para no desembocar, sin ser consciente de ello, en una distopía de bienestar digital*[20].

---

(19) *Steering AI and Advanced ICTs for Knowledge Societies: A Rights, Openness, Access, and Multi-stakeholder Perspective.* París, UNESCO, 2019.

(20) ALSTON, Philip. *La extrema pobreza y los derechos humanos.* Naciones Unidas, documento A/74/493. 11 de octubre de 2019.

ANEXOS

I.

PREGUNTAS FRECUENTES

Gerardo BUSTOS PRETEL
Subdirector general de Información, Documentación y Publicaciones del Ministerio de Hacienda
José Luis GARCÍA MARTÍNEZ
Jefe de Área de Archivo y Documento Electrónico del Ministerio de Hacienda

Sumario:

Actas, libro de

Archivo electrónico

Bases de datos

Carpeta ciudadana

Certificado y firma electrónica

Conservación

Copias y copias auténticas

Correo electrónico

Datos

Digitalización

Documentos esenciales

Eliminación de documentos

ENI

Expediente

Expedientes mixtos

Firma (Véase certificado)

Formatos especiales

Intercambio de documentos

Metadatos

Municipios pequeños

Notificaciones y entrega de documentos

Política de gestión de documentos electrónicos

Registros y oficinas de asistencia en materia de registro

Relaciones con las administraciones públicas

Relaciones entre las administraciones públicas

Sector público estatal

SIA

Seguridad

Soportes diferentes

ACTAS

ACTAS, LIBRO DE

¿Deberían emitirse en papel algunos documentos?

Existen casos en los que un ayuntamiento ha conservado sus actas municipales desde la Edad Media hasta finales del siglo XX, y, sorprendentemente, ha perdido sus actas recientes por algún descuido. Los libros de actas se han encuadernado tradicionalmente, sin embargo, el uso del libro electrónico no está generalizado. Pensemos en la importancia de esta serie documental que recoge los acuerdos tomados a lo largo del tiempo por los representantes de un determinado municipio. Caso parecido es el de las hojas de canto dorado, en las que se emiten las leyes y reales decretos firmados por el rey. En estos casos, dado el incuestionable valor jurídico que profieren y su carácter de documentos esenciales, debería seguirse emitiendo un ejemplar en papel.

En este sentido, el artículo 3.2.D del Real Decreto 128/2018, de 16 de marzo por el que se regula el régimen jurídico de los funcionarios de administración Local con habilitación de carácter nacional, permite la existencia del libro de actas en papel: «El acta se transcribirá por el secretario en el libro de actas, cualquiera que sea su soporte o formato, en papel o electrónico, autorizada con la firma del secretario y el visto bueno del alcalde o presidente de la corporación. No obstante, en el supuesto de que el soporte sea electrónico, será preciso que se redacte en todo caso por el secretario de la corporación extracto en papel comprensivo de los siguientes datos: lugar, fecha y hora de la celebración de la sesión; su indicación del carácter ordinario o extraordinario; los asistentes y los miembros que se hubieran excusado; así como el contenido de los acuerdos alcanzados, en su caso, y las opiniones sintetizadas de los miembros de la corporación que hubiesen intervenido en las deliberaciones e incidencias de éstas, con expresión del sentido del voto de los miembros presentes».

¿Existen los libros de actas electrónicos?

Actualmente el libro de actas electrónico únicamente se está imponiendo en el entorno mercantil. Debe cumplimentarse necesariamente en soporte electrónico y tiene que presentarse obligatoriamente por vía telemática en el Registro Mercantil para su legalización. Todos los acuerdos que adopte la junta general, o el socio único, de una sociedad mercantil tienen que recogerse en un acta, que se incorpora al Libro de actas que ha de llevar dicha sociedad. Lo mismo ocurre con los acuerdos del consejo de administración, en aquellas sociedades que cuenten con este órgano de administración. En la práctica será preciso redactar y firmar el acta de cada reunión de la junta general y, después de que esté firmada, incorporarla a un soporte electrónico o fichero (mediante su escaneo, por ejemplo), de modo que cada año, una vez finalizado el ejercicio social, puedan enviarse telemáticamente al Registro Mercantil para su legalización todas las actas de ese año en el plazo de los cuatro meses posteriores al cierre del ejercicio.

ARCHIVO ELECTRÓNICO

¿Puede haber archivos en papel en las administraciones públicas, o todos los archivos tienen que ser electrónicos, aunque se trate de un pueblo pequeño?

No puede haber archivos en papel en ninguna administración pública, salvo los archivos de expedientes anteriores a la entrada en vigor del archivo electrónico único. La LPAC es muy clara en este sentido, y en su artículo 17.1 establece que «cada administración deberá mantener un archivo electrónico único de los documentos electrónicos que correspondan a procedimientos finalizados».

De acuerdo con la DF 7.ª de la LPAC, tal como quedó modificada por el art. 6 del Real Decreto-ley 11/2018, de 31 de agosto, el archivo electrónico único deberá entrar en funcionamiento el 2 de octubre de 2020, como máximo. No hay ningún tipo de excepción, y afecta a todas las administraciones públicas españolas. Lógicamente, el tamaño de la administración no influye para la aplicación de este precepto legal.

Eso no impide tener en cuenta los casos excepcionales de archivos híbridos para aquellos documentos que no pueden digitalizarse, o incluso algunos documentos solemnes como las hojas de canto dorado.

Pero una cosa es la obligación legal y otra la realidad. Es probable que los rígidos plazos establecidos por la LPAC en esta materia no se cumplan en plenitud. Basta ver la realidad de la transformación digital en estos momentos, para tener esta certeza. Todo hace pensar que habrá un tiempo de transición de diferentes grados de cumplimiento en las administraciones públicas con respecto al archivo electrónico, así como a la tramitación exclusivamente electrónica.

¿Qué necesito para ingresar expedientes en el archivo electrónico?

Para ingresar los documentos y expedientes electrónicos en el archivo electrónico es necesario definir una estructura en XML del paquete de información de transferencia (SIP) que contenga los metadatos (obligatorios ENI o los que se considere necesarios en la PGD-e correspondiente), la firma y el contenido.

En el caso de Archive, es necesario conformar las estructuras definidas en el anexo 11 de la PGD-e del MINHAP. En estas estructuras, se definen en detalle los metadatos mínimos obligatorios, los metadatos eEMGDE adicionales y los metadatos de negocio, que pueden estar fuera del propio eEMGDE.

¿Se llama archivo electrónico único o archivo único electrónico?

Las dos denominaciones son correctas. Se use una u otra expresión, estamos hablando de lo mismo, aunque el uso indistinto por parte de la LPAC ha generado cierta confusión, sobre todo por parte de quienes han querido ver un significado en el uso de una u otra expresión. Realmente la LPAC usa indistintamente las expresiones: archivo único electrónico, archivo electrónico, archivo electrónico único y archivo. La expresión archivo único electrónico sólo es empleada en la LPAC en tres ocasiones, en las disposiciones transitoria cuarta, derogatoria única y final séptima. Algo anecdótico, si bien es un momento de incertidumbre algo así puede convertirse en el origen de una teoría sobre el diferente sentido de ambas expresiones.

¿Cuáles son los paquetes de información según el modelo OAIS?

El modelo OAIS (ISO 14721) que establece tres tipos de paquetes principales de información: submission information package (SIP), archival information package (AIP) y dissemination information package (DIP).

El SIP o paquete de información de transferencia es el paquete que remite la oficina tramitadora al archivo electrónico, con una estructura en XML.

En el caso de Archive la estructura de ingreso que define el paquete SIP está definida en el anexo 11 de la PGD-e, en la que se incluirían los documentos, el índice del expediente y los metadatos definidos en las NTI de documento electrónico y expediente electrónico, a los que se sumarían los metadatos de nombre natural para documento y expediente y fecha fin para expediente, así como todos los de negocio establecidos por la oficina gestora.

El AIP o paquete de información de archivo, incorpora el SIP original, al que se añade nueva información en forma de metadatos, destacando los que se heredan de la serie documental relativos a clasificación, calificación y acceso, uso y reutilización.

El DIP o paquete de difusión incluye el SIP original y la información que el archivo estime como necesaria para los usuarios.

¿Qué plazo tengo para enviar al archivo electrónico único mis documentos y expedientes?

No hay un plazo concreto para ello. Lo único que menciona la LPAC a este respecto es que «cada administración deberá mantener un archivo electrónico único de los documentos electrónicos que correspondan a procedimientos finalizados». Es decir, antes de finalizarse el procedimiento, no se puede enviar el expediente electrónico al archivo. Pero una vez finalizado, existe la obligación de enviarlo al archivo electrónico único, pero sin plazo determinado.

Por lo tanto, cualquier órgano o unidad administrativa podrá enviarlo al día siguiente de finalizar el procedimiento o a los 20 años, por decir un período elevado. La ausencia de un plazo máximo para ese envío seguramente terminará por configurar unas dinámicas de funcionamiento hoy imprevisibles. Habrá centros públicos que transfieran al archivo electrónico nada más finalizar el procedimiento. Pero también habrá centros de cierto potencial y equipamiento avanzado, que preferirán conservar durante un (largo) tiempo en el repositorio de su tramitador o gestor documental. Incluso es probable que el expediente permanezca años en el repositorio y antes de transferirse al archivo electrónico único se valore y expurgue.

Dado que el plazo de transferencia está abierto, las soluciones en cuanto a funcionamiento y plazos pueden ser diversas y adaptadas a cada organismo. Eso sí, durante el tiempo que los archivos permanezcan en los repositorios propios, sus gestores tienen que garantizar el acceso, la conservación permanente de los documentos y la adaptación tecnológica.

¿Qué ocurre si una administración pública incumple el plazo de entrada en vigor del archivo electrónico único?

En principio, no sucede nada. De hecho, esta circunstancia se dará en numerosos casos a partir del 2 de octubre de 2020, que es la fecha de entrada en vigor del archivo electrónico único para cada administración pública.

Hay que tener en cuenta que partimos de un incumplimiento paradigmático, que afecta a todos los demás en relación con la administración electrónica. La disposición transitoria primera del ENI determina como solución última unos planes de adecuación al ENI que «en ningún caso serán superiores a 48 meses desde la entrada en vigor». Por tanto, ese plazo extremo finalizó el 10 de enero de 2014. Ni entonces las administraciones públicas estaban adecuadas al ENI, ni lo están ahora, ni lo estará en un tiempo todavía largo. Es más, si estuviéramos adecuados al ENI, la transformación digital sería casi coser y cantar. La historia volverá a repetirse a partir de octubre de 2020.

¿Y qué ocurre cuando estos mandatos y plazos legales se incumplen? Para el ciudadano, que continúa sin disponer de un servicio determinado. Para la administración incumplidora, ninguna consecuencia. En todo caso, la de evitar o retrasar la gestión del cambio que implique la norma en cuestión. Finalmente, para el legislador que ha establecido unos plazos imposibles, ningún problema.

¿En qué se diferencian un SGDE y un SGDEA?

El SGDE (sistema de gestión de documentos electrónicos) es un sistema informático orientado al control, almacenamiento y gestión de los archivos de oficina. Gestiona archivos y expedientes electrónicos durante su fase de actividad administrativa y permite su modificación. Sus usuarios controlan los procesos de gestión documental desarrollados en el mismo, así como la asignación de los metadatos mínimos obligatorios y complementarios necesarios.

El SGDEA (sistema de gestión de documentos electrónicos de archivo) es un sistema informático que garantiza un repositorio seguro para la gestión de documentos y expedientes electrónicos en las fases de archivo central, intermedio e histórico. En esas fases ha finalizado el procedimiento administrativo que los produjo, por lo que las acciones de modificación y borrado quedan limitadas a casos excepcionalmente tasados. Los usuarios del SGDEA controlan procesos archivísticos más técnicos, como la conservación, valoración, eliminación, transferencia y asignación de determinados metadatos de gestión y conservación.

BASES DE DATOS

¿Cómo se conservan las bases de datos?

Una base de datos es un conjunto de datos pertenecientes a un mismo contexto y almacenados sistemáticamente para su posterior uso.

En algunas ocasiones, transcurrido el tiempo, podríamos eliminar series documentales voluminosas basándonos en que los datos más significativos se encuentran en los diferentes campos de una base de datos. En el caso de algunas series generadas por las oficinas de extranjería se ha seguido este modelo, sin embargo, la conservación de las bases de datos no es tan sencilla como pudiera parecer. En el artículo de Alejandro Millaruelo («Conservación a largo plazo de bases de datos») podrás encontrar las medidas necesarias para ello (mantener el formato original mientras sea posible, valorar la base de datos, mantener la consistencia de los datos, evitar la obsolescencia, documentar el contexto, etc.).

CARPETA CIUDADANA

¿Qué beneficios tiene la carpeta ciudadana?

Como se puede comprobar el en artículo de Laura Flores Iglesias («Punto de acceso general y carpeta ciudadana») sobre la carpeta ciudadana y el punto de acceso general, estos servicios permiten al ciudadano la posibilidad de relacionarse con las administraciones públicas desde un único punto, evitando la complejidad de la administración en cuanto diferentes sedes electrónicas, competencias repartidas entre organismos, etc. Puede visualizar el estado de todos sus expedientes abiertos en la administración y, si requiere más nivel de detalle puede ser redirigido a la sede electrónica correspondiente con un sólo clic.

En cuanto a empresas y emprendedores, agiliza la realización de sus trámites al no tener que recorrer numerosas sedes electrónicas para iniciarlos o ver sus resultados.

El ciudadano dispone de su información siempre actualizada, ya que carpeta ciudadana no almacena ningún dato, sino que realiza las consultas en tiempo real cuando son solicitadas por el ciudadano.

CERTIFICADO Y FIRMA ELECTRÓNICA

¿Cómo conseguir un certificado electrónico?

Para conseguir un certificado electrónico tenemos diferentes opciones, que van desde la más sencilla, que es personarse en una oficina de asistencia en materia de registros, donde lo podrán solicitar a la Fábrica Nacional de Moneda y Timbre (FNMT-RCM), recibiéndose en unos minutos. Desde esa oficina, si está capacitada como registradora de firma, podrá exportarlo y remitirlo a nuestro correo personal o grabarlo en un soporte externo. Otra opción es que lo solicitemos nosotros directamente a la FNMT-RCM en su página Web, para ello necesitaremos tener actualizado el certificado del DNI electrónico. Si no lo tenemos podemos acudir a una oficina del DNI y actualizarlo con la huella dactilar.

Otra opción es solicitarlo a la FNMT-RCM en su página Web sin el DNI electrónico, de forma que recibiremos un código con el que tendremos que acudir a una Oficina de asistencia en materia de registros, donde se comprobará nuestra identidad. Seguidamente recibiremos un correo electrónico con el certificado.

¿Qué es un sello de órgano?

Los certificados de sello de órgano se utilizan para identificar y firmar actos administrativos por medio de sistemas informáticos sin intervención directa de la persona física competente. Estos actos automatizados son responsabilidad de un órgano administrativo y deben sustentarse en un acto concreto, por ejemplo, entrada y salida de escritos, solicitudes, comunicaciones, certificados, etc.

Según la LRJSP (art. 41), se entiende por actuación administrativa automatizada, cualquier acto o actuación realizada íntegramente a través de medios electrónicos por una administración pública en el marco de un procedimiento administrativo y en la que no haya intervenido de forma directa un empleado público. En caso de actuación administrativa automatizada deberá establecerse previamente el órgano u órganos competentes, según los casos, para la definición de las especificaciones, programación, mantenimiento, supervisión y control de calidad y, en su caso, auditoría del sistema de información y de su código fuente. Asimismo, se indicará el órgano que debe ser considerado responsable a efectos de impugnación.

¿Qué es un sello de tiempo?

El sellado de tiempo es un mecanismo en línea que permite demostrar que una serie de datos han existido y no han sido alterados desde un instante específico en el tiempo. Este protocolo se describe en el estándar RFC 3161 y está en el registro de estándares de Internet. Una autoridad de sellado de tiempo actúa como tercera parte de confianza testificando la existencia de dichos datos electrónicos en una fecha y hora concretos.

Normalmente el sistema funciona de esta forma: un usuario quiere obtener un sello de tiempo para un documento electrónico que él posee, entonces se genera un resumen digital (un hash) para el documento en el ordenador del usuario. Este resumen forma la solicitud que se envía a la autoridad de sellado de tiempo (TSA), que genera un sello de tiempo con esta huella, la fecha y hora obtenida de una fuente fiable y la firma electrónica de la TSA.

El sello de tiempo se envía de vuelta al usuario. La TSA mantiene un registro de los sellos emitidos para su futura verificación.

¿Qué es una firma longeva?

Se trata de una firma electrónica dotada de validez a lo largo del tiempo. Para ello, a lo largo del tiempo, se van incluyendo en la firma sellos de tiempo y el resultado de la comprobación de validez de los mismos en el momento en el que se realizó la firma. El refirmado y actualización de los sellos se realiza de forma regular y automatizada antes de su caducidad.

Este proceso de refirmado se utiliza para garantizar que unos datos que fueron firmados con un algoritmo que era válido en su día, pero inseguros actualmente debido a la evolución tecnológica, no pierdan valor ya que se han ido refirmando siempre con algoritmos criptográficos seguros en cada momento.

Añaden a la firma evidencias de terceros (de autoridades de certificación) y certificaciones de tiempo, que realmente certifican cuál era el estado del certificado en el momento de la firma.

Para verificar una firma es necesario comprobar la integridad de los datos firmados asegurando que éstos no hayan sufrido ninguna modificación; así como que el estado del certificado con el que se firmó era el correcto, es decir, era vigente en el momento de la operación.

La necesidad de utilizar firmas longevas, o el hecho de utilizar un formato longevo u otro, dependerá del procedimiento administrativo concreto, de sus requisitos de trazabilidad acorde con el ENS (requisito 5.7.5), y de la necesidad de custodia de las firmas durante periodos prolongados de tiempo.

La conservación de los expedientes electrónicos en el archivo electrónico requiere el uso de firmas longevas, que se aplicarán en el reiterado refirmado de los índices de los expedientes.

¿Qué ventajas tiene la firma basada en certificado electrónico sobre la que está basada en el código seguro de verificación?

Todo documento administrativo electrónico o todo documento susceptible de incorporarse a un expediente deberá incorporar, al menos, una firma electrónica, pudiendo ser dicha firma una firma basada en certificado electrónico y en formato PAdES, XAdES o CAdES, que incluya información de la política de firma de la organización, o una firma basada en código seguro de verificación (CSV). Véase artículos sobre firma electrónica de Nacho alamillo y Álvaro Tapias. Por nuestra parte recomendamos la firma basada en certificado, ya que permite incorporar información adicional a la firma para garantizar la validación y conservación de las firmas a largo plazo, una vez que el periodo de validez de los certificados ha concluido. Esta información adicional consiste en evidencias de terceros, en este caso autoridades de certificación, o sellos de tiempo que certifican el estado de un certificado electrónico en el momento en que se llevó a cabo la firma. El CSV es útil para comprobar la autenticidad de los documentos recientes, pero es difícil garantizar que en unas décadas los códigos sigan funcionando para verificar los documentos.

¿Los empleados públicos pueden emitir y firmar informes en papel?

No. El artículo 14.1 de la LPAC permite a las personas físicas mantener su relación con las administraciones públicas a través del papel. Pero este planteamiento no afecta a los empleados públicos. El apartado 2 del mismo artículo señala los colectivos que están obligados a relacionarse a través de medios electrónicos con las administraciones públicas, entre los cuales cita en el apartado e) a «los empleados de las administraciones públicas para los trámites y actuaciones que realicen con ellas por razón de su condición de empleado público».

En la misma línea hay que contemplar el artículo 26 de la LPAC, donde se señala en el apartado 1 que «las administraciones públicas emitirán los documentos administrativos por escrito, a través de medios electrónicos». Y el mismo artículo, en el apartado 2, señala que «para ser considerados válidos, los documentos administrativos deberán… incorporar las firmas electrónicas que correspondan», entre otros requisitos.

Por último, digamos que el artículo 80.2 de la LPAC refuerza aún más el planteamiento al establecer que «los informes serán emitidos a través de medios electrónicos y de acuerdo con los requisitos que señala el artículo 26…».

¿Se puede poner el CSV en los documentos digitalizados?

El CSV se utiliza principalmente en aquellos documentos que se emiten a modo de ejemplar imprimible, es decir, documentos electrónicos de los que se puede elaborar una copia en papel de documento electrónico.

Sin embargo, no es posible integrar un código seguro de verificación en un documento digitalizado, puesto que estaríamos alterando la apariencia del documento original, contraviniendo la NTI de procedimientos de copiado auténtico y conversión entre documentos electrónicos.

¿Qué ventajas y desventajas tiene el DNI electrónico?

Entre las ventajas del DNI electrónico destacamos la actualización del certificado electrónico de forma cómoda y rápida en las terminales de la Policía Nacional o las oficinas del DNI, utilizando la huella dactilar.

Con el DNI electrónico podemos solicitar en la página de la FNMT-RCM un certificado electrónico para instalar en el navegador de nuestro equipo, sin necesidad de acudir presencialmente a una oficina de asistencia en materia de registros. Por otro lado, el DNI-e garantiza la identidad del usuario con un grado de seguridad muy alto.

En el uso del DNI-e no todo son ventajas, también tenemos ciertos inconvenientes como la necesidad de un lector de tarjetas DNI-e., la instalación de un software determinado en el equipo, su caducidad a los 30 meses, es fácil bloquear el PIN con tres errores y hay que desbloquearlo también presencialmente.

¿Para qué sirve la firma biométrica?

Permite capturar datos biométricos durante el proceso de firma manuscrita sobre dispositivos electrónicos. Los datos biométricos capturados durante el proceso de firma son la presión del lápiz, la velocidad de escritura y la aceleración. Los dispositivos electrónicos que permiten la captura de datos biométricos, entre los que se encuentran fabricantes como Wacom o Topaz, detectan hasta 1024 niveles de presión distintos, lo que permite obtener una identificación única e inequívoca del firmante. Los firmantes son identificados con plena validez jurídica en la mayoría de países de Sudamérica y Europa.

Los documentos, que se encuentran en formato digital, se visualizan en las tabletas de firma electrónica avanzada o sobre dispositivos que admitan este formato. El usuario firma sobre la pantalla y se visualiza el resultado durante el proceso de firma. Las tabletas capturan el trazo realizado y otros datos biométricos, sensibles, únicos e imposibles de replicar, de la persona que firma. Tanto el documento como la persona que firma quedan vinculados con las firmas, y son imposibles de manipular y/o insertar en otros documentos.

¿Deben llevar firma todos los documentos

Todos los expedientes que formen parte de un procedimiento administrativo deben llevar firma. Los documentos presentados en papel por ciudadanos deben firmarse con sello electrónico de órgano o la firma de funcionario habilitado en la oficina de asistencia en materia de registros. La única salvedad la encontramos en que el documento presentado por el ciudadano no sea un original o una copia electrónica auténtica, por lo que en el metadato estado de elaboración indicaríamos el valor de otros. En ese caso no sería obligatoria la firma. Lo mismo ocurre con aquellos documentos que no forman parte de un procedimiento reglado, como las agregaciones documentales que se generan en los gabinetes, secretarías, etc. En esos casos, la autenticidad e integridad quedará garantizada por el hash y la firma del índice.

CONSERVACIÓN

¿Dónde se guardan los documentos y datos de la administración en la actualidad?

Los documentos generados por las administraciones públicas se guardan en una nube privada, es decir en diferentes CPD o centros de proceso de datos. La información se encuentra replicada en varios de ellos con el fin de evitar que una catástrofe pudiera acabar con la información. Estos centros de proceso de datos cumplen con las medidas de seguridad establecidas por el ENS.

Los centros de proceso de datos están formados por multitud de discos duros y memorias de estado sólido, en los que se almacena la documentación, al tiempo que se guardan copias de seguridad en cintas magnéticas.

¿Cómo se decide la conservación o destrucción de documentos electrónicos que han finalizado su eficacia administrativa?

Cada administración pública tiene obligatoriamente un sistema de evaluación para la conservación o destrucción de sus documentos administrativos.

En el caso de la AGE, que claramente conservacionista, el órgano que dictamina qué documentos pueden ser eliminados reglamentariamente y qué documentos deben ser de conservación permanente, es la Comisión Superior Calificadora de Documentos Administrativos (CSCDA). Existen procedimientos de valoración reglados, transparentes y participativos en todo el proceso.

Previamente, cada ministerio realiza la valoración de las series documentales del departamento y sus organismos autónomos, y eleva las propuestas de dictamen de conservación y/o eliminación a la CSCDA para su dictamen preceptivo y vinculante.

Si el dictamen es de destrucción total o parcial, posteriormente a la autorización de la CSCDA el responsable del organismo o el subsecretario del ministerio publica en el BOE una resolución autorizando la destrucción, pero en un plazo superior a tres meses de la publicación, para dar opción a que cualquier ciudadano o entidad que se considere afectado o disconforme pueda recurrir la destrucción.

¿Cuánto tiempo es necesario conservar la documentación electrónica?

A la documentación electrónica hay que aplicarle las mismas normas de conservación existentes para la documentación en papel. El tiempo de conservación dependerá en cada caso de su valor probatorio o histórico cultural; pero en todo caso hay que tener en cuenta que la posible destrucción tiene que llevarse a cabo de acuerdo con la normativa existente para valoración y destrucción en cada administración pública.

Ahora bien, no se nos oculta que estamos viviendo una etapa de transición entre el soporte papel y el electrónico, y eso da lugar a circunstancias especiales. Es muy probable que en el futuro el momento presente de transición entre el mundo analógico y el mundo electrónico sea recordado como una época en la que se perdió abundante información. Es tal la cantidad de información que se produce en diferentes aplicaciones y formatos que es imposible que pueda recuperarse todo.

¿Cómo se lleva a cabo la calificación de la documentación electrónica?

El propio ENI, en su artículo 21.f, indica que entre las medidas organizativas y técnicas de las administraciones públicas se encuentra determinar «el período de conservación de los documentos, establecido por las comisiones calificadoras que correspondan, de acuerdo con la legislación en vigor, las normas administrativas y obligaciones jurídicas que resulten de aplicación en cada caso».

Según el artículo 58 de la Ley 16/1985, del Patrimonio Histórico Español, «el estudio y dictamen de las cuestiones relativas a la calificación y utilización de los documentos de la AGE y del sector público estatal, así como su integración en los archivos y el régimen de acceso e inutilidad administrativa de tales documentos corresponderá a la Comisión Superior Calificadora de Documentos

Administrativos, cuya composición, funcionamiento y competencias específicas se establecerán por vía reglamentaria. Asimismo, podrán constituirse comisiones calificadoras en los organismos públicos que así se determine». En este sentido, las comunidades autónomas también han creado sus comisiones calificadoras.

COPIAS Y COPIAS AUTÉNTICAS

¿En qué casos se puede emitir una copia electrónica auténtica?

La LPAC en su artículo 27.2 indica que «las copias auténticas tendrán la misma validez y eficacia que los documentos originales», mientras que el punto 3.a del mismo artículo expone que «las copias electrónicas de un documento electrónico original o de una copia electrónica auténtica, con o sin cambio de formato, deberán incluir los metadatos que acrediten su condición de copia y que se visualicen al consultar el documento». En este sentido, se infiere que las copias auténticas se pueden emitir a partir de un original o una copia auténtica.

No obstante, el punto 4 de este artículo indica que «las administraciones públicas estarán obligadas a expedir copias auténticas electrónicas de cualquier documento en papel que presenten los interesados y que se vaya a incorporar a un expediente administrativo».

Sin embargo, la cuestión no es tan sencilla. En la Guía de aplicación de la NTI de Copiado auténtico y conversión de documentos electrónicos se recomienda que cuando se tenga la certeza de que el documento digitalizado sea un original o una copia auténtica, en el metadato estado de elaboración, se indicará el valor copia electrónica de documento en papel, mientras que cuando no se tenga esa seguridad se indicará el valor otros. Lo cierto es que los efectos de las copias auténticas de documentos públicos no se limitan al marco de un procedimiento administrativo determinado, sino que tienen la misma validez y eficacia que los documentos originales produciendo idénticos efectos frente a las organizaciones y los interesados, por lo que no es recomendable expedir el carácter e copia electrónica auténtica a todo lo que presenta el ciudadano. Se espera que el reglamento sobre administración electrónica que se está elaborando solucione esta disfunción.

¿Cualquier funcionario puede expedir copias auténticas?

No. El artículo 27 de la LPAC establece que cada administración pública determinará los órganos que tengan atribuidas las competencias de expedición de copias auténticas de los documentos públicos administrativos o privados. A estos efectos, la Administración General del Estado, las comunidades autónomas y las entidades locales podrán realizar copias auténticas mediante funcionario habilitado o mediante actuación administrativa automatizada.

En estas copias, cualquiera que sea su soporte, quedará garantizada la identidad del órgano que la ha realizado y su contenido.

En el caso de expedición de copias auténticas de documentos públicos notariales, registrales y judiciales, así como de los diarios oficiales, el artículo 27.6 de la LPAC establece que se aplicará la legislación específica de estos colectivos.

¿Los ciudadanos pueden aportar copias de documentos en sus solicitudes?

Sí. Las administraciones no pueden exigir a los interesados la presentación de documentos originales salvo que, con carácter excepcional, la normativa reguladora aplicable establezca lo contrario, tal como establece el artículo 28 de la LPAC.

En el mismo artículo se establece que también, de forma excepcional, cuando la relevancia del documento en el procedimiento lo exija o existan dudas derivadas de la calidad de la copia, las administraciones públicas podrán solicitar de manera motivada el cotejo de las copias aportadas por el interesado. Con tal fin, se podrá requerir la exhibición del documento o de la información original.

¿Todo lo que se digitaliza en una oficina de asistencia en materia de registro adquiere el estatus de copia auténtica?

No. Desgraciadamente, la LPAC ha añadido confusión al tema cuando en su artículo 27.4 señala que «las administraciones públicas estarán obligadas a expedir copias auténticas electrónicas de cualquier documento en papel que presenten los interesados y que se vaya a incorporar a un expediente administrativo». Hay que entender que implícitamente se refiere a «...cualquier documento original en papel...» Si lo interpretamos literalmente, nos encontraríamos con el absurdo de que un ciudadano presentara una fotocopia (dentro del concepto «cualquier documento») la administración pública estaría obligada a expedir una copia auténtica de esa fotocopia.

Si a eso añadimos que el mismo artículo 27 apunta en su apartado 2 que «las copias auténticas tendrán la misma validez y eficacia que los documentos originales», resulta que estaríamos convirtiendo los registros en algo así como una fábrica productora de originales partiendo de fotocopias. Naturalmente, el sentido del artículo es otro. Así se evidencia cuando en el apartado 3.a señala que «las copias electrónicas de un documento electrónico original o de una copia electrónica auténtica...» Es decir, está claro que la ley concibe que sólo se puede hacer una copia auténtica, con la «validez y eficacia» de los documentos originales, si partimos de un original o de otra copia auténtica.

Por si hay dudas, podemos acudir a la NTI de Procedimientos de copiado auténtico y conversión entre documentos electrónicos. En su punto III.2 afirma que «las copias auténticas se expedirán a partir de documentos con calidad de original o copia auténtica».

¿Hay que archivar los documentos que el ciudadano presenta en formato papel?

No. En principio no hay que archivarlos, porque la regla general es la de devolver al interesado sus documentos en papel una vez que se digitalizan para seguir el trámite de manera electrónica. Así lo establece el artículo 16.5 de la LPAC.

El mismo artículo establece la excepción, señalando la existencia de posibles «supuestos en que la norma determine la custodia por la Administración de los documentos presentados o resulte obligatoria la presentación de objetos o de documentos en un soporte específico no susceptibles de digitalización».

¿Qué ocurre en aquellos casos en los que, una vez digitalizado, los documentos en papel no pueden ser devueltos al interesado?

La LPAC no lo concreta, pero es evidente que si el original no puede ser devuelto al interesado, podría ser destruido. Hay que tener en cuenta que el 27.2 se establece la igualdad de validez y eficacia entre copias auténticas y originales. Por tanto, el valor probatorio y patrimonial en cuanto a documento quedan salvaguardados con la conservación de la copia auténtica, con la única excepción de aquellos casos en los que el soporte, la firma y u otro elemento constituyan por sí mismos un valor patrimonial.

Este aspecto es importante, porque va a evitar la acumulación de papel en las oficinas de registro. Y dado que el registro es universal y se puede presentar la documentación en cualquier registro, independientemente de su destino, podríamos encontrarnos con documentación acumulada correspondiente a otras administraciones. Para evitar esta situación, lo aconsejable es abrir una posibilidad legal que permita eliminar estos originales prácticamente de oficio, aunque lo hagamos tras un plazo prudencial de espera. Si no lo hacemos así, no será por una cuestión garantista, sino por un problema cultural, de inadaptación a una ley como la LPAC, que piensa en digital y nos está diciendo que las administraciones públicas sólo funcionan electrónicamente.

¿Sigue existiendo la figura de la copia compulsada?

No. La LPAC termina con la figura de la copia compulsada. En su artículo 27 se contempla la figura de la mera copia y la figura de la copia auténtica, ésta última realizada por personal habilitado a partir de un original o de otra copia auténtica, y que tiene la misma validez que un original (artículo 27.2 de la LPAC).

CORREO ELECTRÓNICO

¿Los correos electrónicos deben conservarse?

Una buena parte de ellos sí debe ser conservada. Los de carácter privado no, pero aquéllos que genera la administración como resultado de sus actividades públicas deben conservarse, puesto que son documentos públicos. El artículo 49.2 de la Ley 16/1985, del Patrimonio Histórico Español indica que «forman parte del patrimonio documental los documentos de cualquier época generados, conservados o reunidos en el ejercicio de su función por cualquier organismo o entidad de carácter público, por las personas jurídicas en cuyo capital participe mayoritariamente el Estado u otras entidades públicas y por las personas privadas, físicas o jurídicas, gestoras de servicios públicos en lo relacionado con la gestión de dichos servicios». Los correos electrónicos han sido utilizados como prueba en importantes juicios y por tanto debemos preservarlos. Otra cosa es si las administraciones públicas deben utilizar el correo electrónico para sus comunicaciones oficiales.

¿Deberían formar parte los correos electrónicos del expediente?

Sí, cuando contienen información que no se encuentra en ningún otro documento del expediente. Lo ideal sería contar con una aplicación de tramitación en la que se generen los documentos electrónicos necesarios, sirviendo el correo electrónico como mero transmisor de los enlaces de acceso. No obstante, en muchas ocasiones el correo electrónico está sustituyendo a la nota interior y al oficio tradicional.

Sin embargo, el artículo 70.4 de la Ley 39/2015 indica que no formará parte del expediente administrativo la información que tenga carácter auxiliar o de apoyo, como la contenida en aplicaciones, ficheros y bases de datos informáticas, notas, borradores, opiniones, resúmenes, comunicaciones e informes internos o entre órganos o entidades administrativas, así como los juicios de valor emitidos por las administraciones públicas, salvo que se trate de informes, preceptivos y facultativos, solicitados antes de la resolución administrativa que ponga fin al procedimiento.

DATOS

¿Los datos pueden sustituir al documento?

En la actualidad, la plataforma de intermediación de datos constituye un verdadero soporte para la tramitación de los procedimientos. Si la administración conoce la declaración de la renta de un ciudadano, o si éste tiene el título de su carrera, ¿por qué debe adjuntarlo el interesado en otros trámites? Solamente la constancia de la existencia del dato debe ser suficiente para resolver y automatizar una buena parte de los procedimientos de la administración.

Para lograr una automatización más eficaz, sería útil extraer información en forma de metadatos que nos permitieran agilizar o automatizar otros procedimientos. Por ejemplo, el sentido afirmativo o denegatorio de una resolución o de un informe. De esta forma, no será necesaria la duplicación de documentos en diferentes expedientes.

DIGITALIZACIÓN

¿Cuáles son los pasos para digitalizar un procedimiento?

Los pasos básicos para digitalizar un procedimiento son los siguientes:

- Creación de la serie documental o procedimiento en SIA.

- Creación del órgano productor en DIR3.

- Contar con una aplicación de tramitación o un gestor documental.

- Constatar que se implementan los metadatos del documento electrónico y expediente electrónico según las NTI correspondientes, así como los metadatos de nombre natural y fecha fin.

- Conformar las estructuras XML de documento y expediente electrónico que se determinen en cada organización pública para el ingreso en el archivo electrónico. (En el caso de MINHAFP, aparecen recogidas en el anexo 11 de la PGD-e del MINHAP).

- Alta de la serie documental y de la unidad productora en la aplicación de archivo electrónico (Archive, i-Arxiu, etc.).

- Integración de la aplicación de tramitación o gestor documental con la aplicación de archivo electrónico (Archive, i-Arxiu, etc.).

¿Cómo se tiene que realizar la digitalización de los documentos en papel presentados por los ciudadanos?

La digitalización es el proceso tecnológico que permite convertir un documento en soporte papel o en otro soporte no electrónico en un fichero electrónico que contiene la imagen codificada, fiel e íntegra del documento. Así lo define el artículo 27 de la LPAC en su apartado 3.b

En el mismo artículo, la ley señala las reglas que se tienen que respetar para garantizar la identidad y contenido de las copias electrónicas (o en papel), y por tanto su carácter de copias auténticas. En este sentido, las administraciones públicas deberán ajustarse a esas reglas y a lo previsto en el ENI y el ENS.

¿Cuál es la resolución adecuada al digitalizar un documento con imagen electrónica?

La NTI de Digitalización de documentos establece una serie de requisitos de la imagen electrónica, entre los que se encuentra el de que el nivel de resolución mínimo para imágenes electrónicas será de 200 ppp (píxeles por pulgada), tanto para imágenes obtenidas en blanco y negro, color o escala de grises.

El nivel de resolución de 200 ppp se establece en la mencionada NTI como un mínimo para garantizar que la imagen sea legible. Si fuera necesario dar respuestas a necesidades específicas, o de más amplio alcance, provocadas por motivos legales, documentales, sociales, técnicos o culturales, cada organización, en función de las características de los documentos a digitalizar, podría establecer niveles de resolución superiores.

¿Es lo mismo captura, registro y digitalización?

No. La captura marca la entrada de un documento electrónico en el sistema de gestión de documentos electrónicos (SGDE). En el proceso de captura se le asigna un identificador único al documento, además de asignarle los metadatos mínimos obligatorios. Se puede capturar un documento sin necesidad de que esté registrado o de que se vaya a registrar después.

El registro es el asiento del documento, consiste básicamente en la inscripción de una breve información descriptiva del documento para dejar constancia fehaciente de su entrada o salida en el órgano de que se trate.

Finalmente, la digitalización, definida en el artículo 27 de la LPAC, es «el proceso tecnológico que permite convertir un documento en soporte papel o en otro soporte no electrónico en un fichero electrónico que contiene la imagen codificada, fiel e íntegra del documento».

Por lo tanto, vemos que el documento electrónico comienza a existir para el SGDE con el proceso de captura. Eso es independiente del momento en el que se realicen los procesos de registro y digitalización, procesos que no son necesarios.

DOCUMENTOS ESENCIALES

¿Cuáles son los documentos esenciales de una organización?

Según la norma MoReq (elaborada para el programa IDA, Interchange of data between Administrations del Consejo de Europa), los «documentos de archivo esenciales son los absolutamente necesarios para la continuidad de la actividad de la organización, ya sea en cuanto a su capacidad de hacer frente a situaciones de emergencia o a catástrofes, ya en relación con la protección de sus intereses financieros y jurídicos. Por consiguiente, la identificación y la protección de estos documentos de archivo es de gran importancia en cualquier organización». Asimismo, esta norma indica que «el sistema de gestión de documentos debe permitir la restauración de los documentos de archivo esenciales y los demás en operaciones separadas».

DOCUMENTOS (PRESENTADOS O PRESENTACIÓN DE)

Véase Registros y véase Relaciones con las administraciones públicas.

ELIMINACIÓN DE DOCUMENTOS

¿Es posible aplicar la eliminación parcial en la documentación electrónica?

Cuando hablamos de eliminación parcial nos referimos a que se eliminan parte de los documentos de una serie documental. La eliminación parcial puede tener lugar de dos formas:

• Una en la que se seleccionan para su conservación los documentos más importantes de cada expediente y se elimina el resto. Es el llamado muestreo cualitativo. Ejemplo de ello es la serie documental procesos selectivos, en la que se eliminan las solicitudes, currículos, certificados presentados por los interesados, etc., y se conservan los listados de admitidos y excluidos, las actas del tribunal, los nombramientos, etc. De esta forma, se elimina la parte más voluminosa y homogénea de la serie documental. Pensemos en un proceso selectivo de auxiliares administrativos en el que se presentan cien mil instancias con su correspondiente documentación anexa. El volumen de documentación eliminada puede ser importante.

• La otra modalidad de eliminación parcial es aquella en la que se realiza un muestreo aleatorio, conservando un porcentaje de los expedientes, o sistemático, en el que se conservan los expedientes correspondientes a una provincia, un apellido, una letra, etc.

Cuando hablamos de expedientes electrónicos, la LPAC nos indica en el artículo 70.3 que la autenticación del índice «garantizará la integridad e inmutabilidad del expediente electrónico generado desde el momento de su firma y permitirá su recuperación siempre que sea preciso». Con ello se infiere que el expediente no puede descomponerse, y que debe ser conservado en su totalidad, respetando la estructura reflejada en su índice.

Por tanto, podemos realizar la eliminación parcial con muestreo aleatorio o sistemático, porque respetan la integridad del expediente, pero el muestreo cualitativo no es viable, a no ser que se genere en la oficina tramitadora un expediente que incluya solamente los documentos a conservar, y este sería el expediente remitido al archivo electrónico.

¿Se pueden eliminar los documentos digitalizados?

Sí. Pero aplicando la normativa existente en cada administración pública, que es la misma que se aplica para la eliminación de documentos en papel. La LPAC y la LRJSP consagran la administración electrónica en el sector público, pero no regulan en ningún caso la destrucción de documentos electrónicos. Por tanto, la eliminación de los documentos digitalizados deberá seguir los procedimientos previstos en la Ley 16/1985, de 25 de junio, del Patrimonio Histórico Español y la normativa específica sobre archivos existente en cada administración pública.

ENI

¿Qué hago con los expedientes anteriores al ENI?

Los expedientes electrónicos anteriores al ENI deben ser conformados según establece el ENI a través de las NTI de Documento electrónico y Expediente electrónico. Esta labor la podemos hacer de forma manual, documento a documento y expediente a expediente en la aplicación INSIDE. Sería necesaria una herramienta que agilizase esta labor, implementando los valores de algunos metadatos de forma automática (identificador, código SIA en clasificación, etc.). De esta forma podremos incorporar los miles de expedientes que, en el clásico formato de carpetas amarillas de Windows, se encuentran en nuestras unidades en los entornos de red.

EXPEDIENTE

¿Es posible foliar un expediente?

El artículo 70.3 de la LPAC nos indica que «cuando sea preciso remitir el expediente electrónico, se hará de acuerdo con lo previsto en el ENI y en las correspondientes NTI, y se enviará completo, foliado, autentificado y acompañado de un índice, asimismo autentificado, de los documentos que contenga».

¿Es posible foliar un expediente electrónico? Pues realmente no es posible, únicamente el índice puede relacionar los documentos del expediente a través de su identificador, hash y función resumen. Sería útil que se incluyera en la relación de documentos del índice el metadato tipo documental o bien el de nombre natural, para que fuera inteligible por un ser humano a la hora de visualizar el documento preciso. Por tanto, no tiene sentido foliar un expediente. La expresión aparece en la Ley como un recuerdo anacrónico del mundo analógico.

¿Un documento puede formar parte de dos expedientes?

Sí. Efectivamente, un documento electrónico puede formar parte de dos expedientes al mismo tiempo. Incluso los expedientes pueden contener referencias que nos vinculen a documentos que forman parte de otro expediente. No obstante, a la hora de su archivo, es imprescindible que los expedientes se conserven de forma completa y se ingresen en el SIP o paquete de información de transferencia con el contenido de todos sus documentos. En este sentido, no se puede garantizar que los vínculos que contengan las referencias sigan apuntando al mismo lugar con el paso del tiempo.

¿Se puede integrar un documento en un expediente ya cerrado?

No. No se puede, es necesario abrir de nuevo el expediente e integrar el nuevo documento en el índice, firmándolo de nuevo. En las aplicaciones de archivo electrónico, como ocurre en la propia aplicación Archive, está diseñada la devolución de los expedientes a las oficinas tramitadoras para que puedan añadir el nuevo documento e incorporen en el índice su identificador, hash, función resumen, fecha de incorporación y su disposición en el mismo. Una vez hecha esta operación el expediente debe ser ingresado en el archivo electrónico de nuevo, en el que quedará traza de todas las acciones.

¿Qué hacemos con los documentos que no forman parte de un expediente?

Todos los documentos generados por la administración forman parte del patrimonio documental, según dispone el artículo 49.2 de la Ley 16/1985, del Patrimonio Histórico Español. Por ello es obligatoria su conservación, a no ser que obtengamos la autorización para su eliminación por parte de la Comisión Calificadora de Documentos competente en nuestra administración.

No obstante, el artículo 70.4 de la LPAC, indica que «no formará parte del expediente administrativo la información que tenga carácter auxiliar o de apoyo, como la contenida en aplicaciones, ficheros y bases de datos informáticas, notas, borradores, opiniones, resúmenes, comunicaciones e informes internos o entre órganos o entidades administrativas, así como los juicios de valor emitidos por las AA PP, salvo que se trate de informes, preceptivos y facultativos, solicitados antes de la resolución administrativa que ponga fin al procedimiento».

De esta forma, se impone la necesidad de analizar previamente los procedimientos administrativos para determinar cuáles son los documentos básicos que deben formar parte del expediente administrativo. Este paso también facilita la automatización de la tramitación de ese procedimiento. En resumen, no deberían generarse los documentos que no son necesarios.

En todo caso, cabe valorar la importancia de esos documentos ligados al expediente y que no forman parte «legal» del mismo. Porque pueden ser de interés, en cuyo caso es conveniente su archivo.

EXPEDIENTES MIXTOS

¿Tienen cabida los expedientes híbridos o mixtos en el contexto de la LPAC?

Los expedientes híbridos son aquellos que están formados por documentos con diferente soporte: papel y electrónico. Con la LAE y la proliferación de las sedes electrónicas, el expediente híbrido fue bastante habitual. Era habitual que los procedimientos se iniciaran en electrónico y después continuaran en papel.

Con la LPAC se entiende que todos los documentos presentados por los ciudadanos deben digitalizarse e incorporarse en formato electrónico al procedimiento.

Por otro lado, el artículo 46.1 de la LRJSP indica que «todos los documentos utilizados en las actuaciones administrativas se almacenarán por medios electrónicos, salvo cuando no sea posible». Por tanto, el expediente híbrido solamente podrá existir en ocasiones excepcionales.

Para su archivo, es necesario indicar en el metadato eEMGDE15.1-Soporte el valor papel, y en metadato eEMGDE15.2-Localización la signatura en la que se encuentra la parte del expediente que se encuentra en papel. La aplicación Archive permite esta funcionalidad.

FIRMA

Véase «certificado».

FORMATOS ESPECIALES

¿Cómo conservamos los documentos electrónicos con formatos espaciales?

Los documentos en vídeo, sonido o imagen deben conservarse en cualquiera de los formatos que aparecen en el anexo de la NTI de Catálogo de estándares.

En ella se recogen los estándares mínimos necesarios para la interoperabilidad y para la implementación del resto de Normas Técnicas de Interoperabilidad, es decir, los formatos que deben ser admitidos por las administraciones públicas.

No obstante, salvo en lo referente a los formatos en imágenes, todavía queda un largo camino para que aplicaciones como GEISER, INSIDE o Archive admitan los formatos especiales. También es necesario añadir en el eEMGDE algunos metadatos específicos de los documentos en estos formatos como, por ejemplo, la duración de un audio o un audiovisual. Véase el artículo sobre soportes especiales de este libro.

INTERCAMBIO DE DOCUMENTOS

¿Qué es el intercambio con cambio de responsabilidad de la custodia?

El intercambio con cambio de responsabilidad de la custodia equivale en el entorno electrónico a lo que constituye una transferencia de documentos en papel. En este caso, la diferencia estriba en que si en el mundo analógico los documentos pasan de un archivo a otro, en el ámbito del documento electrónico lo que se realiza es un copiado de los expedientes en la nueva fase de archivo. Solamente se eliminan los expedientes del archivo remitente cuando se tiene constancia de que el expediente ha sido asumido por el archivo electrónico a través del acta de entrega que materializa el cambio de responsabilidad en la custodia.

Otra posibilidad en ese cambio de custodia es el cambio de las rutas de acceso a los expedientes.

METADATOS

¿Cuáles son los metadatos del documento electrónico?

Según la NTI de Documento electrónico, son obligatorios los metadatos versión NTI, identificador, órgano, fecha de captura, clasificación, origen, estado de elaboración, nombre del formato, tipo documental y tipo de firma.

No obstante, para el correcto funcionamiento de un sistema de gestión de documentos es necesario también el metadato nombre natural, que debe ser un campo de texto libre, en el que se indicará normalmente el acto administrativo que refleja el documento. En ocasiones, puede resultar repetitivo del metadato tipo documental, pero puede añadir información de gran utilidad, ya que los valores del metadato anterior están tasados en una lista de valores muy limitada. Para describir el nombre y apellidos de los interesados utilizamos el Esquema de Metadatos Comunes (eEMC).

¿Cuáles son los metadatos del expediente electrónico?

Según la NTI de Expediente electrónico, son obligatorios los metadatos versión NTI, identificador, órgano, fecha de apertura del expediente, clasificación, estado, interesado y tipo de firma. En el metadato interesado introduciremos el NIF o CIF de las personas y órganos administrativos que son parte interesada en el expediente. El metadato clasificación es de vital importancia, ya que en él se indica un valor del código SIA, lo que permitirá posteriormente clasificar el expediente en el archivo electrónico de una forma automática.

Además de los metadatos obligatorios, son imprescindibles los metadatos adicionales nombre natural y fecha fin. El primero es un campo de texto libre en el que indicaremos el asunto sobre el que trata el expediente. Para describir el nombre y apellidos de los interesados utilizamos el Esquema de Metadatos Comunes (eEMC).

¿Hay que añadir algún metadato específico a los documentos digitalizados procedentes de otra administración pública?

Sí. Cuando un ciudadano se presenta en una OAMR con un documento original o copia auténtica (en papel), el documento se digitalizará y el funcionario añadirá los metadatos que establece la NTI de Documento electrónico. Pero además de eso, si el documento se ha digitalizado de acuerdo con la NTI de Digitalización de documentos, se añadirá el valor «copia electrónica auténtica de documento en papel» en el metadato "estado de elaboración".

¿Cuáles son los metadatos necesarios para la gestión documental que se pueden deducir de la serie documental?

La mayor parte de los metadatos del expediente electrónico necesarios para la gestión documental pueden ser deducibles o heredables de la serie documental a la que pertenecen, salvo nombre natural y fecha fin, que son unívocos para cada expediente.

Los metadatos relativos a seguridad, acceso, uso y reutilización, calificación y clasificación pueden deducirse de la serie documental. A partir de los metadatos fecha fin y clasificación de cada uno de los expedientes, combinados con los metadatos heredados desde la serie documental, se pueden automatizar algunas tareas como la generación de alertas relativas a la transferencia y eliminación de documentos.

¿Qué es un perfil de aplicación de metadatos?

El esquema de metadatos acordado por las diferentes administraciones españolas es el eEMGDE. De este esquema, en la PGD-e del MINHAC, que es la que, en líneas generales, se utiliza en el entorno AGE, se han seleccionado los que se consideran necesarios y recomendables para la correcta gestión de los documentos y expedientes electrónicos. A esta selección de metadatos se la denomina perfil de aplicación, que cada organización pude tener su propio perfil.

En el perfil de aplicación de la PGD-e del MINHAP 3ª edición encontramos cuatro bloques:

- **Metadatos identificativos de la serie documental**
- **Metadatos de la serie documental heredables a los expedientes**
- **Metadatos de expediente electrónico**
- **Metadatos del documento electrónico**

MUNICIPIOS PEQUEÑOS

¿Qué soluciones se proponen para la digitalización de la administración en los municipios pequeños?

Es evidente que los municipios pequeños no cuentan con los medios y recursos necesarios para realizar su transformación digital. Por ese motivo, es fundamental el papel de las diputaciones provinciales y de las comunidades autónomas. El modelo que está proliferando en la contratación de empresas de administración digital a nivel provincial, desde las que se facilitan las herramientas de gestión documental y el correspondiente soporte de mantenimiento a los diferentes ayuntamientos de la provincia. Es necesario que estas empresas estén adecuadas al ENI, estén integradas con las diferentes herramientas de administración electrónica del Estado, y que los expedientes generados cumplan con las estructuras requeridas para su ingreso en el archivo electrónico. En la actualidad, algunas empresas están integrando sus aplicaciones de gestión documental con Archive.

NOTIFICACIONES Y ENTREGA DE DOCUMENTOS

¿Qué es una puesta a disposición de un documento o un expediente?

En el entorno del documento analógico es habitual el préstamo de expedientes o la remisión de una copia del mismo al usuario, bien sea éste un ciudadano o un órgano administrativo. En el entorno del documento electrónico asistimos a una realidad diferente marcada por la existencia del original múltiple. Podemos descargarnos un expediente desde el archivo electrónico o desde una aplicación de tramitación, y el ejemplar descargado tendrá el carácter de original. Por ese motivo, y para evitar la proliferación de múltiples ejemplares, lo que se hace es poner una vista del expediente a disposición del usuario, que podrá descargarse el expediente completo o los documentos que desee.

¿Cómo se puede acreditar la puesta a disposición de una notificación electrónica mediante comparecencia en sede electrónica?

Señala la LPAC en el artículo 41.1 que «con independencia del medio utilizado, las notificaciones serán válidas siempre que permitan tener constancia de su envío o puesta a disposición, de la recepción o acceso por el interesado o su representante, de sus fechas y horas, del contenido íntegro, y de la identidad fidedigna del remitente y destinatario de la misma». Esa constancia documental se incorpora al expediente.

Además de eso, las administraciones públicas deberán enviar «un aviso al dispositivo electrónico y/o a la dirección de correo electrónico del interesado que éste haya comunicado, informándole de la puesta a disposición de una notificación en la sede electrónica». Pero siempre teniendo en cuenta que «la falta de práctica de este aviso no impedirá que la notificación sea considerada plenamente válida».

¿Las notificaciones tienen que ser todas electrónicas?

No. Bien es cierto que la LPAC señala en el artículo 41.1 que «las notificaciones se practicarán preferentemente por medios electrónicos y, en todo caso, cuando el interesado resulte obligado a recibirlas por esta vía».

Pero la propia LPAC prevé las circunstancias en las cuales las administraciones públicas podrán practicar las notificaciones por medios no electrónicos:

• Cuando la notificación se realice con ocasión de la comparecencia espontánea del interesado o su representante en las oficinas de asistencia en materia de registro y solicite la comunicación o notificación personal en ese momento.

• Cuando para asegurar la eficacia de la actuación administrativa resulte necesario practicar la notificación por entrega directa de un empleado público de la administración notificante.

Pero, por otra parte, la LPAC también prevé casos en los cuales prohíbe que la notificación se realice por medios electrónicos:

• Aquellas en las que el acto a notificar vaya acompañado de elementos que no sean susceptibles de conversión en formato electrónicos.

• Las que contengan medios de pago a favor de los obligados, tales como cheques.

¿Qué ventajas tiene la dirección electrónica habilitada?

La dirección electrónica habilitada es un servicio desarrollado por la SGAD en colaboración con la FNMT-RCM, que permite a ciudadanos y empresas recibir, en un único buzón, las notificaciones administrativas que tradicionalmente recibían en papel. Forma parte de la plataforma Notific@, declarada servicio compartido por la Comisión de Estrategia TIC para la concentración de las notificaciones de la administración. Se trata de un servicio gratuito, recoge la notificación, a través de internet, en su buzón a cualquier hora desde cualquier lugar. El ciudadano puede seleccionar los organismos de los que desea recibir notificaciones telemáticas. Puede programarse para remitir una notificación al correo electrónico o al móvil. Es un servicio seguro, confidencial y privado. Sólo el destinatario puede leer el envío.

Si un ciudadano ha pedido de forma expresa ser notificado por medios electrónicos, ¿puede cambiar de opinión en un momento dado?

Sí. De acuerdo con el artículo 41 de la LPAC, «los interesados que no estén obligados a recibir notificaciones electrónicas, podrán decidir y comunicar en cualquier momento a la administración pública, mediante los modelos normalizados que se establezcan al efecto, que las notificaciones sucesivas se practiquen o dejen de practicarse por medios electrónicos».

¿Existe algún aviso de la puesta a disposición de las notificaciones?

Sí. Independientemente de que la notificación se realice en papel o por medios electrónicos, las administraciones públicas enviarán un aviso al dispositivo electrónico y/o a la dirección de correo electrónico del interesado que este haya comunicado, informándole de la puesta a disposición de una notificación en la sede electrónica de la Administración u Organismo correspondiente o en la dirección electrónica habilitada única.

Sin embargo, la LPAC se ha curado en salud en este sentido, de manera que en el artículo 41.6 señala que la falta de práctica de este aviso no impedirá que la notificación sea considerada plenamente válida.

Quizá el aspecto que más ha de valorarse es el concepto en esencia de la norma sobre este planteamiento de acercamiento y mejor relación con el ciudadano. Algo que puede verse claramente en la exposición de motivos de la LPAC, cuando señala que «se incrementa la seguridad jurídica de los interesados estableciendo nuevas medidas que garanticen el conocimiento de la puesta a disposición de las notificaciones como: el envío de avisos de notificación, siempre que esto sea posible, a los dispositivos electrónicos y/o a la dirección de correo electrónico que el interesado haya comunicado, así como el acceso a sus notificaciones a través del Punto de Acceso General Electrónico de la Administración, que funcionará como un portal de entrada».

POLÍTICA DE GESTIÓN DE DOCUMENTOS ELECTRÓNICOS

¿Qué es la política de gestión de documentos electrónicos?

En términos generales y argot profano, la PGD-e son las grandes líneas, los planos de la gran construcción digital de una organización. En el glosario de términos del anexo del ENI se define como las «orientaciones o directrices que define una organización para la creación y gestión de documentos auténticos, fiables y disponibles a lo largo del tiempo, de acuerdo con las funciones y actividades que le son propias. La política se aprueba al más alto nivel dentro de la organización, y asigna responsabilidades en cuanto a la coordinación, aplicación, supervisión y gestión del programa de tratamiento de los documentos a través de su ciclo de vida».

La NTI de PGD-e establece que ésta será un documento que incluya:

- Definición del alcance y ámbito de aplicación.

- Roles de los actores involucrados.

- Directrices para la estructuración y desarrollo de los procedimientos de gestión documental.

- Acciones de formación relacionada contempladas.

- Actuaciones de supervisión y auditoría de los procesos de gestión de documentos.

- Proceso de revisión del contenido de la política con el fin de garantizar su adecuación a la evolución de las necesidades de la gestión de documentos.

¿Es obligatorio tener una política de gestión de documentos electrónicos?

A menudo se considera que la PGD-e es un documento de realización voluntaria en las organizaciones públicas, pero no es así. Se trata de una obligación legal perfectamente definida. El artículo 21 del ENI establece las «condiciones para la recuperación y conservación de documentos». En su primer apartado establece que «las administraciones públicas adoptarán las medidas organizativas y técnicas necesarias con el fin de garantizar la interoperabilidad en relación con la recuperación y conservación de los documentos electrónicos a lo largo de su ciclo de vida». Y la primera de las medidas que establece en este sentido es «la definición de una política de gestión de documentos en cuanto al tratamiento, de acuerdo con las normas y procedimientos específicos que se hayan de utilizar en la formación y gestión de los documentos y expedientes».

La obligación se completa en la disposición adicional del ENI, donde aparece una relación de las NTI que deberán ponerse en marcha en el desarrollo del ENI, entre las cuales se incluye la NTI de «Política de gestión de documentos electrónicos».

¿Los modelos oficiales de política de gestión de documentos electrónicos son válidos como solución para los organismos que tengan problemas para elaborar plenamente el documento de política de gestión de documentos?

La Secretaría General de Administración Digital (SGAD) pone a disposición de todas las administraciones públicas herramientas valiosas para abordar la PGD-e. Esencialmente, tres herramientas:

- La NTI de Política de gestión de documentos electrónicos, con las directrices para la definición de Políticas de gestión de documentos electrónicos.

1011

• La Guía de aplicación de la NTI de Política de gestión de documentos electrónicos, como herramienta de apoyo para la aplicación e implementación de lo dispuesto en la NTI.

• El Modelo de política de gestión de documentos electrónicos, que sirve de referencia genérica para la elaboración de una Política de Gestión de documentos electrónicos conforme al ENI y a la NTI de PGD-e y su correspondiente guía de aplicación.

Complementariamente a todo ello, la SGAD ha puesto también a disposición de todas las administraciones otros modelos dirigidos a entidades locales, y recoge enlaces a PGD-e de entidades de las diferentes administraciones públicas.

Cualquiera de ellos podría adoptarse como propio con sólo modificar las referencias de identificación, pero ese planteamiento constituye un error. Se cumple con la normativa, pero el documento de PGD-e no recoge las peculiaridades de la organización y, por tanto, no es una herramienta adecuada a dicha organización para abordar la adecuada gestión de documentos electrónicos.

Ninguna PGD-e de una organización es válida para otra. Por muy parecidas que sean las organizaciones, la PGD-e necesita un mínimo debate entre los sectores implicados de la organización y también una mínima adecuación a las peculiaridades de cada organización.

REGISTROS Y OFICINAS DE ASISTENCIA EN MATERIA DE REGISTRO

¿Cuáles son las funciones de una OAMR?

Las funciones asignadas por LPAC a las oficinas de asistencia en materia de registros son:

• La digitalización de las solicitudes, escritos y comunicaciones en papel que se presenten o sean recibidos en la Oficina y se dirijan a cualquier órgano, organismo público o entidad de cualquier administración pública, así como su anotación en el registro electrónico general o registro electrónico de cada organismo según corresponda.

• La expedición de copias auténticas electrónicas de cualquier documento en papel que presenten los interesados y que se vaya a incorporar a un expediente administrativo.

• Asistencia general en el uso de medios electrónicos: debe entenderse como apoyo e información por parte del funcionario. En particular, en lo referente a la identificación y firma electrónica, medios existentes para ello y forma de utilización. Si alguno de los interesados no dispone de los medios electrónicos necesarios, su identificación o firma electrónica en el procedimiento administrativo podrá ser válidamente realizada por un funcionario público (funcionario habilitado), mediante el uso del sistema de firma electrónica del que esté dotado para ello.

• Practicar notificaciones: cuando el interesado o su representante comparezcan de forma espontánea en la oficina y solicite la comunicación o notificación personal en ese momento.

• Comunicación a los interesados del código de identificación del órgano, organismo público o entidad (código DIR3) a la que se dirige la solicitud, escrito o comunicación cuando dichos interesados lo desconocen.

• Emisión del correspondiente recibo que acredite la fecha y hora de presentación de solicitudes, comunicaciones y escritos que presenten los interesados, si estos lo exigen.

• Puesta a disposición de los interesados de los modelos y sistemas de presentación masiva que permitan presentar simultáneamente varias solicitudes.

• Otorgar apoderamiento por comparecencia: Apoderamiento presencial *apud acta* en los términos previstos en el artículo 6 de la Ley.

• Identificación de los interesados en el procedimiento (Art. 9).

¿Dónde se pueden presentar los documentos que los interesados dirigen a las administraciones públicas?

El apartado 4 del artículo 16 de la LPAC concreta muy claramente todas las posibilidades para presentar documentos a las administraciones públicas. Son los siguientes:

• En el registro electrónico de la administración u organismo al que se dirijan.

• Indistintamente, en cualquier registro de la AGE, de las comunidades autónomas, de las entidades que integran la administración local, del sector público institucional.

• En las oficinas de Correos, en la forma que reglamentariamente se establezca.

• En las representaciones diplomáticas u oficinas consulares de España en el extranjero.

• En las oficinas de asistencia en materia de registros.

• En cualquier otro que establezcan las disposiciones vigentes.

Lógicamente, para que este derecho a presentar documentos en cualquier registro, independientemente del destino de los documentos presentados, los registros electrónicos de todas y cada una de las administraciones tienen que ser plenamente interoperables.

¿Está obligada la oficina de asistencia en materia de registro a admitir cualquier escrito o solicitud que presente el ciudadano?

Sí. Efectivamente, de acuerdo con el artículo 16 de la LPAC, la oficina de asistencia en materia de registro tiene la obligación de admitir cualquier escrito y comunicación que se presente, siempre y cuando vaya dirigido a un órgano de cualquier administración pública.

El proceso electrónico que prevé la LPAC prevé la entrega de documentación en cualquier registro, independientemente de la administración y el organismo de destino. El registro donde se entrega la documentación se encarga de enviarla al órgano de destino. Lógicamente, para que esto sea posible y cumpla su efecto, el mismo artículo establece la obligatoriedad de que los registros de todas las administraciones públicas sean interoperables entre sí.

¿Qué deben hacer las oficinas de registro con los documentos presentados por alguno de los obligados a relacionarse electrónicamente con las administraciones públicas?

En el caso de que alguno de los sujetos obligados por el artículo 14 de la LPAC a relacionarse electrónicamente con las administraciones públicas presente una solicitud en persona, el apartado 4 del artículo 68 de la misma LPAC establece lo siguiente:

- Las administraciones públicas requerirán al interesado para que la subsane a través de su presentación electrónica.

- A estos efectos, se considerará como fecha de presentación de la solicitud aquella en la que haya sido realizada la subsanación.

¿El funcionario del registro es el responsable de los documentos que le presentan?

No. El artículo 28 de la LPAC es muy claro al señalar en su apartado 7 que «los interesados se responsabilizarán de la veracidad de los documentos que presenten».

Realmente el funcionario lo que hace, según los casos, es digitalizar lo que le presentan. Si le consta que lo que le están presentando es un original o una copia auténtica, podrá realizar otra copia auténtica. En caso contrario, hará una copia digitalizada de lo que le presenta el interesado. Y éste, el interesado, es el único responsable de la veracidad de esos documentos.

¿Las OAMR tienen que archivar la documentación que les entregan?

Actualmente, en muchos casos se utiliza la aplicación de registro, GEISER por ejemplo, como un repositorio en el que se conservan los documentos. Esto es un error. Los documentos, una vez registrados, deben ser trasladados a nuestro gestor documental o a nuestra aplicación tramitadora, con el objeto de conformar los expedientes ENI, que una vez finalizados, deben ingresarse en el archivo electrónico.

Los gestores documentales y las aplicaciones tramitadoras deben estar integradas con la aplicación de registro para que la captura se realice en el mismo momento en el que se registra el documento, de forma que los metadatos registrales queden asociados al documento.

Un ciudadano se presenta con documentos en papel en una oficina de asistencia en materia de registro. ¿Qué deben hacer los funcionarios de la oficina con esos documentos?

Digitalizarlos. De acuerdo con lo que prevén los artículos 16 y 27 de la LPAC, las oficinas de asistencia en materia de registros deben digitalizar los documentos en papel presentados de manera presencial ante las administraciones públicas por los ciudadanos para su incorporación al expediente administrativo electrónico.

Después de digitalizarlos, se devolverán los originales al interesado. Salvo los casos en los que alguna norma determine la custodia por la administración pública de los documentos presentados o resulte obligatoria la presentación de objetos o de documentos en un soporte específico que no sea posible digitalizar.

¿Cómo se computan los plazos a efectos de los registros electrónicos?

De acuerdo con el artículo 31 de la LPAC, el registro electrónico de cada administración u organismo se regirá a efectos de cómputo de los plazos, por la fecha y hora oficial de la sede electrónica de acceso, que deberá contar con las medidas de seguridad necesarias para garantizar su integridad y figurar de modo accesible y visible.

El funcionamiento del registro electrónico se regirá por las siguientes reglas:

• Abierto las 24 horas todos los días del año para presentar documentos.

• A los efectos del cómputo de plazo fijado en días hábiles, y en lo que se refiere al cumplimiento de plazos por los interesados, la presentación en un día inhábil se entenderá realizada en la primera hora del primer día hábil siguiente salvo que una norma permita expresamente la recepción en día inhábil.

Los documentos se considerarán presentados por el orden de hora efectiva en el que lo fueron en el día inhábil. Los documentos presentados en el día inhábil se reputarán anteriores, según el mismo orden, a los que lo fueran el primer día hábil posterior.

• El inicio del cómputo de los plazos que hayan de cumplir las administraciones públicas vendrá determinado por la fecha y hora de presentación en el registro electrónico de cada administración u organismo.

• En todo caso, la fecha y hora efectiva de inicio del cómputo de plazos deberá ser comunicada a quien presentó el documento.

RELACIONES CON LAS ADMINISTRACIONES PÚBLICAS

¿Quiénes están obligados a relacionarse electrónicamente con las administraciones públicas?

De acuerdo con el artículo 14.2 de la LPAC, los colectivos obligados a relacionarse electrónicamente con las administraciones públicas son los siguientes:

• Las personas jurídicas.

• Las entidades sin personalidad jurídica.

• Para los trámites y actuaciones que realicen con las administraciones públicas, los notarios, los registradores de la propiedad y mercantiles y todos aquellos que ejerzan una actividad profesional para la que se requiera colegiación obligatoria.

• Los representantes de quienes están obligados a relacionarse electrónicamente con las administraciones públicas.

• Los empleados de las administraciones públicas para los trámites y actuaciones que realicen con ellas por razón de su condición de empleado público, en la forma en que se determine reglamentariamente por cada administración.

Además de estos colectivos, el apartado 3 del mismo artículo 14 de la LPAC añade a la lista de obligados a los sujetos que reglamentariamente cada administración pública determine que están obligados a mantener relación electrónica con ella.

¿Qué horario tiene el ciudadano para presentar documentos en los registros?

De acuerdo con el artículo 31 de la LPAC, el registro electrónico «permitirá la presentación de documentos todos los días del año durante las veinticuatro horas». Es decir, cualquier día a cualquier hora; no hay limitación.

Ahora bien, si el ciudadano quiere ser asistido en el proceso de registro, tiene que hacerlo presencialmente o contactando por medios telemáticos de asistencia de acuerdo con los horarios de cada OAMR. En este sentido, la LPAC si obliga a que «cada administración pública publicará los días y el horario en el que deban permanecer abiertas las oficinas que prestarán asistencia para la presentación electrónica de documentos, garantizando el derecho de los interesados a ser asistidos en el uso de medios electrónicos».

Relacionarse electrónicamente con las administraciones públicas, ¿es un derecho o un deber?

Habría que responder que depende de quien haga la pregunta.

Es un derecho para los siguientes casos:

• Las personas físicas (no obstante, la Ley prevé que, reglamentariamente, las Administraciones puedan establecer la obligación de relacionarse con ellas a través de medios electrónicos para determinados procedimientos y para ciertos colectivos de personas físicas que, por razón de su capacidad económica, técnica, dedicación profesional u otros motivos, quede acreditado que tienen acceso y disponibilidad de los medios electrónicos necesarios).

En cambio, es una obligación para:

• Personas jurídicas.

• Entidades sin personalidad jurídica.

• Quienes ejerzan una actividad profesional para la que se requiera colegiación obligatoria, para los trámites y actuaciones que realicen con las administraciones públicas en ejercicio de dicha actividad profesional.

• Notarios y registradores de la propiedad y mercantiles.

• Quienes representen a un interesado que esté obligado a relacionarse electrónicamente con la administración.

• Empleados de las administraciones públicas para los trámites y actuaciones que realicen con ellas por razón de su condición de empleado público.

¿Pueden las administraciones públicas exigir al ciudadano documentos originales?

No, pero sí. Es decir, en principio, no, pero sí puede darse el caso de pedir originales, aunque sea sólo excepcionalmente.

El artículo 28 de la LPAC contempla la entrega de documentación por parte de los interesados en el procedimiento hablando siempre de copias y copias auténticas. Pero hay una excepción, que la contempla en el apartado 3 de ese mismo artículo 28: Se puede pedir originales de la documentación «con carácter excepcional, la normativa reguladora aplicable» así lo establezca.

Asimismo, hay otra excepción en el apartado 5 del mismo artículo, en la que puede darse la circunstancia de que se pidan originales: «excepcionalmente, cuando la relevancia del documento en el procedimiento lo exija o existan dudas derivadas de la calidad de la copia, las administraciones podrán solicitar de manera motivada el cotejo de las copias aportadas por el interesado, para lo que podrán requerir la exhibición del documento o de la información original».

¿Tiene obligación el ciudadano de presentar ante un organismo público documentos elaborados por las administraciones públicas?

No. El artículo 53 (apartado 1.d) de la LPAC establece el derecho de los ciudadanos a no presentar datos y documentos que ya se encuentren en poder de las administraciones públicas o que hayan sido elaborados por éstas.

El artículo 28 de la LPAC regula el derecho del interesado a no presentar documentos elaborados por las administraciones públicas. Los interesados no estarán obligados a aportar documentos que hayan sido elaborados por cualquier administración, con independencia de que la presentación de los citados documentos tenga carácter preceptivo o facultativo en el procedimiento de que se trate, siempre que el interesado haya expresado su consentimiento a que sean consultados o recabados dichos documentos. Se presumirá que la consulta u obtención es autorizada por los interesados salvo que conste en el procedimiento su oposición expresa o la ley especial aplicable requiera consentimiento expreso.

En ausencia de oposición del interesado, las administraciones públicas deberán recabar los documentos electrónicamente a través de sus redes corporativas o mediante consulta a las plataformas de intermediación de datos u otros sistemas electrónicos habilitados al efecto. Excepcionalmente, si las administraciones públicas no pudieran recabar los citados documentos, podrán solicitar nuevamente al interesado su aportación.

¿Es obligatorio que las administraciones públicas verifiquen la identidad de todos los ciudadanos que se relacionan con ellas?

No. De acuerdo con el artículo 9.1 de la LPAC, «las administraciones públicas están obligadas a verificar la identidad de los interesados en el procedimiento administrativo, mediante la comprobación de su nombre y apellidos o denominación o razón social, según corresponda, que consten en el Documento Nacional de Identidad o documento identificativo equivalente». Por tanto, la verificación es obligatoria en el caso de los interesados en un procedimiento administrativo.

Y si la norma que regula el procedimiento no prevé plazo máximo para resolver y notificar, ¿qué plazo se aplicará?

De acuerdo con el artículo 21 de la LPAC, cuando las normas reguladoras de los procedimientos no fijen el plazo máximo, este será de tres meses.

¿Desde cuándo se computan los plazos máximos para resolver y notificar?

El artículo 21 de la LPAC establece que los plazos se contarán de la manera siguiente:

- En los procedimientos iniciados de oficio, desde la fecha del acuerdo de iniciación.

- En los iniciados a solicitud del interesado, desde la fecha en que la solicitud haya tenido entrada en el registro electrónico de la administración u organismo competente para su tramitación.

¿Ante las administraciones públicas, es suficiente con identificarse o es necesaria también la firma del interesado?

Dependen de los casos. De acuerdo con la LPAC, la regla general para actuar antes las administraciones públicas será la de considerar suficiente que los interesados acrediten su identidad a través de los medios previstos en el artículo 9 de la misma LPAC.

Sin embargo, hay casos en los cuales es obligatorio el uso de la firma: formular solicitudes, presentar declaraciones responsables o comunicaciones, interponer recursos y desistir o renunciar a acciones.

RELACIONES ENTRE LAS ADMINISTRACIONES PÚBLICAS

¿En el caso de la relación entre las diferentes administraciones públicas, también hay que aplicar las leyes LPAC y LRJSP?

Sí. Las administraciones públicas son personas jurídicas y, por tanto, es de aplicación en su caso el artículo 14.2 de la LPAC.

Por si queda alguna duda, el artículo 3.2 de la LRJSP señala expresamente que las administraciones públicas se relacionarán entre sí y con sus órganos, organismos públicos y entidades vinculadas o dependientes, a través de medios electrónicos.

¿Desde cuándo están obligados los empleados públicos a relacionarse entre las administraciones electrónicamente?

Las LPAC y LRJSP entraron en vigor el 2 de octubre de 2016. Por tanto, desde ese momento los empleados públicos están obligados a relacionarse electrónicamente con las administraciones públicas para los trámites y actuaciones que realicen con ellas por razón de su condición de empleado público. Esto es así porque el artículo 14.2 de la LPAC establece que los empleados públicos constituyen uno de los colectivos obligados a relacionarse electrónicamente.

La única excepción en este sentido la determina la disposición final séptima de la citada LPAC, ya que establece como fecha límite el 2 de octubre de 2020 para que estén plenamente operativos el registro electrónico de apoderamientos, el registro electrónico y el archivo único.

La realidad está siendo diferente, porque muchas administraciones públicas no están adecuadas a funcionar exclusivamente de forma electrónica, y están en procesos de progresiva transformación digital. Es un proceso que durará años, en los que veremos una progresiva adaptación a la administración electrónica.

A modo de ejemplo de lo que son los plazos administrativos, digamos que la disposición transitoria primera del ENI fija la fecha máxima de adecuación al ENI antes del 10 de enero de 2014. Ni se produjo en esa fecha, ni hemos alcanzado aún esa adecuación, más de cuatro años después. Desde luego, si la adecuación al ENI se hubiera producido ya, hoy estaríamos en condiciones de que los funcionarios se relacionaran con los ciudadanos exclusivamente de forma electrónica.

¿Para el caso de los documentos, expedientes y actos internos de las administraciones públicas también se aplican las leyes LPAC y LRJSP en lo que se refiere a la obligación de funcionamiento exclusivamente electrónico?

Sí. La propia LPAC establece en su artículo 26 que los documentos administrativos serán emitidos por escrito, a través de medios electrónicos.

Por otro lado, en el artículo 36 de la misma LPAC se establece que los actos administrativos se producirán por escrito a través de medios electrónicos, a menos que su naturaleza exija otra forma más adecuada de expresión y constancia.

Finalmente, en el artículo 70 de la mencionada LPAC se determina que los expedientes tendrán formato electrónico, y se compondrán de acuerdo al ENI y sus NTI. Es el artículo 156 de la LRJSP la que define el ENI, junto con el ENS.

¿Pueden pedir las administraciones públicas fotocopia del DNI a un ciudadano?

No. La LPAC en su artículo 53.1.d establece el derecho de los ciudadanos a no presentar datos y documentos que ya se encuentren en poder de las administraciones públicas o que hayan sido elaborados por éstas. El artículo 28 refuerza y desarrolla ese derecho.

Pero, además de esto, en el caso de la AGE tenemos el Real Decreto 522/2006, de 28 de abril, por el que se suprime la aportación de fotocopias de documentos de identidad en los procedimientos administrativos de la Administración General del Estado (AGE) y de sus organismos públicos vinculados o dependientes.

El propio real decreto señala la «utilidad discutible» de la fotocopia del DNI, y aclara que tal costumbre responde a una cultura de la «visión "patológica" del ciudadano enfocada a evitar un mínimo porcentaje de fraudes sin, por otra parte, conseguirlo».

La realidad, sin embargo, es que la fotocopia del DNI se sigue pidiendo en las administraciones públicas y en la propia AGE para determinados procedimientos, doce años después de la entrada en vigor del mencionado real decreto.

¿Qué hay que hacer si una administración pública recibe un documento en papel procedente de otra administración pública?

El artículo 3.2 de la LRJSP establece que las administraciones públicas se relacionarán entre sí y con sus órganos, organismos públicos y entidades vinculadas o dependientes a través de medios electrónicos. Por lo tanto, para cumplir este precepto se debería solicitar la subsanación del error a la administración pública que ha enviado el documento en papel. Es decir, habría que pedirle que enviara nuevamente el documento, pero en formato electrónico.

SECTOR PÚBLICO ESTATAL

Cuando decimos sector público estatal, ¿de qué estamos hablando?

Existe cierta confusión en la creencia generalizada en este sentido, pero realmente la LPAC lo define expresamente en el apartado 2 del artículo 2. Está integrado el sector público estatal por:

• Cualesquiera organismos públicos y entidades de derecho público vinculados o dependientes de las administraciones públicas.

• Las entidades de derecho privado vinculadas o dependientes de las administraciones públicas, que quedarán sujetas a lo dispuesto en las normas de esta Ley que específicamente se refieran a las mismas, y en todo caso, cuando ejerzan potestades administrativas.

• Las universidades públicas, que se regirán por su normativa específica y supletoriamente por las previsiones de la LPAC.

¿Qué son las administraciones públicas, qué abarcan realmente?

De acuerdo con lo que plantea la LPAC en el apartado 3 del artículo 2 de dicha ley, se consideran administraciones públicas la Administración General del Estado, las administraciones de las comunidades autónomas, las entidades que integran la administración local, así como los organismos públicos y entidades de derecho público vinculadas o dependientes de las administraciones públicas.

SIA

¿Qué ventajas proporciona el uso de SIA?

El Sistema de Información Administrativa (SIA) es el inventario de información administrativa de la AGE, reglado por el artículo 9 del ENI, y actualizado de forma corresponsable por todos los organismos participantes. Contiene la relación de procedimientos y servicios de la AGE y las diferentes administraciones públicas participantes.

SIA nos permite trabajar en la elaboración de repertorios de series documentales comunes y específicas, y lo que es más importante, gracias al metadato clasificación, que llevan los expedientes electrónicos, podremos clasificar éstos de forma automatizada en el archivo electrónico.

En SIA podemos cumplimentar los metadatos de gestión documental relativos a clasificación, seguridad, acceso y conservación de las series documentales que van a ser dada de alta en el archivo electrónico.

SEGURIDAD

¿Para qué sirve el cifrado de documentos?

La encriptación es un sistema de seguridad para archivos bastante antiguo, que actualmente es muy utilizado en cualquier rama de la Informática, sobre todo con el auge de Internet. La encriptación o cifrado de archivos, es un procedimiento que vuelve completamente ilegibles los datos de un documento o de cualquier archivo. De esta manera, el archivo se vuelve prácticamente inservible para un usuario no autorizado a leerlo, ya que incluso si lo ha interceptado o lo ha copiado, si no cuenta con el password correspondiente, no podrá leerlo o visualizarlo.

Este sistema de seguridad, se utiliza para resguardar información importante que puede ser almacenada o enviada vía Internet para cualquier trámite, como por ejemplo, números de tarjetas de crédito, datos personales, etc. Existen muchos programas específicos especialmente diseñados para realizar encriptación de archivos.

¿Cuáles son los roles en un sistema de seguridad de la información?

El artículo 10 del ENS establece los cuatro roles relativos a la seguridad, luego desarrollados en la Guía CCN-STIC-801 y en las políticas de seguridad de la información:

• Rol de responsable de la información: decide para qué se van a usar los datos, es un responsable funcional, no técnico..

• Rol de responsable del servicio: decide sobre las aplicaciones y las condiciones en las que se van a explotar los datos (modos de contingencia, horario de las aplicaciones, condiciones de acceso...). En los organismos públicos suele recaer en la misma unidad funcional que el responsable de la Información.

• Rol de responsable del sistema: responsable de los sistemas en los que se alojan las aplicaciones que explotan la información. Es un rol operativo. Toma decisiones sobre la capacidad de un servidor, las medidas de recuperación que deben implantarse, etc.

• Rol de responsable de seguridad de la Información: calcula los riesgos de seguridad que existen y determina, en acuerdo con el resto de los responsables, qué medidas de seguridad deben aplicarse para minimizar los riesgos.

SOPORTES DIFERENTES

Supongamos que alguien se presenta en el registro con sus documentos en un pendrive, ¿qué tiene que hacer el registro?

Cuando los documentos no se presentan en formato electrónico, lo normal es que se presenten en el papel y se digitalicen en el registro. Sin embargo, la LPAC establece en su artículo 16 (apartado 5) la posibilidad excepcional de que una norma establezca de forma obligatoria la presentación de documentos en un soporte específico no susceptible de digitalización, como un pendrive, por ejemplo. En tales casos, el pendrive tendrá que ser aceptado en el registro.

¿Tiene el ciudadano derecho a presentar la documentación en papel?

Sí. La LPAC establece en su artículo 14.1 que la persona física puede elegir en todo momento relacionarse con la administración en formato papel. En tales casos, la administración pública está obligada a digitalizar esos documentos en las oficinas de asistencia en materia de registros.

Los colectivos obligados a presentar su documentación están enumerados en el artículo 14.2 de la LPAC, y el ciudadano aparece excepcionado en esa relación. Ahora bien, el mismo artículo, en su apartado 3, prevé la posibilidad de que la administración pública reglamentariamente establezca la obligación de relacionarse con ellas a través de medios electrónicos para determinados procedimientos y para ciertos colectivos de personas físicas. Si la administración ha hecho uso de esa posibilidad, el ciudadano estaría obligado a presentar el documento en formato electrónico.

¿Es posible incluir documentos en soportes no electrónicos en un expediente electrónico?

Sí. La NTI de Expediente electrónico señala en su apartado V.3 «cuando la naturaleza o la extensión de las pruebas o documentos que forman parte del expediente electrónico no permitan o dificulten notablemente su inclusión en una de las estructuras establecidas, se incorporará al expediente electrónico un documento en el que se especifique cuáles son estas pruebas o documentos. Dichas pruebas o documentos serán custodiados por el órgano gestor sin perjuicio, en su caso, de aportación separada cuando así se requiera».

Por tanto, cabe decir que, efectivamente, el expediente electrónico permite la inclusión de documentos en otros formatos y soportes. Este aspecto es importante para los casos en los que la conversión a un formato electrónico convencional no fuese posible por las propias características del soporte físico origen o cuando una conversión de formato pudiese provocar la pérdida del valor probatorio del documento electrónico.

¿Pueden producirse documentos administrativos en formato papel?

No. La obligación de las administraciones públicas es la de emitir los documentos administrativos por escrito a través de medios electrónicos. Así lo establece el apartado 1 del artículo 26 de la LPAC. La única excepción en este caso sería si la naturaleza del documento exige otra forma más adecuada de expresión y constancia.

¿La normativa sobre digitalización contempla la posibilidad de digitalizar audios o vídeos?

No. La NTI de Digitalización de documentos señala en su punto I que tiene por objeto establecer los requisitos a cumplir en la digitalización de documentos en soporte papel o en otro soporte no electrónico susceptible de digitalización a través de medios fotoeléctricos. Por tanto, los soportes del tipo de aquéllos que registran sonido, vídeo o ambos, están excluidos del alcance de la NTI de Digitalización de documentos.

II.

GLOSARIO DE TÉRMINOS Y CONCEPTOS RELATIVOS A DOCUMENTO, EXPEDIENTE Y ARCHIVO ELECTRÓNICOS [1]

Miguel SOLANO GADEA
Investigador especialista en administración electrónica

Acceso de los ciudadanos a los archivos y registros administrativos. Procedimiento administrativo. Audiencia

El artículo 105 de la Constitución Española determina que la ley regulara, y así lo ha hecho:

a) La audiencia de los ciudadanos, directamente o a través de las organizaciones y asociaciones reconocidas por la ley, en el procedimiento de elaboración de las disposiciones administrativas que les afecten.

b) El acceso de los ciudadanos a los archivos y registros administrativos, salvo en lo que afecte a la seguridad y defensa del Estado, la averiguación de los delitos y la intimidad de las personas.

c) El procedimiento a través del cual deben producirse los actos administrativos, garantizando, cuando proceda, la audiencia del interesado.

Fuente = Constitución Española en Art. 105

Acta notarial

Según el artículo 198 del Reglamento Notarial, «los notarios, previa instancia de parte (…) extenderán y autorizarán actas en que se consignen los hechos y circunstancias que presencien o les consten y que por su naturaleza no sean materia de contrato».

---

(1) *Nota al capítulo: Glosario limitado en conceptos y definiciones como compromiso entre extensión y relevancia. El lector puede encontrar un repertorio extenso en* www.solanogadea.es/wolters/wolters2018_glosario_msg_completo.pdf
Extracto de la obra: Diccionario de Conceptos y Términos de la Administración Electrónica. www.solanogadea.es

El objeto del acta notarial son los hechos, a diferencia de otros documentos notariales, como las escrituras públicas y las pólizas, en las que se recogen contratos. «Las actas notariales tienen como contenido la constatación de hechos o la percepción que de los mismos tenga el notario, siempre que por su índole no puedan calificarse de actos y contratos, así como sus juicios y calificaciones» (Art. 144 RN).

Fuente = Decreto 19440602 Reglamento Notarial en Art. 198

Actas

1. De cada sesión que celebre el órgano colegiado se levantará acta por el secretario, que especificará necesariamente los asistentes, el orden del día de la reunión, las circunstancias del lugar y tiempo en que se ha celebrado, los puntos principales de las deliberaciones, así como el contenido de los acuerdos adoptados.

Podrán grabarse las sesiones que celebre el órgano colegiado. El fichero resultante de la grabación, junto con la certificación expedida por el secretario de la autenticidad e integridad del mismo, y cuantos documentos en soporte electrónico se utilizasen como documentos de la sesión, podrán acompañar al acta de las sesiones, sin necesidad de hacer constar en ella los puntos principales de las deliberaciones.

2. El acta de cada sesión podrá aprobarse en la misma reunión o en la inmediata siguiente. El secretario elaborará el acta con el visto bueno del presidente y lo remitirá a través de medios electrónicos, a los miembros del órgano colegiado, quienes podrán manifestar por los mismos medios su conformidad o reparos al texto, a efectos de su aprobación, considerándose, en caso afirmativo, aprobada en la misma reunión.

Cuando se hubiese optado por la grabación de las sesiones celebradas o por la utilización de documentos en soporte electrónico, deberán conservarse de forma que se garantice la integridad y autenticidad de los ficheros electrónicos correspondientes y el acceso a los mismos por parte de los miembros del órgano colegiado.

(Corresponde al Art. 27 Ley 30/1992 y Art. 42 LAE)

Fuente = Ley 40/2015 en Art. 18

Adición de metadatos a los documentos electrónicos

1. Se entiende como metadato, a los efectos de este Real Decreto, cualquier tipo de información en forma electrónica asociada a los documentos electrónicos, de carácter instrumental e independiente de su contenido, destinada al conocimiento inmediato y automatizable de alguna de sus características, con la finalidad de garantizar la disponibilidad, el acceso, la conservación y la interoperabilidad del propio documento.

2. Los documentos electrónicos susceptibles de ser integrados en un expediente electrónico, deberán tener asociados metadatos que permitan su contextualización en el marco del órgano u organismo, la función y el procedimiento administrativo al que corresponde.

Además, se asociará a los documentos electrónicos la información relativa a la firma del documento, así como la referencia temporal de los mismos, en la forma regulada en el presente Real Decreto.

3. La asociación de metadatos a los documentos electrónicos aportados por los ciudadanos o emitidos por la AGE o sus organismos públicos será, en todo caso, realizada por el órgano u organismo actuante, en la forma que en cada caso se determine.

4. Los metadatos mínimos obligatorios asociados a los documentos electrónicos, así como la asociación de los datos de firma o de referencia temporal de los mismos, se especificarán en el ENI.

5. Una vez asociados los metadatos a un documento electrónico, no podrán ser modificados en ninguna fase posterior del procedimiento administrativo, con las siguientes excepciones:

a) Cuando se observe la existencia de errores u omisiones en los metadatos inicialmente asignados.

b) Cuando se trate de metadatos que requieran actualización, si así lo dispone el ENI.

La modificación de los metadatos deberá ser realizada por el órgano competente conforme a la normativa de organización específica, o de forma automatizada conforme a las normas que se establezcan al efecto.

6. Independientemente de los metadatos mínimos obligatorios a que se refiere el apartado 4, los distintos órganos u organismos podrán asociar a los documentos electrónicos metadatos de carácter complementario, para las necesidades de catalogación específicas de su respectivo ámbito de gestión, realizando su inserción de acuerdo con las especificaciones que establezca al respecto el ENI. Los metadatos complementarios no estarán sujetos a las prohibiciones de modificación establecidas en el apartado anterior.

Fuente = RD 1671/2009 Derogado Parcial en Art. 42

Agrupación documental

Conjunto de documentos electrónicos que, habiendo sido creados al margen de un procedimiento reglado, se hubiesen formado mediante agregación, como resultado de una secuencia de actuaciones coherentes que conducen a un resultado específico.

Fuente = Guía de las Normas Técnica de Interoperabilidad

Aplicación de las tecnologías de la información y comunicaciones en la gestión y tratamiento de los documentos

Los Departamentos Ministeriales y sus organismos vinculados o dependientes promoverán en todo momento el uso de las tecnologías de la información y el conocimiento en el tratamiento archivístico de los documentos de su competencia y en todo lo relativo a las funciones de conservación, gestión, acceso y difusión que tiene encomendadas, mediante:

a) La utilización de sistemas de gestión, de acuerdo con los requisitos establecidos en la LAE, de acceso electrónico de los ciudadanos a los servicios públicos y su normativa de desarrollo.

b) El desarrollo de archivos digitales o repositorios de documentos en soporte electrónico estableciendo formatos de intercambio de documentos o expedientes electrónicos definiendo unos metadatos y clasificaciones comunes que permitan la reutilización y el intercambio de información entre los distintos órganos de la administración.

c) La aplicación de los principios básicos y los requisitos mínimos requeridos para una protección adecuada de la información con el fin de asegurar el acceso, integridad, disponibilidad, autenticidad, confidencialidad, trazabilidad y conservación de los datos, informaciones y servicios utilizados en medios electrónicos que gestionen en el ejercicio de sus competencias.

d) El desarrollo de sistemas integrales de información y gestión de archivos y su implementación en plataformas informáticas compartidas, con procedimientos de actualización en línea y accesibles por Internet.

e) La implantación progresiva de los servicios telemáticos que permitan recoger, gestionar y dar respuesta al conjunto de solicitudes, reclamaciones y sugerencias que realicen los ciudadanos sobre acceso, localización, reproducción, u otras cuestiones relacionadas con los documentos o los servicios que prestan los archivos del Sistema.

Fuente = RD 1708/2011 en Art. 21

Archive

Es una aplicación web de archivo definitivo de expedientes y documentos electrónicos, que cumple con lo dispuesto al respecto en el RD 4/2010, de 8 de enero, por el que se regula el Esquema Nacional de Interoperabilidad en el ámbito de la Administración Electrónica.

Archive proporciona las herramientas necesarias para la creación por parte de un súper-administrador de un sistema de administración y gestión de centros de archivo multidepartamental, así como la integración en Archive de las correspondientes aplicaciones consumidoras y la gestión de los documentos y expedientes electrónicos remitidos por las mismas.

Fuente = Institución

Archivo de documentos

1. Cada administración deberá mantener un archivo electrónico único de los documentos electrónicos que correspondan a procedimientos finalizados, en los términos establecidos en la normativa reguladora aplicable.

2. Los documentos electrónicos deberán conservarse en un formato que permita garantizar la autenticidad, integridad y conservación del documento, así como su consulta con independencia del tiempo transcurrido desde su emisión. Se asegurará en todo caso la posibilidad de trasladar los datos a otros formatos y soportes que garanticen el acceso desde diferentes aplicaciones. La eliminación de dichos documentos deberá ser autorizada de acuerdo a lo dispuesto en la normativa aplicable.

3. Los medios o soportes en que se almacenen documentos, deberán contar con medidas de seguridad, de acuerdo con lo previsto en el ENS, que garanticen la integridad, autenticidad, confidencialidad, calidad, protección y conservación de los documentos almacenados. En particular, asegurarán la identificación de los usuarios y el control de accesos, así como el cumplimiento de las garantías previstas en la legislación de protección de datos.

Fuente = Ley 39/2015 en Art. 17

Archivo de gestión

Los archivos de oficina o de gestión están formados por los documentos producidos y recibidos por la oficina en el desarrollo de las funciones y actividades que tenga encomendadas, y conservados como instrumento para la toma de decisiones, tramitación de asuntos y defensa de derechos.

Con el desarrollo de la informática, aparecen objetos electrónicos (documentos), que deben ser custodiados en un archivo desde el momento mismo de su creación. Esto con independencia de la función archivo en sentido administrativo, que tiene que ver con la custodia permanente de un expediente cerrado. Por esta razón el archivo informático debe dar soporte al archivo de gestión (abierto) y al archivo de larga duración de un expediente.

Ambos pueden considerarse semejantes por lo que las series documentales asignadas a expedientes y las series documentales asignadas a documentos contenidos en los expedientes, tienen iguales metadatos básicos en una situación que en otra. Ver: metadatos, OAIS.

Fuente = Autor

Archivo de larga duración (RM)

Records Management (RM) es una técnica para el tratamiento de ciertos activos de información denominados «Records», término que no tiene traducción correcta al castellano (lo más próximo es «Expediente», «Asunto», «Historia»). Un record es un activo de información, digital o en papel, que refleja la historia o memoria de la organización respecto a sus actividades.

Dichos activos se caracterizan por: no deberían ser alterables una vez creados, existe algún tipo de exigencia legal o corporativa para que sean conservados durante un periodo mínimo de tiempo y tienen valor para la organización.

Ver ISO 15489-1:2001 En España la norma Moreq2 y UNE-ISO/TR 15489-2.

Fuente = Autor

Archivo electrónico de documentos en la administración de justicia

Podrán almacenarse por medios electrónicos todos los documentos utilizados en las actuaciones judiciales...

Los documentos electrónicos que contengan actos procesales que afecten a derechos o intereses de los particulares deberán conservarse en soportes de esta naturaleza, ya sea en el mismo formato a partir del que se originó el documento o en otro cualquiera que asegure la identidad e integridad de la información necesaria para reproducirlo. Se asegurará en todo caso la posibilidad de trasladar los datos a otros formatos y soportes que garanticen el acceso desde diferentes aplicaciones.

Los medios o soportes en que se almacenen documentos deberán contar con medidas de seguridad que garanticen la integridad, autenticidad, confidencialidad, calidad, protección y conservación de los documentos almacenados...

Sin perjuicio de lo dispuesto en la Ley Orgánica 15/1999, de 13 de diciembre, de Protección de Datos de carácter personal, el Consejo General del Poder Judicial regulará reglamentariamente la reutilización de sentencias y otras resoluciones judiciales por medios digitales de referencia o reenvío de información, sea o no con fines comerciales, por parte de personas físicas o jurídicas para facilitar el acceso a las mismas de terceras personas.

Fuente = Ley 18/2011 en Art. 29

Archivo electrónico de documentos Ley 40/2015

1. Todos los documentos utilizados en las actuaciones administrativas se almacenarán por medios electrónicos, salvo cuando no sea posible.

2. Los documentos electrónicos que contengan actos administrativos que afecten a derechos o intereses de los particulares deberán conservarse en soportes de esta naturaleza, ya sea en el mismo formato a partir del que se originó el documento o en otro cualquiera que asegure la identidad e integridad de la información necesaria para reproducirlo. Se asegurará en todo caso la posibili-

dad de trasladar los datos a otros formatos y soportes que garanticen el acceso desde diferentes aplicaciones.

3. Los medios o soportes en que se almacenen documentos, deberán contar con medidas de seguridad, de acuerdo con lo previsto en el ENS, que garanticen la integridad, autenticidad, confidencialidad, calidad, protección y conservación de los documentos almacenados. En particular, asegurarán la identificación de los usuarios y el control de accesos, el cumplimiento de las garantías previstas en la legislación de protección de datos, así como la recuperación y conservación a largo plazo de los documentos electrónicos producidos por las administraciones públicas que así lo requieran, de acuerdo con las especificaciones sobre el ciclo de vida de los servicios y sistemas utilizados.

Art. 31 LAE.

Fuente = Ley 40/2015 en Art. 46

Archivo electrónico de documentos RD

1. La AGE y sus organismos públicos vinculados o dependientes deberán conservar en soporte electrónico todos los documentos electrónicos utilizados en actuaciones administrativas, que formen parte de un expediente administrativo, así como aquellos otros que, tengan valor probatorio de las relaciones entre los ciudadanos y la administración.

2. La conservación de los documentos electrónicos podrá realizarse bien de forma unitaria, o mediante la inclusión de su información en bases de datos siempre que, en este último caso, consten los criterios para la reconstrucción de los formularios o modelos electrónicos origen de los documentos, así como para la comprobación de la firma electrónica de dichos datos.

Fuente = RD 1671/2009 hasta 02.10.2018 en Art. 51

Archivo General de la AGE

El Archivo General de la Administración es el que conserva la memoria histórica de España más reciente. Sus fondos proceden de los organismos de la administración central, de la administración española en el norte de África y de las instituciones político-administrativas del periodo 1939-1975, etc. También dispone de un importante fondo fotográfico y cartográfico. Actualmente, recibe los documentos en los que se plasma la actividad de los diferentes organismos de la Administración General del Estado cuando cumplen los quince años de antigüedad. Sus fondos son una fuente de información muy valiosa para la obtención de antecedentes en materias como arquitectura, urbanismo u obras públicas.

Fuente = Estado

Archivo intermedio

Es la institución responsable de la custodia de los documentos generados y reunidos por los diferentes Departamentos ministeriales y sus organismos públicos, una vez finalizada su fase activa conforme a lo establecido en los calendarios de conservación. El Archivo General de la Administración, es el archivo intermedio de la AGE, según la normativa vigente.

El Archivo General de la Administración, como archivo intermedio de la AGE y adscrito al Ministerio de Cultura, tiene las siguientes funciones:

...

5.º Establecer y valorar las estrategias que se pueden aplicar para la conservación a medio plazo de los documentos y ficheros electrónicos recibidos, tales como procedimientos de emulación, migración y conversión de formatos...

Fuente = RD 1708/2011 en Art. 11

Archivo. Definición

El Real Decreto 1708/2011 define el alcance de Archivo, sin perjuicio de lo dispuesto en el artículo 59.1 de la Ley 16/1985, de 25 de junio, del Patrimonio Histórico Español, y de la correspondiente legislación autonómica:

a) El conjunto orgánico de documentos, o la reunión de varios de ellos, producidos o reunidos por las personas físicas o jurídicas, públicas o privadas.

b) Las entidades, que de acuerdo con las normas internacionales de descripción archivística, comprenden instituciones, personas y familias, que reúnen, conservan, organizan, describen y difunden los conjuntos orgánicos y las colecciones de documentos.

Fuente = RD 1708/2011 en Art. 2

Archivos históricos

1. Los archivos históricos son las instituciones responsables de la custodia, conservación y tratamiento de los fondos pertenecientes al patrimonio histórico documental español que sean reflejo de la trayectoria de la administración estatal a lo largo de la historia o que en todo caso resulten altamente significativos por su valor histórico, su singular importancia o su proyección internacional. Son archivos históricos los de titularidad y gestión estatal adscritos al Ministerio de Cultura.

2. El Archivo Histórico Nacional ejerce las funciones de archivo histórico de la AGE.

Las funciones del Archivo Histórico Nacional, como archivo histórico de la AGE y dependiente del Ministerio de Cultura, son:

...

c) Establecer y valorar las estrategias que se pueden aplicar para la conservación a largo plazo de los documentos y ficheros electrónicos recibidos, tales como procedimientos de emulación, migración y conversión de formatos...

Fuente = RD 1708/2011 en Art. 12

Calificación de Documentos Administrativos

Proceso de gestión de documentos que tiene por finalidad, en base a un análisis de los valores de los documentos, establecer los plazos de permanencia de los documentos en el sistema de gestión, de transferencia y eliminación en su caso, así como los plazos de acceso y la eventual calificación como documento esencial de una organización.

La puesta en marcha de la administración electrónica convierte en imprescindible la existencia de una Comisión Calificadora que dictamine sobre los plazos de transferencia y la conservación o la eliminación de los documentos producidos por las instituciones públicas radicadas en ... El Real Decreto 4/2010, de 8 de enero, que regula el Esquema Nacional de Interoperabilidad en el ámbito de la Administración Electrónica, recoge en el artículo 21 a) y f), como medidas organizativas y técnicas necesarias para garantizar la interoperabilidad en relación con la recuperación y conservación de los documentos electrónicos, la definición de una política de gestión de documentos y el período de conservación de los mismos, establecido por las comisiones calificadoras que correspondan, de acuerdo con la legislación en vigor y las normas administrativas y obligaciones jurídicas que resulten de aplicación en cada caso.

Nota: Las CCAA publican sus Decretos y las EELL sus Reglamentos u Ordenanzas.

Fuente = AGE

Cargador de expedientes

Herramienta informática que permite a las administraciones públicas la remisión electrónica de los expedientes administrativos, sin limitación de tamaño.

Permite la remisión de un expediente administrativo electrónico bien formado (conforme al ENI) a los órganos judiciales del territorio competencia del Ministerio de Justicia (Castilla la Mancha, Castilla y León, Murcia, Extremadura, Islas Baleares, Ceuta, Melilla, Audiencia Nacional y Tribunal Supremo).

Fuente = Institución

Certificado, Documento administrativo o externo

El certificado es un tipo de texto administrativo empleado para constatar un determinado hecho. Se produce normalmente a instancias de quien lo recibe, y por una persona con autoridad suficiente dentro de la institución, para establecer que se ha cumplido con lo afirmado en el documento.

Fuente = Wikipedia

Ciclo vital de los documentos

1. Con carácter general, los archivos integrados en el Sistema desarrollarán las siguientes funciones, en todas las fases del ciclo vital de los documentos:

a) Garantizar el acceso de los ciudadanos a los documentos públicos, en la forma dispuesta en el capítulo siguiente.

b) Facilitar a las unidades productoras el acceso a sus documentos.

c) Dar a los documentos el tratamiento técnico archivístico adecuado, según las normas internacionales y nacionales y las instrucciones y recomendaciones emanadas de la Comisión de Archivos de la Administración General del Estado, aplicables en función de la fase en que se encuentren los documentos de archivo, incluyendo las actuaciones pertinentes de conservación preventiva y activa.

d) Atender a lo dispuesto en los calendarios de conservación, en cuanto a los plazos de acceso, transferencia y, en su caso, eliminación de las series documentales custodiadas en cada tipo de archivo.

e) Colaborar en el desarrollo de los programas de digitalización, reproducción, descripción, planes archivísticos y otras actuaciones que puedan impulsarse desde los órganos de decisión del Sistema.

f) Emplear las nuevas tecnologías en el desarrollo de sus funciones y actividades.

g) Garantizar la integridad, autenticidad, fiabilidad, disponibilidad, confidencialidad y conservación de los documentos y expedientes electrónicos recibidos o almacenados, según lo establecido por la LPAC, en el ENI, el ENS y demás normativa de desarrollo.

Fuente = RD 1708/2011 en Art. 14

Ciclo vital de los documentos. Definición

Son las diferentes etapas por las que atraviesan los documentos desde que se producen hasta su eliminación conforme al procedimiento establecido, o en su caso, su conservación permanente.

Fuente = RD 1708/2011 en Art. 2

Código de Verificación Electrónica

Art. 4. Características del RD 181/2008.

… 3. En todas y cada una de las páginas se incluirá la dirección de la sede electrónica y el respectivo código de verificación que permitan contrastar su autenticidad, así como acceder a su contenido, en los términos previstos en el artículo 14.4.

...

Art. 14. Acceso de los ciudadanos.

...el Suplemento de notificaciones permanecerá libremente accesible en la sede electrónica de la Agencia Estatal Boletín Oficial del Estado durante un plazo de tres meses desde su publicación, transcurrido el cual se requerirá el código de verificación del correspondiente anuncio de notificación, que tendrá carácter único y no previsible.

Dicho código solamente podrá ser conservado, almacenado y tratado por el interesado o su representante, así como por los órganos y administraciones que puedan precisarlo para el ejercicio de las competencias que les corresponden.

La Agencia Estatal Boletín Oficial del Estado adoptará medidas orientadas a evitar la indexación y recuperación automática de los códigos de verificación por sujetos distintos a los contemplados en el párrafo anterior...

Definición: El CVE, consiste en un conjunto de caracteres que identifican de forma única cualquiera de las disposiciones, actos y anuncios publicados en el BOE.

Este código se encuentra impreso en todas y cada una de las páginas de cada disposición, acto o anuncio publicados y facilita el acceso al documento electrónico original en la página web de la Agencia Estatal BOE.

Fuente = RD 181/2008 en Art. 4

Componentes del expediente electrónico en la NTI

a) Documentos electrónicos, que cumplirán las características de estructura y formato establecidas en la NTI de Documento electrónico.

Los documentos electrónicos podrán incluirse en un expediente electrónico bien directamente como elementos independientes, bien dentro de una carpeta, entendida ésta como una agrupación de documentos electrónicos creada por un motivo funcional, o bien como parte de otro expediente, anidado en el primero.

b) Índice electrónico, que según lo establecido en el artículo 32.2 de la LAE, garantizará la integridad del expediente electrónico y permitirá su recuperación siempre que sea preciso.

El índice electrónico recogerá el conjunto de documentos electrónicos asociados al expediente en un momento dado y, si es el caso, su disposición en carpetas o expedientes.

c) Firma del índice electrónico por la administración, órgano o entidad actuante de acuerdo con la normativa aplicable.

d) Metadatos del expediente electrónico.

Fuente = Resolución 19/07/2011

Concentración de trámites

1. De acuerdo con el principio de simplificación administrativa, se acordarán en un solo acto todos los trámites que, por su naturaleza, admitan un impulso simultáneo y no sea obligado su cumplimiento sucesivo.

2. Al solicitar los trámites que deban ser cumplidos por otros órganos, deberá consignarse en la comunicación cursada el plazo legal establecido al efecto.

Fuente = Ley 39/2015 en Art. 72

Condiciones para la recuperación y conservación de documentos

1. Las administraciones públicas adoptarán las medidas organizativas y técnicas necesarias con el fin de garantizar la interoperabilidad en relación con la recuperación y conservación de los documentos electrónicos a lo largo de su ciclo de vida. Tales medidas incluirán:

a) La definición de una política de gestión de documentos en cuanto al tratamiento, de acuerdo con las normas y procedimientos específicos que se hayan de utilizar en la formación y gestión de los documentos y expedientes.

b) La inclusión en los expedientes de un índice electrónico firmado por el órgano o entidad actuante que garantice la integridad del expediente electrónico y permita su recuperación.

c) La identificación única e inequívoca de cada documento por medio de convenciones adecuadas, que permitan clasificarlo, recuperarlo y referirse al mismo con facilidad.

d) La asociación de los metadatos mínimos obligatorios y, en su caso, complementarios, asociados al documento electrónico, a lo largo de su ciclo de vida, e incorporación al esquema de metadatos.

e) La clasificación, de acuerdo con un plan de clasificación adaptado a las funciones, tanto generales como específicas, de cada una de las administraciones públicas y de las entidades de derecho público vinculadas o dependientes de aquéllas.

f) El período de conservación de los documentos, establecido por las comisiones calificadoras que correspondan, de acuerdo con la legislación en vigor, las normas administrativas y obligaciones jurídicas que resulten de aplicación en cada caso.

g) El acceso completo e inmediato a los documentos a través de métodos de consulta en línea que permitan la visualización de los documentos con todo el detalle de su contenido, la recuperación exhaustiva y pertinente de los documentos, la copia o descarga en línea en los formatos originales y la impresión a papel de aquellos documentos que sean necesarios. El sistema permitirá la consulta durante todo el período de conservación al menos de la firma electrónica, incluido, en su caso, el sello de tiempo, y de los metadatos asociados al documento.

h) La adopción de medidas para asegurar la conservación de los documentos electrónicos a lo largo de su ciclo de vida, ..., de forma que se pueda asegurar su recuperación de acuerdo con el plazo mínimo de conservación determinado por las normas administrativas y obligaciones jurídicas, se garantice su conservación a largo plazo, se asegure su valor probatorio y su fiabilidad como evidencia electrónica de las actividades y procedimientos, así como la transparencia, la memoria y la identificación de los órganos de las administraciones públicas y de las entidades de derecho público vinculadas o dependientes de aquéllas que ejercen la competencia sobre el documento o expediente.

i) La coordinación horizontal entre el responsable de gestión de documentos y los restantes servicios interesados en materia de archivos.

j) Transferencia, en su caso, de los expedientes entre los diferentes repositorios electrónicos a efectos de conservación, de acuerdo con lo establecido en la legislación en materia de Archivos, de manera que se pueda asegurar su conservación, y recuperación a medio y largo plazo.

k) Si el resultado del procedimiento de evaluación documental así lo establece, borrado de la información, o en su caso, destrucción física de los soportes, de acuerdo con la legislación que resulte de aplicación, dejando registro de su eliminación.

l) La formación tecnológica del personal responsable de la ejecución y del control de la gestión de documentos, como de su tratamiento y conservación en archivos o repositorios electrónicos.

m) La documentación de los procedimientos que garanticen la interoperabilidad a medio y largo plazo, así como las medidas de identificación, recuperación, control y tratamiento de los documentos electrónicos.

2. A los efectos de lo dispuesto en el apartado 1, las administraciones públicas crearán repositorios electrónicos, complementarios y equivalentes en cuanto a su función a los archivos convencionales, destinados a cubrir el conjunto del ciclo de vida de los documentos electrónicos.

Fuente = RD 4/2010 en Art. 21

Condiciones para la recuperación y conservación del documento electrónico

1. Las disposiciones del presente Real Decreto relativas a los documentos integrantes del Sistema de Archivos de la AGE, serán de aplicación también a

los documentos en soporte electrónico, con las especialidades derivadas de la LPAC, del ENS, el ENI y demás normativa de desarrollo.

2. Los departamentos ministeriales y las entidades de derecho público vinculadas o dependientes de los mismos, adoptarán las decisiones organizativas y las medidas técnicas necesarias con el fin de garantizar la recuperación y conservación de los documentos electrónicos a lo largo de su ciclo de vida. Entre éstas:

a) La identificación clara y precisa de cada uno de los documentos mediante un código unívoco que permita su identificación en un entorno de intercambio interadministrativo.

b) La asociación de los metadatos mínimos obligatorios y, en su caso, complementarios asociados al documento electrónico.

c) La inclusión, en el caso de los expedientes electrónicos, de un índice electrónico firmado por el órgano o entidad actuante que garantice la integridad del mismo y permita su recuperación.

d) La recuperación completa e inmediata de los documentos a través de métodos de consulta en línea a los datos que permita la visualización de los documentos de modo que sean legibles e identificables.

e) La adopción de medidas para garantizar la conservación de la memoria e identificación de los órganos que ejercen la competencia sobre el documento o expediente para que el ciudadano de hoy y del futuro pueda comprender el contexto en el que se creó.

f) El mantenimiento del valor probatorio de los documentos y expedientes y de las evidencias electrónicas como prueba de las actividades y procedimientos, así como la observancia de las obligaciones jurídicas que incumban a los servicios.

g) La transferencia de los expedientes electrónicos a los archivos históricos para la conservación permanente, de acuerdo con lo establecido en la normativa vigente, de manera que se pueda asegurar su conservación y accesibilidad a medio y largo plazo.

h) El borrado de la información, en su caso, o si procede la destrucción física de los soportes, de acuerdo con un procedimiento regulado y dejando registro de su eliminación.

i) La valoración y el establecimiento de las estrategias que se pueden aplicar para la conservación a medio y largo plazo de los documentos, tales como procedimientos de emulación, migración y conversión de formatos.

Fuente = RD 1708/2011 en Art. 20

Conservación de documentos electrónicos

1. Los períodos mínimos de conservación de los documentos electrónicos se determinarán por cada órgano administrativo de acuerdo con el procedimiento administrativo de que se trate, siendo en todo caso de aplicación, con la excepción regulada de la destrucción de documentos en papel copiados electrónicamente, las normas generales sobre conservación del patrimonio documental con valor histórico y sobre eliminación de documentos de la AGE y sus organismos públicos.

2. Para preservar la conservación, el acceso y la legibilidad de los documentos electrónicos archivados, podrán realizarse operaciones de conversión, de acuerdo con las normas sobre copiado de dichos documentos contenidas en el presente Real Decreto.

3. Los responsables de los archivos electrónicos promoverán el copiado auténtico con cambio de formato de los documentos y expedientes del archivo tan pronto como el formato de los mismos deje de figurar entre los admitidos en la gestión pública por el ENI.

Fuente = RD 1671/2009 en Art. 52

Copia auténtica

Consideraciones:

— El artículo 16.5 de la LPAC establece que «los documentos presentados de manera presencial ante las administraciones públicas, deberán ser digitalizados... por la oficina de asistencia en materia de registros en la que hayan sido presentados para su incorporación al expediente administrativo electrónico, devolviéndose los originales al interesado».

— El artículo 27.4 señala que «las administraciones públicas estarán obligadas a expedir copias auténticas copia auténtica electrónicas de cualquier documento [falta original] en papel que presenten los interesados y que se vaya a incorporar a un expediente administrativo».

Debe sobre entenderse:

— rechazar la situación en la que nos encontraríamos con el absurdo de que un ciudadano presentara una fotocopia (dentro del concepto «cualquier documento») la administración pública estaría obligada a expedir una copia auténtica de esa fotocopia.

— artículo 27 apunta en su apartado 2 que «las copias auténticas tendrán la misma validez y eficacia que los documentos originales» [Contrasentido si el original en la ventana de escáner, no lo es].

— NTI de Procedimientos de copiado auténtico y conversión entre documentos electrónicos. En el punto III.2: «Las copias auténticas se expedirán a partir de documentos con calidad de original o copia auténtica».

Contexto:

Artículo 27, en el aparto 3.a señala que «las copias electrónicas de un documento electrónico original o de una copia electrónica auténtica...» La ley concibe que sólo se puede hacer una copia auténtica, con la «validez y eficacia» de los documentos originales, si partimos de un original o de otra copia auténtica.

Fuente = Autor

Copia certificada

La copia de un documento público original, firmada y acreditada como reproducción exacta y completa de dicho documento público original por una autoridad, facultada por el Derecho nacional para ello, del mismo Estado miembro que haya expedido el documento público original.

Nota: Similar a la copia auténtica LPAC.

Fuente = Reglamento UE 2016/1191

Copias electrónicas de documentos en soporte no electrónico

1. Las copias electrónicas de los documentos en soporte papel o en otro soporte susceptible de digitalización realizadas por la AGE y sus organismos públicos vinculados o dependientes, ya se trate de documentos emitidos por la administración o documentos privados aportados por los ciudadanos, se realizarán de acuerdo con lo regulado en el presente artículo.

2. A los efectos de lo regulado en este Real Decreto, se define como «imagen electrónica» el resultado de aplicar un proceso de digitalización a un documento en soporte papel o en otro soporte que permita la obtención fiel de dicha imagen.

Se entiende por «digitalización» el proceso tecnológico que permite convertir un documento en soporte papel o en otro soporte no electrónico en un fichero electrónico que contiene la imagen codificada, fiel e íntegra, del documento.

3. Cuando sean realizadas por la administración, las imágenes electrónicas tendrán la naturaleza de copias electrónicas auténticas, con el alcance y efectos previstos en el artículo 46 de la Ley 30/1992, de 26 de noviembre, siempre que se cumplan los siguientes requisitos:

a) Que el documento copiado sea un original o una copia auténtica.

b) Que la copia electrónica sea autorizada mediante firma electrónica utilizando los sistemas recogidos en los artículos 18 y 19 de la LAE.

c) Que las imágenes electrónicas estén codificadas conforme a alguno de los formatos y con los niveles de calidad y condiciones técnicas especificados en el ENI.

d) Que la copia electrónica incluya su carácter de copia entre los metadatos asociados.

e) Que la copia sea obtenida conforme a las normas de competencia y procedimiento que en cada caso se aprueben, incluidas las de obtención automatizada.

4. No será necesaria la intervención del órgano administrativo depositario del documento administrativo original para la obtención de copias electrónicas auténticas, cuando las imágenes electrónicas sean obtenidas a partir de copias auténticas en papel emitidas cumpliendo los requisitos del artículo 46 de la Ley 30/1992, de 26 de noviembre.

Fuente = RD 1671/2009 en Art. 44

Copias electrónicas de los documentos electrónicos realizadas por la Administración General del Estado y sus organismos públicos

1. Las copias electrónicas generadas que, por ser idénticas al documento electrónico original no comportan cambio de formato ni de contenido, tendrán la eficacia jurídica de documento electrónico original.

2. En caso de cambio del formato original, para que una copia electrónica de un documento electrónico tenga la condición de copia auténtica, deberán cumplirse los siguientes requisitos...

3. Se podrán generar copias electrónicas auténticas a partir de otras copias electrónicas auténticas siempre que se observen los requisitos establecidos en los apartados anteriores.

4. Los órganos emisores de los documentos administrativos electrónicos o receptores de los documentos privados electrónicos, o los archivos que reciban los mismos, están obligados a la conservación de los documentos originales, aunque se hubiere procedido a su copiado conforme a lo establecido en el presente artículo, sin perjuicio de lo previsto en el artículo 52.

5. Será considerada copia electrónica auténtica de documentos electrónicos presentados conforme a sistemas normalizados o formularios: ...

Fuente = RD 1671/2009 en Art. 43

Copias en papel de los documentos públicos administrativos electrónicos

Para que las copias emitidas en papel de los documentos públicos administrativos electrónicos tengan la consideración de copias auténticas deberán cumplirse los siguientes requisitos:

a) Que el documento electrónico copiado sea un documento original o una copia electrónica auténtica del documento electrónico o en soporte papel original, emitidos conforme a lo previsto en el presente Real Decreto.

b) La impresión en el mismo documento de un código generado electrónicamente u otro sistema de verificación, con indicación de que el mismo permite contrastar la autenticidad de la copia mediante el acceso a los archivos electrónicos del órgano u organismo público emisor.

c) Que la copia sea obtenida conforme a las normas de competencia y procedimiento, que en cada caso se aprueben, incluidas las de obtención automatizada.

Fuente = RD 1671/2009 en Art. 45

Copia simple notarial telemática

Obligaciones de notarios y registradores con ocasión de la autorización e inscripción del préstamo hipotecario.

El notario autorizante de una escritura de préstamo sujeto a la presente Ley entregará o remitirá telemáticamente al prestatario sin coste copia simple de aquella. Los registradores de la propiedad remitirán también gratuitamente y de forma telemática al prestatario nota simple literal de la inscripción practicada y de la nota de despacho y calificación, con indicación de las cláusulas no inscritas y con la motivación de su respectiva suspensión o denegación.

En la escritura se hará constar una dirección de correo electrónico del prestatario para la práctica de estas comunicaciones.

Fuente = Ley 5/2019 da08

Correo Electrónico como documento administrativo

Por vía de los hechos y en determinados casos, los correos electrónicos adquieren la categoría de documento electrónico. Eso exige abordarlo en tal consideración, algo que pocas veces sucede. Uno de esos escasos lugares es la Política de gestión de documentos electrónicos MINHFP (PGDE).

Se debe asegurar la conservación a largo plazo de los correos electrónicos que la organización decida conservar, garantizando la accesibilidad, confidencialidad, integridad y disponibilidad. Ver enlace.

Fuente = Autor

Cotejo de documentos por CSV

Servicio del PAE, por el que se pueden recuperar documentos facilitados por la administración pública a través del Código Seguro de Verificación (CSV).

Fuente = Estado

Declaración responsable y otra documentación

1. Los órganos de contratación incluirán en el pliego, junto con la exigencia de declaración responsable, el modelo al que deberá ajustarse la misma. El modelo que recoja el pliego seguirá el formulario de documento europeo único de contratación aprobado en el seno de la Unión Europea,...

[Se retiró del texto aprobado] El modelo que recoja el pliego seguirá el formulario de documento europeo único de contratación que figure en la página web de e-Certis en el momento de elaborarse los pliegos.

Fuente = Ley 9/2017 en Art. 141

Derechos del interesado en el procedimiento administrativo

1. Además del resto de derechos previstos en esta ley, los interesados en un procedimiento administrativo, tienen los siguientes derechos:

a) A conocer, en cualquier momento, el estado de la tramitación de los procedimientos en los que tengan la condición de interesados; el sentido del silencio administrativo que corresponda, en caso de que la administración no dicte ni notifique resolución expresa en plazo; el órgano competente para su instrucción, en su caso, y resolución; y los actos de trámite dictados. Asimismo, también tendrán derecho a acceder y a obtener copia de los documentos contenidos en los citados procedimientos.

Quienes se relacionen con las administraciones públicas a través de medios electrónicos, tendrán derecho a consultar la información a la que se refiere el párrafo anterior, en el Punto de Acceso General electrónico de la administración que funcionará como un portal de acceso. Se entenderá cumplida la obligación de la administración de facilitar copias de los documentos contenidos en los procedimientos mediante la puesta a disposición de las mismas en el Punto de Acceso General electrónico de la administración competente o en las sedes electrónicas que correspondan.

b) A identificar a las autoridades...

c) A no presentar documentos originales salvo que, de manera excepcional, la normativa reguladora aplicable establezca lo contrario. En caso de que, excepcionalmente, deban presentar un documento original, tendrán derecho a obtener una copia autenticada de éste.

d) A no presentar datos y documentos no exigidos por las normas aplicables al procedimiento de que se trate, que ya se encuentren en poder de las administraciones públicas o que hayan sido elaborados por éstas.

e) A formular alegaciones...

f) A obtener información y orientación...

g) A actuar asistidos de asesor…

h) A cumplir las obligaciones de pago a través de los medios electrónicos…

i) Cualesquiera otros que les reconozcan la Constitución y las leyes.

2. Además de los derechos previstos… en el caso de procedimientos administrativos de naturaleza sancionadora, los presuntos responsables tendrán los siguientes derechos:

a) A ser notificado de los hechos…

b) A la presunción de no existencia de responsabilidad administrativa mientras no se demuestre lo contrario.

En Europa es el OOP («Once Only Principle»).

Ver Art. 28.

Fuente = **Ley 39/2015 en Art.** 53

Destrucción de documentos en soporte no electrónico

1. Los documentos originales y las copias auténticas en papel o cualquier otro soporte no electrónico admitido por la ley como prueba, de los que se hayan generado copias electrónicas auténticas, podrán destruirse en los términos y condiciones que se determinen en las correspondientes resoluciones, si se cumplen los siguientes requisitos:

a) La destrucción requerirá una resolución adoptada por el órgano responsable del procedimiento o, en su caso, por el órgano responsable de la custodia de los documentos, previo el oportuno expediente de eliminación, en el que se determinen la naturaleza específica de los documentos susceptibles de destrucción, los procedimientos administrativos afectados, las condiciones y garantías del proceso de destrucción, y la especificación de las personas u órganos responsables del proceso.

Las resoluciones que aprueben los procesos de destrucción regulados en el artículo 30.4 de la LAE, requerirán informe previo de la respectiva Comisión Calificadora de Documentos Administrativos y posterior dictamen favorable de la Comisión Superior Calificadora de Documentos Administrativos, sin que, en su conjunto, este trámite de informe pueda ser superior a tres meses. Una vez superado este plazo sin pronunciamiento expreso de ambos órganos, podrá resolverse el expediente de eliminación y procederse a la destrucción.

b) Que no se trate de documentos con valor histórico, artístico o de otro carácter relevante que aconseje su conservación y protección, o en el que figuren firmas u otras expresiones manuscritas o mecánicas que confieran al documento un valor especial.

2. Se deberá incorporar al expediente de eliminación un análisis de los riesgos relativos al supuesto de destrucción de que se trate, con mención explícita de las garantías de conservación de las copias electrónicas y del cumplimiento de las condiciones de seguridad que, en relación con la conservación y archivo de los documentos electrónicos, establezca el ENS.

3. La destrucción de cualquier tipo de documento diferente de los previstos en los apartados anteriores, se regirá por lo previsto en el Real Decreto 1164/2002, de 8 de noviembre, por el que se regula la conservación del patrimonio documental con valor histórico, el control de la eliminación de otros documentos de la AGE y sus organismos públicos y la conservación de documentos administrativos en soporte distinto al original.

Fuente = RD 1671/2009 en Art. 46

Digitalización

El proceso tecnológico que permite convertir un documento en soporte papel o en otro soporte no electrónico en uno o varios ficheros electrónicos que contienen la imagen codificada, fiel e íntegra del documento.

Fuente = RD 4/2010 en Anexo

Digitalización de documentos en soporte papel

La digitalización de documentos en soporte papel por parte de las administraciones públicas se realizará de acuerdo con lo indicado en la NTI correspondiente en relación con los siguientes aspectos:

a) Formatos estándares de uso común para la digitalización de documentos en soporte papel y técnica de compresión empleada,...

b) Nivel de resolución.

c) Garantía de imagen fiel e íntegra.

d) Metadatos mínimos obligatorios y complementarios, asociados al proceso de digitalización.

La gestión y conservación del documento electrónico digitalizado atenderá a la posible existencia del mismo en otro soporte.

Ver también Orden EHA/962/2007.

Fuente = RD 4/2010 en Art. 24

Digitalización de documentos. Enfoque inicial

El ENI determina que deben desarrollarse un repertorio de normas técnicas. Esta es una de ellas. Para ampliación, seguir el enlace o acceder a RD 4/2010 Disposición adicional primera.

Trata los formatos y estándares aplicables, los niveles de calidad, las condiciones técnicas y los metadatos asociados al proceso de digitalización.

Fuente = RD 4/2010 en Disp. Adicional 1.ª

Documentación

... Toda la documentación necesaria para la presentación de la oferta tiene que estar disponible por medios electrónicos desde el día de la publicación del anuncio en dicho perfil de contratante.

Fuente = Ley 9/2017 en Art. 159

Documento

Toda información o parte de ella, cualquiera que sea su soporte o forma de expresión, sea esta textual, gráfica, sonora visual o audiovisual, incluyendo los metadatos asociados y los datos contenidos con los niveles más elevados de precisión y desagregación. A estos efectos no se considerarán documentos los programas informáticos que estén protegidos por la legislación específica aplicable a los mismos.

En el RD 1720/2007: Todo escrito, gráfico, sonido, imagen o cualquier otra clase de información que puede ser tratada en un sistema de información como una unidad diferenciada.

Fuente = Ley 37/2007 en Anexo

Documento administrativo en la NTI

Los componentes de un documento electrónico son:

a) Contenido, entendido como conjunto de datos o información del documento.

b) En su caso, firma electrónica.

c) Metadatos del documento electrónico.

Fuente = Resolución 19/07/2011

Documento electrónico en normativa

— LPAC artículo 70. No se puede encontrar definición normativa del concepto de documento administrativo. Al igual que ocurre con otros aspectos vinculados a la gestión documental, parece que el legislador da por sentados ciertos aspectos primarios de la producción administrativa, lo que obliga a los aplicadores de la norma a intentar delimitar estas cuestiones por medio de una lectura sistemática de la normativa aplicable que nos permita deducir el concepto.

• El art. 26.1 de la LPAC sólo define los documentos públicos administrativos, como los válidamente emitidos por los órganos de las administraciones públicas. Las administraciones públicas emitirán los documentos administrativos por escrito, a través de medios electrónicos, a menos que su naturaleza exija otra forma más adecuada de expresión y constancia.

Sin embargo, los requisitos del n.º 2 de este art. 26 (contenido, firma y metadatos) no se circunscriben, solamente, a los documentos públicos administrativos sino, en general, a todos los documentos administrativos, sean públicos (dotados de fe pública) o no. Pero no dice qué son los documentos administrativos. Por exclusión, se tratará de todos los que no lleven fe pública (en términos del art. 3 de la Ley 59/2003)

Y el n.º 3 añade una tercera categoría: los documentos electrónicos emitidos por las administraciones públicas que se publiquen con carácter meramente informativo, así como aquellos que no formen parte de un expediente administrativo.

Por tanto, la propia LPAC admite que pueden existir documentos fuera del expediente administrativo.

• El art. 3 de la Ley 59/2003, dispone que documento electrónico es la información de cualquier naturaleza en forma electrónica, archivada en un soporte electrónico según un formato determinado y susceptible de identificación y tratamiento diferenciado. Distingue entre documento público o documento administrativo en los siguientes términos:

a) Documentos públicos, por estar firmados electrónicamente por funcionarios que tengan legalmente atribuida la facultad de dar fe pública, judicial, notarial o administrativa, siempre que actúen en el ámbito de sus competencias con los requisitos exigidos por la ley en cada caso.

b) Documentos expedidos y firmados electrónicamente por funcionarios o empleados públicos en el ejercicio de sus funciones públicas, conforme a su legislación específica.

c) Documentos privados.

• Real Decreto 4/2010 (ENI) Glosario. Información de cualquier naturaleza en forma electrónica, archivada en un soporte electrónico según un formato determinado y susceptible de identificación y tratamiento diferenciado.

• Modelo Conceptual de Descripción Archivística y Requisitos de Datos Básicos de las Descripciones de Documentos de Archivo, Agentes y Funciones (MC), publicado el 18 de junio de 2012 por la Comisión de Normas Españolas de Descripción Archivística (CNEDA), el primer tipo de entidad es el documento de archivo, considerado como el objeto tangible de la gestión documental, que constituye en general, el centro de atención de la Archivística. La Unidad documental es el elemento básico de un fondo, grupo de fondos, colección o serie, constituido por un documento de archivo o por varios que formen una unidad documental compuesta.

Fuente = Autor

Documento electrónico, Características

1. Los documentos electrónicos deberán cumplir los siguientes requisitos para su validez:

a) Contener información de cualquier naturaleza.

b) Estar archivada la información en un soporte electrónico según un formato determinado y susceptible de identificación y tratamiento diferenciado.

c) Disponer de los datos de identificación que permitan su individualización, sin perjuicio de su posible incorporación a un expediente electrónico.

2. Los documentos administrativos electrónicos deberán, además de cumplir las anteriores condiciones, haber sido expedidos y firmados electrónicamente mediante los sistemas de firma previstos en los artículos 18 y 19 de la LAE, y ajustarse a los requisitos de validez previstos en la Ley 30/1992, de 26 de noviembre.

Fuente = RD 1671/2009 en Art. 41

Documento electrónico. Desarrollo del ENI

El ENI determina que deben desarrollarse un repertorio de normas técnicas. Esta es una de ellas. Para ampliación, seguir el enlace o acceder a RD 4/2010 Disposición adicional primera.

Trata los metadatos mínimos obligatorios, la asociación de los datos y metadatos de firma o de sellado de tiempo, así como otros metadatos complementarios asociados; y los formatos de documento.

Fuente = RD 4/2010 en Disp. Adicional 1.ª

Documento electrónico. eIDAS

Es todo contenido almacenado en formato electrónico, en particular, texto o registro sonoro, visual o audiovisual.

Fuente = Reglamento UE 2014/910

Documento electrónico. Formato

La estructura a aplicar para el intercambio de documentos electrónicos será de forma general un fichero XML que incluirá los tres componentes del documento electrónico identificados, esto es, Fichero de contenido, Bloque de metadatos y Firma/s.

Fuente = Institución

Documento en Patrimonio Histórico Español

1. Se entiende por documento, a los efectos de la presente Ley, toda expresión en lenguaje natural o convencional y cualquier otra expresión gráfica, sonora o en imagen, recogidas en cualquier tipo de soporte material, incluso los soportes informáticos. Se excluyen los ejemplares no originales de ediciones.

2. Forman parte del Patrimonio Documental los documentos de cualquier época generados, conservados o reunidos en el ejercicio de su función por cualquier organismo o entidad de carácter público, por las personas jurídicas en cuyo capital participe mayoritariamente el Estado u otras entidades públicas y por las personas privadas, físicas o jurídicas, gestoras de servicios públicos en lo relacionado con la gestión de dichos servicios.

...

Art. 323 del Código Penal.

Pena de prisión de 6 meses a 3 años o multa de 12 a 24 meses el que cause daños en bienes de valor histórico, artístico, científico, cultural o monumental.

Si se hubieran causado daños de especial gravedad o que hubieran afectado a bienes cuyo valor histórico, artístico, científico, cultural o monumental fuera especialmente relevante, podrá imponerse la pena superior en grado a la señalada en el apartado anterior.

En todos estos casos, los jueces o tribunales podrán ordenar, a cargo del autor del daño, la adopción de medidas encaminadas a restaurar, en lo posible, el bien dañado.

Fuente = Ley 16/1985 en Art. 49

Documento en Reglamento LOPD

Todo escrito, gráfico, sonido, imagen o cualquier otra clase de información que puede ser tratada en un sistema de información como una unidad diferenciada.

Fuente = RD 1720/2007 en Art. 5

Documento privado. Valor probatorio (1 de 2)

Art. 326. Documento privado. Alcance.

Art. 162. Actos de comunicación por medios electrónicos, informáticos y similares Correo electrónico. Las empresas de certificación electrónica generan actas de comunicación que demuestran la transmisión, el contenido íntegro y el acuse de recibo de todos los correos electrónicos que hayan validado. El Tribunal Supremo ya ha avalado en autos este planteamiento.

Art. 152. Forma de los actos de comunicación. Respuesta. Posibilidad electrónica y restricciones.

Art. 155. Actos de comunicación con las partes aún no personadas o no representadas por procurador. Domicilio... datos conozca del demandado y que puedan ser de utilidad para la localización de éste, como números de teléfono, de fax, dirección de correo electrónico o similares.

Art. 299. Medios de prueba... 2. También se admitirán..., los medios de reproducción de la palabra, el sonido y la imagen, así como los instrumentos que permiten archivar y conocer o reproducir palabras, datos, cifras y operaciones matemáticas llevadas a cabo con fines contables o de otra clase, relevantes para el proceso.

Fuente = Ley 1/2000 en Varios Art.

Documento privado. Valor probatorio (2 de 2)

La Ley 18/2011 reguladora del uso de las TIC en la administración de justicia. Anexo; Dirección electrónica: Identificador de un equipo o sistema electrónico desde el que se provee de información o servicios en una red de comunicaciones; Documento electrónico: Información de cualquier naturaleza en forma electrónica, archivada en un soporte electrónico según un formato determinado y susceptible de identificación y tratamiento diferenciado; Firma electrónica de varios tipos.

Ley 59/2003 Firma electrónica... 5. Se considera documento electrónico la información de cualquier naturaleza en forma electrónica, archivada en un soporte electrónico según un formato determinado y susceptible de identificación y tratamiento diferenciado... 6. El documento electrónico será soporte de... 8. El soporte en que se hallen los datos firmados electrónicamente será admisible como prueba documental en juicio. Si se impugnare la autenticidad.

Ley 16/1985 Patrimonio Histórico Español. Art. 49. Definición de documento... toda expresión en lenguaje natural o convencional y cualquier otra expresión gráfica, sonora o en imagen, recogidas en cualquier tipo de soporte material, incluso los soportes informáticos...

Real Decreto 1829/1999. Art. 39. Carácter fehaciente de la notificación. Burofax no regulado pero aceptado por la Jurisprudencia.

Decreto 2 junio 1944 Reglamento Notarial. Art. 202-204 Actas de notificación y actas de requerimiento. Las actas de notificación tienen por objeto transmitir a una persona una información o una decisión del que solicita la intervención notarial, y las de requerimiento, además, intimar al requerido para que adopte una determinada conducta.

Fuente = Ley 18/2011

Documentos aportados por los interesados al procedimiento administrativo

1. Los interesados deberán aportar al procedimiento administrativo los datos y documentos exigidos por las administraciones públicas de acuerdo con lo dispuesto en la normativa aplicable. Asimismo, los interesados podrán aportar cualquier otro documento que estimen conveniente.

2. Los interesados no estarán obligados a aportar documentos que hayan sido elaborados por cualquier administración, con independencia de que la presentación de los citados documentos tenga carácter preceptivo o facultativo en el procedimiento de que se trate, siempre que el interesado haya expresado su consentimiento a que sean consultados o recabados dichos documentos. Se presumirá que la consulta u obtención es autorizada por los interesados salvo que conste en el procedimiento su oposición expresa o la Ley especial aplicable requiera consentimiento expreso.

En ausencia de oposición del interesado, las administraciones públicas deberán recabar los documentos electrónicamente a través de sus redes corporativas o mediante consulta a las plataformas de intermediación de datos u otros sistemas electrónicos habilitados al efecto.

Cuando se trate de informes preceptivos ya elaborados por un órgano administrativo distinto al que tramita el procedimiento, éstos deberán ser remitidos en el plazo de diez días a contar desde su solicitud. Cumplido este plazo, se informará al interesado de que puede aportar este informe o esperar a su remisión por el órgano competente.

3. Las administraciones no exigirán a los interesados la presentación de documentos originales, salvo que, con carácter excepcional, la normativa reguladora aplicable establezca lo contrario.

Asimismo, las administraciones Públicas no requerirán a los interesados datos o documentos no exigidos por la normativa reguladora aplicable o que hayan sido aportados anteriormente por el interesado a cualquier administración. A estos efectos, el interesado deberá indicar en qué momento y ante que órgano administrativo presentó los citados documentos, debiendo las administraciones Públicas recabarlos electrónicamente a través de sus redes corporativas o de una consulta a las plataformas de intermediación de datos u otros sistemas electrónicos habilitados al efecto. Se presumirá que esta consulta es autorizada por los interesados, salvo que conste en el procedimiento su oposición expresa o la Ley especial aplicable requiera consentimiento expreso, debiendo, en ambos casos, ser informados previamente de sus derechos en materia de protección de datos de carácter personal. Excepcionalmente, si las administraciones públicas no pudieran recabar los citados documentos, podrán solicitar nuevamente al interesado su aportación.

4. Cuando con carácter excepcional, y de acuerdo con lo previsto en esta Ley, la administración solicitara al interesado la presentación de un documento original y éste estuviera en formato papel, el interesado deberá obtener una copia auténtica, según los requisitos establecidos en el artículo 27, con carácter previo a su presentación electrónica. La copia electrónica resultante reflejará expresamente esta circunstancia.

5. Excepcionalmente, cuando la relevancia del documento en el procedimiento lo exija o existan dudas derivadas de la calidad de la copia, las administraciones podrán solicitar de manera motivada el cotejo de las copias aportadas por el interesado, para lo que podrán requerir la exhibición del documento o de la información original.

6. Las copias que aporten los interesados al procedimiento administrativo tendrán eficacia, exclusivamente en el ámbito de la actividad de las administraciones públicas.

7. Los interesados se responsabilizarán de la veracidad de los documentos que presenten.

Ver Art. 53.

Fuente = Ley 39/2015 en Art. 28

Documentos en formato electrónico transferidos al archivo intermedio de la Administración General del Estado

Las decisiones organizativas y medidas técnicas previstas en este capítulo no supondrán para la documentación transferida al archivo intermedio de la AGE por los distintos Ministerios y Organismos, obligaciones adicionales a las previstas en la LAE (ahora LPAC), en el ENS, ENI y demás normativa de desarrollo.

Fuente = RD 1708/2011 en Art. 22

Documentos privados en la Ley de Enjuiciamiento Civil

Art. 324. Clases de documentos privados. Se consideran documentos privados, a efectos de prueba en el proceso, aquellos que no se hallen en ninguno de los casos del artículo 317 LEC.

Art. 325. Modo de producción de la prueba. Establecido en el artículo 268 LEC.

Art. 326. Fuerza probatoria de los documentos privados.

Art. 327. Libros de los comerciantes. Cuando hayan de utilizarse como medio de prueba los libros de los comerciantes se estará a lo dispuesto en las leyes mercantiles. De manera motivada, y con carácter excepcional, el tribunal podrá reclamar que se presenten ante él los libros o su soporte informático, siempre que se especifiquen los asientos que deben ser examinados.

Art. 328. Deber de exhibición documental entre partes.

Art. 329. Efectos de la negativa a la exhibición.

Art. 330. Exhibición de documentos por terceros.

Art. 331. Testimonio de documentos exhibidos.

Art. 332. Deber de exhibición de entidades oficiales.

Art. 333. Extracción de copias de documentos que no sean textos escritos. Cuando se trate de dibujos, fotografías, croquis, planos, mapas y otros documentos que no incorporen predominantemente textos escritos, si sólo existiese el original, la parte podrá solicitar que en la exhibición se obtenga copia, a presencia del secretario judicial, que dará fe de ser fiel y exacta reproducción del original. Si estos documentos se aportan de forma electrónica, las copias realizadas por medios electrónicos por la oficina judicial tendrán la consideración de copias auténticas.

Art. 334. Valor probatorio de las copias reprográficas y cotejo.

Fuente = Ley 1/2000 en Art. 324-siguientes

Documentos públicos en la Ley de Enjuiciamiento Civil

Art. 317. Clases de documentos públicos.

Art. 318. Modo de producción de la prueba por documentos públicos.

Art. 319. Fuerza probatoria de los documentos públicos.

Art. 320. Impugnación del valor probatorio del documento público. Cotejo o comprobación.

Art. 321. Testimonio o certificación incompletos.

Art. 322. Documentos públicos no susceptibles de cotejo o comprobación.

Art. 323. Documentos públicos extranjeros.

Art. 327. Libros de los comerciantes. Cuando hayan de utilizarse como medio de prueba los libros de los comerciantes se estará a lo dispuesto en las leyes mercantiles. De manera motivada, y con carácter excepcional, el tribunal podrá reclamar que se presenten ante él los libros o su soporte informático, siempre que se especifiquen los asientos que deben ser examinados.

Art. 328. Deber de exhibición documental entre partes.

Art. 329. Efectos de la negativa a la exhibición.

Art. 330. Exhibición de documentos por terceros.

Art. 331. Testimonio de documentos exhibidos.

Art. 332. Deber de exhibición de entidades oficiales.

Art. 333. Extracción de copias de documentos que no sean textos escritos. Cuando se trate de dibujos, fotografías, croquis, planos, mapas y otros documentos que no incorporen predominantemente textos escritos, si sólo existiese el original, la parte podrá solicitar que en la exhibición se obtenga copia, a presencia del secretario judicial, que dará fe de ser fiel y exacta reproducción del original. Si estos documentos se aportan de forma electrónica, las copias realizadas por medios electrónicos por la oficina judicial tendrán la consideración de copias auténticas.

Art. 334. Valor probatorio de las copias reprográficas y cotejo.

Fuente = Ley 1/2000 en Art. 317-siguientes

Eliminación de documentos. Definición

Consiste en la destrucción física de unidades o series documentales por el órgano responsable del archivo u oficina pública en que se encuentren, empleando cualquier método que garantice la imposibilidad de reconstrucción de los mismos y su posterior utilización.

Fuente = RD 1708/2011 en Art. 2

Emisión de documentos por las administraciones públicas

1. Se entiende por documentos públicos administrativos los válidamente emitidos por los órganos de las administraciones públicas. Las administraciones públicas emitirán los documentos administrativos por escrito, a través de medios electrónicos, a menos que su naturaleza exija otra forma más adecuada de expresión y constancia.

2. Para ser considerados válidos, los documentos electrónicos administrativos deberán:

a) Contener información de cualquier naturaleza archivada en un soporte electrónico según un formato determinado susceptible de identificación y tratamiento diferenciado.

b) Disponer de los datos de identificación que permitan su individualización, sin perjuicio de su posible incorporación a un expediente electrónico.

c) Incorporar una referencia temporal del momento en que han sido emitidos.

d) Incorporar los metadatos mínimos exigidos.

e) Incorporar las firmas electrónicas que correspondan de acuerdo con lo previsto en la normativa aplicable.

Se considerarán válidos los documentos electrónicos que, cumpliendo estos requisitos, sean trasladados a un tercero a través de medios electrónicos.

3. No requerirán de firma electrónica, los documentos electrónicos emitidos por las administraciones públicas que se publiquen con carácter meramente informativo, así como aquellos que no formen parte de un expediente administrativo. En todo caso, será necesario identificar el origen de estos documentos.

(Corresponde al Art. 29 LAE)

Fuente = Ley 39/2015 en Art. 26

Endoso de documento

El endoso es una declaración, pura y simple, puesta en el título-valor por la cual su tenedor (a estos efectos llamado endosante) legitima a otra persona (denominada endosatario) en el ejercicio de los derechos incorporados al título.

Fuente = Wikipedia

Esquema de metadatos

Instrumento que define la incorporación y gestión de los metadatos de contenido, contexto y estructura de los documentos electrónicos a lo largo de su ciclo de vida.

(Igual definición en Ley 18/2011)

Fuente = RD 4/2010 en Anexo

Expediente administrativo

1. Se entiende por expediente administrativo el conjunto ordenado de documentos y actuaciones que sirven de antecedente y fundamento a la resolución administrativa, así como las diligencias encaminadas a ejecutarla.

2. Los expedientes tendrán formato electrónico y se formarán mediante la agregación ordenada de cuantos documentos, pruebas, dictámenes, informes, acuerdos, notificaciones y demás diligencias deban integrarlos, así como un índice numerado de todos los documentos que contenga cuando se remita. Asimismo, deberá constar en el expediente copia electrónica certificada de la resolución adoptada.

3. Cuando en virtud de una norma sea preciso remitir el expediente electrónico, se hará de acuerdo con lo previsto en el ENI y en las correspondientes NTI, y se enviará completo, foliado, autentificado y acompañado de un índice, asimismo autentificado, de los documentos que contenga. La autenticación del citado índice garantizará la integridad e inmutabilidad del expediente electró-

nico generado desde el momento de su firma y permitirá su recuperación siempre que sea preciso, siendo admisible que un mismo documento forme parte de distintos expedientes electrónicos.

4. No formará parte del expediente administrativo la información que tenga carácter auxiliar o de apoyo, como la contenida en aplicaciones, ficheros y bases de datos informáticas, notas, borradores, opiniones, resúmenes, comunicaciones e informes internos o entre órganos o entidades administrativas, así como los juicios de valor emitidos por las administraciones públicas, salvo que se trate de informes, preceptivos y facultativos, solicitados antes de la resolución administrativa que ponga fin al procedimiento.

(En la LAE se denominó «expediente electrónico» en el art. 32)

Fuente = Ley 39/2015 en Art. 70

Expediente electrónico. Formato

La estructura a aplicar para el intercambio de expedientes electrónicos será de forma general: un fichero XML, índice firmado, metadatos mínimos obligatorios, y, opcionalmente, un elemento para incluir una visualización alternativa de la información del expediente.

Fuente = Institución

Firma electrónica, y documentos firmados electrónicamente (1 de 3)

1. La firma electrónica es el conjunto de datos en forma electrónica, consignados junto a otros o asociados con ellos, que pueden ser utilizados como medio de identificación del firmante.

2. La firma electrónica avanzada es la firma electrónica que permite identificar al firmante y detectar cualquier cambio ulterior de los datos firmados, que está vinculada al firmante de manera única y a los datos a que se refiere y que ha sido creada por medios que el firmante puede utilizar, con un alto nivel de confianza, bajo su exclusivo control.

3. Se considera firma electrónica reconocida la firma electrónica avanzada basada en un certificado reconocido y generada mediante un dispositivo seguro de creación de firma.

4. La firma electrónica reconocida tendrá respecto de los datos consignados en forma electrónica el mismo valor que la firma manuscrita en relación con los consignados en papel.

5. Se considera documento electrónico la información de cualquier naturaleza en forma electrónica, archivada en un soporte electrónico según un formato determinado y susceptible de identificación y tratamiento diferenciado.

Sin perjuicio de lo dispuesto en el párrafo anterior, para que un documento electrónico tenga la naturaleza de documento público o de documento administrativo deberá cumplirse, respectivamente, con lo dispuesto en las letras a) o b) del apartado siguiente y, en su caso, en la normativa específica aplicable.

.../...

Fuente = Ley 59/2003 ver eIDAS en Art. 3

Firma electrónica, y documentos firmados electrónicamente (2 de 3)

.../...

6. El documento electrónico será soporte de:

a) Documentos públicos, por estar firmados electrónicamente por funcionarios que tengan legalmente atribuida la facultad de dar fe pública, judicial, notarial o administrativa, siempre que actúen en el ámbito de sus competencias con los requisitos exigidos por la Ley en cada caso.

b) Documentos expedidos y firmados electrónicamente por funcionarios o empleados públicos en el ejercicio de sus funciones públicas, conforme a su legislación específica.

c) Documentos privados.

7. Los documentos a que se refiere el apartado anterior tendrán el valor y la eficacia jurídica que corresponda a su respectiva naturaleza, de conformidad con la legislación que les resulte aplicable.

8. El soporte en que se hallen los datos firmados electrónicamente será admisible como prueba documental en juicio. Si se impugnare la autenticidad de la firma electrónica reconocida con la que se hayan firmado los datos incorporados al documento electrónico se procederá a comprobar que se trata de una firma electrónica avanzada basada en un certificado reconocido, que cumple todos los requisitos y condiciones establecidos en esta Ley para este tipo de certificados, así como que la firma se ha generado mediante un dispositivo seguro de creación de firma electrónica.

La carga de realizar las citadas comprobaciones corresponderá a quien haya presentado el documento electrónico firmado con firma electrónica reconocida. Si dichas comprobaciones obtienen un resultado positivo, se presumirá la autenticidad de la firma electrónica reconocida con la que se haya firmado dicho documento electrónico siendo las costas, gastos y derechos que origine la comprobación exclusivamente a cargo de quien hubiese formulado la impugnación. Si, a juicio del tribunal, la impugnación hubiese sido temeraria, podrá imponerle, además, una multa de 120 a 600 euros.

Si se impugna la autenticidad de la firma electrónica avanzada, con la que se hayan firmado los datos incorporados al documento electrónico, se estará a lo establecido en el apartado 2 del artículo 326 de la Ley de Enjuiciamiento Civil.

9. No se negarán efectos jurídicos a una firma electrónica que no reúna los requisitos de firma electrónica reconocida en relación a los datos a los que esté asociada por el mero hecho de presentarse en forma electrónica.

10. A los efectos de lo dispuesto en este artículo, cuando una firma electrónica se utilice conforme a las condiciones acordadas por las partes para relacionarse entre sí, se tendrá en cuenta lo estipulado entre ellas.

.../...

Fuente = Ley 59/2003 ver eIDAS en Art. 3

Firma electrónica, y documentos firmados electrónicamente (3 de 3)

.../...

11. [Vigor 2.10.2016] 11. Todos los sistemas de identificación y firma electrónica previstos en la LPAC y en la LRJSP tendrán plenos efectos jurídicos.

Fuente = Ley 59/2003 ver eIDAS en Art. 3

Fondo documental

Conjunto de documentos generados, conservados o reunidos en el ejercicio de sus funciones por una entidad.

Fuente = AGE

Formación del expediente electrónico

1. La formación de los expedientes electrónicos es responsabilidad del órgano que disponga la normativa de organización específica y, de no existir previsión normativa, del encargado de su tramitación.

2. Los expedientes electrónicos que deban ser objeto de remisión o puesta a disposición se formarán ajustándose a las siguientes reglas:

a) Los expedientes electrónicos dispondrán de un código que permita su identificación unívoca por cualquier órgano de la administración en un entorno de intercambio interadministrativo.

b) El foliado de los expedientes electrónicos se llevará a cabo mediante un índice electrónico, firmado electrónicamente mediante los sistemas previstos en los artículos 18 y 19 de la LAE, y en los términos del artículo 32.2 de la citada ley.

c) Con el fin de garantizar la interoperabilidad de los expedientes, tanto su estructura y formato como las especificaciones de los servicios de remisión y puesta a disposición se sujetarán a lo que se establezca al respecto por el ENI.

d) Los expedientes electrónicos estarán integrados por documentos electrónicos, que podrán formar parte de distintos expedientes, pudiendo incluir asimismo otros expedientes electrónicos si así lo requiere el procedimiento. Excepcionalmente, cuando la naturaleza o la extensión de determinados documentos a incorporar al expediente no permitan o dificulten notablemente su inclusión en el mismo conforme a los estándares y procedimientos establecidos, deberán incorporarse al índice del expediente sin perjuicio de su aportación separada.

e) Los documentos que se integran en el expediente electrónico se ajustarán al formato o formatos de larga duración, accesibles en los términos que determine el ENI.

Fuente = RD 1671/2009 en Art. 53

Formatos de los documentos

Con el fin de garantizar la conservación, el documento se conservará en el formato en que haya sido elaborado, enviado o recibido, y preferentemente en un formato correspondiente a un estándar abierto que preserve a lo largo del tiempo la integridad del contenido del documento, de la firma electrónica y de los metadatos que lo acompañan.

La elección de formatos de documento electrónico normalizados y perdurables para asegurar la independencia de los datos de sus soportes se realizará de acuerdo con lo previsto en el artículo 11.

Cuando exista riesgo de obsolescencia del formato o bien deje de figurar entre los admitidos en el presente ENI, se aplicarán procedimientos normalizados de copiado auténtico de los documentos con cambio de formato, de etiquetado con información del formato utilizado y, en su caso, de las migraciones o conversiones de formatos.

Fuente = RD 4/2010 en Art. 23

Fuerza probatoria de los documentos privados

Art. 326. Fuerza probatoria de los documentos privados.

1. Los documentos privados harán prueba plena en el proceso, en los términos del artículo 319, cuando su autenticidad no sea impugnada por la parte a quien perjudiquen.

Fuente = Ley 1/2000 en Art. 326

Fuerza probatoria de los documentos públicos

Art. 319. Fuerza probatoria de los documentos públicos.

... harán prueba plena del hecho, acto o estado de cosas que documenten, de la fecha en que se produce esa documentación y de la identidad de los fedatarios y demás personas que, en su caso, intervengan en ella...

Art. 326. Fuerza probatoria de los documentos privados.

... 1. Los documentos privados harán prueba plena en el proceso..., cuando su autenticidad no sea impugnada por la parte a quien perjudiquen.

Fuente = Ley 1/2000 en Art. 319

Gestor de contenidos

Un sistema de gestión de contenidos (en inglés: Content Management System, más conocido por sus siglas CMS) es un programa informático que permite crear una estructura de soporte (framework) para la creación y administración de contenidos, principalmente en páginas web, por parte de los administradores, editores, participantes y demás usuarios.

También gestiona series documentales.

Fuente = Wikipedia

Gestor de expedientes

Sistema informático basado en técnicas de flujo de trabajo (workflow en inglés) que permiten establecer los aspectos operacionales de una actividad de trabajo: cómo se estructuran las tareas, cómo se realizan, cuál es su orden correlativo, cómo se sincronizan, cómo fluye la información que soporta las tareas y cómo se le hace seguimiento al cumplimiento de las tareas. Generalmente los problemas de flujo de trabajo se modelan con redes de Petri.

Fuente = Wikipedia

Guía de aplicación de la NTI de Digitalización de documentos

Tiene por objeto establecer los requisitos a cumplir en la digitalización de documentos en soporte papel o en otro soporte no electrónico susceptible de digitalización a través de medios fotoeléctricos.

— Documentos electrónicos digitalizados.

— Requisitos de la imagen electrónica.

— Proceso de digitalización.

Fuente = Guía de desarrollo de las NTI del ENI

Guía de aplicación de la NTI de Documento electrónico

Establece los componentes del documento electrónico, contenido, en su caso, firma electrónica y metadatos, así como la estructura y formato para su intercambio.

— Componentes del documento electrónico: Contenido, firma y metadatos

— Formato.

— Intercambio y esquemas XML.

— Acceso a documentos electrónicos.

— Metadatos mínimos obligatorios.

Fuente = Guía de desarrollo de las NTI del ENI

Guía de aplicación de la NTI de Expediente electrónico

Tiene por objeto establecer la estructura y el formato del expediente electrónico, así como las especificaciones de los servicios de remisión y puesta a disposición.

— Componentes del expediente electrónico. Índice, contenido, firma y metadatos.

— Metadatos del expediente electrónico y mínimos obligatorios.

— Intercambio de expedientes electrónicos y esquemas XML.

Fuente = Guía de desarrollo de las NTI del ENI

Guía de aplicación de la NTI de Política de gestión de documentos electrónicos

Establece las directrices para la definición de políticas de gestión de documentos electrónicos.

— Definición del alcance y ámbito de aplicación.

— Roles de los actores involucrados.

— Directrices para la estructuración y desarrollo de los procedimientos de gestión documental.

— Acciones de formación relacionada contempladas.

— Actuaciones de supervisión y auditoría de los procesos de gestión de documentos.

— Proceso de revisión del contenido de la política con el fin de garantizar su adecuación a la evolución de las necesidades de la gestión de documentos.

Fuente = Guía de desarrollo de las NTI del ENI

Guía de aplicación de la NTI de Procedimientos de copiado auténtico y conversión entre documentos electrónicos

Tiene por objeto establecer las reglas para la generación de copias electrónicas auténticas, copias papel auténticas de documentos públicos administrativos electrónicos y para la conversión de formato de documentos electrónicos.

— Características generales de las copias electrónicas auténticas.

— Copia electrónica auténtica con cambio de formato.

— Copia electrónica auténtica de documentos papel.

— Copia electrónica parcial auténtica.

— Copia papel auténtica de documentos públicos administrativos electrónicos.

— Conversión entre documentos electrónicos.

Fuente = Guía de desarrollo de las NTI del ENI

Guía de aplicación de implantación de la política de gestión de documentos electrónicos

Facilita la implantación de la Política de gestión de documentos electrónicos y sus guías de aplicación en las diferentes unidades del Ministerio de Hacienda y del Ministerio de Política Territorial y Función Pública.

Incorpora una serie de recomendaciones para proseguir en la implantación de la Política de gestión de documentos electrónicos. Para ello es conveniente la elaboración de un informe sobre el estado de adecuación a la política de gestión documental.

Fuente = MINHAC

Imagen electrónica

Resultado de aplicar un proceso de digitalización a un documento.

(Igual definición en Ley 18/2011)

Fuente = RD 4/2010 en Anexo

Imágenes electrónicas aportadas por los ciudadanos

Artículo derogado por disposición derogatoria única de la LPAC.

Fuente = RD 1671/2009 en Art. 48

Información en soporte digital o electrónico

Toda información digitalizada y almacenada en un medio electrónico de forma que permita su tramitación y transmisión de forma electrónica de acuerdo a la Ley 18/2011, de 5 de julio.

Fuente = RD 1065/2015 en Art. 7

Información estructurada y no estructurada

La información se soporta en:

• Datos estructurados: Que tienen bien definidos su longitud y su formato, como las fechas, los números o las cadenas de caracteres. Se almacenan en tablas. Un ejemplo son las bases de datos relacionales y las hojas de cálculo.

• Datos no estructurados: Datos en el formato tal y como fueron recolectados, carecen de un formato específico. No se pueden almacenar dentro de una tabla ya que no se puede desgranar su información a tipos básicos de datos. Algunos ejemplos son los PDF, documentos multimedia, e-mails o documentos de texto.

• Datos semiestructurados: Datos que no se limitan a campos determinados, pero que contiene marcadores para separar los diferentes elementos. Es una información poco regular como para ser gestionada de una forma estándar. Estos datos poseen sus propios metadatos semiestructurados que describen los objetos y las relaciones entre ellos, y pueden acabar siendo aceptados por convención. Un ejemplo es el HTML, el XML o el JSON.

Fuente = Wikipedia

Infraestructura y sistemas de documentación electrónica

InSide es un sistema para la gestión de documentos y expedientes electrónicos que cumple los requisitos para que ambos puedan almacenarse y/u obtenerse según el ENI, esquema que establece las normas básicas para el intercambio y almacenamiento de documentos y expedientes electrónicos. Supone la gestión documental íntegramente electrónica de los documentos de la gestión viva del expediente, como paso previo al archivado definitivo de la documentación en un formato interoperable y duradero.

Los expedientes administrativos generados con la herramienta INSIDE cumplen con los requisitos exigidos por la legislación, permitiendo gestionar un índice, firmas electrónicas y metadatos tanto del propio expediente como de sus metadatos.

Ver: Cargador de expedientes.

Fuente = Institución

Interoperabilidad de los sistemas de información en la administración de justicia

La administración de justicia utilizará las tecnologías de la información aplicando medidas informáticas, tecnológicas, organizativas y de seguridad que aseguren un adecuado nivel de interoperabilidad técnica, semántico-jurídica y organizativa entre todos los sistemas y aplicaciones que prestan servicios a la administración de justicia.

En el desarrollo de la actividad de la oficina judicial será obligatorio el uso de los servicios y consultas ofrecidos a través de las plataformas de interoperabilidad establecidas por el Consejo General del Poder Judicial y por las administraciones competentes en materia de administración de justicia, salvo que existan razones técnicas que impidan su utilización.

Los programas y aplicaciones informáticos que se utilicen en la administración de justicia deberán ser previamente aprobados por el Consejo General del Poder Judicial, a los efectos de asegurar su compatibilidad con las funciones que le encomienda el artículo 230.5 de la Ley Orgánica del Poder Judicial.

Fuente = Ley 18/2011 en Art. 46

Medios electrónicos, informáticos y telemáticos en los procedimientos, Uso de (1)

1. El empleo de medios electrónicos, informáticos y telemáticos en los procedimientos contemplados en esta Ley se ajustará a las normas siguientes:

a) Las herramientas y dispositivos... así como sus características técnicas, serán no discriminatorios, estarán disponibles de forma general y serán compatibles con los productos informáticos de uso general, y no restringirán el acceso de los operadores económicos al procedimiento de contratación.

b) La información y las especificaciones técnicas necesarias para la presentación electrónica de las ofertas, solicitudes de participación, así como de los planos y proyectos en los concursos de proyectos, incluido el cifrado y la validación de la fecha, deberán estar a disposición de todas las partes interesadas, no ser discriminatorios y ser conformes con estándares abiertos, de uso general y amplia implantación.

c) Los programas y aplicaciones necesarios para la presentación electrónica de las ofertas y solicitudes de participación deberán ser de amplio uso, fácil acceso y no discriminatorios, o deberán ponerse a disposición de los interesados por el órgano de contratación.

d) Los sistemas de comunicaciones y para el intercambio y almacenamiento de información deberán poder garantizar de forma razonable, según el estado de la técnica, la integridad de los datos transmitidos y que solo los órganos competentes, en la fecha señalada para ello, puedan tener acceso a los mismos, o que en caso de quebrantamiento de esta prohibición de acceso, la violación pueda detectarse con claridad. Estos sistemas deberán asimismo ofrecer suficiente seguridad, de acuerdo con el estado de la técnica, frente a los virus informáticos y otro tipo de programas o códigos nocivos, pudiendo establecerse reglamentariamente otras medidas que, respetando los principios de confidencialidad e integridad de las ofertas e igualdad entre los licitadores, se dirijan a minimizar su incidencia en los procedimientos.

e) Las aplicaciones que se utilicen para efectuar las comunicaciones y, notificaciones entre el órgano de contratación y el licitador o contratista deberán poder acreditar la fecha y hora de su envío o puesta a disposición y la de la recepción o acceso por el interesado, la integridad de su contenido y la identidad del remitente de la misma.

Fuente = Ley 9/2017 en Disp. Adicional 16.ª

Medios electrónicos, informáticos y telemáticos en los procedimientos, Uso de (y 2)

f) Los órganos de contratación deberán especificar el nivel de seguridad exigido para los medios de comunicación electrónicos utilizados en las diferentes fases de cada procedimiento de contratación que deberá ser proporcional a los riesgos asociados a los intercambios de información a realizar.

g) Las referencias de esta Ley a la presentación de documentos escritos no obstarán a la presentación de los mismos por medios electrónicos ni, en su caso, a la generación de soportes físicos electrónicos y su posterior presentación...

h) En los procedimientos de adjudicación de contratos, el envío por medios electrónicos de las ofertas podrá hacerse en dos fases, transmitiendo primero la huella electrónica de la oferta, con cuya recepción se considerará efectuada su presentación a todos los efectos, y después la oferta propiamente dicha...

i) Los licitadores o candidatos que presenten sus documentos de forma electrónica podrán presentar al órgano de contratación, en soporte físico electrónico, una copia de seguridad de dichos documentos...

j) Los formatos de los documentos electrónicos que integran los expedientes de contratación deberán ajustarse a especificaciones públicamente disponibles y de uso no sujeto a restricciones, que garanticen la libre y plena accesibilidad a los mismos por el órgano de contratación, los órganos de fiscalización y control, los órganos jurisdiccionales y los interesados, durante el plazo por el que deba conservarse el expediente.

Fuente = Ley 9/2017 en Disp. Adicional 16.ª

Medios técnicos en el ámbito judicial

1. Los juzgados y tribunales y las fiscalías están obligados a utilizar cualesquiera medios técnicos, electrónicos, informáticos y telemáticos, puestos a su disposición para el desarrollo de su actividad y ejercicio de sus funciones, con las limitaciones...

Las instrucciones generales o singulares de uso de las nuevas tecnologías que el Consejo General del Poder Judicial o la Fiscalía General del Estado dirijan a los jueces y magistrados o a los fiscales, respectivamente, determinando su utilización, serán de obligado cumplimiento.

2. Los documentos emitidos por los medios anteriores, cualquiera que sea su soporte, gozarán de la validez y eficacia de un documento original siempre que quede garantizada su autenticidad, integridad y el cumplimiento de los requisitos exigidos por las leyes procesales.

3. Las actuaciones orales y vistas grabadas y documentadas en soporte digital no podrán transcribirse.

4. Los procesos que se tramiten con soporte informático garantizarán la identificación y el ejercicio de la función jurisdiccional por el órgano que la ejerce, así como la confidencialidad, privacidad y seguridad de los datos de carácter personal que contengan en los términos que establezca la ley.

5. Las personas que demanden la tutela judicial de sus derechos e intereses podrán relacionarse con la administración de justicia a través de los medios técnicos... cuando sean compatibles con los que dispongan los juzgados y tribunales y se respeten las garantías y requisitos previstos en el procedimiento que se trate.

6. Los programas y aplicaciones informáticos que se utilicen en la administración de justicia deberán ser previamente informados por el Consejo General del Poder Judicial.

Los sistemas informáticos que se utilicen en la administración de justicia deberán ser compatibles entre sí para facilitar su comunicación e integración, en los términos que determine el Comité Técnico Estatal de la Administración de Justicia Electrónica.

Fuente = LO 6/1985 en Art. 230

Metadato

Dato que define y describe otros datos. Existen diferentes tipos de metadatos según su aplicación.

Fuente = RD 4/2010 en Anexo

Metadato de gestión de documentos

Información estructurada o semiestructurada que hace posible la creación, gestión y uso de documentos a lo largo del tiempo en el contexto de su creación. Los metadatos de gestión de documentos sirven para identificar, autenticar y contextualizar documentos, y del mismo modo a las personas, los procesos y los sistemas que los crean, gestionan, mantienen y utilizan.

Fuente = RD 4/2010 en Anexo

Metadato en RD Archivos. Definición

Cualquier descripción estandarizada de las características de un conjunto de datos. En el contexto del documento electrónico cualquier tipo de información en forma electrónica asociada a los documentos electrónicos, de carácter instrumental e independiente de su contenido, destinada al conocimiento inmediato y automatizable de alguna de sus características, con la finalidad de garantizar la disponibilidad, el acceso, la conservación y la interoperabilidad del propio documento.

Fuente = RD 1708/2011 en Art. 2

Metadatos para la gestión del documento electrónico

El e-EMGDE Incluye los metadatos mínimos obligatorios, definidos en las NTI de Documento electrónico y Expediente electrónico, así como otros metadatos complementarios pertinentes en una política de gestión y conservación de documentos electrónicos.

Fuente = Institución

Obtención de copias electrónicas de documentos electrónicos por los ciudadanos

Los ciudadanos podrán ejercer el derecho a obtener copias electrónicas de los documentos electrónicos que formen parte de procedimientos en los que tengan condición de interesados de acuerdo con lo dispuesto en la normativa reguladora del respectivo procedimiento.

La obtención de la copia podrá realizarse mediante extractos de los documentos o se podrá utilizar otros métodos electrónicos que permitan mantener la confidencialidad de aquellos datos que no afecten al interesado.

Fuente = RD 1671/2009 en Art. 49

Plataforma de Servicios de Expediente Electrónico

Plataforma horizontal para la implantación de servicios de expediente electrónico. Ofrece un catálogo de servicios web que facilita a las aplicaciones la implantación de medidas exigidas por las NTI, incluyendo la integración con otros sistemas de infraestructura de administración electrónica (SIA, DIR, @firma).

Fuente = Institución

Política de gestión de documentos electrónicos

La PDGE contiene orientaciones o directrices que define una organización para la creación y gestión de documentos auténticos, fiables y disponibles a lo largo del tiempo, de acuerdo con las funciones y actividades que le son propias. La política se aprueba al más alto nivel dentro de la organización, y asigna responsabilidades en cuanto a la coordinación, aplicación, supervisión y gestión del programa de tratamiento de los documentos a través de su ciclo de vida.

El enlace lleva al repertorio que recoge algunos ejemplos de políticas de gestión de documentos electrónicos que se han elaborado y publicado desde diferentes ámbitos de las administraciones públicas. Responsable PAe.

Fuente = Estado

Política de gestión de documentos electrónicos. ENI

Orientaciones o directrices que define una organización para la creación y gestión de documentos auténticos, fiables y disponibles a lo largo del tiempo, de acuerdo con las funciones y actividades que le son propias. La política se aprueba al más alto nivel dentro de la organización, y asigna responsabilidades en cuanto a la coordinación, aplicación, supervisión y gestión del programa de tratamiento de los documentos a través de su ciclo de vida.

Fuente = RD 4/2010 en Anexo

Política de gestión de documentos electrónicos. ENI

El ENI determina que deben desarrollarse un repertorio de normas técnicas. Esta es una de ellas. Para ampliación, seguir el enlace o acceder a RD 4/2010 disposición adicional primera.

Incluye directrices para la asignación de responsabilidades, tanto directivas como profesionales, y la definición de los programas, procesos y controles de gestión de documentos y administración de los repositorios electrónicos, y la documentación de los mismos, a desarrollar por las administraciones públicas y por las entidades de derecho público vinculadas o dependientes de aquéllas.

Fuente = RD 4/2010 en Disp. Adicional 1.ª

Procedimientos de copiado auténtico y conversión

El ENI determina que deben desarrollarse un repertorio de normas técnicas. Esta es una de ellas. Para ampliación, seguir el enlace o acceder a RD 4/2010 disposición adicional primera.

Procedimientos de copiado auténtico y conversión entre documentos electrónicos, así como desde papel u otros medios físicos a formatos electrónicos.

Fuente = RD 4/2010 en Disp. Adicional 1.ª

Procedimientos de copiado auténtico y conversión entre documentos electrónicos, así como desde papel u otros medios físicos a formatos electrónicos

Establece las reglas para la generación de copias electrónicas auténticas, copias papel auténticas de documentos públicos administrativos electrónicos y para la conversión de formato de documentos electrónicos.

Fuente = Norma_T

Prueba documental

Es todo documento o dato, tanto si se trata de un texto escrito como de una grabación de audio, de vídeo o audiovisual, independientemente del método utilizado, exigido por una autoridad competente para probar unos hechos o el cumplimiento de los requisitos procedimentales contemplados por el establecimiento de la pasarela digital única.

Fuente = Reglamento UE 2018/1724 Art. 3

Recuperación y conservación del documento electrónico

Art. 21. Condiciones para la recuperación y conservación de documentos.

Art. 22. Seguridad.

Art. 23. Formatos de los documentos.

Art. 24. Digitalización de documentos en soporte papel.

Fuente = RD 4/2010 en Capítulo X

Referencia temporal de los documentos administrativos electrónicos

1. La AGE y sus organismos públicos dependientes o vinculados asociarán a los documentos administrativos electrónicos, en los términos del artículo 29.2 de la Ley LAE, una de las siguientes modalidades de referencia temporal, de acuerdo con lo que determinen las normas reguladoras de los respectivos procedimientos:

a) «Marca de tiempo» entendiendo por tal la asignación por medios electrónicos de la fecha y, en su caso, la hora a un documento electrónico. La marca de tiempo será utilizada en todos aquellos casos en los que las normas reguladoras no establezcan la utilización de un sello de tiempo.

b) «Sello de tiempo», entendiendo por tal la asignación por medios electrónicos de una fecha y hora a un documento electrónico con la intervención de un prestador de servicios de certificación que asegure la exactitud e integridad de la marca de tiempo del documento.

La información relativa a las marcas y sellos de tiempo se asociará a los documentos electrónicos en la forma que determine el ENI.

2. La relación de prestadores de servicios de certificación electrónica que prestan servicios de sellado de tiempo en la AGE, conforme a lo dispuesto en el artículo 29.3 de la LAE, así como los requisitos que han de cumplirse para dicha admisión, serán regulados mediante el real decreto a que se refiere el artículo 23.3.

Fuente = RD 1671/2009 en Art. 47

Régimen transitorio de los archivos, registros y punto de acceso general

Mientras no entren en vigor [2.10.2018] las previsiones relativas al registro electrónico de apoderamientos, registro electrónico, punto de acceso general electrónico de la administración y archivo único electrónico, las administraciones públicas mantendrán los mismos canales, medios o sistemas electrónicos vigentes relativos a dichas materias, que permitan garantizar el derecho de las personas a relacionarse electrónicamente con las administraciones.

Fuente = Ley 39/2015 en Disp. Transitoria 4.ª

Régimen transitorio de los procedimientos

a) A los procedimientos ya iniciados antes de la entrada en vigor de la ley no les será de aplicación la misma, rigiéndose por la normativa anterior.

b) Los procedimientos de revisión de oficio iniciados después de la entrada en vigor de la presente ley se sustanciarán por las normas establecidas en ésta.

c) Los actos y resoluciones dictados con posterioridad a la entrada en vigor de esta Ley se regirán, en cuanto al régimen de recursos, por las disposiciones de la misma.

d) Los actos y resoluciones pendientes de ejecución a la entrada en vigor de esta Ley se regirán para su ejecución por la normativa vigente cuando se dictaron.

e) A falta de previsiones expresas establecidas en las correspondientes disposiciones legales y reglamentarias, las cuestiones de derecho transitorio que se susciten en materia de procedimiento administrativo se resolverán de acuerdo con los principios establecidos en los apartados anteriores.

Fuente = Ley 39/2015 en Disp. Transitoria 3.ª

Registro electrónico (1 de 2)

1. Cada administración dispondrá de un registro electrónico general, en el que se hará el correspondiente asiento de todo documento que sea presentado o que se reciba en cualquier órgano administrativo, organismo público o entidad vinculado o dependiente a éstos. También se podrán anotar en el mismo, la salida de los documentos oficiales dirigidos a otros órganos o particulares.

Los organismos públicos vinculados o dependientes de cada administración podrán disponer de su propio registro electrónico plenamente interoperable e interconectado con el registro electrónico general de la administración de la que depende.

El registro electrónico general de cada administración funcionará como un portal que facilitará el acceso a los registros electrónicos de cada organismo.

Tanto el registro electrónico general de cada administración como los registros electrónicos de cada organismo cumplirán con las garantías y medidas de seguridad previstas en la legislación en materia de protección de datos de carácter personal.

Las disposiciones de creación de los registros electrónicos se publicarán en el diario oficial correspondiente y su texto íntegro deberá estar disponible para consulta en la sede electrónica de acceso al registro. En todo caso, las disposiciones de creación de registros electrónicos especificarán el órgano o unidad responsable de su gestión, así como la fecha y hora oficial y los días declarados como inhábiles.

En la sede electrónica de acceso a cada registro figurará la relación actualizada de trámites que pueden iniciarse en el mismo.

2. Los asientos se anotarán respetando el orden temporal de recepción o salida de los documentos, e indicarán la fecha del día en que se produzcan. Concluido el trámite de registro, los documentos serán cursados sin dilación a sus destinatarios y a las unidades administrativas correspondientes desde el registro en que hubieran sido recibidas.

3. El registro electrónico de cada administración u organismo garantizará la constancia, en cada asiento que se practique, de un número, epígrafe expresivo de su naturaleza, fecha y hora de su presentación, identificación del interesado, órgano administrativo remitente, si procede, y persona u órgano administrativo al que se envía, y, en su caso, referencia al contenido del documento que se registra. Para ello, se emitirá automáticamente un recibo consistente en una copia autenticada del documento de que se trate, incluyendo la fecha y hora de presentación y el número de entrada de registro, así como un recibo acreditativo de otros documentos que, en su caso, lo acompañen, que garantice la integridad y el no repudio de los mismos.

4. Los documentos que los interesados dirijan a los órganos de las administraciones públicas podrán presentarse:

a) En el registro electrónico de la administración u organismo al que se dirijan, así como en los restantes registros electrónicos de cualquiera de los sujetos...

b) En las oficinas de Correos, en la forma que reglamentariamente se establezca.

c) En las representaciones diplomáticas u oficinas consulares de España en el extranjero.

d) En las oficinas de asistencia en materia de registros.

e) En cualquier otro que establezcan las disposiciones vigentes.

Los registros electrónicos de todas y cada una de las administraciones, deberán ser plenamente interoperables, de modo que se garantice su compatibilidad informática e interconexión, así como la transmisión telemática de los asientos registrales y de los documentos que se presenten en cualquiera de los registros.

5. Los documentos presentados de manera presencial ante las administraciones Públicas, deberán ser digitalizados, ..., por la oficina de asistencia en materia de registros en la que hayan sido presentados para su incorporación al expediente administrativo electrónico, devolviéndose los originales al interesado, sin perjuicio de aquellos supuestos en que la norma determine la custodia por la administración de los documentos presentados o resulte obligatoria la presentación de objetos o de documentos en un soporte específico no susceptibles de digitalización.

Reglamentariamente, las administraciones podrán establecer la obligación de presentar determinados documentos por medios electrónicos para ciertos procedimientos y colectivos de personas físicas que, por razón de su capacidad económica, técnica, dedicación profesional u otros motivos quede acreditado que tienen acceso y disponibilidad de los medios electrónicos necesarios.

6. Podrán hacerse efectivos mediante transferencia dirigida a la oficina pública correspondiente cualesquiera cantidades que haya que satisfacer en el momento de la presentación de documentos a las administraciones públicas, sin perjuicio de la posibilidad de su abono por otros medios.

7. Las administraciones públicas deberán hacer pública y mantener actualizada una relación de las oficinas en las que se prestará asistencia para la presentación electrónica de documentos.

8. No se tendrán por presentados en el registro aquellos documentos e información cuyo régimen especial establezca otra forma de presentación.

.../...

Fuente = Ley 39/2015 en Art. 16

Registro electrónico (2 de 2)

.../...

4. Los documentos que los interesados dirijan a los órganos de las administraciones públicas podrán presentarse:

a) En el registro electrónico de la administración u organismo al que se dirijan, así como en los restantes registros electrónicos de cualquiera de los sujetos a los que se refiere el artículo 2.1.

b) En las oficinas de Correos, en la forma que reglamentariamente se establezca.

c) En las representaciones diplomáticas u oficinas consulares de España en el extranjero.

d) En las oficinas de asistencia en materia de registros.

e) En cualquier otro que establezcan las disposiciones vigentes.

Los registros electrónicos de todas y cada una de las administraciones, deberán ser plenamente interoperables, de modo que se garantice su compatibilidad informática e interconexión, así como la transmisión telemática de los asientos registrales y de los documentos que se presenten en cualquiera de los registros.

5. Los documentos presentados de manera presencial ante las administraciones Públicas, deberán ser digitalizados, de acuerdo con lo previsto en el artículo 27 y demás normativa aplicable, por la oficina de asistencia en materia de registros en la que hayan sido presentados para su incorporación al expediente administrativo electrónico, devolviéndose los originales al interesado, sin perjuicio de aquellos supuestos en que la norma determine la custodia por la administración de los documentos presentados o resulte obligatoria la presentación de objetos o de documentos en un soporte específico no susceptibles de digitalización.

Reglamentariamente, las administraciones podrán establecer la obligación de presentar determinados documentos por medios electrónicos para ciertos procedimientos y colectivos de personas físicas que, por razón de su capacidad económica, técnica, dedicación profesional u otros motivos quede acreditado que tienen acceso y disponibilidad de los medios electrónicos necesarios.

6. Podrán hacerse efectivos mediante transferencia dirigida a la oficina pública correspondiente cualesquiera cantidades que haya que satisfacer en el momento de la presentación de documentos a las administraciones públicas, sin perjuicio de la posibilidad de su abono por otros medios.

7. Las administraciones públicas deberán hacer pública y mantener actualizada una relación de las oficinas en las que se prestará asistencia para la presentación electrónica de documentos.

8. No se tendrán por presentados en el registro aquellos documentos e información cuyo régimen especial establezca otra forma de presentación.

(Corresponde al Art. 38 Ley 30/1992 y Art. 24 LAE)

Fuente = Ley 39/2015 en Art. 16

Requisitos específicos relativos a las herramientas y los dispositivos de recepción electrónica de documentos

Las herramientas y los dispositivos de recepción electrónica de las ofertas, de las solicitudes de participación, así como de los planos y proyectos en los concursos de proyectos y de cuanta documentación deba presentarse ante el órgano de contratación deberán garantizar, como mínimo y por los medios técnicos y procedimientos adecuados, que:

a) Pueda determinarse con precisión la hora y la fecha exactas de la recepción de las ofertas, de las solicitudes de participación, de la documentación asociada a estas y las del envío de los planos y proyectos.

b) Pueda garantizarse razonablemente que nadie tenga acceso a los datos y documentos transmitidos a tenor de los presentes requisitos antes de que finalicen los plazos especificados.

c) Únicamente las personas autorizadas puedan fijar o modificar las fechas de apertura de los datos y documentos recibidos.

d) En las diferentes fases del procedimiento de contratación o del concurso de proyectos, solo las personas autorizadas puedan acceder a la totalidad o a parte de los datos y documentos presentados.

e) Solo las personas autorizadas puedan dar acceso a los datos y documentos transmitidos, y solo después de la fecha especificada.

f) Los datos y documentos recibidos y abiertos en aplicación de los presentes requisitos solo sean accesibles a las personas autorizadas a tener conocimiento de los mismos.

g) En caso de que se infrinjan o se intenten infringir las prohibiciones o condiciones de acceso a que se refieren las letras b) a f) anteriores, pueda garantizarse razonablemente que las infracciones o tentativas sean claramente detectables.

Fuente = Ley 9/2017 en Disp. Adicional 17.ª

Resolución 2011-0719 CA

Resolución de 19 de julio de 2011, de la Secretaría de Estado para la Función Pública, por la que se aprueba la NTI de Procedimientos de copiado auténtico y conversión entre documentos electrónicos.

Fuente = Resolución 20110719

Resolución 2011-0719 DE

Resolución de 19 de julio de 2011, de la Secretaría de Estado para la Función Pública, por la que se aprueba la NTI de Documento electrónico.

Fuente = Resolución 20110719

Resolución 2011-0719 EE

Resolución de 19 de julio de 2011, de la Secretaría de Estado para la Función Pública, por la que se aprueba la NTI de Expediente electrónico.

Fuente = Resolución 20110719

Resolución 2011-0729 DD

Resolución de 19 de julio de 2011, de la Secretaría de Estado para la Función Pública, por la que se aprueba la NTI de Digitalización de documentos.

Fuente = Resolución 20110719

Resolución 2012-0628 PGDE

Resolución de 28 de junio de 2012, de la Secretaría de Estado de Administraciones Públicas, por la que se aprueba la NTI de Política de gestión de documentos electrónicos.

Fuente = Resolución 20120628

Seguridad a aplicar a los documentos

Para asegurar la conservación de los documentos electrónicos se aplicará lo previsto en el ENS en cuanto al cumplimento de los principios básicos y de los requisitos mínimos de seguridad mediante la aplicación de las medidas de seguridad adecuadas a los medios y soportes en los que se almacenen los documentos, de acuerdo con la categorización de los sistemas.

Cuando los citados documentos electrónicos contengan datos de carácter personal les será de aplicación lo dispuesto en la Ley Orgánica 15/1999 y normativa de desarrollo.

Estas medidas se aplicarán con el fin de garantizar la integridad, autenticidad, confidencialidad, disponibilidad, trazabilidad, calidad, protección, recuperación y conservación física y lógica de los documentos electrónicos, sus soportes y medios, y se realizarán atendiendo a los riesgos a los que puedan estar expuestos y a los plazos durante los cuales deban conservarse los documentos.

Los aspectos relativos a la firma electrónica en la conservación del documento electrónico se establecerán en la política de firma electrónica y de certificados, y a través del uso de formatos de firma longeva que preserven la conservación de las firmas a lo largo del tiempo.

Cuando la firma y los certificados no puedan garantizar la autenticidad y la evidencia de los documentos electrónicos a lo largo del tiempo, éstas les sobrevendrán a través de su conservación y custodia en los repositorios y archivos electrónicos, así como de los metadatos de gestión de documentos y otros metadatos vinculados, de acuerdo con las características que se definirán en la Política de gestión de documentos.

Fuente = RD 4/2010 en Art. 22

Sistema archivístico. Definición

Conjunto de normas reguladoras, así como de órganos, centros y servicios competentes en la gestión eficaz de los documentos y de los archivos.

Fuente = RD 1708/2011 en Art. 2

Tipos documentales según la NTI

Según la NTI de Documento electrónico, los tipos documentales son:

- Documentos de decisión: resolución, acuerdo, contrato, convenio, declaración.

- Documentos de transmisión: comunicación, notificación, publicación, acuse de recibo.

- Documentos de constancia: acta, certificado, diligencia.

- Documentos de juicio: informe.

- Documentos de ciudadano: solicitud, denuncia, alegación, recursos, comunicación ciudadano, factura, otros incautados.

- Otros.

Resolución de 19 de julio de 2011, de la Secretaría de Estado para la Función Pública, por la que se aprueba la NTI de Documento electrónico.

Fuente = Resolución 20110719

Transmisión de documentos

Cualquier traslado, comunicación, envío, entrega o divulgación de la información contenida en el mismo.

Fuente = RD 1720/2007 en Art. 5

Transmisiones de datos y documentos y certificados

Artículo derogado por disposición derogatoria única de la LPAC.

Fuente = RD 1671/2009 en Art. 2

Validez y eficacia de las copias realizadas por las administraciones públicas (1 de 2)

1. Cada administración pública determinará los órganos que tengan atribuidas las competencias de expedición de copias auténticas de los documentos públicos administrativos o privados.

Las copias auténticas de documentos privados surten únicamente efectos administrativos. Las copias auténticas realizadas por una administración pública tendrán validez en las restantes administraciones.

A estos efectos, la AGE, las comunidades autónomas y las entidades locales podrán realizar copias auténticas mediante funcionario habilitado o mediante actuación administrativa automatizada.

Se deberá mantener actualizado un registro, u otro sistema equivalente, donde constarán los funcionarios habilitados para la expedición de copias auténticas que deberán ser plenamente interoperables y estar interconectados con los de las restantes administraciones públicas, a los efectos de comprobar la validez de la citada habilitación. En este registro o sistema equivalente constarán, al menos, los funcionarios que presten servicios en las oficinas de asistencia en materia de registros.

2. Tendrán la consideración de copia auténtica de un documento público administrativo o privado las realizadas, cualquiera que sea su soporte, por los órganos competentes de las administraciones públicas en las que quede garantizada la identidad del órgano que ha realizado la copia y su contenido.

Las copias auténticas tendrán la misma validez y eficacia que los documentos originales.

.../...

Fuente = Ley 39/2015 en Art. 27

Validez y eficacia de las copias realizadas por las administraciones públicas (2 de 2)

.../...

3. Para garantizar la identidad y contenido de las copias electrónicas o en papel, y por tanto su carácter de copias auténticas, las administraciones públicas deberán ajustarse a lo previsto en el ENI, el ENS y sus normas técnicas de desarrollo, así como a las siguientes reglas:

a) Las copias electrónicas de un documento electrónico original o de una copia electrónica auténtica, con o sin cambio de formato, deberán incluir los metadatos que acrediten su condición de copia y que se visualicen al consultar el documento.

b) Las copias electrónicas de documentos en soporte papel o en otro soporte no electrónico susceptible de digitalización, requerirán que el documento haya sido digitalizado y deberán incluir los metadatos que acrediten su condición de copia y que se visualicen al consultar el documento.

Se entiende por digitalización, el proceso tecnológico que permite convertir un documento en soporte papel o en otro soporte no electrónico en un fichero electrónico que contiene la imagen codificada, fiel e íntegra del documento.

c) Las copias en soporte papel de documentos electrónicos requerirán que en las mismas figure la condición de copia y contendrán un código generado electrónicamente u otro sistema de verificación, que permitirá contrastar la autenticidad de la copia mediante el acceso a los archivos electrónicos del órgano u organismo público emisor.

d) Las copias en soporte papel de documentos originales emitidos en dicho soporte se proporcionarán mediante una copia auténtica en papel del documento electrónico que se encuentre en poder de la administración o bien mediante una puesta de manifiesto electrónica conteniendo copia auténtica del documento original.

A estos efectos, las administraciones harán públicos, a través de la sede electrónica correspondiente, los códigos seguros de verificación u otro sistema de verificación utilizado.

4. Los interesados podrán solicitar, en cualquier momento, la expedición de copias auténticas de los documentos públicos administrativos que hayan sido válidamente emitidos por las administraciones públicas. La solicitud se dirigirá al órgano que emitió el documento original, debiendo expedirse, salvo las excepciones derivadas de la aplicación de la Ley 19/2013, de 9 de diciembre, en el plazo de quince días a contar desde la recepción de la solicitud en el registro electrónico de la administración u organismo competente.

Asimismo, las administraciones públicas estarán obligadas a expedir copias auténticas electrónicas de cualquier documento en papel que presenten los interesados y que se vaya a incorporar a un expediente administrativo.

5. Cuando las administraciones públicas expidan copias auténticas electrónicas, deberá quedar expresamente así indicado en el documento de la copia.

6. La expedición de copias auténticas de documentos públicos notariales, registrales y judiciales, así como de los diarios oficiales, se regirá por su legislación específica.

(Corresponde al Art. 46 Ley 30/1992)

Fuente = Ley 39/2015 en Art. 27

Valor probatorio de los documentos privados sin firma

Tesis doctoral del autor. Calidad de ser reconocido como elemento con valor probatorio.

LEC Artículo 285. Resolución sobre la admisibilidad de las pruebas propuestas... El tribunal resolverá sobre la admisión de cada una de las pruebas que hayan sido propuestas...

Fuente = Autor

ÍNDICE SISTEMÁTICO

PARTE I.
MARCO NORMATIVO Y ADMINISTRATIVO DEL DOCUMENTO ELECTRÓNICO

PARTE VII.
ORGANIZACIÓN DEL DOCUMENTO

ANEXOS

9000001846707